Sí

[ŋ]	como la *ñ* en			
[l]	como la *l* en *lago*	lago	[ˈlagʊ]	
[ʎ]	sonido de la *l* con la *i* semivocálica [ly]	palha	[ˈpaʎa]	
[ɾ]	como la *r* en *caro*	caro	[ˈcarʊ]	
[ʀ]	como la *j* en *jamón*	carro	[ˈcaʀʊ]	

Vocales

sonido	sonido que representa en español	ejemplo en portugués		Comentarios opcionales o de notación fonética
[a]	como la *a* en *casa*	sala	[ˈsala]	
[ɛ]	sonido intermedio entre la *a* y la *e*	é	[ˈɛ]	Abrir la boca para hacer el sonido de la *a* pero emitir el sonido de la *e*
[e]	como la *e* en *dedo*	medo	[ˈmedʊ]	
[i]	como *i* en *hijo*	filho	[ˈfiʎʊ]	
[o]	como la *o* en *oso*	hoje	[ˈoʒɪ]	
[ɔ]	sonido intermedio entre la *a* en *caso* y la *o*	sol	[ˈsɔw]	Abrir la boca para hacer el sonido de la *a* pero emitir el sonido de la *o*
[u]	como la u en luz	tudo	[ˈtudʊ]	
[ɪ]	sonido de *i* breve	sede	[ˈsedʒɪ]	
[ʊ]	sonido de *u* breve	cedo	[ˈsedʊ]	
[y]	sonido de *i* semivocálica como en la palabra *media*	meia	[ˈmeya]	
[w]	sonido de *u* semivocálica como en la palabra *aula*	aula	[ˈawla]	
[ã]	sonido de *a* nasal	maçã	[maˈsã]	Vocales nasales: son
[ẽ]	sonido de *e* nasal	dente	[ˈdẽtʃɪ]	más largas que las
[ĩ]	sonido de *i* nasal	assim	[aˈsĩ]	orales.
[õ]	sonido de *o* nasal	som	[ˈsõ]	
[ũ]	sonido de *u* nasal	um	[ũ]	

OCÉANO

POCKET

OCÉANO

POCKET

DICCIONARIO

ESPAÑOL-PORTUGUÉS

DICIONARIO

PORTUGUÊS-ESPANHOL

OCEANO

Esta obra ha sido realizada por el departamento de diccionarios y lexicografía de Editorial Océano

Esta obra foi realizada pelo departamento de dicionários e lexicografia da Editorial Océano

EQUIPO DE REDACCIÓN / *EQUIPE DE REDAÇÃO*

Dirección / *Direção*

José Luis Sánchez

Coordinación / *Coordenação*

Meritxell Almarza

* * *

Milanesat, 21-23

EDIFICIO OCEANO

08017 Barcelona (España)

Teléfono: 932 802 020*

Fax: 932 041 073

www.oceano.com

ISBN 84-494-2734-7

Impreso en España / *Impresso na Espanha* - Printed in Spain

Depósito legal: B-46694-XLVI

9001371041005

Prólogo

El diccionario *Océano Pocket Español-Portugués/Português-Espanhol* forma parte de la acreditada serie de diccionarios bilingües en la que Océano ha volcado toda la experiencia de su sólida trayectoria editorial y su amplio bagaje lexicográfico, para proporcionar tanto al estudiante como a cualquier persona en su ejercicio profesional, sus viajes u otras circunstancias, una herramienta fiable y precisa en el conocimiento de un idioma.

Este diccionario cuenta con más de 45.000 entradas, formas compuestas y locuciones, ofrece la transcripción fonética de las voces portuguesas e incluye términos de áreas temáticas específicas, neologismos, voces coloquiales y de argot, giros y frases de uso vivo y actual. Toda la información se presenta del modo más claro y preciso, incorporando el uso del color para la localización de las entradas y estructurando el contenido de forma inequívoca. Además, se insertan numerosas observaciones destacadas sobre el uso de determinadas voces y cuadros explicativos relativos a aspectos lingüísticos y culturales para resolver cualquier tipo de duda.

Este diccionario proporciona al lector la ayuda más precisa para adquirir, ampliar, consolidar y usar sus conocimientos tanto del español como del portugués de Brasil, y poder desenvolverse con estas lenguas sin dificultad.

Los Editores

O dicionário Océano Pocket Español-Portugués/Português-Espanhol *integra a conceituada linha de dicionários bilíngües da Océano, uma editora que tem se destacado em todo o mundo por uma sólida experiência editorial e por uma ampla bagagem lexicográfica, o que lhe permite proporcionar –tanto ao estudante quanto a qualquer tipo de profissional, em suas viagens ou em outras circunstâncias– um confiável e preciso instrumento de compreensão de um idioma.*

Este dicionário conta com mais de 45.000 verbetes formas compostas e locuções, oferece a transcrição fonética dos vocábulos portugueses e ainda inclui termos de áreas temáticas específicas, neologismos, palavras coloquiais, gírias e expressões idiomáticas atuais. Todas as informações apresentam-se de modo claro e preciso, em cores para a localização dos verbetes e com uma estrutura fácil e eficaz do seu conteúdo. Além disso, foram introduzidas numerosas observações sobre o uso de determinados vocábulos e quadros explicativos relativos a aspectos lingüísticos e culturais para resolver qualquer tipo de dúvida.

Este dicionário oferece ao leitor a ajuda mais adequada para adquirir, ampliar, consolidar e usar seus conhecimentos tanto do espanhol quanto do português do Brasil, e para poder empregar estas línguas sem complicações.

Os Editores

Abreviaturas

abrev	abreviatura
adj 2g	adjetivo masculino e feminino
adj	adjetivo/adjetival
adv	adverbio/advérbio/adverbial
AER	aeronáutica
AGR	agricultura
amb	ambiguo/ambíguo
Amér. Centr.	América Central
Amér. Merid.	América Meridional
Amér.	América Latina
ANAT	anatomía/anatomia
Arg.	Argentina
ARQ	arquitectura/arquitetura
ARQUEOL	arqueología/arqueologia
art	artículo/artigo
ART	bellas artes/belas-artes
ASTR	astronomía/astronomia
ASTROL	astrología/astrologia
AUT	automovilismo/ automobilismo
aux	verbo auxiliar
BIOL	biología/biologia
BIOQ	bioquímica
Bol.	Bolivia/Bolívia
BOT	botánica/botânica
C. Rica	Costa Rica
C. Sur	Cono Sur/Cone Sul
CINE	cinematografía/cinema
Col.	Colombia/Colômbia
coloq	coloquial
COM	comercio/comércio
COMP	informática/computação
conj	conjunción/conjunção
CONSTR	construcción/construção
CONT	contabilidad/ contabilidade
contr	contracción/contração
dem	demonstrativo
demos	demostrativo
DEP	deportes
DER	derecho
desp	despectivo
DIR	direito
ECOL	ecología/ecologia
ECON	economía/economia
Ecuad.	Ecuador/Equador
El Salv.	El Salvador
ELEC	electricidad/eletricidade
ELECTR	electrónica/eletrônica
Esp.	España/Espanha
ESPORT	esporte
euf	eufemismo
f	sustantivo femenino/ substantivo feminino
fam	familiar
fig	figurado
FIL	filosofía/filosofia
FILOL	filología/filologia
FIN	finanzas/finanças
FÍS	física
FON	fonética
form	formal
FOT	fotografía/fotografia
fr	frase
GAST	gastronomía/gastronomia
GEOG	geografía/geografia
GEOL	geología/geologia
GEOM	geometría/geometria
ger.	gerundio/gerúndio
gír	gíria
gralte.	generalmente
GRAM	gramática
Guat.	Guatemala

Abreviaturas

HIST	historia/história
Hond.	Honduras
hum	humorístico
impers	verbo impersonal
impess	verbo impessoal
indef	indefinido
inf	infinitivo
INF	informática/computação
inter	interrogativo
interj	interjección/interjeição
interr	interrogativo
intr	verbo intransitivo
inv	invariable/invariável
irón	irónico/irônico
LIT	literatura
loc	locución/locução
m e f	substantivo masculino e feminino
m o f	sustantivo masculino o femenino
m ou f	substantivo masculino ou feminino
m y f	sustantivo masculino y femenino
m	substantivo masculino/ sustantivo masculino
MAR	marina/marihna
MAT	matemáticas
MEC	mecánica/mecânica
MED	medicina
MET	metalurgia
METEOR	meteorología/meteorologia
Méx.	México
MIL	militar
MIN	mineralogía/mineralogia
MINER	minería/mineração
MÚS	música
Nic.	Nicaragua
ÓPT	óptica
P. And.	Países Andinos
P. Car.	Antillas/Caribe
P. Rico	Puerto Rico/Porto Rico
Pan.	Panamá
Par.	Paraguay/Paraguai
pers	personal
pl	plural
POL	política
poses	posesivo
poss	possessivo
prep	preposición/preposição
pron	pronombre/pronome/ pronominal
PSIC	psicología/psicologia
QUÍM	química
R. de la Plata	Río de la Plata
R. Dom.	República Dominicana
RAD	radio/rádio
rel	relativo
REL	religión/religião
RET	retórica
s 2 gén	substantivo 2 géneros
SOCIOL	sociología/sociologia
TAUROM	tauromaquia
TEAT	teatro
TEC	tecnología/tecnologia
TELECOM	telecomunicaciones/ telecomunicações
tr	verbo transitivo
TV	televisión/televisão
Ur.	Uruguay/Uruguai
Venez.	Venezuela
VET	veterinaria/veterinária
vulg	vulgar
ZOOL	zoología/zoologia

Gramática portuguesa

Artículo

El artículo se antepone al sustantivo para indicar su género y número. Se clasifica en **artículo definido** y **artículo indefinido**. Las formas son las siguientes:

	Artículo definido		Artículo Indefinido	
	Singular	**Plural**	**Singular**	**Plural**
Masculino	*o*	*os*	*um*	*uns*
Femenino	*a*	*as*	*uma*	*umas*

El **artículo definido** se utiliza para individualizar, determinar, definir un sustantivo.
o *professor* (el profesor) – ***a*** *casa* (la casa)
os *meninos* (los chicos) – ***as*** *mesas* (las mesas)

El **artículo indefinido** se utiliza para generalizar, indeterminar, indefinir un sustantivo.
um *carro* (un coche) – ***uma*** *sociedade* (una sociedad)
uns *jogadores* (unos jugadores) – ***umas*** *pessoas* (unas personas)

Uso

El artículo puede aparecer ante otros términos que complementen el sustantivo:
o *generoso empresário ganhou o prêmio* (el generoso empresario ganó el premio)
uma *bela mulher entrou na minha vida* (una bella mujer entró en mi vida)

Es frecuente su uso delante de nombres propios de personas:
esta é ***a*** *Luisa* (ésta es Luisa)

Combinación y contratación

Los artículos pueden combinarse o contraerse con determinadas preposiciones, formando nuevas palabras.
La **contracción** de la preposición ***a*** con el artículo definido ***a*** está marcada por el acento grave y ocurre de la siguiente forma:

Preposición	Artículo	Contratación
a	*a*	*à*
	as	*às*

La **combinación** puede ocurrir entre cualquiera de los artículos y las preposiciones ***a***, ***de***, ***em***, ***por***. En la nueva palabra que resulta de la combinación no desaparece el artículo:

	Preposiciones							
Preposiciones	*o*	*a*	*os*	*as*	*um*	*uma*	*uns*	*umas*
Combinaciones								
a	*ao*	*à*	*aos*	*às*	—	—	—	—
de	*do*	*da*	*dos*	*das*	*dum*	*duma*	*duns*	*dumas*
em	*no*	*na*	*nos*	*nas*	*num*	*numa*	*nuns*	*numas*
por (per)	*pelo*	*pela*	*pelos*	*pelas*	—	—	—	—

Sustantivo

La palabra que indica el nombre de los seres pertenece a una clase llamada sustantivo.

Clasificación

- **Común**: *mulher* (mujer) – *estado* (estado) – *telefone* (teléfono)
- **Colectivo**: *cardume* (banco de peces) – *semana* (semana) – *cancioneiro* (cancionero)
- **Propio**: Pedro (nombre) – Rio de Janeiro (ciudad) – Espanha (país) – Paranapanema (río)
- **Concreto**: *bruxa* (bruja) – *casa* (casa) – *árvore* (árbol) – *bicho papão* (hombre del saco)
- **Abstracto**: *ódio* (odio) – *solidão* (soledad) – *beleza* (belleza)

Formación

- **Primitivo**: *terra* (tierra) – *ferro* (hierro) – *pedra* (piedra)
- **Derivado**: *terráqueo* (terráqueo) – *ferreiro* (herrero) – *pedrada* (pedrada)
- **Simples**: *flor* (flor) – *chuva* (lluvia) - *tempo* (tiempo)
- **Compuesto**: *couve-flor* (coliflor) – *guarda-chuva* (paraguas) – *passatempo* (pasatiempo)

Flexión

a) **Género:** El portugués tiene dos géneros: el masculino y el femenino. Según la forma de expresar el género, podemos dividir los sustantivos en **biformes** y **uniformes**:
Sustantivos biformes: Son los sustantivos que tienen una forma para cada género
gato / gata (gato / gata) – *menino / menina* (niño / niña) – *ator / atriz* (actor / actriz)
Sustantivos uniformes: Son los que poseen una única forma para los dos géneros. Se clasifican en:

- ***epiceno***: Son aquellos que con un solo género gramatical pueden designar al macho o a la hembra indistintamente o conjuntamente.
crocodilo macho – crocodilo fêmea (cocodrilo macho – cocodrilo hembra)
- ***sobrecomum***: Son los que presentan un solo género gramatical para designar personas de uno u otro sexo.
o indivíduo (el individuo)
- ***comum de dois gêneros***: El apelativo de persona que no posee género gramatical determinado y se construye con artículos, adjetivos y pronombres masculinos y femeninos para aludir a la persona de sexo masculino o femenino respectivamente.
o estudante – a estudante (el estudiante – la estudiante)

b) Número: El número es el accidente gramatical que expresa, por medio de cierta diferencia en la terminación de las palabras, si éstas se refieren a una sola persona o cosa o a más de una. Hay dos números: **singular**, el de la palabra que se refiere a una sola persona o cosa, y **plural**, el de la palabra que se refiere a dos o más personas o cosas.

Formación del plural: Como regla general, para formar el plural se añade una s al singular. Salvo los sustantivos terminados en:

- **r, z, s:** *mar – mar**es**, lápiz – lápiz**es**, gás- gas**es***
- **al, el, ol, ul:** *hotel – hot**éis**, farol – far**óis***
- **il:** *funil – fun**is**, fóssil – fóss**eis***
- **m:** *homem – home**ns***
- **x:** *o tórax – os tórax*
- **ão:** *cidadão – cidad**ãos**, pão – p**ães**, balão – bal**ões***

Los sustantivos compuestos hacen el plural de la siguiente manera:

Elementos formadores	Plural	Ejemplos
sustantivo + sustantivo; sustantivo + adjetivo; adjetivo + sustantivo;	ambos elementos en plural	*couves-flores,* *cachorros-quentes,* *más-línguas*
verbo o palabra invariable + + sustantivo o adjetivo; el primer elemento es una forma reducida; palabras repetidas u onomatopéyas	sólo el segundo elemento va en plural	*guarda-roupas,* *pisa-papéis,* *contra-ataques,* *reco-recos,* *grã-duquesas*
sustantivo + preposición + + sustantivo; sustantivo + sustantivo con valor de determinante específico	sólo el primer elemento va en plural	*pés-de-moleque,* *horas-aula,* *palavras-chave*

b) Grado: El grado del sustantivo expresa el aumento o la disminución de un ser. Hay dos tipos de grados: el **aumentativo** y el **diminutivo**, y pueden expresarse de manera analítica o sintética.

	Normal	Aumentativo	Diminutivo
Forma analítica	*rádio*	*rádio grande*	*rádio pequeno*
Forma sintética	*menino*	*meninão*	*menininho*

Sufijos utilizados en la forma sintética de los grados.

Aumentativo:
***-ão**: sapo – sapão*
***-aça**: mulher – mulheraça*
***-arra**: boca – bocarra*

Diminutivo:
***-inho:** sapato – sapatinho*
***-zinho**: irmão - irmãozinho*
***-ebre**: casa – casebre*

-ázio: copo – copázio
-ona: gata – gatona
-eirão: voz – vozeirão
-eta: mala – maleta
-ejo: vila – vilarejo
-acho: rio – riacho

Adjetivo

El adjetivo se utiliza para modificar el sustantivo, indicando calidad, carácter, modo ser o estado.

mulher bonita (mujer bonita), *trânsito confuso* (tráfico confuso), *cidadão brasileiro* (ciudadano brasileño).

Formación

- **Primitivo:** *xícara grande* (taza grande), *pintura abstrata* (pintura abstracta)
- **Derivado:** *gato brincalhão* (gato juguetón), *flor cheirosa* (flor olorosa)
- **Simple:** *situação difícil* (situación difícil), *café quente* (café caliente)
- **Compuesto:** *blusa verde-clara* (blusa verde claro), *dança afro-brasileira* (danza afrobrasileña)

Flexión

a) **Género**

Biforme: *homem inglês – mulher inglesa* (hombre inglés – mujer inglesa), *velho bonachão – velha bonachona* (viejo bonachón – vieja bonachona)

Uniforme: *blusa azul – sapato azul* (blusa azul – zapato azul), *menino feliz – menina feliz* (niño feliz – niña feliz)

b) **Número:**

La formación del plural del adjetivo sigue las mismas reglas del sustantivo.

animal feroz – animais ferozes (animal feroz – animales feroces)
homem trabalhador – homens trabalhadores
(hombre trabajador – hombres trabajadores)
arte greco-romana – artes greco-romanas
(arte grecorromano – artes grecorromanos)

c) **Grado**

La gradación puede ser expresada en portugués por procesos sintácticos o morfológicos. El grado puede ser **comparativo** o **superlativo**.

- **Comparativo**:
  Igualdad: *Maria é* ***tão*** *forte* ***quanto*** *seu irmão* (María es tan fuerte como su hermano)
  Superioridad: *Ele é* ***mais*** *bonito* ***que*** *ela* (él es más guapo que ella)
  Inferioridad: *Pedro é* ***menos*** *inteligente* ***que*** *seu irmão* (Pedro es menos inteligente que su hermano)
- **Superlativo**:
  Relativo: *Era a mais esquisita da aula* (era la más rara de la clase)
  Absoluto: *estava cansadíssimo* (estaba cansadísimo)

d) **Locución adjetiva:**

Es una expresión formada por más de una palabra y con valor de adjetivo.

café ***sem açucar*** (café sin azúcar), *vestido* ***de noite*** (vestido de noche)

Numeral

Indica la cantidad exacta o el lugar que los sustantivos ocupan en una serie. Se dividen en:

Cardinal	**Ordinal**	**Multiplicativo**	**Fraccionario**
um	*primeiro*	*duplo/dobro*	*meio/metade*
dois	*segundo*	*triplo*	*um terço*
três	*terceiro*	*quádruplo*	*um quarto*
quatro	*quarto*	*quíntuplo*	*um doze avos*
cinco	*quinto*	*sêxtuplo*	*um centéssimo*

Pronombre

Es la palabra que sustituye o acompaña el sustantivo para determinarlo. Los pronombres se clasifican en: **personal**, **posesivo**, **demostrativo**, **indefinido**, **relativo** e **interrogativo**.

Pronombre personal				
Número	**Persona**	**Pronombre sujeto**	**Pronombre átono**	**Complemento tónico**
Singular	**primera** **segunda** **tercera**	*eu* *tu, você* *ele, ela*	*me* *te, ti, contigo* *o, a, lhe, se*	*mim, comigo* *ele, ela, si,* *consigo*
Plural	**primera** **segunda** **tercera**	*nós* *vós, vocês* *eles, elas*	*nos* *vos* *os, as, lhes, se*	*nós, conosco* *vós, convosco* *eles, elas, si,* *consigo*

Pronombre posesivo				
	un posesor		**más de un posesor**	
persona	**una cosa poseída**	**más de una cosa poseída**	**una cosa poseída**	**más de una cosa poseída**
primera	*meu, minha*	*meus, minhas*	*nosso, nossa*	*nossos, nossas*
segunda	*teu, tua*	*teus, tuas*	*vosso, vossa*	*vossos, vossas*
tercera	*seu, sua*	*seus, suas*	*seus, sua*	*seus, suas*

Pronombre demostrativo		
situación en el espacio	**variables**	**invariables**
cerca del hablante	*este, esta, estes, estas*	*isto*
a poca distancia del hablante	*esse, essa, esses, essas*	*isso*
lejos del hablante	*aquele, aquela,* *aqueles, aquelas*	*aquilo*

Pronombre indefinido	
variables	**invariables**
algum, nenhum, todo, outro, muito, pouco, certo, vário, tanto, quanto, qualquer, um	*alguém, ninguém, tudo, outrem, nada, cada, algo, algures, alhures*

Locuciones pronominales indefinidas: En muchos casos, no tenemos un pronombre indefinido, sino un grupo de palabras con valor de un pronombre indefinido: ***quem quer que***, ***cada qual***, ***todo aquele***, ***seja quem for***, etc.

Pronombre relativo	
variables	**invariables**
o qual, os quais, a qual, as quais, cujo, cujos, cuja, cujas, quanto, quantos, quantas	*que, quem, onde*

Algunas veces, los pronombres relativos ***quem*** y ***onde*** no presentan antecedente; el pronombre ***quem*** se refiere a alguien indefinido, y el pronombre ***onde***, a un lugar no determinado.

Pronombre interrogativo
Los pronombres interrogativos son:
que, quem, qual, quais; quanto, quanta, quantos, quantas.
Las interrogaciones se pueden formular de manera **directa** o **indirecta**. La interrogación directa presenta la forma típica, con el signo ortográfico al final de la frase:
*O professor perguntou.— **Quem** será aprovado?*
En cambio, la interrogación indirecta:
*O professor perguntou **quem** seria aprovado.*

Adverbio

Es la palabra que modifica un verbo, un adjetivo u otro adverbio.

Clasificación

Tiempo: *ontem, hoje, amanhã, agora, outrora, cedo, tarde, jamais, nunca*, etc.
Lugar: *aqui, ali, lá, perto, longe, além, fora, dentro, defronte, atrás*, etc.
Modo: *bem, mal, assim, depressa, devagar, calmamente, tristemente*, etc.
Afirmación: *sim, deveras, certamente, realmente, efetivamente*, etc.
Negación: *não, absolutamente, tampouco.*
Duda: *talvez, quiçá, acaso, decerto, provavelmente, possivelmente*, etc.
Cantidad: *muito, pouco, bastante, mais, menos, tão, tanto, demais*, etc.
Interrogativo: *onde, quanto, como, quando, porque*, etc.

Flexión

Igualdad: *José é **tão alto** quanto Pedro* (José es tan alto cuanto Pedro)
Inferioridad: *Meu carro é **menos cômodo** que o do meu vizinho* (mi coche es menos cómodo que el de mi vecino)

Superioridad: *No Rio de Janeiro faz* ***mais calor*** *que em São Paulo* (En Río de Janeiro hace más calor que en São Paulo)
Absoluto: *Ele vive* ***muito longe*** (él vive muy lejos), *chegou* ***rapidíssimo*** (llegó rapidísimo)

Locución adverbial

Es el conjunto de dos o más palabras con valor de adverbio.
Vou a Espanha ***de vez em quando*** (voy a España de vez en cuando),
correm ***lado a lado*** (corren lado a lado)

Conjunción

Es la parte invariable de la oración, que denota la relación que existe entre dos oraciones, o entre miembros o vocablos de una de ellas.

Clasificación

a) **Coordinación**
Adversativa: *mas, contudo, porém, todavia, entretanto, no entanto*, etc.
Copulativa: *e, nem, mas também, (tão/tanto) quanto*, etc.
Distributiva: *ou... ou, ora... ora, quer... quer, seja... seja, já... já*, etc.
Disyuntiva: *ou*
Ilativas: *logo, portanto, por isso, por conseguinte, pois, porquanto, porque, que.*

b) **Subordinación**
Temporal: *quando, enquanto, logo que, depois que, antes que, desde que*, etc.
Causal: *porque, que, porquanto, já que, visto que, uma vez que, desde que*, etc.
Condicional: *se, caso, contanto que, salvo se, a menos que, a não ser que*, etc.
Consecutiva: *sem que, de sorte que, de modo que, de forma que, de maneira que*, etc.
Concesiva: *embora, conquanto que, ainda que, posto que, apesar de que*, etc.
Final: *para que, a fim de que*, etc.

Interjección

Es la voz que expresa alguna impresión súbita o un sentimiento.

Clasificación

Aplauso: *viva!, bravo!, bis!, apoiado!, isso!*
Advertencia: *cuidado!, atenção!, olha!*
Animación: *avante!, coragem!, força!, firme!, vamos!*
Alegría: *ah!, oh!, viva!, oba!, eh!, aleluia!*
Llamamiento: *alô!, hei!, psiu!, socorro!, ô!, ó!*
Deseo: *tomara!, oh!, pudera!, oxalá!*
Sorpresa, admiración: *ah!, ih!, oh!, caramba!, puxa!, nossa!, opa!, putz!, hem!, xi!, ué!, uai!, credo!*
Dolor: *ai!, ui!*
Silencio: *psiu!, pst!, silêncio!*
Saludo: *oi!, olá!, salve!, tchau!, adeus!*
Miedo: *ui!, uh!, cruzes!, credo!, barbaridade!*
Concordancia: *claro!, sim!, pois não!, ótimo!, tá!*
Alivio: *ufa!, uf!, arre!, ah!*

Verbo

El verbo es una palabra que expresa las acciones realizadas por el sujeto o los estados o procesos del mismo. En portugués los verbos varían en **número**, **persona**, **modo**, **tiempo** y **voz**.

a) Número

Los verbos pueden variar en singular y plural. El verbo está en singular cuando se refiere a una sola persona o cosa y en plural cuando se refiere a más de una persona o cosa.

b) Persona

Es la categoría gramatical propia del verbo que indica si el sujeto de la oración es el que habla, o aquel a quien se habla, o aquel o aquello de que se habla. Las personas se denominan, respectivamente, primera, segunda y tercera, y las tres constan de singular y plural.

Singular	Plural
1ª persona — *Eu* 2ª persona — *Tu/você* 3ª persona — *Ele/ela*	1ª persona — *Nós* 2ª persona — *Vós/vocês* 3ª persona — *Eles/elas*

c) Tiempo y modo

El tiempo es la variación que indica el momento en el que pasa el hecho expresado por el verbo. Y el modo se refiere a cada una de las distintas maneras de manifestarse la significación del verbo. En portugués el tiempo de los verbos se divide en tres: presente, pasado y futuro; y el modo se divide en: indicativo, subjuntivo e imperativo.

d) Voz

La voz es la manera como se presenta la acción expresa por el verbo en relación con el sujeto. En portugués son tres las voces del verbo: *activa, pasiva* y *reflexiva*.
Ele comeu banana (Él comió el plátano) — ACTIVA
A garrafa foi quebrada pelo menino (La botella fue rota por el niño) — PASIVA
Ela perfumou-se (Ella se perfumó) — REFLEXIVA

Forma nominal

Tres son las formas nominales: **infinitivo**, **gerundio** y **participio**:
É necessário ***lutar*** (Es necesario luchar)— INFINITIVO
Chorando*, a moça despediu-se* (Llorando, la muchacha se despidió) — GERUNDIO
Terminada *a aula, conversaremos* (Terminada la clase, hablaremos) — PERTICIPIO

Tiempos primitivos y derivados

- **primitivos**: son los tres tiempos verbales que originan a los demás: ***presente do indicativo*** (presente de indicativo), ***pretérito perfeito do indicativo*** (perfecto simple), ***infinitivo impessoal*** (infinitivo);
- **derivados:** Son los tiempos que se originan de los primitivos, es decir, todos los demás.

a) **Derivados del presente de indicativo**
- ***Presente do subjuntivo***: Se forma a partir del radical del presente de indicativo añadiendo las desinencias **-e**, **-es**, **-e**, **-emos**, **-eis**, **-em**, para los verbos de primera conjugación, y **-a**, **-as**, **-a**, **-amos**, **-ais**, **-am**, para los verbos de la segunda y tercera conjugación.
- ***Imperativo afirmativo***: las segundas personas del singular y del plural se derivan de las formas correspondientes del *presente de indicativo*, sin la *s* final. Las demás personas del *imperativo afirmativo* son iguales a las correspondientes del *presente do subjuntivo*.
- ***Imperativo negativo***: Es igual al presente del subjuntivo.

b) **Derivados del perfecto simple del indicativo**
- ***mais-que-perfeito do indicativo:*** desinencias -ra, -ras, -ra, -ramos, -res, -ram.
- ***imperfeito do subjuntivo:*** desinencias -sse, -sses, -sse, -ssemos, -sseis, -ssem.
- ***futuro do subjuntivo:*** desinencias -r, -res, -r, -rmos, -rdes, -rem.

c) **Derivados del infinitivo**

Del infinitivo se origina el ***imperfeito do indicativo*** (pretérito imperfecto del indicativo), el ***futuro do presente do indicativo*** (futuro imperfecto del presente del indicativo), el ***futuro do pretérito do indicativo*** (condicional simple), el ***infinitivo***, el ***participio*** y el ***gerundio***. Una vez separados el radical y el tema (radical más vocal temática), solo se añaden las desinencias características de cada tiempo:
- ***imperfeito do indicativo***: radical más las desinencias **-va**, **-vas**, **-va**, **-vamos**, **-veis**, **-vam** para los verbos de primera conjugación y las desinencias **-a**, **-as**, **-a**, **-amos**, **-eis**, **-am** para los verbos de la segunda y tercera conjugación.
- ***futuro do presente***: tema más las desinencias **-rei**, **-rás**, **-rá**, **-remos**, **-reis**, **-rão**.
- ***futuro do pretérito***: tema más las desinencias **-ria**, **-rias**, **-ria**, **-riamos**, **-ríeis**, **-riam**.
- ***infinitivo pessoal***: infinitivo más las desinencias de persona: **-es** (para la segunda persona del singular), **-mos**, **-des**, **-em** (para las tres personas del plural).
- ***particípio***: radical más la desinencia **-ado** para la primera conjugación; radical más **-ido** para la segunda conjugación.
- ***gerúndio***: tema más la desinencia **-ndo**.

Conjugación verbal

Según la conjugación, los verbos pueden clasificarse en:
- **verbos regulares**: siguen el paradigma verbal de la conjugación
- **verbos irregulares**: no siguen el paradigma verbal de la conjugación y presentan irregularidades en el radical o en las desinencias (***ped**ir* — ***peç**o*).
- **verbos anômalos**: verbos irregulares con cambios profundos en el radical. Son los verbos ser e ir.
- **verbos defectivos**: no se conjugan en determinadas personas, tiempos o modos.
- **verbos abundantes**: presentan más de una forma para la misma flexión, generalmente en el participio (*acender — acendido, aceso*). En las locuciones verbales se utiliza el participio regular con los auxiliares *ter* y *haver*, y el irregular con *ser* y *estar* (*tinha/havia — acendido*; *estava/era — aceso*).
- **verbos pronominais**: se conjugan obligatoriamente con los pronombres átonos (*ajoelhar-se, apiedar-se, atrever-se, condoer-se, dignar-se, indignar-se, queixar-se, suicidar-se*, etc.)

Español-Portugués

Aa

a, A *f* a, A (letra).
a (*abrev de* **área**) *f* MAT a (área).
a *prep* **1** a (dirección): *se fue a Manaus = foi a Manaus*. **2** (antecediendo complemento directo) a, para: *compró un gato a su hija = comprou um gato a sua filha*. **3** a, com (modo): *le echó a patadas = expulsou-lhe a pontapés*. **4** de: *una blusa a rayas = uma blusa de listas*. **5** a, por (valor): *estaba todo a un dólar = estava tudo a um dólar*.
ábaco *m* **1** ábaco. **2** MAT nomograma.
abad *m* abade.
abadejo *m* badejo, bacalhau.
abadesa *f* abadessa.
abadía *f* **1** abadia (dignidad). **2** abadia (residencia, jurisdicción).
abajo *adv* **1** abaixo. **2** embaixo. • **¡~!** *interj* **3** abaixo! ■ **de arriba ~** de cima abaixo; **venirse ~** vir abaixo.
abalanzar *tr* **1** balançar (equilibrar). **2** abalançar. • **~se** *pron* **3** atirar-se.
abalear *tr Amér.* ⇒ balear.
abalorio *m* (gralte pl) miçanga.
abanderado, da *m y f* **1** porta-bandeira. **2** (fig) porta-voz (defensor).
abanderar *tr* chefiar (movimiento, organización).
abandonado, da *adj* **1** abandonado. **2** desleixado (descuidado). **3** desasseado, sujo.
abandonar *tr* **1** abandonar. **2** desistir (de actividad, proyecto). **3** confiar (dejar). • **~se** *pron* **4** deixar-se levar.
abandono *m* abandono.
abanicar *tr y pron* **1** abanar. • **~se** *pron* **2** mostrar indiferença.
abanico *m* **1** leque, abano. **2** (fig) leque (serie).
abaniqueo *m* abanação, abanamento.
abarajar *tr Amér. Merid.* ⇒ barajar.
abaratar *tr y pron* baratear.
abarca *f* abarca (calzado).
abarcar *tr* **1** abarcar (con la mano). **2** compreender, abranger. **3** avistar.
abarrancar *tr y pron* **1** esbarrancar, desbarrancar. • *intr y pron* **2** encalhar, varar (embarcación).
abarrotado, da *adj* abarrotado.
abarrotar *tr* **1** abarrotar, atestar. **2** barrar.
abastecer *tr y pron* abastecer.
abastecimiento *m* abastecimento.
abasto *m* **1** provisão (de alimentos). **2** abundância. ■ **no dar ~** não dar conta (de obligaciones, tareas).
abatatar *tr y pron Amér. Merid.* envergonhar-se.
abate *m* menorista (clérigo).
abatimiento *m* **1** abatimento. **2** humilhação.
abatir *tr y pron* **1** abater (derribar). • *tr* **2** inclinar. **3** (fig) humilhar.
abdicación *f* abdicação.
abdicar *tr* abdicar.
abdomen *m* ANAT abdômen.
abdominal *adj* **1** abdominal. • *adj y f* **2** (gralte pl) abdominal (ejercicio).
abducción *f* abdução.
abecé *m* á-bê-cê.
abecedario *m* abecedário, alfabeto.
abedul *m* bétula, vidoeiro.
abeja *f* **1** abelha. **2** (fig) trabalhador, pelejador.
abejaruco *m* **1** abelheiro. **2** (fig) leva-e-traz, mexeriqueiro.
abejón *m* zangão.
aberración *f* **1** desatino. **2** aberração.
aberrante *adj* aberrante.
aberrar *intr* aberrar.
abertura *f* **1** abertura, abrimento. **2** buraco.
abeto *m* abeto (árbol, madera).
abicharse *pron Amér. Merid.* bichar-se.
abierto, ta *adj* **1** aberto. **2** (fig) aberto, franco.
abigarrar *tr* **1** combinar mal (colores). • **~se** *pron* **2** (fig) amontoar-se.
abisal *adj* abissal.
abismal *adj* abismal.
abismar *tr y pron* abismar (hundir).
abismo *m* **1** abismo. **2** (fig) abismo (diferencia, distancia).

abjurar *tr e intr* abjurar.
ablandar *tr y pron* **1** abrandar. **2** (fig) enternecer. • **~se** *pron* **3** acobardar-se.
ablución *f* ablução.
abocar *tr y pron* **1** abocar (dirigir). • *intr* **2** (fig) abocar (desembocar).
abochornado, da *adj* **1** envergonhado. **2** abafado.
abochornar *tr y pron* **1** abafar. **2** (fig) envergonhar.
abofetear *tr* esbofetear.
abogacía *f* **1** advocacia. **2** corporação dos advogados.
abogado, da *m y f* advogado. ♦ **~ de pobres o de oficio** advogado oficioso.
abogar *intr* advogar.
abolengo *m* avoengo.
abolición *f* abolição.
abolicionismo *m* abolicionismo.
abolir *tr* abolir.
abollado, da *adj* amassado, abaulado.
abolladura *f* amassadura, abaulamento.
abollar *tr y pron* amassar (superficie).
abombado, da *adj* abaulado.
abombar *tr y pron* **1** abaular. **2** aturdir.
abominable *adj* abominável.
abominación *f* abominação.
abominar *tr e intr* abominar.
abonado, da *adj* **1** • *m y f* **2** assinante, subscritor. • *m* **3** adubado, adubação.
abonar *tr* **1** abonar, acreditar. **2** melhorar. **3** pagar. • *tr y pron* **4** assinar, subscrever.
abono *m* **1** abono, abonação. **2** garantia. **3** bilhete, passe, cartão (de cine, gimnasio). **4**
abordaje *m* MAR abordagem. ■ **entrar, saltar o tomar al ~** dar abordagem.
abordar *tr e intr* **1** abordar (nave). • *tr* **2** abordar, tratar (tema, asunto). **3** abordar, aproximar-se (a alguien).
aborigen *adj/m y f* aborígene.
aborrecer *tr* **1** detestar, aborrecer. **2** aborrecer, entediar.
aborrecible *adj* detestável, aborrecível.
abortar *tr e intr* **1** abortar. **2** (fig) abortar, frustrar.
aborto *m* **1** aborto. **2** (fig, fam) medonho.
abotonar *tr y pron* **1** abotoar (prenda). • *intr* **2** brotar (planta).
abovedar *tr* abobadar.
abracar *tr Amér.* ⇒ abarcar.
abrasador, ra *adj* abrasador, abrasante.
abrasar *tr, intr y pron* **1** abrasar, queimar. • *tr y pron* **2** abrasar (calentar).
abrasivo, va *adj y m* abrasivo.
abrazar *tr y pron* **1** abraçar. **2** adotar (doctrina).
abrazo *m* abraço.
abrecartas *m* corta-papel.
abrelatas *m* abridor de latas.
abrevadero *m* bebedouro (de animales).
abrevar *tr* abeberar.
abreviar *tr* **1** abreviar (acortar). **2** adiantar (acelerar).
abreviatura *f* abreviatura.
abridor *m* abridor (de latas, botellas).
abrigar *tr y pron* **1** abrigar, refugiar (del frío, lluvia). • *tr* **2** (fig) amparar.
abrigo *m* **1** sobretudo. **2** abrigo (refugio). **3** (fig) amparo.
abril *m* **1** abril (mes). **2** (fig) juventude. • **abriles** *m pl* **3** (fig, fam) primaveras (años).
abrillantador *m* polidor, abrilhantador.
abrillantar *tr* **1** abrilhantar. **2** facetar.
abrir *tr y pron* **1** abrir, descerrar. • *tr, intr y pron* **2** abrir, separar (puertas, ojos, pétalos). • *tr* **3** abrir, fazer funcionar (grifo, gas). **4** abrir (comercio, tienda). **5** abrir, cortar (fruto). • **~se** *pron* **6** abrir-se, fazer confidências. **7** (argot) ir embora.
abrochar *tr y pron* abotoar.
abroncar *tr* **1** repreender. **2** envergonhar.
abrumar *tr* **1** massacrar (problema, responsabilidad). **2** (fig) atrapalhar (con elogios).
abrupto, ta *adj* **1** abrupto (terreno). **2** (fig) áspero (rudo).
ABS (*siglas de* **Antiblockiersystem**) *m* AUT ABS.
absentismo *m* absentismo.
ábside *amb* ARQ abside.
absolución *f* absolvição.
absolutismo *m* POL absolutismo.
absoluto, ta *adj* **1** absoluto, independiente. **2** absoluto, pleno. **3** categórico.
absolver *tr* **1** absolver (cargo, obligación). **2** absolver, perdoar (pecados).
absorbente *adj* **1** absorvente, absorvedor. **2** absorvente (cautivante). **3** (fig) absorvente (carácter dominante).

> La «tira desechable de celulosa u otra materia similar que sirve para absorber el flujo menstrual de la mujer» en español no se llama ***absorvente***, como en portugués, sino **compresa**.

absorber *tr* **1** absorver (líquido). **2** (fig) absorver, esgotar. **3** (fig) cativar, atrair.
absorción *f* absorção.
absorto, ta *adj* absorto, abstraído.
abstemio, mia *adj/m y f* abstêmio.
abstención *f* abstenção.
abstenerse *pron* abster-se.
abstinencia *f* **1** abstinência. **2** privação.
abstracción *f* **1** abstração (de una idea). **2** abstração, alheamento.
abstracto, ta *adj* **1** abstrato. **2** ART abstrato.
abstraer *tr* **1** abstrair. • **~ de** *intr* **2** prescindir. • **~se** *pron* **3** abstrair-se, alhear-se.
abstraído, da *adj* abstraído, absorto.
absuelto, ta *adj* absorto, absorvido.
absurdo, da *adj* absurdo.
abubilla *f* poupa (ave).
abuchear *tr* vaiar.
abuela *f* **1** avó. **2** (fig, fam) velhota. ■ **no tener o necesitar ~** (fam) não ter modéstia.
abuelo *m* **1** avô. **2** (fig, fam) velhote. • **abuelos** *m pl* **3** avós.
abultar *tr* **1** avultar, aumentar (volumen, tamaño). **2** avultar, elevar (precio). • *intr* **3** ser volumoso.
abundancia *f* **1** abundância, fartura. **2** abundância, opulência.
abundante *adj* abundante.
abundar *intr* abundar.
aburrido, da *adj* aborrecido.
aburrimiento *m* aborrecimento, tédio.
aburrir *tr* **1** entediar. **2** aborrecer.
abusado, da *adj Guat., Méx.*
abusar *intr* **1** abusar, mal-usar. **2** abusar, aproveitar-se.
abusivo, va *adj* abusivo.
abuso *m* abuso. ◆ **~ de confianza** abuso de confiança; **~ de poder** abuso de poder.
abusón, na *adj/m y f* aproveitador, abusador.
abyecto, ta *adj* abjeto.
acá *adv* cá, aqui. ■ **de ~ para allá** de cá para lá, daqui para lá.
acabado, da *adj* **1** acabado. • *m* **2** acabamento.
acabar *tr y pron* **1** acabar, finalizar. • *tr* **2** acabar, consumir. **3** (fig) acabar com, matar. • *intr* **4** acabar, terminar.
acabose *m* cúmulo.
acacia *f* acácia.
academia *f* **1** academia. **2** academia (junta, establecimiento). **3** escola.
académico, ca *adj* **1** acadêmico. **2** educacional.
acallar *tr* **1** silenciar. **2** (fig) aplacar (conciencias, dudas).
acalorado, da *adj* (fig) acalorado.
acalorar *tr* **1** acalorar, aquecer. • **~se** *pron* **2** (fig) excitar-se (en discusión, conversación).
acampar *intr y pron* acampar.
acanalar *tr* canelar, acanalar.
acantilado, da *adj* **1** escarpado. • *m* **2** GEOL falésia.
acaparador, ra *adj/m y f* fominha, esganado.
acaparar *tr* **1** acumular. **2** (fig) monopolizar (antención, conversación, miradas).
acariciar *tr* **1** acariciar. **2** (fig) acariciar (planes, ideas).
acarrear *tr* **1** acarretar, carrear. **2** (fig) acarretar, ocasionar (daños, desgracias).
acartonarse *pron* **1** acartonar-se, entesar-se. **2** (fig) encarquilhar-se.
acaso *m* **1** acaso, casualidade. • *adv* **2** acaso, talvez. ■ **por si ~** por via das dúvidas; **si ~** se; no caso de.
acatar *tr* **1** acatar, respeitar. **2** acatar, obedecer (ley).
acatarrar *tr y pron* resfriar, constipar.
acaudalado, da *adj* endinheirado, abastado.
acceder *intr* **1** aceder, assentir. **2** entrar (en un lugar).
accesible *adj* acessível.
accésit *m* prêmio de consolação.
acceso *m* **1** acesso, aproximação. **2** acesso, entrada. **3** (fig) acesso (trato).
accesorio, ria *adj* **1** acessório. • *m* **2** (gralte pl) acessório, complemento.
accidentado, da *adj* **1** acidentado, agitado. • *m y f* **2** acidentado (víctima).
accidental *adj* **1** acidental (adicional). **2** acidental (casual).
accidentar *tr y pron* acidentar.
accidente *m* **1** acidente (eventualidad). **2** acidente, sinistro. ■ **por ~** por acidente, por acaso.
acción *f* **1** ação, ato. **2** ação, efeito: *acción del tiempo = ação do tempo.* **3** DER ação, demanda. **4** ECON ação. **5** LIT ação. **6** MIL combate. ◆ **~ de gracias** ação de graças.

accionar *tr* acionar, fazer funcionar (mecanismo).
accionista *m o f* acionista.
acebo *m* azevinho, visqueiro.
acechar *tr* espreitar.
acecho *m* espreita. ■ **al ~** à espreita.
aceite *m* **1** azeite. **2** óleo. ◆ **~ lubricante** óleo lubrificante. ■ **como una balsa de ~** (fig, fam)
aceitera *f* azeiteira, galheta.
aceitero, ra *adj/m y f* azeiteiro.
aceituna *f* azeitona, oliva (fruto). ■ **cambiarle el agua a las aceitunas** (fig, hum) tirar água do joelho.
aceleración *f* aceleração.
acelerador, ra *adj/m y f* **1** acelerador. ● *m* **2** MEC acelerador.
acelerar *tr y pron* **1** acelerar. ● **~se** *pron* **2** (fig) exaltar-se.
acelga *f* acelga.
acento *m* **1** GRAM acento. **2** sotaque. **3** (fig) ênfase.
acentuación *f* GRAM acentuação.
acentuar *tr* **1** acentuar (pronunciar). **2** acentuar, pôr acento (al escribir).
acepción *f* acepção, sentido.
aceptable *adj* aceitável.
aceptación *f* aceitação.
aceptar *tr* **1** aceitar, consentir. **2** aceitar, concordar.
acera *f* calçada. ■ **ser de la ~ de enfrente o de la otra ~** (fig, fam) ser viado (homosexual).
acerado, da *adj* acerado.
acerca ~ de *loc* acerca de, a respeito de.
acercar *tr y pron* **1** acercar, aproximar. ● *tr* **2** deixar, levar (a alguien).
acero *m* **1** aço. **2** (fig) arma branca. **3** (fig) (gralte pl) vigor.
acérrimo, ma *adj* **1** acérrimo. **2** (fig) ferrenho.
acertado, da *adj* acertado.
acertante *adj/m y f* acertador.
acertar *tr* **1** acertar (en el blanco). **2** acertar, adivinhar.
acertijo *m* adivinhação, adivinha.
acervo *m* acervo.
acetato *m* QUÍM acetato.
acetilsalicílico *adj* QUÍM acetilsalicílico.
acetona *f* QUÍM acetona, propanona.
achacar *tr* importar, achacar (hecho, culpa).
achacoso, sa *adj* achacadiço.
achaflanar *tr* chanfrar.
achamparse *pron Chile* arraigar.
achantar *tr y pron* **1** acovardar. ● **~se** *pron* **2** (fam) conformar-se, calar-se.
achaque *m* **1** achaque. **2** defeito (moral, físico).
achatar *tr* **1** achatar. ● **~se** *pron* **2** *Arg., Chile* vergar-se.
achicar *tr y pron* **1** diminuir (tamaño). **2** (fig) **3** (fig) humilhar, rebaixar.
achicharrar *tr y pron* **1** torrar, queimar. ● *tr* **2** (fig) torrar (importunar). ● **~se** *pron* **3** torrar-se (en la playa).
achicoria *f* chicória, almeirão.
achimero *m El Salv., Guat.* mascate, bufarinheiro (vendedor ambulante).
achinado, da *adj/m y f* **1** achinesado. **2** *Amér.* acaboclado.
achiquitar *tr y pron Amér.* encurtar.
acholado, da *adj Amér.* acaboclado.
acholar *tr y pron Amér.* envergonhar, vexar.
achuchar *tr* **1** atiçar, chuchar. **2** (fam) apertar.
achucharrar *tr* ⇒ achuchar.
achuchón *m* **1** empurrão. **2** apertão.
achunchar *tr y pron* **1** *Amér.* envergonhar. **2** amedrontar.
achuntar *intr y tr Bol., Chile* (fam) acertar (en el blanco).
achura *f Arg., Bol., Ur.* (gralte pl) víscera.
achurruscar *tr y pron Chile* amarfanhar.
acíbar *m* **1** áloe (planta). **2** aloetina.
acicalar *tr y pron* **1** (fig) enfeitar, ataviar. ● *tr* **2** (fig) aguçar (espíritu).
acidez *f* acidez.
ácido, da *adj* **1** azedo, acre. **2** (fig) mordaz. ● *m* **3** QUÍM ácido.
acierto *m* **1** acerto. **2** (fig) tino (cordura).
ácimo *adj* ázimo.
aclamación *f* aclamação.
aclamar *tr* **1** aclamar. **2** proclamar (cargo, honor).
aclaración *f* esclarecimento, aclaração.
aclarado *m* enxágüe (ropa, pelo).
aclarar *tr y pron* **1** clarificar. **2** ralear (chocolate, salsa). **3** esclarecer (duda, problema). ● *tr* **4** enxaguar (ropa, pelo). **5** iluminar.
aclaratorio, ria *adj* esclarecedor.
aclimatación *f* **1** aclimatação. **2** (fig) aclimatação, adaptação.
aclimatar *tr y pron* **1** aclimatar, aclimar. **2** (fig) aclimatar, adaptar.

Reglas generales de acentuación / *Regras gerais de acentuação*

1) Palabras agudas:
Son las que llevan el acento en la última sílaba. Llevan tilde las acabadas en **-n**, **-s** o en **vocal**: *melón, portugués, jabalí.*
Excepción: Las palabras terminadas en **–n** o **–s** cuando van precedidas de una consonante: *Milans.*

2) Palabras llanas:
Son las acentuadas en la penúltima sílaba. Llevan tilde las acabadas en consonante distinta de **n** o **s**: *césped, lápiz, examen, ambos.*
Excepción: Las palabras acabadas en **–n** o **–s** cuando éstas van precedidas de otras consonantes: *bíceps, fórceps.*

3) Palabras esdrújulas:
Son las acentuadas en la antepenúltima sílaba. Llevan tilde todas: *bárbaro, miércoles, matemáticas.*

4) Palabras sobresdrújulas:
Son las acentuadas en la sílaba anterior a la antepenúltima. Llevan tilde todas: *preséntamelo.*

Acentuación de monosílabos, hiatos y palabras compuestas:

a) Las palabras monosílabas no se acentúan nunca, excepto si deben llevar tilde diacrítica.
b) Si en una palabra hay dos vocales juntas (abierta y cerrada) que no forman diptongo, la cerrada es la tónica y debe llevar siempre tilde, se cumplan o no las reglas generales de acentuación: *poderío, tendría, oír.*
Excepción: El grupo **ui** no lleva nunca tilde: *jesuita, huir.*
c) En las palabras compuestas el primer componente no lleva tilde: *asimismo, decimotercero.*
d) Los adverbios terminados en **–mente** llevan tilde si el adjetivo que lo forma lleva tilde cuando es usado solo: *fácil ⇒ fácilmente, simple ⇒ simplemente.*
e) Los verbos que llevan un pronombre personal agregado al final, conservan la tilde si, solos, la llevan: *despegóse*. Si con el pronombre agregado se forma una palabra esdrújula, se aplica la regla de las palabras esdrújulas: *dámelo, cómetelo.*

acmé *amb* MED acme.
acné o **acne** *m* MED acne.
acobardar *tr, intr y pron* acovardar.
acochambrar *tr Amér.* enxovalhar.
acodado, da *adj* acotovelado (forma).
acodar *tr y pron* **1** debruçar. • *tr* **2** acotovelar, formar ângulo reto.
acogedor, ra *adj* acolhedor.
acoger *tr* **1** acolher (en casa). **2** admitir (noticia, idea).
acogida *f* acolhida, acolhimento.
acogido, da *m y f* acolhido, abrigado.
acogotar *tr* **1** nuquear, desnucar. **2** (fig) dominar.
acojonante *adj* (vulg) da porra, do cacete (extraordinario).
acojonar *tr y pron* **1** (vulg) cagar (de miedo). • *tr* **2** (vulg) pasmar, abismar (asombro).
acolchado, da *adj* **1** acolchoado, almofadado. • *m* **2** acolchoamento.
acolchar *tr* acolchoar.
acolchonar *tr Amér.* ⇒ acolchar.
acólito *m* acólito.
acometer *tr* **1** acometer, investir. **2** acometer, atacar (enfermedad, sueño, deseo). **3** acometer, empreender.
acometida *f* acometimento.

acomodado, da *adj* **1** acomodado (conveniente). **2** cômodo. **3** rico, abastado.
acomodador, ra *m y f* lanterninha.
acomodar *tr* **1** acomodar (ajustar). **2** acomodar (colocar). **3**
acomodo *m* **1** acomodação. **2** emprego.
acompañamiento *m* **1** acompanhamento. **2** GAST
acompañante *adj/m y f* acompanhante.
acompañar *tr y pron* **1** acompanhar. • *tr* **2** juntar, agregar. **3** acompanhar, partilhar (sentimientos).
acompasado, da *adj* **1** compassado. **2** (fig) vagaroso (pausado).
acomplejar *tr y pron* complexar (inhibir).
aconchar *tr y pron* amparar, arrimar.
acondicionador, ra *adj* **1** condicionador. • *m* **2** condicionador (de aire).
acondicionar *tr y pron* **1** acondicionar. **2** adequar. **3** aclimar.
acongojar *tr y pron* afligir.
aconsejable *adj* aconselhável.
aconsejar *tr y pron* aconselhar.
acontecer *intr* acontecer.

> El verbo **acontecer** se utiliza únicamente en infinitivo y en la tercera persona del singular y plural.

acontecimiento *m* acontecimento.
acopiar *tr* acumular, armazenar (alimentos, grano).
acopio *m* aprovisionamento. ■ **hacer ~ de** munir-se de, fazer provisão de.
acoplamiento *m* acoplamento.
acoplar *tr* **1** acoplar. **2** TEC • **~se** *pron* **3** adaptar-se.
acorazado, da *adj* **1** couraçado, blindado. • *m* **2** MIL couraçado (embarcación).
acorazar *tr* **1** couraçar, blindar. • *tr y pron* **2** (fig) defender.
acorcharse *pron* adormecer (miembro).
acordado, da *adj* concordado.
acordar *tr* **1** concordar, acordar. **2** deliberar. • **~se** *pron* **3** recordar-se. ■ **si mal no me acuerdo** (fam)
acorde *adj* **1** acorde, conforme. • *m* **2** MÚS acorde.
acordeón *m* MÚS acordeão.
acordeonista *m o f* MÚS acordeonista.
acordonado, da *adj* encordoado.
acordonar *tr* **1** encordoar. **2** (fig) cercar (zona).
acorralar *tr y pron* **1** encurralar (ganado). • *tr* **2** (fig) amedrontar, intimidar.
acortar *tr* encurtar, atalhar (camino).
acosar *tr* **1** acossar. **2** atiçar. **3** (fig) assediar (importunar).
acoso *m* assédio, acosso. ◆ **~ sexual** DER assédio sexual.
acostar *tr y pron* **1** deitar. **2** encostar (embarcación). • *intr y pron* **3** inclinar-se, recostar. • **~se con** *pron* **4** ir para a cama com.
acostumbrar *tr, intr y pron* acostumar.
acotación *f* **1** demarcação, delimitação. **2** comentário (en un texto). **3** TEAT marcação.
acotar *tr* **1** delimitar (terreno). **2** vedar. **3** citar (texto, autoridad). **4** fazer comentário (en un texto). • **~se** *pron* **5** (fig) refugiar-se.
acotejar *tr* **1** *Amér.* arrumar. • **~se** *pron* **2** *Amér. Centr.* acomodar-se. **3** *Cuba, Ecuad.* acordar.
ácrata *adj/m y f* ácrata.
acre *adj* **1** acre, áspero. • *m* **2** acre.
acrecentar *tr y pron* acrescentar.
acreditado, da *adj* acreditado (reputado).
acreditar *tr y pron* **1** acreditar. **2** afamar.
acreedor, ra *adj/m y f* **1** credor, digno. **2** ECON credor.
acribillar *tr* **1** crivar. **2** aferroar (insectos). **3** balear.
acrílico, ca *adj* acrílico.
acriollarse *pron Amér.*
acritud *f* acrimônia, acritude.
acrobacia *f* acrobacia.
acróbata *m o f* acrobata.
acrónimo *m* acrônimo.
acrópolis *f* acrópole.
acta *f* **1** ata. **2** DER certidão: *acta de matrimonio = certidão de casamento.*
actinio *m* QUÍM actínio.
actitud *f* **1** atitude (postura). **2** disposição (de ánimo). ■ **en ~ de** disposto a.
activar *tr* **1** ativar (avivar, excitar). **2** ativar (mecanismo).
actividad *f* **1** atividade (acción). **2** (gralte pl) atividade (tareas). ■ **en ~** em atividade.
activo, va *adj* **1** ativo. **2** diligente. ■ **en ~** em atividade.
acto *m* **1** ato (acción). **2** ato (celebración). **3** TEAT ato. ■ **en el ~** no ato.

actor, ra *m y f* **1** DER autor, demandante. • *m* **2** ator.
actriz *f* atriz.
actuación *f* atuação.
actual *adj* **1** atual (presente). **2** atual, contemporâneo.
actualidad *f* **1** atualidade. • **actualidades** *f pl* **2** atualidades.
actualización *f* atualização.
actualizar *tr y pron* atualizar.
actuar *intr* **1** atuar, agir. • *tr* **2** atuar, pôr em ação. **3** atuar, interpretar.
acuarela *f* **1** aquarela (técnica, pintura). • **acuarelas** *f pl* **2** aquarelas.
acuario *m* **1** aquário (de peces). • *adj/m y f* **2** ASTROL aquário, aquariano. • **Acuario** *m* **3** ASTR Aquário (constelación y signo zodiacal).
acuartelamiento *m* **1** MIL aquartelamento. **2** MIL quartel.
acuartelar *tr y pron* MIL aquartelar.
acuático, ca *adj* aquático.
acuchillar *tr* esfaquear.
acuciante *adj* urgente, diligente.
acudir *intr* **1** acudir, comparecer. **2** frequentar. **3**
acueducto *m* aqueduto.
acuerdo *m* **1** acordo. **2** resolução. **3** convênio. ■ **¡de ~!** está certo!
acuicultura *f* aqüicultura, hidropônica.
acuífero, ra *adj* BIOL aqüífero.
acuitar *tr y pron* afligir.
acullico *m Arg., Bol., Perú bolinha de folhas de cocaína.*
acumulación *f* acumulação.
acumular *tr y pron* **1** acumular. • *tr* **2** DER autuar.
acunar *tr* **1** embalar, ninar. **2** *C. Rica* deitar no berço.
acuñar *tr* **1** cunhar (monedas). **2** cunhar (palabras, expresiones).
acuoso, sa *adj* aquoso.
acupuntor, ra *adj y m* acupuntor.
acupuntura *f* acupuntura.
acurrucarse *pron* encolher-se.
acusación *f* **1** acusação. **2** DER imputação.
acusado, da *adj* **1** acentuado (destacado). • *m y f* **2** acusado (incriminado).
acusar *tr* **1** acusar (imputar). **2** acusar, denunciar. **3**
acusativo *m* GRAM acusativo.
acuse *m* acusamento. ♦ **~ de recibo**
acústico, ca *adj* acústico.
adalid *m* **1** adail, caudilho. **2** (fig) líder.
adaptación *f* adaptação.
adaptador, ra *adj* **1** adaptador. • *m* **2** TEC adaptador.
adaptar *tr y pron* **1** adaptar (ajustar). • *tr* **2** adaptar, modificar (obra). • **~se** *pron* **3** adaptar-se, habituar-se.
adecuado, da *adj* adequado.
adecuar *tr y pron* adequar.
adefesio *m* **1** (fam) (gralte pl) disparate. **2** (fam) cafona, brega (vestimenta).
adelantado, da *adj* **1** adiantado. **2** avantajado.
adelantamiento *m* **1** adiantamento, ultrapassagem. **2** (fig) melhoramento.
adelantar *tr* **1** adiantar. **2** acelerar. **3** antecipar. • *tr y pron* **4** ultrapassar.
adelante *adv* **1** adiante. • **¡~!** *interj* **2** adiante! ■ **en ~** em diante.

> El adverbio **adelante** indica movimiento y no debe confundirse con **delante**, que indica posición.

adelanto *m* **1** adiantamento (de sueldo). **2** melhoramento, progresso.
adelgazante *adj y m* emagrecedor.
adelgazar *tr, intr y pron* **1** emagrecer. • *tr* **2** (fig) aguçar (ingenio).
ademán *m* **1** ademã (gesto). • **ademanes** *m pl* **2** ademães.
además *adv* além disso, aliás: *entiende de música y, además, canta muy bien = entende de música e, além disso, canta muito bem.* ■ **~ de** além de.
adentro *adv* **1** adentro. • **adentros** *m pl* **2**
adepto, ta *adj/m y f* **1** adepto (de una secta). **2** partidário (de una persona, idea).
aderezar *tr* **1** adereçar (adornar). **2** adereçar, condimentar (alimentos). **3** arrumar, concertar.
aderezo *m* **1** adereço, enfeite. **2** condimento.
adeudar *tr y pron* endividar (dinero).
adherencia *f* aderência, adesão.
adherente *adj* **1** aderente, adesivo. • *m* **2** cola.
adherir *tr* **1** aderir, pegar. • *intr y pron* **2** pegar-se.
adhesión *f* **1** adesão, aderência. **2** adesão (apoyo).

adhesivo, va *adj* **1** adesivo. • *m* **2** cola.
adicción *f* dependência, vício.
adición *f* **1** adição, aditamento. **2**
adicto, ta *adj/m y f* **1** adicto (a un vicio). **2** afeiçoado (apegado).
adiestramiento *m* adestramento.
adiestrar *tr y pron* **1** adestrar, treinar. • *tr* **2** amestrar, adestrar (animales).
adinerado, da *adj* endinheirado.
adiós *m* **1** adeus (despedida). • ¡~! *interj* **2** tchau!
aditivo, va *adj y m* aditivo.
adivinanza *f* **1** adivinhação. **2** charada.
adivinar *tr* **1** adivinhar. • *tr y pron* **2** vislumbrar (distinguir).
adivino, na *m y f* adivinho.
adjetivo, va *adj* GRAM adjetivo.
adjudicar *tr* **1** adjudicar. • **~se** *pron* **2** apropriar-se.
adjuntar *tr* adjuntar, anexar.
adjunto, ta *adj* **1** adjunto. • *adj y m* **2** adjunto, ajudante.
administración *f* **1** administração. **2** gerência. **3** governo. ♦ **~ pública**
administrador, ra *adj/m y f* administrador.
administrar *tr* **1** administrar, governar. **2** administrar, dirigir (institución).
administrativo, va *adj* **1** administrativo. • *m y f* **2** funcionário, secretário.
admirable *adj* admirável.
admiración *f* **1** admiração. **2** GRAM sinal de exclamação.
admirador, ra *adj/m y f* admirador.
admirar *tr* **1** admirar (sorprender). **2** admirar, apreciar.
admisible *adj* admissível.
admisión *f* **1** admissão (aceptación).
admitir *tr* **1** admitir (aceptar). **2** permitir.
adobar *tr y pron* **1** dispor, arrumar. • *tr* **2** adubar, temperar (alimentos).
adocenado, da *adj* medíocre.
adocenar *tr* **1** agrupar em dúzias. • *tr y pron* **2** vulgarizar.
adoctrinar *tr* doutrinar.
adolecer *intr* **1** adoecer. **~ de** **2** padecer (afecto, vicio).
adolescencia *f* adolescência.
adolescente *adj/m y f* adolescente.
adonde *pron rel* **1** aonde; onde. • *prep* **2** a casa de, junto a.
adónde *pron interr* aonde.

> **Adonde** no se acentúa cuando es adverbio relativo que significa 'a la parte que'. Cuando aparece el antecedente se escribe junto, cuando está elíptico se escribe separado: *aquella es la ciudad adonde vamos; vamos a donde está ella.*
>
> **Adónde** se acentúa cuando es adverbio interrogativo de lugar, que significa 'a qué parte': *¿adónde vamos hoy?*

adondequiera *adv* aonde quer.
adopción *f* **1** adoção (adquisición). **2** adoção (de un hijo).
adoptar *tr* **1** adotar, perfilhar (hijo). **2** aceitar (doctrina, ideología).
adoptivo, va *adj* adotivo.
adoquín *m* **1** paralelepípedo. **2** (fig, fam) lerdo.
adoquinar *tr* empedrar (calle).
adorable *adj* adorável.
adorar *tr* **1** adorar (divinidad). **2** adorar (amar).
adormecer *tr y pron* **1** adormecer. **2** (fig) adormecer, acalmar. • **~se** *pron* **3** pegar no sono.
adormidera *f* dormideira (planta).
adormilarse *pron* cochilar, dormitar.
adornar *tr y pron* **1** adornar, enfeitar. • *tr* **2** embelezar.
adorno *m* adorno, enfeite.
adosar *tr* encostar.
adquirir *tr* **1** adquirir (conseguir). **2** adquirir (comprar).
adquisición *f* aquisição.
adrede *adv* adrede.
adrenalina *f* ANAT adrenalina.
adscribir *tr* adscrever.
adsorbente *adj y m* FÍS adsorvente.
adstrato *m* FILOL adstrato.
aduana *f* alfândega.
aducir *tr* aduzir (pruebas, razones).
adueñarse *pron* **1** apoderar-se. **2** dominar: *el pánico se adueñó de la muchedumbre = o pânico dominou a multidão.*
adulación *f* adulação.
adulador, ra *adj/m y f* adulador.
adular *tr* adular.
adulteración *f* adulteração.

adulterar *tr y pron* adulterar (falsificar, viciar).
adulterio *m* adultério.
adúltero, ra *adj/m y f* adúltero.
adulto, ta *adj/m y f* adulto.
adusto, ta *adj* **1** adusto (quemado). **2** (fig) mal-humorado, desagradável. **3** (fig) austero.
advenedizo, za *adj/m y f* adventício.
advenimiento *m* advento (llegada).
adverbial *adj* GRAM adverbial.
adverbio *m* GRAM advérbio.
adversario, ria *m y f* adversário.
adversidad *f* adversidade.
adverso, sa *adj* **1** adverso (opuesto). **2** adverso (desfavorable).
advertencia *f* advertência. ■ **servir de ~** servir de lição.
advertido, da *adj* **1** advertido. **2** capaz, habilidoso.
advertir *tr e intr* **1** advertir (observar, notar). • *tr* **2** advertir (prevenir). **3** advertir (amonestar, amenazar).
adviento *m* advento.
adyacente *adj* adjacente.
aéreo, a *adj* **1** aéreo. **2** (fig) ligeiro.
aeróbic o **aerobic** *m* ginástica aeróbica.
aerodeslizador *m* aerobarco.
aerodinámico, ca *adj* aerodinâmico.
aeródromo *m* aeródromo.
aeroespacial *adj* aeroespacial.
aerolínea *f Amér.* companhia aérea.
aeromodelismo *m* aeromodelismo.
aeromozo, za *m y f Amér.* comissário (de vuelo).
aeronauta *m o f* aeronauta.
aeronáutico, ca *adj* aeronáutico.
aeronaval *adj* aeronaval.
aeronave *f* espaçonave.
aeroplano *m* aeroplano.
aeropuerto *m* aeroporto.
aerosol *m* aerossol.
aerostático, ca *adj* aerostático. ◆ **globo ~** balão aerostático.
afabilidad *f* afabilidade.
afable *adj* afável (cortés).
afamado, da *adj* afamado.
afán *m* **1** trabalhão. **2** afã (fatiga). **3** afã (empeño).
afanador, ra *adj/m y f* afanador.
afanar *intr y pron* **1** afanar-se. • *tr* **2** (fam) afanar, furtar.
afanoso, sa *adj* **1** afanoso. **2** esforçado.
afarolarse *pron Amér. Merid.* exaltar-se.
afear *tr y pron* **1** afear. • *tr* **2** (fig) reprochar.
afección *f* **1** afecção (impresión). **2** afeição (afecto). **3** MED afecção.
afectación *f* **1** afetação (impresión). **2** afetação (extravagancia).
afectado, da *adj* **1** afetado (amanerado). **2** afetado (fingido). **3** MED lesado.
afectar *tr y pron* **1** afetar (afligir). • *tr* **2** afetar (fingir).
afectividad *f* afetividade.
afectivo, va *adj* afetivo.
afecto, ta *adj* **1** afeto (inclinado) **2** agravado (posesión, renta). • *m* **3** afeto. ■ **sentir ~ por alguien** sentir afeto por alguém.
afectuoso, sa *adj* afetuoso.
afeitado, da *adj* **1** barbeado. • *m* **2** barbeação.
afeitar *tr y pron* **1** barbear. **2** enfeitar.
afeite *m* **1** enfeite, adorno. **2** cosmético.
afelpado, da *adj* **1** felpudo, felpado. **2** aveludado.
afelpar *tr* felpar (telas).
afeminado, da *adj y m* afeminado.
afeminar *tr y pron* afeminar.
aferrar *tr e intr* **1** aferrar. • **~se** *pron* **2** (fig) aferrar-se (obstinarse).
affaire *m* affaire, caso.
Afganistán *m* Afganistão.
afgano, na *adj/m y f* afegão.
afianzamiento *m* fortalecimento, consolidação.
afianzar *tr* **1** afiançar. • *tr y pron* **2** afirmar (con cuerdas, puntales). **3** (fig) consolidar.
afiche *m Amér.* cartaz (cartel).
afición *f* **1** afeição, inclinação. **2** afinco. **3** hobby. **4** DEP torcida. ■ **tener ~ a algo** ter inclinação a alguma coisa.
aficionado, da *adj* **1** aficionado (a una actividad). • *adj/m y f* **2** amador (de un arte, deporte). **3** DEP torcedor. ■ **ser ~ a algo** ter grande interesse por algo.
aficionar *tr* **1** interessar (inducir). • **~se** *pron* **2** afeiçoar-se.
afiebrarse *pron Amér.* enfebrecer.
afilado, da *adj* **1** afiado. **2** (fig) mordaz.
afilador, ra *adj/m y f* afiador.
afilalápices *m* apontador (instrumento).
afilar *tr* **1** afiar (arma). **2** apontar (lápiz). **3** (fig) intensificar (sentidos). **4** afinar (la voz).

afiliado, da *adj/m y f* afiliado (a una institución, servicio).
afiliar *tr y pron* afiliar.
afín *adj* **1** afim. **2** contíguo.
afinar *tr y pron* **1** afinar (perfeccionar). **2** afinar (educar). **3** MÚS afinar (instrumento, voz). • *intr* **4** entoar (canción).
afincar *tr y pron* fincar-se, estabelecer-se.
afinidad *f* **1** afinidade (proximidad). **2** QUÍM afinidade.
afirmación *f* afirmação.
afirmar *tr y pron* **1** afirmar (asegurar). • **~se** *pron* **2** afirmar-se (apoyarse).
afirmativo, va *adj* afirmativo.
afirolar *tr Cuba, P. Rico* aprimorar.
aflatarse *pron Hond., Nic.* afligir-se.
aflicción *f* aflição.
afligir *tr y pron* afligir (angustiar).
aflojar *tr y pron* **1** afrouxar. • *tr* **2** (fig, fam) soltar (dinero). • *intr* **3** (fig) abrandar (suavizar). **4** (fig) ceder.
aflorar *intr* (fig) aflorar (ideas).
afluencia *f* **1** afluência, concorrência. **2** abundância.
afluente *adj* **1** fluente. • *m* **2** afluente (río).
afluir *intr* **1** afluir (concurrir). **2** confluir (río).
afonía *f* afonia.
afónico, ca *adj* afônico.
aforismo *m* aforismo.
aforo *m* **1** avaliação. **2** lotação (de recintos).
afortunado, da *adj* afortunado.
afrancesado, da *adj/m y f* afrancesado.
afrenta *f* **1** afronta (humillación). **2** apuro, lance.
África *f* África.
africano, na *adj/m y f* africano.
afrodisiaco, ca o **afrodisíaco, ca** *adj y m* afrodisíaco.
afrontar *intr y tr* **1** confrontar (cara a cara). • *tr* **2** defrontar (enemigo, peligro).
afta *f* MED afta.
afuera *adv* **1** fora. • **afueras** *f pl* **2**
afuereño, ña *adj/m y f Amér.* forasteiro.
afuetear *tr Amér.* chicotear.
agachar *tr e intr* **1** abaixar (cabeza). • **~se** *pron* **2** (fam) encolher-se.
agache *m Col.* embuste.
agalla *f* **1** (gralte pl) guelra (del pez). **2** (gralte pl) amígdalas. ■ **tener agallas** ter coragem.
agalludo, da *adj* **1** *Amér.* destemido. **2** *Amér. Merid., Ant.* ambicioso.
agarradera *f* **1** ⇒ agarradero. • **agarraderas** *f pl* **2** pistolão (enchufe).
agarradero *m* **1** asa, cabo, alsa (mango). **2** (fig, fam) proteção.
agarrado, da *adj/m y f* **1** (fig, fam) avarento (avaro). • **agarrada** *f* **2** (fam) briga.
agarrar *tr* **1** agarrar. **2** apanhar (enfermedad, borrachera, rabieta). • *intr* **3** (fam) ir embora. • **~se** *pron* **4** agarrar-se.
agarrón *m* **1** puxão. **2** *Amér.* briga.
agarrotado, da *adj* teso, rígido.
agarrotar *tr* **1** arrochar, atar. • **~se** *pron* **2** retesar-se (miembro).
agasajar *tr* **1** agasalhar (con cariño). **2** obsequiar (regalo).
agasajo *m* **1** agasalho. **2** obséquio (regalo).
ágata *f* MIN ágata.
agauchar *tr y pron Amér. Merid.* agauchar.
agazaparse *pron* **1** acaçapar-se (agacharse). **2** acaçapar-se (esconderse).
agencia *f* **1** agência. **2** sucursal. ♦ **~ de prensa** agência de notícias; **~ de viajes** agência de viagens.
agenciar *tr e intr* **1** agenciar. • **~se** *pron* **2** arranjar a maneira de.
agenda *f* agenda.
agente *adj* **1** agente. • *adj y m* **2** GRAM agente. • *m o f* **3** agente (representante). **4** polícia.
ágil *adj* ágil (ligero).
agilizar *tr y pron* agilizar.
agiotista *adj/m y f* ECON agiota.
agitación *f* **1** agitação. **2** (fig) desassossego.
agitador, ra *adj/m y f* agitador.
agitar *tr* **1** agitar (mover). • *tr y pron* **2** (fig) agitar (excitar).
aglomeración *f* aglomeração.
aglomerar *tr y pron* **1** aglomerar (amontonar). • *tr* **2** aglutinar.
aglutinar *tr y pron* **1** unir. **2** aglutinar.
agnóstico, ca *adj/m y f* agnóstico.
agobiante *adj* **1** agoniador. **2** sufocante, asfixiante.
agobiar *tr y pron* agoniar.
agobio *m* **1** agoniação. **2** agonia, angústia.
agolparse *pron* amontoar-se.
agonía *f* **1** agonia. **2** (fig) agonia, aflição.
agonizante *adj/m y f* agonizante.
agonizar *intr* **1** agonizar (enfermo). • *tr* **2** (fig, fam) agonizar, atormentar.
agorafobia *f* PSIC agorafobia.

agosto *m* agosto (mes). ■ **hacer su ~** tirar proveito de uma ocasião propícia.
agotado, da *adj* extenuado, esgotado.
agotador, ra *adj* esgotante, extenuante.
agotamiento *m* esgotamento.
agotar *tr y pron* **1** esgotar (paciencia, existencias). **2** (fig) extenuar.
agraciado, da *adj* **1** engraçado (gracioso). **2** jeitoso (apuesto).
agraciar *tr* embelezar.
agradable *adj* agradável.
agradar *intr* agradar.
agradecer *tr* agradecer.
agradecido, da *adj/m y f* **1** agradecido. • *adj* **2** compensador.
agradecimiento *m* agradecimento.
agrado *m* **1** agrado. **2** gosto (complacencia).
agrandar *tr y pron* aumentar.
agrario, ria *adj* agrário.
agravante *adj* **1** agravante. • *f* **2** DER agravante (circunstancia).
agravar *tr y pron* **1** agravar (empeorar). • *tr* **2** DER gravar (con tributos).
agraviar *tr y pron* ofender, agravar.
agravio *m* **1** agravo. **2** vexação. **3** DER prejuízo (ofensa).
agredir *tr* agredir.
agregado, da *adj/m y f* **1** adido (diplomático). **2** professor adjunto. **3** adjunto (suplente). • *m* **4** aditamento.
agregar *tr y pron* **1** agregar (reunir). • *tr* **2** aditar.
agremiar *tr y pron* agremiar.
agresión *f* agressão. ◆ **~ sexual** assédio sexual.
agresividad *f* agressividade.
agresivo, va *adj* agressivo.
agresor, ra *adj/m y f* agressor.
agreste *adj* **1** agreste (campestre). **2** áspero, inculto (terreno).
agriado, da *adj* azedado, ácido.
agriar *tr y pron* **1** azedar. **2** (fig) exasperar.
agrícola *adj* agrícola.
agricultor, ra *m y f* agricultor.
agricultura *f* agricultura.
agridulce *adj y m* agridoce.
agrietar *tr y pron* gretar.
agrimensor, ra *m y f* agrimensor.
agringarse *pron Amér.* estrangerizar-se.
agrio, gria *adj* **1** acre. **2** azedado. **3** (fig) abrupto. **4** (fig) azedo, ríspido (carácter).
agroalimentario, ria *adj* agroalimentar.
agrónomo, ma *adj/m y f* agrónomo.
agropecuario, ria *adj* agropecuário.
agrupación *f* **1** agrupamento. **2** associação.
agrupar *tr y pron* **1** agrupar. • *tr* **2** associar.
agua *f* **1** água. **2** (gralte pl) chuva. **3** MAR maré. • **aguas** *f pl* **4** veios, ondas (de telas, plumas, maderas); brilho (de piedras preciosas). **5** mar. ◆ **~ chirri o de chirre** (fam) água de barrela (café); **aguas residuales** águas residuais. ■ **¡ajo y ~!** (coloq) vai-se danar; **claro como el ~** claro como água; **estar con el ~ al cuello** (fig, fam) estar com a corda no pescoço; **hacer aguas** (fig) fracassar; **ser ~ pasada** (fig) ser águas passadas.
aguacate *m* **1** abacateiro. **2** abacate (fruto).
aguacero *m* **1** aguaceiro. **2** (fig) chuva de problemas.
aguado, da *adj* **1** aguado. • *adj/m y f* **2** *Amér.* (fig) enfraquecido.
aguafiestas *m o f* desmancha-prazeres.
aguafuerte *amb* água-forte.
aguaitar *tr* **1** espreitar. **2** *Amér.* ⇒ aguardar.
aguamanil *m* **1** gomil. **2** bacia (mueble).
aguamarina *f* água-marinha.
aguantar *tr* **1** soster. **2** agüentar (tolerar). **3** resistir. • **~se** *pron* **4** conter-se.
aguar *tr y pron* **1** aguar. **2** (fig) estragar (momento).
aguardar *tr y pron* **1** aguardar. **2** esperar (tener esperanza).
aguardiente *m* aguardente.
aguarrás *m* aguarrás.
aguasarse *pron Chile, R. de la Plata* abrutalhar-se.
agudeza *f* **1** agudeza. **2** acuidade (sentidos). **3** (fig) agudeza (perspicacia).
agudizar *tr y pron* **1** agudizar. • **~se** *pron* **2** (fig) agudizar-se, agravar-se (enfermedad).
agudo, da *adj* **1** agudo (afilado). **2** (fig) agudo (vivo, gracioso). **3** agudo (dolor, enfermedad). **4** aguçado (sentidos).
agüero *m* agouro, agoiro. ■ **de buen/mal ~** de bom/mau agouro.
aguijón *m* **1** aguilhão, ferrão. **2** espinho (de planta).
aguijonear *tr* **1** aguilhoar. **2** (fig) espicaçar (estimular).
águila *f* **1** águia. **2** (fig) águia (perspicaz).
aguileño, ña *adj* **1** aquilino. **2** aquilino (nariz, rostro).

aguilucho *m* aguieta, aguiazinha.
aguinaldo *m* **1** décimo terceiro salário. **2** cantiga natalícia.
agüita *f* infusão medicinal.
aguja *f* **1** agulha (para coser, inyectar). **2** ponteiro (reloj). **3** alfinete. **4** obelisco. ■ **buscar una ~ en un pajar** (fig, fam) procurar agulha em palheiro.
agujerear *tr y pron* esburacar, furar.
agujero *m* **1** buraco. **2** dívida (económica). **3** (fig) cubículo.
agujeta *f* **1** agulheta. ● **agujetas** *f pl* **2** dores musculares.
agustino, na *adj y m* agostiniano.
aguzar *tr* **1** aguçar (afilar). **2** (fig) aguçar, atiçar (entendimiento).
¡ah! *interj* **1** ah! **2** *Amér. Merid.* o quê?
ahí *adv* **1** aí. **2** nisto, nisso. ● **¡~!** *interj* **3** aí!; força! ■ **de ~** por isso; **por ~** por aí.
ahijado, da *m y f* afilhado.
¡ahijuna! *interj Arg., Chile* bolas!
ahínco *m* afinco. ■ **trabajar con ~** trabalhar con afinco.
ahíto, ta *adj* **1** farto. **2** indigesto. **3** (fig) enfastiado, chateado.
ahogado, da *adj* **1** abafado (lugar). ● *m y f* **2** afogado (muerto).
ahogar *tr y pron* **1** afogar. **2** (fig) extinguir (sentimientos). **3** (fig) afligir, angustiar.
ahogo *m* **1** sufocação. **2** (fig) aflição. **3** *Amér.* asma.
ahondar *tr* **1** afundar (cavidad). ● *intr y tr* **2** (fig) afundar, aprofundar (materia, asunto).
ahora *adv* **1** agora. ● *conj* **2** agora, ora. **3** mas, embora. ■ **~ bien** pois bem, dito isto; **~ que** mas, embora: *ahora que, pensándolo bien, prefiero quedarme en casa = mas pensando melhor, prefiro ficar em casa*; **¡hasta ~!** até já!
ahorcar *tr y pron* **1** enforcar. ● *tr* **2** pendurar.
ahorita *adv Amér.* agora mesmo.
ahormar *tr y pron* enformar; amoldar.
ahornar *tr* **1** enfornar. ● **~se** *pron* **2** tostar-se por fora (pan).
ahorrar *tr y pron* **1** poupar, economizar. **2** (fig) poupar-se (obligación, problema).
ahorrativo, va *adj* **1** econômico. **2** (desp) forreta.
ahorro *m* poupança, economia. ◆ **caja de ahorros** caixa econômica.
ahuecar *tr y pron* **1** ocar, escavar. **2** afofar (tierra, lana).
ahuesarse *pron Amér.* ficar inutilizado.
ahuevado, da *adj* oval, ovalado.
ahumado, da *adj* **1** afumado (color). **2** defumado (alimento).
ahumar *tr y pron* **1** afumar, esfumar. ● *tr* **2** defumar (alimentos). ● *intr* **3** fumegar, fumaçar.
ahuyentar *tr* afugentar, espantar.
airar *tr* **1** agitar. ● *tr y pron* **2** irar, encolerizar.
airbag *m* air bag.
aire *m* **1** ar. **2** vento. **3** (fig) semelhança. **4** (fig) (gralte pl) vaidade. **5** (fig) graça, primor. ● **aires** *m pl* **6** moda, tendência. ● **¡~!** *interj* **7** vai embora! ◆ **~ acondicionado** ar condicionado. ■ **a mi, tu, su ~** (fig, fam) à vontade; **tomar el ~** (fig) tomar o ar, passear.
airear *tr* **1** arejar. **2** (fig) divulgar, difundir.
aislado, da *adj* isolado.
aislamiento *m* isolamento.
aislar *tr y pron* **1** isolar (separar). **2** (fig) ilhar, isolar.
¡ajá! *interj* ah-ah!
ajar *tr* **1** murchar. ● *tr y pron* **2** perder a beleza.
ajardinar *tr* ajardinar.
ajear *tr Amér. Merid.* dizer asneiras.
ajedrecista *m o f* xadrezista, enxadrista.
ajedrez *m* xadrez.
ajeno, na *adj* alheio; estranho.
ajetreo *m* afobação, atrapalhação.
ají *m* **1** pimentão. **2** ⇒ ajiaco.
ajiaceite *m* molho de alho e azeite.
ajiaco *m* molho de pimentão.
ajo *m* **1** alho. **2** cabeça, dente de alho. ■ **~ y agua** (fig, fam) que se dane.
ajuar *m* **1** enxoval. **2** alfaia.
ajustado, da *adj* **1** ajustado. **2** justo (ropa).
ajustar *tr y pron* **1** ajustar, adaptar. ● *tr* **2** concertar (paz, casamiento, pleito). **3** reconciliar. **4** liquidar (cuenta).
ajuste *m* ajuste. ◆ **~ de cuentas** ajuste de contas.
ajusticiar *tr* justiçar.
al *contr* (prep. a y art. el) ao.
ala *f* **1** asa (ave, avión). **2** fileira. **3** aba (sombrero). **4** ala (partido). ● **alas** *f pl* **5** (fig) ousadia; liberdade. ◆ **~ delta** asa-

delta. ■ **cortar las alas** cortar as asas; **estar tocado del ~** (fig, coloq) estar meio louco.
alabanza *f* louvação, elogio.
alabar *tr y pron* louvar.
alabastro *m* **1** alabastro (piedra). **2** (fig) alabastro, alvura.
alacena *f* armário (empotrado).
alacrán *m* **1** lacrau, escorpião. **2** (fig) venenoso (al hablar).
alacranear *intr Arg., Ur.* mexericar.
alado, da *adj* **1** alado. **2** (fig) veloz, ligeiro.
alambique *m* alambique.
alambrada *f* alambrado, aramado.
alambrado, da *adj y m* **1** alambrado, aramado. • *adj* **2** alambreado (color).
alambre *m* arame, alambre.
alameda *f* **1** alameda. **2** avenida.
álamo *m* choupo, álamo (árbol, madera).
alarde *m* **1** alarde (ostentación). **2** revista, inspeção. ■ **hacer ~** ostentar.
alardear *intr* **1** alardear. ~ **de 2** presumir (de algo).
alargado, da *adj* alongado, prolongado.
alargador, ra *adj* alargador.
alargar *tr y pron* **1** alongar. **2** alongar, encompridar (ropa). **3** prolongar, alargar (tiempo). • **~se** *pron* **4** exceder-se (en elogios, ofertas).
alarido *m* alarido.
alarma *f* alarme.
alarmante *adj* alarmante.
alarmar *tr* **1** alarmar (alertar). • *tr y pron* **2** (fig) alarmar (asustar).
alarmista *adj/m y f* alarmista.
alba *f* **1** alvorada, aurora. **2** amanhecer.
albahaca o **albaca** *f* mangericão, alfavaca.
albanés, sa *adj/m y f* **1** albanês. • *m* **2** albanês (lengua).
Albania *f* Albânia.
albañil *m* pedreiro (trabajador).
albarán *m* **1** cartaz (de alquiler). **2** recibo de entrega.
albardear *tr Amér. Centr., Méx.* domar.
albaricoque *m* abricó, damasco (fruto).
albaricoquero *m* abricoqueiro, damasqueiro.
albedrío *m* arbítrio. ♦ **libre ~** livre-arbítrio.
alberca *f* **1** alverca, tanque. **2** pequeno açude.
albergar *tr, intr y pron* **1** albergar, hospedar. • *tr* **2** (fig) conter, abrigar.
albergue *m* **1** albergue (refugio). **2** albergue, hospedaria.
albino, na *adj/m y f* **1** albino. **2** *Méx.* mestiço alvacento.
albo, ba *adj* alvo (blanco).
albóndiga *f* almôndega.
albor *m* **1** (gralte pl) alvor, alvura. **2** alva (luz).
albornoz *m* **1** albornoz. **2** roupão de banho.
alborotado, da *adj* **1** desgrenhado (cabello) **2** alvoroçado.
alborotador, ra *adj/m y f* alvoraçador, encrenqueiro.
alborotar *tr y pron* **1** agitar, perturbar. **2** alvoroçar.
alboroto *m* **1** alvoroço. **2** gritaria. **3** revolta.
alborozar *tr y pron* alvoroçar.
alborozo *m* alvoroço.
albufera *f* laguna.
álbum *f* **1** álbum. **2** disco.
albúmina *m* **1** BIOQ albúmina.
albur *m* **1** (fig) acaso, destino, sorte. **2** tainha.
alcachofa *f* **1** alcachofra. **2** chuveirinho (de la ducha).
alcahuete, ta *m y f* **1** alcaiote, alcoviteiro. **2** (fig) alcagüete.
alcahuetear *tr e intr* alcovitar.
alcaide *m* **1** alcaide (de castillos, fortalezas). **2** carcereiro.
alcalde *m* prefeito.
alcaldesa *f* **1** mulher de prefeito. **2** prefeita.
alcaldía *f* prefeitura.
alcalino, na *adj* QUÍM alcalino.
alcaloide *m* QUÍM alcalóide.
alcance *m* **1** alcance (de la vista). **2** alcance, encalço. **3** aptitud. **4** (fig) alcance, inteligência. ■ **estar fuera del ~** estar fora do alcance.
alcancía *f* mealheiro.
alcanfor *m* QUÍM cânfora.
alcantarilla *f* **1** esgoto, cloaca. **2** sarjeta.
alcantarillado *m* rede de esgotos.
alcanzar *tr* **1** alcançar. **2** apanhar (agarrar). **3** atingir (tocar). **4** (fig) conseguir, obter.
alcaparra *f* **1** alcaparreira. **2** alcaparra (fruto).
alcaucil *m* alcachofra.
alcayata *f* gancho.
alcázar *m* **1** alcácer. **2** MAR tolda.
alce *m* alce.

alcoba *f* **1** alcova. **2** mobília (de la alcoba).
alcohol *m* **1** QUÍM álcool. **2** galena.
alcohólico, ca *adj* **1** alcoólico. • *m y f* **2** alcoólatra.
alcoholismo *m* alcoolismo.
alcornoque *m* **1** sobreiro. • *adj* **2** (fig, fam) tolo.
alcurnia *f* linhagem, estirpe (noble).
alcuza *f* **1** azeiteira. **2** *Amér.* galheteiro.
aldaba *f* aldrava, batente.
aldea *f* aldeia.
aldeano, na *adj/m y f* **1** aldeão. • *adj* **2** (fig) caipira (inculto).
aleación *f* liga (de metales).
aleatorio, ria *adj* aleatório.
aleccionar *tr y pron* lecionar, instruir.
alegar *tr* **1** alegar (citar). • *intr* **2** DER alegar.
alegato *m* **1** DER alegação. **2** argumentação.
alegoría *f* alegoria.
alegórico, ca *adj* alegórico.
alegrar *tr y pron* alegrar.
alegre *adj* **1** alegre. **2** alegre, vivo (color). **3** (fig) precipitado.
alegreto *m* MÚS alegreto.
alegría *f* **1** alegria. **2** irresponsabilidade. ■ **la ~ de la huerta** (fig) pessoa que alegra um lugar ou grupo.
alegro *m* MÚS alegro.
alegrón, na *adj* **1** *Amér.* muito alegre. • *m* **2** (fam) alegrão.
alejar *tr y pron* afastar, distanciar.
alelar *tr y pron* aparvalhar.
aleluya *amb* **1** aleluia. • *f* **2** aleluia (estampita). **3** dístico popular. • ¡~! *interj* **4** aleluia!
alemán, na *adj/m y f* **1** alemão. • *m* **2** alemão (lengua).
Alemania *f* Alemanha.
alentar *intr* **1** alentar (respirar). **2** tomar fôlego. • *tr y pron* **3** (fig) alentar (animar).
alerce *m* larício.
alergia *f* **1** alergia. **2** (fig) aversão.
alérgico, ca *adj* alérgico.
alero *m* **1** beiral (del tejado). **2** DEP lateral (en baloncesto).
alerta *f* **1** alerta. • *adv* **2** alerta.
alertar *intr y tr* alertar.
aleta *f* **1** barbatana. **2** aleta (nariz). **3** pé-de-pato. **4** pára-lamas (de coche).
aletargar *tr* **1** letargiar. • **~se** *pron* **2** padecer letargia.
aletear *intr* adejar, esvoaçar.
alevín *m* **1** cria (de pez). **2** (fig) principiante.
alevosía *f* aleivosia. ■ **con ~** DER com cautelas insidiosas.
alfa *f* **1** alfa (letra). **2** *Amér. Merid.* ⇒ alfalfa.
alfabético, ca *adj* alfabético.
alfabeto *m* alfabeto.
alfaguara *f* manancial.
alfalfa *f* **1** alfafa. **2** *Arg.* (fig) comida.
alfarería *f* olaria (taller, tienda).
alfarero, ra *m y f* oleiro, ceramista.
alférez *m* **1** subtenente. **2** porta-bandeira.
alfil *m* bispo, delfim (en ajedrez).
alfiler *m* **1** alfinete. **2** broche.
alfiletero *m* alfineteira (estuche).
alfombra *f* tapete; alfombra.
alfombrar *tr* atapetar.
alfombrilla *f* MED sarampelo.
alforja *f* (gralte pl) alforje.
alga *f* BOT alga.
algarabía *f* **1** algaravia. **2** (fig, fam) gritaria.
algarroba *f* **1** alfarroba, algaroba (fruto). **2** ervilhaca (planta).
algarrobo *m* alfarrobeira, algarobeira, algarobo.
algazara *f* algazarra (vocería).
álgebra *f* MAT algebra.
álgido, da *adj* **1** álgido (frío). **2** (fig) culminante.
algo *pron indef* **1** algo, alguma coisa. **2** um pouco. • *adv* **3** um pouco. ■ **~ así** algo assim; **~ es ~** (fam) já é alguma coisa.
algodón *m* **1** algodão. **2** algodoeiro (planta).
algodonal *m* algodoal.
algodonero, ra *adj/m y f* algodoeiro.
algol *m* INF algol.
algoritmo *m* INF, MAT algoritmo.
alguacil *m* **1** oficial de justiça. **2** funcionário municipal.
alguien *pron indef* **1** alguém. • *m* **2** (fam) alguém (persona importante). ■ **ser o creerse ~** ser ou achar-se o tal.
algún (*apócope de* **alguno**) *adj indef* algum. ■ **~ tanto** algum tanto, um tanto.
alguno, na *pron indef* **1** algum. **2** alguém. • *adj* **3** algum, nenhum: *no hay*

motivo alguno = não há motivo algum. **4** algum, um certo: *tiene alguna experiencia como cocinera = tem alguma experiência como cozinheira.*
alhaja *f* **1** jóia. • *adj* **2** *Arg., Bol., Ecuad., Méx.* jeitoso, bonito.
alhajero *m* porta-jóias.
alharaca *f* (gralte pl) espavento.
alhelí *m* **1** goiveiro. **2** goivo (flor).
aliado, da *adj/m y f* aliado.
alianza *f* **1** aliança (pacto). **2** aliança, casamento (matrimonio).
aliar *tr y pron* aliar.
alias *m* apelido, alcunha.
alicaído, da *adj* alicaído.
alicate *m* **1** (gralte pl) alicate. **2** *P. Rico* cúmplice.
alicatero *m Chile* electricista.
aliciente *m* aliciente, incentivo.
alicurco, ca *adj Chile* matreiro, sagaz.
alienación *f* alienação.
aliento *m* **1** alento. **2** fôlego, sopro (respiración). **3** (fig) fôlego (vigor). ■ **sin ~** sem fôlego.
aligátor *m* aligátor.
aligerar *tr y pron* **1** aligeirar. • *tr* **2** (fig) aliviar.
alimaña *f* alimária, animália (fiera).
alimentación *f* alimentação.
alimentar *tr y pron* **1** alimentar (nutrir). • *tr* **2** fomentar (vicios, sentimientos).
alimenticio, cia *adj* alimentício, alimentar.
alimento *m* **1** alimento. **2** (fig) alimento (sostén, pábulo).
alinderar *tr Amér.* demarcar, estremar.
alineación *f* **1** alinhamento. **2** formação (de tropas).
alineado, da *adj* **1** alinhado. **2** aliado: *deve ser un país alineado = deve ser um país aliado.*
alinear *tr y pron* alinhar.
aliñar *tr* **1** temperar (alimentos). • *tr y pron* **2** enfeitar.
aliño *m* **1** tempero. **2**
alioli *m* GAST molho de alho e aceite.
alisar *tr y pron* **1** alisar. • *tr* **2** alisar, pentear (cabello).
alisios *adj pl* alísios (vientos).
alistar *tr y pron* **1** alistar (registrar). **2** *Amér.* aprontar.
aliviar *tr* **1** aliviar (peso). **2** (fig) aliviar, atenuar (dolor, problemas).
alivio *m* alívio. ■ **de ~** daqueles: *le dio una paliza de alivio = deu-lhe uma surra daquelas.*
aljibe *m* **1** cisterna. **2** MAR navio-cisterna.
allá *adv* lá:, *te esperamos allá abajo = te esperamos lá embaixo.* ◆ **el más ~** o Além. ■ **~ él o ~ se las componga** é lá com ele, problema dele.
allanamiento *m* aplanamento.
allanar *tr* **1** aplanar (superficie). **2** desbravar (camino). **3** (fig) aplanar (dificultades).
allegado, da *adj* **1** chegado, próximo. • *adj/m y f* **2**
allegar *tr y pron* **1** achegar, aproximar. **2** juntar, reunir.
allí *adv* ali.
alma *f* **1** alma. **2** essência. **3** (fig) alma, pessoa: *no había ni un alma en la casa = não havia uma alma na casa.* **4** (fig) entusiasmo. ◆ **~ en pena** alma penada. ■ **abrir el ~** abrir a alma; **con toda el ~** com todo coração, de coração.
almacén *m* **1** armazém. **2** *Arg., Ur.* mercearia. ◆ **grandes almacenes** lojas de departamentos.
almacenar *tr* **1** armazenar. **2** guardar.
almanaque *m* almanaque.
almeja *f* **1** amêijoa (molusco). **2** (fig, vulg) xereca, xoxota.
almena *f* ameia.
almendra *f* amêndoa.
almendro *m* amendoeira.
almíbar *m* calda. ■ **en ~** em calda.
almibarado, da *adj* caramelizado, caramelado.
almidón *m* **1** amido, fécula. **2** goma (para ropa).
almidonar *tr* engomar (ropa).
almirante *m* almirante.
almirez *m* almofariz, pilão.
almizcle *m* almíscar.
almohada *f* **1** travesseiro. **2** almofada (cojín). ■ **consultar con la ~** (fig, fam) consultar o travesseiro.
almohadilla *f* **1** almofadinha. **2** pregadeira, alfineteira (acerico). **3** coxim (para cabalgaduras). **4** *Bol.* apagador (de pizarra).
almohadón *m* **1** almofadão. **2** ARQ saimel.
almorrana *f* (gralte pl) hemorróida, almorreima.
almorzar *tr e intr* almoçar.

almuerzo *m* almoço.
¡aló! *interj* alô!
alocado, da *adj* aloucado.
áloe o **aloe** *m* áloe, aloé (planta, jugo).
alojamiento *m* alojamento.
alojar *tr, intr y pron* **1** alojar, hospedar. • *tr y pron* **2** introduzir.
alondra *f* calhandra (ave).
alopecia *f* MED alopecia, alopécia.
alpargata *f* alpargata, alpercata (zapato).
alpinismo *m* alpinismo.
alpinista *m o f* alpinista, montanhista.
alpino, na *adj* alpino, apense.
alpiste *m* **1** alpiste. **2** (fig, fam) cana, cachaça.
alquilar *tr* alugar, locar.
alquiler *m* aluguel, locação.
alquimia *f* alquimia.
alquimista *m o f* alquimista.
alquitrán *m* QUÍM alcatrão, piche.
alrededor *adv* **1** ao redor, em volta:, *no vio a nadie alrededor = não viu ninguém ao redor*. • **alrededores** *m pl* **2** arredores. ■ **~ de** cerca de, em torno de.
alta *f* **1** alta. **2** início (de una actividad). ■ **darse de ~** inscrever-se, matricular-se.
altanería *f* **1** altanaria, cetraria. **2** (fig) altanaria (altivez).
altanero, ra *adj* **1** altaneiro (ave, vuelo). **2** (fig) altaneiro (altivo).
altar *m* altar. ■ **llevar al ~** (fam) levar ao altar, casar.
altavoz *m* alto-falante.
alteración *f* **1** alteração (modificación). **2** inquietação. **3** alteração, desordem (tumulto).
alterar *tr y pron* **1** alterar (modificar). **2** alterar (inquietar). **3** alterar (irritar).
altercado *m* altercação, disputa.
altercar *intr y pron* altercar, disputar.
alternancia *f* alternância.
alternar *tr* **1** alternar, intercalar. • *intr y pron* **2** alternar, revezar. • *intr* **3** variar, alterar.
alternativa *f* **1** alternativa (elección). **2** alternativa, alternância.
alternativo, va *adj* **1** alternado (alterno). **2** alternativo (distinto).
alterno, na *adj* alterno, alternado.
alteza *f* **1** alteza. **2** (fig) nobreza.
altibajos *m pl* (fam) altibaixos.
altillano *m Amér. Merid.* planalto.
altillo *m* **1** *Arg., Ecuad.* **2** *Perú* sobreloja.
altímetro, tra *adj* **1** altimétrico. • *m* **2** altímetro.
altipampa *f Arg., Bol.* ⇒ altiplanicie.
altiplanicie *f* planalto.
altisonante *adj* altissonante.
altitud *f* **1** altitude. **2** (fig) altura, nível.
altivo, va *adj* altivo.
alto, ta *adj* **1** alto (estatura). **2** alto (grave, serio). **3** alto, elevado (sonido, temperatura, precio). • *m* **4** alto. • *adv* **5** alto: *la cometa volaba alto = a pipa voava alto*. • ¡~! *interj* **6** alto! ■ **pasar por ~** passar por alto.
altoparlante *m Amér.* alto-falante.
altozano *m* **1** colina. **2** *Amér.* átrio de igreja.
altramuz *m* tremoço (planta, fruto).
altruismo *m* altruísmo.
altruista *adj* altruista.
altura *f* **1** altura (elevación). **2** altura, estatura. ■ **a estas alturas** a estas alturas; **a la ~ de** na altura de, próximo a.
alubia *f* **1** feijão. **2** feijoeiro (planta).
alucinación *f* alucinação.
alucinado, da *adj/m y f* alucinado.
alucinante *adj* alucinante, impressionante.
alucinar *intr y pron* **1** alucinar, desvairar. • *tr y pron* **2** alucinar, deslumbrar.
alud *m* avalanche, alude.
aludir *intr y tr* aludir, mencionar.
alujar *tr Amér. Centr.*
alumbrado, da *adj* **1** iluminado. • *m* **2** iluminação.
alumbrar *tr, intr y pron* **1** iluminar. • *intr y tr* **2** dar à luz (hijo, proyecto).
aluminio *m* QUÍM alumínio.
alumnado *m* alunato.
alumno, na *m y f* aluno.
alusión *f* alusão, referência.
aluvión *m* **1** aluvião (de agua, gente). **2** aluvião (terreno).
aluzar *tr Amér. Centr.* alumiar.
alveolo o **alvéolo** *m* ANAT alvéolo.
alverja *f Amér.* ervilha.
alza *f* **1** elevação. **2** alta (de precios). ■ **en ~** em alta.
alzado, da *adj* **1** alçado, elevado. **2** orçado.
alzamiento *m* **1** levantamento, alçamento. **2** sublevação.
alzar *tr* **1** alçar, levantar. **2** alçar, edificar. **3** subir (precio). **4** levantar, elevar (voz). • **~se** *pron* **5** sobressair-se.

ama *f* **1** ama. **2** dona. **3** criada. ♦ ~ **de casa** dona-de-casa.
amabilidad *f* amabilidade.
amable *adj* amável.
amachinarse *pron Amér.* amancebar-se.
amadrinar *tr* amadrinhar.
amaestrar *tr y pron* amestrar.
amagar *tr e intr* ameaçar.
amago *m* amago, ameaça.
amainar *intr* **1** amainar, atenuar (viento, tempestad). • *intr y tr* **2** (fig) acalmar (pasiones, deseos).
amalgama *f* **1** QUÍM amálgama. **2** (fig) mistura.
amalgamar *tr y pron* **1** QUÍM amalgamar. **2** (fig) misturar.
amamantar *tr* amamentar.
amancebarse *pron* amancebar-se.
amanecer *m* amanhecer.
amanecer *intr* **1** amanhecer. **2** (fig) nascer.
amanerado, da *adj* **1** amaneirado. **2** (fam) efeminado.
amansar *tr y pron* **1** amansar. **2** (fig) acalmar.
amante *adj/m y f* amante.
amañar *tr* **1** comprar (partido, lucha). **2** arranjar (concurso).
amapola *f* papoula.
amar *tr* amar.
amarar *intr* amarar, amerissar.
amargar *intr y pron* **1** amargar (sabor). • *tr y pron* **2** (fig) causar amargura. **3** amargar-se (resentirse).
amargo, ga *adj* **1** amargo, azedo (sabor). **2** amargo (doloroso). **3** (fig) azedo (carácter).
amargura *f* **1** amargor (sabor). **2** (fig) amargura (disgusto).
amarillento, ta *adj* amarelento, amarelado.
amarillo, lla *adj y m* **1** amarelo. • *adj* **2** oriental.
amarra *f* **1** NÁUT amarra. • **amarras** *f pl* **2** (fig) apoio.
amarrado, da *adj* **1** amarrado. **2** *Chile, Cuba* (fig) lerdo.
amarrar *tr* **1** amarrar. **2** *Amér.* pactuar. **3** *Amér. Centr.* cingir.
amarre *m* amarração, amarradura.
amasandero, ra *m y f Amér. Merid.* amassador (panadero).
amasar *tr* **1** amassar. **2** juntar (dinero).
amasijo *m* **1** amassilho. **2** (fig, fam) mistura confusa.
amateur *adj/m y f* amador (deportista).
amatista *f* ametista.
amazona *f* **1** amazona (jinete). **2** amazona (aguerrida).
amazónico, ca *adj* amazônico, amazônio.
ambages *m pl* (fig) rodeios (de palabras).
ámbar *m* âmbar.
ambición *f* ambição.
ambicionar *tr* ambicionar.
ambicioso, sa *adj/m y f* ambicioso.
ambidextro, tra o **ambidiestro, tra** *adj/m y f* ambidestro.
ambientador, ra *m y f* **1** aderecista. • *m* **2** aromatizador, aromatizante.
ambiental *m* ambiental.
ambientar *tr* ambientar (trama).
ambiente *m* **1** ambiente. **2** situação propícia. **3** esfera social.
ambigüedad *f* ambigüidade.
ambiguo, gua *adj* **1** ambíguo. **2** duvidoso.
ámbito *m* âmbito.
ambos, bas *adj pl* ambos: *alcanzó el balón con ambas manos = pegou a bola com ambas as mãos.*
ambucia *f Chile* voracidade.
ambulancia *f* ambulância.
ambulante *adj* ambulante.
ambulatorio, ria *adj* **1** ambulativo (enfermedad). • *m* **2** centro de saúde.
ameba *f* ZOOL ameba.
amedrentar *tr y pron* amedrontar.
amén *m* **1** amém. • **¡~!** *interj* **2** amém. ■ ~ **de** além de.
amenaza *f* ameaça.
amenazar *tr* **1** ameaçar. • *intr y tr* **2** (fig) ameaçar (anunciar).
amenizar *tr* amenizar.
ameno, na *adj* ameno.
América *f* América. ♦ ~ **Central** América Central; ~ **del Norte** América do Norte; ~ **del Sur** América do Sul.
americana *f* blêiser, paletó.
americanismo *m* americanismo.
americano, na *adj/m y f* americano.
amerindio, dia *adj/m y f* ameríndio.
ametralladora *f* metralhadora.
ametrallar *tr* **1** metralhar. **2** (fig) assediar (verbalmente).
amianto *m* amianto.
amigable *adj* **1** amigável (afable). **2** amistoso.

amígdala *f* ANAT amídala.
amigo, ga *adj/m y f* **1** amigo. **2** amante.
amiguismo *m* favoritismo.
aminorar *tr e intr* minorar.
amistad *f* **1** amizade. **2** mancebia. • **amistades** *f pl* **3** amigos.
amistoso, sa *adj* amistoso. ♦ **partido ~** DEP jogo amistoso.
amnesia *f* amnésia.
amnistía *f* anistia.
amnistiar *tr* anistiar.
amo *m* amo. ■ **ser el ~ del cotarro** (fam) ser o manda-chuva.
amodorrado, da *adj* sonolento.
amodorrarse *pron* amodorrar-se.
amoldar *tr y pron* amoldar.
amonestación *f* **1** admoestação. **2** (gralte pl) proclama, admoestação (de casamiento).
amonestar *tr* **1** admoestar. **2** repreender.
amoniaco o **amoníaco** *m* QUÍM amoníaco.
amontonar *tr y pron* amontoar.
amor *m* **1** amor. **2** namorado. • **amores** *m pl* **3** (fam) amores. ♦ **~ propio** amor próprio. ■ **¡~ mío!** meu amor!; **hacer el ~** fazer amor.
amoral *adj* amoral.
amoratado, da *adj* arroxeado.
amoratarse *pron* arroxear-se.
amordazar *tr* amordaçar.
amorfo, fa *adj* **1** amorfo. **2** (fig) sem carácter.
amoroso, sa *adj* amoroso.
amortiguador, ra *adj* **1** amortecedor. • *m* **2** amortecedor (dispositivo).
amortiguar *tr y pron* amortecer.
amortización *f* amortização.
amortizar *tr* **1** amortizar (deuda). **2** (fig) recuperar, compensar (capital invertido).
amotinado, da *adj/m y f* amotinado.
amotinar *tr y pron* amotinar.
amparar *tr y pron* amparar.
amparo *m* amparo (protección, persona).
amperio *m* ELEC ampère, ampere.
ampliación *f* ampliação.
ampliar *tr* ampliar.
amplificación *f* amplificação.
amplificador, ra *adj* **1** amplificador. • *m* **2** amplificador (aparato).
amplificar *tr* amplificar.
amplio, plia *adj* **1** amplo, vasto. **2** folgado, solto.
amplitud *f* **1** amplitude. **2** (fig) visão de mundo.
ampolla *f* **1** bolha. **2** ampola (de vidrio).
ampuloso, sa *adj* grandiloqüente (lenguaje, estilo).
amputar *tr* amputar.
amuchar *tr Amér. Merid.* (fam) multiplicar.
amueblar *tr* mobiliar.
amuermar *tr y pron* **1** (fam) desanimar, entediar. • *tr* **2** (fam) dar moleza. • **~se** *pron* **3** (fam) ficar com moleza.
amuleto *m* amuleto.
amurallar *tr* amuralhar, amurar.
amurriarse *pron* ficar murcho (entristecerse).
anabolizante *adj y m* BIOQ anabolizante.
anacardo *m* **1** cajueiro (árbol). **2** caju (fruto).
anaconda *f* anaconda, sucuri.
anacoreta *m o f* anacoreta.
anacrónico, ca *adj* anacrônico.
anacronismo *m* anacronismo.
anagrama *m* **1** anagrama. **2** emblema.
anal *adj* **1** ANAT anal. • **anales** *m pl* **2** anais (crónica, publicación).
analfabetismo *m* analfabetismo.
analfabeto, ta *adj/m y f* **1** analfabeto. **2** (fig) analfabeto (ignorante).
analgésico, ca *adj y m* analgésico.
análisis *m* **1** análise. **2** exame (de sangre).
analista *m o f* **1** analista. **2** analista (psicoanalista).
analítica *f* MED análise clínica.
analizar *tr* analisar.
analogía *f* analogia.
analógico, ca *adj* analógico.
análogo, ga *adj* análogo.
ananás *m* abacaxi (planta).
anaquel *m* prateleira (estante).
anarquía *f* anarquia.
anárquico, ca *adj* anárquico.
anarquismo *m* anarquismo.
anatema *amb* **1** anátema (excomunión). **2** anátema (maldición).
anatomía *f* anatomia.
anatómico, ca *adj* anatômico.
anca *f* anca, cadeiras.
ancestral *adj* ancestral.
ancho, cha *adj* **1** largo, amplo. **2** folgado. **3** (fig) convencido, cheio de si. • *m* **4** largura.

anchoa *f* enchova, anchova.
anchura *f* **1** largura. **2** amplitude.
anciano, na *adj/m y f* ancião.
ancla *f* âncora.
anclaje *m* MAR ancoragem.
anclar *intr* **1** MAR ancorar. • *tr* **2** segurar.
ancón *m* anco.
áncora *f* âncora.
andado, da *adj* gasto (ropa, zapatos).
andador, ra *adj/m y f* **1** andador. • *m* **2** (gralte pl) andador (para niños).
¡ándale! o **¡ándele!** *interj Ant.* avante!, adiante!
Andalucía *f* Andaluzia.
andaluz, za *adj/m y f* andaluz.
andamio *m* **1** andaime. **2** palanque (tablado).
andar *m* **1** andar, andadura. **2** andar, transcurso. • **andares** *m pl* **3** andar presunçoso.
andar *intr* **1** andar (caminar). **2** andar (funcionar). **3** andar (estar). **4** andar (haber). **5** andar, desenrolar-se (bien, mal, rápido). • *tr* **6** andar (percorrer). ~ **con 7** andar com (llevar). ~ **en 8** participar. ~ **por 9** andar por (aproximarse). • **¡anda!** *interj* **10** anda!; ânimo! ■ ~ **de cabeza** (fig, coloq) andar cheio de problemas; **todo se andará** (fam) tudo se ajeitará.
andariego, ga *adj/m y f* andarilho.
andén *m* **1** plataforma (de estación). **2** cais (de puerto). **3** ândito.
andinismo *m Amér. Merid.* alpinismo.
andino, na *adj* andino.
Andorra *f* Andorra.
andorrano, na *adj/m y f* andorrano.
andrajo *m* **1** farrapo, trapo. **2** (fig) frangalho, farrapo (despreciable).
andrajoso, sa *adj* maltrapilho, esfarrapado.
androide *m* andróide.
andurrial *m* (gralte pl) andurrial.
anécdota *f* anedota.
anecdótico, ca *adj* anedótico.
anegar *tr y pron* alagar.
anejo, ja *adj/m y f* anexo (unido).
anemia *f* MED anemia.
anémona o **anemona** *f* anêmone, anêmona.
anestesia *f* anestesia.
anestesiar *tr* anestesiar.
anexar *tr* anexar.
anexión *f* anexação.
anexionar *tr y pron* anexar (territorio).
anexo, xa *adj y m* ⇒ anejo, ja.
anfibio, bia *adj y m* **1** anfíbio. • **anfibios** *m pl* **2** ZOOL anuros.
anfiteatro *m* **1** anfiteatro. **2** balcão (en treatros, aulas).
anfitrión, na *m y f* anfitrião.
ánfora *f* **1** ânfora. **2** *Méx.* urna eleitoral.
angarillas *f pl* padiola.
ángel *m* **1** anjo. **2** (fig) anjo (bondadoso). **3** (fig) encanto, graça.
angelical *adj* angelical.
angelito *m* **1** anjinho. **2** (fig) criancinha.
ángelus *m* ângelus (oración).
angina *f* MED (gralte pl) angina. ◆ ~ **de pecho** MED angina do peito.
anglicano, na *adj/m y f* anglicano.
anglicismo *m* anglicismo.
angloamericano, na *adj/m y f* anglo-americano.
anglosajón, na *adj/m y f* anglo-saxão.
Angola *f* Angola.
angoleño, ña *adj/m y f* angolano, angolense.
angosto, ta *adj* estreito.
anguila *f* enguia.
angula *f* cria de enguia.
angular *adj* angular, anguloso.
ángulo *m* **1** ângulo. **2** canto (de pared).
angustia *f* **1** angústia (aflicción). **2** angústia, sufocação (en el pecho).
angustiado, da *adj* angustiado.
angustiar *tr y pron* angustiar, afligir.
anhelar *tr* almejar, anelar.
anhelo *m* almejo, anelo.
anhídrido *m* QUÍM anidrido.
anidar *intr y pron* **1** aninhar. **2** (fig) habitar.
anilla *f* **1** aro, argola. **2** ilhó.
anillo *m* **1** anel. **2** anilha, aro. **3** anel, cacho (cabello). **4** ASTR anel. ◆ ~ **de boda** aliança. ■ **como ~ al dedo** (fig, fam) como uma luva.
ánima *f* alma del purgatório. ◆ ~ **en pena** alma penada.
animación *f* animação.
animado, da *adj* **1** animado (vivo). **2** animado, divertido. ◆ **dibujos animados** desenhos animados.
animador, ra *adj/m y f* animador.
animadversión *f* animadversão.
animal *m* **1** animal. • *adj/m y f* **2** (fig) animal (ignorante, bárbaro). ◆ ~ **irracional** animal irracional.

animalada *f* (fam) asneira.
animar *tr y pron* animar.
anímico, ca *adj* anímico.
ánimo *m* ânimo (alma, espíritu).
animoso, sa *adj* animado.
aniñado, da *adj* acriançado, ameninado.
aniquilar *tr y pron* **1** aniquilar. **2** (fig) esgotar.
anís *m* **1** anis, erva-doce. **2** ⇒ anisete. **3** bala de anis. ■ **llegar a los anises** chegar tarde.
anisete *m* anisete (licor).
aniversario, ria *adj* **1** anual. ● *m* **2** aniversário (de un acontecimiento).
ano *m* ânus.
anoche *adv* ontem à noite.
anochecer *m* anoitecer. ■ **al ~** ao anoitecer.
anochecer *intr* anoitecer.
anodino, na *adj* anódino.
anomalía *f* anomalia.
anómalo, la *adj* anómalo.
anonadado, da *adj* desconcertado, perplexo.
anonadar *tr y pron* **1** ● *tr* **2** (fig) desconcertar.
anonimato *m* anonimato.
anónimo, ma *adj y m* anônimo. ◆ **sociedad anónima** sociedade anônima.
anorak *m* anoraque, agasalho.
anorexia *f* MED anorexia.
anormal *adj* **1** anormal. ● *m o f* **2**
anotación *f* anotação.
anotar *tr* **1** anotar. ● *tr y pron* **2** DEP marcar (puntos, goles).
anovulatorio, ria *adj y m* anovulatório (fármaco).
anquilosamiento *m* ancilose.
anquilosar *tr* MED ancilosar, anquilosar.
ánsar *m* ganso (ave).
ansia *f* **1** ânsia (fatiga). **2** ânsia, aflição.
ansiar *tr* **1** ansiar. ● **~se** *pron* **2** angustiar-se.
ansiedad *f* ansiedade.
ansioso, sa *adj* **1** ansioso (acongojado). **2** desejoso.
anta *f* anta (menhir).
antagónico, ca *adj* antagônico.
antagonismo *m* antagonismo.
antagonista *m o f* antagonista.
antaño *adv* antanho, outrora.
antártico, ca *adj* antártico.
ante *prep* **1** perante, ante, diante de: *abrió la caja ante sus ojos = abriu a caixa ante seus olhos*. **2** em relação a.
ante *m* **1** camurça. **2** ⇒ alce.
anteanoche *adv* anteontem à noite.
anteayer *adv* anteontem.
antebrazo *m* antebraço.
antecámara *f* antecâmara.
antecedente *adj y m* antecedente. ◆ **antecedentes penales** DER antecedentes criminais.
anteceder *tr* anteceder, preceder.
antecesor, ra *m y f* **1** antecessor (cargo, dignidad). ● *m* **2** antepassado.
antedicho, cha *adj* supracitado, supradito.
antediluviano, na *adj* **1** antediluviano. **2** (fig) antediluviano (muy antiguo).
antelación *f* antecedência. ■ **con ~** com antecedência.
antelar *tr Chile, Ecuad., Méx.* antecipar.
antellevar *tr Méx.* atropelar.
antemano de ~ *loc adv* de antemão.
antena *f* **1** antena. **2** antena (de insecto).
anteojo *m* **1** luneta. **2** telescópio. ● **anteojos** *m pl* **3** binóculos. **4** óculos (gafas).
antepasado, da *adj* **1** antepassado. ● *m* **2** (gralte pl) antepassado, ascendente.
antepecho *m* peitoril, parapeito.
anteponer *tr y pron* **1** antepor. **2** (fig) preferir.
anteproyecto *m* anteprojeto.
anterior *adj* anterior.
anterioridad *f* anterioridade, antecedência. ■ **con ~** com antecedência.
antes *adv* **1** antes (de, que). **2** antes (antiguamente). ● *conj* **3** senão que. ● *adj* **4** precedente. ■ **lo ~ posible** o antes possível.
antesala *f* ante-sala, antecâmara.
antiabortista *adj/m y f* contra o aborto.
antiaéreo, a *adj* antiaéreo.
antiarrugas *adj y m* anti-rugas (cosmético).
antibalas *adj* à prova de bala.
antibiótico, ca *adj y m* BIOL antibiótico.
antibloqueo *adj y m* AUT antibloqueio.
anticiclón *m* anticiclone.
anticipación *f* antecipação.
anticipado, da *adj* antecipado. ■ **por ~** antecipadamente.
anticipar *tr* **1** antecipar. **2** *Amér.* prever.
anticipo *m* **1** ⇒ anticipación. **2** adiantamento (dinero).

anticlerical *adj/m y f* anticlerical.
anticonceptivo, va *adj y m* anticoncepcional. ◆ **píldora ~** pílula anticoncepcional.
anticongelante *adj y m* anticongelante.
anticonstitucional *adj* anticonstitucional.
anticristo *m* anticristo.
anticuado, da *adj* antiquado.
anticuario, ria *m y f* antiquário.
anticuerpo *m* BIOL, MED anticorpo.
antideportivo, va *adj* antiesportivo.
antidepresivo, va *adj* **1** antidepressivo. • *m* **2** antidepressivo (medicamento).
antidopaje *adj y m* DEP antidoping.
antídoto *m* **1** antídoto. **2** (fig) precaução.
antiestético, ca *adj* **1** antiestético. **2** (fig) feio, de mau gosto.
antifaz *m* **1** anteface, antifaz. **2** máscara (para dormir).
antígeno *m* BIOL, MED antígeno.
antigualla *f* antiguidade.
Antigua y Barbuda *f* Antígua e Barbuda.
antigubernamental *adj* antigovernamental.
antigüedad *f* **1** antiguidade. • **antigüedades** *f pl* **2** antiguidades.
antiguo, gua *adj* **1** antigo. • *adj/m y f* **2** antiquado. • **antiguos** *m pl* **3** antigos. ◆ **Antiguo Testamento** Velho Testamento. ■ **chapado a la antigua** quadrado, conservador.
antihéroe *m* anti-herói.
antihigiénico, ca *adj* anti-higiênico.
antílope *m* antílope.
antimonio *m* QUÍM antimônio.
antinatural *adj* antinatural.
antiniebla *adj* AUT contra neblina. ◆ **faro o luz ~** luz de neblina.
antinuclear *adj* antinuclear.
antioxidante *adj/m y f* QUÍM antioxidante.
antipatía *f* antipatia.
antipatizar *intr* antipatizar.
antipirético, ca *adj y m* antipirético, antitérmico.
antípoda *adj/m y f* **1** (gralte pl) antípoda. **2** (fig) (gralte pl) oposto.
antirrobo *adj y m* anti-roubo, antifurto.
antisemitismo *m* anti-semitismo.
antiséptico, ca *adj y m* MED anti-séptico.
antisocial *adj* anti-social.
antisudoral *adj y m* antitranspirante.
antiterrorista *adj/m y f* antiterrorista.
antítesis *f* FIL, RET antítese.
antivirus *adj y m* INF antivírus.
antojadizo, za *adj* caprichoso, antojadiço.
antojarse *pron* desejar veemente, antojar.
antojitos *m pl Amér. Centr., Méx.* petisco, tira-gosto.
antojo *m* **1** desejo, antojo (capricho). **2** sinal de nascença.
antología *f* antologia.
antológico, ca *adj* antológico.
antónimo, ma *adj y m* GRAM antônimo.
antonomasia *f* RET antonomásia.
antorcha *f* tocha.
antracita *f* antracito, antracite.
antro *m* **1** antro. **2** (fig) espelunca, antro.
antropófago, ga *adj/m y f* antropófago, andrófago.
antropoide *adj y m* ZOOL antropóideo.
antropología *f* antropologia.
antropólogo, ga *m y f* antropólogo, antropologista.
antropomorfo, fa *adj* antropomórfico.
anual *adj* anual.
anualidad *f* anuidade, anualidade.
anuario *m* anuário.
anudar *tr y pron* **1** atar, amarrar. • *tr* **2** (fig) retomar.
anulación *f* anulação.
anular *adj y m* anular. ◆ **dedo ~** dedo anular.
anular *tr* **1** anular. • *tr y pron* **2** suspender.
anunciación *f* anunciação.
anunciar *tr* anunciar.
anuncio *m* **1** anúncio. **2** propaganda.
anverso *m* anverso (moneda).
anzuelo *m* **1** anzol. **2** (fig) armadilha.
añadido *m* **1** ⇒ añadidura. **2** postiço (pelo).
añadidura *f* adição, acréscimo. ■ **por ~** além disso.
añadir *tr* acrescentar, adicionar.
añejo, ja *adj* **1** envelhecido (vino). **2** velho, antigo (vicio, noticia).
añicos *m pl* cacos, estilhaços. ■ **hecho ~** um caco.
añil *adj y m* anil.
año *m* **1** ano. • **años** *m pl* **2** aniversário. **3** idade. ◆ **~ académico** ano letivo. ■ **a años luz** a anos luz.

añoranza *f* saudade, nostalgia.
añorar *tr e intr* ter saudades.
aorta *f* ANAT, ZOOL aorta.
apache *adj/m y f* apache.
apacible *adj* **1** aprazível, agradável. **2** sossegado.
apaciguar *tr y pron* apaziguar, sossegar.
apadrinar *tr* **1** apadrinhar. **2** proteger.
apagado, da *adj* **1** apagado (color, brillo). **2** (fig) apoucado (persona).
apagador, ra *adj/m y f* **1** apagador. • *m* **2** MÚS abafador. **3** *Méx.* ELEC interruptor.
apagar *tr y pron* **1** apagar (fuego). **2** desligar (electrodoméstico). • *tr* **3** fechar (grifo). ▪ **apaga y vámonos** (fig, fam) então acabou-se.
apagón *m* blecaute (de luz).
apalabrar *tr y pron* apalavrar, acertar.
apalear *tr* **1** espancar. **2** varejar (ropa, alfombras).
apandillar *tr y pron* juntar-se (amigos).
apantallado, da *adj Méx.* abobalhado.
apantallar *tr, intr y pron* **1** *R. de la Plata* abanar. • *tr* **2** *Méx.* impressionar, ostentar.
apañado, da *adj* (fam) jeitoso. ▪ **estar ~** estar ferrado.
apañar *tr* **1** pegar, apanhar. **2** arranjar, dar um jeito. • **~se** *pron* **3** (fam) ajeitar-se.
apaño *m* **1** arranjo, remendo. **2** (fam) jeito.
aparador *m* **1** aparador. **2** vitrina.
aparadorista *adj/m y f Amér.* vitrinista.
aparato *m* **1** aparelho. **2** aparato, pompa (formalidad). ▪ **al ~** ao telefone.
aparatoso, sa *adj* aparatoso.
aparcamiento *m* estacionamento.
aparcar *tr* **1** estacionar, encostar (vehículo). **2** (fig) adiar, preterir.
apareamiento *m* acasalamento.
aparear *tr y pron* **1** emparelhar. **2** acasalar (animales).
aparecer *intr y pron* aparecer.
aparecido, da *m y f* aparição, espectro.
aparejado, da *adj* **1** inerente. **2** idôneo.
aparejar *tr y pron* **1** aparelhar (preparar). • **~se** *pron* **2** *Amér. Centr.* acasalar.
aparejo *m* **1** preparo. **2** arreios (caballerías).
aparentar *tr* aparentar.
aparente *adj* **1** aparente. **2** (fam) apropiado.
aparición *f* **1** aparecimento. **2** aparição (visión).
apariencia *f* **1** aparência. **2** verossimilhança. ▪ **guardar o salvar las apariencias** manter as aparências.
apartado, da *adj* **1** afastado. • *m* **2** compartimento, cômodo (aposento). **3** departamento, seção (sección). **4** parrágrafo. ♦ **~ de correos** caixa postal.
apartamento *m* apartamento, flat.
apartar *tr y pron* **1** afastar, apartar. • *tr* **2** separar, reservar. **3** (fig) dissuadir.
aparte *adv* **1** à parte. **2** separadamente. • *m* **3** aparte (en escena). **4** parágrafo. • *adj* **5** diferente, singular. ♦ **punto y ~** ponto e parágrafo. ▪ **~ de** além de.
apasionado, da *adj* apaixonado; entusiasta.
apasionar *tr y pron* **1** apaixonar (exaltar). • **~se** *pron* **2** adorar.
apatía *f* apatia.
apático, ca *adj* apático.
apeadero *m* **1** apeadeiro ferroviário. **2** albergue, estalagem.
apear *tr y pron* **1** apear, descer (vehículo, caballería). **2** (fig) dissuadir. • *tr* **3** escorar (automóvil). **4** (fig) superar (dificultad).
apego *m* apego, estima.
apelar *intr* **1** DER apelar. • *intr y pron* **2** apelar, invocar (autoridad).
apelativo, va *adj y m* **1** GRAM apelativo. • *m* **2** apelido, sobrenome.
apellidar *tr y pron* **1** chamar. • **~se** *pron* **2** sobrenomear.
apellido *m* **1** sobrenome. **2** alcunha.
apelmazado, da *adj* **1** áspero, duro (lana, tejido). **2** (fig) denso (obra literaria).
apelmazar *tr y pron* **1** endurecer, compactar. • *tr* **2** *Amér. Centr.* apisoar (terreno).
apenado, da *adj* penalizado, triste, desgostoso.
apenar *tr y pron* penalizar, entristecer.
apenas *adv* **1** quase não, apenas: *apenas habla = quase não fala*. **2** somente, apenas. • *conj* **3** logo que, apenas: *apenas salió, empezó a llover = apenas saiu, começou a chover*.
apéndice *m* apêndice.
apercibir *tr y pron* **1** aprontar. **~ de 2** perceber. • *tr* **3** advertir.
apergaminado, da *adj* apergaminhado, pergaminhoso.

aperitivo, va *adj y m* aperitivo.
apersonarse *pron* apresentar-se.
apertura *f* **1** abertura, abrimento. **2** início (de asambleas, teatros).
apesadumbrar *tr y pron* afligir, desalentar, entristecer.
apestar *intr* **1** cheirar mal, feder. • *tr y pron* **2** empestar.
apetecer *tr y pron* desejar, querer.
apetecible *adj* apetecível, apetitoso.
apetencia *f* **1** apetência. **2** apetite, desejo.
apetito *m* **1** apetite, fome. **2** desejo (sexual). ■ **abrir o despertar el ~** abrir o apetite.
apetitoso, sa *adj* apetitoso, saboroso.
apiadar *tr* **1** apiedar, compadecer. • **~se** *pron* **2** apiedar-se.
ápice *m* **1** ápice (extremo). **2** (fig) ápice (nonada).
apicultura *f* apicultura.
apilar *tr* empilhar, acumular, amontoar.
apilonar *tr Amér.* ⇒ apilar.
apiñado, da *adj* entulhado.
apiñar *tr y pron* apinhar, lotar.
apiñonado, da *adj Méx.* abaçanado.
apio *m* aipo, salsão.
apisonadora *f* niveladora, aplanadora.
apisonar *tr* apisoar, aplainar.
aplacar *tr y pron* aplacar, apaziguar.
aplanador, ra *adj/m y f* aplanador.
aplanar *tr* **1** aplanar, nivelar. **2** (fig) deixar arrasado.
aplastante *adj* (fig) esmagador.
aplastar *tr y pron* **1** aplastar, esmagar. • *tr* **2** (fig) **3** (fig, fam) ⇒ apabullar.
aplaudir *tr* **1** aplaudir. **2** (fig) elogiar.
aplauso *m* aplauso.
aplazado, da *adj Amér.* reprovado (examen).
aplazamiento *m* **1** adiamento. **2** prorrogação.
aplazar *tr* **1** adiar, prorrogar. **2** *Amér.* reprovar (examen).
aplicación *f* **1** aplicação. **2** (fig) esmero, aplicação (en el estudio).
aplicar *tr* **1** aplicar. **2** (fig) empregar. **3** atribuir. • **~se** *pron* **4** esmerar-se.
aplique *m* aplique (lámpara).
aplomo *m* **1** circunspecção. **2** aprumo (verticalidad).
apocado, da *adj* acanhado, apoucado.
apocalipsis *m* apocalipse.
apocalíptico, ca *adj* apocalíptico.
apocar *tr* **1** apoucar, reduzir. • *tr y pron* **2** (fig) humilhar.
apochongarse *pron Arg., Ur.* assustar-se.
apócope *f* GRAM apócope.
apócrifo, fa *adj y m* apócrifo.
apodar *tr* apelidar, alcunhar.
apoderado, da *adj/m y f* procurador.
apoderar *tr* **1** DER nomear procurador. • **~se** *pron* **2** apoderar-se.
apodo *m* apelido, alcunha.
apogeo *m* (fig) apogeu, auge. ■ **estar en pleno ~** estar no auge.
apolillar *tr y pron* **1** roer (polillas). • **~se** *pron* **2** enferrujar-se (anticuarse).
apolítico, ca *adj* apolítico.
apología *f* apologia.
apoquinar *tr* (vulg) pagar, desembolsar.
aporreado, da *adj* desafortunado.
aporrear *tr y pron* **1** aporrear. • *tr* **2** (fig) martelar: *aporrear los oídos = martelar os ouvidos.*
aportación *f* contribuição.
aportar *tr* **1** contribuir. • *intr* **2** (fig) chegar (a un lugar).
aposentar *tr* **1** hospedar. • **~se** *pron* **2** (coloq) assentar-se, estabelecer-se.
aposento *m* **1** aposento. **2** hospedaria.
aposición *f* GRAM aposição.
aposta *adv* de propósito, adrede.
apostar *tr y pron* **1** apostar. • *intr* **2** (fig) competir.
apóstata *adj/m y f* apóstata.
apostatar *intr* apostatar.
apostilla *f* apostila.
apóstol *m* apóstolo.
apostolado *m* apostolado.
apostólico, ca *adj* **1** apostólico. **2** papal.
apostrofar *tr* RET apostrofar.
apóstrofo *m* apóstrofo.
apostura *f* postura, atitude.
apoteosis *f* apoteose.
apoyar *tr* **1** apoiar (objeto). **2** favorecer (patrocinar). **3** fundamentar.
apoyo *m* **1** apoio (soporte). **2** (fig) fundamento. **3** (fig) protecção.
apreciable *adj* apreciável.
apreciación *f* **1** apreçamento. **2** apreciação (valoración).
apreciar *tr* **1** apreçar. **2** apreciar, prezar (valorar). **3** estimar (a alguien).
aprecio *m* apreço.

aprehender *tr* apreender.
apremiante *adj* **1** premente, urgente. **2** obrigatório.
apremiar *tr* **1** apressar (instar). **2** apertar (oprimir).
apremio *m* **1** pressa, urgência. **2** juros de mora.
aprender *tr* aprender.
aprendiz, za *m y f* aprendiz.
aprendizaje *m* aprendizado.
aprensar *tr Chile* apertar fortemente.
aprensión *f* **1** apreensão. **2** receio (escrúpulo).
aprensivo, va *adj* apreensivo, receoso.
apresar *tr* **1** agarrar, apresar. **2** ⇒ aprisionar.
aprestar *tr y pron* aprestar, aprontar.
apresurado, da *adj* apressado, apressurado.
apresuramiento *m* apressamento.
apresurar *tr y pron* apressar, apressurar.
apretado, da *adj* **1** (fig) perigoso. **2** compacto (letra).
apretar *tr* **1** apertar. **2** comprimir. **3** ajustar (vestido). **4** retesar (algo tirante). **5** (fig) pressionar (exigir). • *intr* **6** esforçar-se.
apretón *m* **1** aperto. **2** (fig) esforço. **3** (fam) dor intensa. ◆ **~ de manos** aperto de mãos.
apretujar *tr* **1** (fam) apertar. • **~se** *pron* **2** apertar-se (en un lugar).
aprieto *m* aperto, apuro. ■ **estar en un ~** entrar numa fria.
aprisa *adv* às pressas, depressa.
aprisionar *tr* **1** aprisionar. **2** (fig) apresar, prender.
aprobación *f* aprovação.
aprobado, da *m* nota mímina (en un examen).
aprobar *tr* **1** aprovar (aceptar). **2** autorizar. **3** aprovar, classificar-se (examen).
apropiación *f* apropriação.
apropiado, da *adj* apropriado (adecuado).
apropiar *tr* **1** apropriar. • *tr y pron* **2** adequar. • **~se** *pron* **3** apropiar-se (de algo).
aprovechado, da *adj* aproveitado.
aprovechamiento *m* aproveitamento.
aprovechar *intr y tr* **1** aproveitar. • **~se** *pron* **2** aproveitar-se (de algo, alguien). ■ **que aproveche** bom apetite.
aprovisionamiento *m* aprovisionamento.
aprovisionar *tr* aprovisionar.
aproximación *f* aproximação.
aproximado, da *adj* aproximado.
aproximar *tr y pron* aproximar.
aptitud *f* **1** aptidão. **2** capacidade, competência.
apto, ta *adj* apto.
apuesta *f* aposta.
apuesto, ta *adj* **1** bem-apessoado. **2** arrumado, elegante.
apuntado, da *adj* apontado.
apuntador, ra *adj/m y f* **1** apontador, anotador. • *m y f* **2** TEAT apontador, ponto.
apuntalar *tr* **1** escorar. **2** (fig) firmar.
apuntar *tr* **1** apontar (señalar). **2** anotar. **3** afiar (sacar punta). **4** esboçar. • *tr y pron* **5** inscrever-se (en registro).
apunte *m* **1** anotação. **2** esboço. • **apuntes** *m pl* **3** anotações (de clase). ■ **tomar apuntes** fazer anotações.
apuñalar *tr* apunhalar.
apuñar *tr* empunhar.
apurado, da *adj* **1** em apuros, aflito. **2** esmerado.
apurar *tr* **1** esgotar, acabar. • *tr y pron* **2** (fig) apressar.
apuro *m* **1** aperto, apuro (escasez). **2** dificuldade, perigo. **3** embaraço. ■ **estar en un ~** ver-se em apuros.
aquejar *tr* **1** padecer (enfermedad). **2** (fig) afligir.
aquel, lla *adj demos* **1** aquele: *aquel partido fue muy emocionante = aquele jogo foi muito emocionante.* • *m* **2** atrativo, quê: *ella tiene un aquel especial = ela tem um quê especial.*
aquél, lla *pron demos* aquele: *no quiero este libro, quiero aquél = não quero este livro, quero aquele.*
aquelarre *m* sabé, conciliábulo de bruxos.
aquello *pron demos* aquilo: *aquello fue horrible = aquilo foi horrível, no quiero nada de aquello = não quero nada daquilo, ¿qué crees que es aquello? = o que você acha que é aquilo?*
aquí *adv* **1** (lugar) aqui, cá: *aquí llueve mucho = aqui chove muito, ¡ven aquí! = venha cá!* **2** (tiempo) aqui, agora: *de aquí a una semana = daqui a uma semana.* ■ **de ~ para allá** daqui para lá.
aquiescencia *f* aquiescência.
aquietar *tr y pron* aquietar, acalmar.

ara *f* **1** ara, altar. • *m* **2** *Amér.* arara (ave). ■ **en aras de** em prol de.
árabe *adj/m y f* **1** árabe, arábigo. • *m* **2** árabe (lengua).
Arabia Saudí o **Arabia Saudita** *f* Arábia Saudita.
arábigo, ga *adj/m y f* **1** arábico, arábigo. • *m* **2** árabe (lengua).
arabismo *m* arabismo.
arácnido, da *adj y m* **1** ZOOL aracnídeo. • **arácnidos** *m pl* **2** ZOOL aracnídeos.
arado *m* **1** arado (instrumento). **2** lavra, arada.
Aragón *m* Aragão.
aragonés, sa *adj/m y f* **1** aragonês. • *m* **2** aragonês (dialecto).
arancel *m* tarifa, taxa. ♦ **~ aduanero** taxa alfandegária.
arándano *m* mirtilo, arando (planta, fruto).
arandela *f* **1** arruela. **2** arandela.
araña *f* **1** aranha. **2** lustre (lámpara). **3** (fig) prostituta.
arañar *tr y pron* **1** arranhar (herir). • *tr* **2** riscar (rayar). **3** (fig, fam) arrecadar (apañar).
arañazo *m* arranhão; unhada.
arar *tr* arar, lavrar.
araucano, na *adj/m y f* **1** araucano. • *m* **2** mapuche (lengua).
arbitraje *m* **1** arbitragem (juicio). **2** DEP arbitragem.
arbitrar *intr* **1** arbitrar (decidir). **2** (fig) mediar (conflicto). • *intr y tr* **3** DEP arbitrar (partido).
arbitrariedad *f* arbitrariedade.
arbitrario, ria *adj* **1** arbitrário. **2** injusto.
arbitrio *m* **1** arbítrio. **2** vontade. **3** autoridade. **4** meio, recurso.
árbitro, tra *adj/m y f* **1** independente. • *m y f* **2** mediador. **3** DEP árbitro.
árbol *m* **1** árvore. **2** corpo de camisa **3** ARQ pião (de escalera). **4** MAR mastro, árvore. ♦ **~ de navidad** árvore de natal; **~ genealógico** árvore genealógica.
arboladura *f* MAR arvoredo, mastreação.
arboleda *f* arvoredo.
arborecer *intr* arborescer.
arbóreo, a *adj* arbóreo.
arbusto *m* arbusto.
arca *f* **1** arca. **2** cofre (para dinero).
arcabuz *m* arcabuz.
arcada *f* **1** ARQ arcada. **2** olhal (de un puente). **3** (gralte pl) arcadas (náuseas).
arcaduz *m* alcatraz.
arcaico, ca *adj* arcaico.
arcaísmo *m* arcaísmo.
arcángel *m* REL arcanjo.
arce *m* bordo.
arcén *m* acostamento (de carretera).
archidiócesis *f* arquidiocese.
archiduque *m* arquiduque.
archiduquesa *f* arquiduquesa.
archipiélago *m* arquipélago.
archivador *m* fichário (mueble, carpeta).
archivar *tr* **1** arquivar (guardar). **2** (fig) arquivar (finalizar).
archivero, ra *m y f* arquivista.
archivo *m* **1** arquivo (documentos, local). **2** *Col.* escritório (local). **3** INF arquivo.
arcilla *f* argila.
arcipreste *m* arcipreste.
arco *m* **1** ARQ, GEOM arco. **2** arco (arma). **3** MÚS arco. **4** DEP gol (portería). ♦ **~ iris** arco-íris.
arder *intr* **1** arder. **~ de/en 2** estar agitado (por pasiones). **~ en 3** ser intenso, violento (guerra, lucha).
ardid *m* ardil.
ardido, da *adj* **1** valente, corajoso. **2** *Amér.* irritado.
ardiente *adj* **1** ardente (caliente). **2** (fig) ardente (apasionado).
ardilla *f* esquilo.
ardor *m* **1** ardor (calor). **2** (fig) ardor (intensidad, entusiasmo). ♦ **~ de estómago** queimação de estómago.
arduo, dua *adj* árduo.
área *f* **1** área, zona. **2** área (del saber). **3** are (medida).
arena *f* **1** areia. **2** (fig) arena (circo, plaza de toros).
arenga *f* arenga (discurso).
arenisco, ca *adj* arenáceo.
arenoso, sa *adj* **1** arenoso. **2** arenáceo.
arenque *m* arenque, manjuba.
areola o **aréola** *f* ANAT aréola.
arepa *f Amér.* GAST broa.
arete *m* brinco de argola.
argamasa *f* argamassa.
Argelia *f* Argélia.
argelino, na *adj/m y f* argelino, argeliano.
Argentina *f* Argentina.
argentinismo *m* argentinismo.
argentino, na *adj* **1** argênteo. • *adj/m y f* **2** argentino.

argolla *f* **1** argola. **2** *Amér. Merid.* aliança.
argot *m* gíria.
argucia *f* argúcia.
argüir *tr* **1** argüir. • *intr y tr* **2** alegar.
argumentación *f* argumentação.
argumentar *intr y tr* **1** argumentar, aduzir. • *intr* **2** refutar.
argumento *m* **1** argumento (razonamiento). **2** enredo, argumento (de una obra).
aria *f* MÚS ária.
aridez *f* aridez.
árido, da *adj* árido.
aries *adj/m y f* **1** ASTROL áries, ariano. • **Aries** *m* **2** ASTR Áries (constelación, signo zodiacal).
ario, ria *adj/m y f* **1** ariano. • *m* **2** ariano (lengua).
arisco, ca *adj* arisco.
arista *f* **1** aresta. **2** GEOM aresta. • **aristas** *f pl* **3** (fig) dificuldades, arestas.
aristocracia *f* aristocracia.
aristócrata *m o f* aristocrata.
aristocrático, ca *adj* aristocrático.
aritmética *f* MAT aritmética.
arito *m Amér.* ⇒ arete.
arlequín *m* **1** arlequim. **2** bufo.
arma *f* arma. ◆ ~ **blanca** arma branca; ~ **de doble filo** (fig) faca de dois gumes. ■ **alzarse en armas** sublevar-se.
armada *f* armada, frota.
armadillo *m* tatu.
armado, da *adj* **1** armado. **2** montado. ◆ **hormigón** ~ concreto armado.
armadura *f* **1** armadura. **2** armação. **3** esqueleto (vertebrados).
armamentista *adj/m y f* armamentista.
armamento *m* armamento.
armar *tr y pron* **1** armar. **2** munir. **3** (fig) originar, montar (riñas, escándalos). • *tr* **4** montar (artefacto). **5** *Col. R. de la Plata*, enrolar (cigarros). • **~se** *pron* **6** (fig) encher-se (de valor, paciencia).
armario *m* **1** armário. ◆ ~ **empotrado** armário embutido.
armatoste *m* trambolho.
armazón *amb* **1** armação. **2** *Amér.* prateleiras.
armella *f* armela.
Armenia *f* Armênia.
armenio, nia *adj/m y f* **1** armênio. • *m* **2** armênio (lengua).
armería *f* armaria.
armiño *m* arminho.
armisticio *m* armistício.
armonía *f* **1** harmonia (combinación). **2** MÚS harmonia.
armónico, ca *adj y m* **1** harmônico. • *m* **2** MÚS harmônico.
armonio o **armónium** *m* MÚS harmônio.
armonioso, sa *adj* harmonioso.
armonización *f* harmonização.
armonizar *tr e intr* **1** harmonizar (combinar). **2** MÚS harmonizar.
arnés *m* arnês.
árnica *f* arnica.
aro *m* **1** aro. **2** brinco. **3** anel (sortija).
aroma *m* aroma.
aromático, ca *adj* aromático.
aromatizante *adj y m* aromatizante.
aromatizar *tr* aromatizar, aromar.
arpa *f* MÚS harpa.
arpegio *m* MÚS arpejo, harpejo.
arpía *f* **1** harpia (ave). **2** (fig) harpia, megera.
arpillera *f* aniagem.
arpón *m* arpão.
arponear *tr* arpoar.
arqueada *f* MÚS arcada.
arquear *tr y pron* **1** arquear. • *tr* **2** *Amér. Merid.* fazer o balanço. • *intr* **3** enjoar.
arqueo *m* **1** arqueação. **2** *Amér. Merid.* balanço diário.
arqueología *f* arqueologia.
arqueológico, ca *adj* arqueológico.
arqueólogo, ga *m y f* arqueólogo.
arquería *f* **1** ARQ arcaria. **2** *Amér.* DEP gol.
arquero *m* **1** arqueiro. **2** DEP goleiro.
arqueta *f* arqueta.
arquetipo *m* arquétipo.
arquitecto, ta *m y f* arquiteto.
arquitectura *f* arquitetura.
arquitrabe *m* ARQ arquitrave.
arrabal *m* arrabalde, subúrbio.
arrabalero, ra *adj/m y f* arrabaldeiro, suburbano.
arracimarse *pron* arracimar-se.
arraigado, da *adj* proprietário de bens imóveis.
arraigar *intr y pron* **1** arraigar (planta). **2** (fig) arraigar (sentimiento, costumbre, virtud). **3** (fig) arraigar-se (en un lugar).
arraigo *m* enraizamento.
arramblar *tr* **1** (fig) arrasar. • ~ **con** *intr y tr* **2** apossar-se (apropiarse).

arrancado, da *adj* **1** (fig, fam) arruinado.
arrancar *tr* **1** arrancar. • *intr y tr* **2** arrancar (máquina). • *intr* **3** partir, provir. • *intr y pron* **4** (fig, fam) desandar: *arrancó a llorar = desandou a chorar.*
arranque *m* **1** arranque. **2** (fig) início. **3** (fig) impulso.
arrasar *tr* **1** arrasar. **2** nivelar.
arrastrar *tr* **1** arrastar. **2** (fig) suportar. **3** (fig) conduzir. • *intr y pron* **4**
arrastre *m* arrastamento, arrasto. ◆ **pesca de ~** arrastão. ■ **estar para el ~** (coloq) estar um bagaço.
arreado, da *adj Amér.* arriado, cansado.
arreador *m Amér. Merid.* chicote.
arrear *tr* **1** fustigar, açoitar (bestias). • *tr e intr* **2** apressar. • *intr* **3** arrear, selar (caballería).
arrebatado, da *adj* **1** arrebatado. **2** (fig) irritado, bravo.
arrebatar *tr y pron* **1** arrebatar. • **~se** *pron* **2** arrebatar-se, irar-se.
arrebato *m* **1** arrebatamento (furor). **2** arrebatamento (éxtasis).
arrebol *m* **1** arrebol. **2** rubor (en las mejillas). **3** ruge (cosmético).
arrechar *intr y pron Amér. Centr., Méx., Col.* arretar-se, arreitar-se.
arrechucho *m* **1** (fam) faniquito. **2** (fam) indisposição.
arrecife *m* **1** recife, arrecife. **2** caminho empedrado.
arreglado, da *adj* **1** arrumado. **2** (fig) moderado, ordenado.
arreglar *tr y pron* **1** arrumar, ajeitar. **2** concertar, reparar (aparatos, ropa). **3** arrumar, assear. • *tr* **4** MÚS arranjar. • **~se** *pron* **5** acertar-se, entender-se.
arreglo *m* **1** arranjo, arrumação. **2** concerto, reparação. **3** asseio. ◆ **~ de cuentas** acerto de contas.
arremangado, da *adj* arregaçado.
arremangar *tr y pron* arregaçar.
arremansarse *tr Amér.* estancar-se (líquido).
arremeter *intr* arremeter.
arremetida *f* arremetida.
arrendador, ra *m y f* arrendador, arrendante.
arrendajo *m* **1** gaio. **2** (fig) papagaio (imitador).
arrendamiento *m* **1** arrendamento, arrendação. **2** arrendamento (contrato).
arrendar *tr* **1** arrendar (inmueble). **2** arrendar (caballerías).
arrendatario, ria *adj/m y f* arrendatário.
arrenquín *m Amér.* égua madrinha.
arreo *m* **1** enfeite, adorno. • **arreos** *m pl* **2** arreios (de las caballerías).
arrepentimiento *m* arrependimento.
arrepentirse *pron* arrepender-se.
arrestado, da *adj* **1** preso, encarcerado. **2** audacioso.
arrestar *tr* **1** deter, prender. • **~se** *pron* **2** decidir-se (determinarse). **3** arriscar-se.
arresto *m* **1** prisão, detenção. **2** coragem. ◆ **~ domiciliario** prisão domiciliar.
arriar *tr* **1** MAR arriar (bandera, velas). **2** MAR arriar (cable, cadena).
arriate *m* canteiro, alegrete.
arriba *adv* **1** (dirección) acima, para cima. **2** (lugar, posición) cima. **3** anteriormente, acima (en textos). • **¡~!** *interj* **4** viva! ■ **de ~ abajo** (fig) de cima a baixo.
arribar *intr* **1** arribar (al puerto). **2** chegar. **3** (fam, fig) melhorar (salud, hacienda).
arribeño, ña *adj/m y f Amér.* montanhês.
arribista *m o f* arrivista, oportunista.
arriendo *m* arrendamento.
arriero *m* arreeiro, tropeiro.
arriesgado, da *adj* arriscado.
arriesgar *tr y pron* arriscar.
arrimado, da *m y f* encostado.
arrimar *tr y pron* **1** encostar. • *tr* **2** dar (golpe). • **~se** *pron* **3** arrimar-se (apoyarse).
arrimo *m* **1** arrimo, encosto. **2** arrimo, amparo.
arrinconar *tr* **1** arrincoar, pôr num canto. **2** (fig) encurralar, acuar. **3** (fig) desdenhar, desprezar.
arriscado, da *adj* arriscado, escarpado.
arritmia *f* **1** arritmia. **2** MED arritmia.
arritranco *m Amér.* cacareco (trasto).
arroba *f* **1** arroba (medida). **2** INF arroba (símbolo).
arrobar *tr* conquistar (cautivar).
arrobo *m* arroubo, arrebatamento.
arrodillada *f Chile* ajoelhação, genuflexão.
arrodillar *tr, intr y pron* ajoelhar.
arrogancia *f* arrogância.

arrogante *adj* **1** arrogante (soberbio). **2** corajoso (valiente).
arrogar *tr* DER perfilhar.
arrojadizo, za *adj* arrojadiço.
arrojado, da *adj* arrojado, ousado.
arrojar *tr y pron* **1** arrojar, atirar (lanzar). • *tr* **2** expulsar. • **~se** *pron* **3** precipitar-se, lançar-se.
arrojo *m* arrojo (osadía).
arrollado, da *adj* enrolado.
arrollador, ra *adj* (fig) avassalador.
arrollar *tr* **1** enrolar. **2** atropelar. **3** (fig) esmagar (vencer). **4** *Amér.* embalar (niño).
arropar *tr y pron* **1** agasalhar (tapar). **2** (fig) proteger.
arrotado, da *adj Chile* maltrapilho.
arroyo *m* **1** arroio. **2** (fig) rio (de lágrimas, sangre).
arroz *m* arroz. ♦ **~ con leche** arroz-doce.
arrozal *f* arrozal.
arruga *f* ruga.
arrugar *tr y pron* **1** enrugar. • *tr* **2** franzir (frente, ceño).
arruinar *tr y pron* **1** arruinar. **2** (fig) destruir.
arrullar *tr* **1** arrulhar (palomo). **2** (fig) ninar, embalar (niño).
arrullo *m* **1** arrulho (de palomas). **2** (fig) arrulho (de enamorados).
arrumaco *m* (gralte pl) afagos, meiguices.
arsenal *m* **1** arsenal (de armas). **2** (fig) arsenal, conjunto.
arsénico *adj y m* QUÍM arsénico.
arte *amb* **1** arte. **2** arte, habilidade. **3** arte, astúcia. ♦ **artes marciales** arte marcial; **bellas artes** belas-artes; **obra de ~** obra-de-arte.
artefacto *m* **1** artefato (aparato). **2** explosivo (bomba).
artemisa *f* artemísia-verdadeira.
arteria *f* artéria.
arterial *adj* arterial.
arteriosclerosis *f* MED arteriosclerose.
artero, ra *adj* (desp) arteiro (astuto).
artesa *f* artesa.
artesanía *f* **1** artesanato (clase social). **2** artesanato (oficio).
artesano, na *adj* **1** artesanal. • *m y f* **2** artesão.
artesón *m* pia (de cocina).
artesonado, da *adj y m* ARQ artesoado.
ártico, ca *adj* ártico.
articulación *f* **1** articulação (movimiento). **2** ANAT articulação. **3** FON articulação (pronunciación).
articulado, da *adj* articulado.
articular *adj* articular.
articular *tr y pron* **1** articular (unir). • *tr* **2** articular (pronunciar).
articulista *m o f* articulista.
artículo *m* **1** artigo (de revista, periódico). **2** artigo, produto. **3** verbete (de diccionario). **4** GRAM artigo. ♦ **~ definido o determinado** GRAM artigo definido; **~ de primera necesidad** artigo de primeira necessidade.
artífice *m o f* **1** artífice (artista). **2** (fig) artífice, autor.
artificial *adj* artificial.
artificiero *m* MIL perito em explosivos.
artificio *m* **1** artifício (habilidad). **2** (fig) artifício, simulação.
artificioso, sa *adj* artificioso.
artillería *f* **1** MIL artilharia (arte). **2** MIL artilharia (armas). ■ **asestar toda la ~** (fig) usar todas as armas.
artillero, ra *adj y m* MIL artilheiro.
artilugio *m* **1** engenhoca (mecanismo). **2** (fam) ⇒ artimaña.
artimaña *f* **1** (fam) artimanha. **2** armadilha (de caza).
artista *m o f* **1** artista (de bellas artes). **2** artista (intérprete).
artístico, ca *adj* artístico.
artritis *f* MED artrite.
artrosis *f* MED artrose.
arzobispo *m* arcebispo.
as *m* **1** ás (de naipe, dado). **2** (fig) ás (experto).
asa *f* asa, alça (de vasija).
asadero, ra *adj* **1** assadeiro. • *m* **2** (fig) forno (lugar caliente).
asado *m* churrasco.
asador, ra *m y f* **1** churrasqueiro. • *m* **2** espeto (utensilio). **3** churrascaria (restaurante).
asadura *f* (gralte pl) miúdos.
asalariado, da *adj/m y f* assalariado.
asaltante *adj/m y f* assaltante.
asaltar *tr* **1** assaltar (atacar). **2** (fig) assaltar (enfermedad, pensamiento).
asalto *m* **1** assalto (ataque). **2** assalto (de boxeo).
asamblea *f* **1** assembléia (reunión). **2** assembléia.

asar *tr* **1** assar. • **~se** *pron* **2** assar-se (de calor).
ascendencia *f* ascendência (genealogía).
ascender *intr* **1** ascender, subir. • *intr y tr* **2** (fig) ascender (en el trabajo).
ascendiente *m o f* **1** ascendente (antepasado). • *m* **2** ascendência, influência.
ascensión *f* ascensão.
ascenso *m* **1** ascensão, ascenso (subida). **2** (fig) ascenção, promoção (en el trabajo).
ascensor *m* elevador.
ascensorista *m o f* ascensorista.
asceta *m o f* asceta.
ascético, ca *adj* ascético.
asco *m* **1** nojo. **2** asco. ■ **estar hecho un ~** estar um nojo; **hacer ascos** fazer frescura.
ascua *f* áscua. ■ **en ascuas** (fam) inquieto.
aseado, da *adj* asseado.
asear *tr y pron* assear.
asediar *tr* **1** assediar (sitiar). **2** (fig) assediar (importunar).
asedio *m* **1** assédio (sitio). **2** (fig) assédio (persecución).
asegurado, da *adj/m y f* segurado.
asegurador, ra *adj/m y f* **1** assegurador. **2** segurador (empresa).
asegurar *tr* **1** segurar, fixar. **2** segurar, agarrar. **3** segurar (contratar un seguro).
asemejar *tr, intr y pron* assemelhar.
asenso *m* (form) assenso, ascenção.
asentado, da *adj* **1** assentado, sensato. **2** (fig) estável.
asentador, ra *m y f* **1** assentador. **2** atacadista (de alimentos).
asentamiento *m* **1** assentamento. **2** (fig) juízo.
asentar *tr y pron* **1** assentar (tomar asiento). • *tr* **2** assentar, estabelecer. **3** instalar, fundar (pueblo). **4** desfechar (golpe). • **~se** *pron* **5** estabelecer-se (en un lugar).
asentimiento *m* assentimento, aprovação.
asentir *intr* assentir.
aseo *m* **1** asseio. **2** esmero. • **aseos** *m pl* **3** sanitários.
asepsia *f* MED assepsia.
aséptico, ca *adj* MED asséptico.
asequible *adj* acessível.
aserradero *m* serraria.
aserrado, da *adj* **1** serrado, serreado. • *m* **2** serragem.
aserrar *tr* serrar.
aserruchar *tr Amér.* serrotar, serrar.
asertivo, va *adj* assertivo.
aserto *m* asserção, asserto.
asesinar *tr* assassinar.
asesinato *m* assassinato.
asesino, na *adj/m y f* assassino.
asesor, ra *adj/m y f* assessor.
asesorar *tr y pron* assessorar.
asesoría *f* assessoria (oficio, oficina).
asestar *tr* **1** assestar. **2** desferir, assestar (golpe, puñalada, tiro). • *intr* **3** sestear (ganado).
aseveración *f* asseveração.
aseverar *tr* asseverar.
asexual *adj* assexual.
asfaltado, da *adj* **1** asfaltado. • *m* **2** asfaltamento.
asfaltar *tr* asfaltar.
asfalto *m* asfalto (sustancia).
asfixia *f* asfixia.
asfixiar *tr y pron* asfixiar.
así *adv* **1** (modo) assim. **2** (característica) assim. • *conj* **3** assim, do mesmo modo: *así en la tierra como en el cielo = assim na terra como no céu.* ■ **~, ~** mais ou menos; assim, assim; **~ como ~** tão facilmente; de qualquer jeito; **~ que** assim que, logo que.
Asia *f* Ásia.
asiático,ca *adj/m y f* asiático.
asidero *m* pegadouro.
asiduidad *f* assiduidade.
asiduo, dua *adj* assíduo.
asiento *m* **1** assento (silla, banco). **2** assentamento, estabelecimento. **3** borra, resíduo (de un líquido). **4** assento, estabilidade. **5** assento, traseiro. ■ **tomar ~** sentar.
asignación *f* atribuição.
asignar *tr* atribuir.
asignatario, ria *m y f Amér.* legatário.
asignatura *f* disciplina, matéria.
asilado, da *m y f* asilado.
asilar *tr y pron* **1** asilar (refugiar). **2** asilar (albergar).
asilo *m* **1** asilo (benéfico). **2** (fig) asilo (protección).
asimetría *f* assimetria.
asimétrico, ca *adj* assimétrico.
asimilación *f* assimilação.

asimilar *tr y pron* **1** assimilar, assemelhar. • *tr* **2** assimilar, apreender (conocimientos).
asimismo *adv* também: *asimismo, escribió varias obras teatrales = também escreveu várias obras teatrales.*
asir *tr y pron* segurar, agarrar.
asistencia *f* **1** assistência (a un acto, presentación). **2** assistência (socorro). **3** assistência, platéia (público).
asistenta *f* doméstica, diarista.
asistente *m o f* assistente. ◆ ~ **social** assistente social.
asistido, da *adj* **1** assitido. **2** controlado, auxiliado (por mecanismo).
asistir *tr* **1** assistir, acompanhar. **2** assistir (socorrer). • *intr* **3** asistir (estar presente).
asma *f* MED asma.
asmático, ca *adj/m y f* MED asmático.
asno, na *m y f* **1** asno (animal). • *adj y m* **2** (fig) asno, imbecil.
asociación *f* associação.
asociado, da *adj/m y f* **1** acompanhante. • *m y f* **2** associado.
asociar *tr y pron* asociar.
asolar *tr* assolar (destruir).
asoleada *f Chile, Col., Guat.* insolação.
asoleado, da *adj* assoalhado (expuesto al sol).
asomar *intr* **1** assomar, surgir. • *tr y pron* **2** apontar, aparecer: *asomó la cabeza por la ventana = apontou a cabeça na janela.*
asombrar *tr y pron* (fig) assombrar, assustar.
asombro *m* **1** assombro (espanto). **2** assombro (admiración).
asombroso, sa *adj* assombroso.
asomo *m* assomo. ■ **ni por** ~ nem sonhando.
asonante *adj y f* assonante, assoante. ◆ **rima** ~ rima assoante.
asorocharse *pron Amér. Merid.* padecer puna.
aspa *f* **1** aspa. **2** pá (de ventilador, helicóptero).
aspaviento *m* trejeito.
aspecto *m* aspecto.
aspereza *f* aspereza.
áspero, ra *adj* **1** áspero (rugoso). **2** áspero, acidentado (terreno). **3** (fig) áspero, ríspido (de carácter).
aspersión *f* aspersão.
aspersor *m* regador automático.
áspid o **áspide** *m* áspide.
aspiración *f* **1** aspiração (succión). **2** aspiração (ambición).
aspirador, ra *adj* **1** aspirador. • *m y f* **2** aspirador de pó.
aspirante *adj/m y f* aspirante (a posición, empleo).
aspirar *tr* **1** aspirar (aire). **2** aspirar (pretender).
aspirina *f* aspirina.
asquear *tr e intr* enojar.
asquerosidad *f* nojeira, asquerosidade.
asqueroso, sa *adj* nojento, asqueroso.
asta *f* **1** hasta (arma). **2** mastro, haste. **3** chifre, corno.
astenia *f* MED astenia.
asterisco *m* asterisco.
asteroide *m* asteróide (planeta).
astigmatismo *m* MED, ÓPT astigmatismo.
astilla *f* farpa, lasca. ■ **de tal palo, tal** ~ tal pai, tal filho.
astillar *tr y pron* farpar, lascar.
astillero *m* estaleiro.
astracán *m* astracã.
astral *adj* astral. ◆ **carta** ~ mapa astral.
astringente *adj y m* adstringente.
astro *m* astro.
astrofísica *f* astrofísica.
astrolabio *m* ASTR astrolábio.
astrología *f* astrologia.
astrológico, ca *adj* astrológico.
astrólogo, ga *adj/m y f* astrólogo.
astronauta *m o f* astronauta.
astronave *f* astronave.
astronomía *f* astronomia.
astrónomo, ma *m y f* astrônomo.
astucia *f* **1** astúcia. **2** ardil.
asturiano, na *adj/m y f* asturiano.
Asturias *f* Astúrias.
astuto, ta *adj* astuto.
asueto *m* sueto, folga.
asumir *tr* **1** assumir (apropiar). **2** assumir (responsabilizar).
asunción *f* assunção.
asuntar *tr, intr y pron* **1** *Ant., Ur.* assuntar. • *intr* **2** *Ur.* pensar.
asunto *m* **1** assunto (tema). **2** caso (amoroso). **3** *Arg.* negócio, afazer.
asustadizo, za *adj* assustadiço.
asustar *tr y pron* assustar.

atacar *tr* **1** atacar (embestir). **2** (fig) atacar, acometer (sueño, enfermedad).
atado, da *adj* **1** atado. • *m* **2** trouxa, feixe.
atadura *f* **1** atadura. **2** (fig) união, enlace.
atajada *f Amér. Merid.* atalhamento.
atajar *tr e intr* **1** atalhar (camino). • *tr* **2** interromper.
atajo *m* **1** atalho. **2** (fig) redução (de un texto). **3** (desp) bando: *un atajo de ladrones = um bando de ladrões.*
atalaya *f* atalaia.
atañer *intr* ■ **por lo que atañe a** no tocante a, em relação a.
atapuzar *tr Venez.* abarrotar.
ataque *m* **1** ataque (embestida). **2** (fig) ataque (de nervios, risa). **3** (fig) ataque, ofensa (crítica).
atar *tr* **1** atar, amarrar. **2** (fig) prender (quitar libertad). **3** (fig) relacionar, associar. • **~se** *pron* **4** (fig) prender-se (a alguien).
atarantar *tr y pron* atarantar.
atardecer *m* entardecer, tardinha.
atardecer *intr* entardecer.
atareado, da *adj* atarefado.
atarear *tr y pron* atarefar.
atarragar *tr y pron Amér.* empanturrar-se.
atascar *tr y pron* **1** entupir, obstruir (tubería, pila, conducto). • *tr* **2** (fig) engarrafar (tráfico). **3** (fig) emperrar, dificultar (negocio, proceso).
atasco *m* **1** obstrução. **2** entupimento (tubería). **3** engarrafamento (tráfico).
ataúd *m* caixão, ataúde.
ataviar *tr y pron* ataviar.
atavío *m* atavio.
ate *m Méx.* GAST doce pastoso de frutas.
ateísmo *m* ateísmo.
atemorizar *tr y pron* atemorizar.
atemperar *tr y pron* **1** temperar (suavizar). **2** adequar.
atenazar *tr* atenazar.
atención *f* **1** atenção (concentración). **2** atenção (cortesía). **3** atenção (cuidado). ■ **a la ~ de** aos cuidados de; **llamar la ~** chamar a atenção.
atender *tr e intr* **1** atender (acceder). **2** atender (escuchar). • *intr* **3** atender (considerar).
ateneo *m* ateneu.
atenerse *pron* ater-se.
ateniense *adj* ateniense.
atentado *m* atentado.
atentamente *adv* atenciosamente.
atentar *intr* **1** atentar. • *tr* **2** *Chile* apalpar.
atento, ta *adj* **1** atento. **2** atencioso.
atenuante *adj* atenuante.
atenuar *tr y pron* atenuar.
ateo, a *adj/m y f* ateu.
aterciopelado, da *adj* aveludado.
aterido, da *adj* paralisado (de frío).
aterir *tr y pron* paralisar (de frío).
aterrador, da *adj* aterrorizante.
aterrar *intr y tr* **1** aterrar, aterrizar. • *tr y pron* **2** ⇒ aterrorizar.
aterrizaje *m* aterrissagem.
aterrizar *intr* aterrissar, aterrizar.
aterrorizar *tr y pron* aterrorizar.
atesorar *tr* **1** entesourar. **2** (fig) possuir, reunir.
atestado *m* atestado (testimonio).
atestar *tr y pron* atestar, abarrotar.
atestiguar *tr* testemunhar, atestar.
atezado, da *adj* **1** tostado. **2** enegrecido.
atiborrar *tr* **1** abarrotar. • **~se** *pron* **2** empanturrar-se.
ático, ca *adj/m y f* **1** ático. • *m* **2** cobertura (último piso).
atildado, da *adj* **1** apurado (elegante). **2** GRAM acentuado.
atildar *tr y pron* **1** (fig) apurar-se. • *tr* **2** acentuar.
atinar *intr* **1** atinar (encontrar, descubrir). **2** acertar (en el blanco).
atingencia *f* atinência.
atingido, da *adj Bol.* apurado (financieramente).
atingir *intr* **1** *Amér.* atingir. • *intr y pron* **2** *Amér.* afligir.
atípico, ca *adj* atípico.
atiplar *tr* atiplar.
atipujarse *pron Amér. Centr., Méx.* empanturrrar-se.
atirantar *tr* alçar (poner tirantes).
atisbar *tr* **1** vislumbrar. **2** espreitar, espiar.
atisbo *m* **1** espreita. **2** (fig) vislumbre.
¡atiza! *interj* opa!
atizar *tr* **1** atiçar (fuego). **2** (fig) atiçar (pasiones, discordias). • *tr y pron* **3** surrar (pegar).
atlántico, ca *adj* atlântico. ♦ **océano Atlántico** oceano Atlântico.
atlas *m* atlas.

atleta *m o f* atleta.
atlético, ca *adj* atlético.
atletismo *m* atletismo.
atmósfera o **atmosfera** *f* atmosfera.
atmosférico, ca *adj* atmosférico.
atocinado, da *adj* (fig) gorducho.
atojar *tr C. Rica, Cuba* atiçar.
atole *m Méx.* bebida de farinha de milho.
atolladero *m* atoleiro. ■ **estar o salir de un ~** estar ou sair de um atoleiro.
atolón *m* atol.
atolondrado, da *adj* atordoado, estonteado.
atolondrar *tr y pron* atordoar, estotear.
atómico, ca *adj* atômico.
atomizador *m* nebulizador, atomizador.
atomizar *tr* atomizar.
átomo *m* átomo.
atonal *adj* MÚS atonal.
atónito, ta *adj* atônito.
átono, na *adj* GRAM átono.
atontar *tr y pron* entontecer.
atormentar *tr y pron* atormentar.
atornillar *tr* **1** parafusar. **2** (fig) pressionar (obligar).
atortolar *tr y pron* **1** aturdir. • **~se** *pron* **2** apaixonar-se.
atosigar *tr y pron* **1** (fig) pressionar. **2** apoquentar (con preocupaciones, exigencias).
atrabancar *tr e intr* saltar, esquivar (obstáculos).
atracada *f* MAR atracação.
atracadero *m* MAR atracadouro.
atracador, ra *m y f* assaltante.
atracar *tr* **1** assaltar. **2** *Arg., Perú* engasgar (al hablar). • *tr e intr* **3** MAR atracar.
atracción *f* **1** atração. • **atracciones** *f pl* **2** diversões.
atraco *m* assalto.
atracón *m* empanturramento.
atractivo, va *adj* **1** atraente. • *m* **2** atrativo.
atraer *tr* **1** atrair. **2** (fig) atrair, ocasionar.
atragantarse *pron* **1** engasgar-se. **2** (fig) atrapalhar-se (en la conversación).
atrancar *tr* **1** trancar. • *tr y pron* **2** obstruir.
atrapar *tr* **1** apanhar, pegar. **2** (fig) agarrar (oportunidad, empleo, novio).
atraque *m* **1** MAR atracação. **2** atracadouro.
atrás *adv* **1** atrás (en la espalda). **2** atrás (al fondo, el último). **3** trás: *nos esperaba en la parte de atrás de la casa = esperava-nos na parte de trás da casa.* ■ **volverse ~** (fig) voltar atrás.
atrasado, da *adj* atrasado.
atrasar *tr, intr y pron* **1** atrasar (retardar). • **~se** *pron* **2** atrasar-se, ficar para trás.
atraso *m* **1** atraso, demora. **2** • **atrasos** *m pl* **3** atrasados (deuda).
atravesado, da *adj* **1** vesgo. **2** (fig) atravessado (malintencionado). ■ **tener ~ a alguien** (fig) ter alguém atravessado.
atravesar *tr y pron* **1** atravessar (cruzar). • *tr* **2** (fig) atravessar, viver.
atrechar *intr P. Rico* atalhar (camino).
atrenzo *m Amér.* apuro, dificuldade.
atreverse *pron* atrever-se.
atrevido, da *adj/m y f* atrevido.
atrezista *m o f* CINE, TEAT, TV aderecista.
atrezo o **atrezzo** *m* adereços (de una escena, plató).
atribución *f* atribuição.
atribuir *tr y pron* atribuir (aplicar, imputar).
atribular *tr y pron* atribular.
atributo *m* **1** atributo. **2** GRAM predicativo.
atril *m* atril.
atrincar *tr* **1** *Amér.* amarrar, atar. **2** *Amér.* apertar.
atrincherar *tr y pron* **1** MIL entrincheirar. • **~se** *pron* **2** (fig) proteger-se.
atrio *m* átrio.
atrocidad *f* **1** atrocidade. **2** (fam) enormidade (exceso).
atrofia *f* ANAT atrofia.
atrofiar *tr y pron* atrofiar.
atronar *tr* atordoar.
atropellado, da *adj* precipitado, atropelado.
atropellar *tr* **1** atropelar. • **~se** *pron* **2** atropelar-se.
atropello *m* **1** atropelamento. **2** injustiça. **3** (gralte pl) precipitação.
atroz *adj* atroz.
ATS (*siglas de* **Asistente Técnico Sanitario**) *m o f* sanitarista.
atuendo *m* atavio.
atufado, da *adj* irritado.
atufar *tr y pron* **1** intoxicar (con gases). **2** (fig) irritar. **3** (fig, fam) feder.
atún *m* atum (pez).
aturar *tr* tapar.
aturdido, da *adj* aturdido.

aturdimiento *m* aturdimento.
aturdir *tr y pron* aturdir.
aturullar o **aturrullar** *tr y pron* atrapalhar.
atusar *tr* **1** alisar (cabello). **2** aparar, cortar (cabello).
audacia *f* audácia.
audaz *adj* audaz.
audición *f* **1** audição. **2** audição, recital.
audiencia *f* **1** audiência. **2** audiência, público.
audífono *m* audiofone, aparelho de surdez.
audímetro *m* audiômetro.
audiovisual *adj* audiovisual.
auditivo, va *adj* **1** auditivo. • *m* **2** auscultador (del teléfono).
auditor, ra *adj* **1** de auditoria. • *m y f* **2** auditor.
auditoría *f* auditoria.
auditorio *m* **1** auditório (público). **2** auditório (sala, edificio).
auge *m* auge.
augurar *tr* augurar.
augurio *m* augúrio.
aula *f* **1** sala de aula. **2** salão (de actos).
áulico, ca *adj/m y f* áulico.
aullar *intr* uivar.
aullido *m* uivo.
aumentar *tr, intr y pron* aumentar.
aumentativo, va *adj* **1** aumentativo. • *adj y m* **2** GRAM aumentativo.
aumento *m* aumento.
aun *conj* mesmo, até mesmo. ■ **~ así** mesmo assim, ainda assim: *le dijo que no se fuera, pero, aun así, se fue = disse que fosse embora, mas mesmo assim ele foi*; **ni ~** nem mesmo: *ni aun corriendo ha podido llegar a la hora = nem mesmo correndo ele conseguiu chegar na hora.*
aún *adv* **1** ainda (hasta el momento): *aún está trabajando = ainda está trabalhando.* **2** ainda (comparación): *su madre cocina aún mejor que la mía = sua mãe cozinha ainda melhor que a minha.* **3** ainda (en el presente): *aún no quiero que vengas = ainda não quero que você venha.* **4** ainda (concesión): *aún si fuera rico entendería porque gasta tanto = ainda se fosse rico entederia porque gasta tanto.* **5** ainda, mesmo assim: *es un pesado pero aún le quiero = é um chato mas ainda gosto dele.*

> **Aún** se acentúa cuando puede sustituirse por **todavía**: *no ha llegado aún.*
>
> **Aun** no se acentúa cuando significa 'hasta', 'también', 'incluso' (o 'aunque', con negación): *no es correcto, aun cuando se admite; aun las tortugas son más rápidas que él.*

aunar *tr y pron* **1** aunar. **2** conciliar (armonizar).
aunque *conj* **1** embora, apesar de: *aunque estoy cansado, voy a verla = embora esteja cansado, vou vê-la.* **2** ainda que, mesmo que: *aunque hubiera estudiado, no hubiera aprobado el examen = ainda que tivesse estudado, não teria passado na prova.*
¡aúpa! *interj* upa! ■ **ser de ~** ser violento; ser de morte.
aupar *tr y pron* **1** levantar (en brazos). **2** (fig) enaltecer.
áureo, a *adj* áureo.
aureola o **auréola** *f* **1** auréola. **2** (fig) auréola (gloria).
aurícula *f* ANAT, BOT aurícula.
auricular *adj* **1** ANAT auricular. • *m* **2** auscultador (del teléfono).
aurora *f* aurora, alvorada.
auscultar *tr* **1** MED auscultar. **2** (fig) inquirir, sondar.
ausencia *f* ausência. ■ **brillar por su ~** (irón) brilhar por sua ausência.
ausentarse *pron* ausentar-se.
ausente *adj/m y f* **1** ausente. **2** (fig) ausente, distraído.
auspiciar *tr* auspiciar, prognosticar.
auspicio *m* **1** auspício (presagio). **2** auspícios, proteção (favor). ■ **bajo los auspicios de** sob os auspícios, sob a proteção de.
austeridad *f* austeridade.
austero, ra *adj* austero.
austral *adj* austral.
Australia *f* Austrália.
australiano, na *adj/m y f* australiano.
Austria *f* Áustria.

austriaco, ca o **austríaco, ca** *adj/m y f* austríaco.
austro *m* **1** austro (viento). **Austro 2** austro (punto cardinal).
autárquico, ca *adj* autárquico.
autenticar *tr* autenticar.
autenticidad *f* autenticidade.
auténtico, ca *adj* autêntico.
autentificar *tr* autenticar.
autismo *m* autismo.
autista *adj/m y f* autista.
auto *m* **1** DER auto. **2** auto (composición). **3** *Amér.* carro, automóvel. • **autos** *m pl* **4** DER autos.
autoadhesivo, va *adj y m* autocolante, auto-adesivo.
autobiografía *f* autobiografia.
autobiográfico, ca *adj* autobiográfico.
autobús *m* ônibus.
autocar *m* ônibus interurbano.
autocaravana *f* motocasa.
autocarril *m Amér.* automotriz.
autócrata *m o f* autocrata.
autóctono, na *adj/m y f* autóctone.
autodefensa *f* autodefesa.
autodestrucción *f* autodestruição.
autodeterminación *f* autodeterminação.
autodidacto, ta *adj/m y f* autodidata.
autódromo *m* autódromo.
autoescuela *f* auto-escola.
autógeno, na *adj* autógeno.
autogestión *f* ECON autogestão.
autogiro *m* AER autogiro.
autogobierno *m* autogoverno.
autogol *m* gol contra.
autografía *f* autografia.
autografiar *tr* autografar.
autógrafo, fa *adj y m* autógrafo.
autómata *m* **1** autómato. **2** (fig) autômato, fantoche.
automático, ca *adj* **1** automático. **2** (fig) automático (inconsciente). **3** (fig) automático (instantaneo).
automatizar *tr* automatizar.
automedicarse *pron* automedicar-se.
automoción *f* **1** automoção. **2** automobilismo.
automotor, ra *adj* automotor, automóvel.
automotriz *f* ⇒ automotor, ra.
automóvil *adj y m* automóvel.
automovilismo *m* automobilismo.
automovilista *m o f* automobilista.
automovilístico, ca *adj* automobilístico.
autonomía *f* autonomia.
autonómico, ca *adj* autônomo.
autónomo, ma *adj* **1** autônomo. • *m y f* **2** autônomo (trabajador).
autopista *f* auto-estrada, autopista.
autopsia *f* MED autópsia.
autor, ra *m y f* autor.
autoridad *f* **1** autoridade (poder). **2** autoridade (representante, institución).
autoritario, ria *adj/m y f* **1** autoritário. **2** autoritarista.
autorización *f* autorização.
autorizado, da *adj* autorizado.
autorizar *tr* autorizar.
autorretrato *m* auto-retrato.
autoservicio *m* auto-serviço.
autostop *m* carona. ■ **hacer ~** pedir carona.
autosuficiencia *f* auto-suficiência.
autosugestión *f* PSIC auto-sugestão.
autovía *f* rodovia, estrada de rodagem.
auxiliar *adj* **1** auxiliar (secundario). • *adj/m y f* **2** auxiliar (asistente). ♦ **~ de vuelo** comissário de bordo.
auxiliar *tr* auxiliar.
auxilio *m* **1** auxílio. • **¡~!** *interj* **2** socorro! ♦ **primeros auxilios** primeiros socorros.
aval *m* **1** COM aval. **2** aval, garantia.
avalancha *f* avalanche.
avalar *tr* avalizar.
avaluar *tr* avaliar.
avance *m* **1** avanço. **2** adiantamento (de dinero). ♦ **~ informativo** boletim informativo.
avanzado, da *adj* avançado.
avanzar *tr, intr y pron* **1** avançar. • **~se** *pron* **2** antecipar-se.
avaricia *f* avareza.
avaricioso, sa *adj* avaro, avarento.
avaro, ra *adj/m y f* avaro.
avasallar *tr y pron* avassalar.
avatar *m* (fig) (gralte pl) vicissitude.
ave *f* **1** ave. • **¡~!** *interj* **2** ave!, salve! ♦ **~ migratoria** ave migratória.
avecindar *tr y pron* vizinhar.
avefría *f* abibe.
avejentar *tr y pron* avelhentar.
avellana *f* avelã (fruto).
avellanar *m* avelanal.

avellano *m* aveleira, avelaneira.
avemaría *f* ave-maria (oración). ■ **en un ~** num vapt-vupt.
avena *f* aveia.
avenencia *f* **1** transação. **2** acordo.
avenida *f* avenida (vía urbana).
avenir *tr y pron* **1** avir. ● **~se** *pron* **2** entender-se. **3** conformar-se.
aventado, da *adj* desnorteado.
aventajado, da *adj* **1** (fig) notável, que se sobressai: *es un estudiante aventajado = é um estudante que se sobressai.* **2** vantajoso.
aventajar *tr y pron* **1** avantajar. ● *intr y tr* **2** levar vantagem.
aventar *tr* **1** aventar, ventilar (cereales). **2** (fig) expulsar. ● **~se** *pron* **3 4** (fig, fam) fugir, escapar-se.
aventón *m* **1** *Guat., Méx., Nic., Perú* empurrão. **2** *Col., Guat., Méx.* carona.
aventura *f* aventura.
aventurado, da *adj* aventurado.
aventurar *tr y pron* aventurar.
aventurero, ra *adj/m y f* aventureiro.
avergonzar *tr y pron* envergonhar.
avería *f* avaria.
averiarse *pron* **1** avariar-se. **2** estragar-se.
averiguar *tr* averiguar.
averigüetas *adj/m y f Col., Méx.* bisbilhoteiro.
averno *m* (lit) averno, inferno.
aversión *f* aversão.
avestruz *m* avestruz.
avetoro *m* socó (ave).
avezado, da *adj* avezado, experiente.
avezar *tr y pron* avezar, acostumar.
aviación *f* **1** aviação. **2** MIL aeronáutica.
aviador, ra *adj/m y f* aviador.
aviar *tr y pron* **1** aviar, aprontar. ● *tr* **2** preparar. ● *intr y pron* **3** (fam) aviar-se.
avícola *adj* avícola, avicular.
avicultor, ra *m y f* avicultor.
avicultura *f* avicultura.
avidez *f* avidez.
ávido, da *adj* ávido.
avieso, sa *adj* enviesado (torcido).
avinagrado, da *adj* **1** avinagrado, azedo. **2** (fig) azedo (malhumorado).
avinagrar *tr y pron* **1** azedar, avinagrar. **2** QUÍM acetificar. ● **~se** *pron* **3** ficar azedo (de carácter).
avío *m* **1** aviamento. **2** provisão (víveres). **3** arrumação. ● **avíos** *m pl* **4** (fam) apetrechos (utensilios).
avión *m* avião. ◆ **~ de caza** avião de caça, caça.
avionero *m Amér.* MIL militar da força aérea.
avioneta *f* teco-teco.
avisado, da *adj* discreto, prudente.
avisar *tr* **1** avisar (notificar). **2** avisar (prevenir).
aviso *m* **1** aviso (noticia). **2** aviso (advertencia). ■ **andar o estar sobre ~** estar de sobreaviso.
avispa *f* vespa.
avispado, da *adj* (fig, fam) vivo, esperto.
avispar *tr y pron* **1** (fig, fam) tornar esperto. ● **~se** *pron* **2** (fig) inquietar-se.
avispero *m* **1** vespeiro. **2** (fig, fam) vespeiro, ninho de cobras.
avistar *tr y pron* avistar.
avituallamiento *m* avitualhamento.
avituallar *tr* avitualhar.
avivar *tr* **1** avivar (animar). **2** (fig) **3** (fig) avivar (fuego).
avutarda *f* abetarda.
axial *adj* axial.
axila *f* ANAT axila.
axioma *m* axioma.
axiomático, ca *adj* axiomático.
¡ay! *interj* **1** ai! ● *m* **2** ai (quejido).
ayahuasa o **ayahuasca** *f Ecuad., Perú* ayahuasca.
ayecahue *m Chile* chambão.
ayer *adv* **1** ontem. **2** (fig) ontem, há pouco tempo.
ayo, ya *m y f* aio (preceptor).
ayote *m Amér. Centr., Méx.* abóbora.
ayotera *f Amér. Centr.* aboboreira, abóbora.
ayuda *f* ajuda.
ayudante *adj/m y f* ajudante.
ayudar *tr y pron* **1** ajudar (cooperar, auxiliar). ● **~se** *pron* **2** valer-se de.
ayunar *intr* **1** jejuar. **2** (fig) jejuar (privarse).
ayuno, na *adj* **1** jejuno. **2** (fig) falto, carente. ● *m* **3** jejum. ■ **en ayunas** em jejum.
ayuntamiento *m* prefeitura.
azabache *m* azeviche.
azada *f* enxada.

azadón *m* enxadão.
azafata *f* **1** comissária de bordo, aeromoça. **2** recepcionista (en congresos, charlas, ponencias).
azafate *m Amér. Merid.* bandeja, travessa.
azafrán *m* açafrão.
azafranar *tr* açafroar.
azahar *m flor de laranjeira, limoeiro ou cidreira.*
azalea *f* azaléia, azálea.
azar *m* **1** acaso. **2** azar, desgraça. ■ **al ~** ao acaso.

> La palabra **azar** ha evolucionado de forma distinta en las dos lenguas. En español significa sobre todo 'casualidad', mientras que en portugués se utiliza principalmente en el sentido de 'mala suerte'.

azarearse *pron* **1** malograr-se. **2** *Amér. Merid.* envergonhar-se. **3** *Chile, Perú* irritar-se.
azaroso, sa *adj* **1** azarento, azarado. **2** medroso.
Azerbaiyán *m* Azerbaijão.
ázimo *adj* ázimo.
azimut *m* ASTR azimute.
azogar *tr* azougar.
azogue *m* **1** QUÍM azougue, mercúrio. **2** recinto comercial.
azolve *m Méx.* lodo, sujidade (en las cañerías).
azonzarse *pron Méx.* zonzar.
azor *m* açor.
azoramiento *m* sobressalto, turbação.
azorar *tr y pron* (fig) turbar, aturdir.
azoro *m Amér.* ⇒ azoramiento.
azotaina *f* (fam) surra, sova.
azotar *tr y pron* **1** açoitar, chicotear. • *tr* **2** surrar, sovar. **3** (fig) assolar, afligir: *la sequía azota la región = a seca assola a região.*
azote *m* **1** açoite, chicote. **2** açoite, chicotada. **3** palmada.
azotea *f* **1** açotéia, terraço. **2** (fig, fam) cabeça.
azteca *adj/m y f* **1** asteca. • *m* **2** asteca (lengua).
azua *f Amér.* ⇒ chicha.
azúcar *amb* **1** açúcar. **2** BIOQ açúcar. ♦ **~ blanquilla** açúcar cristal; **~ glasé** glace; **~ moreno** açúcar mascavo.
azucarar *tr* açucarar.
azucarera *f* **1** açucareiro (recipiente). **2** usina de açúcar.
azucarería *f Cuba, Méx.* loja de açúcar.
azucarero, ra *adj/m y f* açucareiro.
azucarillo *m* torrão de açúcar.
azucena *f* açucena.
azufre *m* QUÍM enxofre.
azul *adj y m* azul. ♦ **~ celeste** azul-celeste; **~ marino** azul-marinho.
azulado, da *adj y m* azulado.
azulejo, ja *adj* **1** *Amér.* ⇒ azulado, da. • *m* **2** azulejo.
azuquero *m Amér.* açucareiro.
azuzar *tr* **1** açular, atiçar (perros) **2** (fig) atiçar, estimular.

Bb

b, B *f* b, B (letra).

baba *f* **1** baba (saliva). **2** baba (de moluscos, gusanos, plantas).

babear *intr* **1** babar. **2** (fam, fig) babar (admirar).

babel *amb* (fig, fam) babel. ◆ **torre de Babel** torre de Babel.

babero *m* babador, babadouro.

Babia estar en ~ *f* (fam, fig) estar no mundo da lua.

bable *m* bable (dialecto).

babor *m* MAR bombordo.

babosa *f* lesma.

baboso, sa *adj/m y f* **1** baboso. **2** (fig, fam) babão (enamoradizo). **3** *Amér.* (fig) babão, palerma.

babucha *f* babucha.

baca *f* bagageiro de teto (para automóviles).

bacalada *f* bacalhau defumado.

bacalao *m* **1** bacalhau (pez). **2** (fig) bate-estaca (música electrónica).

bacán, na *adj* **1** *Amér. Merid.* (fam) bacana, fino. ● *adj/m y f* **2** *Amér. Merid.* bacana, rico.

bacanal *adj* **1** bacanal. ● *f* **2** bacanal (orgía).

bache *m* **1** buraco (en carreteras, caminos). **2** (fig) baque (prostración súbita). **3** AER vácuo.

bachicha *m o f* **1** *C Sur* carcamano. ● **bachichas** *f pl* **2** *Méx.* guimba, toco (de cigarro, puro).

bachiller *m o f* formado no segundo grau.

bachillerato *m* ensino secundário.

bacía *f* bacia (vasija).

bacilar *adj* BIOL bacilar.

bacilo *m* BIOL bacilo.

bacín *m* bacio, urinol.

bacinica o **bacinilla** *f* bacinico.

bacón *m* ⇒ beicon.

bacteria *f* BIOL bactéria.

bactericida *adj y m* bactericida.

báculo *m* **1** báculo. **2** (fig) báculo (arrimo).

badajo *m* **1** badalo. **2** (fig, fam) linguarudo.

badana *f* **1** carneira (piel). **2** carneira (para sombreros).

badén *m* **1** valado, valão. **2** valeta, vala.

bafle *m* amplificador, caixa de som.

bagaje *m* **1** bagagem. **2** (fig) bagagem (intelectual, artístico).

bagatela *f* bagatela (insignificancia).

bagre *m* bagre (pez).

bagualada *f* **1** *Arg., Ur.* bagualada (manada). **2** *Arg.* (fig) bagualada, grosseria.

baguette *f* baguete (pan francés).

¡bah! *interj* **1** (incredulidad) ah! **2** (desdén) ah!

Bahamas *f pl* Bahamas.

bahameño, ña *adj/m y f* bahamense.

bahareque *m* ⇒ bajareque.

bahía *f* baía.

Bahréin *m* Barein.

bailador, ra *adj/m y f* **1** bailador, dançarino. ● *m y f* **2** bailador de flamenco.

bailar *intr y tr* **1** dançar, bailar. **2** dançar, balançar (oscilar). **3** (fam) balançar, titubear.

bailarín, na *adj/m y f* bailarino.

baile *m* **1** baile, dança. **2** baile (fiesta, reunión). ◆ **~ de máscaras** baile de máscaras; **~ de salón** dança de salão.

bailotear *intr* dançaricar.

bailoteo *m* dançarico.

baja *f* **1** baixa, queda (de valores, intereses, moneda). **2** licença (de trabajo). ◆ **~ por maternidad** licença-maternidade. ■ **coger la ~** pedir licença (de trabajo).

bajada *f* **1** baixa, abaixamento. **2** baixada, descida.

bajamar *f* baixa-mar, maré baixa.

bajante *amb* escoadouro (de agua).

bajar *intr y tr* **1** abaixar, baixar (precios, volumen, calentura). ● *tr, intr y pron* **2** descer (de un vehículo, un lugar elevado).

bajareque *m* **1** *Amér. Centr., Col., Ecuad., Venez.* pau-a-pique (pared). **2** *Cuba, C. Rica* casebre.

bajel *m* baixel.
bajeza *f* **1** baixeza (vileza). **2** (fig) baixeza (humildad).
bajío *m* baixio, baixia.
bajista *m o f* **1** MÚS baixista. • *adj/m y f* **2** ECON baixista.
bajo, ja *adj* **1** baixo (altura). **2** baixo (inferior). **3** baixo (inclinado). **4** (fig) baixo, vulgar. • *m* **5** MÚS baixo (instrumento). **6** MÚS baixo (nota, voz). **7** MÚS baixista. **8** térreo. • *adv* **9** baixo. • *prep* **10** sob.
bajón *m* **1** (fig, fam) queda, baixa. **2** MÚS baixão.
bajura *f* baixura, baixada.
bala *f* **1** bala (proyéctil). **2** bala, fardo. ♦ **~ perdida** bala perdida.

> En español la palabra **bala** no tiene la acepción de 'dulce para los niños', 'golosina', 'caramelo', como ocurre en portugués.

balacear *tr Méx.* (fam) balear, tirotear.
balacera *f Amér.* tiroteio.
balada *f* balada (poesía, canción).
baladí *adj* insignificante.
baladrón, na *adj* fanfarrão.
baladronear *intr* fanfarronar, fanfarrear.
balalaica *f* MÚS balalaica, balalaika.
balance *m* **1** balanço (movimiento, estudio). **2** CONT balanço. **3** MAR balanço.
balancear *tr, intr y pron* **1** balançar. • *tr* **2** equilibrar.
balanceo *m* balanço (movimiento).
balancín *m* **1** gangorra, balanço. **2** balanço (columpio).
balandra *f* balandra (embarcación).
balandrán *m* balandrau (vestidura).
balandro *m* balandra pequena.
balanza *f* **1** balança (instrumento). **Balanza 2** ASTR Balança. ♦ **~ comercial** balança comercial.
balar *intr* balar, balir.
balaustra *f* romãzeira, balausteiro.
balaustre o **balaústre** *m* ARQ balaústre.
balay *m Amér.* balaio (cesta).
balazo *m* balaço, balázio.
balbucear *tr e intr* ⇒ balbucir.
balbuceo *m* balbuceio, balbucio.
balbucir *intr y tr* balbuciar.
balcánico, ca *adj/m y f* balcânico.
balcón *m* varanda, sacada, balcão.
balconada *f* avarandado.
balconcillo *m* **1** galeria (de teatro). **2** camarote (en una plaza de toros).
balda *f* prateleira (anaquel).
baldado, da *adj* esfalfado, fatigado.
baldaquín *m* baldaquino, baldaquim.
baldar *tr y pron* **1** baldar (impedir). **2** (fig) acabar (dejar agotado).
balde *m* balde (recipiente). ■ **de ~** gratuitamente (sin coste); **en ~** em vão.
baldío, a *adj* baldio.
baldón *m* baldão, ofensa.
baldosa *f* lajota.
baldosar *tr* ladrilhar, pavimentar.
baldosín *m* ladrilho.
balear *adj/m y f* balear.
balear *tr Amér.* balear.
Baleares *f pl* ilhas Baleares.
baleo *m* **1** *Amér.* tiroteio. **2** tapete felpudo.
balero *m* **1** molde (para balas de plomo). **2** *Amér.* bilboquê (juguete).
balido *m* balido.
balín *m* balote, balim.
balística *m* balística.
baliza *f* MAR baliza.
balizar *tr* balizar, abalizar.
ballena *f* **1** baleia. **2** (fam, fig) baleia (gordo).
ballenato *m* baleato, seguilhote.
ballenero, ra *adj* **1** baleeiro. • *m* **2** baleeiro (cazador, barco).
ballesta *f* **1** besta (arma). **2** armadilha, arapuca (para pájaros).
ballet *m* balé.
balneario, ria *adj y m* balneário.
balompié *m* futebol.
balón *m* **1** bola. **2** balão (recipiente).
baloncesto *m* basquete.
balonmano *m* handebol.
balonvolea *m* vôlei.
balsa *f* **1** balsa. **2** poça (de agua).
balsámico, ca *adj* balsâmico.
balsamina *f* balsamina, maria-sem-vergonha (planta).
bálsamo *m* **1** bálsamo (líquido, medicamento). **2** (fig) bálsamo (consuelo).
balsear *tr* balsear.
balsero, ra *m y f* balseiro (conductor, pasajero).

báltico, ca *adj/m y f* **1** báltico. • *m* **2** báltico (lenguas).
baluarte *m* **1** baluarte (fortaleza). **2** (fig) baluarte (amparo).
baluma *f* **1** MAR valuma. **2** *Amér.* ⇒ balumba.
balumba *f* montão.
bamba *f* **1** MÚS bamba. • **bambas** *f pl* **2** tênis (zapatillas).
bambalina *f* bambolina.
bambolear *intr y pron* bambolear, balançar.
bamboleo *m* bamboleio.
banal *adj* banal, trivial.
banalidad *f* banalidade.
banana *f* **1** *Amér. Merid.* banana (fruto). **2** plátano (planta). **3** bananada (confite).
bananal o **bananar** *m Amér. Merid.* bananal.
bananero, ra *adj* **1** bananeiro. • *m y f* **2** *Col.* bananeiro (cultivador, negociante). • *m* **3** bananeira.
banano *m* **1** *Amér. Centr.* banana (fruto). **2** plátano (planta).
banasta *f* canastra (cesto).
banca *f* **1** banco (asiento). **2** banca (financiera, de mercado, de juego). **3** banca (sistema bancario).
bancal *m* **1** leira (para el cultivo). **2** bancal.
bancario, ria *adj* bancário.
bancarrota *f* bancarrota.
banco *m* **1** banco (asiento). **2** banco (institución). **3** GEOL, MAR banco.
banda *f* **1** faixa, fita. **2** FÍS faixa (frecuencia). **3** MÚS banda. ◆ ~ **sonora** MÚS trilha sonora.
bandada *f* **1** bandada, bando (de aves). **2** cardume (de peces). **3** (fig) bando (muchedumbre).
bandazo *m* MAR solavanco.
bandear *tr* **1** *Amér.* atravessar, cruzar. • **~se** *pron* **2** arranjar-se (ingeniarse).
bandeja *f* bandeja (para servir).
bandera *f* **1** bandeira, símbolo. **2** tropa.
banderilla *f* **1** TAUROM bandarilha. **2** (fig) aperitivo.
banderillero *m* TAUROM bandarilheiro.
banderola *f* bandeirola.
bandidaje *m* bandidagem, banditismo.
bandido, da *adj/m y f* bandido, ladrão.
bando *m* **1** bando (facción). **2** ⇒ bandada (1). **3** decreto.
bandolero, ra *m y f* **1** bandido, salteador. **2** (fig) perverso, bandido.
bandoneón *m* MÚS bandônio, bandoneon.
bandurria *f* MÚS bandurra.
Bangladesh o **Bangla Desh** *m* Bangladesh.
banjo *m* MÚS banjo.
banquero, ra *m y f* **1** banqueiro (propietario, operador). **2** banqueiro (de juego de azar).
banqueta *f* **1** banqueta. **2** banquinho.
banquete *m* banquete (celebración, comida). ◆ ~ **de bodas** banquete de casamento.
banquillo *m* **1** banco dos réus. **2** DEP banco de reservas.
bañadera *f* **1** *Amér.* banheira (recipiente). **2** *Ur.* ônibus velho. **3** *Arg.* ônibus descoberto.
bañador *m* sunga, calção de banho (masculino); maiô (femenino).
bañar *tr y pron* **1** banhar (mojar). • *tr* **2** banhar (rebozar).
bañera *f* **1** banheira (pila). **2** banheira (mujer).
bañero, ra *m y f* banheiro (cuidador, dueño).
bañista *m o f* banhista.
baño *m* **1** banheiro (cuarto). **2** banho (inmersión, capa). **3** banheira (pila). • **baños** *m pl* **4** balneário.
baptisterio *m* batistério.
baquelita *f* baquelita (resina).
baqueta *f* **1** chibata (para caballos). • **baquetas** *f pl* **2** baqueta (de tambor).
baquetazo *m* golpe com baqueta.
baqueteado, da *adj* **1** maltratado. **2** (fig) calejado (experto).
baquetear *tr* chibatear, bater.
bar *m* **1** bar, botequim. **2** FÍS bar.
barahúnda *f* barafunda.
baraja *f* **1** baralho (cartas). **2** baralha, confusão.
barajadura *f* baralhamento, embaralhamento.
barajar *tr* **1** embaralhar, baralhar (cartas). **2** (fig) pesar (considerar). **3** *Arg., Chile, Ur.* deter (golpe). • *tr y pron* **4** (fig) confundir, embaralhar.
¡barajo! *interj Col., Cuba, Perú* caramba!
baranda *f* ⇒ barandilla.
barandal *m* gradim, parapeito.

barandilla *f* grade, balaústre.
barata *f* **1** ⇒ baratura. **2** (coloq) troca.
baratear *tr* **1** baratear, depreciar. **2** (coloq) regatear.
baratija *f* (gralte pl) ninharia, bugiganga.
baratillero, ra *m* y *f* quinquilheiro.
baratillo *m* **1** bugiganga. **2** loja de bugigangas.
barato, ta *adj* **1** barato. **2** (fig) mole (fácil). • *m* **3** barateio (venta). • *adv* **4** barato.
baratura *f* barateza.
barba *f* barba (pelo, barbilla). ◆ **barbas de chivo** barba de bode. ■ **hacer la ~** fazer a barba; **por ~** por pessoa.
barbacana *f* barbacã (muro, fortificación).
barbacoa o **barbacuá** *f* **1** churrasqueira. **2** churrasco.
barbadense *adj*/*m* y *f* barbadiano.
barbado, da *adj*/*m* y *f* **1** barbado. • *m* **2** barbado (árbol).
Barbados *m* Barbados.
barbaridad *f* barbaridade (atrocidad, estupidez).
barbarie *f* **1** barbárie (falta de cultura). **2** (fig) barbárie (crueldad).
bárbaro, ra *adj*/*m* y *f* **1** bárbaro. • *adj* **2** (fig) bárbaro (inculto, cruel).
barbecho *m* barbecho, alqueive.
barbería *f* barbearia (tienda, oficio).
barbero, ra *adj* **1** de barbeiro. • *m* **2** barbeiro.
barbicano, na *adj* de barba grisalha.
barbilindo *adj* janota.
barbilla *f* queixo.
barbilucio *adj* ⇒ barbilindo.
barbo *m* barbo, bárbus (pez).
barbón *m* **1** barbudo. **2** bode, cabrão.
barbotar *intr* y *tr* ⇒ barbullar.
barbudo, da *adj* barbudo.
barca *f* barco, bote.
barcaje *m* **1** barcagem (transporte). **2** barcagem (precio).
barcaza *f* barcaça (lanchón).
barco *m* navio, barco. ◆ **~ cisterna** navio-tanque; **~ de guerra** navio de guerra; **~ escuela** navio-escola; **~ mercante** navio mercante.
barda *f* **1** barda (armadura). **2** barda, sebe.
bardo *m* **1** bardo, sebe. **2** bardo (poeta, trovador).
bario *m* QUÍM bário.
barítono *m* barítono (voz, cantante).
barlovento *m* MAR barlavento.
barman *m* barman.
barniz *m* **1** verniz. **2** vidrado (cerámica). **3** (fig) verniz (noción superficial).
barnizar *tr* envernizar.
barométrico, ca *adj* barométrico.
barómetro *m* barômetro.
barón *m* barão (título).
baronesa *f* baronesa (esposa del barón, título).
baronía *f* baronia (título, territorio).
barquero, ra *m* y *f* barqueiro.
barquillo *m* barquilho (galleta).
barra *f* **1** barra (pieza alargada). **2** alavanca (palanca). **3** barra (de tribunal, bar, gimnasia). **4** barra (signo gráfico). ◆ **~ de labios** batom; **~ de pan** baguete.
barraca *f* **1** cabana. **2** *Amér.* galpão.
barranca *f* ⇒ barranco.
barranco *m* **1** barranco (peñasco). **2** (fig) barranco (dificultad).
barredera *f* varredeira (máquina).
barrena *f* verruma, broca. ■ **entrar en ~** perder o controle (avión).
barrenar *tr* **1** verrumar, brocar. **2** (fig) desbaratar (planes, intenciones).
barrendero, ra *m* y *f* gari.
barreno *m* **1** trado (instrumento). **2** trado (agujero).
barreño, ña *adj* **1** barrento. • *m* y *f* **2** alguidar; bacia.
barrer *tr* **1** varrer. **2** (fig) varrer (nubes, imperfecciones). **3** *Méx.* (fig) medir (con la mirada).
barrera *f* **1** barreira (obstáculo). **2** (fig) obstáculo, estorvo. **3** DEP barreira (de jugadores).
barriada *f* **1** bairro. **2** *Perú* favela.
barrica *f* barrica, barril.
barricada *f* barricada, tapigo.
barrido, da *adj* **1** varrido. • *m* **2** varredura.
barriga *f* **1** barriga (vientre). **2** (coloq) barriga (protuberancia).
barril *m* **1** barril. **2** cântaro. **3** (fig) gordo.
barrilete *m* **1** barrilote. **2** barrilete (instrumento).
barrilla *f* barilha.
barrio *m* **1** bairro. **2** arrabalde.
barriobajero, ra *adj* da baixada, favelado.

barrizal *m* lodaçal, lamaçal.
barro *m* **1** barro (arcilla). **2** lodo (fango). **3** púcaro (vasija).
barroso, sa *adj* lamacento (fangoso).
barrote *m* **1** barrote. **2** tranca.
barrueco *m* barroco (perla irregular).
barruntar *tr* pressentir.
barrunto *m* pressentimento.
barullo *m* barulho, desordem.
basa *f* base (fundamento, apoyo).
basalto *m* basalto.
basar *tr* **1** basear (fundamentar). • *tr y pron* **2** (fig) basear (apoyar, fundar).
basca *f* **1** (gralte pl) enjôo, náusea. **2** (coloq) galera (de amigos).
bascosidad *f* sujeira, imundície.
báscula *f* báscula, balança.
base *f* **1** base. **2** ARQ ⇒ basa. **3** QUÍM base. **4** GEOM base. **5** MAT base.
básico, ca *adj* **1** básico. **2** (fig) básico (esencial).
basílica *f* **1** basílica (palacio). **2** basílica (iglesia).
basilisco *m* basilisco.
básquet *m Arg., Par.* ⇒ basquetbol.
basquetbol *m Arg., Col., Méx., Par.* basquete, basquetebol.
basta *f* **1** basta (del colchón). **2** *Chile, Perú* bainha (dobladillo).
bastante *adj* **1** bastante, suficiente. • *adv* **2** bastante, suficiente (ni mucho ni poco). **3** bastante.
bastar *intr y pron* **1** bastar (alcanzar). **2** bastar (abundar).
bastardo, da *adj* **1** bastardo (degenerado). • *adj/m y f* **2** bastardo (ilegítimo).
bastear *tr* bastear (hilvanar).
bastidor *m* **1** bastidor (armazón). **2** chassi (de automóvil). **3** TEAT, TV bastidor.
bastilla *f* barra (de ropas).
bastión *m* bastião (fortificación).
basto, ta *adj* **1** grosseiro. • **bastos** *m pl* **2** paus (de la baraja). **3** *Amér.* bastos (para las caballerías).
bastón *m* **1** bastão, bengala. **2** cetro (de mando).
bastoncillo *m* **1** cotonete. **2** galão estreito.
basura *f* **1** lixo (residuos). **2** (fig) lixo (despreciable).
basurero, ra *m y f* **1** lixeiro. • *m* **2** lixão.
bata *f* **1** robe. **2** bata, roupão (de casa).
batacazo *m* **1** tombo, pancada. **2** *Amér. Merid.* (fig) cagada (triunfo inesperado).
batahola o **bataola** *f* (fam) algazarra.
batalla *f* batalha (combate). ♦ **~ campal** batalha campal.
batallar *intr* **1** batalhar (combatir). **2** (fig) disputar.
batanar *tr* pisoar (paños).
batanero *m* pisoeiro, pisoador.
batata *f* batata-doce (planta, tubérculo).
bate *m* taco, bastão (de béisbol).
bateador, ra *m y f* rebatedor (de béisbol).
batear *tr e intr* rebater (en béisbol).
batel *m* batel (embarcación).
batería *f* **1** MÚS bateria. • *m o f* **2** MÚS baterista. ♦ **~ de cocina** bateria de cozinha; **~ eléctrica** FÍS bateria elétrica.
batiburrillo o **batiborrillo** *m* **1** gororoba (de comida). **2** (fig) disparate (mezcla de ideas).
baticola *f* correia (de montura).
batida *f* batida (de caza, policial).
batido, da *adj* **1** mescla (tejido). • *m* **2** massa (de hostias, bizcochos). **3** milkshake.
batidor, ra *adj* **1** batedor. • *m y f* **2** batedeira.
batiente *adj* **1** batente. • *m* **2** batente (de puertas, ventanas). **3** batente (de las olas).
batir *tr* **1** bater (golpear). **2** bater, agitar (alas, remos, líquidos). **3** bater, vencer (enemigo, contrincante). • *intr* **4** bater (corazón). • **~se** *pron* **5** duelar, combater.
batista *f* cambraia, batista (tejido).
batuta *f* batuta (vara).
baúl *m* **1** baú (cofre). **2** (fig, fam) bucho.
bautismal *adj* batismal.
bautismo *m* batismo.
bautizar *tr* **1** batizar. **2** (fig, fam) batizar, apelidar.
bautizo *m* batismo.
bauxita *f* bauxita.
baya *f* baga (planta, fruto).
bayeta *f* **1** baeta. **2** pano de chão.
bayoneta *f* baioneta (arma).
baza *f* vaza (cartas).
bazar *m* bazar (mercado, tienda).
bazo *m* ANAT baço.
bazofia *f* bazófia, sobras (de comida).

be *f* **1** be (letra). • *m* **2** balido (onomatopeya).
beatificación *f* beatificação.
beatificar *tr* **1** beatificar (hacer feliz). **2** venerar. **3** REL beatificar.
beato, ta *adj/m y f* **1** beato (bienaventurado). **2** beato (beatificado). • *m y f* **3** beato (devoto).
bebé *m* bebê.
bebedor, ra *adj/m y f* bebedor.
beber *tr e intr* **1** beber. • *tr* **2** brindar. **3** beber (alcohol).
bebida *f* **1** bebida (líquido). **2** bebida (alcohol).
bebido, da *adj* bêbedo (embriagado).
bebistrajo *m* (fam) beberagem (bebida desagradable).
beca *f* **1** bolsa (de estudios). **2** faixa (para actos solemnes).
becado, da *m y f* ⇒ becario, ria.
becerro *m* **1** bezerro (toro). **2** bezerro (piel curtida).
becuadro *m* MÚS bequadro.
bedel, la *m y f* bedel (empleado).
beduino, na *adj/m y f* beduíno.
befa *f* piada, zombaria.
befar *tr* zombar.
befo, fa *adj/m y f* ⇒ belfo, fa.
beicon *m* bacon.
bejuco *m* cipó, liana (plantas).
beldad *f* beldade.
belén *m* presépio.
beleño *m* meimendro.
belga *adj/m y f* belga.
Bélgica *f* Bélgica.
Belice *m* Belize.
beliceño, ña *adj/m y f* belizenho.
belicista *adj/m y f* belicista.
bélico, ca *adj* bélico.
belicoso, sa *adj* **1** belicoso, guerreiro. **2** (fig) agressivo, brigão.
beligerante *adj/m y f* (gralte pl) beligerante.
bellaco, ca *adj/m y f* velhaco.
belladona *f* beladona.
bellaquería *f* velhacaria.
belleza *f* beleza.
bello, lla *adj* belo, lindo.
bellota *f* **1** bolota, glande (fruto). **2** ANAT glande (bálano). ♦ ~ **de mar** glande-do-mar (crustáceo).
bemol *adj y m* MÚS bemol.
benceno *m* QUÍM benzeno.
bencina *f* **1** QUÍM benzina. **2** gasolina.
bendecir *tr* abençoar, benzer.
bendición *f* bênção, bendição.
bendito, ta *adj* **1** bendito, abençoado. **2** bendito (feliz, dichoso).
beneficencia *f* beneficência.
beneficiar *tr* **1** beneficiar (favorecer). **2** beneficiar (cultivar). • **~se** *pron* **3** beneficiar-se.
beneficiario, ria *adj/m y f* beneficiário.
beneficio *m* **1** benefício. **2** lucro. ■ **en ~ de** em benefício de.
beneficioso, sa *adj* proveitoso, benéfico.
benéfico, ca *adj* benéfico.
benemérito, ta *adj* benemérito.
beneplácito *m* beneplácito.
benevolencia *f* benevolência.
benevolente *adj* benevolente.
benévolo, la *adj* benévolo.
bengalí *adj/m y f* **1** bengali. • *m* **2** bengali (lengua).
benignidad *f* benignidade.
benigno, na *adj* benigno.
Benín *m* Benin.
beninés, sa *adj/m y f* beninense.
benzol *m* QUÍM benzol.
beodo, da *adj/m y f* bêbado, embriagado (borracho).
berberecho *m* berbigão (molusco).
berbiquí *m* berbequim.
beréber, bereber o **berebere** *adj/m y f* **1** berbere. • *m* **2** berbere (lengua).
berenjena *f* beringela.
berenjenal *m* plantação de beringelas.
bergamota *f* **1** bergamota (fruto). **2** tangerina.
bergante *m* bargante (pícaro, sinvergüenza).
bergantín *m* bergantim (velero).
berilio *m* QUÍM berílio.
berilo *m* berilo.
berlina *f* berlinda (carruaje).
bermejo, ja *adj* avermelhado, vermelhento (color).
bermellón *m* **1** vermelhão (pigmento). • *adj y m* **2** vermelhão (color).
bermudas *f pl* bermudas.
berrear *intr* **1** berrar (animal). **2** (fig) berrar (llorar, gritar, cantar).
berrenchín *m* **1** fungada furiosa (del jabalí). **2** (fig, fam) ⇒ berrinche.
berrido *m* berro, bramido (de un animal).
berrinche *m* manha, birra (lloro, enojo).

berro *m* agrião.
berza *f* berça, couve (planta).
besamel o **besamela** *f* GAST bechamel.
besar *tr y pron* **1** beijar. • **~se** *pron* **2** (fig, fam) beijar-se (chocarse).
beso *m* **1** beijo. **2** (fig) encontrão.
bestia *f* **1** besta. • *adj/m y f* **2** (desp, fig) besta (ignorante). ♦ **mala ~** peste (malvado).
bestial *adj* **1** bestial, brutal. **2** (fam, fig) enorme, extraordinário.
bestialidad *f* **1** bestialidade. **2** (fam, fig) barbaridade (disparate).
besucón, na *adj/m y f* (fam) beijoqueiro.
besugo *m* besugo, acarne (pez).
besuquear *tr* (fam) beijocar.
besuqueo *m* beijocação.
betún *m* **1** betume. **2** graxa (para calzados).
bezo *m* beiçola.
bianual *adj* bianual.
biberón *m* mamadeira.
bibijagua *f Cuba* saúva.
biblia *f* **1** Bíblia. **2** (fig) bíblia (libro importante).
bibliófilo, la *m y f* bibliófilo.
bibliografía *f* **1** bibliografia (ciencia). **2** bibliografia (relación, catálogo).
bibliográfico, ca *adj* bibliográfico.
bibliógrafo, fa *m y f* bibliógrafo.
biblioteca *f* **1** biblioteca (edificio). **2** biblioteca (colección). **3** estante.
bibliotecario, ria *m y f* bibliotecário.
bicarbonato *m* QUÍM bicarbonato.
bicho *m* **1** (fam) bicho. **2** (fig, coloq) criança travessa.
bicicleta *f* bicicleta.
biciclo *m* biciclo.
bidé *m* bidê.
bidón *f* galão (recipiente).
biela *f* biela.
Bielorrusia *f* Bielo-Rússia.
bielorruso, sa *adj/m y f* bielo-russo.
bien *adv* **1** bem (correcto): *comportarse bien = comportar-se bem*. **2** bem (de salud). **3** bem (muy): *el balón fue a parar bien lejos = o balão foi parar bem longe*. **4** sim (dar permiso, aceptar). • *adj* **5** (fam) rico. • *m* **6** bem (virtud, beneficio). **7** (gralte pl) bens (propiedades). • **¡~!** *interj* **8** viva! ♦ **bienes de consumo** bens de consumo. ■ **de ~** de bem: *hombre de bien = homem de bem*; **y ~** e bem, e então.
bienal *adj* **1** bienal. • *f* **2** bienal (exposición).
bienandanza *f* ⇒ bienaventuranza.
bienaventurado, da *adj* bem-aventurado (feliz).
bienaventuranza *f* bem-aventurança (felicidad).
bienestar *m* bem-estar. ♦ **estado del ~** Estado assistencial ou de bem-estar.
bienhablado, da *adj* bem-falante.
bienhechor, ra *adj* bem-feitor.
bienio *m* biênio.
bienmandado, da *adj* bem-mandado.
bienquerer *m* benquerer.
bienquerer *tr* benquerer.
bienquistar *tr y pron* benquistar, conciliar-se.
bienvenida *f* boas vindas. ■ **dar la ~** dar as boas-vindas.
bienvenido, da *adj* bem-vindo.
bifásico, ca *adj* FÍS bifásico, difásico.
bifocal *adj* bifocal (lente).
bifurcación *f* bifurcação.
bifurcarse *pron* bifurcar-se.
bigamia *f* DER bigamia.
bígamo, ma *adj/m y f* bígamo.
bigarrado, da *adj* ⇒ abigarrado.
bigote *m* bigode.
bikini *m* ⇒ biquini.
bilingüe *adj* bilíngüe.
bilioso, sa *adj* bilioso.
bilis *f* **1** bílis. **2** (fig) raiva (cólera).
billar *m* bilhar (juego, mesa, local).
billete *m* **1** bilhete (carta breve). **2** passagem (transporte). **3** nota, cédula (dinero).
billetero, ra *m y f* **1** carteira. **2** *Méx., Pan.* bilheteiro (de lotería).
billón *m* trilião.

> En español, un **billón** equivale a un millón de millones, mientras que en portugués equivale a mil millones.

bimba *f* (fam) cartola (sombrero).
bimensual *adj* bimensal.
bimestre *adj y m* bimestre.
bimotor *adj y m* bimotor.
binar *tr* **1** binar (tierras). • *intr* **2** binar (misa).

binario, ria *adj* binário.
bingo *m* bingo.
binóculo *m* binóculo.
biodegradable *adj* QUÍM biodegradável.
biodiversidad *f* ECOL biodiversidade.
biografía *f* biografía.
biográfico, ca *adj* biográfico.
biógrafo, fa *m y f* biógrafo.
biología *f* biologia.
biológico, ca *adj* biológico.
biólogo, ga *m y f* biólogo.
biombo *m* biombo.
biopsia *f* MED biópsia.
bioquímica *f* bioquímica.
biosfera *f* BIOL biosfera.
bípedo, da *adj y m* bípede.
biplano *m* biplano.
biquini o **bikini** *m* **1** biquíni (bañador). **2** misto-quente (bocadillo).
birlar *tr* (fig, fam) afanar, surrupiar.
birlocha *f* pipa, papagaio (cometa).
birmano, na *adj/m y f* birmanês.
birreta *f* barrete (de clérigo).
birrete *m* **1** ⇒ birreta. **2** barrete (de profesor, magistrado).
birria *f* mamarracho.
bis *adv* bis.
bisabuelo, la *m y f* bisavô, bisavó (f).
bisagra *f* dobradiça, gonzo.
bisbisar o **bisbisear** *tr* (fam) cochichar, sussurrar.
biscote *m* torrada.
bisecar *tr* GEOM bipartir.
bisección *f* bissecção.
bisector, triz *adj/m y f* GEOM bissetor, bissetriz (f).
bisel *m* bisel, chanfradura.
bisemanal *adj* bissemanal.
bisexual *adj* **1** bissexual (hermafrodita). • *adj/m y f* **2** bissexual.
bisiesto *adj y m* bissexto.
bismuto *m* QUÍM bismuto.
bisnieto, ta *m y f* bisneto.
bisojo, ja *adj/m y f* caolho, zarolho.
bisonte *m* bisonte, bisão.
bisoño, ña *adj/m y f* (fig, fam) bisonho.
bistec o **bisté** *m* biteca, bife.
bisturí *m* MED bisturi.
bisutería *f* bijuteria (industria, local).
bit (*acrónimo de* **binary digit**) *m* INF bit.
bitácora *f* MAR bitácula.
bivalvo, va *adj* bivalve.
bizarría *f* **1** bizarria (gallardía). **2** bizarria (generosidad).
bizarro, rra *adj* **1** bizarro (valiente). **2** bizarro (generoso).
bizco, ca *adj/m y f* vesgo, estrábico.
bizcocho *m* **1** pão-de-ló. **2** biscoito (dulce).
bizma *f* bisma (cataplasma).
biznaga *f* bisnaga (planta).
biznieto, ta *m y f* ⇒ bisnieto.
bizquear *intr* vesguear.
blanco, ca *adj y m* **1** branco (color). • *adj/m y f* **2** branco (raza). • *m* **3** alvo. **4** branco (entre líneas). ◆ **arma blanca** arma branca. ■ **dar en el ~** (fig) acertar no alvo.
blancura *f* brancura.
blandear *intr y pron* **1** abrandar (aflojar, ceder). • *tr* **2** influenciar (opinión, propósito).
blandengue *adj/m y f* molenga.
blandir *tr* brandir.
blando, da *adj* **1** mole, brando (tierno, suave). **2** (fig) mole, frouxo (cobarde).
blandura *f* **1** brandura. **2** (fig) brandura (afabilidad). **3** (fig) branduras (alago).
blanquear *tr e intr* **1** branquear, embranquecer. • *tr* **2** lavar (dinero).
blanquecer *tr* **1** ⇒ blanquear. **2** branquear, polir (metales).
blanquecino, na *adj* esbranquiçado.
blanqueo *m* **1** branqueamento (con tinta, cal). **2** (fig) lavagem (de dinero).
blasfemar *intr* **1** blasfemar. **2** (fig) blasfemar (maldecir).
blasfemia *f* **1** blasfêmia. **2** (fig) blasfêmia (insulto).
blasón *m* **1** brasão, heráldica. **2** brasão (figura, escudo).
blasonar *tr* brasonar.
bledo *m* **1** bredo (planta). **2** (fig) ninharia (insignificancia). ■ **importar un ~** (fig, fam) lixar-se.
blindado, da *adj* blindado.
blindaje *m* blindagem.
blindar *tr* blindar.
blíster *m* TEC blister.
blonda *f* renda (de seda).
bloque *m* **1** bloco (piedra). **2** bloco (de papel). **3** bloco (conjunto). **4** quarteirão (manzana).
bloquear *tr* **1** bloquear (obstruir). • *tr y pron* **2** (fig) bloquear (dificultar).

bloqueo *m* **1** bloqueio (obstrucción). **2** (fig) bloqueio (dificultad). **3** MIL bloqueio.
blusa *f* blusa.
boa *f* jibóia, boa (serpiente).
boato *m* pompa.
bobada *f* bobagem.
bobalicón, na *adj/m y f* (fam) bobão.
bobear *intr* bobear.
bobería o **bobera** *f* bobice.
bobina *f* **1** bobina, carretel (de hilo, alambre). **2** bobina (de papel).
bobo, ba *adj/m y f* bobo. ■ **hacerse el ~** (fig, fam) se fazer de bobo.
boca *f* **1** boca. **2** boca (apertura). **3** boca (entrada, salida). **4** fio (herramientas). **5** (fig) boca (que alimentar). ◆ **~ a ~** ■ **~ abajo** de bruços; **~ arriba** de barriga para cima; **de ~ en ~** de boca em boca; **hacerse la ~ agua** ficar com água na boca.
bocacalle *f* **1** entrada de uma rua. **2** rua secundária.
bocadillo *m* **1** sanduíche. **2** bocado (de comida).
bocado *m* **1** bocado (de comida). **2** mordida.
bocajarro a ~ *loc adv* à queima-roupa.
bocamanga *f* punho (de la manga).
bocanada *f* **1** jorro, golfada. **2** baforada (de humo).
bocaza *f* **1** (gralte pl) bocona. ● *m o f* **2** (fam, fig) (gralte pl) linguarudo.
bocel *m* ARQ bocel.
bocelar *tr* bocelar.
boceto *m* ART bosquejo.
bochinche *m* tumulto, barulho.
bochorno *m* **1** mormaço (calor). **2** (fig) vergonha, rubor.
bochornoso, sa *adj* **1** abafado (tiempo). **2** (fig) vergonhoso.
bocina *f* buzina (claxon).
bocinazo *m* buzinada.
boda *f* **1** casamento. **2** bodas (banquete). ◆ **bodas de oro** bodas de ouro.
bodega *f* **1** adega. **2** bodega (taberna).
bodegón *m* **1** taberna. **2** ART natureza-morta.
bodegonero, ra *m y f* bodegueiro, taberneiro.
bodoque *m* **1** bodoque (pelota). **2** grumo.
bofetada *f* bofetada. ■ **darse de bofetadas** não combinar uma coisa com a otra: *esa camisa se da de bofetadas con ese pantalón = essa camisa não combina com essa calça.*
bofetón *m* bofetão.
bofia *f* (coloq) meganhas (policía).
boga *f* voga (remada). ■ **estar en ~** (fig) estar em voga.
bogar *intr* MAR vogar (remar).
bogavante *m* lavagante (crustáceo).
bohemio, mia *adj/m y f* **1** boêmio (bohemo). **2** boêmio (gitano). **3** (fig) boêmio (poco convencional).
boicot *m* boicote.
boicotear *tr* boicotar.
boicoteo *m* boicotagem, boicote.
boina *f* boina.
boj *m* buxo (planta, madera).
bol *m* tigela (taza).
bola *f* **1** bola. **2** graxa (betún). **3** (fig, coloq) lorota. ● **bolas** *f pl* **4** bolas de gude (canicas). ■ **en bolas** (fig, fam) pelado (desnudo).
bolchevique *adj/m y f* bolchevique, bolchevista.
boleadoras *f pl* boleadeiras (instrumento).
bolear *intr* **1** passar tempo (en cartas, billar). **2** jogar, lançar (bola).
boleo *m* lançamento. ■ **a ~** (fig, fam) no chute.
bolera *f* boliche (establecimiento).
boleta *f* **1** boleto, ingresso. **2** cédula (papeleta). **3** *Amér.* bilhete (de rifa, lotería).
boletín *m* boletim (publicación). ◆ **~ informativo** boletim informativo, noticiário.
boleto *m* **1** *Amér.* boleto (entrada). **2** bilhete (de sorteo).
boliche *m* **1** bocha (bola). **2** boliche (juego, establecimiento). **3** *Arg.*, *Par.*, *Ur.* botequim.
bólido *m* **1** ASTR bólide, bólido. **2** DEP carro de corrida.
bolígrafo *m* caneta esferográfica.
bolillo *m* bilro (para encajes, pasamanería).
bolina *f* **1** MAR bolina. **2** (fig, fam) balbúrdia.
bolinear *intr* MAR bolinar.
bolívar *m* bolívar (moneda).
Bolivia *f* Bolívia.
boliviano, na *adj/m y f* boliviano, na.

bollería *f* pastelaria (establecimiento).
bollero, ra *m y f* boleiro.
bollo *m* **1** pãozinho, bolo. **2** (fig) galo (chichón). **3** (fig, fam) confusão, bololô (lío).
bollonado, da *adj* enfeitado com tachas.
bolo, la *m* **1** pino (palo). **2** (fam, fig) ignorante, inábil. • **bolos** *m pl* **3** boliche (juego).
bolsa *f* **1** bolsa, sacola. **2** (gralte pl) bolsa (ojeras). **3** ECON bolsa.
bolsillo *m* bolso (de una prenda). ■ **de ~** de bolso.
bolsín *m* reunião de bolsistas.
bolso *m* **1** bolsa: *bolso de mujer = bolsa de mulher*. **2** bolso (bolsillo).
boludez *f Arg., Ur.* (fam) estupidez.
boludo, da *adj/m y f Arg., Ur.* estúpido, imbecil.
bomba *f* **1** bomba (explosivo). **2** bomba (de líquidos, gases). **3** (fig) bomba (noticia). ♦ **~ de relojería** bomba-relógio. ■ **pasarlo ~** (fig) divertir-se muito.
bombardear *tr* **1** bombardear (con artillería). **2** (fig) bombardear (con preguntas, exigencias).
bombardeo *m* bombardeio.
bombardero *m* bombardeiro (avión).
bombear *tr* **1** ⇒ bombardear. **2** bombear (fluidos).
bombero, ra *m y f* **1** bombeiro (de incendios). **2** bombeiro, encanador.
bombilla *f* **1** lâmpada. **2** *Amér.* bomba (para el mate).
bombo, ba *adj* **1** (fam) atordoado. • *m* **2** MÚS bumbo. **3** globo (para sorteos). ■ **a ~ y platillo** (fig, fam) aos quatro ventos.
bombón *m* **1** bombom. **2** (fig, fam) gatinha (mujer).
bombona *f* bombona (de gas, líquido).
bonachón, na *adj/m y f* (fam) bonachão.
bonancible *adj* sereno (mar, viento, tiempo).
bonanza *f* **1** bonança. **2** (fig) bonança, prosperidade.
bondad *f* bondade. ■ **tener la ~ de** ter a bondade de.
bondadoso, sa *adj* bondoso.
bongó *m* MÚS bongô.
bonificar *tr* bonificar.
bonito, ta *adj* bonito (lindo).
bono *m* bônus (vale, tarjeta, título).
bonobús *m* passe (para el bus).
bonotrén *m* passe (para el tren).
boñiga *f* bosta.
boqueada *m* (gralte pl) boqueada.
boquerón *m* **1** anchova, manjuba. **2** boqueirão (abertura).
boquete *m* boquete (brecha).
boquiabierto, ta *adj* boquiaberto.
boquilla *f* **1** boca (del pantalón). **2** piteira (de la pipa, cigarrillo). **3** piteira (del instrumento de viento).
bórax *m* QUÍM bórax.
borbollar o **borbollear** *intr* borbulhar (agua).
borbollón *m* ⇒ borbotón.
borbotar o **borbotear** *intr* borbulhar (agua).
borbotón *m* borbulhão, borbotão. ■ **a borbotones** (fig) com atropelos.
borceguí *m* bota (de caña corta).
borda *f* MAR borda. ■ **echar o tirar algo por la ~** (fig, fam) jogar algo pelo cano.
bordado, da *adj* **1** (fam) caprichado. • *m* **2** bordado.
bordador, ra *m y f* bordador.
bordadura *f* ⇒ bordado.
bordar *tr* **1** bordar. **2** (fam, fig) caprichar.
borde *m* borda. ■ **al ~** à beira de.
bordear *tr* bordejar, rodear.
bordillo *m* meio-fio.
bordo *m* bordo (del navío). ■ **a ~** a bordo.
bordón *m* **1** bordão (bastón). **2** bordão (estribillo). **3** (fig) guia (persona).
boreal *adj* ASTR, GEOG boreal (septentrional). ♦ **aurora ~** MET aurora boreal.
bórico, ca *adj* QUÍM bórico.
borla *f* borla (adorno, insignia).
bornear *tr* **1** bornear. **2** torcer, voltear.
boro *m* QUÍM boro.
borona *f* **1** milho. **2** *Amér.* migalha de pão.
borra *f* **1** borra (de lana). **2** cotão (pelusilla). **3** borra (sedimentos).
borrachera *f* bebedeira. ■ **agarrar una ~** (fam) tomar um porre.
borrachín, na *adj/m y f* bebum, beberrão.
borracho, cha *adj/m y f* **1** bêbado. **2** (fig) embriagado (de pasión, ira).
borrador *m* **1** rascunho (esbozo). **2** apagador (de la pizarra). **3** *Amér.* borracha (de borrar).
borrar *tr* **1** apagar. **2** borrar, rabiscar.

borrasca *f* borrasca (tempestad).
borrascoso, sa *adj* **1** borrascoso. **2** (fig) tempestuoso (agitado, violento).
borrego, ga *m y f* **1** borrego (cordero). • *adj/m y f* **2** (fig, fam) borrego (dócil).
borricada *f* **1** burricada, burrada. **2** (fig) burricada, asneira.
borrico, ca *m y f* **1** burrico.
borrón *m* **1** borrão (de tinta). **2** (fig) borrão (imperfección). ■ **~ y cuenta nueva** (fig) começar de zero.
borroso, sa *adj* **1** borrado, apagado. **2** turvo (líquido).
boscaje *m*
Bosnia-Herzegovina *f* Bósnia Herzegovina.
bosnio, nia *adj/m y f* bósnio.
bosque *m* bosque.
bosquejar *tr* bosquejar, esboçar.
bosquejo *m* **1** bosquejo (esbozo). **2** (fig) bosquejo (idea).
bostezar *intr* bocejar, oscitar.
bostezo *m* bocejo.
bota *f* **1** bota (calzado). **2** bota (de vino). ■ **ponerse las botas** (fig) encher os bolsos.
botadura *f* botamento.
botana *f* (fam) parche (para llagas).
botánica *f* botânica.
botánico, ca *adj/m y f* botânico.
botar *tr* **1** botar (arrojar). **2** mandar embora (del trabajo). **3** *Amér.* queimar (dinero). • *tr e intr* **4** quicar. • *intr* **5** pular (saltar).
botarate *adj y m* (fam) insensato, imprudente.
bote *m* **1** bote (embarcación). **2** bote (salto). **3** (coloq) caixinha (propina). **4** pote. ♦ **~ salvavidas** bote salva-vidas.
botella *f* garrafa.
botero *m* vendedor de botas (para vino, aceite).
botica *f* **1** botica (farmacia). **2** (fig) boticada (medicamento).
boticario, ria *m y f* boticário.
botijo *m* moringa, bilha.
botillería *f* **1** loja de refrescos. **2** *Chile, Perú* adega.
botín *m* **1** botina, botim (calzado). **2** pilhagem.
botiquín *m* frasqueira de primeiros socorros.
boto, ta *adj* **1** boto, rombudo. **2** (fig) boto, lerdo.
botón *m* **1** botão (de prenda). **2** botão (yema, flor).
botonadura *f* abotoadura.
botones *m* carregador (de hotel).
Botsuana *f* Botsuana.
botsuano, na *adj/m y f* botsuano.
bóveda *f* **1** ARQ abóbada. **2** *Arg.* panteão familiar. ♦ **~ celeste** abóbada celeste.
bovedilla *f* abobadilha.
bovino, na *adj y m* bovino.
boxeador, ra *m y f* boxeador.
boxear *intr* boxear.
boxeo *m* boxe.
boya *f* boia.
boyante *adj* **1** boiante. **2** (fig) bem-sucedido.
bozal *m* focinheira.
bozo *m* buço.
braceaje *m* **1** braceagem, moedagem. **2** MAR braço (medida).
bracear *intr* **1** bracejar (gesticular). **2** bracejar (nadar).
bracero, ra *adj* **1** braceiro: *lanza braceira = lança braceira.* • *m* **2** braceiro (peón).
bráctea *f* BOT bráctea.
braga *f* **1** (gralte pl) calcinha. **2** fralda (pañal).
bragazas *adj y m* (fig, coloq, desp) calça-curta, molengão (sumiso).
braguero *m* bragueiro.
bragueta *f* braguilha.
braille *m* braille.
bramante *adj y m* barbante.
bramar *intr* bramar, berrar.
bramido *m* **1** bramido (de animal). **2** (fig) bramido, berro (grito).
branquia *f* ZOOL (gralte pl) brânquia.
brasa *f* brasa. ■ **a la ~** na brasa.
brasero *m* **1** braseiro. **2** *Méx.* fogão (de cocina).
Brasil *m* Brasil.
brasileño, ña o **brasilero, ra** *adj/m y f* brasileiro.
bravata *f* bravata (fanfarronada).
bravío, a *adj* **1** bravio (feroz). **2** (fig) bravio (maleducado).
bravo, va *adj* **1** bravo (valiente, feroz). **2** bravo (excelente). **3** bravo (enfadado).
braza *f* **1** braça (medida). **2** nado de peito.

brazada *f* **1** braçada (movimiento). **2** braçada (de leña).
brazal *m* **1** braçadeira (de luto, distintivo). **2** MAR braçalote.
brazalete *m* bracelete (pulsera).
brazo *m* **1** braço (del hombre). **2** braço (de sillón, tocadiscos, cruz). **3** (fig) braço (poder, esfuerzo). • **brazos** *f pl* **4** mão-de-obra. ◆ ~ **derecho** ■ **cruzarse de brazos** (fig, fam) cruzar os braços.
brazuelo *m* braço (de los cuadrúpedos).
brea *f* breu.
brear *tr* maltratar, ultrajar.
brebaje *f* beberagem.
breca *f* tapuji (pez).
brecha *f* **1** brecha. **2** (fig) brecha (herida).
brécol *f* brócolis.
breña *f* brenha, matagal (terreno).
breñal o **breñar** *m* terreno brenhoso.
breva *f* **1** bêbera (fruto). **2** bolota (bellota).
breve *adj* **1** breve. **2** GRAM paroxítono. ■ **en** ~ em breve.
brevedad *f* brevidade.
breviario *m* **1** breviário (libro). **2** breviário (epítome).
brezal *m* urzal (terreno).
brezo *m* urze (arbusto).
briba *f* vadiagem.
bribón, na *adj/m y f* malandro, velhaco.
bribonada *f* malandragem.
brida *f* brida (para caballerías).
brigada *f* **1** brigada (operarios). **2** MIL brigada (unidad).
brigadier *m* MIL brigadeiro.
brillante *adj* **1** brilhante. **2** (fig) brilhante (admirable). • *m* **3** brilhante (diamante).
brillantina *f* brilhantina (cosmético).
brillar *intr* **1** brilhar (resplandecer). **2** (fig) brilhar (sobresalir).
brillo *m* **1** brilho. **2** (fig) brilhantismo (talento, gloria).
brincar *intr* pular (saltar).
brinco *m* pulo.
brindar *intr* **1** brindar (al beber). • *tr* **2** brindar (regalar). • *intr y tr* **3** proporcionar (oportunidad, provecho).

> El verbo **brindar** rige las preposiciones **a** y **por**: *brindar a la salud de / brindar por alguien.*

brindis *m* brinde.
brío *m* **1** brio (fuerza). **2** brio (disposición).
brioso, sa *adj* brioso.
brisa *f* brisa.
británico, ca *adj/m y f* britânico.
brizna *f* **1** fiapo (de las legumbres, plantas). **2** cisco. **3** *Col., Venez.* garoa.
broca *f* broca (barrena).
brocado *m* brocado (tejido).
brocal *m* boca de poço.
brocha *f* **1** brocha (pincel). **2** pincel (para barba).
broche *m* **1** broche (adorno). **2** colchete, fecho (corchete). **3** *Amér. Merid.* grampo (para papeles). **4** *Amér. Merid.* prendedor (de ropas). ◆ ~ **de oro** (fig) chave de ouro.
brocheta *f* **1** brochette, espeto (varilla). **2** espetinho, brochete (comida).
broma *f* **1** brincadeira (burla). **2** teredo (molusco). ■ **estar de** ~ estar de brincadeira.
bromear *intr y pron* brincar, gozar (burlar).
bromista *adj/m y f* brincalhão, gozador.
bromo *m* QUÍM bromo.
bromuro *m* QUÍM brometo.
bronca *f* **1** bronca (reprensión). **2** bate-boca, bronca (disputa). **3** *Amér.* raiva. ◆ **busca broncas** encrenqueiro.
bronce *m* bronze. ■ ~ **bronce** (fig) de bronze (duro, inflexible).
bronceado, da *adj* **1** bronzeado. • *m* **2** bronzeado (moreno).
bronceador, ra *adj y m* bronzeador (cosmético).
broncear *tr y pron* **1** bronzear (piel). • *tr* **2** bronzear (metal).
bronco, ca *adj* **1** bronco (tosco). **2** (fig) ignorante (grosero).
bronquedad *f* bronquice.
bronquio *m* ANAT (gralte pl) brônquio.
bronquitis *f* MED bronquite.
broquel *m* broquel.
brotar *intr* **1** brotar (planta). **2** brotar, manar (agua). **3** (fig) brotar (surgir).
brote *m* **1** broto (de planta). **2** brotamento. **3** (fig) surto (de enfermedad, violencia).
broza *f* **1** mato (maleza). **2** sujeira. ■ **meter** ~ (fig) encher lingüiça.
bruces de ~ *loc adv* de bruços.

bruja *f* **1** bruxa. **2** (fig, fam) bruxa, canhão.
brujería *f* bruxaria.
brujo, ja *adj* **1** encantador; hipnotizador. • *m* **2** bruxo.
brújula *f* bússola.
brujulear *tr* (fig, fam) farejar (adivinar).
brulote *m* brulote (barco).
bruma *f* bruma (niebla).
brumoso, sa *adj* **1** brumoso (nebuloso). **2** (fig) vago.
Brunéi *m* Brunei.
bruno, na *adj* bruno (color).
bruñido, da *adj* brunido, polido.
bruñidor, ra *adj/m y f* brunidor.
bruñir *tr* **1** brunir, polir. **2** (fig, fam) maquilar.
brusco, ca *adj* **1** brusco (carácter). **2** brusco (repentino).
brusquedad *f* brusquidão.
brutal *adj* **1** brutal. **2** (fig, fam) colossal, enorme.
brutalidad *f* **1** brutalidad. **2** (fam) disparate (gran cantidad).
bruto, ta *adj* **1** bruto (natural). **2** bruto (sin descuentos). • *adj/m y f* **3** bruto (tosco). ■ **en ~** em bruto.
bruza *f* brossa.
bucal *adj* bucal.
bucear *intr* **1** mergulhar. **2** (fig) pesquisar, examinar.
buceo *m* mergulho.
buche *m* **1** moela. **2** bucho (estómago). ■ **llenar el ~** (fam) encher o bucho.
bucle *m* bucle.
budín *m* pudim.
budista *adj/m y f* budista.
buen (*apócope de* **bueno**) *adj* bom.

> El adjetivo **bueno** es apocope de **buen** ante sustantivos masculinos singulares: *buen corazón.*

buenaventura *f* sorte.
bueno, na *adj* **1** bom (generoso). **2** bom (gustoso). **3** bom (útil). **4** bom (sano). **5** bom (grande, largo). **6** bom (suficiente). • *adv* **7** (aprobación) bem.
buey *m* boi.
bufa *f* zombaria.
búfalo, la *m y f* búfalo.
bufanda *f* cachecol.
bufar *intr* **1** bufar (resoplar). • **~se** *pron* **2** bolhar-se, esburacar-se (pared).
bufé o **bufet** *m* bufete, bufê (comida, mesa, local).
bufete *m* **1** escrivaninha. **2** (fig) escritório (de abogados). **3** (fig) clientela (de abogado).
bufido *m* **1** bufo (resoplido). **2** (fig) bufo (de ira, enfado).
bufo, fa *adj/m y f* bufo (bufón).
bufón, ona *m y f* **1** bufo. • *m* **2** camelô (buhonero).
bufonada *f* bufonaria.
buharda *f* ⇒ buhardilla.
buhardilla *f* **1** sótão, desvão. **2** clarabóia.
búho *m* **1** coruja, mocho. **2** (fig, fam) bicho-do-mato (huraño).
buhonería *f* bugingangas.
buhonero *m* camelô.
buitre *m* **1** abutre. **2** (fig, fam) urubu (aprovechador).
bujería *f* quinquilharia.
bujía *f* **1** bugia (vela). **2** MEC vela.
bula *f* **1** bula (sello). **2** (fam) privilégio.
bulbo *m* BOT bulbo.
Bulgaria *f* Bulgária.
búlgaro, ra *adj/m y f* **1** búlgaro. • *m* **2** búlgaro (lengua).
bulimia *f* MED bulimia.
bulla *f* desordem, bulha. ■ **armar o meter ~** provocar desordem.
bullicio *m* bulício.
bullicioso, sa *adj* buliçoso.
bullir *intr* **1** ferver. **2** (fig) bulir, agitar.
bulto *m* **1** volume, vulto. **2** calombo (prominencia). ■ **escurrir el ~** (fig, fam) tirar o corpo fora; **hacer ~** fazer número.
buñolero, ra *m y f* confeitero.
buñuelo *m* **1** GAST sonho. **2** (fam, fig) cagada (porquería). ◆ **~ de viento** GAST sonho recheado.
buque *m* **1** navio. **2** casco (de nave).
burbuja *f* borbulha.
burbujear *intr* borbulhar.
burdel *m* bordel (prostíbulo).
burdo, da *adj* grosseiro (de mala calidad). ◆ **justificación o excusa burda** desculpa esfarrapada.
burgués, sa *adj/m y f* burguês.
burguesía *f* burguesia.
buriel *adj* **1** ruivo. • *m* **2** burel (tejido).
buril *m* buril (herramienta).

burilar *tr* burilar (grabar).
Burkina Faso *m* Burkina Fasso.
burla *f* **1** zombaria, brincadeira. **2** mentira, burla.
burladero *m* muro de proteção (en las plazas de toros).
burlador, ra *adj/m y f* **1** burlador, brincalhão. **2** burlador, trapaceiro (libertino).
burlar *tr* **1** burlar, enganar. • *intr y pron* **2** sacanear.
burlería *f* enganação.
burlesco, ca *adj* burlesco.
burlón, na *adj/m y f* zombador, brincalhão.
buró *m* **1** bureau, escrivaninha. **2** *Méx.* mesa de cabeceira.
burocracia *f* burocracia.
burócrata *adj/m y f* burocrata.
burrada *f* **1** burrada (manada). **2** (fig, fam) burrada (tontería). **3** (fig, fam) monte (gran cantidad).
burrero *m* burriqueiro.
burro, rra *m y f* **1** burro (animal). **2** burro (caballete). **3** (fig, fam) burro (tonto).
burujo *m* bagaço (de aceituna).
burujón *m* (fam) galo (chichón).
burundés, sa *adj/m y f* burundinês, burundiense.
Burundi *m* Burundi.
bus *m* **1** (fam) ônibus. **2** INF bus, barramento.
busca *f* procura, busca.
buscador, ra *adj/m y f* buscador.
buscapié *m* (fig) indireta.
buscapiés *m* busca-pé.
buscar *tr* **1** procurar, buscar. **2** pegar (recoger): *mi madre nos viene a buscar = minha mãe vem nos pegar.* ■ **buscársela** (fig, fam) ir à luta.
buscavidas *m o f* **1** (fig, fam) bisbilhoteiro. **2** (fig, fam) batalhador.
buscón, na *adj/m y f* **1** buscador. • *m y f* **2** pícaro.
búsqueda *f* busca, pesquisa.
busto *m* busto (tronco, senos, estatua).
butaca *f* **1** poltrona (sillón). **2** poltrona (de cine, teatro). **3** ingresso (entrada).
Bután *m* Butão.
butano *m* butano.
buten de ~ *loc* (vulg) do caralho (excelente).
butifarra *f* lingüiça, chouriço.
buzo *m* **1** mergulhador, escafandrista. **2** macacão (ropa). **3** *Amér. Merid.* moletom (chándal).
buzón *m* **1** caixa de correio. **2** canal (de desagüe). ◆ **~ electrónico** INF correio eletrônico.
buzonear *intr* entregar propaganda.
byte *m* INF byte.

Cc

C

c, C *f* c, C (letra).
cabal *adj* **1** cabal (completo). **2** (fig) sensato, honrado.
cábala *f* **1** REL cabala. **2** (fig) (gralte pl) conjectura, hipótese.
cabalgadura *f* **1** cavalgadura. **2** burro de carga.
cabalgar *tr e intr* **1** cavalgar, montar. • *tr* **2** acasalar. **3** (fig) cobrir.
cabalgata *f* **1** cavalgada, cavalgata. **2** desfile (en fiestas, celebraciones).
caballa *f* cavala (pez).
caballar *adj* cavalar.
caballería *f* **1** cavalaria (institución, cuerpo). **2** cavalgadura (animal).
caballeriza *f* cavalariça.
caballerizo *m* cavalariço.
caballero, ra *adj* **1** cavaleiro. • *m* **2** cavalheiro (hidalgo).
caballerosidad *f* cavalheirismo.
caballeroso, sa *adj* cavaleiroso, cavalheiresco.
caballete *m* **1** cavalete (madero). **2** ARQ cumeeira (del tejado).
caballito *m* **1** cavalinho (juego). • **caballitos** *m pl* **2** carrossel (tiovivo).
caballo *m* **1** cavalo (animal). **2** cavalo (del ajedrez, naipe). **3** (coloq) heroína.
cabaña *f* **1** cabana. **2** rebanho, gado. **3** *Arg., Ur.* fazenda de gado, cabanha.
cabaré o **cabaret** *m* cabaré.
cabecear *intr y tr* **1** cabecear (mover la cabeza). • *intr* **2** cabecear, cochilar (dormitar). **3** DEP cabecear (fútbol).
cabeceo *m* cabeceio.
cabecera *f* **1** cabeceira (de mesa, cama). **2** cabeçalho (de libros, artículos). **3** cabeceira (almohada).
cabecilla *m o f* cabeça, chefe.
cabellera *f* **1** cabeleira (pelo, peluca). **2** ASTR cabeleira, coma.
cabello *m* **1** cabelo. • **cabellos** *m pl* **2** cabelo de milho.
cabelludo, da *adj* cabeludo.
caber *intr* **1** caber (poder contener): *el cuaderno no cabe en el cajón = o caderno não cabe na gaveta.* ~ **por 2** caber (poder entrar): *no cabe por aquella puerta = não cabe naquela porta.*
cabestrillo *m* tipóia.
cabestro *m* cabresto.
cabeza *f* **1** ANAT cabeça. **2** cabeça (pensamiento, imaginación). **3** (fig) cabeça (talento). ♦ **~ de familia** chefe de família. ■ **alzar o levantar la ~** (fig) sair do buraco; **perder la ~** (fig, fam) perder a cabeça.
cabezada *f* **1** cabeçada (golpe). **2** cabeçada (de sueño).
cabezal *m* **1** cabeçal (almohada). **2** cabeçote (para grabar). **3** viga, travessa.
cabezón, na *adj/m y f* **1** (fam) cabeçudo (de cabeza grande). **2** (fig, fam) cabeçudo (terco).
cabezota *f* **1** cabeçorra. • *adj/m y f* **2** ⇒ cabezón.
cabezuela *m o f* **1** (fig, fam) cabeça-de-vento. • *f* **2** BOT capítulo (inflorescencia).
cabida *f* capacidade (espacio). ■ **tener ~** ter cabimento.
cabildo *m* cabido (de eclesiásticos).
cabina *f* cabine, cabina.
cabizbajo, ja *adj* cabisbaixo.
cable *m* **1** cabo. **2** MAR cabo.
cabo *m* **1** cabo (extremo, mango). **2** hilo. **3** GEOG cabo. **4** MIL cabo. **5** MAR cabo (cuerda).
Cabo Verde *m* Cabo Verde.
cabotaje *f* MAR cabotagem. ♦ **gran ~** MAR grande cabotagem.
caboverdiano, na *adj/m y f* cabo-verdiano.
cabra *f* **1** cabra (animal). **2** *Chile* jarrete. **3** *Col., Cuba* brocha (de pintar). **4** *Chile* (fam, fig) garota.
cabrerizo, za *adj* **1** caprino, cabril. • *m y f* **2** cabreiro (pastor).
cabrero, ra *m y f* cabreiro (pastor).
cabria *f* cabrilha, guindaste.
cabrío, a *adj* caprino. ♦ **macho ~** bode.

cabriola *f* **1** cabriola (salto). **2** (fig) cambalhota, cabriola (voltereta). **3** (fig) pinote, cabriola (del caballo).
cabriolé *m* cabriolé (carruaje).
cabritilla *f* cabrim, cabritilha.
cabrito, ta *m y f* **1** cabrito. • *m* **2** (fig) corno manso. • **cabritos** *m pl* **3** *Chile* pipocas (palomitas).
cabrón, ona *adj/m y f* **1** (fig, vulg) safado, sacana. • *m* **2** bode, cabro.
caca *f* **1** (fam) cocô, caca. **2** (fam) caca, porcaria (suciedad).
cacahual *m Méx.* cacaual, cacoal.
cacahuete *m* amendoim (planta, fruto).
cacao *m* **1** cacaueiro (árbol). **2** cacau (fruto). **3** chocolate em pó, cacau. **4** manteiga de cacau. **5** (fig, fam) fuzuê, zona (jaleo).
cacarear *intr* **1** cacarejar. • *tr* **2** (fig, fam) gabar-se (enaltecerse).
cacatúa *f* cacatua (pájaro).
cacería *f* caça, caçada.
cacerola *f* caçarola.
cacha *f* **1** (fam) (gralte pl) músculo. **2** bunda, bumbum (nalga). **3** bochecha.
cachalote *m* cachalote (ballena).
cachar *tr* **1** despedaçar. **2** *Amér., Chile, Col.* chifrar (dar cornadas). **3** *Amér. Centr.* surrupiar, afanar.
cacharrería *f* loja de vasilhas ordinárias.
cacharrero, ra *m y f* vendedor de vasilhas ordinárias.
cacharro *m* **1** caco, vasilha ordinária. **2** (fam) sucata (aparato). **3** quinquilharia.
cachaza *f* **1** cachaça. **2** (fam) lentidão, pachorra.
cachear *tr* revistar (policía).
cachemir *m* casimira.
cacheo *m* revista (registro).
cachete *m* **1** tapa (bofetada). **2** bochecha (mejilla).
cachetero *m* punhal.
cachetudo, da *adj Amér.* bochechudo.
cachicamo *m Amér.* tatu.
cachimba *f* cachimbo.
cachiporra *f* cacete, porrete.
cachivache *m* (desp) (gralte pl) traste, quinquilharia.
cacho *m* **1** pedaço. **2** *Arg., Par., Ur.* cacho (de uvas, bananas).
cachondearse *pron* (coloq) debochar.
cachondeo *m* **1** (coloq) gozação, deboche. **2** (coloq) farra.
cachondo, da *adj* **1** (coloq) brincalhão, gozador. **2** com tesão, excitado (sexualmente).
cachorrillo *m* pistola pequena.
cachorro, rra *m y f* filhote (cría).

> En español **cachorro** el término se refiere principalmente a cualquier cría de mamífero, mientras que en portugués, un ***cachorro*** es un **perro**.

cachucha *f* bote.
cachupín, na *m y f Amér.* (desp) *espanhol estabelecido na América.*
cacique *m* cacique, manda-chuva.
caco *m* **1** (fig) gatuno (ladrón). **2** (fig, fam) banana (pusilánime).
cacto o **cactus** *m* cacto.
cada *pron indef* **1** cada. • *adj* **2** (intensificador) cada. **3** (progresión) cada. **4** (intervalo de tiempo) cada. ◆ ~ **cual** cada qual; ~ **quien** cada um (individuo); ~ **uno** cada qual.
cadalso *m* cadafalso (patíbulo).
cadáver *m* cadáver.
cadena *f* **1** cadeia (serie). **2** corrente (collar). **3** correia (de mecanismo). **4** (fig) rede, cadeia (de tiendas). **5** (fig) cadeia, emissora (de radio, televisión). **6** BIOL, QUÍM cadeia.
cadencia *f* **1** cadência (de sonidos). **2** cadência (entonación). **3** MÚS cadência (ritmo, compás).
cadente *adj* **1** cadente (ruinoso). **2** cadente (candencioso).
cadera *f* quadril.
cadete *m o f* **1** MIL cadete. • *m* **2** *Amér.* aprendiz (de comercio).
cadmio *m* QUÍM cádmio.
caducar *intr* **1** caducar, vencer (plazo, producto). **2** (fig) caducar (chochear).
caducidad *f* **1** caducidade. **2** validade (de alimento, medicamento).
caduco, ca *adj* **1** caduco (decrépito). **2** caducado, vencido.
caer *intr y pron* **1** cair (de altura, posición). **2** cair (desprenderse). • *intr* **3** cair (en una trampa, red). **4** cair, incidir (en un error, fallo). **5** (fig) cair, baixar (precios). **6** (fig, fam) cair a ficha (entender). • **~se** *pron* **7** cair (de cansancio, sueño).

■ ~ **bien o mal** (fig, fam) cair ou não cair bem (prenda de vestir); ir ou não ir com a cara (simpatizar); **estar al ~** (fig, fam) estar estourando.
café *m* **1** café (planta, bebida). **2** café (establecimiento). • *adj* **3** café (color). ♦ ~ **cortado** café pingado; ~ **largo** café americano; ~ **solo** café preto; **~-teatro o ~-concierto** café-concerto.
cafeína *f* QUÍM cafeína.
cafetal *m* cafezal.
cafetera *f* **1** cafeteira (máquina). **2** cafeteira (vasija).
cafetería *f* cafeteria (local).
cafetero, ra *adj* **1** cafeeiro. **2** viciado em café. • *m y f* **3** cafezeiro.
caficultor, ra *m y f* cafeicultor.
cafre *adj/m y f* **1** cafre. **2** (fig) cafre (bárbaro, cruel). **3** (fig) cafre (zafio, rústico).
cagada *f* **1** (vulg) cagada, bosta (excremento). **2** (fig, vulg) cagada, merda (mal hecho, error).
cagafierro *m* escumalha (escoria).
cagalera *f* (fam) caganeira (diarrea).
cagar *tr, intr y pron* **1** cagar (defecar). • *tr* **2** (fig, fam) cagar, estragar (echar a perder). • **~se** *pron* **3** (fig, fam) cagar-se (de miedo).
caída *f* **1** queda. **2** caimento (de tejidos). **3** (fig) queda, decadência. ♦ ~ **libre** queda livre.
caído, da *adj* **1** caído (desfallecido). • *adj/m y f* **2** morto (en guerra).
caimán *m* **1** caimão, jacaré. **2** (fig) raposa (astuto).
caimiento *m* **1** queda. **2** (fig) caimento (abatimiento).
caja *f* **1** caixa (recipiente). **2** caixa (de tienda, banco). **3** caixão (ataúd). ♦ ~ **de ahorros** caixa econômica; ~ **de cambios** caixa de câmbio ou marchas (de vehículos).
cajero, ra *m y f* **1** caixa (empleado). **2** caixeiro (fabricante).
cajetilla *f* maço (de cigarrillos).
cajetín *m* carimbo (sello).
cajista *m o f* caixista (tipógrafo).
cajón *m* **1** gaveta (de mueble). **2** caixote.
cal *f* cal. ♦ ~ **viva** cal virgem. ■ **cerrar a ~ y canto** (fig, fam) fechar a sete chaves.
cala *f* **1** cala (ensenada). **2** cala, calado (de fruta).
calabacero, ra *m y f* vendedor de abóbora.
calabacín *m* abobrinha (hortaliza).
calabaza *f* **1** abóbora (fruto). **2** aboboreira (árbol).
calabozo *m* **1** calabouço. **2** masmorra.
calada *f* tragada, trago (de cigarrillo).
calado *m* **1** bordado. **2** crivo (labor).
calafate *m* calafate (de embarcaciones).
calafatear *tr* MAR calafetar.
calamar *m* lula, calamar.
calambre *m* **1** câimbra, cãibra. **2** choque (por descarga eléctrica).
calamidad *f* calamidade.
calamina *f* calamina.
cálamo *m* MÚS cálamo (flauta).
calandria *f* calandra (ave).
calaña *f* **1** padrão (modelo). **2** (fig, desp) laia (índole).
calar *tr y pron* **1** ensopar, encharcar. • *tr* **2** bordar (tela). **3** calar, fatiar (cortar fruta).
calavera *f* **1** caveira (esqueleto). • *m* **2** (fig) malandro.
calaverada *f* (fam) malandragem, velhacaria.
calcado, da *adj* **1** idêntico, parecido. • *m* **2** decalque, decalcagem.
calcañar o **calcañal** *m* calcanhar.
calcar *tr* **1** decalcar, calcar (copiar). **2** (fig) imitar.
calcáreo, a *adj* calcário.
calce *m* calço (cuña).
calceta *f* **1** tricô. **2** (fig) calceta (grillete).
calcetería *f* loja ou fábrica de tricô.
calcetero, ra *m y f* tricoteiro.
calcetín *m* meia (prenda).
calcinación *f* calcinação.
calcinar *tr* **1** calcinar. **2** (fig) calcinar (abrasar).
calcio *m* QUÍM cálcio.
calco *m* **1** calco, decalque. **2** cópia, imitação.
calcografía *f* calcografia.
calcomanía *f* decalcomania, decalque.
calculador, ra *adj/m y f* **1** calculador, calculista. • *m y f* **2** calculador (aparato).
calcular *tr* **1** calcular (valor, cantidad). **2** (fig) calcular (considerar).
cálculo *m* **1** cálculo (cómputo, cuenta). **2** cálculo (conjectura). **3** MED cálculo. ♦ ~ **renal** MED cálculo renal.

calda *f* **1** alimentação de caldeira. • **caldas** *f pl* **2** termas, caldas.
caldear *tr y pron* esquentar.
caldera *f* **1** caldeira (de calefacción). **2** caldeirão (marmita). **3** ⇒ calderada. **4** GEOL caldeira.
calderería *f* caldeiraria (tienda, taller).
calderero, ra *m y f* caldeireiro.
caldereta *f* caldeirinha (recipiente).
calderilla *f* trocado (dinero).
caldero *m* caldeiro, caldeirão.
calderón *m* calderão.
caldillo *m* molho, caldo.
caldo *m* **1** caldo, molho. **2** caldo, sopa.
caldoso, sa *adj* caldoso.
calefacción *f* calefação. ◆ **~ central** calefação ou aquecimento central.
calendario *m* calendário.
caléndula *f* calêndula (planta).
calentador, ra *adj* **1** aquecedor. • *m* **2** aquecedor (aparato).
calentamiento *m* **1** aquecimento. **2** DEP aquecimento.
calentar *tr y pron* **1** aquecer, esquentar. **2** excitar. ■ **~ la cabeza** (fig) esquentar a cabeza.
calentón *m* esquentada.
calentura *f* **1** febre. **2** herpes. **3** (fam) tesão, fogo.
calenturiento, ta *adj* **1** febril. **2** (fig) excitável. **3** (fig) exaltado.
calero, ra *adj* calcário.
calesa *f* caleche, caleça.
caletre *m* (fam) tino (discernimiento).
calibrador, ra *adj y m* calibrador.
calibrar *tr* **1** calibrar (armas). **2** (fig) avaliar (talento, cualidad).
calibre *m* **1** calibre (diámetro). **2** (fig) calibre (valor).
calidad *f* **1** qualidade (valor). **2** qualidade (importancia). **3** (fig) qualidade (carácter). ◆ **~ de vida** qualidade de vida.
cálido, da *adj* **1** cálido (caliente). **2** quente (color). **3** (fig) acolhedor.
caliente *adj* **1** quente (temperatura). **2** (fam) quente (recién hecho). **3** (fig) quente, fogoso (excitado). ■ **estar ~** (fig, coloq) estar quente (excitado).
califa *m* califa.
califato *m* califado (título, gobierno, territorio).
calificación *f* **1** qualificação (determinación). **2** qualificação (nota).
calificado, da *adj* **1** qualificado (respetado). **2** qualificado (apto).
calificador, ra *adj/m y f* qualificador.
calificar *tr* **1** qualificar (evaluar). **2** qualificar, classificar. • **~se** *pron* **3** (fig) enobrecer.
caligrafía *f* caligrafia.
caligrafiar *tr* caligrafar.
calima *f* névoa.
cáliz *m* **1** cálice (copa). **2** BOT cálice.
callado, da *adj* calado (silencioso).
callar *intr y pron* **1** calar (guardar silencio). **2** calar (abstenerse). • *tr y pron* **3** calar (omitir).
calle *f* **1** rua (vía pública). **2** (fig) povo (gente). **3** (fig) rua (libertad). ■ **~ arriba/abajo** rua acima/abaixo; **echar a la ~** (fig, fam) despedir.
calleja *f* viela, ruela.
callejear *intr* vagar, perambular.
callejeo *m* perambulação, perambulagem.
callejero, ra *adj* **1** rueiro. • *m* **2** guia de ruas. ◆ **perro ~** cachorro de rua, vira-lata.
callejón *m* beco. ◆ **~ sin salida** (fig) beco sem saída.
callejuela *f* ⇒ calleja.
callicida *m* calicida.
callista *m o f* calista.
callo *m* **1** calo (de la piel). **2** (fig, fam) canhão (persona fea). • **callos** *m pl* **3** dobradinha.
callosidad *f* calosidade.
calloso, sa *adj* calejado, caloso.
calma *f* **1** calmaria, calma (sin viento). **2** (fig) calma (tranquilidad, paz). **3** (fig) calma (pachorra). ■ **en ~** em calmaria, calmo (mar).
calmar *tr, intr y pron* acalmar.
caló *m* calô.
calor *m* **1** calor (temperatura). **2** (fig) calor (afecto). **3** (fig) calor (entusiasmo). ■ **al ~ de** (fig, fam) no calor de; **entrar en ~** esquentar-se.
caloría *f* FÍS caloria.
calorífero, ra *adj* **1** calorífero. • *m* **2** calorífero (aparato).
calorímetro *m* FÍS calorímetro.
calote *m Arg.* calote, trapaça.
calumnia *f* calúnia.
calumniar *tr* caluniar.

caluroso, sa o **caloroso, sa** *adj* caloroso.
calva *f* **1** careca. **2** clareira, descampado.
calvario *m* calvário.
calvicie *f* calvície.
calvinismo *m* calvinismo.
calvinista *adj* calvinista.
calvo, va *adj/m y f* calvo, careca.
calza *f* **1** calço. **2** (gralte pl) calça.
calzada *f* pista, meio da rua.
calzado, da *adj* **1** calçado. • *m* **2** calçado (zapato).
calzador *m* calçadeira.
calzar *tr y pron* **1** calçar (zapatos, guantes). • *tr* **2** calçar (poner calces).
calzo *m* calço (cuña).
calzón *m* **1** calção, short. **2** *Amér. Merid.* calcinha.
calzonazos *m* (fig, fam) calça-curta, banana.
calzoncillos *m pl* cueca.
cama *f* **1** cama. **2** estrado (armazón). **3** leito (de hospital). **4** (fig) cama (de animales).
camada *f* **1** ninhada. **2** camada (capa).
camafeo *m* camafeu.
camaleón *m* **1** camaleão. **2** (fig) camaleão (persona mudable).
camama *f* (vulg) embuste.
cámara *f* **1** câmara (de fotografía, filmar). **2** câmara (junta). **3** câmara, aposento. **4** câmara (de arma).
camarada *m o f* camarada.
camaradería *f* camaradagem.
camarero, ra *m y f* garçom (de bar, restaurante).
camarilla *f* camarilha.
camarín *m* **1** camarim (capilla). **2** camarim (camerino).
camarón *m* camarão.
camarote *m* camarote (de barco).
camastro *m* catre (lecho pobre).
camastrón, na *adj/m y f* (fig, fam) hipócrita, duas caras.
camba *f* camba (de freno).
cambiador, ra *adj* **1** trocador. • *m* **2** fraldário, trocador.
cambiar *tr, intr y pron* **1** mudar (de casa, ropa, dirección). • *tr y pron* **2** transformar: *el llanto cambió en risa = o choro transformou-se em riso.* • *tr* **3** trocar, cambiar (mercancía, dinero). • **~se** *pron* **4** trocar-se, vestir-se.
cambiazo *m* golpe. ■ **dar el ~** (fig, fam) dar o golpe.
cambio *m* **1** mudança, troca. **2** troco (de dinero). **3** câmbio (de valores). ■ **en ~** por outro lado, ao contrário.
cambista *m o f* cambista, cambador (de dinero, títulos).
Camboya *f* Camboja.
camboyano, na *adj/m y f* cambojano.
camelar *tr* (fam) paquerar.
camelia *f* camélia (flor, planta).
camellero *m* cameleiro.
camello, lla *m y f* camelo.
camellón *m* camalhão.
camelo *m* (fam) armação, golpe.
camerino *m* camarim.
Camerún *m* Camarões.
camerunés, sa *adj/m y f* camaronês.
camilla *f* maca, padiola (para enfermos, accidentados).
caminante *m o f* caminhante.
caminar *tr* caminhar. ■ **~ derecho** (fig) proceder com retidão.
caminata *f* caminhada.
caminero, ra *adj* do caminho.
camino *m* **1** caminho (vía). **2** caminho (trayecto). **3** (fig) caminho (medio). ■ **ir por buen/mal ~** ir pelo bom/mau caminho; **ponerse en ~** começar a andar.
camión *m* caminhão.
camionero, ra *m y f* caminhoneiro.
camioneta *f* caminhonete.
camisa *f* **1** camisa (prenda). **2** camisa (revestimiento). **3** camisa (piel de reptil). ♦ **~ de dormir** camisola; **~ de fuerza** camisa-de-força.
camisería *f* camisaria.
camiseta *f* camiseta.
camisola *f* **1** camisa, camiseta. **2** camisola.
camisón *m* camisola.
camomila *f* camomila.
camorra *f* **1** (fam) briga, encrenca. **2** camorra (mafia).
camorrista *adj/m y f* briguento, encrenqueiro.
campal *adj* campal.
campamento *m* **1** acampamento (acampada). **2 3** MIL acampamento.
campana *f* **1** sino. **2** (fig) redoma (de vidrio). **3** (fig) igreja, paróquia.
campanada *f* **1** badalada. **2** (fig) escândalo.

campanario *m* campanário.
campanear *intr* badalar.
campanero, ra *m* **1** sineiro. • *adj/m y f* **2** *Amér.* leva-e-traz.
campanilla *f* campainha, sineta.
campanilleo *m* campainhada.
campante *adj* tranqüilo.
campanudo, da *adj* campaniforme.
campaña *f* **1** campanha (campo). **2** campanha (actos, medidas). **3** MIL campanha. ♦ **tienda de ~** barraca de camping.
campar *intr* sobressair.
campear *intr* passear pelo campo (animales).
campechano, na *adj* **1** (fam) cordial, franco. **2** (fam) afável.
campeón, na *m y f* campeão.
campeonato *m* campeonato.
campesino, na *adj* **1** campesino. • *adj/m y f* **2** camponês.
campiña *f* campina.
campo *m* **1** campo (terreno). **2** campo (zona agraria). **3** (fig) campo (materia, área). **4** campo (espacio visual). ♦ **~ de batalla** campo de batalha; **~ de deportes** campo ou quadra de esportes.
camposanto *m* cemitério.
campus *m* campus (universitario).
can *m* **1** cão. **2** gatilho (de arma).
cana *f* cabelo branco.
Canadá *m* Canadá.
canadiense *adj/m y f* canadense.
canal *amb* **1** canal (conducto). **2** canal (surco, cauce). • *m* **3** canal (estrecho marítimo). **4** RAD, TV canal (banda de frecuencia). **5** TV canal (estación).
canaladura *f* ARQ canelura.
canalización *f* canalização.
canalizar *tr* **1** canalizar. **2** (fig) canalizar (direccionar).
canalizo *m* MAR canalículo.
canalla *m o f* **1** (fig, fam) canalha. • *f* **2** (fig, fam) gentinha, gentuça.
canallada *f* canalhice.
canalón *m* calha.
canana *f* canana.
canapé *m* **1** canapé (sofá). **2** canapé (aperitivo).
Canarias, Islas *f pl* Ilhas Canárias.
canario, ria *adj/m y f* **1** canarino. • *m* **2** canário (pájaro).
canasta *f* **1** canastra (cesto). **2** DEP cesta (punto).
canastilla *f* **1** cestinha. **2** enxoval (ropa).
canasto *m* canastro.
cancel *m* cancelo (reja).
cancela *f* cancela (verja).
cancelación *f* cancelamento.
cancelar *tr* cancelar (anular).
cáncer *m* **1** MED câncer. **Cáncer 2** ASTR Câncer (constelación, signo zodiacal). • *adj/m y f* **3** ASTROL canceriano.
cancerar *intr y pron* MED cancerar.
cancerígeno, na *adj* cancerígeno.
cancha *f* **1** quadra, campo (de baloncesto, tenis, fútbol). **2** *Amér.* descampado (abierto). **3** *Amér.* barracão, depósito. ■ **tener ~** *Amér.* ter tarimba.
canchero, ra *adj Amér. Merid.* tarimbado.
canciller *m* **1** chanceler (diplomático). **2** POL chanceler (ministro de Asuntos Exteriores). **3** POL chanceler (jefe de gobierno).
cancillería *f* chancelaria (oficio, oficina).
canción *f* **1** canção. **2** (fig) ladainha, lengalenga.
cancionero *m* cancioneiro.
candado *m* cadeado (cerradura). ■ **poner un ~ a la boca** (fig, fam) pôr um cadeado na boca.
candeal *adj* candial.
candela *f* **1** vela (de cera). **2** castiçal.
candelabro *m* candelabro.
candelaria *f* candelária (fiesta religiosa).
candelero *m* castiçal.
candente *adj* **1** candente. **2** (fig) atual (tema).
candidato, ta *m y f* **1** candidato. **2** *Arg.* (fam) crédulo, ingênuo.
candidatura *f* **1** candidatura (aspiración, propuesta). **2** cédula (electoral).
candidez *f* candidez.
cándido, da *adj* cândido.
candil *m* **1** candeia, candil. **2** *Méx.* lustre (candelabro).
candileja *f* **1** lamparina (vaso del candil). • **candilejas** *f pl* **2** gambiarra (de teatro).
candiota *f* **1** barril (de vino, licor). **2** vasilha de barro (para vino).
candongo, ga *adj/m y f* (fam) falso (zalamero).
candonguero, ra *adj* brincalhão, gozador.
candor *m* **1** candura (blancura). **2** (fig) candura (pureza).

canela *f* **1** canela (corteza). **2** (fig, fam) coisa fina.
canelo, la *adj* **1** canela (color). • *m* **2** canela (árbol).
canelón *m* **1** calha (de tejado). **2** GAST (gralte pl) canelone.
cangilón *m* **1** cântaro (para líquidos). **2** caçamba (para pozos).
cangrejero, ra *m y f* caranguejeiro (vendedor).
cangrejo *m* **1** caranguejo. **Cangrejo 2** ASTR Câncer (constelación).
canguro *m* **1** canguru. **2** agasalho (abrigo). **3** (fig, fam) babá (niñera).
caníbal *adj/m y f* **1** canibal (antropófago). **2** (fig) canibal, bárbaro.
canibalismo *m* canibalismo.
canica *f* **1** bola de gude. **2** (gralte pl) gude (juego).
canicie *f* canície.
canícula *f* canícula (período del año).
canicular *adj* canicular.
canijo, ja *adj/m y f* **1** (fam) doentio (débil). **2** miúdo, franzino (bajo).
canilla *f* **1** canela (de la pierna). **2** bobina, carretel (de máquina de coser). **3** *Arg., Ur.* torneira (grifo).
canino, na *adj* **1** canino (perruno). • *adj y m* **2** canino (diente).
canje *m* permuta, troca.
canjear *tr* permutar, trocar.
cano, na *adj* **1** grisalho. **2** (fig) ancião.
canoa *f* **1** canoa (embarcación). **2** *Amér.* ducto, canal (de agua).
canódromo *m* canódromo.
canon *m* **1** cânone (regla). **2** cânone (modelo, patrón).
canónico, ca *adj* canônico.
canónigo *m* cônego.
canonización *f* canonização.
canonizar *tr* **1** canonizar. **2** (fig) beatificar.
canoro, ra *adj* canoro.
canoso, sa *adj* grisalho.
cansado, da *adj* **1** cansado. **2** cansativo.
cansancio *m* **1** cansaço. **2** (fig) tédio.
cansar *tr y pron* **1** cansar (fatigar). **2** (fig) cansar, chatear.
Cantabria *f* Cantábria.
cántabro, bra *adj/m y f* cântabro, cantábrio.
cantante *adj/m y f* cantor.
cantar *m* cantar, cantiga.
cantar *intr y tr* **1** cantar. • *intr* **2** (fig, fam) abrir o bico. **3** (fig, fam) feder (partes del cuerpo).
cántara *f* ⇒ cántaro.
cántaro *m* cântaro. ■ **a cántaros** (fig, fam) a cântaros.
cantata *f* MÚS cantata.
cantautor, ra *m y f* cantor e compositor.
cante *m* canto, cantoria.
cantera *f* canteira, pedereira.
cantería *f* cantaria (arte, obra).
cantero *m* canteiro, pedreiro.
cántico *m* cântico.
cantidad *f* **1** quantidade. **2** quantia, soma (de dinero). **3** (coloq) batelada, monte. • *adv* **4** (coloq) muitíssimo.
cantilena *f* **1** cantilena (copla). **2** (fig, fam) cantilena, ladainha.
cantimplora *f* cantil (recipiente).
cantinela *f* ⇒ cantilena.
cantinero, ra *m y f* cantineiro.
canto *m* **1** MÚS canto. **2** canto (poema). **3** canto, quina (esquina).
cantón *m* **1** esquina (de un edificio). **2** cantão (división administrativa).
cantonera *f* **1** cantoneira (pieza). **2** cantoneira (mueble).
cantor, ra *adj/m y f* cantor.
canutillo *m* **1** canutilho (de vidrio). **2** canutilho (hilo).
canuto *m* **1** canudo (tubo). **2** (coloq) baseado (porro).
caña *f* **1** cana (planta). **2** vara (tallo). **3** chope (cerveza). **4** tulipa (vaso). **5**
cañamazo *m* canhamaço.
cáñamo *m* cânhamo (planta, filamento, tejido). ♦ ~ **índico** cânhamo-da-índia, maconha.
cañería *f* encanamento (de agua, gas).
cañizo *m* caniço.
caño *m* **1** cano (tubo). **2** cano, ducto. **3** cano, bica (de agua).
cañón *m* **1** canhão (arma). **2** canhão (pluma). **3** cano (de arma, fuelle, órgano). **4** canhão (garganta).
cañonazo *m* **1** canhonaço (disparo). **2** (fig) canhonaço (en fútbol).
cañonera *f* canhoneira (tronera).
cañutillo *m* ⇒ canutillo.
cañuto *m* **1** gomo (de cañas, sarmientos). **2** canudo (tubo). **3** (fig, fam) dedo duro.
cao *m Cuba, R. Dom.* corvacho.

caoba *f* **1** mogno, caoba (árbol, madera). • *adj y m* **2** acaju (color).
caolín *m* caulim.
caos *m* **1** caos. **2** (fig) caos (confusión).
caótico, ca *adj* caótico.
capa *f* **1** capa (prenda). **2** capa (de cigarro). **3** camada (de materia). **4** mão (de pintura). **5** (fig) camada (estrato social).
capacidad *f* **1** capacidade (volumen). **2** capacidade (aptitud).
capacitado, da *adj* capacitado.
capacitar *tr y pron* capacitar.
capar *tr* capar, castrar.
capataz, za *m y f* capataz.
capaz *adj* **1** capaz (espacioso). **2** capaz (apto). ■ **es ~ que** *Amér.* é capaz que, é possível que.
capazo *m* **1** alcofa, cestão. **2** moisés (cuna).
capciosidad *f* capciosidade.
capcioso, sa *adj* capcioso: *pregunta capciosa = pergunta capciosa.*
capea *f* TAUROM capeamento.
capear *tr* **1** TAUROM capear. **2** (fig, fam) capear (engañar). **3** (fig, fam) contornar (problemas).
capellán *m* capelão.
caperuza *f* carapuça.

> En portugués el personaje del cuento infantil **Caperucita Roja** se llama ***Chapeuzinho Vermelho***.

capilar *adj* **1** capilar. • *m* **2** ANAT capilar (vaso).
capilla *f* **1** capela (edificio). **2** capela (conjunto de músicos). **3** capuz (capucha).
capirotada *f* **1** GAST *preparo para empanar alimentos.* **2** *Amér.* GAST caperotada.
capirotazo *m* peteleco (golpe).
capirote *adj* **1** capirote (res). • *m* **2** capirote (capucha). **3** caparão (para aves).
capital *adj* **1** capital (de cabeza). **2** capital (importante). • *f* **3** capital (ciudad). • *m* **4** capital (dinero, bienes, riqueza).
capitalismo *m* capitalismo.
capitalista *adj* **1** capitalista. • *m o f* **2** capitalista (rico). **3** ECON capitalista.
capitalizar *tr* **1** ECON capitalizar (agregar). **2** (fig) capitalizar (aprovecharse).
capitán, na *m y f* **1** capitão (de navío, ejército). **2** capitão (jefe). **3** DEP capitão.
capitanear *tr* **1** capitanear. **2** (fig) comandar (dar órdenes).
capitanía *f* capitania (empleo).
capitel *m* ARQ capitel.
capitolio *f* **1** (fig) capitólio (edificio). **2** ARQ acrópole.
capitulación *f* **1** capitulação (pacto). **2** capitulação (de rendición).
capitular *adj y m* **1** capitular (eclesiástico). • *f* **2** capitular (letra).
capitular *intr* **1** capitular (pactar). **2** capitular (rendirse). • *tr* **3** capitular, reunir acusações.
capítulo *m* **1** capítulo (división). **2** capítulo (reunión). **3** capítulo (tema). **4** cabido (de catedral).
capo *m* **1** chefão. **2** *Arg., Ur.* (fam) crâneo (competente).
capón *adj y m* **1** capado, castrado. • *m* **2** (fam) cascudo (golpe).
caponera *f* **1** capoeira (jaula). **2** (fig, fam) gaiola (cárcel). **3** MIL capoeira (fortificación).
capote *m* **1** capote. **2** TAUROM capa, capote.
capotear *tr* **1** TAUROM capear. **2** (fig) capear (engañar).
capricho *m* capricho (deseo).
caprichoso, sa *adj* caprichoso (antojadizo).
capricornio *adj/m y f* **1** ASTROL capricorniano. • **Capricornio** *m* **2** ASTR Capricórnio (constelación, signo zodiacal).
cápsula *f* **1** cápsula (de una botella). **2** cápsula (medicamento). **3** cápsula (de nave espacial).
captar *tr* **1** captar (obtener). **2** captar (comprender, percibir). • *tr y intr* **3** captar (atraer).
captor, ra *adj/m y f* captor, capturador.
captura *f* captura.
capturar *tr* **1** capturar, prender. **2** capturar, apreender.
capucha *f* **1** capuz (prenda). **2** chapeuzinho (circunflejo).
capuchina *f* capuchinha (planta).
capuchino, na *adj/m y f* **1** capuchinho (religioso). • *m* **2** cappuccino (café).

capullo *m* **1** capulho, botão. **2** casulo (de insectos). **3** (fig, vulg) babaca, imbecil. **4** (fig, vulg) filho-da-puta, cachorro.
caqui *adj y m* **1** cáqui (color). • *m* **2** caqui (fruta). **3** caquizeiro (árbol).
cara *f* **1** cara (rostro). **2** cara (semblante). **3** lado (de moneda, lámina, disco). **4** (fig) cara (apariencia). **5** (fig) cara (presencia). **6** (fig) cara (osadía). ♦ **~ de pascua** (fig, fam) cara de felicidade; **~ de perro** (fig, fam) cara amarrada; **~ de pocos amigos** (fig, fam) cara de poucos amigos. ■ **de ~** (fig, fam) de frente; **jugar a ~ o cruz** tirar a cara ou coroa.
carabela *f* caravela (embarcación).
carabina *f* **1** carabina. **2** (fig, fam) dama de companhia.
carabinero *m* carabineiro (soldado).
caracol *m* **1** caracol (molusco). **2** caracol (forma, movimiento). **3** caracol (de cabello). **4** ANAT caracol (del oído).
caracola *f* caramujo.
caracolear *intr* caracolar (caballo).
carácter *m* **1** caráter (índole). **2** caráter (rasgo, estilo). **3** gênio (temperamento). **4** caractere (signo).
característica *f* **1** característica (calidad distintiva). **2** *Arg., Ur.* prefixo (de teléfono).
característico, ca *adj* **1** característico (cualidad). • *m y f* **2** característico (actor).
caracterizar *tr y pron* caracterizar (distinguir).
caradura *m o f* cara-de-pau.
carajillo *m café com bebida alcoólica.*
carajo *m* **1** (vulg) caralho. • **¡~!** *interj* **2** (vulg) porra!, caralho!
¡caramba! *interj* caramba!
carámbano *m* sincelo. ■ **estar hecho un ~** (fig, coloq) estar congelando.
carambola *f* **1** carambola (en el billar). **2** (fam) cagada (casualidad). **3** (fig) trapaça (embuste).
caramelo *m* **1** bala (golosina). **2** caramelo (azúcar fundido).
caramillo *m* MÚS charamela.
caramilloso, sa *adj* (fam) melindroso (quisquilloso).
carantoña *f* (fam) (gralte pl) bajulação.
carátula *f* **1** máscara. **2** capa (de libro, revista, disco). **3** (fig) cara (rostro). **4** (fig) expressão.
caravana *f* **1** caravana. **2** engarrafamento. **3** trailer (vehículo).

> En español **caravana** esta palabra se utiliza en el sentido de 'tráfico denso', lo que equivale en portugués a ***engarrafamento*** o ***congestionamento,*** y en el sentido de 'vehículo acondicionado para vivir en él', que en portugués se conoce como ***trailer, motor-home.*** Sin embargo, en portugués el sentido más común de **caravana** es el de 'grupo de viajeros'.

carbón *m* **1** carvão. **2** carbono (papel).
carbonada *f* **1** *quantidade de carvão lançada na fornalha.* **2** panqueca (dulce). **3** *Arg., Chile, Perú, Ur.* cozido.
carbonado *m* carbonado (diamante).
carbonatar *tr y pron* QUÍM carbonatar.
carboncillo *m* carvão (lápiz, dibujo).
carbonear *tr* carvoejar.
carbonera *f* **1** carvoeira, carvoaria (almacén). **2** pilha de lenha.
carbonero, ra *adj* **1** carvoeiro. • *m y f* **2** carvoeiro (fabricante, vendedor).
carbónico, ca *adj* carbônico.
carbonífero, ra *adj* **1** carbonífero. • *m* **2** GEOL carbonífero.
carbonilla *f* coque (de carbón).
carbonizar *tr y pron* carbonizar.
carbono *m* QUÍM carbono.
carbunco *m* MED carbúnculo.
carburación *f* QUÍM carburação.
carburador *m* MEC carburador.
carburante *m* carburante, combustível.
carburar *tr* **1** QUÍM carburar. **2** (fig, fam) funcionar.
carcajada *f* gargalhada.
carcajear *intr y pron* gargalhar.
carcasa *f* carcaça (esqueleto).
cárcel *f* prisão, cárcere.
carcelero, ra *adj* **1** ⇒ carcelario. • *m y f* **2** carcereiro.
carcomer *tr* **1** carcomer. • *tr y pron* **2** (fig) corroer (consumir).
carcomido, da *adj* carcomido.
carda *f* carda (cepillo, máquina).
cardar *tr* cardar (fibras).
cardenal *m* **1** cardeal (prelado). **2** hematoma.

cardencha *f* **1** cardo-penteador (planta). **2** carda (instrumento).
cardenillo *m* QUÍM verdete (acetato de cobre).
cárdeno, na *adj* cardão (color).
cardiaco, ca o **cardíaco, ca** *adj/m y f* cardíaco.
cardinal *adj* **1** cardeal (punto). **2** GRAM cardinal (numeral).
cardiografía *f* MED cardiografia.
cardiólogo, ga *m y f* cardiologista.
cardo *m* **1** cardo, alcachofra-brava (planta). **2** (fig) bicho-do-mato (arisco). **3** (fig) canhão (feo).
carear *tr* acarear.
carecer *intr* carecer (faltar).
carencia *f* **1** carência (escasez). **2** carência (falta, privación). **3** carência (período, plazo).
careo *m* acareação.
carero, ra *adj* (fam) careiro.
carestía *f* **1** carestia (escasez). **2** carestia (encarecimiento).
careta *f* **1** careta, máscara. **2** (fig) máscara (fingimiento).

> No confundir **careta** con el término brasileño **careta:** 'antiguo, viejo, pasado de moda'. En español, la palabra brasileña ***careta*** equivalente es **carroza:** *ese tío es un carroza = esse cara é um careta.*

carey *m* tartaruga-de-pente.
carga *f* **1** carga (peso, cantidad). **2** carga (mercancía). **3** (fig) carga (responsabilidad, obligación). ■ **ser una ~** (fig) ser um peso.
cargadero *m* cais.
cargado, da *adj* **1** carregado (tiempo, atmósfera). **2** forte (bebida).
cargador, ra *adj/m y f* **1** carregador. • *m* **2** carregador (de arma).
cargamento *m* carregamento.
cargante *adj* (fam) chato, mala-sem-alça.
cargar *tr* **1** carregar (mercancía). **2** carregar (electricidad). **3** (fig) responsabilizar. **4** carregar, deixar forte (sabor, olor). • *intr* **5** (fig) carregar, arcar (con responsabilidades, obligaciones). • **~se** *pron* **6** (fig, fam) apagar (matar). **7** (fig, fam) estragar (romper).
cargazón *f* **1** peso (en la cabeza, estómago, ojos). **2** carregamento.
cargo *m* **1** cargo (empleo). **2** cargo, responsabilidade. **3** débito (en una cuenta). **4** acusação. ◆ **~ de consciencia** peso na consciência. ■ **hacerse ~ de** encarregar-se.
carguero, ra *adj* **1** cargueiro. • *m y f* **2** carregador (transportador). • *m* **3** cargueiro (buque, tren).
cariado, da *adj* cariado.
cariar *intr y pron* cariar.
cariátide *f* ARQ cariátide.
caribeño, ña *adj/m y f* caribenho.
caricatura *f* **1** caricatura (dibujo). **2** (fig) caricatura (representación grotesca).
caricaturesco, ca *adj* caricaturesco.
caricaturista *m o f* caricaturista.
caricaturizar *tr* caricaturar.
caricia *f* carícia.
caridad *f* **1** caridade (compasión). **2** caridade (limosna).
caries *f* cárie. ◆ **~ dental** cárie dentária.
cariño *m* **1** carinho (sentimiento). **2** carinho (esmero). **3** *Chile, Col., C. Rica, Nic.* presente.
cariñoso, sa *adj* carinhoso.
carioca *adj/m y f* carioca.
carisma *m* carisma (don).
carismático, ca *adj* carismático.
caritativo, va *adj* caritativo, caridoso.
carlista *adj/m y f* POL carlista.
carmelita *adj/m y f* carmelita (religioso).
carmesí *adj/m y f* **1** carmesim (color). **2** carmim (polvo).
carmín *m* carmim (color).
carnada *f* **1** isca (para pescar). **2** (fam, fig) isca (trampa).
carnal *adj* **1** carnal. **2** (fig) carnal (lujurioso). **3** (fig) carnal (terrenal).
carnaval *m* carnaval.
carnaza *f* **1** isca (cebo). **2** carnaz (de la piel).
carne *f* **1** carne (alimento). **2** carne (pulpa de fruta). **3** (fig) carne (lujuria). ◆ **~ picada** carne moída. ■ **de ~ y hueso** (fig) em carne e osso; **ser uña y ~** (fig, fam) ser carne e unha.
carné o **carnet** *m* **1** carteira. **2** caderneta (de anotaciones). ◆ **~ de identidad** carteira de identidade.
carnero *m* **1** carneiro (animal). **2** (fig) carneirinho (persona pasiva). **3** *Arg., Chile, Par.* furador (esquirol).

carnestolendas *f pl* carnaval.
carnicería *f* **1** açougue. **2** (fig) carniçaria (masacre). **3** *Ecuad.* matadouro.
carnicero, ra *adj/m y f* **1** carniceiro (carnívoro). ● *m y f* **2** açougueiro.
carnitas *f pl Méx.* GAST picadinho.
carnívoro, ra *adj* **1** carnívoro. ● **carnívoros** *m pl* **2** ZOOL carnívoros.
carnosidad *f* carnosidade.
carnoso, sa *adj* carnoso (rico, sustancioso).
caro, ra *adj* caro (costoso).
carpa *f* **1** carpa (pez). **2** tenda, toldo.
carpe *m* carpa (planta).
carpelo *m* BOT capelo.
carpeta *f* **1** pasta (para papeles, documentos). **2** *Arg., Ur.* toalha de mesa. **3** INF pasta.
carpetazo dar ~ *fr* (fig) pôr um ponto final, encerrar um assunto.
carpintería *f* carpintaria (taller, oficio).
carpintero, ra *m y f* carpinteiro.
carpo *m* ANAT carpo.
carraco, ca *adj/m y f* (coloq) decrépito.
carrasca *f* carrasqueiro, carrasco.
carraspear *intr* pigarrear (toser).
carraspera *f* pigarro (aspereza).
carraspeo *m* pingarro (tos).
carrasposo, sa *adj* **1** pigarrento, pigarroso. **2** *Amér.* áspero.
carrera *f* **1** corrida. **2** carreira (profesional). **3** percurso, trajeto. **4** (fig) ● **carreras** *f pl* **5** páreo (de caballos). ■ **a la ~** de corrida; **de ~** de uma vez; **hacer ~** fazer carreira (profesional).
carrerilla *f* corrida (carrera corta). ■ **de ~** de uma vez (seguido); de cor (de memoria).
carreta *f* carreta.
carretada *f* **1** carrada (carga). **2** (fig, fam) batelada (gran cantidad).
carrete *m* **1** carretel (de hilo). **2** rolo de filme (de película, foto). **3** bobina.
carretera *f* estrada, rodovia.
carretero, ra *m* carreteiro.
carretilla *f* **1** carrinho de mão. **2** andador (del bebé). **3** *Arg., Ur.* carroça (carreta).
carretón *m* **1** carrinho, carrocinha. **2** carreta (armazón).
carricoche *m* (desp) calhambeque.
carril *m* **1** pista (de carretera, calle). **2** trilho (de tren).
carrilano *m* **1** *Chile* ferroviário (trabajador). **2** *Chile* bandoleiro.
carrillo *m* **1** bochecha. **2** roldana.
carro *m* **1** carruagem. **2** carrinho (de compra, libro, equipaje). **3** carro (mecanismo). **4** *Amér.* carro (coche). ■ **parar el ~** (fig, fam) calar a boca.
carrocería *f* carroceria (de vehículos).
carrocero, ra *m y f* construtor de carroças.
carromato *m* carroção.
carroza *f* **1** carruagem. **2** carro alegórico (de carnaval). ■ **ser un ~** (fam, fig) ser quadrado, careta.
carruaje *m* carruagem.
carrusel *f* carrossel.
carta *f* **1** carta (correspodencia). **2** carta (de la baraja). **3** cardápio (del restaurante). ◆ **~ certificada** carta registrada. ■ **a la ~** à la carte; **tomar cartas en un asunto** (fig, fam) tomar uma atitude (intervenir).
cartabón *m* esquadro (plantilla, regla, ángulo).
cartapacio *m* **1** bloco (de notas). **2** fichário (escolar).
cartear *intr* **1** cartear. ● **~se** *pron* **2** corresponder-se.
cartel *m* cartaz (de anuncio). ■ **en ~** em cartaz.
cartel o **cártel** *m* **1** ECON cartel (acuerdo). **2** cartel (de narcotraficantes).
cartelera *f* cartaz, outdoor.
cartera *f* **1** carteira (de bolsillo). **2** pasta (bolso). **3** pasta (de ministro).
carterista *m o f* batedor de cartera.
cartero, ra *m y f* carteiro.
cartilaginoso, sa *adj* cartilaginoso.
cartílago *m* ANAT cartilagem.
cartilla *f* **1** cartilha (del alfabeto). **2** caderneta (para registros).
cartografía *f* cartografia.
cartógrafo, fa *m y f* cartógrafo.
cartón *m* **1** cartão, papelão. **2** caixa de papelão.
cartoné *m* cartonado.
cartuchera *f* **1** cartucheira. ● **cartucheras** *f pl* **2** (fig, fam) culote.
cartucho *m* cartucho. ■ **quemar el último ~** (fig) queimar o último cartucho.
cartuja *f* cartuxa (monasterio, convento).
cartujo, ja *adj y m* cartuxo.
cartulina *f* cartolina.

casa *f* **1** casa (vivienda). **2** casa (comercio). **3** casa (edificio, bienes familiares). ♦ **~ de campo** casa de campo; **~ de citas** motel; **~ de empeño** casa de penhor; **~ real** realeza. ■ **caérsele a alguien la ~ encima** não suportar ficar dentro de casa; **de andar por ~** (fig) de ficar en casa.
casaca *f* casaca.
casadero, ra *adj* casadouro.
casamentero, ra *adj/m y f* casamenteiro.
casamiento *m* casamento (contrato, ceremonia).
casar *intr y pron* **1** casar (contraer matrimonio). ● *tr* **2** casar (realizar un matrimonio). ● *intr* **3** casar (combinar).
casca *f* **1** bagaço (de la uva). **2** casca (corteza).
cascabel *m* guizo, chocalho.
cascada *f* cachoeira, queda-d'água.
cascado, da *adj* (fig, fam) gasto, usado.
cascanueces *m* quebra-nozes (utensilio).
cascar *tr y pron* **1** quebrar. **2** (fig, fam) lascar (golpear). ● *intr* **3** (fig, fam) bater as botas (morir).
cáscara *f* **1** casca (de huevos, frutas, árboles). ● **¡cáscaras!** *interj* **2** (fam) nossa!
cascarilla *f* casca (de cereal).
cascarón *m* casca de ovo.
cascarrabias *m o f* mal-humorado.
cascarria o **cazcarria** *f* rabeira (lodo, barro).
cascarrón, na *adj* (fam) grosso (áspero).
cascarudo, da *adj* cascudo.
casco *m* **1** capacete (para la cabeza). **2** casco (de nave, avión, botellas). **3** casco (cráneo). **4** caco (de vaso, vasija). ● **cascos** *m pl* **5** (fam) fones de ouvido. ♦ **~ urbano** perímetro urbano. ■ **romperse los cascos** (fig, fam) quebrar a cabeça.
caseína *f* QUÍM caseína.
caserío *m* **1** casario. **2** casa de campo rústica.
casero, ra *adj* **1** caseiro (hecho en casa). **2** (fam) caseiro (sedentario). ● *m y f* **3** caseiro (arrendatario, administrador).
caseta *f* **1** barraca (para bañistas). **2** vestiário (para deportistas).
casi *adv* quase.
casilla *f* **1** casa (de juegos de tablero). **2** compartimento (de muebles, casillero). **3** lacuna (de formulario).
casillero *m* fichário, arquivo.
casino *m* cassino.
caso *m* **1** caso (acontecimiento). **2** caso (casualidad, coyuntura). **3** caso (asunto). ♦ **~ clínico** MED caso clínico; **~ perdido** (fig) caso perdido. ■ **en ~ de que** no caso de; **ser un ~** (fig, fam) ser um caso sério.
caspa *f* caspa.
¡cáspita! *interj* cáspite!
casquete *m* **1** casco (de la armadura). **2** barrete (para la cabeza). ♦ **~ polar** GEOG
casquillo *m* **1** braçadeira (para refuerzo). **2** bocal (de bombillas).
casquivano, na *adj/m y f* (fam) doidivanas.
casta *f* **1** casta (linaje). **2** casta (social, religiosa).
castaña *f* **1** castanha (fruto). **2** castanhola (moño). **3** (fig, fam) porrada, bordoada.
castañero, ra *m y f* castanheiro (vendedor).
castañeta *f* **1** MÚS castanheta, castanhola. **2** estalo, castanheta (sonido).
castañeteado *m* som das castanholas.
castañetear *intr* **1** castanholar (tocar). ● *intr y tr* **2** bater os dentes. ● *intr y pron* **3** estalar os dedos.
castaño, a *adj/m y f* **1** castanho (color). ● *m* **2** castanho (árbol). **3** castanho (madera).
castañuela *f* MÚS (gralte pl) castanhola.
castellano, na *adj/m y f* **1** castelhano. ● *m* **2** castelhano, espanhol (lengua).
castidad *f* castidade. ♦ **~ conyugal** castidade conjugal.
castigador, ra *adj/m y f* castigador.
castigar *tr* **1** castigar (penar). **2** castigar (mortificar, afligir). **3** (fig) castigar (estropear, dañar).
castigo *m* **1** castigo (pena). **2** (fig) castigo (corrección).
Castilla la Mancha *f* Castela-a-Mancha.
Castilla León *f* Castela Leão.
castillejo *m* sistema de andaimes.
castillo *m* castelo (edificio).
castizo, za *adj* castiço.
casto, ta *adj* casto.
castor *m* castor (animal).
castración *f* castração.
castrar *tr* **1** castrar (capar). ● *tr y pron* **2** (fig) castrar (debilitar).

castrense *adj* castrense.
casual *adj* casual.
casualidad *f* coincidência, casualidade.
casulla *f* casula (vestidura).
cata *f* **1** prova, degustação. **2** prova (porción).
cataclismo *m* **1** cataclismo (transtorno). **2** (fig) cataclismo (desastre).
catacumbas *f pl* catacumba.
catador, ra *m y f* degustador.
catadura *f* **1** ⇒ cata. **2** (fig) catadura (aspecto).
catafalco *m* catafalco.
catalán, na *adj/m y f* **1** catalão. • *m* **2** catalão (lengua).
catalanismo *m* catalanismo.
catalejo *m* luneta.
catalepsia *f* MED catalepsia.
catálisis *f* QUÍM catálise.
catalizador *m* QUÍM catalizador.
catalogar *tr* **1** catalogar (ordenar). **2** (fam) catalogar (tachar, calificar).
catálogo *m* catálogo.
Cataluña *f* Catalunha.
catamarán *m* catamarã.
cataplasma *f* cataplasma.
catapulta *f* catapulta.
catapultar *tr* **1** catapultar. **2** (fig) catapultar, projetar (empresa, actividad).
catar *tr* **1** provar (desgustar). **2** experimentar (sensación, impresión).
catarata *f* **1** catarata (salto de agua). **2** MED catarata.
catarro *m* **1** resfriado, catarro (enfermedad). **2** catarro (flujo).
catastro *m* cadastro (censo).
catástrofe *f* **1** catástrofe. **2** (fig) desastre (mal hecho).
cataviento *m* MAR cata-vento, grimpa.
catavino *m pequena taça para degustação de vinho.*
catear *tr* **1** procurar (investigar). **2** (coloq) levar pau, levar bomba (en examen).
catecismo *m* **1** catecismo (libro). **2** (fig) catecismo (doctrina).
catecúmeno, na *m y f* catecúmeno.
cátedra *f* **1** cátedra (puesto). **2** cátedra (aula).
catedral *adj y f* catedral. ■ **como una ~** (fig, fam) colossal, enorme.
catedrático, ca *m y f* catedrático.
categoría *f* **1** categoria (jerarquía, clase). **2** categoria (calidad). ■ **de ~** de categoria.
categórico, ca *adj* categórico.
catequesis *f* REL catequese.
catequismo *m* REL catequismo.
caterva *f* (desp) caterva.
catéter *m* MED cateter.
catión *m* FÍS cátion.
catitear *intr Arg.* cochilar.
catódico, ca *adj* catódico.
cátodo *m* ELEC cátodo.
catolicismo *m* catolicismo.
católico, ca *adj/m y f* católico. ■ **no estar muy ~** (fig, fam) não estar muito católico.
catorce *adj y m* **1** catorze, quatorze.
catorceavo, va o **catorzavo, va** *adj/m y f* catorze avos, quatorze avos.
catre *m* catre.
caucásico, ca *adj* caucasiano, caucásico.
cauce *m* **1** leito (de río, arroyo). **2** (fig) caminho. ■ **volver las aguas a su ~** (fig, fam) entrar nos eixos.
cauchero, ra *adj* **1** da seringueira. • *m y f* **2** seringueiro, caucheiro (trabajador).
caucho *m* **1** borracha, caucho. **2** *Amér.* seringueira, caucho. **3** *Col.*, *Venez.* pneu, pneumático.
caución *f* **1** caução (prevención). **2** DER caução.
caudal *adj* **1** caudal (caudaloso). • *m* **2** caudal, vazão. **3** cabedal (dinero).
caudaloso, sa *adj* caudaloso, torrencial.
caudillaje *m* caudilhismo.
caudillo *m* **1** caudilho. **2** manda-chuva.
causa *f* **1** causa (origen). **2** causa (ideal). **3** causa (razón). **4** DER causa, litígio. ◆ **~ eficiente** FIL causa eficiente; **~ final** FIL causa final.
causal *adj* **1** causal. **2** GRAM causal.
causalidad *f* causalidade.
causante *adj/m y f* causador.
causar *tr* **1** causar (producir). • *tr y pron* **2** acarretar, ocasionar.
causear *intr* **1** *Chile* merendar. • *tr* **2** (fig) triunfar (vencer).
causticidad *f* **1** causticidade. **2** (fig) causticidade, mordacidade.
cáustico, ca *adj* **1** cáustico. **2** (fig) cáustico, mordaz.
cautela *f* **1** cautela (precaución). **2** astúcia, manha.
cautelar *adj* DER cautelar.
cautelar *tr y pron* acautelar, cautelar.

cauteloso, sa *adj* cauteloso.
cautivador, ra *adj* cativante.
cautivar *tr e intr* **1** cativar (aprisionar). • *tr* **2** (fig) cativar (atraer, seducir).
cautiverio *m* **1** cativeiro (cautividad). **2** cativeiro (encarcelamiento).
cautividad *f* catividade.
cautivo, va *adj/m y f* **1** cativo, preso. **2** (fig) cativo, dominado.
cauto, ta *adj* cauto, cauteloso.
cava *m* **1** vinho espumante. • *f* **2** cava, adega.
cavar *tr* **1** cavar (tierra, pozo). • *intr* **2** cavar (penetrar, ahondar).
caverna *f* caverna.
cavernícola *adj/m y f* **1** cavernícola. **2** (fig, fam) retrógrado.
cavernosidad *f* (gralte pl) cavernosidade.
cavernoso, sa *adj* cavernoso.
caviar *m* caviar.
cavidad *f* cavidade. ♦ **~ torácica** ANAT cavidade torácica.
cavilar *tr e intr* matutar (reflexionar).
caviloso, sa *adj* cismado.
cayado *m* cajado, bordão.
cayo *m* recife.
caza *f* **1** caça, caçada. **2** caça (presa). **3** caça (persecución). • *m* **4** caça (avión). ▪ **andar a la ~ de** (fig, fam) ir ou sair à caça de.
cazador, ra *adj/m y f* caçador. ♦ **~ furtivo** caçador furtivo.
cazadora *f* jaqueta.
cazar *tr* **1** caçar. **2** (fig, fam) pegar (lograr, entender).
cazo *m* **1** caço (recipiente). **2** concha (de sopa). **3** (fig, fam) fracasso, negação.
cazoleta *f* **1** caçoleta, panela. **2** fornilho (de pipa).
cazón *m* cação (pez).
cazuela *f* **1** caçarola, panela. **2** GAST ensopado.
cazurro, rra *adj* **1** lerdo (torpe). • *adj/m y f* **2** (fam) casmurro.
CD (*siglas de* **Compact Disc**) *m* CD.
CD-ROM (*siglas de* **Compact Disk Read-Only Memory**) *m* INF CD-ROM.
ce *f* ce (letra).
ceba *f* ceva, engorda.
cebada *f* cevada.
cebadal o **cebadar** *m* cevadal.
cebado, da *adj* cevado (gordo).
cebadura *f* **1** ceva, cevadura. **2** *Amér. Merid.* cevadura (de mate).
cebar *tr* **1** cevar. **2** alimentar (cargar).
cebo *m* **1** ceva, cevo (comida). **2** isca, cevo (para pesca, caza). **3** (fig) isca (explosivo).
cebolla *f* cebola.
cebollar *m* cebolal.
cebolleta *f* cebolinha.
cebollón, na *m y f* **1** *Chile* solteirão. • *m* **2** cebolão (hortaliza).
cebón, na *adj/m y f* **1** cevado. • *m* **2** cevão, porco.
cebra *f* zebra.
cebú *m* boi zebu.
cecear *intr* cecear.
ceceo *m* ceceio.
cecina *f* **1** chacina (carne). **2** *Arg., Par.* charque.
cedazo *m* peneira, crivo.
ceder *tr* **1** ceder (transferir). • *intr* **2** ceder (sujetarse). **3** ceder (disminuirse).
cedro *m* cedro (madera, árbol).
cédula *f* **1** cédula (documento). **2** DER cédula. ♦ **~ de identidad** cédula de identidade.
cefalea *f* MED cefaléia.
céfiro *m* **1** zéfiro (poniente). **2** (lit) zéfiro (viento suave).
cegajoso, sa o **cegatoso, sa** *adj/m y f* choroso (ojos).
cegar *tr, intr y pron* **1** cegar. • *tr e intr* **2** (fig) cegar (razón). • *tr* **3** (fig) cegar (obstaculizar).
cegarra o **cegarrita** *adj* (fam) ⇒ cegato, ta.
cegato, ta *adj/m y f* (fam) cegueta.
ceguedad *f* **1** cegueira. **2** (fig) alucinação, desvairamento.
ceguera *f* cegueira.
ceja *f* **1** sobrancelha. **2** (fig) beira, borda. ▪ **estar hasta las cejas** (fig, fam) estar até a raiz dos cabelos; **tener a uno entre ~ y ~** (fig, fam) estar cheio de alguém.
cejar *intr* **1** retroceder. **2** (fig) recuar, desistir (de discusión, asunto, negocio).
celada *f* cilada, emboscada.
celador, ra *m y f* zelador, vigia.
celaje *m* **1** (gralte pl) celagem. **2** (fig) presságio.
celar *tr* **1** zelar (velar). **2** vigiar (por desconfianza).

celda *f* cela (de cárcel, convento).
celdilla *f* cela, alvéolo.
celebración *f* celebração.
celebrar *tr* **1** celebrar (festejar). • *tr y pron* **2** celebrar (acto, reunión, solemnidad).
célebre *adj* célebre.
celebridad *f* celebridade.
celeste *adj* **1** celeste. **2** azul celeste (color).
celestial *adj* **1** celestial. **2** (fig) divino.
celestina *f* (fig) celestina (alcahueta).
celibato *m* celibato.
célibe *adj/m y f* celibatário.
celo *m* **1** zelo (cuidado). **2** cio. • **celos** *m pl* **3** ciúmes.
celofán *m* celofane.
celosía *f* gelosia, rótula.
celoso, sa *adj* **1** ciumento. **2** zeloso, cuidadoso.
celsitud *f* celsitude.
celta *adj/m y f* **1** celta. • *m* **2** celta (lengua).
célula *f* célula.
celular *adj* **1** celular. • *m* **2** *Amér.* celular (teléfono).
celulitis *f* celulite.
celuloide *m* celulóide.
celulosa *f* QUÍM celulosa.
cementar *tr* cementar (metal).
cementerio *m* **1** cemitério. **2** (fig) cemitério (lugar desanimado).
cemento *m* **1** cimento. **2** cemento (para metales).
cemita *f El Salv., Nic.* pão-doce.
cena *f* jantar.
cenáculo *m* **1** cenáculo (de la última cena). **2** (fig) cenáculo (reunión).
cenador, ra *adj/m y f* **1** jantador. • *m* **2** caramanchão, caramanchel.
cenagal *m* **1** lamaçal. **2** (fig, fam) negócio enrolado.
cenar *intr* jantar.
cencerrada *f* (fam) badaladal.
cencerrear *intr* badalar.
cencerro *m* chocalho (de las reses). ■ **estar como un ~** (fig, fam) estar louco.
cendal *m* cendal.
cenefa *f* sanefa (lista).
cenicero *m* cinzeiro.
ceniciento, ta *adj* cinzento.
cenit *m* **1** zênite. **2** (fig) apogeu, auge.
cenital *adj* zenital, vertical.
ceniza *f* **1** cinza (polvo). • **cenizas** *f pl* **2** (fig) cinzas. ■ **reducir a cenizas** (fig) reduzir a cinzas.
cenizo, za *adj* **1** cinza, cinzento (color). • *m y f* **2** (fam) pé-frio.
cenobio *m* **1** cenóbio (monasterio). **2** BIOL cenóbio.
censar *tr e intr* recensear.
censo *m* censo. ◆ **~ demográfico** censo demográfico.
censor, ra *adj/m y f* **1** censor (censurador). • *m y f* **2** censor (funcionario).
censura *f* **1** censura (de una obra). **2** censura (reprobación).
censurar *tr* **1** censurar (obra). **2** censurar (reprobar).
centauro *m* centauro.
centavo, va *adj y m* **1** centésimo. • *m* **2** centavo.
centella *f* **1** centelha (chispa). **2** ELEC centelha.
centellear *intr* cintilar.
centena *f* centena.
centenar *m* centena. ■ **a centenares** às centenas.
centenario, ria *adj/m y f* **1** centenário. • *m* **2** centenário.
centeno, na *adj* **1** centésimo. • *m* **2** centeio.
centesimal *adj* centesimal.
centésimo, ma *adj y m* centésimo.
centímetro *m* centímetro.
céntimo *m* **1** cêntimo (moneda). **2** centavo (dinero, valor).
centinela *m* **1** MIL sentinela. • *m o f* **2** (fig) vigia, sentinela. • *f* **3** sentinela, vigilância.
centollo *m* santola.
centrado, da *adj* **1** centralizado, centrado. **2** (fig) centrado, sensato. **3** (fig) concentrado.
central *adj* **1** central (región, localización). **2** central (fundamental, principal). • *m y f* **3** central, zagueiro de área (en fútbol). • *f* **4** central (instalaciones).
centralismo *m* centralismo.
centralita *f* posto telefônico.
centralizar *tr y pron* centralizar.
centrar *tr* **1** centrar, centralizar. **2** centrar (interés, atención).
céntrico, ca *adj* cêntrico.
centrifugador, ra *adj* centrifugador.
centrifugadora *f* centrifugadora.

centrifugar *tr* centrifugar.
centrífugo, ga *adj* centrífugo.
centro *m* **1** centro (medio). **2** centro (interior). **3** centro (instituto). **4** centro (de ciudad, barrio). **5** GEOM centro. ♦ **~ comercial** shopping center; **~ de atención** centro de atenção; **~ de enseñanza** centro de ensino.
Centroafricana, República *f* República Centro-Africana.
centroafricano, na *adj/m y f* centro-africano.
centroamericano, na *adj/m y f* centro-americano.
centrocampista *m o f* DEP meio-campista.
centuplicar *tr y pron* centuplicar.
ceñido, da *adj* **1** apertado, justo. **2** cingido, rodeado.
ceñidor *m* cingidouro, cinto.
ceñir *tr y pron* **1** cingir, rodear. ● *tr* **2** apertar, ajustar. ● **~se** *pron* **3** (fig) ater-se, restringir-se.
ceño *m* **1** cenho (enfado). **2** VET cenho (enfermedad).
cepa *f* **1** cepa. **2** (fig) cepa, linhagem.
cepillar *tr* **1** escovar (pelo, dientes, ropa). **2** espanar (polvo). **3** (fig, fam) polir, refinar. ● **~se** *pron* **4** (fig, fam) apagar (matar). **5** (fig, fam) dar fim (concluir).
cepillo *m* escova.
cepo *m* **1** cepo (de árbol). **2** cepo, armadilha (trampa).
cera *f* **1** cera (sustancia). **2** cera (cerumen). ♦ **~ depilatoria** cera depilatória. ■ **no hay más ~ de la que arde** (fig, fam) não há nada além do que se vê.
cerámica *f* cerâmica (arte, producto).
cerámico, ca *adj* cerâmico.
cerbatana *f* zarabatana (cañuto).
cerca *f* **1** cerca (vallado). ● *adv* **2** perto, próximo. ■ **~ de** cerca de, aproximadamente.
cercado *m* **1** cercado (terreno). **2** cercado, cerca.
cercanía *f* **1** proximidade, cercania. ● **cercanías** *f pl* **2** cercanias, arredores.
cercano, na *adj* **1** próximo. **2** chegado, próximo (parientes, amigos).
cercar *tr* **1** cercar, circundar. **2** cercar, sitiar.
cercha *f* CONSTR cimbre, cambota.
cerciorar *tr y pron* certificar, assegurar.
cerco *m* **1** cerco, círculo. **2** cerco (asedio).
cerda *f* **1** cerda (pelo). **2** porca. **3** (fig) porca (mujer sucia).
cerdo, da *m y f* **1** porco. ● *adj/m y f* **2** (fig, fam) porco, imundo.
cerdoso, sa *adj* **1** cerdoso. ● *m* **2** javali.
cereal *adj y m* **1** cereal (granos). ● **cereales** *m pl* **2** cerais (alimento).
cerebelo *m* ANAT cerebelo.
cerebral *adj* **1** cerebral. **2** cerebral (intelectual).
cerebro *m* **1** ANAT cérebro. **2** (fig) cérebro (inteligencia). **3** (fig) crânio, cérebro (persona inteligente).
cerebroespinal *adj* ANAT cerebrospinal.
ceremonia *f* **1** cerimônia (acto). **2** cerimônia (etiqueta). ♦ **maestro de ceremonias** mestre de cerimônia.
ceremonial *adj* **1** cerimonioso, cerimonial. ● *m* **2** cerimonial.
ceremonioso, sa *adj* cerimonioso.
cereza *f* **1** cereja (fruto). ● *adj y m* **2** cereja (color).
cerezal *m* cerejal.
cerezo *m* cerejeira (árbol, madera).
cerilla *f* **1** palito de fósforo. **2** vela de cera.
cerillo *m* ⇒ cerilla.
cerio *m* QUÍM cério.
cero *adj y m* zero. ■ **ser un ~ a la izquierda** (fig, fam) ser um zero a esquerda.
cerquita *adv Méx.* pertinho.
cerrado, da *adj* **1** fechado. **2** (fam, fig) fechado, introvertido. **3** (fig) marcado (acento). ● *m* **4** cercado.
cerradura *f* **1** fechadura (dispositivo). **2** fechamento.
cerraja *f* ⇒ cerradura (1).
cerrajero *m* serralheiro.
cerrar *tr* **1** fechar, trancar. **2** fechar (tapar). **3** fechar (bloquear, cercar). **4** fechar, juntar (alas, labios, tijeras). **5** (fig) fechar, concluir.
cerrazón *f* **1** teimosia. **2** (fig) estreiteza (de espíritu).
cerril *adj* **1** serril (terreno). **2** selvagem (ganado).
cerrillada *f Col., Perú* serra.
cerro *m* cerro, colina.
cerrojo *m* ferrolho, trinco.

certamen *m* certame, concurso.
certero, ra *adj* **1** certeiro (acertado). **2** certeiro (adecuado).
certeza *f* certeza.
certificado, da *adj* **1** certificado. **2** registrado (carta, paquete). • *m* **3** certificado, atestado. ♦ ~ **de garantía** certificado de garantia; ~ **médico** atestado médico.
certificar *tr y pron* **1** certificar, atestar (asegurar). • *tr* **2** registrar (cartas, paquetes).
cerumen *m* cerume, cerúmen.
cervantino, na *adj* cervantesco, cervantino.
cervatillo *m* almiscareiro.
cervato *m* cervato.
cervecería *f* cervejaria (fábrica, establecimiento).
cerveza *f* cerveja.
cerviz *f* ANAT cerviz.
cesación *f* cessação. ■ ~ **a divinis** cessação à divinis.
cesante *adj* **1** cessante. • *adj/m y f* **2** inativo (empleado).
cesar *intr* **1** cessar, parar. **2** cessar, desistir.
cesárea *f* MED cesariana, cesárea.
cese *m* **1** demissão. **2** encerramento de contrato (de trabajo).
cesio *m* QUÍM césio.
cesión *f* cessão (renuncia).
césped *m* **1** grama, gramado. **2** céspede (tepe).
cesta *f* **1** cesta (recipiente). **2** cesta (de baloncesto). ♦ ~ **de la compra** (fig) cesta básica.
cestería *f* cestaria.
cesto *m* cesto (cesta).
cetrería *f* cetraria.
cetro *m* **1** cetro (bastón). **2** (fig) cetro (reinado).
ch, Ch *f* ch, Ch (dígrafo).
chabacanería *f* baixaria, vulgaridade.
chabacano, na *adj* baixo, vulgar.
chabola *f* barraco.
chacal *m* chacal (mamífero).
chacha *f* **1** (fam) empregada doméstica. **2** (fam) babá.
chachachá o **cha-cha-chá** *m* MÚS chachachá.
cháchara *f* **1** (fam) papo, conversa fiada. • **cháchara**s *f pl* **2** bugigangas.
chacharear *tr* (fam) bater papo.
chacina *f* chacina (carne).
chaco *m* cerco (para caza).
chacolí *m vinho suave do País Vasco, Cantábria e Chile.*
chacra *f Amér.* chácara (granja).
Chad *m* Chade.
chadiano, na *adj/m y f* chadiano.
chafalote, ta *adj Arg., Ur.* grosseiro, vulgar.
chafar *tr y pron* **1** esmagar. • *tr* **2** estragar (ropa).
chaflán *m* chanfro, chanfradura.
chagra *f Amér. Merid.* ⇒ chacra.
chal *m* **1** xale, echarpe. **2** manta (para bebés).
chalado, da *adj/m y f* **1** (fam) doido, maluco. • *adj* **2** (fam) amarradão (enamorado).
chalán, na *adj/m y f* mercador de cavalos.
chalé o **chalet** *m* chalé (casa).
chaleco *m* colete. ♦ ~ **salvavidas** colete salva-vidas.
chalina *f* **1** gravata à Lavallière. **2** *Arg., Col.* echarpe.
chalupa *f* **1** chalupa (embarcación). **2** *Méx.* bolinho de milho.
chamarra *f* **1** *Amér. Centr.* bata, chamarra. **2** *Amér. Centr.* (fig) engambelação (fraude).
chambelán *m* camerlengo.
chamberinada *f Perú* papagaiada (ostentación).
chambón, na *adj* **1** (fam) desajeitado (torpe). **2** (fam) desajeitado (mal vestido).
chamizo *m* **1** chamiço, lenho chamuscado. **2** barraco (de chamiza).
chamorro, rra *adj* chamorro, tosado.
champán o **champaña** *m* champanhe.
champiñón *m* champignon, champinhom.
champú *m* xampu.
chamuchina *f* **1** bugiganga, bagulho. **2** *Amér.* gentinha, plebe.
chamuscar *tr y pron* chamuscar.
chamusquina *f* **1** chamuscamento, chamuscadura. **2** briga, rixa (riña).
chance *f* chance.
chancho, cha *adj* **1** *Amér.* (fig) relaxado (desaseado). • *m y f* **2** *Amér.* porco.
chanchullo *m* (fam) cambalacho.

chancla *f* **1** chinelo (zapato viejo). **2** ⇒ chancleta (1).
chancleta *f* chinelo.
chanclo *m* **1** galocha (zapatos). **2** tamanco.
chándal *m* moletom, training.
chantaje *m* chantagem.
chantajista *m o f* chantagista, chantageador.
chantar *tr* chantar, fincar (poner derecho).
chantillí o **chantilly** *m* chantilly.
chanza *f* gracejo, gracinha.
chapa *f* **1** chapa (lámina). **2** lataria (del coche). **3** tampinha, tampa (de botella). **4** distintivo, chapa. **5** *Amér. Merid.* fechadura (cerradura).
chapado, da *adj* **1** chapado. **2** (fig) gentil, amável. ■ **~ a la antigua** (fig) à moda antiga.
chapar *tr* **1** chapar, chapear. **2** (fig, coloq) estudar muito. **3** (coloq) abaixar as portas (cerrar).
chaparrón *m* **1** toró, pé d'água. **2** (fig, fam) chamada, bronca.
chapín *m* chapim (calzado).
chapotear *tr* chapinhar.
chapucería *f* **1** ⇒ chapuza. **2** *Amér. Merid.* trapaça.
chapucero, ra *adj* **1** porcaria, feito nas coxas. ● *adj/m y f* **2** porcalhão, albardeiro.
chapurrear *tr e intr* arranhar (idioma).
chapuza *f* (fam) porcaria, caca (trabajo, obra).
chapuzón *m* mergulho.
chaqueta *f* jaqueta, blusão. ■ **cambiar de ~** (fig) virar a casaca.
chaquetón *m* jaquetão.
charada *f* charada.
charanga *f* charanga (música militar).
charca *f* represa, açude.
charco *m* poça, charco.
charcutería *f* charcutaria (establecimiento).
charla *f* **1** (fam) bate-papo, conversa. **2** palestra, conferência.
charlar *intr* **1** (fam) papear, bater papo. **2** (fam) conversar à toa (platicar).
charlatán, na *adj/m y f* **1** tagarela (hablador). **2** falador (chismoso, indiscreto). **3** charlatão.
charlatanería *f* **1** loquacidade. **2** charlatanice, charlatanaria.
charlestón *m* MÚS charleston.
charm o **charme** *m* charme (encanto).
charol *m* **1** charão (barniz). **2** charão (cuero).
charrada *f* cafonice, papagaiada.
charro, rra *adj/m y f* rústico, charro (tosco).
charrúa *f* charrua (indígena).
chárter *adj y m* charter.
chasca *f* **1** graveto, chamiço. **2** *Amér. Merid.* grenha, guedelha.
chascar *intr* **1** estalar, produzir estalidos (con la boca, látigo, dedos). **2** crepitar (madera).
chascarrillo *m* (fam) anedota.
chasco *m* **1** gozação, brincadeira. **2** (fig) decepção. ■ **llevarse un ~** sofrer uma decepção.
chasis *f* chassi.
chasquear *tr* **1** gozar, brincar. **2** furar (promesa). ● *intr* **3** estalar.
chasquido *f* estalo, estalido.
chatarra *f* **1** (fam) velharia, sucata. **2** (fam) badulaques (joyas, condecoraciones).
chatear *intr* **1** (fam) biritar. **2** INF participar de um chat.
chato, ta *adj/m y f* **1** chato, achatado. ● *m* **2** (fig, fam) copo de vinho.
chauvinista *adj/m y f* chauvinista.
chaval, la *m y f* (fam) garoto, guri.
chaveta *f* **1** chaveta. **2** cavilha. **3** (fig, fam) cachola (cabeza).
¡che! *interj* **1** *Arg., Bol., Ur.* ei! (llamar la atención). **2** bah! (sorpresa).
Checa, República *f* República Tcheca.
checo, ca *adj/m y f* **1** tcheco. ● *m* **2** tcheco (lengua).
chef *m* chef.
chelín *m* xelim (moneda).
chepa *f* (fam) corcunda.
cheque *m* cheque. ◆ **~ de viaje o viajero** cheque de viagem; **~ en blanco** cheque em branco.
chequeo *m* checkup.
chévere *adj* **1** *Amér.* (fam) legal, bacana. **2** *Amér.* (fam) magnífico.
chic *adj* chique, elegante.
chicano, na *adj/m y f* chicano.
chicha *f* **1** chicha (carne). **2** chicha (bebida).

chícharo *m* ervilha.
chicharra *f* **1** cigarra (insecto). **2** cigarra (juguete).
chicharrón *m* torresmo.
chichi *adj Amér. Centr.* bico (fácil).
chichicaste o **chichicastle** *m Amér. Centr.* urtiga.
chichón *f* galo (hinchazón).
chichonera *f* capacete (casco).
chicle o **chiclé** *m* chiclete, chicle.
chico, ca *adj* **1** pequeno. • *m y f* **2** menino, garoto.
chicotazo *m Amér.* chicotada.
chifla *f* **1** chifra (cuchilla). **2** assovio.
chiflado, da *adj/m y f* **1** (fam) pancada, pinel. **2** (fam) gamado, vidrado.
chifladura *f* **1** assobio. **2** gozação (burla).
chiflar *intr* **1** assobiar. **2** *Guat., Méx.* cantar (pájaro). • *tr* **3** (fam) enxugar (beber). • *tr y pron* **4** caçoar (escarnecer). • **~se** *pron* **5** (fam) gamar, vidrar.
chihuahua *adj/m y f* chihuahua, chiuaua.
chilaba *f* aljarabia.
Chile *m* Chile.
chileno, na *adj/m y f* chileno.
chillar *intr* **1** gritar, berrar. **2** ser berrante (color). **3** (fam) repreender (a gritos).
chillido *m* grito, berro.
chillo *m Amér. Centr.* dívida.
chillón, na *adj* **1** berrante, cheguei (color). **2** estridente (sonido). • *adj/m y f* **3** barulhento.
chilote *m Méx.* bebida fermentada.
chilpayate *m Méx.* (fam) menininho, filhote.
chilpe *m* **1** *Ecuad.* corda. **2** *Ecuad.* palha (de maíz).
chimenea *f* **1** chaminé. **2** lareira. **3** GEOL chaminé (de volcán).
chimpancé *m* chimpanzé.
china *f* **1** seixo (piedra). **2** (fig, fam) grana.
China *f* China.
chinchar *tr y pron* (fam) incomodar.
chincharrero *m* percevejada (en un sitio).
chinche *f* **1** percevejo (insecto). **2** percevejo, tachinha. **3** *Méx.* prisão, cárcere. • *adj/m y f* **4** (fig, fam) chato, mala-sem-alça.
chincheta *f* percevejo, tachinha.
chinchilla *f* chinchila (animal, piel).
chinchorrear *intr* **1** mexericar, fofocar. • *tr* **2** incomodar.
chinela *f* chinelo.
chinero *m* cristaleira.
chingado, da *adj* **1** (vulg) fodido, escangalhado (estropeado). **2** (vulg) fulo, puto (fastidiado).
chingar *tr y pron* **1** (fam) encher a cara. • *tr* **2** encher o saco, chatear. **3** escangalhar (estropear). **4** (vulg) trepar, meter (follar).
chinita *m y f Amér. Merid.* joaninha (insecto).
chino, na *adj/m y f* **1** chinês (natural, habitante). **2** *Amér.* (desp) mestiço (de indio). • *m* **3** chinês (lengua). **4** passador (colador). • **chinos** *m pl* **5** porrinhas, jogo do palitinho. ◆ **cuento ~** (fam) história para boi dormir.
chip *m* INF chip.
chipirón *m* lula pequena.
Chipre *m* Chipre.
chipriota *adj/m y f* **1** cipriota. • *adj y m* **2** cipriota (dialecto).
chiquear *tr* **1** *Cuba, Méx.* bajular, mimar. **2** *Perú* confrontar. • **~se** *pron* **3** *Amér. Centr.* requebrar-se (al andar).
chiquero *m* **1** chiqueiro (pocilga). **2** curral, touril.
chiquillada *f* criancice.
chiquillo, lla *adj/m y f* criança.
chiquito, ta *adj* **1** pequeno. • *adj/m y f* **2** garotinho. • *m* **3** copo de vinho.
chircal *m* **1** *Amér.* chircal. **2** *Col.* telhadura (fábrica).
chiribita *f* **1** (gralte pl) fagulha, centelha. **2** bela-margarida.
chiribitil *m* **1** toca, esconderijo. **2** (fam) cubículo.
chirimbolo *m* **1** (fam) vasilha. **2** (fam) troço, coisa.
chirimoya *f* **1** cherimólia (fruto). **2** (fam, fig) coco (cabeza).
chirimoyo *m* cherimólia (árbol).
chiringuito *m* barraca, quiosque.
chiripa *f* **1** chiripa, sorte (en el juego). **2** (fam, fig) sorte.
chirla *f* ameijôa pequena.
chirle *adj* **1** (fam) insípido, chilro. • *m* **2** esterco.
chirlo *m* gilvaz (cicatriz).
chirona *f* (fam) xilindró.

chirriado, da *adj Col.* engraçado.
chirriar o **chirrear** *intr* **1** chiar, ranger. **2** chiar (aves).
chirrido *m* chiado, guincho.
¡chis! o **¡chist!** *interj* psiu!
chisguete *m* (fam) golinho, traguinho.
chisme *m* **1** fofoca. **2** (fam) bugiganga, quinquilharia.
chismorrear *intr* (fam) fofocar.
chismorreo *m* fofoca, intriga.
chismoso, sa *adj/m y f* fofoqueiro, mexeriqueiro.
chispa *f* **1** faísca (centella). **2** pedacinho, teco. **3** (fig) chispa (ingenio). **4** (fam) fogo (borrachera).
chispazo *m* **1** faiscação. **2** faísca. **3** (fam) lampejo (de ingenio, creatividad).
chispeante *adj* faiscante.
chispear *intr* **1** faiscar, chispar. • *impers* **2** chuviscar.
chisporrotear *intr* (fam) crepitar, faiscar.
chistar *intr* fazer psiu.
chiste *m* piada.
chistera *f* **1** cesto (de pescadores). **2** (fig, fam) cartola.
chistorra *f* GAST lingüiça fina.
chistoso, sa *adj* **1** brincalhão, gozador. **2** engraçado.
chiticallando *adv* **1** (fam) discretamente, sorrateiramente. **2** (fam, fig) na surdina.
chito o **chitón** *interj* (fam) silêncio!, psiu!
chivatazo *m* (fam) dedurismo.
chivato, ta *adj/m y f* **1** (fam) dedo-duro. • *m* **2** pisca-pisca (luz). • *m y f* **3** chibato.
chivo, va *m y f* chibo, chibato.
chocante *adj* chocante.
chocantería *f Col., Chile, Méx., Pan.* grosseria.
chocar *intr* **1** chocar, bater. **2** chocar, ser contrário (ideas, opiniones). ■ **¡chócala!** toca aqui!
chochear *intr* **1** caducar. **2** (fig, fam) babar (extremar el cariño).
chocho, cha *adj* caduco.
choclo *m* tamanco (calzado).
chocolate *m* **1** chocolate (comida, bebida). **2** (fig, fam) haxixe.
chocolatera *f* chocolateira.
chocolatería *f* chocolataria.
chocolatín *m* ⇒ chocolatina.
chocolatina *f* tablete de chocolate.
chófer o **chofer** *m* motorista, chofer.
chola o **cholla** *f* (fam) cabeça, cachola.
chollo *m* (fam) pechincha (ganga).
chopo *m* choupo-preto.
choque *m* **1** choque, colisão. **2** (fig) choque, desacordo.
chorizo *m* lingüiça.
chorizo, za *m y f* (vulg) rato, larapio.
chorlito *m* carádrio, maçarico (ave). ♦ **cabeza de ~** (fam) cabeça-de-vento.
choro, ra *adj* **1** *Chile* audacioso. • *m* **2** *Bol., Chile* mexilhão.
chorrada *f* **1** (fig, coloq) besteira, asneira. **2** (fig, coloq) quinquilharia, bugiganga.
chorrear *intr* jorrar.
chorrera *f* **1** bica (líquido). **2** corredeira (de un río).
chorro *m* **1** jorro, esguicho. **2** (fig) jorro, batelada. ■ **a chorros** (fig) em abundância.
chota *m o f* (vulg) dedo-duro.
chotacabras *f* bacurau (ave).
chotearse *pron* (fam) tirar zarro.
chotis *m* xote (baile).
chubasco *m* **1** aguaceiro, chuvarada. **2** (fig) tempestade (adversidad).
chubasquero *m* capa de chuva, impermeável.
chucho *m* **1** arraia, raia (pez). **2** (fam) vira-lata (perro). **3** *Amér.* calafrio.
chufa *f* **1** junça (tubérculo). **2** (fam, fig) tapa, bofetada.
chufla o **chufleta** *f* (fam) gozação, caçoada.
chuflarse *pron* gozar, caçoar.
chulear *tr y pron* **1** caçoar, debochar. • *tr* **2** explorar, caftinar (abusar).
chulería *f* **1** metidez. **2** petulância, arrogância.
chuleta *f* **1** costeleta, chuleta. **2** (fam, fig) bofetada, tapa. **3** (fig, fam) cola (en un examen).
chullo, lla *m y f Bol., Ecuad., Perú* burguês.
chulo, la *adj/m y f* **1** (fam) metido, gostosão. • *adj* **2** bacana, legal. • *m y f* **3** cafetão, gigolô.
chumbera *f* figueira-da-barbária.
chunche *m* **1** *Col.* sarna. **2** *Nic.* (desp) zé.
chunguearse *pron* (fam) caçoar, brincar.
chupa *f* (fam) jaqueta, colete.

chupar *tr* **1** chupar, sugar. **2** chupar, absorver. • **~se** *pron* **3** definhar. **4** (fig, fam) tragar. ■ **estar chupado** (fam) ser moleza.
chupatintas *m* (desp) burocrata.
chupete *m* **1** chupeta. **2** *Amér. Merid.* pirulito.
chupinazo *m* **1** disparo de morteiro (fuegos artificiales). **2** DEP (fam) bomba (disparo).
chupón, na *adj* **1** chupão. • *adj/m y f* **2** (fig, fam) sanguessuga, parasita. **3** (fam) fominha (deportista).
churrería *f* loja de churros.
churrete *m* lambuzeira.
churro *m* **1** churro. **2** (fam) porcaria (chapuza). **3** (fam) cagada (casualidad).
churruscar *tr y pron* queimar (comida).
chusco, ca *adj/m y f* **1** divertido, engraçado. • *m* **2** côdea (mendrugo).
chusma *f* ralé, plebe.
chusquero *adj y m* (fig, desp) soldadinho.
chut o **chute** *m* **1** chute, pontapé (a una pelota). **2** (coloq) pico (de droga).
chutar *intr* **1** chutar (pelota). **2** (fig, fam) ir (funcionar): *el coche no chuta = o carro não vai.*
chuzo *m* **1** cecetete. **2** *Chile* lança, chuço.
cía (*abrev de* **compañía**) *f* cia. ■ **y ~** (fam) e companhia: *vinieron a la fiesta Jorge y cía = vieram à festa Jorge e companhia.*
cianosis *f* MED cianose.
cianuro *m* QUÍM cianeto, cianureto.
ciar *intr* **1** ciar, retroceder. **2** (fig) retroceder, recuar (en un negocio).
cibercultura *f* cultura virtual.
ciberespacio *m* ciberespaço.
cibernauta *m o f* cibernauta.
cibernética *f* cibernética.
cicatriz *f* **1** cicatriz. **2** (fig) cicatriz (resentimiento).
cicatrización *f* cicatrização.
cicatrizar *tr, intr y pron* **1** cicatrizar (herida). • *tr e intr* **2** (fig) cicatrizar (resentimientos, desamores).
cícero *m* cícero.
cicerone *m* cicerone.
cíclico, ca *adj* cíclico.
ciclismo *m* ciclismo.
ciclista *adj/m y f* ciclista.
ciclo *m* **1** ciclo (período). **2** ciclo (serie). ◆ **~ biológico** ciclo biológico; **~ económico** ciclo econômico.
ciclomotor *m* ciclomotor.
ciclón *m* **1** ciclone. **2** (fig) tufão.
ciclónico, ca *adj* ciclônico, ciclonal.
cíclope o **ciclope** *m* ciclope.
ciclópeo, a *adj* **1** ciclópico. **2** (fig) monstruoso (gigantesco).
cicuta *f* cicuta (planta, veneno).
cidra *f* cidra.
cidro *m* cidreira (árbol).
ciego, ga *adj/m y f* **1** cego (visión). • *adj* **2** (fig) cego (obcecado). **3** (fig) cego (alucinado). **4** (fig) cego (obstruido). • *m* **5** ANAT ceco. **6** (fig, fam) porre, fogo (borrachera).
cielo *m* **1** céu (firmamento). **2** céu (paraíso). **3** (fig, fam) amor. ■ **bajado del ~** (fig, fam) caído do céu; **poner por los cielos** (fig, fam) pôr nas alturas.
ciempiés *m* centopéia.
cien *adj y m* cem. ■ **ponerse a ~** (fig, fam)
ciénaga *f* lameiro, lamaçal (pantano).
ciencia *f* **1** ciência (conocimiento, saber). **2** ciência (doctrinas). ◆ **~ ficción** ficção científica. ■ **a ~ cierta** de ciência certa.
cieno *m* lodo, ceno.
científico, ca *adj* **1** científico. • *m y f* **2** cientista.
ciento *adj y m* cento. ■ **por ~** por cento.

> En español, entre **ciento** y las decenas no se intercala la conjunción copulativa, como ocurre en portugués: *cento e noventa*. Lo correcto es: *ciento noventa.*

cierre *m* **1** fechamento (de establecimiento, objeto). **2** fecho, trava.
cierro *m* **1** ⇒ cierre (1). **2** *Chile* cerca (vallado).
cierto, ta *adj* **1** certo, verdade. • *pron indef* **2** certo (indeterminado). **3** certo, algum. • *adv* **4** certo, com certeza.
ciervo, va *m y f* cervo.
cifra *f* cifra.
cifrado, da *adj* cifrado.
cifrar *tr* **1** cifrar (en números). • *tr y pron* **2** (fig) cifrar (resumir).
cigala *f* lagostim.
cigarra *f* cigarra (insecto).
cigarrero, ra *m y f* cigarreiro.

cigarrillo *m* cigarro.
cigarro *m* **1** charuto. **2** (fam) ⇒ cigarrillo.
cigüeña *f* cegonha (ave).
cigüeñal *m* **1** MEC virabrequim, árvore de manivela. **2** ⇒ cigoñal.
cilantro *m* coentro.
cilindrada *f* MEC cilindrada.
cilindrar *tr* MEC cilindrar.
cilíndrico, ca *adj* cilíndrico.
cilindro *m* cilindro.
cilio *m* BIOL cílio.
cima *f* **1** cima (parte superior). **2** (fig) cume (ápice).
cimarrón, na *adj Amér.* selvagem (montaraz).
cimbra *f* ARQ cimbre (armazón).
cimbrar o **cimbrear** *tr y pron* **1** agitar, vibrar. **2** ARQ cimbrar.
cimentar *tr* **1** cimentar. **2** (fig) cimentar (consolidar).
cimera *f* cimeira (del morrión).
cimiento *m* **1** ARQ (gralte pl) alicerce. • *m pl* **2** (fig) base (principio).
cimitarra *f* cimitarra.
cinc *m* QUÍM zinco.
cincel *m* cinzel (herramienta).
cincelado *adj* cinzelado (labrado).
cinceladura *f* cinzeladura.
cincelar *tr* cinzelar (labrar).
cincha *f* cilha.
cinchar *tr* **1** cilhar (caballo). **2** cintar (con aros).
cinchazo *m C. Rica, Hond.* correada (cintarazo).
cinchera *f* barriga (del caballo).
cincho *m* **1** cinta, faixa. **2** cinta (cinturón). **3** cinta (aro de hierro).
cinco *adj y m* cinco.
cincuenta *adj y m* **1** cinqüenta.
cincuentavo, va *adj* cinqüenta avos (quincuagésimo).
cincuentena *f* cinqüentena.
cincuentenario, ria *adj* cinqüentenário.
cincuentón, na *adj/m y f* cinqüentão.
cine *m* **1** cinema (técnica, arte). **2** cinema (sala).
cineasta *m o f* cineasta.
cineclub *m* cineclube.
cinegética *f* cinegética.
cinegético, ca *adj* cinegético.
cinemascope *m* cinemascope.
cinemática *f* cinemática.
cinematografía *f* cinematografia.
cinematografiar *tr* cinematografar.
cinematográfico, ca *adj* cinematográfico.
cinematógrafo *m* cinematógrafo.
cinerama *m* cinerama.
cinética *f* FÍS cinética.
cinético, ca *adj* FÍS cinético.
cinglar *tr* **1** singrar. **2** forjar (metal).
cínico, ca *adj/m y f* cínico (descarado).
cinismo *m* **1** cinismo (descaro). **2** FIL cinismo.
cinta *f* **1** fita (de tejido, papel). **2** esteira (transportadora).
cinto *m* cinto.
cintura *f* **1** cintura (del cuerpo, prenda). **2** cinta (faja).
cinturón *m* **1** cinto. **2** cinturão (de espada). **3** cinturão (zona, región). **4** anel rodoviário.
cipote *m* marco (mojón).
ciprés *m* cipreste (madera, árbol).
circe *f* (fig) pilantra.
circense *adj* circense.
circo *m* circo (lugar, espectáculo, grupo).
circonio *m* QUÍM zircônio.
circonita *f* zirconita.
circulación *f* **1** circulação (movimiento, paso). **2** circulação, trânsito.
circular *adj* **1** circular. • *f* **2** circular, ofício (carta). ♦ **billete ~** passagem de ida e volta.
circular *intr* **1** circular (moverse). **2** circular (difundirse). **3** circular (rodear).
circulatorio, ria *adj* circulatório.
círculo *m* **1** círculo (circuito). **2** círculo (circunferencia). **3** círculo (sector, ambiente social). **4** GEOM círculo (superficie).
circuncidar *tr* circuncidar.
circuncisión *f* circuncisão.
circunciso *adj* circunciso, circuncidado.
circundar *tr* circundar.
circunferencia *f* **1** circunferência (contorno, perímetro). **2** GEOM circunferência.
circunflejo *adj y m* GRAM circunflexo (acento).
circunspección *f* circunspecção.
circunspecto, ta *adj* circunspecto.
circunstancia *f* **1** circunstância (accidente, situación). **2** circunstância (re-

quisito). **3** circunstância (contexto). ◆ ~ **agravante** DER circunstância agravante; ~ **atenuante** DER circunstância atenuante.

circunstancial *adj* circunstancial.

circunvalación *f* **1** via perimetral. **2** MIL circunvalação.

circunvalar *tr* circunvalar (cercar, rodear).

circunvecino, na *adj* circundante.

circunvolución *f* circunvolução, evolução.

cirio *m* **1** círio (vela). **2** (fam) bode, encrenca.

cirro *m* cirro (tumor).

cirrosis *f* MED cirrose.

cirrótico, ca *adj* MED cirrótico.

ciruela *f* ameixa (fruto).

ciruelo *m* **1** ameixeira (árbol). ● *adj/m y f* **2** (fig, fam) néscio, incapaz.

cirugía *f* MED cirurgia.

cirujano, na *m y f* cirurgião.

ciscar *tr* (fam) sujar.

cisco *m* cisco (carbón).

cisma *m* **1** cisma (separación religiosa). **2** cisma (discordia, desaveniencia).

cismático, ca *adj/m y f* cismático (disidente).

cisne *m* **1** cisne (ave). **2** (fig) cisne (poeta).

cisterciense *adj/m y f* cisterciense.

cisterna *f* cisterna (depósito).

cistitis *f* MED cistite.

cisura *f* cissura, fissura.

cita *f* **1** encontro (reunión). **2** cita, citação (mención). **3** consulta, hora.

citación *f* **1** citação (mención). **2** DER citação (diligencia).

citar *tr y pron* **1** marcar encontro. ● *tr* **2** citar (referir).

cítara *f* MÚS cítara.

citología *f* BIOL citologia.

citoplasma *m* BIOL citoplasma.

cítrico, ca *adj* cítrico. ◆ **ácido** ~ QUÍM ácido cítrico.

citrón *m* limão (fruto).

ciudad *f* cidade. ◆ ~ **dormitorio** cidade-dormitório; ~ **satélite** cidade-satélite.

ciudadanía *f* cidadania.

ciudadano, na *adj* **1** cívico. ● *adj/m y f* **2** cidadão (habitante).

ciudadela *f* cidadela.

cívico, ca *adj* **1** cívico (civil). **2** cívico (patriótico).

civil *adj* **1** civil (ciudadano). **2** civil (sociable). ● *adj/m y f* **3** civil (laico, paisano).

civilización *f* **1** civilização (pueblo): *civilización griega = civilização grega.* **2** civilização (progreso).

civilizado, da *adj* civilizado.

civilizar *tr y pron* **1** civilizar (culturizar). **2** civilizar (educar).

civismo *m* civismo.

cizalla *f* cisalha.

cizaña *f* **1** cizânia, joio. **2** (fig) discórdia, cizânia (disensión). ■ **meter** ~ (fig, fam) semear discórdia.

clamar *tr* **1** clamar (exigir). ● *intr* **2** clamar (gritar).

clamor *m* **1** clamor (grito). **2** clamor (conjunto de voces).

clamoroso, sa *adj* clamoroso.

clan *m* **1** clã (familia). **2** (desp) panelinha, turminha (grupo).

clandestino, na *adj* clandestino.

claqué *f* sapateado (baile norteamericano).

clara *f* **1** clara (de huevo). **2** clareira (de bosque). **3** (fam) estiada, aberta.

claraboya *f* clarabóia.

clarear *tr e intr* **1** clarear, tornar claro. ● *intr* **2** clarear (amanecer).

clarecer *intr* amanhecer.

clareo *m* clareação, clareamento (de bosque, floresta).

clarete *adj y m* clarete (vino).

claridad *f* **1** claridade (luz). **2** clareza (nitidez).

clarificador, ra *adj/m y f* clarificador.

clarificar *tr* clarificar (iluminar).

clarinete *m* MÚS clarinete (instrumento).

clarividencia *f* clarividência.

clarividente *adj/m y f* **1** clarividente (lúcido). **2** clarividente (perspicaz).

claro, ra *adj* **1** claro (luminoso). **2** claro (limpio). **3** claro (inteligible). **4** claro, desmaiado (color). ● *m* **5** claro, clarão (de luz). **6** claro, clareia (de bosque). ● *adv* **7** claro, com clareza. ● **¡~!** *interj* **8** claro! ■ **poner algo en** ~ esclarecer; **sacar algo en** ~ trazer à luz.

claroscuro *m* **1** claro-escuro (iluminación). **2** claro-escuro (diseño).

clase *f* **1** classe (categoría). **2** classe (social). **3** aula (lección, asignatura). **4** sala de aula. **5** classe, estilo. ◆ ~ **alta** classe alta; ~ **social** classe social.

clásico, ca *adj* **1** clássico (tradicional). • *adj/m y f* **2** clássico (modélico).

clasificación *f* **1** classificação (ordenación). **2** classificação, posição.

clasificador, ra *adj/m y f* **1** classificador. • *m* **2** arquivo, fichário (mueble).

clasificar *tr* **1** classificar (ordenar). • **~se** *pron* **2** classificar-se (en una competición).

clasismo *m* classismo, classicismo.

claudia *adj* rainha-cláudia (ciruela).

claudicar *intr* (fig) claudicar (ceder).

claustro *m* claustro (de convento, iglesia).

claustrofobia *f* claustrofobia.

cláusula *f* DER cláusula.

clausura *f* **1** clausura (internamiento). **2** clausura, convento (vida religiosa).

clausurar *tr* encerrar (concluir).

clavar *tr y pron* **1** cravar (introducir). • *tr* **2** cravar (sujetar). **3** (fig) cravar (fijar): *clavar la mirada = cravar o olhar.*

clave *m* **1** MÚS cravo (instrumento). • *f* **2** código, senha. **3** chave, solução (de ejercicio, problema). **4** MÚS cifra (signo).

clavel *m* **1** cravo (flor). **2** craveiro, cravo (planta).

clavero, ra *m y f* chaveiro, claviculário.

clavetear *tr* cravejar (adornar).

clavicémbalo *m* MÚS clavicêmbalo.

clavicordio *m* MÚS clavicórdio.

clavícula *f* ANAT clavícula.

clavija *f* **1** pino, cavilha. **2** cravelha (para afinar). **3** plugue (para teléfono).

clavo *m* **1** prego (pieza metálica). **2** cravo (especia). ◆ ~ **de rosca** parafuso. ■ **dar en el** ~ (fig, fam) acertar no alvo.

claxon *m* buzina (eléctrica).

clemencia *f* clemência.

clementina *f* tangerina, mexerica.

cleptomanía *f* cleptomania.

cleptómano, na *adj/m y f* cleptomaníaco, cleptômano.

clerecía *f* clerezia (clero).

clericalismo *m* clericalismo.

clérigo *m* clérigo.

clero *m* **1** clero (cuerpo). **2** clero (clase).

cliché *m* **1** clichê (placa). **2** (fig) clichê (lugar común).

cliente, ta *m y f* cliente.

clientela *f* clientela.

clima *m* **1** clima (atmósfera). **2** clima (ambiente, circunstancia).

climatizado, da *adj* climatizado.

climatizador *m* climatizador.

climatizar *tr* climatizar.

climatología *f* **1** climatologia. **2** clima (condiciones).

clímax *m* **1** clímax (cumbre, culminación). **2** clímax (orgasmo). **3** ECOL clímax (de una comunidad).

clínica *f* **1** clínica (práctica). **2** clínica (hospital).

clínico, ca *adj/m y f* **1** clínico. • *m y f* **2** clínico (médico).

clip *m* **1** clipe (sujetapapeles). **2** clipe (horquilla).

clisar *tr* estereotipar (grabados).

clisé *m* ⇒ cliché.

clítoris *m* clitóris.

cloaca *f* **1** bueiro, cloaca (conducto). **2** (fig) cloaca (lugar sucio).

clon *m* clone.

clonación *f* clonagem.

clonar *tr* clonar.

clónico, ca *adj* clônico.

cloquear *tr* cacarejar (gallina).

clorhídrico, ca *adj* QUÍM clorídrico.

cloro *m* QUÍM cloro.

clorofila *f* BIOL, QUÍM clorofila.

cloroformo *m* QUÍM clorofórmio.

cloruro *m* QUÍM cloreto.

clown *m* palhaço.

club o **clube** *m* **1** clube (asociación). **2** clube, casa (establecimiento).

coacción *f* **1** coação (violencia). **2** DER coação.

coaccionar *f* coagir.

coactivo, va *adj* coativo.

coadjutor, ra *m y f* coadjutor (cooperador).

coadyuvar *tr* coadjuvar.

coagular *tr y pron* coagular.

coalición *f* coalizão (alianza).

coartada *f* coarctada, álibi.

coartar *tr* coarctar, coartar.

coautor, ra *m y f* co-autor.

coaxial *adj y m* co-axial.

coba *f* adulação, puxa-saquismo.

cobarde *adj/m y f* covarde.

cobardía *f* covardia.

cobaya *amb* cobaia.

cobertizo *m* **1** coberto, alpendre. **2** coberto (sitio cubierto).

cobertor *m* cobertor (para la cama).
cobertura *f* **1** cobertura (cubierta). **2** cobertura (protección). **3** cobertura, fiança.
cobija *f* telhado, cobertura.
cobijar *tr y pron* **1** abrigar (refugiar). **2** (fig) abrigar (proteger).
cobijera *f* acobertadora (encubridora).
cobijo *m* **1** abrigo (refugio). **2** (fig) refúgio (amparo).
cobra *f* correia (para bueyes).
cobra *f* naja (reptil).
cobrador, ra *m y f* cobrador.
cobrar *tr e intr* **1** cobrar (deuda, dinero). • *tr, intr y pron* **2** receber (pago, sueldo). • *tr* **3** cobrar, tomar (afecto). **4** adquirir (lograr).
cobre *m* QUÍM cobre.
cobrizo, za *adj* acobreado.
cobro *m* cobrança.
coca *f* **1** coca (arbusto, hoja). **2** (fam) coca (cocaína).
cocaína *f* cocaína.
cocainómano, na *adj/m y f* cocainômano.
cóccix *m* ANAT cóccix.
cocear *intr* **1** coicear, escoicear. **2** (fig, fam) resistir.
cocer *tr* **1** cozinhar, cozer (alimento, cerámica). **2** ferver (líquido).
cochambre *amb* (fam) porcaria, imundice.
coche *m* **1** carro (vehículo). **2** carro, vagão. **3** carruagem, coche. ♦ ~ **bomba** carro-bomba; ~ **de carreras** carro de corrida; ~ **familiar** carro de passeio.
cochera *f* cocheira.
cochero *m* cocheiro.
cochinilla *f* cochonilha (insecto).
cochino, na *m y f* **1** porco (animal). • *adj/m y f* **2** (fig, fam) porco, imundo (desaseado).
cocho, cha *adj* cozido.
cochura *f* cocção.
cocido *adj* **1** cozido, cozinhado. • *m* **2** cozido (guiso).
cociente *m* quociente.
cocimiento *m* **1** cozimento, cozedura. **2** infusão.
cocina *f* **1** cozinha (lugar). **2** fogão (aparato). **3** cozinha (arte).
cocinar *tr e intr* **1** cozinhar (guisar). **2** (fig) cozinhar (tramar).
cocinería *f Chile, Perú* botequim.
cocinilla *m* (fam) intrometido.
coco *m* **1** coco (fruto). **2** coqueiro (árbol). **3** (fig, fam) cuca, coco. **4** (fig, fam) cuca, bicho-papão.
cocodrilo *m* crocodilo.
cocotero *m* coqueiro (árbol).
cóctel o **coctel** *m* **1** coquetel (bebida). **2** coquetel (reunión, fiesta). **3** (fig) coquetel (mezcla).
cocuyo *m* piróforo, vaga-lume.
coda *f* MÚS coda.
codazo *m* cotovelada.
codear *intr* **1** acotovelar, dar cotoveladas. **2** *Amér. Merid.* pedinchar.
codeína *f* QUÍM codeína.
codeo *m* acotovelamento.
codera *f* cotoveleira.
códice *m* códice.
codicia *f* cobiça.
codiciar *tr* cobiçar.
codificar *tr* codificar.
código *m* **1** código (leyes). **2** código (signos). ♦ ~ **de barras** código de barras.
codillo *m* cotovelo (de animal).
codo *m* **1** ANAT cotovelo. **2** cotovelo (de prenda de vestir). **3** cotovelo (de tubería).
codo, da *adj Guat., Méx.* pão-duro, mão-de-vaca.
codorniz *f* codorna.
coeficiente *m* coeficiente.
coetáneo, a *adj* coetâneo.
coexistir *intr* coexistir.
cofia *f* coifa (para el pelo).
cofradía *f* confraria, irmandade.
cofre *m* cofre.
coger *tr y pron* **1** segurar (sujetar). • *tr* **2** pegar (agarrar). **3** pegar, tomar (taxi, autobús). **4** pegar, adquirir (práctica, costumbre, velocidad). **5** pegar, surpreender: *la cogió in fraganti = pegou-a em flagrante*. **6** pegar, contrair (enfermedad). **7** reservar, marcar (hora). **8** escolher. **9** pegar, captar (emisora, canal). **10** (fig, fam) pegar, compreender (explicación, chiste). • *intr* **11** *Amér.* (vulg) transar com, comer.
cogida *f* (fam) colheita (de frutos).
cogitabundo, da *adj* cogitabundo, pensativo.
cognación *f* cognação.
cognición *f* cognição.
cogollo *m* miolo das verduras.

cogorza *f* (fam) fogo, porre.
cogote *m* cangote, cogote.
cohabitación *f* **1** coabitação. **2** coabitação, convívio (de partidos, ideologías).
cohabitar *tr e intr* coabitar.
cohechar *tr* subornar (a un funcionario).
cohecho *m* suborno (a un funcionario).
coherencia *f* coerência.
coherente *adj* coerente.
cohesión *f* **1** coesão (de ideas, pensamiento). **2** FÍS coesão.
cohete *m* **1** foguete (vehículo espacial). **2** rojão, foquete.
cohibir *tr y pron* coibir.
cohorte *m* coorte (romano).
coima *f Amér. Merid.* propina.
coincidencia *f* **1** coincidência (concurrencia). **2** coincidência (conformidad).
coincidir *intr* **1** coincidir (concurrir). **2** coincidir (ser igual). **3** coincidir (encontrarse).
coito *m* coito, cópula.
cojear *intr* **1** mancar, coxear. **2** estar manco (mueble).
cojín *m* almofada.
cojinete *m* **1** almofadinha (para alfileres). **2** dormente (de líneas férreas).
cojinillo *m Arg., Ur.* pelego (para caballerías).
cojitranco, ca *adj/m y f* (desp) manquitola, manco.
cojo, ja *adj/m y f* **1** coxo, manco. • *adj* **2** (fig) coxo, manco (mueble).
cojón *m* **1** (vulg) saco, colhão. • **¡cojones!** *interj* **2** (vulg) caralho!
col *f* couve.
cola *f* **1** rabo, cauda. **2** cauda (prolongación). **3** fila (de espera). **4** final, fundo (de una clasificación). **5** cola, grude. **6** cola (bebida). **7** cola (planta). ♦ **~ de caballo** rabo-de-cavalo (peinado). ■ **hacer ~** esperar na fila, fazer fila.
colaboración *f* **1** colaboração (ayuda). **2** colaboração, participação.
colaboracionismo *m* colaboracionismo.
colaborador, ra *adj* **1** colaborador. • *m y f* **2** colaborador (en obra literaria, periódico).
colaborar *intr* **1** colaborar (contribuir). **2** colaborar (participar).
colación *f* **1** colação (de título, derecho). **2** consoada, colação (refrigerio).
colada *f* **1** coação, côa. **2** barrela, coada (de ropa). **3** corrente de lava.
colador *m* coador, passador.
colapso *m* **1** MED colapso. **2** (fig) colapso (paralización).
colar *tr* **1** coar. **2** quarar (ropa). • *intr y pron* **3** (fam) entrar de penetra. • **~se** *pron* **4** (fam) enfiar-se, meter-se. **5** (fam) furar fila. **6** (fam) gamar (enamorarse).
colateral *adj* **1** colateral. • *adj/m y f* **2** colateral (pariente).
colcha *f* colcha.
colchar *tr* acolchoar.
colchón *m* colchão. ♦ **~ de água** colchão de água.
colchoneta *f* colchonete.
colear *intr* rabear.
colección *f* **1** coleção (conjunto). **2** coleção (de libros). **3** coleção (de moda).
coleccionable *adj* colecionável.
colecta *f* coleta, arrecadação.
colectividad *f* coletividade.
colectivismo *m* coletivismo.
colectivo, va *adj* **1** coletivo. • *m* **2** grupo, comunidade.
colector, ra *adj* **1** coletor. • *m y f* **2** coletador, compilador.
colega *m o f* **1** colega, companheiro (de profesión, colegio). **2** (fam) colega, amigo.
colegiado, da *adj* **1** colegiado. • *m y f* **2** DEP árbitro.
colegial, la *adj* **1** colegial. • *m y f* **2** colegial (alumno).
colegiarse *pron* afiliar-se, inscrever-se (en una asociación profesional).
colegiata *f* colegiada (iglesia).
colegio *m* **1** colégio (centro de enseñanza). **2** colégio (edificio).
cólera *f* **1** (fig) cólera, ira. • *m* **2** MED cólera.
colérico, ca *adj* colérico, irado.
colesterol *m* BIOQ colesterol.
coleta *f* **1** rabicho, rabinho (de cabello). **2** coleta (de los toreros).
coletilla *f* rabinho (de cabello).
colgado, da *adj* **1** pendurado. **2** (fig, fam) plantado. **3** (fig, fam) pendente (asunto, negocio). • *adj/m y f* **4** (fig, fam) maluco, doido.
colgador
colgante *adj* **1** pendente. • *m* **2** pingente (joya).

colgar *tr y pron* **1** pendurar. **2** (fig, fam) enforcar (ahorcar). • *tr e intr* **3** desligar (teléfono). • *intr* **4** INF travar, dar pau (ordenador).
colibrí *m* beija-flor, colibri.
cólico, ca *adj* **1** cólico (intestinal). • *m* **2** cólica (dolor).
coliflor *f* couve-flor.
colilla *f* ponta, guimba.
colimar *tr* FÍS colimar.
colín *m* baguete (pan).
colina *f* colina.
colindante *adj* contíguo, adjacente.
colindar *intr* lindar, estar contíguo.
colirio *m* colírio (medicamento).
coliseo *m* coliseu.
colisión *f* **1** colisão (choque). **2** colisão, divergência (de ideas, intereses).
colista *adj/m y f* lanterninha (en competiciones).
collage *m* colagem (técnica).
collar *m* **1** colar, gargantilha. **2** coleira (para animales).
colleja *f* (fam) pescoção, pescoçada.
collera *f coleira estofada para jugo.*
collie *adj/m y f* collie (raza).
colmado, da *adj* **1** cheio, colmado. • *m* **2** mercearia.
colmar *tr* **1** encher, colmar. **2** (fig) encher (de albanzas, favores).
colmena *f* **1** colméia. **2** (fig) colméia, cortiço.
colmillo *m* canino, presa (diente).
colmo *m* cúmulo.
colocación *f* colocação (disposición).
colocar *tr y pron* **1** colocar, pôr. **2** (fig) colocar (en cargo, empleo). **3** (fig, fam) chapar, ficar chapado (con drogas, alcohol).
coloidal *adj* QUÍM coloidal.
Colombia *f* Colômbia.
colombiano, na *adj/m y f* colombiano.
colon *m* ANAT cólon.
colón *m* colom (moneda).
colonia *f* **1** colônia, água-de-colônia. **2** colônia (conjunto de personas). **3** colônia (territorio). **4** conjunto habitacional. **5** colônia (de animales).
coloniaje *m Amér.* colonialismo (época colonial).
colonialismo *m* colonialismo.
colonización *f* colonização.
colonizar *tr* colonizar.
colono *m* colono.
coloquial *adj* **1** coloquial. **2** coloquial, informal (lenguaje).
coloquio *m* **1** colóquio (conversación). **2** colóquio, debate.
color *m* **1** cor (fenómeno visual). **2** cor (tonalidad). **3** cor, colorido (de paisaje, foto, pintura). • **colores** *m pl* **4** cores (de una entidad, país). ■ **en ~** em cores; **mudar de ~** (fig, fam) mudar de cor; **sacar los colores** (fig, fam) fazer ficar roxo, deixar sem graça.
coloración *f* coloração.
colorado, da *adj* corado, vermelho.
colorante *adj y m* corante.
colorar *tr* colorir.
colorear *tr* **1** colorir. **2** (fig) enfeitar (hechos, situaciones).
colorete *m* ruge.
colorido *m* colorido.
colosal *adj* **1** colossal. **2** (fig) colossal, gigantesco. **3** (fig, fam) colossal (extraordinario).
coloso *m* **1** colosso (estatua). **2** (fig) colosso (sobresaliente, excepcional).
coludir *intr* DER pactar em prejuízo de terceiro.
columbrar *tr* **1** avistar, divisar. **2** (fig) farejar, perceber.
columna *f* **1** ARQ coluna. **2** coluna (pila). **3** coluna (de texto). **4** coluna (de periódico). **5** (fig) coluna (de humo, agua, fuego).
columnata *f* colunata.
columpiar *tr y pron* **1** balançar. • **~se** *pron* **2** (fig, fam) dar um furo.
columpio *m* balanço (juguete).
coma *f* **1** vírgula. **2** MED coma.
comadre *f* **1** comadre (madrina). **2** (fam) comadre (chismosa).
comadreja *f* doninha.
comadrona *f* parteira.
comanche *adj/m y f* comanche.
comandancia *f* **1** MIL comandância (cargo). **2** MIL comandância (territorio).
comandante *m* **1** MIL comandante. **2** comandante (piloto).
comandar *tr* MIL comandar.
comando *m* **1** MIL comando (mando). **2** MIL comando (tropas).
comarca *f* comarca.
comarcal *adj* comarcão, regional.
comba *f* **1** brincadeira de pular corda. **2** corda de pular.

combate *m* **1** combate (acción bélica). **2** combate (lucha, pelea).
combatiente *adj/m y f* combatente.
combatir *intr y pron* **1** combater (luchar, enfrentarse). • *tr* **2** combater (embestir).
combatividad *f* combatividade.
combativo, va *adj* combativo.
combinación *f* **1** combinação (unión, mezcla). **2** combinação (prenda). **3** combinação (clave). **4** coquetel (bebida).
combinado, da *adj* **1** combinado (mezclado, unido). • *m* **2** coquetel (bebida). **3** prato feito, almoço comercial.
combinar *tr* **1** combinar (mezclar, unir). **2** (fig) combinar (concertar).
combo, ba *adj* curvo, arqueado.
combustible *adj* **1** combustível. • *m* **2** combustível (materia). ◆ ~ **nuclear** combustível nuclear.
combustión *f* **1** combustão (quema). **2** QUÍM combustão.
comedia *f* **1** comédia (obra). **2** comédia (género). **3** comédia (situación, suceso). **4** (fig) comédia (fingimiento).
comediante, ta *m y f* **1** comediante (actor). **2** (fig) comediante (fingidor).
comedido, da *adj* **1** comedido. **2** *Amér. Merid.* atencioso, cortês.
comediógrafo, fa *m y f* comediógrafo.
comedirse *pron* **1** comedir-se. **2** *Amér. Merid.* prontificar-se, oferecer-se.
comedor, ra *adj* **1** comedor. • *m* **2** sala de jantar (de una casa). **3** refeitório (de un establecimiento).
comendador *m* comendador (de una orden militar).
comendatorio, ria *adj* comendatício.
comensal *m o f* **1** comensal. **2** (fig) comensal (parásito).
comentario *m* **1** comentário (explicación). **2** comentário (juicio, parecer).
comentarista *m o f* **1** comentarista (escritor). **2** comentarista (de noticias).
comenzar *tr* **1** começar, dar início. • *intr* **2** começar, ter início.
comer *tr e intr* **1** comer (alimentarse). **2** comer, engolir (masticar, tragar). • *intr* **3** comer (almorzar). • *tr* **4** (fig) comer, corroer. • **~se** *pron* **5** (fig) comer, engolir (frase, párrafo): *te has comido un párrafo del texto = você engoliu um parágrafo do texto.* ■ **sin ~lo ni beberlo** (fig, fam) sem saber porquê.
comercial *adj* **1** comercial (mercantil). • *m* **2** *Amér. Merid.* comercial, anúncio.
comercialización *f* comercialização.
comercializar *tr* **1** comercializar, tornar comerciável. **2** comercializar (vender).
comerciante *m o f* comerciante.
comerciar *intr* comerciar.
comercio *m* **1** comércio (actividad). **2** comércio (establecimiento). ◆ ~ **al por mayor** comércio atacadista ou grossista; ~ **al por menor** comércio retalhista ou varejista; **libre** ~ livre comércio.
comestible *adj* **1** comestível. • *m* **2** (gralte pl) comestíveis (víveres).
cometa *m* **1** ASTR cometa. • *f* **2** pipa, papagaio (juguete).
cometer *tr* cometer (yerros, faltas).
cometido *m* incumbência, obrigação.
cómic *m* gibi, história em quadrinhos.
comicios *m pl* eleições.
cómico, ca *adj* **1** cômico (de la comedia). **2** cômico, engraçado.
comida *f* **1** comida (alimento). **2** comida, refeição.
comidilla *f* (fig, fam) fofoca (tema, motivo).
comienzo *m* começo, início. ■ **a comienzos de** a princípios de.
comillas *f pl* aspas.
comilón, na *adj/m y f* comilão.
comilona *f* comilança, banquete.
comino *m* **1** cominho. **2** (fig) baixinho (niño).
comisaría *f* comissariado. ◆ ~ **de policía** delegacia de polícia.
comisario, ria *m y f* **1** comissário. **2** delegado (de policía).
comisión *f* **1** comissão, comitê. **2** comissão, gratificação (retribución).
comisionado, da *adj/m y f* comissionado.
comisura *f* **1** comissura (del cuerpo). **2** comissura, sutura (de los huesos).
comité *m* comitê, comissão.
comitiva *f* comitiva, séquito.
como *adv* **1** como (modo, manera): *hazlo como te dije = faça como eu disse.* **2** como (comparación): *es bella como una flor = é bela como uma flor.* **3** como (aproximadamente): *hace como cuatro años que no la veo = tem como quatro anos que não a vejo.* **4** como (en calidad de):

asiste a la boda como testigo = assiste ao casamento como testemunha. • *conj* **5** caso, se: *como no hagas las tareas, no podrás salir a jugar = se você não fizer seu dever de casa, não poderá sair para brincar*. **6** como, já que.

> El término **como** no se acentúa cuando es adverbio de modo: *me siento como si me hubieran dado una paliza;* cuando actúa de preposición con el significado de 'en concepto de' o 'alrededor de': *lo quiere como amigo; ganó como cien euros.*

cómo *adv* **1** como (modo, manera): *¿cómo lograste hacerlo? = como você conseguiu fazer?* **2** como (motivo): *no entiendo cómo no lo hiciste = não entendo como você não fez.* ■ **¡~ no!** como não!, imagina!

> La palabra **cómo** se acentúa cuando es adverbio interrogativo de modo: *¿cómo lo has hecho?; aún no sé cómo lo has hecho;* cuando equivale a 'por qué': *¿cómo no hiciste el examen?*; cuando forma parte de una exclamación para expresar encarecimiento: *¡cómo come!*; cuando denota extrañeza o enfado: *¡cómo!, ¿es que no se lo vas a decir?*; cuando se usa substantivado: *el cómo y el porqué;* en frases adverbiales: *¿Vas a ir? —¿Cómo no, si me espera?*

cómoda *f* cômoda.
comodidad *f* **1** comodidade, conforto. **2** comodidade, conveniência. **3** (gralte pl) comodidades.
comodín *m* curinga (de baraja).
cómodo, da *adj* **1** cômodo, confortável. **2** cômodo, conveniente.
Comores *f pl* Comores.
compacto, ta *adj* **1** compacto (denso, apretado). • *adj y m* **2** aparelho de som 3 em 1.
compadecer *tr y pron* compadecer.
compadre *m* compadre.
compaginar *tr* **1** coordenar, estruturar. • *tr y pron* **2** concatenar, combinar.
compañerismo *m* companheirismo.
compañero, ra *m y f* **1** companheiro, colega (de trabajo, colegio). **2** companheiro (marido, esposa).
compañía *f* **1** companhia (acompañante). **2** companhia (acompañamiento). **3** companhia (asociación).
comparable *adj* comparável.
comparación *f* **1** comparação (cotejo). **2** comparação (similitud).
comparar *tr y pron* comparar.
comparativo, va *adj* **1** comparativo. • *adj y m* **2** GRAM comparativo.
comparecencia *f* DER comparecimento, apresentação.
comparecer *intr* comparecer, apresentar-se.
comparsa *f* **1** comparsaria, figurantes. **2** bloco, grupo (de carnaval). • *m o f* **3** comparsa, figurante.
compartimento o **compartimiento** *m* compartimento, divisão.
compartir *tr* **1** compartir, dividir. **2** compartir (participar).
compás *m* **1** compasso (instrumento). **2** MAR bússola. **3** MÚS compasso (ritmo, cadencia).
compasar *tr* **1** compassar (medir). **2** (fig) compassar (proporcionar, equilibrar). **3** MÚS compassar.
compasillo *m* compasso quaternário.
compasión *f* compaixão.
compatibilidad *f* compatibilidade.
compatible *adj* compatível.
compatriota *m o f* compatriota.
compeler o **compelir** *tr* compelir (obrigar).
compendiar *tr* compendiar.
compendio *m* compêndio. ■ **en ~** em compêndio.
compenetrarse *pron* **1** compenetrar-se (penetrar). **2** (fig) entender-se, identificar-se.
compensación *f* **1** compensação (igualación). **2** compensação (indemnización).
compensar *tr, intr y pron* **1** compensar (igualar). • *tr y pron* **2** compensar (reparar, resarcir).
competencia *f* **1** competição, competência (rivalidad). **2** competência (aptitud).

C

competente *adj* **1** competente (apto, idóneo). **2** competente (autorizado).
competición *f* **1** competição (rivalidad). **2** competição (certamen deportivo).
competir *intr y pron* **1** competir (contender). • *intr* **2** competir (igualar).
competitivo, va *adj* competitivo.
compilador, ra *adj/m y f* **1** compilador. • *m* **2** INF compilador.
compilar *tr* **1** compilar. **2** INF compilar.
compinche *m o f* (fam) cupincha.
complacer *tr* **1** comprazer (satisfacer). **2** comprazer, servir.
complaciente *adj* complacente.
complejidad *f* complexidade.
complejo, ja *adj* **1** complexo (compuesto). **2** complexo (complicado, difícil). • *m* **3** complexo (edificios, establecimientos). **4** PSIC complexo.
complementario, ria *adj* complementar, complementário.
complementar *tr y pron* complementar.
complemento *m* **1** complemento, complementação. **2** GEOM complemento. **3** GRAM complemento.
completar *tr* **1** completar (añadir). **2** completar (terminar, perfeccionar).
completo, ta *adj* **1** completo (lleno). **2** completo (acabado).
complexión *f* **1** compleição. **2** RET complexão.
complicación *f* **1** complicação (dificultad). **2** complicação (complejidad).
complicado, da *adj* **1** complicado (enmarañado, complejo). **2** complicado (problemático).
complicar *tr y pron* **1** complicar (implicar). **2** (fig) complicar (dificultar, enredar).
cómplice *m o f* cúmplice.
complicidad *f* cumplicidade.
complot o **compló** *m* complô.
componedor, ra *m y f* **1** compositor. **2** *Arg., Chile, Col., Méx.* ortopedista.
componenda *f* conchavo, conluio.
componente *adj y m* componente.
componer *tr* **1** compor (juntar, formar). **2** compor, consertar (reparar, ordenar). **3** compor, produzir (obra literaria, musical). **4** (fam) melhorar (restablecer). • *tr y pron* **5** compor (constituir, formar).
comportamiento *m* comportamento, conduta.
comportar *tr* **1** comportar (implicar). • **~se** *pron* **2** comportar-se (portarse, conducirse).
composición *f* **1** composição (ingredientes). **2** composição (obra literaria, musical). **3** composição, redação.
compositor, ra *adj/m y f* compositor.
compostura *f* **1** compostura (decoro). **2** compostura (aseo, aliño). **3** compostura (composición).
compota *f* compota.
compra *f* **1** compra (adquisición). **2** compras (comestibles). ■ **hacer la ~** fazer as compras.
comprador, ra *adj/m y f* comprador.
comprar *tr* **1** comprar (adquirir). **2** (fig) comprar (sobonar).
compraventa *f* compra e venda.
comprender *tr y pron* **1** compreender (contener). • *tr* **2** compreender (entender).
comprensible *adj* compreensível, inteligível.
comprensión *f* **1** compreensão (entendimiento). **2** compreensão (tolerancia).
comprensivo, va *adj* **1** compreensivo (perspicaz). **2** compreensivo (tolerante).
compresa *f* **1** compressa (para heridas). **2** absorvente higiênico.
compresible *adj* compressível.
compresión *f* compressão.
compresor, ra *adj y m* **1** compressor. • *m* **2** compressor.
comprimido, da *adj* **1** comprimido. • *m* **2** comprimido (pastilla).
comprimir *tr y pron* **1** comprimir (oprimir, apretar). **2** (fig) comprimir (reprimir, contener).
comprobante *adj* **1** comprovante. • *m* **2** comprovante (recibo).
comprobar *tr* comprovar (verificar).
comprometedor, ra *adj* comprometedor.
comprometer *tr y pron* **1** comprometer (involucrar). **2** comprometer (arriesgar).
comprometido, da *adj* **1** comprometido. **2** perigoso, arriscado.
compromiso *m* **1** compromisso (obligación). **2** compromisso (dificultad, apuro). **3** compromisso (de matrimonio).
compuerta *f* comporta.
compuesto, ta *adj* **1** composto (constituido). **2** (fig) arrumado, vestido. **3** (fig) composto (circunspecto).

compulsa *f* **1** compulsação, exame. **2** DER autenticação, validação.
compulsar *tr* compulsar, autenticar.
compulsión *f* **1** compulsão (inclinación, pasión). **2** DER compulsão.
compungido, da *adj* compungido, arrependido.
computación *f* **1** computação (cómputo). **2** *Amér.* INF computação.
computador, ra *m y f Amér.* computador (ordenador).
computar *tr* **1** computar (calcular). **2** computar (incluir).
computarizar *tr* computadorizar, processar.
cómputo *m* cômputo (cálculo).
comulgar *tr e intr* **1** comungar. • *intr* **2** (fig) comungar, concordar.
común *adj* **1** comum (colectivo, comunitario). **2** comum (frecuente). **3** comum (ordinario). ▪ **por lo ~** normalmente, usualmente.
comuna *f* **1** comunidade. **2** *Amér.* município.
comunal *adj* comunal (común, colectivo).
comunicación *f* **1** comunicação (manifestación). **2** comunicação (transmisión). **3** comunicação (trato, correspondencia). **4** comunicação (unión). ♦ **medio de ~** meio de comunicação; **vía de ~** via de comunicação.
comunicado, da *adj* **1** localizado. • *m* **2** comunicado (nota, declaración).
comunicar *tr* **1** comunicar (notificar). **2** comunicar (transmitir). • *tr y pron* **3** comunicar (unir). **4** comunicar-se, conversar.
comunicativo, va *adj* **1** comunicativo (extrovertido). **2** comunicativo (accesible).
comunidad *f* **1** comunidade (comunión): *comunidad de opiniones = comunidade de opiniões*. **2** comunidade, agrupamento: *comunidad de vecinos = comunidade de vizinhos*. ♦ **~ autónoma** comunidade autônoma.
comunión *f* **1** comunhão (unión, contacto). **2** REL comunhão.
comunismo *m* comunismo.
comunista *adj/m y f* comunista.
comunitario, ria *adj* **1** comunitário. **2** da União Européia.
con *prep* **1** (medio, instrumento) com: *le pegó con un palo = bateu-lhe com um pau*. **2** (compañía) com: *salió con sus amigas = saiu com as amigas*. **3** (adición) com: *tómate un vaso de agua con azúcar = tome um copo de água com açucar*. **4** (causa) com: *con el frío la gente no sale = com frio as pessoas não saem*.
concatenación *f* **1** concatenação. **2** RET concatenação.
concatenar *tr y pron* concatenar.
cóncavo, va *adj* **1** côncavo. • *m* **2** côncavo, concavidade.
concebir *intr y tr* **1** conceber (quedar preñada). **2** (fig) conceber (plan, idea). • *tr* **3** conceber (comprender).
conceder *tr* **1** conceder (dar). **2** conceder (convenir).
concejal, la *m y f* vereador.
concentración *f* **1** concentração (atención). **2** concentração (reunión). **3** concentração (de deportistas).
concentrado, da *adj* **1** concentrado (internado). **2** (fig) concentrado (atento). • *m* **3** concentrado (alimento).
concentrar *tr y pron* **1** concentrar (agrupar). • **~se** *pron* **2** concentrar (reflexionar).
concepción *f* **1** concepção, fecundação. **2** concepção (punto de vista).
concepto *m* **1** conceito (idea, opinión). **2** conceito (aspecto, calidad). ▪ **formar ~** conceituar.
conceptual *adj* conceitual.
conceptuar *tr* conceituar.
concerniente *adj* concernente.
concernir *intr y tr* concernir.
concertar *tr* **1** concertar (arreglar). **2** concertar (precio). • *tr y pron* **3** acordar, concertar.
concertista *m o f* concertista.
concesión *f* **1** concessão (entrega). **2** concessão (permiso).
concesionario, ria *adj/m y f* **1** concessionário. • *m* **2** concessionária (de automóviles).
concha *f* **1** concha (de molusco). **2** casco (de tortuga). **3** (fig) concha (concavidad).
conchabar *tr* **1** conchavar (asociar). • **~se** *pron* **2** (fam) conchavar (confabularse).
conciencia *f* **1** consciência (de sí mismo). **2** consciência (conocimiento). **3** consciência (moralidad). ♦ **mala ~** má consciência.

concienzudo, da *adj* consciencioso.
concierto *m* **1** acordo, concerto. **2** show (de pop, rock). **3** concerto (de música clásica).
conciliábulo *m* **1** conciliábulo. **2** (fig) conciliábulo, reunião secreta.
conciliación *f* conciliação (acuerdo).
conciliar *tr* conciliar (acordar).
conciliatorio, ria *adj* conciliatório.
concilio *m* **1** concílio (junta, congreso). **2** concílio (decretos).
concisión *f* concisão.
conciso, sa *adj* conciso.
concitar *tr* **1** concitar (instigar). **2** concitar (reunir). • *tr y pron* **3** concitar (excitar).
conciudadano, na *m y f* concidadão.
concluir *tr y pron* **1** concluir (finalizar). • *tr* **2** concluir (determinar).
conclusión *f* **1** conclusão (término). **2** conclusão (deducción). **3** conclusão (resolución).
concluyente *adj* concludente.
concomerse *pron* (fam, fig) corroer-se.
concomitante *adj* concomitante.
concomitar *tr* obrar em concomitância.
concordancia *f* **1** concordância (correspondencia). **2** GRAM concordância.
concordar *tr* **1** concordar (acordar). • *intr* **2** concordar (coincidir). • *tr e intr* **3** GRAM concordar.
concordia *f* **1** concórdia (conformidad). **2** concórdia (ajuste, unión).
concreción *f* **1** concreção. **2** MED concreção, cálculo.
concretar *tr* **1** concretizar (concordar). **2** reduzir, focalizar. • **~se** *pron* **3** limitar-se.
concreto, ta *adj* **1** concreto (real, preciso). **2** concreto (particular).
concubina *f* concubina.
conculcar *tr* **1** conculcar (pisar). **2** infringir (ley).
concuñado, da *m y f* concunhado.
concupiscencia *f* concupiscência.
concurrencia *f* **1** concorrência (participación). **2** concorrência (concurso).
concurrente *adj/m y f* concorrente.
concurrir *intr* **1** concorrer (competir). **~ a 2** concorrer a (acudir, reunirse): *concurrimos al estadio a ver el concierto = concorremos ao estádio para assistir ao show.*
concursante *adj/m y f* concorrente (a concurso, oposiciones).
concursar *tr* **1** concursar. **2** DER decretar falência.
concurso *m* **1** concurso (reunión). **2** concurso (participación). **3** concurso (oposición, examen).
concusión *f* concussão.
condado *m* **1** condado (dignidad). **2** condado (territorio).
condal *adj* condal.
conde *m* conde.
condecoración *f* **1** condecoração (honor). **2** condecoração (insignia).
condecorar *tr* condecorar.
condena *f* **1** condenação (pena, castigo). **2** DER condenação.
condenación *f* condenação.
condenado, da *adj/m y f* **1** condenado. • *adj* **2** (fig) condenado (endemoniado).
condenar *tr* **1** condenar (imponer pena). **2** condenar (reprobar). • *tr y pron* **3** condenar (culpar).
condenatorio, ria *adj* condenatório.
condensación *f* **1** condensação (resumen). **2** QUÍM condensação.
condensador *adj* **1** condensador. • *m* **2** FÍS condensador (aparato).
condensar *tr y pron* **1** condensar (espesar, concentrar). **2** condensar (reducir). • *tr* **3** (fig) condensar (resumir).
condesa *f* condessa.
condescendencia *f* condescendência.
condescender *intr* condescender.
condescendiente *adj* condescendente.
condición *f* **1** condição (índole). **2** condição (circunstancia). **3** condição (estado social). **4** DER condição.
condicional *adj* **1** condicional. • *adj y m* **2** GRAM condicional. ♦ **libertad ~** condicional.
condicionamiento *m* **1** condicionamento (condición). **2** (gralte pl) condicionamento (restricción).
condicionante *adj* condicionante.
condicionar *tr e intr* condicionar (depender, determinar).
condigno, na *adj* condigno.
condimentar *tr* condimentar, temperar.
condimento *m* condimento, tempero.
condolencia *f* **1** condolência (pesar). **2** condolência, pêsame.
condolerse *pron* condoer-se.

condominio *m* DER condomínio (copropiedad).
condón *m* camisinha, preservativo.
condonación *f* DER remissão, perdão (de deuda, pena).
condonar *tr* perdoar, remitir (deuda, pena).
cóndor *m* **1** condor (ave). **2** condor (moneda).
conducción *f* **1** condução (transporte). **2** condução, direção (de un vehículo). **3** condutos, canos (canalización).
conducir *tr* **1** conduzir (transportar). **2** conduzir (mandar, dirigir). **3** dirigir, conduzir (vehículo). **4** FÍS conduzir (transmitir).
conducta *f* conduta (comportamiento).
conducto *m* **1** conduto (canal). **2** conduto, via (medio). **3** ANAT conduto.
conductor, ra *m y f* motorista.
condumio *m* (fam) pitéu.
conectar *tr, intr y pron* **1** conectar (enchufar). **2** conectar (unir, juntar). **3** conectar, entrar em contato.
conejillo de Indias *m* porquinho-da-índia.
conejo *m* coelho.
conexión *f* **1** conexão (enlace). **2** conexión (enchufe).
conexionarse *pron* conectar-se.
conexo, xa *adj* conexo.
confabulación *f* confabulação.
confabularse *pron* confabular, tramar.
confección *f* **1** confecção (creación). **2** confecção, costura.
confeccionar *tr* confeccionar (platos, ropa, medicamentos).
confederación *f* **1** confederação (alianza). **2** confederação (entidad).
confederar *tr y pron* confederar.
conferencia *f* **1** conferência (reunión). **2** conferência (disertación). ◆ **~ de prensa** entrevista coletiva.
conferenciar *intr* conferenciar.
conferir *tr* conferir (conceder, atribuir).
confesar *tr y pron* **1** confessar (expresar). ● *tr* **2** confessar (reconocer).
confesión *f* **1** confissão (declaración). **2** confissão (de los pecados). **3** DER confissão.
confesional *adj/m y f* confessional.
confeso, sa *adj* confesso: *reo confeso = réu confesso.*
confeti *m* confete.
confiado, da *adj* **1** confiado (crédulo). **2** convencido (presumido).
confianza *f* **1** confiança (esperanza, seguridad). **2** confiança (ánimo). ◆ **voto de ~** voto de confiança. ■ **de ~** de confiança.
confiar *tr* **1** confiar (encargar). ● *intr y pron* **2** confiar (depositar confianza). ● **~se** *pron* **3** confiar-se (fiarse).
confidencia *f* confidência.
confidencial *adj* confidencial.
confidente, ta *adj/m y f* **1** confidente. ● *m y f* **2** informante (espía, delator).
configuración *f* **1** configuração (disposición). **2** INF configuração.
configurar *tr y pron* **1** configurar (formar). ● *tr* **2** INF configurar.
confín *m* confim.
confinado, da *adj* confinado.
confinar *tr, intr y pron* **1** confinar (recluir). ● *intr* **2** confinar (lindar).
confirmación *f* **1** confirmação (ratificación). **2** confirmação (reafirmación). **3** REL crisma, confirmação.
confirmar *tr* **1** confirmar (corroborar). **2** confirmar (revalidar). ● *tr y pron* **3** confirmar (asegurar).
confiscar *tr* confiscar.
confitar *tr* confeitar.
confite *m* (gralte pl) confeito.
confitura *f* geléia.
conflagración *f* conflagração, conturbação (de pueblos, naciones).
conflagrar *tr* conflagrar (incendiar).
conflictivo, va *adj* conflituoso.
conflicto *m* **1** conflito (lucha). **2** (fig) conflito (apuro).
confluencia *f* **1** confluência (convergencia). **2** confluência (punto de unión).
confluir *intr* **1** confluir (juntarse). **2** (fig) confluir, encontrar (muchedumbre).
conformación *f* conformação.
conformar *tr, intr y pron* **1** conformar, moldar. **2** formar.
conforme *adj* **1** conforme (correspondiente). **2** conforme, de acordo. ● *adv* **3** conforme (como): *lo instaló conforme las instrucciones = instalou-o conforme as instruções.* **4** conforme, a medida que.
conformidad *f* **1** conformidade (correspondencia). **2** conformidade (concordia).

conformista *adj/m y f* conformista.
confort *m* conforto, comodidade.
confortante *adj/m y f* confortante, confortador.
confortar *tr y pron* confortar (animar).
confraternidad *f* confraternidade.
confraternizar *intr* confraternizar.
confrontación *f* **1** confrontação (careo). **2** confrontação (comparación).
confrontar *tr* **1** confrontar (carear). **2** confrontar (comparar).
confundir *tr y pron* **1** confundir (mezclar). **2** confundir (desordenar).
confusión *f* **1** confusão (mezcla). **2** (fig) confusão (equivocación).
confusionismo *m* confusionismo (en ideas, lenguaje).
confuso, sa *adj* **1** confuso (mezclado). **2** confuso (dudoso). **3** (fig) confuso (turbado).
conga *f Cuba* conga (baile, música).
congelación *f* **1** congelação, congelamento. **2** (fig) congelamento (paralización). **3** ECON congelamento (de sueldos, cuentas).
congelador *m* congelador.
congelar *tr y pron* **1** congelar, gelar (líquido, alimento). **2** congelar, esfriar (cuerpo).
congénere *adj/m y f* congênere.
congeniar *intr* simpatizar-se, dar-se bem.
congénito, ta *adj* congênito (connatural).
congestión *f* **1** congestão (de fluido): *congestión nasal = congestão nasal.* **2** (fig) congestionamento (aglomeración).
congestionar *tr y pron* **1** congestionar (sangre). **2** (fig) congestionar, engarrafar (tráfico).
congestivo, va *adj* congestivo.
conglomerado *m* **1** conglomerado (conjunto). **2** conglomerado (de empresas).
conglomerar *tr y pron* **1** conglomerar (amontonar). **2** conglomerar (unir).
Congo, República del *f* República do Congo.
Congo, República Democrática del *f* República Democrática do Congo.
congoja *f* angústia, pesar.
congoleño, ña *adj/m y f* conguês, congolês.
congosto *m* desfiladeiro, garganta.
congraciar *tr y pron* congraçar.
congratular *tr y pron* congratular.
congregación *f* **1** congregação, assembléia. **2** congregação, confraria (hermandad).
congregar *tr y pron* congregar.
congresista *m o f* congressista.
congreso *m* **1** congresso (reunión, conferencia). **2** congresso (cuerpo legislativo).
congrio *m* congro (pez).
congruencia *f* **1** congruência (coherencia). **2** MAT congruência.
congruente *adj* congruente.
cónico, ca *adj* GEOM cônico.
conjetura *f* conjectura.
conjeturar *tr* conjecturar.
conjugación *f* **1** conjugação (combinación). **2** GRAM conjugação.
conjugar *tr* **1** conjugar (combinar). **2** GRAM conjugar.
conjunción *f* **1** conjunção (unión). **2** ASTR conjunção. **3** GRAM conjunção. ◆ ~ **adversativa** GRAM conjunção adversativa; ~ **causal** GRAM conjunção causal; ~ **concesiva** GRAM conjunção concessiva; ~ **disyuntiva** GRAM conjunção disjuntiva ou alternativa.
conjuntar *tr* conjuntar.
conjunto, ta *adj* **1** conjunto (unido). **2** conjunto (aliado). ● *m* **3** conjunto (agrupación). **4** conjunto (de ropa). **5** conjunto (grupo musical).
conjura o **conjuración** *f* conjura, conjuração.
conjurado, da *adj/m y f* conjurado.
conjurar *intr y pron* **1** conjurar (asociarse). **2** (fig) conjurar (conspirar). ● *tr* **3** conjurar (exorcizar).
conjuro *m* **1** conjuro (exorcismo). **2** conjuro (fórmula mágica).
conllevar *tr* **1** implicar (suponer). **2** sofrer (soportar).
conmemoración *f* comemoração.
conmemorar *tr* comemorar.
conmemorativo, va *adj* comemorativo.
conmensurar *tr* comensurar.
conmigo *pron* comigo.
conminar *tr* cominar (amenazar).
conmiseración *f* comiseração.
conmoción *f* **1** comoção (perturbación). **2** comoção (revuelta).
conmover *tr y pron* **1** comover (perturbar). **2** comover (enternecer).

conmutación *f* comutação. ◆ **~ de pena** DER comutação da pena.
conmutar *tr* **1** comutar (cambiar, sustituir). **2** DER comutar (pena, condena).
conmutativo, va *adj* comutativo (permutable).
connatural *adj* conato, conatural.
connivencia *f* **1** conivência (transigencia, tolerancia). **2** conivência (confabulación).
connotación *f* **1** conotação (implicación). **2** conotação (repercusión).
connotado, da *adj Amér.* notável (ilustre).
connotar *tr* GRAM conotar (relacionar, significar).
cono *m* **1** GEOM cone. **2** ANAT cone (de la retina). ◆ **Cono Sur** Cone Sul.
conocer *tr* **1** conhecer (descubrir, saber). • *tr y pron* **2** conhecer (tener trato). **3** conhecer (experimentar). ■ **darse a ~** fazer-se conhecer.
conocido, da *adj* **1** conhecido (ilustre). **2** conhecido (familiar).
conocimiento *m* **1** conhecimento (cognición). **2** conhecimento (inteligencia). **3** conhecimento, consciência. • **conocimientos** *m pl* **4** conhecimentos (nociones). ■ **recobrar el ~** recobrar a consciência.
conque *conj* **1** (consecuencia) portanto, de modo que. **2** (sorpresa, confirmación) então. **3** (reprensión) quem é que disse.
conquista *f* **1** conquista (logro). **2** conquista (territorio, premio, persona).
conquistar *tr* **1** conquistar (apoderarse). **2** conquistar (lograr). **3** (fig) conquistar (captar).
consabido, da *adj* consabido (conocido).
consagración *f* **1** consagração (en la misa). **2** consagração (dedicación).
consagrar *tr y pron* **1** consagrar (afamar). **2** consagrar, devotar.
consanguíneo, a *adj/m y f* consangüíneo.
consanguinidad *f* consangüinidade.
consciente *adj* **1** consciente (conocedor). **2** consciente (cuidadoso). **3** consciente (lúcido).
consecución *f* consecução.
consecuencia *f* **1** conseqüência (resultado). **2** conseqüência (correspondencia).
consecuente *adj* **1** conseqüente (siguiente). **2** conseqüente (coherente).
consecutivo, va *adj* consecutivo.
conseguir *tr* conseguir.
consejero, ra *m y f* **1** conselheiro (asesor). **2** conselheiro (consiliario).
consejo *m* **1** conselho (recomendación). **2** conselho (asamblea, junta). ◆ **~ de guerra** conselho de guerra. ■ **tomar ~** pedir conselho.
consenso *m* consenso.
consentido, da *adj* **1** mimado. **2** corno conformado.
consentimiento *m* **1** consentimento. **2** DER consenso.
consentir *tr e intr* **1** consentir (permitir). • *tr* **2** mimar.
conserje *m o f* zelador (de un edificio).
conserva *f* conserva (de alimentos).
conservación *f* conservação, preservação.
conservador, ra *adj/m y f* conservador, preservador.
conservadurismo *m* conservadorismo.
conservante *adj y m* conservante.
conservar *tr y pron* **1** conservar (preservar). • *tr* **2** conservar (guardar).
conservatorio, ria *adj* conservatório, conservativo.
consideración *f* **1** consideração (reflexión). **2** consideração (respeto). **3** consideração (opinión).
considerado, da *adj* **1** considerado (meditado). **2** respeitado, considerado. **3** atencioso.
considerar *tr* **1** considerar (reflexionar). **2** considerar (respetar). • *tr y pron* **3** considerar (juzgar).
consigna *f* **1** ordem (instrucción). **2** guarda-volumes.
consignar *tr* **1** consignar (poner por escrito). **2** consignar, assentar. **3** *Col.* depositar. **4** COM, DER consignar.
consigo *pron* consigo. ■ **~ mismo** consigo mesmo.
consiguiente *adj* conseguinte.
consistencia *f* **1** consistência (estabilidad, solidez). **2** consistência (cohesión).
consistente *f* consistente.
consistir *intr* **1** consistir (basar, radicar). **2** consistir (componerse).
consistorial *adj/m y f* consistorial.
consistorio *m* **1** consistório (consejo romano). **2** consistório (consejo religioso).

consola *f* **1** console, consolo (mesa). **2** console (panel).
consolar *tr y pron* consolar.
consolidación *f* consolidação.
consolidar *tr y pron* **1** consolidar (solidificar). • *tr* **2** (fig) consolidar (afianzar).
consomé *m* GAST consomê.
consonancia *f* **1** MÚS consonância. **2** (fig) consonância (conformidad).
consonante *adj/m y f* **1** consoante (rima). • *adj y f* **2** consoante (letra). • *adj* **3** (fig) consoante (correspondiente).
consorcio *m* **1** consórcio (asociación). **2** consórcio (casamiento).
consorte *m o f* **1** consorte (partícipe). **2** consorte (cónyuge).
conspicuo, cua *adj* conspícuo (ilustre).
conspiración *f* conspiração.
conspirar *intr* **1** conspirar (confabular). • *tr* **2** conspirar (concurrir).
constancia *f* **1** constância (firmeza, perseverancia). **2** anotação, registro. ■ **dejar ~** fazer constar.
constante *adj* **1** constante (perseverante). **2** constante (durable).
constar *intr* **1** constar (ser cierto). **2** constar (registrar, figurar).
constatar *tr* constatar.
constelación *f* **1** constelação (de estrellas). **2** (fig) constelação (conjunto armonioso).
consternación *f* consternação.
consternar *tr y pron* consternar (perturbar, afligir).
constipado *m* resfriado.
constiparse *pron* resfriar-se, encatarrar-se.
constitución *f* **1** constituição (composición). **2** constituição (ley). **3** constituição (complexión, naturaleza).
constitucional *adj* **1** constitucional (legal). **2** constitucional (complexional).
constituir *tr* **1** constituir (componer, ser). • *tr y pron* **2** constituir (nombrar). **3** constituir (fundar). • **~se** *pron* **4** constituir (cargo, obligación, función).
constituyente *adj* constituinte (componente).
constreñir *tr* **1** constranger (obligar). **2** constranger (oprimir, limitar).
constricción *f* **1** constrição (obligación). **2** constrição (opresión, limitación).
construcción *f* **1** construção (fabricación, creación). **2** construção (edificio). **3** GRAM construção (ordenamiento).
constructivo, va *adj* construtivo.
construir *tr* **1** construir (fabricar, edificar). **2** GRAM construir (ordenar).
consuegro, gra *m y f* consogro.
consuelo *m* consolo, consolação.
consuetudinario, ria *adj* consuetudinário (habitual). ◆ **derecho ~** DER direito consuetudinário.
cónsul *m o f* **1** cônsul (diplomático). • *m* **2** cônsul (magistrado).
consulado *m* consulado (cargo, despacho, distrito).
consulta *f* **1** consulta, atendimento. **2** consulta (parecer). **3** consulta (investigación).
consultar *tr* **1** consultar (aconsejarse). **2** consultar (investigar). ■ **~ con la almohada** (fig) consultar o travesseiro.
consultivo, va *adj* consultivo.
consultorio *m* **1** consultório (de médico). **2** consultoria (de asuntos técnicos).
consumación *f* **1** consumação (realización). **2** consumação (extinción).
consumado, da *adj* consumado (completo, perfecto).
consumar *tr* consumar (llevar a cabo).
consumición *f* **1** consumação (en un bar). **2** consumição (consumo, gasto). ◆ **~ mínima** consumação mínima.
consumido, da *adj* **1** consumido. **2** (fig, fam) consumido, enfraquecido.
consumidor, ra *adj/m y f* consumidor.
consumir *tr y pron* **1** consumir (extinguir). **2** (fig, fam) consumir (afligir). • *tr* **3** consumir (gastar).
consumismo *m* consumismo.
consumo *m* **1** consumo (ingestión). **2** consumo (gasto).
consunción *f* **1** consumpção (consumición). **2** esgotamento, debilitação.
consustancial *adj* consubstancial.
contabilidad *f* **1** contabilidade (actividad). **2** contabilidade (cuentas).
contabilizar *tr* contabilizar.
contactar *tr* contatar.
contacto *m* **1** contato (toque, roce). **2** contato (conexión). **3** (fig) contato (relación). ■ **ponerse en ~** entrar em contato.
contado, da *adj* contado, determinado. ■ **pagar al ~** pagar à vista.
contagiar *tr y pron* **1** contagiar (enfermedad). **2** (fig) contagiar, transmitir (afición, sentimiento, costumbre).

contagio *m* **1** contágio (de enfermedades). **2** (fig) transmissão (de aficiones, sentimientos, costumbres).
contagioso, sa *adj* **1** contagioso (enfermedad). **2** (fig) contagiante (estado de ánimo).
container *m* contêiner, container.
contaminación *f* **1** contaminação (contagio). **2** poluição (de agua, alimento, aire).
contaminante *adj/m y f* poluente.
contaminar *tr y pron* **1** poluir, contaminar. **2** contaminar (contagiar). **3** (fig) contaminar (pervertir).
contante *adj* em dinheiro.
contar *tr* **1** contar (computar). **2** contar (narrar). • *tr e intr* **3** contar (considerar). • *intr* **4** valer (equivaler). ■ **~ con alguien** contar com alguém:, *contó con ellos para el trabajo = contou com eles para o trabalho.*
contemplación *f* **1** contemplação (observación). **2** contemplação, consideração. • **contemplaciones** *f pl* **3** cuidados.
contemplar *tr* **1** contemplar (observar). **2** contemplar (considerar).
contemplativo, va *adj* **1** contemplativo (observador). **2** contemplativo (meditativo).
contemporáneo, a *adj/m y f* contemporâneo.
contemporizar *intr* contemporizar (adaptarse).
contención *f* contenção (sujeción).
contencioso, sa *adj* **1** contencioso. • *adj/m y f* **2** DER litigioso, contencioso.
contender *intr* contender (disputar, luchar).
contenedor, ra *adj* **1** continente. • *m* **2** contêiner.
contener *tr y pron* **1** conter, ter em si. **2** conter (controlar, reprimir).
contenido, da *adj* **1** contido. • *m* **2** conteúdo.
contentar *tr* **1** contentar (satisfacer). • **~se** *pron* **2** contentar-se, conformar-se.
contento, ta *adj* **1** contente. • *m* **2** contentamento.
contestación *f* resposta.
contestador *m* secretária eletrônica.
contestar *tr e intr* **1** responder. **2** (fam, coloq) responder (replicar, impugnar). • *intr* **3** contestar (protestar).
contexto *m* **1** contexto (entorno, situación). **2** contexto (lingüístico).
contienda *f* **1** contenda (discusión, enfrentamiento). **2** DEP disputa.
contigo *pron* com você, contigo: *quiero irme contigo = quero ir com você.*
contigüidad *f* contigüidade.
contiguo, gua *adj* contíguo.
continencia *f* **1** continência (moderación). **2** castidade, continência (abstinencia).
continental *adj* continental.
continente *adj* **1** continente (moderado). • *adj y m* **2** continente: *el continente es mejor que el contenido = o continente é melhor que o conteúdo.* • *m* **3** GEOG continente.
contingencia *f* **1** contingência. **2** risco.
contingente *adj* **1** contingente, incerto (posible). • *m* **2** contingente (cuota, contribución).
continuación *f* continuação. ■ **a ~** a seguir.
continuar *tr* **1** continuar (proseguir). • *intr* **2** continuar (durar). • **~se** *pron* **3** continuar (extenderse).
continuidad *f* continuidade.
continuismo *m* continuísmo.
continuo, nua *adj* **1** contínuo (seguido). **2** contínuo (constante).
contonearse *pron* requebrar-se (caderas).
contornear *tr* **1** contornar (circundar). **2** contornar (delinear).
contorno *m* **1** contorno (entorno, alrededores). **2** contorno (línea).
contorsión *f* contorção.
contorsionarse *pron* contorcer-se.
contra *prep* **1** contra (oposición): *fue a mi casa contra su voluntad = foi na minha casa contra sua vontade.* **2** contra (contacto, apoyo): *puso su cabeza contra mi pecho = pôs a cabeça contra meu peito.* **3** em troca de, por: *entregó el paquete contra recibo = entregou a encomenda em troca do recibo.* • *m* **4** contra (desventaja). ■ **~ reembolso** por reembolso postal; **en ~ de** contra.

> Cuando la locución preposicional **en contra de** va acompañada de un pronombre personal, se elide la preposición: *todo se vuelve en contra suya.*

contraataque *m* contra-ataque.
contrabajo *m* **1** MÚS contrabaixo (instrumento, voz). • *m o f* **2** MÚS contrabaixista.
contrabandista *adj/m y f* contrabandista.
contrabando *m* **1** contrabando (comercio). **2** contrabando (mercancía).
contracción *f* **1** contração (reducción). **2** contração, aquisição (de una enfermedad, vicio). **3** GRAM contração.
contractual *adj* contratual.
contractura *f* **1** MED contratura. **2** ARQ contratura.
contradecir *tr y pron* contradizer.
contradicción *f* **1** contradição (oposición). **2** contradicción (incongruencia).
contradictorio, ria *adj* contraditório.
contraer *tr* **1** contrair (estrechar). **2** contrair (vicio, enfermedad).
contragolpe *m* **1** MED contragolpe (conmoción). **2** DEP contra-ataque.
contrahecho, cha *adj/m y f* torto.
contraindicar *tr* MED contra-indicar.
contralto *m* MÚS contralto (voz).
contraluz *f* **1** contraluz. **2** contraluz (fotografía).
contramaestre *m* contramestre (de fábricas, obras).
contraorden *f* contra-ordem.
contrapartida *f* contrapartida (compensación).
contrapelo **a ~** *loc adv* **1** a contrapelo. **2** (fig, fam) a contrapelo, na contramão.
contrapesar *tr* **1** contrapesar, contrabalançar. **2** (fig) compensar, igualar.
contrapeso *m* **1** contrapeso (peso). **2** (fig) contrapeso (equilibrio).
contraponer *tr* contrapor, confrontar.
contraportada *f* contracapa.
contraposición *f* contraposição.
contraproducente *adj* contraproducente, contraprodutivo.
contrapuerta *f* anteporta.
contrapuntear *tr* MÚS contrapontear.
contrapunto *m* **1** MÚS contraponto. **2** (fig) contraponto (contraste).
contrariar *tr* **1** contrariar (oponerse). **2** contrariar (disgustar).
contrariedad *f* **1** contrariedade (oposición). **2** contrariedade (contratiempo).
contrario, ria *adj/m y f* **1** contrário (opuesto). • *m y f* **2** contrário (enemigo). ■ **al o por el ~** ao ou pelo contrário.
contrarreloj *adj y f* contra o relógio (carrera).
contrarrestar *tr* **1** contra-arrestar (resistir). **2** neutralizar.
contrasentido *m* contra-senso.
contraseña *f* **1** senha. **2** contramarca (en animales).
contrastar *tr* **1** contrastar (comprobar). • *intr* **2** contrastar (diferenciar).
contraste *m* **1** contraste (comprobación). **2** contraste (oposición). **3** contraste (de imagen).
contrata *f* contrata.
contratación *f* contratação.
contratar *tr* **1** contratar (pactar, comerciar). • *tr y pron* **2** contratar, empregar.
contratiempo *m* contratempo. ■ **a ~** MÚS em contratempo.
contratista *m o f* contratista.
contrato *m* contrato (acuerdo, documento). ◆ **~ basura** contrato precário; **~ de compraventa** DER contrato de compra e venda.
contravenir *intr y tr* contravir.
contraventana *f* venezianana, folha de janela.
contrayente *m o f* contraente (en matrimonio).
contribución *f* **1** contribuição (impuesto). **2** contribuição (ayuda).
contribuir *tr* **1** contribuir (pagar). **2** contribuir (donar).
contribuyente *adj/m y f* contribuinte.
contrición *f* contrição.
contrincante *m o f* adversário, rival.
contristar *tr y pron* contristar (entristecer).
contrito, ta *adj* contrito.
control *m* **1** controle, fiscalização (inspección). **2** controle (dominio). **3** controle (limitación). ◆ **~ de calidad** controle de qualidade; **~ policial** blitz, batida policial; **~ remoto** controle remoto.
controlador, ra *m y f* controlador.
controlar *tr* **1** controlar, fiscalizar. **2** controlar (dominar).
controversia *f* controvérsia.
controvertido, da *adj* controvertido, controverso.
controvertir *intr y tr* controverter.
contubernio *m* **1** contubérnio (cohabitación). **2** contubérnio (concubinato).
contumacia *f* contumácia (obstinación).

contumaz *adj* contumaz (obstinado).
contumelia *f* contumélia.
contundente *adj* **1** contundente (dañino). **2** (fig) contundente (categórico, decisivo).
conturbación *f* conturbação.
conturbar *tr y pron* conturbar.
contusión *f* contusão.
contusionar *tr y pron* contundir.
contuso, sa *adj/m y f* contuso.
convalecencia *f* convalescença, recuperação.
convalecer *intr* convalescer (recobrarse).
convaleciente *adj* convalescente.
convalidación *f* convalidação.
convalidar *tr* **1** convalidar (confirmar). **2** convalidar (diploma, estudios).
convección *f* FÍS convecção.
convecino, na *adj* **1** convizinho (próximo). • *adj/m y f* **2** convizinho (vecino).
convencer *tr y pron* **1** convencer (persuadir). **2** convencer (demostrar).
convencimiento *m* convencimento (convicción). ■ **tener el ~ de** estar convencido de.
convención *f* **1** convenção (acuerdo, ajuste). **2** convenção (norma).
convencional *adj* **1** convencional (acordado, aceptado). **2** convencional (común).
convencionalismo *m* convencionalismo.
convenible *adj* dócil, fácil (carácter).
conveniencia *f* **1** conveniência (conformidad). **2** conveniência (utilidad). • **conveniencias** *f pl* **3** bens, renda.
conveniente *adj* conveniente.
convenio *m* **1** convênio (pacto). **2** convênio (contrato).
convenir *intr* **1** convir (ser conveniente). **2** convir (coincidir).
convento *m* **1** convento (monasterio). **2** convento (comunidad).
conventual *adj/m y f* conventual.
convergencia *f* convergência.
convergente *adj* convergente.
converger o **convergir** *intr* **1** convergir (líneas). **2** (fig) convergir (objetivo, idea).
conversación *f* conversa, conversação (plática). ■ **dar ~** dar trela; **dejar caer en la ~** (fig, fam) soltar, deixar escapar.
conversacional *adj* coloquial.
conversador, ra *adj/m y f* conversador.
conversar *intr* conversar, falar.
conversión *f* **1** conversão (transformación). **2** conversão (de religión).
converso, sa *adj/m y f* converso, convertido.
convertibilidad *f* convertibilidade.
convertidor *m* conversor (de corriente).
convertir *tr y pron* **1** converter (transformar). **2** converter (religión, ideología).
convexo, xa *adj* convexo.
convicción *f* **1** convicção, certeza. **2** convencimento (persuasión). **3** (gralte pl) convicção (creencia).
convicto, ta *adj* DER convicto: *acusado convicto = acusado convicto.*
convidado, da *m y f* convidado (invitado).
convidar *tr y pron* **1** convidar (invitar). • *tr* **2** (fig) convidar (incitar).
convincente *adj* convincente.
convite *m* **1** convite (invitación). **2** banquete.
convivencia *f* convivência.
convivir *intr* conviver.
convocación *f* convocação.
convocar *tr* **1** convocar (citar). **2** convocar (concurso, oposiciones).
convocatoria *f* convocatória (anuncio).
convoy *m* **1** comboio (escolta). **2** comboio (de vehículos). **3** comboio (tren).
convoyar *tr* comboiar (escoltar).
convulsión *f* **1** convulsão (espasmo). **2** (fig) convulsão (agitación). **3** GEOL cataclismo (terremoto).
convulsionar *tr* **1** convulsionar, espasmar. **2** (fig) convulsionar (agitar, perturbar).
convulso, sa *adj* **1** convulso (espasmódico). **2** trêmulo (de rabia, excitación).
conyugal *adj* conjugal.
cónyuge *m o f* cônjuge.
coñá o **coñac** *m* conhaque.
coñazo *m* (vulg) saco, chatice. ■ **dar el ~** (vulg) encher o saco.
coño *m* **1** (vulg) boceta, xoxota. • **¡~!** *interj* **2** (vulg) caralho!, porra! ■ **en el quinto ~** (vulg) na casa do caralho.
cooperación *f* cooperação.
cooperador, ra *adj/m y f* cooperador.
cooperante *adj/m y f* cooperante.
cooperar *tr* cooperar.

C

cooperativa *f* cooperativa.
cooperativismo *m* cooperativismo.
cooperativo, va *adj* cooperativo.
coordenada *f* GEOM (gralte pl) coordenada (línea).
coordinación *f* **1** coordenação (organización). **2** GRAM coordenação.
coordinado, da *adj* **1** GEOM ⇒ coordenado, da. **2** GRAM coordenado.
coordinador, ra *m y f* coordenador.
coordinar *tr* **1** coodenar (organizar). **2** coordenar (unir).
copa *f* **1** taça (vaso). **2** copa (del árbol, sombrero). **3** drinque. **4** DEP copa (competición, premio). ■ **ir de copas** (fam) ir para a farra.
copear *intr* (fam) tomar uns tragos.
copero, ra *adj* DEP favorito.
copetín *m* **1** *Amér.* drinque, aperitivo. **2** *Arg.* coquetel (reunión).
copetudo, da *adj* **1** topetudo. **2** (fig, fam) convencido, presunçoso.
copia *f* **1** cópia (reproducción). **2** cópia (imitación). **3** cópia, retrato (sosia).
copiadora *f* fotocopiadora, máquina de reprografia.
copiar *tr* **1** copiar (reproducir). **2** copiar (imitar).
copiloto *m* co-piloto.
copión, na *adj/m y f* **1** (desp) imitador. • *m* **2** cópia barata (de cuadro, estatua).
copiosidad *f* copiosidade.
copioso, sa *adj* copioso.
copistería *f* reprografia (establecimiento).
copla *f* **1** copla (estrofa). **2** copla (poema). • **coplas** *f pl* **3** versos.
copo *m* **1** floco (de nieve, maíz, avena). **2** copo (de lana, algodón). **3** *Venez.* copa (de árbol).
copra *f* copra.
coproducción *f* co-produção.
copropiedad *f* co-propriedade.
copto, ta *adj/m y f* copta.
cópula *f* **1** cópula (unión sexual). **2** cópula (ligamiento). **3** ARQ cúpula (de edificio).
copular *intr y pron* **1** copular (unirse sexualmente). • *tr* **2** copular (juntar).
coquetear *intr* **1** paquerar, coquetear. **2** jogar charme.
coquetería *f* **1** paquera. **2** vaidade.
coqueto, ta *adj/m y f* **1** vaidoso, coquete. • *adj* **2** (fam) bonitinho.
coquetón, na *adj/m y f* **1** paquerador. • *adj* **2** (fam) agradável.
coraje *m* **1** coragem (valor). **2** raiva, ira.
corajina *f* (fam) explosão de furia.
corajudo, da *adj* **1** colérico. **2** corajoso, destemido.
coral *adj* **1** MÚS coral. • *m* **2** MÚS coral (composición). **3** coral (animal, masa calcárea). • *f* **4** MÚS coro.
coralino, na *adj* coralino.
Corán *m* Corão, Alcorão.
coránico, ca *adj* alcorânico.
coraza *f* **1** couraça (armadura). **2** (fig) couraça, proteção.
corazón *m* **1** ANAT coração. **2** coração (forma). **3** (fig) coração (buena voluntad). **4** médio (dedo). • **corazones** *m pl* **5** copas (naipe). ■ **abrir el ~** (fig) abrir o coração.
corazonada *f* **1** pressentimento, intuição. **2** ímpeto, impulso.
corbata *f* **1** gravata (accesorio). **2** insígnia.
corbatín *m* gravata-borboleta.
corbeta *f* corveta.
corcel *m* corcel.
corcho *m* **1** cortiça, súber. **2** rolha (tapón).
corcova *f* corcunda, corcova.
corcovar *tr* encurvar, corcovar.
corcoveta *m o f* (fig, fam, desp) corcunda.
cordel *m* barbante, cordel.
cordero, ra *m y f* **1** cordeiro (animal). **2** (fig) cordeiro (dócil). • *m* **3** cordeiro (carne).
cordial *adj* cordial (afectuoso).
cordialidad *f* cordialidade.
cordillera *f* cordilheira.
cordillerano, na *adj Amér.* da cordilheira.
cordón *m* **1** cordão. **2** cadarço (de zapato). **3** *Arg., Chile, C. Rica, Cuba* meio-fio (de la acera). **4** MAR cordão.
cordura *f* cordura, juízo.
Corea del Norte *f* Coréia do Norte.
Corea del Sur *f* Coréia do Sul.
coreano, na *adj/m y f* **1** coreano. • *m* **2** coreano (lengua).
corear *tr* **1** compor músicas (para coros). **2** acompanhar com coro. **3** (fig) falar em coro.
coreografía *f* coreografia.

coreógrafo, fa *m y f* coreógrafo.
coriáceo, a *adj* coriáceo.
corindón *m* coríndon.
corista *m o f* **1** corista (de coro). • *f* **2** corista (de revista musical).
cornada *f* chifrada, cornada.
cornamenta *f* **1** cornadura. **2** (fig) chifres (de infidelidad).
córnea *f* ANAT córnea.
corneja *f* gralha (ave).
córner *m* DEP corner, escanteio.
corneta *f* **1** MÚS corneta (instrumento). **2** corneta (cuerno). **3** corneta (bandera). **4** MIL corneta. • *m* **5** corneta, corneteiro.
cornetín *m* MÚS cornetim (instrumento, músico).
cornisa *f* ARQ cornija.
cornudo, da *adj* **1** chifrudo. • *adj/m y f* **2** (fig) corno, chifrudo.
coro *m* **1** coro (conjunto de personas). **2** coro (parte recitada). **3** coro (lugar). ■ **a ~** em coro.
corola *f* BOT corola.
corolario *m* corolário (proposición).
corona *f* **1** coroa (para la cabeza). **2** coroa (fúnebre). **3** coroa, auréola. **4** (fig) coroa (monarquía, realeza). **5** (fig) coroa (honor, premio). **6** ANAT coroa dentária. ◆ **~ fúnebre** coroa funerária.
coronación *f* **1** coroação (de un rey). **2** (fig) coroamento, coroação (culminación).
coronar *tr y pron* **1** coroar (rey, emperador). • *tr* **2** (fig) coroar, rodear (parte superior).
coronario, ria *adj* coronário.
coronel *m* MIL coronel.
coronilla *f* **1** cocuruto (de la cabeza). **2** tonsura, cercilho. ■ **estar hasta la ~** (fig, fam) estar até as tampas.
corotos *m pl Amér.* trastes (utensilios).
corpiño *m* **1** corpete, corpinho. **2** *Arg., Ur.* sutiã.
corporación *f* **1** corporação (asociación). **2** corporação (empresa).
corporal *adj* corporal, corpóreo.
corporativo, va *adj* corporativo.
corporeizar o **corporizar** *tr y pron* corporalizar.
corpóreo, a *adj* corpóreo.
corpulencia *f* corpulência.
corpulento, ta *adj* corpulento.
corpus *m* corpus (de datos, textos).
corpuscular *adj* corpuscular.
corpúsculo *m* corpúsculo.
corral *m* **1** curral (para animales). **2** (fig) curral (lugar sucio).
correa *f* **1** correia (tira). **2** cinto (cinturón). **3** MEC correia.
correaje *m* correame, correagem.
corrección *f* **1** correção (de errores, defectos). **2** correção (reprensión). ◆ **~ de pruebas** correção de provas.
correccional *adj* **1** correcional. • *m* **2** casa de detenção.
correctivo, va *adj* **1** corretivo. • *adj y m* **2** MED corretivo (medicamento). • *m* **3** corretivo (castigo).
correcto, ta *adj* **1** correto (sin errores, defectos). **2** correto (cortés).
corrector, ra *adj/m y f* corretor.
corredera *f* **1** corrediça, trilho. **2** *Amér.* rua.
corredero, ra *adj* corrediço.
corredizo, za *adj* corrediço.
corredor, ra *adj/m y f* **1** corredor. • *m y f* **2** DEP corredor. • *m* **3** corredor (pasillo).
correduría *f* corretagem (oficio, actividad).
corregir *tr* **1** corrigir, retificar (errores, fallos). **2** corregir (reprender).
correlación *f* correlação (correspondencia).
correligionario, ria *adj/m y f* correligionário.
correntada *f Amér.* corredeira, correntada.
correntoso, sa *adj Amér.* correntoso (río).
correo *m* **1** correio (servicio). **2** correio (establecimiento). **3** correio (correspondencia). ◆ **~ aéreo** correio aéreo; **~ eletrónico** INF correio eletrônico.
correoso, sa *adj* **1** elástico. **2** (fig) borrachudo (alimento).
correr *intr* **1** correr (ir deprisa). **2** correr, escorrer (líquidos). **3** correr (en una carrera). **4** correr, percorrer. **5** correr, transcorrer (tiempo). **6** assumir (gastos, obligaciones). • **~se** *pron* **7** (vulg) gozar. ■ **a todo ~** (fig, fam) voando; **dejar ~** deixar correr.
correría *f* **1** correria, ataque (en tierra enemiga). • **correrías** *f pl* **2** (fam) aventuras.

correspondencia *f* **1** correspondência (correo). **2** correspondência, comunicação (entre estancias, líneas de transporte).
corresponder *intr y tr* **1** corresponder, retribuir (afectos, beneficios). • *intr y pron* **2** corresponder (adecuarse). • **~se** *pron* **3** corresponder-se, cartear-se.
correspondiente *adj* **1** correspondente (conveniente). • *adj/m y f* **2** correspondente (por carta).
corresponsal *m o f* correspondente (de medios de comunicación).
corresponsalía *f* cargo de correspondente (de medios de comunicación).
corretaje *m* **1** corretagem (comisión). **2** corretagem (oficio).
corretear *intr* **1** (fam) bater perna. **2** (fam) correr (niños). **3** *Amér.* perseguir.
correveidile o **correvedile** *m o f* (fig, fam) leva-e-traz, mexeriqueiro.
corrida *f* **1** corrida (carrera). **2** (vulg) gozada, gozo. ♦ **~ de toros** tourada.
corrido, da *adj* **1** corrido. **2** (fig) corrido, envergonhado. **3** (fam) vivido, com experiência. **4** excedido (peso, medida).
corriente *adj* **1** corrente (común). **2** corrente (actual). **3** corrente, vigente. • *f* **4** corrente (de agua, aire). **5** corrente, correnteza. **6** (fig) corrente, tendência. • *adv* **7** corrente, correntemente. ■ **estar al ~** (fam) estar por dentro; **llevarle o seguirle la ~ a alguien** (fig, fam) dar corda.
corrillo *m* panelinha (grupo).
corrimiento *m* **1** corrimento (movimiento). **2** corrimento, secreção.
corro *m* **1** roda, grupo (de personas). **2** roda, ciranda (juego infantil).
corroborar *tr y pron* (fig) corroborar (confirmar).
corroer *tr y pron* **1** corroer (desgastar). • *tr* **2** (fig) corroer, consumir (ánimo, salud).
corromper *tr y pron* **1** corromper (alterar). **2** corromper (deteriorar). **3** (fig) corromper (pervertir).
corronchoso, sa *adj Col., C. Rica, Hond., Venez.* abrutalhado.
corrosión *f* **1** corrosão, desgaste. **2** QUÍM corrosão.
corrosivo, va *adj* corrosivo.
corrupción *f* **1** corrupção (alteración). **2** corrupção (soborno).
corruptela *f* corruptela.
corruptibilidad *f* corruptibilidade.
corrupto, ta *adj/m y f* corrupto.
corrusco *m* (fam) bico do pão.
corsario, ria *adj* **1** corsário (buque). • *m* **2** corsário (capitán).
corsé *m* corpete, corselete. ♦ **~ ortopédico** colete ortopédico.
corsetería *f* loja de lingerie.
corso, sa *adj/m y f* corso, córsico.
cortacésped *m* cortador de grama.
cortacircuitos *m* ELEC disjuntor.
cortada *f* **1** vale (entre montañas). **2** *Arg.* cortada, travessa.
cortado, da *adj* **1** cortado, entrecortado. • *adj/m y f* **2** sem graça, envergonhado. • *m* **3** pingado (café).
cortadura *f* **1** cortadura, corte. **2** cortadura, fenda (entre montañas).
cortafrío *m* cinzel.
cortafuego *m* corta-fogo.
cortante *adj* cortante.
cortapisa *f* **1** condição, restrição. **2** (gralte pl) dificuldade (obstáculo).
cortaplumas *m* canivete (navaja).
cortar *tr y pron* **1** cortar (herir). **2** (fig) acanhar. • *tr* **3** cortar, dividir. **4** cortar (recortar). **5** cortar (suprimir). **6** cortar, impedir (avance, desarrollo). • *intr* **7** cortar, terminar (relación).
cortaúñas *m* cortador de unhas.
corte *m* **1** corte, fio (de un cuchillo, lámina). **2** corte (herida). **3** corte, talhe (de prenda de vestir). **4** corte (división). • *f* **5** corte (del rey). ♦ **~ y confección** corte e costura. ■ **dar un ~** (fig, fam) dar um fora.
cortedad *f* curteza.
cortejar *tr* cortejar (galantear).
cortejo *m* **1** cortejo (galanteo). **2** cortejo (acompañamiento).
cortés *adj* cortês (educado).
cortesano, na *adj* **1** cortesão. • *m* **2** palaciano.
cortesía *f* **1** cortesia, polidez. **2** cortesia (regalo): *cortesía de la casa = cortesia da casa.*
corteza *f* **1** casca (parte externa). **2** torresmo, rijão (aperitivo). **3** (fig) grosseria. ♦ **~ cerebral** ANAT córtex cerebral.
cortical *adj* ANAT, BIOL cortical.
cortijo *m* sítio, fazendola.
cortina *f* **1** cortina. **2** (fig) véu.

cortinaje *m* conjunto de cortinas.
corto, ta *adj* **1** curto (de extensión). **2** curto, breve. **3** curto, escasso. **4** (fig) curto (de inteligencia). **5** pouco (edad). • *m* **6** curta-metragem.
cortocircuito *m* ELEC curto-circuito.
cortometraje *f* curta-metragem.
corva *f* curva da perna.
corvadura *f* curvatura.
corvo, va *adj* **1** curvo (arqueado). • *m* **2** gancho (garfio).
corzo, za *m y f* corço.
cosa *f* **1** coisa (algo). **2** coisa (objeto inanimado). **3** coisa (asunto). ◆ **~ mala** (fig, fam) para caramba (mucho); **~ rara** coisa esquisita. ■ **como si tal ~** (fig, fam) como se nada tivesse acontecido; **decirle a alguien cuatro cosas** (fig, fam) dizer verdades a alguém.
cosaco, ca *adj/m y f* **1** cossaco (habitante). • *m* **2** cossaco (soldado).
coscón, na *adj/m y f* (fam) malandro (astuto).
coscorrón *m* cocorote, cascudo.
cosecha *f* **1** colheita, apanha. **2** colheita (producto, período, ocupación).
cosechar *intr y tr* **1** colher, apanhar. • *tr* **2** (fig) colher (simpatías, fracasos, éxitos).
cosechero, ra *m y f* colheiteiro, lavrador.
coseno *adj y m* MAT co-seno.
coser *tr* **1** costurar, coser. **2** (fig) crivar de (balas, preguntas): *lo cosieron a balazos = o crivaram de balas.*
cosiaca *f Amér.* coisinha.
cosificar *tr* coisificar.
cosmética *f* cosmética.
cosmético, ca *adj y m* cosmético.
cósmico, ca *adj* cósmico.
cosmología *f* ASTR cosmologia.
cosmonauta *m o f* cosmonauta, astronauta.
cosmopolita *adj/m y f* cosmopolita.
cosmopolitismo *m* cosmopolitismo.
cosmos *m* **1** cosmos (universo). **2** cosmos (espacio).
cosmovisión *f* cosmovisão.
coso *m* **1** praça de touros. **2** rua principal.
cosquillas *f* cócegas. ■ **buscarle las ~ a alguien** (fig, fam) tirar alguém do sério.
cosquillear *tr* fazer cócegas, cocegar.
cosquilleo *m* cócegas.
cosquilloso, sa *adj* coceguento, cosquento.
costa *f* **1** costa (orilla). **2** costa, litoral. • **costas** *f pl* **3** DER custas. ■ **a ~ de** à custa de.
Costa de Marfil *f* Costa do Marfim.
costado *m* lado, costado. ■ **al ~** ao lado.
costal *adj* **1** costal. • *m* **2** costal, fardo.
costalada *f* queda de costas.
costanero, ra *adj* costeiro.
costar *intr* **1** custar (valer). **2** (fig) custar (ocasionar perjuicio).
Costa Rica *f* Costa Rica.
costarricense *adj* costa-riquenho.
costarriqueño, ña *adj/m y f* ⇒ costarricense.
coste *m* custo. ◆ **~ de producción** ECON custo de produção.
costear *tr y pron* **1** custear. • *tr* **2** costear, bordejar.
costeño, ña *adj* costeiro, litorâneo.
costero, ra *adj/m y f* ⇒ costanero, ra.
costilla *f* **1** costela. **2** costeleta (de carne). **3** (fig) esposa, mulher. **4** ARQ nervura.
costillar o **costillaje** *m* costelas.
costo *m* **1** custo (precio, cantidad). **2** (coloq) haxixe.
costoso, sa *adj* **1** custoso, dispendioso. **2** custoso, penoso.
costra *f* crosta, casca.
costumbre *f* **1** costume (hábito). • **costumbres** *f pl* **2** costumes (comportamiento). ■ **de ~** de costume.
costumbrismo *m* costumbrismo.
costura *f* **1** costura (cosido). **2** costura (labor). **3** costura (serie de puntadas).
costurera *f* costureira.
costurero *m* cesto de costura.
cota *f* **1** cota (armadura). **2** ⇒ cuota.
cotarro *m* (fig, fam) muvuca. ■ **ser el amo del ~** (fig, fam) ser o manda-chuva.
cotejar *tr* cotejar.
cotejo *m* cotejo.
coterráneo, a *adj* conterrâneo.
cotidiano, na *adj* cotidiano.
cotilla *m o f* (fam) fofoqueiro, mexeriqueiro.
cotillear *intr* (fam) fofocar, mexericar.
cotilleo *m* (fam) fofoca, mexerico.
cotización *f* **1** cotização (pago). **2** ECON cotação.

cotizar *tr* **1** pagar (impuesto,tasa). **2** cotar, fixar (precio, valor). • *tr e intr* **3** ECON cotar, cotizar (en bolsa).
coto *m* **1** cercado, área delimitada. **2**
cotorra *f* **1** papagaio. **2** (fig, fam) tagarela, papagaio (hablador).
cotorrear *intr* (fam) tagarelar, papaguear.
cotorreo *m* (fig, fam) tagarelice, verborréia.
country *m* MÚS country.
covacha *f* **1** covacho. **2** casebre (vivienda).
coxis *m* ANAT cóccix.
coyote *m* **1** coiote. **2** *Méx.* (fig) despachante.
coyunda *f* **1** conjunta, corda. **2** (fig) conjúgio.
coyuntura *f* **1** conjuntura, juntura (articulación). **2** (fig) conjuntura (circunstancia).
coz *f* **1** coice (golpe). **2** (fig, fam) coice, patada (grosería, injuria). ■ **soltar o tirar coces** (fig, fam) dar coices ou patadas.
crack o **crac** *m* **1** craque (quiebra). **2** craque (jugador).
craneal *adj* ANAT cranial.
cráneo *m* ANAT crânio.
crápula *m* **1** crápula (libertino). • *f* **2** crápula (borrachera).
crapuloso, sa *adj* crapuloso.
craso, sa *adj* **1** crasso, espesso. **2** (fig)
cráter *m* **1** cratera (de volcán).
creación *f* **1** criação (origen). **2** criação (invención).
creador, ra *adj/m y f* **1** criador (inventor). **2** criador (fundador).
crear *tr* **1** criar, conceber. **2** (fig) criar, fundar.
creatividad *f* criatividade.
creativo, va *adj* **1** criativo. • *m y f* **2**
crecer *intr* **1** crescer (aumentar). **2** crescer (desarrollar).
creces *f pl* (fig) abundância, excesso. ■ **con ~** com acréscimo, de sobra.
crecida *f* cheia, enchente (de un río).
crecido, da *adj* **1** crescido, aumentado. **2** (fig) crescido (numeroso).
creciente *adj* crescente. ◆ **~ de la luna** Lua crescente.
crecimiento *m* crescimento. ◆ **~ económico** crescimento econômico.
credencial *adj* **1** credencial (acreditativo). • *f* **2** credencial (documento). ◆ **cartas credenciales** cartas credenciais.
credibilidad *f* credibilidade.
crediticio, cia *adj* creditício.
crédito *m* **1** crédito (dinero). **2** crédito (asenso, aceptación). **3** crédito (préstamo). **4** crédito (reputación). • **créditos** *m pl* **5** créditos (de un libro, película). ■ **dar ~ a** dar crédito a.
credo *m* **1** credo (oración). **2** (fig) credo (doctrinas).
credulidad *f* credulidade.
crédulo, la *adj* crédulo.
creencia *f* **1** crença (certeza). **2** crença (ideas). **3** crença (religión, secta).
creer *tr* **1** acreditar, crer. **2** achar, suspeitar (pensar). **3** crer (tener fe). **4** acreditar, confiar. • *tr y pron* **5** achar, considerar.
creíble *adj* crível.
creído, da *adj* (fam) convencido, presunçoso.
crema *f* **1** creme, nata (de la leche). **2** creme (para dulces). **3** creme, sopa. • *adj y m* **4** creme, bege (color).
cremación *f* cremação.
cremallera *f* **1** zíper. **2** cremalheira (ferrocarril).
crematística *f* **1** economia política. **2** interesse pecuniário.
crematístico, ca *adj* pecuniário.
crematorio, ria *adj* **1** crematório. • *m* **2** crematório (lugar).
cremería *f Arg.* fábrica de laticínios.
cremoso, sa *adj* cremoso.
crencha *f* repartido (del cabello).
crepe *f* crepe, panqueca.
crepería *f* creperia.
crepitación *f* **1** crepitação (chasquido). **2** MED crepitação.
crepitante *adj* crepitante.
crepitar *intr* crepitar (leña).
crepuscular *adj* **1** crepuscular. **2** (fig) crepuscular (decadente).
crepúsculo *m* **1** crepúsculo. **2** (fig) crepúsculo (decadencia).
crescendo *m* MÚS crescendo.
crespo, pa *adj* **1** crespo (cabello). **2** (fig) crespo, rebuscado (estilo).
crespón *m* crepe (de luto).
cresta *f* **1** crista (de aves). **2** crista (de montaña, ola). ■ **estar en la ~ de la ola** (fig) estar na crista da onda.
cretinismo *m* (fig) cretinismo, cretinice.

cretino, na *adj/m y f* **1** MED cretino. **2** (fig) cretino (estúpido).
cretona *f* cretone.
creyente *adj/m y f* crente.
cría *f* criação.
criadero *m* criadouro (de plantas, animales).
criadilla *f* testículo (de res).
criado, da *m y f* criado, empregado. ◆ **bien ~** bem-criado; **mal ~** malcriado.
criador, ra *adj* **1** criador. ● *m y f* **2** criador (de animales). **3** vinicultor.
criandera *f Amér.* ama-de-leite.
crianza *f* **1** criação (lactancia). **2** criação (educación): *de buena crianza = de boa criação.*
criar *tr* **1** criar (nutrir, alimentar). **2** criar (educar, instruir). ● **~se** *pron* **3** criar-se (crecer, desarrollarse): *se crió en el campo = criou-se no campo.*
criatura *f* **1** criatura (ser). **2** bebê, nenê. **3** feto. ■ **ser una ~** (fig, fam) ser uma criança.
criba *f* **1** crivo, peneira. **2** (fig) peneira (selección).
cribar *tr* **1** crivar, peneirar (semillas). **2** (fig) peneirar (seleccionar).
crimen *m* crime (delito). ◆ **~ contra la humanidad** DER crime contra a humanidade; **~ de guerra** DER crime de guerra.
criminal *adj* **1** criminal, criminoso. ● *adj/m y f* **2** criminoso (individuo).
criminalidad *f* criminalidade.
criminalista *adj/m y f* criminalista.
crin *f* (gralte pl) crina.
crío, a *m y f* **1** criança. **2** (fam) criançäo. ■ **ser un ~** (fig, fam) ser um criançäo.
criollo, lla *adj/m y f* **1** crioulo (hijo de europeos). **2** crioulo (hispanoamericano).
cripta *f* cripta.
críptico, ca *adj* **1** criptográfico. **2** (fig) críptico (oscuro).
criptografía *f* criptografia.
crisálida *f* ZOOL crisálida.
crisantemo *m* crisântemo (planta, flor).
crisis *f* **1** crise (situación difícil). **2** crise (escasez). **3** MED crise. **4** ECON crise.
crisma *amb* **1** crisma (aceite). ● *f* **2** (fig, fam) coco (cabeza).
crisol *m* **1** crisol, cadinho (recipiente). **2** cadinho (cavidad del horno).
crispación *f* **1** crispação (contracción). **2** (fig) irritação.
crispar *tr y pron* **1** crispar, contrair. **2** (fam, fig) irritar, enervar.
cristal *m* **1** cristal (copa, vaso). **2** vidro (de ventana, vitrina, botella). **3** lente (de gafas). **4** (fig, lit) cristal (agua). **5** FÍS cristal. **6** MIN cristal.
cristalera *f* **1** cristaleira (mueble). **2** vidraça (de puertas, ventanas).
cristalería *f* **1** cristaleria (establecimiento). **2** cristais (vajilla).
cristalero, ra *m y f* vidraceiro.
cristalino, na *adj* cristalino.
cristalización *f* cristalização.
cristalizar *intr y pron* **1** cristalizar. **2** (fig) pôr às claras (ideas, sentimientos, deseos).
cristalografía *f* MIN cristalografia.
cristianar *tr* (fam) batizar.
cristiandad *f* cristandade (fieles, países).
cristianismo *m* cristianismo.
cristianizar *tr y pron* **1** cristianizar (conformar). **2** cristianizar (convertir).
cristiano, na *adj/m y f* **1** cristão. ● *m* **2** (fam) alma. ■ **hablar en ~** (fig, fam) falar de jeito que se entenda.
cristo *m* **1** cristo (crucifijo). **Cristo 2** Cristo.
criterio *m* **1** critério (norma). **2** critério (juicio).
crítica *f* **1** crítica (arte, técnica). **2** crítica (juicio, opinión). **3** crítica (censura).
criticar *tr* **1** criticar (juzgar). **2** criticar (censurar).
crítico, ca *adj* **1** crítico (criticador). **2** crítico (grave, difícil). ● *m y f* **3** crítico (de libros, películas).
Croacia *f* Croácia.
croar *intr* coaxar.
croata *adj/m y f* **1** croata. ● *m* **2** croata (lengua).
croissant *m* croissant.
crol *m* DEP crawl (natación).
cromático, ca *adj* **1** cromático (de colores). **2** MÚS cromático.
cromo *m* **1** figurinha. **2** QUÍM cromo.
cromosoma *m* BIOL cromossomo.
crónica *f* **1** crônica (historia). **2** crônica (artículo).
crónico, ca *adj* crônico.
cronista *m o f* cronista (autor, oficio).
crono *f* DEP tempo (cronometrado).

cronógrafo, fa *m y f* **1** cronometrista. • *m* **2** cronógrafo (aparato, reloj).
cronología *f* **1** cronologia (ciencia). **2** cronologia (sucesos).
cronológico, ca *adj* cronológico.
cronometraje *m* cronometragem.
cronometrar *tr* cronometrar.
cronómetro *m* cronômetro.
croqueta *f* croquete.
croquis *m* croqui.
cruce *m* **1** cruzamento (de calles, avenidas). **2** faixa de pedestres.
crucero *m* **1** cruzeiro (viaje). **2** cruzeiro (gran cruz). **3** MAR cruzeiro (buque).
crucial *adj* **1** crucial (forma). **2** (fig) crucial (momento, punto).
crucificar *tr* **1** crucificar. **2** (fig, fam) prejudicar.
crucifijo *m* crucifixo.
crucifixión *f* crucificação, crucifixão.
crucigrama *m* palavras cruzadas.
crudeza *f* crueza, crueldade (realismo).
crudo, da *adj* **1** cru (alimento). **2** cru, incipiente (proyecto, proceso, negocio). **3** (fig) cru (cruel). **4** (fig, fam) complicado, difícil. • *m* **5** petróleo bruto.
cruel *adj* **1** cruel. **2** (fig) cruel, insuportável.
crueldad *f* crueldade.
cruento, ta *adj* cruento (sangriento).
crujido *m* rangido (ruido).
crujiente *adj* **1** crocante. **2** rangedor, rangente.
crujir *intr* ranger.
crupier *m* crupiê.
crustáceo, a *adj* **1** crustáceo (costroso). • *adj/m y f* **2** ZOOL crustáceo.
cruz *f* **1** cruz (forma). **2** cruz (patíbulo). **3** cruz (imagen). **4** cruz (insignia, divisa). **5** cruz (distintivo). **6** coroa (de monedas). **7** cernelha, cruz (de animales).
cruza *f* **1** *Amér.* cruzamento, cruza (de animales). **2** *Chile, Cuba* binagem (del terreno).
cruzamiento *m* **1** cruzamento (orden). **2** cruzamento (de animales). **3** cruzamento (cruce).
cruzar *tr* **1** cruzar (atravesar). **2** cruzar, pôr em cruz. **3** cruzar (razas, espécies). **4** cruzar (cheque). **5** cruzar, encontrar-se (con alguien). **6** MAR cruzar (navegar). • **~se** *pron* **7** cruzar (brazos, piernas).
cu *f* quê (letra).
cuaderno *m* caderno.
cuadra *f* **1** quadra (sala). **2** estrebaria, cavalariça. **3** (fig) chiqueiro.
cuadrado, da *adj* **1** quadrado. **2** (fig) quadrado, careta (anticuado). • *m* **3** GEOM, MAT quadrado.
cuadrangular *adj* quadrangular.
cuadrángulo, la *adj y m* quadrângulo, quadrilátero.
cuadrante *m* **1** GEOM quadrante. **2** ASTR quadrante (instrumento).
cuadrar *tr* **1** quadrar, enquadrar. **2** quadrar, bater (cuentas). **3** MAT elevar ao quadrado. • *intr* **4** quadrar, ajustar. • **~se** *pron* **5** MIL bater continência.
cuadratura *f* **1** GEOM quadratura. **2** ASTR quadratura. ◆ **~ del círculo** (fig, fam) quadratura do círculo.
cuadrícula *f* quadrícula.
cuadricular *adj* quadriculado, quadricular.
cuadricular *tr* quadricular.
cuadrienio *m* quadriênio.
cuadrilátero, ra *adj y m* **1** GEOM quadrilátero. • *m* **2** ringue (de boxeo, lucha libre).
cuadrilla *f* **1** turma, quadrilha (de amigos). **2** equipe, grupo (de trabajadores). ■ **en ~** em equipe.
cuadro, dra *adj/m y f* **1** quadro, quadrado (forma). • *m* **2** quadro, quadrado. **3** quadro (pintura). **4** quadro (marco). **5** quadro (situación). **6** quadro (gráfico). **7** quadro (de empleados, miembros). **8** quadro (descripción). **9** quadro (de bicicleta, motocicleta).
cuadrúpedo *adj/m y f* ZOOL quadrúpede.
cuádruple *adj y m* quádruplo.
cuadruplicar *tr* quadruplicar.
cuajada *f* coalhada.
cuajado, da *adj* **1** coalhado. **2** (fig, fam) imóvel, paralizado (por miedo, asombro).
cuajar *tr y pron* **1** coalhar (leche). • *intr* **2** solidificar (nieve). • *tr* **3** (fig) emperiquitar. • *intr y pron* **4** (fig, fam) agradar (gustar). • **~se** *pron* **5** (fig, fam) coalhar, apinhar (llenarse).
cuajo *m* **1** coalho, coalheira. **2** (fig, fam) saco, pachorra.
cual *pron rel* **1** (precedido del art. det. masc. y fem.) qual: *el libro al cual te refieres es muy interesante = ao livro ao*

qual você se refere é muito interessante. **2** (precedido del art. det. neutro) o que: *los conductores hacen huelga, lo cual me impide ir al trabajo = os motoristas estão em greve, o que me impede ir ao trabalho.* • *adv* **3** (form) qual, como. ■ **cada ~** cada qual, cada um; **con lo ~** por isso, devido a.

cuál *pron interr* **1** qual: *¿cuál es tu número de teléfono? = qual o seu número de telefone?* • *pron* **2** qual (intensidad): *cuál fue su alegría al ver a su hijo allí = qual foi sua alegria ao ver o seu filho ali.*

cualidad *f* qualidade.

cualificación *f* qualificação.

cualificado, da *adj* qualificado.

cualificar *tr* qualificar.

cualitativo, va *adj* qualitativo.

cualquier (*apócope de* **cualquiera**) *adj indef* qualquer: *la entrada es libre para cualquier persona = a entrada é livre para qualquer pessoa.*

cualquiera *adj indef* **1** qualquer: *nos buscaremos un hostal cualquiera por aquí = procuraremos uma pensão qualquer por aqui.* • *pron indef* **2** qualquer, qualquer um: *qualquiera puede utilizar un ordenador = qualquer um pode utilizar um computador.* ■ **así ~** assim qualquer um pode.

cuan *adv* (form) (precedido de tan) quão: *eran tan olorosas cuan bonitas = eram tão cheirosas quão bonitas.*

cuán *adv* (lit) quão: *¡cuán felices estamos por ti! = quão felizes estamos por você!*

cuando *adv* **1** quando, em que: *estos son los momentos cuando más lo necesitamos = estes são os momentos quando mais o necessitamos.* • *conj* **2** quando (tiempo): *el concierto ya había empezado cuando llegamos = o show já tinha começado quando chegamos.* **3** quando (condición): *cuando le parecía interesante lo compraba = quando achava interessante, comprava.* ■ **de ~ en ~** de quando em quando.

cuándo *adv interr* **1** quando: *¿cuándo te has comprado la casa? = quando você comprou a casa?* • *m* **2** quando: *sé el cómo pero no tengo ni idea del cuándo = sei como mas não tenho nem idéia de quando.*

cuantía *f* quantia (cantidad).

cuantioso, sa *adj* quantioso (numeroso).

cuantitativo, va *adj* quantitativo.

cuanto, ta *pron rel* **1** quanto: *puedes comprar cuantas faldas quieras = você pode comprar quantas saias quiser.* **2** quanto, todos que: *es el mejor amigo de cuantos tengo = é o melhor amigo de quantos tenho.* **3** (correlativo) quanto: *cuanto más tiene, más desea = quanto mais tem, mais quer.* **4** quanto, o que: *se compró todo cuanto necesitaba = comprou tudo quanto necessitava.* • *m* **5** FÍS quantum. ■ **en ~ a** quanto a; **en ~** assim que, quando: *me ducharé en cuanto llegue a casa = tomarei banho assim que chegar em casa.*

cuánto, ta *pron interr* quanto: *¿cuántas personas vendrán? = quantas pessoas virão?*

cuáquero, ra *m y f* quaker, quacre.

cuarenta *adj y m* quarenta. ■ **cantar a alguien las ~** (fig, fam) dizer poucas e boas.

cuarentena *f* **1** quarentena (unidades). **2** quarentena (aislamiento). ■ **en ~** de quarentena.

cuarentón, na *adj/m y f* quarentão.

cuaresma *f* quaresma.

cuarta *f* **1** quarta (parte). **2** quarta (medida). **3** quarta (marcha). **4** MÚS quarta.

cuartear *tr* **1** quartear, quartejar (dividir). **2** esquartejar (descuartizar). **3** *Méx.* chicotear (azotar). • *intr* **4** TAUROM quartear. • **~se** *pron* **5** rajar-se (pared).

cuartel *m* **1** MIL quartel (edificio, alojamiento). **2** (fig, fam) quartel (casa). **3** MAR quartel (de escotilla).

cuartelero, ra *adj* **1** de quartel. • *m y f* **2** MIL quarteleiro.

cuarteo *m* TAUROM quarteio.

cuarto, ta *adj/m y f* **1** quarto (posición). **2** quarto (fracción). • *m* **3** quarto (habitación). **4** quinze (minutos). **5** quarto (de animales). • **cuartos** *m pl* **6** (fam) tostão. ◆ **~ de baño** banheiro; **~ de estar** sala de estar; **cuartos de final** quartas-de-final. ■ **de tres al ~** (fig, fam) de meia-tigela.

cuarzo *m* quartzo.

cuatí *m Arg., Col., R. de la Plata* quati.

cuatro *adj y m* quatro. ♦ ~ **ojos** (coloq) quatro-olhos.
cuatrocientos, tas *adj y m* **1** quatrocentos.
cuba *f* **1** cuba, tina (recipiente). **2** (fig) tonel (contenido). **3** (fam, fig) tonel de cachaça (borracho).
Cuba *f* Cuba.
cubalibre *m* cuba-libre.
cubano, na *adj/m y f* cubano.
cubeta *f* cuba (de laboratorio).
cubicar *tr* **1** MAT cubar. **2** GEOM cubar, cubicar (medir).
cúbico, ca *adj* **1** cúbico, cubiforme. **2** GEOM cúbico.
cubículo *m* cubículo.
cubierta *f* **1** cobertura, cobrimento. **2** cobertor, coberta (de cama). **3** capa (de libro). **4** ponte, coberta (de embarcación).
cubierto, ta *adj* **1** coberto. • *m* **2** (gralte pl) talher. **3** serviço de mesa.
cubito *m* cubinho de gelo.
cúbito *m* ANAT cúbito.
cubo *m* **1** balde. **2** GEOM cubo. **3** MAT cubo (potencia). ■ **al** ~ ao cubo.
cubrecama *m* colcha (cobertor).
cubrir *tr y pron* **1** cobrir (ocultar). **2** cobrir (extender). • *tr* **3** cobrir (resguardar). **4** cobrir, ocupar (plaza, puesto). **5** (fig) cobrir (de besos, insultos, alabanzas).
cuca *f* lagarta (de mariposa).
cucaña *f* pau-de-sebo.
cucaracha *f* barata.
cuchara *f* **1** colher (utensilio). **2** colher, colherada (contenido). **3** *Amér.* colher de pedreiro.
cucharada *f* colherada.
cucharetear *intr* (fam) mexer com colher.
cucharón *m* concha.
cuchichear *intr* cochichar.
cuchicheo *m* cochicho, cochicheio.
cuchilla *f* **1** lâmina de barbear, gilete. **2** lâmina (de arma blanca).
cuchillada *f* facada (golpe, herida).
cuchillo *m* **1** faca. **2** (fig) (gralte pl) nesga, remendo (remiendo). **3** (fig) calcanhar (de una media).
cuchipanda *f* (fam) patuscada, banquetaço.
cuchitril *m* pocilga, cubículo.
cuchubal *m* *Amér.* confabulação.
cuchufleta *f* (fam) gozação, sarro.
cuclillas en ~ *loc adv* de cócoras.
cuco, ca *adj* **1** (fam, fig) bonitinho. • *adj/m y f* **2** (fam, fig) esperto, sabido.
cucurucho *m* **1** cone (de papel, cartulina). **2** casquinha (para dulces, helados). **3** coruchéu (de penitentes).
cuello *m* **1** pescoço, colo. **2** gargalo (de botella, vasija). **3** gola, colarinho (de ropa). ♦ ~ **de botella** funil. ■ **estar hasta el** ~ (fig, fam) estar até o pescoço.
cuenca *f* **1** órbita (del ojo). **2** bacia (de un río). **3** jazida (de minerales).
cuenco *m* **1** tigela. **2** concavidade.
cuenta *f* **1** conta (numeración). **2** conta (cálculo). **3** conta (factura). **4** conta (de collar, rosario). ♦ ~ **corriente** COM conta-corrente. ■ **ajustar cuentas** ajustar contas; **caer en la** ~ (fam, fig) dar-se conta; **pedir la** ~ pedir a conta (en restaurante); **por** ~ **de** por conta de; **tener en** ~ levar em consideração.
cuentacorrentista *m o f* correntista.
cuentagotas *m* conta-gotas.
cuentakilómetros *m* hodômetro, contador de quilômetros.
cuentarrevoluciones *m* conta-giros, taquímetro.
cuentista *adj/m y f* **1** (fam) bisbilhoteiro, fofoqueiro. • *m o f* **2** contador de histórias. **3** contista.
cuento *m* **1** conto (relato, fábula). **2** história, conversa. **3** contenda, disputa. **4** (fig, fam) fofoca. ♦ ~ **chino** (fig, fam) conversa fiada; ~ **de viejas** (fig) conto-da-carochinha. ■ **dejarse de cuentos** (fig, fam) ir ao que interessa, deixar de rodeios; **tener mucho** ~ (fam) ter muita cara-de-pau; **venir a** ~ (fam) vir ao caso, ser conveniente.
cuerda *f* **1** corda (de hilos). **2** corda (de instrumento musical). ♦ ~ **floja** corda bamba; **cuerdas vocales** ANAT cordas vocais.
cuerdo, da *adj/m y f* **1** cordato, cordo. **2** prudente.
cuereada *f* *Amér. Merid., Col.* chicoteamento.
cuerno *m* **1** corno, chifre. **2** MÚS corno. **3** (fig) chifre, guampa (traición). ■ **irse al** ~ (fig, fam) mixar, ir por água abaixo; **mandar al** ~ (fig, coloq) mandar passear; **poner los cuernos** (fig, fam) botar chifre.

cuero *m* **1** couro. **2** odre, pele. **3** *Amér.* couro, chicote. ◆ **~ cabelludo** couro cabeludo; **~ en verde** couro cru.
cuerpo *m* **1** corpo (materia). **2** ANAT corpo. **3** corpo (aspecto físico). **4** corpo (diplomático, de funcionarios). **5** corpo (densidad, volumen). **6** cadáver, corpo. ◆ **~ del delito** DER corpo de delito; **~ humano** corpo humano. ■ **~ a ~** corpo-a-corpo; **en ~ y alma** (fig, fam) de corpo e alma.
cuervo *m* corvo.
cuesco *m* **1** caroço. **2** (fam) traque, peido.
cuesta *f* ladeira. ■ **a cuestas** nas costas, nos ombros.
cuestación *f* coleta, peditório.
cuestión *f* **1** questão (pregunta, asunto). **2** questão (riña). **3** MAT problema.
cuestionar *tr* **1** questionar (controvertir). **2** questionar, duvidar.
cuestionario *m* questionário.
cueva *f* caverna, cova.
cuidado *m* **1** cuidado. ● **¡~!** *interj* **2** cuidado!
cuidadoso, sa *adj* cuidadoso.
cuidar *tr y pron* **1** cuidar (tratar). ● *tr* **2** cuidar (asistir, guardar). ● **~se** *pron* **3** cuidar-se, prevenir-se. **4** ter cuidado.
cuita *f* **1** aflição, pena. **2** *Amér. Centr.* excremento (de aves).
cuitado, da *adj* coitado, desventurado.
culata *f* **1** culatra. **2** (fig) retaguarda. **3** MEC culatra.
culebra *f* cobra.
culebrear *intr* serpentear.
culebrón *m* (fig, fam) novelão, novela.
culera *f* **1** remendo no fundilho. **2** mancha ou desgaste no fundilho.
culillo *m* **1** *Amér.* medo. **2** *Cuba* pressa. **3** *Nic.* inquietude.
culinario, ria *adj* culinário.
culmen *m* cume, auge.
culminación *f* **1** culminação. **2** ASTR culminação.
culminante *adj* culminante (álgido).
culminar *intr* **1** culminar. **2** ASTR culminar.
culo *m* **1** bunda (nalgas). **2** cu (ano). **3** traseiro (de animales). **4** (fig) fim, fundo. **5** (fam, fig) restinho (de líquido). ■ **dar por el ~** (fig, vulg) encher o saco; **ir a tomar por el ~** (fig, vulg) ir tomar no cu, ir para a puta que pariu; **ser ~ de mal asiento** (fig, fam) ter formiga na bunda.
culpa *f* culpa.
culpabilidad *f* culpabilidade.
culpabilizar *tr* culpabilizar.
culpable *adj/m y f* **1** culpado (acusado, delincuente). ● *adj* **2** culpável (incriminable).
culpar *tr y pron* culpar.
cultivar *tr* **1** cultivar (tierra, plantas). **2** (fig) cultivar (conocimiento, amistad, talento).
cultivo *m* **1** cultivo, cultura. **2** cultivo (actividad). **3** cultura (terreno).
culto, ta *adj* **1** culto, cultivado. **2** culto, instruído. ● *m* **3** culto (homenaje). **4** culto (rito, ceremonia). **5** (fig) culto, veneração.
cultura *f* **1** cultura, cultivo. **2** cultura (costumbres, modo de vida). **3** cultura (conocimientos).
cultural *adj* cultural.
culturismo *m* DEP fisioculturismo, culturismo.
culturista *m o f* DEP fisioculturista, culturista.
cuma *f* **1** *Amér. Centr.* foice. **2** *Arg.* (vulg) comadre.
cumbia o **cumbiamba** *f* cúmbia.
cumbre *f* **1** cume. **2** (fig) apogeu, auge. **3** congresso, reunião de cúpula.
cumpleaños *m* aniversário (de nacimiento).
cumplido, da *adj* **1** polido, cortês. **2** completo, cheio. **3** cumprido (largo). ● *m* **4** cortesia.
cumplimentar *tr* **1** cumprimentar (felicitar). **2** cumprir, pôr em execução. **3** completar, preencher (impreso, formulario).
cumplimiento *m* **1** cumprimento (realización, finalización). **2** cumprimento (cumplido).
cumplir *tr* **1** cumprir (orden, promesa, encargo). **2** completar (años). ● *intr* **3** cumprir com seus deveres, trabalhar. **4** cumprir, convir. **5** extinguir-se, terminar (plazo). ● **~se** *pron* **6** cumprir-se.
cúmulo *m* **1** acúmulo, cúmulo. **2** (fig) acúmulo (de sentimientos, sucesos). **3** MET cúmulo (nube).
cuna *f* berço (para bebés).

cundir *intr* **1** espalhar-se (líquido). **2** render, aumentar.
cuneta *f* valeta, sarjeta.
cuña *f* **1** cunha (pieza). **2** comadre, urinol. **3** reclame, anúncio. **4** (fig) pistolão (enchufe).
cuñado, da *m y f* cunhado.
cuño *m* cunho.
cuota *f* **1** cota (parte, porción). **2** cota (cantidad).
cupido *m* (fig) cupido.
cuplé *m* copla.
cupo *m* **1** cota, porcentagem. **2** *Col.*, *Méx.*, *Pan.* cabimento.
cupón *m* **1** cupom. **2** bilhete de loteria.
cúpula *f* **1** (fig) cúpula (de dirigentes). **2** BOT cúpula, carapulo.
cura *m* **1** padre. • *f* **2** cura.
curaca *m Amér. Merid.* cacique.
curado, da *adj* **1** curado (restablecido). **2** curado (alimento): *queso curado = queijo curado.* • *m* **3** cura (de alimentos).
curandero, ra *m y f* curandeiro.
curar *tr, intr y pron* **1** curar (restablecer). • *tr* **2** curar (alimentos, madera). • *intr* **3** curtir (pieles). • **~se** *pron* **4** *Arg.*, *Bol.*, *Chile* (fig, fam) encharcar-se (emborracharse).
curativo, va *adj* curativo.
curda *f* (fam) fogo, bebedeira.
curiosear *intr* **1** espiar, curiosear. **2** (fam) bisbilhotar, xeretar.
curiosidad *f* curiosidade.
curioso, sa *adj/m y f* **1** curioso, xereta. • *adj* **2** curioso (interesante, raro).
currante *m o f* (coloq) trabalhador.
currar *tr* (coloq) pegar no batente, dar duro.
currículo o **currículum** *m* currículo.
curro *m* (coloq) batente (trabajo).
cursar *tr* **1** cursar (estudios). **2** tramitar, dar entrada (solicitud, instancia). **3** freqüentar (lugar).
cursi *adj/m y f* (fam) brega, cafona.
cursilada o **cursilería** *f* breguice, cafonice.
cursillo *m* curso, cursinho.
curso *m* **1** curso (dirección). **2** curso (estudio). **3** curso (de río). **4** curso, trajetória. **5** curso (ciclo de enseñaza).
cursor *m* cursor.
curtido, da *adj* **1** curtido (piel). • *m* **2** curtição, curtimento.
curtir *tr* **1** curtir (cuero, piel). • *tr y pron* **2** calejar, curtir (por sufrimiento). **3** (fig) tostar, curtir.
curva *f* **1** curva (forma). **2** curva (de ca rretera, camino). **3** curva (de gráfico). **4** GEOM curva (línea). • **curvas** *f pl* **5** curvas (silueta).
curvado, da *adj* curvado.
curvar *tr y pron* curvar.
curvo, va *adj/m y f* curvo.
cuscurro *m* casca de pão.
cuscús *m* cuscuz.
cúspide *f* **1** cúspide (punta). **2** (fig) cúspide (cumbre).
custodia *f* **1** custódia (guardia). **2** ostensório, custódia.
custodiar *tr* custodiar.
cutanéo, a *adj* cutâneo.
cúter *m* cúter (embarcación).
cutícula *f* cutícula (de las uñas).
cutis *m* cútis.
cutre *adj/m y f* **1** escroto, ordinário. • *adj* **2** fajuto, escroto.
cuyo, ya *pron rel* cujo: *vendrá un primo a cuya novia conoces = virá um primo cuja namorada você conhece.*

Dd

d

d, D *f* d, D (letra).
daca *contr* dá cá. ■ **toma y ~** toma-lá-dá-cá.
dactilar *adj* digital.
dactilología *f* datilologia.
dádiva *f* dádiva.
dadivoso, sa *adj/m y f* dadivoso.
dado, da *adj* **1** dado (donado). **2** dado (determinado): *en un momento dado = em um dado momento*. **3** dado (propenso a). ● *m* **4** dado (de juego). ■ **~ que** dado que, já que: *dado que tenía calor, se quitó el abrigo = dado que tinha calor, tirou o casaco*.
daga *f* adaga (arma).
dalia *f* dália (planta, flor).
dálmata *adj/m y f* dálmata, dalmatense.
daltónico, ca *adj* daltônico, daltoniano.
daltonismo *m* daltonismo.
dama *f* **1** dama (mujer noble). **2** dama (en el ajedrez). ● **damas** *f pl* **3** damas (juego).
damasco *m* damasco (tela).
damisela *f* mocinha, senhorita.
damnificado, da *adj/m y f* danificado.
damnificar *tr* danificar.
dandi o **dandy** *m* dândi, mauricinho.
danés, sa *adj/m y f* dinamarquês.
dantesco, ca *adj* dantesco.
danza *f* **1** dança, baile (arte, técnica). **2** dança, bailado.
danzar *tr e intr* **1** dançar, bailar. ● *intr* **2** (fig, fam) ir de um lado a outro.
danzarín, na *adj/m y f* dançarino, bailarino.
dañado, da *adj* **1** danificado. **2** estragado (alimento).
dañar *tr y pron* **1** ferir, machucar. **2** danificar, estragar.
dañino, na *adj* daninho.
daño *m* dano.
dar *tr* **1** dar (donar). **2** dar (entregar): *le dio una carta de recomendación = deu-lhe a carta de recomendação*. **3** dar (proporcionar): *esta música da dolor de cabeza = esta música dá dor de cabeça*. **4** dar (sugerir): *me has dado una idea = você me deu uma idéia*. **5** dar (oficio, empleo). **6** dar (conceder): *dar permiso = dar licença*. **7** dar, transmitir (noticia, programa, clase). **8** dar, organizar (fiesta, recepción). **9** dar, causar (miedo, alegría, vergüenza). **10** abrir (gas). **11** acender (luz). ● *tr y pron* **12** dar (golpear): *dar un bofetón = dar uma tapa*. ● *tr e intr* **13** dar (las horas): *el reloj dio las once = o relógio deu onze horas*. ● **~se** *pron* **14** dar-se (ocurrir): *de darse el caso = dado o caso*. **15** entregar-se (al vicio, estudio). ■ **¡dale!** (fam) que teimosia!; **~ de sí** dar de si; **~ igual** dar no mesmo; **para ~ y tomar** para dar e vender.
dardo *m* **1** dardo (arma). **2** (fig) dardo (ironía).
dársena *f* doca.
data *f* data. ■ **ser de larga ~** ser de longa data.
datar *tr* **1** datar (fechar). ● *intr* **2** datar (iniciar).
dátil *m* tâmara (fruto).
dato *m* dado (información).
de *prep* **1** de (posesión): *el libro de Pedro = o livro de Pedro*. **2** de, em (modo): *lo miraba de reojo = olhava-o de soslaio*. **3** de (origen, procedencia): *una carta de São Paulo = uma carta de São Paulo*. **4** de (materia): *plato de porcelana = prato de porcelana*. **5** de (contenido): *vaso de vino = copo de vinho*. **6** de (asunto): *libro de cocina francesa = livro de culinária francesa*. **7** de (causa): *gritó de alegría = gritou de alegria*. **8** de (naturaleza): *alma de tirano = alma de tirano*.

> El término **de** no se acentúa cuando es preposición: *el novio de tu hija*. En cambio, cuando es tiempo del verbo **dar** sí que se acentúa: *no le dé más caramelos*.

de *f* dê (letra).
deambular *intr* deambular, perambular.
debajo *adv* **1** debaixo, de baixo. **2** debaixo, por baixo. ■ **~ de** debaixo de.
debate *m* debate.
debatir *tr* **1** debater (discutir). ● **~se** *pron* **2** debater-se (luchar).
debe *m* COM deve, débito.
debelar *tr* debelar.
deber *m* **1** dever (obligación). ● **deberes** *m pl* **2** dever de casa, tarefa. ■ **hacer alguien su ~** cumprir com o seu dever.
deber *tr* **1** dever (estar obligado). **2** dever (adeudar). ● *aux* **3** (seguido de infinitivo) dever. ● **~ a** *tr y pron* **4** dever a (causar): *este bochorno se debe a la vergüenza = este bochorno é devido à vergonha.*

> En español **deber** se distingue el sentido de probabilidad del de obligación mediante la preposición de: *debe llegar en cinco minutos* (tiene la obligación) / *debe de llegar en cinco minutos* (es probable). En portugués no se utiliza ninguna preposición: *depois dessa longa viagem, você deve estar cansado = después de este viaje tan largo debes de estar cansado.*

debido, da *adj* devido.
débil *adj* **1** fraco, débil. **2** (fig) fraco (de ánimo, moral).
debilidad *f* **1** fraqueza. **2** (fig) fraqueza (de ánimo, moral).
debilitar *tr y pron* enfraquecer, debilitar.
débito *m* **1** débito (dinero). **2** débito (obligación).
debut *m* debute.
debutante *adj* **1** debutante (artista, espectáculo). ● *f* **2** debutante (en la sociedad).
debutar *intr* debutar.
década *f* década.
decadencia *f* decadência (decaimiento).
decadente *adj* decadente (lugar, moda).
decaer *intr* decair, desabar.
decaído, da *adj* **1** decaído (débil). **2** decaído (decadente).
decaimiento *m* **1** decaimento (debilitamiento). **2** decaimento (decadencia).
decanato *m* **1** decanato (cargo, dignidad, período). **2** sala do decano.
decano, na *adj/m y f* **1** decano (miembro antiguo). **2** decano (de universidad).
decantar *tr* **1** decantar (sustancias). **2** decantar (ensalzar).
decapitación *f* decapitação.
decapitar *tr* decapitar.
decatlón *m* DEP decatlo, decátlon.
decelerar *tr e intr* desacelerar.
decena *f* dezena.
decenal *adj* decenal.
decencia *f* **1** decência (compostura). **2** decência (recato).
decenio *m* decênio.
decente *adj* **1** decente (honesto). **2** decente, decoroso. **3** decente (limpio, aseado).
decepción *f* decepção.
decepcionar *tr* decepcionar.
dechado *m* **1** exemplar, modelo. **2** (fig) exemplo (de virtudes, vicios).
decibel o **decibelio** *m* FÍS decibel.
decidido, da *adj* decidido (firme, resoluto).
decidir *tr* **1** decidir (dar solución). ● *tr y pron* **2** decidir, resolver.
decimal *adj* **1** decimal. ● *adj y m* **2** decimal (número). ◆ **sistema ~** sistema decimal.
décimo, ma *adj y m* **1** décimo. ● *m* **2** décimo (de lotería).
decimoctavo, va *adj* décimo oitavo.
decimocuarto, ta *adj* décimo quarto.
decimonono, na *adj* décimo nono.
decimoquinto, ta *adj* décimo quinto.
decimosegundo, da *adj* décimo segundo.
decimoséptimo, ma *adj* décimo sétimo.
decimosexto, ta *adj* décimo sexto.
decimotercero, ra o **decimotercio, cia** *adj* décimo terceiro.
decir *m* dizer, dito.
decir *tr y pron* **1** dizer (manifestar). ● *tr* **2** dizer (opinar). **3** dizer (nombrar). **4** (fig) dizer, revelar (sentimiento, ánimo). ● **~se** *pron* **5** dizer para si. ■ **~ para sí** falar com seus botões; **diga o dígame** alô! (al teléfono); **¡no me digas!** não me diga!; **¡y que lo digas!** é mesmo.
decisión *f* **1** decisão (resolución). **2** decisão (firmeza).
decisivo, va *adj* **1** decisivo (determinante). **2** decisivo (crucial).
declamación *f* declamação.

declamar *tr e intr* **1** declamar (recitar). • *intr* **2** declamar (hablar en público).
declamatorio, ria *adj* declamatório, declamativo.
declaración *f* **1** declaração (manifestación, explicación). **2** declaração (de impuestos).
declarante *adj* **1** declarante, declarador. • *m y f* **2** DER declarante.
declarar *tr* **1** declarar (manifestar). **2** declarar (impuestos, mercancías). • *pron* **3** declarar-se (confesarse).
declinar *tr* **1** declinar (rechazar). **2** GRAM declinar. • *intr* **3** declinar, inclinar. **4** declinar (bajar).
declive *m* **1** declive (pendiente). **2** (fig) decadência, declive.
decocción *f* decocção.
decolar *intr Chile, Col., Ecuad.* decolar (despegar).
decolorante *adj y m* descolorante.
decolorar *tr y pron* descolorar.
decomisar *tr* confiscar.
decomiso *m* DER confisco, confiscação.
decoración *f* **1** decoração (adorno). **2** decoração (arte, técnica). ♦ **~ de interiores** decoração de interior.
decorado *m* decoração (de escenario).
decorar *tr* decorar (adornar).
decorativo, va *adj* decorativo.
decoro *m* **1** decoro (respeto). **2** decoro (recato).
decrecer *intr* decrescer.
decreciente *adj* decrescente.
decrepitar *intr* crepitar, decrepitar.
decrépito, ta *adj/m y f* decrépito.
decrepitud *f* **1** decrepitude (vejez). **2** (fig) decrepitude (decadencia).
decretar *tr* **1** decretar (decidir). **2** DER decretar (promulgar).
decreto *m* decreto (resolución).
decurso *m* decurso.
dedicación *f* dedicação (entrega).
dedicar *tr y pron* **1** dedicar (destinar, aplicar). • *tr* **2** dedicar (ofrecer).
dedicatoria *f* dedicatória.
dedillo al ~ *loc adv* de cor e salteado.
dedo *m* **1** ANAT dedo. **2** dedo (porción). **3** dedo (medida). ♦ **~ anular** dedo anular; **~ auricular** dedo mínimo; **~ cordial** dedo médio; **~ gordo** dedo polegar; **~ índice** dedo indicador. ■ **cogerse o pillarse los dedos** (fig, fam) quebrar a cara.
deducción *f* **1** dedução (inferencia). **2** dedução, subtração.
deducir *tr* **1** deduzir (inferir). **2** deduzir (disminuir).
defecar *tr e intr* defecar (evacuar).
defección *f* defecção.
defectible *adj* defectível.
defecto *m* defeito.
defectuoso, sa *adj* defeituoso.
defender *tr y pron* **1** defender (proteger). • *tr* **2** defender, argumentar (ideas, doctrinas).
defendido, da *adj/m y f* cliente de um advogado.
defenestrar *tr* **1 2** (fig) defenestrar (de un cargo).
defensa *f* **1** defesa (protección). **2** defesa (de una idea, teoría). **3** defesa (método, medio).
defensiva *f* defensiva.
defensivo, va *adj* defensivo.
defensor, ra *adj/m y f* **1** defensor. • *m y f* **2** DER defensor.
deferencia *f* **1** deferência (respeto). **2** deferência (complacencia).
deferente *adj* **1** deferente (respetuoso). **2** deferente (complaciente).
deficiencia *f* **1** deficiência (defecto). **2** deficiência (insuficiencia).
deficiente *adj* deficiente (incompleto, defectuoso).
déficit *m* **1** deficit (descubierto). **2** deficit (carencia).
deficitario, ria *adj* deficitário.
definición *f* definição (significación).
definir *tr y pron* **1** definir (explicar). **2** definir (decidir).
definitivo, va *adj* definitivo.
definitorio, ria *adj* definitório.
deflación *f* ECON deflação.
deflagración *f* deflagração.
deflagrar *intr* deflagrar.
deforestación *f* desmatamento, desflorestamento.
deforestar *tr* desmatar, desflorestar.
deformación *f* deformação.
deformar *tr y pron* **1** deformar. • *tr* **2** (fig) distorcer (tergiversar).
deforme *adj* deforme.
deformidad *f* deformidade.
defraudar *tr* **1** defraudar. **2** (fig) decepcionar, defraudar.
defunción *f* defunção.

degeneración *f* **1** degeneração (decaimiento). **2** MED degeneração.
degenerado, da *adj/m y f* degenerado (depravado).
degenerar *intr* degenerar.
deglutir *tr e intr* deglutir.
degollar *tr* degolar.
degollina *f* (fam) chacina, matança.
degradación *f* **1** degradação (humillación). **2** degradação (de cargo, posición).
degradante *adj* degradante.
degradar *tr* **1** degradar (cargo, puesto). **2** ART degradar (color). • *tr y pron* **3** (fig) degradar (humillar).
degüello *m* degola, degolação.
degustación *f* degustação.
degustar *tr* **1** degustar (bebida, comida). **2** (fig) degustar (momentos).
deidad *f* deidade, divindade.
deificar *tr* **1** deificar. • *tr y pron* **2** (fig) deificar, adorar.
dejadez *f* desleixo.
dejado, da *adj* desleixado.
dejar *tr* **1** deixar (consentir). **2** deixar (abandonar). **3** emprestar: *le dejó la bicicleta para ir al trabajo = emprestou-lhe a bicicleta para ir ao trabalho.* **4** deixar (poner): *dejé el libro en la estantería = deixei o livro na estante.* • **~se** *pron* **5** deixar (olvidar): *déjate de tonterías = deixe de bobagens.* **6** desleixar-se (aspecto).
dejo *m* **1** sotaque. **2** tom (de voz).
del *contr* **1** (prep. de y art. el) do (posesión): *la portada del libro = a capa do livro.* **2** do (procedencia): *es del barrio vecino = é do bairro vizinho.* **3** do (causa): *temblaba del frío que sentía = tremia do frio que sentia.*
delación *f* denúncia, delação.
delantal *m* avental.
delante *adv* **1** na frente, adiante: *el que está delante es su hijo = o que está na frente é filho dela.* **2** adiante, à frente: *fue visto delante del grupo = foi visto à frente do grupo.* ■ **de ~** da frente; **~ de** ante, diante de, na frente de: *delante de su mujer es otra persona = na frente da esposa é outra pessoa.*
delantera *f* **1** dianteira, fachada. **2** fronteira (de población, casa). **3** DEP linha de ataque. ■ **llevar la ~** estar na frente (en una carrera, trabajo).
delantero, ra *adj* **1** dianteiro. • *m y f* **2** DEP atacante.
delatar *tr y pron* delatar (denunciar).
delectación *f* deleitação, prazer.
delegación *f* **1** delagação (transmisión). **2** delegacia (oficina).
delegado, da *adj/m y f* delegado.
delegar *tr* delegar.
deleitar *tr y pron* deleitar.
deleite *m* deleite (del ánimo, sentidos).
deleitoso, sa *adj* deleitoso.
deletéreo, a *adj* deletério (venenoso).
deletrear *intr* **1** soletrar. **2** (fig) soletrar (descifrar).
deleznable *adj* **1** quebradizo, frágil. **2** (fig) depreciável.
delfín *m* golfinho.
delgadez *f* magreza.
delgado, da *adj* **1** magro. **2** fino, delgado.
deliberación *f* deliberação.
deliberado, da *adj* deliberado.
deliberar *intr* **1** deliberar (considerar). • *tr* **2** deliberar (decidir).
delicadeza *f* **1** delicadeza (ternura). **2** delicadeza (miramiento). **3** delicadeza (finura).
delicado, da *adj* **1** delicado (fino, sutil). **2** delicado (frágil).
delicia *f* delícia (del alma, sentidos).
delicioso, sa *adj* delicioso.
delictivo, va *adj* delituoso.
delicuescente *adj* (fig) deliqüescente (decadente).
delimitación *f* delimitação.
delimitar *tr* delimitar.
delincuencia *f* delinqüência.
delincuente *adj/m y f* delinqüente.
delineación *f* delineamento.
delineante *m o f* projetista, desenhista.
delinear *tr* **1** delinear. **2** desenhar, projetar.
delinquir *intr* delinqüir.
delirante *adj* delirante.
delirar *intr* **1** delirar (desvariar). **2** (fig) delirar (disparatar).
delirio *m* **1** delírio (desvarío). **2** (fig) delírio (disparate).
delírium trémens *m* PSIC delirium tremens.
delito *m* delito, crime. ◆ **cuerpo del ~** DER **~ común** DER crime comum.
demacrar *tr y pron* abater-se (física, anímicamente).
demagogia *f* **1** demagogia (dominación) **2** (fig) demagogia (engaño).

demagógico, ca *adj* demagógico.
demagogo, ga *m y f* **1** demagogo (político). • *adj/m y f* **2** (fig) demagogo (manipulador).
demanda *f* **1** demanda (petición, solicitación). **2** demanda (pregunta). **3** COM demanda. **4** DER demanda.
demandado, da *m* y *f* DER demandado.
demandante *m* o *f* DER demandante.
demandar *tr* **1** demandar (pedir). **2** demandar (preguntar). **3** DER demandar.
demarcación *f* **1** demarcação (delimitación). **2** demarcação (territorio).
demarcar *tr* demarcar (delimitar).
demás *pron indef* **1** demais: *él se queda, los demás pueden irse = ele fica, os demais podem ir embora.* • *adj* **2** demais, outros: *vino él y demás amigos = veio ele e demais amigos.* ◆ **lo ~** o resto; **los ~** o próximo, os outros. ■ **por lo ~** quanto ao mais.
demasía *f* demasia (exceso).
demasiado, da *adj* **1** demasiado, em demasia. **2** muito, demais: *hace demasiado calor hoy = está fazendo muito calor hoje.* • *adv* **3** muito, demais: *no compres más frutas, hay demasiadas = não compre mais frutas, têm muitas.* **4** demais (excesivamente).
demencia *f* demência (locura).
demencial *adj* demencial (absurdo).
demente *adj/m y f* demente.
demeritar *tr y pron Amér.* desmerecer.
demérito *m* desmerecimento, demérito.
democracia *f* democracia.
demócrata *adj/m y f* democrata.
democrático, ca *adj* democrático.
democratizar *tr y pron* democratizar.
demografía *f* demografia.
demógrafo, fa *m y f* demógrafo.
demoledor, ra *adj/m y f* demolidor.
demoler *tr* demolir.
demolición *f* demolição.
demoniaco, ca o **demoníaco, ca** *adj* demoníaco.
demonio *m* **1** demônio, diabo. • **¡~!** *interj* **2** (fam) diabo! ■ **del ~** (fam) dos diabos.
demora *f* demora, atraso.
demorar *tr, intr y pron* **1** demorar. • *intr* **2** MAR demorar.
demostración *f* **1** demonstração (comprobación). **2** demonstração (manifestación).
demostrar *tr* **1** demonstrar (manifestar). **2** demonstrar (probar).
denegación *f* denegação.
denegar *tr* denegar.
dengoso, sa *adj* dengoso, delicado.
dengue *m* **1** dengo, denguice (melindre). **2** MED dengue. **3** *Amér.* requebro (del cuerpo).
denguear *intr Amér.* requebrar.
denigrar *tr* denegrir, manchar (reputación, imagen).
denodado, da *adj* denodado, corajoso.
denominación *f* denominação.
denominar *tr y pron* denominar (nombrar, señalar).
denominativo, va *adj* denominativo.
denostar *tr* injuriar.
denotación *f* denotação.
denotar *tr* denotar.
densidad *f* **1** densidade. **2** FÍS densidade.
denso, sa *adj* **1** denso (compacto). **2** denso (espeso). **3** (fig) denso (confuso).
dentado, da *adj* dentado, denteado.
dentadura *f* dentadura.
dental *adj* **1** dental. • *adj y f* **2** FON dental.
dentellado, da *adj* dentado.
dentellar *intr* bater os dentes.
dentellear *tr* dentar (morder).
dentera *f* **1** arrepio nos dentes. **2** (fig, fam) dor-de-cotovelo (envidia).
dentición *f* dentição.
dentífrico, ca *adj y m* dentifrício.
dentista *m o f* dentista.
dentro *adv* dentro. ■ **~ de** dentro de, daqui a, dentro em (tiempo): *llegará dentro de un rato = ele estará chegando dentro de alguns momentos*; dentro de, dentro em (en el interior): *la moto está dentro del garaje = a moto está dentro da garagem.*
dentudo, da *adj/m y f* **1** dentuço. • *m* **2** *Cuba* anequim.
denuedo *m* denodo (valor, coraje).
denuesto *m* injúria, insulto.
denuncia *f* denúncia.
denunciante *adj/m y f* DER denunciante.
denunciar *tr* **1** denunciar (anunciar). **2** denunciar (publicar, revelar). **3** denunciar (delito, irregularidad).
deontología *f* deontologia.
deparar *tr* deparar (proporcionar).
departamental *adj* departamental.

departamento *m* **1** departamento (división, sección). **2** *Amér.* apartamento (vivienda).
depauperar *tr* depauperar (empobrecer).
dependencia *f* **1** dependência (subordinación). **2** dependência (drogadicción).
depender *intr* **1** depender (estar condicionado). **2** depender, estar sujeito (de una autoridad, circunstancias).
dependienta *f* balconista, vendedora.
dependiente *adj* dependente. • *m* **2** balconista, vendedor (de comercio).
depilación *f* depilação.
depilar *tr y pron* depilar.
depilatorio, ria *adj y m* depilatório.
deplorar *tr* deplorar, lamentar.
deponer *tr* **1** depor (apartar). **2** depor (cargo, dignidad).
deportar *tr* deportar.
deporte *m* esporte. ■ **por ~** (fig) por esporte.
deportista *adj/m y f* esportista.
deportividad *f* esportividade.
deportivo, va *adj* **1** esportivo. • *m* **2** carro esporte.
deposición *f* **1** deposição (declaración). **2** deposição (destitución).
depositar *tr* **1** depositar (ingresar). **2** depositar, colocar. **3** (fig) depositar, confiar. • **~se** *pron* **4** depositar-se, assentar (sedimento).
depositario, ria *adj/m y f* depositário.
depósito *m* **1** depósito (contenido). **2** tanque (de agua, combustible). ♦ **~ bancario** depósito bancário.
depravar *tr y pron* depravar.
depreciar *tr y pron* depreciar.
depredación *f* **1** depredação (caza). **2** depredação, saque (robo).
depredador, ra *adj/m y f* depredador.
depresión *f* **1** depressão (concavidad). **2** MED depressão. **3** ECON depressão.
deprimir *tr y pron* **1** deprimir (disminuir). **2** deprimir (abatir, decaer).
deprisa *adv* depressa.
depuesto, ta *adj* deposto.
depuradora *f* purificador (de agua).
depurar *tr y pron* depurar (purificar).
derecha *f* **1** direita (mano, pierna). **2** direita (dirección). **3** POL direita.
derecho, cha *adj* **1** direito (diestro). **2** direito (recto). **3** direito (lado). **4** direito (justo). **5** direto, sem rodeios. • *m* **6** direito (conjunto de leyes). **7** direito (carrera, ciencia). **8** direito (autorización legal). • **derechos** *m pl* **9** direitos (impuestos, tasas).
deriva *f* MAR deriva.
derivación *f* **1** derivação. **2** ELEC derivação. **3** GRAM derivação.
derivada *f* MAT derivada.
derivado, da *adj* **1** derivado. • *adj y m* **2** QUÍM derivado. **3** GRAM derivado.
derivar *intr y pron* **1** derivar (proceder). • *intr* **2** MAR derivar. • *tr* **3** GRAM derivar.
dermatitis o **dermitis** *f* MED dermatite.
dermatología *f* dermatologia.
dermatólogo, ga *m y f* dermatologista.
dermoprotector, ra *adj* dermoprotetor.
derogar *tr* derrogar.
derramamiento *m* derramamento, derrame.
derramar *tr y pron* **1** derramar (verter). • *tr* **2** (fig) espalhar (divulgar).
derrame *m* **1** ⇒ derramamiento. **2** MED derrame.
derrapar *intr* derrapar.
derredor *m* derredor. ■ **al o en ~** ao ou em derredor.
derrengado, da *adj* **1** descadeirado, derrengado. **2** torcido. **3** (fig) moído (cansado).
derrengar *tr y pron* **1** descadeirar, derrengar. **2** torcer, inclinar.
derretido, da *adj* **1** derretido. **2** (fig) derretido (enamorado). • *m* **3** concreto (hormigón).
derretir *tr y pron* **1** derreter (disolver). • *tr* **2** derreter (gastar). • **~se** *pron* **3** (fig) derreter-se (enamorarse).
derribar *tr y pron* **1** derrubar (caer, tirar). • *tr* **2** derrubar (demoler).
derribo *m* **1** demolição. **2** escombro (de construcción).
derrocar *tr* **1** derrocar (despeñar). **2** (fig) derrocar, derrubar (de cargo, poder).
derrochar *tr* **1** esbanjar, desperdiçar. **2** (fig, fam) esbanjar (alegría, energía).
derroche *m* esbanjamento, desperdício.
derrota *f* **1** derrota. **2** MAR rota.
derrotar *tr* **1** derrotar (vencer). **2** esbanjar, dissipar.
derrotero *m* **1** MAR rumo, rota. **2** (fig) rumo, direção.
derrotismo *m* derrotismo.
derruir *tr* derruir.
derrumbar *tr y pron* **1** derrubar, demolir. • *tr* **2** derrubar (dejar caer). **3** (fig) derrubar, abater.

desabastecer *tr y pron* desabastecer.
desaborido, da *adj* **1** insosso, insulso. **2** ralo (sin sustancia).
desabotonar *tr y pron* **1** desabotoar. • *intr* **2** desabrochar, desabotoar (flores).
desabrido, da *adj* **1** insípido (comida). **2** (fig) desabrido, não ameno (clima, tiempo).
desabrigado, da *adj* desabrigado (desprotegido).
desabrigar *tr y pron* **1** desabrigar (desarropar). **2** (fig) desabrigar (desamparar).
desabrochar *tr y pron* desabrochar.
desacato *m* desacato.
desacertar *intr* desacertar, errar.
desacierto *m* **1** desacerto, erro. **2** desacerto, despropósito.
desacomodar *tr* desacomodar.
desaconsejado, da *adj* desaconselhado.
desaconsejar *tr* desaconselhar.
desacordar *tr* MÚS desacordar, desentoar.
desacorde *adj* MÚS desacorde.
desacostumbrar *tr y pron* desacostumar.
desacreditar *tr* **1** desacreditar, difamar. **2** desacreditar, desvalorizar.
desactivar *tr* desativar (explosivo).
desacuerdo *m* desacordo.
desafecto, ta *adj* desafeto.
desafiar *tr* **1** desafiar, incitar. **2** desafiar, opor-se.
desafinar *intr y pron* **1** MÚS desafinar. **2** (fig, fam) deslizar, cometer uma gafe (en conversación).
desafío *m* desafio.
desafortunado, da *adj* desafortunado, desventurado.
desafuero *m* **1** transgressão (de una ley). **2** desaforo (insolencia).
desagradable *adj* desagradável.
desagradar *intr y pron* desagradar.
desagradecer *tr* desagradecer.
desagradecido, da *adj/m y f* desagradecido, ingrato.
desagraviar *tr y pron* desagravar, reparar (ofensa, injusticia, perjuicio).
desagravio *m* desagravo.
desaguar *tr* **1** desaguar, escoar. • *intr* **2** desaguar, desembocar (río). **3** (fig, fam) desaguar, fazer XIXI.
desagüe *m* **1** desaguamento. **2** desaguadouro, desaguadeiro.
desaguisado, da *m* desaguisado.
desahogar *tr y pron* **1** desafogar, desabafar. • **~se** *pron* **2** desafogar-se (de deudas).
desahogo *m* **1** desafogo, desabafo. **2** folga (financiera).
desahuciar *tr* **1** despejar (inquilino). **2** desanimar, desesperançar.
desahucio *m* despejo (de un inquilino).
desairado, da *adj* **1** desairoso. **2** (fig) menosprezado.
desairar *tr* **1** desairar (desestimar). **2** desairar (humillar).
desaire *m* desaire.
desajustar *tr y pron* desajustar.
desajuste *m* desajuste.
desalar *tr* dessalgar.
desalentar *tr y pron* (fig) desalentar.
desaliento *m* desalento.
desalinización *f* desalinização.
desaliñar *tr y pron* desalinhar.
desaliño *m* desalinho.
desalmado, da *adj* desalmado, desumano.
desalojar *tr* **1** desalojar. • *intr* **2** deslocar (desplazar).
desalojo *m* desalojamento.
desamarrar *tr y pron* desamarrar, desatar.
desamor *m* desamor, desafeto.
desamparado, da *adj/m y f* desamparado.
desamparar *tr* desamparar (abandonar).
desandar *tr* desandar, voltar (retroceder).
desangelado, da *adj* insulso, sem graça.
desangrar *tr y pron* **1** dessangrar. **2** (fig) dessangrar (agotar).
desanimado, da *adj/m y f* desanimado.
desanimar *tr y pron* desanimar (desalentar).
desanudar *tr* **1** denodar, desatar (nudo). **2** (fig) desembaraçar, esclarecer (situación, confusión).
desapacible *adj* **1** desaprazível, desagradável. **2** desagradável (tiempo).
desaparecer *tr, intr y pron* **1** desaparecer, sumir. • *tr* **2** desaparecer, extinguir.
desaparecido, da *adj/m y f* desaparecido.
desaparición *f* desaparecimento.
desapasionar *tr y pron* desapaixonar.
desapegar *tr y pron* despegar, desapegar.
desapego *m* desapego.

desapercibido, da *adj* desapercebido, despercebido.
desaplicar *tr y pron* desaplicar (en los estudios).
desaprensivo, va *adj* inescrupuloso.
desaprobar *tr* desaprovar.
desaprovechado, da *adj* desaproveitado.
desaprovechar *tr* desaproveitar, desperdiçar.
desarmar *tr, intr y pron* **1** desarmar, tirar as armas. • *tr* **2** desarmar, desmontar. **3** (fig) desarmar (apaciguar). **4** (fig) desarmar, deixar sem ação.
desarme *m* desarmamento.
desarraigado, da *adj* **1** desarraigado (planta, árbol). • *adj/m y f* **2** (fig) desarraigado (de un país, costumbre).
desarraigar *tr y pron* **1** desarraigar (planta, árbol). **2** (fig) desarraigar, extirpar (pasión, costumbre). **3** (fig) desarraigar (desterrar).
desarraigo *m* desarraigamento.
desarrapado, da *adj* esfarrapado.
desarreglar *tr y pron* desarrumar, bagunçar.
desarreglo *m* desordem, desarranjo.
desarrollar *tr y pron* **1** desenrolar (extender). **2** (fig) desenvolver, expandir (intelecto, moral). **3** (fig) desenvolver, crescer. • *tr* **4** desenvolver, expor (tema, plan, idea).
desarrollo *m* **1** desenvolvimento (intelectual, moral, físico). **2** desenvolvimento (crecimiento).
desarticular *tr y pron* **1** desarticular (hueso). **2** desarticular (aparatos, máquinas).
desasear *tr* desassear.
desaseo *m* desasseio.
desasir *tr y pron* **1** desprender (soltar). • **~se** *pron* **2** (fig) desfazer-se, desprender-se.
desasosegar *tr y pron* desassossegar.
desasosiego *m* desassossego.
desastrado, da *adj* **1** desastrado (infeliz). • *adj/m y f* **2** descuidado, desleixado.
desastre *m* **1** desastre (desgracia). **2** (fig) desastre (desorganización, mala calidad).
desastroso, sa *adj* desastroso.
desatar *tr y pron* **1** desatar, desamarrar. • **~se** *pron* **2** (fig) desencadear-se. **3** (fig) soltar-se (desinhibirse).
desatascador *m* desentupidor (utensilio).
desatascar *tr* **1** desentupir (cañería, conducto). **2** desatolar (vehículo).
desatención *f* **1** desatenção, distração. **2** desatenção, desrespeito.
desatender *tr* **1** desatender, ignorar (consejo, pedido). **2** desatender, desassistir.
desatentar *tr y pron* desatentar.
desatinar *tr e intr* desatinar.
desatinado, da *adj/m y f* desatinado.
desatornillar *tr* desparafusar, desaparafusar.
desautorizado, da *adj* desautorizado.
desautorizar *tr y pron* desautorizar.
desavenencia *f* desavença.
desavenir *tr y pron* desavir, indispor.
desayunar *intr* tomar o café da manhã, desjejuar.
desayuno *m* café da manhã, desjejum.
desazón *f* **1** dessabor. **2** (fig) dissabor, desgosto.
desazonar *tr* **1** dessaborar. • *tr y pron* **2** (fig) dissaborear (disgustar).
desbancar *tr* **1** desbancar (en el juego). **2** (fig) desbancar, suplantar.
desbandada *f* debandada, fuga desordenada.
desbandarse *intr* debandar, fugir desordenamente.
desbarajuste *m* desbarate, desbagunça.
desbaratado, da *adj/m y f* (fig, fam) desregrado (de mala vida).
desbaratar *tr* **1** desbaratar (arruinar). **2** desbaratar, esbanjar (bienes). **3** (fig) desbaratar, estragar (plan, proyecto). • *intr* **4** (fig) transtornar-se (razón).
desbarrar *intr* **1** escorregar. **2** (fig) desvariar, desvairar.
desbastar *tr* **1** desbastar (pulir). • *tr y pron* **2** (fig) desbastar (modales, rudeza).
desbloquear *tr e intr* desbloquear.
desbocado, da *adj* **1** desbeiçado (desgastado). • *adj/m y f* **2** (fig, fam) desbocado (descontrolado).
desbordar *intr y pron* **1** transbordar (derramarse). • *tr* **2** (fig) ultrapassar, extrapolar (paciencia, límite).
desbravar *tr* **1** desbravar (amansar). • *intr y pron* **2** acalmar (mar, viento, lluvia). **3** (fig) acalmar (cólera).
desbravecer *tr e intr* apaziguar.

desbrozar *tr* capinar.
descabalar *tr y pron* **1** desequilibrar (presupuesto). **2** tornar incompleto (juego, aparato). **3** estragar (plan, proyecto).
descabalgar *intr* apear, desmontar (de caballerías).
descabellado, da *adj* (fig) descabelado, disparatado.
descabezado, da *adj* **1** descabeçado. • *adj/m y f* **2** (fig) descabeçado, desmiolado. **3** distraído.
descabezar *tr* **1** decapitar, descabeçar. **2** (fig) descabeçar (árboles, maderos).
descafeinado, da *adj* descafeinado.
descalabrar *tr y pron* ferir a cabeça.
descalcificar *tr y pron* descalcificar.
descalificación *m* desqualificação.
descalificar *tr* **1** desqualificar, desacreditar. **2** desclassificar, desqualificar (de una competición).
descalzar *tr y pron* **1** descalçar (pies). • *tr* **2** descalçar (quitar los calzos).
descalzo, za *adj* **1** descalço. **2** (fig) descalço (pobre).
descambiar *tr* trocar, devolver (objeto comprado).
descaminado, da *adj* desencaminhado.
descaminar *tr y pron* **1** desencaminhar, extraviar. **2** (fig) desencaminhar, corromper.
descamisado, da *adj/m y f* **1** descamisado. **2** (fig, desp) esfarrapado.
descampado, da *adj y m* descampado.
descansar *intr* **1** descansar (recuperar las fuerzas). **2** (fig) descansar, acalmar-se. • *intr y tr* **3** descansar (apoyarse).
descanso *m* **1** descanso (reposo). **2** intervalo (de espectáculo, partido).
descantillar *tr y pron* lascar (cantos, aristas).
descapotable *adj y m* conversível (coche).
descarado, da *adj/m y f* descarado.
descararse *pron* descarar-se, ser insolente.
descarga *f* **1** descarga, descarregamento. **2** (fig) alívio (de preocupaciones). **3** ELEC descarga.
descargar *tr* **1** descarregar (mercancías). **2** descarregar, disparar (arma). **3** (fig) descarregar, descontar (enfado, ira). • *tr e intr* **4** desferir (golpe). • *tr y pron* **5** descarregar (pila, batería).
descargo *m* desencargo, descargo.
descarnado, da *adj* **1** descarnado. **2** (fig) nu e cru (realista).
descaro *m* descaramento.
descarriar *tr y pron* desencaminhar.
descarrilamiento *m* descarrilamento, descarrilhamento.
descarrilar *intr* descarrilar, descarrilhar.
descartar *tr* **1** (fig) descartar, rejeitar (posibilidad, propuesta). • **~se** *pron* **2** descartar (en juego de naipes).
descasar *tr y pron* descasar.
descascarillar *tr y pron* descascar.
descastado, da *adj/m y f* frio, ingrato.
descastar *tr* extinguir (animales).
descendencia *f* descendência.
descender *intr* **1** descer (bajar). **2** descender (proceder).
descendiente *m o f* descendente.
descenso *m* descenso, descida.
descentralizar *tr* descentralizar.
descentrar *tr y pron* **1** descentrar. **2** (fig) desconcentrar (distraer).
desceñir *tr y pron* descingir, desatar.
descharchar *tr Amér. Centr.* destituir, despedir.
deschavetarse *pron Amér.* (fam) ficar destrambelhado (enloquecer).
descifrar *tr* **1** decifrar, decodificar. **2** (fig) decifrar, desvendar.
desclavar *tr y pron* **1** despregar. • *tr* **2** desencravar.
descoco *m* (fam) descaramento, atrevimento.
descodificación *f* decodificação.
descodificar *tr* decodificar, descodificar.
descojonarse *pron* (vulg) mijar-se de rir.
descolgar *tr* **1** despendurar. **2** descer, baixar (con cuerda). **3** tirar do gancho (teléfono).
descollar *intr y pron* sobressair, distinguir-se.
descolorido, da *adj* descolorido, desbotado.
descomedido, da *adj/m y f* **1** descomedido (inmoderado). **2** descomedido (descortés).
descompasarse *pron* **1** descompassar, descomedir. **2** descompassar (perder el ritmo).
descompensar *tr y pron* **1** descompensar. • **~se** *pron* **2** MED descompensar.

d

descomponer *tr y pron* **1** decompor (deshacer). **2** decompor (pudrirse). • *tr* **3** (fig) desarranjar (desordenar).
descomposición *f* **1** decomposição. **2** (fam) diarréia.
descompostura *f* **1** descompostura (desorden). **2** descompostura (desaliño).
descomprimir *tr* descomprimir.
descompuesto, ta *adj* decomposto.
descomunal *adj* descomunal, colossal.
desconcentrar *tr y pron* desconcentrar (distraer).
desconcertado, da *adj* desconcertado (desbaratado).
desconcertar *tr y pron* **1** desconcertar (desordenar). **2** (fig) desconcertar (sorprender).
desconcierto *m* (fig) desconcerto (desorden).
desconectar *tr* **1** desconectar (electricidad). **2** desligar (aparato).
desconexión *f* desconexão.
desconfiar *intr* desconfiar.
descongelar *tr* **1** descongelar. **2** (fig) descongelar (capital, salario).
descongestionar *tr y pron* descongestionar.
desconocer *tr* **1** desconhecer (ignorar). **2** desconhecer (no identificar).
desconocido, da *adj/m y f* **1** desconhecido. • *adj* **2** desconhecido, ignorado.
desconsiderar *tr* desconsiderar.
desconsolar *tr y pron* desconsolar.
desconsuelo *m* desconsolo, desconsolação.
descontado, da *adj* descontado.
descontar *tr* **1** descontar, dar desconto. **2** COM descontar, abater (abonar).
descontento, ta *adj* descontente.
descontrol *m* descontrole.
descontrolarse *pron* **1** descontrolar-se (aparato, mecanismo). **2** (fig) descontrolar-se (exaltarse).
desconvocar *tr* cancelar uma convocação.
descorazonar *tr* **1** arrancar o coração. • *tr y pron* **2** (fig) desanimar.
descorchador *m* saca-rolhas.
descorchar *tr* **1** descortiçar (alcornoque). **2** desarrolhar, abrir (botella).
descornar *tr y pron* descornar.
descorrer *tr* **1** correr (cortina, bandera). • *intr y pron* **2** escorrer (líquido).
descortés *adj/m y f* descortês.
descoser *tr y pron* descosturar, descoser.
descosido, da *adj* descosturado, descosido.
descoyuntar *tr y pron* desconjuntar.
descrédito *m* descrédito.
descreído, da *adj* incrédulo, descrente.
descremado, da *adj* **1** desnatado. • *m* **2** desnatação.
describir *tr* **1** descrever (delinear). **2** descrever (representar).
descripción *f* descrição.
descuadrar *intr* não bater (cuentas).
descuajaringar o **descuajeringar** *tr y pron* escangalhar.
descuartizar *tr* esquartejar.
descubierto, ta *adj* **1** descoberto (destapado). **2** aberto (lugar, paisaje).
descubrimiento *m* **1** descobrimento, descoberta (de tierras, secretos). **2** descobrimento (invención).
descubrir *tr* **1** descobrir (destapar). **2** descobrir (encontrar). **3** descobrir (inventar).
descuello *m* proeminência.
descuento *m* **1** desconto (rebaja). **2** DEP desconto.
descuidar *tr* **1** descuidar, negligenciar. **2** despreocupar-se: *descuida = despreocupe-se*.
descuido *m* **1** descuido (negligencia). **2**
desde *prep* **1** (tiempo) desde: *no hablamos desde el domingo = não nos falamos desde domingo*. **2** (lugar) de, desde: *vino corriendo desde su casa = veio correndo desde sua casa*. ■ **~ hace** há: *llevo estudiando inglés desde hace dos años = estou estudando inglês há dois anos*; **~ luego** sem dúvida, com certeza.
desdecir *intr* **1** desdizer (desmentir). **2** (fig) desdizer, destoar.
desdén *m* desdém.
desdentado, da *adj* **1** desdentado. • *adj/m y f* **2** ZOOL desdentado. • **desdentados** *m pl* **3** ZOOL desdentados.
desdeñar *tr* desdenhar.
desdibujarse *pron* desbotar-se, desvanecer-se.
desdicha *f* desgraça, azar.
desdichado, da *adj* desgraçado, infeliz.
desdoblar *tr y pron* **1** desdobrar (extender). **2** (fig) desdobrar (dividir).
desdoro *m* desdouro.

desear *tr* desejar (anhelar).
desecar *tr y pron* dessecar.
desechable *adj* descartável.
desechar *tr* **1** descartar (excluir). **2** menosprezar, pôr de lado.
desecho *m* **1** dejeto, resíduo. **2** resto, sobra.
desembalar *tr* desembalar, desempacotar.
desembarazar *tr y pron* desembaraçar, desimpedir.
desembarcadero *m* cais, desembarcadouro.
desembarcar *tr, intr y pron* **1** desembarcar. • *intr y pron* **2** (fig) chegar (empresa, tecnologías).
desembarco *m* desembarque.
desembocadura *f* desembocadura, foz.
desembocar *intr* **1** desembocar. **2** (fig) desembocar, terminar em.
desembolsar *tr* **1** desembolsar. **2** (fig) desembolsar (pagar).
desembolso *m* desembolso.
desembragar *tr* MEC desembrear.
desembrollar *tr* (fam) desembrulhar (aclarar).
desembuchar *tr* (fig, fam) desembuchar (contar).
desempacar *tr* desempacotar.
desempachar *intr y pron* desempachar.
desempañar *tr* desembaçar (cristal).
desemparejar *tr y pron* desemparelhar (desigualar).
desempatar *intr y tr* desempatar (desigualar).
desempate *m* desempate.
desempeñar *tr* **1** desempenhar (ejercer). **2** desempenhar (interpretar).
desempleado, da *adj/m y f* desempregado.
desempleo *m* desemprego.
desempolvar *tr y pron* desempoeirar.
desencadenar *tr* desencadear (desatar).
desencajar *tr y pron* desencaixar.
desencallar *tr e intr* desencalhar (embarcación).
desencaminar *tr* desencaminhar (desviar).
desencantar *tr y pron* **1** desencantar, desenfeitiçar. **2** desencantar, desiludir (desilusionar).
desencanto *m* desencantamento, desilusão.
desenchufar *tr* tirar da tomada.
desencuentro *m* **1** desencontro, desacerto. **2** desencontro, divergência (de ideas, opiniones).
desenfadado, da *adj* despreocupado.
desenfado *m* despreocupação.
desenfocar *tr, intr y pron* desfocar, desfocalizar.
desenfrenar *tr* **1** desenfrear (caballería). • **~se** *pron* **2** (fig) desbundar (excederse).
desenfreno *m* (fig) desbunde (descontrol).
desengañar *tr y pron* desenganar, desiludir.
desengaño *m* **1** desengano (aclaramiento). **2** desengano (desencanto).
desengrasar *tr* **1** desengordurar. **2** desengraxar.
desenlace *m* **1** desenlace, desfecho. **2** desenlace, desenlaçamento.
desenlazar *tr y pron* desenlaçar, desatar.
desenmascarar *tr y pron* **1** desmascarar (quitar la máscara). • *tr* **2** (fig) desmascarar, revelar (sentimientos, opiniones, planes).
desenredar *tr y pron* **1** desenredar, desenrascar. • *tr* **2** (fig) desenredar, descomplicar (asunto, problema).
desenrollar *tr y pron* desenrolar, estender.
desenroscar *tr y pron* **1** desenroscar, estirar. • *tr* **2** desenroscar, desparafusar.
desentenderse *pron* **1** desentender. **2** desligar-se (de asunto, negocio).
desenterrar *tr* **1** desenterrar. **2** (fig) desenterrar (asunto, recuerdo, sentimiento).
desentonar *intr y pron* destoar (comportamiento, ropa).
desentrañar *tr* **1** desentranhar (destripar). **2** (fig) desentranhar (descubrir).
desentumecer *tr y pron* desintumescer.
desenvainar *tr* desembainhar (arma).
desenvoltura *f* **1** (fig) desenvoltura (desembarazo). **2** (fig) desenvoltura (impudicia).
desenvolver *tr y pron* **1** desembrulhar (paquete). **2** (fig) desenvolver (desarrollar). • *tr* **3** (fig) desembrulhar (descubrir, descifrar).
deseo *m* desejo. ■ **arder en deseos de algo** morrer de vontade de algo.
desequilibrado, da *adj/m y f* desequilibrado, alienado.
desequilibrar *tr y pron* desequilibrar.

deserción *f* **1** deserção (abandono). **2** MIL deserção.
desertar *intr y pron* **1** MIL desertar. • *intr* **2** (fig) desertar, abandonar (obligaciones, ideales).
desértico, ca *adj* desértico.
desertización *f* desertificação.
desesperación *f* desesperação, desespero.
desesperado, da *adj/m y f* desesperado. ■ **a la desesperada** (fig, fam) como último recurso.
desesperante *adj* desesperante.
desesperanzar *tr y pron* desesperançar.
desesperar *tr, intr y pron* **1** desesperar (desesperanzar). • *tr y pron* **2** (fam) desesperar, desalentar.
desestabilizar *tr y pron* desestabilizar.
desestimar *tr* **1** desestimar (despreciar). **2** denegar (petición).
desfachatez *f* (fam) desfaçatez, descaramento.
desfalcar *tr* desfalcar.
desfallecer *intr* desfalecer.
desfase *m* defasagem.
desfavorable *adj* desfavorável.
desfavorecer *tr* desfavorecer.
desfigurar *tr y pron* **1** desfigurar, transfigurar. • *tr* **2** (fig) desfigurar (desvirtuar).
desfiladero *m* desfiladeiro.
desfilar *intr* **1** desfilar. **2** MIL desfilar (marchar).
desfile *m* desfile.
desflorar *tr* **1** desflorar, deflorar. **2** desflorar, desvirginar.
desfogar *tr* **1** dar saída (al fuego). • *tr y pron* **2** (fig) desafogar (manifestar).
desfondar *tr y pron* **1** desfundar. • *tr* **2** arar (tierra).
desgaire *m* desmanzelo, desleixo.
desgajar *tr y pron* **1** desgalhar (árbol, rama). **2** desgarrar, separar.
desgalichado, da *adj* (fam) desalinhado, desmanzelado.
desgalillarse *pron Amér.* esgoelar-se.
desgana *f* **1** inapetência, falta de apetite. **2** (fig) desmotivação, desânimo.
desgañitarse *pron* (fam) esgoelar-se.
desgarbado, da *adj* deselegante, desalinhado.
desgarrado, da *adj/m y f* escandaloso.
desgarrar *tr y pron* **1** dilacerar, mortificar. **2** rasgar, dilacerar.
desgarro *m* **1** dilaceração, despedaçamento. **2** (fig) descaramento.
desgastar *tr y pron* **1** desgastar (consumir). **2** (fig) desgastar (fuerza, vigor).
desgaste *m* desgaste.
desglosar *tr* desmembrar, desglosar.
desgobernar *tr* **1** desgovernar (descontrolar). **2** desconjuntar, deslocar (hueso).
desgracia *f* **1** desgraça (infortunio). **2** desgraça (tragedia). **3** desgraça, contratempo.
desgraciado, da *adj/m y f* **1** desgraçado (infeliz). • *adj* **2** desgraçado, miserável.
desgraciar *tr y pron* desgraçar.
desgranar *tr y pron* **1** debulhar, esbagoar. **2** desfiar (collar, rosario).
desgravación *m* dedução (de impuestos).
desgravar *tr* deduzir (impuestos).
desguanzado, da *adj Amér. Centr., Méx.* desfalecido (cansado).
desguañangar *tr Amér. Merid.* desvencilhar.
desguarnecer *tr* **1** desguarnecer, desenfeitar. **2** desguarnecer (desproveer).
desguazar *tr* desmontar, desfazer (automóvil).
deshabitado, da *adj* desabitado.
deshacer *tr y pron* **1** desfazer (desestructurar). **2** desfazer, desmanchar. **3** desfazer (disolver).
desharrapado, da *adj/m y f* esfarrapado.
deshecho, cha *adj* **1** desfeito, desmanchado. **2** torrencial (lluvia).
desheredado, da *adj/m y f* deserdado.
desheredar *tr* deserdar.
deshidratación *f* desidratação.
deshidratar *tr y pron* desidratar.
deshielo *m* **1** degelo. **2** (fig) esfriamento (de relación, amistad).
deshilvanar *tr y pron* desalinhavar.
deshinchar *tr y pron* **1** desinchar. • **~se** *pron* **2** desinchar, desintumescer (inflamación). **3** (fig) desinchar (desensoberbecer).
deshojar *tr y pron* desfolhar.
deshollinador, ra *adj/m y f* limpa-chaminés.
deshonesto, ta *adj* desonesto.
deshonor *m* desonra (vergüenza).
deshonra *f* ⇒ deshonor.
deshora *f* desora.

deshuesar *tr* **1** desossar (carne). **2** descaroçar (fruto).
deshumanizar *tr* desumanizar.
desiderátum *m* desiderato, desideratum.
desidia *f* desídia.
desierto, ta *adj* **1** deserto (desplobado). **2** deserto (vacío). • *m* **3** deserto (zona árida). **4** (fig) deserto (lugar deshabitado).
designar *tr* **1** designar (indicar). **2** designar (nombrar).
designio *m* desígnio.
desigual *adj* **1** desigual (distinto). **2** desigual (variable).
desigualdad *f* **1** desigualdade (diferencia). **2** desigualdade (desnivel). **3** MAT desigualdade.
desilusión *f* desilusão.
desilusionar *tr y pron* desiluir.
desinfectar *tr y pron* desinfetar.
desinflar *tr* desinflar, fazer murchar.
desintegración *f* desintegração.
desintegrar *tr y pron* desintegrar.
desinterés *m* **1** desinteresse, indiferença. **2** desinteresse (generosidad).
desinteresado, da *adj* desinteresseiro, desinteressado.
desintoxicar *tr* desintoxicar.
desistir *intr* desistir (renunciar).
desleal *adj* desleal.
desleír *tr y pron* diluir, dissolver.
deslenguado, da *adj* (fig) desbocado, deslinguado.
deslenguar *tr* **1** deslinguar. • **~se** *pron* **2** (fig, fam) desbocar-se, deslinguar-se.
desliar *tr y pron* desliar, desatar.
desligar *tr y pron* **1** desligar, desatar. **2** desligar (independizar). **3** (fig) desligar, liberar.
deslindar *tr* **1** lindar, deslindar. **2** (fig) deslindar, explicitar (aclarar).
desliz *m* **1** deslize, deslizamento. **2** (fig) deslize, falha (indiscreción).
deslizar *intr y pron* **1** deslizar (resbalar). • *tr* **2** (fig) soltar, deixar escapar. • **~se** *pron* **3** (fig) escapar-se.
deslomar *tr y pron* (fig) descadeirar.
deslucir *tr y pron* **1** desluzir, deslustrar. **2** (fig) desluzir (desacreditar).
deslumbrar *tr y pron* **1** deslumbrar (ofuscar). **2** (fig) deslumbrar (confundir).
desmadrar *tr* **1** desmamar, desleitar. • **~se** *pron* **2** (fig, fam) descontrolar-se, exceder-se.
desmadre *m* **1** (fam) descontrole, descomedimento. **2** (fam) zona, muvuca.
desmán *m* desmando (exceso).
desmanchar *tr* **1** desmanchar, desenodoar. **2** *Amér.* desmanchar (amistad, asociación).
desmandar *tr* **1** desmandar (revocar). • **~se** *pron* **2** desmandar-se (descomedirse).
desmanotado, da *adj/m y f* (fig, fam) acanhado.
desmantelar *tr* **1** desmantelar (derribar). **2** (fig) desmantelar, desarticular (organización, cuadrilla).
desmaquillador *m* demaquilante.
desmarcarse *tr* **1** DEP driblar. **2** (fig, fam) divergir (en ideas, opiniones).
desmayar *tr y pron* **1** desmaiar. • *intr* **2** (fig) desanimar.
desmayo *m* desmaio.
desmedido, da *adj* desmedido.
desmedirse *pron* desmedir-se.
desmejorado, da *adj* pior, desmelhorado.
desmejorar *tr y pron* **1** piorar, desmelhorar (aspecto). • *intr y pron* **2** piorar, desmelhorar (salud).
desmelenar *tr y pron* **1** despentear, descabelar. • **~se** *pron* **2** (fig) descabelar-se (enfurecerse). **3** (fig) soltar-se (desinhibirse).
desmembrar *tr* **1** desmembrar (cuerpo). • *tr y pron* **2** (fig) desmembrar (separar, dividir).
desmemoriado, da *adj/m y f* desmemoriado.
desmentido, da *m y f Amér.* desmentido.
desmentir *tr* **1** desmentir: *me desmintió = ela desmentiu-me*. **2** desmentir (falsedad): *desmentir una información = desmentir uma informação*.
desmenuzar *tr y pron* **1** esmigalhar, esmiuçar. • *tr* **2** (fig) esmiuçar, esquadrinhar (analizar).
desmerecer *tr* **1** desmerecer (hacer indigno): *no quiero desmerecer su confianza = não quero desmerecer a sua confiança*. • *intr* **2** desmerecer (desvalorizarse).
desmesurado, da *adj* desmesurado.
desmesurar *tr* **1** descompor, desalinhar. • **~se** *pron* **2** exagerar, exceder-se.
desmirriado, da *adj* (fam) raquítico, franzino.
desmitificar *tr* desmitificar.

d

desmontar *tr, intr y pron* **1** desmontar (de caballería). • *tr* **2** desmontar (desarmar).
desmonte *m* desmonte, desaterro (colina, terreno).
desmoralizar *tr y pron* desmoralizar.
desmoronar *tr y pron* **1** desmoronar (edificio). • **~se** *pron* **2** (fig)
desmovilizar *tr* desmobilizar.
desnatado, da *adj* desnatado.
desnatar *tr* desnatar.
desnaturalizado, da *adj/m y f* desnaturado.
desnaturalizar *tr y pron* desnaturar.
desnivel *m* desnível.
desnucar *tr y pron* desnucar.
desnudar *tr y pron* **1** despir, desnudar. • *tr* **2** despir, desnudar (mostrar). **3** (fig) rapar (robar).
desnudo, da *adj* **1** nu, despido. **2** (fig) nu, despojado (de adornos).
desnutrición *f* desnutrição.
desobedecer *tr* desobedecer.
desobediente *adj* desobediente.
desocupación *f* **1** desocupação (ociosidad). **2** desocupação (desempleo).
desocupar *tr y pron* **1** desocupar (desalojar, evacuar). • **~se** *pron* **2** desocupar-se, livrar-se (de una tarea, negocio).
desodorante *adj y m* desodorante.
desoír *tr não* dar ouvidos.
desolado, da *adj* **1** desolado (desierto). **2** (fig) desolado (afligido).
desolar *tr* **1** desolar (destruir). • **~se** *pron* **2** ficar desolado, afligir-se.
desollar *tr y pron* **1** esfolar, pelar. • *tr* **2** (fig) arruinar (honra, fortuna).
desorbitado, da *adj* **1** exorbitado, desorbitado. **2** (fig) exorbitante (precio).
desorbitar *tr y pron* **1** exorbitar, desorbitar. **2** (fig) exorbitar, exceder.
desorden *m* **1** desordem, bagunça. **2** desarranjo, transtorno (en el organismo).
desordenar *tr y pron* desordenar.
desorejado, da *adj* **1** desorelhado. **2** (fig, fam) desgraçado, infame.
desorganizar *tr y pron* desorganizar.
desorientar *tr y pron* **1** desorientar, desnortear. **2** (fig) desorientar (confundir).
desovar *intr* desovar.
despabilado, da *adj* **1** desperto, acordado. **2** (fig) danado, esperto.
despabilar *tr, intr y pron* **1** (fig) acordar (avivar). • *intr y pron* **2** (fig) despertar, acordar. **3** (fig) mexer-se, apressar-se.
despachante *m o f Arg., Par., Ur.* despachante aduaneiro.
despachar *tr* **1** despachar, resolver (asunto, negocio). **2** despachar (enviar). • *tr e intr* **3** (fam) despachar (atender). • *tr y pron* **4** despachar, despedir. • **~se** *pron* **5** (fam) desembuchar, desabafar.
despacho *m* **1** despacho (resolución). **2** escritório. **3** despacho, ofício. **4** contabilidade (contaduría).
despachurrar *tr y pron* (fam) esmagar, achatar.
despacio *adv* devagar.
despampanante *adj* deslumbrante, estonteante.
despanzurrar *tr* **1** destripar, desventrar. **2** (fig) arrebentar, espatifar.
despanzurro *m Chile* disparate, despautério.
despapucho *m Perú* ⇒ despanzurro.
desparpajo *m* **1** (fam) desenvoltura, desembaraço (al hablar, obrar). **2** *Amér. Centr.* (fam) bagunça, desordem.
desparramado, da *adj* **1** esparramado (ancho, abierto). **2** espaçoso, amplo.
desparramar *tr y pron* **1** esparramar, espalhar. • *tr* **2** (fig) esbanjar (bienes, dinero).
despavorido, da *adj* apavorado, despavorido.
despecho *m* despeito.
despechugar *tr* **1** tirar o peito (de un ave). • **~se** *pron* **2** (fig, fam) decotar-se.
despectivo, va *adj* **1** depreciativo. • *adj y m* **2** GRAM pejorativo.
despedazar *tr y pron* **1** despedaçar. **2** (fig) despedaçar (alma, honra).
despedida *f* despedida.
despedir *tr* **1** despedir (acompañar). **2** despedir, arremessar (arrojar). **3** (fig) despedir, desprender (olor, rayo). • *tr y pron* **4** despedir, demitir (de un cargo, ocupación, puesto). • **~se** *pron* **5** despedir-se. **6** (fam) dizer adeus (renunciar).
despegado, da *adj* **1** descolado, desgrudado. **2** (fig, fam) desagradável, antisocial. **3** (fig, fam) desapegado, desafeiçoado.
despegar *tr y pron* **1** descolar, desgrudar. • *intr* **2** decolar (avión, cohete). • **~se** *pron* **3** (fig) desapegar-se (del afecto).

despegue *m* **1** decolagem. **2** (fig) decolagem (de economía, proyecto).
despeinado, da *adj/m y f* despenteado.
despeinar *tr* despentear.
despejado, da *adj* **1** desimpedido, livre. **2** esperto, arguto. **3** aberto, limpo (tiempo). **4** espaçoso, amplo.
despejar *tr* **1** esvaziar, desocupar. **2** (fig) esclarecer (aclarar). **3** MAT isolar (incógnita). • **~se** *pron* **4** abrir (cielo). **5** espairecer (de preocupaciones, malestar).
despelotarse *pron* **1** (fam) ficar pelado, tirar a roupa. **2** (fam) morrer de rir.
despellejar *tr y pron* **1** esfolar, pelar. • *tr* **2** (fig) tirar o couro (criticar).
despenalizar *tr* descriminalizar.
despensa *f* **1** despensa (lugar). **2** despensa (alimentos).
despensero, ra *m y f* despenseiro.
despeñar *tr y pron* despenhar.
despercudir *tr* **1** *Amér.* desencardir (limpiar). • *tr y pron* **2** *Amér.* (fig) acordar (despabilar).
desperdiciar *tr* desperdiçar (tiempo, dinero, oportunidad).
desperdicio *m* **1** desperdício (derroche). **2** (gralte pl) desperdício, sobra.
desperdigar *tr y pron* **1** espalhar, dispersar. **2** (fig) dispersar (atención, interés).
desperezarse *pron* espreguiçar-se.
desperfecto *m* **1** defeito, imperfeição. **2** estrago (daño).
despersonalizar *tr y pron* **1** despersonalizar. • *tr* **2** impessoalizar.
despertador, ra *adj* **1** despertador. • *m* **2** despertador (reloj).
despertar *m* despertar.
despertar *tr, intr y pron* **1** acordar (del sueño). • *tr* **2** despertar (interés, apetito). **3** (fig) desenterrar, despertar (recuerdo, memoria).
despiadado, da *adj* desapiedado, despiedado.
despido *m* **1** demissão, exoneração. **2** indenização, recisão.

> No debe confundirse el término **despido** con ***despido*** en portugués, que significa 'desnudo, sin ropa' y, en sentido figurado, 'libre, desprovisto'.

despiece *m* **1** desmonte, desmantelamento. **2** esquartejamento (de animal).
despierto, ta *adj* **1** acordado. **2** (fig) esperto, vivo.
despiezar *tr* **1** desmontar (máquina, aparato). **2** esquartejar (animal).
despilfarrado, da *adj/m y f* **1** esbanjado. **2** esfarrapado.
despilfarrar *tr y pron* esbanjar, dissipar.
despilfarro *m* esbanjamento.
despintar *tr* **1** despintar. • *intr y pron* **2** (fig) desfigurar, desvanecer (mal recuerdo, asunto).
despistar *tr e intr* **1** despistar. • *intr* **2** (fig) despistar (disimular). • ~ **-se** *pron* **3** distrair-se.
despiste *m* **1** distração, desatenção. **2** distração (error).
desplante *m* (fig) desplante, descaramento.
desplazamiento *m* deslocamento.
desplazar *tr y pron* **1** deslocar. **2** substituir (cargo, función). • **~se** *pron* **3** mudar-se.
desplegar *tr y pron* **1** desdobrar, estender. • *tr* **2** empregar, aplicar.
despliegue *m* **1** desdobramento. **2** (fig) ostentação.
desplomar *tr* **1** desaprumar (inclinar). • **~se** *pron* **2** (fig) desabar (caer).
desplome *m* desabamento.
desplumar *tr y pron* **1** depenar (ave). • *tr* **2** (fig) depenar (dejar sin dinero).
despoblación *f* despovoamento, despovoação.
despoblado, da *adj* despovoado.
despoblar *tr y pron* **1** despovoar. • *tr* **2** (fig) devastar.
despojar *tr y pron* **1** despojar, espoliar. • **~se** *pron* **2** despojar-se (desnudarse). **3** despojar-se (deshacerse).
despojo *m* **1** despojo, despojamento. **2** despojo (presa). • **despojos** *m pl* **3** despojo, restos mortais.
desposar *tr y pron* desposar, esposar.
desposeer *tr* despojar, desapossar.
déspota *m o f* **1** déspota. **2** (fig) déspota (autoritario).
despótico, ca *adj* despótico (tiránico, absoluto).
despotricar *tr y pron* (fam) esculhambar (criticar).
despreciable *adj* desprezível.

despreciar *tr* **1** desprezar (desestimar). **2** desprezar (desdeñar).
desprecio *m* **1** desprezo (desestimación). **2** desprezo (desdén).
desprender *tr y pron* **1** desprender (soltar). **2** desprender, expelir (olor, rayos). • **~se** *pron* **3** (fig) desligar-se, desprender-se (de bienes, afectos).
desprendido, da *adj* desprendido (desinteresado, generoso).
desprendimiento *m* **1** desprendimento (separación). **2** (fig) desprendimento (desinterés).
despreocupación *f* **1** despreocupação (tranquilidad). **2** despreocupação (negligencia).
despreocupado, da *adj* despreocupado.
despreocuparse *pron* despreocupar-se.
desprestigiar *tr y pron* desprestigiar.
desprevenido, da *adj* **1** desprevenido (desproveído). **2** desprevenido (no preparado).
desproporción *f* desproporção.
desproporcionado, da *adj* desproporcional, desproporcionado.
desproporcionar *tr* desproporcionar.
despropósito *m* despropósito, desatino.
desprovisto, ta *adj* desprovido.
después *adv* **1** (tiempo) depois: *te veo después de la clase = te vejo depois da aula.* **2** (lugar) depois: *su casa está después de aquella gasolinera = sua casa está depois daquele posto.* **3** seguinte: *me llamó la noche después = me ligou na noite seguinte.*
despuntar *tr y pron* **1** despontar, desgastar (punta). • *intr* **2** despontar, brotar (plantas).
desquiciar *tr y pron* **1** desquiciar, desengonçar (puerta, ventana). **2** (fig) desnortear, transtornar.
desquitar *tr y pron* **1** desforrar, compensar. **2** (fig) desforrar, vingar.
desratizar *tr* desratizar.
desriñonar *tr y pron* **1** deslombar, espancar. **2** (fig, coloq) dar duro (trabajar).
destacado, da *adj* destacado (notorio).
destacamento *m* MIL destacamento.
destacar *tr y pron* **1** MIL destacar. • *intr y pron* **2** (fig) destacar (sobresalir).
destajo *m* empreitada.
destapar *tr y pron* **1** destampar (recipiente). **2** descobrir. • **~se** *pron* **3** (fig) despir-se.
destartalado, da *adj/m y f* desmantelado, desmelingüido.
destellar *tr* lampejar, centelhar.
destello *m* lampejo, centelha.
destemplado, da *adj* **1** descomedido, destemperado. **2** destemperado (metal).
destemplanza *f* **1** alteração. **2** (fig) intemperança, descomedimento.
destemplar *tr* **1** destemperar (metal). • *tr y pron* **2** destemperar (desafinar). **3** (fig) destemperar (descomedirse).
desteñir *tr, intr y pron* destingir, desbotar.
desternillarse *pron* (fig) morrer de rir.
desterrar *tr y pron* **1** desterrar, exilar. • *tr* **2** (fig) desterrar, afastar (recuerdos, sentimientos). **3** (fig) perder (costumbres, malos hábitos).
destiempo a ~ *loc adv* destempo.
destierro *m* desterro.
destilación *f* destilação.
destilar *tr e intr* **1** destilar. • *tr y pron* **2** filtrar. • *tr* **3** (fig) destilar, revelar.
destilería *f* destilaria.
destinar *tr* **1** destinar (señalar). **2** destinar, enviar. **3** designar (cargo, función).
destinatario, ria *m y f* destinatário.
destino *m* **1** destino (dirección). **2** destino (hado). **3** destino, destinação (finalidad). **4** destino (suerte). **5** designação (de cargo, función).
destitución *f* destituição.
destituir *tr* destituir.
destornillador *m* **1** chave de fenda. **2** (fam) vodka com suco de laranja.
destornillar *tr* **1** desaparafusar. • **~se** *pron* **2** (fig) desconcertar-se (hablar sin tino).
destreza *f* destreza.
destripar *tr* **1** destripar, estripar. **2** (fig) destrinchar (juguete, aparato). **3** (fig, fam) estragar (chiste, historia).
destripaterrones *m* **1** (fig, fam, desp) bóia-fria. **2** (fig, fam) bruto, grosseiro.
destronar *tr* **1** destronar. **2** (fig) destronar (rebajar).
destroncar *tr* **1** cortar, destroncar (árbol). **2** destroncar, deslocar (parte del cuerpo).
destrozar *tr y pron* **1** destroçar (despedazar). • *tr* **2** (fig) destroçar, estragar. **3** (fig) destroçar (moralmente).

destrozo *m* destroço.
destrozón, na *adj/m y f* (fig) destruidor.
destrucción *f* destruição.
destruir *tr y pron* **1** destruir. • *tr* **2** (fig) destruir, arrasar (argumentos, projectos).
desubicar *tr y pron Amér.* perder, deslocalizar.
desuello *m* **1** esfoladura, esfolamento. **2** (fig) descaro (osadía).
desunión *f* **1** desunião. **2** (fig) discórdia, desavença.
desunir *tr y pron* desunir.
desusado, da *adj* desusado.
desusar *tr y pron* desusar.
desuso *m* desuso. ■ **caer en ~** cair em desuso, sair de moda.
desvaído, da *adj* **1** esvaído. **2** desbotado (color).
desvalido, da *adj/m y f* desvalido, desamparado.
desvalijar *tr* **1** desvalijar. **2** depenar, limpar (robar).
desvalimiento *m* desvalimento, desamparo.
desván *m* desvão, sótão.
desvanecer *tr y pron* **1** desvanecer (disiparse). • **~se** *pron* **2** (fig) desmaiar-se.
desvanecimiento *m* **1** desvanecimento. **2** desfalecimento.
desvariado, da *adj* desvairado (delirante).
desvariar *intr* desvairar, desvariar.
desvarío *m* **1** desvario, despropósito. **2** desvario (locura).
desvelar *tr y pron* **1** desvelar (sueño). • *tr* **2** (fig) desvelar, revelar.
desvelo *m* **1** desvelo (pérdida del sueño). **2** desvelo, zelo.
desvencijar *tr y pron* desvencilhar.
desventaja *f* **1** desvantagem (perjuicio). **2** desvantagem (inconveniente).
desventajoso, sa *adj* desvantajoso.
desventura *f* desventura.
desvergonzado, da *adj/m y f* desavergonhado, sem-vergonha.
desvergüenza *f* desvergonha, desaforo.
desviación *f* **1** desvio (cambio de dirección). **2** desvio (de carretera, camino). **3** desvio (de comportamiento). **4** desvio, extravio (de dinero, mercancías). **5** MED desvio.
desviar *tr y pron* **1** desviar (alejar). **2** (fig) desviar, dissuadir.
desvincular *tr* desvincular.
desvío *m* ⇒ desviación.
desvirgar *tr* desvirginar, deflorar.
desvirtuar *tr y pron* desvirtuar.
desvivirse *pron* doar-se, desvelar-se: *se desvive por su familia = desvela-se por sua família.*
detallado, da *adj* detalhado.
detallar *tr* **1** detalhar (pormenorizar). **2** vender a varejo.
detalle *m* **1** detalhe (pormenor). **2** mimo, atenção. **3** lembrança, presente.
detallista *adj/m y f* **1** detalhista (meticuloso). • *m y f* **2** varejista.
detección *f* detecção.
detectar *tr* detectar.
detective *m* o *f* detetive. ♦ **~ privado** detetive particular.
detención *f* **1** detenção (arresto). **2** detenção (detenimiento).
detener *tr, intr y pron* **1** deter (parar). • *tr* **2** deter (arrestar).
detenido, da *adj* **1** minucioso. • *adj/m y f* **2** detido (preso).
detenimiento *m* ⇒ detención.
detentar *tr* tomar, apoderar-se (ilegítimamente).
detergente *m* detergente (producto).
deteriorar *tr* **1** deteriorar (estropear). • **~se** *pron* **2** deteriorar-se (empeorar).
deterioro *m* deterioração, deterioramento.
determinación *f* **1** determinação (especificación). **2** determinação (osadía).
determinado, da *adj* **1** determinado (fijado). **2** determinado, ousado.
determinar *tr y pron* **1** determinar (decidir). • *tr* **2** determinar (fijar, delimitar). **3** determinar (discernir).
detestable *adj* detestável.
detestar *tr* detestar.
detonación *f* detonação.
detonante *adj* **1** detonante. • *m* **2** detonador (sustancia).
detonar *intr y tr* **1** detonar (explosión). • *tr* **2** (fig) detonar, desencadear.
detorsión *f* distorção, torção anormal (de músculo, ligamento).
detractor, ra *adj/m y f* detrator.
detrás *adv* **1** detrás, atrás (parte posterior): *aparcó el coche detrás de la casa*

= *estacionou o carro detrás da casa.* **2** detrás, atrás (después): *venía detrás de mí = vinha detrás de mim.* ■ **por ~** por trás, pelas costas.

> La diferencia entre **atrás** y **detrás** es que empleamos la primera cuando hay un movimiento, real o figurado: *mirar atrás*, mientras que la segunda indica situación: *estar detrás*.

detrimento *m* detrimento.
deuda *f* dívida (material, moral). ◆ **~ exterior** dívida externa. ■ **contraer deudas** (fam) contrair dívidas.
deudor, ra *adj/m y f* devedor.
deuterio *m* QUÍM deutério.
devaluación *f* desvalorização.
devaluar *tr y pron* desvalorizar.
devanear *intr* devanear (delirar).
devaneo *m* **1** devaneio, desvario. **2** aventura (amorío pasajero).
devastar *tr* **1** devastar (territorio). **2** (fig) devastar (arruinar).
devengar *tr* ter direito a, merecer.
devenir *m* devir, devenir.
devenir *intr* **1** ocorrer, acontecer. **~ en 2** devir, devenir.
devoción *f* **1** devoção (veneración). **2** devoção (inclinación).
devolución *f* devolução.
devolver *tr* **1** devolver (restituir). **2** devolver (traer de vuelta). **3** devolver, revidar.
devorar *tr* **1** devorar (tragar). **2** (fig) devorar (destruir).
devoto, ta *adj/m y f* devoto.
devuelto, ta *adj* devolvido.
día *m* **1** dia (tiempo). **2** dia (claridad). **3** dia (ocasión, momento). ● **días** *m pl* **4** dias (vida). ◆ **~ festivo** feriado; folga (de trabajo). ■ **al ~** a par; **el ~ de mañana** (fig, fam) no dia de amanhã; **el otro ~** outro dia; **hoy en ~** hoje em dia.
diabetes *f* MED diabetes.
diabético, ca *adj/m y f* diabético.
diablura *f* diabrura (travesura).
diabólico, ca *adj* **1** diabólico. **2** (fig, fam) diabólico (maligno). **3** (fig) diabólico (muy difícil).
diácono *m* diácono.
diadema *f* **1** diadema (corona). **2** diadema (adorno).
diáfano, na *adj* **1** diáfano. **2** (fig) claro, transparente.
diafragma *m* **1** ANAT diafragma. **2** diafragma (anticonceptivo). **3** diafragma (de aparato, máquina).
diagnosticar *tr* diagnosticar.
diagnóstico, ca *adj* **1** MED diagnóstico. ● *m* **2** MED diagnóstico.
diagonal *adj* **1** diagonal. ● *f* **2** GEOM diagonal.
diagrama *m* diagrama.
dial *m* dial (indicador, botón).
dialectal *adj* dialetal.
dialéctica *f* **1** dialética (ciencia). **2** dialética (arte, técnica).
dialecto *m* FILOL dialeto.
diálisis *f* FÍS, QUÍM diálise.
dialogar *intr y tr* **1** dialogar (hablar). ● *intr* **2** dialogar (entenderse).
diálogo *m* **1** diálogo (conversación). **2** diálogo (negociación).
diamante *m* diamante. ◆ **~ en bruto** diamante bruto.
diametral *adj* diametral.
diámetro *m* GEOM diâmetro.
diana *f* **1** MIL alvorada (toque). **2** alvo (blanco).
diantre *m* **1** (fam) diabo, peste. ● **¡~!** *interj* **2** diacho!
diapasón *m* **1** MÚS diapasão (intervalo). **2** MÚS diapasão (extensión). ◆ **~ normal** diapasão (regulador).
diapositiva *f* diapositivo, slide.
diario, ria *adj* **1** diário, cotidiano. ● *m* **2** diário (personal). **3** jornal.
diarrea *f* diarréia.
diáspora *f* diáspora.
diatriba *f* diatribe.
dibujante *m o f* desenhista.
dibujar *tr y pron* **1** desenhar. **2** (fig) descrever, representar. ● **~se** *pron* **3** (fig) desenhar-se, revelar-se: *se le dibujó una sonrisa en los labios = desenhou-se-lhe um sorriso nos lábios.*
dibujo *m* **1** desenho (arte, técnica). **2** desenho (imagen, figura).
dicción *f* **1** dicção (modo de hablar). **2** dicção (pronunciación).
diccionario *m* dicionário. ◆ **~ bilingüe** dicionário bilíngüe; **~ de bolsillo** di-

cionário de bolso; ~ **enciclopédico** dicionário enciclopédico.
dicha *f* **1** felicidade. **2** boa sorte.
dicharachero, ra *adj* **1** brincalhão, brejeiro. • *adj/m y f* **2** boca suja.
dicho, cha *adj* **1** dito, mencionado. • *m* **2** dito, sentença. **3** ditado, provérbio.
dichoso, sa *adj* **1** afortunado, feliz. **2** (fam) bendito (molesto).
diciembre *m* dezembro.
dicotomía *f* dicotomia.
dictado *m* **1** ditado. • **dictados** *m pl* **2** (fig) regras, ditados.
dictador, ra *m y f* **1** ditador. **2** (fig) ditador (abusón).
dictadura *f* ditadura.
dictáfono *m* ditafone.
dictamen *m* ditame.
dictaminar *intr* opinar, dar parecer.
dictar *tr* **1** ditar. **2** baixar, expedir (leyes, preceptos). **3** (fig) sugerir, recomendar.
dictatorial *adj* ditatorial.
didáctica *f* didática.
didáctico, ca *adj* didático.
diecinueve *adj y m* dezenove.
dieciocho *adj y m* dezoito.
dieciséis *adj y m* dezesseis.
diecisiete *adj y m* dezessete.
diente *m* **1** ANAT dente. **2** dente (de sierra, peine). ◆ ~ **canino** dente canino; ~ **de ajo** dente de alho; ~ **de leche** dente de leite.
diesel *m* **1** diesel (automóvil). **2** diesel (gasoil).
diestro, tra *adj* **1** destro. **2** destro, hábil.
dieta *f* **1** dieta (régimen). **2** dieta (tipo de alimentación). • **dietas** *f pl* **3** gratificação salarial.
dietario *m* livro contábil.
dietética *f* MED dietética.
dietético, ca *adj* dietético.
diez *adj y m* **1** dez. • *adj* **2** décimo.
diezmar *tr* **1** pagar o dízimo. **2** (fig) dizimar.
difamación *f* difamação.
difamar *tr* difamar.
diferencia *f* **1** diferença, desigualdade. **2** diferença, divergência (de ideas, opiniones). **3** MAT diferença.
diferenciación *f* diferenciação.
diferencial *adj* **1** diferencial. • *m* **2** MEC diferencial. • *f* **3** MAT diferencial.
diferenciar *tr y pron* **1** diferenciar. • *intr* **2** discordar (en opiniones, ideas).
diferente *adj* **1** diferente: *estos coches son diferentes = estes carros são diferentes.* • *adv* **2** diferente: *han actuado diferente = agiram diferente.*
diferido, da ■ **en** ~ gravado.
diferir *tr* **1** diferir, adiar (retardar). • *intr* **2** diferir, distinguir. **3** diferir, discordar.
difícil *adj* **1** difícil. **2** difícil (carácter).
dificultad *f* **1** dificuldade (problema). **2** dificuldade (obstáculo).
dificultar *tr* dificultar.
dificultoso, sa *adj* dificultoso.
difteria *f* MED difteria.
difuminar *tr* **1** esfumar (líneas, colores). • *tr y pron* **2** (fig) desvanecer, desbotar.
difundir *tr y pron* **1** difundir, espalhar (olor, rayos). **2** difundir, propagar (noticias, moda).
difuntear *tr Amér.* (fam) matar.
difunto, ta *adj/m y f* defunto. ◆ **día de los difuntos** dia de finados.
difusión *f* difusão.
difuso, sa *adj* **1** difuso, disseminado. **2** difuso, prolixo. **3** difuso (impreciso).
difusor *adj y m* difusor.
digerir *tr* **1** digerir (alimento). **2** (fig) digerir, suportar (desgracia, ofensa). **3** (fig) digerir, assimilar (explicación, lectura).
digestión *f* digestão.
digestivo, va *adj* **1** digestivo. • *adj y m* **2** digestivo (sustancia, medicamento).
digital *adj* **1** digital (dactilar). **2** digital (reloj, ordenador).
digitalizar *tr* INF digitalizar.
dignarse *pron* dignar-se.
dignidad *f* **1** dignidade (decoro). **2** dignidade (cargo, rango).
dignificar *tr y pron* dignificar.
digno, na *adj* **1** digno (merecedor). **2** digno (adecuado). **3** digno (honrado).
dilación *f* dilação.
dilapidar *tr* dilapidar (gastar).
dilatación *f* dilatação.
dilatar *tr y pron* **1** dilatar, aumentar (tamaño). **2** dilatar (retardar).
dilatorio, ria *adj* dilatório.
dilema *m* **1** dilema (argumento). **2** (fig) dilema (duda).

diligencia *f* **1** diligência (cuidado). **2** diligência (prontitud). **3** diligência (trámite).
diligenciar *tr* **1** diligenciar. **2** DER despachar (tramitar).
diligente *adj* **1** diligente (cuidadoso). **2** diligente (pronto).
dilucidar *tr* dilucidar (aclarar).
diluir *tr y pron* **1** diluir (desleír). • *tr* **2** QUÍM diluir.
diluviar *intr* diluviar.
diluvio *m* dilúvio.
dimanar *intr* **1** dimanar, fluir (agua). **2** (fig) dimanar (provenir).
dimensión *f* **1** FÍS dimensão. **2** GEOM dimensão (tamaño). **3** (fig) dimensão (importancia).
dimensional *adj* dimensional.
diminuto, ta *adj* diminuto.
dimisión *f* demissão (renuncia).
dimitir *tr* demitir (renunciar).
Dinamarca *f* Dinamarca.
dinámico, ca *adj* **1** dinâmico. **2** (fig, fam) dinâmico (activo).
dinamismo *m* dinamismo.
dinamita *f* dinamite.
dinamitar *tr* **1** dinamitar (volar). **2** (fig) dinamitar (destruir).
dinamizar *tr* dinamizar.
dinastía *f* **1** dinastia (príncipes). **2** dinastia (familia).
dineral *m* dinheirão, dinheirama.
dinero *m* **1** dinheiro (moneda). **2** (fig) dinheiro (fortuna). ♦ ~ **contante** dinheiro vivo. ■ **blanquear ~** (fig, fam) lavar dinheiro.
dinosaurio *adj y m* dinossauro.
dintel *m* lintel, dintel (de puertas).
diñar *tr* dar, entregar. ■ **~la** (fig, fam) empacotar (morir).
diócesis *f* diocese.
dioptría *f* ÓPT dioptria.
dios *m* **1** deus (deidad). **2** deus, ídolo. **Dios** **3** REL Deus. ■ **¡Dios mío!** meu Deus!; **todo ~** (fig, fam) Deus e o mundo; **¡vaya por Dios!** caramba!
diosa *f* deusa.
dióxido *m* QUÍM dióxido.
diploma *m* diploma.
diplomacia *f* **1** diplomacia (ciencia). **2** diplomacia (servicio). **3** (fig, fam) diplomacia (cortesía). **4** (fig, fam) diplomacia (habilidad).
diplomar *tr y pron* diplomar.
diplomático, ca *adj* **1** diplomático. **2** (fig, fam) diplomático (sagaz, hábil). • *m y f* **3** diplomático, diplomatista.
díptico *m* díptico.
diptongo *m* ditongo.
diputación *f* **1** deputação (diputados). **2** deputação (cargo, actividad).
diputado, da *m y f* deputado.
dique *m* dique (muro). ♦ ~ **flotante** dique flutuante.
dirección *f* **1** direção (rumbo). **2** direção (consejo, preceptos). **3** direção, administração (de empresa, establecimiento). **4** endereço. ♦ ~ **electrónica** INF endereço eletrônico.
direccional *adj* direcional.
directiva *f* **1** diretiva (directriz). **2** diretoria (junta).
directivo, va *adj/m y f* diretor, diretivo.
directo, ta *adj* **1** direto (derecho). **2** direto (sin detenerse). **3** direto (sin intermediarios).
director, ra *adj/m y f* diretor.
directorio, ria *adj* **1** diretório. • *m* **2** INF diretório.
directriz *f* diretriz.
dirigente *adj/m y f* dirigente.
dirigir *tr y pron* **1** dirigir (encaminar). • *tr* **2** dirigir (orientar). **3** dirigir (gobernar). **4** dirigir, endereçar.
dirimir *tr* **1** dirimir (anular). **2** dirimir (concluir, resolver).
discapacitado, da *adj/m y f* deficiente (físico, psíquico).
discar *tr Arg., Ur.* discar (teléfono).
discernimiento *m* discernimento.
discernir *tr* discernir.
disciplina *f* **1** disciplina (orden). **2** disciplina (doctrina, instrucción).
disciplinado, da *adj* disciplinado.
disciplinar *tr y pron* **1** disciplinar (imponer orden). **2** disciplinar (castigar).
discípulo, la *m y f* discípulo.
disc-jockey *m o f* disc jockey.
disco *m* **1** disco (objeto circular). **2** disco (forma). **3** disco (musical). **4** (fam) discoteca. **5** DEP disco. **6** INF disco.
discografía *f* discografia.
disconforme *adj* desconforme.
disconformidad *f* desconformidade.
discontinuo, nua *adj* descontínuo.
discordancia *f* discordância.

discordar *intr* **1** discordar (discrepar). **2** discordar (ser opuesto).
discordia *f* discórdia.
discoteca *f* discoteca.
discreción *f* **1** discrição (moderación). **2** discrição (circunspección).
discrecional *adj* **1** discricionário. **2** privado, particular (servicio, transporte).
discrepancia *f* **1** discrepância (diferencia). **2** discrepância (de opiniones).
discrepar *intr* **1** discrepar (diferenciarse). **2** discrepar (disentir).
discreto, ta *adj* discreto.
discriminación *f* discriminação.
discriminar *tr* **1** discriminar (diferenciar). **2** discriminar (dar trato de inferioridad).
disculpa *f* desculpa. ■ **pedir disculpas** pedir desculpas.
disculpar *tr* **1** desculpar (perdonar). • **~se** *pron* **2** desculpar-se.
discurrir *intr* **1** transcorrer (tiempo). **2** percorrer (caminos, lugares). **3** (fig) discorrer, refletir.
discursivo, va *adj* discursivo.
discurso *m* **1** discurso (charla). **2** discurso (oración). **3** discurso (doctrina, ideologías).
discusión *f* **1** discussão (debate). **2** discussão, altercação.
discutir *tr* **1** discutir (examinar). • *tr e intr* **2** discutir (contender).
disecar *tr* dissecar, anatomizar.
disección *f* **1** dissecação, dissecção (de planta, animal). **2** (fig) dissecação (examen).
diseminar *tr y pron* disseminar.
disensión *f* dissensão.
disentería *f* MED disenteria.
disentir *intr* dissentir.
diseñar *tr* desenhar.
diseño *m* **1** desenho (trazo, dibujo). **2** desenho (forma). **3** desenho (arte, actividad): *diseño industrial = desenho industrial.*

> A diferencia del portugués, en español **diseño** no tiene el significado de 'dibujo': *dibujos animados = desenhos animados.*

disertación *f* **1** dissertação (razonamiento, reflexión). **2** dissertação (escrito, conferencia).
disertar *intr* dissertar.
disfraz *m* **1** fantasia. **2** disfarce.
disfrazar *tr y pron* **1** fantasiar. **2** (fig) disfarçar (disimular).
disfrutar *tr e intr* **1** desfrutar, usufruir. • *tr* **2** aproveitar. • *intr* **3** divertir-se.
disgregar *tr y pron* desagregar.
disgustado, da *adj* desgostoso.
disgustar *tr y pron* **1** desgostar (contrariar). • **~se** *pron* **2** desgostar-se (enfadarse).
disgusto *m* **1** desgosto (fastidio). **2** desgosto (pesadumbre).
disidencia *f* dissidência.
disidente *adj/m y f* dissidente.
disimulado, da *adj/m y f* dissimulado.
disimular *tr e intr* **1** dissimular (ocultar). **2** dissimular, fingir.
disimulo *m* dissimulação.
disipación *f* dissipação.
disipar *tr* **1** dissipar (malgastar). • *tr y pron* **2** dissipar (esparcir). • **~se** *pron* **3** dissipar (evaporarse).
dislate *m* dislate.
dislexia *f* MED dislexia.
dislocación *f* deslocamento, deslocação.
dislocar *tr y pron* deslocar (hueso).
disloque *m* (fam) fuzuê.
disminución *f* diminuição.
disminuido, da *adj/m y f* **1** diminuído. **2** deficiente (discapacitado).
disminuir *tr, intr y pron* diminuir.
disociar *tr y pron* dissociar.
disolución *f* **1** dissolução. **2** QUÍM dissolução (compuesto).
disoluto, ta *adj/m y f* dissoluto.
disolvente *adj* y *m* dissolvente.
disolver *tr y pron* **1** dissolver (separar, desunir). **2** dissolver, diluir. **3** dissolver (destruir).
disonancia *f* **1** dissonância (de sonidos). **2** (fig) dissonância (discordancia).
disonante *adj* **1** dissonante (sonido). **2** (fig) dissonante (discordante).
disonar *intr* **1** dissonar. **2** (fig) discrepar, dissentir.
dispar *adj* díspar.
disparada *f Amér.* disparada (fuga).
disparadero *m* gatilho, disparador.
disparar *tr e intr* **1** disparar (arma). **2** disparar, aumentar (precios, violencia).

d

• *intr y pron* **3** disparar (cámara fotográfica, alarma).
disparatado, da *adj* disparatado.
disparatar *intr* disparatar.
disparate *m* disparate.
disparidad *f* disparidade.
disparo *m* **1** disparo (de cámara fotográfica, cohete). **2** tiro, disparo (de arma). **3** chute.
dispendio *m* dispêndio.
dispensa *f* **1** dispensa (de obligación, impedimiento). **2** dispensa (documento).
dispensar *tr* **1** dispensar (conceder). • *tr y pron* **2** dispensar (eximir).
dispensario *m* ambulatório, dispensário.
dispersar *tr y pron* **1** dispensar (separar). • *tr* **2** (fig) dispensar (dividir).
dispersión *f* dispersão.
displicencia *f* displicência.
displicente *adj/m y f* displicente.
disponer *tr y pron* **1** dispor (colocar). **2** dispor, predispor (preparar). • *tr* **3** dispor (mandar).
disponibilidad *f* **1** disponibilidade. **2** (gralte pl) disponibilidade (bienes, fondos).
disposición *f* **1** disposição (ordenación). **2** disposição (estado de ánimo, salud). **3** disposição, tendência (aptitud). **4** DER disposição.
dispositivo *m* dispositivo.
dispuesto, ta *adj* **1** disposto (colocado). **2** disposto (preparado).
disputa *f* disputa.
disputar *tr* **1** disputar (debatir). • *tr e intr* **2** disputar (porfiar).
disquete *m* INF disquete.
disquetera *f* INF drive.
disquisición *f* disquisição (examen).
distancia *f* **1** distância (espacio). **2** (fig) distância (diferencia). **3** distância (alejamiento).
distanciamiento *m* **1** distanciamento (alejamiento). **2** distanciamento (enfriamiento).
distanciar *tr y pron* distanciar.
distante *adj* distante.
distar *intr* **1** distar (estar separado). **2** (fig) distar (diferenciarse).
distender *tr* **1** distender (aflojar). • *tr y pron* **2** MED distender (músculo, tejido).
distensión *f* **1** distensão (aflojamiento). **2** MED distensão.
distinción *f* **1** distinção (diferencia). **2** distinção (elegancia).
distingo *m* reparo, restrição.
distinguido, da *adj* distinto (ilustre).
distinguir *tr y pron* **1** distinguir, diferenciar. • *tr* **2** distinguir, enxergar. • **~se** *pron* **3** distinguir-se (sobresalir).
distintivo, va *adj* **1** distintivo. • *m* **2** distintivo (insignia).
distinto, ta *adj* diferente, distinto.
distorsión *f* **1** distorção (deformación). **2** MED distorção (torcedura).
distorsionar *tr y pron* distorcer (desvirtuar).
distracción *f* **1** distração (divertimiento). **2** distração, desatenção.
distraer *tr y pron* **1** distrair (entretener). **2** distrair (desatender). **3** distrair (desviar).
distraído, da *adj/m y f* distraído.
distribución *f* **1** distribuição (colocación). **2** COM distribuição (de mercancías).
distribuir *tr y pron* **1** distribuir (disponer). • *tr* **2** distribuir (repartir). **3** distribuir, entregar (mercancías).
distrito *m* distrito.
distrofia *f* MED distrofia.
disturbio *m* distúrbio, perturbação.
disuadir *tr* dissuadir.
disuasivo, va *adj* dissuasivo.
disuelto, ta *adj* dissolvido.
disyunción *f* disjunção.
disyuntiva *f* disjuntiva, alternativa.
diurético, ca *adj y m* MED diurético.
diurno, na *adj* **1** diurno. • *m* **2** diurno (libro).
divagación *f* divagação.
divagar *intr* **1** divagar (vagar). **2** divagar, desconversar. **3** divagar, fazer digressões.
diván *m* **1** divã (mueble). **2** divã (sala, consejo supremo).
divergencia *f* **1** divergência (de líneas, calles). **2** (fig) divergência, discordância.
divergente *adj* divergente.
divergir *intr* **1** divergir (separarse). **2** (fig) divergir, discordar.
diversidad *f* **1** diversidade (variedad). **2** diversidade (concurrencia).
diversificar *tr y pron* diversificar.
diversión *f* **1** diversão (distracción). **2** diversão (pasatiempo).

diverso, sa *adj* diverso.
divertido, da *adj* **1** divertido. **2** *Amér.* alegre (bebido).
divertimiento *m* divertimento (diversión).
divertir *tr y pron* **1** divertir (entretener). • *tr* **2** divertir, desviar (atención).
dividendo *m* **1** MAT dividendo. **2** ECON dividendo.
dividir *tr y pron* **1** dividir (partir). • *tr* **2** dividir (distribuir). **3** (fig) dividir (separar). **4** MAT dividir.
divinidad *f* divindade.
divinizar *tr* divinizar.
divino, na *adj* **1** divino (sagrado). **2** (fig) divino (extraordinario).
divisa *f* **1** divisa (signo distintivo). **2** divisa (de blasón). **3** (gralte pl) divisas (moneda).
divisar *tr* divisar, enxergar.
división *f* **1** divisão (partición). **2** divisão (distribución). **3** (fig) divisão (discordia).
divo, va *adj* **1** divino, divo. • *adj y m* **2** astro, estrela. • *adj y f* **3** diva, estrela.
divorciado, da *adj/m y f* divorciado.
divorciar *tr y pron* divorciar.
divorcio *m* divórcio.
divulgación *f* divulgação.
divulgar *tr y pron* divulgar.
DNI (*siglas de* **Documento Nacional de Identidad**) *m* RG (Registro Geral).
doberman *adj y m* dobermann.
dobladillo *m* barra, bainha.
doblaje *m* dublagem.
doblar *tr, intr y pron* **1** dobrar (plegar). • *tr y pron* **2** dobrar, curvar. • *tr e intr* **3** dobrar, virar (esquina, calle). • *tr* **4** dobrar, duplicar. **5** ter o dobro (de edad, tamaño). **6** dublar (película).
doble *adj* **1** duplo. **2** dobrado, em dobro (duplicado). • *m o f* **3** sósia, duplo. **4** CINE, TV dublê, duplo. • *adv* **5** dobro.
doblegar *tr y pron* **1** dobrar, curvar. **2** (fig) persuadir.
doce *adj y m* doze.
docena *f* dúzia.
docencia *f* docência.
docente *adj* docente.
dócil *adj* **1** dócil (apacible). **2** dócil (obediente).
docto, ta *adj/m y f* douto.
doctor, ra *m y f* **1** doutor (médico). **2** doutor (graduado universitario).
doctorar *tr y pron* doutorar.
doctrina *f* **1** doutrina (conjunto de ideas). **2** doutrina (ciencia).
doctrinal *adj* **1** doutrinal. • *m* **2** doutrinal, doutrinário (libro).
documentación *f* **1** documentação (investigación). **2** documentação (identificación, papeles).
documentado, da *adj* **1** documentado. **2** documentado (informado).
documental *adj* **1** documental. • *adj y m* **2** documentário (película).
documentar *tr y pron* **1** documentar (informar). • *tr* **2** documentar (probar).
documento *m* **1** documento (escrito). **2** documento (datos, testimonio).
dodecaedro *m* GEOM dodecaedro.
dodotis *m* fralda descartável.
dogma *m* **1** dogma (proposición). **2** dogma (fundamento).
dogmático, ca *adj* **1** dogmático (religioso). • *adj/m y f* **2** dogmático (inflexible, categórico).
dogmatismo *m* **1** dogmatismo (religioso). **2** dogmatismo (principios innegables).
dogmatizar *tr e intr* **1** dogmatizar (enseñar). • *tr* **2** dogmatizar (afirmar).
dogo, ga *adj y m* dogue.
dólar *m* dólar.
dolencia *f* dolência.
doler *intr* **1** doer (padecer). • **~se** *pron* **2** doer-se (arrepentirse). **3** doer-se, condoer-se.
dolido, da *adj* **1** doído, dolorido. **2** doído, magoado (ofendido).
doliente *adj* **1** dolente, magoado (afligido). • *adj/m y f* **2** doente (enfermo).
dolmen *m* dólmen.
dolor *m* **1** dor (físico). **2** dor (pena). ◆ **~ de muelas** dor de dentes. ■ **ser un ~ de cabeza** (fig, fam) ser uma dor de cabeça.
dolorido, da *adj* dolorido.
doloroso, sa *adj* doloroso.
doma *f* doma, domação.
domar *tr* **1** domar (animales). **2** (fig) domar (reprimir). **3** (fig) domar, amoldar.
domeñar *tr* submeter, dominar.
domesticar *tr* **1** domesticar (animal). • *tr y pron* **2** (fig) domesticar (moderar, civilizar).
doméstico, ca *adj* doméstico.

d

domiciliación *f* **1** domiciliação. **2** *autorização de débito ou crédito automático* (en cuenta bancaria).
domiciliar *tr y pron* **1** domiciliar. • *tr* **2** autorizar débito ou crédito automático (en cuenta bancaria).
domiciliario, ria *adj* domiciliário.
domicilio *m* domicílio.
dominación *f* dominação.
dominante *adj/m y f* **1** dominante (carácter). • *adj* **2** dominante (preponderante).
dominar *tr, intr y pron* **1** dominar (ejercer dominio). • *tr* **2** dominar (reprimir).
domingo *m* domingo.
dominguero, ra *adj* **1** (fam) domingueiro (prenda de vestir). • *adj/m y f* **2** (desp) domingueiro (conductor).
Dominica *f* Dominica.
dominical *adj* **1** dominical. • *m* **2** suplemento dominical.
Dominicana, República *f* República Dominicana.
dominicano, na *adj/m y f* dominicano.
dominio *m* **1** domínio (poder). **2** domínio (buen conocimiento). **3** DER domínio (de propiedad).
dominó *m* dominó (juego).
don *m* **1** dom (habilidad). **2** senhor, dom (tratamiento). ■ **ser un ~ nadie** (fig, fam) ser um joão-ninguém.
donación *f* doação. ◆ **~ de sangre** doação de sangue.
donaire *m* donaire.
donante *adj* **1** doador. • *m o f* **2** doador (de órgano, sangre, óvulo).
donar *tr* doar.
donativo *m* donativo.
doncella *f* **1** donzela. **2** criada. **3** freirinha (pez).
donde *adv rel* **1** onde. **2** na casa de, onde está: *vive donde la plaza nueva = mora onde está a nova praça.* ■ **~ los haya** que só vendo: *es un chico feo donde los haya = é um menino feio que só vendo*; **~ sea** onde quer que seja; **hacia ~** para onde (dirección); **por ~** por onde (lugar de tránsito): *ésta es la calle por donde voy al trabajo = esta é a rua por onde vou ao trabalho.*
dónde *adv interr* onde: *¿dónde tienes el coche? = onde está o carro?* ■ **de ~** de onde: *¿de dónde eres? = de onde você é?*; **hacia ~** para onde, em que direção: *¿hacia dónde vas ahora? = para onde você vai agora?*
dondequiera *adv* onde quer: *dondequiera que vaya, tiene amigos = onde quer que vá, tem amigos.*

> Los términos **dondequiera/donde quiera** se escribe junto cuando significa ‘en cualquier parte’: *te encontraré dondequiera que te escondas.* El segundo es un adverbio de lugar junto con el verbo querer: *póngalo donde (usted) quiera.*

donjuán *m* donjuán, dom-joão.
donoso, sa *adj* donoso.
dónut *m* rosquinha, donut.
doña *f* dona, senhora.
dopaje *m* DEP doping, dopagem.
dopar *intr y pron* DEP dopar.
doping *m* DEP ⇒ dopaje.
doquier o **doquiera** *adv* (lit) onde quer.
dorada *f* dourada (pez).
dorado, da *adj* **1** dourado. **2** (fig) dourado (feliz). • *m* **3** douração, douradura.
dorar *tr y pron* **1** dourar. **2** (fig) dourar (comida).
dormida *f* dormida.
dormilón, na *adj/m y f* (fam) dorminhoco.
dormir *tr, intr y pron* **1** dormir. • *intr* **2** dormir, pernoitar. • *intr y pron* **3** (fig) dormir (descuidarse). • **~se** *pron* **4** (fig) dormir (miembro). ■ **~ la siesta** dormir a sesta.
dormitar *intr* cochilar, dormitar.
dormitorio *m* dormitório.
dorsal *adj* **1** dorsal. **2** FON palatal. • *m* **3** DEP número (en la espalda).
dorso *m* **1** dorso. **2** verso (de página, libro).
dos *adj* **1** dois. **2** segundo (colocación). ■ **cada ~ por tres** (fig, fam) cada três por quatro.
doscientos, tas *adj* y *m* **1** duzentos.
dosel *m* dossel.
dosificar *tr* dosificar, dosar.
dosis *f* **1** dose (de medicamento). **2** (fig) dose (porción).

dossier *m* dossiê.
dotación *f* dotação.
dotado, da *adj* **1** dotado (equipado). **2** dotado (talentoso).
dotar *tr* **1** dotar (proveer). **2** (fig) dotar, atribuir dom. **3** dotar (dar la dote).
dote *amb* **1** dote (bienes). • *f* **2** (gralte pl) dote, dom.
draconiano, na *adj* (fig) draconiano.
draga *f* draga (máquina, embarcación).
dragar *tr* dragar.
dragón *m* **1** dragão (animal mitológico). **2** dragão (lagarto).
dragonear *intr* **1** *Amér. exercer um cargo sem estar habilitado.* **2** alardear.
drama *m* **1** drama (obra). **2** (fig) drama (suceso).
dramático, ca *adj* **1** dramático. • *adj/m y f* **2** dramático (autor, actor).
dramatizar *tr* **1** dramatizar (obra). • *tr e intr* **2** (fig) dramatizar (exagerar).
dramaturgia *f* dramaturgia.
dramón *m* (desp) dramalhão.
drástico, ca *adj* drástico.
drenaje *m* **1** drenagem (desagüe). **2** MED drenagem.
drenar *tr* drenar.
driblar *tr* driblar.
dril *m* dril.
droga *f* **1** droga (narcótico, alucinógeno). **2** droga (medicamento).
drogadicto, ta *adj/m y f* toxicômano, drogado.
drogar *tr y pron* drogar.
drogodependencia *f* toxicomania.
droguería *f* **1** *Esp.* bazar. **2** *Amér.* drogaria, farmácia.

> En España, una **droguería** es un establecimiento en el que se venden productos de limpieza y pinturas. En Brasil existen las ***drogarias***, pero son tiendas donde se puede encontrar productos de higiene y medicamentos.

dromedario *m* dromedário.
dual *adj* dual.
dualismo *m* dualismo.
ducado *m* **1** ducado (territorio). **2** ducado (título).
ducha *f* **1** banho. **2** ducha, chuveiro (aparato). **3** ducha (agua).
duchar *tr y pron* tomar banho.
ducho, cha *adj* entendido.
dúctil *adj* dúctil.
duda *f* **1** dúvida (incertidumbre). **2** dúvida (desconfianza). **3** dúvida (cuestión).
dudar *intr y tr* **1** duvidar, hesitar. • *intr* **2** duvidar (desconfiar).
dudoso, sa *adj* duvidoso.
duelo *m* **1** duelo (combate). **2** pesar, dor.
duende *m* duende. ■ **tener ~** (fig, fam) ter encanto.
dueño, ña *m y f* dono (propietario).
dulce *adj* **1** doce. **2** (fig) doce (agradable, dócil). • *m* **3** doce (alimento).
dulcificar *tr y pron* **1** dulcificar, adoçar. • *tr* **2** (fig) dulcificar (mitigar).
dulzón, na *adj* (fam)
dulzor *m* dulçor, doçura.
dulzura *f* doçura.
duna *f* (gralte pl) duna.
dúo *m* **1** MÚS dueto. **2** dupla.
duodécimo, ma *adj* décimo segundo, duodécimo.
duodenal *adj* ANAT duodenal.
duodeno, na *adj* **1** duodécimo. • *m* **2** ANAT duodeno.
duplex o **dúplex** *adj* **1** dúplex, dúplice. • *m* **2** duplex (piso).
duplicado, da *adj* **1** duplicado. • *m* **2** segunda via, cópia.
duplicar *tr y pron* duplicar.
duplicidad *f* duplicidade.
duplo, pla *adj y m* ⇒ doble.
duque *m* duque.
duquesa *f* duquesa.
duración *f* duração.
duradero, ra *adj* duradouro.
durante *prep* durante: *no sale mucho durante el día = não sai muito durante o dia.*
durar *intr* **1** durar (prolongarse). **2** durar (conservarse).
dureza *f* **1** dureza. **2** (fig) dureza (severidad). **3** calosidade (en la piel). **4** MINER dureza, resistência.
durmiente *adj/m y f* **1** dormente. • *m* **2** travessa, través.
duro, ra *adj* **1** duro (resistente). **2** duro, rijo (alimento). **3** (fig) duro, severo. • *adv* **4** duro.

Ee

e, E *f* e, E (letra).
e *conj* e.

> La conjunción copulativa **e** equivalente a la **y** se utiza delante de palabras que empiezan por **i-** o **hi-** para evitar el hiato. Sin embargo, no substituye la **y** a principio de interrogación o admiración, ni cuando la palabra siguiente empieza por **y-** o **hie-**.

¡ea! *interj* eia!
ebanista *m o f* marceneiro, ebanista.
ébano *m* ébano (árbol, madera).
ebriedad *f* ebriedade, embriaguez.
ebrio, bria *adj/m y f* **1** ébrio (borracho). • *m y f* **2** (fig) cego (arrebatado).
ebullición *f* **1** ebulição, fervura. **2** (fig) ebulição, agitação.
eccema *m* MED eczema.
echar *tr y pron* **1** jogar, arremessar. • *tr* **2** pôr, colocar (introducir): *echa más agua en el caldo = coloca mais água na sopa.* **3** soltar, expelir (humo, cenizas, chispas). **4** botar para fora, expulsar (del trabajo, de casa). **~ a + inf 5** pôr-se a, deitar a. • **~se** *pron* **6** deitar-se (acostarse). ■ **~ a perder** estragar; **~ de menos o en falta** sentir saudades.

> No confundir **echar** con **hacer**: *lo echó del trabajo; a lo hecho, pecho; de echar siempre se echa la h.*

echarpe *m* echarpe.
ecléctico, ca *adj/m y f* eclético.
eclesiástico, ca *adj/m y f* eclesiástico.
eclipsar *tr y pron* **1** ASTR eclipsar. **2** (fig) ofuscar, obscurecer.
eclipse *m* **1** ASTR eclipse. **2** (fig) eclipse, ausência.
eclosión *f* **1** eclosão, nascimento. **2** (fig) eclosão, florescimento (cultural, artístico).
eco *m* **1** eco (repetición). **2** eco (sonido). **3** (fig) eco, repercussão.
ecografía *f* ultra-sonografia, ecografia.
ecología *f* ecologia.
ecologista *adj/m y f* ecologista, ecólogo.
economato *m* cooperativa, supermercado (para funcionarios de una empresa).
economía *f* **1** economia (ciencia). **2** economia (riqueza). ♦ **~ de mercado** economia de mercado; **~ doméstica** economia doméstica.
económico, ca *adj* **1** econômico: *crecimiento económico = crescimento econômico.* **2** econômico (ahorrador). **3** econômico (barato).
economizar *tr* economizar (ahorrar).
ecoturismo *m* ecoturismo.
ecuación *f* MAT equação.
ecuador *m* **1** GEOM equador (paralelo). **Ecuador 2** ASTR equador (círculo). **3** GEOG equador.
Ecuador *m* Equador.
ecuánime *adj* equânime.
ecuatoguineano *adj/m y f* guinéu-equatoriano.
ecuatorial *adj* equatorial.
ecuatoriano, na *adj/m y f* equatoriano.
eczema *m* MED eczema.
edad *f* **1** idade (tiempo). **2** idade (generación). **3** idade, era (época). ♦ **~ del pavo** (fig, fam) adolescência; **~ de oro** idade do ouro; **~ de piedra** idade da pedra; **~ media** Idade Média.
edema *m* MED edema.
edén *m* **1** éden. **2** (fig) éden, paraíso.
edición *f* **1** edição, impressão. **2** edição, exemplar. **3** edição, texto. ♦ **~ de bolsillo** edição de bolso; **~ pirata** edição pirata.
edicto *m* edito (mandato).
edificación *f* **1** edificação (elaboración). **2** edificação (edificio).
edificante *adj* edificante, instrutivo (ejemplar).

edificar *tr* **1** edificar (construir). **2** (fig) edificar (establecer).
edificio *m* edifício.
edil *m* vereador, edil.
editar *tr* **1** editar (publicar). **2** INF editar (exhibir).
editorial *adj* **1** editorial. • *m* **2** editorial (artículo). • *f* **3** editora (empresa).
edredón *m* edredom, acolchoado.
educación *f* **1** educação (instrucción). **2** educação, criação. **3** educação (cortesía). ◆ ~ **física** educação física; ~ **primaria** educação primária; ~ **secundaria** educação secundária; **buena/mala ~** boa/má educação.
educado, da *adj* educado.
educar *tr* **1** educar (instruir). **2** educar, afinar (sentidos).
edulcorar *tr* edulcorar.
EE UU (*siglas de* **Estados Unidos**) *m pl* EUA (Estados Unidos da América).
efe *f* efe (letra).
efectista *adj* impressionante.
efectivo, va *adj* **1** efetivo, verdadeiro. **2** eficaz, eficiente. • *m* **3** dinheiro vivo.
efecto *m* **1** efeito (resultado). **2** efeito (impresión). **3** efeito (fin). **4** efeito, movimento (de pelota). • **efectos** *m pl* **5** bens, pertences. ◆ ~ **invernadero** MET efeito estufa; **efectos especiales** CINE efeitos especiais; **efectos personales** objetos pessoais; **efectos secundarios** efeitos colaterais. ■ **de ~ retardado** de efeito retardado; **en ~** com efeito, efetivamente; **hacer ~** fazer efeito.
efectuar *tr y pron* efetuar, realizar.
efemérides *f pl* efemérides (libro).
efervescencia *f* **1** efervescência. **2** (fig) efervescência, agitação.
eficacia *f* eficácia.
eficaz *adj* eficaz (efectivo).
eficiencia *f* eficiência.
eficiente *adj* eficiente.
efigie *f* **1** efígie. **2** (fig) efígie, idealização.
efímero, ra *adj* efêmero.
efluvio *m* eflúvio.
efusión *f* **1** efusão, escoamento (derrame). **2** (fig) efusão, ímpeto.
efusivo, va *adj* (fig) efusivo.
egipcio, cia *adj/m y f* **1** egípcio. • *m* **2** egípcio (lengua).
Egipto *m* Egito.
egocéntrico, ca *adj* egocêntrico.
egoísmo *m* egoísmo.
egoísta *adj/m y f* egoísta.
egolatría *f* egolatria, egotismo.
egresar *intr Amér.* diplomar-se, graduar-se.
¡eh! *interj* **1** (advertir) ei! **2** (pedir confirmación) hem!
eje *m* **1** eixo (línea). **2** eixo (barra). **3** (fig) eixo (idea). **4** (fig) eixo (centro).
ejecución *f* **1** execução. **2** DER execução.
ejecutante *adj/m y f* **1** executante (realizador). **2** executante, intérprete (de una canción).
ejecutar *tr* **1** executar (realizar). **2** executar (interpretar).
ejecutivo, va *adj* **1** executivo. • *m y f* **2** executivo (empresario). ◆ **poder ~** poder executivo.
ejemplar *adj* **1** exemplar. • *m* **2** exemplar (modelo, copia).
ejemplarizar *tr* dar exemplo (moral).
ejemplificar *tr* exemplificar (explicar).
ejemplo *m* **1** exemplo (modelo). **2** exemplo (conducta).
ejercer *intr y tr* **1** exercer (executar). **2** exercer, fazer sentir: *ejercer presión = exercer pressão.*
ejercicio *m* **1** exercício (práctica). **2** exercício. **3** exercício.
ejercitación *f* exercitação.
ejercitar *tr y pron* **1** exercitar (oficio, profesión). • *tr* **2** exercitar (instruir).
ejército *m* exército.
el *art* o: *el armario es grande = o armário é grande.*

> El artículo determinado masculino singular **el** se utiliza también delante de palabras femeninas que empiezan por **a-** o **ha-** tónicas: *el agua, el hada.*

él *pron* ele: *él es mi vecino de arriba = ele é meu vizinho de cima, esto es para él = isto é para ele.*

> Se acentúa **él** cuando es pronombre personal de tercera persona: *me lo dio él.*
>
> No se acentúa **el** cuando es artículo determinado: *el coche de mi padre.*

elaboración *f* elaboração.
elaborar *tr* **1** elaborar (preparar). **2** elaborar (inventar, organizar).
elasticidad *f* **1** elasticidade (maleabilidad). **2** FÍS elasticidade.
elástico, ca *adj* **1** elástico. **2** (fig) flexível (acomodaticio).
ele *f* ele (letra).
elección *f* **1** escolha, eleição. **2** eleição (selección).
electivo, va *adj* eletivo.
electo, ta *m y f* eleito.
electorado *m* eleitorado.
electoral *adj* eleitoral.
electricidad *f* FÍS eletricidade.
eléctrico, ca *adj* elétrico.
electrificación *f* eletrificação.
electrificar *tr* eletrificar.
electrizante *adj* **1** eletrizador, eletrizante. **2** (fig) eletrizante (emocionante).
electrizar *tr y pron* **1** eletrizar (electrocutar). **2** (fig) eletrizar (exaltar).
electrocardiograma *m* eletrocardiograma.
electrocutar *tr y pron* eletrocutar.
electrodoméstico *adj y m* eletrodoméstico.
electromagnético, ca *adj* eletromagnético.
electromagnetismo *m* eletromagnetismo.
electrómetro *m* ELEC eletrômetro.
electrón *m* FÍS elétron.
electrónica *f* eletrônica (ciencia, técnica).
electrónico, ca *adj* eletrônico.
electrotécnico, ca *adj* **1** eletrotécnico. • *m y f* **2** eletrotécnico (especialista).
electrotrén *m* trem elétrico.
elefante *m* elefante. ■ **memoria de ~** (fig) memória de elefante.
elegancia *f* **1** elegância (gracia). **2** elegância, bom gosto. **3** elegância, fineza.
elegante *adj* **1** elegante (garboso). **2** elegante, requintado.
elegido, da *adj/m y f* eleito, elegido.
elegir *tr* **1** escolher, eleger. **2** eleger (por votación).
elemental *adj* **1** elementar (esencial, básico). **2** elementar (fácil).
elemento *m* **1** elemento (parte). **2** elemento (base). **3** elemento (ambiente). **4** (fig) figura: *¡menudo elemento estás hecho! = você é uma tremenda figura!* • **elementos** *m pl* **5** elementos (principios, fundamentos).
elenco *m* **1** elenco (de artistas). **2** elenco (catálogo, índice).
elepé *m* elepê (disco).
elevado, da *adj* **1** elevado (alto). **2** (fig) elevado (sublime). **3** MAT elevado.
elevalunas *m* manivela. ♦ **~ eléctrico** vidro elétrico.
elevar *tr y pron* **1** elevar, levantar. • *tr* **2** elevar, subir (precio). • **~se** *pron* **3** (fig) elevar-se (envanecerse).
eliminar *tr* **1** eliminar (quitar). **2** eliminar (vencer).
eliminatoria *f* eliminatória (en competición).
eliminatorio, ria *adj* eliminatório.
elipse *f* GEOM elipse.
elipsis *f* GRAM elipse.
elite o **élite** *f* elite.
elitismo *m* elitismo.
elixir o **elíxir** *m* **1** elixir (bebida, remedio). **2** elixir (esencia).
ella *pron* ela:, *iremos al cine con ella = iremos ao cinema com ela.*
elle *f nome do dígrafo ll.*
ello *pron* isso: *ello no impide que él juegue hoy = isso não impede que ele jogue hoje.*
ellos, llas *pron* eles, elas: *compré el regalo para ellos = comprei o presente para eles, ellas hicieron la comida = elas fizeram a comida.*
elocuencia *f* eloqüência.
elocuente *adj* eloqüente.
elogiar *tr* elogiar, louvar.
elogio *m* elogio, louvor.
elote *m* espiga de milho.
elucidar *tr* elucidar.
eludir *tr* eludir, evitar.
emanación *f* **1** emanação (procedencia). **2** emanação, eflúvio.
emanar *intr* **1** emanar (proceder). **2** emanar, exalar.
emancipación *f* emancipação.
emancipar *tr y pron* **1** emancipar (libertar). • **~se** *pron* **2** emancipar-se (independizarse).
embadurnar *tr* lambuzar.
embajada *f* embaixada (cargo, oficina).
embajador, ra *m y f* embaixador.
embalaje *m* embalagem.

embalar *tr* **1** embalar, empacotar. • *tr y pron* **2** embalar, impulsionar.
embaldosar *tr* ladrilhar, lajear.
embalsamar *tr* **1** embalsamar (cadáveres). • *tr y pron* **2** embalsamar, perfumar.
embalsar *tr y pron* **1** embalsar. • *tr* **2** represar, açudar (rebalsar).
embalse *m* **1** embalse, embalsamento. **2** represa, açude.
embarazada *adj y f* grávida.
embarazado, da *adj* embaraçado, confuso.
embarazar *tr y pron* **1** engravidar. **2** embaraçar, atrapalhar.
embarazo *m* **1** gravidez. **2** atrapalhação, perturbação. **3** impedimento.

> No confundir **embarazo** con el término brasileño de igual pronunciación: ***embaraço***. Traducimos el primero por ***gravidez,*** mientras que el término brasileño significa 'perturbación', 'dificultad'.

embarcación *f* **1** embarcação (barco). **2** embarque.
embarcadero *m* embarcadouro, cais.
embarcar *tr, intr y pron* **1** embarcar (en nave, avión). • *tr y pron* **2** (fig) embarcar, meter-se.
embargar *tr* **1** embargar (impedir). **2** (fig) embargar (paralizar). **3** DER embargar.
embargo *m* DER embargo, retenção. ■ **sin ~** contudo, entretanto.
embarrancar *intr* **1** MAR encalhar. • **~se** *pron* **2** embarrancar-se (atascarse). **3** (fig) encrencar-se.
embarrar *tr y pron* **1** embarrar, emboçar. **2** enlamear, enlodar. **3** *Amér. Centr., Méx.* (fam) encrencar (complicar).
embarullar *tr* **1** (fam) embaralhar, misturar. • *tr y pron* **2** (fam) embaralhar, confundir.
embate *m* **1** embate, colisão. **2** (fig) embate, choque (acometida).
embaucar *tr* embaucar.
embebecer *tr y pron* embevecer.
embeber *tr y pron* **1** embeber, absorver. **2** umedecer, encharcar. **3** encurtar (ropas). • *tr* **4** (fig) embeber, introduzir. • *intr* **5** encolher.
embelesado, da *adj* deleitado.
embelesar *tr y pron* deleitar, enlevar.
embellecer *tr y pron* embelezar.
embestida *f* **1** investida (acometida). **2** (fig, fam) investida, abordagem (inoportuna).
embestir *tr* **1** investir, atacar. **2** (fig) investir, acometer (para pedir).
embetunar *tr* abetumar.
emblandecer *tr y pron* **1** abrandar, atenuar. • **~se** *pron* **2** (fig) comover-se, sensibilizar-se.
emblema *m o f* **1** emblema (imagen). • *m* **2** emblema (símbolo).
emblemático, ca *adj* emblemático (representativo).
embobar *tr y pron* embasbacar, maravilhar.
embocadura *f* **1** emboque, embocamento. **2** embocadura, bocado (del freno). **3** sabor (de vino). **4** desembocadura. **5** coxia (en el teatro). **6** MÚS boquilha.
embocar *intr y pron* **1** embocar (entrar). • *tr* **2** abocanhar. **3** encaçapar, embocar (pelota). **4** (fam) abocanhar, devorar (comida).
embolar *tr* **1** embolar (cuernos). **2** engraxar.
embolia *f* MED embolia.
embolsar *tr* **1** embolsar, guardar (en bolsa). **2** receber (cobrar).
emborrachar *tr y pron* **1** embebedar, embriagar. • *tr* **2** entorpecer.
emborrascar *tr y pron* emborrascar, enfurecer.
emborronar *tr y pron* rabiscar, borrar (papel).
emboscada *f* **1** emboscada. **2** (fig) emboscada, cilada.
emboscar *tr y pron* emboscar.
embotar *tr y pron* **1** embotar, rebotar. **2** (fig) embotar, enfraquecer (debilitar).
embotellamiento *m* **1** engarrafamento (de líquido). **2** (fig) engarrafamento (de vehículos).
embotellar *tr* **1** engarrafar (líquido). **2** (fig) bloquear, impedir (salida). **3** (fig) encurralar, imobilizar. • **~se** *pron* **4** (fig) engarrafar, congestionar (tráfico).
embozar *tr y pron* **1** embuçar. • *tr* **2** (fig) disfarçar, dissimular.
embozo *m* **1** dobra (de sábana). **2** (fig) fingimento, cautela.

e

embrague *m* embreagem.
embravecer *tr y pron* **1** embravecer, enfurecer. **2** embravecer, agitar (mar).
embretar *tr Amér. Merid.* embretar, encurralar.
embriagar *tr y pron* **1** embriagar, embebedar. **2** embriagar, inebriar (enajenar).
embridar *tr* embridar.
embrión *m* **1** BIOL embrião. **2** (fig) embrião (inicio).
embrollar *tr y pron* **1** embrulhar, confundir. • *tr* **2** *Chile, Ur.* enrolar (engañar).
embrollo *m* **1** imbróglio, confusão. **2** embuste, mentira.
embromar *tr* **1** caçoar, zombar. **2** embromar (engañar).
embroncarse *pron Arg.* (fam) chatear-se.
embrujar *tr* enfeitiçar, embruxar.
embrujo *m* **1** feitiço, bruxaria. **2** (fig) feitiço, fascínio.
embrutecer *tr y pron* embrutecer.
embuchar *tr* **1** embutir. **2** (fam) embuchar (comer).
embudo *m* funil.
embuste *m* embuste.
embutido *m* embutido (alimento).
embutir *tr* **1** embutir (ajustar, introducir). **2** encher (alimentos).
eme *f* eme (letra). ■ **mandar o enviar a la ~** (fig, fam) mandar à merda.
emergencia *f* emergência. ◆ **estado de ~** estado de emergência.
emergente *adj* emergente.
emerger *intr* emergir.
emérito, ta *adj* emérito.
emigración *f* emigração.
emigrado, da *adj/m y f* emigrado.
emigrante *adj/m y f* emigrante.
emigrar *intr* emigrar.
eminencia *f* **1** eminência (título). **2** eminência, proeminência.
eminente *adj* eminente.
emir *m* emir.
Emiratos Árabes Unidos *m pl* Emirados Árabes Unidos.
emisario, ria *m y f* **1** emissário (mensajero). • *m* **2** emissário (desaguadero).
emisión *f* **1** emissão (de títulos, dinero). **2** emissão (expulsión).
emisora *f* RAD, TV emissora.
emitir *tr* **1** emitir (arrojar, exhalar). **2** emitir (moneda, título).
emoción *f* **1** emoção (conmoción). **2** emoção (entusiasmo).
emocionante *adj* emocionante.
emocionar *tr y pron* emocionar.
emolumento *m* (gralte pl) emolumento (gaje).
emotivo, va *adj* emotivo.
empacar *tr* **1** empacotar, embalar. • *tr e intr* **2** *Amér. Merid.* fazer as malas.
empachar *tr y pron* **1** empachar, empanturrar. **2** perturbar, chatear.
empacho *m* **1** empacho (indigestión). **2** vergonha, constrangimento.
empadronamiento *m* recenseamento, inscrição municipal.
empadronar *tr y pron* recensear, inscrever no município.
empalagoso, sa *adj* **1** enjoativo (alimento). • *adj/m y f* **2** (fig) meloso, pegajoso.
empalar *tr* **1** empalar. • **~se** *pron* **2** *Chile* teimar.
empalizada *f* paliçada.
empalmar *tr e intr* **1** encaixar, acoplar. **2** (fig) encaixar (planes, temas). • *intr* **3** engatar (tren). • *tr y pron* **4** (vulg) ficar com tesão.
empalme *m* **1** encaixe, conexão. **2** entroncamento (de trenes).
empanadilla *f* salgadinho, salgado.
empanar *tr* empanar (con harina, pan).
empantanar *tr y pron* empantanar.
empañar *tr y pron* **1** embaçar. **2** (fig) macular, manchar (mérito, honor).
empapar *tr y pron* **1** empapar, ensopar. • **~se** *pron* **2** (fig) embeber-se, imbuir-se (de doctrina, afecto).
empapelado *m* papel de parede.
empapelar *tr* **1** empapelar (superficie). **2** (fig, fam) processar.
empapuzar *tr y pron* (fam) empanturrar.
empaquetar *tr* **1** empacotar, embalar. **2** (fig) entulhar, acomodar (personas).
emparedado, da *adj/m y f* **1** emparedado (recluso). • *m* **2** (fig) sanduíche com pão de forma.
emparedar *tr y pron* emparedar.
emparejamiento *m* emparelhamento.
emparejar *tr y pron* **1** casar, formar um casal. **2** emparelhar (igualar).
emparentar *intr y tr* aparentar, estabelecer parentesco.
emparrado *m* parreira, parreiral.

emparrar *tr* emparreirar.
empastar *tr* **1** empastar. **2** obturar (caries). **3** empastar, encadernar.
empaste *m* **1** amálgama, obturação (de un diente). **2** empastamento, empaste.
empatar *tr, intr y pron* **1** empatar (igualar). • *tr* **2** *Col., C. Rica, Méx., Venez.* unir, emendar.
empatía *f* empatia.
empecatado, da *adj* traquinas, endiabrado.
empecinado da *adj* teimoso, obstinado.
empecinarse *pron* teimar, cismar.
empedar *tr y pron Arg., Méx.* (coloq) embriagar.
empedernido, da *adj* (fig) empedernido.
empedrado, da *adj* **1** calçado, empedrado. **2** (fig) encarneirado (cielo). • *m* **3** calçamento, empedramento.
empedrar *tr* empedrar, calçar.
empeine *m* **1** peito do pé. **2** baixo-ventre, púbis. **3** MED impigem, impetigo.
empellón *m* empurrão. ■ **a empellones** (fig, fam) aos empurrões.
empelotarse *pron* **1** enrolar-se, confundir-se. **2** *Chile, Col., Cuba, Méx.* ficar pelado.
empeñado, da *adj* empenhado.
empeñar *tr* **1** penhorar, empenhar. • *tr y pron* **2** empenhar, endividar.
empeño *m* **1** empenho (afán). **2** empenho, determinação. **3** penhor, empenho.
empeorar *tr, intr y pron* piorar.
empequeñecer *tr, intr y pron* **1** empequenecer, diminuir. • **~se** *pron* **2** (fig) acovardar-se, intimidar-se.
emperador *m* imperador.
emperatriz *f* imperatriz.
emperifollar *tr y pron* (fam) embonecar, empetecar.
emperrarse *pron* (fam) emperrar-se, teimar.
empezar *tr e intr* começar.
empilchar *tr y pron Arg., Ur.* arrumar-se, enfitar-se (vestirse).
empinado, da *adj* **1** empinado, íngreme. **2** (fig) empertigado, orgulhoso.
empinar *tr* **1** empinar, levantar. **2** (fig, fam) empinar, entornar (beber). • **~se** *pron* **3** pôr-se nas pontas dos pés.
empingorotado, da *adj* metido, grã-fino.
empingorotar *tr y pron* **1** (fam) empilhar. **2** vangloriar (de cargo, posición).
empírico, ca *adj/m y f* empírico.
empitonar *tr* TAUROM encornar, chifrar.
emplastar *tr* **1** emplastrar. • *tr y pron* **2** (fig) enfeitar.
emplasto *m* emplastro (medicamento).
emplazamiento *m* **1** localização. **2** DER emprazamento.
emplazar *tr* **1** localizar. **2** DER emprazar, convocar.
empleado, da *m y f* empregado, funcionário.
emplear *tr y pron* **1** empregar (ocupar, dar trabajo). **2** empregar (gastar, consumir). **3** empregar (usar).
empleo *m* **1** emprego (utilización). **2** emprego (trabajo). ◆ **modo de ~** instruções.
emplumar *tr* **1** emplumar. **2** *Chile, Col., Ecuad., P. Rico* bater as asas (huir).
empobrecer *tr, intr y pron* empobrecer.
empollar *tr y pron* **1** empolhar, chocar (huevos). • *tr* **2** (fig, fam) queimar as pestanas (estudiar).
empollón, na *adj/m y f* (desp) cê-dê-efe.
empolvar *tr y pron* **1** empoar, polvilhar (cabello, rostro). • **~se** *pron* **2** empoeirar-se (cubrir de polvo).
emponzoñar *tr y pron* **1** empeçonhar, envenenar. **2** (fig) empeçonhar, perverter (corromper).
emporcar *tr y pron* emporcalhar (ensuciar).
emporrarse *tr y pron* (coloq) maconhar-se.
empotrar *tr y pron* embutir (mueble).
emprender *tr* empreender.
empreñar *tr y pron* **1** emprenhar. • *tr* **2** (fig, fam) importunar, maçar.
empresa *f* **1** empresa (tarea, intento). **2** empresa (sociedad, entidad).
empresariado *m* empresariado.
empresario, ria *m y f* **1** empresário (propietario, directivo). **2** empresário (de artistas).
empréstito *m* **1** empréstimo (préstamo). **2** empréstimo (importe).
empujar *tr* **1** empurrar (mover). **2** (fig) empurrar (presionar).
empuje *m* **1** empurrão (empujón). **2** empuxo (fuerza, presión).
empujón *m* **1** empurrão. **2** (fig) arrancada (adelanto).
empuñadura *f* empunhadura.

empuñar *tr* empunhar.
emú *m* ema.
emulación *f* emulação.
emular *tr y pron* emular.
émulo, la *adj/m y f* êmulo (rival).
emulsión *f* **1** emulsão. **2** FOT emulsão fotográfica.
emulsionar *tr* emulsionar.
en *prep* **1** em (tiempo): *en verano viajan mucho = no verão viajam muito*. **2** em (modo): *escuchaba en silencio = escutava em silêncio*. **3** em, sobre (lugar): *el libro está en la mesa = o livro está na mesa*. **4** em (duración): *acabaron en dos minutos = acabaram em dois minutos*.

> A diferencia del portugués, en español la preposición **en** no puede utilizarse con gerundio: *tratándose de cocina, es una negada = em se tratando de cozinha, é uma inútil*.

enagua *f* (gralte pl) anágua.
enajenación *f* **1** alienação. **2** (fig) distração (distracción).
enajenar *tr y pron* **1** alienar (transmitir). • *tr* **2** (fig) perturbar (turbar).
enaltecer *tr y pron* enaltecer.
enamoradizo, za *adj* apaixonadiço.
enamorado, da *adj/m y f* apaixonado.
enamorar *tr y pron* apaixonar.
enano, na *adj* **1** (fig) anão (diminuto). • *m y f* **2** anão. **3** (coloq) baixinho (niño).
enarbolar *tr* **1** hastear (bandera). • **~se** *pron* **2** empinar (caballo).
enardecer *tr y pron* enaltecer, excitar.
encabalgamiento *m* cavalete (apoyo).
encabezamiento *m* **1** encabeçamento. **2** cabeçalho (de texto). **3** cadastramento (registro).
encabezar *tr* **1** encabeçar (lista). **2** encabeçar, chefiar. **3** cadastrar (registrar). **4** lotar (vino).
encabritar *tr y pron* **1** encabritar-se. • **~se** *pron* **2** (fig) empinar (vehículo). **3** (fig) zangar-se (enfadarse).
encabronar *tr y pron* (vulg) emputecer.
encadenamiento *m* **1** acorrentamento (sujeción). **2** encadeamento (conexión).
encadenar *tr* **1** acorrentar. • *tr y pron* **2** (fig) encadear (enlazar).
encajar *tr y pron* **1** encaixar (meter, unir). • *tr* **2** (fig, fam) enfiar (puñetazo, bofetada). **3** (fig, fam) encaixar (coincidir). • **~se** *pron* **4** enfiar-se, meter-se (entrar).
encaje *m* **1** encaixe, ajuste. **2** encaixe (sitio, hueco).
encajonar *tr* **1** encaixotar. • *tr y pron* **2** espremer.
encalado *m* caiação.
encalambrarse *pron Amér.* contrair, enrijecer (músculo).
encalar *tr* caiar.
encallar *intr* encalhar (embarcación).
encamar *tr* **1** acamar, deitar. • **~se** *pron* **2** acamar-se (enfermar).
encaminar *tr y pron* **1** encaminhar. • *tr* **2** (fig) encaminhar (enderezar).
encamotarse *pron Amér.* (fam) cair de quatro, babar (de amor).
encampanar *tr* **1** acampanar. • *tr y pron* **2** *Amér.* elevar, exaltar. • **~se** *pron* **3** *Col.* apaixonar-se.
encanarse *pron* perder o fôlego (por risa, llanto).
encandilar *tr y pron* **1** deslumbrar, ofuscar (vista). **2** (fig) deslumbrar, maravilhar. **3** (fam) avivar (fuego, lumbre).
encanecer *intr* **1** encanecer. • *intr y pron* **2** (fig) mofar (enmohecerse).
encantado, da *adj* **1** encantado (satisfecho). **2** (fam, fig) abobalhado, alheio.
encantar *tr* **1** encantar, embruxar. **2** adorar, gostar muito.
encanto *m* **1** encanto, encantamento. **2** (fig) amor: *encanto, tráeme la toalla, por favor = amor, me traz a toalha, por favor*.
encañar *tr* **1** encanar. **2** drenar.
encañonar *tr* **1** canalizar. **2** apontar (arma).
encapotar *tr y pron* **1** encapotar. • **~se** *pron* **2** (fig) emburrar-se. **3** nublar-se (cielo).
encapricharse *pron* **1** emperrar-se, teimar. **2** afeiçoar-se.
encapuchar *tr y pron* encapuzar.
encarado, da *adj* encarado.
encaramar *tr y pron* trepar, empoleirar.
encarar *intr y pron* **1** encarar, afrontar. • *tr* **2** mirar, apontar (arma). • *tr y pron* **3** (fig) encarar (problemas).
encarcelar *tr* encarcerar, prender.

encarecer *tr, intr y pron* **1** encarecer. • *tr* **2** (fig) encarecer (recomendar).
encarecimiento *m* encarecimento.
encargado, da *adj/m y f* encarregado.
encargar *tr y pron* **1** encarregar. • *tr* **2** encomendar.
encargo *m* **1** encargo, incumbência. **2** encomenda. **3** encargo, cargo.
encargue *m Arg.* ⇒ encargo.
encariñarse *pron* afeiçoar-se, apegar-se.
encarnación *f* **1** encarnação. **2** (fig) encarnação (personificación).
encarnado, da *adj y m* encarnado (color).
encarnar *intr y pron* **1** encarnar (espíritu). • *tr* **2** (fig) encarnar, personificar (doctrina, idea).
encarnizado, da *adj* **1** encarniçado, injetado (ojos). **2** encarniçado, sanguinário (combate).
encarnizamiento *m* **1** encarniçamento, sanha (sobre la presa). **2** (fig) encarniçamento (crueldad).
encarnizar *tr y pron* **1** (fig) encarniçar, enfurecer. • **~se** *pron* **2** encarniçar-se (con la presa).
encarrilar *tr y pron* **1** encarrilhar, encarrilar. **2** (fig) encarrilhar, encaminhar (persona, asunto).
encarrujado, da *adj* **1** encaracolado, enrugado. **2** *Méx.* acidentado (terreno).
encartar *tr* processar.
encasillar *tr* **1** pôr em compartimentos. **2** enquadrar, classificar.
encasquetar *tr y pron* **1** encasquetar. • *tr* **2** (fig) encasquetar, persuadir.
encastillar *tr y pron* encastelar, acastelar.
encauzar *tr* **1** canalizar, direcionar (corriente). **2** (fig) encaminhar, orientar (asunto).
encéfalo *m* ANAT encéfalo.
encefalograma *m* encefalograma.
encelar *tr y pron* enciumar.
encenagado, da *adj* enlameado.
encenagarse *pron* **1** enlamear-se. **2** (fig) viciar-se, atolar-se.
encendedor, ra *adj/m y f* **1** acendedor. • *m* **2** acendedor, isqueiro.
encender *tr y pron* **1** acender (arder, incediar). **2** (fig) acender (suscitar, incitar). • *tr* **3** acender (conectar).
encendido, da *adj* **1** aceso. • *m* **2** acendimento.
encerado, da *adj* **1** encerado. • *m* **2** encerado, lona.
encerar *tr* encerar.
encerrar *tr y pron* **1** encerrar, prender. • *tr* **2** (fig) conter, encerrar. • **~se** *pron* **3** (fig) fechar-se, obstinar-se.
encerrona *f* **1** emboscada, armadilha. **2** (fam) retiro voluntário.
encestar *tr* **1** encestar (guardar). • *tr e intr* **2** DEP encestar.
encharcar *tr y pron* **1** encharcar (terreno). • **~se** *pron* **2** encher de líquido (órgano).
enchilada *f Guat., Méx., Nic.* GAST torta de milho com chile.
enchilar *tr* **1** *Amér. Centr.* condimentar (con chile). • *tr y pron* **2** *Méx., Nic.* (fig) irritar, incomodar.
enchironar *tr* (fam) engaiolar, enjaular.
enchufar *tr* **1** ELEC ligar, conectar. **2** acoplar (piezas). • *tr e intr* **3** encaixar (caño).
enchufe *m* **1** tomada. **2** conexão, encaixe. **3** (fig, fam) pistolão, padrinho.
enchumbar *tr Amér.* ensopar, empapar (de agua).
encía *f* gengiva.
enciclopedia *f* enciclopédia.
encielar *tr Chile* cobrir, toldar.
encierro *m* encerro (clausura, prisión).
encima *adv* **1** em cima, sobre. **2** em cima, muito próxima: *tenemos las vacaciones encima = as férias estão em cima.* **3** além disso: *llegó tarde y encima olvidó las entradas = chegou tarde e além disso esqueceu as entradas.* ■ **~ de** em cima de; **por ~ de** a pesar de: *hizo lo que quería por encima de su familia = fez o que ele queria a pesar de sua família*; acima de: *por encima de la media = acima da média*; **por ~** por cima, superficialmente.
encimera *f* banca, bancada (de la cocina).
encimero, ra *adj* de cima.
encina *f* azinheiro (árbol, madera).
encinal o **encinar** *m* azinhal.
encinta *adj* grávida.
enclaustrar *tr y pron* enclausurar.
enclave *m* encrave.
enclenque *adj/m y f* enclenque, enfermiço.
encofrado *m* cofragem.
encofrar *tr* **1** revestir de madeira. **2** fazer cofragem.

encoger *tr y pron* **1** encolher (contraer). **2** (fig) encolher, acanhar (apocar). • *intr* **3** encolher (ropa).
encogido, da *adj* encolhido.
encolar *tr* encolar, colar.
encolerizar *tr y pron* encolerizar.
encomendar *tr y pron* **1** encomendar (encargar). • **~se** *pron* **2** encomendar-se (entregarse).
encomiar *tr* encomiar, elogiar.
encomiástico, ca *adj* gabador, enaltecedor.
encomio *m* encômio.
enconar *tr y pron* **1** inflamar, infeccionar. **2** (fig) exasperar, irritar. **3** pesar a consciência.
encono *m* **1** ódio, rancor. **2** *Chile*, *Col.* chaga.
encontradizo, za *adj* encontradiço.
encontrado, da *adj* achado, encontrado.
encontrar *tr, intr y pron* **1** encontrar, achar. • *tr y pron* **2** encontrar, deparar-se. • *tr* **3** achar, julgar (opinar). • **~se** *pron* **4** estar: *me encuentro muy cansado = estou muito cansado.*
encontrón *m* **1** encontrão, esbarrão. **2** disputa, encontro.
encopetado, da *adj* (fig) metido, convencido.
encorajinar *tr y pron* **1** encolerizar. • **~se** *pron* **2** *Chile* malograr-se, fracassar (negocio).
encorsetar *tr y pron* espartilhar.
encorvado, da *adj* encurvado.
encorvar *tr y pron* **1** encurvar. • **~se** *pron* **2** corcovar (por la edad).
encostrar *tr, intr y pron* encrostar.
encrespar *tr y pron* **1** encrespar (rizar). **2** encrespar (mar). **3** encrespar-se, arrepiar-se (erizar).
encrucijada *f* **1** encruzilhada. **2** (fig) encruzilhada, dilema.
encuadernación *f* encadernação.
encuadernar *tr* encadernar.
encuadrar *tr y pron* **1** enquadrar (enmarcar). **2** (fig) enquadrar (incluir). • *tr* **3** CINE, FOT enquadrar (imagen).
encubierto, ta *adj* encoberto.
encubrimiento *m* **1** encobrimento. **2** DER encobrimento.
encubrir *tr y pron* **1** encobrir (ocultar). • *tr* **2** DER encobrir (delito).
encuentro *m* **1** encontro (reunión). **2** encontro (oposición, discusión). **3** encontro (colisión). **4** encontro (competición).
encuesta *f* enquete, pesquisa de opinião.
encuestar *tr* **1** pesquisar, interrogar. • *intr* **2** fazer enquetes.
encularse *pron Méx.* (vulg) apaixonar-se.
encumbrado, da *adj* elevado.
encumbramiento *m* **1** levantamento. **2** elevação.
encumbrar *tr y pron* **1** erguer, levantar. **2** (fig) engrandecer, valorizar. • **~se** *pron* **3** (fig) ensoberbecer-se.
encurrucarse *pron Amér. Merid.*, *P. Rico* encolher-se, agachar-se.
ende por ~ *loc adv* portanto: *por ende, considero al acusado culpable = portanto, considero o acusado culpado.*
endeble *adj* fraco, débil.
endémico, ca *adj* BIOL, MED endêmico.
endemoniado, da *adj/m y f* endemoniado, endiabrado (poseído).
endemoniar *tr* **1** endemoniar. • *tr y pron* **2** (fig) endemoniar (encolerizar).
enderezado, da *adj* endireitado, aprumado.
enderezar *tr y pron* **1** endireitar. **2** (fig) dirigir (situación).
endeudarse *pron* **1** endividar-se. **2** endividar-se, comprometer-se.
endiablado, da *adj* ⇒ endemoniado, da.
endibia o **endivia** *f* endívia, escarola.
endilgar *tr* **1** (fam) acomodar, facilitar. **2** empurrar, jogar para cima (responsabilidad).
endiosado, da *adj* endeusado.
endiosamiento *m* endeusamento.
endiosar *tr* **1** endeusar. • **~se** *pron* **2** (fig) endeusar-se (ensoberbecerse).
endocrino, na *adj* **1** endócrino (glándula, hormona). • *m y f* **2** ⇒ endocrinólogo, ga.
endocrinología *f* endocrinologia.
endogamia *f* endogamia.
endomingarse *pron* endomingar-se.
endosar *tr* **1** endossar (cheque). **2** (fig) endossar, transferir (responsabilidad, carga).
endoso *m* endosso, endosse.
endovenoso, sa *adj* endovenoso, intravenoso.
endrina *f* abrunho (fruto).

endulzar *tr y pron* **1** adoçar. **2** (fig) adoçar, suavizar.
endurecer *tr y pron* **1** endurecer, enrijecer. **2** (fig) endurecer, fortalecer. • *tr* **3** (fig) endurecer (exigir). • **~se** *pron* **4** endurecer (volverse cruel).
endurecimiento *m* endurecimento.
ene *f* ene (letra).
enea *f* tifa (planta).
enebro *m* zimbro (arbusto, madera).
eneldo *m* aneto.
enema *m* MED enema.
enemigo, ga *adj* **1** inimigo, contrário. • *m y f* **2** inimigo, adversário.
enemistad *f* inimizade.
enemistar *tr y pron* inimizar, indispor.
energético, ca *adj* energético.
energía *f* **1** energia, vigor (ánimo). **2** energia (eficacia). **3** FÍS energia. ◆ **~ atómica** FÍS energia atômica; **~ eléctrica** FÍS energia elétrica; **~ solar** FÍS energia solar.
energúmeno, na *m y f* energúmeno (furioso).
enero *m* janeiro.
enervación *f* **1** enervação, enervamento (debilitamiento). **2** (fig) enervação, enervamento (irritación).
enervar *tr y pron* **1** enervar (debilitar). **2** (fig) enervar (irritar).
enésimo, ma *adj* **1** enésimo. **2** MAT enésimo.
enfadado, da *adj* chateado, aborrecido.
enfadar *tr y pron* chatear, aborrecer.
enfado *m* aborrecimento, irritação.
enfangar *tr y pron* **1** enlamear, sujar. • **~se** *pron* **2** (fig) enlamear-se (en negocio ilícito).
énfasis *m* **1** ênfase (entonación). **2** ênfase, destaque.
enfático, ca *adj* enfático.
enfatizar *tr e intr* enfatizar.
enfermar *tr, intr y pron* **1** adoecer, enfermar. • *tr* **2** (fig) debilitar.
enfermedad *f* **1** MED doença, enfermidade. **2** (fig) doença (obsesión).
enfermería *f* **1** enfermaria (local). **2** enfermagem (profesión, estudios).
enfermizo, za *adj* doentio, enfermiço.
enfermo, ma *adj/m y f* **1** doente, enfermo. • *adj* **2** ⇒ enfermizo, za.
enfervorizar *tr y pron* encher de fervor, estimular.
enfiestarse *pron Amér.* divertir-se.
enfilar *tr* **1** enfileirar. **2** pegar, enfiar (dirección): *enfiló una larga calle = enfiou uma longa rua*. **3** enfiar (ensartar).
enflaquecer *tr, intr y pron* **1** emagrecer. **2** (fig) enfraquecer.
enfocar *tr* **1** enfocar (imagen). **2** (fig) enfocar (problema, asunto).
enfoque *m* **1** enfoque (de imagen). **2** (fig) enfoque (de problema, asunto).
enfrascar *tr* **1** enfrascar. • **~se** *pron* **2** (fig) dedicar-se, aplicar-se (en actividad, trabajo).
enfrentar *tr y pron* enfrentar.
enfrente *adv* **1** em frente, defronte: *está justo enfrente de mi casa = está bem em frente da minha casa*. **2** contra: *lo tengo enfrente en este tema = está contra mim neste tema*.
enfriamiento *m* **1** esfriamento. **2** (fig) esfriamento (del afecto, relación).
enfriar *tr, intr y pron* esfriar.
enfundar *tr* enfronhar.
enfurecer *tr y pron* **1** enfurecer. • **~se** *pron* **2** (fig) enfurecer-se (mar, viento).
enfurruñarse *pron* (fam) aborrecer-se.
engalanar *tr y pron* engalanar (adornar).
engallado, da
enganchar *tr, intr y pron* **1** enganchar (agarrar). • *tr* **2** (fam) pegar, contrair (enfermedad). **3** (fig, fam) seduzir, atrair. • **~se** *pron* **4** (fig) viciar-se (en drogas).
enganche *m* **1** enganche, enganchamento. **2** engate.
engañabobos *m o f* **1** (fam) enrolão, tapeador. • *m* **2** conto-do-vigário.
engañar *tr y pron* **1** enganar (iludir). • *tr* **2** enganar (mentir). **3** enganar, abrandar (hambre, tiempo, sed). • **~se** *pron* **4** enganar-se (equivocarse).
engañifa *f* (fam) conto-do-vigário.
engaño *m* **1** engano (falsedad). **2** engano (ilusión). **3** engano, mal-entendido (error). **4** engano (infidelidad).
engañoso, sa *adj* enganoso.
engarce *m* encaixe, encaixo.
engarzar *tr* **1** encaixar (trabar). **2** ⇒ engastar.
engastar *tr* engastar, encravar.
engaste *m* engaste (guarnición).
engatusar *tr* (fam) emgabelar, enrolar.
engendrar *tr* **1** engendrar (procrear). • *tr y pron* **2** (fig) gerar (ocasionar).

engendro *m* **1** feto. **2** (fig) aberração da natureza (feo).
englobado, da *adj* englobado.
englobar *tr* englobar.
engolfar *tr y pron* **1** engolfar (embarcación). • **~se** *pron* **2** (fig) mergulhar, absorver-se (en pensamientos, estudios).
engolosinar *tr* atrair.
engomar *tr* **1** engomar (tela). **2** passar cola.
engordar *intr y pron* **1** engordar. • *tr* **2** engordar, cevar (animal).
engorde *m* engorda, ceva.
engorro *m* estorvo.
engorroso, sa *adj* chato, tedioso.
engranaje *m* **1** engrenagem, endentação. **2** MEC engrenagem. **3** (fig) encaixe, enlace (de ideas, hechos).
engranar *intr* **1** engrenar (endentar). **2** (fig) engrenar, enlaçar (ideas, hechos).
engrandecer *tr* **1** engrandecer (aumentar). **2** engrandecer, valorizar.
engrandecimiento *m* **1** engrandecimento (aumento). **2** (fig) engrandecimento (exaltación).
engranujarse *pron* **1** empipocar-se. **2** tornar-se sacana, gozador.
engrasar *tr* **1** engordurar. **2** engraxar, lubrificar (mecanismo). **3** fertilizar (tierra, terreno). **4** (fig) molhar a mão (sobornar).
engrase *m* **1** engraxamento, lubrificação. **2** graxa (sustancia).
engreído, da *adj* convencido, metido.
engreír *tr y pron* **1** ensoberbecer (envanecer). **2** *Amér.* apegar, afeiçoar (encariñar).
engrifarse *pron* empinar-se, encabritar-se (cabalgadura).
engringarse *pron seguir os hábitos dos estrangeiros.*
engrosar *tr y pron* **1** engrossar, espessar. • *tr* **2** (fig) engrossar (aumentar).
engrudo *m* grude.
engrupir *tr Arg.* (vulg) engrupir (mentir).
engullir *tr e intr* engolir, tragar.
enharinar *tr y pron* enfarinhar.
enhebrar *tr* **1** enfiar (hilo). **2** (fig, fam) desvairar, disparatar.
enhiesto, ta *adj* ereto, direito.
enhorabuena *f* **1** parabéns. • *adv* **2** em boa hora.
enigma *m* enigma.
enigmático, ca *adj* enigmático.
enjabonado *m* ensaboada, ensaboadura.
enjabonar *tr* **1** ensaboar. **2** (fig, fam) lamber (adular). **3** (fig) ensaboar (reprender).
enjalbegado *m* caiação, caiadura.
enjalbegar *tr* caiar, branquear (pared).
enjambre *m* **1** enxame (de abejas). **2** (fig) enxame (multitud).
enjaretar *tr* **1** passar pelo passante (de pantalones, falda). **2** (fig, fam) vomitar, desembuchar.
enjaular *tr* **1** enjaular. **2** (fig, fam) enjaular (encarcelar).
enjoyar *tr y pron* **1** encher de jóias, enjoiar. • *tr* **2** (fig) enfeitar, adereçar.
enjuagar *tr y pron* enxaguar.
enjuague *m* enxágüe.
enjugar *tr y pron* **1** enxugar. **2** (fig) extinguir, acabar (deuda, déficit).
enjuiciamiento *m* ajuizamento.
enjuiciar *tr* **1** ajuizar (evaluar). **2** DER ajuiziar, levar a juízo.
enjundia *f* **1** ádipe. **2** (fig) essência.
enjundioso, sa *adj* adiposo.
enjuto, ta *adj* enxuto.
enlace *m* **1** enlace, enlaçadura. **2** enlace (unión). **3** enlace, elo. **4** (fig) enlace, casamento.
enladrillar *tr* ladrilhar, pavimentar.
enlatar *tr* enlatar.
enlazar *tr* **1** enlaçar (atar). • *tr y pron* **2** enlaçar (unir). • **~se** *pron* **3** (fig) casar-se.
enloquecer *tr e intr* enlouquecer.
enlosado *m* ladrilho (suelo).
enlosar *tr* enlousar (suelo).
enlucido, da *adj* **1** rebocado. • *m* **2** reboco, reboque (material).
enlucir *tr* **1** rebocar (pared). **2** polir (metal).
enlutar *tr y pron* **1** enlutar. **2** (fig) enlutar (oscurecer).
enmadrarse *pron* apegar-se à mãe.
enmarañar *tr y pron* **1** emaranhar, embaraçar (cabello, hilo). **2** (fig) emaranhar, atrapalhar (negocio, situación).
enmarcar *tr* emoldurar, enquadrar.
enmascarado, da *adj/m y f* mascarado.
enmascarar *tr y pron* **1** mascarar. **2** (fig) mascarar (cubrir).
enmendar *tr y pron* **1** emendar (corregir). • *tr* **2** emendar, retificar.

enmienda *f* emenda (corrección).
enmohecer *tr y pron* **1** mofar, criar mofo. • **~se** *pron* **2** (fig) embolorar (caer en desuso).
enmohecido, da *adj* mofado.
enmohecimiento *m* formação de mofo.
enmonarse *pron Chile, Perú* encher a cara.
enmoquetar *tr* carpetar, atapetar.
enmudecer *tr e intr* **1** emudecer. • *intr* **2** (fig) silenciar-se.
enmugrecer *tr y pron* encardir, emporcalhar.
ennegrecimiento *m* enegrecimento.
ennoblecer *tr y pron* **1** enobrecer. • *tr* **2** (fig) enobrecer, embelezar.
enojado, da *adj* zangado.

> **Enojado** no debe confundirse con el término brasileño ***enojado***, que tiene los significados de 'mareado', 'con náuseas', 'asqueado', 'aburrido'.

enojar *tr y pron* **1** zangar (molestar). • **~se** *pron* **2** irritar-se, zangar-se.
enojo *m* **1** zanga (ira). **2** aborrecimento, enojo.
enología *f* enologia.
enorgullecer *tr y pron* orgulhar.
enorme *adj* enorme.
enormidad *f* enormidade.
enquistarse *pron* enquistar-se.
enrabiar o **enrabietar** *tr y pron* enraivecer.
enraizar *intr* enraizar.
enramada *f* ramada, enramada.
enramar *tr* enramar.
enrarecer *tr, intr y pron* **1** enrarecer (escasear). • *tr y pron* **2** enrarecer, rarecer (dilatar). • **~se** *pron* **3** esfriar (relación, amistad).
enredadera *adj y f* trepadeira (planta).
enredar *tr y pron* **1** enredar (enmarañar). **2** (fig) complicar, enredar (negocio, plan).
enredista *adj/m y f Amér.* enrolador, engambelador.
enredo *m* **1** enredo, enredamento (de hilos, pelo). **2** enredo, trama. **3** (fig) enrascada (complicación).
enredoso, sa *adj* enredoso.
enrejado *m* gradeamento, gradeado.
enrejar *tr* gradear, engradar.
enrevesado, da *adj* arrevesado.
enriquecer *tr, intr y pron* **1** enriquecer. • *tr* **2** (fig) enriquecer (adornar).
enrojecer *tr y pron* **1** avermelhar. **2** enrubescer, corar.
enrolar *tr y pron* alistar, arolar.
enrollado, da *adj* **1** enrolado. **2** (coloq) extrovertido. • *m* **3** ARQ voluta.
enrollar *tr* **1** enrolar (envolver). • **~se** *pron* **2** (fig, fam) falar muito. **3** (fig, fam) dar-se (relacionarse).
enronquecer *tr y pron* enrouquecer.
enroscar *tr y pron* **1** enroscar (torcer). • *tr* **2** enroscar (introducir).
ensalada *f* **1** salada. **2** (fig) salada, maionese (confusión).
ensaladera *f* saladeira.
ensaladilla *f* salada russa, maionese.
ensalmo *m* ensalmo.
ensalzar *tr y pron* exaltar, elogiar.
ensamblado *adj* ensamblado.
ensamblador *m* ensamblador.
ensamblaje *m* ⇒ ensambladura.
ensamblar *tr* ensamblar.
ensanchar *tr y pron* **1** ensanchar, alargar. • *intr y pron* **2** (fig) desvanecer-se. • **~se** *pron* **3** (fig) inchar-se (envanecerse).
ensanche *m* alargamento, ampliação.
ensangrentado, da *adj* ensangüentado.
ensangrentar *tr y pron* ensangüentar.
ensañamiento *m* sanha, fúria.
ensañar *tr* **1** assanhar (irritar). • **~se** *pron* **2** *ser* muito cruel.
ensartar *tr* **1** ensartar (perlas, cuentas). **2** (fig) espetar, atravessar.
ensayar *tr y pron* **1** ensaiar (preparar). • *tr* **2** ensaiar (probar). **3** ensaiar (amaestrar).
ensayista *m o f* ensaísta.
ensayo *m* **1** ensaio (preparación). **2** ensaio (escrito).
enseguida *adv* **1** em seguida, logo após. **2** imediatamente, já.
ensenada *f* enseada (del mar).
enseña *f* insígnia, estandarte.
enseñanza *f* **1** ensino. • **enseñanzas** *f pl* **2** ensinamentos.
enseñar *tr* **1** ensinar (instruir). **2** ensinar (servir de experiencia). **3** ensinar (indicar). **4** mostrar. • **~ se** *pron* **5** acostumar-se.

enseñorear *tr y pron* assenhorear.
enseres *m pl* **1** apetrechos, utensílios. **2** mobília.
enseriarse *pron Amér.* ficar sério.
ensimismado, da *adj* ensimesmado.
ensimismarse *pron* **1** ensimesmar-se (abstraerse). **2** *Chile, Col., Ecuad.* envaidecer-se (engreírse).
ensoberbecer *tr y pron* **1** ensoberbecer. • **~se** *pron* **2** (fig) ensoberbecer (mar).
ensombrecer *tr* **1** ensombrar, escurecer. • **~se** *pron* **2** (fig) ensombrar-se, entristecer-se.
ensoñación *f* sonho, fantasia.
ensoñar *intr y tr* fantasiar, sonhar.
ensordecedor, ra *adj* ensurdecedor.
ensordecer *tr* ensurdecer.
ensortijado, da *adj* encrespado, cacheado (cabello, hilo).
ensortijar *tr y pron* encrespar, cachear.
ensuciar *tr y pron* **1** sujar. • *tr* **2** (fig) sujar-se (defecar). **3** (fig) sujar (corromper).
ensueño *m* **1** sonho. **2** (fig) sonho, fantasia.
entablar *tr* **1** entabuar (cubrir). **2** entabular (conversación, negociación).
entablillar *tr* enfaixar, imobilizar (hueso).
entallar *tr* **1** entalhar, esculpir. • *intr y pron* **2** ajustar (prenda de vestir).
ente *m* **1** ente. **2** organismo (institución).
enteco, ca *adj* enfermiço, fraco.
entelequia *f* enteléquia.
entendederas *f pl* (fam) entendimento.
entender *m* entender, entendimento.
entender *tr e intr* **1** entender (comprender). • *tr* **2** entender, captar. **3** entender, saber. • **~se** *pron* **4** entender-se, dar-se bem.
entendido, da *adj/m y f* entendido.
entendimiento *m* entendimento.
entente *f* pacto, acordo.
enterado, da *adj/m y f* **1** entendido. • *adj* **2** *Chile* convencido, metido.
enterar *tr* **1** informar, inteirar. **2** *Arg., Chile* inteirar (completar). • **~se** *pron* **3** ficar sabendo, tomar conhecimento.
entereza *f* **1** inteireza (integridad). **2** (fig) inteireza (fortaleza).
enterizo, za *adj* inteiriço.
enternecedor, ra *adj* enternecedor.
enternecer *tr y pron* **1** amolecer, abrandar. **2** (fig) enternecer (conmover).
enternecimiento *m* enternecimento.
entero, ra *adj* **1** inteiro (completo, cabal). **2** (fig) inteiro (sano, ileso). **3** (fig, fam) íntegro, honesto. **4** (fig) integral (leche).
enterramiento *m* **1** enterramento, enterro. **2** sepulcro (obra). **3** sepultura (lugar).
enterrar *tr* **1** enterrar (sepultar). **2** enterrar, soterrar. **3** (fig) enterrar, esquecer (desavenencia, costumbre, ilusión).
entibiar *tr y pron* **1** amornar, entibiar. • *tr* **2** (fig) esfriar (sentimiento, afecto).
entidad *f* **1** entidade (ente, ser). **2** entidade (valor, importancia). **3** entidade (institución, sociedad).
entierro *m* enterro.
entonación *f* entonação, entoação.
entonar *tr e intr* **1** entonar, entoar (cantar). • **~se** *pron* **2** (fig) entonar-se, ensoberbecer-se. **3** (fig, fam) ficar alegre (emborracharse).
entonces *adv* **1** então (ocasión, tiempo). **2** então (siendo así, en tal caso): *si no vienes entonces no tengo que esperar-te = se você não vem então não tenho que te esperar.* ■ **desde ~** desde então; **en aquel ~** naquele então.
entontecer *tr, intr y pron* entontecer.
entornar *tr* **1** entrefechar (puerta, ventana). **2** entrefechar, entrecerrar (ojos).
entorno *m* **1** ambiente, entorno. **2** INF ambiente.
entorpecer *tr y pron* **1** entorpecer. **2** (fig) dificultar, estorvar (negociación, actividad).
entrada *f* **1** entrada (paso). **2** entrada (acceso). **3** entrada, hall (de edificio, casa). **4** entrada (ingreso, admisión). **5** entrada, ingresso (de cine, espectáculo). **6** entrada, princípio. **7** verbete, entrada (de diccionario). **8** (gralte pl) entradas (de cabello). **9** entrada, antepasto (de comida). **10** entrada (cantidad de dinero). **11** DEP entrada (falta). **12** INF entrada. **13** MÚS entrada.
entrado, da *adj* entrado (avanzado).
entrador, ra *adj* **1** *Méx., Perú, Venez.* corajoso, empreendedor. **2** *Chile, Perú* intrometido.
entramado *m* **1** rede. **2** ARQ estrutura.
entrambos, bas *adj pl* ambos.
entrampar *tr y pron* **1** capturar (animal). • *tr* **2** (fig) enganar.

entrante *adj* **1** entrante. • *m* **2** entrada, antepasto (de comida).
entraña *f* **1** entranha (víscera). • **entrañas** *f pl* **2** (fig) entranhas, profundezas. **3** (fig) entranhas (índole).
entrañable *adj* entranhável, íntimo.
entrañar *tr y pron* **1** entranhar. • *tr* **2** implicar.
entrar *intr* **1** entrar (penetrar, introducirse). **2** entrar (encajar). **3** entrar (estar incluido). **4** entrar, ingressar (en institución, club). **5** entrar, intervir (en discusión, asunto, negociación). **6** entrar (en estado, circunstancia): *el chico entró en extasis = o menino entrou em êxtase*. **7** vir, sentir: *me entró una tristeza = me veio uma tristeza*. **8** descer (comida, bebida): *esta cerveza no me entra = esta cerveja não desce*. **9** entrar, servir (prenda de vestir). **10** entrar, ser aceito (como miembro). • *intr y tr* **11** entrar, invadir.
entre *prep* **1** entre (en medio de): *está entre el sofá y la estantería = está entre o sofá e a estante*. **2** entre (dentro de): *se escondía entre las paredes de su habitación = escondia-se entre as paredes de seu quarto*. **3** entre (estado intermedio): *el naranja está entre el rojo y el amarillo = o laranja está entre o vermelho e o amarelo*. **4** juntos (cooperación, participación): *pintaremos la casa entre todos = pintaremos a casa todos juntos*. **5** entre (elección): *tengo que escoger entre el coche negro y el azul = tenho de escolher entre o carro preto e o azul*.

> A diferencia del portugués y de las demás preposiciones españolas, cuando la preposición **entre** precede un pronombre personal exige la forma de sujeto (*yo, tú, él, ella, ello, nosotros/-as, vosotros/-as, ellos/-as*), en lugar de la forma de objeto (*mí, ti, sí, ella, ello, nosotros/-as, vosotros/-as, ellos/-as*): *todo acabó entre ella y yo = tudo acabou entre ela e mim*.

entreabrir *tr y pron* entreabrir.
entrecano, na *adj* grisalho (cabello).
entrecejo *m* **1** glabela, intercílio. **2** (fig) cenho (sobrecejo).
entrecomillado *adj* **1** entre aspas, aspado. • *m* **2** cita, texto entre aspas.
entrecomillar *tr* aspear.
entrecortado, da *adj* entrecortado (voz, sonido).
entrecortar *tr y pron* entrecortar.
entrecot *m* entrecosto.
entredicho, cha *adj* **1** entredito. • *m* **2** desconfiança, suspeita. **3** interdição, proibição.
entrega *f* **1** entrega (entregamiento). **2** entrega, dedicação. **3** fascículo (coleccionable).
entregar *tr* **1** entregar (dar). • **~ se** *pron* **2** entregar-se (dedicarse). **3** entregar-se, render-se. **4** (fig) entregar-se (a vicios, hábitos).
entrelazar *tr y pron* entrelaçar.
entremedias *adv* entrementes, nesse ínterim.
entremés *m* **1** aperitivo. **2** TEAT entremez.
entremeter *tr y pron* **1** entremeter (meter). • **~se** *pron* **2** entremeter-se, intrometer-se (inmiscuirse).
entremetido, da *adj/m y f* intrometido.
entremezclar *tr* entremisturar, entremesclar.
entrenado, da *adj* treinado.
entrenamiento *m* treinamento, treino.
entrenar *tr y pron* treinar.
entrepierna *f* **1** entreperna. **2** (fig) entreperna (órganos genitales).
entresacar *tr* **1** escolher, selecionar. **2** desbastar (pelo, árbol).
entresijo *m* (fig) segredo.
entresuelo *m* andar intermédio (de edifício).
entretanto *adv* **1** entretanto, nesse meiotempo. • *m* **2** entretanto, entrementes.
entretejer *tr* entretecer.
entretela *f* entretela, entreforro.
entretención *f Amér.* entretenimento.
entretener *tr y pron* **1** entreter (distraer). **2** entreter (divertir).
entretenido, da *adj* divertido, entretido.
entretenimiento *m* entretenimento.
entretiempo *m* meia-estação.
entrever *tr* **1** entrever (divisar). **2** (fig) entrever (sospechar, intuir).
entrevista *f* **1** entrevista (periodística). **2** entrevista (encuentro, reunión).
entrevistar *tr y pron* **1** entrevistar. • **~se** *pron* **2** reunir-se.

e

entristecer *tr y pron* entristecer.
entrometer *tr y pron* ⇒ entremeter.
entromparse *pron* **1** (fam, fig) tomar um fogo. **2** *Amér.* zangar-se.
entroncar *tr, intr y pron* **1** entroncar (linajes). • *tr y pron* **2** *Amér. Centr., Méx., Perú* entroncar (líneas de transporte).
entronización *f* entronização.
entronizar *tr* **1** entronizar. **2** (fig) exaltar (alabar). • **~ se** *pron* **3** engrandecer-se (engreírse).
entuerto *m* agravo.
entumecer *tr y pron* **1** entorpecer, adormecer (miembro). • **~se** *pron* **2** intumescer, inchar.
entumecido, da *adj* **1** entorpecido, adormecido (miembro). **2** intumescido (hinchado).
entumecimiento *m* **1** entorpecimento. **2** intumescência.
enturbiar *tr y pron* **1** turvar, enturvar. • *tr* **2** (fig) perturbar, desordenar.
entusiasmar *tr y pron* entusiasmar.
entusiasmo *m* **1** entusiasmo (exaltación). **2** entusiasmo (interés).
entusiasta *adj/m y f* entusiasta.
enumeración *f* **1** enumeração (especificación). **2** enumeração (cómputo).
enumerar *tr* enumerar.
enumerativo, va *adj* enumerativo.
enunciación *f* **1** enunciação (exposición). **2** enunciação (planteamiento).
enunciado *m* enunciado.
enunciar *tr* enunciar, expor.
envalentonar *tr* dar coragem.
envanecer *tr y pron* envaidecer.
envanecido, da *adj* envaidecido.
envanecimiento *m* envaidecimento.
envarado, da *adj/m y f* empertigado (orgulloso).
envarar *tr y pron* **1** enrijecer, empertigar (miembro). • **~se** *pron* **2** (fig, fam) empertigar-se.
envasado, da *adj* **1** embalado: *envasado al vacío = embalado a vácuo.* **2** envasado, envasilhado. • *m* **3** envasilhamento.
envasar *tr* **1** embalar (mercancía). **2** envasar, envasilhar.
envase *m* embalagem (recipiente). ♦ **~ desechable** embalagem descartável.
envejecer *tr, intr y pron* envelhecer, ficar velho.
envenenamiento *m* **1** envenenamento. **2** (fig) envenenamento (deterioro).
envenenar *tr y pron* **1** envenenar. • *tr* **2** (fig) envenenar, deturpar (palabras, acciones).
envergadura *f* **1** MAR envergadura. **2** envergadura (de ave, avión). **3** (fig) envergadura (importancia).
envés *m* **1** avesso (revés). **2** costas (dorso).
enviado, da *m y f* enviado.
enviar *tr* **1** enviar (despachar). **2** enviar (mandar).
enviciar *tr y pron* viciar.
envidia *f* **1** inveja (sentimiento). **2** inveja (deseo).
envidiar *tr* **1** invejar, ter inveja. **2** invejar, cobiçar.
envidioso, sa *adj/m y f* invejoso.
envilecer *tr y pron* **1** envilecer. **2** envilecer, depreciar (valor, precio).
envío *m* **1** envio, enviamento. **2** envio, remessa.
envite *m* **1** envite (apuesta). **2** (fig) oferecimento.
enviudar *intr* enviuvar.
envoltorio *m* **1** trouxa, envoltório (lío, fardo). **2** involucro, envoltório (envoltura).
envoltura *f* **1** envoltura (para bebés). **2** envoltura, envolvimento.
envolvente *adj* envolvente.
envolver *tr y pron* **1** envolver (cubrir). **2** envolver (enrollar). **3** (fig) envolver, meter (en problema, asunto, negocio). • *tr* **4** (fig) envolver, rodear. • **~se** *pron* **5** (fig) envolver-se (en relación amorosa).
envuelto *m Méx.* GAST tortilha de milho.
enyesado, da *adj* **1** engessado (pared, muro). **2** engessado (pierna, brazo).
enyesar *tr* **1** engessar (pared, suelo). **2** engessar (brazo, pierna).
enzima *f* BIOQ enzima.
eñe *f* enhe (letra).
eólico, ca *adj* eólico: *energía eólica = energia eólica.*
¡epa! *interj* **1** *Hond., Méx., Perú, Venez.* oi! (saludo). **2** *Chile, Perú* eh! (animación).
epatar *tr* chocar (deslumbrar).
épica *f* épica.
epicentro *m* epicentro.
épico, ca *adj* **1** épico (heroico). • *adj/m y f* **2** épico (poeta).

epicúreo, a *adj/m y f* **1** epicurista. • *adj* **2** (fig) epicurista (voluptuoso).
epidemia *f* **1** epidemia (enfermedad). **2** (fig) epidemia (abundancia).
epidérmico, ca *adj* epidérmico.
epidermis *f* **1** ANAT epiderme. **2** BOT epiderme.
epígrafe *m* **1** epígrafe (texto breve). **2** epígrafe (título). **3** epígrafe, inscrição.
epilepsia *f* MED epilepsia.
epilogar *tr* epilogar (compendiar).
epílogo *m* **1** epílogo (recapitulación). **2** epílogo, desfecho. **3** (fig) epílogo (conclusión).
episcopado *m* **1** episcopado (dignidad, duración). **2** episcopado (conjunto de obispos).
episcopal *adj* **1** episcopal. • *m* **2** epistolário dos bispos.
episódico, ca *adj* episódico.
episodio *m* **1** episódio (circunstancia). **2** episódio, parte (de serie, telenovela). **3** episódio, ocorrência.
epistolar *adj* epistolar, epistólico.
epitafio *m* epitáfio, inscrição.
epíteto *m* GRAM epíteto.
época *f* **1** época (fecha histórica). **2** época (período).
epopeya *f* **1** epopéia (poema). **2** (fig) epopéia (hechos heroicos).
equidad *f* **1** eqüidade (imparcialidad). **2** eqüidade (igualdad).
equidistancia *f* eqüidistância.
equidistante *adj* eqüidistante.
equidistar *intr y tr* eqüidistar.
equilátero, ra *adj* GEOM eqüilátero.
equilibrado, da *adj* equilibrado.
equilibrar *tr y pron* **1** equilibrar (estabilizar). • *tr* **2** (fig) equilibrar, contrabalançar (cuentas, gastos).
equilibrio *m* **1** equilíbrio (estabilidad). **2** (fig) equilíbrio (armonía). **3** (fig) equilíbrio (sensatez).
equilibrista *adj/m y f* equilibrista.
equino, na *adj y m* eqüino.
equipaje *m* bagagem.
equipamiento *m* **1** equipamento, equipação. **2** equipamento (para servicios, instalaciones).
equipar *tr y pron* equipar.
equiparar *tr* equiparar.
equipo *m* **1** equipe (grupo). **2** equipamento (utensilios). **3** DEP time, equipe.
equis *f* **1** xis (letra). **2** x (incógnita). • *adj* **3** tantos (indeterminado).
equitación *f* equitação.
equitativo, va *adj* eqüitativo.
equivalencia *f* **1** equivalência. **2** GEOM equivalência.
equivalente *adj/m y f* equivalente.
equivaler *tr* equivaler.
equivocación *f* engano, equivocação.
equivocar *tr y pron* **1** equivocar, errar. • **~se** *pron* **2** enganar-se, equivocar-se.
equívoco, ca *adj* **1** equívoco, ambíguo. • *m* **2** equívoco, engano.
era *f* **1** era (período de tiempo). **2** era (fecha histórica).
erario *m* erário.
erbio *m* érbio.
erección *f* ereção.
eréctil *adj* erétil.
erguir *tr y pron* **1** erguer. • **~se** *pron* **2** (fig) ensoberbecer-se.
erigir *tr* erigir (fundar, instituir).
eritreo, a *adj/m y f* eritreu.
erizado, da *adj* eriçado, ouriçado.
erizar *tr y pron* **1** eriçar, ouriçar. • **~se** *pron* **2** (fig) ouriçar-se (inquietarse).
erizo *m* ouriço, porco-espinho. ◆ **~ de mar** ouriço-do-mar.
ermita *f* ermida.
ermitaño, ña *m y f* **1** ermitão (cuidador). • *adj/m y f* **2** (fig) ermitão, eremita (solitario).
erosión *f* **1** erosão. **2** (fig) desgaste (del prestigio, influencia).
erosionar *tr* **1** erodir. • *tr y pron* **2** (fig) desgastar (prestigio, influencia).
erótico, ca *adj* erótico.
erotismo *m* erotismo.
erradicar *tr* erradicar.
errado, da *adj* errado, equivocado.
errante *adj* errante.
errar *tr e intr* **1** errar (fallar). • *intr* **2** errar, vaguear.
errata *f* errata.
erre *f* erre (letra).
erróneo, a *adj* errôneo.
error *m* **1** erro (falsedad). **2** erro, engano.
eructar *intr* **1** arrotar, eructar. **2** (fig, fam) arrotar (vanagloriarse).
eructo *m* arroto, eructação.
erudición *f* erudição.
erudito, ta *adj/m y f* erudito.
erupción *f* GEOL erupção.

esbeltez *f* esbelteza, esbeltez.
esbelto, ta *adj* esbelto.
esbirro *m* (fig) capanga, jagunço.
esbozar *tr* **1** esboçar (delinear). **2** esboçar, planejar.
esbozo *m* **1** esboço (bosquejo). **2** esboço, rudimento.
escabechar *tr* **1** pôr em escabeche. **2** (fig, fam) furar, esfaquear.
escabeche *m* GAST escabeche.
escabechina *f* (fig) estrago, destroço.
escabroso, sa *adj* **1** escabroso, escarpado. **2** (fig) escabroso (difícil).
escabullarse *pron Amér.* ⇒ escabullirse.
escabullirse *pron* **1** escapulir-se. **2** (fig) sair de mansinho, escapulir-se.
escacharrar *tr y pron* **1** escangalhar (romper). **2** (fig, fam) gorar, mixar (malograr).
escafandra *m* escafandro.
escala *f* **1** escala (serie). **2** escala, graduação. **3** escala, dimensão (de plano, mapa). **4** (fig) escala (proporción).
escalada *f* **1** escalada, escalamento. **2** aumento (intensificación).
escalafón *m* escalão, escala hierárquica.
escaldar *tr y pron* **1** escaldar (con agua). • *tr* **2** escaldar (abrasar).
escalera *f* **1** escada. **2** seqüência (de naipes). ♦ ~ **de caracol** escada de caracol.
escalerilla *f* escadinha.
escalfar *tr* escalfar (huevo).
escalofriante *adj* arrepiante, horripilante.
escalofrío *m* calafrio.
escalón *m* **1** degrau. **2** (fig) escalão (grado). **3** (fig) degrau (medio).
escalonamiento *m* escalonamento.
escalonar *tr y pron* **1** escalonar. • *tr* **2** (fig) graduar.
escalope *m* bife, escalope.
escama *f* **1** ZOOL escama. **2** escama (de piel).
escamado, da *adj* escamado.
escamar *tr* **1** escamar, descamar. • *tr y pron* **2** (fam) deixar cismado.
escamotear *tr* **1** escamotear. **2** (fig) escamotear (suprimir).
escampar *intr y tr* estiar, escampar.
escanciar *tr* **1** escancear. • *intr* **2** beber (vino).
escandalera *f* (fam) bafafá (jaleo).
escandalizar *tr y pron* escandalizar.
escándalo *m* **1** escândalo (alboroto). **2** escândalo (desvergüenza).
escandaloso, sa *adj/m y f* escandaloso.
escandinavo, va *adj/m y f* **1** escandinavo. • *m* **2** escandinavo (lengua).
escanear *tr* INF escanear.
escáner *m* escâner.
escaño *m* **1** escabelo (banco). **2** POL cadeira (puesto, cargo).
escapada *f* **1** escapulida, escapadela. **2** (fig, fam) escapada (viaje corto). **3** DEP escapada.
escapar *tr y pron* **1** escapar (huir). **2** escapar, safar-se (de peligro, accidente). • *intr y pron* **3** (fig) escapar (a la razón).
escaparate *m* **1** vitrine, vitrina. **2** cristaleira (mueble).
escapatoria *f* escapatória.
escape *m* **1** escape (salida). **2** escape (de líquido, gas).
escaquearse *pron* (fam) tirar o corpo fora.
escarabajo *m* **1** escaravelho. **2** (coloq) besouro (automóvil).
escaramuza *f* **1** escaramuça (combate). **2** (fig) escaramuça (discusión).
escarbar *tr* **1** cavar. **2** esgaravatar (limpiar).
escarceo *m* **1** (fig) incursão, tentativa. • **escarceos** *m pl* **2** (fig) rodeio (divagación).
escarcha *f* geada, orvalho.
escarchado, da *adj* geado, orvalhado.
escarchar *tr* **1** gear. **2** cristalizar (confitar).
escardar *tr* escardear.
escarlata *adj y f* escarlate (color).
escarlatina *f* MED escarlatina.
escarmentar *tr* **1** escarmentar (castigar). • *intr* **2** escarmentar, escaldar-se (aprender).
escarmiento *m* **1** escarmento (castigo). **2** escarmento (aviso, cautela).
escarnecer *tr* escarnecer.
escarnio *m* escárnio.
escarola *f* escarola.
escarpado, da *adj* escarpado.
escarpar *tr* escarpar.
escasear *intr* **1** escassear (faltar). • *tr* **2** escassear (dar).
escasez *f* escassez.
escaso, sa *adj* escasso.
escatimar *tr* cercear, escassear.

escayola *f* **1** gesso (vendaje). **2** estuque.
escayolar *f* engessar (enyesar).
escena *f* **1** cena. **2** (fig) cena (escándalo). **3** (fig, fam) cenário (ambiente). ■ **entrar en ~** entrar em cena.
escenario *m* **1** cenário, palco (tarima). **2** cenário (lugar): *el escenario de un crimen = o cenário dum crime.*
escénico, ca *adj* cênico.
escenificar *tr* **1** encenar (interpretar). **2** encenar, pôr em cena.
escenografía *f* cenografia.
escepticismo *m* **1** FIL ceticismo. **2** ceticismo (incredulidad).
escéptico, ca *adj/m y f* **1** FIL cético. **2** (fig) cético (incrédulo).
escindir *tr y pron* cindir (dividir).
escisión *f* **1** cisão (discordia). **2** FÍS fissão (nuclear).
esclarecer *tr* **1** esclarecer (iluminar). **2** (fig) esclarecer, elucidar.
esclavitud *f* escravidão.
esclavizar *tr* **1** escravizar. **2** (fig) escravizar (oprimir).
esclavo, va *adj/m y f* escravo.
esclerosis *f* MED esclerose.
esclusa *f* eclusa, esclusa.
escoba *f* vassoura.

> **Escoba** no debe confundirse con la palabra brasileña ***escova***, que significa 'cepillo'.

escobar *tr* varrer.
escobilla *f* escova (de limpieza).
escocedura *f* **1** assadura, intertrigem. **2** ardência.
escocer *intr* **1** arder: *la herida escocía mucho = o ferimento ardia muito.* **2** (fig) magoar (ánimo). ● **~se** *pron* **3** assar, irritar (piel).
escocés, sa *adj/m y f* **1** escocês. ● *adj y m* **2** escocês (tela). ● *m* **3** escocês (lengua).
Escocia *f* Escócia.
escoger *tr* escolher.
escogido, da *adj* escolhido, seleto.
escolar *adj* **1** escolar. ● *m o f* **2** escolar (estudiante).
escolaridad *f* escolaridade.
escollera *f* quebra-mar.
escollo *m* **1** escolho, abrolho. **2** (fig) escolho (obstáculo).
escolta *f* **1** escolta (de protección). **2** escolta (séquito).
escoltar *tr* **1** escoltar (proteger). **2** escoltar (acompañar).
escombrera *f* entulheira.
escombro *m* escombros, entulho.
esconder *tr y pron* **1** esconder (ocultar). **2** (fig) esconder (no revelar).
escondido, da *adj* escondido.
escondite *m* **1** esconderijo. **2** esconde-esconde (juego).
escondrijo *m* esconderijo.
escopeta *f* escopeta, espingarda.
escopetazo *m* **1** tiro (disparo). **2** tiro (herida). **3** (fig) bomba (suceso, noticia).
escopetear *tr* **1** escopetear (disparar). ● **~se** *pron* **2** (fig, fam) desfechar (lisonjas, insultos).
escoplo *m* escopro.
escora *f* **1** MAR escora (puntal). **2** MAR inclinação (del barco).
escorar *tr* **1** MAR escorar (barco). ● *intr* **2** MAR inclinar (barco). **3** MAR escarnar (vaciar la marea). ● **~se** *pron* **4** *Cuba, Hond.* proteger-se (arrimarse).
escorbuto *m* MED escorbuto.
escorchar *tr* esfolar, escorchar.
escoria *f* **1** escória (de metal, volcán). **2** (fig) escória: *la escoria de la sociedad = a escória da sociedade.*
escorpión *m* **1** escorpião (arácnido). **Escorpión 2** ASTR Escorpião (signo, constelación).
escotado, da *adj* **1** decotado. ● *m* **2** ⇒ escotadura.
escotadura *f* decote (de un vestido).
escotar *tr* **1** decotar (vestido). **2** escoar (agua).
escote *m* **1** decote (de vestido). **2** cota-parte, quinhão.
escotilla *f* MAR escotilha.
escozor *m* **1** ardor, ardência. **2** (fig) mágoa, ressentimento.
escribiente *m o f* escrevente, escriturário.
escribir *tr e intr* **1** escrever, redigir. **2** escrever, compor (libro, discurso, letra).
escrito, ta *adj* **1** escrito. ● *m* **2** escrito (carta, obra).
escritorio *m* escrivaninha (mueble).

escritura *f* **1** escrita, escritura. **2** escritura (documento).
escriturar *tr* DER escriturar.
escrúpulo *m* **1** escrúpulo (recelo, meticulosidad). **2** nojo, repugnância.
escrupulosidad *f* escrupulosidade.
escrupuloso, sa *adj/m y f* nogento, fresco.
escrutador, ra *adj/m y f* escrutador.
escrutar *tr* **1** escrutar (indagar). **2** escrutinar (votos).
escrutinio *m* **1** escrutínio (de votos). **2** escrutínio (examen).
escuadra *f* **1** esquadro (regla). **2** MAR esquadra (de buques).
escuadrilla *f* **1** esquadrilha, flotilha. **2** esquadrilha (de aviones).
escuálido, da *adj* esquálido (flaco).
escualo *m* ZOOL esqualo.
escucha *f* escuta.
escuchar *tr* **1** escutar (prestar atención). **2** escutar (dar oídos). • *intr* **3** escutar (oír).
escuchimizado, da *adj* raquítico, magricela.
escudar *tr y pron* **1** escudar (proteger). • **~se** *pron* **2** escudar-se (valerse, apoyarse).
escudo *m* **1** escudo (arma). **2** (fig) escudo (defensa). **3** escudo (moneda).
escudriñar *tr* esquadrinhar.
escuela *f* **1** escola (establecimiento). **2** escola (doctrina). **3** escola (discípulos, seguidores).
escueto, ta *adj* conciso, sucinto.
esculpir *tr* esculpir.
escultura *f* escultura (arte, obra).
escultural *adj* escultural.
escupir *intr y tr* **1** cuspir. • *tr* **2** (fig) cuspir (lanzar, despedir).
escupitajo *m* (fam) cusparada.
escurreplatos *m* escorredor de pratos.
escurridizo, za *adj* escorregadiço, escorregadio.
escurridor *m* escorredor de macarrão.
escurrir *tr y pron* **1** escorrer, fazer correr (líquido). **2** torcer (ropa). • *intr y pron* **3** escorregar, deslizar.
ese *f* **1** esse (letra). **2** esse (forma).
ese, sa *adj demos* **1** esse: *déjame ese lápiz, por favor = empresta esse lápiz, por favor*. **2** esse (antes mencionado, sobrentendido): *ese libro del que hablas = esse livro do que fala*.
ése, sa *pron demos* esse:, *¿te compro ésas? = compro essas para você?*
esencia *f* **1** essência, âmago. **2** essência, aroma.
esencial *adj* essencial.
esfera *f* **1** esfera (círculo). **2** (fig) esfera (área, ámbito). **3** mostrador (de reloj). **4** GEOM esfera.
esférico, ca *adj* GEOM esférico.
esfinge *f* esfinge.
esfínter *m* ANAT esfíncter.
esforzado, da *adj* esforçado (animoso).
esforzar *tr y pron* esforçar.
esfuerzo *m* esforço.
esfumar *tr* **1** ART esfumar. • **~se** *pron* **2** (fig) esfumar-se, dissipar-se (recuerdos, sentimientos).
esgrima *f* esgrima.
esgrimir *tr* **1** esgrimir (arma). **2** (fig) esgrimir (utilizar).
esguince *m* entorse.
eslabón *m* **1** elo, anel. **2** (fig) elo, ligação.
eslalon *m* DEP slalom.
eslogan *m* **1** slogan (publicitario). **2** slogan (lema).
eslora *f* **1** MAR comprimento de proa à popa. • **esloras** *f pl* **2** MAR sarretas.
eslovaco, ca *adj/m y f* **1** eslovaco. • *m* **2** eslovaco (lengua).
Eslovaquia *f* Eslováquia.
Eslovenia *f* Eslovênia.
esloveno, na *adj/m y f* esloveno.
esmaltar *tr* **1** esmaltar. **2** (fig) esmaltar, enfeitar.
esmalte *m* **1** esmalte (barniz). **2** ANAT esmalte (de los dientes).
esmerado, da *adj* esmerado.
esmeralda *f* **1** esmeralda (piedra). • *adj y f* **2** esmeralda (color).
esmerar *tr* **1** esmerilar, polir. • **~se** *pron* **2** esmerar-se, caprichar.
esmero *m* esmero.
esmirriado, da *adj* mirrado.
esmoquin *m* smoking.
esnifar *tr* cheirar, cafungar (droga).
esnob *adj/m y f* (desp) esnobe.
eso *pron demos* isso. ■ **a ~ de** por volta de: *te llamo a eso de las diez = te ligo por volta das dez*; **~ es** isso mesmo; **¿ y ~?** porque isso?
esófago *m* ANAT esôfago.
esos, sas *adj demos* esses.

ésos, sas *pron demos* esses: *quiero ésos = quero esses.*
esotérico, ca *adj* esotérico.
espabilar *tr* **1** espevitar (candil, vela). • *tr, intr y pron* **2** (fig) espevitar, ficar esperto.
espacial *adj* espacial.
espaciar *tr* **1** espaçar (separar). **2** espaçar (extender).
espacio *m* **1** espaço (extensión). **2** espaço (capacidad). **3** espaço, intervalo (de tiempo). **4** FÍS, MAT espaço. **5** MÚS espaço.
espacioso, sa *adj* espaçoso.
espada *f* **1** espada (arma). **2** espada (naipe). • *m* **3** TAUROM espada.
espagueti *m* espaguete.
espalda *f* **1** ANAT costas. **2** costas (de prenda). • **espaldas** *f pl* **3** atrás. ■ **a espaldas de** às escondidas; **dar la ~ a alguien** (fig) dar as costas (ignorar); **guardarse las espaldas** (fig, fam) precaver-se.
espaldarazo *m* **1** (fig) costada (golpe). **2** (fig) respaldo, apoio (reconocimiento).
espaldera *f* treliça (para plantas).
espantada *f* debandada.
espantajo *m* espantalho.
espantapájaros *m* espantalho.
espantar *tr, intr y pron* **1** espantar (asustar). • *tr* **2** espantar, enxotar.
espanto *m* **1** espanto (asombro). **2** espanto (admiración).
espantoso, sa *adj* **1** espantoso (asustador). **2** espantoso, extraordinário.
España *f* Espanha.
español, la *adj/m y f* **1** espanhol. • *m* **2** espanhol (lengua).
españolismo *m* espanholismo (palabra, giro).
españolizar *tr y pron* espanholizar, hispanizar.
esparadrapo *m* esparadrapo.
esparcido, da *adj* esparramado, espalhado.
esparcimiento *m* **1** esparramação, dispersão. **2** espairecimento (diversión).
esparcir *tr y pron* **1** espalhar, esparramar. **2** (fig) espalhar (divulgar).
espárrago *m* aspargo.
espartano, na *adj/m y f* espartano.
esparto *m* esparto.
espasmo *m* MED espasmo.
especia *f* especiaria, espécia.
especial *adj* **1** especial (singular). **2** especial (idóneo): *especial para niños = especial para crianças.*
especialidad *f* especialidade.
especialista *adj/m y f* especialista.
especialización *f* especialização.
especializar *intr y pron* especializar.
especie *f* **1** espécie (género, naturaleza). **2** espécie, tipo. **3** BOT, ZOOL espécie.
especificación *f* **1** especificação (determinación). **2** especificação (explicación).
especificar *tr* **1** especificar (determinar). **2** especificar (explicar).
especificativo, va *adj* especificativo.
específico, ca *adj* **1** específico (próprio). **2** específico, peculiar. • *m* **3** MED medicamento específico.
espécimen *m* espécime.
espectacular *adj* **1** espetacular (ostentoso). **2** espetacular (impresionante).
espectáculo *m* **1** espetáculo (función). **2** espetáculo (escándalo).
espectro *m* **1** espectro (fantasma). **2** FÍS espectro.
especulación *f* **1** especulação (suposición). **2** COM especulação.
especular *tr* **1** especular (examinar). **2** especular (reflexionar). **3** especular (conjeturar).
especulativo, va *adj* **1** especulativo: *negocio especulativo = negócio especulativo.* **2** especulativo (teórico).
espejismo *m* **1** miragem. **2** (fig) miragem, ilusão.
espejo *m* **1** espelho. **2** (fig) espelho, reflexo. **3** (fig) espelho (modelo).
espeleología *f* espeleologia.
espeluznante *adj* arrepiante, horripilante.
espeluznar *tr y pron* **1** arrepiar, horrorizar. • *tr* **2** descabelar, desgrenhar.
espeque *m* espeque, forção.
espera *f* **1** espera (aguardada). **2** espera, demora. **3** calma, paciência.
esperanto *m* esperanto (lengua).
esperanza *f* **1** esperança (fe). **2** esperança, promessa.
esperanzar *tr* esperançar.
esperar *tr e intr* **1** esperar (tener esperanza). **2** esperar, aguardar.
esperma *amb* **1** esperma, sêmen. **2** espermacete.

espermatozoide *m* BIOL espermatozóide.
esperpento *m* **1** (fam) monstro, bagulho. **2** absurdo, desatino.
espesar *tr* **1** espessar, adensar (líquido). • *tr y pron* **2** espessar, compactar.
espeso, sa *adj* **1** espesso (denso). **2** espesso (junto, compacto).
espesor *m* espessidão, espessura.
espesura *f* **1** espessura (densidad). **2** espessura (grosor). **3** espessura (bosque, floresta).
espetar *tr* **1** espetar, atravessar. **2** espetar, cravar.
espía *m o f* **1** espião. **2** MAR espia.
espiar *tr* espiar, espreitar.
espiga *f* **1** BOT espiga (inflorescencia). **2** espiga (de cereal).
espigado, da *adj* espigado, espiciforme.
espigar *tr* **1** respigar. • *intr* **2** espigar (echar espigas).
espigón *m* **1** espigão, haste. **2** espigão (cerro). **3** espigão (muro).
espina *f* **1** espinho (de planta). **2** farpa (astilla). **3** espinha (de pez).
espinaca *f* espinafre.
espinazo *m* espinhaço. ■ **doblar el ~** (fig, fam) rebaixar-se.
espinilla *f* **1** espinha, acne. **2** ANAT canela.
espino *m* cratego.
espinoso, sa *adj* espinhoso.
espionaje *m* espionagem.
espiración *f* expiração.
espiral *adj* **1** espiral. • *f* **2** espiral, curva. **3** (fig) espiral (sucesión).
espirar *intr y tr* **1** expirar. • *tr* **2** expirar, exalar.
espiritismo *m* espiritismo.
espiritoso, sa *adj* espirituoso, vivaz.
espíritu *m* **1** espírito (alma). **2** espírito (inteligencia). **3** espírito (característica).
espiritual *adj y m* **1** espiritual, imaterial. **2** espiritual, simples.
espiritualidad *f* espiritualidade.
espiritualizar *tr* espiritualizar.
espirituoso, sa *adj* ⇒ espiritoso.
espita *f* torneira, bica.
esplendidez *f* esplendidez.
espléndido, da *adj* esplêndido, magnífico (magnífico).
esplendor *m* **1** esplendor, resplendor. **2** (fig) esplendor (magnificencia).
esplendoroso, sa *adj* **1** esplendoroso, admirável. **2** esplendoroso, resplandecente.
espliego *m* alfazema.
espolear *tr* **1** esporear, esporar. **2** (fig) esporear, estimular.
espoleta *f* **1** espoleta (de proyectil). **2** fúrcula (de ave).
espolón *m* **1** esporão, espora (de gallináceos). **2** esporão, espigão.
espolvorear *tr* **1** polvilhar. • *tr y pron* **2** desempoeirar.
esponja *f* **1** ZOOL esponja. **2** esponja (utensilio).
esponjoso, sa *adj* esponjoso.
esponsales *m pl* esponsais.
espontaneidad *f* espontaneidade.
espontáneo, a *adj* **1** espontâneo, voluntário. **2** espontâneo, silvestre.
esporádico, ca *adj* (fig) esporádico, casual.
esposar *tr* algemar.
esposo, sa *m y f* esposo.
esprintar *tr* fazer um sprint, acelerar.
esprínter *m* sprinter (atleta).
espuela *f* **1** espora. **2** (fig) espora, estímulo.
espuma *f* **1** espuma. **2** (fig, fam) nata, fina flor (flor y nata).
espumadera *f* espumadeira, escumadeira.
espumar *tr e intr* espumar, escumar.
espumarajo *m* cusparada.
espumoso, sa *adj* espumoso.
esputo *m* escarro.
esqueje *m* muda, estaca (de plantas).
esquela *f* necrológio.
esquelético, ca *adj* **1** esquelético (flaco). **2** ANAT esquelético, esqueletal.
esqueleto *m* **1** ANAT esqueleto. **2** (fig, fam) esqueleto (flaco).
esquema *m* esquema.
esquemático, ca *adj* esquemático.
esquí *m* **1** esqui (patín). **2** esqui (deporte).
esquiar *intr* esquiar.
esquilar *tr* tosquiar, tosar.
esquilmar *tr* **1** colher (frutos). **2** esgotar, exaurir (tierra).
esquimal *adj/m y f* esquimó.
esquina *f* **1** esquina (de calle). **2** canto, esquina.
esquinado, da *adj* **1** esquinado. **2** (fig) arredio, esquivo.
esquinar *tr* fazer esquina.
esquirla *f* esquírola.

esquivar *tr y pron* esquivar.
esquivo, va *adj* esquivo.
esquizofrenia *f* PSIC esquizofrenia.
estabilidad *f* estabilidade.
estabilización *f* estabilização.
estabilizar *tr y pron* **1** estabilizar. ● *tr* **2** ECON estabilizar (moneda).
estable *adj* estável.
establecer *tr* **1** estabelecer (fundar). **2** estabelecer (ordenar).
establecimiento *m* **1** estabelecimento (comercio). **2** estabelecimento (fundación, creación).
establo *m* estábulo.
estaca *f* estaca.
estacar *tr* estaquear, estacar.
estación *f* **1** estação (del año). **2** estação (temporada). **3** estação (de tren, autobús). ◆ ~ **de servicio** posto de gasolina.
estacional *adj* estacional, sazonal.
estacionamiento *m* **1** estacionamento (detención). **2** estacionamento (aparcamiento).
estacionar *tr y pron* **1** estacionar (vehículo). ● **~se** *pron* **2** estacionar (estancarse).
estacionario, ria *adj* estacionário.
estadio *m* **1** estádio (recinto). **2** estágio (fase).
estadista *m o f* estadista.
estadística *f* **1** estatística. **2** MAT estatística.
estado *m* **1** estado (condición). **2** estado (territorio). **Estado 3** Estado (gobierno). ◆ ~ **civil** estado civil; ~ **de ánimo** estado de ânimo; ~ **de sitio** estado de sítio; **golpe de Estado** golpe de Estado.
Estados Unidos de América *m pl* Estados Unidos da América.
estadounidense *adj/m y f* estadunidense.
estafa *f* **1** fraude, logro. **2** desfalque (de dinero).
estafar *tr* **1** fraudar, espoliar. **2** desfalcar. **3** estafar, ludibriar.
estafeta *f* correio, posta.
estalactita *f* estalactite.
estalagmita *f* estalagmite.
estallar *intr y tr* **1** estourar, explodir. ● *intr* **2** (fig) estourar, rebentar (romperse).
estallido *m* **1** estalido. **2** estouro, explosão.
estambre *amb* **1** estambre, estame (hilo). **2** BOT estame.
estamento *m* estamento.
estampa *f* **1** estampa (figura impresa). **2** santinho (imagen). **3** (fig) estampa (aparencia).
estampado, da *adj/m y f* **1** estampado (tejido). ● *m* **2** estampado, estamparia.
estampar *tr e intr* **1** estampar (imprimir). ● *tr* **2** (fig) gravar, marcar (en el alma, ánimo).
estampida *f* **1** estampido. **2** estouro, debandada.
estampido *m* estampido.
estampilla *f* **1** carimbo, sinete. **2** *Amér.* selo postal.
estampillar *tr* estampilhar, selar.
estancamiento *m* estancamento.
estancar *tr y pron* **1** estancar (líquido). **2** (fig) estancar (suspender).
estancia *f* **1** estância (permanencia). **2** quarto (habitación).
estanco, ca *adj* **1** estanco, estanque. ● *m* **2** tabacaria.
estándar *adj* **1** standard, estândar. ● *m* **2** padrão, standard.
estandarizar *tr* estandardizar, padronizar.
estandarte *m* estandarte.
estanque *m* tanque, reservatório.
estante *m* prateleira.
estantería *f* estante (mueble).
estaño *m* estanho.
estar *intr* **1** estar (hallarse). **2** estar (permanecer). **3** estar (existir): *los coches están para facilitar nuestras vidas = os carros estão para facilitar nossas vidas.* **4** (con adjetivos) estar: *estoy satisfecho = estou satisfeito.* **5** estar pronto. ~ **a 6** estar a (costar): *las alcachofas están a un euro = as alcachofras estão a um euro*; estar a, ser (día, mes, ano): *estamos a 19 de noviembre = estamos a 19 de novembro.* ~ **de 7** estar de (oficio, actividad temporales). ~ **para 8** estar para (disposición): *no está para bromas = não está para brincadeiras.* ~ **por 9** estar a favor (en favor de): *está por el desarme = é a favor do desarmamento*; estar a fim de alguém (gustar). ● **~se** *pron* **10** ficar. ■ ~ **al caer** (fig, fam) estar para chegar ou acontecer; ~ **en ello** estar nisso, estar fazendo isso.
estárter *m* starter.
estatal *adj* estatal.

estática *f* FÍS estática.
estático, ca *adj* estático.
estatua *f* estátua. ■ **merecer una ~** (fig, fam) merecer um prêmio.
estatuario, ria *adj* estatuário.
estatuir *tr* estatuir.
estatura *f* estatura (altura).
estatus *m* status.
estatuto *m* estatuto (regla).
este *m* **1** leste (viento). **Este 2** leste (punto cardinal).
este, ta *adj y pron demos* **1** este (cerca del hablante): *este libro es tuyo = este livro é seu*. **2** este (tiempo presente): *esta semana no hay clases = esta semana não tem aula*. **3** (desp) (pospuesto al sustantivo) este: *no me gusta la chica esta = não gosto desta menina*.

> **Esta** y **este** no se acentúan cuando son determinantes: *esta bicicleta va muy bien; este perro es mejor que muchas personas*.

éste, ta *pron* este: *quiero éste = quero este*.

> **Ésta** y **éste** se acentúan cuando son pronombres: *éste de la foto soy yo, aunque no lo parezca; ésta es mi esposa*.

estela *f* esteira, rastro.
estelar *adj* estelar.
estentóreo, a *adj* estentóreo.
estepa *f* estepe.
estera *f* esteira (tejido).
estercolero *m* esterqueira, estrumeira.
estéreo *adj y m* estéreo.
estereofonía *f* estereofonia.
estereofónico, ca *adj* estereofônico.
estereotipado, da *adj* (fig) estereotipado.
estereotipar *tr* **1** estereotipar (imprimir). **2** (fig) estereotipar (fijar).
estereotipo *m* **1** estereótipo (plancha). **2** (fig) estereótipo (idea común).
estéril *adj* **1** estéril (improductivo). **2** MED estéril (aséptico).
esterilidad *f* **1** esterilidade (improductividad). **2** esterilidade (asepsia).
esterilización *f* esterilização.
esterilizar *tr* **1** esterilizar (hacer infecundo). **2** esterilizar (desinfectar).
esterilla *f* esteira (de playa).
esternón *m* ANAT esterno.
estertor *m* MED estertor.
esteta *m o f* esteta.
estética *f* estética.
esteticismo *m* esteticismo.
estético, ca *adj* estético.
estiércol *m* **1** esterco (excremento). **2** esterco, estrume (materia orgánica).
estigma *m* **1** estigma (señal). **2** (fig) estigma (mala fama).
estilete *m* estilete.
estilista *m o f* estilista (escritor).
estilístico, ca *adj* estilístico.
estilizar *tr* **1** estilizar (representar). ● *tr y pron* **2** (fig, fam) afinar, emagrecer.
estilo *m* **1** estilo (manera). **2** estilo (moda). **3** estilo (de obras artísticas).
estilográfica *f* estilógrafo, caneta-tinteiro.
estilográfico, ca *adj* estilográfico.
estima *f* estima.
estimación *f* **1** estimativa, estimação (valor). **2** estima (afecto).
estimar *tr* **1** estimar (evaluar). **2** estimar (considerar).
estimulante *adj y m* estimulante.
estimular *tr* **1** estimular (incitar). ● *tr y pron* **2** (fig) estimular (excitar).
estímulo *m* estímulo.
estío *m* estio, verão.
estipendio *m* estipêndio, ordenado.
estipulación *f* estipulação.
estipular *tr* estipular.
estirado, da *adj* estirado, esticado.
estiramiento *m* **1** estiramento. **2** alongamento (de músculos).
estirar *tr y pron* **1** esticar, estirar. ● *tr* **2** estirar, alongar. **3** espichar (crecer). ● *intr* **4** puxar. ● **~se** *pron* **5** espreguiçar-se.
estirón *m* puxão.
estirpe *f* estirpe (linaje).
estival *adj* estival.
esto *pron demos* isto:, *¿qué es esto? = o que é isto?* ■ **en ~** nisto (entonces).
estocada *f* estocada (golpe).
estofa *f* **1** estofo, estofa (tela). **2** (fig) estofa (calidad, clase).

estofado *m* refogado (guiso).
estoico, ca *adj/m y f* estóico.
estomacal *adj* estomacal.
estómago *m* ANAT estômago. ■ **revolver el ~** revirar o estômago.
estomatología *f* MED estomatologia.
Estonia *f* Estônia.
estonio, nia *adj/m y f* estônio.
estopa *f* estopa.
estoque *m* estoqüe (espada).
estorbar *tr* **1** estorvar, atrapalhar (obstaculizar). **2** estorvar (molestar).
estorbo *m* estorvo.
estornino *m* estorninho (ave).
estornudar *intr* espirrar.
estornudo *m* espirro.
estos, tas *pron demos* estes: *estos de aquí son mis padres = estes são os meus pais.*
éstos, tas *pron demos* estes: *dame éstas = dê-me estas.*
estrabismo *m* MED estrabismo.
estrado *m* estrado, palanque.
estrafalario, ria *adj/m y f* **1** (fig, fam) extravagante. **2** (fam) desalinhado.
estrago *m* estrago.
estragón *m* estragão (hierba).
estrambótico, ca *adj* (fam) estrambótico.
estrangulación *f* estrangulação.
estrangular *tr y pron* estrangular.
estraperlo *m* contrabando, comércio ilegal.
estratagema *f* estratagema.
estrategia *f* estratégia.
estratégico, ca *adj* estratégico.
estrato *m* **1** estrato (estamento). **2** estrato (nube).
estrechar *tr y pron* **1** apertar, estreitar. • *tr e intr* **2** (fig) estreitar, tornar mais íntimo.
estrechez *f* **1** estreiteza, estreitura. **2** (fig) aperto, estreiteza (de dinero, recursos). **3** (fig) estreiteza, ignorância.
estrecho, cha *adj* **1** estreito, apertado. **2** (fig) estreito (íntimo). **3** (fig) estreito (limitado).
estregar *tr y pron* esfregar.
estrella *f* **1** estrela (cuerpo celeste). **2** estrela (forma). **3** estrela (categoría). **4** (fig) estrela (destino). **5** (fig) estrela (artista). ■ **nacer con ~** (fig, fam) nascer de cu para a lua; **ver las estrellas** (fig, fam) ver estrelas.
estrellado, da *adj/m y f* estrelado.
estrellar *tr y pron* **1** estrelar. **2** (fam) espatifar (romper).
estremecer *tr y pron* **1** estremecer (temblar). • *tr* **2** (fig) estremecer, abalar.
estremecimiento *m* estremecimento.
estrenar *tr y pron* **1** estrear (inaugurar). • *tr* **2** estrear (película, obra). • **~se** *pron* **3** estrear-se (debutar).
estreno *m* **1** estréia (debut). **2** estréia (de un espectáculo). **3** estréia (inauguración).
estreñido, da *adj* entupido, constipado.
estreñimiento *m* prisão de ventre, constipação.
estreñir *tr* prender o intestino, constipar.
estrépito *m* estrépito.
estrés *m* MED estresse, stress.
estresado, da *adj/m y f* estressado.
estresar *tr y pron* estressar.
estría *f* **1** estria (de la piel). **2** ARQ estria, canelura.
estriar *tr y pron* estriar.
estribación *f* GEOG estribação.
estribar *intr* estribar, apoiar.
estribillo *m* **1** estribilho, refrão (de poesía, canción). **2** (fig) estribilho, bordão (muletilla).
estribo *m* **1** estribo (para cabalgadura). **2** estribo (escalón). **3** ANAT estribo. ■ **perder los estribos** (fig, fam) perder as estribeiras.
estribor *m* MAR estibordo.
estricnina *f* QUÍM estricnina.
estricto, ta *adj/m y f* estrito.
estridencia *f* estridência.
estridente *adj* **1** estridente, agudo (sonido, voz). **2** estridente, estridor (estrepitoso).
estrofa *f* estrofe.
estroncio *m* QUÍM estrôncio.
estropajo *m* **1** bucha (para lavar). **2** bucha (planta).
estropajoso, sa *adj* **1** (fig, fam) embolado (voz, habla). **2** (fig, fam) cheio de nervos (alimento). **3** (fig, fam) com cara de trapo (ropa).
estropear *tr y pron* **1** estragar (dañar). **2** estragar, deteriorar (alimento). • *tr* **3** estragar, gorar (plan, negocio).
estropicio *m* estropício.
estructura *f* **1** estrutura (distribución, orden). **2** estrutura, armação. **3** ARQ estrutura.

e

estructural *adj* estrutural.
estructurar *tr y pron* estruturar.
estruendo *m* estrondo.
estruendoso, sa *adj* estrondoso.
estrujar *tr* **1** espremer, apertar. **2** (fig) sugar (sacar provecho).
estrujón *m* apertão.
estuario *m* estuário (desembocadura).
estucar *tr* estucar.
estuche *m* estojo.
estuco *m* estuque.
estudiado, da *adj* estudado (afectado).
estudiante *m o f* estudante.
estudiar *tr y pron* **1** estudar (aprender). • *tr* **2** estudar (observar). • *tr e intr* **3** estudar, cursar.
estudio *m* **1** estudo (aprendizaje). **2** estudo, pesquisa. **3** (gralte pl) estúdio (de radio, televisión). **4** quitinete, conjugado (apartamento).
estudioso, sa *adj/m y f* estudioso.
estufa *f* aquecedor, estufa. ◆ ~ **eléctrica** aquecedor elétrico.
estulticia *f* estultícia, estultice.
estulto, ta *adj* estulto, estúpido.
estupefacción *f* estupefação, pasmo.
estupefaciente *adj y m* estupefaciente, entorpecente.
estupefacto, ta *adj* estupefato (perplejo).
estupendo, da *adj* **1** estupendo. • *adv* **2** estupendamente.
estupidez *f* estupidez, burrice.
estúpido, da *adj/m y f* estúpido, burro.
estupor *m* **1** MED estupor. **2** (fig) estupor, assombro.
estupro *m* DER estupro.
esturión *m* esturjão (pez).
etapa *f* **1** etapa (fase). **2** etapa (trecho).
etarra *adj/m y f pertencente à organização terrorista ETA.*
etcétera *amb* et cetera.
éter *m* **1** QUÍM éter. **2** FÍS éter. **3** (lit) éter (cielo).
etéreo, a *adj* **1** FÍS, QUÍM etéreo. **2** (fig) vago, impreciso.
eternidad *f* **1** eternidade. **2** (fig) eternidade (tiempo largo).
eternizar *tr y pron* **1** eternizar. • *tr* **2** (fig) eternizar, perpetuar.
eterno, na *adj* **1** eterno (sin fin). **2** eterno, imortal. **3** eterno, incessante.
ética *f* ética.
ético, ca *adj* ético.
etílico, ca *adj* QUÍM etílico.
etimología *f* etimologia.
etimológico, ca *adj* etimológico.
etíope o **etiope** *adj/m y f* etíope.
Etiopía *f* Etiópia.
etiqueta *f* **1** etiqueta (ceremonial). **2** etiqueta, rótulo. **3** (fig) rótulo (calificación).
etiquetar *tr* **1** etiquetar. **2** (fig) rotular, etiquetar (clasificar).
étnico, ca *adj* étnico.
etrusco, ca *adj/m y f* etrusco.
eucalipto *m* eucalipto (árbol, madera).
eucaristía *f* REL eucaristia.
eucarístico, ca *adj* REL eucarístico.
eufemismo *m* eufemismo.
euforia *f* euforia.
eufórico, ca *adj* eufórico.
eunuco *m* eunuco.
euro *m* **1** euro (moneda). **2** (lit) euro (viento).
euromercado *m* ECON euromercado.
Europa *f* Europa.
europeo, a *adj/m y f* europeu.
europeísmo *m* europeísmo.
europeización *f* europeização.
europeizar *tr y pron* europeizar.
europio *m* QUÍM európio.
Euskadi *m* País Basco.
euskera o **eusquera** *adj y m* basco, euscaro (lengua).
eutanasia *f* MED eutanásia.
evacuado, da *adj* **1** evacuado. • *adj/m y f* **2** refugiado.
evacuar *tr* **1** evacuar (desocupar). **2** evacuar (defecar). **3** evacuar (excrementos).
evadir *tr y pron* **1** evadir (evitar, esquivar). • *tr* **2** evadir (impuestos, capital).
evaluación *f* **1** avaliação (cálculo). **2** avaliação, apreciação (de la calidad, condición).
evaluar *tr y pron* **1** avaliar (valorar). • *tr* **2** avaliar (conocimientos, aptitudes).
evanescente *adj* evanescente.
evangélico, ca *adj* evangélico.
evangelio *m* evangelho (doctrina, libro).
evangelización *f* evangelização.
evangelizar *tr* evangelizar.
evaporación *f* evaporação.
evaporar *tr y pron* **1** evaporar (líquido). **2** (fig) evaporar (desvanecer).
evaporizar *tr, intr y pron* evaporizar, evaporar (líquido).

evasión *f* evasão. ♦ ~ **fiscal** evasão fiscal.
evasivo, va *adj* evasivo.
evento *m* **1** evento (acaecimiento). **2** evento, eventualidade.
eventual *adj* **1** eventual (circunstancial). **2** eventual (ocasional).
eventualidad *f* eventualidade.
evidencia *f* evidência (certeza).
evidenciar *tr* evidenciar.
evidente *adj* evidente.
evitar *tr* **1** evitar (prevenir, impedir). **2** evitar (excusar).
evocador, ra *adj* evocativo.
evocar *tr* **1** evocar (llamar). **2** (fig) evocar (recordar).
evolución *f* **1** evolução (desarrollo). **2** (gralte pl) evolução (movimiento). **3** MIL evolução, manobra (de tropas, buques).
evolucionar *intr* **1** evoluir (desarrollarse). **2** evoluir, executar evoluções.
ex *pref* ex- (indica generalmente movimento hacia afuera, salida e intensidad).

> **Ex** delante de adjetivos y sustantivos, cuando se utiliza para indicar una 'condición o calidad ya extinguida' se escribe separado y sin guión, al contrario que en portugués, que se escribe siempre con guión: *ex presidente = ex-presidente.*

exabrupto *m* grosseria.
exacción *f* exação (de impuestos, multas).
exacerbar *tr y pron* **1** exacerbar (irritar, enfadar). **2** exacerbar (agravar, avivar).
exactitud *f* exatidão.
exacto, ta *adj* **1** exato (preciso). **2** exato (puntual). **3** exato (fiel). • *adv* **4** exatamente.
exageración *f* exagero.
exagerado, da *adj/m y f* exagerado.
exagerar *tr* exagerar.
exaltación *f* exaltação.
exaltado, da *adj* exaltado.
exaltar *tr* **1** exaltar (realzar, alabar). **2** exaltar (avivar, aumentar).
examen *f* **1** exame (investigación, estudio). **2** prova, exame.
examinar *tr* **1** examinar (investigar, inquirir). • *tr y pron* **2** examinar, avaliar. • **~se** *pron* **3** fazer prova.
exangüe *adj* exangue (desangrado).
exánime *adj* exânime.
exasperante *adj* exasperante, exasperador.
exasperar *tr y pron* **1** exasperar (lastimar). **2** (fig) exasperar (enfurecer).
excarcelar *tr* excarcerar.
excavación *f* escavação, escavadura.
excavar *tr* escavar (zanja, hoyo).
excedencia *f* **1** excesso, sobra. **2** licença (laboral).
excedente *adj* **1** excedente. • *m* **2** excedente, excesso.
exceder *tr* **1** exceder (superar, aventajar). • *intr y pron* **2** exceder (límites).
excelencia *f* **1** excelência (calidad superior). **2** excelência (tratamiento).
excelente *adj* excelente.
excelso, sa *adj* excelso (eminente, sublime).
excentricidad *f* **1** excentricidade (extravagancia). **2** GEOM excentricidade.
excéntrico, ca *adj/m y f* excêntrico (extravagante).
excepción *f* **1** exceção. **2** DER exceção.
excepcional *adj* excepcional (singular, raro).
excepto *prep* exceto (menos).
exceptuar *tr y pron* excetuar.
excesivo, va *adj* excessivo.
exceso *m* **1** excesso (extralímite). **2** excesso (exageración). ♦ ~ **de peso** excesso de peso.
excipiente *m* QUÍM excipiente.
excitabilidad *f* excitabilidade.
excitado, da *adj* **1** excitado, motivado. **2**
excitante *adj y m* excitante.
excitar *tr y pron* **1** excitar (estimular). **2**
exclamación *f* exclamação.
exclamar *tr e intr* exclamar.
exclamativo, va *adj* exclamativo.
exclaustrar *tr y pron* exclaustrar.
excluir *tr* **1** excluir (dejar fuera). **2** excluir (descartar). • **~se** *pron* **3** excluir (ser incompatibles).
exclusiva *f* exclusiva (entrevista).
exclusive *adv* exclusive.
exclusivismo *m* exclusivismo.
exclusivo, va *adj* **1** exclusivo (único, solo). **2** exclusivo (excluyente).
excomulgar *tr* REL excomungar.
excomunión *f* REL excomunhão.
excrecencia *f* excrescência, saliência.

excreción *f* excreção.
excremento *m* excremento, fezes.
excretar *intr* **1** excretar (defecar). **2** excretar (expeler).
exculpar *tr y pron* exculpar, desculpar.
excursión *f* **1** excursão (paseo). **2** excursão, invasão.
excursionismo *m* excursionismo.
excursionista *m o f* excursionista.
excusa *f* **1** desculpa, escusa (justificación). **2** desculpa, escusa (motivo, pretexto). **3** DER escusa, escusação.
excusar *tr y pron* **1** desculpar, escusar. **2** escusar, recusar. • *tr* **3** escusar (eximir).
execración *f* **1** execração (reprobación). **2** execração (profanación).
execrar *tr* **1** execrar (maldecir). **2** execrar (reprobar).
exégesis o **exegesis** *f* exegese.
exención *f* isenção.
exento, ta *adj* isento (libre, desembarazado).
exequias *f pl* exéquias.
exfoliación *f* **1** esfoliação. **2** MED esfoliação.
exfoliar *tr y pron* esfoliar.
exhalación *f* exalação.
exhalar *tr* exalar, emanar (olor, vapor).
exhaustivo, va *adj* exaustivo.
exhausto, ta *adj* exausto.
exhibición *f* exibição.
exhibicionismo *m* exibicionismo.
exhibicionista *m o f* exibicionista.
exhibir *tr y pron* exibir, mostrar.
exhortación *f* **1** exortação, estímulo. **2** exortação (advertencia).
exhortar *tr* exortar.
exhumación *f* exumação.
exhumar *tr* **1** exumar (cadáver). **2** (fig) exumar, desenterrar (recuerdos, sentimientos).
exigencia *f* **1** exigência (petición enérgica). **2** exigência (pretensión caprichosa).
exigente *adj/m y f* exigente.
exigir *tr* **1** exigir, impor. **2** exigir (necesitar).
exigüidad *f* exigüidade.
exiguo, gua *adj* exíguo (insuficiente).
exiliado, da *adj/m y f* exilado.
exiliar *tr y pron* exiliar, expatriar.
exilio *m* **1** exílio, expatriação. **2** exílio (lugar).
eximir *tr y pron* eximir.
existencia *f* **1** existência (circunstancia). **2** existência (vida).
existencial *adj* existencial.
existente *adj* existente.
existir *intr* **1** existir (ser real): *los duendes no existen = os duendes não existem.* **2** existir, viver.
éxito *m* êxito (resultado feliz).
exitoso, sa *adj* exitoso, bem-sucedido.
éxodo *m* êxodo.
exoneración *f* **1** exoneração (de cargo, empleo). **2** exoneração (de obligación, carga).
exonerar *tr y pron* **1** exonerar, isentar (de obligación, carga). • *tr* **2** exonerar, destituir (de cargo, empleo).
exorbitante *adj* exorbitante.
exorcismo *m* exorcismo.
exorcizar *tr* REL exorcizar.
exordio *m* exórdio, preâmbulo.
exótico, ca *adj* exótico (extranjero).
exotismo *m* exotismo.
expandir *tr y pron* **1** expandir (extender, dilatar). **2** expandir (difundir).
expansión *f* **1** expansão (extensión). **2** (fig) expansão (desahogo).
expansionar *tr* **1** expandir (extender). • **~se** *pron* **2** abrir-se, desabafar.
expansionismo *m* expansionismo.
expansivo, va *adj* expansivo, expansível.
expatriado, da *adj/m y f* expatriado.
expatriar *tr y pron* expatriar.
expectación *f* interesse, curiosidade.
expectante *adj* expectante.
expectativa *f* expectativa. ■ **a la ~** na expectativa.
expectorante *adj y m* MED expectorante.
expectorar *tr* expectorar.
expedición *f* **1** expedição (envío). **2** expedição, prontidão. **3** expedição, excursão.
expedientar *tr* dar advertência (a alumno, empleado).
expediente *m* **1** processo (documentos). **2** histórico (de alumno, empresa). **3** advertência (a alumno, empleado).
expedir *tr* **1** expedir, despachar (causas, negocios). **2** expedir, enviar (mercancías, telegrama). **3** expedir, emitir (documentos).
expeditivo, va *adj* expeditivo, expedito.
expedito, ta *adj* expedito.

expeler *tr* **1** expelir, expulsar (del organismo). **2** expelir, lançar.
expendeduría *f* tabacaria.
expender *tr* **1** expender, gastar. **2** vender (tabaco, sellos, billetes).
expensas *f pl* expensas, despesas.
experiencia *f* **1** experiência (práctica). **2** experiência (vivencia).
experimentación *f* experimentação.
experimentado, da *adj* experimentado (experto).
experimental *adj* experimental.
experimentar *tr* **1** experimentar (ensayar, probar). **2** experimentar, notar (sensación).
experto, ta *adj* experiente, experto.
expiar *tr* **1** expiar, remir (pecados, faltas). **2** expiar, sofrer as conseqüências.
expiatorio, ria *adj* expiatório.
expiración *f* expiração, término.
expirar *intr* **1** expirar, morrer. **2** (fig) expirar, terminar (plazo).
explanada *f* esplanada, planície.
explayar *tr y pron* **1** estender, expandir. • *pron* **2** (fig) espraiar-se (divertirse).
explicación *f* **1** explicação (exposición). **2** explicação (justificación).
explicar *tr y pron* **1** explicar, expor (pesamiento, razón). **2** explicar, justificar (causa, motivo). • *tr* **3** explicar (aclarar).
explícito, ta *adj* explícito.
exploración *f* exploração, investigação.
explorar *tr* **1** explorar, sondar (terreno, región). **2** explorar, examinar (cuerpo).
explosión *f* **1** explosão (estallido). **2** (fig) explosão (de alegría, rabia).
explosionar *intr y tr* explodir.
explosivo, va *adj y m* **1** QUÍM explosivo. • *adj y f* **2** FON explosivo. • *adj* **3** (fig) impressionante, atraente.
explotación *f* **1** exploração, utilização (de recursos naturales). **2** exploração, abuso.
explotar *tr* **1** explorar, utilizar (recursos naturales). **2** explorar, abusar. • *intr* **3** explodir.
expoliación *f* espoliação.
expoliar *tr* espoliar.
exponente *adj/m y f* **1** expoente, exponente. • *m* **2** expoente (representante). **3** MAT expoente.
exponer *tr e intr* **1** expor (presentar). • *tr* **2** expor, descobrir. **3** expor, explicar.
exportación *f* exportação.
exportar *tr* exportar.
exposición *f* **1** exposição (presentación, muestra). **2** exposição, explicação.
expósito, ta *adj/m y f* abandonado, enjeitado.
exprés *adj* expresso, rápido. ◆ **café ~** café expresso.
expresar *tr y pron* expressar, exprimir.
expresión *f* **1** expressão (de sentimientos, ideas, opiniones). **2** expressão (frase). **3** expressão, vivacidade. **4** MAT expressão.
expresividad *f* expressividade.
expresivo, va *adj* expressivo.
expreso, sa *adj* **1** expresso, patente. • *adj y m* **2** trem expresso. • *adv* **3** de propósito, expressamente.
exprimidor *m* espremedor.
exprimir *tr* **1** espremer. **2** (fig) espremer (agotar).

> Debido a una distinta evolución etimológica, **exprimir**, en portugués se utiliza con el sentido de 'expresar', mientras que en español como 'sacar el jugo', tanto en sentido figurado como literal.

expropiación *f* expropriação.
expropiar *tr* expropriar.
expuesto, ta *adj* exposto.
expugnar *tr* expugnar.
expulsar *tr* expulsar.
expulsión *f* expulsão.
expurgación *f* expurgação.
expurgar *tr* expurgar.
exquisitez *f* **1** primor, excelência. **2** delícia (comida).
exquisito, ta *adj* excelente.
extasiar *tr y pron* extasiar.
éxtasis *m* **1** êxtase (placer). **2** ecstasy (droga).
extático, ca *adj* extático, maravilhado.
extemporáneo, a *adj* extemporâneo.
extender *tr y pron* **1** estender (aumentar). **2** estender, esticar. • *tr* **3** estender, espalhar.
extensión *f* **1** extensão (aumento). **2** extensão (propagación). **3** extensão (dimensión).

e

extensivo, va *adj* extensivo.
extenso, sa *adj* extenso.
extenuar *tr y pron* extenuar, debilitar.
exterior *adj* **1** exterior, externo. **2** exterior (internacional). • *adj y m* **3** exterior (de edificio, casa).
exteriorizar *tr y pron* exteriorizar.
exterminar *tr* exterminar.
exterminio *m* extermínio.
externo, na *adj* externo.
extinción *f* extinção.
extinguidor *m Amér. Merid.* extintor.
extinguir *tr y pron* **1** extinguir (luz, fuego). **2** (fig) extinguir (sentimientos, vida, sonido).
extinto, ta *adj/m y f* extinto, falecido.
extintor *adj y m* extintor.
extirpación *f* extirpação.
extirpar *tr* **1** extirpar. **2** (fig) extirpar, extinguir (vicios, prejuicios).
extorsión *f* extorsão.
extorsionar *tr* extorquir.
extra *adj* **1** extra (extraordinario). **2** extra (complementario).
extracción *f* **1** extração (de órganos). **2** extração (de petróleo, minerales).
extracto *m* **1** extrato, resumo. **2** extrato (concentrado).
extractor, ra *m y f* **1** extrator. • *m* **2** exaustor (de humos).
extradición *f* extradição.
extraditar *tr* extraditar.
extraer *tr* **1** extrair, arrancar. **2** extrair, tirar (conclusión, lección).
extraescolar *adj* extra-escolar.
extrajudicial *adj* extrajudicial.
extralimitarse *pron* exceder-se, extrapolar.
extramuros *adv* extramuros.
extranjerismo *m* estrangeirismo, estrangeirice (afición).
extranjero, ra *adj/m y f* **1** estrangeiro. • *m* **2** estrangeiro, exterior.
extranjis de ~ *loc* por debaixo do pano, ocultamente: *entraron de extranjis en el maletero del coche = entraram por debaixo do pano no porta-malas do carro.*
extrañar *tr y pron* **1** estranhar, surpreender. • *tr* **2** sentir saudades.
extrañeza *f* estranheza.
extraño, ña *adj/m y f* **1** estranho (desconocido). • *adj* **2** estranho (singular).
extraoficial *adj* extra-oficial.
extraordinario, ria *adj* **1** extraordinário, excepcional. **2** extraordinário (añadido). • *m* **3** extra, extraordinário (gastos).
extrapolación *f* extrapolação.
extrapolar *tr* **1** MAT extrapolar. **2** (fig) extrapolar (generalizar).
extrarradio *m* subúrbio.
extraterrestre *adj* extraterrestre.
extravagancia *f* extravagância.
extravagante *adj/m y f* extravagante.
extravertido, da *adj* ⇒ extrovertido.
extraviado, da *adj* **1** extraviado (perdido). **2** extraviado (descarriado).
extraviar *tr y pron* **1** extraviar (desviar). • **~se** *pron* **2** extraviar-se (perderse).
extravío *m* **1** extravio (pérdida). **2** (fig) extravio, perverção.
extremado, da *adj* extremado.
Extremadura *f* Extremadura, Estremadura.
extremar *tr* **1** extremar (exagerar). • **~se** *pron* **2** extremar-se (esmerarse).
extremaunción *f* REL extremaunção.
extremeño, ña *adj/m y f* estremenho.
extremidad *f* **1** extremidade. • **extremidades** *f pl* **2** extremidades (del cuerpo).
extremismo *m* extremismo.
extremista *adj/m y f* extremista.
extremo, ma *adj* **1** extremo (excesivo). **2** extremo (intenso). **3** extremo (último). **4** extremo (en el límite). **5** extremo, remoto. • *m* **6** extremo, extremidade.
extrínseco, ca *adj* extrínseco.
extrovertido, da *adj* extrovertido.
exuberancia *f* exuberância.
exuberante *adj* exuberante (abundante).
exudar *tr e intr* exsudar.
exultación *f* exultação.
exultante *adj* exultante.
exultar *intr* exultar.
exvoto *m* ex-voto.
eyaculación *f* ejaculação (de líquido, semen).
eyacular *tr* ejacular (líquido, semen).

Ff

f, F *f* f, F (letra).
fa *f* MÚS fá.
fabada *f* GAST feijoada de feijão branco.
fábrica *f* **1** fábrica, fabricação. **2** fábrica (edificio). ◆ **defecto de ~** defeito de fábrica.
fabricación *f* fabricação.
fabricante *adj/m y f* **1** fabricante (operario). ● *m o f* **2** fabricante (propietario).
fabricar *tr* **1** fabricar (producir). **2** fabricar (construir, elaborar).
fábula *f* **1** fábula (narración). **2** fábula, invencionice.
fabuloso, sa *adj* **1** fabuloso (legendario). **2** (fig) fabuloso (maravilloso, extraordinario).
facción *f* **1** facção (pandilla). **2** (gralte pl) feição (rasgo).
faccioso, sa *adj/m y f* faccioso.
faceta *f* **1** faceta (lado). **2** (fig) faceta (aspecto).
faceto, ta *adj Méx.* faceto sem graça.
facha *adj/m y f* **1** (fam, desp) fascista. ● *f* **2** (fam) estampa (aspecto).
fachada *f* **1** fachada (de edificio). **2** (fig, fam) fachada (aspecto).
fachoso, sa *adj* (fam) desmazelado (en el vestir).
facial *adj* facial.
fácil *adj* **1** fácil (sencillo). **2** fácil (probable). **3** fácil, dócil. ● *adv* **4** fácil, facilmente.
facilidad *f* **1** facilidade (sencillez). **2** facilidade (aptitud): *tiene facilidad para tocar = ela tem facilidade para tocar.* **3** facilidade, oportunidade.
facilitar *tr* **1** facilitar (hacer fácil). **2** facilitar (proporcionar).
facineroso, sa *adj/m y f* facínora, facinoroso.
facistol *m* facistol.
facón *m Arg., Ur.* facão (puñal grande).
facsímil o **facsímile** *m* fac-símile.
factible *adj* factível.
factor *m* **1** fator (elemento, circunstancia). **2** MAT fator. **3** encarregado, despachante (en las estaciones de ferrocarriles).
factoría *f* fábrica, complexo industrial.
factótum *m* (fam) factótum.
factura *f* **1** fatura, feitura. **2** fatura (de mercancías).
facturación *f* faturação, faturamento.
facturar *tr* **1** faturar (extender una factura). **2** faturar (detallar).
facultad *f* **1** faculdade, capacidade. **2** faculdade (institución).
facultar *tr* facultar, conceder.
facultativo, va *adj* **1** facultativo: *es el organismo facultativo para esa función = é o organismo facultativo para essa função.* **2** facultativo (potestativo). ● *m* **3** facultativo (médico).
faena *f* **1** lida, tarefa (labor). **2** TAUROM faina.
faenar *tr* **1** esquartejar (res). ● *intr* **2** pescar.
fafarachero, ra *adj Amér.* gostosão, metido.
fagot *m* **1** MÚS fagote. ● *m o f* **2** MÚS fagote, fagotista.
faisán *m* faisão.
faja *f* **1** faixa (de tela). **2** cinta (ropa interior).
fajar *tr* **1** enfaixar (cuerpo). **2** enfaixar, cintar (al bebé). ● *tr y pron* **3** *Amér.* brigar (pegarse).
fajín *m* banda, faixa.
fajina *f* graveto (leña).
fajo *m* amarrado, feixe.
falacia *f* falácia (mentira).
falange *f* **1** falange (tropa). **2** ANAT falange.
falangista *adj/m y f* falangista.
falaz *adj* **1** falaz (engañoso). **2** falaz (atrayente).
falda *f* **1** saia (prenda). **2** sopé, falda (de montaña). **3** aba, borda (del sombrero).
faldeo *m Arg., Chile, Cuba* encosta, vertente (de monte).
faldón *m* camisola (de bebé).
falencia *f* erro, falência.

falla *f* **1** falha (defecto, falta). **2** (fig) falha (incumplimiento).
fallar *tr e intr* **1** falhar, errar. **2** DER sentenciar.
fallecer *intr* falecer.
fallecido, da *adj* falecido.
fallido, da *adj* **1** frustrado, malogrado. • *adj/m y f* **2** falido, quebrado (arruinado).
fallo *m* **1** falha, erro. **2** falha (mal funcionamiento).
falo *m* falo.
falsear *tr* **1** falsear, deturpar. **2** falsificar, falsear.
falsedad *f* falsidade.
falsete *m* MÚS falsete (voz).
falsificación *f* falsificação.
falsificador, ra *adj/m y f* falsificador.
falsificar *tr* falsificar, adulterar.
falso, sa *adj* **1** falso (engañoso). • *adj/m y f* **2** falso (mentiroso).
falta *f* **1** falta (escasez). **2** falta (ausencia). **3** erro, falta (de ortografía, gramática). **4** defeito, imperfeição. ■ **echar en ~** sentir falta; **hacer ~** fazer falta.
faltar *intr* **1** faltar (carecer). **2** faltar (no comparecer). **3** faltar (incumplir).
falto, ta *adj* **1** falto (necesitado). **2** falto, desprovido.
falucho *m* falua (embarcación).
fama *f* **1** fama (reputación). **2** fama, notoriedad.
famélico, ca *adj* famélico, faminto.
familia *f* **1** família (parientes). **2** família (estirpe, raza). **3** família (prole). **4** família, grupo.
familiar *adj* **1** familiar (parental). **2** familiar (habitual). • *m* **3** familiar (pariente).
familiaridad *f* familiaridade.
familiarizar *tr y pron* familiarizar.
famoso, sa *adj* **1** famoso (célebre). **2** famoso (excelente).
fan *m o f* fã.
fanal *m* fanal (farol).
fanático, ca *adj/m y f* **1** fanático (apasionado). **2** fanático (devoto).
fanatismo *m* fanatismo.
fandango *m* fandango (baile, música).
fanega *f* fanega (medida).
fanfarria *f* **1** MÚS fanfarra (música, conjunto). **2** (fam) fanfarra, fanfarrice.
fanfarrón, na *adj/m y f* fanfarrão.
fanfarronear *intr* fanfarronar.
fangal o **fangar** *m* lodaçal, lamaçal.
fango *m* **1** lodo, lama. **2** (fig) lodo, lama (degradación).
fangoso, sa *adj* lodoso, lamacento.
fantasear *intr y tr* fantasiar.
fantasía *f* **1** fantasia (imaginación). **2** fantasia (deseo).
fantasioso, sa *adj* fantasioso.
fantasma *adj* **1** fantasma (inexistente): *empresa fantasma = empresa-fantasma*. • *adj/m y f* **2** (coloq) mascarado, fanfarrão. • *m* **3** fantasma (espectro).
fantasmagórico, ca *adj* fantasmagórico.
fantasmal *adj* fantasmal.
fantástico, ca *adj* **1** fantástico (fingido, quimérico). **2** (fig, fam) fantástico (maravilloso, excelente).
fantoche *m* **1** fantoche, marionete. **2** (fig, fam) metido, convencido.
faquir *m* faquir.
farándula *f* farândola (grupo teatral).
faraón *m* faraó.
faraónico, ca *adj* faraônico.
fardar *intr* (fig, fam) alardear.
fardo *m* fardo.
farfulla *f* (fam) farfalhada (de palabras).
farfullar *tr* (fam) farfalhar, gaguejar (hablar deprisa).
faringe *f* ANAT faringe.
faríngeo, a *adj* ANAT faríngeo.
faringitis *f* MED faringite.
fariña *f Amér. Merid.* farinha de mandioca.
fariseo *m* **1** fariseu. **2** (fig, fam) fariseu (hipócrita).
farmacéutico, ca *adj* **1** farmacêutico. • *m y f* **2** farmacêutico (boticario).
farmacia *f* **1** farmácia (ciencia, profesión). **2** farmácia (establecimiento).
fármaco *m* fármaco.
farmacología *f* farmacologia.
faro *m* **1** farol (en las costas). **2** farol (de vehículos).
farol *m* **1** farol, luminária. **2** (fig, fam) farol, fanfarrice. **3** *Amér.* poste de luz.
farola *f* **1** poste de luz. **2** farol, fanal (del puerto).
farolazo *m Amér. Centr., Mex.* trago (de licor).
farolear *intr* (fam) fanfarronar.
farolero, ra *adj* (fig, fam) faroleiro, gabarola.
farra *f* (fam) farra (juerga).
fárrago *f* farragem.

Fecha / *Data*

Para designar días de la semana, años o días del mes, en portugués se usa la preposición ***em***. En español, en cambio, no se utiliza ninguna preposición:

*saldré el viernes = partiré **na** sexta-feira*
*el día 15 de septiembre comienzan las clases = **no** dia 15 de setembro começam as aulas*

Sin embargo, en las dos lenguas se dice:

***en** 1996 empecé el curso de Traducción = **Em** 1996 comecei o curso de Tradução*
***en** febrero visitaré Brasil = **Em** fevereiro vou visitar o Brasil*

f

farrear *intr Arg., Chile, Par., Perú* farrear.
farsa *f* TEAT farsa.
farsante, ta *adj/m y f* **1** (fig, fam) farsante. ● *m y f* **2** TEAT farsante.
fascículo *m* **1** fascículo (entrega). **2** ANAT fascículo.
fascinación *f* fascinação, fascínio.
fascinante *adj* fascinante.
fascinar *tr* fascinar.
fascismo *m* fascismo.
fascista *adj/m y f* fascista.
fase *f* **1** fase (etapa). **2** ASTR fase (lunar, planetaria).
fastidiar *tr* **1** chatear, aborrecer. **2** (fig) estragar, arruinar (plan, aparato).
fastidio *m* **1** saco, encheção. **2** (fam) chateação, aborrecimento.
fastidioso, sa *adj* chato, fastidioso.
fasto, ta *adj* **1** fasto (afortunado).
fastuoso, sa *adj* fastuoso, faustuoso.
fatal *adj* **1** fatal (inevitable). **2** fatal, funesto. ● *adv* **3** péssimo, muito mal.
fatalidad *f* **1** fatalidade (desgracia). **2** fatalidade, fado.
fatalismo *m* fatalismo.
fatalista *adj/m y f* fatalista.
fatídico, ca *adj* fatídico (funesto).
fatiga *f* **1** fadiga (cansancio). **2** falta de ar.
fatigar *tr y pron* fatigar, cansar.
fatuo, tua *adj/m y f* **1** fátuo (necio). **2** fátuo (presuntuoso).
fauces *f pl* fauces.
fauna *f* fauna.
fauno *m* fauno (divinidad).
favela *f Amér.* favela.
favor *m* **1** favor (ayuda). **2** favor (beneficio). ■ **por ~** por favor.
favorable *adj* **1** favorável (conveniente). **2** favorável (apacible).
favorecer *tr* **1** favorecer (ayudar). **2** favorecer (mejorar).
favoritismo *m* favoritismo.
favorito, ta *adj/m y f* favorito, preferido.
fax *m* fax.
faxear *tr* emitir um fax.
faz *f* **1** face (cara). **2** face (lado).
fe *f* **1** fé (creencia). **2** fé (confianza). **3** REL fé (virtud). ■ **dar ~ de algo** dar fé para algo.
fealdad *f* fealdade, feiúra.
febrero *m* fevereiro.
febril *adj* febril.
fecal *adj* fecal.
fecha *f* data (día). ◆ **~ de caducidad** data de validade.
fechar *tr* **1** datar (escrito, carta): *fechó la carta a 17 de noviembre de 1978 = datou a carta em 17 de novembro de 1978.* **2** datar (obra, suceso): *fecharon la obra en el siglo XV = dataram a obra do século XV.*

Fechar no debe confundirse con el verbo ***fechar*** en portugués, el cual significa 'cerrar'. **Fechar**, en castellano, se refiere a 'poner fecha'.

fechoría *f* **1** malfeitoria, malefício. **2** travessura.
fecundación *f* fecundação.
fecundar *tr* **1** fecundar (fertilizar). **2** BIOL fecundar (unir).
fecundidad *f* fecundidade.

fecundizar *tr* fertilizar.
fecundo, da *adj* fecundo.
federación *f* **1** federação (entidad). **2** federação (Estado federal).
federal *adj* **1** federal (federativo). • *adj/m y f* **2** federalista (partidario).
federalismo *m* federalismo.
federar *tr y pron* federar.
fehaciente *adj* fidedigno.
felicidad *f* felicidade. ■ **¡felicidades!** parabéns!
felicitación *f* **1** felicitação. **2** cartão (tarjeta).
felicitar *tr y pron* felicitar.
feligrés, sa *m y f* **1** paroquiano, freguês. **2** (fam) freguês (cliente).
felino, na *adj* **1** felino (gatuno): *mirada felina = olhar felino.* • *adj y m* **2** ZOOL felino (félido).
feliz *adj* **1** feliz (satisfecho, contento). **2** feliz (oportuno).
felpa *f* **1** felpa (tela). **2** (fig, fam) sova (reprensión).
felpear *tr Arg., Ur.* (fam) sovar (reprender).
felpudo, da *adj* **1** felpudo. • *m* **2** capacho (alfombra).
femenino, na *adj* feminino.
femineidad o **feminidad** *f* feminilidade, feminidade.
feminismo *m* feminismo.
feminista *adj/m y f* feminista.
fémur *m* fêmur.
fenecer *intr* **1** fenecer (morir). **2** fenecer (acabarse).
fenomenal *adj* **1** fenomenal. • *adv* **2** muito bem, maravilhosamente.
fenómeno, na *adj* **1** (fig, fam) magnífico. • *m* **2** fenômeno (manifestación). **3** (fam) fenômeno, prodígio.
feo, a *adj* **1** feio (sin belleza). **2** (fig) feio (serio, grave).
féretro *m* féretro.
feria *f* **1** feira (mercado). **2** feira (de exposiciones). **3** parque de diversões.
ferial *adj* **1** ferial. • *m* **2** feira (mercado).
feriante *adj/m y f* feirante.
feriar *tr* feirar, enfeirar.
ferino, na *adj* ferino.
fermentación *f* fermentação.
fermentar *intr y tr* fermentar.
fermento *m* **1** BIOL fermento. **2** (fig) fermento (causa).
ferocidad *f* ferocidade.
feroz *adj* **1** feroz (agresivo). **2** (fig) feroz (despiadado, cruel).
férreo, a *adj* **1** férreo. **2** (fig) férreo, ferrenho (tenaz).
ferrería *f* ferraria.
ferretería *f* loja de ferragens.
ferretero, ra *m y f* dono de loja de ferragens.
ferrocarril *m* **1** ferrovia. **2** trem (vehículo).
ferrocarrilero, ra *adj Amér.* ferroviário.
ferroviario, ria *adj* **1** ferroviário. • *m y f* **2** ferroviário (empleado).
ferry *m* ferryboat, ferry.
fértil *adj* fértil, fecundo.
fertilidad *f* fertilidade.
fertilizante *adj y m* fertilizante.
fertilizar *tr* fertilizar.
ferviente *adj* (fig) fervente, fervoroso.
fervor *m* **1** fervor (calor). **2** (fig) fervor (celo).
fervoroso, sa *adj* fervoroso.
festejar *tr* **1** festejar (celebrar). **2** festejar, aclamar.
festejo *m* **1** festejo. **2** cortejo, galanteio.
festín *m* festim.
festinar *tr Amér.* apressar.
festival *m* **1** festival (fiesta). **2** (fig, fam) festival (gran cantidad, serie).
festividad *f* festividade.
festivo, va *adj* **1** festivo (chistoso). **2** festivo (alegre). • *m* **3** feriado (día).
festón *m* festão.
festonear *tr* festoar (adornar).
fetal *adj* fetal.
fetiche *m* fetiche.
fetichismo *m* fetichismo.
fetichista *adj/m y f* fetichista.
fetidez *f* fetidez, fedentina.
fétido, da *adj* fétido.
feto *m* feto.
feudal *adj* feudal.
feudalismo *m* feudalismo.
feudo *m* **1** feudo (contrato, territorio). **2** feudo (dignidad).
fez *m* fez (gorro).
fiable *adj* confiável, fiável.
fiador, ra *m y f* fiador.
fiambre *adj/m y f* **1** fiambre, apresuntado. **2** (fig, fam) presunto (cadáver).
fiambrera *f* marmita (recipiente).

fianza *f* **1** fiança (obligación). **2** fiança, caução.
fiar *tr* vender fiado. ■ **ser de ~** ser de confiança.

> **Fiarse** rige la preposición **de**: *es muy desconfiado, no se fía de nadie.*

fiasco *m* fiasco.
fibra *f* fibra (filamento). ◆ **~ óptica** TEC fibra óptica.
fibroma *m* MED fibroma.
ficción *f* **1** ficção (invención). **2** ficção, mentira. ◆ **ciencia ~** ficção científica.
ficha *f* **1** ficha (de juegos). **2** ficha (expediente). ◆ **~ técnica** CINE, TV ficha técnica.
fichaje *m* contratação.
fichar *tr* **1** fichar (anotar). **2** fichar, fazer a ficha. **3** (fig, fam) ficar de olho. ● *intr* **4** bater o ponto (trabajador, empleado).
fichero *m* **1** fichário (mueble). **2** INF arquivo.
ficticio, cia *adj* fictício.
fidedigno, na *adj* fidedigno.
fidelidad *f* fidelidade.
fideo *m* **1** (gralte pl) cabelo-de-anjo, aletria. **2** (fig, fam) pau-de-virar-tripa, magrela.
fiduciario, ria *adj* **1** fiduciário, fiducial. ● *adj/m y f* **2** DER fiduciário (heredero).
fiebre *f* **1** febre (síntoma). **2** (fig) febre (agitación). ◆ **~ amarilla** febre amarela; **~ tifoidea** febre tifóide.
fiel *adj* **1** fiel (fiable). **2** fiel (exacto).
fieltro *m* feltro.
fiera *f* **1** fera (animal). **2** (fig) fera (cruel, violento).
fiero, ra *adj* **1** fero (duro, agreste). **2** (fig) fero (temible).
fierro *m* **1** *Amér.* ferro. **2** *Amér.* ferro, ferrete.
fiesta *f* **1** festa (reunión). **2** feriado. **3** festa, mimo.
figura *f* **1** figura (forma, representación). **2** figura (personaje de ficción). **3** figura (personaje importante). **4** figura, imagem. **5** estatueta.
figuración *f* figuração.
figurado, da *adj* figurado: *lenguaje figurado = linguagem figurada.*
figurante *m o f* figurante (comparsa, extra).
figurar *tr* **1** figurar (delinear). **2** figurar, fingir. ● *intr* **3** figurar, destacar-se.
figurativo, va *adj* ART figurativo.
figurín *m* (fig) figurino (elegante).
fijación *f* **1** fixação, colagem. **2** fixação (estabilización).
fijador, ra *adj* **1** fixador. ● *m* **2** fixador (para pelo).
fijapelo *m* fixador de cabelo.
fijar *tr* **1** fixar (clavar). **2** fixar (pegar). **3** fixar, determinar (precio, fecha). **4** fixar (dirigir). ● **~se** *pron* **5** reparar, prestar atenção.
Fiji o **Fidji** *f* Fidji.
fijo, ja *adj* **1** fixo (firme). **2** fixo (permanente).
fila *f* **1** fila (línea, orden). **2** (fig, fam) antipatia.
filamento *m* filamento.
filantropía *f* filantropia.
filántropo, pa *m y f* filantropo.
filatelia *f* filatelia.
filatélico, ca *adj* **1** filatélico. ● *m y f* **2** filatélico (coleccionista).
filete *m* **1** filé (de carne, pescado). **2** ARQ filete, listel.
filiación *f* **1** filiação (procedencia). **2** filiação (a un partido, sociedad).
filial *adj* **1** filial. ● *adj y f* **2** filial (sucursal).
filiar *tr* filiar, perfilhar (tomar).
filigrana *f* filigrana (orfebrería). ■ **hacer filigranas** (fig, fam) fazer maravilhas.
Filipinas *f* Filipinas.
filipino, na *adj/m y f* filipino.
film o **filme** *m* filme.
filmación *f* filmagem.
filmadora *f* filmadora.
filmar *tr* filmar.
filmina *f* slide pedagógico.
filmografía *f* filmografia.
filmoteca *f* filmoteca, cinemateca (lugar, colección).
filo *m* **1** fio, gume. **2** BIOL filo.
filología *f* filologia.
filológico, ca *adj* filológico.
filólogo, ga *m y f* filólogo.
filón *m* **1** MIN filão. **2** (fig) filão (provecho).

filoso, sa *adj* afiado.
filosofar *intr* **1** filosofar. **2** (fam) filosofar, matutar.
filosofía *f* **1** filosofia (ciencia, doctrina). **2** filosofia (ideología).
filosófico, ca *adj* filosófico.
filósofo, fa *m y f* filósofo.
filoxera *f* **1** filoxera (insecto). **2** filoxera (enfermedad).
filtración *f* **1** filtração, filtragem (de líquido). **2** (fig) vazamento (de noticia, secreto).
filtrar *tr* **1** filtrar, coar. **2** (fig) filtrar, selecionar (informaciones, datos). • *tr y pron* **3** filtrar, infiltrar. **4** (fig) deixar vazar (noticia, secreto).
filtro *m* **1** filtro. **2** (fig) filtro (para seleccionar).
filudo, da *adj Amér.* afiado.
fimosis *f* MED fimose.
fin *m* **1** fim (término). **2** fim (objetivo). ◆ **~ de semana** fim de semana. ■ **a ~ de** a fim de, com a finalidade de; **al ~ y al cabo** no fim ou final das contas; **en ~** enfim.
finado, da *m y f* finado, defunto.
final *adj* **1** final. **2** GRAM final. • *m* **3** final, fim (remate). • *f* **4** final (de campeonato, concurso).
finalidad *f* finalidade.
finalista *adj/m y f* finalista (de competición).
finalizar *tr e intr* finalizar.
financiación *f* financiamento.
financiar *tr* financiar.
financiero, ra *adj* **1** financeiro, financial. • *m y f* **2** financeiro, financista.
financista *m o f Amér.* financeiro, financista (especialista).
finanzas *f pl* **1** finanças (caudales, bienes). **2** finanças, erário.
finca *f* imóvel.
finés, sa *adj/m y f* **1** finlandês, finês. • *m* **2** finlandês, finês (lengua).
fingido, da *adj* fingido, dissimulado.
fingir *tr y pron* **1** fingir (simular). **2** fingir (inventar).
finiquitar *tr* **1** quitar, saldar (deuda, cuenta). **2** (fig, fam) acabar (concluir).
finiquito *m* quitação.
finito, ta *adj* finito.
finlandés, sa *adj/m y f* **1** finlandês. • *m* **2** finlandês (lengua).
Finlandia *f* Finlândia.
fino, na *adj* **1** fino (delgado). **2** fino (educado). **3** fino, aguçado. **4** sagaz, astuto.
finura *f* **1** finura (delgadez). **2** finura (cortesía, delicadeza).
fiordo *m* fiorde.
firma *f* **1** assinatura (nombre). **2** firma (empresa). **3** (fig, fam) marca.
firmamento *m* firmamento, abóbada celeste.
firmante *adj* assinante, firmante.
firmar *tr* **1** assinar, por assinatura. • **~se** *pron* **2** assinar com pseudônimo.
firme *adj* **1** firme, fixo. **2** (fig) firme, inabalável. • *m* **3** macadame (de carreteras). **4** terreno firme (para construcciones). • *adv* **5** firme, com firmeza. **6** com afinco.
firmeza *f* **1** firmeza (estabilidad). **2** (fig) firmeza (constancia).
firulete *m Amér. Merid.* (gralte pl) quinquilharia, bugiganga.
fiscal *adj* **1** fiscal. • *m o f* **2** DER promotor.
fiscalía *f* DER promotoria (oficio, oficina).
fisco *m* **1** fisco (erario). **2** fisco, fazenda (tesoro público).
fisgar *tr* **1** fisgar (pescar). **2** bisbilhotar, fuçar.
fisgón, na *adj/m y f* bisbilhoteiro.
física *f* física.
físico, ca *adj* **1** físico (científico). **2** físico (corporal). • *m y f* **3** físico (especialista).
fisiología *f* fisiologia.
fisiológico, ca *adj* fisiológico.
fisión *f* **1** FÍS fissão. **2** BIOL fissão.
fisioterapeuta *m o f* fisioterapeuta.
fisioterapia *f* MED fisioterapia.
fisonomía *f* **1** fisionomia (semblante). **2** (fig) fisionomia (aspecto).
fisonomista *adj/m y f* fisionomista.
fistol *m Méx.* alfinete para gravata.
fístula *f* MED fístula.
fisura *f* **1** fissura (grieta). **2** MED fissura, cessura (fractura).
flaccidez o **flacidez** *f* flacidez.
fláccido, da o **flácido, da** *adj* flácido.
flaco, ca *adj* magro.
flagelar *tr y pron* **1** flagelar. • *tr* **2** (fig) censurar, repreender.
flagelo *m* **1** flagelo (azote). **2** flagelo (calamidad).

flagrante *adj* flagrante. ■ **en ~** em flagrante.
flama *f* flama.
flamante *adj* **1** flamejante, resplandescente. **2** novo, recente.
flambear *tr* flambar (alimento).
flamear *intr* flamejar, flamear.
flamenco, ca *adj/m y f* **1** flamengo, flandrense. • *adj y m* **2** flamenco (baile, música). • *m* **3** flamengo (lengua). **4** flamingo (ave).
flan *m* flã.
flanco *m* flanco (lado).
flanquear *tr* **1** flanquear, ladear. **2** MIL flanquear (proteger, atacar).
flaquear *intr* fraquejar (debilitarse).
flaqueza *f* **1** magreza, magrez. **2** fraqueza (falta de vigor).
flas *m* **1** FOT flash (dispositivo, resplandor). **2** (fig) flash (noticia).
flato *m* **1** flato. **2** *Amér. Centr., Col., Méx., Venez.* (fam) melancolia.
flatulencia *f* flatulência.
flatulento, ta *adj* flatulento.
flauta *f* **1** MÚS flauta. • *m o f* **2** MÚS flautista.
flautín *m* MÚS flautim.
flautista *m o f* MÚS flautista.
flebitis *f* MED flebite.
flecha *f* **1** flecha (arma). **2** flecha (indicador).
flechazo *m* **1** flechada (disparo, herida). **2** (fig, fam) amor à primeira vista.
fleco *m* **1** franja (de tela, cabello). **2** (fig) desfiado (ropa).
flema *f* **1** fleuma. **2** (fig) fleuma (impasibilidad).
flemático, ca *adj* **1** fleumático. **2** (fig) fleumático (impasible). **3** (fig) fleumático (lento).
flemón *m* MED flegmão, fleimão.
flequillo *m* franja (de cabello).
fleta *f* **1** *Col., Venez.* fricção. **2** *Chile, Cuba* surra de chicote.
fletar *tr* **1** fretar. • *tr y pron* **2** embarcar (mercancías, personas).
flete *m* **1** frete (precio). **2** frete (carga).
flexibilidad *f* flexibilidade.
flexibilizar *tr y pron* flexibilizar.
flexible *adj* **1** flexível. **2** (fig) flexível (ánimo, genio, índole).
flexión *f* **1** flexão. **2** GRAM flexão.
flexo *m* luminária flexível.
flexor, ra *adj* flexor.
flipar *intr y pron* **1** (coloq) ficar abismado, ficar besta. **2** (coloq) endoidar, ficar maluco.
flirtear *intr* flertar.
flirteo *m* flerte.
flojedad o **flojera** *f* **1** fraqueza. **2** (fig) relaxamento (descuido).
flojo, ja *adj* **1** frouxo, folgado (lazo, nudo). **2** fraco, pouco intenso.
flor *f* **1** flor (planta). **2** (fig) (gralte pl) flor (lo mejor). **3** (fig) elogio. ♦ **~ de la vida o edad** flor da idade. ■ **a ~ de piel** à flor da pele; **~ y nata** fina flor.
flora *f* **1** flora (plantas). **2** flora (tratado).
floración *f* floração (florecimiento).
floral *adj* floral.
florecer *intr y tr* **1** florescer, enflorar. • *intr* **2** (fig) florescer (prosperar).
floreciente *adj* **1** florescente. **2** (fig) florescente (próspero).
florero *m* vaso, floreira.
floresta *f* floresta.
florete *m* florete.
floricultor, ra *m y f* floricultor.
floricultura *f* floricultura (arte, técnica).
florido, da *adj* **1** florido. **2** (fig) florido (lenguaje, discurso).
florín *m* florim (moneda).
florista *m o f* florista (vendedor, productor).
floristería *f* floricultura (establecimiento).
flota *f* **1** frota (de vehículos). **2** *Col.* (fig) brincadeira, gozação.
flotador, ra *adj* **1** flutuante, flutuador. • *m* **2** bóia.
flotante *adj* flutuante (oscilante).
flotar *intr* **1** flutuar, boiar. **2** (fig) pairar.
flote *m* flutuação.
flotilla *f* flotilha.
fluctuación *f* **1** flutuação (oscilación). **2** ECON flutuação.
fluctuante *adj* flutuante.
fluctuar *intr* **1** flutuar (oscilar). **2** (fig) flutuar (vacilar).
fluidez *f* **1** fluidez. **2** fluência (al hablar).
fluido, da *adj* **1** fluido. **2** (fig) fluente (lenguaje). • *adj y m* **3** fluido (sustancia).
fluir *intr* **1** fluir. **2** (fig) fluir, brotar (ideas, palabras).
flujo *m* **1** fluxo, escoamento (de líquido, gas). **2** fluxo, movimento (de vehículos, personas).

flúor *m* QUÍM flúor.
fluorescencia *f* FÍS fluorescência.
fluorescente *adj* **1** fluorescente. • *m* **2** lâmpada fluorescente.
fluvial *adj* fluvial.
fobia *f* **1** fobia (temor). **2** fobia, aversão.
foca *f* **1** foca. **2** (fig, fam) baleia (gordo).
focalizar *tr* focalizar, enfocar.
foco *m* **1** foco (de luz, claridad). **2** (fig) foco (de infecciones, gente).
fofo, fa *adj* **1** (desp) mole (blando). **2** (desp) balofo (gordo).

> Aunque en ambas lenguas existe la palabra **fofo** con el sentido de 'blando', en español tiene un sentido muy despectivo y se aplica especialmente a personas entradas en carnes. En cambio, en portugués tiene el sentido positivo de 'blando, agradable al tacto' y se aplica a las personas con el significado de 'rico, bonito'.

fogaje *m Col., P. Rico, Venez.* calor, abafamento.
fogata *f* fogueira, fogaréu.
fogón *m* **1** bocas do fogão. **2** fogão. **3** fornalha (de caldera).
fogonazo *m* clarão.
fogosidad *f* fogosidade.
fogoso, sa *adj* fogoso.
foie-gras *m* foie gras.
foja *f Amér.* folha (de papel).
folclor o **folclore** *m* folclore.
folclórico, ca *adj* folclórico.
fólder *m Amér.* pasta (carpeta).
folículo *m* **1** ANAT folículo. **2** BOT folículo.
folio *m* **1** fólio (hoja). **2** papel ofício.
follaje *m* folhagem.
follar *tr y intr* (vulg) trepar.
folletín *m* **1** folhetim (artículo). **2** folhetim, romance.
folleto *m* folheto (publicación).
follón *m* **1** baderna (alboroto). **2** bagunça (desorden).
fomentar *tr* **1** (fig) fomentar, estimular. **2** (fig) fomentar, instigar.
fomento *m* **1** (fig) fomento, apoio. **2** MED fomento.
fonación *f* fonação.
fonda *f* **1** pensão (establecimiento). **2** *Chile, Perú* cantina (restaurante).
fondeado, da *adj Amér.* endinheirado.
fondear *intr y tr* **1** MAR fundear. • *tr* **2** revistar (embarcación).
fondero, ra *m y f Amér.* ⇒ fondista (1).
fondista *m o f* **1** dono de pensão. **2** DEP fundista.
fondo *m* **1** fundo (parte inferior). **2** fundo (profundidad). **3** fundo (base). **4** (fig) fundo (esencia). **5** fundo, acervo (de biblioteca, museo). **6** índole. **7** DEP fundo (en carrera, natación). • **fondos** *m pl* **8** ECON fundos (dinero). ■ **sin fondos** sem fundos.
fonema *m* FON fonema.
fonendoscopio *m* MED estetoscópio.
fonética *f* fonética.
fonético, ca *adj* fonético.
fónico, ca *adj* fônico.
fono *m Arg., Bol., Chile, Perú* fone (auricular).
fonógrafo *m* FÍS fonógrafo.
fonología *f* fonologia.
fontanería *f* encanamento (caños).
fontanero, ra *m y f* encanador.
footing *m* footing (ejercicio).
foque *m* MAR bujarrona.
forajido, da *adj/m y f* foragido.
foráneo, a *adj* forâneo.
forastero, ra *adj/m y f* forasteiro.
forcejear *intr* **1** forcejar, fazer força. **2** (fig) forcejar, resistir.
forcejeo *m* forcejo.
forense *adj* **1** forense. • *adj/m y f* **2** legista (médico).
forestar *tr* reflorestar.
forja *f* **1** forja (taller). **2** forja, frágua.
forjar *tr* **1** forjar, fraguar. • *tr y pron* **2** (fig) forjar, inventar.
forma *f* **1** forma (figura). **2** forma, modo. • **formas** *f pl* **3** modos (comportamiento). ■ **de ~ que** de modo que, de forma que.
formación *f* **1** formação (forma). **2** formação (constitución). **3** formação (instrucción).
formal *adj* **1** formal: *el aspecto formal de la obra = o aspecto formal da obra.* **2** formal, preciso. **3** formal, convencional.
formalidad *f* **1** formalidade (seriedad). **2** formalidade (norma, requisito).
formalismo *m* formalismo, rigor.

formalizar *tr* **1** formalizar, oficializar. **2** formalizar, legalizar. • **~se** *pron* **3** ficar sério.
formar *tr* **1** formar (dar forma). **2** formar, constituir (asociación, comité, equipo). **3** formar, juntar. **4** formar (instruir).
formatear *tr* INF formatar.
formativo, va *adj* de formação.
formato *m* **1** formato (tamaño). **2** INF formato.
formica *f* fórmica.
formidable *adj* **1** formidável (gigantesco). **2** (fam) formidável (magnífico).
formol *m* QUÍM formol.
formón *m* formão (herramienta).
fórmula *f* **1** fórmula (medio). **2** fórmula (receta). ♦ **~ mágica** fórmula mágica.
formular *tr* **1** formular, pôr em fórmula. **2** formular, exprimir.
formulario, ria *adj* **1** formular. • *m* **2** formulário (impreso).
formulismo *m* formulismo.
fornicar *intr y tr* fornicar.
fornido, da *adj* fornido, robusto.
foro *m* **1** foro, fórum (plaza). **2** foro, fórum (reunión).
forofo, fa *adj* apaixonado, fanzoca.
forraje *m* forragem.
forrar *tr* **1** forrar, revestir. • **~se** *pron* **2** (fam) forrar-se (de dinero).
forro *m* **1** forro (de ropa, muebles). **2** capa (para libro, cuaderno).
fortalecer *tr y pron* fortalecer, tornar forte.
fortaleza *f* **1** fortaleza, força (física, moral). **2** fortaleza, fortificação.
fortificación *f* **1** fortificação, forte. **2** fortificação (protección).
fortificar *tr y pron* **1** fortificar (fortalecer). • *tr* **2** fortificar, reforçar.
fortuito, ta *adj* fortuito.
fortuna *f* **1** fortuna (destino). **2** fortuna (buena suerte). **3** fortuna (dinero, bienes).
forúnculo *m* MED ⇒ furúnculo.
forzado, da *adj* **1** forçado (compelido). **2** forçado (artificial). • *m* **3** galeote.
forzar *tr* **1** forçar (puerta, mecanismo). **2** forçar (violar).
forzoso, sa *adj* forçoso, necessário.
fosa *f* **1** cova, vala (sepulcro). **2** fossa, cavidade. **3** ANAT fossa.
fosforescente *adj* fosforescente.
fósforo *m* **1** QUÍM fósforo. **2** fósforo (cerilla).
fósil *adj y m* **1** fóssil. • *adj* **2** (fig, fam) fóssil (anticuado).
fosilizarse *pron* fossilizar-se.
foso *m* **1** fosso, cavidade. **2** fosso (de teatro). **3** vala, fosso (en estadio).
foto *f* foto, fotografia.
fotocomposición *f* fotocomposição.
fotocopia *f* xerox, fotocópia.
fotocopiadora *f* máquina de xerox.
fotocopiar *tr* xerocar, fotocopiar.
fotoeléctrico, ca *adj* FÍS fotoelétrico, fotelétrico.
fotogénico, ca *adj* fotogênico.
fotografía *f* **1** fotografia (arte, técnica). **2** fotografia, foto.
fotografiar *tr, intr y pron* fotografar.
fotográfico, ca *adj* fotográfico.
fotógrafo, fa *m y f* fotógrafo.
fotograma *f* fotograma.
fotomatón *m* cabine automática de fotografia.
fotón *m* FÍS fóton.
fotonovela *f* fotonovela.
fotosíntesis *f* fotossíntese.
foxterrier *adj y m* fox terrier.
frac *m* fraque.
fracasado, da *adj/m y f* fracassado.
fracasar *intr* **1** fracassar (romperse). **2** (fig) fracassar (proyecto, negocio).
fracaso *m* **1** fracasso (estruendo). **2** (fig) fracasso (desastre, fallo).
fracción *f* fração (parte).
fraccionar *tr y pron* fracionar.
fraccionario, ria *adj* fracionário.
fractura *f* fratura.
fracturar *tr y pron* fraturar.
fragancia *f* fragrância.
fragante *adj* fragrante.
fraganti in ~ *loc adv* em flagrante.
fragata *f* fragata.
frágil *adj* **1** frágil (quebradizo). **2** frágil, leviano.
fragilidad *f* fragilidade.
fragmentación *f* fragmentação.
fragmentar *tr y pron* fragmentar.
fragmento *m* **1** fragmento (parte). **2** fragmento (de obra).
fragua *f* frágua (horno, taller).
fraguado *m* engessado.
fraguar *tr* **1** fraguar, forjar (metal). **2** (fig) idealizar.

fraile *m* frade (religioso).
frambuesa *f* framboesa.
frambueso *m* framboeseira.
francés, sa *adj/m y f* **1** francês. • *m* **2** francês (lengua).
Francia *f* França.
franciscano, na *adj y m* franciscano.
francmasonería *f* franco-maçonaria.
franco, ca *adj* **1** franco (sincero). **2** franco, desimpedido. **3** franco (libre de impuestos).
francófono, na *adj/m y f* francófono.
francotirador, ra *m y f* franco-atirador.
franela *f* **1** flanela (tejido). **2** *Amér.* camiseta (prenda).
frangollón, na *adj Amér.* lambanceiro.
franja *f* **1** faixa (tira, lista). **2** galão (guarnición).
franquear *tr* **1** franquear (abrir camino). **2** franquear (sello). **3** franquear (atravesar).
franqueo *m* selagem.
franqueza *f* **1** franqueza (sinceridad). **2** franqueza (generosidad).
franquía *f* MAR franquia. ◆ **~ postal** franquia postal.
franquicia *f* **1** franquia, franqueamento (exención). **2** franquia, franchise.
frasco *f* frasco (recipiente).
frase *f* **1** frase. **2** MÚS frase.
frasear *intr y tr* frasear.
fraseo *m* MÚS fraseio.
fraseología *f* fraseologia.
fraternal *adj* fraternal.
fraternidad *f* fraternidade.
fraternizar *intr* fraternizar, confraternizar.
fratricida *adj/m y f* fratricida.
fratricidio *m* fratricídio.
fraude *m* fraude (engaño).
fraudulento, ta *adj* fraudulento.
fray *m* frei, freire.
frazada *f* cobertor, manta.
freático, ca *adj* freático.
frecuencia *f* **1** freqüência, assiduidade. **2** freqüência, periodicidade.
frecuentar *tr* **1** freqüentar (visitar). **2** repetir, tornar freqüente.
frecuente *adj* **1** freqüente (común). **2** freqüente, reiterado.
free-lance *adj/m y f* freelance.
fregadero *m* pia de cozinha.
fregado, da *adj* **1** *Amér.* (fig, fam) chato, desagradável. **2** *Col., C. Rica, Perú* teimoso. • *m* **3** (fig, fam) angu, angu-de-caroço (complicación).
fregar *tr* **1** lavar (platos). **2** esfregar.
fregona *f* **1** esfregão. **2** (desp) faxineira.
freidora *f* frigideira.
freiduría *f* loja de frituras.
freír *tr y pron* **1** fritar. • *tr* **2** (fig, fam) crivar (de balas). • **~se** *pron* **3** (fig, fam) assar-se (de calor).
fréjol *m* **1** vagem. **2** feijão.
frenado *m* freada.
frenar *tr* frear, brecar.
frenazo *m* freada.
frenesí *m* frenesi (delirio).
frenético, ca *adj* frenético.
frenillo *m* **1** ANAT freio (de la lengua). **2** ANAT frênulo (del pene).
freno *m* **1** freio (de vehículos). **2** (fig) freio (moderación).
frente *f* **1** testa. **2** frente (delantera). **3** (fig) cara (semblante). • *m* **4** MET frente. **5** MIL frente (de batalla). **6** POL frente (coalición).
fresa *f* **1** morango (fruto). **2** morangueiro (planta). • *adj y m* **3** morango (color).
fresadora *f* fresadora (máquina).
fresal *m* morangal.
fresar *tr* fresar.
fresca *f* fresca (frío moderado).
fresco, ca *adj* **1** fresco (temperatura). **2** (fig) fresco (alimento). **3** (fig) fresco, tranqüilo. • *adj/m y f* **4** (fig) folgado, sem-vergonha. • *m* **5** fresco, aragem. **6** afresco, fresco (pintura). **7** *Amér.* refresco.
frescura *f* **1** frescura (temperatura). **2** folga, sem-vergonhice.
fresno *m* freixo (árbol, madera).
fresón *m* morango.
fresquería *f Amér.* depósito de bebidas.
frialdad *f* **1** frieza, frialdade. **2** (fig) frieza (indiferencia).
fricandó *m* fricandó.
fricativo, va *adj y f* FON fricativo.
fricción *f* **1** fricção. • **fricciones** *f pl* **2** (fig) atrito (desavenencia).
friccionar *tr* friccionar.
friega *f* esfregação, fricção.
frigidez *f* **1** frigidez (frialdad). **2** frigidez (falta de deseo).
frígido, da *adj* frígido.
frigorífico, ca *adj* **1** frigorífico. • *m* **2** geladeira.

frijol o **fríjol** *m* ⇒ fréjol.
frío, a *adj* **1** frio (temperatura). **2** (fig) frio (indiferente). **3** (fig) frio (no acogedor). **4** frio (color). • *m* **5** frio (sensación).
friolero, ra *adj* friorento.
frisa *f* frisa (tela).
friso *m* **1** ARQ friso. **2** rodapé.
frisón, na *adj/m y f* frísio.
fritada *f* fritura, fritada.
frito, ta *adj* **1** frito. **2** (fig, fam) morgado (dormido). **3** *Amér. Merid.* (fig, fam) frito (en mala situación). • *m* **4** frito, fritura.
fritura *f* fritura.
frivolidad *f* frivolidade.
frivolizar *tr* frivolizar.
frívolo, la *adj* frívolo.
fronda *f* fronde.
frondoso, sa *adj* frondoso.
frontal *adj* **1** ANAT frontal: *músculo frontal = músculo frontal.* • *adj y m* **2** ANAT frontal (hueso).
frontera *f* **1** fronteira. **2** (fig) (gralte pl) fronteira, limite: *ambición sin fronteras = ambição sem fronteiras.*
fronterizo, za *adj* fronteiriço.
frontis *m* frontaria, frontispício.
frontón *m* **1** frontão (pared). **2** DEP frontão (de pelota vasca).
frotamiento *m* esfregamento, esfregação.
frotar *tr y pron* esfregar.
fructífero, ra *adj* frutífero.
fructificar *intr* **1** frutificar (dar frutos). **2** (fig) frutificar (producir ventajas).
fructuoso, sa *adj* frutuoso.
frugal *adj* **1** frugal (moderado). **2** frugal (ligero).
fruición *f* fruição (goce).
fruncido, da *adj* **1** franzido. **2** (fig) afetado, fresco. • *m* **3** franzido (pliegue).
fruncir *tr* **1** franzir (frente). **2** franzir (hacer pliegues).
fruslería *f* porcaria, ninharia.
frustración *f* frustração.
frustrar *tr y pron* **1** frustrar (decepcionar). **2** frustrar (malograrse).
fruta *f* fruta (fruto).
frutal *adj* **1** frutífero. **2** de fruta (olor, sabor).
frutería *f* quitanda.
frutero, ra *adj* **1** fruteiro. • *m y f* **2** quitandeiro, fruteiro (vendedor). • *m* **3** fruteira (recipiente).
fruticultura *f* fruticultura (cultivo, técnica).
frutilla *f Amér. Merid.* morango.
fruto *m* **1** fruto. **2** (fig) fruto (hijo). **3** (fig) fruto, produto (creación). **4** (fig) fruto (resultado).
fucsia *adj y m* **1** fúcsia, violeta (color). • *f* **2** fúcsia, brinco-de-princesa (arbusto).
fuego *m* **1** fogo (lumbre, calor). **2** fogo (incendio, hoguera). **3** fogo (disparo). **4** fogo (ardor, pasión, entusiasmo). **5** boca de fogão (fogón). ♦ **fuegos artificiales** fogos artificiais, fogos de artifício. ■ **¡alto el ~!** MIL cessar fogo!
fuel *m* fuel.
fuelle *m* **1** fole (utensilio). **2** fole (de instrumentos musicales).
fuente *f* **1** fuente (manantial). **2** pirex (recipiente). **3** (fig) fonte (origen). **4** fonte (letra).
fuera *adv* **1** fora (parte exterior). **2** fora (de tiempo). • **¡~!** *interj* **3** fora!
fuero *m* (gralte pl) foros (privilegios).
fuerte *adj* **1** forte (resistente). **2** forte (poderoso). **3** forte (valiente). **4** forte, intenso (dolor, color, sabor). **5** forte, chocante (palabras, imágenes). • *adv* **6** forte, com força. **7** bem, muito. • *m* **8** forte (en área, aspecto).
fuerza *f* **1** força (robustez). **2** força (esfuerzo). **3** (fig) força (impacto). • **fuerzas** *f pl* **4** MIL forças. ♦ **~ de voluntad** força de vontade; **fuerzas armadas** forças armadas. ■ **a la ~** à força, na marra; **por fuerza** por obrigação.
fuet *m* lingüiça.
fuetazo *m Amér.* chicotada.
fuete *m Amér.* chicote (látigo).
fuga *f* **1** fuga (huida). **2** fuga, vazamento (de gas, líquido).
fugada *f* rajada, lufada.
fugarse *pron* fugir.
fugaz *adj* **1** fugaz. **2** (fig) fugaz (efímero).
fugitivo, va *adj/m y f* fugitivo.
ful *adj y f* (fig) falso.
fulano, na *m y f* fulano (individuo).
fular *m* foulard.
fulgor *m* fulgor.
fulgurante *adj* fulgurante (brillante).
fullero, ra *adj/m y f* fulheiro.
fulminante *adj* **1** fulminante (aniquilador). **2** fulminante (súbito).

fulminar *tr* **1** fulminar, despedir (rayos). **2** fulminar (dañar, matar). **3** fulminar (enfermedad).
fumadero *m* fumadouro.
fumador, ra *adj/m y f* fumante. ♦ ~ **pasivo** fumante passivo.
fumar *intr* **1** fumar (despedir humo). • *intr y tr* **2** fumar (tabaco, drogas).
fumigación *f* fumigação.
fumigador, ra *m y f* **1** fumigador (operario). • *m* **2** fumigador (aparato).
fumigar *tr* fumigar (desinfectar).
funambulismo *m* funanbulismo.
funámbulo, la *m y f* funâmbulo.
funche *m Cuba, P. Rico* rosca (gacha).
función *f* **1** função (cometido). **2** função (papel). **3** função (representación). **4** MAT função. ♦ ~ **exponencial** MAT função exponencial. ■ **en ~ de** em função de.
funcional *adj* **1** funcional: *correspondencia funcional = correspondência funcional*. **2** funcional (práctico).
funcionamiento *m* funcionamento.
funcionar *intr* **1** funcionar. **2** (coloq) funcionar (resultar bien).
funcionario, ria *m y f* funcionário público.
funda *f* capa (cubierta).
fundación *f* **1** fundação (establecimiento, origen). **2** DER fundação (entidad).
fundacional *adj* fundacional.
fundado, da *adj* fundado.
fundador, ra *adj/m y f* fundador.
fundamental *adj* fundamental.
fundamentalismo *m* fundamentalismo.
fundamentar *tr* **1** fundamentar (edificio). **2** (fig) fundamentar (basar, apoyar).
fundamento *m* **1** fundamento (cimiento). **2** fundamento (razón).
fundar *tr* **1** edificar, fundar. **2** fundar (instituir). • *tr y pron* **3** fundar (apoyar, basar).
fundición *f* **1** fundição (fusión). **2** fundição (fábrica).
fundido, da *adj* **1** fundido (derretido). **2** *Arg*. fatigado, estafado. • *m* **3** CINE fundido.
fundillos *m pl Chile* calças.
fundir *tr, intr y pron* **1** fundir (derretir). • *tr* **2** fundir (moldear). • *tr y pron* **3** queimar (bombilla, plomos). • **~se** *pron* **4** fundir-se (unirse).
fúnebre *adj* **1** fúnebre. **2** (fig) fúnebre (triste, funesto).
funeral *adj* **1** funeral. • *m* **2** funeral (exequias).
funerala a la ~ *loc adv* MIL em funeral (arma).
funeraria *f* funerária.
funerario, ria *adj* funerário.
funesto, ta *adj* **1** funesto (aciago). **2** funesto (triste).
fungible *adj* fungível.
fungicida *adj y m* fungicida.
fungir *intr* desempenhar (empleo, cargo).
funicular *adj y m* funicular, bonde (transporte).
furcia *f* (desp) rameira (meretriz).
furgón *m* furgão (vagón).
furgoneta *f* van, caminhonete.
furia *f* **1** fúria (ira). **2** (fig) fúria, fera.
furioso, sa *adj* **1** furioso (irado). **2** (fig) furioso (violento).
furor *m* **1** furor (cólera). **2** furor, sanha. **3** furor (impetuosidad).
furtivo, va *adj* furtivo. ♦ **cazador ~** caçador furtivo.
furúnculo *m* MED furúnculo.
fusa *f* MÚS fusa.
fuselaje *m* fuselagem.
fusible *adj* **1** fundível, fusível. • *m* **2** fusível (hilo).
fusil *m* fuzil (arma).
fusilar *tr* **1** fuzilar. **2** (fig, fam) plagiar, copiar.
fusión *f* **1** fusão. **2** (fig) fusão (unión).
fusionar *tr y pron* fusionar.
fusta *f* fuste, chicote (para caballerías).
fustal o **fustán** *m* fustão (tela).
fuste *m* **1** fuste (palo). **2** (fig) fundamento.
fustigar *tr* **1** fustigar, açoitar. **2** (fig) fustigar (censurar).
fútbol o **futbol** *m* futebol. ♦ ~ **americano** futebol americano.
futbolín *m* pebolim, futebol totó.
futbolista *m o f* futebolista, jogador de futebol.
fútil *adj* fútil (insignificante).
futilidad *f* futilidade (insignificancia).
futón *m* colchão dobrável.
futurista *adj/m y f* futurista.
futuro, ra *adj* **1** futuro. • *adj y m* **2** GRAM futuro. • *m* **3** futuro (porvenir).

Gg

g, G *f* g, G (letra).
gabán *m* gabão, capote.
gabardina *f* **1** gabardina (sobretodo). **2** gabardina (tela).
gabarra *f* gabarra (embarcación).
gabela *f* gabela (impuesto).
gabinete *m* **1** gabinete (despacho). **2** gabinete (ministerio).
Gabón *m* Gabão.
gabonés, sa *adj/m y f* gabonense, gabonês.
gacela *f* gazela.
gaceta *f* **1** gazeta. **2** (fig, fam) leva-e-traz.
gacetilla *f* gazetilha.
gacha *f* **1** papa, mingau. **2** *Col.*, *Venez.* tigela.
gacho, cha *adj* **1** envergado, curvado. **2** acabanado (cuerno, sombrero).
gafar *tr* **1** (fam) azarar, agourar. **2** agarrar.
gafas *f pl* óculos.
gafe *adj/m y f* (fam) pé-frio, azarento.
gag *m* gag.
gago, ga *adj* gago.
gaita *f* **1** gaide-de-foles. **2** gaita-de-boca.
gaitero, ra *m y f* gaitista.
gaje *m* (gralte pl) emolumento (salario).
gajo *m* **1** gomo (de naranja, mandarina). **2** cacho (de uva).
gala *f* **1** gala (ropa). **2** festa, cerimônia. **3** apresentação (de cantante). • **galas** *f pl* **4** galas (ornamentos).
galáctico, ca *adj* ASTR galático.
galaico, ca *adj* galaico, galego.
galán *m* **1** galã (hombre atractivo). **2** galã (galanteador). **3** galã (actor).
galante *adj* **1** galante (obsequioso). **2** galante, picante.
galantear *tr* galantear, cortejar.
galanteo *m* galanteio.
galantería *f* galantaria.
galanura *f* gentileza, galanice.
galápago *m* **1** cágado (reptil). **2** cágado (molde).
galardón *m* galardão.
galardonar *tr* galardoar, premiar.
galaxia *f* ASTR galáxia.
galeón *m* galeão (embarcación).
galera *f* **1** galera, galé. **2** *C. Rica*, *Hond.*, *Méx.* depósito, barraca. **3** *Arg.*, *Chile*, *Ur.* (fam) cartola. • **galeras** *f pl* **4** galés.
galería *f* **1** galeria (de exposición). **2** galeria (habitación). **3** galeria (corredor). • **galerias** *f pl* **4** galeria, centro comercial. ◆ ~ **de arte** galeria de arte.
galerista *m o f* galerista.
Gales *m* Pais de Gales.
galés, sa *adj/m y f* **1** galês. • *m* **2** galês (lengua).
galgo, ga *adj/m y f* galgo.
Galicia *f* Galícia.
galicismo *m* galicismo.
galimatías *m* **1** (fam) galimatias. **2** (fig, fam) alvoroço, tumulto.
galio *m* **1** QUÍM gálio. **2** gálio (hierba).
gallardía *f* **1** galhardia (valor). **2** galhardia (garbo).
gallardo, da *adj* **1** galhardo (elegante). **2** galhardo (valiente).
gallear *tr* acasalar (gallinas).
gallego, ga *adj/m y f* **1** galego. **2** *Arg.*, *Bol.*, *P. Rico* (desp) espanhol.
galleguismo *m* galeguismo.
galleta *f* **1** bolacha. **2** (fig) bolacha, tapa (bofetada).
gallina *f* **1** galinha. • *m o f* **2** (fig, fam) frouxo (cobarde). ◆ ~ **ciega** cabra-cega.
gallináceo, a *adj* galináceo.
gallinero, ra *m y f* **1** galinheiro (vendedor, criador). • *m* **2** galinheiro (local).
gallo *m* **1** galo (ave). **2** peixe-de-são-pedro (pez). **3** (fig, fam) general, mandão. **4** (fig, fam) fífia (voz, sonido).
galón *m* **1** galão (adorno). **2** galão (medida).
galopante *adj* galopante.
galopar *intr* galopar.
galope *m* galope.
galpón *m* *Amér. Merid.*, *Nic.* galpão (cobertizo).
galuchar *intr* *Col.*, *Cuba*, *P. Rico*, *Venez.* galopar.

galvanizar *tr* **1** FÍS galvanizar (animal). **2** galvanizar (metal).
gama *f* **1** MÚS gama. **2** (fig) gama, série.
gamba *f* camarão.
gamberrada *f* safadeza, sem-vergonhice.
gamberrismo *m* safadeza.
gamberro, rra *adj/m y f* **1** safado, sem-vergonha. **2** baderneiro, vândalo.
gambeta *f* **1** cruze de pernas no ar (en danza). **2** *Arg., Bol.* gambeta.
Gambia *f* Gâmbia.
gambiano, na *adj/m y f* gambiano.
gamma *f* gama (letra griega). ◆ **rayos ~** raios gama.
gamo *m* gamo.
gamonal *m Amér. Centr., Amér. Merid.* manda-chuva.
gamuza *f* **1** camurça (animal). **2** camurça (piel, tejido).
gana *f* **1** vontade. **2** apetite. ■ **dar la ~** (fam) ter vontade; **quedarse con las ganas** ficar na vontade.
ganadería *f* **1** criação de gado. **2** gado, rebanho.
ganadero, ra *adj* **1** pecuário. ● *m y f* **2** pecuarista (criador).
ganado *m* **1** gado, rebanho. **2** (fig, fam) bando (grupo de personas).
ganador, ra *adj/m y f* ganhador.
ganancia *f* lucro, ganho.
ganancial *adj* de lucro.
ganar *tr* **1** ganhar (adquirir). **2** ganhar, receber. **3** ganhar, atingir.
ganchillo *m* **1** agulha de crochê. **2** crochê.
gancho *m* **1** gancho (varilla). **2** (fig) soco (puñetazo). **3** (fig, fam) charme. **4** muleta, bengala (bastón). ■ **tener ~** (fig, fam) ter charme.
gandido, da *adj Amér.* comilão.
gandul, la *adj/m y f* (fam) vagabundo, malandro.
gandulear *intr* vagabundear, vadiar.
ganga *f* **1** (fig) pechincha, achado. **2** ganga, cortiçol (ave).
ganglio *m* MED gânglio.
gangoso, sa *adj/m y f* fanhoso, fanho.
gangrena *f* MED gangrena.
gangrenarse *pron* gangrenar-se.
gángster o **gánster** *m o f* gângster.
ganguear *intr* fanhosear.
ganso, sa *m y f* **1** ganso. ● *adj/m y f* **2** (fig) palerma.
ganzúa *f* gazua (alambre).
gañán *m* **1** trabalhador rural. **2** (fig) troglodita.
garabatear *intr y tr* rabiscar, garatujar.
garabato *m* **1** rabisco, garatuja. **2** gancho (garfio).
garaje *m* garagem.
garandumba *f Amér. Merid.* balsa (embarcación).
garante *adj/m y f* garante, garantidor.
garantía *f* **1** garantia (fianza). **2** garantia, segurança.
garantizar *tr* garantir.
garapiñar *tr* **1** cristalizar (líquido). **2** GAST cristalizar (golosinas).
garbanzo *m* grão-de-bico.
garbeo *m* (coloq) pinote, volta.
garbo *m* garbo, donaire.
garboso, sa *adj/m y f* garboso.
gardenia *f* gardênia (arbusto, flor).
garete al ~ *loc* MAR à deriva.
garfio *m* gancho.
gargajear *intr* escarrar.
gargajo *m* escarro.
garganta *f* **1** ANAT garganta. **2** garganta, desfiladeiro. **3** (fig) garganta (voz).
gargantilla *f* gargantilha.
gargantón *m Méx.* cabresto (de caballería).
gárgara *f* (gralte pl) gargarejo.
gargarismo *m* gargarejamento.
gárgola *f* gárgula.
garita *f* guarita.
garito *m* casa de jogo.
garlar *intr* bater-papo, tagarelar.
garlopa *f* garlopa.
garoso, sa *adj Col., Venez.* faminto, comilão.
garra *f* **1** garra. **2** (fig) garra (mano). **3** (fig) garra (fuerza, empuje). ● **garras** *f pl* **4** *Amér.* (fig) farrapos.
garrafa *f* garrafão.
garrafal *adj* **1** garrafal. **2** (fig) garrafal (enorme).
garrafón *m* garrafão.
garrancha *f* (fam) espada.
garrapata *f* carrapato (ácaro).
garrapato *m* garrancho, rabisco.
garrón *m* **1** esporão (de aves). **2** esgalho, esgalha (de rama).
garrota *f* **1** bastão, garrote. **2** cajado.
garrotazo *m* pancada, bordoada.
garrote *m* **1** bordão, bastão. **2** garrote (de tortura).

garrotear *tr Amér.* bater, espancar.
garrotero, ra *adj* **1** *Chile, Cuba* sovina, pão-duro (tacaño). • *m* **2** *Chile, Ecuad.* valentão, brigão.
garrucha *f* polia, roldana.
garrudo, da *adj* **1** determinado, resoluto. **2** *Méx.* forçudo.
gárrulo, la *adj* gárrulo (ave).
garúa *f Amér.* garoa (llovizna).
garuar *impers Amér.* garoar (lloviznar).
garza *f* garça.
gas *m* **1** gás (fluido). **2** gás (combustible). **3** (fig) gás (fuerza, empuje). • **gases** *m pl* **4** gases (intestinales).
gasa *f* gaze.
gaseosa *f* gasosa.
gaseoso, sa *adj* gasoso.
gasificar *tr* gaseificar.
gasoducto *m* gasoduto.
gasoil *m* ⇒ gasóleo.
gasóleo *m* óleo diesel, gasóleo.
gasolina *f* gasolina.
gasolinera *f* posto de gasolina.
gasómetro *m* **1** gasômetro (instrumento). **2** gasômetro (tanque).
gastado, da *adj* gastado, gasto (deteriorado).
gastador, ra *adj/m y f* **1** gastador, esbanjador. • *m* **2** MIL gastador (soldado).
gastar *tr y pron* **1** gastar (dinero). **2** gastar (deteriorar, consumir).
gasto *m* **1** gasto, despesa. **2** gasto (consumo). ■ **cubrir gastos**
gástrico, ca *adj* MED gástrico.
gastritis *f* MED gastrite.
gastroenteritis *f* MED gastrenterite.
gastronomía *f* gastronomia (arte, afición).
gastronómico, ca *adj* gastronômico.
gastrónomo, ma *m y f* gastrônomo (entendido, aficionado).
gata *f* gata (mamífero).
gatear *intr* **1** (fam) engatinhar, gatear. **2** gatear (trepar).
gatera *f* gateira.
gatillo *m* **1** gatilho (de arma). **2** tenaz, alicate (de dentista).
gato *m* **1** gato (mamífero). **2** macaco (mecanismo). ■ **dar ~ por liebre** (fig, fam) vender gato por lebre; **llevar el ~ al agua** (fig, fam) levar a cruz ao calvário.
gaucho, cha *adj/m y f* **1** gaúcho. • *adj* **2** *Arg., Chile, Ur.* gaúcho, bom cavaleiro.
gaveta *f* **1** gaveta (cajón). **2** cômoda (mueble).
gavilán *m* gavião.
gaviota *f* gaivota (ave).
gay *adj y m* gay.
gaza *f* MAR estropo.
gazapo *m* **1** caçapo. **2** (fig, fam) deslize (yerro). **3** (fig, fam) mentira, embuste.
gazmoñería *f* afetação, fingimento.
gazmoño, ña *adj/m y f* afetado, fingido.
gaznápiro, ra *adj/m y f* simplório, palerma.
gaznatada *f* pescoção.
gaznate *m* goela, gasganete.
gaznatear *tr Col.* esbofetear.
gazpacho *m* GAST gaspacho.
ge *f* gê (letra).
géiser *m* gêiser.
gel *m* gel.
gelatina *f* **1** gelatina (sustancia). **2** gelatina (alimento).
gelatinoso, sa *adj* gelatinoso.
gélido, da *adj* **1** gélido. **2** (fig) gélido (insensible).
gema *f* gema (piedra preciosa).
gemelo, la *adj/m y f* **1** gêmeo (mellizo). • *adj y m* **2** ANAT gêmeo (músculo). • *m* **3** abotoadura (botones). **4** pantorrilha. • **gemelos** *m pl* **5** binóculo.
gemido *m* gemido.
geminado, da *adj* geminado (repetido, duplicado).
geminar *tr y pron* geminar (duplicar, repetir).
géminis *adj/m y f* **1** ASTROL geminiano. • **Géminis** *m* **2** ASTR Gêmeos (constelación, signo zodiacal).
gemir *intr* gemer.
gen *m* BIOL gene.
genealogía *f* genealogia.
genealógico, ca *adj* genealógico.
generación *f* **1** geração (procreación). **2** geração (descendencia). **3** geração (coetáneos).
generador, ra *adj* **1** gerador. • *m* **2** gerador (de energía).
general *adj* **1** geral (común). **2** geral (surpeficial). **3** geral (jerarquía). • *m* **4** MIL general. ■ **en o por lo ~** em geral, geralmente.
generala *f* generala (mujer).
generalidad *f* **1** generalidade (mayoría). **2** generalidade (vaguedad).
generalizar *tr y pron* generalizar.

generar *tr* **1** gerar (producir). **2** gerar (procrear).
generativo, va *adj* gerativo.
genérico, ca *adj* genérico.
género *m* **1** gênero (tipo, clase). **2** gênero (modo, forma). **3** gênero, produto (mercancía). **4** tecido. **5** GRAM gênero.
generosidad *f* generosidade.
generoso, sa *adj/m y f* **1** generoso (dadivoso). **2** generoso (abundante): *una ración generosa = uma ração generosa.*
génesis *m* **1** gênese (origen). **2** gênese (causas).
genética *f* genética.
genético, ca *adj* genético. ◆ **ingeniería genética** engenharia genética.
genial *adj* **1** genial (prodigioso). **2** (fam) genial (excelente, formidable). ● *adv* **3** ótimo: *este vestido te queda genial = este vestido fica ótimo em você.*
genialidad *f* genialidade.
genio *m* **1** gênio (índole). **2** gênio (temperamento). **3** gênio, dom. ■ **estar de mal** ~ estar de mau humor.
genital *adj* **1** genital. ● **genitales** *m pl* **2** genitais, genitalia.
genitivo, va *adj* **1** genitivo. ● *m* **2** GRAM genitivo.
genocidio *m* genocídio.
genoma *m* BIOL genoma.
genotipo *m* BIOL genótipo.
gente *f* **1** gente (personas). **2** gente (grupo social). **3** (fam) gente (familia). ◆ ~ **bien** pessoas bem de vida; ~ **de la calle** (fam) povo. ■ **ser buena** ~ (fig, fam) ser gente boa.
gentil *adj* **1** gentil (amable). **2** gentil (elegante).
gentileza *f* **1** gentileza (amabilidad). **2** gentileza (elegancia).
gentilicio, cia *adj y m* GRAM gentílico, etnônimo.
gentío *m* multidão, gentio.
gentuza *f* (desp) gentuça, ralé.
genuflexión *f* genuflexão.
genuino, na *adj* genuíno.
geocéntrico, ca *adj* geocêntrico.
geoda *f* GEOL geodo.
geofísica *f* geofísica.
geografía *f* geografia.
geográfico, ca *adj* geográfico.
geología *f* geologia.
geológico, ca *adj* geológico.
geólogo, ga *m y f* geólogo.
geómetra *m o f* geômetra.
geometría *f* geometria.
geométrico, ca *adj* **1** geométrico. **2** (fig) geométrico (preciso).
geopolítica *f* geopolítica.
Georgia *f* Geórgia.
georgiano, na *adj/m y f* georgiano.
geranio *m* gerânio.
gerencia *f* gerência (cargo, ejercicio).
gerente *m o f* gerente.
geriatra *m o f* geriatra.
geriatría *f* geriatria.
germanía *f* gíria, calão.
germánico, ca *adj* **1** germânico. ● *adj y m* **2** germânico (lengua).
germanismo *m* germanismo.
germen *m* **1** germe, gérmen (embrión). **2** germe, gérmen (microorganismo).
germinación *f* germinação.
germinar *intr* **1** germinar (brotar). **2** (fig) germinar (desarrollarse).
gerontología *f* gerontologia.
gerundio *m* GRAM gerúndio.
gesta *f* gesta (hazaña). ◆ **cantar de** ~ gesta.
gestación *f* **1** gestação (embarazo). **2** (fig) gestação (preparación).
gestar *tr* gestar (embrión).
gesticulación *f* gesticulação.
gesticular *intr* gesticular.
gestión *f* gestão, administração. ■ **hacer gestiones** resolver problemas burocráticos.
gestionar *tr* administrar.
gesto *m* **1** gesto (expresión). **2** gesto (semblante).
gestor, ra *adj/m y f* administrador.
gestoría *f* consultoria administrativa.
Ghana *f* Gana.
ghanés, sa *adj/m y f* ganês, ganense.
giba *f* giba, corcunda.
gibar *tr* **1** corcovar. **2** (fig, fam) deixar indignado.
giboso, sa *adj/m y f* giboso, corcunda.
gigante, ta *adj* **1** gigante, gigantesco. ● *m* **2** gigante (cíclope). **3** gigante (persona alta).
gigantesco, ca *adj* **1** gigantesco. **2** (fig) gigantesco (excesivo).
gilipollas *adj/m y f* (coloq) babaca, idiota.
gimnasia *f* ginástica.

Gerundio / *Gerúndio*

En español el gerundio indica **simultaneidad** cuando es simple (*cantando*) y **anterioridad** cuando es compuesto (*habiendo cantado*). Los errores más frecuentes son:

— Utilizar el gerundio con el sentido de posterioridad:
**La bailarina rusa bailó brillantemente, consiguiendo la máxima puntuación*
La bailarina rusa bailó brillantemente y consiguió la máxima puntuación

— Utilizar el gerundio como adjetivo especificativo, refiriéndose a objetos:
**Abrí el estuche conteniendo lápices de colores*
Abrí el estuche que contenía lápices de colores

Excepción: Cuando se omite el verbo estar u otro similar:
Me quemé con agua (que estaba) hirviendo

— Si el gerundio con valor especificativo se refiere a personas, es incorrecto su uso cuando no signifique verdadera acción o cambio:
**Se busca camarera teniendo experiencia*
Se busca camarera con/que tenga experiencia

gimnasio *m* academia de ginástica.
gimnasta *m o f* ginasta.
gimotear *intr* choramingar, gemelhicar.
gimoteo *m* choramingação, lamúria.
gin *m* gim.
ginebra *f* genebra.
ginecología *f* ginecologia.
ginecológico, ca *adj* ginecológico.
ginecólogo, ga *m y f* ginecologista, ginecólogo.
gingivitis *f* MED gengivite.
ginseng *m* ginseng (raíz).
gin-tonic *m* gim-tônica (bebida).
gira *f* **1** turnê (artística). **2** excursão (viaje).
giralda *f* veleta, cata-vento.
girar *intr y tr* **1** girar, rodar. **2** virar, girar: *giró a la derecha en la siguiente calle = virou à direita na próxima rua.*
girasol *m* girassol.
giratorio, ria *adj* giratório.
giro *m* **1** giro, volta. **2** rumo (en conversación). **3** virada (de dirección). **4** COM expedição (de letra, recibo).
gis *m* giz (tiza).
gitano, na *adj/m y f* **1** cigano. **2** (fig, fam) pilantra, malandro.
glaciación *f* **1** glaciação, congelamento. **2** GEOL glaciação.
glacial *adj* **1** glacial (helado). **2** (fig) glacial, impássivel.
glaciar *m* geleira, glaciar.
gladiador *m* gladiador.
gladiolo o **gladíolo** *m* gladíolo.
glande *m* ANAT glande.
glándula *f* ANAT, BOT glândula. ◆ **~ pituitaria** ANAT glândula pituitária.
glaucoma *m* MED glaucoma.
glicerina *f* glicerina.
global *adj* global.
globalización *f* globalização.
globo *m* **1** globo, esfera. **2** balão (de aire). **3** balão, bexiga (para fiestas). **4** globo (Tierra). ◆ **~ terrestre o terráqueo** globo terrestre.
glóbulo *m* glóbulo.
gloria *f* **1** glória (bienaventuranza). **2** glória (fama).
gloriar *tr y pron* ⇒ glorificar.
glorieta *f* **1** rotatória (de calles, avenidas). **2** praça pequena.
glorificar *tr* glorificar.
glorioso, sa *adj/m y f* glorioso (digno).
glosa *f* glosa (explicación).
glosar *tr* **1** glosar (hacer glosas). **2** adulterar, interpretar mal.
glosario *m* glossário.
glotis *f* ANAT glote.
glotón, na *adj/m y f* **1** glutão (comilón). • *m* **2** glutão (animal).
glucemia *f* BIOQ glicemia.
glucógeno *m* QUÍM glicogênio.

glucosa *f* QUÍM glicose.
glúteo, a *adj* **1** glúteo. • *adj y m* **2** ANAT glúteo.
gnomo *m* gnomo.
gnosticismo *m* gnosticismo.
gobernación *f* governação, governo.
gobernador, ra *adj/m y f* **1** governante. • *m y f* **2** governador (de provincia, Estado).
gobernante *adj/m y f* governante.
gobernar *tr e intr* **1** governar (regir). • *tr y pron* **2** governar, controlar.
gobiernista *adj Amér.* governista.
gobierno *m* **1** governo (gobernación). **2** governo (ministros).
goce *m* gozo (placer, satisfacción).
gol *m* gol.
goleada *f* goleada.
goleador, ra *adj/m y f* goleador.
golear *tr* golear.
goleta *f* goleta (embarcación).
golf *m* golfe.
golfa *f* (desp) piranha, galinha.
golfear *intr* vadiar, vagabundear.
golfería *f* vadiagem, vagabundagem.
golfo, fa *adj/m y f* **1** vadio, vagabundo. **2** malandro, safado. • *m* **3** GEOG golfo.
golondrina *f* **1** andorinha (ave). **2** barca (embarcación).
golondrino *m* **1** andorinho (cachorro). **2** íngua (forúnculo).
golosina *f* guloseima.
goloso, sa *adj/m y f* guloso.
golpe *m* **1** golpe (choque). **2** pancada, golpe. **3** golpe, lesão. **4** (fig) golpe, abalo (disgusto). **5** (fig) golpe (de viento, suerte, vista). **6** (fig) golpe (atraco). ♦ **~ de Estado** golpe de Estado. ■ **de ~** de golpe, de súbito; **no dar o pegar ni ~** (fig, fam) não pegar no batente.
golpear *tr e intr* golpear, bater.
golpetear *tr e intr* golpear, encher de pancadas.
golpista *adj/m y f* golpista.
golpiza *f Amér.* surra (paliza).
goma *f* **1** borracha, goma (sustancia). **2** cola (pegamento). **3** elástico (tira). **4** (fig, fam) camisinha (condón). ♦ **~ de borrar** borracha.
gomaespuma *f* espuma de borracha.
gomina *f* gomalina, gel.
gomorresina *f* goma-resina.
gónada *f* BIOL gônada.
góndola *f* **1** gôndola (embarcación). **2** gôndola (estantería).
gong o **gongo** *m* MÚS gongo.
gordiflón, na o **gordinflón, na** *adj/m y f* gorducho, balofo.
gordo, da *adj* **1** gordo (corpulento). **2** gordo (grasiento). **3** gordo, grande (mentira, sueldo). **4** dos bons (accidente, discusión, problema). • *adj/m y f* **5** gordo, obeso. ■ **caer alguien ~** (fig, fam) não tragar alguém.
gordura *f* **1** gordura. **2** *Arg., P. Rico* nata.
gorgorito *m* (fam) (gralte pl) garganteio, garganteado.
gorgoteo *m* gorgolejo (ruido).
gorila *m* **1** gorila. **2** (fam) capanga, guarda-costas.
gorjear *intr* **1** gorjear, trinar. • **~se** *pron* **2** balbuciar (niño).
gorjeo *m* **1** gorjeio. **2** balbuceio (de niño).
gorobeto, ta *adj Col.* torto, curvo.
gorra *f* boné.
gorrear *intr* (coloq) parasitar, viver às custas.
gorrino, na *m y f* leitão.
gorrión *m* pardal (ave).
gorro *m* gorro.
gorrón, na *adj/m y f* (coloq) parasita, folgado.
gorronear *intr* (coloq) ⇒ gorrear.
gota *f* **1** gota, pingo (partícula). **2** (fig, fam) pingo (poca cantidad). • **gotas** *f pl* **3** remédio em gota.
gotear *intr* **1** gotear, gotejar. **2** gotejar, chuviscar.
goteo *m* gotejamento.
gotera *f* **1** goteira (filtración). **2** goteira (grieta).
gotero *m* conta-gotas, gotímetro.
gótico, ca *adj* **1** gótico (godo). **2** gótico (arte). • *m* **3** gótico (lengua).
gozar *tr e intr* **1** gozar (disfrutar). **2** gozar, usufruir.
gozne *m* gonzo, dobradiça.
gozo *m* **1** gozo, satisfação. **2** gozo, usufruto.
grabación *f* gravação.
grabado, da *adj* **1** gravado. • *m* **2** estampagem. **3** estampa, gravura.
grabador, ra *adj/m y f* gravador.
grabadora *f* gravador (magnetófono).

grabar *tr* **1** gravar (esculpir). **2** gravar (sonido, imagen).
gracia *f* **1** graça (don). **2** graça (gracejo). **3** graça (afabilidad). **4** graça (atractivo). • **gracias** *f pl* **5** obrigado.
grácil *adj* grácil.
gracioso, sa *adj* **1** gracioso, grácil (donairoso). **2** engraçado (chistoso).
grada *f* arquibancada.
gradación *f* **1** gradação, gradatividade. **2** MÚS gradação.
graderío, a *m y f* arquibancada.
gradiente *m* gradiente.
grado *m* **1** grau (nivel, clase). **2** grau (estado, situación). **3** grau, posto (jerarquía). **4** vontande, gosto. **5** grau (de temperatura). **6** GEOM grau. ♦ ~ **centígrado o Celsius** grau centígrado ou Celsius. ■ **en alto** ~ (fig, fam) em alto grau.
graduado, da *adj* **1** graduado. • *adj/m y f* **2** formado, graduado (en universidad, escuela).
gradual *adj* gradual.
graduar *tr* graduar.
grafía *f* grafia.
gráfico, ca *adj* **1** gráfico. **2** (fig) claro (explicación).
grafismo *m* grafismo.
grafiti *m* ⇒ grafito (2).
grafito *m* **1** grafita, grafite (mineral). **2** grafite, grafito (dibujo).
grafología *f* grafologia.
gragea *f* **1** drágea (píldora). **2** grajéia (confito).
grajo *m* gralha.
gramática *f* gramática. ♦ ~ **comparada** gramática comparada; ~ **descriptiva** gramática descritiva.
gramatical *adj* gramatical.
gramo *m* grama (medida).
gramófono *m* gramofone, toca-discos.
gramola *f* toca-discos.
gran (*apócope de* **grande**) *adj* (antepuesto al sustantivo) grande: *era un gran hombre = era um grande homem.*
grana *f* **1** grão, semente. • *adj y m* **2** escarlate (color).
granada *f* **1** romã (fruto). **2** granada (proyectil).
granadina *f* granadina (refresco).
granado, da *adj* (fig) ilustre, notável.
granar *intr* granar.
granate *adj y m* **1** grená, bordô (color). • *m* **2** granate, granada (piedra).
Gran Bretaña *f* Grã-Bretanha.
grande *adj* **1** grande (tamaño). **2** grande (importante): *es una fábrica grande en este sector = é uma fábrica grande neste setor.* **3** grande (intenso): *sentía un dolor muy grande en el pecho = sentia uma dor muito grande no peito.* **4** grande, adulto. ■ **en** ~ (fig, fam) muito bem.
grandeza *f* grandeza.
grandilocuencia *f* grandiloqüência.
grandilocuente *adj* grandiloqüente.
grandioso, sa *adj* grandioso.
grandullón, na *adj/m y f* (fam) grandalhão.
graneado, da *adj* **1** granulado. **2** pintado, com pintas (moteado).
granel a ~ *loc* **1** a granel. **2** (fig) a rodo (en abundancia).
granero *m* celeiro.
granito *m* granito.
granizada *f* **1** granizada. **2** (fig) granizada, saraivada (multitud).
granizado, da *adj y m* raspa-raspa.
granizal *m Chile, Col.* ⇒ granizada.
granizar *impers* granizar, chover granizo.
granizo *m* granizo.
granja *f* granja, sítio.
granjear *tr* **1** granjear, obter. • *tr y pron* **2** granjear, conquistar.
granjero, ra *m y f* granjeiro.
grano *m* **1** grão (semilla). **2** grão, partícula. **3** acne, espinha. **4** FOT grão, grânulo.
granuja *m* (fig, fam) malandro, pilantra.
granujada *f* malandragem, pilantragem.
grapa *f* **1** grampo (para papeles). **2** grampo (herramienta).
grapadora *f* grampeador.
grapar *tr* grampear.
grasa *f* **1** gordura, banha (sebo). **2** sebo, sujeira (mugre).
grasiento, ta *adj* gorduroso, engordurado.
graso, sa *adj* **1** gorduroso. **2** oleoso (piel, cabello).
grasoso, sa *adj* gordurento.
gratificación *f* gratificação.
gratificar *tr* gratificar, recompensar.
gratinado, da *adj* gratinado.
gratinar *tr* gratinar.

g

gratis *adv* **1** grátis, de graça. • *adj* **2** grátis (gratuito): *me dieron dos entradas gratis = deram-me duas entradas grátis.*
gratitud *f* gratidão.
grato, ta *adj* grato.
gratuidad *f* gratuidade.
gratuito, ta *adj* **1** gratuito (gratis). **2** gratuito, infundado.
grava *f* cascalho.
gravamen *m* gravame (obligación, impuesto).
gravar *tr* gravar, onerar.
grave *adj* **1** grave (serio). **2** grave (duro). **3** grave (sonido, voz).
gravedad *f* **1** gravidade (estado). **2** FÍS gravidade.
grávido, da *adj* (fig, lit) grávido (repleto).
gravitar *intr* **1** FÍS gravitar. **2** sustentar-se, apoiar-se.
gravoso, sa *adj* **1** gravoso, oneroso. **2** incômodo.
graznar *intr* grasnar.
graznido *m* grasnido.
greca *f* grega (adorno).
Grecia *f* Grécia.
grecismo *m* grecismo, helenismo.
greda *f* greda.
gregal *m* gregal (viento).
gregario, ria *adj* gregário (agrupado).
gregoriano, na *adj* gregoriano.
grelo *m* BOT grelo do nabo.
gremial *adj* gremial.
gremio *m* grêmio, associação.
greña *f* grenha, juba. ▪ **andar a la ~** (fig, fam) brigar.
greñudo, da *adj* grenhudo, descabelado.
gres *m* arenito.
gresca *f* briga.
grey *f* grei, rebanho.
griego, ga *adj/m y f* **1** grego. • *m* **2** grego (lengua). **3** (fig, vulg) sexo anal.
grieta *f* **1** fenda, rachadura. **2** (fig) falha (problema, dificultad).
grifería *f* conjunto de torneiras.
grifo, fa *adj* crespo (pelo).
grill *m* grill, grelha.
grilla *f Amér.* contrariedade, aborrecimento.
grillarse *pron* (fig, fam) enlouquecer.
grillete *m* grilhão, grilheta.
grillo *m* grilo.
grima *f* **1** grima, desgosto. **2** arrepio (dentera).
grimillón *m Chile* multidão.
gringo, ga *adj/m y f* (fam) gringo.
gripa *f Col., Ur.* gripe.
gripe *f* MED gripe.
gris *adj y m* **1** cinza (color). • *adj* **2** cinzento.
grisáceo, a *adj* **1** cinzento. **2** grisalho (pelo).
grisma *f Amér. Centr., Chile* pitada, lasca.
grisú *m* grisu.
gritadera *f Amér.* gritaria.
gritar *intr y tr* gritar, berrar.
griterío *m* gritaria.
grito *m* **1** grito, berro. **2** grito, alarido. ▪ **poner el ~ en el cielo** (fig, fam) botar a boca no trombone.
gritón, na *adj/m y f* (fam) escandaloso, gritalhão.
Groenlandia *f* Groenlândia.
grogui *adj* grogue (atontado).
grosella *adj y m* **1** groselha (color). • *f* **2** groselha (fruto).
grosellero *m* groselheira.
grosería *f* grosseria, descortesia.
grosero, ra *adj* **1** grosseiro, tosco (basto). **2** grosseiro, indelicado (maleducado).
grosor *m* grossura, espessura.
grotesco, ca *adj* grotesco, extravagante.
grúa *f* **1** guindaste (máquina). **2** guincho (vehículo).
grueso, sa *adj* **1** grosso (volumen, espesor). **2** gordo, rechonchudo. • *m* **3** grosso (mayor parte).
grulla *f* grou (ave).
grumete *m* grumete.
grumo *m* grumo.
grumoso, sa *adj* grumoso.
gruñido *m* **1** grunhido (del cerdo). **2** rosnado (de perro).
gruñir *intr* **1** grunhir (cerdo). **2** rosnar (perro).
gruñón, na *adj/m y f* (fam) resmungão, rabugento.
grupa *f* garupa (de caballería).
grupo *m* **1** grupo (conjunto). **2** MAT grupo. **3** QUÍM grupo. ◆ **~ sanguíneo** MED grupo sangüíneo.
gruta *f* gruta.
¡gua! *interj Amér.* uau!, ah!, uai! (temor, admiración).
guaca *f* **1** *Amér.* guaca (sepulcro). **2** *Amér. Centr., Amér. Merid.* guaca (tesoro).

guacamayo *m* arara.
guacamol o **guacamole** *m Amér. Centr., Cuba, Méx.* GAST guacamole.
guacamote *m Méx.* mandioca.
guacarnaco, ca *adj Amér.* tolo, tonto, simplório.
guachada *f Col.* canalhice.
guachafita *f* **1** *Amér.* zorra (algazara). **2** *P. Rico* gozação, brincadeira.
guachapear *tr* **1** *Chile* afanar (robar). • *intr* **2** bater com os pés na água.
guache *m* **1** ART guache (aguada). **2** *Col., Venez.* canalha.
guachimán *m* **1** *Amér.* guardião, vigilante. **2** *Nic.* criado, empregado.
guacho, cha *adj/m y f Amér.* órfão.
guadal *m Arg.* aguaçal, pântano.
guadaña *f* gadanha, foice.
guagua *f* **1** bugiganga, quinquilharia. **2** *Cuba, P. Rico* ônibus.
guaguatear *tr* **1** *Chile, Guat.* amamentar, criar. **2** *Chile, Guat.* levar no colo.
guajada *f Méx.* besteira, tontice.
guaje *m* menino, garoto.
guajiro, ra *m y f Cuba, R. Dom.* camponês.
guajolote *m* **1** *El Salv., Hond., Méx.* peru (ave). • *adj/m y f* **2** *Méx.* (fig) palerma, paspalho.
guama *f Amér.* (fig) lorota, conversa fiada.
guampa *f Amér. Merid.* guampa, chifre.
guanábana *f Amér.* graviola, guanabano (fruto).
guanábano *m Amér.* graviola, guanabano (árbol).
guanaco, ca *m y f* **1** guanaco. **2** *Amér. Centr., Amér. Merid.* (fig) caipira.
guanal *m Amér.* palmeiral (de guano).
guando *m Amér.* anda, charola, padiola.
guantazo *m* (fam) bofetada, tapa.
guante *m* luva.
guantear *tr Amér.* esbofetear.
guantera *f* porta-luvas.
guantero, ra *m y f* luveiro.
guapear *intr* (fam) demonstrar ousadia, guapear.
guaperas *adj/m y f* **1** (coloq) convencido, metido a besta. **2** bonitão.
guapo, pa *adj* **1** bonito, belo. **2** bonito, elegante. **3** (fig, fam) legal, bacana. **4** (fig, fam) bem, querido (vocativo): *¿cuántos kilos te pongo, guapa? = quantos quilos você quer, bem?*
guaraca *f Chile, Col., Ecuad., Perú* látigo.
guaragua *f* **1** *Amér.* bamboleio. **2** rodeio (evasiva).
guarango, ga *adj* **1** *C Sur* grosseiro, mal-educado. **2** *Amér. Merid.* sujo, maltrapilho.
guaraní *adj/m y f* **1** guarani. • *m* **2** guarani (lengua).
guarapo *m Amér.* garapa.
guarda *m o f* **1** guarda, vigia. • *f* **2** guarda, conservação. **3** tutela.
guardabarrera *m o f* guarda-linha.
guardabarros *m* pára-lama.
guardabosque o **guardabosques** *m o f* guarda florestal.
guardacostas *m* guarda-costas (embarcación).
guardaespaldas *m o f* guarda-costas.
guardafangos *m* ⇒ guardabarros.
guardameta *m o f* DEP guarda-meta, goleiro.
guardapolvo *m* **1** guarda-pó (prenda). **2** guarda-pó, baldaquino.
guardar *tr* **1** guardar (cuidar, vigilar). **2** guardar, acondicionar. **3** guardar, cumprir (leyes, ordenes, costumbres). **4** guardar, conservar. • *pron* **5** abster-se.
guardarropa *m* **1** guarda-roupa (armario). **2** guarda-roupa (vestuario).
guardarropía *f* CINE, TEAT, TV guarda-roupa.
guardería *f* creche.
guardia *f* **1** guarda (vigilancia, defensa). **2** guarda (cuerpo). **3** plantão (servicio nocturno). • *m o f* **4** guarda. ♦ **~ de seguridad** segurança. ■ **bajar la ~** (fig, fam) baixar a guarda. **estar de ~** estar de plantão.
guardián, na *m y f* guardião (protector).
guarecer *tr* **1** dar guarida, proteger. **2** resguardar, proteger. • **~se** *pron* **3** refugiar-se.
guaricha *f Amér.* prostituta.
guarida *f* **1** guarida (cueva). **2** guarida (refugio).
guarismo *m* algarismo.
guarnecer *tr* **1** guarnecer (proveer). **2** guarnecer (equipar). **3** guarnecer (adornar).
guarnición *f* **1** guarnição (adorno). **2** guarnição (alimento, complemento). **3** MIL guarnição (tropa).

guaro *m* papagaio.
guaroso, sa *adj Chile* gracioso, elegante.
guarrada *f* **1** imundície, porcaria. **2** (fig) sujeira, depravamento.
guarrería *f* **1** porcaria, sujeira. **2** (fig) sujeira (indecencia).
guarro, rra *m y f* **1** porco (animal). • *adj/m y f* **2** (fig, fam) porco, sujo. **3** (fig, fam) porco, nogento.
guarrusca *f Col.* machado.
guasa *f* (fam) gozação, brincadeira.
guasada *f Arg.* grossería.
guasamaco, ca *adj Chile* tosco, grosseiro.
guasanga *f Amér. Centr., Col., Cuba, Méx.* zoeira, zoada.
guasearse *pron* caçoar, tirar sarro.
guasería *f Arg., Chile* grosseria.
guaso, sa *adj* **1** *Amér. Merid.* (fig) grosseiro, descortês. • *m y f* **2** *Chile* camponês.
guasón, na *adj/m y f* (fam) gozador, brincalhão.
guasquear *tr* **1** *Amér.* açoitar. • **~se** *pron* **2** *Ur.* ralar (esforzarse).
guata *f* **1** estofo, enchimento de algodão. **2** *Chile* barriga, pança.
guatearse *pron Chile* (fam) criar barriga.
Guatemala *f* Guatemala.
guatemalteco, ca *adj/m y f* guatemalteco, guatemaltense.
guateque *m* festa.
guau *m* au-au (voz del perro).
guaya *f* choro, lamento.
guayaba *f* **1** goiaba. **2** goiabada.
guayabo *m* goiabeira.
guayar *tr* **1** *R. Dom.* ralar, esmiuçar. • **~se** *pron* **2** *P. Rico* embriagar-se.
gubernamental *adj* governamental.
gubernativo, va *adj* governativo.
gubernista *adj Amér.* governista.
gubia *f* goiva.
guepardo *m* guepardo.
güero, ra *adj/m y f Méx.* louro (cabello).
guerra *f* **1** guerra (lucha armada). **2** (fig) guerra (pugna, disidencia). ♦ **~ civil** guerra civil; **~ fría** guerra fria. ■ **dar ~ a alguien** (fig) torrar as paciências de alguém.
guerrear *intr y tr* guerrear (combatir).
guerrero, ra *adj* guerreiro (bélico).
guerrilla *f* **1** guerilha (grupo armado). **2** guerrilha (escaramuza).
guerrillero, ra *m y f* guerilheiro.
gueto *m* **1** gueto (barrio judío). **2** gueto (de minorías).
guía *m o f* **1** guia (cicerone, líder). • *f* **2** guia, roteiro (de calles). **3** guia, manual. **4** guia (de teléfonos, turismo).
guiar *tr* **1** guiar (camino). **2** guiar, dirigir (vehículo). **3** (fig) guiar (orientar, enseñar).
guija *f* seixo.
guijarro *m* seixo rolado.
güila *f Méx.* prostituta.
guillarse *pron* **1** (fam) fugir, evadir-se. **2** (fam) pirar, perder a cabeça.
guillotina *f* guilhotina.
guillotinar *tr* guilhotinar.
güilón, na *adj Amér.* medroso, covarde.
guinda *f* **1** ginja. **2** MAR guinda. **3** (fig, fam) auge. **4** (fig, fam) toque final.
guindilla *f* pimenta malagueta.
guindo *m* ginjeira.
Guinea *f* Guiné.
Guinea Bissau *f* Guiné-Bissau.
Guinea Ecuatorial *f* Guiné-Equatorial.
guineano, na *adj/m y f* guineano, guineense.
guiñapo *m* farrapo.
guiñar *tr y pron* piscar (ojo).
guiño *m* piscada.
guiñol *m* teatrinho de marionetes.
guión *m* **1** roteiro, esquema. **2** CINE, TEAT roteiro, script. **3** GRAM hífem (signo).
guionista *m o f* roteirista.
guiri *m o f* (desp) gringo.
guirigay *m* (fam) baderna, zorra.
guirlache *m* GAST pé-de-moleque de amêndoas.
guirnalda *f* grinalda.
guisa *f* guisa.
guisado *m* refogado, guisado.
guisante *m* ervilha (planta, semilla).
guisar *tr* **1** refogar, guisar. **2** (fig) guisar (preparar, organizar).
guiso *m* ⇒ guisado.
güisqui *m* uísque.
guitarra *f* **1** MÚS violão, guitarra. • *m o f* **2** guitarrista. ♦ **~ eléctrica** guitarra elétrica.
guitarrista *m o f* guitarrista.
gula *f* gula, gulodice.

gurdo, da *adj* idiota, palerma.
gurí, sa *m y f Arg., Ur.* guri.
guripa *m* **1** (fam) soldado. **2** (fam) bandido, delinqüente.
gurrumina *f* **1** *Cuba, Méx.* bobagem, ninharia. **2** *Ecuad., Guat., Méx.* chateação, aborrecimento.
gurrumino, na *adj* **1** desprezível, vil. **2** covarde, medroso.
gurrupié *m o f Amér.* crupiê.
gurú o **guru** *m* gurú (guía espiritual).
gusanillo *m* **1** bordado (labor). **2** canutilho (hilo). **3** (fam) fome.
gusano *m* **1** verme. **2** (fig, desp) verme (persona despreciable). ♦ ~ **de luz** vagalume.
gusarapo, pa *m y f* larva.
gustar *tr* **1** gostar, apreciar. **2** experimentar (probar).
gustillo *m* **1** gostinho (sabor ligero). **2** gostinho (sensación).
gusto *m* **1** gosto, paladar. **2** gosto (sabor). **3** gosto, prazer (satisfacción). **4** gosto, vontade: *aquí siempre comemos a gusto = sempre comemos com gosto aqui.* **5** gosto (cualidad): *eso es de mal gusto = isso é de mau gosto.* ■ **a** ~ à vontade; **al** ~ a gosto; **con mucho** ~ com muito prazer; **dar** ~ dar gosto.
gustoso, sa *adj* **1** gostoso (sabroso). **2** gostoso, agradável.
gutural *adj* **1** gutural. **2** FON gutural.
Guyana *f* Guiana.
guyanés, sa *adj/m y f* guianês.

g

Hh

h, H *f* h, H (letra).
haba *f* fava. ■ **ser habas contadas** (fig, fam) ser favas contadas (ser cierto); ser pouco, ser escasso.
habanero, ra *adj/m y f* havanês, havano.
habano, na *adj* **1** havano, havanês. • *m* **2** havana, charuto.
haber *m* **1** haver (crédito). **2** (gralte pl) haver (dinero, bienes).
haber *aux* **1** ter, haver: *ya había ido a casa = já tinha ido para casa.* • *impers* **2** haver (ocurrir): *hubo varios accidentes = houve vários acidentes.* **3** haver, ter (realizarse): *mañana hay reunión = amanhã há reunião.* **4** haver, ter: *¿hay un restaurante por aquí cerca? = há um restaurante perto daqui?* ■ **habérselas con alguien** (fig, fam) ver-se com alguém; **no hay de qué** não há de que; **¿qué hay?** (fam) como vai?; e aí?
habichuela *f* vagem.
hábil *adj* hábil.
habilidad *f* **1** habilidade (capacidad, destreza). **2** habilidade (gracia).
habilidoso, sa *adj* habilidoso.
habilitación *f* habilitação.
habilitado, da *m* **1** MIL tesoureiro. • *m y f* **2** tesoureiro, pagador.
habilitar *tr* **1** habilitar. **2** DER capacitar, habilitar.
habiloso, sa *adj Chile, Perú* habilidoso, esperto.
habitabilidad *f* habitabilidade.
habitable *adj* habitável.
habitación *f* **1** habitação (vivienda). **2** dormitório, quarto.
habitáculo *m* **1** habitáculo (habitación). **2** ECOL habitáculo (hábitat).
habitante *m* habitante.
habitar *tr e intr* habitar.
hábitat *m* ECOL habitat, hábitat.
hábito *m* **1** hábito (costumbre). **2** hábito (práctica). • **hábitos** *m pl* **3** hábito (traje).
habituación *f* habituação.
habitual *adj* habitual.
habituar *tr y pron* habituar.
habla *f* **1** fala (facultad). **2** fala (lenguaje).
hablada *f Méx.* fanfarrice.
habladero *m Chile* falatório, murmuração.
hablado, da *adj* falado.
hablador, ra *adj/m y f* **1** falador, tagarela. **2** falador, fofoqueiro.
habladuría *f* **1** falatório, murmúrio. **2** (gralte pl) fofoca, mexerico (chisme).
hablar *intr* **1** falar (articular palabras): *mi hijo todavía no sabe hablar = meu filho ainda não sabe falar.* **2** conversar, falar. **3** falar (tratar, convenir): *no quiero hablar de este problema ahora = não quero falar deste problema agora.* • *tr* **4** falar (idioma). **5** chamar (tratar): *puedes hablarme de tú = você pode me chamar de você.* ■ **ni ~** nem pense nisso; **no se hable más** e não se fala mais disso.
habón *m* calombo, inchaço.
hacendado, da *adj* **1** abastado, rico. **2** *Arg., Chile* fazendeiro.
hacendoso, sa *adj* diligente, solícito.
hacer *tr* **1** fazer (crear, producir). **2** fazer, preparar (comida, cama, cabello). **3** fazer (construir). **4** fazer, causar (herida, gracia, sombra). **5** fazer, praticar (gimnasia, deportes). **6** fazer, conseguir (fortuna, amigos). **7** fazer (ejecutar). **8** • **~se** *pron* **9** tornar-se, converter-se. **10** fazer-se de (simular): *se hace el inteligente pero es un burro = faz-se de inteligente mas é um burro.* ■ **~ de** trabalhar de.
hacha *f* **1** machado. **2** brandão (hachón).
hache *f* agá (letra).
hachís *m* haxixe.
hacia *prep* **1** para: *todos con las manos hacia arriba = todos com as mãos para cima.* **2** em direção a, para: *salió del coche y siguió hacia el banco = saiu do carro e seguiu em direção ao banco.* **3** por volta de, ao redor: *llegamos hacia las 3 de la mañana = chegamos por volta das 3 da manhã.* **4** (con sentimientos)

por: *sentía odio hacia los gatos = sentia ódio pelos gatos.*
hacienda *f* **1** fazenda (bienes, caudal). **2** fazenda (finca agrícola).
hacinamiento *m* amontoamento, empilhamento.
hacinar *tr* **1** amontoar, empilhar. • *tr y pron* **2** (fig) amontoar, acumular.
hada *f* fada.
hado *m* fado, destino.
hagiografía *f* hagiografia.
Haití *m* Haiti.
haitiano, na *adj/m y f* haitiano.
¡hala! *interj* **1** anda! (prisa): *¡hala, que llegamos tarde! = anda, vamos chegar atrasados*! **2** vixe!, nossa! (sorpresa): *¡hala! se ha desplomado el edificio = vixe! desabou o prédio.*
halagador, ra *adj* bajulador.
halagar *tr* bajular, elogiar.
halago *m* bajulação, elogio.
halagüeño, ña *adj* lisonjeiro, louvável.
halar *tr* MAR alar, içar.
halcón *m* falcão.
¡hale! *interj* vamos!
hálito *m* **1** hálito (aliento). **2** (fig) hálito, brisa.
halitosis *f* MED halitose.
hall *m* hall.
hallar *tr y pron* **1** achar, encontrar. • *tr* **2** achar, descobrir. **3** achar (notar).
hallazgo *m* achado, descoberta.
halo *m* **1** halo, nimbo (círculo). **2** auréola (resplandor).
halógeno, na *adj y m* QUÍM halógeno, halogênio.
haltera *m o f* (coloq) halterofilista.
halterofilia *f* halterofilia.
hamaca *f* **1** rede (de dormir). **2** espreguiçadeira (tumbona).
hamacar o **hamaquear** *tr y pron Amér.* balançar (mecer).
hambre *f* **1** fome (necesidad). **2** fome, miséria (escasez). **3** (fig) fome, desejo. ■ **morirse de ~** (fig, fam) morrer de fome; **tener ~** ter ou estar com fome.
hambriento, ta *adj/m y f* **1** faminto, esfomeado. **2** (fig) ávido, sôfrego.
hambruna *f* fome, escassez de alimentos.
hamburguesa *f* hambúrguer.
hamburguesería *f* lanchonete.
hampa *f* **1** malandragem, vadiagem. **2** quadrilha, gangue.
hampón *adj* valentão.
hámster *m* hamster.
handicap *m* handicap.
hangar *m* hangar.
haragán, na *adj/m y f* preguiçoso, indolente.
haraganear *intr* preguiçar, vadiar.
haraganería *f* preguiça, indolência.
harapiento, ta *adj* esfarrapado, maltrapilho.
harapo *m* farrapo.
hardware *m* INF hardware.
harén o **harem** *m* **1** harém (de mujeres). **2** harém, serralho (aposentos).
harina *f* farinha. ■ **ser ~ de otro costal** (fig, fam) não ser farinha do mesmo saco.
harinoso, sa *adj* farinhento, farinhoso.
harmonía *f* ⇒ armonía.
hartar *tr y pron* **1** fartar, saciar. **2** (fig) fartar, satisfazer. **3** (fig) fartar, enfastiar.
hartazgo *m* **1** fartura, empacho. **2** (fig, fam) saturação.
harto, ta *adj* **1** abundante, farto. **2** farto, cheio (de comida, discusiones).
hartón, na *adj* **1** *Amér. Centr., Méx., R. Dom.* comilão, glutão. • *m* **2** (fam) entojo.
hasta *prep* **1** até (límite de tiempo):, *no trabajo hasta el lunes = não trabalho até segunda-feira.* **2** até (lugar): *fui hasta la plaza = fui até a praça.* **3** até (límite de capacidad). **4** até (despedida): *hasta la próxima = até a próxima.* • *conj* **5** ■ **~ luego** até logo.
hastiar *tr y pron* entojar, enfastiar.
hastío *m* **1** fastio. **2** (fig) tédio.
hatajo *m* **1** fato, rebanho. **2** (fig, desp) corja.
hatillo *m* trouxa pequena.
hato *m* **1** trouxa. **2** *Amér. Merid.* fazenda de gado.
haya *f* faia (árbol).
hayal *m* faial.
hayo *m* **1** coca, ipadu (arbusto). **2** coca (hoja).
haz *m* **1** feixe, molho. **2** feixe (de luz). • *f* **3** face (rostro). **4** face, anverso.
hazaña *f* façanha.
hazmerreír *m* (fam) palhaço.
he *impers* eis: *he lo que buscaba = eis o que buscava.*

h

hebilla *f* fivela.
hebra *f* **1** fio, linha. **2** fibra (vegetal, animal). **3** fibra, filamento.
hebraico, ca *adj/m y f* ⇒ hebreo, a.
hebreo, a *adj/m y f* **1** hebreu, hebraico. • *m* **2** hebreu, hebraico (lengua).
hecatombe *f* **1** hecatombe (sacrificio). **2** (fig) hecatombe, mortandade.
hechicería *f* feitiçaria.
hechicero, ra *adj/m y f* **1** feiticeiro (brujo). • *adj* **2** (fig) feiticeiro (encantador).
hechizar *tr* **1** enfeitiçar, embruxar. **2** (fig) enfeitiçar, encantar.
hechizo, za *adj* **1** feitiço (postizo, fingido). • *m* **2** feitiço (encantamiento). **3** (fig) feitiço, fascinação.
hecho, cha *adj* **1** feito, acabado. • *m* **2** feito, fato. ■ **bien ~** bem feito; **de ~** de fato.
hechor, ra *m o f Chile, Ecuad.* malfeitor.
hechura *f* **1** feitio, feitura. **2** constituição, compleição (física).
hectárea *f* hectare.
heder *intr* **1** feder. **2** (fig) feder, aborrecer (cansar).
hediondo, da *adj* **1** fétido, fedorento. **2** (fig) hediondo (repulsivo).
hedonismo *m* hedonismo.
hedonista *adj/m y f* hedonista.
hedor *m* fedor.
hegemonía *f* hegemonia.
hegemónico, ca *adj* hegemônico.
hégira o **héjira** *f* hégira.
heladería *f* sorveteria.
heladero, ra *m y f* sorveteiro.
helado, da *adj* **1** gelado. **2** (fig) gelado, pasmado. • *m* **3** sorvete.
helar *tr, intr y pron* **1** gelar, congelar. **2** (fig) gelar (desanimar). • *impers* **3** gear. • **~se** *pron* **4** gelar-se (endurecerse).
helecho *m* samambaia.
helénico, ca *adj* helênico.
hélice *f* **1** hélice (mecanismo). **2** GEOM hélice.
helicoidal *adj* helicoidal.
helicóptero *m* helicóptero.
helio *m* QUÍM hélio.
helipuerto *m* heliporto.
hematíe *m* BIOL (gralte pl) hemácia, eritrócito.
hematología *f* hematologia.
hematoma *m* MED hematoma.
hembra *f* **1** fêmea. **2** (fam) mulher.
hemiciclo *m* hemiciclo.
hemiplejía o **hemiplejia** *f* MED hemiplegia.
hemipléjico, ca *adj/m y f* hemiplégico.
hemisferio *m* **1** GEOG hemisfério. **2** GEOM hemisfério, semi-esfera.
hemofilia *f* MED hemofilia.
hemofílico, ca *adj/m y f* hemofílico.
hemoglobina *f* BIOQ hemoglobina.
hemorragia *f* MED hemorragia.
hemorroide *f* MED hemorróida.
henchir *tr* **1** encher (ocupar, llenar). • **~se** *pron* **2** encher-se, fartar-se (de comida).
hendedura o **hendidura** *f* fenda, rachadura.
hender o **hendir** *tr y pron* **1** fender, rachar. **2** (fig) atravessar, cruzar.
henna *f* hena.
heno *m* feno.
hepático, ca *adj/m y f* MED hepático.
hepatitis *f* MED hepatite.
heptágono, na *adj y m* GEOM heptágono.
heráldico, ca *adj* heráldico.
heraldo *m* heraldo, mensageiro.
herbáceo, a *adj* herbáceo.
herbario, ria *adj* **1** herbóreo, herbático. • *m* **2** herbário (colección, libro).
herbicida *adj y m* herbicida.
herbívoro, ra *adj y m* herbívoro.
herbolario, ria *m y f* **1** herbolário, herborista. • *m* **2** ⇒ herboristería.
herboristería *f* herbanário (tienda).
hercio *m* FÍS ⇒ hertz.
heredad *f* herdade, fazenda.
heredar *tr* **1** herdar (bienes, dinero). **2** BIOL herdar (caracteres biológicos).
heredero, ra *adj/m y f* herdeiro. ◆ **~ universal** DER herdeiro universal.
hereditario, ria *adj* hereditário.
hereje *m o f* **1** herege. **2** (fig) sem-vergonha, descarado.
herejía *f* heresia (doctrina, teoría).
herencia *f* **1** herança (patrimonio). **2** (fig) herança (legado).
herida *f* **1** ferida, ferimento. **2** (fig) ferida, mágoa (pena). ■ **tocar a uno en la ~** (fig, fam) tocar na ferida.
herido, da *adj/m y f* ferido.
herir *tr* **1** ferir (dañar). **2** ferir, ofender. **3** ferir, tanger (instrumento).

hermafrodita *adj/m y f* hermafrodita.
hermanar *tr y pron* irmanar.
hermanastro, tra *m y f* meio-irmão.
hermandad *f* **1** irmandade (parentesco). **2** (fig) irmandade, amizade.
hermano, na *m y f* **1** irmão (pariente). **2** irmão, correligionário (de religión, hermandad). ♦ **~ gemelo** irmão gêmeo.
hermenéutico, ca *adj* hermenêutico.
hermético, ca *adj* **1** hermético (cerrado, sellado). **2** (fig) hermético (secreto, impenetrable).
hermetismo *m* FIL hermetismo.
hermoso, sa *adj* **1** formoso, bonito (aspecto). **2** nobre (gesto, hecho). **3** formoso, aprazível.
hermosura *f* formosura, beleza.
hernia *f* MED hérnia.
héroe *m* **1** herói (semidiós). **2** herói (hazañoso).
heroicidad *f* heroicidade, heroísmo.
heroico, ca *adj* **1** heróico (hazañoso). **2** LIT heróico.
heroína *f* **1** heroína (mujer ilustre). **2** heroína (droga).
herpes o **herpe** *amb* MED herpes.
herradura *f* ferradura.
herraje *m* ferragem.
herramienta *f* **1** ferramenta. **2** (fam) punhal, navalha (arma).
herrar *tr* **1** ferrar (herraduras). **2** ferrar, marcar (a hierro candente).
herrumbre *f* ferrugem (óxido).
herrumbroso, sa *adj* ferruginoso (rojizo).
hertz *m* FÍS hertz.
hertziano, na *adj* FÍS hertziano.
hervidero *m* fervedouro, efervescência.
hervido, da *adj* **1** fervido. • *m* **2** *Amér. Merid.* cozido. **3** fervura.
hervir *tr e intr* **1** ferver (bullir). • *tr* **2** ferver (cocer). • *intr* **3** (fig) ferver, espumar (de ira, envidia).
hervor *m* **1** fervor. **2** (fig) fervor (fogosidad).
heterodoxo, xa *adj/m y f* heterodoxo.
heterogeneidad *f* heterogeneidade.
heterogéneo, a *adj* heterogêneo.
heterosexual *adj/m y f* heterossexual.
hexaedro *m* GEOM hexaedro.
hexagonal *adj* hexagonal.
hexágono, na *adj y m* GEOM hexágono.
hez *f* **1** (gralte pl) fezes, borra (residuo). **2** (fig) fezes, escória. • **feces** *f pl* **3** fezes (excrementos).
hiato *m* hiato.
hibernar *intr* **1** hibernar (animales). • *tr* **2** MED hibernar.
hibridación *f* hibridação.
hidalgo, ga *adj/m y f* fidalgo.
hidratante *adj* hidratante.
hidratar *tr y pron* hidratar.
hidráulico, ca *adj* hidráulico.
hidroavión *m* hidroavião.
hidrocarburo *m* QUÍM hidrocarboneto, hidrocarbureto.
hidrógeno *m* QUÍM hidrogênio.
hidrografía *f* hidrografia.
hidrología *f* hidrologia.
hidromasaje *m* hidromassagem.
hidrosfera *f* hidrosfera.
hidroterapia *f* hidroterapia, hidroterapêutica.
hiedra *f* hera.
hiel *f* **1** bile, fel. **2** (fig) fel (amargura).
hielo *m* **1** gelo. **2** (fig) gelo (frialdad). ■ **romper el ~** (fig, fam) quebrar o gelo.
hiena *f* hiena.
hierático, ca *adj* hierático.
hierba *f* **1** capim. **2** (fig) erva (marihuana). ♦ **mala ~** (fig, fam) erva daninha.
hierbabuena *f* hortelã.
hierro *m* **1** ferro (metal). **2** ferrete (instrumento, marca). ♦ **~ fundido o colado** ferro fundido. ■ **de ~** (fig, fam) de ferro.
higadillo *m* fígado (de ave).
hígado *m* **1** fígado (víscera). **2** (fig) fígado (valor).
higiene *f* **1** higiene (medicina). **2** higiene (limpieza).
higiénico, ca *adj* higiênico.
higienizar *tr* higienizar.
higo *m* **1** figo (fruto). **2** (fig, vulg) aranha, xoxota.
higrometría *f* higrometria.
higuera *f* figueira.
hijastro, tra *m y f* enteado.
hijear *intr Amér.* retonhar.
hijo, ja *m y f* **1** filho (descendiente). **2** (fig) filho (oriundo). ♦ **~ de papá** filhinho de papai; **~ de puta** (vulg) filho da puta; **~ único** filho único.
hijuela *f* (fig) filha (anejo).
hilada *f* fileira.
hilar *tr* fiar (hilo).

hilarante *adj* hilariante.
hilera *f* **1** fileira, fila. **2** MIL fileira.
hilo *m* **1** fio (hebra). **2** linha. **3** fio (alambre, cable). **4** (fig) fio (chorro). ◆ **~ dental** fio dental. ■ **colgar o pender de un ~** (fig, fam) estar por um fio.
hilvanar *tr* **1** alinhavar (coser). **2** (fig) alinhavar (ejecutar con prisa).
himen *m* ANAT hímen.
himno *m* hino.
hincapié *m* teimosia, insistência.
hincar *tr* **1** fincar, cravar (fijar). **2** fincar (apoyar).
hincha *m y f* **1** torcedor. ● *f* **2** (fam) antipatia.
hinchado, da *adj* **1** inchado. **2** (fig) inchado (presumido).
hinchar *tr y pron* **1** inchar, inflar (aumentar). ● **~se** *pron* **2** (fig) inchar-se (entumecerse). **3** encher-se (de comida, bebida).
hinchazón *f* **1** inchação. **2** (fig) inchaço, inchação (tumefacción).
hindú *adj/m y f* hindu, indiano.
hinduismo *m* hinduísmo.
hiniesta *f* esparto.
hinojo *m* funcho.
hipar *intr* **1** soluçar (tener hipo). **2** soluçar (resollar).
híper *m* (fam) hipermercado.
hipérbaton o **hipérbato** *m* GRAM hipérbato.
hipérbola *f* GEOM hipérbole.
hipérbole *f* RET hipérbole.
hiperespacio *m* hiperespaço.
hipermercado *m* hipermercado.
hipertexto *m* INF hipertexto.
hipertrofia *f* **1** MED hipertrofia (aumento). **2** (fig) hipertrofia (desarrollo).
hípica *f* hipismo.
hípico, ca *adj* hípico.
hipnosis *f* hipnose.
hipnotizador, ra *adj/m y f*
hipnotizar *tr* **1** hipnotizar. **2** (fig) hipnotizar (fascinar).
hipo *m* soluço.
hipoalérgico, ca o **hipoalergénico, ca** *adj* hipoalergênico.
hipocondría *f* MED hipocondria.
hipocondríaco, ca *adj/m y f* MED hipocondríaco.
hipocresía *f* hipocrisia.
hipócrita *adj/m y f* hipócrita.
hipodérmico, ca *adj* hipodérmico.
hipódromo *m* hipódromo.
hipófisis *f* ANAT hipófise.
hipopótamo *m* hipopótamo.
hipotálamo *m* ANAT hipotálamo.
hipoteca *f* hipoteca.
hipotecar *tr* **1** hipotecar. **2** (fig) hipotecar, comprometer.
hipotenusa *f* GEOM hipotenusa.
hipótesis *f* hipótese.
hipotético, ca *adj* hipótetico.
hippy *adj/m y f* hippie.
hirsuto, ta *adj* hirsuto.
hisopo *m* **1** hissopo (planta). **2** hissope (aspersorio).
hispánico, ca *adj* hispânico.
hispanidad *f* hispanidade.
hispanismo *m* **1** hispanismo (palabra, giro). **2** hispanismo (afición).
hispanista *m o f* hispanista.
hispano, na *adj/m y f* hispano, hispânico.
hispanoamericano, na *adj/m y f* hispano-americano.
hispanohablante *adj/m y f* hispanófono, hispanofalante.
histeria *f* MED histeria.
histerismo *m* **1** MED histerismo. **2** histerismo (nerviosismo).
histología *f* histologia.
historia *f* **1** história (narración, exposición). **2** história (disciplina, ciencia). **3** (fig, fam) história, papo-furado (pretexto). ◆ **~ clínica** histórico médico. ■ **pasar a la ~** (fig, fam) ficar na história.
historiador, ra *m y f* historiador.
historial *adj* **1** historial. ● *m* **2** histórico.
historicismo *m* historicismo.
histórico, ca *adj* **1** histórico. **2** histórico (digno, importante). **3** histórico (verdadero, real).
historieta *f* **1** historieta (anécdota). **2** historieta (viñeta).
hito, ta *adj* **1** contíguo. ● *m* **2** (fig) marco, acontecimento.
hobby *m* hobby, passatempo.
hocico *m* **1** focinho. **2** (fig, fam) focinho, fuça (cara). **3** (fam, fig) bico (mueca). **4** (fig, fam) beiço (boca).
hockey *m* hóquei.
hogaño *adv* (fam) ogano, este ano.
hogar *m* **1** lar (casa, domicilio). **2** lar, lareira.

hogareño, ña *adj* **1** caseiro (amante del hogar). **2** do lar.
hogaza *f* fogaça (pan).
hoguera *f* fogueira.
hoja *f* **1** folha (de planta). **2** folha (de madera, metal, papel). **3** folha (de libro, cuaderno). **4** folha (capa delgada). **5** lâmina (cuchilla). ♦ **~ de afeitar** lâmina de barbear; **~ de servicio** folha de serviço.
hojalata *f* lata, folha-de-flandres.
hojaldra *amb Amér.* ⇒ hojaldre.
hojaldre *amb* massa folheada.
hojarasca *f* **1** folhagem (hojas). **2** folhagem (frondosidad).
hojear *tr* folhear (libro, revista).
hojoso, sa *adj* frondoso.
¡hola! *interj* oi, olá.
holandés, sa *adj/m y f* **1** holandês. ● *m* **2** holandês (lengua).
holgado, da *adj* folgado (ancho).
holganza *f* folga, folgança.
holgar *intr* **1** folgar (descansar). **2** folgar (estar libre). **3** sobrar (ser inútil).
holgazán, na *adj/m y f* preguiçoso, malandro.
holgazanear *tr* preguiçar.
holgazanería *f* preguiça, folgança.
holgura *f* **1** folga (anchura, amplitud). **2** folga (diversión).
hollar *tr* pisotear (pisar).
hollejo *m* pele, casca.
hollín *m* fuligem.
holocausto *m* **1** holocausto (sacrificio). **2** (fig) holocausto (masacre).
hombre *m* **1** homem (ser humano). **2** homem (varón). **3** homem (adulto). ♦ **~ de edad** homem de idade; **~ del saco** bicho-papão; **~ de negocios** homem de negócios. ■ **de ~ a ~** de homem para homem.
hombrera *f* ombreira (de prenda de vestir).
hombría *f* hombridade.
hombro *m* **1** ANAT ombro. **2** ombro (de prenda de vestir). ■ **a o en hombros** nos ombros; **encogerse de hombros** (fig) dar de ombros.
hombruno, na *adj* (fam) masculino, masculinizado.
homenaje *m* **1** homenagem (acto). **2** (fig) preito, vassalagem.
homenajear *tr* homenagear.
homeopatía *f* MED homeopatia.
homicida *adj/m y f* homicida.
homicidio *m* homicídio.
homínido *adj/m y f* ZOOL hominídeo.
homogeneidad *f* homogeneidade, homogenia.
homogeneizar *tr* homogeneizar.
homogéneo, a *adj* homogêneo.
homógrafo, fa *adj* homógrafo.
homologación *f* **1** homologação (validación). **2** equiparação.
homologar *tr* **1** homologar (validar). **2** equiparar.
homólogo, ga *adj* homólogo (equivalente).
homónimo, ma *adj/m y f* homônimo (tocayo).
homosexual *adj/m y f* homossexual.
homosexualidad *f* homossexualidade.
honda *f* funda.
hondear *tr* **1** MAR sondar (examinar). **2** descarregar (embarcación).
hondo, da *adj* **1** fundo, profundo. **2** (fig) profundo, intenso.
hondonada *f* depressão, terreno baixo.
hondura *f* fundura, profundidade.
Honduras *f* Honduras.
hondureño, ña *adj/m y f* hondurenho.
honestidad *f* honestidade.
honesto, ta *adj* **1** honesto (decente, honrado). **2** honesto (recatado).
hongo *m* **1** fungo, cogumelo. **2** MED fungo, parasita.
honor *m* **1** honra (moralidad). **2** honra (reputación). **3** honra (honestidad, recato). ● **honores** *m pl* **4** honras (cargo, empleo). ■ **hacer ~ a algo** (fam) fazer jus a algo.
honorabilidad *f* honorabilidade.
honorable *adj* honorável.
honorario, ria *adj* **1** honorário (honorífico). ● **honorarios** *m pl* **2** honorários (remuneración).
honorífico, ca *adj* honorífico.
honoris causa *loc* honoris causa.
honra *f* **1** honra (dignidad). **2** honra (reputación). **3** honra (pudor, recato).
honradez *f* honradez.
honrado, da *adj* honrado (honesto).
honrar *tr* **1** honrar (respetar). **2** honrar (premiar). ● **~se** *pron* **3** honrar (enorgullecerse).
honroso, sa *adj* **1** honroso (honorable). **2** honroso (decente, digno).
hora *f* **1** hora (unidad de tiempo). **2** hora (momento). **3** hora (muerte). ● **horas** *f pl*

4 horas canônicas. ◆ ~ **de verano** hora de verão; ~ **oficial** hora oficial; ~ **punta** hora do rush, hora de pico. ■ **a la ~ de la verdad** (fig) na hora da verdade, na hora do vamos ver; **a última ~** (fig) na última hora; no final do dia; **dar o pedir la ~** dar ou pedir as horas.

horadar *tr* furar, perfurar.

horario, ria *adj* **1** horário, horal. • *m* **2** horário (planificación). **3** horário (jornada laboral). ◆ ~ **comercial** horário comercial; **huso ~** fuso horário.

horca *f* **1** forca (de ejecución). **2** forquilha (para apoyo).

horcajadas a ~ *loc adv* a cavalo, de pernas abertas.

horchata *f* orchata.

horchatería *f* loja de orchata.

horda *f* horda.

horizontal *adj* **1** horizontal. • *adj y f* **2** GEOM horizontal.

horizonte *m* **1** horizonte (línea, límite). **2** (fig) horizonte (posibilidades, perspectivas).

horma *f* forma (recipiente).

hormiga *f* formiga.

hormigón *m* concreto. ◆ ~ **armado** concreto armado.

hormigonera *f* betoneira.

hormiguear *intr* formigar, formiguejar.

hormigueo *m* formigamento (comezón).

hormiguero *m* **1** formigueiro (nido). **2** (fig) formigueiro (multitud).

hormona *f* BIOL hormônio.

hornacina *f* ARQ nicho, charola.

hornada *f* fornada.

hornalla *f Perú* fornalha (horno).

hornazo *m* rosca (torta, bollo).

hornear *tr* **1** enfornar, assar. • *intr* **2** fornear.

hornillo *m* fornilho.

horno *m* **1** forno (de fábrica, cocina). **2** (fam, fig) forno (lugar caliente). **3** (fam) panificadora. ◆ ~ **microondas** forno de microondas.

horóscopo *m* horóscopo (predicción, gráfico, signos).

horqueta *f* **1** forquilha (apoyo). **2** forquilha (del árbol).

horquilla *f* **1** grampo (de cabello). **2** forquilha (apoyo).

horrendo, da *adj* **1** horrendo (temible). **2** horrendo (muy feo).

hórreo *m* celeiro.

horrible *adj* **1** horrível (temible). **2** horrível (muy feo).

horripilante *adj* horripilante.

horripilar *tr y pron* horripilar.

horror *m* **1** horror (espanto). **2** horror (aversión). **3** (fig) (gralte pl) barbaridade, atrocidade.

horrorizar *tr y pron* horrorizar.

horroroso, sa *adj* **1** horroroso (temible). **2** horroroso (muy feo).

hortaliza *f* hortaliça.

hortelano, na *adj* **1** hortense, hortícola. • *m y f* **2** hortelão, hortaliceiro.

hortensia *f* hortênsia.

hortera *adj/m y f* (fam, desp) cafona, brega.

horticultor, ra *m y f* horticultor.

horticultura *f* horticultura.

hosco, ca *adj* **1** moreno, pardo. **2** rude, intratável.

hospedaje *f* **1** hospedagem (alojamiento, asistencia). **2** hospedagem (hospedería).

hospedar *tr y pron* hospedar (alojar).

hospedería *f* hospedaria, pensão.

hospedero, ra *m y f* hospedeiro, hospedador.

hospicio *m* **1** orfanato. **2** abrigo, asilo.

hospital *m* hospital. ◆ ~ **de sangre** MIL hospital de sangue.

hospitalario, ria *adj* **1** hospitaleiro (acogedor). **2** hospitalar.

hospitalidad *f* **1** hospitalidade (asistencia). **2** hospitalidade (buena acogida).

hospitalización *f* hospitalização.

hospitalizar *tr* hospitalizar.

hosquedad *f* **1** cor escura. **2** aspereza, mal humor.

hostal *m* hospedaria, pensão.

hostelería *f* hotelaria (sector).

hostelero, ra *adj/m y f* hoteleiro.

hostería *f* hospedaria, pousada.

hostia *f* **1** hóstia (para consagración). **2** (vulg) porrada. ■ **de la ~** (vulg) do caralho; **ser la ~** (fig, fam) ser o fim da picada.

hostigar *tr* **1** fustigar (azotar). **2** fustigar (incitar). **3** (fig) atormentar (perseguir, molestar).

hostil *adj* hostil.

hostilidad *f* **1** hostilidade. • **hostilidades** *f pl* **2** MIL enfrentamentos.

hotel *m* hotel.
hotelero, ra *adj/m y f* hoteleiro.
hoy *adv* **1** hoje (este día). **2** hoje (actualmente). • *m* **3** hoje. ▪ **de ~ a mañana** (fig, fam) da noite para o dia.
hoya *f* **1** cova, fossa. **2** concavidade, depressão.
hoyar *tr Chile, Cuba, Guat., Méx.* cavar buracos.
hoyo *m* **1** cova, buraco. **2** fossa, sepultura.
hoyuelo *m* covinha (de la barba, mejilla).
hoz *f* **1** foice (herramienta). **2** GEOG desfiladeiro.
huachafo, fa o **huachafoso, sa** *adj Perú* cafona.
huacho *m Ecuad.* sulco (en la tierra).
huaico *m Perú* deslizamento (de piedras).
hucha *f* **1** arca (caja). **2** cofre (alcancía).
hueco, ca *adj* **1** oco. **2** retumbante, ressonante (sonido, voz). **3** fofo, esponjoso. • *m* **4** vão, abertura. **5** cavidade, buraco.
huelga *f* greve. ♦ **~ de hambre** greve de fome.
huelguista *m o f* grevista.
huella *f* **1** pegada, pisada. **2** rastro, vestígio. **3** degrau de escada. ♦ **~ dactilar** impressão digital.
huérfano, na *adj/m y f* **1** órfão. • *adj* **2** (fig) órfão (carente).
huero, ra *adj* **1** choco, goro. **2** (fig) chocho (insustancial).
huerta *f* horta.
huertano, na *adj/m y f* sitiante, sitieiro.
huertero, ra *m y f Arg., Nic., Perú* hortelão, horteleiro.
huerto *m* pomar.
huesera *m Chile* ossária.
huesillo *m Amér. Merid.* pêssego seco ao sol.
hueso *m* **1** osso. **2** caroço (de frutas). **3** (fig, fam) osso duro de roer. • **huesos** *m pl* **4** ossos, restos mortais. ▪ **empapado hasta los huesos** (fig, fam) ensopado; **estar en los huesos** (fig, fam) estar pele e osso; **no poder uno con sus huesos** (fig, fam) estar um bagaço.
huésped, da *m y f* hóspede.
huesudo, da *adj* ossudo.
hueva *f* ova.
huevada *f Amér. Merid.* (vulg) asneira, besteira.
huevera **1** oveiro (recipiente). **2** caixa de ovos.
huevería *f loja de ovos.*
huevo *m* **1** ovo (alimento). **2** BIOL ovo. **3** (vulg) (gralte pl) ovos, saco. ♦ **~ de Colón** ovo de Colombo; **~ duro** ovo cozido. ▪ **costar un ~** (fig, fam) custar os olhos da cara; **por huevos** (fig) na marra; **tener huevos** (fig, vulg) ser corajoso; **tocarse los huevos** (fig, vulg) coçar o saco.
huevón, na *adj/m y f Amér.* (vulg) lesma, molenga.
¡huf! *interj* ufa!
huida *f* fuga.
huidizo, za *adj* **1** fugidio, fugidiço. **2** fugidio, fugaz.
huila *adj* **1** *Méx.* inválido. • *f* **2** *Chile* farrapo.
huinche *m Chile* guincho.
huir *tr, intr y pron* **1** fugir (escapar). • *intr* **2** (fig) huir (tiempo).
hule *m* **1** lona encerada, oleado. **2** borracha, caucho.
hulla *f* hulha.
humada *f* fumada, fumaça (para avisar).
humanidad *f* **1** humanidade (raza humana). **2** (fig) humanidade (sensibilidad, compasión).
humanitario, ria *adj* **1** humanitário, filantropo. **2** humanitário (bondadoso).
humanitarismo *m* humanitarismo.
humanización *f* humanização.
humanizar *tr y pron* humanizar, humanar.
humano, na *adj* **1** humano. **2** (fig) humano (solidario, comprensivo). • *m* **3** humano.
humareda *f* fumaceira.
humeante *adj* fumacento.
humear *intr y pron* **1** fumegar, fumear. • *intr* **2** fumegar, exalar vapores.
humedad *f* umidade.
humedecer *tr y pron* umedecer.
húmedo, da *adj* **1** úmido (acuoso). **2** úmido (mojado).
húmero *m* ANAT úmero.
humidificador *m* umidificador.
humildad *f* **1** humildade (virtud). **2** humildade, pobreza.
humilde *adj* humilde.
humillación *f* humilhação.
humillante *adj* humilhante.
humillar *tr y pron* **1** humilhar. • *tr* **2** curvar, inclinar (cabeza, cuerpo).

h

humo *m* **1** fumaça. **2** fumaça, vapor. • **humos** *m pl* **3** (fig) presunção. ▪ **echar ~** (fig, fam) soltar fumaça; **hacerse ~** (fig, fam) virar fumaça.
humor *m* **1** humor (estado de ánimo). **2** humor (jocosidad). **3** (fig) gênio, temperamento. ♦ **~ negro** humor negro. ▪ **tener un ~ de perros** (fig, fam) ter um gênio do cão.
humorada *f* brincadeira, graça.
humorismo *m* humorismo.
humorista *adj/m y f* humorista.
humorístico, ca *adj* humorístico.
humus *m* AGR humo, húmus.
hundimiento *m* afundamento.
hundir *tr y pron* **1** afundar, imergir. **2** (fig) desanimar. **3** (fig) desmoronar, desabar (construcción, edificio).
húngaro, ra *adj/m y f* **1** húngaro. • *m* **2** húngaro (lengua).
Hungría *f* Hungria.
huracán *m* furacão.
huracanado, da *adj* tempestuoso, forte.
huraño, ña *adj* esquivo, arredio.
hurgar *tr* **1** cutucar (herida, nariz). **2** escarafunchar (bolso, cajón).
hurguete *m Chile* esquadrinhador.
hurguetear *tr Amér.* esquadrinhar.
hurón *m* **1** furão. **2** (fig, fam) xereta, bisbilhoteiro.
huronear *intr* caçar com furão.
¡hurra! *interj* hurra!
hurtadillas a ~ *loc adv* às escondidas.
hurtar *tr* **1** furtar, roubar. • *tr y pron* **2** furtar, desviar (mirada, golpe).
hurto *m* furto, roubo.
husillo *m* **1** eixo. **2** esgoto.
husmear *tr* **1** farejar. • *tr e intr* **2** (fig, fam) sondar, fuçar.
huso *m* fuso.
¡huy! *interj* hui!, ui!
huyuyo, ya *adj Amér.* arisco, arredio.

Ii

i, I *f* i, I (letra). ◆ ~ **griega** ípsilon.
ibérico, ca *adj* **1** ibérico. ● *m* **2** ibero, ibérico (lengua).
ibero, ra o **íbero, ra** *adj/m y f* **1** ibero. ● *m* **2** ibero, ibérico (lengua).
iberoamericano, na *adj/m y f* iberoamericano.
ibídem *adv* ibidem.
iceberg *m* iceberg.
icono o **ícono** *m* **1** ícone (imagen). **2** ícone (signo).
iconoclasta *adj/m y f* iconoclasta.
iconografía *f* iconografia.
ictericia *f* MED icterícia.
ictiología *f* ictiologia.
ida *f* ida. ◆ **idas y venidas** idas e vindas.
idea *f* **1** idéia (noción). **2** idéia (imagen, representación). **3** idéia (conocimiento). **4** idéia (plan, intención). **5** idéia (concepto). **6** idéia (ingenio). **7** idéia (ocurrencia). **8** (fam) idéia (manía): *idea fija = idéia fixa.*
ideal *adj* **1** ideal (imaginario). **2** ideal (excelente, perfecto). ● *m* **3** ideal (modelo).
idealismo *m* **1** FIL idealismo. **2** idealismo (aptitud, disposición).
idealista *adj/m y f* **1** FIL idealista. **2** idealista, sonhador.
idealizar *tr* idealizar.
idear *tr* **1** idear (concebir). **2** idear (inventar).
ideario *m* ideário.
ideático, ca *adj Amér.* cheio de manias.
ídem *pron* idem.
idéntico, ca *adj/m y f* idêntico.
identidad *f* **1** identidade (personalidad). **2** identidade (igualdad, semejanza). **3** FIL, MAT identidade.
identificación *f* **1** identificação (reconocimiento). **2** identificação (documento).
identificar *tr y pron* **1** identificar (hacer idéntico). **2** identificar (reconocer). ● **~se** *pron* **3** identificar-se (solidarizarse).
ideograma *m* ideograma.
ideología *f* ideologia.
ideológico, ca *adj* ideológico.
ideólogo, ga *m y f* **1** ideólogo (pensador). **2** ideólogo (iluso, utópico).
idílico, ca *adj* idílico.
idilio *m* **1** idílio (poesía). **2** (fig) idílio, caso (aventura).
idioma *m* idioma (lengua).
idiosincrasia *f* idiossincrasia.
idiota *adj/m y f* **1** idiota (enfermo). **2** (fig) idiota, estúpido.
idiotez *f* **1** MED idiotice, idiotia. **2** (fig) idiotice (tontería).
ido, da *adj* maluco, tantã (chiflado).
idólatra *adj/m y f* **1** idólatra, idolátrico (pagano). **2** (fig) idólatra (entusiasta).
idolatría *f* **1** idolatria. **2** (fig) idolatria (devoción).
ídolo *m* **1** ídolo (imagen, figura). **2** ídolo (admirado): *ese actor es el ídolo de las chicas = esse ator é o ídolo das meninas.*
idoneidad *f* idoneidade.
idóneo, a *adj* idôneo.
iglesia *f* **1** igreja (congregación). **2** igreja (clero). **3** igreja (templo). ◆ ~ **católica** igreja católica. ■ **casarse por la ~** casar na igreja.
iglú *m* iglu.
ignición *f* ignição.
ignominia *f* ignomínia.
ignorancia *f* **1** ignorância (incultura). **2** ignorância (desconocimiento).
ignorar *tr* **1** ignorar (desconocer). **2** ignorar (desatender).
ignoto, ta *adj* ignoto.
igual *adj* **1** igual (parecido). **2** igual (proporcionado). ● *adj/m y f* **3** igual (semejante): *sólo se relacionaba con sus iguales = só relacionava-se com seus iguais.* ● *m* **4** MAT igual (signo) ● *adv* **5** igual, igualmente.
igualado, da *adj* igualado.
igualar *tr, intr y pron* **1** igualar (ajustar). ● *tr* **2** igualar (nivelar).
igualatorio, ria *adj* igualador.
igualdad *f* **1** igualdade (semejanza). **2** MAT igualdade.
igualitario, ria *adj* igualitário.
igualitarismo *m* igualitarismo.

iguana *f* iguana.
ijada *f* **1** flanco, ilharga. **2** dorso (del pez).
ilegal *adj* ilegal.
ilegalidad *f* ilegalidade.
ilegible *adj* ilegível.
ilegitimar *tr* tornar ilegítimo.
ilegitimidad *f* ilegitimidade.
ilegítimo, ma *adj* ilegítimo.
íleon *m* **1** ANAT íleo (intestino). **2** ANAT ⇒ ilion.
ileso, sa *adj* ileso.
iletrado, da *adj* iletrado.
ilícito, ta *adj* ilícito.
ilicitud *f* ilicitude.
ilimitado, da *adj* ilimitado.
ilion *m* ANAT ílio.
ilógico, ca *adj* ilógico.
iluminación *f* **1** iluminação (alumbramiento). **2** iluminação (adorno). **3** iluminação (esclarecimiento). **4** iluminação (conocimiento). **5** ART iluminação.
iluminado, da *adj/m y f* (gralte pl) iluminado (sectario).
iluminar *tr* **1** iluminar (alumbrar). **2** iluminar (adornar).
ilusión *f* **1** ilusão (espejismo). **2** ilusão (esperanza). **3** ilusão (complacencia).
ilusionar *tr y pron* **1** iludir, causar ilusão. • *tr* **2** contentar.
iluso, sa *adj/m y f* **1** iluso (seducido). **2** iluso (soñador).
ilusorio, ria *adj* **1** ilusório (engañoso). **2** ilusório, vão (nulo).
ilustración *f* **1** ilustração (decoración). **2** ilustração (dibujo, estampa). **3** ilustração (aclaración).
ilustrado, da *adj/m y f* **1** ilustrado (sabio, instruido). **2** ilustrado: *el pensamiento ilustrado = o pensamento ilustrado.*
ilustrar *tr y pron* **1** ilustrar (esclarecer). **2** (fig) ilustrar (instruir).
ilustrativo, va *adj* ilustrativo.
ilustre *adj* **1** ilustre (distinguido). **2** ilustre (célebre, famoso).
ilustrísimo, ma *adj* ilustríssimo.
imagen *f* **1** imagem (representación, figura). **2** imagem (estatua). **3** imagem (apariencia). ♦ **~ pública** imagem pública. ■ **ser la viva ~ de** (fig, coloq)
imaginación *f* **1** imaginação (facultad). **2** imaginação (fantasía, invención).
imaginar *tr y pron* **1** imaginar (inventar). **2** imaginar (suponer, presumir).
imaginaria *m* MIL sentinela.
imaginario, ria *adj* **1** imaginário, fictício. **2** imaginário, imagineiro (pintor).
imaginativo, va *adj* imaginativo.
imaginería *f* imaginária (imágenes sagradas).
imam *m* imame, imã.
imán *m* **1** ímã (mineral). **2** (fig) ímã (atracción).
imanación *f* imanação.
imantar o **imanar** *tr y pron* imantar, imanar.
imbancable *adj Arg., Ur.* (fam) insuportável, desagradável.
imbatible *adj* imbatível.
imbatido, da *adj* invicto.
imbécil *adj/m y f* imbecil.
imbecilidad *f* imbecilidade.
imberbe *adj* imberbe.
imbíbito, ta *adj Guat., Méx.* incluído, compreendido.
imborrable *adj* indelével.
imbuir *tr* imbuir (infundir).
imitable *adj* imitável.
imitación *f* imitação (copia, reproducción).
imitado, da *adj* imitado.
imitar *tr* **1** imitar (reproducir). **2** imitar (asemejarse).
impaciencia *f* impaciência.
impacientar *tr y pron* impacientar.
impaciente *adj* impaciente.
impactar *tr* **1** impactar (chocar). **2** impactar (impresionar).
impacto *m* **1** impacto (choque). **2** (fig) impacto (conmoción).
impago *m* calote.
impalpable *adj* impalpável.
impar *adj* **1** ímpar. • *adj y m* **2** MAT ímpar (número).
imparcial *adj/m y f* imparcial.
imparcialidad *f* imparcialidade.
impartir *tr* dar (comunicar): *impartir una clase = dar uma aula.*
impasible *adj* impassível.
impasse *m* impasse.
impavidez *f* impavidez.
impávido, da *adj* impávido.
impecable *adj* **1** impecável.
impedido, da *adj* **1** impedido. • *m y f* **2** deficiente físico.

impedimento *m* **1** impedimento, obstáculo. **2** DER impedimento.
impedir *tr* impedir.
impeler *tr* **1** impelir. **2** (fig) impelir (incitar).
impenetrable *adj* impenetrável.
impenitente *adj* impenitente.
impensable *adj* impensável.
impensado, da *adj* impensado.
imperar *intr* imperar (dominar).
imperativo, va *adj* **1** imperativo. • *adj y m* **2** GRAM imperativo.
imperceptible *adj* imperceptível.
imperdible *adj* **1** imperdível. • *m* **2** alfinete de segurança.
imperecedero, ra *adj* imperecível, imperecedouro.
imperfección *f* imperfeição.
imperfecto, ta *adj* **1** imperfeito. • *adj y m* **2** GRAM imperfeito.
imperial *adj* imperial.
imperialismo *m* **1** imperialismo (sistema monárquico). **2** imperialismo (expansionismo).
impericia *f* imperícia.
imperio *m* **1** império (poder, autoridad). **2** império (organización política). **3** império (cargo, tiempo).
imperioso, sa *adj* **1** imperioso (autoritario). **2** imperioso (indispensable, necesario).
impermeabilizar *tr* impermeabilizar.
impermeable *adj* **1** impermeável. • *m* **2** capa de chuva, impermeável.
impersonal *adj* **1** impessoal (inconcreto). **2** impessoal (poco original).
impertérrito, ta *adj* impertérrito.
impertinencia *f* **1** impertinência (importunidad). **2** impertinência (desvergüenza).
impertinente *adj* **1** impertinente (inoportuno). **2** impertinente (molesto). • *m o f* **3** impertinente (insolente).
imperturbable *adj* imperturbável.
ímpetu *m* **1** ímpeto (impulso). **2** ímpeto (fuerza, violencia).
impetuoso, sa *adj* **1** impetuoso (violento). **2** impetuoso (irreflexivo).
impiedad *f* impiedade.
impío, a *adj/m y f* **1** ímpio (sin piedad). **2** ímpio (irreligioso).
implacable *adj* implacável.
implantación *f* **1** implantação (establecimiento, introducción). **2** MED implantação.
implantar *tr* **1** implantar (encajar, plantar). **2** MED implantar (injertar).
implicar *tr y pron* **1** implicar (involucrar). • *tr* **2** (fig) implicar (significar, contener).
implícito, ta *adj* implícito.
imploración *f* imploração, súplica.
implorar *tr* implorar.
implosión *f* **1** implosão. **2** ASTR implosão.
impoluto, ta *adj* impoluto.
imponencia *f Chile, Col.* imponência.
imponente *adj* imponente (formidable).
imponer *tr y pron* impor (obligar).
imponible *adj* imponível.
impopular *adj* impopular.
importación *f* importação.
importador, ra *adj/m y f* importador.
importancia *f* **1** importância (valor, interés). **2** importância (categoría, influencia social).
importante *adj* importante.
importar *intr* **1** importar (convenir, interesar). • *tr* **2** importar (géneros, costumbres).
importe *m* importe, valor.
importunar *tr* importunar.
imposibilidad *f* impossibilidade.
imposibilitado, da *adj* **1** impossibilitado. • *adj/m y f* **2** tolhido, entrevado.
imposibilitar *tr* impossibilitar.
imposible *adj* impossível. ■ **hacer lo ~** (fig, fam) fazer o impossível.
imposición *f* imposição (obligación, exigencia).
impostor, ra *adj/m y f* **1** impostor, embusteiro. • *m y f* **2** impostor (suplantador).
impotencia *f* **1** impotência (falta de poder). **2** impotência (sexual).
impotente *adj* **1** impotente (débil, incapaz). • *adj y m* **2** impotente (sexual).
impracticable *adj* impraticável.
imprecación *f* imprecação (maldición).
imprecar *tr* imprecar (maldecir).
imprecisión *m* imprecisão.
impreciso, sa *adj* impreciso.
impregnar *tr y pron* **1** impregnar (empapar). • *tr* **2** (fig) impregnar (influir).
imprenta *f* **1** imprensa (tipografía). **2** imprensa (taller).
imprentar *tr Chile* passar a ferro (ropa).
imprescindible *adj* imprescindível.
impresentable *adj* inapresentável.

impresión *f* **1** impressão (marca). **2** impressão (obra impresa).
impresionable *adj* impressionável.
impresionante *adj* impressionante.
impresionar *tr* **1** impressionar (imagen, sonido). • *tr y pron* **2** impressionar (asombrar).
impresionismo *m* ART, LIT impressionismo.
impresionista *adj/m y f* ART, LIT impressionista.
impreso, sa *m* **1** impresso (libro, folleto). **2** impresso (formulario).
impresor, ra *adj* **1** impressor. • *m y f* **2** impressor (operario). **3** tipógrafo.
impresora *f* impressora.
imprevisible *adj* imprevisível.
imprevisto, ta *adj y m* imprevisto (inesperado).
imprimar *tr* imprimar.
imprimir *tr* **1** imprimir (reproducir). **2** imprimir (estampar, grabar). **3** (fig) imprimir, marcar (en el ánimo).
improbable *adj* improvável.
improbar *tr Amér.* reprovar, censurar.
ímprobo, ba *adj* ímprobo.
improcedente *adj* improcedente.
improductivo, va *adj* improdutivo.
impronta *f* marca, estigma.
improperio *m* impropério.
impropio, pia *adj* **1** impróprio (inadecuado). **2** atípico, impróprio.
improrrogable *adj* improrrogável.
improvisación *f* improvisação.
improvisar *tr* improvisar.
improviso, sa *adj* improviso. ■ **de ~** de improviso.
imprudencia *f* imprudência.
imprudente *adj* imprudente.
impúdico, ca *adj* impudico.
impudor *m* **1** impudor (desvergüenza). **2** impudor (cinismo).
impuesto, ta *adj* **1** imposto. • *m* **2** imposto.
impugnar *tr* **1** impugnar (refutar). **2** DER impugnar.
impulsar *tr* **1** impulsar, impulsionar. **2** impulsar (estimular).
impulsivo, va *adj/m y f* impulsivo (irreflexivo).
impulso *m* **1** impulso (empuje). **2** impulso (instigación). **3** (fig) impulso (deseo).
impune *adj* impune.
impunidad *f* impunidade.
impureza *f* **1** impureza (impuridad). **2** impureza (obscenidad).
impuro, ra *adj* impuro (poluto).
imputar *tr* imputar (inculpar).
in *adj* in (de moda).
inabordable *adj* inabordável.
inacabable *adj* inacabável.
inaccesibilidad *f* inacessibilidade.
inaccesible *adj* inacessível.
inacción *f* inação, inércia.
inaceptable *adj* inaceitável.
inactividad *f* inatividade (inacción).
inadaptación *f* inadaptação.
inadaptado, da *adj/m y f* inadaptado.
inadmisible *adj* inadmissível.
inadvertido, da *adj* inadvertido.
inaguantable *adj* insuportável.
inalámbrico, ca *adj/m y f* sem fio. ◆ **teléfono ~** telefone sem fio.
inalcanzable *adj* inalcançável.
inalienable *adj* inalienável.
inalterable *adj* inalterável.
inamovible *adj* inamovível.
inanición *f* inanição.
inanimado, da *adj* **1** inanimado (sin vida). **2** inanimado (sin alma).
inapelable *adj* **1** DER inapelável. **2** (fig) inevitável, irremediável.
inapetencia *f* inapetência.
inapetente *adj* inapetente.
inaplazable *adj* inadiável.
inaplicable *adj* inaplicável.
inapreciable *adj* inapreciável.
inapropiado, da *adj* inapropriado.
inasequible *adj* inacessível.
inasistencia *f* inassiduidade.
inaudito, ta *adj* inaudito.
inauguración *f* inauguração.
inaugurar *tr* **1** inaugurar (establecimiento). **2** inaugurar (estrenar).
inca *adj/m y f* inca.
incalificable *adj* **1** inqualificável (inclasificable). **2** inqualificável (vituperable).
incandescente *adj* incandescente.
incansable *adj* incansável.
incapacidad *f* **1** incapacidade, inaptidão. **2** DER incapacidade.
incapacitado, da *adj/m y f* incapacitado.
incapacitar *tr* incapacitar.
incapaz *adj/m y f* incapaz, inábil.
incautación *f* apreensão, confisco.
incautarse *pron* apreender, confiscar.

incauto, ta *adj* **1** incauto (imprudente). • *adj/m y f* **2** incauto (ingenuo).
incendiar *tr y pron* incendiar.
incendiario, ria *adj* **1** incendiário. **2** (fig) incendiário (escandaloso). • *m y f* **3** incendiário (pirómano).
incendio *m* **1** incêndio. **2** (fig) incêndio (pasión).
incentivar *tr* incentivar.
incentivo, va *adj y m* **1** incentivo (acicate). • *m* **2** ECON incentivo.
incertidumbre *f* incerteza.
incesto *m* incesto.
incestuoso, sa *adj/m y f* incestuoso.
incidencia *f* **1** incidência (suceso). **2** incidência (número de casos).
incidente *adj y m* **1** incidente (suceso). • *m* **2** incidente (pelea).
incidir *intr* **1** incidir, incorrer (en errores, faltas). **2** incidir (ocurrir).
incienso *m* incenso (resina).
incierto, ta *adj* **1** incerto (desconocido). **2** incerto (inconstante).
incinerar *tr* incinerar.
incisión *f* **1** MED incisão. **2** LIT cesura, pausa (del verso).
incisivo, va *adj* **1** incisivo (cortante). **2** (fig) incisivo (mordaz). • *adj y m* **3** incisivo (diente).
inciso, sa *adj* **1** inciso (cortado). • *m* **2** GRAM inciso.
incitar *tr* incitar.
incivil *adj* incivil, mal-educado.
incivilizado, da *adj* incivilizado.
inclemencia *f* **1** inclemência. **2** (fig) inclemência, rigor (del tiempo).
inclinación *f* **1** inclinação (reverencia). **2** (fig) inclinação (tendencia).
inclinar *tr y pron* **1** inclinar (encorvar). • **~se** *pron* **2** inclinar-se (tender, propender).
incluir *tr* **1** incluir (contener). **2** incluir (poner).
inclusión *f* inclusão.
inclusive *adv* inclusive.

> A diferencia del portugués, en español es incorrecto usar **inclusive** como sinónimo de **incluso**: *es una situación delicada, incluso peligrosa = é uma situação delicada, inclusive perigosa.*

inclusivo, va *adj* inclusivo.
incluso, sa *adj* **1** incluso, incluído. • *adv* **2** inclusive. • *prep* **3** inclusive, até: *invitamos a todo el mundo, incluso a los vecinos = convidamos todo mundo, inclusive os vizinhos.*
incoar *tr* incoar.
incógnita *f* MAT incógnita. ■ **despejar la ~** MAT isolar a incógnita.
incógnito, ta *adj y m* incógnito. ■ **de ~** incógnito.
incoherencia *f* incoerência.
incoherente *adj* incoerente.
incoloro, ra *adj* incolor.
incombustible *adj* **1** incombustível (calorífugo). **2** (fig) inesgotável.
incomodar *tr y pron* incomodar (molestar).
incomodidad *f* incomodidade.
incómodo, da *adj* **1** incômodo, desconfortável. **2** incômodo (molesto).
incomparable *adj* incomparável.
incomparecencia *f* não comparecimento.
incompatibilidad *f* **1** incompatibilidade (repulsión). **2** DER incompatibilidade.
incompatible *adj* incompatível.
incompetencia *f* incompetência.
incompetente *adj/m y f* incompetente.
incompleto, ta *adj* incompleto.
incomprendido, da *adj* **1** incompreendido. • *adj/m y f* **2** incompreendido (despreciado).
incomprensible o **incomprehensible** *adj* incompreensível.
incomprensión *f* incompreensão.
incomunicación *f* **1** incomunicação. **2** DER isolamento (de procesados, testigos).
incomunicado, da *adj/m y f* isolado (preso).
incomunicar *tr y pron* isolar (apartar).
inconcebible *adj* inconcebível.
inconcluso, sa *adj* inconcluso, inacabado.
incondicional *adj* **1** incondicional. • *m o f* **2** seguidor incondicional.
inconfesable *adj* inconfessável.
inconfundible *adj* inconfundível.
incongruencia *f* incongruência.
incongruente *adj* incongruente.
inconmensurable *adj* **1** incomensurável. **2** (fig) incomensurável (enorme).

inconsciencia *f* **1** inconsciência, desfalecimento. **2** inconsciência (irreflexión).
inconsciente *adj/m y f* **1** inconsciente, desfalecido. **2** inconsciente (irreflexivo). • *m* **3** PSIC inconsciente.
inconsecuencia *f* inconseqüência.
inconsecuente *adj/m y f* inconseqüente.
inconsideración *f* inconsideração.
inconsiderado, da *adj/m y f* inconsiderado.
inconsistencia *f* inconsistência.
inconstancia *f* inconstância.
inconstitucional *adj* inconstitucional.
incontable *adj* **1** incontável, incalculável. **2** inenarrável.
incontenible *adj* incontido, incontrolável.
incontestable *adj* incontestável.
incontinencia *f* incontinência.
incontrolado, da *adj/m y f* incontrolado, descontrolado.
inconveniencia *f* **1** inconveniência (incomodidad). **2** inconveniência (despropósito).
inconveniente *adj* **1** inconveniente. • *m* **2** inconveniente (impedimento). **3** inconveniente (desventaja).
incordiar *tr* perturbar, incomodar.
incordio *m* (fig, fam) perturbação, incômodo.
incorporación *f* **1** incorporação (agregación, integración). **2** incorporação, admissão (en cargo, función).
incorporar *tr* **1** incorporar (agregar). • *tr y pron* **2** erguer, tornar ereto (cabeza, cuerpo).
incorrección *f* incorreção.
incorrecto, ta *adj* incorreto.
incorregible *adj* incorrigível.
incorruptible *adj* incorruptível.
incorrupto, ta *adj* incorrupto.
incredulidad *f* **1** incredulidade (escepticismo). **2** incredulidade (falta de fe).
incrédulo, la *adj/m y f* incrédulo.
increíble *adj* incrível, inacreditável.
incrementar *tr y pron* incrementar.
incremento *m* **1** incremento, aumento. **2** GRAM declinação (de género, número, grado).
increpar *tr* increpar.
incriminar *tr* incriminar (acusar, imputar).
incruento, ta *adj* incruento.
incrustación *f* **1** incrustação (engaste). **2** incrustação (adorno).
incrustar *tr* incrustar.
incubadora *f* **1** incubadora, chocadeira (aparato, local). **2** incubadora (para niños).
incubar *intr* **1** incubar, chocar (huevos). • **~se** *pron* **2** (fig) incubar (enfermedad).
incuestionable *adj* inquestionável.
inculcar *tr* (fig) inculcar.
inculpar *tr* inculpar.
inculto, ta *adj* **1** inculto (tierra). • *adj/m y f* **2** (fig) inculto (ignorante).
incultura *f* incultura.
incumbencia *f* incumbência.
incumbir *intr* incumbir (competer).
incumplir *tr* descumprir.
incurable *adj/m y f* **1** incurável (insanable). • *adj* **2** (fig) inveterado, incorrigível.
incurrir ~ en *intr* incorrer em (culpa, error, castigo).
incursión *f* MIL incursão.
incursionar *intr* MIL incursionar.
indagación *f* indagação.
indagar *tr* indagar.
indebido, da *adj* indevido.
indecencia *f* indecência.
indecente *adj* indecente (indecoroso).
indecible *adj* indizível.
indecisión *f* indecisão.
indeciso, sa *adj/m y f* indeciso.
indefectible *adj* indefectível.
indefenso, sa *adj* indefeso.
indefinido, da *adj* **1** indefinido (impreciso). **2** GRAM indefinido (artículo, pronombre). **3** GRAM perfeito (pretérito).
indeleble *adj* indelével.
indemnización *f* **1** indenização (compensación). **2** indenização, abono.
indemnizar *tr y pron* indenizar.
independencia *f* independência (autonomía).
independiente *adj* **1** independente (libre). **2** independente (autónomo).
independizar *tr y pron* independentizar.
indescifrable *adj* indecifrável.
indescriptible *adj* indescritível.
indeseable *adj/m y f* indesejável.
indestructible *adj* indestrutível.
indeterminado, da *adj* **1** indeterminado (impreciso). **2** GRAM indeterminado (artículo, pronombre).

India *f* Índia.
indicación *f* **1** indicação (señal). **2** indicação (consejo).
indicador, ra *adj y m* indicador.
indicar *tr* **1** indicar (mostrar). **2** indicar, receitar.
indicativo, va *adj* **1** indicativo. • *adj y m* **2** GRAM indicativo.
índice *adj y m* **1** índice (dedo). • *m* **2** índice (lista). **3** índice, indício. **4** MAT índice, expoente. ♦ **~ de natalidad** índice de natalidade.
indicio *m* **1** indício (señal). **2** indício, vestígio.
indiferencia *f* indiferença.
indiferente *adj* indiferente.
indígena *adj/m y f* indígena.
indigencia *f* indigência.
indigenismo *m* indigenismo.
indigente *adj/m y f* indigente.
indigestarse *pron* **1** indigestar-se. **2** (fig) não engolir.
indigestión *f* indigestão.
indigesto, ta *adj* **1** indigesto. **2** (fig) indigesto (confuso).
indignación *f* indignação.
indignar *tr y pron* indignar, irritar.
indigno, na *adj* **1** indigno, desmerecedor. **2** indigno, impróprio.
índigo *m* índigo (color).
indio, dia *adj/m y f* **1** índio, indiano. **2** índio, indígena. • *m* **3** QUÍM índio.
indirecta *f* (fam) indireta.
indirecto, ta *adj* **1** indireto. **2** GRAM indireto.
indisciplina *f* indisciplina.
indisciplinarse *pron* indisciplinar-se, rebelar-se.
indiscreción *f* **1** indiscrição, inconveniência. **2** (fig) indiscrição, bisbilhotice.
indiscreto, ta *adj/m y f* indiscreto.
indiscutible *adj* indiscutível.
indisoluble *adj* indissolúvel.
indispensable *adj* indispensável, imprescindível.
indisponer *tr y pron* **1** indispor, desfazer. **2** indispor, malquistar. **3** indispor, adoentar.
indisposición *f* **1** indisposição, mal-estar. **2** indisposição, briga.
indispuesto, ta *adj* indisposto, adoentado.
individual *adj* **1** individual, próprio. **2** individual, exclusivo.
individualizar *tr* individualizar, particularizar.
individuo, dua *adj* **1** indivíduo (indivisible). • *m* **2** indivíduo (ser). • *m y f* **3** (desp) indivíduo (persona despreciable).
indocumentado, da *adj/m y f* **1** indocumentado. **2** (fig) desinformado.
índole *f* **1** índole, temperamento. **2** índole, natureza.
indolente *adj/m y f* **1** indolente, preguiçoso. **2** indolente, indiferente.
indomable *adj* **1** indomável, indomesticável. **2** (fig) indomável, inflexível.
indómito, ta *adj* **1** indômito. **2** (fig) indômito (irrefrenable).
Indonesia *f* Indonésia.
indonesio, sia *adj/m y f* **1** indonésio. • *m* **2** indonésio (lengua).
inducción *f* indução.
inducir *tr* **1** induzir, provocar. **2** FIL induzir, inferir. **3** FÍS induzir, produzir.
inductor, ra *adj/m y f* **1** indutor, induzidor. • *m* **2** FÍS indutor.
indudable *adj* induvidoso, certo.
indulgencia *f* **1** indulgência (clemencia). **2** REL indulgência.
indulgente *adj* indulgente.
indultar *tr* **1** indultar, perdoar. • **~se** *pron* **2** *Bol.* intrometer-se.
indulto *m* indulto.
indumentaria *f* indumentária.
indumentario, ria *adj* indumentário.
industria *f* **1** indústria (actividad económica). **2** indústria, fábrica. **3** indústria (sector).
industrial *adj* **1** industrial. • *m* **2** industrial (propietario).
industrializar *tr y pron* industrializar.
industrioso, sa *adj* **1** industrioso (trabajador). **2** industrioso (habilidoso).
inédito, ta *adj/m y f* **1** inédito (obra). • *adj* **2** inédito, novo.
inefable *adj* inefável, indescritível.
ineficacia *f* ineficácia.
ineficaz *adj* ineficaz.
ineludible *adj* ineludível.
inenarrable *adj* inenarrável.
ineptitud *f* ineptidão.
inepto, ta *adj/m y f* **1** inepto (no apto). **2** inepto (necio).
inequívoco, ca *adj* inequívoco.
inercia *f* **1** inércia (inacción). **2** FÍS inércia.

inerme *adj* **1** inerme, desarmado. **2** BIOL inerme, mútico.
inerte *adj* **1** inerte (inactivo). **2** (fig) inerte (desidioso).
inesperado, da *adj* inesperado.
inestabilidad *f* instabilidade.
inestable *adj* **1** instável (inconstante). **2** (fig) instável, inseguro.
inestimable *adj* inestimável, incalculável.
inevitable *adj* inevitável.
inexacto, ta *adj* inexato.
inexcusable *adj* inescusável.
inexorable *adj* inexorável.
inexperiencia *f* inexperiência.
inexperto, ta *adj/m y f* inexperto, inexperiente.
inexpresivo, va *adj* inexpressivo.
inexpugnable *adj* **1** inexpugnável, inconquistável. **2** (fig) inexpugnável, invencível.
inextinguible *adj* inextinguível.
inextricable *adj* inextricável.
infalibilidad *f* infalibilidade.
infalible *adj* infalível.
infalsificable *adj* infalsificável.
infame *adj/m y f* **1** infame (deshonrado). • *adj* **2** infame (vil).
infamia *f* **1** infâmia (deshonra). **2** infâmia (vileza).
infancia *f* **1** infância (período). **2** infância (niños).
infante, ta *m y f* **1** infante. • *m* **2** infante (soldado).
infantería *f* MIL infantaria.
infanticidio *m* infanticídio.
infantil *adj* **1** infantil. **2** (fig) infantil, ingênuo. • *adj/m y f* **3** DEP infantil.
infarto *m* MED infarto, infarte.
infatigable *adj* infatigável, incansável.
infección *f* infecção.
infeccioso, sa *adj* infeccioso.
infectar *tr y pron* **1** infectar, infeccionar. • *tr* **2** INF (fig) infectar, contaminar.
infecto, ta *adj* infecto.
infeliz *adj/m y f* **1** infeliz (desgraciado). **2** infeliz (aciago).
inferior *adj* **1** inferior (de abajo): *vive en el piso inferior = mora no andar inferior.* **2** inferior (menor): *mi dominio de portugués es inferior al tuyo = meu domínio de português é inferior ao seu.* • *adj/m y f* **3** inferior, subordinado.
inferioridad *f* inferioridade.
inferir *tr* **1** inferir, deduzir. **2** ferir.
infernal *adj* **1** infernal. **2** (fig) infernal (perjudicial, desagradable).
infestar *tr y pron* infestar.
infidelidad *f* infidelidade.
infiel *adj/m y f* **1** infiel (desleal). **2** infiel (impío).
infierno *m* **1** REL inferno. **2** (fig, fam) inferno, balbúrdia.
infiltración *f* infiltração, infiltramento (de líquido).
infiltrar *tr y pron* **1** infiltrar (líquido). • **~se** *pron* **2** infiltrar (idea, espía, tropa).
ínfimo, ma *adj* ínfimo.
infinidad *f* **1** infinidade. **2** infinidade (gran cantidad).
infinitesimal *adj* MAT infinitesimal.
infinitivo *adj y m* GRAM infinitivo.
infinito, ta *adj* **1** infinito. • *m* **2** MAT infinito.
inflación *f* **1** inflação, inchação. **2** ECON inflação.
inflacionario, ria *adj* ECON inflacionário.
inflamable *adj* inflamável.
inflamación *f* **1** inflamação (combustión). **2** MED inflamação (hinchazón).
inflamar *tr y pron* **1** inflamar, queimar. • **~se** *pron* **2** MED inflamar-se.
inflamatorio, ria *adj* MED inflamatório.
inflar *tr y pron* **1** inflar (hinchar). • *tr* **2** (fig) inflar (ensoberbecer). **3** (fig) aumentar, exagerar (noticia, información).
inflexibilidad *f* inflexibilidade.
inflexible *adj* **1** inflexível. **2** (fig) inflexível, austero.
inflexión *f* **1** inflexão (de una curva). **2** inflexão (entonación).
infligir *tr* **1** infligir (castigo). **2** infligir (daño).
influencia *f* **1** influência (efecto). **2** influência (poder, autoridad).
influenciar *tr* ⇒ influir.
influir *tr e intr* **1** influir, influenciar. **2** (fig) influir (estimular).
influjo *m* **1** influxo, influência. **2** influxo, preamar.
influyente *adj* influente.
información *f* **1** informação (noticia, dato). **2** informação, comunicação: *libertad de información = liberdade de informação.*

informador, ra *adj/m y f* **1** informador, informante. • *m y f* **2** jornalista.
informal *adj/m y f* informal.
informalidad *f* informalidade.
informar *tr y pron* **1** informar (enterar). • *intr* **2** informar, cientificar.
informática *f* informática.
informático, ca *adj* **1** informático. • *adj/m y f* **2** analista de sistemas.
informativo, va *adj* **1** informativo. • *m* **2** RAD, TV noticiário.
informatizar *tr* informatizar.
informe *adj* **1** informe, disforme. • *m* **2** informe (información).
infortunio *m* **1** infortúnio, adversidade. **2** infortúnio (desdicha).
infracción *f* infração.
infraestructura *f* infra-estrutura.
infraganti *loc adv* em flagrante.
infrahumano, na *adj* subumano.
infranqueable *adj* infranqueável.
infrarrojo, ja *adj y m* FÍS infravermelho.
infravalorar *tr* subestimar, subvalorizar.
infringir *tr* infringir, transgredir.
infructuoso, sa *adj* infrutífero, inútil.
infumable *adj* infumável.
infundio *m* mentira, notícia falsa.
infundir *tr* **1** (fig) infundir, incutir (sentimiento, idea). **2** REL (fig) infundir, insuflar (vida, ánimo).
infusión *f* **1** chá (bebida). **2** QUÍM infusão.
infuso, sa *adj* infuso (conocimiento, don): *ciencia infusa = ciência infusa.*
ingeniar *tr* **1** engenhar, inventar. • **~se** *pron* **2** arranjar-se (apañarse).
ingeniería *f* engenharia.
ingeniero, ra *m y f* engenheiro.
ingenio *m* **1** engenho (talento). **2** engenho (invento). **3** engenho, criação.
ingeniosidad *f* engenhosidade.
ingenioso, sa *adj* engenhoso.
ingente *adj* ingente.
ingenuidad *f* **1** ingenuidade (buena fe). **2** ingenuidade (inocencia).
ingenuo, nua *adj* ingênuo.
ingerir *tr* ingerir, engolir.
ingestión *f* ingestão.
ingle *f* virilha.
inglés, sa *adj/m y f* **1** inglês. • *m* **2** inglês (lengua).
ingobernable *adj* ingovernável.
ingratitud *f* ingratidão.
ingrato, ta *adj/m y f* **1** ingrato (desagradecido). • *adj* **2** ingrato (desagradable).
ingravidez *f* **1** leveza. **2** falta de gravidade (atracción terrestre).
ingrávido, da *adj* **1** sem gravidade (atracción terrestre). **2** leve.
ingrediente *m* ingrediente.
ingresar *intr* **1** ingressar, entrar. **2** internar, hospitalizar.
ingreso *m* **1** ingresso, entrada. **2** ingresso, admissão. **3** depósito (dinero).
íngrimo, ma *adj Amér.* abandonado, sozinho.
inhábil *adj* **1** inábil, inabilidoso. **2** DER inábil, incapaz.
inhabilidad *f* inabilidade.
inhabilitar *tr* inabilitar, incapacitar.
inhabitable *adj* inabitável.
inhalación *f* inalação.
inhalador *m* MED inalador.
inhalar *tr* MED inalar.
inherencia *f* inerência.
inherente *adj* inerente.
inhibición *f* **1** inibição (impedimiento). **2** PSIC inibição (timidez).
inhibir *tr y pron* **1** inibir (reprimir). **2** MED inibir.
inhospitalario, ria *adj* inospitaleiro: *hostalero inhospitalario = hospedeiro inospitaleiro.*
inhóspito, ta *adj* inóspito: *caserón inhóspito = casão inóspito, clima inhóspito = clima inóspito.*
inhumano, na *adj* inumano.
inhumar *tr* inumar.
iniciación *f* **1** iniciação (comienzo). **2** iniciação (ceremonia).
inicial *adj* **1** inicial. • *adj y f* **2** inicial (letra).
iniciar *tr* **1** iniciar (comenzar). **2** iniciar (admitir).
iniciativa *f* **1** iniciativa (propuesta). **2** iniciativa (decisión, determinación): *es un joven con iniciativa = é um jovem de iniciativa.*
inicio *m* início, começo.
inicuo, cua *adj* **1** iníquo (injusto). **2** iníquo (malvado).
inigualado, da *adj* ímpar, incomparável.
inimaginable *adj* inimaginável.
iniquidad *f* iniqüidade.
injerencia *f* ingerência.
injertar *tr* AGR enxertar.

injerto *m* enxerto (de plantas).
injuria *f* **1** injúria (agravio). **2** injúria (injusticia).
injuriar *tr* **1** injuriar (agraviar). **2** injuriar (dañar).
injurioso, sa *adj* injurioso.
injusticia *f* injustiça.
injustificable *adj* injustificável.
injustificado, da *adj* injustificado.
injusto, ta *adj/m y f* injusto.
inmaculado, da *adj* imaculado.
inmadurez *f* imaturidade.
inmancable *adj Col., P. Rico, R. Dom.* infalível.
inmanencia *f* imanência.
inmaterial *adj* imaterial.
inmediación *f* imediação (contigüidad).
inmediato, ta *adj* **1** imediato (contiguo). **2** imediato (enseguida).
inmejorable *adj* perfeito, insuperável.
inmemorial *adj* imemorial.
inmensidad *f* imensidade, imensidão.
inmenso, sa *adj* **1** imenso (ilimitado). **2** (fig) imenso (enorme).
inmerecido, da *adj* imerecido.
inmersión *f* **1** imersão (en líquido). **2** (fig, fam) imersão (en cultura, estudio).
inmerso, sa *adj* **1** imerso (sumergido). **2** (fig) imerso (concentrado, ensimismado).
inmigración *f* imigração.
inmigrante *adj/m y f* imigrante.
inmigrar *intr* imigrar.
inminencia *f* iminência.
inminente *adj* iminente.
inmiscuir *tr* misturar, mesclar.
inmobiliaria *f* imobiliária (empresa).
inmobiliario, ria *adj* imobiliário.
inmoderado, da *adj* imoderado.
inmodestia *f* imodéstia.
inmolar *tr y pron* **1** imolar (sacrificar). • **~se** *pron* **2** (fig) imolar-se (sacrificarse, renunciar).
inmoral *adj* imoral.
inmoralidad *f* **1** imoralidade (falta de moralidad). **2** imoralidade (dicho, hecho).
inmortal *adj* **1** imortal (imperecedero). **2** (fig) imortal (permanente).
inmortalidad *f* imortalidade (eternidad).
inmortalizar *tr y pron* imortalizar.
inmóvil *adj* **1** imóvel (parado). **2** (fig) imóvel (firme, invariable).
inmovilidad *f* imobilidade.
inmovilista *adj/m y f* imobilista.
inmovilizar *tr y pron* **1** imobilizar (parar). • *tr* **2** DER imobilizar.
inmueble *adj* **1** imóvel (bien). • *m* **2** imóvel (casa, edificio).
inmundicia *f* **1** imundícia, imundice. **2** (fig) sujeira (deshonestidad).
inmundo, da *adj* **1** imundo (sucio). **2** (fig) imundo (impuro).
inmune *adj* **1** imune (exento). **2** imune (inafectado).
inmunidad *f* **1** imunidade (privilegio). **2** BIOL, MED imunidade.
inmunizar *tr* imunizar.
inmutabilidad *f* imutabilidade.
inmutable *adj* imutável.
inmutar *tr* **1** alterar, transmutar. • **~se** *pron* **2** alterar-se, perturbar-se: *cuando leyó la trágica noticia ni se inmutó = quando leu a trágica notícia nem se alterou.*
innato, ta *adj* inato.
innovación *f* **1** inovação (cambio). **2** inovação (creación).
innovar *tr* inovar.
innumerable *adj* **1** inumerável (incontable). **2** inumerável (abundante).
inocencia *f* **1** inocência (ingenuidad). **2** inocência (candor).
inocentada *f* trote (broma).
inocente *adj/m y f* **1** inocente (exculpado). **2** inocente (ingenuo). **3** inocente (niño).
inocular *tr y pron* **1** MED inocular (transmitir). **2** (fig) inocular (contaminar, pervertir).
inocuo, cua *adj* inócuo.
inodoro, ra *adj* **1** inodoro. • *adj y m* **2** vaso sanitário.
inofensivo, va *adj* inofensivo.
inolvidable *adj* inesquecível, memorável.
inoperante *adj* inoperante.
inopia *f* inópia.
inopinado, da *adj* inopinado.
inoportuno, na *adj* inoportuno.
inorgánico, ca *adj* **1** inorgânico. **2** (fig) desorganizado.
inoxidable *adj* inoxidável.
input *m* **1** ECON insumo, input. **2** INF entrada, input.
inquebrantable *adj* inquebrantável.

inquietante *adj* inquietante.
inquietar *tr y pron* inquietar.
inquieto, ta *adj* **1** inquieto (travieso). **2** (fig) inquieto (activo, emprendedor).
inquietud *f* **1** inquietude (desasosiego). **2** inquietude (alboroto).
inquilinato *m* **1** inquilinato (arriendo). **2** inquilinato (derecho adquirido). **3** inquilinato (tributo).
inquilino, na *m y f* **1** inquilino (arrendatario). **2** *Amér.* habitante.
inquina *f* aversão.
inquirir *tr* inquirir.
inquisición *f* **1** inquisição, inquirição. **Inquisición 2** Inquisição (tribunal eclesiástico).
inquisidor, ra *adj/m y f* **1** inquisidor (inquiridor). • *m* **2** inquisidor (juez).
inri (*acrónimo de* **Iesus Nazarenus Rex Iudaeórum**) *m* (fig) afronta, agravo. ■ **para mayor ~** (fig, fam) para piorar.
insaciable *adj* insaciável.
insalubre *adj* insalubre.
insalvable *adj* irremediável.
insano, na *adj* **1** insano (loco). **2** insalubre (perjudicial).
insatisfacción *f* insatisfação.
insatisfecho, cha *adj* insatisfeito.
inscribir *tr y pron* **1** inscrever (apuntar). • *tr* **2** inscrever (grabar).
inscripción *f* **1** inscrição (matrícula, registro). **2** inscrição (grabado, letrero).
inscrito, ta *adj* **1** inscrito. **2** GEOM inscrito.
insecticida *adj y m* inseticida.
insectívoro, ra *adj/m y f* insetívoro (animales, plantas).
insecto *adj y m* **1** inseto. • **insectos** *m pl* **2** ZOOL insetos.
inseguridad *f* insegurança, inseguridade.
inseguro, ra *adj* inseguro.
inseminación *f* BIOL inseminação.
inseminar *tr* inseminar.
insensatez *f* insensatez (necedad).
insensato, ta *adj/m y f* insensato.
insensibilidad *f* **1** insensibilidade. **2** (fig) insensibilidade (dureza).
insensibilizar *tr y pron* insensibilizar.
insensible *adj* **1** insensível, imperceptível. **2** (fig) insensível (duro).
inseparable *adj* **1** inseparável (indivisible). **2** (fig) inseparável (por amor, amistad).
inserción *f* inserção (introducción).
insertar *tr* inserir (texto, artículo).
inservible *adj* inservível.
insidia *f* (gralte pl) insídia.
insidioso, sa *adj/m y f* **1** insidioso. • *adj* **2** MED insidioso.
insigne *adj* insigne.
insignia *f* **1** insígnia (distintivo honorífico). **2** insígnia (bandera, estandarte).
insignificancia *f* insignificância.
insignificante *adj* insignificante.
insinuación *f* insinuação.
insinuar *tr y pron* insinuar (dar a entender).
insípido, da *adj* **1** insípido (desaborido). • *adj/m y f* **2** (fig) insípido, sem graça.
insistencia *f* insistência.
insistente *adj* insistente.
insistir *intr* **1** insistir (instar, repetir). **2** insistir (perseverar).
insobornable *adj* insubornável, incorruptível.
insolación *f* **1** insolação (exposición). **2** insolação (malestar).
insolencia *f* **1** insolência (descaro). **2** insolência (ofensa).
insolente *adj/m y f* **1** insolente (arrogante). • *adj* **2** insolente (desvergonzado).
insólito, ta *adj* insólito.
insoluble *adj* **1** insolúvel (sustancia). **2** insolúvel (irresoluble).
insolvencia *f* insolvência, inadimplência.
insolvente *adj/m y f* insolvente, inadimplente.
insomne *adj* insone.
insomnio *m* insônia.
insondable *adj* **1** insondável. **2** (fig) insondável, inexplicável.
insonorizar *tr* insonorizar.
insonoro, ra *adj* insonoro, silencioso.
insoportable *adj* **1** insuportável (insufrible). **2** (fig) insuportável (molesto).
insospechado, da *adj* insuspeitado, inesperado.
insostenible *adj* insustentável, insuportável.
inspección *f* inspeção, vistoria (examen).
inspeccionar *tr* inspecionar, vistoriar.
inspector, ra *adj* **1** inspetor. • *m y f* **2** inspetor, fiscal.
inspiración *f* **1** inspiração (aspiración). **2** (fig) inspiração (numen).

inspirador, ra *adj* **1** ANAT inspirador, inspiratório. • *adj/m y f* **2** inspirador (influenciador).
inspirar *tr e intr* **1** inspirar (aire). • *tr y pron* **2** (fig) inspirar (estimular, sugerir).
instalación *f* **1** instalação (colocación). **2** instalação (cables, aparatos, conducciones). **3** (gralte pl) instalação (recinto, lugar).
instalar *tr y pron* **1** instalar (cargo, función). • *tr* **2** instalar, montar (conductos, aparatos). • **~se** *pron* **3** instalar-se, alojar-se.
instancia *f* **1** instância (petición). **2** instância (documento). **3** DER instância, jurisdição.
instantánea *f* instantâneo (fotografía).
instantáneo, a *adj* **1** instantâneo (momentáneo). **2** instantâneo (alimento).
instante *m* instante, momento. ■ **al ~** imediatamente.
instar *tr* **1** instar (insistir). • *intr* **2** instar (urgir).
instaurar *tr* instaurar (establecer).
instigador, ra *adj/m y f* instigador.
instigar *tr* instigar.
instinto *m* **1** instinto (impulso): *instinto reproductor = instinto reprodutor*. **2** instinto (intuición).
institución *f* **1** instituição (instauración). **2** instituição (organismo).
institucionalizar *tr y pron* institucionalizar.
instituir *tr* **1** instituir (fundar, establecer). **2** instituir (nombrar).
instituto *m* **1** instituto (corporación). **2** escola, instituto. ♦ **~ de secundaria** científico.
institutriz *f* governanta, explicadora.
instrucción *f* **1** instrução, ensino. **2** instrução, cultura.
instructivo, va *adj* instrutivo, educativo.
instruir *tr y pron* **1** instruir (informar). • *tr* **2** instruir, ensinar.
instrumental *adj* **1** instrumental. • *m* **2** instrumental, instrumentária.
instrumento *m* **1** instrumento (herramienta). **2** (fig) instrumento, meio. **3** MÚS instrumento. ♦ **~ de viento** MÚS instrumento de sopro.
insubordinado, da *adj/m y f* insubordinado.
insubordinar *tr y pron* insubordinar.
insuficiencia *f* **1** insuficiência (escasez, carencia). **2** insuficiência, incompetência.
insuficiente *adj* **1** insuficiente. • *m* **2** nota vermelha (en educación).
insufrible *adj* insofrível, insuportável.
ínsula *f* ínsula, ilha.
insular *adj/m y f* insular.
insulina *f* BIOQ insulina.
insulso, sa *adj* **1** insulso, insosso. **2** (fig) insulso, sem graça.
insultada *f Amér.* insulto.
insultante *adj* insultante, insultuoso.
insultar *tr* insultar, ofender.
insulto *m* insulto, ofensa.
insumir *tr* ECON investir, aplicar.
insumisión *f* insubmissão.
insumiso, sa *adj/m y f* insubmisso, rebelde.
insuperable *adj* insuperável.
insurgente *adj/m y f* insurgente.
insurrección *f* insurreição.
insurrecionar *tr y pron* insurrecionar, insurgir.
insurrecto, ta *adj/m y f* insurreto, insurgente.
intachable *adj* irrepreensível.
intacto, ta *adj* **1** intacto. **2** (fig) intacto, íntegro.
intangible *adj* intangível.
integración *f* **1** integração (incorporación). **2** integração (composición).
integral *adj* **1** integral (completo). **2** integral (alimento).
integrar *tr y pron* **1** integrar (incorporar). • *tr* **2** integrar (contribuir).
integridad *f* integridade.
integrismo *m* integrismo.
íntegro, gra *adj* **1** íntegro (entero). **2** (fig) íntegro (honrado, recto).
intelecto *m* intelecto.
intelectual *adj* **1** intelectual, mental. • *adj/m y f* **2** intelectual.
inteligencia *f* **1** inteligência (facultad). **2** inteligência (entendimiento).
inteligente *adj/m y f* inteligente.
inteligible *adj* **1** inteligível (comprensible). **2** FIL inteligível.
intemperie *f* intempérie.
intempestivo, va *adj* intempestivo.
intención *f* **1** intenção (propósito). **2** intenção (voluntad).
intencionado, da *adj* intencionado, proposital.

intencional *adj* intencional (deliberado).
intendencia *f* **1** intendência (administración). **2** intendência (cargo). **3** intendência (oficina, sala).
intendente *m* intendente (administrador).
intensidad *f* **1** intensidade (fuerza). **2** (fig) intensidade (vehemencia).
intensificar *tr y pron* intensificar.
intenso, sa *adj* **1** intenso (fuerte). **2** intenso (vehemente).
intentar *tr* **1** tentar (probar): *lo intentó pero no pudo = tentou mas não pôde*. **2** tentar, diligenciar.
intento *m* tentativa. ◆ ~ **de asesinato** tentativa de assassinato.
intentona *f* intentona.
interactivo, va *adj* **1** interativo. **2** INF interativo: *programa interactivo = programa interativo.*
interandino, na *adj Amér.* entre regiões andinas.
intercalar *tr* intercalar.
intercambiar *tr* intercambiar.
intercambio *m* intercâmbio.
interceder *intr* interceder.
interceptar *tr* **1** interceptar, deter (cargamento, mensaje). **2** interceptar, obstruir (camino, vía).
intercesión *f* intercessão.
interés *m* **1** interesse (utilidad). **2** interesse (importancia). **3** interesse (inclinación). **4** ECON juro. • **intereses** *m pl* **5** bens.
interesado, da *adj/m y f* **1** interessado (motivado). **2** interesseiro (aprovechado).
interesante *adj* interessante.
interesar *tr e intr* **1** interessar (cautivar). • *tr* **2** interessar (importar). **3** interessar (concernir).
interfaz o **interface** *f* INF interface.
interferencia *f* **1** interferência (interposición). **2** interferência (de señales).
interferir *tr y pron* **1** interferir (interponer). • *tr e intr* **2** FÍS interferir. • *intr* **3** TELECOM interferir (señal).
interfono *m* interfone.
ínterin *m* **1** ínterim (entretanto). • *adv* **2** entretanto, entrementes.
interino, na *adj/m y f* **1** interino.
interior *adj* **1** interior, interno. **2** interior (espiritual). **3** interior (nacional). • *m* **4** interior (parte interna). **5** interior (consciencia, ánimo). • **interiores** *m pl* **6** CINE, TV cena interior.
interioridad *f* interioridade.
interiorizar *tr y pron* interiorizar.
interjección *f* GRAM interjeição.
interlocutor, ra *m y f* interlocutor.
intermediario, ria *adj/m y f* intermediário, mediador.
intermedio, dia *adj* **1** intermédio, intermediário. • *m* **2** intervalo.
interminable *adj* interminável.
intermitente *adj* **1** intermitente. • *m* **2** pisca-pisca (de vehículo).
internación *f* intenação, internamento.
internacional *adj* internacional.
internacionalizar *tr* internacionalizar.
internado, da *adj* **1** internado. • *m* **2** internato (establecimiento). **3** internato (régimen).
internar *tr* **1** internar (recluir). • **~se** *pron* **2** internar-se, embrenhar-se.
internauta *m o f* INF internauta.
internet *m* INF internet.
interno, na *adj* **1** interno (interior). • *m* **2** preso.
interpelación *f* interpelação.
interpelar *tr* **1** interpelar (pedir explicaciones). **2** DER interpelar (en parlamento, tribunal).
interpolar *tr* **1** interpolar (intercalar). **2** interpolar, introduzir (palabras, frases).
interponer *tr y pron* **1** interpor (en medio). • *tr* **2** interpor, fazer valer (autoridad, influencia).
interpretación *f* **1** interpretação (explicación). **2** interpretação (representación). **3** interpretação, execução (musical).
interpretar *tr* **1** interpretar (explicar). **2** interpretar, representar (obra, papel). **3** interpretar, executar (canción).
intérprete *m o f* **1** intérprete (actor). **2** intérprete (músico).
interrogación *f* **1** interrogação (pregunta). **2** interrogação (signo).
interrogante *adj y m* **1** GRAM ponto de interrogação. • *amb* **2** dúvida, incógnita.
interrogar *tr* interrogar (inquirir).
interrogatorio *m* interrogatório.

interrumpir *tr* **1** interromper (suspender). **2** interromper (conversación, discurso).
interrupción *f* interrupção.
interruptor, ra *adj* **1** interruptor. • *m* **2** interruptor (dispositivo).
intersección *f* GEOM interseção (punto, encuentro).
intertanto *adv Amér.* enquanto, nesse meio-tempo.
interurbano, na *adj* interurbano.
intervalo *m* **1** intervalo (espacio, distancia). **2** MÚS intervalo.
intervención *f* **1** intervenção (participación). **2** intervenção, interferência.
intervenir *intr* **1** intervir (tomar parte). **2** intervir, interceder. **3** intervir (interponer). **4** intervenir, sobrevir. • *tr* **5** interceptar (mercancías, comunicación).
interventor, ra *adj/m y f* **1** interventor, interveniente. • *m y f* **2** cobrador (de tren).
interviú *f* entrevista.
intestinal *adj* intestinal.
intestino, na *adj* **1** intestino (interior). • *m* **2** ANAT intestino.
intimar *tr* intimar, exigir (requerir).
intimidad *f* **1** intimidade (amistad). **2** intimidade (privacidad).
intimidar *tr y pron* intimidar.
íntimo, ma *adj* **1** íntimo (interior). **2** íntimo (privado). • *m y f* **3** íntimo (amigo).
intocable *adj/m y f* intocável.
intolerable *adj* intolerável.
intolerancia *f* intolerância.
intoxicación *f* intoxicação.
intoxicar *tr y pron* **1** intoxicar. **2** (fig) envenenar (imbuir).
intranet *f* INF intranet.
intranquilidad *f* intranqüilidade.
intranquilizar *tr y pron* intranqüilizar.
intranquilo, la *adj* intranqüilo.
intransferible *adj* intransferível.
intransigencia *f* intransigência.
intransigente *adj* intransigente.
intransitable *adj* intransitável.
intransitivo, va *adj* GRAM intransitivo.
intrascendencia *f* insignificância, irrelevância.
intrascendente *adj* insignificante, irrelevante.
intratable *adj* intratável, incurável (enfermedad).
intrepidez *f* intrepidez, coragem.
intrépido, da *adj* intrépido, corajoso.
intriga *f* **1** intriga (maquinación). **2** intriga, trama (de película, novela).
intrigante *adj/m y f* intrigante.
intrigar *intr* **1** maquinar, usar intrigas. • *tr* **2** intrigar (inspirar curiosidad).
intrincado, da *adj* intrincado, complicado.
intríngulis *m* **1** (fam) segunda intenção. **2** (fam) xis do problema.
intrínseco, ca *adj* intrínseco.
introducción *f* **1** introdução (colocación). **2** introdução, prefácio.
introducir *tr y pron* **1** introduzir (meter). **2** introduzir (entrar).
intromisión *f* intromissão, intrometimento.
introversión *f* introversão.
introvertido, da *adj/m y f* introvertido.
intrusión *f* intrusão.
intruso, sa *adj/m y f* intruso.
intubar *tr* MED entubar, intubar.
intuición *f* **1** intuição, pressentimento. **2** FIL intuição.
intuir *tr* intuir, pressentir.
intuitivo, va *adj* intuitivo.
inundación *f* **1** inundação. **2** (fig) inundação (multitud).
inundar *tr y pron* **1** inundar, alagar. • *tr* **2** (fig) inundar, invadir.
inusitado, da *adj* inusitado.
inusual *adj* inusual.
inútil *adj* **1** inútil. • *adj/m y f* **2** inválido, deficiente físico.
inutilidad *f* inutilidade, desnecessidade.
inutilizar *tr y pron* inutilizar.
invadir *tr* **1** invadir (irrumpir, ocupar). **2** (fig) invadir, intrometer-se.
invalidar *tr* invalidar, anular.
inválido, da *adj* **1** inválido (sin vigor). • *adj/m y f* **2** inválido, deficiente.
invariable *adj* invariável.
invasión *f* **1** invasão (ocupación). **2** invasão (traspaso, violación).
invasor, ra *adj/m y f* invasor.
invención *f* **1** invenção, invento. **2** invenção (engaño, ficción).
inventar *tr* **1** inventar (descubrir). **2** inventar (idear, imaginar).
inventariar *tr* inventariar (hacer inventario).
inventario *m* **1** inventário (relación de bienes). **2** inventário (documento).

inventiva *f* inventiva, inventividade.
inventivo, va *adj* inventivo, criativo.
invento *m* **1** invenção, invento. **2** invenção (fingimiento, falsedad).
inventor, ra *adj/m y f* inventor (autor, creador).
invernada *f* invernada (temporada).
invernadero *m* **1** estufa (para plantas). **2** invernadouro (para animales).
invernal *adj* invernal, hibernal.
invernar *intr* invernar (pasar el invierno).
inverosímil *adj* inverossímil.
inversión *f* **1** inversão (alteración). **2** investimento, aplicação.
inverso, sa *adj* inverso, invertido.
inversor, ra *adj* **1** inversor. • *m y f* **2** investidor, aplicador.
invertebrado, da *adj/m y f* **1** invertebrado. • **invertebrados** *m pl* **2** ZOOL invertebrados.
invertir *tr* **1** inverter (alterar). **2** investir (dinero).
investidura *f* investidura, empossе (de cargo, dignidad).
investigación *f* investigação, pesquisa.
investigar *tr* investigar, pesquisar.
investir *tr* investir, empossar.
inveterado, da *adj* inveterado.
invicto, ta *adj/m y f* invicto.
invidente *adj/m y f* cego.
invierno *m* inverno.
invisible *adj* invisível.
invitación *f* **1** convite (solicitud). **2** convite (tarjeta).
invitado, da *adj/m y f* convidado.
invitar *tr* **1** convidar (llamar). **2** pagar, oferecer.
invocación *f* **1** invocação (llamada, apelación). **2** invocação (palabras).
invocar *tr* **1** invocar (implorar). **2** invocar, alegar (norma, principio).
involución *f* involução (retroceso).
involucrar *tr y pron* **1** comprometer, envolver. • *tr* **2** envolver, incluir.
involuntario, ria *adj* involuntário.
invulnerable *adj* invulnerável.
inyección *f* **1** injeção (fluido). **2** (fig) injeção (estímulo, ánimo).
inyectable *adj y m* injetável (medicamento, sustancia).
inyectar *tr* **1** injetar (insuflar). **2** (fig) injetar (estimular, animar).
iodo *m* QUÍM iodo.
ion *m* FÍS, QUÍM íon.
ionizar *tr y pron* QUÍM ionizar.
ionosfera *f* ionosfera.
IPC (*siglas de* **Índice de Precios al Consumo**) *m* IPC (Índice de Preços ao Consumidor).
ipso facto *loc adv* ipso facto.
ir *intr y pron* **1** ir (moverse). • *intr* **2** ir (frecuentar, asistir). **3** combinar (sentar bien): *esa blusa no va con esa falda = essa blusa não combina com essa saia.* **4** ir (corresponder). **5** ir, vestir: *ir de rojo = ir de vermelho.* **6** ir (dirigirse). **7** ir (extenderse). **8** ir, andar (negocio, salud, carrera). **9** funcionar (aparato, mecanismo). **10** ir, simpatizar. • **~se** *pron* **11** ir embora (marcharse). **12** (fig) ir (morirse). **13** desaparecer. ■ **allá va** (fam) lá vai; **~ demasiado lejos** (fig) ir longe demais; **~ tirando** (fig, fam) ir levando.

> **Ve** es la forma correcta del imperativo de la segunda persona del verbo **ir**, y no ***ves**, como se escucha con frecuencia.

ira *f* **1** ira (cólera). **2** ira (venganza).
iracundia *f* iracúndia.
iracundo, da *adj/m y f* iracundo.
Irak *m* Iraque.
Irán *m* Irã.
iraní *adj/m y f* iraniano.
iraquí *adj/m y f* iraquiano.
iris *m* **1** arco-íris. **2** ANAT íris.
irisación *f* irisação.
Irlanda *f* Irlanda. ♦ **~ del Norte** Irlanda do Norte.
irlandés, sa *adj/m y f* **1** irlandês. • *m* **2** irlandês (lengua).
ironía *f* **1** ironia (burla). **2** ironia (tono burlón).
irónico, ca *adj* irônico.
ironizar *tr e intr* ironizar.
irracional *adj/m y f* **1** irracional: *animal irracional = animal irracional.* • *adj* **2** irracional (ilógico).
irradiar *tr* **1** irradiar (energía). **2** (fig) irradiar (difundir, propagar).
irreal *adj* irreal.
irrebatible *adj* irrebatível.

irreconciliable *adj* irreconciliável.
irrecuperable *adj* irrecuperável.
irreflexión *f* irreflexão.
irreflexivo, va *adj* irreflexivo, irrefletido.
irregular *adj* **1** irregular (inmoral): *conducta irregular = conduta irregular.* **2** irregular (anómalo).
irrelevante *adj* irrelevante.
irremediable *adj* irremediável.
irreparable *adj* irreparável.
irrepetible *adj* ímpar, único.
irresistible *adj* irresistível.
irresoluto, ta *adj/m y f* irresoluto (indeciso).
irrespetuoso, sa *adj* desrespeitoso.
irrespirable *adj* irrespirável.
irresponsabilidad *f* irresponsabilidade.
irresponsable *adj/m y f* irresponsável.
irrestricto, ta *adj* irrestrito.
irreverente *adj/m y f* irreverente.
irreversible *adj* irreversível.
irrevocable *adj* irrevogável.
irrigación *f* irrigação (de tierras).
irrigar *tr* irrigar (tierra).
irrisión *f* **1** irrisão, zombaria. **2** (fam) irrisão (objeto de burla): *el profesor es la irrisión de los alumnos = o professor é a irrisão dos alunos.*
irrisorio, ria *adj* **1** irrisório (cómico). **2** irrisório (insignificante).
irritación *f* **1** irritação (enfado). **2** MED irritação (de la piel, órgano).
irritar *tr y pron* **1** irritar (exasperar). **2** (fig) irritar (exacerbar).
irrumpir *intr* irromper (invadir).
irrupción *f* **1** irrupção (entrada). **2** irrupção (aparición).
isla *f* ilha.
islam *m* islã, islame, islão.
islamismo *m* islamismo.
islandés, sa *adj/m y f* **1** islandês. • *m* **2** islandês (lengua).
Islandia *f* Islândia.
isleño, ña *adj/m y f* islenho, insulano.
islote *m* ilhota.
isobara o **isóbara** *f* isóbara, curva isobárica.
isobárico, ca *adj* isobárico, isóbare.
Isósceles *adj* GEOM isósceles.
isotérmico, ca *adj* isotérmico.
Israel *m* Israel.
israelí *adj/m y f* israelense, israeliano.
israelita *adj/m y f* **1** israelita (hebreo, judío). **2** ⇒ israelí.
istmo *m* GEOG istmo.
Italia *f* Itália.
italiano, na *adj/m y f* **1** italiano. • *m* **2** italiano (lengua).
ítem *m* **1** item (capítulo, artículo). **2** adição, aditamento.
iterar *tr* iterar, repetir.
itinerante *adj* itinerante.
itinerario, ria *adj* **1** itinerário. • *m* **2** itinerário (ruta).
izar *tr* MAR içar.
izquierda *f* **1** esquerda (mano, pierna). **2** POL esquerda (partido).
izquierdista *adj/m y f* esquerdista.
izquierdo, da *adj* **1** esquerdo (lado). **2** canhoto (zurdo).

Jj

j, J *f* j, J (letra).

En español se escriben con **j** los tiempos de los verbos que en el infinitivo no llevan ni **g** ni **j**: ***conducir***: *condujo;* ***decir***: *dijo*. Excepto: ***coger***: *cogió*.

jabalí *m* javali.
jabalina *f* **1** javalina (animal). **2** DEP dardo.
jabato, ta *adj/m y f* **1** (fam) ousado, valente. • *m* **2** filhote de javali.
jábega *f* **1** xávega (red). **2** xávega (embarcación).
jabón *m* sabão. ♦ ~ de sastre giz de alfaiate.
jabonadura *f* ensaboadura.
jabonar *tr y pron* **1** ensaboar. • *tr* **2** (fig, fam) ensaboar (reprender).
jabonera *f* **1** saboneteira (recipiente). **2** erva-saboeira (planta).
jabonero, ra *adj/m y f* saboeiro (vendedor).
jabonoso, sa *adj* saponáceo.
jaca *f* égua.
jacal *m Méx.* palhoça, casebre.
jacinto *m* **1** jacinto (flor, planta). **2** MIN zircão, zirconita.
jacobeo, a *adj* jacobínico.
jacobino, na *adj/m y f* jacobino.
jactancia *f* jactância.
jactancioso, sa *adj/m y f* jactancioso.
jactarse *pron* jactanciar-se.
jacuzzi *m* banheira de hidromassagem.
jade *m* jade.
jadear *intr* ofegar.
jaez *m pl* jaez.
jaguar *m* jaguar, onça-pintada.
jaguareté *m Arg., Par., Ur.* jaguaretê (jaguar).
jaiba *f* **1** *Amér.* caranguejo. • *m o f* **2** *Méx., P. Rico, R. Dom.* astucioso, esperto.
jalado, da *adj* **1** *Amér.* torto, bêbado. • *adj/m y f* **2** *Méx.* chato, xarope.
jalador, ra *adj/m y f Méx.* animado, disposto.
jalar *tr* **1** (fam) esticar, puxar (halar). **2** (fam) atrair. **3** comer, devorar.
jalea *f* geléia.
jalear *tr* **1** açular, instigar (perro). • *tr y pron* **2** animar.
jaleo *m* **1** (fam) baderna, fuzuê. **2** (fam) bagunça, desordem.
jalisco, ca *adj Méx.* bêbado, chumbado.
jallo, lla *adj Méx.* metido, presunçoso.
jalón *m* jalão, baliza.
jalonar *tr* balizar, marcar (terreno).
Jamaica *f* Jamaica.
jamaicano, na o **jamaiquino, na** *adj/m y f* jamaicano.
jamar *tr y pron* (fam) bater, bater um rango.
jamás *adv* jamais, nunca.
jamba *f* ARQ jamba.
jambar *tr Hond., Méx.* ⇒ jamar.
jamón *m* presunto. ♦ ~ en dulce presunto cozido.
Japón *m* Japão.
japonés, sa *adj/m y f* **1** japonês. • *m* **2** japonês (lengua).
jaque *m* xeque (en ajedrez). ♦ ~ mate xeque-mate.
jaqueca *f* enxaqueca.
jáquima *f* xáquima, cabresto.
jara *f* **1** xara, esteva (planta). **2** xara (palo).
jarabe *m* **1** xarope. **2** (fig) xarope (muy dulce).
jarana *f* **1** (fam) farra, diversão. **2** (fam) pendência, tumulto. **3** *Amér. Centr.* dívida.
jaranear *intr* (fam) farrear, divertir-se.
jaranero, ra *adj* farrista, festeiro.
jarcia *f* MAR (gralte pl) enxárcia.
jardín *m* **1** jardim. **2** jaça (mancha).
jardinería *f* jardinagem.
jardinera *f* **1** jardineira (mueble, recipiente). **2** jardineira (vehículo).
jardinero, ra *m y f* jardineiro.
jarearse *pron* **1** *Méx.* morrer de fome. **2** *Méx.* fugir.
jaro *m* árum, aro (planta).
jarra *f* **1** jarra (recipiente). **2** jarra (contenido).
jarrete *m* jarrete.

jarro *m* **1** jarro (recipiente). **2** jarro (contenido).
jarrón *m* **1** jarrão (adorno). **2** vaso, jarro (para flores).
jaspe *m* jaspe.
jaspeado, da *adj* **1** jaspeado. • *m* **2** jaspeadura.
jauja *f* éden, paraíso.
jaula *f* **1** gaiola (para pájaros). **2** jaula (para animales). **3** (fig, fam) gaiola, prisão.
jauría *f* matilha.
jazmín *m* **1** jasmim (flor). **2** jasmim, jasmineiro (arbusto).
jazz *m* MÚS jazz.
jebe *m* alume (alumbre).
jeep *m* jipe.
jefatura *f* chefatura (cargo, puesto).
jefe, fa *m y f* chefe.
jemiquear *intr Chile* ⇒ jeremiquear.
jeque *m* xeique, xeque.
jerarca *m* **1** hierarca (eclesiástico). • *m o f* **2** hierarca (de cargo elevado).
jerarquía *f* hierarquia.
jeremiada *f* jeremiada, lamúria.
jeremías *m o f* (fig) choramingas.
jeremiquear *intr Amér.* choramingar.
jerez *m* xerez.
jerga *f* **1** jargão, gíria. **2** xerga (tela).
jergón *m* enxergão (colchón).
jeringa *f* **1** seringa. **2** *Amér.* (fig, fam) aporrinhação, chateação.
jeringar *tr* **1** seringar. • *tr y pron* **2** dar um clister (intestinal).
jeroglífico, ca *adj* **1** hieroglífico. • *m* **2** hieróglifo (símbolos, signos).
jersey *m* pulóver, suéter.
jesuita *adj/m y f* jesuíta.
Jesús *m* **1** Jesus. • ¡~! *interj* **2** saúde!
jet *m* jato (avión).
jeta *adj/m y f* **1** (fig, fam) cara-de-pau. • *f* **2** focinho (del cerdo). **3** (fam) cara (rostro).
jíbaro, ra *adj/m y f Amér.* campesino, campestre.
jibia *f* siba (molusco).
jícara *f* xícara.
jilguero *m* pintassilgo.
jineta *f* civeta, gato-de-algália.
jinete *m* ginete.
jinetear *intr y tr* ginetear.
jipato, ta *adj Amér.* amarelo, pálido.
jipi *m* ⇒ jipijapa (2).
jipijapa *m* **1** jipijapá, bombonança (fibra). **2** chapéu-panamá (sombrero).
jira *f* **1** retalho, tira (de tela). **2** piquenique.
jirafa *f* **1** girafa. **2** CINE, TV girafa.
jirón *m* **1** debrum, girão. **2** retalho, farrapo.
jiu-jitsu *m* jiu-jítsu.
jockey *m o f* ⇒ yóquey o yoqui.
jocoso, sa *adj* jocoso, engraçado.
joder *intr y tr* **1** (vulg) foder, transar. • *tr, intr y pron* **2** (fig, vulg) dar no saco (fastidiar). • *tr y pron* **3** (fig, vulg) foder, escangalhar (estropear). • ¡~! *interj* **4** (vulg) porra!, caralho! ■ ¡qué te jodan! vai te foder!
jodido, da *adj* **1** (vulg) fodido. **2** (vulg) foda (situación): *es jodido tener que trabajar tanto = o foda é ter de trabalhar tanto.*
jofaina *f* bacia, aljofaina.
jolgorio *m* (fam) folia, farra.
¡jolín! o **¡jolines!** *interj* droga!, caramba!
jónico, ca *adj/m y f* **1** jônico. • *m* **2** jônico (verso).
Jordania *f* Jordânia.
jordano, na *adj/m y f* jordaniano, jordânio.
jornada *f* **1** jornada (duración). **2** jornada (día). **3** jornada, viagem. **4** MIL jornada.
jornal *m* diária, jornal (remuneración).
jornalero, ra *m y f* diarista.
joroba *f* **1** corcunda, corcova. • ¡~! *interj* **2** (fig, fam) caramba!
jorobado, da *adj/m y f* corcunda, corcovado.
jorobar *tr y pron* (fig, fam) amolar, chatear.
jorongo *m Méx.* poncho.
jota *f* jota (letra).
joven *adj* **1** jovem, juvenil. • *adj/m y f* **2** jovem, adolescente.
jovial *adj* jovial.
joya *f* **1** jóia (objeto). **2** (fig) jóia: *esa chica es una joya = essa menina é uma jóia.*
joyería *f* joalheria (oficio, establecimiento).
joyero, ra *m y f* **1** joalheiro (fabricante, vendedor). • *m* **2** porta-jóias.
juanete *m* **1** joanete (hueso). **2** MAR joanete.
jubilación *f* **1** aposentadoria (retiro). **2** aposentadoria (pensión).
jubilado, da *adj/m y f* aposentado.
jubilar *adj* jubilar.
jubilar *tr y pron* **1** aposentar, jubilar. • *tr* **2** (fig, fam) aposentar, encostar (tirar).
jubileo *m* jubileu.
júbilo *m* júbilo.

jubón *m* gibão (vestidura).
judaísmo *m* judaísmo.
judaizar *intr* judaizar.
judería *f* judiaria (barrio).
judía *f* feijão.
judicial *adj* judicial, judiciário.
judío, a *adj/m y f* **1** judeu. • *m y f* **2** (fig, fam) usurário, avarento.
judo *m* judô.
juego *m* **1** jogo (entretenimiento). **2** brincadeira, jogo. **3** jogo (apuesta). **4** jogo (conjunto). ♦ ~ de niños (fig, fam) brincadeira de criança; ~ de palabras jogo de palavras; juegos malabares jogos marabares; ~ sucio (fig) jogo sujo. ■ estar en ~ (fig) estar em jogo; fuera de ~ DEP impedido.
juerga *f* farra, folia.
juerguista *adj/m y f* farrista, festeiro.
jueves *m* quinta-feira.
juez, za *m y f* **1** juiz. **2** DEP árbitro, juiz. ♦ ~ de línea DEP bandeirinha, juiz de linha; ~ de paz juiz de paz.
jugada *f* **1** jogada. **2** (fig) lance, jogada: *jugada del destino = jogada do destino.*
jugador, ra *adj/m y f* jogador.
jugar *intr* **1** brincar, jogar (divertirse). **2** jogar (competir). **3** jogar (participar). ~ con **4** brincar con, não levar a sério. **5** combinar (convenir). • *tr y pron* **6** jogar, pôr em jogo.
jugarreta *f* **1** (fam) mancada, vacilo. **2** (fig, fam) trapaça, engambelação (engaño).
juglar *m* jogral, menestrel.
juglaría o **juglería** *f* jogralesca.
jugo *m* **1** suco. **2** (fig) essência, substância. ■ sacar ~ (fig, fam) tirar proveito.
jugoso, sa *adj* **1** suculento. **2** (fig) substancioso.
juguete *m* **1** brinquedo (para niños). **2** (fig) joguete, brinquedo (títere).
juguetear *intr* brincar, jogar.
juguetería *f* loja de brinquedos.
juguetón, na *adj* brincalhão.
juicio *m* **1** juízo (conciencia). **2** juízo (opinión). **3** juízo (sensatez). **4** DER juízo. ♦ ~ final juízo final. ■ perder el ~ (fig, fam) perder o juízo.
juicioso, sa *adj/m y f* ajuizado, judicioso.
julepear *tr Arg., Par., Ur.* assustar.
julio *m* julho.
jumarse *pron Amér.* (vulg) encher a cara (emborracharse).
jumbo *m* jumbo.
junco *m* **1** junco. **2** bengala (bastón).
jungla *f* selva.
junio *m* junho.
júnior *adj* **1** júnior (joven). • *adj/m y f* **2** júnior (deportista).
junta *f* **1** junta, conselho. **2** junta, assembléia. **3** junta (unión). **4** junta (juntura). **5** junção (pieza).
juntar *tr y pron* **1** juntar (reunir). • *tr* **2** juntar (acumular). **3** juntar, encostar. • ~se *pron* **4** juntar-se (amancebarse).
junto, ta *adj* **1** junto (unido). **2** junto (en compañía). **3** junto (en colaboración). • *adv* **4** junto, juntamente.
jurado, da *adj* **1** jurado, juramentado. • *m* **2** jurado, jurí (de concurso, tribunal).
juramentar *tr y pron* ajuramentar.
juramento *m* **1** juramento. **2** blasfêmia.
jurar *tr e intr* **1** jurar. • *intr* **2** blasfemar, jurar. ■ ~ en falso jurar em falso.
jurásico, ca *adj y m* GEOL jurássico.
jurel *m* chicharro.
jurídico, ca *adj* jurídico.
jurisdicción *f* **1** jurisdição (autoridad, poder). **2** jurisdição (territorio, demarcación).
jurisprudencia *f* **1** jurisprudência (ciencia). **2** jurisprudência (sentencias, criterios).
jurista *m o f* jurista.
justicia *f* **1** justiça (razón, derecho). **2** justiça (pena, castigo). **3** justiça (organismo, autoridad). ■ hacer ~ fazer justiça
justiciero, ra *adj* justiceiro.
justificación *f* **1** justificação (disculpa). **2** justificação (motivo).
justificado, da *adj* justificado.
justificante *adj y m* justificante.
justificar *tr y pron* **1** justificar (probar la inocencia). • *tr* **2** justificar (razonar). **3** justificar (probar).
justo, ta *adj/m y f* **1** justo (razonable). • *adj* **2** justo (exacto). **3** justo (apretado).
juvenil *adj* juvenil.
juventud *f* **1** juventude (período de vida). **2** juventude (jóvenes).
juzgado *m* **1** tribunal. **2** juizado, judicatura (cargo, oficio).
juzgado, da *adj* julgado.
juzgar *tr* **1** julgar (deliberar). **2** julgar (enjuiciar). **3** julgar (condenar).

j

Kk

k, K *f* k, K (letra).
ka *f* ka (letra).
kamikaze *m* **1** camicase (avión). **2** camicase (piloto).
kárate *m* caratê.
karateca o **karateka** *m o f* carateca.
Kazajstán o **Kazakistán** *m* Cazaquistão.
kazako, ka *adj/m y f* cazaquistanês.
kéfir *m* kefir.
Kenia *f* Quênia.
keniata *adj/m y f* queniano.
kermés *f* quermesse (fiesta, lugar).
kerosén o **kerosene** *m* ⇒ querosén o queroseno.
kilo *m* quilo.
kilobyte *m* INF quilobyte, quilobaite.
kilociclo *m* FÍS quilociclo.
kilogramo *m* quilograma.
kilolitro *m* quilolitro.
kilometraje *m* quilometragem.
kilómetro *m* quilômetro. ♦ **~ cuadrado** quilômetro quadrado.
kilovatio *m* ELEC quilowatt, quilovátio. ♦ **~ hora** quilowatt-hora.
kimono *m* quimono.
kinder *m* jardim-de-infância.
kiosco *m* ⇒ quiosco.
kirguís o **kirguizio, zia** *adj/m y f* **1** quirguiz, quirguistanês. ● *m* **2** quirguiz (lengua).
Kirguizistán *m* Quirguistão.
Kiribati *m* Kiribati.
kit *m* kit.
kivi o **kiwi** *m* **1** kiwi, quiuí (fruto). **2** quivi (ave).
koala *m* coala.
Kuwait *m* Kuwait.
kuwaití *adj/m y f* kuwaitiano, kuweitiano.

Ll

l, L *f* I, L (letra).
la *f* MÚS lá (nota musical).
la *art* **1** a: *trae la silla = traz a cadeira.* • *pron* **2** a, la: *no la he visto hoy = não a vi hoje, mejor avisarla rápido = melhor avisá-la rápido.* • *pron demos* **3** (ante el pron. rel. que) a: *compraron la que estaba más madura = compraram a que estava mais madura.*
laberinto *m* labirinto (lugar).
labia *f* (fam) lábia.
lábil *adj* lábil (resbaladizo).
labio *m* **1** lábio. **2** lábio (borde). **3** (fig) lábios (habla): *de mis labios no ha salido = de meus lábios no saiu.* **4** BOT lábio.
labor *f* **1** lida, labor. **2** trabalho (actividad).
laborable *adj* útil, de trabalho. ◆ **día ~** dia útil.
laboral *adj* laboral, de trabalho.
laborar *tr* **1** lavrar, cultivar. • *intr* **2** trabalhar (gestionar).
laboratorio *m* laboratório.
laboreo *m* lavoura.
laborioso, sa *adj* **1** trabalhador. **2** laborioso, trabalhoso (penoso).
laborismo *m* laborismo.
labrador, ra *adj/m y f* lavrador.
labrantío, a *adj* **1** lavradio. • *m* **2** lavoura.
labranza *m* **1** lavoura (cultivo, siembra). **2** lavoura (hacienda).
labrar *tr* **1** lavrar (piedra, madera, metal). **2** lavrar (cultivar, arar). **3** lavrar (bordar).
labriego, ga *m y f* lavrador.
laburar *intr Amér. Merid.* (coloq) labutar, dar duro.
laburo *m Amér. Merid.* (coloq) labuta.
laca *f* **1** laca (resina). **2** laca (barniz). **3** laca (pigmento).
lacayo *m* lacaio (criado).
laceador *m Amér.* laçador.
lacear *tr* **1** laçar (adornar). **2** *Chile, Perú* laçar (sujetar).
lacerar *tr y pron* **1** lacerar, dilacerar (lastimar). • *tr* **2** (fig) dilacerar, lacerar (honra, reputación).
lacha *f* (fam) vergonha.
lachear *tr Chile* galantear.
lacio, cia *adj* **1** escorrido (pelo). **2** murcho (marchito).
lacón *m* chispe.
lacónico, ca *adj* lacônico.
lacra *f* **1** seqüela, cicatriz. **2** imperfeição, vício.
lacrar *tr* lacrar (cerrar).
lacre *m* lacre (resina).
lacrimal *adj* lacrimal.
lacrimógeno, na *adj* lacrimogêneo.
lacrimoso, sa *adj* **1** lacrimoso, choroso. **2** (fig) lacrimogêneo: *película lacrimosa = filme lacrimogêneo.*
lactancia *f* **1** lactância (alimentación). **2** lactância (período).
lactante *adj/m y f* lactante.
lactar *tr* **1** lactar (amamantar). **2** lactar (mamar).
lácteo, a *adj* lácteo. ◆ **Vía Láctea** ASTR Via Láctea.
lactosa *f* QUÍM lactose.
lacustre *adj* lacustre.
ladear *tr, intr y pron* **1** inclinar (sesgar). • **~se** *pron* **2** (fig) inclinar, propender.
ladera *f* ladeira.
ladilla *f* chatro, piolho-do-púbis.
ladino, na *adj* **1** ladino (astuto). • *m* **2** ladino (lengua).
lado *m* **1** lado (costado). **2** lado (extremo, borde). **3** lado (límite). **4** lado (anverso, reverso). **5** lado (sitio, lugar). **6** lado (punto de vista). **7** lado (línea genealógica). **8** lado (camino). **9** GEOM lado.
ladrar *intr* **1** ladrar, latir. **2** (fig, fam) latir (amenazar).
ladrido *m* **1** latido, ladrido. **2** (fig, fam) latido (grito).
ladrillado *m* ladrilhado.
ladrillar *m* olaria (fábrica).
ladrillo *m* **1** ladrilho (de cerámica). **2** tijolo (de barro).

ladrón, na *adj/m y f* **1** ladrão, gatuno. • *m* **2** ladrão (portillo).
lagar *m* **1** lagar (sitio, edificio). **2** lagar, lagariça (tanque, recipiente).
lagarta *f* **1** lagarta. • *adj y f* **2** (fig, desp) cobra, víbora.
lagartear *intr* (fig, fam) agir com astúcia.
lagartija *f* lagartixa.
lagarto *m* **1** lagarto (reptil). **2** bíceps, lagarto.
lago *m* lago.
lágrima *f* **1** (gralte pl) lágrima. **2** (fig) gota, pingo. • **lágrimas** *f pl* **3** lágrimas (pesadumbres).
lagrimal *adj y m* lacrimal, lagrimal.
lagrimear *intr* lacrimar, lacrimejar.
laguna *f* **1** lagoa, laguna. **2** (fig) lacuna (hueco, vacío).
laico, ca *adj/m y f* laico, leigo.
laísmo *m* GRAM *uso incorreto do pronome la em espanhol.*
laja *f* laje, laja (piedra).
lama *f* **1** lama, barro. **2** lâmina (de metal).
lambada *f* lambada (baile, música).
lamber *tr* **1** *Amér. Merid.* lamber. **2** *Amér. Merid.* (fig) lamber (adular).
lambón, na *adj Col.* (fam, vulg) puxa-saco, lambeta.
lamentable *adj* **1** lamentável (triste, infeliz). **2** lamentável (maltrecho).
lamentar *tr, intr y pron* lamentar.
lamento *m* lamento.
lameplatos *m o f* (fig, fam) limpa-pratos, lambe-pratos.
lamer *tr y pron* **1** lamber. • *tr* **2** (fig) lamber, roçar (rozar).
lamido, da *adj* **1** lambido. **2** (fig) chupado (flaco).
lámina *f* **1** lâmina (plancha, hoja). **2** lâmina (estampa, grabado, figura).
laminador, ra *adj/m y f* **1** laminador. • *m y f* **2** laminador (máquina, aparato).
laminar *adj* laminar, laminoso.
laminar *tr* laminar.
lampa *m Amér.* pá (azada).
lámpara *f* **1** abajur (de mesa, pie). **2** lustre (de techo). **3** lâmpada (eléctrica).
lamparería *f* loja de lâmpadas.
lamparilla *f* lamparina.
lamparón *m* mancha (de aceite, grasa).
lampiño, ña *adj* **1** lampinho (imberbe). **2** pelado (sin pelo).
lampista *m y f* encanador.
lamprea *f* lampreia.
lana *f* **1** lã (pelo). **2** lã (hilo). **3** lã (tejido).
lanar *adj* lanar, lanígero.
lance *m* **1** lance (lanzamiento). **2** lance (hecho). **3** lance (situación).
lancero *m* **1** lanceiro (soldado). **2** lanceiro (fabricante).
lancha *f* **1** lancha (embarcación). **2** laje (laja).
landa *f* landa.
landó *m* landau.
langosta *f* **1** lagosta (crustáceo). **2** gafanhoto (insecto).
langostino *m* langostim.
languidecer *intr* **1** languescer (debilitarse). **2** languescer (desanimarse).
languidez *f* languidez (debilidad).
lánguido, da *adj* lânguido (débil).
languso, sa *adj Méx.* astuto.
lanilla *f* lãzinha (tejido).
lanolina *f* lanolina.
lanudo, da *adj* **1** lanudo. **2** *Col., Venez.* rústico (tosco).
lanza *f* **1** lança (arma). **2** lança (soldado).
lanzadera *f* **1** lançadeira (carrete). **2** lançadeira (de coser). **3** carretel.
lanzamiento *m* **1** lançamento (impulso). **2** lançamento (anuncio, propaganda). **3** DEP lançamento, arremesso.
lanzar *tr y pron* **1** lançar (arrojar). • *tr* **2** lançar, soltar (bombas, cohetes). **3** lançar (dar a conocer, estrenar). **4** (fig) lançar (brotar). **5** lançar, dirigir (mirada).
lanzatorpedos *adj y m* lança-torpedos.
Laos *m* Laos.
lapa *f* **1** lapa (molusco). **2** (fig) carrapato (insistente).
lapicera *f Arg.* caneta-tinteiro.
lapicero *m* lapiseira.
lápida *f* lápide.
lapidar *tr* **1** apedrejar, lapidar. **2** *Amér.* lapidar (piedras preciosas).
lapidario, ria *adj* **1** lapidar, lapidário. **2** (fig) solene, circunspecto. • *m y f* **3** lapidário (de piedras preciosas).
lapislázuli *m* lápis-lazúli.
lápiz *m* **1** lápis (para escribir, dibujar). **2** lápis (para maquillarse).
lapso *m* **1** lapso (intervalo). **2** lapso (error).
lapsus *m* lapso (error).
lar *m* lar, lareira.
larga *f* alta (luz).

largar *tr* **1** largar (soltar). **2** (fam) largar, desferir (golpe). **3** (fig) largar, proferir (isulto, discurso, carcajada). • **~se** *pron* **4** (fig) puxar o carro, ir embora.
largo, ga *adj* **1** comprido, longo (extenso). **2** longo, demorado. • *m* **3** comprimento. ■ **a la larga** ao cabo; **de ~** (fig, fam) de longe: *es, de largo, el mejor músico del país = ele é, de longe, o melhor músico do país.*
largometraje *m* longa-metragem.
larguero, ra *adj* **1** *Chile* generoso. • *m* **2** longarina, travessa.
larguirucho, cha *adj* (fam) varapau, vara de bater pecado.
largura *f* comprimento.
laringe *f* ANAT laringe.
laringitis *f* MED laringite.
laringología *f* laringologia.
larva *f* ZOOL larva.
larvado, da *adj* MED larvado.
las *art* **1** as. • *pron* **2** as: *me las comeré todas = eu as comerei todas.*
lasaña *f* lasanha.
lasca *f* lasca (de piedra).
lascivia *f* lascívia.
lascivo, va *adj/m y f* lascivo.
láser *m* **1** laser (dispositivo, aparato). **2** laser (luz).
lasitud *f* lassidão.
laso, sa *adj* lasso.
lástima *f* **1** lástima, pena (compasión). **2** lástima (quejido). **3** lástima (disgusto). ■ **dar ~** dar dó.
lastimar *tr y pron* **1** machucar (herir). • *tr* **2** lastimar, lamentar. **3** ofender.
lastimero, ra *adj* lastimoso.
lastra *f* laje.
lastrar *tr* lastrar, lastrear (embarcación).
lastre *m* **1** lastro. **2** (fig) obstáculo.
lata *f* **1** lata, folha-de-flandres (lámina). **2** lata (envase).
latear *tr Amér.* chatear.
latente *adj* latente.
lateral *adj* **1** lateral. **2** (fig) lateral (indirecto). • *adj y f* **3** FON lateral.
latero, ra *adj* **1** *Amér.* ⇒ latoso, sa. • *m y f* **2** *Amér.* funileiro.
látex *m* BOT látex.
latido *m* **1** batida, batimento (del corazón). **2** latido (ladrido).
latifundio *m* latifúndio.
latifundista *adj/m y f* latifundiário.
latigazo *m* **1** chicotada. **2** pontada (dolor). **3** golpe, desgraça.
látigo *m* chicote, látego.
latiguear *tr Amér.* chicotear.
latín *m* latim. ◆ **bajo ~** baixo-latim; **~ clásico** latim clásico. ■ **coger a uno en mal ~** (fig, fam) flagrar alguém em falta.
latinajo *m* (fam, desp) latinada, latinice.
latinismo *m* latinismo.
latino, na *adj/m y f* **1** latino (romano). **2** latino, latino-americano.
Latinoamérica *f* América Latina.
latinoamericano, na *adj/m y f* latino-americano.
latir *intr* **1** bater (corazón). **2** ⇒ ladrar.
latitud *f* **1** extensão, amplitude. **2** GEOG latitude.
latón *m* latão.
latoso, sa *adj* (fam) chato.
latrocinio *m* furto, fraude.
laucha *adj/m y f Arg.* (fig, fam) esperto, vivo.
laúd *m* **1** MÚS alaúde. **2** barco a vela.
laureado, da *adj/m y f* laureado.
laurel *m* **1** louro, loureiro. **2** (fig) louros, glórias.
lava *f* lava (magma).
lavabo *m* **1** pia, lavatório. **2** lavabo, toalete.
lavadero *m* lavadouro (habitación, recipiente).
lavado, da *adj* **1** lavado. • *m* **2** lavagem.
lavadora *f* lavadora, máquina de lavar roupa.
lavafrutas *f* bacia para lavar frutas.
lavanda *f* lavanda, alfazema.
lavandería *f* lavanderia.
lavaplatos *m o f* **1** lavador de pratos. • *m* **2** lava-louças (electrodoméstico).
lavar *tr, intr y pron* **1** lavar (limpiar). • *tr* **2** ART lavar (dibujo, pintura). ■ **~se las manos** (fig, fam) lavar as mãos.
lavativa *f* **1** medicamento lavático. **2** clister (instrumento).
lavavajillas *f* lava-louças, máquina de lavar pratos.
laxante *m* laxante.
laxar *tr* laxar (aflojar, ablandar).
laxo, xa *adj* **1** laxo, frouxo. **2** (fig) lasso, dissoluto (costumbre, opinión).
lazada *f* **1** laçada (nudo, atadura). **2** laço (adorno).

lazar *tr* laçar.
lazarillo *m* guia de cegos.
lázaro *m* lázaro, mendigo.
lazo *m* **1** laço (atadura, nudo). **2** laço (adorno). **3** laço (para caballos, bueyes). **4** (fig)
lazulita *f* lazulita.
le *pron* lhe: *le dije mi nombre = disse-lhe meu nome.*
leal *adj/m y f* leal.
lealtad *f* lealdade.
lebrel, la *adj y m* fila (raza).
lebrero *adj y m* lebréu (perro).
lección *f* **1** lição (tema). **2** lição, unidade (capítulo). **3** lição (deberes). **4** (fig) lição (ejemplo). ■ **dar una ~** (fig, fam)
lechal *adj* lactente (animal).
lechazo *m* borrego, anho.
leche *f* **1** leite (líquido). **2** leite (cosmético). **3** (vulg) porra, esperma. **4** (vulg) cacetada, pancada (golpe). ◆ **~ condensada** leite condensado. ■ **a toda ~ o cagando leches** (fig, vulg) voando, nas carreras.
lechecillas *f pl* vísceras (de cordero, ternera).
lechera *f* leitera (recipiente).
lechería *f* leiteria.
lechero, ra *adj/m y f* leiteiro.
lecho *m* **1** leito (cama). **2** (fig)
lechón *m* leitão, bácoro.
lechoso, sa *adj* leitoso.
lechuga *f* alface. ■ **como una ~** (fig, fam) bem disposto.
lechuguino *m* **1** muda de alface. ● *adj y m* **2** (fig, fam) fedelho. **3** (fig, fam) janota.
lechuza *f* coruja.
lectivo, va *adj* letivo.
lector, ra *adj/m y f* leitor.
lectura *f* **1** leitura (actividad). **2** leitura (texto, obra). **3** leitura (interpretación).
leer *tr* **1** ler (pasar la vista). **2** ler (interpretar). **3**
legado *m* **1** legado (herencia). **2** legado (representante).
legajo *m* maço de papéis.
legal *adj* **1** legal (lícito). **2** fiel, reto.
legalidad *f* legalidade.
legalizar *tr* legalizar.
légamo *m* lodo.
legaña *f* remela.
legar *tr* **1** legar (dejar). **2** (fig) legar, transmitir (ideas, artes).
legendario, ria *adj* **1** legendário. ● *m* **2** legendário, coletânea (de leyendas, vidas santas).
legión *f* legião (tropa).
legionario, ria *adj* **1** legionário. ● *m* **2** legionário (soldado).
legislación *f* **1** legislação (leyes). **2** legislação (ciencia).
legislatura *f* legislatura (tiempo).
legitimar *tr* **1** legitimar (legalizar). **2** legitimar, autenticar.
legítimo, ma *adj* **1** legítimo (legal). **2** legítimo (justo).
lego, ga *adj/m y f* **1** leigo (laico). ● *adj* **2** leigo (desconocedor, ignorante).
legrar *tr* MED legrar.
legua *f* légua. ■ **a la ~ o a cien leguas** (fig, fam) de longe.
leguleyo, ya *m y f* (desp) rábula.
legumbre *m* legume.
leído, da *adj* lido, culto.
lejanía *f* distância, lonjura.
lejano, na *adj* distante, longínquo.
lejía *f* água sanitária, alvejante.
lejos *adv* longe. ■ **de o desde ~** (fig, fam) de longe: *le vi las intenciones de lejos = eu vi suas intenções de longe*; **ir demasiado ~** (fig, fam) ir longe demais.
lelo, la *adj/m y f* abobado, leso.
lema *m* **1** lema (proposición). **2** tema, assunto. **3** (fig) lema (regla de conducta).
lencería *f* **1** lingerie. **2** *roupa de cama, mesa e banho.*
lengua *f* **1** língua (órgano). **2** língua (idioma). **3** língua, linguagem. ◆ **~ de víbora** língua viperina; **~ materna** língua materna; **~ muerta** língua morta; **malas lenguas** (fig, fam) más línguas. ■ **irse de la ~** (fig, fam) bater com a língua nos dentes; **morderse la ~** (fig, fam) morder a língua; **sacar la ~** (fam) mostrar a língua; **tirar de la ~** (fig, fam) puxar pela língua de.
lenguado *m* linguado (pez).
lenguaje *m* **1** linguagem (habla). **2** linguagem (código): *el lenguaje de las flores = a linguagem das flores.* **3** linguagem (expresión): *lenguaje coloquial = linguagem informal.* ◆ **~ natural** linguagem natural.
lenguaraz *adj/m y f* linguarudo, desbocado.
lengüeta *f* **1** lingüeta (pieza). **2** língua (de calzado). **3** MÚS lingüeta.

lengüón, na *adj Amér.* linguarudo, tagarela.
lente *amb* **1** lente. • **lentes** *m pl* **2** óculos. ◆ ~ **de contacto** lente de contato.
lenteja *f* lentilha (planta, fruto).
lentejuela *f* lantejoula.
lenticular *adj* **1** lentiforme, lenticular. • *adj y m* **2** ANAT lenticular (hueso).
lentilla *f* lente de contato.
lentitud *f* lentidão.
lento, ta *adj* **1** lento (tardo, pausado). **2** lento (poco vigoroso).
leña *f* **1** lenha (combustible). **2** (fig, fam) lenha, surra. ■ **cargar de ~ a uno** (fig, fam) cobrir de pancadas.
leñador, ra *m y f* lenhador (cortador, vendedor).
leño *m* **1** lenho, madeiro. **2** lenho, xilema.
leñoso, sa *adj* lenhoso, lígneo.
leo *adj/m y f* **1** ASTROL leoniano. • **Leo** *m* **2** ASTR Leão (constelación, signo zodiacal).
león *m* **1** leão (animal). **2** (fig) leão (audaz, valiente).
leona *f* **1** leoa (animal). **2** (fig) leoa (mujer audaz, valiente).
leonera *f* **1** leoneira. **2** (fig, fam) bagunça.
leopardo *m* leopardo.
leotardo *m* **1** (gralte pl) meia-calça. **2** *Amér. Merid.* colante.
lépero, ra *adj/m y f Amér. Centr., Méx.* grosseiro, ordinário.
leporino, na *adj* leporino.
lepra *f* MED lepra, hanseníase.
leprosería *f* leprosário.
leproso, sa *adj/m y f* leproso (enfermo).
lerdear *intr* **1** *Amér. Centr., Arg.* lerdear (tardar). **2** *Amér. Centr., Arg.* lerdear (retardarse).
lerdo, da *adj* **1** pesado, lerdo. **2** (fig) lerdo, pateta.
les *pron* lhes: *les di las llaves = dei-lhes as chaves.*
lesbianismo *m* lesbianismo.
lesbiana *f* lésbica.
lesbiano, na *adj* lésbico.
lesión *f* **1** lesão (herida, daño). **2** (fig) lesão (perjuicio).
lesionar *tr y pron* **1** lesar, lesionar. • *tr* **2** lesar (perjudicar).
leso, sa *adj* **1** ofendido, danado. **2** perturbado, transtornado.
Lesotho *m* Lesoto.
letal *adj* letal.
letanía *f* **1** ladainha (rogativa). **2** (fig, fam) ladainha, lengalenga.
letargo *m* **1** MED letargia. **2** (fig) sonolência, sopor.
letón, na *adj/m y f* letão.
Letonia *f* Letônia.
letra *f* **1** letra (señal gráfico). **2** letra (caligrafía). **3** letra (literalidad). **4** letra (de canción). **5** ECON letra (título). • **letras** *f pl* **6** letras (humanidades). ◆ ~ **cursiva** letra itálica; ~ **de imprenta** letra de imprensa, forma; ~ **mayúscula** letra maiúscula; ~ **minúscula** letra minúscula. ■ **a la ~** ao pé da letra; ~ **por ~** (fig, fam) tim por tim.
letrado, da *adj* **1** letrado (sabio). • *m y f* **2** advogado, letrado.
letrero *m* letreiro.
letrilla *f* letrilha.
letrina *f* latrina (retrete).
leucemia *f* MED leucemia.
leucocito *m* BIOL leucócito.
leucoma *m* MED leucoma, áclis.
leva *f* **1** MAR leva, partida (de embarcaciones). **2** MIL recrutamento, leva.
levadizo, za *adj* levadiço.
levadura *f* levedo, levedura.
levantamiento *m* **1** levantamento (alzamiento). **2** levantamento, insurreição.
levantar *tr y pron* **1** levantar (subir). **2** levantar (elevar). **3** (fig) levantar (rebelar, sublevar). • *tr* **4** levantar (alzar). **5** (fig) levantar, aumentar: *levantar la voz = levantar a voz.* • **~se** *pron* **6** levantar-se, acordar.
levante *m* **1** levante (viento). **Levante 2** levante (punto cardinal).
levantino, na *adj/m y f* levantino.
levar *tr* MAR levantar (ancla).
leve *adj* **1** leve (liviano). **2** leve (fino, sutil).
leviatán *m* leviatã (monstruo).
levita *f* levita (vestidura).
levitación *f* levitação.
levitar *intr* levitar.
lexema *f* GRAM lexema.
léxico, ca *adj* **1** léxico, lexical. • *m* **2** léxico, vocabulário.
lexicografía *f* lexicografia.
lexicología *f* lexicologia.
ley *f* **1** lei (regla, precepto). **2** lei (legislación). **3** lei (religión, culto). **4** lei (de oro,

l

plata). ◆ ~ **del embudo** (fig, fam) justiça de funil; ~ **marcial** lei marcial; ~ **seca** ■ **con todas las de la** ~ como manda a lei.
leyenda *f* **1** lenda (fábula). **2** lenda (ídolo). **3** legenda, inscrição.
liado, da *adj* ocupado, atarefado.
liana *f* cipó, trepadeira.
liar *tr* **1** liar (atar, asegurar). **2** embrulhar. **3** enrolar, fazer (cigarrillos). **4** (fig, fam) enrolar, enganar. ■ **~la** (fig, fam) armar confusão; dar um fora (meter la pata).
libación *f* libação.
libanés, sa *adj/m y f* libanês.
Líbano *m* Líbano.
libar *m* **1** libar (chupar). ● *tr* **2** libar, beber (licor).
libelo *m* **1** libelo (escrito). **2** DER libelo (petición, memorial).
libélula *f* libélula.
liberación *f* **1** libertação, liberação. **2** liberação, quitação (recibo).
liberal *adj* **1** liberal, generoso. **2** liberal (profesión). ● *adj/m y f* **3** liberal (tolerante).
liberalismo *m* POL liberalismo.
liberar *tr y pron* libertar, liberar.
Liberia *f* Libéria.
liberiano, na *adj/m y f* liberiano.
libertad *f* **1** liberdade (independencia, emancipación). **2** liberdade (liberación). **3** liberdade (franqueza). ◆ ~ **condicional** liberdade condicional; ~ **de pensamiento** liberdade de pensamento; ~ **provisional** liberdade provisória. ■ **poner en** ~ por en liberdade, libertar; **tomarse libertades con alguien** tomar liberdades com alguém.
libertar *tr* **1** libertar (soltar). ● *tr y pron* **2** libertar (de una obligación).
libertinaje *m* libertinagem.
libertino, na *adj/m y f* libertino.
liberto, ta *m y f* liberto.
Libia *f* Líbia.
libido *f* MED, PSIC libido.
libra *adj/m y f* **1** ASTROL libriano. ● *f* **2** libra (moneda). ● **Libra** *m* **3** ASTR Libra (constelación, signo zodiacal).
librador, ra *m y f* sacador (en letra de cambio).
libranza *f* COM ordem de pagamento.
librar *tr y pron* **1** livrar. ● *tr* **2** travar (una lucha). **3** COM sacar (cheque, letra de cámbio). ● *intr* **4** (fam) folgar, descansar.
libre *adj* **1** livre (independiente). **2** livre, liberto. **3** livre, liberado. **4** livre, vago. **5** livre, solto, desimpedido.
librea *f* **1** libré. **2** pelagem.
librecambista *adj/m y f* livre-cambista.
librepensamiento *m* livre-pensamento.
librería *f* **1** livraria (tienda). **2** livraria (biblioteca). **3** estante (mueble).
librero, ra *m y f* **1** livreiro. ● *m* **2** *Amér. Merid.* estante (mueble).
libreta *f* caderneta.
libreto *m* libreto.
libro *m* **1** livro (volumen). **2** livro (obra literaria, científica). **3** livro (tomo). ◆ ~ **de cabecera** livro de cabeceira; ~ **de texto** livro-texto. ■ **ser un** ~ **abierto** (fig, fam) ser um livro aberto.
licencia *f* **1** licença (permiso). **2** licença (documento). ◆ ~ **absoluta** MIL baixa.
licenciado, da *m y f* bacharel, licenciado.
licenciar *tr y pron* **1** graduar, diplomar (en la universidad). ● *tr* **2** licenciar (permitir). **3** MIL conceder baixa.
licencioso, sa *adj* licencioso.
liceo *m* **1** liceu (sociedad). **2** liceu (instituto).
licitar *tr* licitar.
lícito, ta *adj* **1** lícito (legal). **2** lícito (legítimo, justo).
licor *m* licor (bebida).
licorera *f* **1** licoreira (botella). **2** licoreira (soporte).
licra *f* ⇒ lycra.
licuadora *f* liquidificador.
licuar *tr y pron* liquidificar, liquefazer.
lid *f* **1** lide (combate). **2** DER lide. ● **lides** *f pl* **3** assuntos, atividades.
líder *m o f* **1** líder (dirigente). **2** DEP líder (ganador).
liderato *m* liderança (condición, ejercicio).
lidia *f* lida.
lidiar *intr* **1** batallar, pelear. ● *tr e intr* **2** (fig)
liebre *f* lebre.
Liechtenstein *m* Liechtenstein.
liendre *f* lêndea.
lienzo *m* **1** tela (para pintura). **2** pano, tela.
liga *f* **1** liga, cinta-liga. **2** liga (unión, mezcla). **3** liga (grupo).

ligadura *f* ligadura, ligamento.
ligamento *m* ANAT ligamento.
ligar *tr y pron* **1** ligar (unir, enlazar). • *tr* **2** ligar (atar). • *tr y pron* **3** ligar (metales). **4** (fig) obrigar (forzar). • *intr* **5** (fig, fam) azarar, paquerar.
ligazón *f* ligação, união.
ligereza *f* **1** ligeireza (presteza, agilidad). **2** leveza (levedad).
ligero, ra *adj* **1** leve (liviano). **2** ligeiro (ágil, veloz). **3** leve, ligeiro (insignificante). **4** inconstante, instável.
lignito *m* lignito, linhito.
ligón, na *adj/m y f* (coloq) paquerador.
liguero, ra *adj* **1** do campeonato esportivo. • *m* **2** cinta-liga.
lija *f* **1** lixa (papel). **2** cação-lixa.
lijar *tr* lixar.
lila *adj y m* **1** lilás (color). • *f* **2** lilás (arbusto, flor).
lima *f* **1** lima (herramienta). **2** lima, limadura. **3** (fig) polimento (de texto, escrito). **4** lima (fruto).
limadura *f* **1** limadura, limagem. • **limaduras** *f pl* **2** limalha, limaduras.
limar *tr* **1** limar (desgastar, alisar). **2** (fig) limar, polir (mejorar).
limbo *m* **1** limbo (borde). **2** limbo (de almas). ■ **estar en el ~** (fig, fam) estar em outro mundo.
limitar *tr y pron* **1** limitar (restringir). • *tr* **2** limitar, delimitar. **3** (fig) limitar (fijar).
límite *m* **1** limite (linde). **2** (fig) limite (extremo). **3** (fig) limite (fin, término).
limítrofe *adj* limítrofe.
limo *m* limo (lodo).
limón *m* **1** limão (fruto). **2** limão, limoeiro.
limonada *f* limonada.
limonero, ra *m y f* **1** vendedor de limões. • *m* **2** limoeiro.
limosna *f* esmola.
limpiabotas *m* engraxate, limpa-botas.
limpiacristales *m* limpador de vidros (producto).
limpiaparabrisas *m* limpador de pára-brisas.
limpiar *tr y pron* **1** limpar (lavar). • *tr* **2** limpar, tirar (escamas, piel, vísceras). **3** (fig) limpar: *limpiaron el barrio de traficantes = limparon o bairro de traficantes*. **4** *Arg.*, *Bol.*, *Ur.* matar.
limpieza *f* **1** limpeza, asseio. **2** limpeza, limpa. **3** (fig, fam) limpeza (pérdida, robo). **4** (fig) limpeza (destreza, precisión). ◆ **~ en seco** limpeza a seco.
limpio, pia *adj* **1** limpo (inmaculado). **2** asseado, limpo. **3** (fig) limpo, puro. **4** (fig) ■ **sacar en ~** (fig, fam) tirar a limpo.
limusina *f* limusine.
linaje *m* **1** linhagem (ascendencia, descendencia). **2** linhagem (clase, condición).
linaza *f* linhaça.
lince *m* **1** lince (felino). • *m o f* **2** lince (perspicaz).
linchar *tr* linchar.
lindar *intr* **1** lindar, confinar. **2** (fig) beirar (rayar, aproximar).
linde *amb* linde.
lindo, da *adj* **1** lindo, bonito. **2** lindo, prazenteiro.
línea *f* **1** GEOM linha. **2** linha (trazo, raya). **3** linha (renglón). **4** linha, fila. **5** linha (servicio, ruta de transporte). **6** linha (de teléfono). **7** (fig) linha (esbeltez). **8** (fig) ◆ **~ blanca** linha branca, eletrodomésticos; **~ de flotación** MAR linha de flutuação; **~ eléctrica** linha elétrica. ■ **leer entre líneas** (fig, fam) ler as entrelinhas; **tener ~** dar linha (telefónica).
lineal *adj* **1** linear (rectilíneo). **2** linear (progresivo, continuo).
linfocito *m* BIOL linfócito.
lingote *m* lingote (metal).
lingüista *m o f* lingüista.
lingüística *f* lingüística. ◆ **~ aplicada** lingüística aplicada.
linier *m* DEP juiz de linha, bandeirinha.
linimento o **linimiento** *m* linimento.
lino *m* **1** linho (planta). **2** linho (fibra, tela).
linóleo o **linóleum** *m* linóleo.
linotipia *f* **1** linotipia (arte, técnica). **2** linotipo (máquina).
linterna *f* **1** lanterna. **2** ARQ lanterna, clarabóia.
lío *m* **1** liame, feixe. **2** (fig, fam) confusão, fuzuê. **3** (fig, fam) bagunça, baderna.
lioso, sa *adj* **1** complicado, enrolado. • *adj/m y f* **2** (coloq) fofoqueiro, enrolador.
lípido *m* BIOQ lipídio.
liposoluble *adj* QUÍM lipossolúvel.
liposoma *m* BIOL lipossomo, lipossoma.
liposucción *f* lipoaspiração, lipossucção.

lipotimia *f* MED lipotimia.
liquen *m* BOT líquen.
liquidación *f* **1** liquidação (venta, saldo). **2** liquidação (pago). **3** liquidação (conversión). **4** liquidação (finalización, terminación).
liquidar *tr* **1** liquidar, pôr fim. **2** liquidar (vender). **3** (fig) liquidar (pagar, saldar).
líquido, da *adj y m* **1** líquido (fluido). • *adj* **2** líquido (neto). • *m* **3** ECON efetivo.
lira *f* **1** lira (moneda). **2** MÚS lira.
lírica *f* lírica.
lírico, ca *adj* **1** lírico (poético). **2** lírico (emotivo, intimista).
lirio *m* lírio, lis (flor, planta).
lirón *m* arganaz (animal). ■ **dormir como un ~** (fig, fam) dormir como uma pedra.
lis *f* **1** lis, lírio (flor, planta). **2** flor-de-lis (emblema).
lisa *f* tainha.
lisiado, da *adj/m y f* aleijado, mutilado.
lisiar *tr y pron* aleijar, mutilar.
liso, sa *adj* **1** liso (igualado). **2** liso (sin adornos, dibujos). **3** liso (cabello).
lisonja *f* lisonja.
lisonjear *tr* **1** lisonjear (adular). • *tr y pron* **2** (fig) lisonjear (deleitar, agradar).
lisonjero, ra *adj/m y f* lisonjeiro.
lista *f* **1** lista (relación, enumeración). **2** lista (tira). ♦ **~ de espera** lista ou fila de espera.
listar *tr* listar.
listín *m* lista pequena. ♦ **~ telefónico** lista telefônica.
listo, ta *adj* **1** esperto (inteligente). **2** pronto, preparado.
listón *m* **1** listão, faixa. **2** ripa, sarrafo (tabla).
lisura *f* **1** lisura. **2** (fig) boa-fé, sinceridade.
litera *f* beliche.
literal *adj* **1** literal (sentido). **2** literal, textual.
literario, ria *adj* literário.
literato, ta *adj/m y f* **1** literato (entendido). • *m y f* **2** literato (escritor).
literatura *f* **1** literatura (arte, técnica). **2** literatura (obras).
litigar *tr* **1** litigar, pleitear. • *intr* **2** (fig) litigar, contender.
litigio *m* **1** litígio, pleito. **2** (fig) litígio, contenda.
litio *m* QUÍM lítio.
litografía *f* litografia.
litoral *adj* **1** litorâneo, litoral. • *m* **2** litoral, costa.
litosfera *f* GEOL litosfera.
litro *m* litro.
Lituania *f* Lituânia.
lituano, na *adj/m y f* **1** lituano. • *m* **2** lituano (lengua).
liturgia *f* liturgia.
liviano, na *adj* **1** leve, leviano. **2** (fig) leviano, inconstante.
lívido, da *adj* lívido, pálido.
llaga *f* **1** chaga (herida). **2** chaga, estigma (huella).
llagar *tr* chagar, ferir.
llama *f* **1** chama (fuego). **2** lhama (rumiante). **3** (fig) chama, paixão.
llamada *f* **1** chamada, chamamento. **2** ligação, telefonema. **3** chamada (ademán, señal). **4** chamada (de texto, anuncio).
llamamiento *m* chamamento.
llamar *tr* **1** chamar (dar voces). **2** ligar, telefonar. **3** chamar, clamar (invocar). **4** chamar, convocar (citar). **5** chamar, denominar. **6** chamar, apelidar. • **~se** *pron* **7** chamar-se.
llamarada *f* **1** labareda. **2** (fig) rubor, vermelhidão.
llamativo, va *adj* (fig) berrante, chamativo.
llamear *intr* chamejar, flamejar.
llanero, ra *m y f* campineiro.
llaneza *f* **1** (fig) simplicidade, sinceridade. **2** (fig) familiaridade.
llano, na *adj* **1** plano, liso. **2** raso (plato, ángulo). **3** (fig) franco, sincero.
llanta *f* aro de roda.
llantera *f* (fam) choradeira.
llanto *m* pranto, choro.
llanura *f* planície, planura.
llave *f* **1** chave (de puertas, cajones). **2** chave (herramienta). **3** chave (signo gráfico). **4** (fig, fam) chave (medio, resorte). ♦ **~ inglesa** chave inglesa. ■ **echar la ~** passar a chave.
llavero, ra *m y f* **1** chaveiro. • *m* **2** chaveiro, porta-chaves.
llegada *f* chegada.
llegar *intr* **1** chegar (venir). **2** chegar, atingir (alcanzar). **3** chegar, obter (car-

go). **4** chegar (tocar): *la falda le llega a la rodilla = a saia chega até o joelho.*

> En español el verbo **llegar** rige la preposición **a**, en cambio en portugués el verbo ***chegar*** rige la preposición ***em***: *llegué a casa = cheguei em casa.*

llenar *tr y pron* **1** encher (ocupar). • *tr* **2** (fig) encher (cargo, plaza). **3** (fig) encher, sobrecarregar (colmar). • **~se** *pron* **4** (fam) encher-se (de comida).
lleno, na *adj* **1** cheio (ocupado). **2** cheio (de comida). • *m* **3** lotação (de espectáculo).
llevadero, ra *adj* tolerável, suportável.
llevar *tr* **1** levar (transportar, trasladar). **2** levar (conducir, acompañar). **3** levar, carregar. **4** levar, vestir. **5** levar (causar). **6** suportar, tolerar: *llevó bien su separación = suportou bem a separação.* **7** levar, demorar (horas, semanas). **8** usar: *no me gusta llevar pendientes = não gosto de usar brincos.* **9** fazer, passar (tiempo): *llevo un año viviendo aquí = faz dos anos que moro aquí.* • **~se** *pron* **10** levar, receber (dinero, reprimienda). **11** levar (coger, robar). ■ **~se bien/mal** dar-se bem/mal.
llorar *intr y tr* **1** chorar, lagrimejar. **2** (fig) chorar (gotear).
llorera *f* (fam) choradeira.
lloriquear *intr* choramingar.
lloriqueo *m* choramingação, choramingo.
llorón, na *adj/m y f* **1** chorão, choramingas. • *m* **2** chorão (árbol).
lloroso, sa *adj* choroso.
llover *impers* **1** chover. **2** (fig) chover (abundar).
llovizna *f* chuvisco.
lloviznar *impers* chuviscar.
lluvia *f* **1** chuva. **2** (fig) chuva (abundancia).
lluvioso, sa *adj* chuvoso.
lo *art* **1** (con adjetivos) o:, *lo sano es comer mucha verdura = o saudável é comer muita verdura.* **2** (intensificador) o, como: *ya verás lo mala que es la película = você vai ver como é péssimo o filme.* • *pron* **3** lo, o: *lo ha prestado a su hermano = emprestou-o para o seu irmão.* **4** isso, o: *cobra mucho pero no se lo cuenta a nadie = ganha muito, mas não conta isso para ninguém.*
loa *f* **1** loa (elogio). **2** loa (prólogo, discurso).
loable *adj* louvável.
loar *tr* loar, louvar.
lobato *m* lobato, lobacho.
lobera *f* toca, madrigueira (de lobos).
lobezno *m* lobacho.
lobo, ba *m y f* **1** lobo (mamífero). • *m* **2** ⇒ lóbulo. ■ **meterse en la boca del ~** (fig, fam) cair na goela do lobo.
lóbrego, ga *adj* **1** lôbrego (oscuro). **2** (fig) lôbrego (triste, funesto).
lóbulo *m* **1** ANAT lóbulo (de la oreja). **2** ANAT lóbulo (de un órgano).
locador, ra *m y f Chile, Perú, Venez.* locador.
local *adj* **1** local, localista. **2** local (regional). • *m* **3** salão.
localidad *f* **1** localidade (población). **2** lugar, assento (de espectáculo).
localizar *tr y pron* **1** localizar (limitar). • *tr* **2** localizar (encontrar).
locatario, ria *m y f* locatário.
locatis *adj/m y f* (fam) louco, doido.
loción *f* **1** loção (lavamiento). **2** loção (producto, sustancia).
loco, ca *adj/m y f* **1** louco (insano). **2** louco (imprudente). • *adj* **3** (fig) louco (extraordinario, excesivo). ♦ **~ de atar** (fig, fam) louco varrido. ■ **a lo ~** (fig, fam) loucamente; **volver ~ a alguien** (fig, fam) deixar alguém louco.
locomotora *f* locomotiva.
locuaz *adj* loquaz.
locución *f* **1** locução (dicción). **2** GRAM locução.
locura *f* **1** loucura (insania). **2** (fig) loucura (imprudencia). **3** (fig) loucura (entusiasmo).
locutor, ra *m y f* locutor.
locutorio *m* **1** locutório, parlatório (para presos, monjas). **2** posto telefônico.
lodazal o **lodazar** *m* lodaçal, lamaçal.
lodo *m* **1** lodo, lama. **2** (fig) lodo, lama (deshonra).
logaritmo *m* MAT logaritmo.
lógica *f* **1** lógica (razonamiento). **2** FIL lógica.
lógico, ca *adj* **1** lógico (racional). **2** lógico (natural).

logística *f* logística (matemática).
logopeda *m o f* logopedista.
logotipo *m* logotipo.
lograr *tr* **1** lograr, conseguir. • **~se** *pron* **2** aperfeiçoar-se.
logrero, ra *m y f* agiota (usurero).
logro *m* **1** lucro, ganho. **2** sucesso, bom resultado.
loma *f* lomba, lombada.
lombriguera *f* buraco de minhoca.
lombriz *f* minhoca.
lomo *m* **1** lombo (espalda). **2** lombo (carne). **3** lombo, dorso (del libro).
lona *f* **1** lona (tela). **2** lona (suelo).
loncha *f* fatia (de queso, jamón).
lonchera *f Amér.* marmita.
longanimidad *f* longanimidade.
longaniza *f* lingüiça.
longevo, va *adj* longevo.
longitud *f* **1** comprimento, extensão. **2** ASTR, GEOG longitude.
lonja *f* **1** fatia, tira. **2** mercado, feira.
lonjear *tr Arg.* lonquear (rapar).
loor *m* louvor.
loquería *m* (fam) hospício, manicômio.
loquero, ra *m y f* (fam) enfermeiro de loucos.
lora *f Amér. Centr., Col., Perú* louro, papagaio.
loriga *f* loriga.
loro *m* **1** louro, papagaio (ave). **2** (fig, fam) papagaio, tagarela (hablador). ■ **estar al ~** (fig, fam) estar de antena ligada.
los *art* **1** os: *vienen los caballos = vêm os cavalos.* • *pron* **2** os, los: *los compré en esta tienda = comprei-os nesta loja, no puedes mojarlos = você não pode molhá-los.*
losa *f* lousa (piedra).
loseta *f* lajota.
lote *m* **1** lote (parte, conjunto). **2** *Amér. Merid.* lote (terreno).
lotería *f* **1** loteria, loto (juego). **2** loteria, casa lotérica. **3** (fig) loteria (suerte).
lotero, ra *m y f* lotérico.
loto *m* lótus, loto (planta, flor, fruto).
loza *f* **1** louça (barro). **2** louça (vajilla).
lozanía *f* louçania.
lubina *f* robalo.
lubricante *adj y m* lubrificante.
lubricar *tr* lubricar, lubrificar.
lubrificar *tr* lubrificar.
lucerna *f* clarabóia.
lucero *m* **1** luzeiro (astro). **2** luzeiro (mancha blanca).
lucha *f* **1** luta (combate, pelea). **2** (fig) luta (esfuerzo). **3** (fig) luta (disputa).
luchador, ra *m y f* lutador.
luchar *intr* **1** lutar (contender, pelear). **2** (fig) lutar, labutar.
lucidez *f* lucidez.
lucido, da *adj* luzido.
lúcido, da *adj* (fig) lúcido.
luciérnaga *f* vaga-lume.
lucifer *m* lúcifer (diablo).
lucimiento *m* **1** luzimento (buena impresión). **2** luzimento (esplendor).
lucio *m* lúcio (pez).
lucir *intr* **1** luzir (brilhar). **2** (fig) render, dar bom resultado. **3** (fig) dar prestígio. • *intr y pron* **4** (fig) destacar-se (sobresalir).
lucrar *tr* **1** lucrar. • **~se** *pron* **2** beneficiar-se.
lucro *m* lucro.
luctuoso, sa *adj* lutuoso.
lucubración *f* lucubração (estudio, obra).
lucubrar *tr* **1** lucubrar (trabajar). **2** lucubrar (imaginar, meditar).
lúdico, ca *adj* lúdico.
luego *adv* **1** depois, em seguida. **2** depois (más adelante): *está el restaurante y luego su casa = está o restaurante e depois a casa dele.* • *conj* **3** logo, portanto: *no has comido, luego no juegas = você não comeu, logo não brinca.* ■ **desde ~** claro, sem dúvida; **hasta ~** até logo.
lugar *m* **1** lugar (espacio). **2** lugar (sitio). **3** lugar (región). ■ **en ~ de** (fig, fam) em lugar de; **tener ~** ter lugar, acontecer.
lugareño, ña *adj/m y f* **1** habitante local. • *adj* **2** lugareiro, regional.
lugarteniente *m* lugar-tenente.
lúgubre *adj* **1** lúgubre (fúnebre). **2** lúgubre (triste).
lujo *m* **1** luxo (ostentación). **2** luxo (abundancia).
lujoso, sa *adj* luxuoso.
lujuria *f* **1** luxúria (deseo). **2** luxúria (exceso, demasía).
lulú *adj y m* lulu (raza).
lumbar *adj* ANAT lombar.
lumbre *f* **1** lume (fuego). **2** lume (luz). **3** (fig) lume (esplendor).

lumbrera *f* **1** corpo luminoso. **2** (fig, coloq) iluminado (inteligente). **3** clarabóia.
luminosidad *f* luminosidade.
luminoso, sa *adj* **1** luminoso (iluminado). **2** luminoso (brillante).
luminotecnia *f* luminotécnica, luminotecnia.
luminotécnico, ca *adj/m y f* luminotécnico.
luna *f* **1** Lua (astro). **2** lua (luz). **3** lua (tiempo, lunación). ◆ ~ **llena** Lua cheia. ■ **estar en la ~** (fig, fam) estar no mundo da lua.
lunar *adj* **1** lunar. ● *m* **2** pinta, sinal (en la piel). **3** bola (en tela, papel). ■ **de lunares** de bolas.
lunático, ca *adj/m y f* lunático.
lunes *m* segunda-feira.
luneta *f* **1** lente (de anteojos). **2** REL luneta (de la hostia).
lupa *f* lupa.
lupanar *m* lupanar.
lúpulo *m* lúpulo.
lusitanismo *m* lusitanismo.
lusitano, na *adj/m y f* lusitano.
luso, sa *adj/m y f* luso, lusitano.
lustrabotas *m Bol., C Sur, Perú* limpabotas, engraxate.
lustrar *tr* **1** lustrar (purificar). **2** lustrar (dar brillo).
lustre *m* **1** lustre (brillo). **2** (fig) lustre (esplendor).
lustrín *m Chile* engraxate.
lustro *m* lustro, qüinqüênio.
lustroso, sa *adj* lustroso (brillante).
lutecio *m* QUÍM lutécio.
luterano, na *adj/m y f* luterano.
luto *m* **1** luto (duelo). **2** luto (vestido). ■ **estar de ~** estar de luto.
luxación *f* MED luxação.
Luxemburgo *m* Luxemburgo.
luxemburgués, sa *adj/m y f* luxemburguês.
luz *f* **1** luz (energía). **2** luz (claridad). **3** luz (aparato, dispositivo). **4** luz (corriente). ● **luces** *f pl* **5** (fig) Luzes (Ilustración). ◆ ~ **eléctrica** luz elétrica; ~ **natural** luz natural. ■ **dar a ~** dar à luz (parir); **salir o sacar a ~** (fig, fam) vir à tona, tornar-se público.
lycra *f* lycra.

Mm

m, M *f* m, M (letra).
macabro, bra *adj* macabro.
macaco, ca *m y f* macaco.
macacoa *f* **1** *P. Rico* azar (mala suerte). **2** *Col., Venez.* tristeza.
macana *f* **1** *Amér.* (coloq) cacete, borduna. **2** *Arg., Perú, Ur.* (coloq) lorota (disparate).
macanudo, da *adj Amér.* (fam) bacana, legal.
macaquear *intr* **1** *Arg.* macaquear. • *tr* **2** *Amér. Centr.* roubar.
macarra *adj/m y f* **1** casca-grossa (pendenciero). • *m* **2** (vulg) cafetão (chulo).
macarrón *m* **1** macarrão (pasta). • **macarrones** *m pl* **2** macarronada.
macarrónico, ca *adj* macarrônico.
macedonia *f* salada de frutas.
macedonio, nia *adj/m y f* **1** macedônio. • *m* **2** macedônio (lengua).
maceración *f* maceração, maceramento.
macerar *tr* **1** macerar (ablandar). • *tr y pron* **2** (fig) macerar (mortificar).
maceta *f* **1** vaso, floreira. **2** maceta (herramienta).
macetero *m* cachepô.
mach *m* mach.
machacar *tr* **1** triturar. **2** (fam) arrasar (derrotar). **3** (fam) pegar firme (en los estudios).
machacón, na *adj/m y f* chato, sarna.
machada *f* (fam) macheza.
machar *tr* **1** triturar, amassar. • **~se** *pron* **2** *Arg., Bol.* embebedar-se.
machete *m* facão.
machetear *tr* cortar com facão.
machismo *m* machismo.
machista *adj/m y f* machista.
macho *adj* **1** (fig) macho, valentão. • *m* **2** macho (del sexo masculino). **3** macho (pieza). • **¡~!** *interj* **4** cara!
machote *m* (fam) machão.
macilento, ta *adj* macilento.
macillo *m* martelo (en piano).
macizo, za *adj y m* **1** maciço (sólido). • *adj* **2** maciço, encorpado. • *m* **3** maciço (terreno).
macramé *m* macramê.
macrobiótico, ca *adj* macrobiótico.
macrocéfalo, la *adj/m y f* macrocéfalo.
macrocosmo o **macrocosmos** *m* macrocosmo.
macroeconomía *f* macroeconomia.
macuco, ca *adj Chile* matuto, matreiro.
mácula *f* mácula (mancha).
macuto *m* mochila.
Madagascar *f* Madagascar.
madeja *f* meada.
madera *f* **1** madeira. **2** (fig, fam) talento. ■ **tocar ~** (fig, fam) bater na madeira.
maderable *adj* de madeira útil (árbol, bosque).
maderamen *m* madeiramento.
maderero, ra *adj/m y f* madeireiro.
madero *m* **1** madeiro, madeira. **2** (coloq, desp) policial.
madona *f* madona (virgen, representación).
madrastra *f* madrasta.
madraza *f* (fam) mãezona.
madre *f* **1** mãe. **2** freira, madre (monja). **3** (fig) mãe (causa, origen). ◆ **~ de alquiler** mãe de aluguel; **~ política** sogra. ■ **de puta ~** (vulg) do cacete: *esta peli está de puta madre = este filme é do cacete*; pra caramba: *él canta de puta madre = ele canta pra caramba*; **la ~ que te parió** (vulg) puta que pariu; **¡~ mía!** (fam) minha nossa!
madreperla *f* madrepérola.
madrero, ra *adj* (fam) apegado à mãe.
madreselva *f* madressilva.
Madrid, Comunidad de *f* Madri.
madriguera *f* **1** toca (de animales). **2** (fig, fam) covil, antro (de delincuentes, ladrones).
madrileño, ña *adj/m y f* madrilenho.
madrina *f* **1** madrinha (de bautismo, boda). **2** (fig) madrinha (protectora).
madroñal *m* medronhal.
madroñera *f* **1** ⇒ madroñal. **2** medronheiro (arbusto).
madroño *m* **1** medronheiro (arbusto). **2** medronho (fruto).

madrugada *f* madrugada. ■ **de ~** de madrugada.
madrugador, ra *adj/m y f* madrugador.
madrugar *intr* **1** madrugar. **2** (fig, fam) antecipar-se.
madrugón, na *adj* madrugador.
maduración *f* maduração, amadurecimento.
madurar *tr e intr* **1** amadurecer (fruto). ● *intr y pron* **2** (fig) amadurecer (crecer).
madurez *f* **1** madureza, maturação. **2** maturidade.
maduro, ra *adj* **1** maduro, amadurecido (fruto). **2** (fig) maduro (adulto).
maestranza *f* cavalaria (sociedad de equitación).
maestre *m* MIL mestre.
maestresala *m* chefe dos garçons.
maestría *f* mestria.
maestro, tra *adj* **1** mestre. ● *m y f* **2** mestre, professor. **3** mestre (de un oficio): *sastre maestro = mestre alfaiate*. ● *m* **4** maestro (compositor). ◆ **obra maestra** obra-prima, obra-mestra.
mafia *f* máfia.
mafioso, sa *adj/m y f* mafioso.
magacín *m* magazine (publicación).
magancear *intr Chile, Col.* fazer corpo mole.
magazín o **magazine** *m* ⇒ magacín.
magdalena *f* **1** madalena (penitente). **2** madalena (bollo).
magenta *adj y m* magenta (color).
magia *f* **1** magia (arte). **2** mágica (prestidigitación). **3** (fig) magia (encanto). ◆ **~ negra** magia negra.
magiar *adj/m y f* **1** magiar, húngaro. ● *m* **2** magiar, húngaro (lengua).
mágico, ca *adj* **1** mágico: *arte mágica = arte mágica*. **2** mágico (maravilloso). ● *m y f* **3** mágico.
magisterio *m* **1** magistério (cargo, profesión). **2** magistério (conjunto de maestros).
magistrado, da *m y f* magistrado.
magistral *adj* **1** magistral. **2** (fig) magistral, perfeito.
magistratura *f* **1** magistratura (cargo, duración). **2** magistratura (magistrados).
magma *m* GEOL magma.
magnánimo, ma *adj* magnânimo.
magnate *m* magnata.
magnesia *f* magnésia.
magnesio *m* QUÍM magnésio.
magnético, ca *adj* magnético.
magnetismo *m* **1** FÍS magnetismo. **2** (fig) magnetismo, fascínio. ◆ **~ terrestre** FÍS magnetismo terrestre, geomagnetismo.
magnetizar *tr* **1** magnetizar. **2** (fig) magnetizar, fascinar.
magneto *m* magneto.
magnetófono *m* gravador, magnetofone.
magnetoscopio *m* **1** FÍS magnetoscópio. **2** magnetoscópio, videocassete.
magnetrón *m* ELECTR magnétron.
magnicidio *m* magnicídio.
magnificencia *f* **1** magnificência (ostentación). **2** magnificência, generosidade.
magnífico, ca *adj* magnífico, esplêndido.
magnitud *f* **1** magnitude (tamaño). **2** (fig) magnitude, importância.
magno, na *adj* (lit) magno.
magnolia *f* magnólia (árbol, flor).
mago, ga *adj/m y f* **1** mago, bruxo. **2** (fig) mago (exitoso): *mago de las finanzas = mago das finanças*.
magrear *tr* (fig, vulg) bolinar, esfregar-se.
magrebí *adj/m y f* magrebino.
magreo *m* (vulg) amasso, bolinação, esfregação.
magro, gra *adj* **1** magro (enjuto). ● *m* **2** carne magra de porco.
maguey *m Amér.* agave, pita.
magulladura *f* machucado, machucadura.
magullar *tr y pron* machucar, contundir.
mahometano, na *adj/m y f* maometano.
mahonesa *f* ⇒ mayonesa.
maicena *f* maisena.
maicero, ra *m y f* vendedor ou cultivador de milho.
maillot *m* **1** maiô (traje de baño). **2** collant (traje deportivo).
maitines *m pl* matinas.
maíz *m* milho. ◆ **palomitas de ~** pipoca.
maizal *m* milharal.
majaderear *tr e intr Amér.* (fam) atazanar, perturbar.
majadería *f* **1** bobagem, baboseira. **2** *Amér. Merid.* grosseria.
majadero, ra *adj/m y f* **1** (fig) chato, pedante. **2** *Amér. Merid.* grossero, malcriado.
majareta o **majara** *adj/m y f* louco, doido varrido.

majestad *f* majestade.
majestuoso, sa *adj* majestoso.
majo, ja *adj* **1** (fam) simpático, legal (carácter). **2** (fam) elegante, bem-arrumado (apariencia): *ibas muy majo en la fiesta = você estava muito elegante na festa.*
majorette *f* baliza (en un desfile).
mal *adj* **1** (antepuesto al sust. masc.) mau, ruim: *creo que es un mal consejo = acho que é um mau conselho.* • *adv* **2** mal (de mala manera): *cocina muy mal esta muchacha = cozinha muito mal esta moça.* **3** mal (de forma contraria): *le va mal en la escuela = vai mal na escola.* **4** mal (insuficiente, equivocadamente): *he visto mal lo que ponía el cartel = vi mal o que estava escrito no cartaz.* • *m* **5** mal, maldade. **6** mal (enfermedad). ◆ **~ de ojo** mau-olhado. ■ **de ~ en peor** de mal a pior; **menos ~** menos mal.
malabar *adj/m y f* **1** malabarense, malabar. • *m* **2** malabárico, malabar (lengua).
malabarismo *m* **1** malabarismo. • **malabarismos** *m pl* **2** (fig) malabarismos.
malabarista *m o f* malabarista.
malaconsejado, da *adj/m y f* mal-aconselhado.
malacostumbrado, da *adj* mal-acostumado.
malacrianza *f* malcriação, má-educação.
málaga *m* málaga (vino).
malagradecido, da *adj/m y f* mal-agradecido.
malandante *adj* infeliz, desaventurado.
malandanza *f* mal-andança, desgraça.
malandrín, na *adj/m y f* malandro, perverso.
malaquita *f* malaquita.
malaria *f* MED malária.
malasangre *adj/m y f* mal-intencionado.
Malasia *f* Malásia.
malasombra *m o f* mala-sem-alça, chato.
malaventurado, da *adj* mal-aventurado.
Malawi *f* Malaui.
malayo, ya *adj/m y f* **1** malásio. • *m* **2** malaio (lengua).
malbaratar *tr* **1** malbaratar (malvender). **2** malbaratar, dissipar (dinero).
malcarado, da *adj* mal-encarado.
malcomer *intr* comer mal.
malcriado, da *adj/m y f* malcriado.
malcriar *tr* acostumar mal, mimar.
maldad *f* **1** maldade (crueldad). **2** maldade, mordacidade.
maldecir *tr* **1** maldizer, amaldiçoar. • *intr* **2** maldizer, difamar.
maldición *f* **1** maldição. • **¡~!** *interj* **2** maldição!
maldispuesto, ta *adj* maldisposto, indisposto.
maldito, ta *adj* **1** maldito (funesto). • *adj/m y f* **2** maldito (malvado).
Maldivas, Islas *f* Maldivas.
maleable *adj* **1** maleável. **2** (fig) maleável, dócil.
maleante *m o f* meliante, malandro.
malear *tr y pron* estragar, danificar.
malecón *m* dique.
maledicencia *f* maledicência.
maleducado, da *adj/m y f* mal-educado, malcriado.
maleducar *tr* educar mal.
maleficio *m* **1** malefício, feitiço. **2** malefício, prejuízo (daño).
maléfico, ca *adj* maléfico.
malentendido *m* mal-entendido.
malestar *m* mal-estar, indisposição.
maleta *f* mala. ■ **hacer la ~** (fig) fazer as malas (irse).
maletero *m* **1** bagageiro, porta-malas (del vehículo). **2** carregador (de maletas).
maletín *m* valise, maleta.
malevo, va *adj/m y f Arg., Ur.* ⇒ malévolo.
malévolo, la *adj/m y f* malévolo.
maleza *f* **1** erva daninha. **2** mato (vegetación).
malformación *f* MED malformação, máformação.
malgache *adj/m y f* **1** malgaxe. • *m* **2** malgaxe (lengua).
malgastar *tr* malgastar, desperdiçar.
malgenioso, sa *adj/m y f Amér.* genioso.
malhablado, da *adj/m y f* desbocado (grosero).
malhadado, da *adj* malfadado, desgraçado.
malhechor, ra *adj/m y f* malfeitor.
malherido, da *adj* malferido.
malherir *tr* malferir.
malhumorado, da *adj* mal-humorado.
Malí *f* Mali.
malicia *f* **1** malícia (maldad). **2** malícia, astúcia.

maliciar *tr y pron* maliciar, suspeitar.
malicioso, sa *adj/m y f* malicioso.
malignidad *f* malignidade, malvadez.
maligno, na *adj/m y f* **1** maligno, maldoso. • *adj* **2** maligno (perjudicial).
malintencionado, da *adj/m y f* mal-intencionado.
malla *f* **1** malha (tejido). **2** malha (prenda de vestir).
malmandado, da *adj/m y f* malmandado, insubmisso.
malmeter *tr* inimizar, indispor.
malmirado, da *adj* **1** malquisto, malvisto. **2** desconsiderado (descortés).
malnacido, da *adj/m y f* canalha, sacana.
malo, la *adj* **1** mau (mediocre). **2** mau (perjudicial). **3** doente. ■ **por las malas** por mal (obligado).
malogrado, da *adj* malogrado.
malograr *tr y pron* **1** malograr (frustrar). • *tr* **2** perder (ocasión, tiempo).
maloliente *adj* malcheiroso, fedido.
malparado, da *adj* prejudicado.
malparar *tr* prejudicar, lesar.
malparir *intr* malparir, abortar.
malpensado, da *adj/m y f* malicioso.
malquerencia *f* malquerença.
malquerer *tr* malquerer.
malquistar *tr y pron* malquistar.
malquisto, ta *adj* malquisto.
malsano, na *adj* **1** malsão, insalubre. **2** (fig) malsão (enfermizo, mórbido).
malsonante *adj* **1** malsonante, malsoante. **2** malsoante (ofensivo, grosero).
malta *f* malte.
Malta *f* Malta.
malteado *m* maltagem.
maltear *tr* maltar.
maltés, sa *adj/m y f* **1** maltês. • *m* **2** maltês (lengua).
maltraer *tr* mortificar, irritar.
maltratar *tr y pron* **1** maltratar, espancar. **2** maltratar, ultrajar (con palabras).
maltrato *m* dano (físico, moral).
maltrecho, cha *adj* maltratado.
malva *adj y m* **1** malva (color). • *f* **2** malva (planta, flor).
malvado, da *adj/m y f* malvado.
malvender *tr* malbaratar (vender a bajo precio).
malversación *f* malversação.
malversador, ra *adj/m y f* malversador.
malversar *tr* malversar.
malvivir *intr* viver mal.
mama *f* **1** (fam) mãe, mamãe. **2** ANAT mama.
mamá *f* (fam) mamãe, mãe.
mamado, da *adj* (vulg) mamado, chumbado.
mamar *tr* **1** mamar, sugar. **2** (fig) adquirir, aprender.
mamarracho *m* (fig, fam) palhaço, ridículo.
mambo *m* MÚS mambo.
mameluco *m* **1** mameluco (soldado). **2** (fig, fam) bobo, imbecil.
mamífero, ra *adj y m* **1** ZOOL mamífero. • **mamíferos** *m pl* **2** ZOOL mamíferos.
mamila *f* ANAT mamilo, mamila.
mamitis *f* **1** MED mastite. **2** (fig, fam) apego à mãe.
mamografía *f* MED mamografia.
mamón, na *adj/m y f* **1** mamão (cría). **2** (vulg) pilantra, traste.
mamotreto *m* **1** trambolho. **2** (fig, fam) calhamaço, tijolo (libro).
mampara *f* biombo.
mamporro *m* (fam) cascudo, castanha.
mampostería *f* alvenaria.
mampuesto, ta *adj* alvenaria (material).
mamúa *f Arg., Ur.* (vulg) bebedeira, porre.
mamut *m* mamute.
maná *m* **1** maná (alimento). **2** (fig) presente.
manada *f* **1** manada (de animales). **2** punhado (de hierbas).
manager *m o f* empresário, manager.
manantial *m* **1** manancial. **2** (fig) fonte, origem.
manar *intr y tr* brotar, manar.
manatí *m* peixe-boi, manati.
manazas *m o f* (fam) desajeitado, desastrado.
manceba *f* amante, concubina.
mancebo *m* mancebo, rapaz.
mancha *f* **1** mancha, nódoa. **2** mancha, malha. **3** (fig) mancha, mácula (deshonra).
manchado, da *adj* manchado.
manchar *tr y pron* **1** manchar (ensuciar). **2** (fig) manchar (honra, reputación).
mancilla *f* (fig) mancha, mácula (en la virtud, reputación).
mancillar *tr y pron* manchar, macular (honor, fama).
manco, ca *adj/m y f* **1** maneta. • *adj* **2** (fig) manco, defeituoso (mueble, obra).

mancomunar *tr y pron* mancomunar.
mancomunidad *f* mancomunidade, mancomunação.
mancuerna *f* ajoujo, tira.
mandado, da *m y f* **1** mandado (enviado). • *m* **2** mandado, recado.
mandamás *m o f* (fam) manda-chuva.
mandamiento *m* **1** mandamento (precepto). **2** DER mandado (orden judicial).
mandanga *f* **1** preguiça, indolência. • **mandangas** *f pl* **2** asneira, lorota.
mandar *tr* **1** mandar (ordenar). **2** mandar, remeter (enviar). **3** encarregar, encomendar.
mandarín, na *adj/m y f* **1** mandarim (funcionario). • *adj y m* **2** mandarim (lengua).
mandarina *f* tangerina (fruta).
mandarino *m* tangerineira.
mandatario, ria *m y f* **1** mandatário. **2** governante, chefe de Estado.
mandato *m* **1** mandado, ordem (precepto). **2** mandado, encargo. **3** mandato (período).
mandíbula *f* ANAT mandíbula.
mandil *m* avental, mandil.
mandinga *adj/m y f* mandinga, mandê.
mandioca *f* mandioca (yuca).
mando *m* **1** controle, comando. **2** autoridade, poder. **3** controle, botão (dispositivo). ◆ ~ **a distancia** controle remoto.
mandolina *f* MÚS mandolina.
mandón, na *adj/m y f* (fam) mandão.
mandrágora *f* mandrágora.
mandril *m* mandril, babuíno (mono).
manducar *intr* (fam) rangar.
manecilla *f* **1** ponteiro, agulha (de reloj). **2** broche, fecho.
manejable *adj* manejável.
manejar *tr* **1** manejar, usar. **2** manejar, manusear. **3** (fig) manejar, governar.
manejo *m* **1** manejo, manuseio. **2** (fig) manejo, gestão.
manera *f* **1** maneira (modo). **2** maneira (modales). ■ **de cualquier** ~ de qualquer maneira; **no haber** ~ não ter jeito.
manga *f* **1** manga (de prenda). **2** mangueira (de riego). **3** manga (árbol, fruto). **4** DEP eliminatória. ■ **en mangas de camisa** em mangas de camisa; **sacarse algo de la** ~ (fig, fam) tirar não se sabe de onde, inventar.
manganeso *m* manganês.
mangante *m o f* **1** (vulg) larápio. **2** (vulg) sem-vergonha.
manganzón, na *adj y m Amér.* folgado, preguiçoso.
mangar *tr* (fam) surrupiar, usurpar.
manglar *m* mangue, manguezal.
mango *m* **1** cabo (de utensilios, herramientas). **2** mangueira (árbol). **3** manga (fruto).
mangosta *m* mangusto.
manguear *tr Arg., Chile* guiar, manguear (ganado).
manguera *f* mangueira, borracha (de riego).
manguito *m* manguito, regalo (para las manos).
maní *m Amér.* amendoim (planta, fruto).
manía *f* **1** mania (trastorno mental). **2** mania, excentricidade. ■ **coger o tener** ~ **a** ter implicância com.
maniaco, ca o **maníaco, ca** *adj/m y f* maníaco (enajenado).
maniatar *tr* manietar, atar as mãos.
maniático, ca *adj/m y f* maníaco, excêntrico.
manicomio *m* manicômio.
manicura *f* manicure.
manicuro, ra *m y f* manicuro.
manido, da *adj* pasado (podrido).
manierismo *m* maneirismo.
manifestación *f* **1** manifestação (demostración). **2** manifestação, passeata (declaración pública).
manifestante *m o f* manifestante.
manifestar *tr y pron* **1** manifestar (divulgar). **2** manifestar, revelar. • **~se** *pron* **3** manifestar-se, fazer passeata.
manifiesto, ta *adj* **1** manifesto (patente). • *m* **2** manifesto.
manigua *f Col., Venez.* brejo, pântano.
manija *f* punho, cabo (mango).
manilla *f* **1** ponteiro, agulha (del reloj). • **manillas** *f pl* **2** algemas (esposas).
manillar *m* guidom, guidão.
maniobra *f* **1** manobra. **2** (fig) artimanha, manobra. • **maniobras** *f pl* **3** MIL manobras.
maniobrar *intr* manobrar.
manipulación *f* **1** manipulação (manejo). **2** (fig) manipulação (adulteración).
manipulable *adj* manipulável.

manipulador, ra *adj/m y f* **1** manipulador. • *m* **2** manipulador, transmissor (aparato).
manipular *tr* **1** manipular (manejar). **2** (fig, fam) manipular, adulterar (informaciones, datos).
maniquí *m* **1** manequim (figura). • *m o f* **2** manequim (modelo).
manirroto, ta *adj/m y f* esbanjador, mão-aberta.
manisero, ra o **manicero, ra** *m Amér.* vendedor de amendoim.
manitas *m o f* (fam) jeitoso, habilidoso.
manito *m Méx.* camarada, mano.
manivela *f* manivela.
manjar *m* manjar.
mano *f* **1** ANAT mão. **2** mão (lado). **3** mão, demão (de barniz, tinta). **4** (fig) mão (habilidad, destreza). **5** (fig) mão (ayuda). **6** (fig) mão, dedo (participación, intervención). **7** DEP mão, falta de mão. ♦ ~ **de obra** mão-de-obra. ■ **a** ~ à mão; **caer en manos de alguien** (fig, fam) cair nas mãos de alguém; **con las manos en la masa** (fig, fam) com as mãos na massa; **dar o estrechar la** ~ dar a mão, cumprimentar; **de primera** ~ (fig, fam) em primeira mão; **de segunda** ~ (fig, fam) de segunda mão; **echar una** ~ **a alguien** (fig, fam) dar uma mão a alguém; **estar en manos de** (fig, fam) estar nas mãos de; **lavarse las manos** (fig, fam) lavar as mãos; ~ **a** ~ mano a mano; **meter** ~ (vulg) bolinar, apalpar.
manojo *m* **1** maço, feixe. **2** molho (de llaves). **3** (fig) porção, bando.
manómetro *m* FÍS manômetro.
manopla *f* **1** luva (guante). **2** manopla (de armadura).
manoseado, da *adj* manuseado.
manosear *tr* **1** manusear, apalpar. **2** (fig, fam) bater, repisar (tema, asunto).
manotear *tr* **1** estapear. • *intr* **2** gesticular.
manoteo *m* estapeamento.
mansarda *f Amér. Centr., Amér. Merid.* clarabóia.
mansedumbre *f* mansidão.
mansión *f* mansão.
manso, sa *adj* **1** manso, pacato. **2** manso, dócil (animal).
manta *f* **1** cobertor, manta. **2** (fig) coça, surra. • *m o f* **3** (fam) preguiçoso.
manteca *f* **1** banha, gordura. **2** manteiga (de leche).
mantecada *f* GAST pão-de-ló (bollo).
mantecado *m* **1** GAST amanteigado (bollo). **2** sorvete de massa.
mantecoso, sa *adj* manteigoso, amanteigado.
mantel *m* toalha de mesa.
mantelería *f* jogo de mesa.
mantener *tr y pron* **1** manter (sujetar). **2** manter, custear. • *tr* **3** manter, cumprir (promesa).
mantenimiento *m* **1** manutenção (conservación). **2** manutenção (alimento).
manteo *m* mantô, balandrau.
mantequera *f* manteigueira (recipiente).
mantequería *f* **1** manteigaria. **2** rotisseria (tienda).
mantequilla *f* manteiga.
mantilla *f* **1** mantilha, véu. **2** cueiro, manta.
mantillo *m* **1** humo, húmus. **2** adubo (abono).
mantis *f* louva-a-deus, mântis.
manto *m* **1** manto (prenda de vestir). **2** (fig) manto (cubierta).
mantón *m* xale. ♦ ~ **de manila** xale de tonquim.
manual *adj* **1** manual. • *m* **2** manual. ♦ ~ **de instrucciones** manual de instruções.
manubrio *m* **1** manivela. **2** *Arg., Chile* guidom, guidão (manillar).
manufactura *f* manufatura (obra, establecimiento).
manufacturación *f* manufaturação.
manufacturado, da *adj* manufaturado.
manufacturar *tr* manufaturar.
manumisión *f* alforria, manumissão.
manumitir *tr* DER alforriar, manumitir.
manuscrito, ta *adj* **1** manuscrito. • *m* **2** manuscrito.
manutención *f* manutenção.
manzana *f* **1** maçã (fruto). **2** quadra, quarteirão.
manzanal o **manzanar** *m* pomar de macieiras.
manzanilla *f* **1** camomila (planta, flor). **2** chá de camomila (infusión).
manzano *m* macieira.
maña *f* **1** manha (habilidad). **2** (gralte pl) manha, astúcia.
mañana *f* **1** manhã (parte del día): *hago gimnasia todas las mañanas = faço gi-*

nástica todas as manhãs. • *m* **2** amanhã (futuro): *en el mañana no serás nadie sin estudiar = no amanhã você não será ninguém se não estudar.* • *adv* **3** amanhã (día siguiente). ◆ **pasado ~** depois de amanhã. ■ **de ~** de manhã cedo.
mañanear *intr* madrugar.
mañanero, ra *adj* madrugador.
mañerear *intr Arg., Ur.* manheirar, lerdear (en el trabajo).
mañosear *intr Chile, Perú* agir com manha.
mañoso, sa *adj* manhoso (astuto, habilidoso).
maoísmo *m* maoísmo.
maorí *adj/m y f* **1** maori. • *m* **2** maori (lengua).
mapa *m* mapa. ■ **borrar del ~** (fig, fam) riscar do mapa; **desaparecer del ~** (fig, fam) sumir do mapa.
mapache *m* racum.
mapachín *m Amér.* guaxinim, racum.
mapamundi *m* mapa-múndi.
maqueta *f* **1** maquete, maqueta. **2** demo (de disco).
maquetación *f* diagramação.
maqui o **maquis** *m* **1** maqui (organización, miembros). **2** *Chile* aristotélia (arbusto).
maquiavélico, ca *adj* maquiavélico.
maquiavelista *adj/m y f* maquiavelista.
maquillador, ra *m y f* maquiador, maquilador.
maquillaje *m* **1** maquiagem, maquilagem (aplicación). **2** maquiagem, maquilagem (productos).
maquillar *tr y pron* **1** maquiar, maquilar. • *tr* **2** (fig) maquiar, maquilar (alterar, disfrazar).
máquina *f* **1** máquina (equipamiento). **2** máquina, mecanismo. **3** máquina (locomotora). ◆ **~ de escribir** máquina de escrever; **~ fotográfica** máquina fotográfica.
maquinación *f* maquinação.
maquinal *adj* maquinal.
maquinar *tr* maquinar.
maquinaria *f* maquinaria, maquinário.
maquinilla *f* barbeador. ◆ **~ eléctrica** barbeador elétrico.
maquinista *m o f* **1** maquinista (conductor). **2** maquinista (inventor, fabricante).
mar *amb* **1** mar (océano). **2** (fig) mar (abundancia): *mar de lágrimas = mar de lágrimas.* ◆ **~ rizada** mar encrespado. ■ **a mares** (fig, fam) abundantemente.
marabú *m* marabu (ave).
maraca *f* MÚS (gralte pl) maraca, maracá.
maracaná *m Arg.* maracanã.
marajá *m* marajá (soberano).
maraña *f* **1** maranha, emaranhado. **2** (fig) maranha, complicação.
marañón *m* cajueiro.
maratón *f* **1** maratona (carrera). **2** (fig) maratona (actividad).
maravilla *f* **1** maravilha (extraordinario). **2** maravilha (admiración). ■ **a las mil maravillas** (fig) às mil maravilhas; **ser una ~** (fig) ser uma maravilha.
maravillar *tr e intr* maravilhar.
maravilloso, sa *adj* maravilhoso.
marbete *m* **1** borda, filete. **2** etiqueta, rótulo.
marca *f* **1** marca (señal). **2** marca (distintivo, nombre). **3** marca (huella). **4** marca (estilo). ◆ **~ registrada** marca registrada. ■ **de ~** de marca.
marcación *f* **1** batente (de puertas, ventanas). **2** MAR marcação.
marcado, da *adj* marcado (manifiesto).
marcador, ra *adj/m y f* **1** marcador. • *m* **2** marcador, placar.
marcaje *m* DEP marcação.
marcapasos *m* marca-passos.
marcar *tr* **1** marcar (señalar). **2** discar (número de teléfono). **3** marcar, indicar (cantidad, grado, valor). **4** marcar, ressaltar (rasgos, características).
marcha *f* **1** marcha (paso). **2** marcha (celeridad). **3** (fam) energia, animação. **4** (fam) agito: *la marcha aquí empieza después de la medianoche = o agito aqui começa depois da meia-noite.* **5** (fig) curso, marcha (de negocio, proyecto, empresa). ◆ **~ atrás** marcha a ré. ■ **a toda ~** (fam) voando, em um vapt-vupt; **ir de ~** (fig, fam) ir para o agito, sair à noite.
marchamo *m* etiqueta, selo.
marchante, ta *adj* **1** mecante, mercantil. • *m y f* **2** machand. **3** *Amér.* freguês (cliente).
marchar *intr y pron* **1** marchar (caminar). • *intr* **2** funcionar. • **~se** *pron* **3** ir embora.
marchitar *tr y pron* **1** murchar. **2** (fig) murchar, debilitar.

marchito, ta *adj* murcho.
marchoso, sa *adj* **1** animado. • *adj/m y f* **2** (fam) farrista.
marciano, na *adj/m y f* marciano.
marco *m* **1** batente, marco (de puerta, ventana). **2** moldura (de cuadros, fotos). **3** (fig) âmbito, campo.
marea *f* **1** maré. **2** (fig) maré (multitud).
marear *tr* **1** marear, manobrar (embarcación). • *tr e intr* **2** (fig, fam) azucrinar, amolar. • **~se** *pron* **3** enjoar, marear.
marejada *f* **1** marejada, marulho. **2** (fig) agitação (del ánimo).
marejadilla *f* marejada fraca.
maremoto *m* maremoto.
marengo *adj y m* cinza escuro.
mareo *m* **1** enjôo, mareio. **2** (fam) tontura.
marfil *m* **1** marfim (material). **2** marfim (color).
margarina *f* margarina (alimento).
margarita *f* **1** margarida (planta). **2** margarita (molusco).
margen *amb* **1** margem, beira (orilla). **2** margem (de hoja). **3** margem (diferencia). ■ **al ~** à margem.
marginación *f* marginalização.
marginado, da *adj/m y f* marginalizado.
marginal *adj* **1** marginal: *nota marginal = anotação marginal.* **2** marginal (asocial): *grupos marginales = grupos marginales.*
marginar *tr* **1** (fig) marginalizar. **2** (fig) deixar de lado.
maría *f* **1** (fam) fumo, maconha. **2** (fam) sopa (fácil).
mariachi *m* mariachi.
marica o **maricón** *m* (vulg) veado, bicha (homosexual).
mariconada *f* **1** (vulg) veadagem, bichice. **2** (vulg) sacanagem, maldade.
maridaje *m* **1** maridagem. **2** (fig) maridagem (unión).
maridar *tr e intr* **1** maridar (casar). • *tr* **2** (fig) maridar (enlazar).
marido *m* marido, esposo.
mariguana o **marihuana** *f* **1** maconha (planta). **2** maconha (droga).
marimorena *f* (fam) forrobodó, briga.
marina *f* **1** marinha (terreno). **2** marinha (buques, soldados).
marinar *tr* **1** marinar (sazonar). **2** marinhar, tripular (buque).
marinero, ra *adj* **1** marinheiro. • *m y f* **2** marinheiro.
marino, na *adj* **1** marinho. • *m* **2** marinheiro.
marioneta *f* **1** marionete. **2** (fig) marionete, fantoche.
mariposa *f* **1** borboleta (insecto). **2** mariposa (insecto nocturno). **3** DEP nado borboleta. • *m* **4** (fam) veado (homosexual).
mariposeador, ra *adj Perú* borboleteador.
mariposear *intr* **1** (fig) galinhar (variar). **2** (fig) rondar (a una persona).
mariquita *f* **1** joaninha (insecto). • *m* **2** (fam) maricas, veado.
marisabidilla *f* (fam) sabichona, sabetudo.
mariscada *f* mariscada.
mariscador, ra *adj/m y f* mariscador.
mariscal *m* MIL marechal.
mariscar *intr* mariscar, pegar mariscos.
marisco *m* marisco, fruto do mar.
marisma *f* marisma.
marismeño, ña *adj* da marisma.
marisquería *f* estabelecimento de frutos do mar.
marista *adj/m y f* marista.
marital *adj* marital.
marítimo, ma *adj* marítimo.
marketing *m* marketing.
marmita *f* marmita (olla).
mármol *m* **1** mármore (piedra). **2** mármore (obra artística).
marmolista *m* marmorista.
marmota *f* **1** marmota (animal). **2** (fig) dorminhoco.
maroma *f* **1** maroma. **2** *Amér.* pirueta, cambalhota.
maromear *intr Amér.* marombar, andar na corda bamba.
maromero, ra *m y f* **1** *Amér.* equilibrista. **2** *Amér.* vira-casaca.
marqués *m* marquês.
marquesa *f* marquesa.
marquesina *f* marquise.
marquetería *f* marchetaria.
marranada *f* **1** nojeira, imundície. **2** (fam) sacanagem, safadeza (maldad).
marrano, na *m y f* **1** porco (animal). • *adj/m y f* **2** (fig, fam) porco, porcalhão. **3** (fig) sacana, safado.

marro *m* **1** escorregada, erro. **2** bocha (juego).
marrón *adj y m* **1** marrón (color). ● *m* **2** (fam) saco, amolação.
marroquí *adj/m y f* marroquino.
marroquinería *f* indústria de artigos de couro.
Marruecos *m* Marrocos.
marrullería *f* velhacaria.
marrullero, ra *adj/m y f* velhaco.
Marshall, Islas *f pl* Marshall.
marshalés, sa *adj/m y f* marshallino.
marsopa o **marsopla** *f* marsuíno, toninha.
marta *f* marta (animal, piel).
Marte *m* Marte.
martes *m* terça-feira.
martillazo *m* martelada.
martillear *tr* **1** martelar (martillar). **2** (fig) martelar (atormentar).
martillo *m* **1** martelo (herramienta). **2** DEP martelo (en atletismo).
martín *m* alcíone, martim pescador (ave).
martinete *m* **1** martinete (mazo). **2** savacu.
mártir *m o f* mártir.
martirio *m* **1** martírio. **2** (fig) martírio, suplício.
martirizar *tr* **1** martirizar. ● *tr y pron* **2** (fig) martirizar, afligir.
marxismo *m* marxismo.
marxista *adj/m y f* marxista.
marzo *m* março.
mas *conj* mas: *fui a su casa mas no había nadie = fui à casa dele, mas não tinha ninguém.*
más *adv* **1** mais: *fuera hay más gente esperando = fora tem mais gente esperando.* **2** (intensidad) mais: *no creo que llueva más fuerte = não acho que vá chover mais forte.* **3** (comparación, preferencia) mais: *esta casa es más ancha que la otra = esta casa é mais espaçosa que a outra.* **4** (comparación absoluta) mais: *es el más oscuro que tenemos = é o mais escuro que temos.* ● *m* **5** MAT mais (símbolo). ■ **de ~** a mais, sobrando; **~ bien** pelo ou ao contrário; **~ de** mais de: *más de cien mil personas fueron al estadio = mais de cem mil pessoas foram ao estádio*; **~ o menos** mais ou menos.

> **Mas** no se acentúa cuando es una conjunción y significa 'pero': *el sereno vigilaba, mas no era un policía.*
>
> **Más** se acentúa cuando es adverbio de cantidad: *quiero tener más hijos; cada día me gustas más.*

masa *f* **1** massa (mezcla). **2** massa (de pan, pastel). **3** (fig) massa (conjunto). ◆ **~ encefálica** ANAT massa encefálica. ■ **en ~** em massa.
masacrar *tr* massacrar (matar).
masacre *f* massacre, chacina (matanza).
masaje *m* massagem.
masajear *tr, intr y pron* massagear.
masajista *m o f* massagista.
mascada *f* mastigação.
mascar *tr* **1** mascar, mastigar. **2** (fig, fam) mascar, resmungar. ● **~se** *pron* **3** (fig) pressentir.
máscara *f* **1** máscara (careta). **2** máscara (de protección). **3** fantasia (traje). ◆ **~ antigás** máscara contra gases.
mascarilla *f* máscara, mascarilha.
mascarón *m* mascarão.
mascota *f* mascote.
masculino, na *adj* **1** masculino. ● *adj y m* **2** GRAM masculino.
mascullar *tr* (fam) resmungar, mascar.
masía *f* casa de campo.
masificar *tr y pron* massificar.
masilla *f* massa de vidraceiro.
masivo, va *adj* em massa.
masón, na *m y f* maçom.
masoquismo *m* masoquismo.
masoquista *adj/m y f* masoquista.
máster *m* mestrado, pós-graduação (magister).
masticador, ra *adj/m y f* mastigador.
masticar *tr* **1** mastigar (alimentos). **2** (fig) mastigar, ponderar.
mástil *m* **1** mastro (de embarcación). **2** mastro, pau. **3** braço (de instrumento musical).
mastín *adj y m* mastim (raza).
mastitis *f* MED mastite.

mastodonte *m* **1** mastodonte. **2** (fig, fam) mastodonte, brutamontes.
mastuerzo *m* **1** mastruço (planta). • *adj y m* **2** (fig) palerma, paspalho.
masturbación *f* masturbação.
masturbar *tr y pron* masturbar.
mata *f* **1** mata. **2** arbusto.
matacandelas *m* apagador de velas.
matadero *m* matadouro.
matador, ra *adj* **1** mortal, mortífero. **2** (fig, fam) duro, estafante. **3** (fig, fam) horrível, abominável.
matadura *f* matadura, ferida.
matahambre *m Cuba* maçapão de farinha de mandioca.
matamoros *adj* mata-mouros, valentão.
matamoscas *m* **1** mata-moscas (insecticida). **2** enxota-moscas, moscadeiro (utensilio).
matanza *f* **1** matança (mortandad). **2** abate, matança (de cerdos).
matar *tr, intr y pron* **1** matar (quitar la vida). • *tr* **2** (fig) matar (sed, hambre, tiempo). **3** (fig) matar, ofuscar (color, brillo). **4** (fig) matar, fazer sofrer (dolor, trabajo). • **~se** *pron* **5** (fig)
matarife *m* magarefe, carniceiro.
matarratas *adj y m* mata-ratos, raticida.
matasanos *m* (fig, fam) carniceiro, charlatão (médico).
matasellos *m* contra-selo.
matasiete *m* (fig, fam) valentão, fanfarrão.
matasuegras *m* língua-de-sogra.
match *m* DEP match.
mate *adj* **1** mate, fosco. • *m* **2** mate (hierba, infusión). **3**
matear *intr R. de la Plata* matear, tomar mate.
matemática *f* (gralte pl) matemática. ◆ **matemáticas aplicadas** matemática aplicada; **matemáticas puras** matemática pura.
matemático, ca *adj* **1** matemática. **2** (fig) matemático, exato. • *m y f* **3** matemático.
materia *f* **1** matéria (sustancia). **2** matéria (tema, asunto). **3** matéria (asignatura). ◆ **~ prima** matéria-prima.
material *adj* **1** material (físico, terrenal). **2** material (de bienes, objetos): *daños materiales = danos materiais*. • *m* **3** material (ingrediente). **4** material (utensilios).
materialismo *m* materialismo.
materialista *adj/m y f* materialista.
materializar *tr y pron* **1** materializar (concretar). **2** materializar, corporificar.
maternal *adj* maternal.
maternidad *f* **1** maternidade (estado). **2** maternidade (hospital).
materno, na *adj* materno.
matero, ra *adj/m y f Amér. Merid.* mateador, matista.
matinal *adj* matinal.
matiz *m* **1** matiz, nuança. **2** matiz (variante).
matizar *tr* **1** matizar (graduar). **2** matizar (colorear).
mato *m* ⇒ matorral.
matoco *m Chile* (fam) capeta, diabo.
matojo *m* mato (planta).
matorral *m* matagal.
matraca *f* **1** matraca (instrumento). **2** (fig, fam) deboche, sarro.
matraz *m* matraz.
matrerear *intr Arg.* malandrear, vagabundear.
matrero, ra *adj* astuto, matreiro.
matriarca *f* matriarca.
matriarcado *m* matriarcado.
matriarcal *adj* matriarcal.
matricida *adj/m y f* matricida.
matricidio *m* matricídio.
matrícula *f* **1** matrícula (inscripción). **2** matrícula (documento). **3**
matricular *tr y pron* matricular.
matrimonial *adj* matrimonial.
matrimonio *m* **1** matrimônio, casamento. **2** (fam) casal (pareja). ◆ **~ civil** casamento civil.
matriz *f* **1** matriz (órgano). **2** forma, matriz (molde). **3** toque, batida (en texto).
matrona *f* **1** matrona. **2** parteira.
matusalén *m* (fig) matusalém, ancião.
matute *m* contrabando.
matutino, na *adj* matutino.
maula *m o f* **1** (fig, fam) sacana, malandro. • *f* **2** (fam) arapuca, artimanha. **3** (fam) traste, estorvo.
maulero, ra *m y f* espertalhão, pilantra.
maullador, ra *adj* miador.
maullar *intr* miar.
maullido *m* miado.
Mauricio *m* Maurício.
mauriciano, na *adj/m y f* mauriciano.

m

Mauritania *f* Mauritânia.
mauritano, na *adj/m y f* mauritânio.
máuser *m* máuser (fusil).
mausoleo *m* mausoléu.
maxilar *adj* **1** maxilar. • *adj y m* **2** maxilar (hueso).
máxima *f* **1** máxima (regla). **2** máxima (sentencia).
máxime *adv* máxime.
máximo, ma *adj* **1** máximo. • *m* **2** máximo (límite). ■ **como ~** no máximo.
maya *adj/m y f* **1** maia. • *m* **2** maia (lengua).
mayear *intr fazer o clima do mês de maio.*
mayo *m* maio.
mayonesa *f* maionese.
mayor *adj* **1** maior (en extensión, cantidad): *esta casa es mayor que la otra = esta casa é maior que a outra.* **2** mais velho, maior (en edad): *este es mi hermano mayor = este é o meu irmão mais velho.* **3** de idade, idoso: *mis padres ya son personas mayores = meus pais já são pessoas de idade.* • *adj/m y f* **4** adulto: *este chico actúa como si fuera mayor = este menino age como se fosse adulto.* • **mayores** *m pl* **5** maiores (antepasados). ◆ **~ de edad** maior de edade.
mayoral *m* capataz.
mayorazgo *m* morgado, morgadio.
mayordomo, ma *m y f* mordomo.
mayoría *f* **1** maioria (mayor parte). **2** maioria (de votos): *ganó por mayoría = ganhou por maioria.* ◆ **~ absoluta** maioria absoluta; **~ de edad** maioridade.
mayorista *adj/m y f* atacadista.
mayúscula *adj y f* maiúscula (letra).
mayúsculo, la *adj* **1** maiúsculo. **2** (fig, fam) enorme, grande.
maza *f* **1** clava, maça (arma). **2** maçaneta, maça (para tambor, bombo).
mazacote *m* concreto.
mazapán *m* maçapão.
mazazo *m* cacetada, porrada.
mazmorra *f* masmorra.
mazo *m* **1** maço (herramienta). **2** maço (puñado).
mazorca *f* espiga de milho, maçaroca.
mazurca *f* MÚS mazurca (baile, música).
me *pron* **1** me: *me entregó sus libros = entregou-me seus livros.* **2** me (reflexivo): *tengo que peinarme todavía = ainda tenho que me pentear.* **3** sozinho (intensificador): *me he currado yo este exquisito plato = eu fiz sozinha este delicioso prato.*
meada *f* (vulg) mijada.
meandro *m* **1** meandro (curva). **2** ARQ meandro.
mear *tr, intr y pron* mijar.
¡mecachis! *interj* caramba!, puxa!
mecánica *f* **1** mecânica (ciencia). **2** mecânica, mecanismo.
mecanicismo *m* mecanicismo.
mecánico, ca *adj* **1** mecânico. **2** (fig) mecânico, automático (gesto, acción). • *m y f* **3** mecânico (operario).
mecanismo *m* **1** mecanismo (piezas). **2** mecanismo (medios).
mecanizado, da *adj* **1** mecanizado. **2** (fig) mecanizado, automatizado (gesto, acción).
mecanizar *tr y pron* **1** mecanizar (industrializar). • *tr* **2** (fig) mecanizar (automatizar).
mecano *m* jogo de peças, lego.
mecanografía *f* datilografia, mecanografia.
mecanografiar *tr* datilografar, mecanografar.
mecanógrafo, fa *m y f* datilógrafo, mecanógrafo.
mecate *m Amér. Centr., Méx.* barbante, cordel.
mecedora *f* cadeira de balanço.
mecenas *m* (fig) mecenas.
mecer *tr y pron* **1** balançar. • *tr* **2** mexer, agitar (líquido).
mecha *f* **1** mecha, pavio. **2** mecha, estopim (detonador). **3** mecha (de pelo).
mechero *m* **1** isqueiro (de bolsillo). **2** acendedor.
mechificar *tr Amér.* caçoar, debochar.
mechón *m* madeixa, mecha.
medalla *f* medalha.
medallón *m* **1** medalhão (alimento). **2** medalhão (joya).
media *f* **1** meia-calça (prenda). **2** *Amér.* meia (calcetín). **3** MAT média. ■ **a medias** meio a meio: *pagamos a medias = pagamos meio a meio.*
mediación *f* mediação.
mediado, da *adj* meado. ■ **a mediados de** a meados de.

mediagua *f Amér.* meia-água.
mediana *f* **1** GEOG mediana. **2** canteiro central (en autopista).
medianero, ra *adj* **1** mediano. • *adj/m y f* **2** mediador, medianeiro (intercesor).
mediano, na *adj* **1** mediano, médio. **2** (fam) mediano, medíocre.
medianoche *f* meia-noite.
mediante *prep* mediante, por meio de.
mediar *intr* **1** mediar (interceder). **2** mediar (interponerse).
mediático, ca *adj* midiático, mediático.
mediatizar *tr* mediatizar (influir, dominar).
mediatriz *f* GEOM mediatriz.
medicación *f* medicação.
medicamento *m* medicamento.
medicar *tr y pron* medicar.
medicina *f* **1** medicina (ciencia). **2** remédio (medicamento). ♦ **~ legal** DER medicina forense ou legal.
medicinal *adj* medicinal.
medición *f* medição.
médico, ca *adj* **1** médico, medicinal. • *m y f* **2** médico, doutor. ♦ **~ de cabecera** médico de família.
medida *f* **1** medida (medición). **2** medida (resultado). **3** medida (patrón). **4** medida (grado, intensidad). ■ **a ~ que** à medida que.
medidor, ra *adj/m y f* medidor.
medieval *adj* medieval.
medievalista *m o f* medievalista.
medievo o **medioevo** *m* idade média, medievo.
medio, dia *adj* **1** meio (mitad). **2** meio, mediano. **3** médio, intermédio. • *m* **4** meio, metade (parte). **5** meio (centro). **6** meio (modo). • **medios** *m pl* **7** meios, recursos financeiros. • *adv* **8** meio. ♦ **~ ambiente** meio ambiente; **~ de comunicación** meio de comunicação. ■ **de ~ a ~** redondamente, completamente; **por ~ de** por meio de.
medioambiental *adj* ambiental.
mediocre *adj* **1** medíocre (mediano). • *adj/m y f* **2** medíocre, ordinário.
mediodía *m* **1** meio-dia. **Mediodía 2** meio-dia (punto cardinal).
mediofondista *adj/m y f* meio-fundista.
mediopensionado *m* semi-internato.
medir *tr e intr* **1** medir (determinar). • *tr* **2** medir (examinar). • *tr y pron* **3** (fig) medir, comparar (fuerzas, inteligencia).
meditación *f* meditação.
meditar *tr e intr* meditar.
mediterráneo, a *adj* **1** mediterrâneo, mediterrânico. • **Mediterráneo** *adj y m* **2** Mediterrâneo (mar).
médium *m o f* médium.
medrar *intr* **1** medrar (crecer). **2** (fig) medrar, prosperar.
medroso, sa *adj/m y f* **1** medroso. • *adj* **2** assustador.
medula o **médula** *f* **1** ANAT medula. **2** BOT medula. **3** (fig) medula, âmago.
medular *adj* medular.
medusa *f* medusa, água-viva.
megáfono *m* megafone.
megalítico, ca *adj* megalítico.
megalito *m* megálito.
megalocito *m* BIOL megalócito.
megalomanía *f* megalomania.
megalópolis *f* megalópole.
megaterio *m* megatério.
megatón *m* megaton.
megavatio *m* ELEC megawatt.
mejilla *f* bochecha.
mejillón *m* mexilhão.
mejor *adj* **1** melhor: *esto es mejor de lo que yo esperaba = isto é melhor do que eu esperava.* • *adv* **2** melhor: *ahora come mejor = agora come melhor*. ■ **a lo ~** talvez, possivelmente; **~ dicho** melhor dizendo.
mejora *f* **1** melhora (progreso). **2** melhora, recuperação.
mejorable *adj* melhorável.
mejorana *f* manjerona (planta).
mejorar *tr, intr y pron* **1** melhorar (progresar). **2** melhorar, recuperar (salud). • *intr y pron* **3** melhorar (superar).
mejoría *f* **1** melhoria, melhora (en enfermedad). **2** melhoria (ventaja).
mejunje *m* (desp) mistura, beberagem (medicamento, bebida, cosmético).
melamina *f* melamina.
melancolía *f* melancolia.
melancólico, ca *adj/m y f* melancólico.
melanina *f* BIOL melanina.
melaza *f* melaço.
melena *f* **1** cabelo comprido, cabeleira. • **melenas** *f pl* **2** cabeleira, grenha.
melifluo, a *adj* **1** melífluo (meloso). **2** (fig) melífluo (afectado).
melindre *m* **1** melindre (pasta, dulce). **2** (fig) melindre (delicadeza).

melindroso, sa *adj/m y f* melindroso (delicado, sensible).
mella *f* **1** falha, fenda (rotura). **2** falha, vão (hueco).
mellado, da *adj/m y f* desdentado, banguela.
mellar *tr y pron* **1** fender, rachar. **2** ferir, machucar.
mellizo, za *adj/m y f* gêmeo.
melocotón *m* **1** pêssego (fruto). **2** pessegueiro (árbol).
melocotonar *m* pessegal.
melocotonero *m* pessegueiro.
melodía *f* **1** melodia (sonido, voz). **2** MÚS melodia.
melodioso, sa *adj* melodioso.
melodrama *m* **1** melodrama (ópera). **2** (fig, desp) melodrama, dramalhão.
melodramático, ca *adj* **1** melodramático. **2** (fig, desp) melodramático (exagerado).
melomanía *f* melomania.
melómano, na *m y f* melômano.
melón *m* **1** melão (fruto). **2** melão, meloeiro (planta). **3** (fig, fam) coco, cachola (cabeza).
melonar *m* plantação de melões.
melopea *f* **1** melopéia. **2** (vulg) porre, fogo.
meloso, sa *adj* **1** meloso. **2** (fig, desp) meloso, pegajoso.
membrana *f* **1** membrana. **2** BIOL membrana.
membrete *m* timbre, selo (logotipo).
membrillo *m* **1** marmeleiro (árbol). **2** marmelo (fruto).
memez *f* bobagem, tolice.
memo, ma *adj/m y f* bobo, tolo.
memorable *adj* memorável.
memorando o **memorándum** *m* memorando.
memoria *f* **1** memória (facultad). **2** memória (recuerdo). **3** memória (monumento). • **memorias** *f pl* **4** memórias. ◆ ~ **de elefante** (fig, fam) memória de elefante; ~ **fotográfica** memória fotográfica. ■ **de** ~ de cor, de memória; **refrescar la** ~ (fig) refrescar a memória.
memorial *m* **1** memorial (libro, cuaderno). **2** memorial (boletín oficial).
memorión *m* memorião.
memorizar *tr* memorizar, decorar.
menaje *m* **1** mobília (muebles). **2** utensílios de cozinha.
mención *f* menção (recuerdo). ◆ ~ **honorífica** menção honrosa.
mencionar *tr* mencionar.
menda *pron* **1** (fam, vulg) cara: *el menda no lo va a hacer = o cara aqui não vai fazer isso.* • *m o f* **2** indivíduo: *me lo ha dicho el menda ese = isso me disse esse indivíduo.*
mendicante *adj/m y f* mendicante.
mendicidad *f* mendicância, mendicidade.
mendigar *tr e intr* **1** mendigar (limosna). • *tr* **2** (fig) mendigar (favor).
mendigo, ga *m y f* mendigo.
mendrugo *m* pão duro.
menear *tr* **1** mexer, menear. • *tr y pron* **2** balançar, menear. • **~se** *pron* **3** (fig, fam) apressar-se.
menester *m* **1** mister (necesidad). **2** (gralte pl) mister (oficio). • **menesteres** *m pl* **3** (fam) apetrechos (utensilios).
menesteroso, sa *adj/m y f* necessitado.
menestra *f* GAST minestra.
mengano, na *m y f* beltrano.
mengua *f* **1** míngua (falta). **2** míngua (pobreza).
menguado, da *adj/m y f* **1** acanhado, encabulado (cobarde). **2** palerma, inhenho (tonto).
menguante *adj* **1** minguante. • *f* **2** minguante (de ríos, marea). **3** (fig) minguante (decadencia).
menguar *intr y tr* **1** minguar (disminuir, reducir). • *intr* **2** minguar (Luna).
menhir *m* menir.
meninge *f* ANAT meninge.
menisco *m* **1** menisco (vidrio). **2** ANAT menisco.
menopausia *f* menopausa.
menor *adj* **1** menor (en extensión, cantidad): *mi casa es menor que la tuya = minha casa é menor que a sua.* **2** menor (inferior, sin importancia): *lo que nos ha pasado es un mal menor = o que nos passou é um mal menor.* **3** mais novo, menor (en edad): *tengo que cuidar a mi hermano menor = tenho que cuidar do meu irmão mais novo.* • *adj/m y f* **4** menor, menor de idade.
menorragia *f* MED menorragia.

menos *adv* **1** menos (disminución): *hacía menos frío = fazia menos frio.* **2** menos (superlativo): *es el autor menos buscado = é o autor menos procurado.* **3** menos (comparación): *me gusta menos éste que el otro = gosto menos deste que do outro.* **4** menos (exclusión, ausencia). • *prep* **5** menos, exceto: *vinieron todos menos su padre = vieram todos menos o pai dele.* • *m* **6** MAT menos. ■ **al ~** ao menos; **echar de ~** sentir saudade; **por lo ~** pelo menos, no mínimo.
menoscabar *tr y pron* **1** menoscabar (disminuir). • *tr* **2** (fig) menoscabar (deteriorar).
menoscabo *m* menoscabo.
menospreciar *tr* menosprezar.
mensaje *m* **1** mensagem (recado). **2** mensagem (comunicación). **3** mensagem, significado (de una pintura, película, obra).
mensajería *f* serviço de entregas.
mensajero, ra *adj/m y f* mensageiro.
menso, sa *adj/m y f Col., Méx.* (coloq) panaca.
menstruación *f* menstruação.
menstruar *intr* menstruar.
mensual *adj* mensal.
mensualidad *f* mensalidade.
ménsula *f* ARQ mísula, consolo.
mensurar *tr* mensurar, medir.
menta *f* menta.
mentado, da *adj* célebre.
mental *adj* mental.
mentalidad *f* **1** mentalidade (actividad mental). **2** mentalidade (ideología).
mentalizar *tr y pron* mentalizar.
mentar *tr* mencionar.
mente *f* **1** mente (intelecto). **2** mente (pensamiento, imaginación). ■ **quedarse con la ~ en blanco** (fig, fam) dar um branco.
mentecatez *f* necedade.
mentecato, ta *adj/m y f* mentecapto, néscio.
mentir *intr* **1** mentir (engañar). • *tr y pron* **2** mentir (aparentar).
mentira *f* **1** mentira (engaño). **2** mentira (ilusión).
mentirijillas de ~ *loc adv* de mentirinha, de brincadeira.
mentiroso, sa *adj/m y f* **1** mentiroso. • *adj* **2** mentiroso, ilusório.
mentís *m* desmentido.
mentol *m* mentol.
mentón *m* mento, queixo.
mentor *m* mentor (consejero, guía).
menú *m* **1** cardápio, menu. **2** INF menu (opciones).

> El **menú** del día, en España y algunos países de América Latina, equivale al ***almoço comercial,*** en Brasil. No obstante, el **menú** del día suele tener dos platos, bebida y postre, mientras que en Brasil, el ***almoço comercial*** es plato único, un plato combinado.

menudear *tr* **1** repetir, amiudar. • *intr* **2** suceder amiúde, amiudar.
menudencia *f* **1** ninharia. **2** pequenez.
menudo, da *adj* **1** miúdo, pequeno. **2** pouco importante. ■ **a ~** com freqüência, amiúde.
meñique *adj y m* mindinho (dedo).
meollo *m* **1** miolo (cráneo, medula, huesos). **2** (fig) miolo (inteligencia).
meón, na *adj/m y f* mijão.
mequetrefe *m o f* (fam) mequetrefe.
merca *f* merca.
mercachifle *m* **1** camelô. **2** (desp) comerciantezinho.
mercader *m* comerciante, mercador.
mercadería *f* mercadoria.
mercadillo *m* (fam) feira.
mercado *m* **1** mercado (feria). **2** mercado (sitio público). **3** ECON mercado (competencia).
mercadotecnia *f* mercadologia.
mercancía *f* mercadoria.
mercante *adj* **1** mercante (mercantil). • *m o f* **2** mercante (mercader).
mercantil *adj* mercantil.
mercantilismo *m* mercantilismo.
merced *f* **1** mercê (favor, recompensa). **2** mercê (gracia, beneficio). ■ **a ~ de** à mercê de.
mercenario, ria *adj/m y f* mercenário.
mercería *f* armarinho (establecimiento).
merchante *adj* **1** ambulante (comercio). • *m* **2** ambulante (persona).
mercromina *f* mercuriocromo.
merecedor, ra *adj* merecedor, digno.
merecer *tr* **1** merecer (ser digno). **2** merecer (valer).

merendar *intr* **1** merendar, lanchar. • **~se** *pron* **2** (fig, fam) acabar com (derrotar).
merendero *m* **1** área para piquenique. **2** lanchonete.
merengue *m* **1** *R. Dom.* merengue (dulce). **2** MÚS merengue (baile, música).
meretriz *f* meretriz.
meridiano, na *adj* **1** meridiano (al mediodía). • *m* **2** ASTR, GEOG meridiano.
meridional *adj* meridional.
merienda *f* merenda, lanche.
merino, na *adj/m y f* **1** merino. • *m* **2** merino (tejido).
mérito *m* **1** mérito (valor). **2** mérito (esfuerzo).
meritorio, ria *adj* **1** meritório (merecedor). • *m y f* **2** estagiário.
merluza *f* **1** merluza, merluça. **2** (fig, fam) bebedeira.
merma *f* merma, diminuição.
mermar *intr y pron* **1** mermar (disminuir). • *tr* **2** mermar, retirar.
mermelada *f* geléia.
mero, ra *adj* **1** mero (puro, simple). • *m* **2** garoupa (pez).
merodear *intr* vaguear.
mes *m* **1** mês (parte del año). **2** mês (mensualidad, salario).
mesa *f* **1** mesa (mueble). **2** mesa (cubiertos, vajillas). **3** (fig) mesa (comida). ♦ **~ de noche** mesa-de-cabeceira; **~ redonda** mesa-redonda. ■ **poner/quitar la ~** pôr/tirar a mesa.
mescalina *f* mescalina.
mesenterio *m* ANAT mesentério.
meseta *f* **1** meseta (llanura). **2** patamar (de escalera).
mesiánico, ca *adj* messiânico.
mesías *m* **1** (fig) messias (salvador). **Mesías 2** Messias.
mesilla *f* mesinha. ♦ **~ de noche** criado-mudo, mesinha-de-cabeceira.
mesocarpio *m* BOT mesocárpio, mesocarpo.
mesolítico, ca *adj y m* mesolítico.
mesón *m* **1** restaurante. **2** FÍS méson.
mesonero, ra *m y f* dono de restaurante.
mesozoico, ca *adj y m* GEOL mesozóico.
mestizaje *m* mestiçagem (de razas, culturas).
mestizo, za *adj/m y f* mestiço.
mesura *f* **1** mesura (compostura). **2** mesura (reverencia).
mesurado, da *adj* **1** mesurado (moderado). **2** mesurado (reglado).
mesurar *tr y pron* mesurar (moderar).
meta *f* **1** meta (término, llegada). **2** (fig) meta (objetivo). **3** DEP gol.
metabolismo *m* BIOL metabolismo.
metacarpo *m* ANAT metacarpo.
metacrilato *m* metacrilato.
metadona *f* metadona.
metafísico, ca *adj* **1** metafísico. **2** (fig) metafísico (abstracto, oscuro). • *m y f* **3** metafísico.
metáfora *f* RET metáfora.
metafórico, ca *adj* metafórico.
metal *m* **1** QUÍM metal. **2** (fig) metal (timbre de voz).
metálico, ca *adj* **1** metálico. • *m* **2** metal, dinheiro. ■ **en ~** em dinheiro.
metalizado, da *adj* metalizado.
metalizar *tr* metalizar.
metalurgia *f* metalurgia.
metalúrgico, ca *adj/m y f* metalúrgico.
metamorfosear *tr y pron* metamorfosear.
metamorfosis *f* **1** metamorfose. **2** (fig) metamorfose (cambio).
metano *m* QUÍM metano.
metanol *m* QUÍM metanol.
metástasis *f* MED metástase.
metatarso *m* ANAT metatarso.
metedura *f* metição. ■ **~ de pata** (fig, fam) fora, mancada.
meteórico, ca *adj* **1** meteórico. **2** (fig) meteórico (muy rápido).
meteorito *m* meteorito.
meteoro o **metéoro** *m* meteoro (fenómeno atmosférico).
meteorología *f* meteorologia.
meteorológico, ca *adj* meteorológico.
meteorólogo, ga *m y f* meteorologista.
meter *tr y pron* **1** meter (introducir). **2** meter, enfiar. **3** meter, implicar (en discusión, pelea). • *tr* **4** meter (causar): *meter miedo = meter medo.* **5** pôr (ingresar, invertir). **6** meter, pôr (internar, encerrar). **7** entrar, ajustar (prenda de vestir). **8** (fam) meter, dar (puñetazo, guantazo). • **~se** *pron* **9**

meter-se (entrometerse). ■ ~ **la pata** (fig, fam) dar mancada, dar um fora; ~ **prisa** pôr pressa; **~se donde no lo llaman** (fam)

meticuloso, sa *adj* meticuloso (escrupuloso).

metido, da *adj* **1** metido (introducido). **2** concentrado.

metódico, ca *adj* metódico.

metodizar *tr* metodizar.

método *m* **1** método (procedimiento). **2** método (hábito).

metodología *f* metodologia.

metonímico, ca *adj* metonímico.

metralla *f* metralha (munición).

metralleta *f* metralhadora.

métrica *f* LIT métrica.

métrico, ca *adj* métrico. ◆ **sistema ~** sistema métrico.

metro *m* **1** metro (medida). **2** metro, fita (para medir). ◆ **~ cuadrado** metro quadrado.

metrópoli *f* metrópole (ciudad, nación).

metropolitano, na *adj* **1** metropolitano. ● *m* **2** metropolitano, metrô.

mexicanismo *m* palavra ou falar mexicano.

mexicano, na *adj/m y f* mexicano.

México *m* México.

mezcla *f* **1** mistura (combinación). **2** CINE mixagem.

mezclar *tr y pron* **1** misturar (juntar). **2** misturar (desordenar). ● **~se** *pron* **3** misturar-se (confundirse).

mezcolanza *f* misturada, mixórdia.

mezquindad *f* mesquinhez, mesquinharia.

mezquino, na *adj* **1** mesquinho (avaro). **2** mesquinho (despreciable).

mezquita *f* mesquita.

mi *adj poses* **1** meu (posesión): *vamos a mi casa = vamos à minha casa.* **2** meu (relación personal, parentesco): *mis amigos vendrán enseguida = meus amigos chegarão logo.* ● *m* **3** MÚS mi (nota).

mí *pron* mim: *no esperes nada de mí = não espere nada de mim.* ■ **para ~ que** para mim que, acho que: *para mí que éstos no vienen = para mim que eles não virão*; **por ~** por mim (en mi opinión): *por mí, que haga lo quiera = por mim, que ele faça o que quiser.*

> **Mi** no se acentúa cuando es adjetivo: *mi hijo es maravilloso; mi coche no contamina, es eléctrico.*
>
> **Mí** se acentúa cuando es pronombre: *¿me lo dices a mí?; ¿estas flores son para mí?*

miaja *f* **1** migalha (de pan). **2** (fig) migalha (pequeñez).

miasma *m* miasma.

mica *f* mica (mineral).

michelín *m* (fam) pneuzinho, pneu (grasa).

mico, ca *m y f* mico (animal). ■ **volverse ~** (fig, fam) ficar como uma barata tonta.

microbio *m* micróbio.

microchip *m* microchip.

microcosmos *m* microcosmo.

microficha *f* microficha.

microfilm o **microfilme** *m* microfilme.

micrófono *m* microfone.

Micronesia *f* Micronésia.

micronesio, sia *adj/m y f* micronésio.

microordenador *m* INF microcomputador.

microorganismo *m* microrganismo.

microprocesador *m* INF microprocessador.

microscópico, ca *adj* **1** microscópico. **2** (fig) microscópico (diminuto).

microscopio *m* microscópio.

microsurco *m* microssulco.

miedo *m* **1** medo (angustia). **2** medo (recelo). ■ **de ~** (fig, fam) de matar: *hace un frío de miedo = faz um frio de matar.*

miedoso, sa *adj/m y f* (fam) medroso.

miel *f* **1** mel (de abejas). **2** (fig) mel (dulzura). ◆ **luna de ~** lua-de-mel. ■ **dejar a uno con la ~ en los labios** (fig, fam) deixar alguém com água na boca.

mieloma *f* BIOL mieloma.

miembro *m* **1** membro (extremidad). **2** membro (componente). ◆ **~ viril** membro viril.

mientes *f pl* mente (pensamiento).

m

mientras *adv* **1** enquanto isso: *tu marido trabaja; tú, mientras, te diviertes = teu marido trabalha; você, enquanto isso, se diverte.* • *conj* **2** enquanto: *mientras tú vas a comprar, yo preparo la comida = enquanto você vai comprar, eu preparo o almoço.* ▪ **~ tanto** enquanto isso: *tómate una ducha; mientras tanto, yo lavo los platos = tome um banho; enquanto isso, eu lavo a louça.*
miércoles *m* quarta-feira.
mierda *f* **1** merda (excremento). **2** (fig, vulg) merda, porcaria (suciedad). • **¡~!** *interj* **3** merda! ▪ **¡vete a la ~!** (vulg) vai pra merda!
mies *f* **1** trigo, centeio (cereal). **2** messe, colheita (cosecha).
miga *f* **1** miga (migaja). **2** miolo (parte blanda). ▪ **hacer buenas/malas migas** (fig, fam) relacionar-se bem/mal com outra pessoa.
migaja *f* **1** migalha (de pan). **2** (fig) migalha (pequeñez).
migar *tr* esmigalhar.
migración *f* migração (de personas, animales).
migrante *m o f* migrante.
migraña *f* cefaléia, enxaqueca.
migrar *intr* migrar.
migratorio, ria *adj* migratório.
mijo *m* milho (planta, semilla).
mil *adj y m* **1** mil. • *adj* **2** mil, milésimo. **3** (fig) mil (gran cantidad). ◆ **las ~ y una** (fig, fam) mil e uma coisas: *en ese viaje le pasaron las mil y una = nessa viagem aconteceram mil e uma coisas com ele.*
milagro *m* **1** milagre (sobrenatural). **2** (fig) milagre (prodigio). ▪ **de ~** por milagre.
milagroso, sa *adj* milagroso.
milenario, ria *adj* **1** milenário. • *m* **2** milenário (milenio).
milenio *m* milênio.
milésimo, ma *adj/m y f* milésimo.
mili *f* (fam) serviço militar.
milicia *f* milícia.
miligramo *f* miligrama.
milimetrado, da *adj* milimetrado.
milímetro *m* milímetro.
militante *adj/m y f* militante (de un partido político).
militar *adj* **1** militar. • *m* **2** militar (soldado).
militar *intr* **1** militar (en la guerra). **2** (fig) militar (en un partido, agrupación).
militarismo *m* militarismo.
militarizar *tr* militarizar.
milla *f* milha.
millar *m* **1** milhar. **2** (fig) (gralte pl) milhar (gran cantidad).
millardo *m* bilião, bilhão.
millón *m* **1** milhão. **2** (fig) milhão (gran cantidad).
millonario, ria *adj* **1** milionário: *le tocó un premio millonario = ganhou um prêmio milionário.* • *adj/m y f* **2** (fig) milionário (rico).
milonga *f* **1** *R. de la Plata* milonga (música, baile). **2** (fig) milonga (embuste).
mimar *tr* **1** mimar (acariciar). **2** criar mal (condescender).
mimbre *amb* **1** vime (vara). **2** vimeiro-verde (arbusto).
mimético, ca *adj* imitador, imitativo.
mimetismo *m* mimetismo.
mímica *f* mímica.
mímico, ca *adj* mímico: *lenguaje mímico = linguagem mímica.*
mimo *m* **1** mimo (cariño, halago). **2** condescendência.
mimoso, sa *adj* mimoso (melindroso).
mina *f* **1** mina (yacimiento, excavación). **2** mina (del lápiz). **3** (fig) mina (negocio lucrativo). **4** *Arg.* (coloq) garota, mina. **5** MIL mina (explosivo).
minar *tr* **1** minar (camino, galería). **2** (fig) minar (destruir, debilitar).
mineral *adj* **1** mineral. • *m* **2** mineral.
mineralogía *f* mineralogia.
minería *f* **1** mineração (técnica, industria). **2** mineiros, mineradores.
minero, ra *adj* **1** mineiro. • *m* **2** mineiro (operario).
miniatura *f* **1** miniatura (pintura). **2** miniatura (pequeñez).
minibar *m* minibar, frigobar.
minicadena *f* vitrola pequena.
minifalda *f* minissaia.
minifundista *adj/m y f* minifundista.
minigolf *m* minigolfe.
minimalista *adj/m y f* minimalista.
minimizar *tr* **1** minimizar (reducir). **2** MAT minimizar.
mínimo, ma *adj* **1** mínimo. • *m* **2** mínimo (límite inferior). ▪ **como ~** (fam) pelo menos.
minino, na *m y f* (fam) gato.
ministerial *adj* ministerial.

ministerio *m* **1** ministério (gobierno). **2** ministério (cargo, duración). **3** Ministério: *Ministerio de Hacienda = Ministério da Fazenda.*

ministro, tra *m y f* **1** ministro (juez). **2** ministro (del gobierno). **3** ministro (comisionado). ◆ **primer ~** primeiro-ministro.

minoría *f* **1** minoria (inferioridad). **2** minoria (de votos).

minucia *f* minúcia (menudencia).

minuciosidad *f* minuciosidade.

minucioso, sa *adj* minucioso.

minué *m* minueto (baile, música).

minúsculo, la *adj* **1** minúsculo (pequeño). • *adj y f* **2** minúscula (letra).

minusválido, da *adj/m y f* deficiente.

minuta *f* **1** conta de honorários. **2** minuta, rascunho (borrador).

minutero *m* ponteiro.

minuto, ta *m* **1** minuto (tiempo). **2** GEOM minuto.

mío, a *adj poses* **1** meu, minha: *este libro es mío = este é o meu livro.* **2** (en exclamaciones) meu, minha: *¡Dios mío! = meu Deus!* • *pron poses* **3** meu, minha: *tu madre es cocinera, la mía es profesora = sua mãe é cozinheira, a minha é professora.* ◆ **los míos** os meus (familiares, amigos).

miocardio *m* ANAT miocárdio.

miope *adj/m y f* **1** míope. • *adj y m* **2** (fig) míope (poco perspicaz).

miopía *f* **1** MED miopia. **2** (fig) miopia (cortedad de miras).

mira *f* **1** mira (de instrumentos, armas): *mira del fusil = mira do fuzil.* **2** (fig) mira (intención, objetivo). ■ **con miras a** com intenção de.

mirada *f* **1** olhada (vistazo, ojeada). **2** olhar (expresión).

mirado, da *adj* **1** cauteloso, cuidadoso. **2** considerado: *bien mirado = bem considerado.*

mirador, ra *adj* **1** mirador. • *m* **2** mirante.

miramiento *m* consideração (respeto).

mirar *tr y pron* **1** mirar, olhar (contemplar). • *tr* **2** mirar (examinar). **3** (fig) olhar (pensar): *mira bien lo que haces = olhe bem o que você vai fazer.* • *intr* **4** dar: *mi balcón mira al mar = minha varanda dá para o mar.* • **¡mira!** *interj* **5** olha! ■ **¡mira quien habla!** olha quem está falando!

mirilla *f* **1** vigia (ventanillo). **2** alidada.

mirlo *m* melro.

mirón, na *adj/m y f* olheiro.

mirra *f* mirra.

mirto *m* mirto.

misa *f* missa. ◆ **~ del gallo** missa do galo. ■ **ir algo a ~** (fig, fam) ser sagrado; **no saber de la ~ la mitad o la media** (fig, fam) não saber da missa a metade ou um terço.

misal *adj y m* missal (libro).

misántropo, pa *m y f* misantropo.

miscelánea *f* **1** miscelânea (mezcla). **2** miscelânea (obra).

misceláneo, a *adj* misturado.

miserable *adj* **1** miserável (desdichado, abatido). **2** miserável (mezquino).

miseria *f* **1** miséria (desgracia). **2** miséria (pobreza). **3** (fig, fam) miséria (insignificancia).

misericordia *f* misericórdia.

misericordioso, sa *adj/m y f* misericordioso.

misil o **mísil** *m* míssil.

misión *f* **1** missão (cometido). **2** missão (comisión).

misionero, ra *adj* **1** missionário. • *m y f* **2** missionário (predicador).

mismo, ma *adj* **1** mesmo (idéntico): *es la misma falda que me compré yo = é a mesma saia que eu comprei.* **2** mesmo (igual, semejante): *tiene el mismo modo de hablar = tem o mesmo jeito de falar.* ■ **así ~** de este modo; **dar lo ~** ser a mesma coisa.

misógino, na *adj y m* misógino.

míster *m* DEP (coloq) treinador (entrenador).

misterio *m* **1** mistério (secreto). **2** mistério (enigma). **3** mistério (género): *película de misterio = filme de mistério.*

misterioso, sa *adj* misterioso.

misticismo *m* misticismo.

místico, ca *adj/m y f* místico.

mistificación *f* mistificação.

mistificar *tr* mistificar, ludibriar.

mitad *f* **1** metade: *dejé la mitad de mis cosas en su casa = deixei a metade das minhas coisas na casa dele.* **2** meio, metade: *llegamos a la mitad de la película = chegamos no meio do filme.* ■ **en ~ de**

no meio de, na metade de; **por la ~** pela metade, ao meio.
mítico, ca *adj* mítico.
mitigación *f* mitigação.
mitigar *tr y pron* mitigar.
mitin *m* meeting, comício.
mito *m* **1** mito (fábula). **2** mito (símbolo).
mitología *f* mitologia.
mitra *f* mitra (gorro).
mixto, ta *adj* **1** misto. • *m* **2** fósforo.
mixtura *f* mistura (mezcla).
mobiliario, ria *adj* **1** mobiliário. • *m* **2** mobília, móveis.
mocedad *f* mocidade, juventude.
mochila *f* mochila.
mochuelo *m* coruja, mocho.
moción *f* **1** moção (movimiento). **2** moção (propuesta, petición).
mocito, ta *adj/m y f* mocinho, moçoilo.
moco *m* **1** (fam) ranho, meleca. **2** muco (de membrana). ■ **no ser ~ de pavo** (fig, fam) não ser pouca porcaria.
mocoso, sa *adj/m y f* **1** (fig, fam) pirralho. • *adj* **2** (fam) ranhento, ranhoso.
moda *f* moda. ■ **estar de ~** estar na moda; **pasarse de ~** cair de moda.
modal *adj* **1** modal. • **modales** *m pl* **2** modos, maneiras.
modalidad *f* modalidade.
modelar *tr* **1** modelar (figura). • *tr y pron* **2** (fig) modelar, moldar (carácter).
modelo *m o f* **1** modelo, manequim. • *m* **2** modelo (ejemplo). **3** modelo (ideal, prototipo).
modem *m* INF modem.
moderación *f* **1** moderação (disminución). **2** moderação, prudência.
moderado, da *adj* moderado, comedido.
moderador, ra *m y f* moderador, mediador.
moderar *tr y pron* **1** moderar (disminuir). • *tr* **2** moderar, controlar.
modernidad *f* modernidade.
modernismo *m* modernismo.
modernista *adj/m y f* modernista.
modernización *f* modernização.
modernizar *tr* modernizar.
moderno, na *adj* **1** moderno (actual). **2** moderno (innovador, avanzado).
modestia *f* **1** modéstia (sencillez). **2** modéstia, despretensão.
modesto, ta *adj/m y f* **1** modesto (sencillo). **2** modesto, despretensioso.
módico, ca *adj* módico.
modificación *f* modificação.
modificar *tr* modificar.
modismo *m* **1** GRAM modismo. **2** GRAM idiotismo.
modo *m* **1** modo (forma, manera). **2** (gralte pl) modos, conduta. **3** GRAM modo. ♦ **~ indicativo** GRAM modo indicativo. ■ **de cualquier ~** de qualquer maneira, de qualquer jeito; **de ~ que** de modo que.
modorra *f* **1** modorra (somnolencia). **2** preguiça, modorra.
modoso, sa *adj* educado, fino.
modular *tr* **1** modular (voz). **2** ELEC modular.
módulo *m* **1** módulo (parte, pieza). **2** ARQ módulo.
mofa *f* mofa, sarro. ■ **hacer ~** tirar sarro.
mofarse *pron* caçoar, mofar.
mofeta *f* **1** gambá (mamífero). **2** mofeta (gas).
moflete *m* (fam) bochecha.
mogol, la *adj* mogol, mongol.
mogollón *m* **1** (fam) montão. **2** (fam) tumulto, confusão. • *adv* **3** de montão.
mohín *m* careta, trejeito.
mohína *f* amuo (disgusto).
mohíno, na *adj* chateado, amuado.
moho *m* mofo, bolor.
mohoso, sa *adj* mofado, bolorento.
mojado, da *adj* molhado.
mojar *tr y pron* **1** molhar. • *tr* **2** (fam, fig) beber, festejar. • *tr y pron* **3** (fam, fig) fazer xixi em.
mojigato, ta *adj/m y f* dissimulado, fingido.
mojito *m* *coquetel de rum, limão, açúcar e hortelã.*
mojón *m* **1** placa, sinalização. **2** troço, troçulho (excremento).
mol *m* QUÍM mol.
molar *adj y m* **1** molar (diente). • *adj* **2** molar (moledor): *piedra molar = pedra molar.*
Moldavia *f* Moldávia.
moldavo, va *adj/m y f* moldávio.
molde *m* **1** forma, molde. **2** forma, assadeira. ♦ **pan de ~** pão de forma.
moldear *tr* **1** moldar, modelar. **2** ondular, frizar (pelo).
moldura *f* **1** moldura (marco). **2** ARQ moldura.

mole *adj* **1** mole, macio (blando). • *f* **2** mole, volume.
molécula *f* FÍS, QUÍM molécula.
moler *tr* **1** moer, triturar. **2** (fig, fam) moer (cansar).
molestar *tr y pron* **1** molestar (incomodar). **2** chatear, molestar (importunar).
molestia *f* **1** incômodo. **2** moléstia, malestar.
molesto, ta *adj* **1** incômodo, molesto. **2** (fig) incomodado, chateado.
molibdeno *m* QUÍM molibdênio.
molino *m* moinho.
mollar *adj* **1** mole, macio. **2** molar (fruto).
molleja *f* **1** moela (de ave). **2** moleja (de res).
mollera *f* **1** moleira. **2** (fig, fam) tino, cabeça.
molusco *adj y m* **1** ZOOL molusco. • **moluscos** *m pl* **2** ZOOL molusco.
momentáneo, nea *adj* momentâneo.
momento *m* **1** momento, instante. **2** momento (situación, ocasión). **3** momento (oportunidad). ■ **de o por el ~** por ora, por enquanto; **en el ~ menos pensado** quando menos se espera; **en un primer ~** a princípio.
momia *f* múmia.
momificar *tr y pron* mumificar.
mona *f* **1** macaca (animal). **2** (fig, fam) fogo, bebedeira. ■ **dormir la ~** (fig, fam) dormir de bêbado; **ponerse como una ~** (fig, fam) virar uma fera.
Mónaco *m* Mônaco.
monada *f* **1** macacada, macaquice. **2** (fig, fam) gracinhas.
monaguillo *m* coroinha.
monarca *m* monarca.
monarquía *f* monarquia.
monárquico, ca *adj/m y f* monárquico.
monasterio *m* monastério.
monástico, ca *adj* monástico.
monda *f* **1** poda (de árboles). **2** casca (de frutos).
mondadientes *m* palito de dentes.
mondadura *f* (gralte pl) casca.
mondar *tr* **1** limpar, expurgar. **2** podar. **3** descascar.
moneda *f* **1** moeda (pieza de metal). **2** moeda (dinero). ■ **pagar con la misma ~** (fig, fam) pagar na mesma moeda.
monedero *m* moedeiro, porta-níqueis.
monetario, ria *adj* monetário.
mongol, la *adj/m y f* **1** mongol. • *m* **2** mongol (lengua).
Mongolia *f* Mongólia.
mongólico, ca *adj* **1** mongólico. • *adj/m y f* **2** MED mongolóide.
monigote *m* **1** (fig, fam) boneco. **2** (fig, fam) zero à esquerda.
monitor, ra *m y f* **1** monitor (instructor). • *m* **2** monitor (aparato).
monitorizar *tr* monitorar.
monja *f* freira, monja.
monje *m* monge, frei.
monjil *adj* mongil, monástico.
mono, na *adj* **1** (fig, fam) fofo, engraçadinho. • *m y f* **2** macaco (animal). **3** (fig, fam) macaco (feo). • *m* **4** macacão (prenda de vestir). ■ **ser el último ~** (fig, fam) ser um zero à esquerda.
monobloc o **monobloque** *adj y m* monobloco.
monocarril *adj y m* monocarril.
monocolor *adj* monocolor, monocromático.
monocorde *adj* MÚS monocórdio.
monocromo, ma *adj* monocromo.
monóculo, la *adj/m y f* **1** monóculo. • *m* **2** monóculo (lente).
monogamia *f* monogamia.
monógamo, ma *adj/m y f* monógamo.
monografía *f* monografia.
monográfico, ca *adj* monográfico.
monolingüe *adj/m y f* monolíngüe.
monolítico, ca *adj* monolítico.
monolito *m* monólito.
monólogo *m* monólogo, solilóquio.
monopatín *m* esqueite, skate.
monopolio *m* **1** monopólio (concesión, convenio). **2** monopólio (acaparamiento).
monopolización *f* monopolização.
monopolizar *tr* **1** monopolizar. **2** (fig, fam) monopolizar (acaparar).
monosílabo, ba *adj y m* monossílabo.
monoteísmo *m* monoteísmo.
monotonía *f* monotonia.
monótono, na *adj* monótono.
monseñor *m* monsenhor.
monstruo *m* **1** monstro (ser fantástico). **2** monstro (extraordinario).
monstruosidad *f* monstruosidade.
monstruoso, sa *adj* monstruoso.
monta *f* **1** monta (importancia, valor). **2** montada (de montar).

montacargas *m* monta-cargas.
montado, da *adj* **1** montado (a caballo). • *m* **2** sanduíche pequeno.
montaje *m* **1** montagem (de piezas). **2** montagem (organización). **3** montagem (de películas).
montante *m* montante.
montaña *f* **1** montanha (terreno). **2** (fig) montanha (acumulación).
montañés, sa *adj/m y f* montanhês.
montañoso, sa *adj* montanhoso.
montaplatos *m* pequeno elevador para pratos.
montar *tr, intr y pron* **1** montar (subirse). • *tr* **2** montar (armar). **3** andar (a caballo, en bicicleta). **4** montar, abrir (negocio). **5** (fam) montar, armar (confusión, jaleo).
montaraz *adj* **1** montaraz, montanhesco. **2** (fig) rude, agreste.
monte *m* **1** monte (montaña). **2** bosque, mata. ♦ **~ de piedad** monte-de-socorro. ■ **no ser todo el ~ orégano** (fig) não ser tudo um mar de rosas.
montepío *m* **1** montepio (depósito). **2** montepio (establecimiento).
montés, sa *adj* montês.
montículo *m* montículo.
montón *m* montão, monte. ■ **del ~** (fig, desp) nada fora do comum.
montura *f* **1** montaria (cabalgadura). **2** armação (de gafas).
monumental *adj* monumental.
monumento *m* monumento.
monzón *m* monção (viento).
moño *m* **1** coque (de cabello). **2** laço, monho. ■ **hasta el ~** (fig, fam) até as orelhas.
mopa *f* esfregão com cabo (para suelos).
mora *f* amora, mora.
morada *f* **1** morada (casa). **2** morada (estancia).
morado, da *adj y m* roxo (color). ■ **ponerse ~** (fig, fam) empanturrar-se.
morador, ra *adj/m y f* morador.
moral *adj* **1** moral. • *f* **2** moral (ética, ciencia). **3** moral (ánimo, espíritu).
moraleja *f* moral da história.
moralidad *f* moralidade.
moralista *m o f* moralista.
moralizar *tr, intr y pron* moralizar.
mórbido, da *adj* **1** mórbido (enfermizo). **2** mórbido (blando).
morbo *m* **1** morbo (enfermedad). **2** (fig) humor negro. ■ **dar ~** excitar.
morbosidad *f* **1** morbosidade. **2** excitação.
morboso, sa *adj* **1** morboso (enfermo). **2** mórbido, depravado.
morcilla *f* morcela. ■ **¡que te den ~!** vai plantar batatas!
morcón *m* tripa (de animales).
mordaz *adj* **1** mordaz (corrosivo). **2** (fig) mordaz (crítico).
mordaza *f* mordaça.
mordedor, ra *adj* mordedor.
mordedura *f* mordedura.
morder *tr* **1** morder. **2** (fam) morder (gastar, corroer). **3** (fig) morder (satirizar).
mordisco *m* mordida, mordidinha.
morena *f* moréia (pez).
moreno, na *adj* **1** moreno (piel). **2** moreno (cabello). • *adj/m y f* **3** (fig, fam) negro, preto.
morera *f* amoreira.
morfina *f* morfina.
morfología *f* **1** GRAM morfologia. **2** BIOL morfologia.
morgue *f* morgue, necrotério.
moribundo, da *adj/m y f* moribundo.
morir *intr y pron* **1** morrer (fallecer). **2** (fig) morrer (extinguirse). **3** (fig) morrer (de risa, ganas, amor). ■ **~se de risa** (fig, fam) morrer de rir.
morisco, ca *adj/m y f* mourisco, mouresco.
mormón, na *m y f* mórmon.
moro, ra *adj/m y f* mouro. ■ **haber moros en la costa** (fig, fam) ter boi na linha.
moroso, sa *adj* **1** moroso. **2** atrasado (en el pago).
morral *m* **1** bornal (para provisiones). **2** (fig, fam) grosseiro, abrutalhado.
morrear *tr, intr y pron* (vulg) beijar na boca.
morriña *f* (fig, fam) saudade.
morro *m* **1** focinho (de animal). **2** (fam) beiço (labios). **3** morro (monte). **4** bico (de coche). ■ **beber a ~** (fig, fam) beber pela boca da garrafa; **estar de ~ o morros** (fig, fam) estar de cara amarrada; **tener mucho ~** (fig, fam) ter muita cara-de-pau.
morrocotudo, da *adj* **1** (fam) tremendo (importante, difícil). **2** *Arg.* (fam) corpulento.

morrón *m* (fam) topada.
morrudo, da *adj* **1** (fig, fam) beiçudo. **2** (fig, fam) bicudo (enfadado).
morsa *f* morsa.
mortadela *f* mortadela.
mortaja *f* **1** mortalha (para cadáver). **2** *Amér.* (fig) mortalha (para cigarrillo).
mortal *adj/m y f* **1** mortal. • *adj* **2** (fig) mortal (fatigoso). **3** (fig) mortal (decisivo).
mortalidad *f* mortalidade. ♦ ~ **infantil** mortalidade infantil.
mortecino, na *adj* mortiço.
mortero *m* **1** pilão, socador (vasija). **2** morteiro (pieza de artillería). **3** CONSTR argamassa.
mortífero, ra *adj* mortífero.
mortificación *f* mortificação.
mortificar *tr y pron* **1** mortificar (castigar). **2** (fig) mortificar (afligir).
mortuorio, ria *adj* **1** mortuório. • *m* **2** mortuório, enterro.
mosaico, ca *adj y m* mosaico.
mosca *f* **1** mosca, mosquito (insecto). **2** mosca (de barba). **3** mosca (mancha negra). **4** (fig, fam) mosca (persona molesta). ♦ ~ **muerta** (fig, fam) mosca morta. ■ **por si las moscas** (fig, fam) por via das dúvidas.
moscardón *m* **1** mosca-varejeira. **2** (fig, fam) carrapato.
moscatel *adj y m* moscatel (uva, vino).
mosquear *tr y pron* (fig, fam) irritar, zangar.
mosqueo *m* (fig, fam) irritação, zanga.
mosquete *m* mosquete (arma).
mosquetero *m* mosqueteiro.
mosquetón *m* **1** mosquetão (arma). **2** mosquetão (anilla).
mosquitero, ra *m y f* mosquiteiro.
mosquito *m* pernilongo, mosquito (insecto).
mostacho *m* bigode (bigote).
mostaza *f* **1** mostarda (semilla, planta). **2** mostarda (salsa).
mosto *m* mosto.
mostrador *m* balcão.
mostrar *tr y pron* **1** mostrar (exponer). • *tr* **2** mostrar (explicar, demostrar).
mota *f* **1** partícula (de hilo, polvo). **2** mancha, pinta.
mote *m* **1** apelido. **2** mote, sentença.
motear *tr* manchar, salpicar.
motejar *tr* apelidar.
motete *m* MÚS moteto.
motín *m* motim.
motivación *f* **1** motivação (estímulo). **2** motivação (causa, motivo).
motivar *tr* **1** motivar (causar). **2** motivar (estimular).
motivo, va *adj* **1** motivo. • *m* **2** motivo (causa). **3** ART motivo (adorno).
moto *f* moto, motocicleta.
motocicleta *f* motocicleta.
motociclismo *m* motociclismo.
motociclista *adj/m y f* motociclista.
motor, ra *adj* **1** motor. • *m* **2** motor (máquina). ♦ ~ **de arranque** motor de arranque; ~ **de explosión** motor de explosão.
motorista *m o f* motociclista.
motorizado, da *adj* motorizado.
motorizar *tr y pron* motorizar.
motriz *adj y f* motriz.
movedizo, za *adj* **1** movediço (de fácil movimiento). **2** movediço (inseguro): *arenas movedizas = areia movediça.*
mover *tr y pron* **1** mover (desplazar). • *tr* **2** mover, movimentar: *el viento mueve el molino = o vento movimenta o moinho.* **3** mover (menear). • **~se** *pron* **4** mover-se, andar.
movido, da *adj* **1** movimentado, agitado. **2** borrado (foto, imagen).
móvil *adj* **1** móvel. • *m* **2** móvel (causa, motivo). **3** celular (teléfono).
movilidad *f* mobilidade.
movilización *f* mobilização.
movilizar *tr y pron* **1** mobilizar (poner en acción). • *tr* **2** mobilizar (tropas).
movimiento *m* **1** movimento (agitación). **2** movimento, deslocamento. **3** movimento (circulación). **4** movimento (rebelión, sublevación). **5** movimento (literario, artístico, político). ♦ ~ **de rotación** FÍS ~ **de traslación** FÍS movimento de traslação; ~ **uniforme** FÍS movimento uniforme.
moviola *f* moviola.
Mozambique *m* Moçambique.
mozambiqueño, ña *adj/m y f* moçambicano.
mozo, za *adj/m y f* **1** moço (joven). **2** garçom (camarero).
muchacho, cha *m y f* garoto.
muchedumbre *f* multidão.

mucho, cha *adj* **1** muito: *hace mucho frío = faz muito frio.* • *adv* **2** muito, demais (cantidad):, *la gente grita mucho = as pessoas gritam muito.* **3** muito (largo tiempo): *he esperado mucho = esperei muito.* ■ **como ~** no máximo; **ni ~ menos** nem pensar, de jeito nenhum.
mucosidad *f* mucosidade.
mucoso, sa *adj* mucoso.
muda *f* **1** muda, mudança. **2** muda (de ropa).
mudar *tr, intr y pron* **1** mudar (cambiar). • *tr* **2** mudar, trocar (de ropa, piel, voz). • **~se** *pron* **3** mudar (de casa, ropa).
mudéjar *adj/m y f* **1** mudéjar. • *adj* **2** ART mudéjar.
mudo, da *adj/m y f* **1** mudo. • *adj* **2** (fig) mudo, calado.
mueble *adj* **1** móvel (bien). • *m* **2** móvel, mobiliário.
mueca *f* careta.
muela *f* molar. ♦ **~ del juicio** dente do siso, siso.
muelle *m* **1** mola (resorte). **2** cais (del puerto).
muérdago *m* visco (planta).
muermo *m* **1** (fig, fam) chatice, tédio. **2** (fig, fam) chato (individuo).
muerte *f* **1** morte (fallecimiento). **2** morte (homicidio). **3** (fig) morte (finalización). ♦ **~ natural** morte natural. ■ **de mala ~** (fig, fam) vagabundo, de quinta categoria: *se hospedaba en un hotel de mala muerte = hospedava-se em um hotel vagabundo*; **de ~** (fig, fam) tremendo.
muerto, ta *adj/m y f* **1** morto. • *adj* **2** (fig, fam) morto (desanimado). **3** (fig, fam) morto (cansado). ■ **estar ~** (fig, fam) estar morto; **más ~ que vivo** mais morto que vivo; **ser un ~ de hambre** (fig, fam) ser um morto de fome.
muesca *f* entalhe, chanfradura.
muestra *f* **1** amostra (porción). **2** amostra, amostragem. **3** amostra, modelo. ■ **dar muestras de** dar sinais de.
muestrario *m* mostruário.
muestreo *m* amostragem.
mugido *m* mugido.
mugir *intr* **1** mugir (vaca). **2** (fig) mugir (mar, viento).
mugre *f* sebo (suciedad).
mugriento, ta *adj* seboso, imundo.
mujer *f* **1** mulher. **2** mulher, esposa. ♦ **~ de la vida** (fig) mulher da vida; **~ fatal** mulher fatal.
mujeriego, ga *adj/m y f* mulherengo.
mujeril *adj* mulheril, feminil.
mulato, ta *adj/m y f* mulato.
muleta *f* muleta.
muletilla *f* (fig) batologia.
mullido, da *adj* fofo, macio.
mullir *tr* amaciar, afofar (esponjar).
mulo *m y f* **1** mulo. • *adj/m y f* **2** (fig) burro (tozudo). ■ **ser un ~ de carga** (fig, fam) ser um burro de carga.
multa *f* multa.
multar *tr* multar.
multicolor *adj* multicolor, policromo.
multiforme *adj* multiforme.
multilingüe *adj* multilíngüe.
multimedia *adj y m* INF multimídia.
multimillonario, ria *adj/m y f* multimilionário.
multinacional *adj y f* multinacional.
múltiple *adj* múltiplo.
multiplicación *f* **1** multiplicação. **2** MAT multiplicação.
multiplicar *tr, intr y pron* **1** multiplicar (aumentar). • *tr* **2** MAT multiplicar.
múltiplo, pla *adj y m* MAT múltiplo.
multitud *f* multidão.
multitudinario, ria *adj* multitudinário.
multiuso *adj* multiuso.
mundanal *adj* mundanal.
mundano, na *adj* **1** mundano (terrenal). **2** mundanal (frívolo, placentero).
mundial *adj* **1** mundial. • *m* **2** DEP mundial, copa do mundo.
mundo *m* **1** mundo (universo). **2** mundo (Tierra). **3** mundo (humanidad). ♦ **medio ~** (fig, fam) meio mundo; **tercer ~** terceiro mundo. ■ **caérsele a alguien el ~ encima** (fig, fam) desabar o mundo de alguém; **no ser nada del otro ~** (fig, fam) não ser nada do outro mundo; **todo el ~** (fig, fam) todo mundo.
munición *f* munição.
municipal *adj* **1** municipal. • *m* **2** guarda, policial.
municipio *m* município (territorio, habitantes).
munificencia *f* munificência.
muñeca *f* **1** munheca, pulso. **2** boneca (juguete). **3** boneca, manequim.

muñeco *m* **1** boneco. **2** (fig, fam) marionete.
muñón *m* coto (de un miembro).
mural *adj* **1** mural. • *m* **2** mural (obra pictórica).
muralista *m o f* muralista.
muralla *f* muralha.
Murcia *f* Múrcia.
murciano, na *adj/m y f* murciano.
murciélago *m* morcego.
murmullo *m* murmúrio.
murmuración *f* murmuração, boato.
murmurar *intr* **1** murmurar, sussurrar. • *intr y tr* **2** (fig, fam) falar mal, murmurar (criticar).
muro *m* muro.
murria *f* (fam) tristeza, melancolia.
musa *f* **1** musa. **2** (fig) musa (inspiración).
musaraña *f* musaranho. ■ **mirar a o pensar en las musarañas** (fig, fam) pensar na morte da bezerra.
musculatura *f* musculatura.
músculo *m* ANAT músculo. ◆ **~ gemelo** ANAT (gralte pl) músculo gêmeo.
musculoso, sa *adj* **1** musculoso, musculado. **2** musculoso (robusto).
muselina *f* musselina.
museo *m* museu.
musgo *m* musgo (planta).
música *f* **1** música (sonido). **2** música (composición). **3** música, partitura. ◆ **~ clásica** música clássica. ■ **irse con la ~ a otra parte** (fig, fam) ir-se catar, ir pastar.
musical *adj* **1** musical. • *adj y m* **2** TEAT, CINE musical.
músico, ca *adj* **1** músico, musical. • *m y f* **2** músico (profesional).
musitar *intr y tr* sussurrar.
muslo *m* coxa.
mustio, tia *adj* **1** murcho (planta, flor). **2** (fig) murcho (melancólico).
musulmán, na *adj/m y f* muçulmano.
mutabilidad *f* mutabilidade.
mutación *f* **1** mutação (transformación). **2** TEAT mutação.
mutilación *f* mutilação.
mutilado, da *adj/m y f* mutilado.
mutilar *tr y pron* **1** mutilar (cuerpo). • *tr* **2** mutilar, suprimir.
mutis *m* TEAT saída de cena. ■ **hacer ~** calar-se.
mutismo *m* mutismo.
mutualidad *f* **1** mutualidade (reciprocidad). **2** mútua (asociación).
mutuo, tua *adj* mútuo (recíproco).
muy (*apócope de* **mucho**) *adv* **1** (precediendo adjetivos) muito. **2** (precediendo adverbios) muito.

Nn

n, N *f* **1** n, N (letra). **2** MAT n (exponente).
naba *f* ⇒ nabo (1).
nabo *m* **1** nabo (planta, raíz). **2** (fig, vulg) nabo (pene).
nácar *m* nácar, madrepérola.
nacarado, da *adj* nacarado, nácar.
nacer *intr* **1** nascer (venir al mundo). **2** nascer, brotar (planta, flor, árbol). **3** (fig) nascer, originar-se (revolución, doctrina, costumbre). ■ **volver a ~** (fig, fam) nascer outra vez.
nacido, da *adj/m y f* (gralte pl) nascido. ◆ **bien ~** bem-nascido (noble); **mal ~** mal-nascido.
naciente *adj* **1** nascente. ● *m* **2** nascente, leste.
nacimiento *m* **1** nascimento, vinda ao mundo. **2** (fig) nascimento, nascença (comienzo). ■ **de ~** de nascença.
nación *f* **1** nação (habitantes). **2** nação (territorio).
nacional *adj/m y f* nacional.
nacionalidad *f* nacionalidade.
nacionalismo *m* nacionalismo (doctrina, movimiento).
nacionalizar *tr y pron* **1** nacionalizar, naturalizar. ● *tr* **2** nacionalizar, estatizar.
nada *pron indef* **1** nada. **2** muito pouco (tiempo). ● *adv* **3** nada (de ningún modo). ● *f* **4** nada. ■ **como si ~** não dar a mínima: *chocó el coche y como si nada = bateu o carro e não deu a mínima;* **de ~** de nada (respuesta); **~ de ~** nadinha de nada; **para ~** de jeito nenhum: *no te voy a llamar para nada = não vou te ligar de jeito nenhum.*
nadador, ra *adj/m y f* nadador.
nadar *intr* **1** nadar. **2** nadar, boiar (flotar).
nadería *f* ninharia, porcaria.
nadie *pron indef* ninguém. ■ **ser un don ~** (fig, fam) ser um joão-ninguém.
nado *m* nado, nadadura. ■ **a ~** a nado.
nafta *f* **1** nafta. **2** *Amér.* gasolina.
naftalina *f* naftalina.
naipe *m* **1** naipe. ● **naipes** *m pl* **2** baralho.
najarse *pron* (vulg) sair fora (largarse).
nalga *f* (gralte pl) nádega.
Namibia *f* Namíbia.
nana *f* **1** canção de ninar. **2** *Amér. Centr., Méx., Venez.* babá (niñera, nodriza).
nao *f* nau.
napa *f* napa.
naranja *f* **1** laranja (fruto). ● *adj y m* **2** laranja (color). ◆ **media ~** (fig, fam) cara-metade.
naranjada *f* laranjada (bebida).
naranjal *m* laranjal.
naranjo *m* laranjeira (árbol).
narciso *m* **1** narciso (planta, flor). **2** (fig) narciso (vanidoso).
narcótico, ca *adj* **1** narcótico. ● *m* **2** narcótico (sustancia).
narcotizar *tr y pron* narcotizar (drogar).
narcotraficante *m o f* narcotraficante.
nardo *m* nardo (planta, flor).
narigudo, da *adj/m y f* narigudo.
nariz *f* **1** ANAT nariz. **2** (fig) nariz (olfato). ◆ **~ respingona** nariz arrebitado. ■ **estar hasta las narices** (fig, fam) estar cheio; **meter las narices en** (fig, fam) meter o nariz em; **no ver más allá de sus narices** (fig, fam) não enxergar um palmo na frente do nariz; **tocarse las narices** (fig, fam) ficar olhando para a lua.
narración *f* **1** narração (exposición). **2** narração (cuento).
narrar *tr* narrar.
narrativa *f* narrativa.
nasa *f* nassa (cesta).
nasal *adj* **1** nasal. ● *adj y f* **2** FON nasal.
nata *f* **1** nata (crema). **2** (fig) nata, elite. ◆ **~ montada** chantilly.
natación *f* natação.
natal *adj* natal.
natalicio, cia *adj y m* natalício.
natalidad *f* natalidade.
natillas *f pl* mingau, creme.
Natividad *f* natividade.
nativo, va *adj* **1** nativo (natal). ● *adj/m y f* **2** nativo (natural, oriundo).
nato, ta *adj* nato (inherente).
natura *f* natura.
natural *adj* **1** natural: *fenómenos naturales = fenômenos naturais.* **2** natural (es-

pontáneo). **3** natural (normal). • *adj/m y f* **4** natural (nativo). • *m* **5** natural (índole). ◆ **ciencias naturales** ciências naturais. ■ **al ~** ao natural.

naturaleza *f* **1** natureza (conjunto de seres). **2** natureza (esencia). ◆ **~ humana** natureza humana. ■ **por ~** por natureza.

naturalidad *f* naturalidade (espontaneidad).

naturalista *adj* **1** naturalista. • *adj/m y f* **2** FIL, LIT naturalista.

naturalizar *tr y pron* **1** naturalizar (nacionalizar). **2** naturalizar, adotar (costumbres, vocablos).

naturismo *m* naturismo.

naturista *adj/m y f* naturista.

naufragar *intr* **1** naufragar (embarcación). **2** (fig) naufragar, fracassar (plan, negocio).

naufragio *m* **1** naufrágio. **2** (fig) naufrágio, fracasso.

náufrago, ga *adj/m y f* náufrago.

náusea *f* **1** (gralte pl) náusea (basca). **2** (fig) (gralte pl) náusea, repugnância.

nauseabundo, da *adj* nauseabundo.

náutica *f* náutica.

náutico, ca *adj* náutico.

navaja *f* **1** canivete, navalha. **2** navalha (molusco).

navajada *f* ⇒ navajazo.

navajazo *m* navalhada, canivetada.

naval *adj* naval.

Navarra *f* Navarra.

navarro, rra *adj/m y f* navarro.

nave *f* **1** navio (embarcación). **2** nave (de un edificio). ◆ **~ espacial** nave espacial, astronave.

navegación *f* **1** navegação, náutica. **2** navegação (viaje). ◆ **~ aérea** navegação aérea.

navegar *intr y tr* **1** navegar, conduzir (embarcación, globo). • *intr* **2** navegar (desplazarse).

Navidad *m* **1** Natal (día). **2** (gralte pl) Natal (fiesta).

navideño, ña *adj* natalino.

navío *m* navio. ◆ **~ mercante** navio mercante.

neblina *f* neblina.

nebulosa *f* ASTR nebulosa.

nebuloso, sa *adj* nebuloso.

necedad *f* **1** necedade (dicho, hecho). **2** necedade (ignorancia).

necesario, ria *adj* **1** necessário (indispensable). **2** necessário (inevitable).

neceser *m* nécessaire.

necesidad *f* **1** necessidade (requisito). **2** necessidade (impulso irresistible). **3** necessidade (carencia). ■ **de primera ~** de primeira necessidade.

necesitado, da *adj/m y f* necessitado, carente (de cariño, amor, dinero).

necesitar *tr e intr* **1** necessitar, precisar. • *tr* **2** necessitar, exigir.

necio, cia *adj/m y f* **1** néscio (ignorante). **2** obstinado, teimoso.

necrofilia *f* necrofilia.

necrología *f* **1** necrológio (noticia, biografía). **2** obituário, necrologia.

necrópolis *f* necrópole.

néctar *m* **1** (fig) néctar (bebida). **2** BOT néctar.

nefando, da *adj* nefando (abominable).

nefasto, ta *adj* nefasto, funesto. .

nefritis *f* MED nefrite.

negación *f* **1** negação, negativa. **2** negação (carencia). **3** GRAM negação.

negado, da *adj* **1** negado. • *adj/m y f* **2** desastrado, desastre (incapaz).

negar *tr* **1** negar, contestar. **2** negar, proibir. • **~se** *pron* **3** negar-se, recusar-se.

negativa *f* negativa, negação.

negativo, va *adj* **1** negativo (desfavorable). **2** negativo (pesimista). • *adj y m* **3** negativo (de foto).

negligencia *f* negligência.

negligente *adj/m y f* negligente.

negociable *adj* negociável.

negociación *f* **1** negociação, negócio. **2** (gralte pl) negociação (resolución).

negociado *m* **1** repartição, seção. **2** ⇒ negocio.

negociante *adj/m y f* negociante, comerciante.

negociar *intr* **1** negociar, comerciar. • *intr y tr* **2** negociar, pactuar.

negocio *m* **1** negócio (actividad). **2** negócio (asunto). **3** negócio, negociação. ◆ **~ redondo** (fig, fam) negócio da China.

negrero, ra *adj/m y f* **1** negreiro (traficante). • *m y f* **2** (fig) negreiro (explotador).

negro, gra *adj* **1** negro, preto (color). **2** negro, preto (oscurecido). **3** negro (raza). **4** (fig, fam) negro (desfavorable). **5** policial (novela, película). ◆ **dinero ~** (fig, fam) dinheiro sujo; **humor ~** humor negro. ■ **trabajar como un ~** (fam) trabalhar como um escravo.

nene, na *m y f* criança.
nenúfar *m* aguapé-branco, gólfão-brando.
neófito, ta *m y f* neófito.
neolítico, ca *adj y m* neolítico.
neologismo *m* neologismo.
neomicina *f* MED neomicina.
neozelandés, sa o **neocelandés, sa** *adj/m y f* neozelandês.
Nepal *m* Nepal.
nepalés, sa *adj/m y f* **1** nepalês. • *m* **2** nepalí, nepalês (lengua).
nepalí *adj/m y f* ⇒ nepalés.
nepotismo *m* nepotismo.
nervadura o **nervatura** *f* ARQ, BOT nervura.
nervio *m* **1** ANAT nervo. **2** nervo (de carnes). **3** (fig) nervo (vigor). • **nervios** *m pl* **4** nervosismo. ■ **poner los nervios de punta** (fig, fam) ficar com os nervos à flor da pele.
nerviosismo *m* nervosismo.
nervioso, sa *adj* **1** nervoso. **2** nervoso (irritable).
neto, ta *adj* **1** claro, nítido. **2** líquido (sin deducciones). ◆ **peso ~** peso líquido.
neumático, ca *adj* **1** FÍS pneumático. • *m* **2** pneu, pneumático.
neumonía *f* MED pneumonia.
neura *adj/m y f* **1** (fam) neurótico. • *f* **2** (fam) neura.
neuralgia *f* MED nevralgia, neuralgia.
neurálgico, ca *adj* nevrálgico, neurálgico.
neurastenia *f* PSIC neurastenia.
neurología *f* neurologia.
neurológico, ca *adj* neurológico.
neurona *f* ANAT neurônio.
neurosis *f* MED neurose.
neurótico, ca *adj/m y f* **1** MED neurótico (enfermo). **2** (fam) neurótico (maniático).
neutral *adj/m y f* **1** neutral (imparcial). **2** neutral, neutro (Estado, nación).
neutralizar *tr y pron* **1** neutralizar, tornar neutro (nación, Estado). **2** (fig) neutralizar, anular (ataque, antídoto).
neutro, tra *adj* **1** ⇒ neutral. **2** neutro (indiferente).
neutrón *m* FÍS nêutron.
nevada *f* nevada, nevasca.
nevado, da *adj* **1** nevado. **2** (fig) nevado, branco.
nevar *intr* nevar.
nevera *f* **1** geladeira, refrigerador. **2** caixa de isopor.
nevisca *f* neve fina.
nexo *m* nexo, ligação.
ni *conj* **1** nem (y no): *no se enfadó ni se exaltó = não ficou bravo nem se exaltou.* **2** nem (y sin): *ha salido sin abrigo ni bufanda = saiu sem casaco nem cachecol.* **3** nem (y nadie): *nadie ha venido ni ha llamado = ninguém veio nem ligou.* **4** nem (y nunca): *nunca come carne ni bebe alcohol = nunca come carne nem bebe álcool.* **5** nem (no). ■ **~ siquiera** nem sequer, nem ao menos.
Nicaragua *f* Nicarágua.
nicaragüense *adj/m y f* nicaragüense, nicaraguano.
nicaragüeño, ña *adj/m y f* ⇒ nicaragüense.
nicho *m* **1** nicho (cavidad). **2** jazigo (funerario).
nicotina *f* QUÍM nicotina.
nidada *f* ninhada.
nidal *m* nidal, ninho.
nidificar *intr* nidificar.
nido *m* **1** ninho (de aves, animales). **2** ninho, ninhal. **3** (fig) ninho, covil.
niebla *f* **1** nevoeiro, neblina. **2** nódoa (en la córnea).
nieto, ta *m y f* neto.
nieve *f* **1** neve (precipitación, copo). **2** (fig) neve (blancura).
NIF (*siglas de* **Número de Identificación Fiscal**) *m* CPF (Cadastro de Pessoa Física).
Níger *m* Níger.
Nigeria *f* Nigéria.
nigeriano, na *adj/m y f* nigeriano.
nigerino, na *adj/m y f* nigerense.
nigromancia o **nigromancía** *f* necromancia.
nigromante *m o f* necromante.
nihilismo *m* **1** FIL niilismo. **2** niilismo (negación).
nimbo *m* **1** nimbo, auréola. **2** MET nimbo.
nimiedad *f* insignificância, pequenez.
nimio, mia *adj* **1** insignificante. **2** minucioso.
ninfa *f* **1** ninfa (deidad). **2** (fig) ninfa (joven hermosa).
ninfómana *f* ninfômana.
ningún (*apócope de* **ninguno**) *adj indef* (precediendo sust masc sing) nenhum: *no encontró ningún taxi = não encontrou nenhum táxi.*

ninguno, na *adj indef* **1** nenhum: *ninguna mujer comprará esto = nenhuma mulher comprará isto.* • *pron indef* **2** nenhum (nada, nadie): *de todos los zapatos que había, ninguno me gustaba = de todos os sapatos que havia, não gostava de nenhum, ninguno de ellos vino a la fiesta = nenhum deles veio à festa.*
niñera *f* babá, ama-seca.
niñero, ra *adj* que gosta de crianças.
niñez *f* infância, meninice.
niño, ña *adj/m y f* **1** menino. **2** (fig) criança (inexperto). ♦ ~ **bien** menino de família; ~ **bonito** (fam) queridinho. ■ **como ~ con zapatos nuevos** (fig, fam) como abelha no mel.

> **Niño** y ***ninho*** se pronuncian igual en los dos idiomas. No obstante, la palabra española se traduce por ***menino, criança***, mientras que la brasileña es **nido** en español.

níquel *m* **1** QUÍM níquel. **2** *Ur.* moeda.
niquelado, da *adj* **1** niquelado. • *m* **2** niquelagem.
niquelar *tr* niquelar.
níspero *m* **1** nespereira (árbol). **2** nêspera (fruto).
nitidez *f* **1** nitidez (limpieza). **2** nitidez (exactitud).
nítido, da *adj* **1** nítido (limpio). **2** nítido (preciso).
nitrato *m* QUÍM nitrato. ♦ ~ **de potasio** QUÍM nitrato de potássio; ~ **de sodio** QUÍM nitrato de sódio.
nítrico, ca *adj* QUÍM nítrico.
nitrógeno *m* QUÍM nitrogênio.
nitroglicerina *f* nitroglicerina.
nivel *m* **1** nível (altura). **2** nível (grado). ♦ ~ **de uso** nível de uso; ~ **de vida** nível de vida.
nivelar *tr* **1** nivelar (poner horizontal). **2** nivelar, aplanar.
no *adv* **1** não (negación): *no, tengo que trabajar = não, tenho que trabalhar.* **2** (interrogativa) não é: *vendrás ¿no? = você vem, não é!* • *m* **3** não. ■ **¡cómo ~!** pois não, claro que sim; ~ **más** chega de (basta): *no más lágrimas = chega de lágrimas.*
nobiliario, ria *adj/m y f* nobiliário.
noble *adj/m y f* **1** nobre (aristócrata). • *adj* **2** nobre, digno (honroso). **3** nobre, estimado.
nobleza *f* **1** nobreza, aristocracia. **2** nobreza (honradez).
noche *f* **1** noite. **2** (fig) noite (oscuridad). ♦ **ayer ~** ontem à noite; **buenas noches** boa noite. ■ **de la ~ a la mañana** (fig, fam) da noite para o dia; ~ **y día** (fig, fam) noite e dia; **por la ~** à noite.
nochebuena *f* noite de Natal.
nochevieja *f* última noite do ano.
noción *f* **1** noção, idéia. **2** (gralte pl) noção (rudimentos).
nocividad *f* nocividade.
nocivo, va *adj* nocivo.
noctambulismo *m* noctambulismo.
noctámbulo, la *adj* noctâmbulo.
nocturno, na *adj* **1** noturno, noturnal. • *m* **2** MÚS noturno.
nodo *m* ASTR nodo.
nodriza *f* ama-de-leite. ♦ **avión ~** avião-tanque; **buque ~** navio-tanque.
nogal *f* nogueira (árbol, madera).
nómada *adj/m y f* nômade.
nombrado, da *adj* renomado, célebre.
nombramiento *m* nomeação.
nombrar *tr* **1** nombrar (citar, mencionar). **2** nombrar, eleger.
nombre *m* **1** nome (designación). **2** nome (reputación). **3** nome, alcunha. ♦ ~ **científico** nome científico; ~ **comercial** nome comercial; ~ **de pila** nome de batismo. ■ **decir las cosas por su ~** (fam) dar nome aos bois; **no tener ~** (fig) não ter nome.
nomenclatura *f* **1** nomenclatura (terminología). **2** nomenclatura (lista).
nomeolvides *f* **1** miosótis. • *m* **2** pulseira com o nome gravado.
nómina *f* **1** nominata (lista). **2** folha de pagamento.
nominal *adj* nominal. ♦ **sueldo ~** salário nominal; **valor ~** valor nominal.
nominar *tr* nominar, designar.
nominativo, va *adj* **1** nominativo, nominal (cheque, título). • *m* **2** GRAM nominativo (caso).
non *adj y m* ímpar.
nonagenario, ria *adj/m y f* nonagenário.
nonagésimo, ma *adj/m y f* nonagésimo.
nono, na *adj* nono.

n

nopal *m* urumbeba, nopal.
norcoreano, na *adj/m y f* norte-coreano.
nordeste *m* **1** nordeste (región). **2** nordeste (viento). **Nordeste 3** Nordeste (punto cardinal).
nórdico, ca *adj/m y f* **1** nórdico. ● *m* **2** nórdico (lenguas).
noria *f* **1** nora, engenho. **2** roda-gigante (atracción ferial).
norma *f* **1** norma, regra. **2** GRAM norma. ◆ **~ de conducta** norma de conduta.
normal *adj* **1** normal (natural). **2** normal, regular.
normalidad *f* normalidade.
normalización *f* **1** normalização (estandarización). **2** normalização (regularización).
normalizar *tr* **1** normalizar (estandarizar). **2** normalizar (regularizar).
normando, da *adj/m y f* normando.
normativo, va *adj* normativo.
noroeste *m* **1** noroeste (región). **2** noroeste (viento). **Noroeste 3** Noroeste (punto cardinal).
norte *m* **1** norte (polo ártico). **2** norte (región). **3** (fig) norte (dirección, meta). **Norte 4** Norte (punto cardinal). ◆ **polo ~** pólo norte.
Norteamérica *f* América do Norte.
norteamericano, na *adj/m y f* norte-americano.
norteño, ña *adj/m y f* nortista.
Noruega *f* Noruega.
noruego, ga *adj/m y f* **1** norueguês. ● *m* **2** norueguês (lengua).
nos *pron* **1** nos (a nosotros): *nos dio la bienvenida = deu-nos as boas-vindas*; nos (de nosotros): *nos exige mucha atención = exige-nos muita atenção*; nos (para nosotros): *nos consiguió una buena habitación = conseguiu-nos um bom quarto.* **2** (reflexivo) nos. **3** (recíproco) nos.
nosotros, tras *pron* nós: *nosotras vamos al cine = nós vamos ao cinema, habla mucho de nosotros = fala muito de nós.*
nostalgia *f* **1** nostalgia. **2** saudade.
nostálgico, ca *adj/m y f* nostálgico.
nota *f* **1** nota (señal). **2** nota, bilhete. **3** nota, apontamento. **4** nota (calificación). **5** MÚS nota. ◆ **~ discordante** nota destoante. ■ **tomar ~** (fig) guardar na memória.
notable *adj* **1** notável (extraordinario). **2** notável (ilustre).
notar *tr* **1** notar (señalar). **2** notar (observar). **3** notar, anotar.
notaría *f* **1** tabelionato (oficio). **2** tabelionato, cartório (despacho).
notario, ria *m y f* tabelião, notário.
noticia *f* **1** notícia (información). **2** notícia (contenido).
noticiario *m* **1** noticiario (programa). **2** noticiário (película).
noticiero *m Amér. Merid.* noticiário (programa).
notificación *f* notificação.
notificar *tr* notificar.
notoriedad *f* **1** notoriedade (evidencia). **2** notoriedade (fama).
notorio, ria *adj* notório.
novatada *f* **1** trote (en escuela, trabajo). **2** cagada (por inexperiencia).
novato, ta *adj* novato (principiante).
novecientos, tas *adj y m* **1** novecentos.
novedad *f* **1** novidade (innovación). **2** novidade (cambio). **3** novidade (noticia, suceso).
novel *adj/m y f* novato, principiante.
novela *f* **1** romance. **2** (fig) novela. ◆ **~ policíaca** romance policial.
novelar *tr* **1** romancear. ● *intr* **2** novelar (escribir).
novelero, ra *adj/m y f* leitor de romances.
noveno, na *adj/m y f* nono.
noventa *adj y m* **1** noventa.
noviazgo *m* noivado (condición, duración).
noviciado *m* noviciado (tiempo de prueba).
novicio, cia *m y f* **1** REL noviço. ● *adj/m y f* **2** (fig) noviço, novato.
noviembre *m* novembro.
novillo, lla *m y f* novilho. ■ **hacer novillos** (fig, fam) cabular, matar aula.
novilunio *m* novilúnio.
novio, via *m y f* **1** noivo (futuro esposo). **2** namorado, noivo.
nubarrón *m* nuvem negra.
nube *f* **1** nuvem. **2** nuvem (de polvo, humo). **3** (fig) nuvem (gran cantidad). ■ **en las nubes** (fig) no mundo da lua, nas nuvens; **poner en las nubes** (fig) pôr nas nuvens.
núbil *adj* núbil.
nublado, da *adj* nublado.
nublar *tr y pron* nublar.
nubosidad *f* nebulosidade.

nuca *f* nuca.
nuclear *adj* nuclear.
núcleo *m* **1** núcleo (centro). **2** (fig) núcleo (parte primordial).
nudillo *m* nó do dedo.
nudismo *m* nudismo.
nudo *m* **1** nó (entrelazamiento). **2** calo (en hueso, tendón). **3** (fig) nó, laço (vínculo). ■ **tener un ~ en la garganta** (fig, fam) ter um nó na garganta.
nuera *f* nora (esposa del hijo).
nuestro, tra *pron poses* **1** nosso (posesión): *nuestro interés por la lectura = nosso interesse pela leitura.* **2** nosso (que nos toca). **3** nosso (preferencia): *ésta es nuestra marca de electrodomésticos = esta é nossa marca de eletrodomésticos.* **4** nosso (relación personal, parentesco).
nueva *f* nova, novidade (noticia).
Nueva Zelanda *f* Nova Zelândia.
nueve *adj y m* **1** nove.
nuevo, va *adj* **1** novo (actual). **2** novo (joven). **3** novo (poco usado). ■ **de ~** de novo.
nuez *f* **1** noz (fruto). **2** pomo-de-adão (prominencia).
nulidad *f* nulidade.
nulo, la *adj* **1** nulo (sin valor). **2** (fig) nulo (incapaz, inútil).
numeración *f* numeração.
numeral *adj* numeral.
numerar *tr* **1** numerar (contar). **2** numerar (expresar numéricamente).
numerario, ria *adj/m y f* efetivo (en cargo, empleo).
número *m* **1** MAT número. **2** número (signo). **3** número (actuación, espectáculo). **4** número, fascículo (de revista, periódico). ◆ **~ entero** número inteiro; **~ par/impar** número par/ímpar; **~ primo** número primo. ■ **en números rojos** (fig) no vermelho; **hacer o montar un ~** (fig, fam) montar uma cena.
numeroso, sa *adj* numeroso.
numismática *f* numismática.
nunca *adv* **1** nunca, jamais: *nunca salió de su país = nunca saiu do seu país.* **2** nunca (ninguna vez): *¿quién no ha llorado nunca? = quem nunca chorou!* ■ **~ jamás** nunca jamais.
nuncio *m* núncio.
nupcias *f pl* núpcias.
nutria *f* nútria (animal, piel).
nutrición *f* nutrição.
nutrido, da *adj* **1** nutrido. **2** (fig) infestado (lleno).
nutrir *tr y pron* **1** nutrir (alimentar). ● *tr* **2** (fig) nutrir, sentir (esperanza, rencor).
nutritivo, va *adj* nutritivo.
nylon *m* ⇒ nailon.

Numerales Cardinales / *Numerais Cardinais*

uno	*um*	sesenta	*sessenta*
dos	*dois*	setenta	*setenta*
tres	*três*	ochenta	*oitenta*
cuatro	*quatro*	novena	*noventa*
cinco	*cinco*	cien	*cem*
seis	*seis*	doscientos	*duzentos*
siete	*sete*	trescientos	*trezentos*
ocho	*oito*	cuatrocientos	*quatrocentos*
nueve	*nove*	quinientos	*quinhentos*
diez	*dez*	seiscientos	*seiscentos*
once	*onze*	setecientos	*setecentos*
doce	*doze*	ochocientos	*oitocentos*
trece	*treze*	novecientos	*novecentos*
veinte	*vinte*	mil	*mil*
veintiuno	*vinte e um*	diez mil	*dez mil*
treinta	*trinta*	cien mil	*cem mil*
cuarenta	*quarenta*	un millón	*um milhão*
cincuenta	*cinqüenta*	un billón*	*um bilhão**

* Atención: En español, un **billón** equivale a un millón de millones, mientras que en portugués equivale a mil millones.

n

Ññ

ñ, Ñ *f* ñ, Ñ (letra).
ñandú *m* ema (ave).
ñato, ta *adj* **1** *Amér.* de nariz chato. **2** *Arg.* mal feito. • *m* **3** *Pan.* bicha.
ñoñería *f* tontice, asneira.
ñoño, ña *adj* **1** (fam) tonto, palerma. **2** (fam) sem graça (comida, película).
ñoqui *m* *Arg.*, *Chile*, *Perú*, *Ur.* nhoqui.
ñu *m* gnu.

Oo

o, O *f* o, O (letra).

o *conj* **1** ou (exclusión): *vendrá mi padre o mi madre = virá minha mãe ou meu pai.* **2** ou (sin exclusión): *quiero chocolate blanco o negro, lo que haya = quero chocolate branco ou preto, o que houver.* **3** ou (concesiva): *vengas o no, haremos la fiesta = venha ou não, faremos a festa.* ■ **~ sea** ou seja.

oasis *m* oásis.

obcecación *f* obcecação.

obcecado, da *adj* obcecado.

obcecar *tr y pron* obcecar.

obedecer *tr* **1** obedecer (cumplir). **2** obedecer (someterse, ceder).

obediencia *f* **1** obediência (cumplimiento). **2** obediência (docilidad).

obediente *adj* obediente.

obelisco *m* obelisco.

obertura *f* MÚS abertura, protofonia.

obesidad *f* obesidade.

obeso, sa *adj* obeso.

óbice *m* óbice.

obispado *m* **1** bispado (cargo). **2** bispado (territorio, residencia).

obispo *m* bispo.

óbito *m* óbito.

objeción *f* objeção.

objetar *tr* objetar.

objetividad *f* objetividade.

objetivo, va *adj* **1** objetivo (imparcial). • *m* **2** objetivo (fin).

objeto *m* **1** objeto (cosa). **2** objeto (asunto, tema). **3** objeto (finalidad).

oblación *f* oblação.

oblicuidad *f* obliqüidade.

oblicuo, cua *adj* oblíquo.

obligación *f* **1** obrigação (deber). **2** obrigação (imposición).

obligado, da *adj* **1** obrigatório, obrigado. • *m y f* **2** obrigado.

obligar *tr* **1** obrigar (compeler). **2** DER obrigar.

obligatorio, ria *adj* obrigatório.

oblongo, ga *adj* oblongo.

oboe *m* **1** MÚS oboé. • *m o f* **2** MÚS oboísta (músico).

óbolo *m* **1** óbolo (moneda). **2** (fig) óbolo (donativo).

obra *f* **1** obra (creación). **2** obra (literaria, artística). **3** obra, construção. **4** obra (medio, poder). **5** ação: *hacer buenas obras = fazer boas ações.* ◆ **~ de arte** obra de arte; **~ de caridad** obra de caridade. ■ **en obras** em obras.

obrar *tr* **1** obrar (trabajar, actuar). **2** obrar, fazer efeito.

obrero, ra *adj* **1** obreiro. • *m y f* **2** operário, trabalhador.

obscenidad *f* obscenidade.

obsceno, na *adj* obsceno.

obscuridad *f* ⇒ oscuridad.

obscuro, ra *adj* ⇒ oscuro, ra.

obsequiar *tr* **1** obsequiar, presentear. **2** galantear, cortejar.

obsequio *m* **1** obséquio (servicio, favor). **2** obséquio, presente.

observación *f* **1** observação (contemplación, examen). **2** observação (objeción, reparo).

observar *tr* **1** observar (examinar, estudiar). **2** observar, reparar (advertir).

observatorio *m* observatório.

obsesión *f* **1** obsessão (idea fija). **2** PSIC obsessão.

obsesivo, va *adj* obsessivo.

obseso, sa *adj/m y f* **1** obsesso, obcecado. **2** maníaco sexual.

obsoleto, ta *adj* obsoleto.

obstaculizar *tr* obstaculizar.

obstáculo *m* **1** obstáculo, impedimento. **2** DEP obstáculo.

obstante *adj* obstante. ■ **no ~** não obstante.

obstar *intr* obstar.

obstetricia *f* MED obstetrícia.

obstinación *f* obstinação.

obstinado, da *adj* obstinado.

obstinarse *pron* obstinar-se, teimar.

obstrucción *f* **1** obstrução (cierre, corte). **2** MED obstrução.

obstruir *tr y pron* **1** obstruir (paso, conducto). • *tr* **2** (fig) obstruir, opor-se (desarrollo, plan).
obtención *f* obtenção.
obtener *tr* obter, conseguir.
obturador *adj/m y f* **1** obturador. • *m* **2** FOT obturador.
obturar *tr* obturar, obstruir.
obtuso, sa *adj* **1** obtuso (romo). **2** (fig) obtuso (torpe). ♦ **ángulo ~** GEOM ângulo obtuso, obtusângulo.
obús *m* obus.
obviar *tr* obviar (evitar).
obvio, via *adj* óbvio, evidente.
oca *f* **1** ganso (ave). **2** oca, jogo-da-glória (juego).
ocasión *f* **1** ocasião (momento) **2** ocasião (oportunidad). ■ **de ~** de ocasião.
ocasional *adj* **1** ocasional, casual. **2** ocasional, eventual.
ocasionar *tr* ocasionar.
ocaso *m* **1** ocaso, poente. **2** (fig) ocaso, decadência.
occidental *adj/m y f* ocidental.
occidente *m* **1** ocidente (de la Tierra). **Occidente 2** ocidente (punto cardinal). **3** (fig) Ocidente (países).
occipital *adj* ANAT occipital.
occipucio *m* ANAT occipício, occipúcio.
Oceanía *f* Oceania.
océano *m* oceano. ♦ **~ Atlántico** oceano Atlântico; **~ Índico** oceano Índico; **~ Pacífico** oceano Pacífico.
ochavo *m* **1** moeda. **2** (fig) bagatela, bugiganga.
ochenta *adj y m* **1** oitenta.
ocho *adj y m* **1** oito.
ochocientos, tas *adj y m* **1** oitocentos.
ocio *m* **1** lazer, ócio. **2** folga, ócio (tiempo libre).
ocioso, sa *adj/m y f* **1** ocioso (desocupado, inativo). • *adj* **2** ocioso, improdutivo.
oclusión *f* **1** oclusão. **2** FON oclusão.
ocre *m* **1** ocre, ocra (mineral). • *adj y m* **2** ocre, acra (color).
octavilla *f* panfleto, santinho.
octavo, va *adj y m* oitavo. ♦ **octavos de final** oitavas-de-final.
octogenario, ria *adj/m y f* octogenário.
octogésimo, ma *adj/m y f* octogésimo.
octosílabo, ba *adj* **1** octossílabo, octossilábico. • *m* **2** octossílabo (verso).
octubre *m* outubro.
ocular *adj* **1** ocular. • *m* **2** ÓPT ocular. ♦ **testigo ~** testemunha ocular.
ocultar *tr y pron* **1** ocultar, esconder. • *tr* **2** ocultar, omitir.
oculto, ta *adj* oculto.
ocupación *f* **1** ocupação (actividad, empleo). **2** ocupação (tarea).
ocupante *adj/m y f* ocupante.
ocupar *tr* **1** ocupar (invadir). **2** ocupar, preencher (espacio, tiempo). • **~se** *pron* **3** ocupar-se (encargarse).
ocurrencia *f* **1** ocorrência (suceso). **2** idéia, repente.
ocurrir *intr* **1** ocorrer (acontecer). • **~se** *pron* **2** ocorrer, ter a idéia.
oda *f* ode.
odiar *tr* odiar.
odio *m* ódio.
odioso, sa *adj* odioso.
odisea *f* odisséia.
odontología *f* MED odontologia.
odontólogo, ga *m y f* MED odontologista, odontólogo.
odre *m* **1** odre. **2** (fig, fam) bebum, pinguço.
oeste *m* **1** oeste (viento). **Oeste 2** oeste (punto cardinal).
ofender *tr* **1** ofender (herir). **2** ofender (injuriar). • **~se** *pron* **3** ofender-se (enfadarse, molestarse).
ofendido, da *adj/m y f* ofendido.
ofensa *f* ofensa.
ofensiva *f* ofensiva, ataque.
ofensivo, va *adj* ofensivo.
oferente *adj* oferente, oferecedor.
oferta *f* **1** oferta (ofrecimiento). **2** oferta (propuesta). **3** oferta (ganga).
ofertar *tr* **1** ofertar (ofrecer). **2** *Amér.* prometer.
oficial *adj* **1** oficial (legítimo). **2** oficial (gubernativo). • *m* **3** auxiliar, funcionário.
oficializar *tr* oficializar.
oficiar *tr* oficiar.
oficina *f* **1** escritório, gabinete. **2** repartição, seção. **3** laboratório (de farmacia). ♦ **~ de colocación** agência de emprego.
oficinista *adj* auxiliar de escritório.
oficio *m* **1** ofício (trabajo, profesión). **2** ofício (cargo). ♦ **~ de difuntos** ofício de defuntos. ■ **sin ~ ni beneficio** (fig, fam) sem ofício nem benefício.
ofimática *f* INF informatização.

ofrecer *tr y pron* **1** oferecer (presentar). **2** oferecer, propor. • *tr* **3** oferecer (dar).
ofrecimiento *m* oferecimento.
ofrenda *f* **1** oferenda (dádiva). **2** oferenda, oblata.
ofrendar *tr* oferendar.
oftalmología *f* MED oftalmologia.
oftalmólogo, ga *m y f* oftalmólogo, oftalmologista.
ofuscación *f* ofuscação.
ofuscamiento *m* **1** ofuscamento. **2** (fig) obnubilação (de la razón).
ofuscar *tr y pron* **1** ofuscar. **2** (fig) obnubilar (razón, mente).
ogro *m* **1** ogro, papão. **2** (fig) monstro (insociable).
¡oh! *interj* oh!
oída *f* ouvida. ■ **de oídas** de ouvida.
oído *m* **1** ANAT ouvido. **2** ouvido, audição. **3** ouvido (aptitud): *tiene buen oído = tem bom ouvido*. **4** ouvido (orificio). ■ **entrar por un ~ y salir por el otro** (fig, fam) entrar por um ouvido e sair pelo outro; **llegar a oídos de** chegar aos ouvidos de; **ser todo oídos** ser todo ouvidos.
oír *tr* **1** ouvir (escuchar). **2** ouvir, dar atenção. ■ **como lo oyes** é o que você escutou; **¡oye! o ¡oiga!** escuta!, viu!
ojal *m* casa, botoeira (de botón).
¡ojalá! *interj* tomara!, oxalá!
ojeada *f* olhada.
ojear *tr* olhar.
ojera *f* (gralte pl) olheiras.
ojeriza *f* ojeriza.
ojete *m* **1** ilhó. **2** (fam) ânus.
ojiva *f* **1** ogiva. **2** ARQ ogiva.
ojival *adj* **1** ogival. **2** ARQ ogival.
ojo *m* **1** ANAT olho. **2** (fig) olho (mirada). **3** (fig) olho (cuidado). **4** (fig) olho, buraco (de aguja, cerradura). **5** (fig) **6** (fig) • **¡~!** *interj* **7** ◆ **cuatro ojos** (fig, fam) **~ clínico** olho clínico**~ del huracán** (fig) olho do furacão. ■ **a ~** a olho; **en un abrir y cerrar de ojos** (fig, fam) em um piscar de olhos; **no pegar ~** (fig, fam) não pregar o olho; **~ por ~, diente por diente** (fig) olho por olho, dente por dente; **un ~ de la cara** (fig, fam) os olhos da cara.
¡ok! *interj* ok.
ola *f* **1** onda (mar). **2** onda (de frío, calor).
¡olé! *interj* olé!
oleada *f* **1** onda, ondada. **2** (fig) onda, afluência (de personas).
óleo *m* **1** óleo (aceite). **2** óleo (pintura). ■ **al ~** a óleo.
oleoducto *m* oleoduto.
oleoso, sa *adj* oleoso.
oler *tr e intr* **1** cheirar. • *tr* **2** (fig) cheirar (sospechar).
olfatear *tr* **1** farejar. **2** (fig, fam) farejar (averiguar).
olfato *m* **1** olfato. **2** (fig) olfato, faro (perspicacia).
oligarquía *f* oligarquia.
olimpiada u **olimpíada** *f* olimpíada.
olímpico, ca *adj* **1** olímpico. **2** (fig) altivo, arrogante.
oliva *f* **1** oliva, azeitona (fruto). **2** oliva, oliveira (árbol).
olivar *m* olivedo, olival.
olivo *m* oliveira.
olla *f* **1** panela. **2** cozido (comida).
olmo *m* olmo.
olor *m* **1** cheiro, odor (emanación). **2** cheiro, perfume (fragancia). **3** (fig, fam) cheiro (indicio, sospecha).
oloroso, sa *adj* **1** cheiroso. **2** fedido, fedorento.
olvidar *tr y pron* **1** esquecer. **2** esquecer (ignorar).
olvido *m* esquecimento.
Omán *m* Omã.
ombligo *m* umbigo.
ominoso, sa *adj* **1** ominoso (azaroso). **2** ominoso (abominable).
omisión *f* **1** omissão (abstención). **2** omissão (descuido).
omiso, sa *adj* omisso (negligente).
omitir *tr* **1** omitir (prescindir). • *tr y pron* **2** omitir (silenciar).
ómnibus *m* ônibus.
omnipotencia *f* onipotência.
omnipotente *adj* onipotente.
omnipresencia *f* onipresença.
omnisciencia *f* onisciência.
omnívoro, ra *adj y m* ZOOL onívoro.
omóplato u **omoplato** *m* ANAT omoplata, escápula.
onanista *adj/m y f* onanista.
once *adj y m* **1** onze.
onda *f* **1** onda (ola). **2** ondulado, ondulação (del pelo). **3** (fig, fam) clima, ambiente. ◆ **~ electromagnética** onda eletromagnética; **~ herciana o hertziana** onda hertziana ou de rádio; **~ sonora**

onda sonora. ■ **estar en la ~** (fig, fam) estar ligado.
ondear *intr y tr* ondear, ondular.
ondulación *f* **1** ondulação. **2** FÍS ondulação.
ondulado, da *adj* ondulado.
ondular *intr* **1** ondular, ondear. • *tr* **2** cachear, enrolar (cabello).
oneroso, sa *adj* **1** oneroso (caro, gravoso). **2** oneroso (molesto).
ónice *f* ônix.
onomástico, ca *adj* onomástico.
ONU (*siglas de* **Organización de las Naciones Unidas**) *f* ONU (Organização das Nações Unidas).
onza *f* **1** onça (medida). **2** onça (animal).
opacidad *f* opacidade.
opaco, ca *adj* **1** opaco: *cristal opaco = vidro opaco*. **2** opaco (oscuro, sombrío).
opalino, na *adj* opalino.
ópalo *m* opala.
opción *f* **1** opção (elección). **2** opção (posibilidad).
opcional *adj* opcional.
ópera *f* **1** ópera (obra, música). **2** ópera (género).
operación *f* **1** operação (ejecución). **2** operação (intervención quirúrgica). **3** MAT operação (cálculo).
operador, ra *adj/m y f* **1** MED operador, cirurgião. • *m* **2** MAT operador (símbolo).
operar *tr y pron* **1** operar (llevar a cabo). **2** MED operar. • *intr* **3** operar (obrar).
operario, ria *m y f* operário (obrero).
operativo, va *adj* operativo.
opereta *f* **1** opereta (espectáculo). **2** opereta (género).
opinar *tr e intr* opinar.
opinión *f* **1** opinião (dictamen). **2** opinião, conceito.
opio *m* ópio.
opíparo, ra *adj* opíparo (banquete, comida).
oponente *adj/m y f* oponente.
oponer *tr y pron* **1** opor (enfrentar). • *tr* **2** opor (confrontar). • **~se** *pron* **3** opor-se (ser contrario).
oporto *m* vinho do Porto.
oportunidad *f* **1** oportunidade (tiempo). **2** oportunidade (situación).
oportunismo *m* oportunismo.
oportuno, na *adj* oportuno.
oposición *f* **1** oposição (enfrentamiento). **2** oposição (contrariedad). **3** (gralte pl) concurso (selección).
opositar *intr* concursar, prestar concurso.
opositor, ra *m y f* **1** opositor. **2** opositor, concorrente (aspirante).
opresión *f* **1** opressão (molestia). **2** opressão (tiranización).
opresor, ra *adj/m y f* opressor.
oprimido, da *adj/m y f* **1** oprimido (apretado). **2** (fig) oprimido (tiranizado).
oprimir *tr* **1** oprimir (presionar). **2** (fig) oprimir (tiranizar).
oprobio *m* opróbrio.
optar *tr e intr* **1** optar (escoger). • *tr* **2** aspirar (a un cargo, posición).
optativo, va *adj* optativo.
óptico, ca *adj* **1** óptico, ótico. • *m y f* **2** óptico, opticista.
optimismo *m* otimismo.
optimista *adj/m y f* otimista.
optimizar *tr* otimizar.
óptimo, ma *adj* ótimo.
opuesto, ta *adj* **1** oposto (contrario). **2** BOT oposto.
opulencia *f* opulência.
opúsculo *m* opúsculo.
ora *conj* ora.
oración *f* **1** oração (rezo). **2** oração (súplica). **3** GRAM oração. ♦ **~ coordinada** GRAM oração coordenada; **~ subordinada** GRAM oração subordinada.
oráculo *m* **1** oráculo (contestación). **2** oráculo (santuario, estatua).
orador, ra *m y f* orador.
oral *adj* oral.
oralidad *f* oralidade.
orangután *m* orangotango.
orar *intr* **1** orar (rezar). • *tr* **2** orar (suplicar).
oratoria *f* oratória.
oratorio, ria *adj* **1** oratório. • *m* **2** oratório (para rezar). **3** oratório (capilla).
órbita *f* **1** ASTR, FÍS órbita (trayectoria). **2** ANAT órbita (del ojo). **3** (fig) órbita (ámbito).
orca *f* orca.
orden *amb* **1** ordem (colocación). **2** ordem (concierto). • *m* **3** ordem (sacramento). **4** ordem (grupo social). • *f* **5** ordem (mandato). ♦ **~ conrintio** ARQ ordem coríntia; **~ del día** ordem do dia; **~ dórico** ARQ ordem dórica. ■ **a la ~** à disposição; **poner en ~** pôr em ordem.
ordenación *f* **1** ordenação (disposición). **2** ordenação (regla).
ordenada *f* GEOM ordenada.
ordenado, da *adj* ordenado.

ordenador *m Esp.* computador. ◆ ~ **portátil** laptop.
ordenanza *f* **1** ordenança, ordenação (disposición). **2** ordenança, ordenação (mandato).
ordenar *tr* **1** ordenar (poner en orden). **2** ordenar (mandar).
ordeñador, ra *adj/m y f* ordenhador.
ordeñar *tr* **1** ordenhar. **2** (fam, fig) ordenhar (sacar provecho).
ordinal *adj* **1** ordinal. ● *adj y m* **2** GRAM ordinal.

> Los ordinales de **once** y **doce** son **undécimo** y **duodécimo,** y no ***decimoprimero** ni ***decimosegundo.**

ordinariez *f* ordinarismo, ordinarice.
ordinario, ria *adj* **1** ordinário (común). ● *adj/m y f* **2** ordinário (bajo, vulgar).
orear *tr y pron* arejar, ventilar.
orégano *m* orégano.
oreja *f* **1** ANAT orelha. **2** orelha (sentido). ◆ **orejas de soplillo** orelhas de abano. ■ **aguzar las orejas** (fig) prestar atenção; **bajar las orejas** (fam, fig) baixar as orelhas; **calentar las orejas** (fam, fig) dar um puxão de orelha.
orejón, na *adj* orelhudo.
orejudo, da *adj* orelhudo.
orfanato *m* orfanato.
orfandad *f* orfandade.
orfebre *m* ourives.
orfebrería *f* ourivesaria.
orfeón *m* orfeão.
orgánico, ca *adj* **1** orgânico (vivo). **2** QUÍM orgânico.
organillo *m* MÚS realejo.
organismo *m* **1** organismo (órganos). **2** organismo (ser vivo). **3** organismo (institución, asociación).
organista *m o f* MÚS organista.
organización *f* **1** organização (estructura, disposición). **2** organização (institución).
organizador, ra *adj/m y f* organizador.
organizar *tr y pron* **1** organizar (estructurar). ● *tr* **2** organizar (arreglar, ordenar).
organizativo, va *adj* organizativo.
órgano *m* **1** órgão (institución). **2** ANAT órgão.
orgasmo *m* orgasmo.
orgía *f* orgia.
orgullo *m* **1** orgulho (vanidad, arrogancia). **2** orgulho (amor propio).
orgulloso, sa *adj/m y f* orgulhoso.
orientación *f* **1** orientação: *no tiene sentido de la orientación = não tem senso de orientação.* **2** orientação (posición, dirección).
orientador, ra *adj/m y f* orientador.
oriental *adj/m y f* oriental.
orientar *tr* **1** orientar (situar). ● *tr y pron* **2** orientar (informar). **3** (fig) orientar (encaminar).
oriente *m* **1** oriente (de la Tierra). **Oriente 2** Oriente. ◆ **Oriente Medio** Oriente Médio; **Extremo Oriente** Extremo Oriente.
orificio *m* **1** orifício (agujero). **2** ANAT orifício (abertura).
origen *m* **1** origem (principio). **2** origem (procedencia).
original *adj* **1** original (auténtico). ● *adj/m y f* **2** original (obra). ● *m* **3** original (manuscrito).
originar *tr y pron* originar (dar origen).
originario, ria *adj* originário.
orilla *f* **1** beira (límite). **2** beira, margem (de río, mar).
orillar *intr y pron* **1** beirar, margear (arrimarse). ● *tr* **2** (fig) arrematar (concluir).
orín *m* **1** ferrugem (óxido). **2** urina (orina).
orina *f* urina.
orinal *m* urinol, penico.
orinar *tr, intr y pron* urinar.
oriundo, da *adj* oriundo.
orla *f* **1** orla, debrum (de tela, ropa). **2** foto de formatura.
ornamental *adj* ornamental.
ornamentar *tr* ornamentar.
ornamento *m* ornamento.
ornar *tr y pron* ornar, ornamentar.
ornitología *f* ZOOL ornitologia.
oro *m* **1** ouro (metal). **2** ouro (moneda). **3** ouro (joyas). **4** ouro (color). ◆ ~ **negro** (fam) ouro negro. ■ **de ~** (fig) de ouro.
orografía *f* GEOG orografia.
orquesta u **orquestra** *f* **1** orquestra (instrumentos). **2** orquestra (músicos).
orquestar *tr* orquestrar.
orquídea *f* orquídea.
ortiga *f* urtiga.
ortodoxia *f* ortodoxia.

ortodoxo, xa *adj/m y f* ortodoxo.
ortografía *f* **1** GRAM ortografia. **2** GEOM ortografia, projeção ortogonal.
ortográfico, ca *adj* ortográfico.
ortopedia *f* ortopedia.
ortopédico, ca *adj* ortopédico.
oruga *f* **1** larva, lagarta. **2** rúcula, eruca.
orujo *m* **1** bagaço (de uva). **2** bagaço (aguardiente).
orzuelo *m* terçol.
os *pron* **1** (acusativo) vocês, vos: *os quiero ver mañana = quero ver vocês amanhã*. **2** (dativo) vocês, lhes: *os dije que compraráis pan = disse a vocês que comprassem pão*. **3** (recíproco) se: *daros las manos = dêm-se as mão*. **4** (reflexivo) se: *salimos, pero primero os tenéis que arreglar = vamos sair, mas primeiro vocês têm que se arrumar*.
osa *f* ursa. ◆ **Osa Mayor** ASTR Ursa Maior; **Osa Menor** ASTR Ursa Menor.
osadía *f* ousadia.
osado, da *adj* ousado.
osamenta *f* **1** ossamento (esqueleto). **2** ossada (huesos).
osar *tr e intr* ousar.
osario *m* ossário.
oscilación *f* **1** oscilação (vaivén). **2** (fig) oscilação (fluctuación).
oscilar *intr* **1** oscilar. **2** (fig) oscilar (titubear).
oscurecer *tr, intr y pron* **1** escurecer (quitar luz). ● *impers* **2** (fig) escurecer, anoitecer.
oscuridad *f* **1** escuridão, obscuridade (falta de luz). **2** (fig) obscuridade (ignorancia).
oscuro, ra *adj* **1** escuro (sin luz). **2** (fig) obscuro (confuso). ● *adj y m* **3** escuro (color).
óseo, a *adj* ósseo.
osificación *f* ossificação.
osificarse *pron* ossificar-se.
osmio *m* QUÍM ósmio.
ósmosis u **osmosis** *f* FÍS osmose.
oso *m* urso. ◆ ~ **panda** panda; ~ **polar** urso-polar.
ostentación *f* **1** ostentação (exhibición). **2** ostentação (magnificencia).
ostentar *tr* **1** ostentar (exhibir). **2** ostentar (hacer gala).
ostentoso, sa *adj* ostentoso.
ostra *f* **1** ostra (molusco). ● **¡ostras!** *interj* **2** caramba! ■ **aburrirse como una ~** (fig, fam) encher-se, entediar-se.
ostracismo *m* (fig) ostracismo (de un cargo).
otitis *f* MED otite.
otoñal *adj* outonal, outoniço.
otoño *m* **1** outono (estación). **2** (fig) outono (madurez).
otorgamiento *m* outorga, outorgamento.
otorgar *tr* **1** outorgar (consentir, conceder). **2** outorgar, promulgar (ley). **3** DER outorgar (ante notario).
otorrinolaringología *m* MED otorrinolaringologia.
otorrinolaringólogo, ga *m y f* MED otorrinolaringologista.
otro, tra *pron indef* **1** outro (uno más). **2** outro (distinto). **3** desses (pasado cercano):, *me llamó el otro día = me ligou um dia desses*. **4** outro, próximo (siguiente): *nos vamos la otra semana = vamos embora na próxima semana*.
ovación *f* ovação.
ovacionar *tr* ovacionar.
oval *adj* oval.
ovalar *tr* ovalar.
óvalo *m* óvalo.
ovario *m* **1** ANAT ovário. **2** BOT ovário.
oveja *f* **1** ovelha. **2** *Amér. Merid.* lhama (animal). ◆ ~ **negra** (fig) ovelha negra.
overol *m Amér.* macacão (prenda de vestir).
ovillo *m* **1** novelo. **2** (fig) novelo (maraña). **3** (fig) novelo (confusión).
ovino, na *adj* **1** ovino, ovelhum. ● *m* **2** ovino (animal).
ovíparo, ra *adj/m y f* ZOOL ovíparo.
ovoide *adj/m y f* ovóide.
ovulación *f* BIOL ovulação.
ovular *intr* ovular.
óvulo *m* **1** BIOL óvulo. **2** BOT óvulo.
oxidar *tr y pron* **1** oxidar. ● *tr e intr* **2** (fig, fam) enferrujar (músculos, conocimientos).
óxido *m* QUÍM óxido.
oxigenar *tr y pron* QUÍM oxigenar.
oxígeno *m* QUÍM oxigênio.
oyente *adj/m y f* **1** ouvinte. ● *m o f* **2** ouvinte (alumno).
ozono *m* QUÍM ozônio. ◆ **capa de ~** camada de ozônio.

Pp

p, P *f* p, P (letra).
pabellón *m* **1** pavilhão (edificio, construcción). **2** pavilhão (tienda de campaña). **3** pavilhão (bandera).
pabilo o **pábilo** *m* pavio.
pábulo *m* pábulo (alimento).
paca *f* **1** paca (animal). **2** fardo, pacote.
pacato, ta *adj/m y f* **1** pacato (tranquilo). **2** pudico (mojigato).
pacer *tr e intr* pastar.
pachanguero, ra *adj* (desp) charanga.
pachorra *f* (fam) pachorra.
paciencia *f* **1** paciência (virtud). **2** paciência (capacidad). **3** (fig) paciência (tolerancia). ■ **acabar la ~** esgotar a paciência.
paciente *adj* **1** paciente. ● *m o f* **2** paciente (enfermo). ● *adj y m* **3** GRAM paciente.
pacificación *f* pacificação.
pacificar *tr, intr y pron* pacificar.
pacífico, ca *adj* **1** pacífico (tranquilo). **2** pacífico (en paz).
pacifismo *m* pacifismo.
pacifista *adj/m y f* pacifista.
pacotilla *f* **1** pacotilha (géneros). **2** *Chile, Ecuad., Guat.* gentalha, populacho. ■ **ser de ~** (fig) ser inferior.
pactar *tr* pactuar.
pacto *m* pacto (concierto, acuerdo).
padecer *tr e intr* **1** padecer (sentir, sufrir). **2** padecer (soportar, tolerar).
padecimiento *m* padecimento.
padrastro *m* **1** padrasto. **2** (fig) espiga (de uña).
padre *m* **1** pai (progenitor). **2** padre (religioso). **3** (fig) pai (jefe, protector). **4** (fig) pai (inventor, fundador). ◆ **~ de familia** pai de família.
padrino *m* **1** padrinho (bautismo). **2** padrinho (testigo).
padrón *m* **1** recenseamento (censo). **2** padrão (modelo).
paella *f* paella.
paga *f* **1** pagamento, paga. **2** pagamento, salário. ◆ **~ extra** pagamento extra.
paganismo *m* paganismo.
pagano, na *adj/m y f* pagão (idólatra).
pagar *tr* **1** pagar (abonar). **2** (fig) pagar, retribuir. **3** (fig) pagar, cumprir (pena, castigo).
pagaré *m* nota promissória.
página *f* **1** página (hoja). **2** página (escrito, impreso). ■ **pasar ~** (fig, fam) virar a página.
pago, ga *m* **1** pagamento. **2** recompensa. ■ **de ~** privado: *colegio de pago = escola privada.*
pagoda *f* pagode (templo).
país *m* país (nación).
paisaje *m* **1** paisagem (panorama). **2** paisagem (cuadro).
paisano, na *adj/m y f* **1** paisano (coterráneo). ● *m y f* **2** camponês (campesino). ● *m* **3** paisano, civil.
Países Bajos *m pl* Países Baixos.
País Vasco *m* País Basco.
paja *f* **1** palha (caña). **2** ⇒ pajita. ■ **meter ~** (fig, fam) encher lingüiça.
pajar *m* palheiro.
pájara *f* **1** pássara (ave). ● *adj y f* **2** velhaca, espertalhona.
pajarita *f* gravata borboleta.
pájaro *m* pássaro. ◆ **~ bobo** pingüim; **~ carpintero** pica-pau. ■ **matar dos pájaros de un tiro** (fig, fam) matar dois coelhos de uma cajada.
paje *m* pajem (criado).
pajita *f* canudo, canudinho (para beber).
Pakistán *m* Paquistão.
pala *f* **1** pá (herramienta). **2** pá (de hélice, remo). **3** DEP raquete (de madera).
palabra *f* **1** palavra (vocablo). **2** palavra (habla). **3** (fig) palavra (elocuencia). **4** (fig) palavra (promesa). **5** (fig) palavra (turno). ◆ **~ de honor** palavra de honra; **última ~** última palavra. ■ **dar su ~** dar sua palavra; **dirigir la ~** dirigir a palavra; **tomar la ~** tomar a palavra.
palabrería *f* palavreado, palavrório.
palabrota *f* palavrão.
palaciego, ga *adj/m y f* palaciano.

palacio *m* **1** palácio (casa real). **2** palácio (edificio público): *palacio del congreso = palácio do congresso.*
palada *f* **1** pazada (contenido). **2** pazada (golpe).
paladar *m* **1** palato, paladar. **2** (fig) paladar, sabor.
paladear *tr y pron* saborear, degustar.
paladín *m* paladino, paladim.
paladino, na *adj* público, evidente.
palafito *m* palafita.
palafrén *m* palafrém.
palanca *f* **1** alavanca. **2** (fig, fam) influência, proteção.
palangana *f* bacia, palangana.
palatal *adj* **1** palatino (del paladar). • *adj y f* **2** FON palatal.
palco *m* **1** camarote, frisa. **2** estrado (para espectadores).
palenque *m* cercado, cerca.
paleolítico, ca *adj y m* GEOL paleolítico.
Palestina *f* Palestina.
paleta *f* **1** paleta (de colores). **2** omoplata, escápula (hueso). **3** colher de pedreiro.
paletilla *f* omoplata, escápula (hueso).
paleto, ta *adj/m y f* (coloq) tosco, matuto.
paliar *tr* **1** paliar (atenuar). **2** paliar (disimular).
paliativo, va *adj y m* paliativo.
palidecer *intr* empalidecer.
palidez *f* palidez.
pálido, da *adj* **1** pálido (amarillo). **2** (fig) pálido (desvaído, apocado).
palillero, ra *m y f* **1** paliteiro (fabricante, vendedor). • *m* **2** paliteiro (recipiente).
palillo *m* **1** palito (de dientes). **2** baqueta (de tambor). **3** (fig, fam) palito (delgado).
palio *m* **1** pálio (capa). **2** pálio (insignia pontifical).
palique *m* (fam) papo (conversación).
palisandro *m* jacarandá (madera).
paliza *f* **1** surra, sova. **2** (fig, fam) surra, pisa (derrota). ■ **dar la ~** (fig, fam) encher o saco.
palma *f* **1** palma (de la mano). **2** palmeira (árbol). ■ **batir palmas** bater palmas; **llevarse la ~** (fig, fam) levar a palma.
palmada *f* **1** palmada (golpe). **2** (gralte pl) palma, batida das mãos.
palmar *adj* **1** palmar. • *m* **2** palmeiral, palmar.
palmatoria *f* palmatória, castiçal.
palmeo *m* batida de mãos.
palmera *f* palmeira.
palmeral *m* palmeiral.
palmo *m* palmo (medida). ■ **con un ~ de narices** (fig, fam) com a cara no chão.
palmotear *intr* palmear, bater palmas.
palmoteo *m* batida de mãos.
palo *m* **1** pau (trozo de madera). **2** pau (madera). **3** naipe. ♦ **~ brasil** pau-brasil. ■ **a ~ seco** (fig, fam) nu e cru; **andar a palos** (fig, fam) viver se pegando; **de tal ~ tal astilla** tal pai, tal filho.
paloma *f* **1** pomba (ave). **2** (fig) tonto, ingênuo.
palomar *m* pombal.
palomita *f* pipoca.
palomo *m* pombo.
palpar *tr* **1** palpar, apalpar (tocar). **2** (fig) perceber, notar.
palpitación *f* palpitação.
palpitar *intr* **1** palpitar (latir). **2** palpitar (agitarse).
palta *f Amér. Merid.* abacate (fruto).
palto *m Amér. Merid.* abacateiro.
palúdico, ca *adj/m y f* palúdico.
paludismo *m* MED paludismo.
palurdo, da *adj/m y f* grosseiro, matuto.
pampa *f* pampa.
pámpana *f* ⇒ pámpano.
pámpano *m* pâmpano.
pamplina *f* **1** estelária (planta). **2** (fig, fam) (gralte pl) bobagem.
pan *m* **1** pão (masa). **2** pão (alimento). **3** (fig) pão (sustento diario). ♦ **~ de molde** pão de forma; **~ rallado** farinha de rosca. ■ **estar alguien más bueno que el ~** (fig, fam) ser alguém um chuchu; **ser alguien más bueno que el ~** (fig, fam) ser alguém um amor; **ser ~ comido** (fig, fam) ser mole (fácil).
pana *f* côtelé (tela).
panacea *f* **1** panacéia (medicamento). **2** panacéia (solución).
panadería *f* padaria, panificadora.
panadero, ra *m y f* padeiro.
panal *m* **1** favo. **2** colméia, vespeiro.
Panamá *m* Panamá.
panameño, ña *adj/m y f* panamenho.
panamericanista *m o f* pan-americanista.
panamericano, na *adj/m y f* pan-americano.
pancarta *f* cartaz, faixa.
páncreas *m* ANAT pâncreas.
pandereta *f* MÚS pandeiro, pandeireta.

pandero *m* **1** MÚS pandeiro. **2** (fig, fam) pandeiro, bunda.
pandilla *f* **1** turma, galera (de amigos). **2** bando, quadrilha (de malhechores, criminales).
panecillo *m* pãozinho.
panegírico, ca *adj* **1** panegírico (laudatorio). • *m* **2** panegírico (elogio, alabanza).
panel *m* **1** painel, quadro (de control, anuncios). **2** placa (de tráfico). **3** painel (cartelera, tablero).
panera *f* **1** paneiro (cesta). **2** pãozeira (recipiente).
pánfilo, la *adj/m y f* **1** tonto, palerma. **2** lerdo, lesma (lento).
panfletario, ria *adj* panfletário.
panfleto *m* panfleto.
pánico, ca *adj y m* pânico.
panificadora *f* panificadora.
panocha o **panoja** *f* espiga.
panorama *m* **1** panorama (paisaje, vista). **2** (fig) panorama (aspecto, perspectiva).
panorámica *f* **1** panorâmica (visión). **2** CINE, FOT, TV panorâmica.
panorámico, ca *adj* panorâmico.
panqueque *m Amér.* panqueca.
pantagruélico, ca *adj* pantagruélico.
pantalla *f* **1** tela (de televisión, cine, ordenador). **2** quebra-luz, lustre. **3** tela de proteção (de ruido, radiación). ♦ **gran ~** (fam) cinema; **pequeña ~** (fam) telinha (televisión).
pantalón *m* (gralte pl) calça, calças. ♦ **~ de pata de elefante** calça boca-de-sino; **~ vaquero o tejano** calça jeans. ■ **bajarse los pantalones** (fig, fam) abaixar a cabeça; **llevar los pantalones** (fig, fam) mandar.
pantano *m* **1** pântano. **2** represa.
pantanoso, sa *adj* pantanoso.
panteón *m* **1** sepulcro. **2** *Amér.* cemitério.
pantera *f* **1** pantera. **2** ágata amarela.
pantomima *f* **1** pantomima. **2** (fig) pantomima (figimiento).
pantorrilla *f* panturrilha, barriga da perna.
pantufla *f* pantufo, pantufa.
panty *m* meia-calça (leotardos).
panza *f* pança (barriga).
panzudo, da *adj* pançudo, barrigudo.
pañal *m* fralda (para niños).
paño *m* **1** pano (para limpiar, secar). **2** tela, tecido. ■ **en paños menores** (fig, fam) em trajes menores.
pañoleta *f* lenço, echarpe.
pañuelo *m* **1** lenço (para nariz). **2** lenço (para cabeza, cuello). ♦ **~ de bolsillo** lenço de bolso.
papa *m* **1** REL papa. **2** (fam) pai. • *f* **3** batata. ♦ **~ caliente** (fig, fam) batata quente (problema).
papá *m* **1** (fam) papai. • **papás** *m pl* **2** pais.
papada *f* papada.
papagayo *m* **1** papagaio (ave). **2** *Amér.* dedo-duro (soplón).
papamoscas *m* **1** papa-moscas (ave). **2** (fig, fam) panaca.
papanatas *m* (fig, fam) panaca.
papaya *f* mamão (fruto).
papayo *m* mamoeiro.
papel *m* **1** papel (hoja). **2** papel (personaje). • **papeles** *m pl* **3** papéis (documentación). ♦ **~ carbón** papel-carbono; **~ de aluminio** papel de alumínio, papel laminado; **~ higiénico** papel higiênico; **~ maché** papel machê. ■ **perder los papeles** (fig, fam) perder a cabeça; **sobre el ~** (fig, fam) em teoria.
papelera *f* lata de lixo.
papelería *f* papelaria.
papeleta *f* **1** bilhete, papeleta. **2** cédula (de votación).
papelina *f* **1** papelote (de droga). **2** popelina (tela).
papera *f* MED caxumba, papeira.
papilla *f* papinha. ■ **hacer ~** (fig, fam) destroçar.
papiro *m* papiro.
Papúa Nueva Guinea *f* Papua Nova Guiné.
paquebote *m* paquete (embarcación).
paquete *m* **1** pacote (envoltorio). **2** maço (de cigarrillos). **3** (fig, fam) carona (de motocicleta). ♦ **~ bomba** pacote bomba.
paquetear *intr Arg., Ur.* presumir.
par *adj* **1** par (igual). **2** par (número). • *m* **3** par, parelha: *par de medias = par de meias*. **4** dois. ■ **a pares** em pares; **sin ~** único, singular.
para *prep* **1** para (finalidad, utilidad): *utilizo esta botella para mojar las plantas = utilizo esta garrafa para molhar as plantas*. **2** para (dirección): *me dijo que venía para acá = me disse que vinha para cá*. **3** para (tiempo límite): *te prometo que estará para mañana = te prometo que esta-*

rá pronto para amanhã. **4** para (motivo, causa): *¿para qué me cuentas eso? = para que você está me contando isso?* **5** (complemento indirecto) para: *compró una lámpara para la habitación = comprou um abajur para o quarto.* ■ **~ eso** para isso (desprecio): *para eso mejor que no hubieras venido = para isso melhor que você não tivesse vindo.*

parábola *f* **1** parábola (narración). **2** GEOM parábola.

parabólica *f* parabólica (antena).

parabrisas *m* pára-brisa.

paracaídas *m* pára-quedas.

paracaidismo *m* pára-quedismo.

paracaidista *m o f* pára-quedista.

parachoques *m* pára-choque.

parada *f* **1** parada (detención). **2** parada (pausa, suspensión). **3** ponto (de transporte público).

paradero *m* **1** paradeiro. **2** *Col., Perú* ponto (de transporte público).

paradigma *m* paradigma.

paradisíaco, ca o **paradisiaco, ca** *adj* paradisíaco.

parado, da *adj* **1** parado (inmóvil). **2** parado, paradão (pasivo). • *adj/m y f* **3** parado, desempregado.

paradoja *f* paradoxo.

paradójico, ca *adj* paradoxal.

parador, ra *adj* **1** parador. • *m* **2** hotel mantido pelo Estado.

parafina *f* QUÍM parafina.

parafrasear *tr* parafrasear.

paráfrasis *f* paráfrase.

paraguas *m* guarda-chuva, sombrinha.

Paraguay *m* Paraguai.

paraguayo, ya *adj/m y f* paraguaio.

paragüero, ra *m y f* **1** fabricante ou vendedor de guarda-chuva. • *m* **2** porta-chapéus (mueble).

paraíso *m* **1** paraíso (edén). **2** paraíso (cielo).

paraje *m* paragem.

paralelismo *m* paralelismo.

paralelo, la *adj* **1** paralelo. • *m* **2** paralelo.

parálisis *f* MED paralisia.

paralítico, ca *adj/m y f* paralítico.

paralización *f* paralisação.

paralizar *tr y pron* **1** paralisar (causar parálisis). **2** (fig) paralisar (detener).

paramento *m* **1** paramento (adorno). **2** ARQ paramento.

páramo *m* páramo.

paranoia *f* PSIC paranóia.

paranoico, ca *adj/m y f* PSIC paranóico.

parapetar *tr y pron* parapeitar (resguardarse).

parapeto *m* **1** ARQ parapeito. **2** MIL parapeito.

parapsicólogo, ga *m y f* parapsicólogo.

parar *intr y pron* **1** parar: *el autobús se paró en la esquina = o ônibus parou na esquina.* • *intr* **2** parar (terminar). **3** parar (estar): *no para nunca en casa = não para nunca em casa.* • *tr y pron* **4** parar (detener). ■ **sin ~** sem parar.

pararrayo o **pararrayos** *m* pára-raios.

parasitario, ria *adj* parasitário.

parásito, ta *adj/m y f* **1** BIOL parasita. • *m* **2** (fig) parasita, sanguessuga.

parasol *m* guarda-sol.

parcela *f* **1** parcela (fracción). **2** parcela, lote (de terreno).

parcelación *f* **1** parcelamento. **2** loteamento (de terreno).

parche *m* **1** remendo (para ropa). **2** MED emplastro, parche.

parcial *adj* **1** parcial (incompleto). **2** parcial (injusto). • *m* **3** prova, teste.

parcialidad *f* parcialidade, parcialismo.

parco, ca *adj* **1** parco (corto, escaso). **2** parco (sobrio, templado).

pardo, da *adj y m* **1** pardo (color). • *m* **2** leopardo.

parear *tr* emparelhar (juntar).

parecer *m* **1** parecer (opinión). **2** parecer (apariencia).

parecer *intr* **1** parecer (aparentar): *parece que sea mayor = parece mais velho do que é.* • *impers* **2** parecer: *parece que nevará = parece que vai nevar.* • **~se** *pron* **3** parecer (asemejarse). ■ **al ~** ao que parece.

parecido, da *adj* **1** parecido. • *m* **2** semelhança.

pared *f* **1** parede (de edificio). **2** parede (lateral). ■ **las paredes oyen** (fig, fam) as paredes têm ouvidos; **poner a alguien contra la ~** (fig, fam) encostar alguém na parede.

paredón *m* paredão.

pareja *f* **1** par, parelha: *no encuentro la pareja de este calcetín = não encontro o par desta meia.* **2** casal: *hacen una bonita pareja = formam um bonito casal.* **3** companheiro (sentimental).

parejo, ja *adj* parelho.
parentela *f* parentela.
parentesco *m* **1** parentesco. **2** (fig) parentesco (vínculo).
paréntesis *m* **1** parêntese. **2** (fig) parêntese (interrupción, suspensión). ■ **entre ~** entre parêntesis.
pareo *m* **1** pareô. **2** canga, pareô (de playa).
paria *m o f* **1** pária. **2** (fig) pária (excluido).
paridad *f* paridade.
pariente, ta *adj/m y f* **1** parente. ● *adj* **2** (fig, fam) parente (semejante).
parir *tr e intr* **1** parir. **2** (fig) parir, criar (producir). ■ **poner a ~ a alguien** (fig, fam) meter o pau em alguém.
parka *f* parca (abrigo).
parking *m* estacionamento, parking.
parlamentar *intr* parlamentar.
parlamentario, ria *adj* **1** parlamentar, parlamentário. ● *m y f* **2** parlamentário.
parlamento *m* **1** parlamento (órgano político). **2** parlamento (edificio).
parlanchín, na *adj/m y f* (fam) tagarela.
parlotear *intr* (fam) tagarelar.
paro *m* **1** parada. **2** greve, paralização. **3** desemprego. ■ **estar en ~** estar desempregado.
parodia *f* paródia.
parodiar *tr* parodiar.
paroxismo *m* MED paroxismo.
parpadear *intr* **1** piscar, pestanejar. **2** (fig) piscar, tremeluzir.
párpado *m* pálpebra.
parque *m* **1** parque. **2** cercado, chiqueirinho (para niños). ◆ **~ de atracciones** parque de diversões; **~ natural** reserva natural.
parqué o **parquet** *m* parquete, parquê.
parquedad *f* moderação, comedimento.
parquímetro *m* parquímetro.
parra *f* parra, parreira.
párrafo *m* parágrafo.
parral *m* parreiral.
parranda *f* (fam) farra.
parricida *adj/m y f* parricida.
parricidio *m* parricídio.
parrilla *f* **1** (gralte pl) grelha. **2** churrasqueira. **3** churrascaria.
parrillada *f* **1** churrasco (de carne). **2** mariscada (de marisco).
párroco *adj y m* pároco.
parroquia *f* **1** paróquia (iglesia, territorio, fieles). **2** (fig) freguesia (clientela).
parroquial *adj* paroquial.
parroquiano, na *adj/m y f* paroquiano.
parsimonia *f* **1** parcimônia, moderação. **2** calma, lentidão.
parsimonioso, sa *adj* **1** parcimonioso, comedido. **2** calmo, fleumático.
parte *f* **1** parte (porción). **2** parte, quinhão. **3** parte, lugar. **4** bandas, lado. **5** parte, facção. ● *m* **6** parte (comunicación, queja). ● **partes** *f pl* **7** partes (órganos genitales). ◆ **~ médico** laudo médico; **~ meteorológico** previsão meteorológica. ■ **dar ~** dar parte; **¿de ~ de quién?** quem gostaria? (al teléfono); **en ~** em parte; **formar ~ de** fazer parte de; **por otra ~** por outro lado.
parterre *m* parterre, canteiro.
partición *f* partição, partilha.
participación *f* **1** participação. **2** notificação, aviso.
participar *intr* **1** participar (tomar parte). **2** participar, compartilhar.
participativo, va *adj* participativo.
partícipe *adj/m y f* partícipe, participante.
participio *m* GRAM particípio.
partícula *f* **1** partícula. **2** GRAM partícula. ◆ **~ alfa** FÍS partícula alfa.
particular *adj* **1** particular (privativo). **2** particular, peculiar. **3** particular (individual). ● *m* **4** particular (individuo).
particularidad *f* particularidade.
particularizar *tr y pron* particularizar.
partida *f* **1** partida (salida). **2** certidão, registro (de nacimiento, boda). **3** partida, rodada (de juegos). ■ **ganar la ~** (fig, fam) ganhar a partida; **por ~ doble** (fig) em dobro.
partidario, ria *adj/m y f* partidário.
partido, da *adj* **1** generoso. ● *m* **2** partido (coaligación): *partido político = partido político*. **3** partido, proveito. **4** DEP jogo. ■ **tomar ~** tomar partido.
partir *intr y pron* **1** partir (irse). ● *tr* **2** partir, dividir. **3** partir, quebrar. ● **~se** *pron* **4** acabar-se (de risa). ■ **a ~ de** a partir de.
partitura *f* MÚS partitura.
parto *m* **1** parto. **2** (fig) parto (producción).
parturienta *adj y f* parturiente.
parvedad *f* parvidade.

parvo, va *adj* pequeno.
parvulario *m* jardim-de-infância.
párvulo, la *adj/m y f* párvulo.
pasa *adj y f* passa (fruta).
pasada *f* **1** passada. **2** repassada. ◆ **mala ~** (fig, fam) brincadeira de mal gosto.
pasadizo *m* passadiço, passagem.
pasado, da *adj* **1** passado. ● *m* **2** passado. **3** GRAM pretérito, passado.
pasador, ra *adj* **1** passador, intermediário. ● *m* **2** passador (de pelo). **3** tranca (de puertas, ventanas).
pasaje *m* **1** passagem, passadouro. **2** passagem, trecho (de obra literaria).
pasajero, ra *adj* **1** passageiro, transitório. ● *adj/m y f* **2** passageiro, viajante.
pasamano o **pasamanos** *m* corrimão.
pasamontañas *m* gorro (para toda la cabeza).
pasante *m o f* estagiário. ◆ **~ de pluma** escrivão.
pasaporte *m* passaporte. ■ **dar ~ a uno** (fig, fam) despachar alguém.
pasapurés *m* espremedor de batatas.
pasar *tr, intr y pron* **1** passar (transcurrir). ● *intr y pron* **2** passar (acabar, terminar). ● *tr* **3** passar (llevar, conducir). **4** passar, transmitir (mensaje, recado). **5** passar, ultrapassar. **6** passar (deslizar): *passa la mano por aquí = passa a mão por aqui.* **7** passar (acercar): *pásame la sal = passa-me o sal.* **8** passar (contagiar). **9** tolerar, consentir: *no te voy a pasar más mentiras = não vou tolerar mais mentiras.* **10** passar, entrar para: *después de cenar pasaron al salón = depois do jantar passaram à sala.* **11** passar, ocupar (tiempo). ● *tr e intr* **12** passar, deixar atrás (terminar): *pasaron los tiempos de miseria = passaram os tempos de miséria.* ● *intr* **13** acontecer: *no te preocupes que no ha pasado nada = não se preocupe que não aconteceu nada.* **14** entrar. **15** passar, mudar (de situación, condición). **16** passar (ir, circular): *el dinero pasa de mano en mano = o dinheiro passa de mão em mão.* ● **~se** *pron* **17** exagerar, passar dos limites: *no te pases con la bebida = não exagere na bebida.* **18** estragar (sustancia, alimento). ■ **~ de largo** passar direto; **¿qué pasa?** o que está acontecendo? (con interés); qual é o problema? (con desafío): *sí, estoy borracho ¿qué pasa? = estou bêbado, sim, e qual é o problema?*
pasarela *f* passarela.
pasatiempo *m* passatempo.
pascana *f Amér.* pousada.
Pascua *f* **1** Páscoa. ● **Pascuas** *f pl* **2** festas de fim de ano. ■ **estar como unas pascuas** (fig, fam) estar muito alegre.
pase *m* **1** passe, permissão. **2** desfile de modas. **3** sessão (de cine).
pasear *intr y pron* **1** passear. ● *tr* **2** levar para passeio.
paseo *m* **1** passeio (desplazamiento). **2** calçadão, passeio. ■ **mandar a ~** (fig, fam) mandar passear.
pasillo *m* corredor.
pasión *f* **1** paixão (perturbación, sentimiento). **2** paixão, fanatismo.
pasional *adj* passional.
pasividad *f* passividade.
pasivo, va *adj* **1** passivo. **2** GRAM passivo.
pasmado, da *adj* pasmado, apalermado.
pasmar *tr* **1** esfriar, congelar. ● *tr, intr y pron* **2** (fig) pasmar, espantar.
pasmo *m* (fig) pasmo, admirado.
pasmoso, sa *adj* (fig) pasmoso.
paso *m* **1** passo, passada. **2** passagem: *está prohibido el paso de coches por aquí = está proibida a passagem de carros por aqui.* **3** passo, andar. **4** passar, transcurso. **5** passo (de baile, danza). ◆ **~ de cebra o peatones** faixa de pedestres. ■ **a cada ~** (fig, fam) a cada passo; **a dos pasos** (fig, fam) a dois passos; **al ~ que** ao passo que; **ceder el ~** ceder o passo; dar preferência de passagem (en el tráfico); **de ~** de passagem; **~ a ~** passo a passo.
pasota *m o f* (fam) desligado, despreocupado.
pasta *f* **1** pasta, massa. **2** massa, macarrão. **3** bolinho doce. ◆ **~ de dientes o dentífrica** pasta de dente, creme dental.
pastar *tr* **1** pastar, pastorear. ● *intr* **2** pastar, comer (ganado).
pastel *m* **1** bolo (dulce, salado). **2** pastel (lápiz, pintura).
pastelería *f* confeitaria (establecimiento, oficio).
pastelero, ra *m y f* confeiteiro.

pastilla *f* **1** comprimido, pastilha (medicamento). **2** pastilha, bala. **3** barra, tablete (de jabón, chocolate). ■ **a toda ~** (fig, fam) a todo vapor.
pastillero *m* porta-comprimidos.
pastizal *m* pastaria.
pasto *m* **1** pasto, pastagem. **2** (fig) espaço (ocasión): *no ha dado pasto a reclamaciones = não deu espaço às reclamações.*
pastor, ra *m y f* **1** pastor. • *m* **2** REL pastor (protestante).
pastoral *adj* pastoral, pastoril.
pastorear *tr* **1** pastorear. **2** *Amér.* aguardar.
pastoso, sa *adj* pastoso (espeso).
pata *f* **1** pata (de animal). **2** pé (de mueble). **3** (fam, irón) pata (pierna). ◆ **mala ~** (fig, fam) azar, má sorte. ■ **a ~** (fam) a pé; **meter la ~** (fig, fam) dar um fora; **tener mala ~** (fig, fam) ser pé frio.
patada *f* **1** coice, patada (de animal). **2** (fig, fam) chute, pontapé. ■ **a patadas** (fig, fam) aos montes; **echar a patadas** enxotar.
patalear *intr* espernear, patear.
pataleo *m* esperneio, pateada.
patán *m* (fam) caipira, matuto.
patata *f* batata. ◆ **~ caliente** (fig, fam) batata quente.
patatús *m* (fam) chilique, desmaio.
paté *f* patê.
patear *tr* **1** escoicear, dar coices. **2** patear, bater o pé (como protesta, desagrado). • *intr* **3** (fig, fam) andar, recorrer.
patena *f* patena, pátena.
patentar *tr* patentear (registrar).
patente *adj* **1** patente (claro, manifesto). • *f* **2** patente (documento).
patera *f* barca.
paternal *adj* paternal.
paternalismo *m* paternalismo.
paternidad *f* paternidade.
paterno, na *adj* paterno.
patético, ca *adj* patético.
patetismo *m* pateticismo.
patíbulo *m* patíbulo.
patidifuso, sa *adj* (fig, fam) assombrado.
patilla *f* **1** costeleta, suíças (de la barba). **2** perna (de gafas).
patín *m* patim.
pátina *f* pátina (barniz).
patinaje *m* patinagem, patinação.
patinar *intr* **1** patinar. **2** escorregar (caer, escurrirse): *patinó bajando la escalera = ao descer a escada, escorregou.*
patinazo *m* **1** patinada (de ruedas). **2** (fig, fam) deslize, mancada.
patio *m* pátio, quintal. ■ **¡cómo está el ~!** a coisa está feia!
patitieso, sa *adj* **1** (fam) paralítico. **2** (fig, fam) atônito, paralisado (sorprendido).
pato *m* **1** pato (ave). • *adj/m y f* **2** (fig, fam) desastre, estabanado. ■ **pagar el ~** (fig, fam) pagar o pato.
patología *f* patologia.
patológico, ca *adj* patológico.
patoso, sa *adj* desastrado, estabanado.
patraña *f* patranha.
patria *f* pátria (tierra natal).
patriarca *m* **1** patriarca (cabeza de familia). **2** (fig) anciano.
patriarcado *m* patriarcado.
patrimonial *adj* patrimonial.
patrimonio *m* **1** patrimônio (hacienda). **2** (fig) patrimônio (cultural, social).
patrio, tria *adj* pátrio.
patriota *m o f* patriota.
patriótico, ca *adj* patriótico.
patrocinar *tr* **1** patrocinar (amparar). **2** patrocinar (financiar).
patrocinio *m* patrocínio.
patrón, na *m y f* **1** patrão, senhor (en un trabajo). **2** anfitrião, dono (de casa, pensión). • *m* **3** padrão (modelo). **4** patrão (de embarcación).
patronal *adj* **1** patronal. • *f* **2** sindicato patronal.
patronato *m* patronato (derecho, poder).
patrulla *f* **1** patrulha (grupo armado). **2** patrulha (de buques, aviones).
patrullar *intr y tr* patrulhar.
patrullero, ra *adj/m y f* patrulheiro (veículo).
paulatino, na *adj* paulatino.
pausa *f* **1** pausa (interrupción). **2** pausa, lentidão.
pausado, da *adj* **1** pausado. • *adv* **2** pausado.
pauta *f* **1** pauta, linha (para escribir). **2** (fig) norma, regra. **3** (fig) exemplo, modelo.
pautar *tr* **1** pautar. **2** (fig) pautar, regular.
pava *f* (fig, fam) chaleira de metal.
pavesa *f* fagulha.

pavimentado, da *adj* pavimentado.
pavimentar *tr* pavimentar.
pavimento *m* pavimento.
pavo, va *m y f* **1** peru. • *adj/m y f* **2** (fig, fam) pateta, inhenho. ♦ ~ **real** pavão.
pavonear *intr y pron* pavonear.
pavor *m* pavor.
pavorido, da *adj* espavorido.
payaso, sa *m y f* **1** palhaço (artista). • *adj/m y f* **2** (fam) palhaço.
paz *f* **1** paz: *época de paz = época de paz.* **2** paz, armistício (tratado). **3** paz (tranquilidad). ■ **dejar en ~** (fig, fam) deixar em paz; **hacer las paces** fazer as pazes.
pc (*siglas de* **personal computer**) *m* PC.
pe *f* pê (letra).
peaje *m* pedágio.
peana *f* peanha, pedestal.
peatón, na *m y f* pedestre.
peca *f* sarda.
pecado *m* **1** pecado. **2** (fig) pecado (falta, error). ♦ ~ **capital** pecado capital; ~ **original** pecado original.
pecador, ra *adj/m y f* pecador.
pecaminoso, sa *adj* pecaminoso.
pecar *intr* **1** pecar. **2** (fig) pecar (errar).
pecera *f* **1** aquário. **2** (fig) aquário (sala acristalada).
pechera *f* peitilho.
pecho *m* **1** peito, tórax. **2** peito (aparato respiratorio). **3** peito, seio (seno). ■ **dar el ~** dar o peito; **tomar algo a ~** (fig, fam) levar a sério.
pechuga *f* **1** peito (de ave). **2** (fig, fam) peito.
pecoso, sa *adj* sardento.
pectoral *adj* peitoral.
pecuario, ria *adj* pecuário.
peculiar *adj* peculiar (propio, singular).
peculiaridad *f* peculiaridade.
pedagogía *f* pedagogia.
pedagogo, ga *m y f* pedagogo.
pedal *m* **1** pedal (de bici, freno). **2** (fig, fam) bebedeira.
pedaleo *m* pedalagem.
pedalear *intr* pedalar.
pedante *adj/m y f* pedante.
pedantería *f* pedanteria, pedantismo.
pedazo *m* pedaço. ■ **a pedazos** aos pedaços; **hacerse pedazos** (fig, fam) fazer em pedaços.
pederasta *m* pederasta.
pederastia *f* pederastia.
pedernal *m* **1** pedernal, pederneira. **2** (fig) pedra (duro, frío).
pedestal *m* pedestal. ■ **poner en un ~** (fig, fam) pôr alguém em um pedestal.
pedestre *adj* **1** pedestre, a pé. **2** (fig) inculto, vulgar.
pediatra *m o f* MED pediatra.
pediatría *f* MED pediatria.
pedicuro, ra *m y f* pedicuro, calista.
pedido *m* pedido, encomenda.
pedigrí *m* pedigree.
pedigüeño, ña *adj/m y f* pidão, pedinchão.
pedir *tr* **1** pedir (solicitar, rogar). **2** pedir, mendigar. **3** pedir (exigir).
pedo *m* **1** peido, pum. **2** (fig, vulg) porre, cachaceira. ■ **coger un ~** (fig, vulg) tomar um porre; **tirarse un ~** soltar um pum.
pedofilia *f* pedofilia.
pedrada *f* **1** pedrada (lanzamiento, golpe). **2** (fig, fam) pedrada (ofensa).
pedrea *f* **1** apedrejamento. **2** (fam) prêmios menores (de lotería).
pedregal *m* pedregal.
pedregoso, sa *adj* pedregoso.
pedrería *f* pedraria.
pedrisco *m* granizo.
pega *f* **1** colagem. **2** cola, grude. **3** (fam) problema, empecilho. ■ **poner pegas** (fig, fam) pôr empecilhos.
pegadizo, za *adj* **1** pegadiço, pegajoso. **2** pegadiço, contagioso.
pegajoso, sa *adj* pegajoso.
pegamento *m* cola, grude.
pegar *tr y pron* **1** colar, grudar. • *tr* **2** pregar, unir. • *tr y pron* **3** (fig, fam) pegar, contagiar. • *tr* **4** (fig) bater (golpear). **5** dar (golpe, susto): *me pegó un bofetón = me deu um bofetão.* • *tr e intr* **6** (fig, fam) dar, soltar (grito, bronca). • **~se** *pron* **7** brigar. **8** pegar (en la memoria).
pegatina *f* adesivo.
pegote *m* **1** (fig, fam) grude (emplasto). **2** (fam) remendo.
peinado, da *adj* **1** penteado. • *m* **2** penteado. **3** (fig)
peinar *tr y pron* **1** pentear. • *tr* **2** (fig) passar o pente-fino (rastrear).
peine *m* **1** pente (para pelo). **2** carda (instrumento).
peineta *f* travessa (para cabello).
peladilla *f* amêndoa confeitada.

pelagatos *m* (fig, fam) pobre-diabo, joão-ninguém.
pelaje *m* pelagem, pelame.
pelar *tr y pron* **1** pelar, raspar. • *tr* **2** (fig) esfolar (despellejar). **3** (fig) descascar (frutas, legumbres). **4** (fig, fam) depenar, extorquir (dinero). • **~se** *pron* **5** descascar (piel).
peldaño *m* degrau.
pelea *f* briga, desavença.
pelear *intr y pron* **1** brigar, discutir (reñir). • *intr* **2** lutar (contender). **3** (fig) lutar, labutar (afanarse).
pelele *m* **1** boneco, fantoche. **2** (fig, fam) marionete.
peleón, na *adj* **1** brigão. • *adj y m* **2** (fam) vinho ordinário.
peletería *f* pelaria, peleteria.
peletero, ra *m y f* peleteiro, peleiro.
peliagudo, da *adj* **1** hirsuto, cerdoso. **2** (fig, fam) espinhoso (cosa, asunto).
pelícano o **pelicano** *m* pelicano (ave).
película *f* **1** filme (cinta): *película fotográfica = filme fotográfico.* **2** filme (obra). **3** película (capa, membrana). ♦ **~ en blanco y negro** filme preto-e-branco.
peligrar *intr* perigar.
peligro *m* perigo.
peligroso, sa *adj* **1** perigoso, arriscado. **2** (fig) perigoso, temerário.
pelirrojo, ja *adj/m y f* ruivo.
pellejo *m* **1** pele, couro (de animal). **2** pele (del hombre). **3** casca, pele (de fruta). ■ **salvar el ~** (fig, fam) salvar a pele.
pellizcar *tr y pron* **1** beliscar. • *tr* **2** (fig) beliscar (tomar).
pellizco *m* beliscão.
pelma *m o f* **1** (fig, fam) lerdo, pateta. **2** (fig, fam) mala-sem-alça.
pelmazo, za *m y f* ⇒ pelma.
pelo *m* **1** pêlo (filamento). **2** pêlo (pelambre). **3** cabelo. **4** pêlo, fio (de ropa). **5** (fig, fam) pingo (poco). ■ **con pelos y señales** (fig, fam) com todas as letras; **no tener pelos en la lengua** (fig, fam) não ter papas na língua; **por los pelos** (fig, fam) por um triz.
pelota *f* **1** bola (esfera). **2** bola (balón). • *m o f* **3** (fig, fam) capacho, puxa-saco. • **pelotas** *f pl* **4** (fig, vulg) bolas. ■ **en pelotas** (fig, fam) peladão.
pelotazo *m* **1** bolada. **2** (vulg) trago.
pelotear *tr* **1** revisar, verificar (cuentas). • *intr* **2** bater bola.
pelotera *f* (fam) arranca-rabo (riña).
pelotón *m* **1** maçaroca (de pelo). **2** (fig) tropa, tropel. **3** DEP pelotão (de ciclistas). **4** MIL pelotão.
peluca *f* peruca.
peluche *m* **1** pelúcia. **2** bichinho de pelúcia (juguete).
peludo, da *adj* peludo.
peluquería *f* **1** cabeleireiro, salão de beleza. **2** cabeleireiro (oficio).
peluquero, ra *m y f* cabeleireiro (profesional).
pelusa *f* **1** penugem. **2** (fig, fam) ciúmes.
pelvis *f* ANAT pelve, pelvis.
pena *f* **1** pena (castigo, condena). **2** pena, dó. **3** pena (dificultad). ♦ **~ capital** pena capital. ■ **a duras penas** a duras penas; **merecer o valer la ~** valer a pena.
penacho *m* **1** penacho (plumas). **2** (fig, fam) penacho (soberbia).
penal *adj* **1** penal. • *m* **2** presídio.
penalidad *f* penalidade.
penalizar *tr* penalizar.
penalti *m* pênalti.
penar *tr* **1** apenar (sancionar). • *intr* **2** penar (sufrir).
pendejada *f* asneira, imbecilidade.
pendencia *f* **1** pendência (contienda). **2** DER pendência.
pendenciero, ra *adj* briguento, pendenciador.
pender *intr* **1** pender, estar pendurado. **2** pender (depender).
pendiente *adj* **1** pendente (inclinado). **2** pendente (atento). **3** pendente (por resolver). • *m* **4** brinco. • *f* **5** ladeira.
pendón, na *m* **1** pendão (de bandera, asta). • *adj/m y f* **2** (fig, fam) safado, boêmio.
pendonear *intr* (coloq) vagabundear.
péndulo *m* **1** pêndulo. **2** FÍS pêndulo.
pene *m* ANAT pênis.
penetración *f* **1** penetração (introducción). **2** penetração, perspicácia.
penetrante *adj* **1** penetrante (profundo). **2** penetrante, pungente.
penetrar *tr* **1** penetrar (introducir, infiltrar). **2** penetrar, notar (frío, olor, gritos). **3** penetrar (copular).
penicilina *f* penicilina.

península *f* península.
peninsular *adj/m y f* peninsular.
penitencia *f* **1** penitência (sacramento). **2** penitência (castigo).
penitenciaría *f* penitenciária (cárcel).
penitente *adj* **1** penitente. • *m o f* **2** penitente.
penoso, sa *adj* **1** penoso (trabajoso). **2** penoso (afligido).
pensado, da *adj* pensado (juzgado). ◆ **mal ~** mente poluída.
pensador, ra *adj* **1** pensador. • *m y f* **2** pensador (filósofo).
pensamiento *m* **1** pensamento (facultad, capacidad). **2** pensamento (ideas). ■ **leer el ~** (fig) adivinhar; **no pasarle por el ~** (fig) nem pensar.
pensar *tr* **1** pensar (reflexionar). **2** pensar (imaginar). **3** pensar, achar. ■ **ni ~lo** nem pensar.
pensativo, va *adj* pensativo.
pensión *f* **1** pensão (renta). **2** pensão (establecimiento). **3** pensão (auxilio pecuniario). ◆ **~ completa** pensão completa.
pensionado, da *adj/m y f* **1** pensionista. • *m* **2** pensionato (internato).
pensionar *tr* pensionar.
pentaedro *m* GEOM pentaedro.
pentágono, na *adj y m* GEOM pentágono.
pentagrama o **pentágrama** *m* MÚS pentagrama.
pentatlón *m* DEP pentatlo.
Pentecostés *m* Pentecostes.
penúltimo, ma *adj/m y f* penúltimo.
penumbra *f* penumbra.
penuria *f* penúria (pobreza, escasez).
peña *f* **1** penha, rocha. **2** penha, penhasco. **3** (fam) torcida organizada.
peñasco *m* penhasco.
peñón *m* penedo.
peón *m* **1** peão (obrero). **2** peão (de ajedrez).
peonada *f* jornada.
peonza *f* pião (juguete).
peor *adj* **1** pior: *hoy es el peor día para ir al cine = hoje é o pior dia para ir ao cinema.* • *adv* **2** pior: *se ve peor desde aquí = vê-se pior daqui.* ■ **ir a ~** piorar; **tanto ~** pior ainda.
pepinillo *m* pepinilho.
pepino *m* **1** pepino (fruto). **2** pepineiro (planta). ■ **importar un ~** (fig, fam) não dar a mínima.
pepita *f* **1** semente (de fruto). **2** pepita (de metal).
pequeñez *f* **1** pequenez (tamaño). **2** (fig) pequenez (insignificancia).
pequeño, ña *adj* **1** pequeno (tamaño). **2** pequeno (insignificante). • *adj/m y f* **3** pequeno (de corta edad).
pera *f* **1** pêra (fruto). **2** pêra (instrumento). • *adj/m y f* **3** (fig, fam) mauricinho (chico refinado); patricinha (chica refinada). ■ **ser la ~** (fig, fam) ser o fim da picada.
peral *m* pereira (árbol, madera).
percal *m* percal.
percance *m* percalço (contratiempo).
percatar *intr y pron* **1** perceber (advertir). • *pron* **~se de 2** perceber (darse cuenta).
percepción *f* **1** percepção (sensación). **2** percepção (apreciación).
percha *f* **1** cabide (gancho, mueble). **2** percha, vara (de gimnasia).
perchero *m* cabide.
percibir *tr* **1** perceber (recibir). **2** perceber (notar).
percusión *f* **1** percussão (golpe). **2** MÚS percussão.
percutir *tr* percutir (golpear).
percutor *m* percutor, percussor (de arma).
perder *tr y pron* **1** perder (extraviar). • *tr* **2** perder, desperdiçar (tiempo, oportunidad). **3** perder, deixar de ter:, *perdió el trabajo por incompetente = perdeu seu emprego por incompetente.* **4** prejudicar, arruinar. **5** perder, deixar vazar (líquido, gas). • *tr e intr* **6** perder, sofrer derrota (campeonato, batalla). • **~se** *pron* **7** perder-se.
perdición *f* **1** perdição (pérdida). **2** (fig) perdição (ruina).
pérdida *f* **1** perda (privación). **2** perda (daño, perjuicio).
perdigón *m* **1** perdigoto (ave). **2** perdigoto (plomo).
perdiz *f* perdiz. ■ **marear la ~** (fig, fam) enrolar.
perdón *m* **1** perdão (remisión). **2** perdão (indulgencia). • **¡~!** *interj* **3** desculpa!, desculpe-me!
perdonar *tr* **1** perdoar (eximir). **2** perdoar (disculpar).
perdurar *intr* perdurar.
perecedero, ra *adj* perecedouro, perecível.

peregrinación *f* peregrinação.
peregrinar *intr* **1** peregrinar (viajar). **2** peregrinar (ir en romería).
peregrino, na *adj/m y f* peregrino.
perejil *m* salsa (planta).
perenne *adj* **1** perene (continuo). **2** BOT perene.
perentorio, ria *adj* **1** peremptório (concluyente). **2** peremptório (improrrogable).
pereza *f* preguiça.
perezoso, sa *adj* **1** preguiçoso. • *m* **2** preguiça (animal).
perfección *f* perfeição. ■ **a la ~** perfeitamente.
perfeccionar *tr y pron* **1** aperfeiçoar (terminar). • *tr* **2** aperfeiçoar (mejorar).
perfecto, ta *adj* **1** perfeito. **2** GRAM perfeito.
perfidia *f* perfídia.
pérfido, da *adj/m y f* pérfido.
perfil *m* **1** perfil (lado). **2** perfil (características). **3** perfil (contorno).
perfilado, da *adj* **1** comprido (rostro). **2** marcado (rasgos).
perfilar *tr* **1** perfilar (marcar el perfil). **2** (fig) trabalhar, aperfeiçoar (idea, plan).
perforación *f* perfuração.
perforador, ra *adj* perfurador.
perforadora *f* perfuradora (máquina).
perforar *tr* perfurar.
perfumar *tr y pron* **1** perfumar (aromatizar). • *intr* **2** perfumar (exhalar).
perfume *m* **1** perfume (sustancia). **2** (fig) perfume (olor).
perfumería *f* perfumaria.
pergamino *m* **1** pergaminho (piel). **2** pergaminho (documento).
pérgola *f* pérgula.
pericia *f* perícia (habilidad, sabiduría).
pericial *adj* pericial: *tasación pericial = avaliação pericial.*
perico *m* **1** periquito (ave). **2** (fig) penico (orinal). ◆ **Perico el de los palotes** (fig, fam) fulano de tal.
periferia *f* **1** periferia (circunferencia). **2** (fig) periferia (de una ciudad).
periférico, ca *adj* **1** periférico. • *m* **2** INF periférico (dispositivo).
perífrasis *f* RET perífrase.
perilla *f* cavanhaque (barba). ■ **venir de perillas** (fig, fam) vir a propósito.
perímetro *m* **1** perímetro (contorno). **2** GEOM perímetro.
periódico, ca *adj* **1** periódico. **2** MAT periódico. • *m* **3** jornal (diario).
periodismo *m* jornalismo.
periodista *m o f* jornalista.
periodo o **período** *m* **1** período (tiempo, ciclo). **2** período (menstruación). **3** MAT período.
peripecia *f* **1** peripécia (en narración, drama). **2** (fig) peripécia (imprevisto).
periplo *m* **1** périplo (viaje). **2** périplo (relato del viaje).
periquete *m* (fam) momentinho. ■ **en un ~** em um vapt-vupt.
periquito *m* periquito (ave).
peritar *tr* peritar, fazer a perícia.
perito, ta *adj/m y f* **1** perito (experimentado). • *m y f* **2** DER perito.
perjudicar *tr y pron* prejudicar.
perjudicial *adj* prejudicial.
perjuicio *m* **1** prejuízo (daño). **2** DER prejuízo (pérdida).
perjurar *intr y pron* **1** perjurar (jurar en falso). • **~se** *pron* **2** perjurar (romper juramento).
perjurio *m* perjúrio.
perjuro, ra *adj/m y f* perjuro.
perla *f* **1** pérola (joya). **2** (fig, fam) pérola (persona excelente). ■ **venir de perlas** (fig, fam) vir a calhar.
permanecer *intr* permanecer.
permanencia *f* **1** permanência (continuidad). **2** permanência (estancia).
permanente *adj* **1** permanente. • *adj y f* **2** (fam) permanente (rizado).
permeabilidad *f* permeabilidade.
permiso *m* **1** permissão, consentimento. **2** licença, autorização. ■ **con ~** com licença.
permitido, da *adj* permitido.
permitir *tr y pron* **1** permitir (consentir, admitir). • *tr* **2** permitir (hacer posible). • **~se** *pron* **3** permitir (concederse).
permuta *f* permuta, permutação.
permutar *tr* permutar.
pernera *f* perna (de pantalón).
pernicioso, sa *adj* pernicioso.
pernil *m* pernil (muslo).
pernio *m* gonzo, dobradiça.
pernoctar *intr* pernoitar.
pero *conj* **1** mas (contraposición): *quiero salir pero ahora no puedo = quero sair mas agora não posso.* **2** mas (restricción): *te dejo jugar pero sólo si recoges los ju-*

guetes después = deixo você brincar mas só se você guardar os brinquedos depois. **3** mas (concesión): *el coche es viejo pero está muy bien = o carro é velho mas está bom.* • *m* **4** mas (objeción).

perogrullada *f* (fam) obviedade.

perol *m* caldeirão, panela.

perola *f* caldeira, panela.

perorata *f* palavrório, palavreado.

perpendicular *adj y f* GEOM perpendicular.

perpetrar *tr* perpetrar (delito, crimen).

perpetuar *tr y pron* perpetuar.

perpetuo, tua *adj* **1** perpétuo. **2** perpétuo, vitalício (cargo).

perplejidad *f* perplexidade.

perplejo, ja *adj* perplexo.

perra *f* **1** cadela, cachorra. **2** (fam) manha (rabieta). **3** (fig) mania.

perrera *f* **1** canil (recinto). **2** carrocinha (vehículo).

perro, rra *adj* **1** (fig, fam) muito mau. • *m y f* **2** cachorro, cão. **3** (fig) cão, cachorro (vil). ♦ **~ callejero** (fam) vira-lata; **~ viejo** (fig, fam) macaco velho. ■ **como el ~ y el gato** (fig, fam) **de perros** (fig, fam)

persa *adj/m y f* **1** persa. • *m* **2** persa (lengua).

persecución *f* perseguição.

perseguir *tr* **1** perseguir (seguir). **2** (fig) perseguir (buscar). **3** (fig) perseguir (molestar).

perseverancia *f* perseverança.

perseverante *adj* perseverante.

perseverar *intr* **1** perseverar (persistir). **2** perseverar (durar).

persiana *f* persiana.

persignarse *pron* persignar-se, benzer-se.

persistencia *f* **1** persistência (insistencia). **2** persistência (perseverancia).

persistente *adj* persistente.

persistir *intr* **1** persistir (insistir). **2** persistir (perdurar).

persona *f* **1** pessoa (individuo). **2** pessoa (personaje). **3** GRAM pessoa. ♦ **~ jurídica** DER pessoa jurídica. ■ **en ~** em pessoa.

personaje *m* **1** personagem. **2** (fig, fam) figura, peça rara.

personal *adj* **1** pessoal (particular). **2** pessoal (subjetivo). • *m* **3** pessoal, funcionários.

personalidad *f* **1** personalidade (carácter). **2** personalidade (personaje).

personalizar *tr* **1** personalizar, personificar. **2** personalizar (individualizar).

personificar *tr* **1** personificar (humanizar). **2** personificar (simbolizar).

perspectiva *f* **1** perspectiva (técnica). **2** (fig) perspectiva (punto de vista).

perspicacia *f* **1** perspicácia (visual). **2** (fig) perspicácia (sagacidad).

perspicaz *adj* **1** perspicaz (vista, mirada). **2** (fig) perspicaz (sagaz).

perspicuo, cua *adj* **1** perspícuo (claro). **2** (fig) perspícuo (comprensible).

persuadir *tr y pron* persuadir.

persuasión *f* persuasão.

pertenecer *intr* **1** pertencer (ser propiedad). **2** pertencer (formar parte).

perteneciente *adj* pertencente.

pertenencia *f* **1** pertence (propiedad). **2** pertença, domínio.

pértiga *f* pértiga.

pertinaz *adj* **1** pertinaz (obstinado). **2** pertinaz (persistente).

pertinencia *f* pertinência.

pertinente *adj* **1** pertinente (perteneciente). **2** pertinente (apropiado).

perturbación *f* perturbação (alteración).

perturbado, da *adj/m y f* perturbado.

perturbar *tr y pron* **1** perturbar (alterar). • **~se** *pron* **2** perturbar-se (trastornarse).

Perú *m* Peru.

peruano, na *adj/m y f* peruano.

perversión *f* perversão.

perverso, sa *adj/m y f* perverso.

pervertidor, ra *adj/m y f* pervertedor.

pervertir *tr y pron* perverter.

pervivir *intr* sobreviver.

pesa *f* **1** peso (de balanza). **2** DEP (gralte pl) peso, halteres.

pesadez *f* **1** (fig) chatice. **2** (fig) sensação de peso.

pesadilla *f* **1** pesadelo (sueño). **2** (fig) pesadelo (preocupación).

pesado, da *adj* **1** pesado. **2** (fig) chato, monótono. **3** (fig) pesado, profundo (sueño). • *adj/m y f* **4** (fig) chato, mala-sem-alça.

pesadumbre *f* **1** pesadume (peso). **2** (fig) pesadume (desazón).

pésame *m* pêsames.

pesar *m* **1** pesar (dolor, disgusto). **2** pesar (arrepentimiento). ■ **a ~ de** apesar de.

pesar *tr, intr y pron* **1** pesar. • *intr* **2** (fig) pesar (influir). • *tr* **3** (fig) pesar (examinar, sopesar).

pesaroso, sa *adj* pesaroso.
pesca *f* pesca. ■ **y toda la ~** (fig, fam) e tudo mais.
pescadería *f* peixaria.
pescadero, ra *m y f* peixeiro.
pescado *m* peixe.

> En español el **pescado** y el **pez** se diferencian porque el primero está muerto y se destina al consumo, mientras que el segundo se refiere al animal vivo. En cambio, en portugués se utiliza la palabra ***peixe*** para referirse a ambas cosas.

pescante *m* boléia de diligência (asiento).
pescar *tr* **1** pescar. **2** (fig, fam) pegar (enfermedad). **3** (fig, fam) pegar (coger).
pescuezo *m* pescoço. ■ **torcer el ~** (fig, fam) bater as botas.
pesebre *m* **1** manjedoura (cajón). **2** presépio (belén).
peseta *f* **1** peseta (moneda). • **pesetas** *f pl* **2** (fam) dinheiro.
pesimismo *m* pessimismo.
pesimista *adj/m y f* pessimista.
pésimo, ma *adj* péssimo.
peso *m* **1** peso (gravedad). **2** peso (masa, volumen). **3** peso (moneda). **4** peso (para balanza). **5** (fig) peso (influencia). **6** (fig) peso (carga, obligación). ♦ **~ neto** peso líquido. ■ **a ~** a quilo; **quitar un ~ de encima** (fig, fam) tirar um peso dos ombros.
pesquero, ra *adj* **1** pesqueiro. • *m* **2** barco de pesca.
pesquisa *f* pesquisa, investigação.
pestaña *f* **1** ANAT pestana, cílio. **2** pestana (del papel). ■ **quemarse las pestañas** (fig, fam) queimar as pestanas.
pestañear *intr* pestanejar. ■ **sin ~** sem pestanejar.
peste *f* **1** fedor, peste (mal olor). **2** MED peste. ■ **hablar pestes de alguien** (fig, fam) dizer cobras e lagartos de alguém.
pesticida *adj y m* pesticida.
pestilencia *f* **1** pestilência (mal olor). **2** pestilência (enfermedad).
pestillo *m* **1** pestilo, tranqueta (pasador). **2** trinco, lingüeta.
petaca *f* **1** cigarreira, porta-cigarros. **2** garrafa pequena.
pétalo *m* BOT pétala.
petardo *m* **1** petardo (explosivo). **2** (fig) bomba, porcaria. **3** (fig) baseado (porro).
petate *m* **1** trouxa (de ropa). **2** esteira (de palma).
petición *f* **1** petição (pedido). **2** petição, requerimento.
petimetre, tra *m y f* petimetre, dândi.
petirrojo *m* rouxinol.
petizo, za *adj/m y f Amér. Merid.* petiço, cotoco (bajo).
peto *m* **1** peitoral (de armadura). **2** jardineira (prenda).
pétreo, a *adj* pétreo.
petrificación *f* petrificação.
petrificar *tr y pron* **1** petrificar. **2** (fig) petrificar (paralizar).
petrodólar *m* petrodólar.
petróleo *m* petróleo.
petrolero, ra *adj* **1** petroleiro. • *m* **2** petroleiro, navio-petroleiro.
petrolífero, ra *adj* petrolífero.
petroquímica *f* petroquímica.
petroquímico, ca *adj* petroquímico.
petulancia *f* **1** petulância (insolencia). **2** petulância (presunción vana).
petulante *adj/m y f* petulante.
petunia *f* petúnia.
peyorativo, va *adj* pejorativo.
pez *m* **1** peixe. • *f* **2** piche, pez (sustancia). ♦ **~ gordo** (fig, fam) tubarão. ■ **estar como ~ en el agua** (fig, fam) estar à vontade.
pezón *m* **1** mamilo, bico do seio. **2** BOT pedúnculo.
pezuña *f* **1** casco. **2** (fig, desp) casco (manos, pies).
pi *f* **1** pi (letra griega). **2** MAT pi.
piadoso, sa *adj* **1** piedoso (misericordioso). **2** piedoso (religioso, devoto).
pianista *m o f* MÚS pianista.
piano *m* **1** MÚS piano. • *adv* **2** MÚS piano.
pianola *f* MÚS pianola.
piar *intr* **1** piar (ave). **2** (fig, fam) chiar, reclamar.
piara *f* porcada, piara.
piastra *f* piastra.
pibe, ba *m y f Arg.* garoto, moleque.
piberío *m R. de la Plata* garotada.
pica *f* **1** pica, lança. **2** (gralte pl) espadas (de baraja).

picada *f* **1** picada (de insecto). **2** bicada (de ave). **3** fisgada (de pez).
picadero *m* picadeiro.
picadillo *m* GAST picadinho. ■ **hacer ~** (fig, fam) destroçar.
picado, da *adj* **1** picado (agujereado, marcado). **2** picado (troceado). **3** *Amér.* (fig, fam) picado (resentido). ■ **en ~** em picado, de bico (avión).
picador *m* **1** picador (de caballos). **2** picador (torero).
picadura *f* **1** picadura, picada. **2** (fam) cárie.
picajoso, sa *adj/m y f* irritadiço.
picante *adj* **1** picante. **2** (fig) picante (malicioso, mordaz).
picantería *f* taberna onde servem picantes.
picapedrero *m* britador.
picapica *f* pó-de-mico.
picapleitos *m o f* (desp) rábula (abogado).
picaporte *m* **1** tranca, ferrolho (cerrojo). **2** aldraba (aldaba).
picar *tr y pron* **1** picar (punzar). **2** furar, perfurar. **3** corroer, desgastar. **4** (fig, coloq) queimar (enojar). • *tr e intr* **5** beliscar, lambiscar (comida). **6** arder (comida). **7** coçar, pinicar (escocer). • *tr* **8** bicar, picar (insecto). **9** (fig) bater, tocar (en la puerta, timbre). • **~se** *pron* **10** cariar-se (diente).
picardía *f* picardia.
picaresco, ca *adj* picaresco.
pícaro, ra *adj/m y f* **1** pícaro, astuto. **2** sacana (malicioso).
picarón, na *adj* safado, pícaro.
picatoste *m* fatia de pão frita.
picazón *f* **1** coceira, comichão. **2** (fig) irritação (enojo).
pichi *m* jardineira (vestido femenino).
pichicato, ta *adj Amér.* mesquinho.
pichincha *f Amér.* pechincha (ganga).
pichón *m* filhote de pomba.
pichona *f* (fam) garotinha.
pichula *f Chile, Perú* (coloq) pingolim, piu-piu (pene).
pick-up *m* pickup (todoterreno).
picnic *m* piquenique.
pico *m* **1** bico (de ave). **2** pico, cume (montaña). **3** bico, ponta. **4** picareta, picão (herramienta). **5** (fam) pouco: *tenía treinta y pico años = tinha trinta e poucos anos*. **6** (fam) bico, boca. ■ **cerrar el ~** (fig, fam) fechar o bico.
picor *m* **1** coceira (en la piel). **2** ardência (en el paladar, ojos).
picota *f* **1** picota (columna). **2** picota (cereza).
picotazo *m* **1** picada (de insecto). **2** bicada (de ave).
picotear *intr y tr* **1** beliscar, lambiscar. • *intr* **2** (fig) bater-papo, papear.
pictografía *f* pictografia.
pictograma *m* pictograma.
pictórico, ca *adj* pictórico.
picudo, da *adj* **1** bicudo. **2** (fig, fam) fofoqueiro (hablador).
pie *m* **1** ANAT pé. **2** pé (base, apoyo). **3** pé (tallo). **4** pé (de la cama). **5** legenda (de foto, grabado). ■ **al ~ de la letra** (fig) ao pé da letra; **a ~** a pé; **con buen/mal ~** (fig) com pé direito/esquerdo; **dar ~** (fig, fam) dar pé, dar motivo; **de o en ~** de ou em pé; **no dar ~ con bola** (fig, fam) não dar uma dentro, não acertar uma; **no tener pies ni cabeza** (fig, fam) não ter pé nem cabeça.
piedad *f* **1** piedade (virtud). **2** piedade (misericordia).
piedra *f* **1** pedra (roca). **2** pedra (losa). **3** pedra (joya). **4** pedra (pedernal). **5** MED pedra, cálculo. ♦ **~ filosofal** pedra filosofal; **~ preciosa** pedra preciosa. ■ **menos da una ~** (fig, fam) podia ser pior; **quedarse de ~** (fam, fig) ficar petrificado; **tirar la primera ~** (fig, fam) atirar a primeira pedra.
piel *f* **1** ANAT pele. **2** pele (cuero). ♦ **~ roja** pele-vermelha. ■ **quitar la ~ a tiras** (fig, fam) soltar a língua em alguém.
pienso *m* penso (para ganado).
pierna *f* **1** ANAT perna. **2** perna, pata. ■ **dormir a ~ suelta** (fig, fam) dormir como uma pedra.
pieza *f* **1** peça (de aparato, mecanismo). **2** peça (pedazo, parte). **3** peça (teatral, musical). **4** peça, cômodo (habitación). **5** peça (de juegos). ■ **quedar de una ~** (fig, fam) ficar boquiaberto.
piezómetro *m* FÍS piezômetro.
pifia *f* (fig, fam) mancada, gafe.
pifiar *intr* dar mancada.
pigmentación *f* pigmentação.
pigmentado, da *adj* pigmentado.
pigmentar *tr y pron* pigmentar.

pigmento *m* pigmento.
pigmeo, a *adj/m y f* pigmeu.
pijama *m* pijama.
pijotero, ra *adj* enjoado.
pila *f* **1** pia (de cocina, baño). **2** pilha (de energía). **3** pilha (montón). ◆ ~ **alcalina** pilha alcalina. ■ **ponerse las** ~ (fig, coloq) acordar para vida.
pilar *m* **1** pilar. **2** (fig) pilar (apoyo).
pilastra *f* pilastra.
píldora *f* pílula (medicamento).
pileta *f* **1** pia, tanque. **2** *R. de la Plata* piscina.
pillaje *m* pilhagem.
pillar *tr* **1** pegar (tomar, agarrar). **2** pegar (enfermedad). **3** pegar (atropellar).
pillear *intr* (fam) gatunar.
pillo, lla *adj/m y f* (fam) malandro, safado.
pilón *m* **1** pilão (dulce). **2** reservatório (de fuente).
píloro *m* ANAT piloro.
piloso, sa *adj* piloso.
pilotaje *m* pilotagem.
pilotar *tr* pilotar (dirigir).
piloto *m o f* **1** piloto (conductor). ● *m* **2** piloto (luz). **3** (fig) piloto (prototipo). ◆ ~ **automático** piloto automático.
piltrafa *f* **1** pelanca (pellejo). **2** (fig, fam) molambo, farrapo (persona débil).
pimentón *m* pimenta picante.
pimienta *f* pimenta (fruto). ◆ ~ **negra** pimenta-negra, pimenta-do-reino.
pimiento *m* pimentão. ■ **no importar un** ~ (fig, fam) não estar nem aí.
pimplar *tr y pron* (fam) embebedar.
pimpollo *m* **1** pimpolho (árbol). **2** (fig, fam) pimpolho (niño).
pinacoteca *f* pinacoteca.
pinar *m* pinhal.
pincel *m* pincel.
pincelada *f* **1** pincelada. **2** (fig) pincelada (rasgo característico).
pincelar *tr* pincelar.
pinchadiscos *m o f* disc jockey.
pinchar *tr y pron* **1** espetar (punzar). **2** (fig) injetar, picar (inyección). ● *tr* **3** (fig) cutucar, alfinetar (enojar). ● *intr* **4** furar (rueda, globo).
pinchazo *m* **1** espetada (punzadura). **2** furo (reventón). **3** (fig) fisgada (dolor).
pinche *adj* **1** *Méx.* desprezível. ● *m o f* **2** ajudante do cozinheiro.
pindonguear *intr* (coloq, desp) vagabundear, perambular.
pinganillo, lla *adj* **1** *Bol., Ecuad.* bem-vestido. **2** *Col.* gorducho.
pingo *m* **1** (fam) farrapo. **2** (fam) sem-vergonha, desregrado.
ping-pong *m* DEP pingue-pongue.
pingüe *adj* **1** pingue (mantecoso). **2** (fig) pingue (abundante, fértil).
pingüino *m* pingüim.
pinitos *m pl* **1** primeiros passos (de un niño). **2** (fig) passos iniciais (en arte, ciencia).
pino *m* **1** pinheiro, pinho (árbol, madera). **2** bananeira (posición).
pinta *f* **1** pinta (mancha, señal). **2** (fig) pinta, cara (aspecto). **3** pinta (medida).
pintado, da *adj* pintado.
pintalabios *m* batom.
pintamonas *m o f* (fig, fam) pinta-monos.
pintar *tr* **1** pintar (cuadro, pared). **2** (fig) pintar, descrever. ● *tr e intr* **3** escrever (bolígrafo). ● *intr* **4** pintar (parecer, mostrarse): *este negocio pinta bien = este negócio pinta bem.* ● **~se** *pron* **5** pintar-se (maquillarse).
pintarrajar *tr* (fam) borrar (pintar mal).
pintiparar *tr* (fam) comparar.
pintor, ra *m y f* pintor.
pintoresco, ca *adj* **1** pintoresco. **2** (fig) extravagante.
pintura *f* **1** pintura (arte, técnica). **2** pintura (obra). **3** tinta.
pinturero, ra *adj/m y f* pomposo.
pinza *f* **1** pinça (instrumento). **2** prendedor de roupa. ● **pinzas** *f pl* **3** pegador (para alimento).
piña *f* **1** abacaxi (fruto). **2** pinha (de pino). **3** (fig) penca, punhado (conjunto).
piñal *m Amér.* abacaxizal.
piñata *f* caldeirão (olla, vasija).
piñón *m* **1** pinhão (semilla). **2** MEC pinhão.
pío, a *adj* **1** pio (devoto). **2** pio (benigno). ● *m* **3** pio (voz de ave). ■ **no decir ni** ~ (fig) não dar um pio.
piojo *m* piolho.
piojoso, sa *adj/m y f* **1** piolhento. **2** (fig) piolhento (miserable).
piolet *m* picão (en alpinismo).
pionero, ra *adj/m y f* pioneiro.
piorrea *f* MED piorréia.

pipa *f* **1** cachimbo (para fumar). **2** semente. • *adv* **3** (fig, fam) de montão: *nos lo pasamos pipa = nos divertimos de montão.*
pipeta *f* pipeta.
pipí *m* (fam) xixi, pipi.
pipiolo, la *m y f* **1** (fam) principiante, novato. **2** *Méx.* (fam) pivete, fedelho.
pipón, na *adj* **1** *Amér.* cheio, satisfeito (harto). **2** *Amér.* barrigudo.
pique *m* **1** rixa, rivalidade. **2** (coloq) desgosto, chateação.
piqueta *f* **1** picareta (herramienta). **2** piqueta, piquete.
piquete *m* **1** piquete (de huelga). **2** furo (en tela, piel).
pira *f* **1** pira (hoguera). **2** pira (fuga, huida).
piragua *f* **1** piragua, canoa (embarcación). **2** caiaque.
piragüismo *m* canoagem.
piragüista *m o f* canoísta.
piramidal *adj* **1** piramidal. • *adj y m* **2** ANAT piramidal.
pirámide *f* **1** GEOM pirâmide. **2** ARQ pirâmide.
piraña *f* piranha.
pirarse *intr y pron* **1** (coloq) picar a mula, pirar. **2** (coloq) pirar (perder el juicio).
pirata *adj* **1** pirata (clandestino): *disco pirata = disco clandestino.* • *m o f* **2** pirata (ladrón).
piratear *intr* **1** piratear. **2** (fig) piratear (copiar, plagiar).
piratería *f* **1** pirataria (asalto, robo). **2** (fig) pirataria (copia, plagio).
pirenaico, ca *adj/m y f* pirenaico, pireneu.
pirético, ca *adj* pirético.
pirita *f* pirita.
pirómano, na *adj/m y f* pirômano.
piropo *m* **1** (fam) elogio, galanteio. **2** MET piropo.
pirotecnia *f* pirotecnia.
pirotécnico, ca *adj* **1** pirotécnico. • *m y f* **2** pirotécnico.
pirrarse ~ por *pron* (fam) ser doido por (desear).
pirueta *f* **1** pirueta, cabriola. **2** pirueta, cambalhota (voltereta).
piruleta *f* pirulito.
pirulí *m* pirulito.
pis *m* (fam) xixi, pipi.
pisada *f* **1** passo. **2** pisada, pisadela. **3** pisada, pegada (señal, huella).
pisapapeles *m* pesa-papéis.
pisar *tr* **1** pisar (andar). **2** pisar (pisotear). **3** (fig) pisar, pôr os pés (frecuentar). **4** (fig) pisar (humillar).
pisaverde *m* (fig, fam) pisa-verdes, salta-pocinhas.
piscicultor, ra *m y f* piscicultor.
piscicultura *f* piscicultura.
piscifactoría *f* estabelecimento de piscicultura.
piscina *f* piscina.
piscis *adj/m y f* **1** ASTROL pisciano. • **Piscis** *m* **2** ASTR Peixes (constelación, signo zodiacal).
piscolabis *m* **1** (fam) lanche, boquinha. **2** *Amér. Centr., Amér. Merid.* aperitivo (bebida).
piso *m* **1** piso, chão (pavimento). **2** piso, andar (de edificio). **3** apartamento.
pisotear *tr* **1** pisotear. **2** (fig) pisotear (humillar).
pisotón *m* pisão.
pispar o **pispiar** *tr* **1** afanar, surripiar (birlar). • **~se** *pron* **2** (fam) embebedar-se (emborracharse).
pista *f* **1** pista (huella). **2** pista (de carreras). **3** pista (de baile). **4** pista (de aterrizaje).
pistacho *m* pistacho.
pisto *m* **1** caldo (de carne de ave). **2** *Amér. Centr.* (fig) dinheiro.
pistola *f* **1** pistola (arma). **2** pistola (de pintura).
pistolero *m* pistoleiro.
pistoletazo *m* pistolada, pistolaço.
pistón *m* **1** MEC pistão, pistom (émbolo). **2** tambor (de arma).
pistonudo, da *adj* (coloq) bacana, legal.
pita *f* **1** pita, agave (planta). **2** pita (hilo).
pitada *f* **1** apitada (pitido). **2** vaia, assobio.
pitanza *f* **1** pitança (ración). **2** (fam) pitança (alimento).
pitar *intr* **1** apitar (tocar el pito). **2** funcionar, dar certo: *el negocio no pita = o negócio não está funcionando.* **3** vaiar, assobiar. ■ **irse pitando** (fig, fam) sair voando.
pitido *m* **1** apito (silbido). **2** silvo, assobio (de los pájaros).

pitillera *f* **1** cigarreira, porta-cigarros. **2** cigarreira (operaria).
pitillo *m* cigarro.
pito *m* **1** apito, pito (instrumento). **2** assobio, apito (sonido). **3** buzina (claxon, bocina). ■ **no importar un ~** (fam, fig) não dar a mínima; **no valer un ~** (fam, fig) não valer nada.
pitón *m* **1** pitão, píton (serpiente). **2** bico, bocal (de vasija).
pitonisa *f* pitonisa.
pitorrearse *pron* (coloq) caçoar.
pitorreo *m* (coloq) caçoada. ■ **estar de ~** (fam) estar de gozação.
pitorro *m* bico, gargalo (de botijo).
pituitario, ria *adj* pituitário.
pituso, sa *adj/m y f* gracioso, engraçadinho.
piular *intr* piar (pollo).
pivote *m* pivô (eje).
piyama *m o f Amér.* pijama.
pizarra *f* **1** lousa, quadro-negro. **2** lousa (roca).
pizarrín *m* cré.
pizarrón *m Amér.* lousa, quadro-negro.
pizca *f* (fam) pitada (porción). ■ **ni ~** (fam) nada: *no tiene ni pizca de gracia* = *não é nada engraçado.*
pizcar *tr* **1** (fam) beliscar (pellizcar). **2** beliscar, lambiscar (comer).
pizza *f* pizza.
pizzería *f* pizzaria.
placa *f* **1** placa (plancha). **2** placa (letrero). **3** placa (de policía). **4** placa, chapa (matrícula).
placaje *m* bloqueio de rugby.
placenta *f* **1** ANAT placenta. **2** BOT placenta.
placentero, ra *adj* prazenteiro, prazeroso.
placer *m* **1** prazer (goce, satisfacción). **2** prazer (diversión). ■ **a ~** (fig, fam) à vontade.
placer *intr* aprazer.
plácet *m* plácito, beneplácito.
plácido, da *adj* **1** plácido (sosegado). **2** plácido (agradable).
pladur *m* folha de gesso.
plafón *m* plafonnier.
plaga *f* **1** praga (de insectos, enfermedad). **2** (fig, fam) praga (desastre, desgracia).
plagiar *tr* **1** plagiar. **2** *Amér.* seqüestrar.
plan *m* **1** plano (intención, proyecto). **2** plano (programa). **3** (fig, fam) intenção (actitud).
plana *f* **1** planície, plano. **2** página.
plancha *f* **1** ferro de passar roupa. **2** prancha, lâmina. **3** chapa (para freír).
planchar *tr* **1** passar roupa. **2** alisar, esticar.
planchazo *m* **1** (fam) barrigada. **2** (fam) grande mancada.
plancton *m* BIOL plâncton.
planeador *m* planador (avión).
planear *tr* **1** planejar (programar). **2** planejar, projetar.
planeta *m* planeta.
planetario, ria *adj* **1** planetário. • *m* **2** planetário (aparato, edificio).
planicie *f* planície, plano.
planificación *f* planificação, planejamento.
planificar *tr* planificar, planejar.
planilla *f Amér.* planilha (estado de cuentas).
planímetro *m* planímetro.
planisferio *m* planisfério.
plano, na *adj* **1** plano. • *m* **2** plano (superficie). **3** CINE, TV plano. ■ **de ~** em cheio, completamente.
planta *f* **1** planta (vegetal). **2** planta (del pie). **3** andar, piso (de edificio). **4** (fig, fam) aspecto, porte.
plantación *f* plantação.
plantar *tr* **1** plantar (árboles). **2** (fig, fam) lascar, enfiar (beso, golpe). **3** (fig, fam) deixar plantado. • **~se** *pron* **4** (fig, fam) plantar-se (estar quieto).
plante *m* paralisação, interrupção (protesta).
planteamiento *m* **1** enfoque (de problema, asunto). **2** delineamento, esboço.
plantear *tr y pron* **1** estudar, considerar. **2** explicar, apresentar.
plantel *m* **1** viveiro, sementeira. **2** (fig) plantel (de profesionales).
plantificar *tr* **1** (fig, fam) lascar, enfiar (beso, golpe). • **~se** *pron* **2** (fig, fam) chegar, pintar (en un lugar).
plantilla *f* **1** palmilha (de zapato). **2** molde (para dibujar, cortar). **3** quadro de funcionários (de empresa).
plantío, a *adj* **1** para ser plantado. • *m* **2** plantio, plantação.
plañidero, ra *adj* plangente, lamentoso.

plañir *intr y pron* planger, lamentar.
plaqueta *f* BIOL plaqueta.
plasma *f* **1** BIOL plasma. **2** FÍS plasma.
plasmar *tr* **1** plasmar, modelar. • *tr y pron* **2** mostrar-se, manifestar-se.
plasta *adj/m y f* **1** (fig, fam) chato, mala-sem-alça. • *f* **2** papa, pasta.
plaste *m* massa de gesso.
plástica *f* plástica.
plasticidad *f* plasticidade.
plástico, ca *adj* **1** plástico (moldeable). **2** plástico (estético). • *adj y m* **3** plástico (material).
plastificar *tr* plastificar.
plastilina o **plastelina** *f* massa de modelar, plastilina.
plata *f* **1** QUÍM prata. **2** prataria. **3** *Amér.* (fig) grana, tutu. • *adj* **4** prata, prateado. ■ **en ~** (fig, fam) sem rodeios.
plataforma *f* **1** plataforma (superficie). **2** plataforma (programa). **3** (fig) trampolim (medio, recurso).
platanero, ra *adj* **1** bananeiro. • *m y f* **2** bananeira (árbol).
plátano *m* **1** banana (fruto). **2** plátano, bananeira (árbol).
platea *f* platéia.
plateado, da *adj* prateado.
platear *tr* pratear.
platero, ra *m y f* **1** ourives (artista). **2** prateiro (vendedor).
plática *f* **1** conversa. **2** sermão (religioso).
platicar *tr e intr* conversar.
platillo *m* **1** pires. **2** MÚS prato (instrumento).
platina *f* platina (de microscopio).
platino *m* QUÍM platina.
plato *m* **1** prato (recipiente). **2** prato (comida). **3** prato, iguaria. ♦ **~ fuerte** (fig, fam) prato principal. ■ **pagar los platos rotos** (fig, fam) pagar o pato.
plató *m* CINE, TV cenário.
platónico, ca *adj/m y f* platônico.
platudo, da *adj Amér.* endinheirado.
playa *f* praia. ♦ **~ de estacionamento** *Amér.* pátio de estacionamento.
playeras *f pl* alpergata, alpercata.
playero, ra *adj* de praia (ropa, zapato).
plaza *f* **1** praça, jardim público. **2** praça (mercado). **3** vaga (de empleo). ♦ **~ de toros** praça de touros, tauródromo.
plazo *m* **1** prazo. **2** prestação, parcela. ■ **a corto/largo ~** a curto/longo prazo.
plazoleta *f* pracinha, largo.
pleamar *f* preamar, maré-cheia.
plebe *f* plebe.
plebeyo, ya *adj/m y f* plebeu.
plebiscito *m* plebiscito.
plegamiento *m* GEOL dobramento.
plegar *tr y pron* **1** dobrar. • **~se** *pron* **2** (fig) submeter-se, ceder.
plegaria *f* prece, súplica.
pleitear *tr* **1** DER pleitear. **2** discutir, disputar.
pleitesía *f* homenagem.
pleito *m* pleito.
plenario, ria *adj* **1** plenário. • *m* **2** plenário, pleno.
plenilunio *m* plenilúnio.
plenipotenciario, ria *adj/m y f* plenipotenciário.
plenitud *f* plenitude.
pleno, na *adj* **1** pleno, completo. • *m* **2** pleno, plenário. ♦ **plenos poderes** plenos poderes. ■ **en ~** inteiro, todo: *la asemblea en pleno aprobó el proyecto = a assembléia inteira aprovou o projeto.*
pletina *f* platina, chapa.
plétora *f* **1** BIOL pletora. **2** (fig) pletora (abundancia).
pletórico, ca *adj* pletórico.
pleura *f* ANAT pleura.
pleuresía *f* MED pleurisia, pleurite.
plexiglás *m* plexiglas.
plexo *m* ANAT plexo.
pliego *m* **1** folha (de papel). **2** edital.
pliegue *m* **1** prega. **2** GEOL dobra, prega.
plisado, da *adj* **1** plissado. • *m* **2** plissagem.
plisar *tr* plissar.
plomada *f* **1** prumo. **2** chumbada (en red de pesca).
plomazo *m* **1** chumbada (herida). **2** (fig, coloq) chato, mala-sem-alça.
plomero, ra *m* **1** chumbeiro (profesional). **2** *Amér.* encanador.
plomizo, za *adj* plúmbeo, plúmbico (color).
plomo *m* **1** QUÍM chumbo. **2** projetil (de arma). • **plomos** *m pl* **3** fusível (de electricidad).
pluma *f* **1** pena, pluma (de ave). **2** pena, caneta (para escribir). **3** pluma, plumagem (adorno).
plumaje *m* plumagem.

plumazo *m* colchão, almofada (de pluma).
plumero *m* **1** espanador de pó. **2** penacho, plumeiro. ■ **vérsele el ~ a alguien** (fig, fam) ver de longe as intenções de alguém.
plumier *m* estojo (de lápices).
plural *adj* **1** plural, variado. ● *adj y m* **2** GRAM plural.
pluralidad *f* pluralidade.
pluralismo *m* pluralismo.
pluralizar *tr* pluralizar.
pluriempleado, da *adj que tem mais de um emprego.*
pluriempleo *m obtenção de mais de um emprego.*
plurilingüe *adj* poliglota, plurilíngüe.
pluripartidismo *m* pluripartidarismo.
pluripartidista *adj/m y f* pluripartidarista.
plus *m* gratificação, bonificação.
pluscuamperfecto *adj y m* GRAM mais-que-perfeito.
plusmarca *f* recorde (marca).
plusmarquista *m o f* recordista.
plusvalía *f* mais-valia.
plutocracia *f* plutocracia.
Plutón *m* ASTR Plutão.
plutonio *m* QUÍM plutônio.
pluvial *adj* pluvial.
pluviómetro *m* pluviômetro.
poblacho *m* (desp) cidadezinha.
población *f* população.
poblado *m* povoado.
poblador, ra *adj/m y f* povoador.
poblano, na *adj/m y f Amér.* povoeiro, aldeão (lugareño).
poblar *tr e intr* **1** povoar (fundar pueblos). ● *tr* **2** povoar (ocupar). **3** povoar (procrear).
pobre *adj/m y f* **1** pobre (necesitado). ● *adj* **2** pobre (escaso). **3** (fig) pobre (desdichado). ● ¡~! *interj* **4** (fig) coitado!
pobrete, ta *adj/m y f* (fam) pobre-diabo, coitado.
pobretería *f* **1** pobrerio (pobres). **2** pobreza (miseria).
pobreza *f* **1** pobreza (falta, escasez). **2** pobreza (necesidad).
pocero, ra *m y f* poceiro (trabajador).
pocho, cha *adj* **1** pálido (descolorido). **2** doente, adoentado.
pocilga *f* **1** pocilga (establo). **2** (fig, fam) pocilga (lugar sucio).
pócima *f* **1** apózema. **2** (fig) poção, beberagem.
poción *f* poção.
poco, ca *adj* **1** pouco (escaso). ● *m* **2** pouco (cantidad): *come un poco, está muy bueno = coma um pouco, é muito gostoso.* ● *adv* **3** pouco: *hace poco lo vi pasar = ainda há pouco o vi passar.* ■ **al ~ de** pouco depois de; **~ a ~** pouco a pouco; **por ~** por pouco.
poda *f* poda.
podar *tr* podar.
poder *m* **1** poder (dominio, mando). **2** poder (gobierno). **3** poder (capacidad, facultad). **4** poder (fuerza, vigor). ◆ **~ adquisitivo** poder aquisitivo. ■ **a todo ~** com todo o vigor; **en ~ de alguien** em poder de alguém.
poder *tr* **1** poder (ser capaz). **2** poder (tener autoridad). **3** poder (existir posibilidad). **4** poder (tener permiso). ■ **hasta más no ~** até não poder mais; **no ~ con** (fam) não agüentar ou suportar.
poderío *m* **1** poderio (poder, dominio). **2** poderio (fuerza, vigor).
poderoso, sa *adj/m y f* **1** poderoso (potente). **2** poderoso (rico).
podio o **podium** *m* **1** pódio (tarima). **2** ARQ pódio (pedestal).
podología *f* MED podologia.
podólogo, ga *m y f* MED podólogo.
podredumbre *f* **1** podridão (putrefacción). **2** (fig) podridão (corrupción).
podrido, da *adj* apodrecido. ■ **estar ~ de algo** (fig, fam) estar podre de: *estaba podrido de dinero = era podre de rico.*
podrir *tr y pron* ⇒ pudrir.
poema *m* poema.
poesía *f* **1** poesia (género). **2** poesia (poema).
poeta *m* poeta.
poético, ca *adj* poético.
poetisa *f* poetisa.
polaco, ca *adj/m y f* **1** polonês, polaco. ● *m* **2** polonês (lengua).
polaridad *f* **1** FÍS polaridade. **2** (fig) polarização (divergencia).
polarización *f* FÍS polarização.
polarizar *tr y pron* **1** FÍS polarizar. ● **~se** *pron* **2** (fig) polarizar-se (concentrarse).
polar *adj* polar.
polea *f* polia.

polémica *f* polêmica (controversia).
polémico, ca *adj* polêmico.
polemista *m o f* polemista.
polemizar *intr* polemizar.
polen *m* BOT pólen.
poleo *m* poejo-das-hortas, poejo (planta).
polichinela *m* polichinelo.
policía *f* **1** polícia (organización). • *m o f* **2** policial, polícia. ♦ ~ **militar** polícia militar.
policíaco, ca o **policiaco, ca** *adj* policial (novela, película).
policial *adj* policial: *investigación policial = investigação policial.*
policlínica *f* policlínica.
polícromo, ma o **policromo, ma** *adj* policromo.
polideportivo *adj y m* poliesportivo.
poliedro *adj* **1** GEOM poliedro (ángulo). • *m* **2** GEOM poliedro.
poliéster *m* QUÍM poliéster.
polifacético, ca *adj* multifacetado, versátil.
polifonía *f* MÚS polifonia.
poligamia *f* poligamia.
polígamo, ma *adj y m* **1** polígamo. • *adj* **2** BOT, ZOOL polígamo.
políglota *adj/m y f* poliglota.
poligonal *adj* GEOM poligonal.
polígono, na *m* GEOM polígono. ♦ ~ **industrial** parque industrial.
polilla *f* traça (insecto, larva).
polinización *f* BOT polinização.
polio *f* **1** MED (fam) pólio (poliomielitis). **2** pólio (planta).
poliomielitis *f* MED poliomielite.
pólipo *m* **1** ZOOL pólipo. **2** MED pólipo.
polisemia *f* GRAM polissemia.
polisémico, ca *adj* polissêmico.
polisílabo, ba *adj y m* polissílabo.
politeísmo *m* politeísmo.
política *f* **1** política (doctrina, actividad). **2** (fig) política (estrategia).
politicastro *m* (desp) politiqueiro, politicastro.
político, ca *adj/m y f* **1** político. • *adj* **2** político (cortés). ♦ **padres políticos** sogros.
politiquear *intr* **1** politicar. **2** (fam) fazer politicagem.
politizado, da *adj* politizado.
politraumatismo *m* MED politraumatismo.
poliuretano *m* QUÍM poliuretano.
polivalencia *f* polivalência.
polivalente *adj* polivalente.
póliza *f* **1** apólice (de seguros). **2** chancela, selo (sello).
polizón *m* clandestino (pasajero).
polizonte *m* (desp) tira.
polla *f* **1** franga (gallina). **2** (fig, vulg) caralho, pau.
pollería *f* aviário (establecimiento).
pollino, na *m y f* **1** asnilho. • *adj/m y f* **2** (fig, coloq) caipira, chucro.
pollo *m* **1** frango. **2** (fig, fam) cuspida, escarrada.
polo *m* **1** pólo (de esfera). **2** (fig) picolé, sorvete de político (helado). **3** DEP pólo. **4** ELEC pólo. **5** ASTR, GEOG pólo. ♦ ~ **austral, antártico o sur** ASTR, GEOG pólo austral, Antártico ou Sul; ~ **boreal, ártico o norte** ASTR, GEOG pólo boreal, Ártico ou Norte.
pololear *tr* **1** *Amér. Merid.* paquerar (galantear). **2** *Amér.* importunar (molestar).
Polonia *f* Polônia.
polonio *m* QUÍM polônio.
poltrona *f* poltrona (butaca).
poltrón, na *adj/m y f* vagabundo, preguiçoso.
polución *f* **1** poluição (contaminación). **2** polução (eyaculación).
poluto, ta *adj* poluto.
polvareda *f* **1** poeirada, poeira. **2** (fig) polvorosa, tumulto (confusión). ■ **armar una** ~ (fig, fam) armar uma polvorosa.
polvo *m* **1** pó, poeira. **2** pó (partícula). **3** (fig, vulg) trepada, foda. • **polvos** *m pl* **4** pó (cosmético). ■ **echar un** ~ (fig, fam) dar uma trepada; **en** ~ em pó; **estar hecho** ~ (fig, fam) estar moído.

> En español **polvo** significa principalmente 'parte más menuda y deshecha dela tierra', o 'lo que queda de otras cosas sólidas', y se traduce en portugués por la palabra ***pó***. El mismo término, ***polvo***, existe en portugués y significa 'pulpo'.

pólvora *f* **1** pólvora. **2** (fig) esperteza (viveza).
polvoriento, ta *adj* empoeirado.

polvorín *m* **1** polvorim (pólvora menuda). **2** paiol (lugar).
polvorón *m* brevidade (torta).
pomada *f* pomada.
pomelo *m* toranja, pomelo (planta, fruto).
pomo *m* puxador, maçaneta (de puerta, cajón).
pompa *f* **1** pompa (suntuosidad). **2** pompa (vanidad).
pompis *m* (fam) bumbum.
pomposo, sa *adj* **1** pomposo (ostentoso). **2** (fig) pomposo (grandilocuente).
pómulo *m* pômulo, maçã do rosto.
ponche *m* ponche.
poncho *m* poncho (abrigo).
ponderación *f* **1** ponderação (atención). **2** ponderação (equilibrio).
ponderado, da *adj* ponderado.
ponderar *tr* **1** ponderar (examinar, sopesar). **2** exaltar, elogiar.
ponderativo, va *adj* ponderativo.
ponedero, ra *adj* **1** poedeira (ave). • *m* **2** poedouro, ninho.
ponencia *f* **1** comunicação, palestra. **2** relator (función).
ponente *adj/m y f* palestrante.
poner *tr y pron* **1** pôr (colocar, situar). **2** pôr, vestir. **3** deixar, ficar (colorado, nervioso, preocupado). • *tr* **4** pôr, preparar (mesa). **5** pôr, instalar (tienda). **6** transmitir, passar (película, programa). **7** pôr, aplicar (pomada, inyección). **8** ligar, pôr (televisión, radio, luz). **9** pôr, estabelecer (normas, reglas). **10** dar (multa, deberes). • *intr y tr* **11** pôr, botar (huevo). • **~se** *pron* **12** ficar, colocar-se. **13** pôr-se (sol). ■ **~se a hacer algo** (fam, fig) pôr-se a fazer algo; **~se de** (fig, fam) encher-se de: *se puso de chocolate hasta los topes = encheu-se de chocolate até não poder mais.*
póney *m* pônei.
poni *m* pônei.
poniente *m* **1** oeste (viento). **Poniente 2** poente, oeste (punto cardinal).
pontificado *m* pontificado (cargo, ejercicio).
pontifical *adj* **1** pontifical. • *m* **2** pontifical (libro).
pontificar *intr* **1** pontificar. **2** (fig) pontificar (dogmatizar).
pontífice *m* pontífice.
pontificio, cia *adj* pontifício.
pontón *m* **1** chata, chalana (embarcación). **2** pinguela (puente).
pop *adj y m* pop.
popa *f* popa (de embarcación). ■ **de ~ a proa** (fig) inteiramente.
popelín *m* popelina, popeline.
popelina *f* ⇒ popelín.
populachero, ra *adj* (desp) plebéico.
populacho *m* povão, ralé.
popular *adj* **1** popular: *tradición popular = tradição popular.* **2** popular (apreciado, seguido):, *es un actor muy popular = é um ator muito popular.*
popularidad *f* popularidade.
popularización *f* popularização.
popularizar *tr y pron* **1** popularizar (afamar). **2** popularizar (extender).
populismo *m* POL populismo.
populista *adj/m y f* POL populista.
populoso, sa *adj* populoso.
popurrí *m* **1** pot-pourri, miscelânea. **2** MÚS pot-pourri.
poquedad *f* **1** pouquidade. **2** apoucamento.
póquer *m* pôquer.
por *prep* **1** por (lugar, localización): *pasar por aquí = passar por aqui.* **2** por (causa): *cerrado por vacaciones = fechado por férias.* **3** por (medio): *envié el paquete por correo = enviei o pacote por correio.* **4** por (precio): *lo compré por diez euros = o comprei por dez euros.* **5** por (a favor): *por él daría hasta la vida = por ele daria até a vida.* **6** por (división): *un trozo por persona = um pedaço por pessoa.* **7** por (cambio): *te doy la falda por los pendientes = dou a saia pelos brincos.* ■ **~ ahora** por enquanto; **~ entonces** naquele então; **~ si** para o caso de: *me espero un rato por si me llama = espero um pouco para o caso de ele me ligar.*
porcelana *f* **1** porcelana (loza, vasija). **2** porcelana (esmalte).
porcentaje *m* porcentagem.
porcentual *adj* percentual.
porche *m* alpendre, pátio coberto.
porcino, na *adj* porcino, suíno.
porción *f* **1** porção (parte). **2** porção, ração (de comida).
pordiosear *intr* mendigar.
pordiosero, ra *adj/m y f* mendigo, pedinte.

porfía *f* porfia, teimosia.
porfiado, da *adj/m y f* porfiado, teimoso.
porfiar *intr* **1** porfiar, teimar (discutir). **2** porfiar, insistir (importunar).
porfolio *m* porta-fólio.
pormenor *m* (gralte pl) pormenor, minúcia.
pormenorizar *tr* pormenorizar.
pornografía *f* pornografia.
pornográfico, ca *adj* pornográfico.
poro *m* poro.
porosidad *f* porosidade.
poroso, sa *adj* poroso.
poroto *m Amér. Merid.* feijão (vegetal, guiso).
porque *conj* **1** porque (causal): *no viene porque llueve = não vem porque chove.* **2** para que, porque (final): *lo hizo porque lo vieran = fez isso para que o vissem.*
porqué *m* porquê (motivo, razón): *te diré el porqué = te direi o porquê.*

> **Por qué** se escribe separado y con acento cuando se hace una pregunta: *¿por qué hay tanta gente que pasa hambre? ¿por qué no te sientes afortunada?*
>
> **Porque** se escribe junto y sin acento cuando es una conjunción causal: *los días hay que saborearlos, porque, si no, se te escapan.*
>
> **Porqué** se escribe junto y con acento cuando significa 'motivo, causa': *no sabe el porqué de sus actos.*

porquería *f* **1** porcaria (suciedad). **2** (fig, fam) porcaria, bugiganga (traste). **3** (fig, fam) porcaria (obscenidad).
porra *f* **1** porra (clava). **2** cassetete (arma). ■ **mandar a la ~** (fig, fam) mandar pentear macaco.
porrada *f* **1** porrada (porrazo). **2** (fam) porrada (montón).
porrazo *m* **1** cacetada, porrada. **2** pancada, batida (caída).
porrillo a ~ *loc adv* (fam) de montão.
porro *adj y m* **1** (fig, fam) panaca, tonto. ● *m* **2** baseado (de hachís, marihuana).
porrón *m recipiente próprio para beber vinho direto no bico.*
portaaviones *m* porta-aviões.
portabebés *m* berço portátil.
portada *f* **1** primeira página (de periódico). **2** capa, folha de rosto (de libros, revistas).
portador, ra *adj/m y f* **1** portador. ● *m y f* **2** portador (de enfermedad, virus).
portaequipaje o **portaequipajes** *m* porta-malas, bagageiro.
portaesquís *m* bagageiro para esquis.
portafolio o **portafolios** *m* porta-fólio.
portahelicópteros *m* porta-aviões.
portal *m* **1** portal (pórtico). **2** saguão, vestíbulo (de edificio). **3** portal, entrada.
portalámpara o **portalámparas** *m* porta-lâmpadas, bocal.
portalón *m* **1** portal grande. **2** MAR portaló.
portamaletas *m* porta-malas.
portaminas *m* lapiseira.
portamonedas *m* porta-moedas.
portar *tr* **1** portar, levar. ● **~se** *pron* **2** comportar-se, portar-se.
portátil *adj* portátil.
portavoz *m o f* porta-voz.
portazo *m* **1** batida de porta, porteirada. **2** batida de porta na cara (desaire).
porte *m* **1** porte (transporte). **2** (gralte pl) porte, frete. **3** porte, aparência (aspecto exterior).
portear *tr* **1** transportar, levar. ● **~se** *pron* **2** migrar (ave).
portento *m* **1** portento (milagro). ● *m o f* **2** portento, gênio.
porteño, ña *adj/m y f* portenho (bonaerense).
portería *f* **1** DEP portaria. **2** DEP gol.
portero, ra *m y f* **1** porteiro, zelador. **2** DEP goleiro.
portezuela *f* portinhola.
pórtico *m* **1** pórtico (portal). **2** pórtico (galería).
portuario, ria *adj* portuário.
Portugal *m* Portugal.
portugués, sa *adj/m y f* **1** português. ● *m* **2** português (lengua).
porvenir *m* porvir.
pos en ~ de *loc adv* detrás de.
posada *f* **1** pousada (establecimiento). **2** pousada, pousadia (alojamiento).
posaderas *f pl* nádegas.
posar *intr* **1** pousar, colocar. **2** posar (para foto, pintura). ● **~se** *pron* **3** pousar, depositar-se.

posavasos *m* descanso para copos.
posdata *f* pós-escrito, post scriptum.
pose *f* **1** pose (postura, posición). **2** pose, afetação.
poseer *tr* **1** possuir (tener). **2** possuir (disponer). **3** possuir (sexualmente).
poseído, da *adj/m y f* possuído.
posesión *f* posse, possessão. ▪ **tomar ~** tomar posse.
posesivo, va *adj* **1** possessivo. • *adj y m* **2** GRAM possessivo.
poseso, sa *adj/m y f* possesso.
posguerra *f* pós-guerra.
posibilidad *f* **1** possibilidade (probabilidad). **2** posses (aptitud).
posibilitar *tr* possibilitar.
posición *f* **1** posição (postura). **2** posição (situación, lugar). **3** posição (categoría, condición).
positivismo *m* FIL positivismo.
positivista *adj/m y f* positivista.
positivo, va *adj* **1** positivo (cierto, verdadero). **2** positivo (favorable). • *adj y m* **3** FOT positivo.
poso *m* borra (sedimento).
posología *f* MED posologia.
posparto *m* pós-parto.
posponer *tr* **1** pospor (aplazar). **2** pospor (poner después).
posta *f* posta (caballería, edificio). ▪ **a ~** de propósito.
postal *adj* **1** postal. • *f* **2** postal, cartão-postal.
poste *m* **1** poste (pilar). **2** DEP poste, trave.
póster *m* poster, pôster.
postergar *tr* **1** postergar (aplazar). **2** postergar, desprezar.
posteridad *f* **1** posteridade (fama póstuma). **2** posteridade (tiempo futuro).
posterior *adj* **1** posterior (trasero). **2** posterior, ulterior.
postgrado *m* pós-graduação.
postigo *m* postigo (de puerta, ventana).
postilla *f* casca, crosta (de herida, llaga).
postín *m* presunção, imodéstia. ▪ **darse ~** achar-se importante.
postizo, za *adj* **1** postiço (artificial, falso). • *m* **2** aplique, peruca.
postor *m* licitador, lançador (en subastas).
postración *f* **1** prostração (humillación). **2** prostração (debilitamiento).
postrar *tr y pron* **1** prostrar (humillar). **2** prostrar (debilitar).
postre *m* sobremesa. ▪ **a la ~** no final.
postular *tr* **1** postular (pedir). **2** postular (prelado).
póstumo, ma *adj* póstumo.
postura *f* **1** postura (posición, manera). **2** lance, oferta (en subasta). **3** pacto, acordo. **4** (fig) postura, posicionamento (sobre asunto, tema).
posventa *f* pós-venda.
potabilidad *f* potabilidade.
potabilizador, ra *adj* que torna potável.
potable *adj* **1** potável. **2** (fig, fam) aceitável.
potaje *m* **1** GAST potagem, ensopado. **2** (fig) bagunça, mixórdia.
potasa *f* QUÍM potassa.
potásico, ca *adj* QUÍM potássico.
potasio *m* QUÍM potássio.
pote *m* **1** pote (recipiente). **2** caldeirão (vasija, olla).
potencia *f* **1** potência (capacidad). **2** potência (poder, fuerza). **3** potência (nación). ▪ **en ~** em potência.
potencial *adj* **1** potencial. • *m* **2** potencial (fuerza, poder). **3** ELEC potencial.
potencialidad *f* potencialidade.
potenciar *tr* potencializar.
potentado, da *m y f* potentado.
potente *adj* **1** potente (poderoso, fuerte). **2** potente (eficaz, capaz).
potestad *f* potestade (dominio, poder).
potestativo, va *adj* potestativo.
potingue *m* **1** (fam) gororoba (bebida, comida). **2** (fam) (gralte pl) creme (cosmético).
potito *m* papinha.
potosí *m* (fig) potosi.
potra *f* **1** potra (yegua). **2** (fig, fam) cagada (suerte).
potranco, ca *m y f* potranco.
potro *m* **1** potro. **2** cavalo-de-pau, cavalo (de gimnasia).
poyo *m* poial, poio.
poza *f* poça.
pozo *m* **1** poço (hoyo). **2** (fig) poço, cisterna. ▪ **ser un ~ sin fondo** (fig) ser um saco sem fundo.
práctica *f* **1** prática (ejercicio). **2** prática (destreza).

practicante *adj/m y f* **1** praticante (religioso). • *m o f* **2** auxiliar de enfermagem.
practicar *tr* **1** praticar (ejercitar). **2** praticar (ejercer, usar). **3** praticar (realizar prácticas). • *tr e intr* **4** praticar (entrenar).
práctico, ca *adj* **1** prático (pragmático). **2** prático (útil).
pradera *f* campina.
prado *m* prado, campina.
pragmática *f* pragmática.
pragmático, ca *adj* **1** pragmático. • *adj/m y f* **2** DER pragmático (jurista).
pragmatismo *m* FIL pragmatismo.
praseodimio *m* QUÍM praseodímio.
preámbulo *m* **1** preâmbulo (prólogo). **2** (fig) preâmbulo, rodeio.
prebenda *f* **1** prebenda (renta). **2** (fig, fam) prebenda, sinecura (trabajo, empleo).
precalentamiento *m* preaquecimento.
precampaña *f* pré-campanha.
precario, ria *adj* **1** precário (escaso, deficiente). **2** precário (inestable).
precaución *f* precaução.
precaver *tr y pron* precaver.
precavido, da *adj* precavido.
precedente *adj* **1** precedente (anterior). • *m* **2** precedente (antecedente).
preceder *tr e intr* **1** preceder (ir delante). • *tr* **2** preceder (anteponer).
preceptivo, va *adj* preceptivo.
precepto *m* **1** preceito (orden). **2** preceito (instrucción, regla).
preceptuar *tr* preceituar.
preciado, da *adj* apreciado, estimado.
preciarse *pron* prezar-se, orgulhar-se.
precintado, da *adj* precintado.
precintar *tr* precintar.
precinto *m* precinta.
precio *m* **1** preço (valor). **2** (fig) preço (esfuerzo). ■ **no tener ~** (fig) não ter preço; **poner ~** pôr preço.
preciosidad *f* preciosidade.
precioso, sa *adj* **1** precioso (exquisito, primoroso). **2** precioso (caro). **3** (fig, fam) lindo (hermoso).
precipicio *m* **1** precipício (despeñadero). **2** (fig) precipício (perdición).
precipitación *f* **1** precipitação (caída). **2** precipitação (imprudencia, prisa). **3** MET precipitação.
precipitado, da *adj* **1** precipitado (irreflexivo). **2** precipitado, apressado.
precipitar *tr y pron* **1** precipitar (despeñar). **2** precipitar (acelerar). • **~se** *pron* **3** (fig) precipitar-se (ser irreflexivo).
precisar *tr* **1** precisar (determinar). • *intr y tr* **2** precisar (ser necesario).
precisión *f* precisão. ■ **de ~** de precisão: *instrumento de precisión = instrumento de precisão.*
preciso, sa *adj* **1** preciso (necesario). **2** preciso (exacto, justo).
preclaro, ra *adj* preclaro, ilustre.
precocido, da *adj* pré-cozido.
precocinado, da *adj* pré-cozido.
preconcebir *tr* preconceber.
preconización *f* preconização.
preconizar *tr* **1** preconizar, recomendar. **2** preconizar (obispo).
precoz *adj* **1** precoce (prematuro). **2** precoce (adelantado).
precursor, ra *adj/m y f* precursor.
predecesor, ra *m y f* predecessor.
predecir *tr* predizer, profetizar.
predefinir *tr* predefinir.
predestinación *f* predestinação.
predestinar *tr* predestinar.
predeterminar *tr* predeterminar.
prédica *f* prédica, sermão.
predicador, ra *adj/m y f* **1** predicador, predicante. • *m* **2** predicador, pregador.
predicamento *m* predicamento.
predicar *tr* **1** predicar, pregar (publicar, proclamar). **2** predicar, pregar (sermonear).
predicción *f* predição, vaticínio.
predilección *f* predileção.
predilecto, ta *adj* predileto.
predisponer *tr y pron* predispor.
predisposición *f* predisposição, tendência.
predispuesto, ta *adj* predisposto, propenso.
predominante *adj* predominante.
predominar *tr e intr* **1** predominar (prevalecer). • *tr* **2** (fig) predominar (exceder).
predominio *m* predomínio (poder, superioridad).
preelectoral *adj* pré-eleitoral.
preeminencia *f* preeminência.
preeminente *adj* preeminente.

preescolar *adj* pré-escolar.
preexistir *intr* FIL preexistir.
prefabricado, da *adj* pré-fabricado.
prefabricar *tr* pré-fabricar.
prefacio *m* prefácio.
prefecto *m* **1** prefeito (jefe romano). **2** prefeito (eclesiástico).
preferencia *f* **1** preferência (primacía). **2** preferência (elección).
preferente *adj* preferente.
preferir *tr y pron* preferir.
prefijar *tr* **1** prefixar (determinar). **2** GRAM prefixar, aprefixar.
prefijo *adj y m* **1** GRAM prefixo. • *m* **2** prefixo (de teléfono).
pregón *m* pregão.
pregonar *tr* **1** apregoar (decir a gritos). **2** (fig) apregoar (divulgar).
pregunta *f* pergunta.
preguntar *tr y pron* perguntar.
preguntón, na *adj* (fam) perguntador, perguntão.
prehistoria *f* pré-história.
prehistórico, ca *adj* **1** pré-histórico. **2** (fig) pré-histórico (anticuado).
preinscripción *f* pré-inscrição.
prejuicio *m* preconceito.
prejuzgar *tr* prejulgar.
prelado *m* prelado.
prelavado *m* pré-lavagem.
preliminar *adj y m* **1** preliminar. • **preliminares** *m pl* **2** preliminares.
preludiar *intr y tr* **1** MÚS preludiar (ensayar). • *tr* **2** (fig) preludiar (iniciar).
preludio *m* **1** prelúdio (entrada). **2** MÚS prelúdio.
prematuro, ra *adj* **1** prematuro. • *adj/m y f* **2** prematuro (niño).
premeditación *f* premeditação.
premeditar *tr* premeditar.
premiar *tr* premiar.
premio *m* **1** prêmio (galardón). **2** prêmio (recompensa).
premioso, sa *adj* **1** justo (apretado). **2** (fig) incômodo (molesto). **3** (fig) molenga (lento).
premisa *f* **1** FIL premissa (proposición). **2** (fig) premissa (indicio).
premonición *f* premonição.
premonitorio, ria *adj* **1** premonitório (presagioso). **2** MED premonitório.
premura *f* presteza, diligência.
prenatal *adj* pré-natal.
prenda *f* **1** peça (de ropa). **2** garantia (aval). **3** demonstração, prova.
prendar *tr y pron* cativar.
prender *tr* **1** prender (agarrar, sujetar). **2** prender (detener). **3** pôr, acender (fuego, luz): *prendió fuego a un periódico para calentarse = pôs fogo em um jornal para aquecer-se.*
prendido *m* prendedor (adorno).
prensa *f* **1** prensa (máquina). **2** imprensa (publicaciones). **3** imprensa (periodistas). ♦ ~ **rosa** (fig, fam) revistas de fofocas.
prensar *tr* prensar.
prensil *adj* preênsil.
preñado, da *adj* prenhe, grávido.
preñar *tr* engravidar, emprenhar.
preñez *f* prenhez, gravidez.
preocupación *f* **1** preocupação (inquietud). **2** preocupação (obsesión).
preocupado, da *adj* preocupado.
preocupar *tr y pron* **1** preocupar (inquietar). **2** preocupar (interesar).
preparación *f* **1** preparação (realización). **2** preparação (estudio, conocimiento). **3** preparação (entrenamiento).
preparado, da *adj* **1** preparado (listo). • *adj y m* **2** preparado (medicamento).
preparar *tr y pron* **1** preparar (disponer). **2** preparar, prevenir. **3** preparar (estudiar, entrenar).
preparativo, va *adj* **1** preparatório, preparativo. • *m* **2** (gralte pl) preparativos.
preparatorio, ria *adj* preparatório.
preponderancia *f* preponderância.
preponderar *intr* preponderar, predominar.
preposición *f* GRAM preposição.
prepotencia *f* prepotência.
prepucio *m* ANAT prepúcio.
prerrogativa *f* **1** prerrogativa (privilegio). **2** (fig) prerrogativa, regalia.
presa *f* **1** presa (animal). **2** represa (muro). **3** (fig) presa, vítima.
presagiar *tr* pressagiar.
presagio *m* **1** presságio (señal). **2** presságio (adivinación).
presbítero *m* presbítero.
prescindir *intr* **1** prescindir (omitir). **2** prescindir (abstenerse, privarse).
prescribir *tr* **1** prescrever (determinar). **2** prescrever (recetar).

prescripción *f* **1** prescrição (orden). **2** prescrição (conclusión).
preselección *f* pré-seleção.
presencia *f* **1** presença (asistencia). **2** presença (existencia). **3** presença, porte.
presencial *adj* presencial.
presenciar *tr* presenciar (atestiguar).
presentación *f* **1** apresentação (introducción). **2** apresentação (exposición, .exhibición).
presentador, ra *m y f* apresentador.
presentar *tr y pron* **1** apresentar (dar a conocer). **2** apresentar (manifestar, mostrar). • *tr* **3** apresentar, dar (disculpas, respeto). • **~se** *pron* **4** aparecer, apresentar-se (comparecer).
presente *adj/m y f* **1** presente (asistente). • *adj y m* **2** presente (actual). **3** GRAM presente. ■ **tener ~** ter em conta.
presentimiento *m* pressentimento.
presentir *tr* **1** pressentir (intuir). **2** pressentir (adivinar).
preservación *f* preservação.
preservar *tr y pron* preservar.
preservativo, va *adj* **1** preservativo (preventivo). • *m* **2** preservativo, camisinha.
presidencia *f* **1** presidência (dirección). **2** presidência (cargo, ejercicio).
presidencial *adj* presidencial.
presidencialismo *m* POL presidencialismo.
presidente, ta *m y f* presidente.
presidiario, ria *m y f* presidiário.
presidio *m* **1** presídio (cárcel). **2** prisão (pena).
presidir *tr* **1** presidir (gobernar). **2** predominar, preponderar.
presión *f* **1** pressão (compresión). **2** (fig) pressão (coacción). ◆ **grupo de ~** grupo de pressão; **~ arterial** MED pressão arterial; **~ sanguínea** MED pressão sangüínea. ■ **bajo ~** sob pressão.
presionar *tr* **1** pressionar (comprimir). **2** (fig) pressionar (coaccionar).
preso, sa *adj/m y f* **1** preso, detento. • *adj* **2** (fig) preso (dominado).
prestación *f* prestação (de servicios).
prestamista *m o f* prestamista.
préstamo *m* empréstimo.
prestancia *f* prestância.
prestar *tr* **1** emprestar (ceder, dejar). **2** prestar (dar). • **~se** *pron* **3** prestar (ofrecerse).
presteza *f* presteza.
prestidigitación *f* prestidigitação.
prestidigitador, ra *m y f* prestidigitador.
prestigiar *tr* prestigiar.
prestigio *m* **1** prestígio (renombre). **2** prestígio (influencia).
prestigioso, sa *adj* prestigioso.
presto, ta *adj* **1** presto (ligero). **2** pronto (preparado). • *adv* **3** pronto. **4** MÚS presto.
presumido, da *adj/m y f* **1** presumido (presuntuoso). **2** vaidoso, presumido.
presumir *tr* **1** presumir (sospechar). • *intr* **2** vangloriar, presumir.
presunción *f* **1** presunção, pretensão. **2** DER presunção.
presunto, ta *adj* suposto, pressuposto.
presuntuoso, sa *adj/m y f* presunçoso.
presuponer *tr* pressupor.
presuposición *f* pressuposição.
presupuestar *tr* orçar (calcular).
presupuestario, ria *adj* orçamentário.
presupuesto *m* **1** orçamento (cómputo). **2** pressuposto, pressuposição.
presuroso, sa *adj* pressuroso, apressado.
pretencioso, sa *adj* pretensioso.
pretender *tr* **1** pretender (querer). **2** pretender (intentar).
pretendiente *adj/m y f* pretendente.
pretensión *f* **1** pretensão (intención). **2** (gralte pl) pretensão (aspiración, ambición).
pretérito, ta *adj* **1** pretérito (pasado). • *adj y m* **2** GRAM pretérito. ◆ **~ pluscuamperfecto** GRAM pretérito mais-que-perfeito.
pretextar *tr* pretextar.
pretexto *m* pretexto.
pretil *m* parapeito, mureta.
prevalecer *intr* **1** prevalecer (predominar). **2** prevalecer, persistir.
prevaler *intr* **1** ⇒ prevalecer. • **~se** *pron* **2** prevalecer-se (valerse).
prevaricación *f* prevaricação.
prevaricar *intr* **1** prevaricar (delinquir). **2** (fam) desvairar, disparatar.
prevención *f* **1** prevenção (precaución). **2** prevenção, preconceito.
prevenido, da *adj* **1** prevenido, precavido. **2** prevenido (advertido).
prevenir *tr y pron* **1** prevenir (preparar). • *tr* **2** prevenir (precaver). **3** prevenir (advertir).
preventivo, va *adj* preventivo.

prever *tr* **1** prever, antever. **2** prever (conjeturar). **3** prevenir (preparar).
previo, via *adj* prévio.
previsión *f* **1** previsão (predicción). **2** previsão (prevención).
previsto, ta *adj* previsto.
prieto, ta *adj* **1** apertado, justo. **2** preto (negro).
prima *f* **1** prêmio (dinero extra). **2** prima (hora canónica).
primacía *f* primazia.
primado *m* primado.
primar *intr* primar.
primario, ria *adj* **1** primário (primero). **2** primário (primitivo). **3** primário (básico, fundamental).
primavera *f* **1** primavera (estación). **2** (fig) (gralte pl) primavera (edad).
primaveral *adj* primaveril, primaveral.
primer (*apócope de* **primero**) *adj* (antepuesto a un sust masc) primeiro: *el primer día de clase estaba muy nervioso = estava muito nervoso no primeiro dia de aula.*
primerizo, za *adj/m y f* principiante, novato.
primero, ra *adj/m y f* **1** primeiro. • *adv* **2** primeiro, primeiramente: *primero se comió un helado y luego se tomó un café = primeiro tomou um sorvete e depois um café.*
primicia *f* novidade (noticia).
primigenio, nia *adj* primigênio.
primitivo, va *adj* **1** primitivo (primero, original). **2** primitivo, ancestral. **3** primitivo (rudimentario).
primo, ma *m y f* **1** primo (pariente). • *adj* **2** primo (primero). • *adj/m y f* **3** (fig, coloq) mané, tonto. • *adj y m* **4** MAT primo. ♦ ~ **hermano** primo-irmão.
primogénito, ta *adj/m y f* primogênito.
primor *m* **1** primor (belleza). **2** primor (destreza).
primordial *adj* primordial.
primoroso, sa *adj* **1** primoroso (excelente). **2** primoroso (hábil).
princesa *f* princesa.
principado *m* principado (título, territorio).
principal *adj* **1** principal (fundamental). **2** GRAM principal.
príncipe *m* príncipe. ♦ ~ **azul** (fig, fam) príncipe encantado.
principiante *adj/m y f* principiante.
principiar *tr y pron* principiar.
principio *m* **1** princípio (inicio). **2** princípio (base, origen). ■ **a principios de** no começo de, nos primeiros dias; **en** ~ em princípio.
pringado, da *m y f* (desp, fig, fam) mané, trouxa.
pringar *tr* **1** engordurar. • *tr y pron* **2** sujar, manchar. • *intr* **3** (fig, fam) meter numa enrascada.
pringoso, sa *adj* gordurento.
pringue *amb* **1** gordura. **2** (fig) sujeira pegajosa.
prioridad *f* **1** prioridade (anterioridad). **2** prioridade (preferencia).
prioritario, ria *adj* prioritário.
prisa *f* **1** pressa (prontitud). **2** pressa (urgencia). ■ **correr** ~ ser urgente; **meter** ~ apressar; **tener** ~ ter pressa.
prisión *f* **1** prisão (cárcel). **2** (fig) prisão (atadura). **3** DER prisão.
prisionero, ra *m y f* **1** prisioneiro, detento. **2** (fig) prisioneiro (de sentimiento, vicio).
prisma *m* **1** GEOM prisma. **2** (fig) prisma (punto de vista).
prismático, ca *adj* **1** prismático. • **prismáticos** *m pl* **2** ÓPT binóculo.
privación *f* privação.
privado, da *adj* **1** privado (reservado). **2** privado, particular. ■ **en** ~ em particular.
privar *tr y pron* **1** privar (despojar). • *tr* **2** privar (prohibir).
privativo, va *adj* privativo.
privatizado, da *adj* privatizado.
privatizar *tr* privatizar.
privilegiado, da *adj/m y f* privilegiado.
privilegiar *tr* privilegiar.
privilegio *m* privilégio.
pro *amb* pró (provecho). ■ **el** ~ **y el contra** o pró e o contra; ~ **forma** pro forma.
proa *f* MAR proa.
probabilidad *f* probabilidade.
probado, da *adj* provado.
probador *adj/m y f* **1** provador. • *m* **2** provador (lugar).
probar *tr* **1** provar (experimentar). **2** provar (demostrar). **3** provar (comer, beber). • *intr* **4** provar (intentar).
probeta *f* proveta.
problema *m* **1** problema (enigma). **2** problema (dificultad). **3** MAT problema.

problemático, ca *adj* problemático.
procacidad *f* procacidade.
procaz *adj* procaz.
procedencia *f* **1** procedência (origen). **2** procedência (punto de partida).
proceder *m* proceder, procedimento.
proceder *intr* **1** proceder (resultar). **2** proceder, originar-se. **3** proceder (comportarse). **4** proceder, provir.
procedimiento *m* **1** procedimento (método). **2** procedimento, conduta.
procesado, da *adj/m y f* processado.
procesador *m* INF processador.
procesal *adj* processual.
procesamiento *m* processamento.
procesar *tr* **1** DER processar. **2** INF processar.
procesión *f* **1** procissão (marcha religiosa). **2** (fam) procissão, séquito.
proceso *m* **1** processo (desarrollo). **2** processo (transcurso). **3** DER processo.
proclama *f* proclama.
proclamación *f* **1** proclamação (anuncio solemne). **2** proclamação (acto público).
proclamar *tr y pron* **1** proclamar (anunciar). • *tr* **2** proclamar (declarar).
proclive *adj* **1** proclive (inclinado). **2** predisposto (propenso).
procreación *f* procriação.
procrear *tr* procriar (engendrar).
procurar *tr* **1** procurar (intentar). • *tr y pron* **2** procurar, granjear.
prodigalidad *f* **1** prodigalidade (generosidad). **2** prodigalidade (abundancia).
prodigar *tr* **1** prodigalizar (derrochar). • *tr y pron* **2** prodigalizar (colmar).
prodigio *m* **1** prodígio (maravilla, milagro). **2** prodígio, portento.
pródigo, ga *adj/m y f* **1** pródigo (derrochador). • *adj* **2** pródigo (dadivoso).
producción *f* **1** produção (fabricación). **2** produção (productos).
producir *tr* **1** produzir (ocasionar, provocar). **2** produzir (dar frutos). **3** produzir (fabricar).
productividad *f* ECON produtividade.
productivo, va *adj* **1** produtivo (fértil). **2** produtivo, frutífero.
producto *m* **1** produto (resultado). **2** produto (mercancía). **3** MAT produto.
productor, ra *adj/m y f* produtor.
proeza *f* proeza.
profanación *f* profanação.
profanar *tr* profanar.
profano, na *adj/m y f* profano.
profecía *f* profecia.
proferir *tr* proferir.
profesar *tr* **1** professar, executar (oficio, arte, ciencia). **2** professar (enseñar). **3** professar, seguir (ideas, religión).
profesión *f* profissão.
profesional *adj/m y f* profissional.
profesionalidad *f* profissionalismo.
profesionalizar *tr y pron* profissionalizar.
profesor, ra *m y f* professor. ◆ **~ adjunto** professor adjunto.
profesorado *m* **1** professorado (cargo). **2** professorado (profesores).
profeta, tisa *m y f* profeta.
profético, ca *adj* profético.
profetizar *tr* **1** profetizar (predecir). **2** (fig) profetizar (conjeturar).
profiláctico, ca *adj* **1** profiláctico. • *m* **2** preservativo.
profilaxis *f* MED profilaxia.
prófugo, ga *adj/m y f* prófugo.
profundidad *f* **1** profundidade, fundura. **2** (fig) profundidade (intensidad, hondura).
profundizar *tr* **1** aprofundar (cavar). • *tr e intr* **2** (fig) aprofundar-se (examinar, investigar).
profundo, da *adj* **1** profundo (hondo). **2** profundo, pesado (sueño). **3** (fig) profundo (intenso).
profusión *f* profusão.
profuso, sa *adj* profuso (abundante).
progenitor, ra *m y f* **1** progenitor. • **progenitores** *m pl* **2** progenitores (padres).
programa *f* **1** programa (proyecto). **2** programa (planificación). **3** programa (de televisión, radio). **4** INF programa.
programación *f* **1** programação (planificación). **2** TV programação.
programador, ra *adj/m y f* programador.
programar *tr y pron* **1** programar (planificar). • *tr* **2** programar, preparar (máquinas, datos).
progre *adj/m y f* (desp, fam) progressista.
progresar *intr* progredir.
progresión *f* **1** progressão (avance, progreso). **2** MAT progressão.
progresismo *m* progressismo.
progresista *adj/m y f* progressista.

progresivo, va *adj* progressivo.
progreso *m* progresso (desarrollo, avance).
prohibición *f* proibição.
prohibir *tr* proibir.
prohibitivo, va *adj* **1** proibitivo. **2** (fig, fam) proibitivo (caro).
prohijar *tr* **1** adotar (hijo). **2** (fig) adotar (doctrina).
prohombre *m* pró-homem.
prójimo *m* próximo (individuo).
prole *f* prole.
proletariado *m* proletariado.
proletario, ria *adj/m y f* proletário.
proliferación *f* proliferação.
proliferar *intr* **1** proliferar (reproducirse). **2** (fig) proliferar (multiplicarse).
prolífico, ca *adj* prolífico.
prolijo, ja *adj* **1** prolixo (extenso). **2** minucioso, cuidadoso. **3** prolixo (fastidioso).
prologar *tr* prologar.
prólogo *m* **1** prólogo. **2** (fig) prólogo (principio).
prolongación *f* prolongação.
prolongado, da *adj* prolongado.
prolongar *tr y pron* prolongar (dilatar).
promediar *tr* **1** promediar. **2** dividir, repartir (en dos).
promedio *m* promédio, média.
promesa *f* **1** promessa (compromiso). **2** promessa (juramento).
prometer *tr y pron* **1** prometer (comprometerse). • *tr* **2** prometer, jurar.
prometido, da *m y f* **1** prometido (novio). • *m* **2** prometido (promesa): *lo prometido es deuda = o prometido é devido.*
prometio *m* QUÍM promécio.
prominencia *f* proeminência.
prominente *adj* proeminente.
promiscuidad *f* promiscuidade.
promiscuo, cua *adj* **1** promíscuo (mezclado). **2** promíscuo (sexualmente).
promoción *f* **1** promoção (ascenso). **2** promoção (fomento).
promocionar *tr y pron* **1** promover (ascender). • *tr* **2** promover (producto, empresa).
promontorio *m* promontório.
promover *tr* **1** promover (impulsar). **2** promover, ascender.
promulgación *f* promulgação.
promulgar *tr* promulgar.
pronombre *m* GRAM pronome.
pronosticar *tr* prognosticar.
pronóstico *m* **1** prognóstico (señal, indicio). **2** prognóstico, previsão.
prontitud *f* prontidão.
pronto, ta *adj* **1** pronto, imediato. • *m* **2** (fam) impulso, arrebatamento: *en un pronto, me colgó = em um impulso desligou na minha cara.* • *adv* **3** logo (rápidamente): *ven pronto = venha logo.* **4** cedo (temprano): *tenemos que salir pronto = temos que sair cedo.* ■ **de ~** de repente; **tan ~ como** logo que: *tan pronto como me vio se fue = logo que me viu foi embora.*
prontuario *m* prontuário.
pronunciación *f* **1** pronunciação (dicción). **2** pronunciação (declaración).
pronunciamiento *m* **1** pronunciamento (sublevación). **2** DER pronunciamento (declaración).
pronunciar *tr y pron* **1** pronunciar (declarar). **2** pronunciar (resaltar). • *tr* **3** pronunciar (hablar).
propagación *f* propagação.
propaganda *f* propaganda.
propagandista *adj/m y f* propagandista.
propagandístico, ca *adj* propagandístico.
propagar *tr y pron* **1** propagar (multiplicar). **2** propagar (extender, aumentar).
propalar *tr* propalar.
propano *m* QUÍM propano.
propasarse *pron* passar dos limites.
propender *intr* propender.
propensión *f* propensão.
propenso, sa *adj* propenso.
propiciar *tr* **1** propiciar (favorecer). **2** propiciar (atraer).
propiciatorio, ria *adj* propiciatório.
propicio, cia *adj* propício (favorable).
propiedad *f* **1** propriedade (posesión). **2** propriedade (bienes). **3** propriedade (cualidad, atributo).
propietario, ria *adj/m y f* proprietário (dueño).
propina *f* gorjeta (gratificación).
propinar *tr* dar, infligir.
propio, pia *adj* **1** próprio (personal). **2** próprio (característico). **3** próprio (adecuado).
proponer *tr* **1** propor (plantear). **2** propor (recomendar). **3** propor (hacer propuesta).

proporción *f* **1** proporção (armonía). **2** proporção (tamaño).
proporcionado, da *adj* proporcionado.
proporcional *adj* proporcional.
proporcionalidad *f* proporcionalidade.
proporcionar *tr* **1** proporcionar (equilibrar). • *tr y pron* **2** proporcionar (proveer).
proposición *f* **1** proposição (propuesta). **2** GRAM proposição (oración).
propósito *m* **1** propósito (intención). **2** propósito, objetivo. ■ **a o de ~** a propósito.
propuesta *f* proposta, sugestão.
propugnar *tr* propugnar.
propulsar *tr* propulsar.
propulsión *f* propulsão.
prorrata *f* pro rata.
prorratear *tr* ratear (repartir).
prórroga *f* **1** prorrogação. **2** DEP prorrogação.
prorrogar *tr* **1** prorrogar (prolongar). **2** prorrogar (aplazar).
prorrumpir *intr* prorromper.
prosa *f* **1** prosa. **2** (fig, fam) palavrório, bolodório.
prosaico, ca *adj* **1** prosaico. **2** (fig) prosaico, corriqueiro.
prosaísmo *m* **1** prosaísmo. **2** (fig) prosaísmo (trivialidad).
proscribir *tr* **1** proscrever (exiliar). **2** (fig) proscrever (excluir, prohibir).
proscrito, ta *adj/m y f* proscrito.
proselitismo *m* proselitismo.
prosélito *m* prosélito.
prosificar *tr* prosificar.
prospección *f* GEOL prospecção.
prospectivo, va *adj* prospectivo (futuro).
prospecto *m* prospecto (papel, folleto).
prosperar *intr y tr* prosperar.
prosperidad *f* **1** prosperidade (éxito). **2** prosperidade (bienestar).
próspero, ra *adj* **1** próspero (favorable). **2** próspero (boyante).
próstata *f* ANAT próstata.
prosternarse *pron* prosternar-se.
prostíbulo *m* prostíbulo.
prostitución *f* prostituição.
prostituir *tr y pron* **1** prostituir. **2** (fig) prostituir (deshonrar).
prostituto, ta *m y f* prostituto.
protactinio *m* QUÍM protactínio.
protagonismo *m* protagonismo.
protagonista *m o f* protagonista.
protagonizar *tr* protagonizar.
protección *f* **1** proteção (defensa). **2** proteção (ayuda, apoyo).
proteccionismo *m* ECON protecionismo.
protectorado *m* protetorado.
proteger *tr* **1** proteger (amparar). • *tr y pron* **2** proteger (resguardar).
protegido, da *adj* **1** protegido, defendido. • *m y f* **2** protegido (favorito).
proteína *f* BIOQ proteína.
prótesis *f* **1** prótese (pieza, aparato). **2** MED prótese (operación).
protesta *f* protesto (queja, manifestación).
protestante *adj/m y f* protestante.
protestantismo *m* protestantismo.
protestar *tr* **1** protestar (prometer). • *tr e intr* **2** protestar, reclamar.
protesto *m* **1** protesto (queja). **2** ECON protesto (letra de cambio).
protocolario, ria *adj* protocolar.
protocolo *m* **1** protocolo (reglas). **2** protocolo, ata.
prototipo *m* protótipo.
protuberancia *f* protuberância.
provecho *m* **1** proveito (beneficio, utilidad). **2** proveito (ventaja). ■ **¡buen ~!** (fam) bom apetite!; **sacar ~** tirar proveito.
provechoso, sa *adj* proveitoso.
proveer *tr y pron* **1** prover (preparar). **2** prover (suministrar).
proveniente *adj* proveniente.
provenir *intr* provir.
provenzal *adj/m y f* **1** provençal. • *m* **2** provençal (lengua).
proverbial *adj* **1** proverbial. **2** (fig) proverbial (notorio).
proverbio *m* provérbio.
providencia *f* **1** providência (prevención). **2** Providência.
providencial *adj* providencial.
próvido, da *adj* próvido.
provincia *f* **1** província (división territorial). **2** província (territorio eclesiástico).
provincial *adj* **1** provincial.
provinciano, na *adj/m y f* **1** provinciano (habitante). **2** (fig, fam) provinciano (tosco).
provisión *f* **1** provisão (abastecimiento). **2** (gralte pl) provisão, estoque.

provisional *adj* provisional.
provisorio, ria *adj* ⇒ provisional.
provocación *f* provocação.
provocar *tr* **1** provocar (excitar, inducir). **2** provocar (irritar). **3** provocar (causar).
provocativo, va *adj* provocativo.
proxeneta *m o f* proxeneta.
proximidad *f* **1** proximidade. • **proximidades** *f pl* **2** proximidades, cercanias.
próximo, ma *adj* **1** próximo (cercano). • *adj/m y f* **2** próximo (siguiente).
proyección *f* **1** projeção (lanzamiento). **2** projeção (de película, imagen). **3** projeção (repercusión).
proyectar *tr* **1** projetar (lanzar). **2** projetar (película, imagen). **3** projetar, arquitetar (plan, idea).
proyectil *m* projetil.
proyectista *m o f* projetista.
proyecto *m* **1** projeto (propósito). **2** projeto (esbozo, esquema). ◆ **~ de ley** projeto de lei.
proyector *m* **1** projetor (reflector, foco). **2** retroprojetor.
prudencia *f* **1** prudência (moderación). **2** prudência (sensatez).
prudencial *adj* prudencial.
prudente *adj* prudente.
prueba *f* **1** prova, provação. **2** teste, prova (examen). **3** prova (demostración, justificación). **4** prova (indicio, señal). **5** prova (experimento). **6** amostra (muestra). ■ **a ~ de** à prova de; **poner a ~** pôr a prova.
prurito *m* **1** MED prurido (comezón). **2** (fig) prurido (deseo).
pseudónimo *m* pseudônimo.
psicoanálisis *m* PSIC psicanálise.
psicoanalista *m o f* psicanalista.
psicoanalizar *tr y pron* psicanalisar.
psicodélico, ca *adj* **1** psicodélico. **2** (fig, fam) psicodélico (extravagante, raro).
psicología *f* psicologia.
psicológico, ca *adj* psicológico.
psicólogo, ga *m y f* psicólogo.
psicópata *m o f* PSIC psicopata.
psicopatía *f* PSIC psicopatia.
psicopatología *f* MED psicopatologia.
psicosis *f* PSIC psicose.
psicosomático, ca *adj* PSIC psicossomático.
psicotécnico, ca *adj* psicotécnico.
psicoterapia *f* PSIC psicoterapia.
psicótico, ca *adj/m y f* PSIC psicótico.
psiquiatra *m o f* MED psiquiatra.
psiquiatría *f* MED psiquiatria.
psiquiátrico, ca *adj* **1** psiquiátrico. • *m* **2** hospital psiquiátrico.
psíquico, ca *adj* psíquico.
púa *f* **1** pua (pincho). **2** dente (de peine). **3** palheta: *toca la guitarra con una púa = toca o violão com uma palheta.* **4** espinho (de animal).
pub *m* pub.
pubertad *f* puberdade.
pubis *m* ANAT púbis.
publicación *f* **1** publicação (difusión). **2** publicação (obra).
publicar *tr* **1** publicar (difundir). **2** publicar, editar. **3** publicar (revelar).
publicidad *f* **1** publicidade (divulgación). **2** publicidade, propaganda.
publicitario, ria *adj* publicitário.
público, ca *adj* **1** público (común): *lugar público = lugar público.* **2** público (estatal): *escuela pública = escola pública.* **3** público (conocido). • *m* **4** público. ■ **hacer ~** trazer a público.
publirreportaje *m* reportagem publicitária.
¡pucha! *interj Amér. Merid.* puxa!
pucherazo *m* panelaço (golpe).
puchero *m* **1** puchero (vasija). **2** puchero (cocido).
pucho *m* **1** *Amér.* resto, resíduo. **2** *Amér. Merid.* ponta, guimba. ■ **a puchos** *Amér. Merid.* pouco a pouco.
pudibundo, da *adj* pudibundo.
púdico, ca *adj* pudico.
pudiente *adj/m y f* endinheirado.
pudor *m* **1** pudor (honestidad). **2** pudor (vergüenza).
pudoroso, sa *adj* pudoroso.
pudrir *tr y pron* apodrecer.
pueblerino, na *adj/m y f* caipira.
pueblo *m* **1** cidade, povoação. **2** povo (habitantes).
puente *m* **1** ponte (construcción). **2** feriado prolongado. **3** ponte (prótesis dental). **4** (fig) ponte (vínculo). ◆ **~ aéreo** ponte aérea. ■ **hacer ~** enforcar.
puerco, ca *m y f* **1** porco (cerdo). • *adj/m y f* **2** (fig) porco (persona sucia). **3** porco, sem-vergonha.

puericultura *f* puericultura.
pueril *adj* pueril (infantil).
puerilidad *f* puerilidade.
puerro *m* alho-porro.
puerta *f* **1** porta. **2** porta, entrada. **3** (fig) porta (camino, medio). ◆ **~ trasera** porta dos fundos. ■ **a las puertas de** (fig) às portas de; **a ~ cerrada** (fig) a portas fechadas; **coger la ~** (fig, fam) pegar o caminho da rua; **dejar una ~ abierta** (fig, fam) deixar uma porta aberta.
puerto *m* **1** porto (para embarcaciones). **2** desfiladeiro, porto (entre montañas). ◆ **~ franco** porto livre.
Puerto Rico *m* Porto Rico.
puertorriqueño, ña *adj/m y f* porto-riquenho.
pues *conj* **1** pois (causal): *no hemos podido salir, pues llovía mucho = não pudemos sair, pois chovia muito.* **2** então, pois (consecutiva): *¿no quieres hacerlo? pues no lo hagas = não quer fazer, então não faz.* **3** então (énfasis): *pues vale, vamos al cine = então tá, vamos ao cinema.*
puesta *f* **1** colocação. **2** pôr (del sol). **3** postura (de huevos).
puesto, ta *adj* **1** posto, colocado. **2** bem-vestido, bem-arrumado. ● *m* **3** posto (sitio, lugar). **4** posto (empleo, cargo). **5** posto, repartição.
¡puf! *interj* puf!
pufo *m* (fam) cilada, arapuca (estafa, engaño).
púgil *m* pugilista (boxeador).
pugilístico, ca *adj* do pugilismo.
pugna *f* pugna.
pugnar *intr* **1** pugnar (batallar). **2** (fig) pugnar, insistir.
puja *f* lance, lanço (en subasta).
pujante *adj* pujante.
pujanza *f* pujança.
pujar *tr* **1** aumentar (precio, puja). **2** lutar, esforçar-se.
pulcritud *f* pulcritude.
pulcro, cra *adj* pulcro.
pulga *f* pulga (insecto). ■ **tener malas pulgas** (fig, fam) nascer de ovo virado.
pulgada *f* polegada.
pulgar *adj y m* polegar (dedo).
pulgoso, sa *adj* pulguento.
pulido, da *adj* **1** polido, brunido. **2** polido (pulcro). ● *m* **3** polimento.
pulir *tr* **1** polir (dar brillo). **2** polir (perfeccionar). **3** (fig, fam) torrar (malgastar).
pullover *m* pulôver.
pulla *f* pulha.
pulmón *m* **1** ANAT pulmão. **2** (fig) pulmão (zona de vegetación).
pulmonía *f* MED pneumonia.
pulpa *f* **1** polpa (de frutas, vegetales, carne). **2** bagaço (residuo).
pulpería *f Amér.* mercearia.
pulpo *m* **1** polvo. **2** (fig, fam) mão-boba.
pulque *m Méx.* pulque.
pulsación *f* **1** pulsação, latejamento. **2** toque (en un teclado).
pulsar *tr* **1** apertar (botón, tecla). **2** teclar. **3** (fig) pulsear, sondar.
pulsera *f* pulseira.
pulso *m* **1** pulso (latido). **2** pulso, punho. **3** firmeza (en la mano). ■ **a ~** à muque, à força; **echar un ~** tirar uma queda-de-braço.
pulular *intr* **1** pulular (brotar). **2** pulular (multiplicarse).
pulverización *f* pulverização.
pulverizador *m* pulverizador.
pulverizar *tr y pron* **1** pulverizar (reducir). **2** pulverizar (esparcir).
¡pum! *interj* pum!
puma *m* puma, suçuarana.
punchar *tr* punçar.
punción *f* MED punção.
pundonor *m* pundonor, brio.
pungir *tr* **1** pungir (punzar). **2** (fig) pungir (herir el ánimo).
punitivo, va *adj* punitivo.
punk o **punki** *adj/m y f* **1** punk. ● *m* **2** punk (movimiento).
punta *f* **1** ponta (extremidad). **2** ponta (puntiaguda): *punta del cuchillo = ponta da faca.* **3** ponta, pouco (cantidad). ● *m o f* **4** DEP ponta (jugador). ■ **de ~** (fig, fam) espetado, arrepiado; **de ~ a ~** de ponta a ponta; **tener en la ~ de la lengua** (fig) estar na ponta da língua.
puntal *m* **1** esteio, suporte. **2** pontal (de terreno).
puntapié *m* pontapé.
puntazo *m* **1** pontada (herida). **2** (fig, fam) maravilha.
puntear *tr* **1** pontear, pontilhar. **2** pontear (coser). **3** pontear, dedilhar (guitarra).
puntera *f* biqueira (del zapato, calcetín).

puntería *f* pontaria.
puntero, ra *adj* **1** ponteiro (certero). • *m* **2** ponteiro (cincel). **3** INF ponteiro.
puntiagudo, da *adj* pontiagudo.
puntillo *m* brio, orgulho.
puntilloso, sa *adj* **1** sensível. **2** meticuloso, minucioso.
punto *m* **1** ponto (señal). **2** ponto (nota, valoración). **3** ponto (de costura). **4** tricô. **5** ponto (sitio, lugar). **6** ponto (instante, momento). **7** ponto (tema, asunto). **8** GRAM ponto (signo ortográfico). ♦ **~ cardinal** ponto cardeal; **~ débil o flaco** (fig) ponto fraco; **~ de partida** (fig) ponto de partida; **~ de venta** ponto-de-venda; **~ de vista** ponto de vista. ■ **a ~** no jeito: *dejé la comida a punto para cuando llegaran los invitados = deixei a comida no jeito para quando chegassem os convidados*; **en ~** em ponto (hora); **estar a ~ de** estar a ponto de.
puntuación *f* pontuação.
puntual *adj* **1** pontual (a su tiempo). **2** pontual (exacto). • *adv* **3** pontualmente.
puntualizar *tr* pontualizar, especificar.
puntuar *tr* **1** GRAM pontuar. **2** dar pontos (calificar).
punzada *f* **1** pontada (herida). **2** (fig) pontada (dolor).
punzante *adj* **1** pungente. **2** (fig) mordaz.
punzar *tr* punçar.
punzón *m* punção (instrumento).
puñado *m* **1** punhado (porción). **2** (fig) punhado (poca cantidad).
puñal *m* punhal.
puñalada *f* **1** punhalada (golpe, herida). **2** (fig) punhalada (pesadumbre, disgusto).
puñeta *f* **1** punho bordado. **2** (fig, fam) saco, chatice. ■ **hacer la ~** (fig, fam) encher o saco.
puñetazo *m* murro.
puñetero, ra *adj* **1** chato, enjoado (fastidioso). **2** safado (pícaro).
puño *m* **1** punho (mano cerrada). **2** punhado (puñado). **3** punho (de prenda). ■ **de ~ y letra** de próprio punho.
pupa *f* **1** (fam) dodói (daño). **2** (fam) sapinho (en los labios). ■ **hacer ~** (fam) fazer dodói.
pupila *f* ANAT pupila.
pupilaje *m* pupilagem (educación).
pupilo, la *m y f* pupilo.
pupitre *m* carteira (mueble).
purasangre *adj y m* puro-sangue.
puré *m* purê. ■ **hacer ~** (fig, coloq) destroçar.
pureza *f* **1** pureza. **2** (fig) pureza (virginidad).
purga *f* **1** laxante, purga. **2** (fig) purgação (evacuación). **3** (fig) expurgação, limpeza.
purgación *f* purgação.
purgante *adj y m* purgante, laxante.
purgar *tr* **1** purgar (limpiar, purificar). **2** purgar, pagar (delito, culpa).
purgatorio *adj* **1** purgatório (purgativo). • *m* **2** REL purgatório.
purificación *f* purificação.
purificar *tr y pron* **1** purificar (pulir). **2** purificar (limpiar).
purismo *m* purismo.
purista *adj/m y f* purista.
puritanismo *m* **1** puritanismo (doctrina). **2** puritanismo (escrupolosidad).
puritano, na *adj/m y f* puritano.
puro, ra *adj* **1** puro (sin mezclas). **2** puro (depurado). **3** puro (casto, ingenuo). • *m* **4** charuto.
púrpura *f* **1** púrpura (molusco). **2** púrpura (tinte). • *adj y m* **3** púrpura (color).
purpurina *f* purpurina.
purulencia *f* MED purulência.
purulento, ta *adj* MED purulento.
pus *m* pus.
pusilánime *adj/m y f* pusilânime.
pústula *f* MED pústula.
putada *f* (vulg) putada.
putativo, va *adj* putativo.
putear *intr* **1** (fig, vulg) sacanear (fastidiar). **2** (fam) prostituir-se, putear.
puticlub *m* puteiro, casa de prostituição.
puto, ta *adj* **1** (vulg) filho-da-puta, puto (énfasis). • *m y f* **2** puto (prostituto).
putrefacción *f* putrefação.
putrefacto, ta *adj* putrefato.
puya *f* pua, aguilhão (punta acerada).
puyazo *m* TAUROM estocada, espetada.
puzzle *m* quebra-cabeça.
pvc (*acrónimo de* **polyvinyl chloride**) *m* PVC (policloreto de vinila).
PVP (*siglas de* **Precio de Venta al Público**) *m* preço final.
pyme (*acrónimo de* **pequeña y mediana empresa**) *f* pequena e média empresa.

Qq

q, Q *f* q, Q (letra).
Qatar *m* Catar.
que *pron rel* **1** que (especificativo): *el día que llegaron nació la niña = o dia que chegaram nasceu a menina.* **2** (antecedido de preposición) que, qual (especificativo):, *éste es el colegio en el que estudio = esta é a escola na qual estudo.* **3** que (explicativo): *la niña, que estaba muy cansada, se durmió en seguida = a menina, que estava muito cansada, dormiu logo.* **4** (antecedido de preposición) que, qual (explicativo): *esta marca, de la que tengo tres faldas, es muy buena = esta marca, da qual tenho três saias, é muito boa.* **5** que, como:, *¡no tienes idea de lo difícil que es hacerlo! = você não tem idéia de como é difícil fazer isso!* • *conj* **6** (con oración subordinada sustantiva) que: *supe que no se haría el concierto = soube que não se realizaria o show.* **7** que, a (comparativa): *eres más alto que él = você é mais alto que ele.* **8** que (causal): *espera, que voy contigo = espera, que eu vou com você.* **9** (con tal, tan y tanto) que (consecutiva): *estaba tan lejos que no pude ver = estava tão longe que não pude ver.*
qué *pron interr* **1** que: *¿qué día es hoy? = que dia é hoje?* **2** o que: *¿qué piensas? = o que você está pensando?* **3** quanto: *¿qué vale esto? = quanto custa isto?* • *pron* **4** que (exclamativo): *¡qué tarde has venido! = que tarde você veio!* • *m* **5** quê: *tiene su qué = tem seu quê.* ■ **¿~ tal?** tudo bom? (saludo).
quebrada *f* **1** quebrada, brecha (entre montañas). **2** *Amér.* riacho.
quebrado, da *adj/m y f* **1** quebrado (arruinado). • *adj y m* **2** MAT quebrado. • *adj* **3** quebrado (debilitado).
quebrantamiento *m* quebrantamento, infração.
quebrantar *tr y pron* **1** quebrantar, quebrar (fragmentar). • *tr* **2** quebrantar (infringir).
quebranto *m* **1** quebra (pérdida). **2** dor, aflição.
quebrar *tr* **1** quebrar (romper). **2** quebrar, infringir (ley, regla). **3** (fig) quebrar (interrumpir). • *tr y pron* **4** quebrar (doblar). • *intr* **5** COM quebrar, falir.
quechua *adj/m y f* **1** quíchua, quéchua. • *m* **2** quíchua, quéchua (lengua).
quedar *intr y pron* **1** ficar (permanecer). **2** ficar, alojar-se. • *intr* **3** sobrar, ficar: *no quedó nada en el plato = não sobrou nada no prato.* **4** combinar, marcar (encuentro): *quedamos para ir al teatro = combinamos de ir ao teatro.* **5** faltar: *quedan dos días para las vacaciones = faltam dois dias para as férias.* **6** ficar, localizar-se. **7** ficar (apariencia): *esta camisa te queda fenomenal = esta camisa fica ótima em você.* • **~se** *pron* **8** ficar, apoderar-se.
quehacer *m* (gralte pl) afazer, tarefa.
queja *f* **1** queixa (lamentación). **2** queixa, reclamação.
quejarse *pron* **1** queixar-se, lamentar-se. **2** queixar-se, reclamar.
quejica *adj/m y f* (fam) ranzinza, rabugento.
quejido *m* queixume, queixa.
quejoso, sa *adj/m y f* queixoso.
quejumbroso, sa *adj* queixumeiro, lamuriento.
quema *f* queima, incêndio.
quemado, da *adj* **1** queimado. • *m* **2** queimado, esturro.
quemadura *f* queimadura.
quemar *tr y pron* **1** queimar (calentar mucho). • *tr* **2** queimar, incendiar. **3** queimar, arder. • *intr* **4** queimar (estar caliente).
quemazón *f* queimação, ardência.
querella *f* **1** querela. **2** DER queixa-crime, querela.
querellante *adj/m y f* DER querelante.
querellarse *pron* DER querelar.
querencia *f* **1** querença. **2** TAUROM querença.
querer *m* querer (amor, cariño).

querer *tr* **1** querer (desear). **2** querer (apetecer). **3** querer (decidir). **4** querer (pretender). **5** querer (aceptar). • *tr y pron* **6** amar. • *impers* **7** querer (estar por ocurrir).
querido, da *m y f* amante, querido.
querosén o **queroseno** *m* querosene.
queso *m* **1** queijo. **2** (fig, fam) pé.
quetzal *m* **1** quetzal (ave). **2** quetzal (moneda).
¡quia! *interj* capaz!
quiche *f* GAST quiche.
quichua *adj/m y f* ⇒ quechua.
quicio *m* dobradiça, quício (de puertas, ventanas). ▪ **sacar a alguien de ~** (fig, fam) tirar do sério.
quid *m* quid.
quiebra *f* **1** quebra (rotura). **2** quebra (hendidura). **3** COM quebra (bancarrota).
quiebro *m* **1** quebro, requebro (meneo). **2** trilo, gorjeio (de la voz).
quien *pron rel* **1** quem: *fue ella quien hizo el pastel = foi ela quem fez o bolo.* • *pron indef* **2** quem: *no hay quien lo aguante = não tem quem o agüente.*
quién *pron interr* quem: *¿quién hizo esto? = quem fez isto?*
quienquiera *pron indef* quem quer.
quieto, ta *adj* **1** quieto (inmóvil). **2** (fig) quieto (pacífico).
quietud *f* **1** quietude (inmovilidad). **2** (fig) quietude (sosiego).
quijada *f* queixada, maxila.
quijote *m* (fig) quixote (individuo).
quilate *m* quilate.
quilla *f* quilha (pieza).
quilombo *m* **1** *Arg.* (fig, vulg) zona (desorden). **2** *Venez.* cabana (choza).
quimbambas en las ~ *loc adv* (fig, fam) no fim do mundo.
quimera *f* **1** quimera (monstruo). **2** (fig) quimera (ilusión).
quimérico, ca *adj* quimérico.
química *f* química.
químico, ca *adj* **1** químico. • *m y f* **2** químico (especialista).
quimioterapia *f* quimioterapia.
quina *f* quina. ▪ **tragar ~** (fig, fam)
quincalla *f* quinquilharia.
quincallería *f fábrica e comércio de quinquilharia.*
quince *adj y m* **1** quinze.
quinceañero, ra *adj/m y f* adolescente.
quincena *f* **1** quinzena (tiempo). **2** quinzena (paga).
quincenal *adj* quinzenal.
quiniela *f* jogo de aposta.
quinielista *m o f* apostador.
quinientos, tas *adj y m* **1** quinhentos.
quinina *f* quinina.
quinquenal *adj* qüinqüenal.
quinquenio *m* **1** qüinqüênio, lustro. **2** qüinqüênio (aumento de sueldo).
quinqui *m o f* (desp, coloq) marginal, delinqüente.
quinta *f* **1** quinta, chácara. **2** quinta (marcha).
quintaesencia *f* quinta-essência.
quinteto *m* quinteto.
quintillizo, za *adj* quíntuplo (hijos de un parto).
quinto, ta *adj/m y f* quinto.
quintuplicar *tr y pron* quintuplicar.
quíntuplo, pla o **quíntuple** *adj y m* quíntuplo.
quiosco *m* **1** banca de jornal. **2** coreto, quiosque (templete).
quiosquero, ra *m y f* jornaleiro (vendedor).
quirófano *m* sala de cirurgia, quirófano.
quiromancia o **quiromancía** *f* quiromancia.
quiromasaje *m* massagem manual.
quirúrgico, ca *adj* cirúrgico.
quisque o **quisqui** *m* (coloq) indivíduo, elemento. ▪ **todo ~** (fig, fam) Deus e o mundo.
quisquilla *f* **1** bagatela, ninharia. **2** camarão (crustáceo).
quisquilloso, sa *adj/m y f* **1** implicante, rabugento. **2** melindroso (susceptible).
quiste *m* **1** MED cisto. **2** BIOL cisto.
quitamanchas *m* tira-manchas (producto).
quitanieves *f* veículo para remover neve.
quitar *tr* **1** tirar (retirar). **2** tirar, tomar (hurtar). **3** tirar, fazer desaparecer. • **~se** *pron* **4** deixar (vicio, hábito): *me he quitado de fumar = deixei de fumar.* ▪ **~se de encima** (fig, fam) livrar-se.
quite *m* **1** estorvo, obstáculo. **2** quite (defensa). ▪ **estar al ~** (fig, fam) estar em alerta.
quivi *m* ⇒ kivi o kiwi.
quizá o **quizás** *adv* talvez.
quórum *m* quorum.

Rr

r, R *f* r, R (letra).
rabadilla *f* rabadilha.
rábano *m* rabanete (planta, raíz). ■ **importar un ~** (fig, fam) não dar a mínima; **¡y un ~!** (fig, fam) uma ova!
rabel *m* MÚS rabeca.
rabia *f* **1** raiva (ira, enojo). **2** MED raiva. ■ **tener ~ a alguien** (fig, fam) ter raiva de alguém.
rabiar *intr* **1** raivar (padecer de rabia). **2** (fig) raivar, enraivecer (enfadarse). **3** (fig) raivar, raivejar (impacientarse). ■ **a ~** muito, em excesso.
rabieta *f* (fig, fam) zanga, raiva passageira.
rabino *m* rabino.
rabioso, sa *adj* (fig) raivoso (colérico).
rabo *m* **1** rabo (cola). **2** (fig, fam) rabo, cauda (de ropa). ■ **con el ~ entre las piernas** (fig, coloq) com o rabo entre as pernas.
rácano, na *adj/m y f* **1** (fam) tacanho (tacaño). **2** (fam) vagabundo, gandulo.
racha *f* **1** rajada (de viento). **2** (fig) maré (período): *están pasando por una mala racha = estão passando por uma péssima maré.*
racheado, da *adj* rajada (de viento).
racial *adj* racial.
racimo *m* **1** cacho, racemo. **2** (fig) cacho (conjunto).
raciocinio *m* **1** raciocínio (facultad). **2** raciocínio (razonamiento).
ración *f* porção, ração (de comida).
racional *adj* **1** racional. • *adj/m y f* **2** racional (ser).
racionalidad *f* racionalidade.
racionalizar *tr* **1** racionalizar (volver racional). **2** racionalizar (organizar).
racionar *tr* racionar (limitar).
racismo *m* racismo.
racista *adj/m y f* racista.
rada *f* rada, baía.
radar *m* **1** radar (sistema). **2** radar (aparato).
radiación *f* **1** radiação (propagación). **2** FÍS radiação.
radiactividad *f* FÍS radiatividade.
radiactivo, va *adj* FÍS radiativo.
radiador *m* **1** radiador (de calefacción). **2** radiador, aquecedor (estufa).
radiante *adj* **1** radiante (brillante). **2** (fig) radiante (alegre).
radiar *tr* **1** RAD irradiar, divulgar. **2** FÍS radiar, irradiar.
radical *adj* **1** radical. **2** radical (intransigente). • *adj/m y f* **3** radicalista. • *m* **4** MAT radical.
radicalismo *m* radicalismo.
radicalizar *tr y pron* radicalizar.
radicar *intr y pron* **1** radicar (arraigar). **2** (fig) consistir.
radio *f* **1** rádio (medio, aparato). • *m* **2** raio (espacio): *buscamos en un radio de diez metros = procuramos em um raio de dez metros.* **3** raio (de rueda). **4** GEOM raio. ◆ **~ despertador** rádio-relógio.
radioaficionado, da *m y f* radioamador.
radiocasete *m* toca-fitas.
radiodifusión *f* radiodifusão.
radioescucha *m o f* radioperador.
radiofonía *f* radiofonia.
radiofónico, ca *adj* radiofônico.
radiografía *f* radiografia.
radiología *f* MED radiologia.
radionovela *f* radionovela.
radiotaxi *m* radiotáxi.
radiotelefonía *f* radiotelefonia.
radioterapia *f* MED radioterapia.
radiotransmisor *m* radiotransmissor.
radioyente *m o f* ouvinte de rádio.
radón *m* QUÍM radônio.
raer *tr* **1** raspar (con instrumento). **2** gastar (por el uso).
ráfaga *f* **1** rajada, lufada (de aire). **2** clarão, lampejo. **3** rajada (de balas, proyectiles).
rafia *f* ráfia (planta, fibra).
ragú *m* GAST ragu.
raído, da *adj* surrado (por el uso).
raigambre *f* **1** raizame, raizada. **2** (fig) raízes (origen).

raíl o **rail** *m* trilho, carril.
raíz *f* **1** BOT raiz. **2** (fig) raiz (origen). **3** (fig) raiz (causa). **4** MAT raiz. ◆ **~ cuadrada** MAT raiz quadrada. ■ **a ~ de** (fig) devido a.
raja *f* **1** racha, fenda. **2** fatia (de alimento).
rajar *tr y pron* **1** rachar (partir). ● *intr* **2** (fig, fam) furar (herir). ● **~se** *pron* **3** pular para trás (acobardarse).
rajatabla a ~ *loc adv* (fig, fam) sem sair dos trilhos.
ralea *f* **1** espécie, gênero. **2** (desp) ralé.
ralentí *m* **1** marcha lenta. **2** CINE câmara lenta.
ralentizar *tr* desacelerar.
rallador *m* ralador (utensilio).
rallar *tr* **1** ralar. **2** (fig, fam) pentelhar (fastidiar).
rally *m* rali.
ralo, la *adj* ralo.
rama *f* **1** ramo, galho. **2** (fig) ramo, campo (ámbito). ■ **andar o irse por las ramas** (fig, fam) fazer rodeios.
ramadán *m* ramadã.
ramal *m* ramal (de cuerdas, sogas).
ramalazo *m* (fam) acesso, surto (espanto).
rambla *f* **1** avenida com calçada central. **2** leito, vala (de aguas pluviales).
ramera *f* rameira, prostituta.
ramificación *f* ramificação.
ramificar *intr* **1** ramificar (árbol). ● **~se** *pron* **2** ramificar-se (dividirse).
ramillete *m* **1** ramalhete, buquê. **2** (fig) coleção.
ramo *m* **1** ramo, galho. **2** ramo, ramalhete (de flores).
rampa *f* **1** rampa (inclinación). **2** cãibra (calambre).
ramplón, na *adj* (fig) vulgar, chulo.
ramplonería *f* vulgaridade.
rana *f* **1** rã. **2** macaquinho (ropa de bebé). ■ **salir algo ~** (fig, fam) sair pela culatra.
ranchera *f* MÚS rancheira (baile, música).
ranchero, ra *adj/m y f* rancheiro.
rancho *m* **1** rancho (comida). **2** rancho (grupo de personas). **3** *Amér.* rancho (granja).
ranciedad *f* rancidez.
rancio, cia *adj* **1** ranço, rançoso (vino, alimento). **2** (fig) rançoso (anticuado).
rango *m* **1** categoria, classe. **2** *Amér.* alta-roda, nata.
ranking *m* ranking.
ranura *f* ranhura, sulco.
rapapolvo *m* (fam) esfrega, dura (reprensión).
rapar *tr y pron* **1** rapar, raspar (pelo, barba). ● *tr* **2** (fig, fam) rapar, limpar (robar).
rapaz *adj y f* **1** de rapina (ave). ● *m* **2** rapaz (joven).
rape *m* peixe-pescador.
rapidez *f* rapidez.
rápido, da *adj* **1** rápido. ● *m* **2** corredeira, rápido (de río).
rapiña *f* rapina (robo).
rappel *m* rapel.
raptar *tr* raptar.
rapto *m* **1** rapto, seqüestro. **2** arrebato, impulso.
raqueta *f* **1** raquete, raqueta. **2** raquete (calzado).
raquítico, ca *adj/m y f* **1** raquítico (delgado). ● *adj* **2** (fig) raquítico (escaso).
raquitismo *m* MED raquitismo.
rareza *f* raridade, rareza.
rarificar *tr y pron* rarefazer.
raro, ra *adj* **1** esquisito, extravagante. **2** raro, pouco comum.
ras *m* raso, rente. ■ **a ~ de** rente a.
rasante *adj* rasante.
rasar *tr* **1** rasar (nivelar). **2** roçar, raspar (rozar).
rascacielos *m* arranha-céu.
rascadura *f* coçagem.
rascar *tr y pron* **1** coçar (frotar). ● *tr* **2** arranhar.
rasgado, da *adj* rasgado (ojos, boca).
rasgadura *f* **1** rasgamento, rasgadura. **2** rasgão (de tela, ropa).
rasgar *tr y pron* **1** rasgar (romper). ● *tr* **2** rasgar, tocar (guitarra).
rasgo *m* **1** traço, risco. **2** característica, peculiaridade (propiedad). ● **rasgos** *m pl* **3** traço, feição.
rasgueado *m* rasgado, rasqueado (de guitarra).
rasguear *tr* rasgar, tocar (guitarra).
rasguño *m* **1** arranhão. **2** ART esboço, rascunho.
raso, sa *adj/m y f* **1** raso (plano). ● *adj* **2** raso, rasteiro (a poca altura). ● *m* **3** cetim, raso (tela). ■ **al ~** ao relento.
raspa *f* **1** espinha (de pez). **2** fiapo (pelo).
raspado *m* **1** raspagem, raspadura. **2** MED raspagem, curetagem.

raspadura *f* raspadura, raspagem.
raspar *tr* **1** raspar (raer). **2** roçar, raspar. **3** arranhar.
rasponazo *m* arranhão, raspão.
rasqueta *f* **1** raspadeira. **2** *Amér. Merid., Ant.* rascadeira.
rastrear *tr* **1** rastrear, rastejar. • *intr* **2** (fig) averiguar, inquirir.
rastreo *m* rastreio, rastreamento.
rastrero, ra *adj* **1** rasteiro. **2** (fig) baixo, desprezível.
rastrillar *tr* assedar, rastelar.
rastrillo *m* rastelo, ancinho.
rastro *m* **1** rastelo (rastrillo). **2** rastro, rasto (vestigio). **3** pegada, rastro. ▪ **no haber ni ~ de** (fig, fam) não ter nem sinal de.
rasurar *tr y pron* raspar, barbear.
rata *f* **1** rato, ratazana. **2** (fig, fam) verme (persona despreciable). ▪ **más pobre que una ~** (fig, fam) não ter um tostão.
ratear *tr* **1** ratear (dividir). **2** furtar, surrupiar. • *intr* **3** mesquinhar (tacañear).
ratería *f* **1** gatunice, ratonice (hurto). **2** pão-durismo, sovinice (tacañería).
ratero, ra *adj/m y f* gatuno, rato (ladrón).
raticida *m* raticida.
ratificación *f* ratificação.
ratificar *tr y pron* confirmar, ratificar.
rato *m* instante, momento. ▪ **a cada ~** a toda hora; **a ratos** de quando em quando; **para ~** para muito tempo; **pasar un mal ~** passar um mau pedaço.
ratón *m* **1** rato. **2** INF mouse. ♦ **~ de biblioteca** rato de biblioteca.
ratonera *f* **1** ratoeira (trampa). **2** toca (madriguera).
raudal *m* **1** caudal, torrente. **2** (fig) torrente (abundancia).
raudo, da *adj* rápido, veloz.
raviolis *m* raviólí.
raya *f* **1** listra. **2** risca, repartido (de cabello). **3** (fig, fam) limite. **4** (fig, fam) carreira (de cocaína). ▪ **pasarse de la ~** (fig, fam) passar do limite.
rayano, na *adj* **1** limítrofe, vizinho. **2** (fig) próximo, análogo.
rayar *tr* **1** raiar, riscar. **2** arranhar, riscar (estropear).
rayo *m* **1** raio (solar, ultravioleta, de luz). **2** raio, relâmpago. ♦ **~ laser** raio laser; **rayos infrarrojos** infravermelho; **rayos X** raios X.
rayón *m* raiom (filamento, tela).
rayuela *f* amarelinha.
raza *f* **1** raça (linaje). **2** BIOL geração, raça.
razón *f* **1** razão (inteligencia). **2** ração, juízo. **3** razão (argumento). **4** razão (motivo, causa). ♦ **~ social** razão social. ▪ **entrar en ~** ser razoável; **perder la ~** perder o juízo.
razonado, da *adj* razoável, razoado.
razonamiento *m* **1** razoamento, raciocínio. **2** alegação, argumentação.
razonar *intr* **1** raciocinar. • *tr* **2** expor, explanar.
razia *f* razia, saque.
reabrir *tr y pron* reabrir.
reabsorber *tr* **1** reabsorver. • **~se** *pron* **2** MED absorver.
reacción *f* **1** reação (respuesta). **2** reação (comportamiento, actitud). ♦ **~ en cadena** FÍS, QUÍM reação em cadeia.
reaccionar *intr* **1** reagir. **2** QUÍM reagir.
reaccionario, ria *adj/m y f* reacionário.
reacio, cia *adj* contrário, resistente.
reactivar *tr* reativar.
reactivo, va *adj* **1** reativo. • *m* **2** QUÍM reagente.
reactor *m* **1** reator (motor). **2** QUÍM reator.
readmitir *tr* readmitir.
reajustar *tr* reajustar.
reajuste *m* reajuste.
real *adj* **1** real (regio). **2** real (verdadero). **3** (fig) real, magnificente. • *m* **4** real (moneda).
realce *m* **1** realce, realçamento. **2** (fig) realce, destaque.
realeza *f* realeza.
realidad *f* realidade. ♦ **~ virtual** INF realidad virtual.
realismo *m* **1** realismo. **2** FIL realismo. ♦ **~ mágico** LIT realismo mágico.
realista *adj/m y f* realista.
realización *f* realização.
realizar *tr y pron* **1** realizar (ejecutar). • *tr* **2** dirigir (película, programa). • **~se** *pron* **3** realizar-se (cumplirse).
realzar *tr y pron* **1** realçar (elevar). **2** (fig) engrandecer.
reanimación *f* reanimação.
reanimar *tr y pron* **1** reanimar (fortalecer). **2** (fig) reanimar, animar.
reanudar *tr y pron* retomar, recomeçar.
reaparecer *tr* reaparecer.

rearme *m* rearmamento.
reasegurar *tr* ressegurar.
reaseguro *m* resseguro, contra-seguro.
reasumir *tr* reassumir.
reata o **riata** *f* **1** arreata (correa). **2** arreata (caravana).
reavivar *tr y pron* reavivar.
rebaja *f* **1** rebaixa, rebaixamento. • **rebajas** *f pl* **2** liquidação.
rebajar *tr* **1** rebaixar (disminuir). **2** liquidar, rebaixar (precios). • *tr y pron* **3** (fig) humilhar, rebaixar.
rebanada *f* fatia, talhada (de pan).
rebanar *tr* fatiar.
rebañar *tr* **1** arrebanhar, rebanhar. **2** limpar (plato).
rebaño *m* **1** rebanho. **2** (fig) rebanho (fieles).
rebasar *tr* ultrapassar.
rebatir *tr* **1** rebater (rechazar). **2** (fig) rebater, refutar.
rebato *m* **1** rebate, convocação. **2** (fig) alarme.
rebeca *f* jaqueta de tricô.
rebeco *m* camurça.
rebelarse *tr y pron* **1** rebelar-se (sublevarse). **2** (fig) rebelar-se, opor-se.
rebelde *adj/m y f* **1** rebelde (amotinado). • *adj* **2** rebelde (desobediente).
rebeldía *f* rebeldia.
rebelión *f* rebelião, revolta.
rebenque *m* rebenque.
rebobinar *tr* rebobinar.
reborde *m* rebordo, borda.
rebosar *intr y pron* **1** derramar, transbordar. • *intr y tr* **2** (fig) transbordar, sobrar. **3** (fig) encher, entupir.
rebotar *intr* **1** quicar, rebotar. **2** ricochetear.
rebote *m* **1** rebote. **2** (fig, coloq) irritação. **3** DEP rebote (de pelota).
rebozar *tr y pron* **1** rebuçar (esconder, ocultar). • *tr* **2** empanar (alimento).
rebullir *intr y pron* rebulir, remexer.
rebuscado, da *adj* rebuscado, requintado.
rebuscamiento *m* rebuscamento.
rebuscar *tr* **1** esquadrinhar, rebuscar (escudriñar). **2** recatar, respigar (recoger).
rebuznar *intr* zurrar, ornear.
rebuzno *m* zurro, orneio.
recabar *tr* solicitar, reivindicar.
recado *m* **1** recado (mensaje). **2** encargo, encomenda. **3** assunto (tarea). ▪ **hacer unos recados** (fam) resolver alguns assuntos.
recaer *intr* **1** recair (enfermar). **2** recair (reincidir). **3** recair, tocar (atribuir).
recaída *f* recaída.
recalar *tr y pron* **1** encharcar, infiltrar. • *intr* **2** (fig) ir parar, acabar.
recalcar *tr* **1** (fam) enfatizar, ressaltar. **2** recalcar, apertar.
recalcitrante *adj* recalcitrante.
recalentar *tr* **1** reaquecer, requentar. **2** (fig) escaldar (excitar).
recamar *tr* recamar (bordar).
recambiar *tr* substituir, trocar.
recambio *m* **1** substituição, troca. **2** reserva (pieza).
recapacitar *tr e intr* repensar, reconsiderar.
recapitulación *f* recapitulação.
recapitular *tr* recapitular.
recargado, da *adj* **1** recarregado: *pilas recargadas = pilhas recarregadas.* **2** sobrecarregado, exagerado (adornado).
recargar *tr* **1** recarregar. **2** sobrecarregar. **3** (fig) sobrecarregar (de adornos).
recargo *m* **1** sobrecarga. **2** juro de mora (multa).
recatado, da *adj* **1** recatado (circunspecto). **2** recatado (honesto, modesto): *es una mujer muy recatada = é uma mulher muito recatada.*
recato *m* recato (reserva).
recaudación *f* arrecadação, arrecadamento.
recaudador, ra *m y f* arrecadador.
recaudar *tr* arrecadar.
recaudo *m* arrecadação, arrecadamento. ▪ **a buen ~** em lugar seguro.
recelar *tr y pron* recear.
recelo *m* receio.
recensión *f* recensão.
recepción *f* **1** recepção, recebimento. **2** recepção (ceremonia, fiesta).
recepcionista *m o f* recepcionista.
receptáculo *m* receptáculo.
receptar *tr* receptar.
receptividad *f* receptividade.
receptivo, va *adj* receptivo.
recesión *f* **1** recessão (retroceso). **2** ECON recessão.
receso *m* **1** recesso (pausa). **2** separação, afastamento.

r

receta *f* **1** receita (médica, de comida). **2** (fig) receita (de éxito, felicidad).
recetar *tr* receitar.
recetario *m* **1** receituário. **2** livro de receitas (de cocina).
rechazar *tr* **1** repelir (un cuerpo a otro). **2** (fig) recusar (invitación, pedido). **3** rejeitar (medicamento).
rechazo *m* **1** repulsão. **2** recusa (de invitación, pedido). **3** MED rejeição.
rechifla *f* **1** vaia (pitada). **2** (fam) sarro, gozação.
rechiflar *tr* **1** vaiar (silbar). • **~se** *pron* **2** gozar, tirar sarro (burlarse).
rechinar *intr* ranger, chiar.
rechistar *intr* chiar, resmungar.
rechoncho, cha *adj* (fam) rechonchudo.
rechupete de ~ *loc* (fam) ótimo.
recibidor *m* hall, vestíbulo.
recibimiento *m* recebimento, recepção.
recibir *tr* **1** receber (carta, noticia, felicitaciones). **2** receber, levar (golpe, susto). **3** receber, aceitar (opinión, sugerencia). **4** receber (visita, invitado).
recibo *m* **1** recebimento, recepção. **2** recibo.
reciclaje *m* **1** reciclagem (de materia). **2** (fig) reciclagem (actualización).
reciclar *tr* **1** reciclar (materia). • *tr y pron* **2** (fig) reciclar (actualizar).
recién *adv* recém, recentemente.
reciente *adj* **1** recente (fresco). **2** recente, novo.
recinto *m* recinto.
recio, cia *adj* **1** forte, vigoroso. **2** áspero, ríspido (de carácter). **3** duro, insuportável.
recipiente *m* **1** recipiente (utensilio). **2** recipiente (vaso).
reciprocidad *f* reciprocidade.
recíproco, ca *adj* recíproco.
recital *m* recital.
recitar *tr* **1** recitar, declamar. **2** dizer de cor.
reclamación *f* **1** reclamação, clamor. **2** reclamação (petición).
reclamar *intr* **1** reclamar (quejarse). • *tr* **2** reclamar (pedir). **3** reclamar, clamar.
reclamo *m* **1** reclamo (ave amaestrada). **2** propaganda, comercial. **3** chamada (en texto).
reclinar *tr y pron* reclinar.
recluir *tr y pron* recluir.
reclusión *f* reclusão.
recluso, sa *adj* **1** recluso, enclausurado. • *m y f* **2** recluso, reclusionário.
recluta *m* **1** recruta (soldado). • *f* **2** ⇒ reclutamiento.
reclutamiento *m* recrutamento.
reclutar *tr* **1** recrutar, alistar (reclutas). **2** recrutar (reunir).
recobrar *tr* **1** recobrar (readquirir). • **~se** *pron* **2** recobrar-se (de un daño, enfermedad).
recochineo *m* (fam) sarro, gozação.
recodo *m* cotovelo, ângulo fechado.
recogepelotas *m o f* gandula.
recoger *tr* **1** recolher, pegar. **2** recolher (juntar, reunir). **3** buscar, pegar: *voy a recoger el pastel que encargué = vou pegar o bolo que encarguei*. **4** ordenar, arrumar. • **~se** *pron* **5** recolher-se (retirarse).
recogida *f* **1** coleta (de objetos, basura). **2** colheita (de frutas).
recogido, da *adj* **1** recolhido. • *adj/m y f* **2** recolhido, retraído.
recolección *f* **1** colheita. **2** recompilação, compêndio.
recolectar *tr* **1** colher, apanhar. **2** coletar, arrecadar.
recoleto, ta *adj/m y f* **1** recoleto. • *adj* **2** (fig) retirado, isolado (lugar).
recomendación *f* **1** recomendação (consejo). **2** recomendação (elogio).
recomendar *tr* **1** recomendar (aconsejar). • *tr y pron* **2** recomendar (para empleo, función).
recomenzar *tr* recomeçar.
recompensa *f* **1** recompensa, recompensação. **2** recompensa, gratificação.
recompensar *tr* **1** recompensar (retribuir). **2** recompensar (premiar).
recomponer *tr* recompor.
recompra *f* recompra.
reconcentrar *tr* **1** reconcetrar (volumen). • **~se** *pron* **2** (fig) ensimesmar-se.
reconciliación *f* reconciliação.
reconciliar *tr y pron* **1** reconciliar, harmonizar. • *tr* **2** reconciliar (restituir).
reconcomerse *pron* roer-se, remoerse-se (atormentarse).
reconcomio *m* **1** remorso. **2** (fam) comichão (deseo).
recóndito, ta *adj* recôndito (oculto).
reconducir *tr* reconduzir, voltar (a sitio, tema).

reconfortante *adj y m* reconfortante.
reconfortar *tr* reconfortar.
reconocer *tr y pron* **1** reconhecer (identificar). • *tr* **2** reconhecer, examinar (terreno). **3** reconhecer (aceptar).
reconocido, da *adj* **1** reconhecido (error, pecado). **2** reconhecido, grato.
reconocimiento *m* **1** reconhecimento (identificación). **2** reconhecimento (aceptación). **3** exame (médico).
reconquista *f* reconquista.
reconquistar *tr* **1** reconquistar (terreno). **2** (fig) reconquistar, recobrar (opinión, afecto).
reconsiderar *tr* reconsiderar.
reconstituir *tr y pron* **1** reconstituir, refazer. **2** reconstituir, revigorar (salud).
reconstituyente *adj* **1** reconstituinte. • *adj y m* **2** reconstituinte (medicamento).
reconstrucción *f* reconstrução.
reconstruir *tr* **1** reconstruir (edificios, ciudades, objetos). **2** (fig) reconstruir (hechos, recuerdos).
reconvención *f* **1** repreensão. **2** DER reconvenção.
reconvenir *tr* **1** repreender. **2** DER reconvir.
reconversión *f* reconversão.
reconvertir *tr* reconverter.
recopilación *f* recopilação.
recopilar *tr* recopilar, recompilar.
récord *m* **1** DEP recorde. **2** recorde: *consiguió el récord de ventas = conseguiu o recorde de vendas.*
recordar *tr, intr y pron* **1** recordar, lembrar. • *tr* **2** recordar (semejar).
recordatorio *m* lembrete.
recorrer *tr* **1** recorrer, percorrer. **2** recorrer, esquadrinhar (examinar).
recorrido *m* **1** percurso, trajeto. **2** percurso, itinerário.
recortado, da *adj* **1** recortado. • *m* **2** recorte (de revista, periódico, foto).
recortar *tr* **1** recortar (cortar). **2** (fig) cortar, diminuir (sueldo, gastos).
recorte *m* **1** recorte, pedaço. **2** corte (de gastos, sueldo).
recostar *tr y pron* recostar.
recoveco *m* **1** volta, canto (de río, calle). **2** (fig) rodeio, evasiva.
recreación *f* **1** recriação. **2** recreação (diversión).
recrear *tr* **1** recriar. • *tr y pron* **2** recrear (divertir).
recreativo, va *adj* recreativo.
recreo *m* **1** recreio (lugar). **2** recreio (del colegio). **3** recreação, divertimento.
recriminación *f* recriminação.
recriminar *tr* recriminar (censurar).
recrudecer *intr y pron* recrudescer, agravar.
recrudecimiento *m* recrudescimento, recrudescência.
recta *f* reta.
rectal *adj* retal.
rectangular *adj* **1** retangular. **2** GEOM retangular.
rectángulo, la *adj* **1** GEOM retângulo. • *m* **2** GEOM retângulo.
rectificar *tr* **1** retificar, corrigir (error). • *tr y pron* **2** retificar (contradecir).
rectilíneo, a *adj* **1** GEOM retilíneo. **2** (fig) retilíneo (austero).
rectitud *f* **1** retidão. **2** (fig) retidão (probidad).
recto, ta *adj* **1** reto (derecho). **2** reto, direto (directo). **3** (fig) reto, íntegro.
rector, ra *m y f* **1** reitor (de universidad). **2** diretor (de escuela, hospital).
recua *f* récua.
recuadro *m* quadro (división).
recubrir *tr* recobrir.
recuento *m* recontagem.
recuerdo *m* **1** lembrança, recordação. **2** (fig) lembrança (regalo).
recular *intr* **1** recuar, retroceder. **2** (fig, fam) recuar (ceder).
recuperación *f* recuperação.
recuperar *tr* **1** recuperar, reaver. • **~se** *pron* **2** recuperar-se, restabelecer-se.
recurrente *adj* **1** recorrente. • *m o f* **2** DER recorrente.
recurrir *intr* recorrer (acudir).
recurso *m* **1** recurso (medio). **2** DER recurso. • **recursos** *m pl* **3** recursos (bienes). **4** recursos (medios). ♦ **recursos humanos** recursos humanos.
recusar *tr* recusar (rechazar).
red *f* **1** rede (aparejo). **2** rede (tejido). **3** (fig) rede (trampa). **4** rede, cadeia (de establecimientos). **5** INF rede.
redacción *f* **1** redação (de un texto). **2** redação (ejercicio escolar). **3** redação (oficina).
redactar *tr* redigir, escrever.

r

redada *f* **1** redada (lance). **2** (fig) batida policial, blitz.
redención *f* redenção, salvação.
redicho, cha *adj/m y f* afetado, rebuscado.
redimir *tr y pron* redimir, remir (libertarse).
redistribuir *tr* redistribuir.
rédito *m* rédito.
redoblar *tr y pron* **1** redobrar (aumentar). • *tr* **2** redobrar (repetir).
redoble *m* **1** redobre (de tambor). **2** redobro, redobramento.
redomado, da *adj* perfeito, consumado.
redondeado, da *adj* arredondado.
redondear *tr y pron* **1** arredondar, redondear. • *tr* **2** arredondar (cifra, valor).
redondel *m* (fam) círculo, circunferência.
redondez *f* redondeza.
redondo, da *adj* **1** redondo (esférico). **2** (fig) redondo, perfeito. ■ **en ~** (fam) redondamente.
reducción *f* **1** redução (disminución). **2** redução (sujeción).
reducido, da *adj* reduzido.
reducir *tr y pron* **1** reduzir (disminuir). **2** reduzir (transformar). • *tr* **3** reduzir (resumir).
redundancia *f* redundância.
redundante *adj* redundante.
redundar *intr* **1** redundar (rebosar). **2** redundar, resultar.
reduplicar *tr* **1** reduplicar (aumentar). **2** reduplicar (repetir).
reeditar *tr* reeditar.
reeducar *tr* reeducar.
reembolsar *tr y pron* reembolsar.
reembolso *m* **1** reembolso (devolución). **2** reembolso (cantidad).
reemplazar *tr* **1** substituir, trocar. **2** substituir, suceder (en empleo, cargo, actividad).
reemplazo *m* **1** substituição. **2** MIL recrutamento.
reencarnación *f* reencarnação.
reencarnar *intr y pron* reencarnar.
reencuentro *m* reencontro.
reestreno *m* reestréia.
reestructuración *f* reestruturação.
reestructurar *tr* reestruturar.
refaccionar *tr Amér.* consertar, restaurar.
referencia *f* **1** referência (relato, noticia). **2** referência (remisión). **3** (gralte pl) referências (informe).
referéndum o **referendo** *m* referendo, referendum.
referente *adj* **1** referente. • *m* **2** GRAM referente.
referir *tr* **1** referir (contar). • *tr y pron* **2** referir (mencionar).
refilón de ~ *loc adv* **1** de soslaio, obliquamente. **2** (fig) por cima, superficialmente.
refinado, da *adj* **1** refinado. **2** (fig) refinado (delicado). **3** (fig) refinado, requintado.
refinamiento *m* **1** refinamento (esmero). **2** refinamento, requinte.
refinar *tr* **1** refinar (sustancia). **2** (fig) refinar, aprimorar (técnica, arte).
refinería *f* refinaria.
reflejar *tr y pron* **1** refletir (en una superficie). **2** refletir (mostrar).
reflejo, ja *adj* **1** reflexo, refletido. • *m* **2** reflexo (luz, imagen). • **reflejos** *m pl* **3** reflexos (reacción rápida).
reflexión *f* **1** reflexão (meditación). **2** (fig) reflexão (advertencia). **3** FÍS reflexão (reflejo).
reflexionar *intr y tr* refletir, meditar.
reflexivo, va *adj* **1** reflexivo, ponderado. • *adj/m y f* **2** GRAM reflexivo.
reflexología *f* MED reflexologia.
reflexoterapia *f* MED reflexoterapia.
reflotar *tr* **1** voltar a flutuar (embarcación). **2** (fig) recuperar, reabilitar (empresa, negocio).
refluir *intr* **1** refluir (líquido). **2** (fig) resultar, redundar.
reflujo *m* refluxo.
refocilarse *pron* esbaldar-se.
reforestar *tr* reflorestar.
reforma *f* reforma (modificación).
reformado, da *adj/m y f* **1** reformado (religioso). • *adj* **2** reformado (militar).
reformar *tr* **1** reformar (rehacer). **2** reformar (mejorar).
reformatorio *m* reformatório.
reformista *adj/m y f* reformista.
reforzado, da *adj* **1** reforçado. • *adj y m* **2** reforço (en una prenda).
reforzar *tr* **1** reforçar (fortalecer). **2** reforçar (intensificar).
refractar *tr y pron* ÓPT refratar.

refractario, ria *adj* refratário (insubmisso).
refrán *m* ditado popular, provérbio.
refranero *m* coleção de provérbios.
refregar *tr y pron* **1** esfregar. • *tr* **2** (fig, fam) esfregar na cara.
refreír *tr* **1** fritar outra vez. **2** fritar bem.
refrenar *tr* **1** refrear. • *tr y pron* **2** (fig) refrear (contener).
refrendar *tr* **1** referendar (documento). **2** confirmar, ratificar.
refrendo *m* referenda.
refrescante *adj* refrescante.
refrescar *tr y pron* **1** refrescar (atemperar). • *intr y pron* **2** refrescar, refrigerar. • *tr* **3** refrescar (recordar).
refresco *m* refresco, refrigerante.
refriega *f* confronto, refrega.
refrigeración *f* refrigeração.
refrigerador, ra *adj/m y f* **1** refrigerador. • *m y f* **2** refrigerador, geladeira.
refrigerante *adj y m* refrigerante, refrigerador (sustancia, aparato).
refrigerar *tr* refrigerar.
refrigerio *m* **1** refrigério (frescor). **2** lanche, boquinha.
refrito *m* **1** refogado. **2** (fig) miscelânea.
refuerzo *m* **1** reforço (fortalecimiento). **2** reforço (ayuda). • **refuerzos** *m pl* **3** MIL reforços.
refugiado, da *m y f* refugiado.
refugiar *tr* **1** amparar, abrigar. • **~se** *pron* **2** refugiar-se.
refugio *m* **1** refúgio (amparo). **2** refúgio, abrigo (lugar).
refulgencia *f* refulgência.
refulgente *adj* refulgente.
refulgir *intr* refulgir.
refundición *f* refundição.
refundir *tr* **1** refundir (metales). **2** (fig) refundir (discurso, texto).
refunfuñar *intr* resmungar.
refutación *f* refutação.
refutar *tr* refutar.
regadío *m* terreno irrigado.
regalado, da *adj* **1** presenteado. **2** agradável, cômodo.
regalar *tr* **1** presentear. **2** brindar, agradar.
regaliz *f* **1** alcaçuz. **2** dropes de alcaçuz.
regalo *m* **1** presente, lembrança. **2** deleite, regozijo (complacencia).
regañadientes a ~ *loc adv* na marra, a contragosto.
regañar *intr* **1** rosnar (perro). **2** (fam) repreender, ralhar. **3** (fam) discutir, brigar.
regañina *f* chamada, bronca.
regar *tr* **1** regar, aguar (plantas). **2** regar, banhar (río). **3** (fig) espalhar.
regata *f* MAR regata.
regate *m* drible, finta.
regatear *tr* **1** pechinchar, regatear. • *intr* **2** driblar.
regatista *m o f* MAR regatista.
regazo *m* **1** regaço, colo. **2** (fig) regaço (amparo, consuelo).
regencia *f* **1** regência (gobierno, tiempo). **2** regência (cargo).
regeneración *f* **1** regeneração (restablecimiento). **2** regeneração (de conductas, hábitos).
regenerar *tr y pron* **1** regenerar (restablecer). **2** regenerar, reabilitar (de drogas, malos hábitos).
regentar *tr* reger, dirigir.
regente *m o f* regente (dirigente).
regicida *adj/m y f* regicida.
regicidio *m* regicídio.
régimen *m* **1** regime, regimento (normas). **2** regime, dieta. **3** regime (sistema político).
regimiento *m* **1** regimento (gobierno). **2** (fam) regimento (multitud). **3** MIL regimento.
regio, gia *adj* **1** régio (real). **2** (fig) régio (suntuoso).
región *f* **1** região (territorio). **2** região (área). **3** ANAT região.
regional *adj* regional.
regionalismo *m* **1** regionalismo (doctrina). **2** regionalismo (apego). **3** regionalismo (vocablo, giro).
regir *tr* **1** reger (dirigir). **2** GRAM reger. • *intr* **3** viger, vigorar.
registrar *tr* **1** revistar, inspecionar. **2** registrar (inscribir). **3** gravar (sonido, imagen). • **~se** *pron* **4** registrar-se (matricularse).
registro *m* **1** revista, inspeção. **2** registro (inscripción). **3** registro, cartório. **4** registro (libro). ◆ **~ civil** registro civil; **~ mercantil** registro comercial.
regla *f* **1** régua (instrumento). **2** regra (precepto, norma). **3** mestruação, regras. ■ **en ~** em ordem; **por ~ general** por via de regra.
reglado, da *adj* **1** regrado (ordenado). **2** regrado, sensato.

r

reglaje *m* regulagem, ajuste.
reglamentar *tr* regulamentar.
reglamentario, ria *adj* regulamentar, regulamentário.
reglamento *m* regulamento.
reglar *tr y pron* **1** regular (medir). • *tr* **2** regular, regrar.
regocijarse *pron* regozijar-se, contentar-se.
regocijo *m* regozijo, deleite.
regodearse *pron* (fam) esbaldar-se (deleitarse).
regodeo *m* diversão (deleite).
regordete, ta *adj* (fam) gorducho, fofo.
regresar *intr y pron* **1** regressar (volver). • *intr* **2** *Amér.* devolver, restituir.
regresión *f* **1** regressão (retroceso). **2** regressão, retorno.
regresivo, va *adj* regressivo.
regreso *m* regresso.
reguero *m* **1** rastro (de sangre, tinta). **2** regueira (corriente, surco).
regulado, da *adj* regulado.
regular *adj* **1** regular (uniforme). **2** regular (mediocre). **3** regular, mediano. • *adv* **4** mais ou menos.
regular *tr* **1** regular (ajustar). **2** regular (regularizar).
regularidad *f* regularidade.
regularizar *tr y pron* regularizar, normalizar.
regurgitar *intr* regurgitar.
regusto *m* **1** gosto, sabor. **2** (fig) gosto, satisfação.
rehabilitación *f* **1** reabilitação (restauración). **2** MED reabilitação.
rehabilitar *tr y pron* reabilitar.
rehacer *tr y pron* **1** refazer (restablecer). • *tr* **2** refazer (volver a hacer). • **~se** *pron* **3** refazer-se, recuperar-se.
rehecho, cha *adj* refeito.
rehén *m* refém.
rehogar *tr* refogar.
rehuir *tr, intr y pron* **1** evitar, refugir. • *tr* **2** repelir, evitar.
rehusar *tr* recusar, rejeitar.
reimplantar *tr* reimplantar.
reimpresión *m* reimpressão.
reina *f* **1** rainha (soberana). **2** (fig) rainha: *fue la reina de la fiesta = foi a rainha da festa.* ◆ **abeja ~** rainha, abelha-rainha.
reinado *m* **1** reinado (gobierno). **2** (fig) reinado, predomínio.
reinar *intr* **1** reinar (gobernar). **2** (fig) reinar (prevalecer).
reincidencia *f* reincidência.
reincidente *adj* reincidente.
reincidir *intr* reincidir.
reincorporación *f* reincorporação.
reincorporar *tr e intr* reincorporar.
reingresar *intr* reingressar.
reiniciar *tr* reiniciar, reinicializar.
reino *m* **1** reino (territorio). **2** reino (campo, ámbito). ◆ **~ animal** reino animal; **~ vegetal** reino vegetal.
Reino Unido, el *m* Reino Unido.
reinserción *f* reinserção.
reinsertar *tr y pron* reinserir.
reintegrar *tr* **1** restituir, devolver (dinero). • **~se** *pron* **2** reintegrar-se. **3** recuperar (bienes).
reintegro *m* **1** restituição (de dinero, bienes). **2** reintegração, recuperação.
reír *tr, intr y pron* **1** rir (carcajearse). **2** rir (mofarse). • *intr y pron* **3** rir, sorrir.
reiteración *f* reiteração.
reiterar *tr y pron* reiterar.
reivindicación *f* reivindicação.
reivindicar *tr* reivindicar (reclamar).
reja *f* grade. ■ **entre rejas** (fig, fam) atrás das grades.
rejilla *f* **1** rede, grade (celosía). **2** palhinha (de respaldo, asientos).
rejuvenecedor, ra *adj* rejuvenescedor.
rejuvenecer *tr, intr y pron* rejuvenescer, remoçar.
relación *f* **1** relação (correspondencia). **2** relação (trato). • **relaciones** *f pl* **3** relações. ◆ **~ amorosa** relação amorosa; **relaciones públicas** relações públicas.
relacionar *tr* **1** relacionar (vincular). • **~se** *pron* **2** relacionar-se.
relajación *f* **1** relaxação, relaxamento. **2** relaxamento (negligencia).
relajado, da *adj* relaxado.
relajante *adj* **1** relaxante. • *adj y m* **2** substância relaxante.
relajar *tr y pron* **1** relaxar (aflojar). • **~se** *pron* **2** relaxar, desleixar-se.
relajo *m* **1** relaxo, desleixo (laxitud). **2** relaxamento (degeneración).
relamer *tr y pron* **1** relamber. • **~se** *pron* **2** (fig) lamber-se, regozijar-se.
relamido, da *adj* **1** relambido. **2** amaneirado, afetado.

relámpago *m* **1** relâmpago. **2** (fig) relâmpago (rápido): *visita relámpago = visita relâmpago.*
relampaguear *impers* **1** relampejar. • *intr* **2** (fig) relampejar (brillar).
relampagueo *m* relampejo.
relatar *tr* relatar (contar).
relatividad *f* **1** relatividade. **2** FÍS relatividade.
relativismo *m* FIL relativismo.
relativo, va *adj* **1** relativo (referente). **2** relativo (parcial).
relato *m* relato.
relax *m* relax.
relé *m* ELEC relé.
releer *tr* reler.
relegar *tr* **1** relegar (desterrar). **2** (fig) relegar (apartar).
relente *m* relento, sereno.
relevancia *f* relevância.
relevante *adj* **1** relevante (importante). **2** relevante (excelente).
relevar *tr* **1** relevar (destacar). **2** substituir (en actividad, puesto, empleo).
relevista *adj/m y f* DEP atleta de prova de revezamento.
relevo *m* **1** substituição, revezamento (en actividad, puesto). **2** substituto (en actividad, puesto). • **relevos** *m pl* **3** DEP revezamento.
relieve *m* **1** relevo (en superficie). **2** relevo (de la Tierra). **3** (fig) relevo (importancia).
religión *f* **1** religião (creencia, dogmas). **2** (fig) religião (obligación).
religiosidad *f* **1** religiosidade (devoción). **2** pontualidade.
religioso, sa *adj/m y f* **1** religioso. • *adj* **2** pontual.
relinchar *intr* relinchar, rinchar.
relincho *m* relincho, rincho.
reliquia *f* **1** relíquia. **2** (fig) relíquia (preciosidad). **3** (fig) relíquia (viejo, antiguo).
rellano *m* **1** patamar, tabuleiro (de escalera). **2** planalto (terreno).
rellenar *tr y pron* **1** encher, completar. • *tr* **2** rechear (manjar). **3** preencher (formulario).
relleno, na *adj* **1** recheado (atiborrado). **2** (fig, fam) cheio, gorducho. • *m* **3** recheio (de manjar). **4** recheio, conteúdo (de colchón, almohada).
reloj *m* relógio. ♦ **~ de cuco** relógio de cuco; **~ de pulsera** relógio de pulso.
relojería *f* **1** relojoaria (establecimiento). **2** relojoaria (arte, técnica).
relucir *intr* **1** reluzir (brillar). **2** (fig) reluzir (sobresalir).
reluctante *adj* relutante.
relumbrante *adj* reluzente, resplandecente.
relumbrar *intr* reluzir, relumbrar.
rem *m* FÍS rem.
remachar *tr* **1** rebitar, arrebitar. **2** (fig) insistir em.
remache *m* **1** rebite (clavo). **2** rebitagem.
remake *m* refilmagem.
remanente *m* remanescente, restante.
remangar *intr y pron* arregaçar, arremangar.
remansarse *pron* arremansar-se, remansar-se.
remanso *m* remanso.
remar *intr* remar, vogar.
remarcar *tr* **1** remarcar. **2** destacar, salientar.
rematado, da *adj* completo: *es un idiota rematado = é um completo idiota.*
rematar *tr, intr y pron* **1** rematar (acabar). • *tr* **2** matar, sacrificar (moribundo). **3** rematar, arrematar (prenda).
remate *m* **1** remate (conclusión). **2** remate, acabamento. ■ **de ~** completamente, sem salvação: *está loco de remate = é completamente louco.*
remedar *tr* **1** remedar, arremedar (imitar). **2** parecer, imitar.
remediar *tr y pron* **1** remediar (corregir). **2** remediar (aliviar). • *tr* **3** remediar (evitar).
remedio *m* **1** remédio (para enfermedad). **2** solução, remédio (de problema, daño). ■ **no haber más ~ que** (fig, fam) não ter outra saída senão; **¡qué ~!** que remédio!
remedo *m* remedo, arremedo.
rememorar *tr* rememorar, relembrar.
remendar *tr* **1** remendar (ropa, tela). **2** remendar (corregir).
remesa *f* remessa, envio.
remezón *m Amér.* terremoto fraco.
remiendo *m* **1** remendo. **2** (fig) reparação, conserto.
remilgado, da *adj* afetado, melindroso.
remilgo *m* afetação, melindre.

reminiscencia *f* **1** reminiscência, lembrança. **2** influência.
remirado, da *adj* **1** pensador, meditador. **2** fresco melindroso.
remirar *tr* remirar, olhar.
remisión *f* **1** remissão (en un escrito). **2** remissão (perdón).
remiso, sa *adj* remisso.
remitente *adj/m y f* remetente.
remitir *tr* **1** remeter (enviar). **2** remitir (perdonar). • *tr, intr y pron* **3** remitir, atenuar.
remo *m* **1** remo (pala). **2** DEP remo.
remodelar *tr* remodelar.
remojar *tr y pron* **1** molhar, empapar. • *tr* **2** (fig) celebrar bebendo.
remojo *m* molho, remolho. ■ **a o en ~** de molho.
remojón *m* banho, molhada.
remolacha *f* beterraba.
remolcador *m* rebocador (de embarcaciones).
remolcar *tr* rebocar (vehículo, embarcación).
remolino *m* **1** remoinho, rodamoinho (de aire). **2** remoinho, rodamoinho (de pelo).
remolón, na *adj/m y f* folgado, preguiçoso.
remolonear *intr y pron* vadiar, vagabundear.
remolque *m* **1** reboque. **2** reboque (cabo, cuerda). **3** reboque, carro-guincho.
remontar *tr* **1** subir, escalar. **2** (fig) vencer, superar (obstáculo, dificultad). • **~se** *pron* **3** remontar-se, ter origem.
remonte *m* **1** remonte. **2** superação (de obstáculos).
rémora *f* **1** rêmora. **2** (fig) pedra, obstáculo.
remordimiento *m* remorso, remordimento.
remoto, ta *adj* **1** remoto (distante). **2** improvável.
remover *tr y pron* **1** remover (mudar). **2** remover, remexer.
remozar *tr y pron* remoçar, rejuvenescer.
remuneración *f* remuneração.
remunerar *tr* **1** remunerar (recompensar). **2** remunerar (retribuir).
renacentista *adj/m y f* renascentista.
renacer *intr* renascer.
renacimiento *m* **1** renascimento, ressurgimento. **Renacimiento 2** Renascimento, Renascença.
renacuajo *m* **1** girino. **2** (fig) baixinho (niño).
renal *adj* renal.
rencilla *f* rixa.
rencor *m* rancor, ressentimento.
rencoroso, sa *adj/m y f* rancoroso.
rendición *f* rendição.
rendido, da *adj* rendido, vencido.
rendija *f* fenda, fresta.
rendir *tr y pron* **1** render (vencer). • *tr* **2** render (dar fruto). **3** render, prestar (homenaje, cuenta). • **~se** *pron* **4** render-se, capitular.
renegado, da *adj/m y f* renegado, apóstata.
renegar *tr* **1** renegar (detestar). • *intr* **2** renegar, abandonar (creencias, convicciones). **3** (fig, fam) resmungar, queixar-se.
renegrido, da *adj* enegrecido.
renglón *m* **1** linha (escrita, impresa). **2** pauta, risca. ■ **leer entre renglones** (fig, fam) ler as entrelinhas.
rengo, ga *adj/m y f* manco, coxo.
reniego *m* **1** blasfêmia. **2** (fig, fam)
reno *m* rena.
renombrado, da *adj* renomado, célebre.
renombre *m* renome, fama.
renovación *f* renovação.
renovar *tr y pron* **1** renovar (reemprender). **2** renovar, transformar. • *tr* **3** renovar (actualizar).
renquear *intr* **1** mancar, coxear. **2** (fig, fam) vacilar, hesitar.
renquera *f Amér.* manqueira, coxeadura.
renta *f* **1** renda, rendimento (beneficio). **2** renda, receita (ingreso). ♦ **~ per cápita** renda per capita; **~ vitalicia** renda vitalícia.
rentabilidad *f* rentabilidade.
rentabilizar *tr* rentabilizar, tornar rentável.
rentar *tr e intr* **1** render, produzir. • *tr* **2** *Amér. Merid.* alugar, tomar em locação.
rentista *m o f* rentista.
renuencia *f* resistência, oposição.
renuente *adj* renuente, relutante.
renuncia *f* **1** renúncia (dimisión). **2** renúncia (documento).
renunciar *tr* **1** renunciar (dimitir). **2** renunciar (rechazar, despreciar).
renuncio *m* (fig, fam) mentira, contradição.

reñido, da *adj* **1** brigado, indisposto (enemistado). **2** concorrido, disputado.
reñir *tr* **1** repreender, censurar. • *intr* **2** discutir, brigar.
reo, a *m o f* réu (acusado).
reojo de ~ *loc* de esguelha, de rabo de olho.
reorganizar *tr y pron* reorganizar.
repantigarse *pron* refestelar-se, estirar-se.
reparación *f* **1** reparação, conserto. **2** reparação, ressarcimento.
reparado, da *adj* **1** reparado, consertado. **2** reforçado, fortalecido.
reparar *tr* **1** reparar (arreglar). **2** reparar (remediar, corregir). • *intr* **3** reparar, notar.
reparo *m* **1** reparação, conserto. **2** reparo (advertencia, observación). **3** vergonha, retraimento.
repartición *f* **1** repartição, distribuição (reparto). **2** *Amér.* repartição (de administración pública).
repartir *tr y pron* **1** repartir (dividir, distribuir). • *tr* **2** repartir (entregar).
reparto *m* **1** reparte, partilha. **2** entrega (de mercancías, panfletos). **3** CINE, TEAT elenco.
repasador *m Arg., Par., Ur.* pano de prato.
repasar *tr* **1** repassar, revisar. **2** passar os olhos (releer).
repaso *m* revisão, repasse.
repatear *tr e intr* (fam) irritar, aborrecer.
repatriado, da *adj/m y f* repatriado.
repatriar *tr, intr y pron* repatriar.
repecho *m* ladeira, barranco. ■ **a ~** ladeira acima.
repeinar *tr* pentear outra vez.
repelar *tr y pron* **1** arrepelar, descalvar (cabello). • *tr* **2** podar, capinar.
repelente *adj* **1** repelente, nojento. • *m* **2** repelente (producto).
repeler *tr* **1** repelir (rechazar). • *tr y pron* **2** repelir, repugnar.
repente *m* repente, impulso. ■ **de ~**
repentino, na *adj* repentino.
repercusión *f* repercussão.
repercutir *intr* **1** repercutir (resonar). **2** repercutir (trascender, influir).
repertorio *m* **1** repertório (de canciones, obras). **2** coletânea, coleção.
repesca *f* (fam) repescagem.
repetición *f* repetição. ■ **de ~** de repetição: *arma de repetición = arma de repetição.*
repetidor, ra *adj* **1** repetidor. • *adj/m y f* **2** repetente (estudiante).
repetir *tr* **1** repetir (rehacer, reiterar). • *tr e intr* **2** repetir (comida). • **~se** *pron* **3** repetir-se (volver a suceder).
repintar *tr* repintar.
repipi *adj/m y f* metido, presunçoso.
repiquetear *tr y pron* **1** repicar (campana). • *tr* **2** bater repetidamente.
repiqueteo *m* repique.
repisa *f* prateleira.
replantear *tr* reformular, expor novamente.
replegar *tr y pron* **1** recuar, retroceder (tropas). • *tr* **2** dobrar (muchas vezes).
repleto, ta *adj* repleto.
réplica *f* **1** réplica (respuesta). **2** réplica (copia).
replicar *intr* replicar, responder.
repliegue *m* **1** dobra, vinco. **2** recuo, retirada (de tropas).
repoblación *f* **1** repovoamento. **2** reflorestamento (de plantas).
repoblar *tr y pron* **1** repovoar. • *tr* **2** reflorestar.
repollo *m* repolho.
reponer *tr* **1** repor, recolocar. **2** repor, restituir. • **~se** *pron* **3** recuperar-se (salud, hacienda).
reportaje *m* reportagem.
reportar *tr y pron* **1** reportar, moderar. • *tr* **2** causar, produzir.
reportear *tr Amér.* entrevistar.
reportero, ra *adj/m y f* repórter.
reposacabezas *m* encosto para cabeça.
reposado, da *adj* tranqüilo, sossegado.
reposar *intr* **1** repousar, descansar. • *intr y pron* **2** repousar, ficar quieto.
reposo *m* repouso, descanso.
repostar *tr y pron* reabastecer.
repostería *f* **1** confeitaria (oficio, productos). **2** confeitaria (establecimiento).
repostero, ra *m y f* confeiteiro, doceiro.
reprender *tr* repreender (amonestar).
reprensión *f* repreensão, reprimenda.
represalia *f* (gralte pl) represália.
representación *f* **1** representação (símbolo). **2** representação (actuación). **3** representação (representante).

representante *m o f* **1** representante (delegado). **2** representante, agente (de artistas).
representar *tr* **1** representar (simbolizar). **2** representar (entidad, individuo). **3** representar, interpretar.
representativo, va *adj* representativo.
represión *f* **1** repressão (opresión, dominación). **2** PSIC repressão (contención).
represivo, va *adj* repressivo.
reprimenda *f* reprimenda.
reprimido, da *adj/m y f* reprimido.
reprimir *tr y pron* **1** reprimir (contener, refrenar). • *tr* **2** reprimir (prohibir, castigar).
reprise *m* aceleração (de motor).
reprobación *f* reprovação.
reprobar *tr* **1** reprovar, censurar. **2** *Amér. Merid.* reprovar (examen).
réprobo, ba *adj* réprobo.
reprochar *tr y pron* reprochar.
reproche *m* reproche.
reproducción *f* **1** reprodução (copia). **2** BIOL reprodução (procreación).
reproducir *tr* **1** reproduzir (volver a producir). **2** reproduzir (copiar). • **~se** *pron* **3** reproduzir-se (procrear).
reptar *intr* reptar, arrastar-se.
reptil *adj/m y f* **1** ZOOL réptil. • **reptiles** *m pl* **2** ZOOL répteis.
república *f* **1** república (forma de gobierno). **2** república (Estado, nación).
republicano, na *adj/m y f* republicano.
repudiar *tr* repudiar (rechazar, condenar).
repudio *m* repúdio (condena, rechazo).
repuesto, ta *adj* **1** afastado, escondido. • *m* **2** peça de reposição.
repugnancia *f* **1** repugnância (asco, náusea). **2** repugnância (aversión, rechazo).
repugnante *adj* repugnante.
repugnar *tr* **1** repugnar (rehusar). • *intr* **2** repugnar (causar asco).
repujado, da *adj* **1** cinzelado, lavrado. • *f* **2** obra cinzelada.
repujar *tr* cinzelar, lavrar, esculpir.
repulir *tr* **1** repolir. • *tr y pron* **2** empetecar, arrumar.
repulsa *f* repulsa (rechazo, desprecio).
repulsión *f* **1** repulsa, repulsão (asco, náusea). **2** repulsa (desprecio, condena).
repulsivo, va *adj* repulsivo.
repuntar *intr* repontar.
reputación *f* **1** reputação (opinión). **2** reputação (prestigio, fama).
reputar *tr y pron* reputar, considerar.
requebrar *tr* **1** tornar a quebrar. **2** (fig) requebrar, galantear.
requemar *tr y pron* **1** requeimar (tostar demasiado). **2** requeimar, ressecar. • *tr* **3** requeimar, arder (lengua).
requerimiento *m* requerimento.
requerir *tr* **1** requerer (necesitar, exigir). **2** intimar, convocar.
requesón *m* requeijão.
requiebro *m* requebro, galanteio.
réquiem *m* **1** réquiem (oración). **2** réquiem (obra musical).
requisa *f* **1** revista, inspeção. **2** confisco.
requisito *m* requisito.
requisitorio, ria *adj* DER requisitório, rogatório.
res *f* rês.
resabiado, da *adj* ressabiado, desconfiado.
resabido, da *adj* sabichão, sabe-tudo.
resabio *m* **1** ressaibo, ranço. **2** ressaibo, manha (vicio).
resaca *f* **1** ressaca (de olas). **2** (fam) ressaca (malestar).
resaltar *tr* **1** ressaltar, destacar. • *intr* **2** destacar-se, sobressair.
resarcir *tr y pron* ressarcir.
resbaladizo, za *adj* **1** escorregadio, escorregadiço (objeto). **2** resvaladiço (terreno).
resbalar *tr y pron* **1** escorregar, resvalar. • *intr y pron* **2** (fig) deslizar (equivocarse).
resbalón *m* **1** escorregão. **2** trava (de cerradura). **3** (fam, fig) deslize (indiscreción).
rescatar *tr* **1** resgatar, recuperar. • *tr y pron* **2** (fig) resgatar, salvar.
rescate *m* **1** resgate, recuperação. **2** resgate, salvamento.
rescindir *tr* rescindir.
rescoldo *m* **1** rescaldo, borralho. **2** (fig) resto, resíduo (de sentimiento, afecto).
resecar *tr y pron* **1** ressecar. • *tr* **2** MED ressecar.
reseco, ca *adj* **1** resseco, ressecado. **2** (fig) magro, pele e osso.
resentido, da *adj/m y f* ressentido.
resentimiento *m* ressentimento.
resentirse *pron* **1** ressentir (sentir dolor). **2** (fig) ressentir-se, magoar-se.

reseña *f* **1** resenha, recensão. **2** resenha, resumo.
reseñar *tr* resenhar.
reserva *f* **1** reserva, estoque. **2** reserva, encomenda. **3** reserva, discrição. **4** ECOL reserva (territorio). • *m o f* **5** DEP reserva, substituto.
reservado, da *adj* **1** reservado. • *m* **2** reservado (habitación).
reservar *tr* **1** reservar (guardar). **2** reservar, encomendar. • *tr y pron* **3** reservar (ocultar, callar).
reservista *adj/m y f* MIL reservista.
resfriado *m* resfriado, gripe.
resfriarse *pron* resfriar-se, gripar-se.
resguardar *tr y pron* resguardar (defender).
resguardo *m* **1** resguardo, defesa. **2** protocolo, recibo (de documento).
residencia *f* **1** residência (domicilio). **2** residência, permanência. **3** residência (casa, edificio).
residencial *adj* residencial.
residente *adj/m y f* residente, morador.
residir *intr* **1** residir, morar. **2** (fig) residir, consistir.
residual *adj* residual.
residuo *m* **1** resíduo (resto, sobrante). **2** resíduo (desecho).
resignación *f* **1** resignação (conformidad). **2** resignação, renúncia.
resignarse *pron* **1** resignar-se, conformar-se. **2** resignar-se, submeter-se.
resina *f* resina.
resinoso, sa *adj* resinoso.
resistencia *f* **1** resistência (oposición). **2** resistência (aguante). **3** FÍS resistência. **4** ELEC resistência.
resistente *adj* resistente.
resistir *intr y pron* **1** resistir, opor-se. • *tr* **2** resistir (tolerar). • **~se** *pron* **3** resistir, negar-se.
resol *m* **1** revérbero (reflejo). **2** revérbero (claridad).
resollar *intr* ofegar, arfar.
resolución *f* **1** resolução (decisión). **2** resolução (solución). **3** resolução (ánimo, valor). **4** resolução, nitidez (de imagen).
resoluto, ta *adj* **1** resoluto (firme, determinado). **2** ágil, desenvolto.
resolutorio, ria *adj* resolutório.
resolver *tr y pron* **1** resolver (decidir). **2** resolver (solucionar).
resonancia *f* **1** ressonância (sonido). **2** (fig) repercussão, divulgação.
resonante *adj* ressoante, ressonante.
resonar *intr y tr* **1** ressoar, ressonar. **2** ressoar, ecoar (retumbar). • *tr* **3** (fig) ecoar, repetir.
resoplar *intr* bufar.
resoplido *m* bufo, baforada.
resorte *m* **1** mola. **2** (fig) recurso, meio.
respaldar *tr* **1** respaldar (amparar, apoyar). • **~se** *pron* **2** recostar-se.
respaldo *m* **1** respaldo, encosto. **2** (fig) respaldo (apoyo, garantía).
respectivo, va *adj* respectivo.
respecto *m* respeito (razón, relación). ■ **al ~** a respeito; **~ de o a** a respeito de.
respetabilidad *f* respeitabilidade.
respetar *tr* **1** respeitar (tener consideración). **2** respeitar, acatar (norma, ley).
respeto *m* **1** respeito (consideración). **2** respeito (veneración).
respetuoso, sa *adj* respeitoso.
respingar *intr* **1** escoicear, respingar (caballo). **2** (fig, fam) resmungar, respingar.
respingo *m* sobressalto, susto.
respiración *f* respiração. ■ **sin ~** (fig, fam) sem ar, sem fôlego (impresionado).
respiradero *m* respiro, respiradouro.
respirador, ra *adj* **1** respirador. • *m* **2** MED respirador.
respirar *intr y tr* **1** respirar. • *intr* **2** (fig) respirar (descansar, aliviarse).
respiratorio, ria *adj* respiratório.
respiro *m* **1** respiro, respiração. **2** respiro, folga (descanso).
resplandecer *intr* **1** resplandecer (brillar). **2** (fig) resplandecer (sobresalir).
resplandeciente *adj* resplandecente.
resplandor *m* resplandor, fulgor.
responder *tr* **1** responder (contestar). • *intr* **2** responder, reagir (reaccionar).
respondón, na *adj/m y f* respondão.
responsabilidad *f* responsabilidade.
responsabilizar *tr y pron* responsabilizar.
responso *m* **1** responso (oración). **2** (fam) responso (reprimenda).
respuesta *f* **1** resposta (contestación). **2**
resquebrajar *tr y pron* rachar, fender.
resquicio *m* **1** resquício, fenda (abertura). **2** (fig) resquício (vestigio, indicio).
resta *f* MAT subtração.

restablecer *tr* **1** restabelecer (reanudar). • **~se** *pron* **2** restabelecer (recuperarse).
restallar *tr e intr* **1** estalar (chasquear). • *intr* **2** ranger (crujir).
restante *adj* **1** restante. • *m* **2** MAT restante.
restañar *tr, intr y pron* estancar (sangre).
restar *tr* **1** diminuir, reduzir. **2** MAT subtrair. • *intr* **3** restar (quedar, faltar).
restauración *f* **1** restauração (de obra de arte). **2** restauração (de régimen político).
restaurante *m* restaurante.
restaurar *tr* **1** restaurar (obra de arte). **2** restaurar, restabelecer.
restitución *f* **1** restituição (devolución). **2** restituição (restablecimiento).
restituir *tr* **1** restituir (devolver). **2** restituir (restablecer).
resto *m* **1** resto, sobra. **2** MAT • **restos** *m pl* **3** restos (de comida).
restregar *tr* esfregar, friccionar.
restregón *m* esfregação, fricção.
restricción *f* **1** restrição (limitación). **2** (gralte pl) racionamento (por escasez).
restrictivo, va *adj* restritivo.
restringir *tr* restringir.
resucitar *tr e intr* **1** ressuscitar. • *tr* **2** (fig, fam) ressuscitar (restablecer, renovar).
resuello *m* **1** arquejo, ofego. **2** fôlego, ar (por cansancio).
resuelto, ta *adj* resoluto, resolvido (decidido).
resulta *f* vaga (vacante). ■ **de resultas** como conseqüência.
resultado *m* **1** resultado (efecto, consecuencia). **2** resultado (puntuación). **3** MAT resultado.
resultante *adj* resultante.
resultar *intr* **1** resultar (derivarse). **2**
resultón, na *adj* (fam) charmoso, atraente.
resumen *m* resumo. ■ **en ~** em resumo.
resumir *tr y pron* resumir.
resurgimiento *m* ressurgimento.
resurgir *intr* **1** ressurgir, reaparecer. **2** ressurgir, renascer.
resurrección *f* ressurreição.
retablo *m* retábulo.
retaco, ca *adj/m y f* atarracado, cotó.
retaguardia *f* **1** MIL retaguarda. **2** (fig)
retahíla *f* série, lista.
retal *m* retalho.
retama *f* retama.
retar *tr* **1** desafiar, provocar. **2** *Amér. Merid.* (fam) repreender, admoestar.
retardar *tr y pron* retardar.
retardo *m* demora, retardamento.
retén *m* **1** reforço, reserva. **2** MIL retém.
retención *f* **1** retenção. **2** congestionamento (de vehículos).
retener *tr* **1** reter (guardar, conservar). **2** reter, prender. **3** reter (memorizar). **4** reter (interrumpir).
retentiva *f* retentiva.
retentivo, va *adj/m y f* retentivo, retentor.
reticencia *f* **1** receio, desconfiança. **2** reticência (insinuación).
reticente *adj* **1** reticente. **2** receoso, desconfiado.
retina *f* ANAT retina.
retintín *m* **1** retintim. **2** (fig, fam) deboche, ironia.
retirada *f* **1** retirada, recio. **2** semelhança (parecido).
retirado, da *adj* **1** afastado, distante. • *adj/m y f* **2** aposentado (jubilado).
retirar *tr y pron* **1** retirar (apartar). • *tr* **2** (fig) retirar, desdizer-se. • **~se** *pron* **3** retirar-se, isolar-se. **4** retirar-se, aposentar-se (jubilarse).
retiro *m* **1** retirada, retiro. **2** aposentadoria, pensão (jubilación). **3** retiro (refugio).
reto *m* desafio.
retobado, da *adj* **1** *Amér. Centr., Ecuad., Méx.* respondão. **2** *Amér. Centr., Cuba, Ecuad.* teimoso, obstinado.
retobar *tr* **1** *Arg., Ur.* forrar, revestir (con cuero). **2** *Méx.* responder, retrucar.
retobo *m* **1** *Col., Hond.* refugo, resto. **2** *Chile* lona, forro.
retocar *tr* **1** retocar (volver a tocar). **2** retocar, aperfeiçoar.
retomar *tr* **1** retomar (reanudar). **2** retomar, reconquistar.
retoño *m* **1** rebento (tallo). **2** (fig, fam) rebento, filho.
retoque *m* retoque.
retorcer *tr y pron* **1** retorcer, contorcer. • *tr* **2** (fig) distorcer, desvirtuar.
retorcido, da *adj* **1** retorcido, retorto. **2** (fam) astuto, ardiloso.
retorcimiento *m* retorção, retorcedura.
retórica *f* retórica.

retórico, ca *adj/m y f* retórico.
retornar *intr y pron* retornar (volver, regresar).
retorno *m* retorno, regresso.
retortero *m* volta ao redor. ■ **al ~** revirado, de pernas para o ar.
retortijón *m* cochada, cólica (de estómago).
retostado, da *adj* tostado (color).
retostar *tr* retostar.
retozar *intr* **1** retouçar, saltar. ● *intr y tr* **2** brincar, instigar-se (pareja).
retozo *m* **1** brincadeira, divertimento. **2** brincandeira amorosa.
retozón, na *adj* brincalhão.
retractación *f* retratação.
retractar *tr y pron* retratar (desdecir).
retráctil *adj* retrátil.
retraer *tr y pron* **1** retrair (retirar, ocultar). **2** retrair (disuadir). ● **~se** *pron* **3** retrair-se (aislarse). **4** retrair-se, retroceder.
retraído, da *adj* **1** retraído, tímido. **2** arredio, solitário.
retranca *f* **1** retranca, atafal. **2** (fig) segundas intenções.
retransmisión *f* retransmissão.
retransmitir *tr* retransmitir.
retrasar *intr y pron* **1** atrasar, demorar. ● *tr* **2** atrasar, adiar.
retraso *m* **1** atraso, demora. **2** atraso, impontualidade.
retratar *tr* **1** retratar (copiar, dibujar, fotografiar). ● *tr y pron* **2** retratar (describir).
retratista *m o f* retratista.
retrato *m* **1** retrato (pintura, efigie). **2** retrato (descripción).
retreta *f* MIL retreta (toque, desfile).
retrete *m* vaso sanitário, retrete.
retribución *f* retribuição (recompensa, pago).
retribuir *tr* **1** retribuir (recompensar, pagar). **2** *Amér.* retribuir (favor).
retro *adj* retrô.
retroacción *f* BIOL, FÍS retroação.
retroactividad *f* retroatividade.
retroactivo, va *adj* retroativo.
retroalimentación *f* retroalimentação.
retroalimentar *tr* retroalimentar, realimentar.
retroceder *intr* **1** retroceder, recuar. **2** retroceder, desistir.
retroceso *m* retrocesso.
retrógrado, da *adj/m y f* retrógrado.
retronar *intr* retronar, retumbar.
retropropulsión *f* retropopulsão.
retrospección *f* retrospecção.
retrospectivo, va *adj* retrospectivo.
retrotraer *tr y pron* retrotrair, recuar.
retrovisor *m* retrovisor (espejo).
retumbar *intr* retumbar.
retumbo *m* retumbo, retumbância.
reúma o **reuma** *amb* **1** MED ⇒ reumatismo. **2** MED reuma, catarro.
reumático, ca *adj/m y f* MED reumático.
reumatismo *m* MED reumatismo.
reunión *f* **1** reunião (asamblea, mitin). **2** reunião, coleção.
reunir *tr y pron* **1** reunir (juntar, congregar). ● *tr* **2** reunir (recopilar).
reutilizar *tr* reutilizar.
reválida *f* **1** revalidação. **2** prova final, recuperação.
revalidar *tr* revalidar.
revalorización *f* revalorização.
revalorizar *tr* **1** revalorizar. ● *tr y pron* **2** valorizar (aumentar valor).
revancha *f* revanche.
revanchismo *m* revanchismo.
revanchista *adj/m y f* revanchista.
revelación *f* revelação (descubrimiento).
revelado, da *adj* **1** revelado (descubierto). ● *m* **2** FOT revelação.
revelar *tr y pron* **1** revelar (manifestar, mostrar). **2** revelar, divulgar. ● *tr* **3** FOT revelar.
revender *tr* revender.
reventa *f* revenda.
reventar *tr, intr y pron* **1** rebentar, estourar. ● *intr* **2** (fig) morrer de vontade. **3** (fig, fam) explodir (de rabia, alegría). **4** (fig, fam) dar no saco: *tener que hacer esto me revienta = ter que fazer isso me dá no saco.*
reventón *m* estouro.
reverberación *f* reverberação, revérbero.
reverberar *intr* reverberar (luz, sonido).
reverbero *m* **1** revérbero, reverberação. **2** revérbero (reflector).
reverencia *f* **1** reverência (respeto, veneración). **2** reverência (inclinación).
reverencial *adj* reverencial.
reverenciar *tr* reverenciar.
reverendo, da *adj/m y f* reverendo (religioso).

reversible *adj* **1** reversível (transformable). **2** reversível, dupla face (ropa).
reverso, sa *m* **1** reverso, avesso. **2** reverso (de moneda, medalla).
revertir *intr* **1** reverter, regressar. **2** reveter, converter-se.
revés *m* **1** revés, reverso. **2** (fig) revés, contratempo. ■ **al ~** ao revés.
revesado, da *adj* complicado, difícil.
revestimiento *m* **1** revestimento (recubrimiento). **2** revestimento (capa, cubierta).
revestir *tr* **1** revestir (cubrir). **2** revestir, encobrir (disfrazar). **3** (fig) revestir, enfeitar (escrito).
revisada *f Amér.* revisão.
revisar *tr* **1** revisar (examinar). **2** revisar, corrigir.
revisión *f* **1** revisão (examen, comprobación). **2** revisão, correção.
revisionismo *m* revisionismo.
revisor, ra *adj/m y f* **1** revisor (de textos). • *m y f* **2** revisor (de tren, autobús).
revista *f* **1** revista (publicación). **2** revista (inspección). ♦ **~ del corazón** revista de fofoca.
revistero *m* revisteiro, porta-revista.
revitalizar *tr* revitalizar.
revivificar *tr* revivificar.
revivir *intr* **1** reviver (renacer). • *tr* **2** (fig) reviver, relembrar.
revocación *f* **1** revogação, anulação. **2** DER revogação.
revocar *tr* **1** DER revogar, anular. **2** rebocar (pared).
revolcar *tr* **1** fazer rolar. **2** derrubar. • **~se** *pron* **3** (fig) dar uns amassos.
revolcón *m* **1** caldo, coça. **2** (fig) amasso, agarramento.
revolotear *intr* voltear, revolutear.
revoloteo *m* volteio, revoluteio.
revoltijo o **revoltillo** *m* **1** amontoado. **2** confusão, bagunça.
revoltoso, sa *adj/m y f* **1** revoltoso (alborotador). • *adj* **2** travesso, bagunceiro.
revolución *f* **1** revolução (cambio violento). **2** revolução, agitação.
revolucionar *tr* **1** revolucionar (alterar, transformar). **2** revolucionar (perturbar, alborotar). **3** MEC acelerar.
revolucionario, ria *adj/m y f* revolucionário.
revolver *tr* **1** mexer, misturar. **2** revirar (estómago). **3** revolver, esquadrinhar (investigar). • **~se** *pron* **4** revolver-se, revirar-se (de inquietud).
revólver *m* revólver.
revuelo *m* **1** revôo, revoada. **2** (fig) rebuliço, agitação.
revuelta *f* **1** revolta (alboroto, sedición). **2** curva (recodo).
revuelto, ta *adj* **1** revolto, revolvido. **2** remexido, agitado (líquido). • *m* **3** ovos mexidos.
revulsión *f* MED revulsão.
revulsivo, va *adj y m* MED revulsivo.
rey *m* **1** rei (monarca). **2** rei (de ajedrez, cartas).
reyerta *f* rixa, briga.
rezagado, da *adj* atrasado.
rezagarse *pron* atrasar-se, ficar para trás.
rezar *tr* **1** rezar, orar. **2** rezar, recitar (misa).
rezongar *intr* rezingar, resmungar.
rezumar *tr y pron* **1** ressumar (colar, filtrar). • *intr y pron* **2** ressumar, gotejar.
ría *f* ria, braço de mar.
riachuelo *m* riacho.
riada *f* cheia, enchente.
ribazo *m* outeiro, encosta.
ribera *f* ribeira (margen, orilla).
ribereño, a *adj/m y f* ribeirinho.
ribete *m* **1** debrum (adorno). • **ribetes** *f pl* **2** (fig) indícios, mostras.
ribetear *tr* debruar.
ricacho, cha o **ricachón, na** *m* (desp) ricaço.
ricino *m* rícino.
rico, ca *adj/m y f* **1** rico (adinerado). • *adj* **2** gostoso, saboroso (comida). **3** rico (abundante).
ricota *f Arg.* ricota.
rictus *m* ríctus, ricto.
ricura *f* **1** (fam) gostosura (alimento). **2** (fam) gostosura, fofura.
ridiculez *f* ridicularia.
ridiculizar *tr* ridicularizar.
ridículo, la *adj* **1** ridículo (cómico, grotesco). **2** ridículo (ilógico, absurdo). • *m* **3** ridículo (situación).
riego *f* irrigação, rega. ♦ **~ sanguíneo** irrigação sangüínea.
riel *m* **1** trilho (de vía férrea). **2** trilho, barra (de cortina).

rienda *f* **1** (gralte pl) rédea (correa). • **riendas** *f pl* **2** (fig) rédeas (gobierno, control). ■ **dar ~ suelta** (fig) dar rédeas.
riesgo *m* **1** risco (amenaza, peligro). **2** risco (contingencia). ■ **correr el ~** correr o risco.
riesgoso, sa *adj Amér.* arriscado, perigoso.
rifa *f* rifa.
rifar *tr* rifar, sortear.
rifirrafe *m* (fam) rififi.
rifle *m* rifle.
rigidez *f* **1** rigidez (inflexibilidad). **2** (fig) rigidez (severidad, rigor).
rígido, da *adj* **1** rígido (inflexible). **2** (fig) rígido (severo, riguroso).
rigor *m* **1** rigor (severidad). **2** rigor (precisión, exactitud). **3** rigor (intensidad, crudeza): *el rigor del invierno = o rigor do inverno.*
rigurosidad *f* rigorosidade.
riguroso, sa *adj* **1** rigoroso (severo). **2** rigoroso (preciso, minucioso). **3** rigoroso (extremado): *invierno riguroso = inverno rigoroso.*
rima *f* rima. ◆ **~ asonante** rima toante; **~ consonante** rima consoante.
rimar *intr* **1** rimar (versificar). **2** rimar (tener rima).
rimbombante *adj* **1** ribombante. **2** (fig) chamativo, berrante.
rímel *m* rímel.
rincón *m* **1** canto (esquina). **2** rincão, recanto (lugar apartado). **3** canto (espacio pequeño).
rinconera *f* cantoneira (mueble).
rinde *m Arg.* ECON rendimento, resultado.
ring *m* ringue.
rinitis *f* MED rinite.
rinoceronte *m* rinoceronte.
riña *f* rinha, briga.
riñón *m* **1** ANAT rim. • **riñones** *m pl* **2** rins (región lumbar). ■ **costar un ~** (fig, fam) custar os olhos da cara.
riñonera *f* **1** faixa, proteção (para los riñones). **2** pochette, pochete (bolso).
río *m* **1** rio. **2** (fig) rio, mar (abundancia).
rioja *m* vinho de La Rioja.
Rioja, La *f* La Rioja.
riojano, na *adj/m y f procedente de La Rioja.*
riqueza *f* **1** riqueza (fortuna, dinero). **2** riqueza (abundancia).
risa *f* **1** riso, sorriso. **2** riso, risada. ■ **desternillarse de ~** (fig, fam) morrer de rir; **muerto de ~** (fig, fam) criando mofo, apodrecendo; **tomar a ~** levar na brincadeira.
risco *m* **1** penhasco. **2** fenda (hendidura).
risotada *f* risada, gargalhada.
ristra *f* **1** réstia. **2** (fig) série, conjunto.
risueño, a *adj* **1** risonho. **2** (fig) promissor, próspero.
rítmico, ca *adj* rítmico.
ritmo *m* **1** ritmo, cadência. **2** ritmo (marcha): *lleva un ritmo de vida frenético = tem um ritmo de vida frenético.* **3** MÚS ritmo.
rito *m* rito.
ritual *adj* **1** ritual. • *m* **2** ritual.
rival *adj/m y f* rival.
rivalizar *intr* rivalizar.
rivera *f* ribeiro, regato.
rizado, da *adj* cacheado, ondeado, crespo.
rizar *tr* **1** cachear, frisar (cabello). • *tr y pron* **2** agitar, encrespar (mar).
rizo *m* cacho, caracol (de cabello).
robar *tr* **1** roubar, furtar. **2** (fig) roubar, tirar (amor, beso, tiempo).
roble *m* carvalho, roble (árbol, madera). ■ **estar hecho un ~** (fig, fam) estar forte como um touro.
robledal *m* carvalhal, robledo.
robo *m* **1** roubo. **2** (fig) roubo, assalto: *el precio de esa corbata es un robo = o preço da gravata está um roubo.*
robot *m* robô.
robótica *f* robótica.
robustecer *tr y pron* robustecer.
robustez *f* robustez.
robusto, ta *adj* robusto.
roca *f* **1** rocha (piedra). **2** (fig) rocha, rochedo (persona firme).
rocalla *f* **1** cascalho (de piedras). **2** embrechado (decoración).
rocambolesco, ca *adj* rocambolesco.
roce *m* **1** roça, roçadura. **2** raspão (marca). **3** (fig) familiaridade, trato.
rociado, da *adj* orvalhado.
rociar *impers* **1** orvalhar, rociar. • *tr* **2** borrifar, espargir.
rocín *m* rocim, rocinante.

rocío *m* orvalho, rocio.
rock *m* MÚS rock.
rockero, ra *adj/m y f* roqueiro.
rococó *adj y m* rococó.
rodaballo *m* **1** robalo. **2** (fig, fam) astuto, esperto.
rodaja *f* rodela.
rodaje *m* **1** filmagem, rodagem (de película). **2** amaciamento (del motor).
rodamiento *m* MEC rolamento.
rodapié *m* rodapé.
rodar *intr* **1** rodar, rolar. • *tr* **2** girar, rodar. **3** filmar, rodar.
rodear *intr* **1** rodear (circundar). **2** contornar, desviar (alejar). **3** (fig) dar voltas, enrolar (al hablar).
rodeo *m* **1** rodeio, rodeamento. **2** volta, rodeio (desvío). **3** (fig) rodeio (efugio).
rodilla *f* **1** joelho. **2** rodilha, rodouça (rodete). ■ **de rodillas** de joelhos.
rodillazo *m* joelhada.
rodillera *f* **1** joelheira (protector). **2** remendo (tela). **3** joelheira (deformación).
rodillo *m* **1** rolão (cilindro). **2** rolo compressor (aparato). **3** cilindro impressor (imprenta).
rodio *m* **1** QUÍM ródio. • *adj/m y f* **2** ródio, rodiense.
roedor, ra *adj* roedor.
roer *tr* **1** roer. **2** (fig) consumir, roer (gastar). **3** (fig) corroer, desgastar (afligir).
rogar *tr* rogar.
rogativa *f* (gralte pl) rogativa, rogo.
roído, da *adj* (fig, fam) escasso, mesquinho.
rojez *f* rubor, vermelhão, vermelhidão.
rojizo, za *adj* avermelhado, vermelhento.
rojo, ja *adj y m* **1** vermelho (color). • *adj/m y f* **2** vermelho (comunista).
rol *m* **1** lista, rol. **2** papel, função.
rollizo, za *adj* **1** roliço. • *m* **2** tora (madero).
rollo *m* **1** rolo (cilindro). **2** rolo de pastel. **3** filme (fotográfico). **4** (fig) ◆ **buen/ /mal ~** bom/ruim ambiente. ■ **cortar el ~ a alguien** (fig, coloq) cortar a onda de alguém; **ser un ~** (fig, fam) ser um saco.
romance *adj y m* **1** romance (lengua). • *m* **2** romance (novela). **3** caso, namoro, romance.

> La palabra **romance** se escribe igual en los dos idiomas, pero sus acepciones principales no coinciden. En portugués tiene sobre todo el sentido de 'novela, obra literaria', mientras que en español su principal acepción es la de 'aventura amorosa'.

románico, ca *adj y m* **1** ARQ românico. • *adj* **2** FILOL românico.
romano, na *adj/m y f* **1** romano (natural). • *adj* **2** romano (católico).
romanticismo *m* **1** ART, LIT romantismo. **2** romantismo (sentimentalismo).
romántico, ca *adj/m y f* **1** ART, LIT romântico. • *adj* **2** romântico, sentimental.
rombo *m* GEOM losango, rombo.
romboide *m* GEOM rombóide.
romería *f* **1** romaria (peregrinación). **2** (fig) multidão, romaria.
romero, ra *m* **1** alecrim (planta). **2** piloto (pez). • *adj/m y f* **3** romeiro.
romo, ma *adj* rombo, obtuso.
rompecabezas *m* **1** quebra-cabeça. **2** (fig, fam) quebra-cabeça (problema).
rompehielos *m* quebra-gelos.
rompenueces *m Amér.* quebra-nozes.
rompeolas *m* quebra-mar.
romper *tr y pron* **1** quebrar (partir, destrozar). • *tr* **2** (fig) ultrapassar, extrapolar (límite). **3** (fig) quebrar, transgredir (norma, ley). • *intr* **4** quebrar (olas). **~ a 5** romper a, deitar a (empezar): *romper a llorar = romper a chorar.* **~ con 6** romper (trato, amistad).
rompiente *m* arrebentação, quebradouro (de las olas).
ron *m* rum.
roncar *intr* **1** roncar. **2** (fig) sussurrar (mar, viento).
roncero, ra *adj* preguiçoso, ronceiro.
roncha *f* **1** caroço, inchaço (urticaria). **2** fatia, rodela (rodaja).
ronco, ca *adj* rouco.
ronda *f* **1** ronda (vigilancia). **2** ronda (patrulla). **3** caminho, rua (calle). **4** (fam)

rondar *intr y tr* **1** rondar, vigiar. **2** MIL patrulhar, rondar. • *tr* **3** (fig) dar voltas, rondar.
rondón de ~ *loc adv* de roldão.
ronquear *intr* **1** rouquejar. • *tr* **2** ameaçar, bravatear.
ronquera *f* rouquidão.
ronquido *m* ronco, rouquido.
ronronear *intr* ronronar.
roña *f* **1** ronha (sarna). **2** cascão, crosta, mancha (suciedad). **3** ferrugem (óxido). **4** corcha, casca (corteza). **5** (fig) estigma, mácula, nódoa.
roñería *f* (fig, fam) avareza, mesquinharia, miséria.
roñoso, sa *adj* **1** ronhoso, ronhento, sarnento. **2** porco, sujo (asqueroso). **3** enferrujado (oxidado).
ropa *f* **1** roupa. **2** beca, toga (vestidura). ◆ **~ blanca** roupa de baixo, roupa-branca; **~ de cámara** penhoar, robe, roupão.
ropaje *m* **1** roupagem (ornato). **2** vestimenta (vestido). **3** guarda-roupa, rouparia (conjunto). **4** (fig) forma, linguagem.
ropero *m y f* **1** roupeiro (persona). • *m* **2** armário, guarda-roupa, roupeiro.
roquedo *m* penhasco, rochedo.
roquefort *m* roquefort.
roquero, ra *adj* **1** roqueiro. • *m* y *f* **2** MÚS roqueiro.
rosa *f* **1** rosa (flor). **2** mancha (erupción). **3** laço de fita (adorno). **4** ARQ rosa. • *f pl* **5** pipoca. • *adj* **6** cor-de-rosa, rosa, rosado. • *m* **7** cor-de-rosa, rosa.
rosáceo, a *adj* **1** rosáceo. • *adj y f* **2** BOT rosácea.
rosado, da *adj* rosa, róseo, rosado.
rosal *m* roseira.
rosario *m* **1** rosário (rezo). **2** rosário, terço (collar). **3** (fig) enfiada, série, sucessão.
rosbif *m* rosbife.
rosca *f* **1** espiral, rosca. **2** rosca (bollo, pan). **3** espira, filete (de tornillo).
rosco *m* **1** rosca (roscón). **2** (coloq) zero (en un examen).
roscón *m* rosca (bollo).
roséola *f* MED roséola.
rosquilla *f* **1** rosquinha (masa dulce). **2** lagarta, larva (gusano).
rostro *m* **1** face, rosto (cara). **2** bico (pico).
rotación *f* **1** rotação. **2** FÍS rotação.
rotar *intr* girar, rodar.
rotativo, va *adj* **1** rotativa (máquina). **2** rotatório, rotante (giratorio).
rotisería *f Arg., Chile* rotisseria.
roto, ta *adj/m y f* **1** esfarrapado, roto (andrajoso). • *adj* **2** (fam) esgotado, exausto. • *m* **3** rasgão, buraco.
rotonda *f* rotunda (edificio, plaza).
rotor *m* FÍS rotor.
rotoso, sa *adj Amér. Merid.* rasgado, esfarrapado.
rótula *f* ANAT rótula.
rotulador, ra *adj* **1** rotulador. • *m* **2** marca-textos.
rotular *tr* rotular.
rótulo *m* **1** título. **2** etiqueta (letrero). **3** cartaz (cartel).
rotundidad *f* rotundidade.
rotundo, da *adj* rotundo.
rotura *f* rotura, ruptura.
roulotte *f* trailer, reboque.
round *m* DEP round (asalto).
rozamiento *m* **1** roçamento. **2** (fig) dissensão, desavença.
rozar *intr y tr* **1** esfregar, roçar. • *tr* **2** roçar (desbrozar). **3** raspar (raer). • **~se** *pron* **4** conviver, relacionar (tratarse).
rúa *f* rua.
Ruanda *f* Ruanda.
ruandés, sa *adj/m y f* ruandês.
rubéola *f* MED rubéola.
rubí *m* rubi.
rubiales *m o f* (fam) lourinho.
rubicundo, da *adj* **1** rubicundo (pelirrojo). **2** rubicundo (sonrosado).
rubio, bia *adj/m y f* louro, loiro.
rublo *m* rublo (moneda).
rubor *m* **1** rubor (sonrojo). **2** (fig) rubor, vergonha.
ruborizarse *tr y pron* ruborizar, envergonhar.
rúbrica *f* rubrica.
rubricar *tr* **1** rubricar. **2** (fig) subscrever.
rucio, cia *adj/m y f* **1** ruço (animal). • *adj* **2** (fam) grisalho (canoso).
rudeza *f* rudeza.
rudimentario, ria *adj* rudimentar.
rudimento *m* **1** rudimento (embrión). • **rudimentos** *m pl* **2** (fig) rudimentos (nociones).
rudo, da *adj* rude.
rueda *f* **1** roda. **2** círculo (agrupación). **3** leque, roda (del pavo). **4** fatia, rodela (tajada). ◆ **~ de recambio** pneu sobressalente.
ruedo *m* **1** giro, rodagem (rotación). **2** esteira (esterilla). **3** circunferência (círculo).

ruego *m* rogo, súplica.
rufián *m* **1** rufião (proxeneta). **2** (fig) rufião, trapaceiro.
rugby *m* rúgbi.
rugir *intr* **1** rugir, bramir (león). **2** (fig) bradar (de enojo).
rugoso, sa *adj* enrugado.
ruibarbo *m* ruibarbo.
ruido *m* **1** ruído. **2** (fig) barulho (alboroto). **3** (fig) agito, agitação (novedad).
ruidoso, sa *adj* ruidoso.
ruin *adj* **1** desprezível, ruim (bajo). **2** avarento, mesquinho (tacaño).
ruina *f* **1** ruína (destrucción). **2** (fig) falência (bancarrota). • **ruinas** *f pl* **3** escombros, destroços.
ruinoso, sa *adj* ruinoso.
ruiseñor *m* rouxinol.
rulero *m Arg., Perú, Ur.* bóbi, rolo, rolinho.
ruleta *f* roleta. ◆ ~ **rusa** roleta-russa.
ruletero, ra *m y f* **1** *Amér.* roleteiro. **2** *Amér. Centr., Méx.* taxista.
rulo *m* **1** (gralte pl) rolo (del pelo). **2** cacho (rizo).
Rumania *f* Romênia.
rumano, na *adj/m y f* **1** romeno. • *m* **2** romeno (lengua).
rumba *f* **1** *Cuba* MÚS rumba. **2** *Ant.* diversão, festa.
rumbar *intr* **1** *Col.* zoar, zumbir. **2** *Chile* rumbear.
rumbear *intr* **1** *Amér.* rumbear (orientarse). **2** dançar a rumba.
rumbo *m* rumo (dirección). ■ **corregir el** ~ MAR abrir o rumo.
rumboso, sa *adj* **1** (fam) magnífico, pomposo. **2** (fam) desprendido, generoso.
rumiante *adj/m y f* **1** ZOOL ruminante. • **rumiantes** *m pl* **2** ZOOL ruminantes.
rumiar *tr* **1** ruminar (masticar). **2** (fig, fam) ruminar (reflexionar).
rumor *m* **1** rumor (ruido, murmullo). **2** boato (chisme).
rumorar *intr y tr Amér.* rumorejar.
rumorear *tr y pron* rumorejar, cochichar.
rumorología *f* (fam) boataria.
runrún *m* **1** zunzum. **2** (fam) boato, zunzum.
runruneo *m* zunzum, zunzunzum.
rupestre *adj* rupestre.
rupia *f* **1** rupia (moneda). **2** MED rupia.
ruptura *f* **1** ruptura, rompimento. **2** desavença, ruptura (de relaciones).
rural *adj* **1** rural. **2** (fig) provinciano, rústico.
Rusia *f* Rússia.
ruso, sa *adj/m y f* **1** russo. • *m* **2** russo (lengua).
rusticidad *f* rusticidade.
rústico, ca *adj* **1** rústico (campestre). **2** (fig) rústico, grosseiro.
rustir *tr Venez.* agüentar, suportar.
ruta *f* rota (camino, itinerario).
rutenio *m* QUÍM rutênio.
rutilante *adj* resplandecente, rutilante.
rutilar *intr* rutilar, resplandecer.
rutina *f* rotina.
rutinario, ria *adj* rotineiro.

Ss

s, S *f* s, S (letra).
sábado *m* sábado.
sabana *f* savana.
sábana *f* lençol (de la cama). ■ **pegársele las sábanas a alguien** (fig, fam) dormir alguém mais que a cama.
sabandija *f* **1** sevandija. **2** (fig) verme, desprezível.
sabanero, ra *adj/m y f* savanícola.
sabañón *m* frieira (hinchazón). ■ **comer como un ~** (fig, fam) comer como uma frieira.
sabático, ca *adj* **1** sabático, sabatino. **2** (fig) sabático (año de licencia).
sabbat *m* sabá.
sabedor, ra *adj* sabedor.
sabelotodo *m o f* (fam) sabichão.
saber *m* saber, conhecimento. ■ **el ~ no ocupa lugar** saber não ocupa lugar.
saber *tr* **1** saber (conocer). **2** saber, ser erudito. • *intr* **3** saber, ter sabor. ■ **~ arreglárselas** (fam) saber se virar; **~ mal** (fig, fam) sentir muito; **sabérselas todas** (fig, fam) ser muito esperto; **un no sé qué** (fig, fam) um sei lá o quê.
sabiduría *f* **1** sabedoria (saber). **2** sabedoria (prudencia).
sabiendas a ~ *loc* com conhecimento de causa.
sabihondo, da o **sabiondo, da** *adj/m y f* (fam) sabichão.
sabina *f* sabina (árbol).
sabio, bia *adj/m y f* **1** sábio (erudito). **2** sábio (prudente).
sablazo *m* **1** sabraço (golpe). **2** (fig, fam) calote (saqueada).
sable *m* sabre (arma).
sablear *intr* (fig, fam) calotear, passar o calote.
sabor *m* **1** sabor, gosto. **2** (fig) sabor (característica).
saborear *tr* **1** saborear (dar sabor). • *tr y pron* **2** saborear (deleitarse).
sabotaje *m* sabotagem.
sabotear *tr* sabotar.
sabroso, sa *adj* **1** saboroso, gostoso. **2** (fig) saboroso (agradable).
sabrosura *f Cuba, P. Rico, R. Dom.* deleite (dulzura).
sabueso *m* (fig) cão farejador, rastreador.
sacacorchos *m* saca-rolhas.
sacamuelas *m o f* (fig, irón) tira-dentes (dentista).
sacapuntas *m* apontador de lápis.
sacar *tr* **1** tirar, retirar. **2** tirar, extrair. **3** obter, conseguir. **4** lançar (producto). **5** comprar, adquirir (entradas, billetes). **6** DEP sacar.
sacarina *f* QUÍM sacarina.
sacerdocio *m* sacerdócio (ministerio, dignidad).
sacerdotal *adj* sacerdotal.
sacerdote *m* **1** sacerdote, padre. **2** sacerdote (eclesiástico).
sacerdotisa *f* sacerdotisa.
sachar *tr* sachar.
saciar *tr y pron* saciar, satisfazer.
saciedad *f* saciedade.
saco *m* **1** saco (receptáculo). **2** saco (contenido). **3** saco (ropa holgada). **4** *Amér.* paletó. ◆ **hombre del ~** bicho-papão; **~ de dormir** saco de dormir. ■ **ir o mandar a tomar por el ~** (fig, vulg) ir ou mandar tomar no cu.
sacramental *adj* **1** sacramental. **2** (fig) sacramental, habitual.
sacramentar *tr* **1** sacramentar (moribundo). • *tr y pron* **2** sacramentar (hostia).
sacramento *m* sacramento. ◆ **últimos sacramentos** últimos sacramentos.
sacrificar *tr y pron* **1** sacrificar (ofrecer). • *tr* **2** sacrificar, matar. **3** (fig) sacrificar, prejudicar.
sacrificio *m* **1** sacrifício (ofrenda). **2** sacrifício, execução (de animales). **3** (fig) sacrifício (gran esfuerzo).
sacrilegio *m* sacrilégio.
sacrílego, ga *adj/m y f* sacrílego.
sacristán *m* sacristão.

sacristía *f* sacristia.
sacro, cra *adj* **1** sacro, sagrado. • *m* **2** ANAT sacro (hueso).
sacrosanto, ta *adj* sacrossanto.
sacudida *f* sacudida.
sacudir *tr y pron* **1** sacudir (agitar). **2** bater, golpear.
sádico, ca *adj/m y f* sádico.
sadismo *m* sadismo.
sadomasoquismo *m* sadomasoquismo.
sadomasoquista *adj/m y f* sadomasoquista.
saeta *f* **1** seta, flecha. **2** ponteiro (de reloj, brújula).
safari *m* **1** safari (excursión, parque).
sagacidad *f* sagacidade.
sagaz *adj* sagaz.
sagitario *adj/m y f* **1** ASTROL sagitariano. • **Sagitario** *m* **2** ASTR Sagitário (constelación, signo zodiacal).
sagrado, da *adj* **1** sagrado (sacro). **2** (fig) sagrado, venerável.
sagrario *m* sacrário.
sahariana *f* bata com bolsos.
sahumado, da *adj* perfumado, purificado.
sahumar *tr y pron* perfumar, purificar.
sahumerio *m* **1** purificação (con humo aromático). **2** fumaça aromática.
sainete *m* **1** sainete (obra dramática). **2** (fig) sainete (sabor).
sainetesco, ca *adj* cômico.
saja *f* corte, talho.
sajar *tr* incisar, cortar.
sake *m* saquê (bebida).
sal *f* **1** QUÍM sal. **2** (fig) sal (gracia). • **sales** *f pl* **3** sais. ♦ **~ común o de cocina** sal de cozinha; **sales de baño** sais de banho.
sala *f* **1** sala (de una casa). **2** salão, sala (local). ♦ **~ de estar** sala de estar.
salado, da *adj* **1** salgado. **2** (fig) gracioso. • *m* **3** salga, salgadura.
salamandra *f* salamandra.
salami *m* salame.
salar *tr* **1** salgar (curar). **2** salgar (sazonar).
salarial *adj* salarial.
salario *m* salário. ♦ **~ mínimo** salário mínimo.
salaz *adj* salaz.
salazón *f* salgação, salga.
salchicha *f* salsicha.
salchichería *f* salsicharia (tienda).
salchichón *m* salame.
saldar *tr* **1** saldar (cuenta, deuda). **2** (fig) liquidar (asunto, pendencia).
saldo *m* **1** saldo (finiquito). **2** saldo (cantidad de dinero). **3** saldo (resto de mercancías).
saledizo, za *adj* **1** saliente. • *m* **2** ARQ alpendre, telheiro.
salero *m* **1** saleiro (recipiente). **2** (fig, fam) desenvoltura.
salida *f* **1** saída, saimento. **2** saída (partida). **3** saída (puerta). **4** (fig) saída (escapatoria). ♦ **~ de incendios** saída de incêndio.
salido, da *adj* **1** saído. **2** (fig, coloq) tarado (excitado).
salina *f* salina (mina, establecimiento).
salinidad *f* salinidade.
salino, na *adj* salino.
salir *intr y pron* **1** sair (pasar afuera). • *intr* **2** sair (partir). **3** sair, aparecer (sol, en la tele). **4** sair, livrar-se (de duda, apuros). **5** sair, desaparecer (manchas). **6** sair, resultar (feo, bueno, sabroso). **7** sair, nascer (flor, planta). **8** sair (divertirse). • **~se** *pron* **9** sair, vazar, derramar (líquido, fluido). ■ **~se con la suya** (fig, fam) conseguir o que queria.
salitre *m* **1** salitre. **2** *Chile* salitre-do-chile.
salitrera *f* salitreira (yacimento).
saliva *f* saliva. ■ **gastar ~** (fig, fam) gastar saliva.
salival *adj* salivar, salival.
salivar *intr* salivar.
salivazo *m* cuspe.
salivoso, sa *adj* salivoso.
salmo *m* salmo.
salmodia *f* **1** salmodia. **2** (fig) salmodia (canto monótono).
salmón *adj y m* **1** salmão (color). • *m* **2** salmão (pez).
salmonella *f* BIOL salmonela.
salmonelosis *f* MED salmonelose, salmonelíase.
salmonete *f* salmonte.
salmuera *f* salmoura.
salobre *adj* salobre, salobro.
salobreño, ña *adj* salobre (tierra, terreno).
Salomón, Islas *f pl* Ilhas Salomão.
salomónico, ca *adj* salomônico.

salón *m* **1** salão (para actos, fiestas). **2** sala de estar, sala (de una vivienda). **3** salão (exposición). ♦ **~ de belleza** salão de beleza.
salpicadera *f Amér. Merid.* pára-lama.
salpicadero *m* painel (de automóvil).
salpicadura *f* salpicadura.
salpicar *tr e intr* **1** salpicar (manchar). • *tr* **2** salpicar, polvilhar. **3** (fig) salpicar, macular (fama, reputación).
salpicón *m* GAST salpicão (guiso).
salpimentar *tr* salpimentar.
salpullido *m* ⇒ sarpullido.
salsa *f* **1** GAST molho. **2** MÚS salsa (música, baile). ♦ **~ boloñesa** molho à bolonhesa; **~ de tomate** molho de tomate; **~ rosa** molho rosê.
salsera *f* molheira.
saltamontes *m* grilo.
saltar *intr y tr* **1** saltar, pular. • *intr* **2** (fig) sobressair, destacar. **3** intervir (en conversación). • **~se** *pron* **4** infringir (ley, norma, precepto).
saltarín, na *adj/m y f* saltador, saltitante.
saltear *tr* **1** saltear (asaltar, acometer). **2** saltear, cozer (alimento).
salterio *m* MÚS saltério.
saltimbanqui *m o f* saltimbanco (artista).
salto *m* **1** salto, pulo. **2** salto (caída de agua). **3** (fig) salto, transposição (de cargo, ánimo). ♦ **~ de longitud** salto em distância; **~ mortal** salto-mortal. ■ **dar saltos de alegría** dar pulos de alegria.
saltón, na *adj* **1** saltão. **2** saltado (saliente).
salubre *adj* salubre, saudável.
salubridad *f* **1** salubridade. **2** *Amér.* salubridade (sanidad).
salud *f* **1** saúde (estado). **2** saúde (condición física). • **¡~!** *interj* **3** saúde!, timtim!
saludable *adj* saudável.
saludar *tr* **1** cumprimentar, saudar (con palabras, gestos). **2** cumprimentar, felicitar.
saludo *m* cumprimento, saudação.
salva *f* salva (disparo). ♦ **~ de aplausos** salva de palmas.
salvación *f* **1** salvação (rescate). **2** salvação (redención).
salvador, ra *adj/m y f* salvador.
Salvador, El *m* El Salvador.
salvadoreño, ña *adj/m y f* salvadorenho.
salvaguardar *tr* salvaguardar.
salvaguardia o **salvaguarda** *f* **1** salvaguarda (documento). **2** salvaguarda (protección).
salvajada *f* selvageria.
salvaje *adj/m y f* **1** selvagem (silvícola). **2** (fig) selvagem (rudo). • *adj* **3** selvagem, silvestre.
salvajismo *m* selvageria.
salvamanteles *m* protetor de toalhas de mesa.
salvamento *m* salvamento.
salvar *tr y pron* **1** salvar, livrar (de peligro, daño, destrucción, pecados). • *tr* **2** vencer, superar (obstáculo, dificultad).
salvaslip *m* protetor de calcinha.
salvavidas *m* **1** salva-vidas (flotador, chaleco). • *m o f* **2** *Amér.* salva-vidas (socorrista).
salvedad *f* exceção.
salvia *f* salva (planta).
salvo, va *adj* **1** salvo (ileso). **2** salvo, excetuado. • *prep* **3** exceto, salvo.
salvoconducto *m* **1** salvo-conduto (documento). **2** (fig) salvo-conduto (privilegio).
samaritano, na *adj/m y f* **1** samaritano. **2** (fig) samaritano (buena persona).
samba *f* MÚS samba (música, baile).
sambenito *m* **1** sambenito. **2** (fig) má fama, descrétido.
Samoa *f* Samoa.
san *adj* são (santo). ■ **¡~ se acabó!** (fam) fim de papo.
sanador, ra *m y f* curandeiro.
sanar *intr y tr* sarar, curar.
sanatorio *m* sanatório.
sanción *f* **1** sanção (estatuto, ley). **2** sanção (pena).
sancionar *tr* sancionar.
sancochar *tr* cozinhar pouco (alimentos).
sanctasanctórum *m* santuário.
sandalia *f* sandália.
sándalo *m* sândalo.
sandez *f* sandice.
sandía *f* melancia.
sandio, dia *adj/m y f* tonto, palerma.
sandunga *f* graça, jeito.
sándwich *m* sanduíche.
sandwichera *f* sanduicheira (electrodoméstico).
saneado, da *adj* saneado (bienes, economía).
sanear *tr* **1** sanear (higienizar). **2** sanear (reparar, mejorar).

sangrante *adj* **1** sangrante. **2** (fig) indignante.
sangrar *tr e intr* **1** sangrar. • *tr* **2** (fig) sangrar, extorquir (bienes, dinero).
sangre *f* **1** sangue. **2** (fig) sangue (linaje). ◆ **~ arterial** sangue arterial; **~ azul** (fig) sangue azul; **~ fría** sangue frio. ■ **chupar la ~ de alguien** (fig, fam) chupar o sangue de alguém; **llevar en la ~** (fig) estar no sangue.
sangría *f* **1** sangria (sangradura). **2** sangria, perda de sangue. **3** sangria (punción). **4** sangria (bebida).
sangriento, ta *adj* **1** sangrento (sanguinolento). **2** (fig) sangrento (cruento).
sangrón, na *adj Amér.* chato, antipático.
sanguijuela *f* **1** sanguessuga. **2** (fig, fam) sanguessuga (aprovechado).
sanguinario, ria *adj* sanguinário.
sanguíneo, a *adj* sanguíneo.
sanguinolento, ta *adj* sanguinolento, sangrento.
sanidad *f* **1** sanidade. **2** saúde pública.
sanitario, ria *adj* **1** sanitário. • *m y f* **2** sanitarista.
San Marino *m* San Marino.
sano, na *adj/m y f* **1** são, sadio. • *adj* **2** saudável. **3** são, ileso. **4** são (sincero).
sanseacabó *interj* e assunto encerrado.
sansón *m* (fig) sansão.
santería *f* **1** beataria. **2** *Cuba* bruxaria.
santero, ra *adj* **1** santeiro, beato. • *m y f* **2** santeiro (vendedor, escultor).
santiamén en un ~ *loc* (fig, fam) em um vapt-vupt.
santidad *f* santidade. ◆ **Su Santidad** Vossa Santidade.
santificar *tr* **1** santificar, sagrar. **2** santificar (canonizar).
santiguar *tr y pron* benzer, fazer o sinal-da-cruz.
santo, ta *adj* **1** santo (sagrado). **2** santo (venerable). • *m y f* **3** santo. ■ **írsele a alguien el ~ al cielo** (fig, fam) fugir algo do pensamento; **llegar y besar el ~** (fig, fam) dar a sorte de algo.
Santo Tomé y Príncipe *m* São Tomé e Príncipe.
santón *m* (fig, fam) santarrão.
santoral *m* **1** santoral, hagiológio. **2** santoral (lista).
santuario *m* **1** santuário (templo). **2** (fig) santuário (lugar importante).
santurrón, na *adj/m y f* santarrão.
saña *f* sanha.
sañudo, da *adj* sanhoso, sanhudo.
sapiencia *f* sapiência.
sapo *m* sapo. ■ **echar o soltar sapos y culebras** (fig, fam) dizer cobras e lagartos.
saque *m* **1** saque (en tenis, voleibol). **2** chute, tiro (en fútbol). ◆ **~ de esquina** escanteio, córner.
saquear *tr* **1** saquear (roubar). **2** saquear (apoderarse).
saqueo *m* **1** saque, saqueio. **2** (fig) assalto, ataque.
sarampión *m* MED sarampo.
sarao *m* **1** sarau (reunión nocturna). **2** (fam) fuzuê (bullicio).
sarape *m Méx.* sarape.
sarasa *m* (fam) bicha, viado.
sarcasmo *m* sarcasmo.
sarcástico, ca *adj* sarcástico.
sarcófago *m* sarcófago, túmulo.
sarcoma *m* MED sarcoma.
sardina *f* sardinha. ■ **como sardinas en lata** (fig, fam) como sardinhas em lata.
sardinero, ra *adj* **1** sardinheiro. • *m y f* **2** sardinheiro (vendedor, pescador).
sardo, da *adj/m y f* **1** sardo. • *m* **2** sardo (lengua).
sardónico, ca *adj* sardônico.
sarga *f* **1** sarja (tela). **2** salgueiro (arbusto).
sargenta *f* (fam) machona.
sargento *m* **1** MIL sargento. **2** (fig, fam) sargento, mandão.
sarmiento *m* sarmento.
sarna *f* MED sarna.
sarnoso, sa *adj/m y f* sarnento.
sarpullido *m* brotoeja.
sarraceno, na *adj/m y f* sarraceno.
sarro *m* **1** sarro (borra). **2** sarro, garro (de los dientes).
sarta *f* **1** sarta, enfiada. **2** (fig) série.
sartén *f* frigideira. ■ **tener la ~ por el mango** (fig, fam) ter as rédeas.
sartenazo *m* frigideirada (golpe).
sastra *f* costureira, alfaiata.
sastre *m* alfaiate.
sastrería *f* alfaiataria.
Satán o **Satanás** *m* satã, satanás.

satánico, ca *adj* **1** satânico. **2** (fig) satânico, diabólico.
satélite *m* **1** ASTR satélite. **2** (fig) satélite (nación). ◆ ~ **de comunicaciones** satélite de comunicações.
satén *m* cetim.
satinado, da *adj* **1** acetinado. ● *m* **2** acetinagem, acetinação.
satinar *tr* acetinar.
sátira *f* sátira.
satírico, ca *adj* **1** satírico. ● *adj/m y f* **2** satírico, satirista.
satirizar *intr y tr* satirizar.
sátiro *m* **1** sátiro, agipã. **2** (fig) sátiro, devasso.
satisfacción *f* **1** satisfação (placer). **2** satisfação (gusto).
satisfacer *tr y pron* **1** satisfazer, saciar (apetito, pasión, antojo). ● *tr* **2** satisfazer (pagar). **3** satisfazer, cumprir (requisitos, exigencias).
satisfactorio, ria *adj* satisfatório.
satisfecho, cha *adj* satisfeito.
saturación *f* **1** saturação (hartazgo). **2** QUÍM saturação.
saturar *tr y pron* **1** saturar (hartar). ● *tr* **2** QUÍM saturar.
Saturno *m* ASTR Saturno.
sauce *m* salgueiro.
saúco *m* salgueiro.
saudí o **saudita** *adj/m y f* saudita, árabe-saudita.
sauna *f* sauna (baño, lugar).
saurio *adj y m* **1** ZOOL sáurio. ● **saurios** *m pl* **2** ZOOL sáurios.
savia *f* **1** BOT seiva. **2** (fig) seiva (energía, vigor).
saxofón o **saxófono** *m* **1** MÚS saxofone (instrumento). ● *m o f* **2** MÚS saxofonista, saxofone (músico).
sayo *m* saio.
sazón *f* **1** maturação. **2** ocasião.
sazonado, da *adj* temperado.
sazonar *tr* **1** temperar. ● *tr y pron* **2** amadurecer.
se *pron* **1** (reflexivo) se: *se afeitó rápidamente = barbeou-se rapidamente*. **2** (impersonal) se: *se come muy bien en este restaurante = come-se muito bem neste restaurante*. **3** (reciprocidad) se: *los dos se quieren mucho = os dois se amam muito*. **4** (pasiva refleja) se: *se alquilan pisos = alugam-se apartamentos*.

> **Sé** se acentúa cuando es de los verbos **ser** o **saber**: *yo sé lo que hago; sé tú mismo.*

sebáceo, a *adj* sebáceo.
sebo *m* **1** sebo (gordura, grasa). **2** sebo (suciedad).
seborrea *f* MED seborréia.
seboso, sa *adj* **1** seboso (sebáceo). **2** seboso, gordurento (grasiento). **3** (fam) gordo.
secadero *m* secadouro, enxugadouro.
secador, ra *adj* **1** secador. ● *m y f* **2** secador (aparato).
secadora *f* secadora (de ropas).
secano *m* seco (terreno).
secante *adj* **1** secante. ● *adj y f* **2** GEOM secante.
secar *tr y pron* **1** secar, enxugar. **2** secar, murchar.
sección *f* **1** seção (separación, corte). **2** seção, departamento. **3** seção, espaço (en revista, periódico). **4** seção (dibujo del perfil).
seccionar *tr* secionar, seccionar.
secesión *f* secessão.
seco, ca *adj* **1** seco, enxuto. **2** seco, murcho. **3** seco, árido. **4** (fig) seco (flaco). **5** (fig) seco, sedento. ■ **a secas** sem mais nada, somente.
secreción *f* secreção. ◆ ~ **interna** MED secreção interna.
secretar *tr* secretar.
secretaría *f* **1** secretaria (oficina). **2** secretariado (cargo).
secretariado *m* **1** secretariado (cargo). **2** secretariado (carrera). **3** secretariado, secretaria (oficina).
secretario, ria *m y f* **1** secretário. **2** *Amér.* ministro.
secretear *intr* (fam) segredar, cochichar.
secreter *m* secretária (mueble).
secreto, ta *adj* **1** secreto (oculto, ignorado). ● *m* **2** segredo. **3** segredo, mistério. ■ **en** ~ em segredo.
secta *f* seita (seguidores, doctrina).
sectario, ria *adj/m y f* **1** sectário. ● *adj* **2** sectário (fanático).
sector *m* **1** setor (parte, grupo). **2** GEOM setor, seção. ◆ ~ **privado** setor privado.
sectorial *adj* setorial.

secuaz *adj/m y f* sequaz.
secuela *f* seqüela (consecuencia).
secuencia *f* **1** seqüência (serie, sucesión). **2** seqüência (continuidad). **3** CINE, TV seqüência.
secuestrar *tr* **1** seqüestrar. **2** DER seqüestrar (embargar).
secuestro *m* **1** seqüestro, seqüestração. **2** DER seqüestro (embargo).
secular *adj* **1** secular (seglar, laico). **2** secular (tiempo).
secularización *f* **1** secularização (de bienes). **2** secularização (de un religioso).
secularizar *tr y pron* **1** secularizar (hacer secular). • *tr* **2** secularizar (a un religioso).
secundar *tr* secundar, apoiar.
secundario, ria *adj* **1** secundário (segundo). **2** secundário (accesorio).
secuoya o **secoya** *f* sequóia (árbol).
sed *f* **1** sede (gana de beber). **2** (fig) sede, desejo.
seda *f* **1** seda (sustancia). **2** seda (hilo). **3** seda (tejido). ■ **ir como una ~** (fig, fam) ir que é uma beleza.
sedal *m* sedela, sedelha.
sedante *adj* **1** sedativo, calmante. • *adj y m* **2** sedativo (medicamento).
sedar *tr* sedar (calmar).
sede *f* **1** sede (de entidad). **2** sede (de diócesis). **3** sede (asiento).
sedentario, ria *adj* **1** sedentário (quieto). **2** sedentário (asentado).
sedición *f* sedição.
sedicioso, sa *adj/m y f* sedicioso.
sediento, ta *adj/m y f* **1** sedento. • *adj* **2** (fig) sedento, desejoso.
sedimentación *f* sedimentação.
sedimentar *tr y pron* sedimentar.
sedimentario, ria *adj* sedimentar, sedimentário.
sedimento *m* sedimento.
sedoso, sa *adj* sedoso (suave).
seducción *f* sedução.
seducir *tr* **1** seduzir (atraer). **2** seduzir (convencer).
seductor, ra *adj/m y f* sedutor.
sefardí o **sefardita** *adj/m y f* sefardi, sefardita.
segador, ra *m y f* segador, ceifador.
segadora *f* ceifadeira, segadeira (máquina).
segar *tr* **1** segar, ceifar. **2** cortar, decepar. **3** (fig) ceifar (interrumpir).
seglar *adj* **1** secular. • *adj/m y f* **2** laico.
segmentación *f* segmentação.
segmentar *tr* segmentar (partir).
segmento *m* **1** segmento (parte). **2** GEOM segmento.
segregación *f* segregação. ♦ **~ racial** segregação racial.
segregacionista *adj/m y f* segregacionista.
segregar *tr* **1** segregar (separar). **2** segregar (secretar).
seguidilla *f* seguidilha (estrofa).
seguido, da *adj* **1** seguido. **2** em linha reta. • *adv* **3** seguido.
seguir *tr e intr* **1** seguir (ir detrás). • *tr* **2** seguir (continuar). **3** seguir (imitar). **4** seguir, perseguir. • **~se** *pron* **5** vir, ser conseqüência.
según *prep* **1** segundo (conforme): *según el médico, debes hacer reposo = segundo o médico, você deve fazer repouso.* **2** dependendo: *según el trabajo que tenga = dependendo do trabalho que tenha.* **3** segundo, à medida que: *atienden según llega la gente = atendem segundo chegam as pessoas.* **4** depende: *me lo compraré o no, según = vou comprar ou não, depende.*
segundar *tr* **1** secundar (repetir). • *intr* **2** ser o segundo.
segundo, da *adj/m y f* **1** segundo. • *m* **2** segundo (tiempo).
segundón, na *adj* **1** segundo (hijo). **2** (fig, fam) imediato (en cargo).
seguridad *f* **1** segurança (firmeza). **2** segurança (garantía).
seguro, ra *adj* **1** seguro. • *m* **2** seguro (contrato, valor). • *adv* **3** certamente. ♦ **~ a todo riesgo** seguro total. ■ **sobre ~** sem risco.
seis *adj y m* **1** seis.
seiscientos, tas *adj y m* seiscentos.
seísmo *m* sismo (sismo).
selección *f* **1** seleção (elección). **2** seleção (equipo).
seleccionador, ra *adj/m y f* selecionador.
seleccionar *tr* selecionar.
selectividad *f* **1** seletividade. **2** vestibular (examen).
selectivo, va *adj* seletivo.

selecto, ta *adj* seleto.
selenio *m* QUÍM selênio.
sellar *tr* **1** selar (marcar). **2** (fig) selar (estampar).
sello *m* **1** selo (para cartas, documentos). **2** selo, carimbo (utensilio). **3** selo (marca).
seltz *m* água com gás.
selva *f* selva, floresta.
selvático, ca *adj* **1** selvático, selvagem. **2** (fig) selvático (rústico).
semáforo *m* **1** semáforo (de tráfico). **2** MAR semáforo.
semana *f* **1** semana. **2** semana (paga). ♦ **fin de ~** fim de semana. ■ **entre ~** no meio da semana, durante a semana.
semanal *adj* semanal.
semanario *m* semanário, hebdomadário.
semántica *f* FILOL semântica.
semántico, ca *adj* semântico.
semblante *m* **1** semblante (rostro). **2** semblante, fisionomia. **3** (fig) semblante, cara (apariencia).
semblantear *tr e intr Amér.* encarar.
semblanza *f* resumo biográfico.
sembrado *m* terra semeada.
sembrar *tr* **1** semear (tierra). **2** (fig) semear, ocasionar: *sembrar el pánico = semear pânico.*
semejante *adj/m y f* **1** semelhante (próiimo). • *adj* **2** semelhante, parecido.
semejanza *f* semelhança.
semejar *intr y pron* semelhar, assemelhar.
semen *m* sêmen.
semental *adj/m y f* semental.
sementar *tr* sementar, semear.
semestral *adj* semestral.
semestre *m* **1** semestre (período). **2** semestre, semestralidade (sueldo).
semiautomático, ca *adj* semi-automático.
semicircular *adj* GEOM semicircular.
semicírculo *m* GEOM semicírculo.
semidesnatado, da *adj* semidesnatado.
semidiós *m* semideus.
semidiosa *f* semideusa.
semiesfera *f* GEOM semi-esfera.
semifinal *f* semifinal.
semilla *f* **1** semente. **2** (fig) semente (causa, origen).
semillero *m* **1** viveiro, sementeira. **2** (fig) origem.
seminal *adj* seminal.
seminario *m* **1** seminário (centro, clase). **2** seminário (institución). **3** seminário (semillero).
seminarista *m* seminarista.
semiología *f* semiologia.
semiótica *f* semiótica.
semita *adj/m y f* semita.
semitismo *m* **1** semitismo (doctrina). **2** semitismo (giro, vocablo).
sémola *f* sêmola.
sempiterno, na *adj* sempiterno.
senado *m* **1** senado (cámara alta). **2** senado (edificio).
senador, ra *m y f* senador.
sencillez *f* **1** simplicidade (facilidad, simpleza). **2** simplicidade (sobriedad, discreción).
sencillo, lla *adj* **1** simples (fácil, elemental). **2** simples (individual). **3** simples (directo, claro). • *m* **4** *Amér.* trocado, troco.
senda *f* **1** senda (sendero, atajo). **2** (fig) senda, caminho.
senderismo *m* trilha, caminhada.
sendero *m* sendeiro, senda.
sendos, das *adj pl* seus respectivos: *entraron en sendas casas = entraram em suas respectivas casas.*
senectud *f* senectude.
Senegal *m* Senegal.
senegalés, sa *adj/m y f* senegalês.
senil *adj* senil.
sénior *adj* **1** sênior. • *adj/m y f* **2** DEP sênior.
seno *m* **1** concavidade. **2** seio, mama. **3** seio (vientre, matriz). **4** (fig) seio (regazo, amparo). **5** MAT seno.
sensación *f* **1** sensação (impresión). **2** sensação (impacto, efecto).
sensacional *adj* **1** sensacional (asombroso). **2** sensacional, fora de série.
sensacionalismo *m* sensacionalismo.
sensatez *f* sensatez.
sensato, ta *adj* sensato.
sensibilidad *f* sensibilidade.
sensibilización *f* sensibilização.
sensibilizar *tr y pron* **1** sensibilizar (concienciar). **2** sensibilizar (humanizar, enternecer).
sensible *adj* **1** sensível (emotivo). **2** sensível (delicado, tierno).
sensiblería *f* sentimentalismo, pieguice.

S

sensiblero, ra *adj/m y f* sentimentalista, piegas.
sensitivo, va *adj* **1** sensitivo, sensorial. **2** sensível, sensitivo.
sensor *m* sensor.
sensorial *adj* sensorial.
sensual *adj* sensual.
sensualidad *f* sensualidade.
sensualismo *m* sensualismo.
sentado, da *adj* sensato (juicioso). ■ **dar por ~** dar por certo.
sentar *tr y pron* **1** sentar, assentar-se (en asiento). **2** assentar (asegurar, establecer). • *tr* **3** (fig) assentar (basar, fundamentar).
sentencia *f* **1** sentença (dictamen, parecer). **2** sentença (proverbio, máxima). **3** DER sentença.
sentenciar *tr* **1** sentenciar (juzgar, fallar). **2** sentenciar (condenar, culpar).
sentencioso, sa *adj* **1** sentencioso (moralista). **2** sentencioso, grave (tono, manera de hablar).
sentido, da *adj* **1** sentido. • *m* **2** sentido (percepción, sensibilidad). **3** sentido (conciencia, discernimiento). **4** sentido (significado). ◆ **~ común** bom senso; **~ del humor** senso de humor.
sentimental *adj* sentimental.
sentimentalismo *m* sentimentalismo.
sentimiento *m* **1** sentimento (emoción, sensación). **2** sentimento (sensibilidad, ternura).
sentina *f* **1** MAR sentina. **2** (fig) pocilga.
sentir *m* **1** sentir (opinión, juicio). **2** sentimento, ânimo.
sentir *tr* **1** sentir (notar, percibir). **2** sentir (lamentar, deplorar). **3** sentir (presentir, sospechar). • **~se** *pron* **4** sentir-se (encontrarse, hallarse).
seña *f* **1** sinal (característica, particularidad). **2** sinal (gesto, ademán). **3** sinal (signo). **4** sinal (huella, vestigio). • **señas** *f pl* **5** endereço, dados.
señal *f* **1** sinal (característica, particularidad). **2** sinal (indicio, vestigio). **3** sinal (cicatriz, marca). **4** sinal, senha (contraseña). **5** sinal (indicación, aviso).
señalado, da *adj* insigne, famoso.
señalar *tr* **1** assinalar (marcar, rotular). **2** apontar. • **~se** *pron* **3** distinguir-se, destacar-se.
señalización *f* sinalização.
señalizar *tr* sinalizar (carreteras).
señero, ra *adj* só, solitário.
señor, ra *m y f* **1** senhor (persona adulta). **2** senhor (amo, patrón). • **Señor** *m* **3** Senhor (Dios).
señorear *tr* **1** senhorear (dominar, mandar). **2** (fig) senhorear (sobresalir, despuntar).
señoría *f* senhoria.
señorial *adj* senhorial.
señorío *m* **1** senhorio (dominio, mando). **2** senhorio (territorio).
señorita *f* senhorita.
señorito *m* filho do patrão.
señuelo *m* **1** chamariz, isca. **2** (fig) isca.
seo *f* sé (catedral).
separación *f* **1** separação (división). **2** separação (distanciamiento).
separado, da *adj/m y f* separado.
separar *tr y pron* **1** separar (apartar, distanciar). • *tr* **2** separar (aislar, confinar). **3** separar (fraccionar, dividir). • **~se** *pron* **4** separar-se (descasarse).
separata *f* separata.
separatismo *m* separatismo.
sepelio *m* enterro, sepultamento.
sepia *f* **1** sépia (molusco). • *adj y m* **2** sépia (color).
septenio *m* setênio.
septentrional *adj* setentrional.
septicemia *f* MED septicemia.
septiembre *m* setembro.
séptico, ca *adj* MED séptico.
séptimo, ma *adj/m y f* sétimo.
sepulcral *adj* sepulcral.
sepulcro *m* **1** sepulcro, túmulo. **2** sepulcro (hueco del altar).
sepultar *tr* **1** sepultar (enterrar). • *tr y pron* **2** (fig) sepultar (ocultar, cubrir).
sepulto, ta *adj* sepulto.
sepultura *f* **1** sepultura, sepultamento. **2** sepultura, jazigo (hoyo).
sequedad *f* **1** secura, sequidão. **2** (fig) secura, frieza.
sequero *m* **1** terreno seco. **2** sequeiro, secadouro.
sequía *f* seca, estiagem.
séquito *m* séquito, séqüito.
ser *m* **1** ser (criatura, organismo). **2** ser (individuo). **3** ser (esencia, naturaleza).
ser *intr* **1** ser (causa). **2** ser (consistir): *su virtud es saber hablar bien = sua virtude é saber falar bem.* **3** ser (haber, exis-

tir): *érase una vez un castillo encantado = era uma vez um castelo encantado.* **4** ser (suceder, ocurrir): *la fiesta fue estupenda = a festa foi ótima.* **~ de 5** ser de se: *es de suponer que no venga = é de se supor que não virá*; ser de (origen): *este jarrón es de China = este vaso é da China*; ser de (materia): *este abrigo es de cuero = este casaco é de couro*; ser de (posesión): *esto no es de mi padre = isto não é do meu pai*; ser (pertenecer): *soy del equipo de coordinación = sou da equipe de coordenação.* • *tr* **6** ser (calidad, condición): *sois muy divertidos = vocês são muito engraçados, yo soy francés y ella italiana = eu sou francês e ela italiana.* **7** ser (empleo, actividad): *somos todas enfermeras = somos todas enfermeiras.* **8** ser (indentidad): *es el hombre que le salvó la vida = é o homem que salvou a vida dele.* • *aux* **9** (forma la voz pasiva) ser: *este museo es visitado por muchos turistas = este museu é visitado por muitos turistas.* ■ **a no ~ que** a não ser que; **como sea** seja como for; **no ~ para menos** não ser para menos; **por si fuera poco** para piorar.

serafín *m* **1** serafim (espíritu). **2** (fig) serafim (persona hermosa).

Serbia *f* Sérvia.

serbio, bia *adj/m y f* **1** sérvio. • *m* **2** sérvio (lengua).

serenar *tr, intr y pron* **1** serenar. • *intr* **2** *Col.* chuviscar.

serenata *f* serenata.

serenidad *f* serenidade.

sereno, na *adj* **1** sereno (claro, despejado). **2** (fig) sereno (sosegado, apacible). • *m* **3** sereno, guarda-noturno.

serial *adj* **1** serial. • *m* **2** RAD, TV série, seriado.

seriar *tr* seriar.

sericicultura o **sericultura** *f* sericicultura, sericultura.

serie *f* **1** série (secuencia, suceción). **2** série (conjunto, grupo). **3** RAD, TV série (serial).

seriedad *f* **1** seriedade (rectitud). **2** seriedade (circunspección).

serigrafía *f* serigrafia.

serio, ria *adj* **1** sério (responsable, riguroso). **2** sério (circunspecto). **3** sério (grave, importante). ■ **en ~** a sério.

sermón *m* **1** sermão (discurso). **2** (fig) sermão (amonestación).

sermonear *intr* **1** pregar, predicar. • *tr* **2** dar um sermão (reprender).

serón *m* seirão.

seropositivo, va *adj/m y f* soropositivo, seropositivo.

serosidad *f* **1** serosidade (secreción, líquido). **2** serosidade (humor).

seroso, sa *adj* seroso.

serpentear *intr* serpentear.

serpentín *m* serpentina.

serpiente *f* serpente, cobra. ◆ **~ de cascabel** cobra cascavel; **~ de coral** cobra coral.

serrado, da *adj* serrado, dentado.

serraduras *f pl* serragem, serradura.

serrallo *m* serralho, harém.

serranía *f* serrania.

serrano, na *adj/m y f* **1** serrano, montesino. • *adj* **2** (fam, fig) sarado, saudável.

serrar *tr* serrar, cortar.

serrín *m* serragem, serradura.

servicial *adj* serviçal.

servicio *m* **1** serviço (utilidad, provecho). **2** serviço (beneficio, favor). **3** serviço (reparto, suministro). **4** serviço (personal, organización). **5** serviço (conjunto, juego). **6** sanitário, banheiro (retrete). ◆ **~ de inteligencia** serviço de informações, serviço secreto; **~ militar** serviço militar; **~ público** serviço público. ■ **fuera de ~** fora de serviço.

servidor, ra *m y f* **1** servidor. • *m* **2** INF servidor.

servidumbre *f* **1** criadagem. **2** servidão (dependencia, sujeción). **3** encargo, obrigação.

servil *adj* servil.

servilismo *f* servilismo.

servilleta *f* guardanapo.

servilletero *m* porta-guardanapos.

servir *intr y tr* **1** servir (estar al servicio). **2** servir (ser de utilidad). • *intr* **3** servir (estar sujeto). **4** servir, atender (en restaurante, bar). • *tr y pron* **5** servir, pôr (comida, bebida). • **~se** *pron* **6** servir-se, lançar mão de.

servomecanismo *m* MEC servomecanismo.

servomotor *m* MEC servomotor.

sésamo *m* gergelim, sésamo.

sesear *intr* cecear.

sesenta *adj y m* sessenta.
sesentón, na *adj/m y f* sessentão.
seseo *m* ceceo.
sesera *f* **1** (fig, fam) coco, cachola (cabeza). **2** (fig, fam) miolo, cérebro (juicio, inteligencia).
sesgado, da *adj* **1** oblíquo, enviesado. **2** distorcido, tendencioso.
sesgar *tr* **1** enviesar, esguelhar (cortar). **2** enviesar, entortar.
sesgo, ga *adj* **1** enviesado, torcido. **2** (fig) grave, sério: *semblante sesgo = semblante sério.*
sesión *f* **1** sessão (reunión, junta). **2** sessão (tiempo): *sesión de quimioterapia = sessão de quimioterapia.* **3** sessão (representación, función).
seso *m* **1** miolos. **2** (fig) cérebro, cabeça (prudencia, madurez). ■ **devanarse los sesos** (fig) quebrar a cabeça; **sorberle el ~ a uno** (fig) virar a cabeça de alguém.
sestear *intr* **1** sestear, dormir. ● *tr* **2** sestear, resguardar (ganado).
sesteo *m* sesteada, cochilada.
sesudo, da *adj* sisudo, prudente.
seta *f* cogumelo.
setecientos, tas *adj/m y f* setecentos.
setenta *adj/m y f* setenta.
setentón, na *adj/m y f* setentão.
setiembre *m* setembro.
seto *m* sebe, cerca. ◆ **~ vivo** sebe viva.
seudónimo, ma *adj y m* pseudônimo.
severo, ra *adj* **1** severo (riguroso, duro). **2** severo (exacto, rígido).
sevicia *f* sevícias.
sexagenario, ria *adj/m y f* sexagenário.
sexenio *m* sexênio.
sexismo *m* sexismo.
sexista *adj/m y f* sexista.
sexo *m* **1** sexo (condición orgánica). **2** sexo (conjunto de seres): *el sexo masculino = o sexo masculino.* **3** sexo (órganos sexuales).
sexología *f* sexologia.
sextante *m* sextante (instrumento).
sexto, ta *adj/m y f* sexto.
sextuplicar *tr y pron* sextuplicar.
sexuado, da *adj* BIOL sexuado.
sexual *adj* sexual.
sexualidad *f* sexualidade.
sexy *adj* sexy.
Seychelles *f pl* Seychelles.
sherpa *adj/m y f* xerpa, sherpa.
shock *m* choque, abalo (transtorno).
short *m* short, shorts.
show *m* show. ■ **montar un ~** (fig, fam) dar um show.
si *m* MÚS si.
si *conj* **1** se (condición, suposición): *iría a verlo más si viviera más cerca = iria visitá-lo mais se eu morasse mais perto.* **2** se não (enfático): *fíjate si es despistado = me diz se não é distraído.* **3** se (deseo): *¡ah, si yo fuera rico! = ah, se eu fosse rico!* **4** se (adversativo): *si es pronto para nosotros, es tarde para los niños = se é cedo para nós, é tarde para as crianças.* **5** se (interrogativa indirecta): *no sabes si traerá la cámara fotográfica = você não sabe se ele vai trazer a máquina fotográfica.* **6** (precedido de no) senão: *cómetelo todo, si no, no te dejo jugar = come tudo, senão não deixo você brincar.*
sí *pron* **1** si: *siempre quiere todo los juguetes para sí = quer sempre todos os brinquedos para sí.* ● *adv* **2** sim (contestación): *sí, lo hice yo = sim, fui eu quem fez.* **3** sim é (énfasis): *este barrio sí que es tranquilo = este bairro sim é que é tranqüilo.* ● *m* **4** sim: *esperaba ansiosamente el sí de su novia = esperava ansiosamente o sim da sua noiva.* ■ **de por ~** em si; **fuera de ~** fora de si; **volver en ~** voltar a si.

> **Si no** son dos palabras: una conjunción subordinada condicional y un adverbio de negación. Las encontramos en frases condicionales: *si no me traes un regalo, mejor que no vengas.*

siamés, sa *adj/m y f* siamês (gato).
sibarita *adj/m y f* **1** sibarita. **2** (fig) refinado, requintado.
sibaritismo *m* sibaritismo.
sibilino, na *adj* **1** sibilino. **2** (fig) sibilino (misterioso, oscuro).
sic *adv* sic.
sicario *m* sicário.
sicólogo, ga *m y f* ⇒ psicólogo.

sicópata *m o f* PSIC ⇒ psicópata.
sida (*siglas de* **Síndrome de Inmuno-deficiencia Adquirida**) *m* MED AIDS.
sidecar *m* side-car.
sideral *adj* sideral.
siderurgia *f* siderurgia.
siderúrgico, ca *adj* siderúrgico.
sidra *f* sidra.
siega *f* **1** sega, ceifa (corte, recolección). **2** sega (tiempo).
siembra *f* **1** semeadura, semeação. **2** semeadura (tierra). **3** época do plantio.
siempre *adv* **1** sempre (eternamente): *esto siempre estará aquí = isto sempre estará aqui*. **2** em todo o caso, pelo menos: *aunque no estuvo en la fiesta, siempre podrá ver las fotos = apesar de que não esteve na festa, pelo menos pôde ver as fotos*. ■ **hasta ~** até um dia; **~ que** sempre que.
sien *f* têmpora.
sierpe *f* serpe, serpente.
sierra *f* **1** serra (herramienta). **2** serra (cordillera).
Sierra Leona *f* Serra Leoa.
siervo, va *m y f* **1** servo (esclavo). **2** servo (vasallo).
siesta *f* sesta, cochilo. ■ **echar la ~** tirar um cochilo.
siete *adj y m* sete.
sietemesino, na *adj/m y f* setemesinho.
sífilis *f* MED sífilis.
sifón *m* **1** sifão (botella). **2** sifão, tubo.
sigilo *m* **1** sigilo (secreto). **2** carimbo (utensilio, marca).
sigiloso, sa *adj* sigiloso.
sigla *f* sigla.
siglo *m* **1** século. **2** (fig) século (mucho tiempo).
signar *tr* **1** assinar. **2** assinalar, marcar.
signatura *f* **1** marca, anotação. **2** numeração, catalogação.
significación *f* **1** significação, sentido. **2** significação, importância.
significado, da *adj* **1** conhecido, ilustre. • *m* **2** significado (sentido).
significante *m* FILOL significante.
significar *tr* **1** significar (expresar, denotar). • *intr* **2** significar (valer, importar).
significativo, va *adj* **1** significativo (representativo, expresivo). **2** significativo (relevante, importante).
signo *m* **1** signo, sinal (símbolo). **2** signo (indicio). **3** sinal, gesto.
siguiente *adj* seguinte.
sílaba *f* sílaba. ♦ **~ átona** sílaba átona; **~ tónica** sílaba tônica.
silabear *intr y tr* silabar.
silba *f* assobio.
silbante *adj* **1** assobiante, assobiador. **2** FON sibilante.
silbar *intr y tr* **1** assobiar, silvar. **2** (fig) assobiar, vaiar (por desagrado).
silbatina *f Arg., Chile* vaia, assobiada.
silbato *m* apito, assobio (instrumento).
silbido *m* assobio, silvo.
silenciador *m* silenciador.
silenciar *tr* silenciar.
silencio *m* **1** silêncio. **2** (fig) silêncio (paz). **3** (fig) silêncio (reserva, pausa). ■ **romper el ~** (fig) quebrar o silêncio.
silencioso, sa *adj* silencioso.
sílex *m* sílex.
sílice *f* QUÍM sílice, sílex.
silicio *m* QUÍM silício.
silicona *f* QUÍM silicone.
silla *f* **1** cadeira, assento. **2** sela (de montar). ♦ **~ de ruedas** cadeira de rodas.
sillar *m* silhar (piedra labrada).
sillín *m* selim (de bicicleta, cabalgadura).
sillón *m* **1** poltrona. **2** silhão (de montar).
silo *m* silo.
silueta *f* silhueta.
silvestre *adj* silvestre.
silvicultura *f* silvicultura.
sima *f* sima.
simbólico, ca *adj* simbólico.
simbolismo *m* **1** simbolismo (sistema de símbolos). **2** LIT simbolismo.
simbolizar *tr* simbolizar.
símbolo *m* **1** símbolo (representación). **2** símbolo (figura, divisa). **3** QUÍM símbolo.
simbología *f* simbologia.
simetría *f* **1** simetria (proporción). **2** simetria (disposición).
simétrico, ca *adj* simétrico.
simiente *f* **1** semente (semilla). **2** semente (semen).
simiesco, ca *adj* simiesco.
símil *adj* **1** símile (semejante). • *m* **2** símile (comparación). **3** RET símile.
similar *adj* similar.
similitud *f* similaridade, semelhança.

simio, mia *adj/m y f* **1** ZOOL símio. • **simios** *m pl* **2** ZOOL símios.
simpatía *f* **1** simpatia (afecto). **2** simpatia (carácter). **3** MED simpatia.
simpático, ca *adj* **1** significativo (representativo). **2** significativo (relevante, importante).
simpatizante *adj/m y f* simpatizante.
simpatizar *intr* simpatizar.
simple *adj* **1** simples (básico). **2** simples, singelo. **3** simples, puro. **4** (fig) insípido (desabrido). • *adj/m y f* **5** (fig) simples, ingênuo.
simpleza *f* **1** simplicidade (mentecatez). **2** tolice, asneira.
simplicidad *f* **1** simplicidade (sencillez). **2** simplicidade (ingenuidad).
simplificar *tr* **1** simplificar. **2** MAT simplificar.
simplista *adj/m y f* simplista.
simplón, na *adj/m y f* simplório.
simposio *m* simpósio.
simulación *f* simulação.
simulacro *m* simulacro.
simulado, da *adj* dissimulado, falso.
simular *tr* simular.
simultanear *tr* realizar simultaneamente.
simultaneidad *f* simultaneidade.
simultáneo, a *adj* simultâneo.
sin *prep* **1** sem (falta, carencia): *café sin azúcar = café sem açúcar*. **2** (seguido de infinitivo) sem (negación): *hemos estado todo el día sin comer = estivemos todo o dia sem comer*. **3** sem (aparte de): *el piso cuesta treinta mil euros sin plaza de parking = o apartamento custa trinta mil euros sem vaga na garagem*. **4** sem (por hacer): *hemos dejado museos sin visitar = deixamos museus sem visitar*. ■ **~ embargo** entretanto: *llovía mucho, sin embargo se fue en moto = chovia muito, entretanto foi de moto*.
sinagoga *f* sinagoga.
sincerar *tr y pron* **1** justificar (culpabilidad, inocencia). • **~se** *pron* **2** abrir-se, desabafar.
sinceridad *f* sinceridade.
sincero, ra *adj* sincero.
sincopar *tr* **1** GRAM, MÚS sincopar. **2** (fig) abreviar.
síncope *m* MED síncope.
sincretismo *m* sincretismo.
sincronía *f* sincronia.
sincrónico, ca *adj* sincrônico.
sincronización *f* sincronização.
sincronizar *tr* sincronizar.
sindicado, da *adj/m y f* **1** sindicalizado. • *adj y m* **2** *Col., Ecuad., Venez.* indiciado (acusado).
sindical *adj* sindical.
sindicalismo *m* sindicalismo.
sindicar *tr y pron* **1** sindicalizar, sindicar. • *tr* **2** indiciar (acusar, delatar).
sindicato *m* sindicato.
síndico *m* síndico.
síndrome *m* **1** MED síndrome (síntomas). **2** (fig) síndrome (fenómenos). ♦ **~ de abstinencia** síndrome de abstinência.
sinecura *f* sinecura.
sinfín *m* infinidade.
sinfonía *f* **1** sinfonia (voces). **2** sinfonia (composición).
sinfónico, ca *adj* sinfônico.
Singapur *m* Cingapura.
singladura *f* MAR singradura.
singular *adj* **1** singular (solo, único). **2** (fig) singular (extraordinario, raro).
singularidad *f* **1** singularidade (unicidad). **2** singularidade (particularidad).
singularizar *tr y pron* singularizar (distinguir).
siniestrado, da *adj/m y f* sinistrado.
siniestro, tra *adj* **1** sinistro (malintencionado). **2** sinistro (infeliz, funesto). **3** sinistro, esquerdo. • *m* **4** acidente, sinistro.
sinnúmero *m* infinidade.
sino *m* sina, destino.
sino *conj* **1** senão, mas sim (adversativa): *no voy al cine, sino al teatro = não vou ao cinema, senão ao teatro*. **2** senão, a não ser (excepción): *nadie lo esperaba sino tú = ninguém esperava isso senão você*. **3** (precedido de no) nada além de, somente: *no veía sino lo que quería ver = não enxergava nada além do que queria enxergar*.

> **Sino** es una sola palabra y siempre va precedida de una frase negativa: *no quiere carne, sino pescado*

sinonimia *f* GRAM sinonímia.
sinónimo, ma *adj y m* GRAM sinônimo.

sinopsis *f* **1** sinopse (esquema). **2** sinopse (exposición general). **3** sinopse (sumario, resumen).
sinóptico, ca *adj* sinóptico.
sinrazón *f* sem-razão.
sinsabor *m* **1** insipidez. **2** (fig) dissabor (pesar, desazón).
sintáctico, ca *adj* GRAM sintático.
sintaxis *f* GRAM sintaxe.
síntesis *f* **1** síntese (composición). **2** síntese (resumen, compendio).
sintético, ca *adj* sintético.
sintetizador *adj/m y f* **1** sintetizador. • *m* **2** sintetizador (aparato).
sintetizar *tr* sintetizar.
síntoma *m* **1** MED sintoma. **2** (fig) sintoma (señal, indicio).
sintomático, ca *adj* sintomático.
sintomatología *f* sintomatologia.
sintonía *f* **1** sintonia (señal sonora). **2** (fig) sintonia (afinidad).
sintonización *f* sintonização.
sintonizador, ra *adj/m y f* **1** sintonizador. • *m* **2** ELEC sintonizador.
sintonizar *tr* **1** sintonizar (frecuencia). • *intr* **2** (fig) sintonizar (coincidir).
sinuosidad *f* **1** sinuosidade. **2** (fig) sinuosidade, tergiversação.
sinuoso, sa *adj* **1** sinuoso. **2** (fig) sinuoso (poco claro).
sinusitis *f* MED sinusite.
sinvergonzonería *f* sem-vergonhice.
sinvergüenza *adj/m y f* sem-vergonha.
sionismo *m* sionismo.
siquiátrico, ca *adj y m* ⇒ psiquiátrico.
siquiera *adv* **1** sequer: *no tiene siquiera un abrigo = não tem sequer um casaco.* • *conj* **2** pelo menos, ao menos: *come, siquiera un trocito = come, pelo menos um pedacinho.* ■ **ni ~** nem sequer.
sirena *f* **1** sirene, sirena (alarma). **2** sereia (ninfa marina). **3** (fig) sereia (mujer cautivadora).
Siria *f* Síria.
sirimiri *m* garoa.
sirio, ria *adj/m y f* sírio.
siroco *m* siroco.
sirope *m* xarope.
sirviente, ta *adj/m y f* servente.
sisa *f* **1** sisa (impuesto). **2** cava (de camisa, blusa).
sisar *tr* **1** sisar (cometer fraude). **2** cavar (camisa, blusa).
sisear *intr y tr* sussurrar.
sísmico, ca *adj* sísmico.
sismo *m* sismo.
sismógrafo *m* sismógrafo.
sismología *f* sismologia.
sistema *m* **1** sistema (método, ordenación). **2** sistema (conjunto de elementos). **3** BIOL sistema. ◆ **~ operativo** INF sistema operacional; **~ solar** sistema solar.
sistemático, ca *adj* sistemático.
sistematizar *tr* sistematizar.
sitiar *tr* sitiar.
sitio *m* **1** lugar, sítio (espacio ocupado). **2** lugar, local. **3** sítio, chácara.
sito, ta *adj* sito, situado.
situación *f* **1** situação (estado, condición). **2** situação (posición).
situado, da *adj* **1** situado. • *m* **2** renda, salário (salario).
situar *tr y pron* situar.
sketch *m* esquete.
slip *m* **1** cueca. **2** sunga (bañador).
snack-bar *m* lanchonete, snack-bar.
snowboard *m* snowboard.
so *prep* **1** sob: *lucharon so mi comando = lutaram sob o meu comando.* • **¡~!** *interj* **2** pára!
sobaco *m* sovaco (axila).
sobado, da *adj* **1** sovado. **2** (fig) surrado (muy usado).
sobar *tr* **1** sovar, amassar. **2** (fig) babar (dormir). **3** (fig) amassar, apalpar (a alguien).
soberanía *f* **1** soberania (autoridad). **2** soberania (alteza, excelencia).
soberano, na *adj/m y f* soberano.
soberbia *f* soberba.
soberbio, bia *adj* **1** soberbo (altivo, arrogante). **2** soberbo (grandioso, magnífico).
sobón, na *adj/m y f* **1** apalpador. **2** pegajoso (fastidioso).
sobornar *tr* subornar.
soborno *m* **1** suborno. **2** *Amér.* sobrecarga.
sobra *f* **1** sobra (exceso, demasía). • **sobras** *f pl* **2** restos, sobras (de comida).
sobradillo *m* água-furtada.
sobrado, da *adj* **1** sobrado (demasiado). **2** sobrado (rico). • *m* **3** desvão, sótão.
sobrante *adj y m* **1** restante. • *adj* **2** sobrado (demasiado, excesivo).

sobrar *intr* **1** sobrar (superar, exceder). **2** sobrar (quedar, restar).
sobrasada *f* lingüiça de porco.
sobre *prep* **1** sobre (encima de): *déjalo sobre la mesa = deixe-o sobre a mesa.* **2** sobre (acerca de): *tenemos que pensar sobre este asunto = temos que pensar sobre este assunto.* **3** sobre (dominio, superioridad): *en la cadena alimenticia el sapo está sobre los insectos = na cadeia alimentar o sapo está sobre os insetos.*
sobre *m* envelope. ■ **irse al ~** (fig, coloq) ir para a cama (dormir).
sobreabundancia *f* superabundância.
sobreabundar *intr* superabundar.
sobrealimentación *f* superalimentação.
sobrealimentar *tr y pron* superalimentar.
sobrecarga *f* **1** sobrecarga (sobrepeso). **2** (fig) sobrecarga (molestia, pena).
sobrecargar *tr* **1** sobrecarregar. **2** sobrecoser.
sobrecargo *m* sobrecarga (de un buque).
sobrecoger *tr* **1** sobressaltar (asustar). • **~se** *pron* **2** surpreender.
sobredosis *f* overdose, superdose.
sobreentender o **sobrentender** *tr* subentender.
sobreestimar *tr* superestimar.
sobrehumano, na *adj* sobre-humano.
sobrellevar *tr* sobrelevar, tolerar.
sobremanera *adv* sobremaneira.
sobremesa *f* conversa na mesa depois da comida.
sobrenombre *m* apelido, alcunha.
sobrepaga *f* sobrepaga, gratificação.
sobrepasar *tr* superar, ultrapassar.
sobrepeso *m* excesso de peso.
sobreponer *tr* **1** sobrepor (colocar). • **~se** *pron* **2** (fig) vencer, dominar (adversidad).
sobreproducción *f* superprodução.
sobrero, ra *adj* sobrado, restante.
sobresaliente *adj/m y f* **1** sobressalente. • *m* **2** excelente (nota).
sobresalir *intr* **1** sobressair (exceder). **2** sobressair (distinguirse).
sobresaltar *tr y pron* sobressaltar (asustar, alarmar).
sobresalto *m* **1** sobressalto (emoción). **2** sobressalto (susto).
sobrescribir *tr* sobrescrever.
sobrescrito, ta *adj* **1** sobrescrito. • *m* **2** sobrescrito.
sobreseer *intr* **1** sobrestar (desistir). • *intr y tr* **2** DER sobrestar.
sobreseimiento *m* DER sobrestamento.
sobresueldo *m* pagamento extra.
sobretodo *m* sobretudo (abrigo).
sobrevalorar *tr* supervalorizar, sobrevalorar.
sobrevenir *intr* sobrevir.
sobreviviente *adj/m y f* sobrevivente.
sobrevivir *intr* sobreviver.
sobrevolar *tr* sobrevoar.
sobriedad *f* sobriedade.
sobrino, na *m y f* sobrinho.
sobrio, bria *adj* **1** sóbrio (moderado, templado). **2** sóbrio (sencillo, sin adornos).
socaliña *f* truque, tramóia.
socapa *f* socapa. ■ **a o de ~** à socapa.
socapar *tr Amér.* encobrir, esconder.
socarrón, na *adj/m y f* socarrão.
socarronería *f* trapaça, velhacaria.
socavar *tr* **1** socavar (excavar). **2** (fig) minar, enfraquecer.
socavón *m* socavão.
sociable *adj* sociável.
social *adj* social.
socialdemocracia *f* socialdemocracia.
socialdemócrata *adj/m y f* socialdemocrata.
socialismo *m* socialismo.
socialista *adj/m y f* socialista.
socializar *tr* socializar, estatizar.
sociedad *f* **1** sociedade (comunidad). **2** sociedade, corpo social. **3** sociedade, associação. ♦ **~ de consumo** sociedade de consumo.
socio, cia *m y f* **1** sócio (asociado). **2** (fam) sócio (compañero).
sociología *f* sociologia.
sociológico, ca *adj* sociológico.
socorrer *tr* socorrer.
socorrido, da *adj* socorrido.
socorrismo *m* socorrismo.
socorrista *m o f* socorrista.
socorro *m* **1** socorro (ayuda). **2** socorro (dinero, alimento, ropa).
soda *f* soda.
sódico, ca *adj* sódico.
sodio *m* QUÍM sódio.
sodomía *f* sodomia.
sodomita *adj/m y f* sodomita.

soez *adj* soez.
sofá *m* sofá.
sofisma *m* sofisma.
sofisticación *f* sofisticação.
sofisticado, da *adj* **1** sofisticado (afectado). **2** (fig) sofisticado (elegante, refinado). **3** (fig) sofisticado (complejo).
sofisticar *tr* sofisticar.
soflama *f* **1** chama tênue. **2** (fig) discurso inflamado (perorata).
sofocante *adj* sufocante.
sofocar *tr* **1** sufocar (asfixiar). **2** sufocar (extinguir).
sofoco *m* **1** sufoco (ahogo). **2** sufoco (sonrojo).
sofocón *m* (fam) sufoco.
sofreír *tr* fritar pouco, refogar.
sofrito *m* refogado.
software *m* INF software.
soga *f* **1** soga, corda (cuerda). **2** *Arg.* tira de couro. ■ **con la ~ al cuello** (fig) com a corda no pescoço.
soja *f* soja (planta, fruto).
sojuzgar *tr* subjugar.
sol *m* **1** sol (astro). **2** (fig, fam) sol (luz, calor). **3** (fig, fam) amor, doce (persona buena). **4** MÚS sol (nota). ■ **de ~ a ~** (fig) de sol a sol.
solano *m* leste (viento).
solapa *f* **1** solapa, lapela (de prenda). **2** solapa, orelha (de libro).
solapado, da *adj* solapado.
solapar *tr* **1** pôr solapas (en una prenda). **2** (fig) solapar (ocultar).
solar *adj y m* solar.
solar *tr* **1** ladrilhar (poner ladrillos). **2** solar (echar suelas).
solariego, ga *adj/m y f* solarengo.
solárium *m* solário.
solaz *m* solaz.
soldada *f* soldada.
soldado *m* **1** MIL soldado. **2** (fig) soldado (servidor, partidario).
soldadura *f* soldadura, solda.
soldar *tr y pron* soldar (pegar, unir).
soledad *f* solidão.
solemne *adj* **1** solene (importante). **2** solene (imponente). **3** solene (formal).
solemnidad *f* **1** solenidade (importancia). **2** solenidade (majestuosidad).
soler *intr* costumar.
solera *f* **1** soleira (madero). **2** soleira (de horno). **3** (fig) tradição.

solfa *f* **1** MÚS solfa. **2** (fig) surra, sova.
solfear *tr* **1** MÚS solfejar. **2** (fig, fam) surrar.
solicitante *adj/m y f* solicitante.
solicitar *tr* **1** solicitar (pedir, requerir). **2** administrar (negocio). **3** DER solicitar. • *intr* **4** solicitar (instar, urgir).
solícito, ta *adj* solícito.
solicitud *f* **1** solicitação, petição (documento). **2** solicitude (diligencia, prontitud).
solidaridad *f* solidariedade.
solidario, ria *adj* solidário.
solidarizarse *pron* solidarizar-se.
solidez *f* solidez (firmeza, fuerza).
solidificación *f* solidificação.
solidificar *tr y pron* solidificar.
sólido, da *adj* **1** sólido (firme, fuerte). **2** (fig) sólido (asentado). **3** FÍS, QUÍM sólido. • *m* **4** GEOM sólido.
solista *m o f* MÚS solista.
solitario, ria *adj* **1** solitário (desierto). **2** solitário (solo). • *adj/m y f* **3** solitário (aislado). • *m* **4** paciência (juego de naipes).
soliviantar *tr y pron* **1** sublevar (hostilizar). • *tr* **2** (fig) sublevar-se (inquietarse).
sollozar *intr* soluçar.
sollozo *m* soluço.
sólo o **solo** *adv* somente, só: *había sólo dos trozos = havia somente dois pedaços.*

> **Sólo** se acentúa cuando es un adverbio y significa ‘solamente’: *sólo pienso en ti, no consigo hacer nada más.*
>
> **Solo** no se acentúa cuando es un adjetivo y significa ‘sin compañía’: *se siente muy solo, porque no consigue ver a los que tiene a su lado.*

solo, la *adj* **1** sozinho, só: *vive sola = mora sozinha, tiene un solo abrigo = tem um casaco só.* • *m* **2** solo (paso de danza). **3** solo (juego). **4** MÚS solo.
solomillo *m* **1** lombinho (de cerdo). **2** alcatra (de buey).
solsticio *m* ASTR solstício. ♦ **~ hiemal** ASTR solstício de inverno; **~ vernal** ASTR solstício de verão.
soltar *tr y pron* **1** soltar (desatar, desasir). **2** soltar, libertar. • *tr* **3** soltar (de-

jar fluir): *soltar el llanto = soltar o choro*. **4** soltar (desenrollar): *hay que soltar la cadena = tem que soltar a corrente*. **5** soltar, desprender (olor, líquido): *esta flor suelta agua = esta flor solta água*. • **~se** *pron* **6** (fig) soltar (adquirir agilidad).
soltero, ra *adj/m y f* **1** solteiro. • *adj* **2** (fig) solteiro (libre).
solterón, na *adj/m y f* solteirão.
soltura *f* **1** soltura (liberación). **2** soltura (agilidad). **3** (fig) soltura (disolución).
soluble *adj* solúvel.
solución *f* **1** solução (mezcla, combinación). **2** solução (resultado). **3** solução (desenlace).
solucionar *tr* solucionar.
solvencia *f* solvência.
solventar *tr* **1** solver, saldar (cuentas). **2** solver, solucionar (problemas).
solvente *adj* solvente.
somalí *adj/m y f* **1** somali. • *m* **2** somali (lengua).
Somalia *f* Somália.
somanta *f* (fam) surra.
somático, ca *adj* somático.
sombra *f* **1** sombra (oscuridad). **2** sombra (espectro). **3** sombra (de color). **4** (fig) sombra (ignorancia). **5** (fig) sombra (indicio, señal). ■ **a la ~** (fig, fam) na prisão; **hacer ~ a alguien** (fig) fazer sombra a alguém.
sombrear *tr* sombrear.
sombrero *m* **1** chapéu (prenda de vestir). **2** chapéu (techo, capa, protección). **3** BOT chapéu, píleo. **4** MAR chapéu. ◆ **~ de copa** cartola.
sombrilla *f* sombrinha.
sombrío, a *adj* **1** sombrio (lóbrego). **2** (fig) sombrio (melancólico, tétrico).
somero, ra *adj* superficial.
someter *tr y pron* **1** submeter (humillar, subyugar). **2** submeter (obligar).
sometimiento *m* submissão.
somier *m* somiê.
somnífero, ra *adj y m* sonífero.
somnolencia *f* **1** sonolência (pesadez). **2** sonolência (ganas de dormir).
somnoliento, ta *adj* sonolento.
son *m* **1** som (sonido). **2** (fig) notícia. **3** (fig) modo. ■ **sin ton ni ~** (fig, fam) sem mais nem menos.
sonado, da *adj* **1** famoso, divulgado. **2** (fig, fam) louco.
sonajero *m* chocalho (juguete).
sonámbulo, la *adj/m y f* sonâmbulo.
sonar *m* sonar.
sonar *intr y tr* **1** soar (hacer ruido). • *tr* **2** soar, tanger (instrumento). • *intr* **3** soar (significar). **4** (fam) não ser estranho (a alguien): *me suena tu cara = sua cara não me é estranha*. **5** (fam) soar (recordar). • *tr y pron* **6** assoar (nariz). ■ **como suena** tal qual; **~ bien/mal** (fig) ter boa/má impressão.
sonda *f* **1** sonda, sondagem. **2** sonda (instrumento).
sondar *tr* **1** sondar (examinar). **2** (fig) sondar (rastrear).
sondear *tr* **1** sondar. **2** (fig) sondar (averiguar).
sondeo *m* **1** sondagem (muestreo). **2** sondagem (investigación).
soneto *m* soneto.
sonido *m* **1** som (sensación). **2** som (pronunciación). **3** (fam) notícia. **4** FÍS som.
sonoridad *f* **1** sonoridade. **2** FÍS sonoridade.
sonorización *f* sonorização.
sonorizar *tr* **1** sonorizar (película). **2** sonorizar (instalar equipos).
sonoro, ra *adj* **1** sonoro. **2** sonoro, melodioso. **3** FON sonoro.
sonreír *intr y pron* **1** sorrir (reírse poco). • *intr* **2** (fig) sorrir, agradar.
sonriente *adj/m y f* sorridente.
sonrisa *f* sorriso.
sonrojar *tr y pron* ruborizar, corar.
sonrojo *m* rubor.
sonrosado, da *adj* enrubescido, corado.
sonrosar *tr y pron* enrubescer.
sonsacar *tr* **1** surripiar (hurtar). **2** (fig) arrancar com jeitinho.
soñador, ra *adj/m y f* **1** sonhador (iluso). • *adj* **2** (fig) sonhador, devaneador.
soñar *tr e intr* **1** sonhar. **2** (fig) sonhar, devanear. • *intr* **3** (fig) sonhar, almejar.
soñolencia *f* sonolência.
soñoliento, ta *adj* **1** sonolento, ensonado. **2** (fig) sonolento, monótono.
sopa *f* sopa (alimento). ◆ **~ de letras** sopa de letras (pasatiempo). ■ **hasta en la ~** (fig, fam) em toda parte.

sopapo *m* sopapo.
sopapear *tr* (fam) sopapear.
sopero, ra *adj* **1** sopeiro (plato, cuchara). • *adj/m y f* **2** sopeiro, sopista.
sopesar *tr* **1** sopesar (pesar). **2** (fig) pesar, avaliar (pros y contras).
sopetón *m* tabefe, sopapo (golpe). ■ **de ~** de supetão.
soplamocos *m* (fig, fam) murro no nariz.
soplar *intr y tr* **1** soprar, assoprar. • *tr* **2** soprar (mover): *soplar el polvo = soprar o pó*. **3** soprar, encher (insuflar). **4** (fig) surrupiar (hurtar). **5** (fam) soprar (chivar): *le soplaron una pregunta en el examen = lhe sopraram uma pergunta na prova*.
soplete *m* maçarico.
soplo *m* **1** sopro (de aire). **2** (fig) sopro, instante. **3** (fig, fam) delação, acusação. **4** MED sopro.
soplón, na *adj/m y f* **1** dedo-duro. • *m y f* **2** *Amér. Centr.* apontador (de teatro).
soponcio *m* **1** (fam) desmaio, chilique. **2** (fam) susto grande.
sopor *m* sopor, torpor.
soporífero, ra *adj/m y f* soporífero.
soportal *m* **1** soportal (entrada cubierta). **2** pórtico.
soportar *tr* **1** suportar (peso, carga). **2** (fig) suportar (problemas, sufrimientos).
soporte *m* **1** suporte (apoyo). **2** suporte (utensilio).
soprano *m* **1** soprano (voz). • *m o f* **2** soprano (cantante).
sorber *tr* **1** sorver (sopa, bebida). **2** sorver (inhalar). **3** (fig) sorver (absorber).
sorbete *m* **1** sorvete (refresco). **2** *Méx.* chapéu de seda.
sorbo *m* **1** sorvo, gole. **2** trago, golinho. ■ **a sorbos** aos goles.
sordera *f* surdez.
sordidez *f* sordidez.
sórdido, da *adj* **1** sórdido (sucio). **2** (fig) sórdido, indecente.
sordo, da *adj/m y f* **1** surdo. • *adj* **2** surdo (poco claro). **3** (fig) surdo, indiferente. **4** FON surdo (sonido).
sordomudez *f* surdo-mudez.
sordomudo, da *adj/m y f* surdo-mudo.
sorna *f* **1** sorna (lentitud). **2** sorna (disimulo). **3** ironia.
soroche *m* **1** *Amér. Merid.* puna (mal de montaña). **2** *Chile* rubor. **3** *Bol., Chile* galena.
sorprendente *adj* surpreendente.
sorprender *tr* **1** surpreender (coger desprevenido). **2** surpreender (causar sorpresa).
sorpresa *f* **1** surpresa (impresión). **2** surpresa (motivo).
sortear *tr* **1** sotear. **2** (fig) eludir (riesgos, dificultades).
sorteo *m* sorteio.
sortija *f* sortilha, anel.
sortilegio *m* **1** sortilégio (hechizo, magia). **2** (fig) adivinhação.
SOS (*siglas de* **Save Our Souls**) *m* SOS.
sosa *f* QUÍM soda.
sosaina *adj/m y f* (fam) desenxabido, sem graça.
sosegado, da *adj* sossegado.
sosegar *tr y pron* **1** sossegar (pacificar). **2** (fig) sossegar (calmar).
sosería *f* insipidez.
sosiego *m* sossego.
soslayar *tr* **1** esguelhar. **2** (fig) esquivar (dificultad, problema).
soslayo, ya *adj* soslaio, esguelhado.
soso, sa *adj* **1** insosso, insípido. • *adj/m y f* **2** (fig) insosso, sem graça.
sospecha *f* suspeita.
sospechar *intr y tr* **1** suspeitar (desconfiar). • *tr* **2** suspeitar, supor.
sospechoso, sa *adj* **1** suspeitoso, suspeito. • *adj/m y f* **2** suspeito.
sostén *m* **1** sustentação. **2** (fig) sustento (apoyo moral). **3** sutiã (prenda de vestir).
sostener *tr y pron* **1** sustentar (mantener firme). • *tr* **2** (fig) sustentar (apoyar). • **~se** *pron* **3** suster-se.
sostenido, da *adj* **1** sustentado. • *adj y m* **2** MÚS sustenido (signo musical).
sostenimiento *m* **1** sustentação, sustento (mantenimiento). **2** sustento (provisión).
sota *f* sota, dama (carta de baraja).
sotana *f* sotaina (vestidura eclesiástica).
sotavento *m* MAR sotavento.
soterrado, da *adj* **1** soterrado (enterrado). **2** (fig) soterrado (olvidado).

soterrar *tr* **1** soterrar (enterrar). **2** (fig) soterrar (esconder).
soto *m* mata, bosque.
sponsor *m* patrocinador.
spot *m* **1** spot (de luz). **2** spot (anuncio).
spray *m* spray, aerossol.
sprint *m* DEP sprint.
Sri Lanka *m* Sri Lanka.
stand *m* estande.
stock *m* estoque.
su (*apócope de* **suyo**) *pron poses* **1** (antepuesto al nombre) seu, dele (posesión, pertenencia): *aquél es su coche = aquele é o seu carro.* **2** seu, dele (relación): *espera que lleguen sus amigas = está esperando suas amigas chegarem.* **3** seu, dele (costumbre): *ésta es su tienda de zapatos preferida = esta é a loja de calçados preferida dela.* **4** seu (indeterminado): *este negocio tiene sus desventajas = este negócio tem com certeza suas desvantagens.*
suave *adj* **1** suave, macio (al tacto). **2** suave (agradable).
suavidad *f* suavidade.
suavizante *adj* **1** suavizante, suavizador. • *m* **2** amaciante (para ropa).
suazi *adj/m y f* **1** suázi. • *m* **2** suázi (lengua).
Suazilandia *m* Suazilândia.
suba *f Arg., Ur.* aumento dos preços.
subalterno, na *adj/m y f* subalterno (inferior).
subarrendar *tr* subarrendar, sublocar.
subarriendo *m* subarrendamento, sublocação.
subasta *f* **1** leilão. **2** leilão, subastação. ◆ **~ pública** DER hasta pública.
subastar *tr* **1** leiloar. **2** DER leiloar, subastar.
subcampeón, na *adj/m y f* DEP vice-campeão.
subclase *f* BOT, ZOOL subclasse.
subconsciencia o **subconciencia** *f* subconsciência.
subconsciente *adj y m* subconsciente.
subcontratación *f* subcontratação.
subdesarrollado, da *adj* subdesenvolvido.
subdesarrollo *m* subdesenvolvimento.
subdirector, ra *m y f* subdiretor, vice-diretor.
súbdito, ta *adj/m y f* **1** súdito (subordinado). • *m y f* **2** súdito (ciudadano).
subdividir *tr y pron* subdividir.
subestimar *tr* subestimar.
subgénero *m* subgênero.
subida *f* **1** subida (ascenso). **2** subida, aclive. **3** subida (aumento): *subida del sueldo = subida do salário.*
subido, da *adj* **1** subido (superior). **2** subido, excessivo. **3** forte (color, olor).
subir *intr y pron* **1** subir: *se subió a la silla = subiu na cadeira.* **2** subir (en un vehículo). • *intr* **3** subir (elevar): *los precios han subido = os preços subiram.* • *tr* **4** subir: *subir la colina = subir o morro.*
súbito, ta *adj* **1** súbito, repentino. • *adv* **2** súbito, subitamente. ■ **de ~** de súbito, subitamente.
subjefe, fa *m y f* subchefe.
subjetividad *f* subjetividade.
subjetivismo *m* subjetivismo.
subjetivo, va *adj* **1** subjetivo (del sujeto). **2** subjetivo (personal).
sublevación *f* sublevação, revolta.
sublevar *tr y pron* **1** sublevar (amotinarse). • *tr* **2** (fig) sublevar (indignar).
sublimación *f* **1** sublimação (exaltación). **2** FÍS, QUÍM sublimação.
sublimar *tr* **1** sublimar (engrandecer). • *tr y pron* **2** FÍS sublimar.
sublime *adj* sublime.
subliminal *adj* subliminar, subliminal.
submarinismo *m* atividades submarinas.
submarinista *m y f praticante de atividades submarinas.*
submarino, na *adj* **1** submarino. • *m* **2** submarino (buque).
subnormal *adj* **1** subnormal. • *adj/m y f* **2** retardado.
suboficial *m* MIL suboficial.
subordinación *f* **1** subordinação (sujeción). **2** GRAM subordinação.
subordinado, da *adj/m y f* **1** subordinado, subalterno. **2** GRAM subordinado.
subordinar *tr y pron* **1** subordinar (sujetar). **2** GRAM subordinar.
subrayado, da *adj* **1** sublinhado. • *m* **2** sublinhado, sublinha.
subrayar *tr* **1** sublinhar, grifar (rayar). **2** (fig) sublinhar, frisar (palabras).
subrepticio, cia *adj* subreptício.

subrogación *f* DER sub-rogação.
subrogar *tr y pron* DER sub-rogar.
subsanar *tr* **1** remediar, ressarcir (defecto, daño). **2** desculpar (desacierto, delito).
subscribir *tr y pron* ⇒ suscribir.
subsecretario, ria *m y f* subsecretário.
subseguir *intr y pron* subseguir.
subsidiario, ria *adj* **1** subsidiário (auxiliar). **2** subsidiário, secundário.
subsidio *m* **1** subsídio (socorro). **2** subsídio (pensión).
subsiguiente *adj* subseqüente.
subsistencia *f* **1** subsistência (existencia). **2** subsistência (permanencia). **3** (gralte pl) subsistência, sustento.
subsistente *adj* subsistente.
subsistir *intr* **1** subsistir (vivir). **2** subsistir, perdurar.
substancia *f* ⇒ sustancia.
substantivo, va *adj* ⇒ sustantivo.
subsuelo *m* subsolo (terreno).
subterfugio *m* subterfúgio.
subterráneo, a *adj* **1** subterrâneo. • *m* **2** subterrâneo (espacio). **3** *Arg.* metro.
subtitular *tr* **1** legendar (película). **2** subtitular.
subtítulo *m* **1** legenda (de película). **2** subtítulo.
suburbano, na *adj/m y f* suburbano.
suburbio *m* subúrbio.
subvención *f* subvenção.
subvencionar *tr* subvencionar.
subvenir *intr* **1** auxiliar, socorrer. **2** custear.
subversión *f* subversão (trastorno, destrucción).
subversivo, va *adj* subversivo.
subvertir *tr* subverter (perturbar).
subyacente *adj* subjacente.
subyacer *intr* **1** subjazer. **2** (fig) subjazer (ocultarse).
subyugar *tr y pron* subjugar.
succión *f* **1** sucção, sugação. **2** sucção, aspiração.
succionar *tr* **1** sugar, chupar. **2** absorver, aspirar.
sucedáneo, a *adj y m* sucedâneo.
suceder *intr* **1** suceder, acontecer. **2** suceder (sustituir).
sucedido, da *adj* **1** sucedido, ocorrido. • *m* **2** (fam) sucedido, ocorrido.
sucesión *f* **1** sucessão (sustitución). **2** sucessão, seqüência. **3** sucessão, descendência.
sucesivo, va *adj* sucessivo.
suceso *m* **1** acontecimento, fato. **2** acidente, desastre.
sucesor, ra *adj/m y f* sucessor.
suciedad *f* **1** sujeira. **2** (fig) sujeira, sordidez (inmoralidad).
sucinto, ta *adj* sucinto.
sucio, cia *adj* **1** sujo (manchado). **2** sujo, imundo. **3** (fig) sujo, impuro.
suculento, ta *adj* suculento.
sucumbir *intr* **1** sucumbir (rendirse). **2** sucumbir (morir).
sucursal *adj y f* filial, sucursal.
sudadera *f* suéter esportivo.
sudado, da *adj* sudado.
Sudáfrica *f* África do Sul.
sudafricano, na *adj/m y f* sul-africano.
Sudamérica *f* América do Sul.
sudamericano, na *adj/m y f* ⇒ suramericano, na.
Sudán *m* Sudão.
sudanés, sa *adj/m y f* sudanês.
sudar *intr y tr* **1** suar, transpirar. • *intr* **2** (fig, fam) suar, dar duro.
sudario *m* sudário.
sudeste *m* **1** sudeste, sueste (viento). **Sudeste 2** sudeste, sueste (punto cardinal).
sudoeste *m* **1** sudoeste (viento). **Sudoeste 2** sudoeste (punto cardinal).
sudor *m* **1** suor (exudación). **2** (fig) suor (trabajo). ■ **con el ~ de la frente** (fig, fam) com suor.
sudoroso, sa *adj* suado.
Suecia *f* Suécia.
sueco, ca *adj/m y f* **1** sueco. • *m* **2** sueco (lengua).
suegro, gra *m y f* sogro.
suela *f* **1** sola, solado (de zapato). **2** sola (cuero curtido).
sueldo *m* salário, remuneração. ■ **a ~** assalariado.
suelo *m* **1** solo, chão. **2** piso, chão. ■ **besar el ~** (fig, fam) beijar o chão (caerse); **estar por los suelos** (fig, fam) estar lá embaixo.
suelto, ta *adj* **1** solto. **2** ágil, hábil. **3** solto, trocado (dinero).
sueño *m* **1** sono (estado). **2** sono, sonolência. **3** sonho (ensueño). **4** (fig) sonho

(deseo). ◆ ~ **pesado** sonho pesado. ■ **conciliar el** ~ conciliar o sono.
suero *m* soro. ◆ ~ **de la verdad** soro da verdade; ~ **fisiológico** soro fisiológico.
suerte *f* **1** sorte (destino). **2** sorte (casualidad). **3** sorte, acaso feliz. ■ **echar a suertes** tirar a sorte.
suéter *m Amér.* suéter.
suficiencia *f* **1** suficiência (capacidad). **2** suficiência (presunción).
suficiente *adj* **1** suficiente (bastante). ● *m* **2** suficiente (calificación).
sufijo, ja *adj y m* GRAM sufixo.
sufragar *tr* **1** sufragar (favorecer). **2** custear, pagar (gastos).
sufragio *m* **1** sufrágio (ayuda). **2** sufrágio (voto). **3** sufrágio (sistema electoral).
sufrido, da *adj* sofrido, resignado.
sufrimiento *m* sofrimento (padecimiento).
sufrir *tr* **1** sofrer, padecer (dolor, enfermedad). **2** sofrer (aguantar). **3** sofrer (tolerar, aguantar).
sugerencia *f* sugestão, proposta.
sugerente *adj* sugestivo.
sugerir *tr* sugerir.
sugestión *f* sugestão.
sugestionar *tr* **1** sugestionar (influir). **2** sugestionar, manipular.
sugestivo, va *adj* **1** sugestivo. **2** (fig) sugestivo, atraente.
suicida *adj/m y f* suicida.
suicidarse *pron* suicidar-se.
suicidio *m* suicídio.
Suiza *f* Suíça.
suizo, a *adj/m y f* **1** suíço. ● *m* **2** brioche.
sujeción *f* **1** sujeição (agarre). **2** sujeição (dominio).
sujetador, ra *adj* **1** segurador. ● *m* **2** sutiã (sostén).
sujetapapeles *m* prendedor para papéis.
sujetar *tr y pron* **1** sujeitar (agarrar). **2** segurar (atar, prender).
sujeto, ta *adj* **1** seguro, preso. ● *m* **2** sujeito (individuo). **3** tema, assunto.
sulfato *m* QUÍM sulfato.
sulfurar *tr* **1** sulfurar, enxofrar (combinar). ● *tr y pron* **2** (fig) enxofrar (irritar).
sulfúrico, ca *adj* QUÍM sulfúrico.
suma *f* **1** soma (adición). **2** soma, quantia.
sumando *m* MAT parcela.
sumar *tr* **1** somar, adicionar. ● **~se** *pron* **2** juntar-se, aderir-se.
sumario, ria *adj* **1** sumário. ● *m* **2** sumário (resumen). **3** DER sumário.
sumergir *tr y pron* **1** submergir (hundir). ● **~se** *pron* **2** (fig) sumergir-se (concentrarse).
suministrar *tr* subministrar.
suministro *m* **1** subministro. **2** (gralte pl) subministração.
sumir *tr y pron* **1** submergir, sumir. **2** (fig) afundar, meter (en un estado de ánimo).
sumisión *f* **1** submissão (sometimiento). **2** submissão (subordinación).
sumiso, sa *adj* **1** submisso (sometido). **2** submisso (subordinado).
sumo, ma *adj* **1** sumo (supremo). **2** sumo (enorme). ● *m* **3** DEP sumô.
suntuosidad *f* suntuosidade.
suntuoso, sa *adj* **1** suntuoso (costoso). **2** suntuoso (grande). **3** suntuoso (magnífico).
supeditación *f* **1** subordinação. **2** condicionamento.
supeditar *tr* **1** submeter, subordinar. **2** condicionar.
súper *adj* **1** superbacana, ótimo. ● *m* **2** supermercado. ● *f* **3** gasolina aditivada.
superabundancia *f* superabundância.
superabundante *adj* superabundante.
superabundar *intr* superabundar.
superar *tr y pron* **1** superar (ser superior). ● *tr* **2** superar, vencer (obstáculos, dificultades).
superávit *m* ECON superávit.
superdotado, da *adj* superdotado.
superficial *adj* **1** superficial: *herida superficial = ferida superficial.* **2** (fig) superficial (frívolo).
superficialidad *f* superficialidade.
superficie *f* **1** superfície (área). **2** superfície, face. **3** GEOM superfície. ◆ **grandes superficies** hipermercados.
superfluo, flua *adj* supérfluo.
superíndice *m* sobrescrito (exponente, notas de página).
superintendente *m o f* superintendente.
superior *adj* **1** superior. **2** excelente. ● *adj y m* **3** superior (jefe).
superior, ra *m y f* superior (religioso).
superioridad *f* **1** superioridade (preeminencia). **2** superioridade (autoridad).
superlativo, va *adj* **1** superlativo. **2** GRAM superlativo.
supermercado *m* supermercado.

superponer *tr* **1** superpor, sobrepor. **2** sobrepor, dar prioridade.
superposición *f* superposição.
superpotencia *f* superpotência.
superproducción *f* **1** superprodução (exceso). **2** superprodução (obra de cine, teatro).
supersónico, ca *adj* **1** supersônico. • *m* **2** supersônico (avión).
superstición *f* **1** superstição, crendice. **2** superstição (fe desmedida).
supersticioso, sa *adj* **1** supersticioso. • *adj/m y f* **2** supersticioso, crédulo.
supervisar *tr* supervisionar, supervisar.
supervisión *f* supervisão.
supervivencia *f* sobrevivência, supervivência.
superviviente *adj/m y f* sobrevivente, supervivente.
supino, na *adj* **1** supino (boca arriba). **2** supino, excessivo. • *m* **3** GRAM supino.
suplantar *tr* **1** suplantar, usurpar (empleo, cargo). **2** falsificar.
suplementario, ria *adj* suplementar, suplementário.
suplemento *m* **1** suplemento (complemento). **2** suplemento (de revistas, periódicos).
suplencia *f* suplência.
suplente *adj/m y f* suplente, substituto.
supletorio, ria *adj* **1** supletivo, supletório. • *adj y m* **2** extensão (de teléfono).
súplica *f* **1** súplica. **2** DER apelação.
suplicante *adj/m y f* suplicante.
suplicar *tr* **1** suplicar, rogar. **2** DER apelar, recorrer.
suplicatorio, ria *adj* **1** suplicatório. • *m* **2** DER avocatória.
suplicio *m* **1** suplício (lesión). **2** (fig) suplício, sofrimento (físico, moral).
suplir *tr* **1** suprir (sustituir). **2** suprir (reemplazar).
suponer *tr* **1** supor, presumir. **2** supor (conllevar, implicar). • *intr* **3** considerar (significar).
suposición *f* **1** suposição, hipótese. **2** suposição, proposição. **3** suposição (impostura).
supositorio *m* supositório.
supremacía *f* supremacia, hegemonia.
supremo, ma *adj* **1** supremo (altísimo). **2** supremo, mais importante.
supresión *f* supressão.
suprimir *tr* **1** suprimir (eliminar). **2** suprimir (omitir).
supuesto, ta *adj* **1** suposto (hipotético). • *m* **2** suposto, hipótese.
supuración *f* supuração.
supurante *adj* supurante.
supurar *intr* supurar.
sur *m* **1** sul (viento). **Sur 2** sul (punto cardinal).

> Utilizamos **sur** cuando hacemos referencia al punto cardinal y a sus derivados: *sur, suroeste, sureste, sureño.*
>
> Utilizamos **sud** cuando forma parte de un nombre propio y sus derivados: *Sudamérica, sudamericano, Sudáfrica, sudafricano,* aunque también se utiliza **sur**.

Suramérica *f* América do Sul.
suramericano, na *adj/m y f* sul-americano.
surcar *tr* **1** sulcar (tierra). **2** (fig) sulcar, navegar.
surco *m* **1** sulco (en la tierra). **2** sulco, fenda. **3** sulco, ruga.
surcoreano, na *adj/m y f* sul-coreano.
sureste *m* ⇒ sudeste.
surf *m* surfe, surf.
surfista *m o f* surfista.
surgir *intr* **1** sugir (aparecer). **2** (fig) surgir, irromper.
Surinam *m* Suriname.
suroeste *m* ⇒ sudoeste.
surrealismo *m* surrealismo.
surrealista *adj/m y f* surrealista.
surtido, da *adj* **1** sortido, variado. • *m* **2** sortimento.
surtidor, ra *adj/m y f* **1** abastecedor, fornecedor. • *m* **2** bomba (de gasolina). **3** bebedouro, fonte.
surtir *tr y pron* sortir, abastecer.
susceptibilidad *f* suscetibilidade.
susceptible *adj* **1** suscetível, passível. **2** suscetível, melindroso.
suscitar *tr* suscitar (provocar).
suscribir *tr y pron* **1** subscrever (firmar). **2** assinar, fazer assinatura de (de una publicación).
suscripción *f* **1** subscrição. **2** assinatura (de una publicación).

susodicho, cha *adj/m y f* supra mencionado.
suspender *tr y pron* **1** suspender (deter). • *tr* **2** suspender, pendurar (colgar). **3** suspender, privar (sueldo, empleo). **4** reprovar (examen).
suspense *m* suspense.
suspensión *f* **1** suspensão (interrupción). **2** suspensão (suspense).
suspenso, sa *adj* **1** suspenso. • *m* **2** nota vermelha.
suspensores *m pl Amér.* suspensórios.
suspicacia *f* suspicácia.
suspicaz *adj/m y f* suspicaz.
suspirar *intr* suspirar, dar suspiros.
suspiro *m* **1** suspiro (aspiración). **2** (fig, fam) instante. **3** suspiro, merengue.
sustancia *f* **1** substância (materia). **2** substância (esencia). **3** substância, sustância (nutriente).
sustancial *adj* **1** substancial, substancioso (nutritivo). **2** substancial (fundamental).
sustancioso, sa *adj* **1** substancioso (en estimación). **2** substancioso, nutritivo.
sustantivo, va *adj* **1** importante, fundamental. • *adj y m* **2** GRAM substantivo.
sustentar *tr y pron* **1** sustentar (alimentar). **2** sustentar, suster.
sustento *m* **1** sustento (alimento). **2** sustento (apoyo).
sustitución *f* **1** substituição. **2** DER substituição. ♦ ~ **fideicomisaria** DER substituição fideicomissória.
sustituir *tr* substituir.
sustitutivo, va *adj* **1** substitutivo. • *m* **2** substitutivo.
sustituto, ta *adj/m y f* substituto.
susto *m* susto.
sustracción *f* **1** subtração (hurto). **2** MAT subtração.
sustraer *tr* **1** subtrair (hurtar). **2** MAT subtrair.
sustrato *m* **1** BIOL substrato. **2** GEOL substrato. **3** GRAM substrato.
susurrar *intr y tr* **1** sussurrar, murmurar. **2** (fig) sussurrar (aire, agua).
susurro *m* **1** sussurro, murmúrio. **2** (fig) sussurro (ruido).
sutil *adj* **1** sutil (delicado). **2** (fig) sutil, perspicaz.
sutileza *f* **1** sutileza, delicadeza. **2** sutileza, agudeza. **3** (fig) sutileza (dicho).
sutura *f* **1** sutura, suturação. **2** sutura (hilo).
suturar *tr* suturar.
suyo, ya *pron poses* **1** seu: *en este armario sólo hay ropa suya = neste armário tem só suas roupas.* **2** dele: *esta casa es suya = esta casa é dela.* • **suyos** *m pl* **3** seus (familia, parientes): *le encanta estar con los suyos = ele adora estar com os seus.* ■ **hacer uno de las suyas** (fam) fazer das suas; **ir a lo ~** (fig, fam) fazer o que lhe dá na telha; **salirse uno con la suya** (fig) conseguir o que quer.
swahili *adj/m y f* **1** suaíli. • *m* **2** suaíli (lengua).

Tt

t, T *f* t, T (letra).
tabacalero, ra *adj* **1** tabaqueiro, tabacal. • *m y f* **2** tabaqueiro (vendedor, cultivador).
tabaco *m* **1** tabaco (planta, hoja). **2** tabaco, fumo.
tábano *m* mutuca.
tabaquero, ra *adj* **1** tabaqueiro, tabacal. • *m y f* **2** tabaqueiro (obrero, vendedor).
tabaquismo *m* tabagismo (intoxicación).
tabardo *m* abrigo, capote (prenda).
tabarra *f* (fam) chateação, amolação.
tabasco *m* tabasco (ají, salsa).
taberna *f* taberna.
tabernario, ria *adj* tabernal, tabernário.
tabicar *tr* tabicar.
tabique *m* **1** tabique, divisória. **2** ANAT septo, tabique.
tabla *f* **1** tábua. **2** prancha. **3** tabela, quadro. **4** lista, catálogo. **5** prega, dobra (de ropa). **6** quadro de avisos, mural. **7** lâmina, placa. • **tablas** *f pl* **8** (fig) empate. ♦ **~ de multiplicar** tabuada; **~ de surf** prancha de surfe. ■ **a raja ~ o rajatabla** (fig, fam) custe o que custar, rigorosamente.
tablado *m* **1** tablado, palco. **2** tablado, cadafalso.
tablero *m* **1** tabuleiro, prancha de madeira. **2** tabuleiro (de ajedrez, damas). **3** mural (para avisos, mensajes).
tableta *f* tablete.
tablilla *f* **1** ripa, tábua. **2** tabuleta (de avisos, mensajes). **3** tabela, tablilha.
tablón *m* **1** tábua grossa. **2** (fig, fam) fogo, bebedeira.
tabú *m* tabu.
tabular *tr* **1** tabular, tabelar. **2** tabular (texto).
taburete *m* banqueta, tamborete.
tacañear *intr* tacanhear.
tacañería *f* tacanharia, tacanhice.
tacaño, ña *adj/m y f* tacanho, avarento.
tacha *f* **1** tacha (falta, defecto). **2** tacha (clavo pequeño).
tachadura *f* risco, rasura.
tachar *tr* **1** riscar, rasurar. **2** tachar (censurar, culpar).
tachón *m* **1** risco, rasura. **2** tachão, rebite (clavo).
tácito, ta *adj* tácito.
taciturno, na *adj* **1** taciturno (callado). **2** (fig) taciturno (apesadumbrado).
taco *m* **1** calço (de madera). **2** bucha (de armas, clavos). **3** taco (de billar). **4** bloco de papel. **5** (fig, fam) pedaço, naco. **6** (fig, fam) lanche.
tacón *m* salto (de zapato).
taconazo *m* sapatada.
taconear *intr y tr* sapatear.
táctica *f* **1** tática (método, sistema). **2** MIL tática.
táctico, ca *adj* **1** tático. • *m y f* **2** tático (especialista).
táctil *adj* tátil.
tacto *m* **1** tato (sentido). **2** tato, tateio. **3** (fig) tato (habilidad).
tafetán *m* **1** tafetá. • **tafetanes** *m pl* **2** bandeiras.
tahúr, ra *adj/m y f* **1** jogador profissional (de cartas). • *m* **2** trapaceiro (jugador fullero).
tailandés, sa *adj/m y f* tailandês.
Tailandia *f* Tailândia.
taimado, da *adj/m y f* **1** astuto, taimado. • *adj* **2** teimoso (temoso, amorrado).
taita *m* **1** (fam) tatá (papás). **2** *Amér. Merid., Venez.* pai, chefe de família.
Taiwan *f* Taiwan.
tajada *f* **1** fatia (porción). **2** (fam) vantagem (ventaja). ■ **sacar ~** (fig) levar vantagem.
tajante *adj* **1** cortante. **2** (fig) firme, inflexível (concluyente).
tajar *tr* **1** talhar, cortar (dividir). • **~se** *pron* **2** (coloq) embebedar-se.
tajo *m* **1** talho (corte). **2** (fam) tarefa. **3** gume, corte. **4** talho, cepo.
tal *adj* **1** tal (igual, semejante): *tal cosa jamás se ha visto = nunca se viu tal*

coisa. • *pron demos* **2** tal: *no creo que tal raza de perro hiciera eso = não acredito que tal raça de cão faria isso.* • *adv* **3** de tal forma: *tal me habló = falou-me de tal forma.* ■ **con ~ de** contanto que; **¿qué ~?** como vai?; **~ vez** talvez.

tala *f* **1** tala, poda. **2** paliçada (de los troncos). **3** barricada (de fortificación).

taladrar *tr* **1** furar, perfurar. **2** (fig) ferir (oídos).

taladro *m* furadeira.

tálamo *m* tálamo.

talante *m* **1** talante, disposição. **2** vontade, desejo.

talar *tr* **1** talar, derrubar (árboles). **2** talar, devastar. **3** podar.

talasoterapia *f* MED talassoterapia.

talco *m* talco.

talento *m* **1** talento (moneda). **2** (fig) talento (inteligencia). **3** (fig) talento (aptitud, capacidad).

talio *m* QUÍM tálio.

talión *m* talião.

talismán *m* talismã.

talla *f* **1** estatura, altura. **2** manequim, número (de ropa, calzado). **3** talha (escultura). **4** (fig) calibre (importancia, valor). ■ **dar la ~** (fig, fam)

tallado, da *adj* **1** talhado. • *m* **2** talha, entalhadura. **3** lapidação (de piedras preciosas).

tallar *tr* **1** talhar, cortar (baraja). **2** talhar, esculpir (dar forma). **3** tributar (tasar). **4** medir (estatura).

tallarín *m* (gralte pl) talharim.

talle *m* **1** talhe, feitio. **2** cintura (parte del cuerpo). **3** talo, tronco (de plantas, árboles).

taller *m* **1** oficina, ateliê. **2** oficina (de reparaciones). **3** oficina, workshop (curso).

> No debe confundirse la palabra española **taller**, que significa 'lugar donde se realizan trabajos manuales', con la palabra brasileña ***talher,*** que corresponde al 'juego compuesto de cuchara, tenedor y cuchillo', **cubiertos**, en español.

tallista *m o f* entalhador.

tallo *m* talo, caule.

talón *m* **1** calcanhar, talão (del pie). **2** salto, calcanhar (del calzado). ♦ **~ de Aquiles** calcanhar de Aquiles.

talonario *m* talonário, talão.

talonear *intr* **1** (fam) caminhar depressa. • *tr* **2** *Méx.* (vulg) prostituir-se. **3** *Amér.* esporear (caballería).

talud *m* talude.

talvez *adv Amér.* talvez.

tamaño, ña *adj* **1** tamanho (tan grande): *se llevó tamaña decepción con su hijo = levou tamanha decepção com seu filho.* • *m* **2** tamanho (volumen, dimensión).

tambalear *intr y pron* **1** cambalear (balancearse). • **~se** *pron* **2** (fig) vacilar (flaquear).

también *adv* **1** também (similitud): *mi hijo también es arquitecto = meu filho também é arquiteto.* **2** também (además): *había niños y también gente mayor = havia crianças e também pessoas idosas.*

tambor *m* **1** MÚS tambor. **2** tambor, cilindro. **3** tambor (de revólver). **4** ANAT tambor, tímpano.

tamboril *m* MÚS tamborim, tamboril.

tamborilear *intr* **1** MÚS tamborilar (tocar). **2** tamborilar (con los dedos).

tamborileo *m* tamborilada.

tamiz *m* tamis, peneira.

tamizar *tr* **1** tamisar, peneirar. **2** (fig) tamisar (elegir, escoger).

tampoco *adv* também não, tampouco: *a mí tampoco me gusta el fútbol = eu também não gosto de futebol, no come carne, tampoco pescado = não come carne, tampouco peixe.*

tampón *m* **1** almofada (para tinta). **2** tampão, absorvente interno.

tan *adv* **1** tão: *era tan horrible = era tão horrível.* **2** (predecedido de como) tão (igualdad): *es tan bonita como su madre = é tão bonita como a mãe.* **3** (precedido de que) tão (comparación): *le pegó tan fuerte que lo estropeó = bateu tão forte que o estragou.*

tanatorio *m* velório.

tanda *f* **1** turno, vez. **2** turno (de trabajo). **3** partida, rodada (de juego).

tándem *m* **1** tandem. **2** (fig) grupo de pessoas. **3** ELEC tandem.

tanga *f* tanga.
tángana *f* **1** alvoroço (alboroto). **2** briga (jaleo, pelea).
tangente *adj y f* GEOM tangente. ■ **salir por la ~** (coloq) sair pela tangente.
tangible *adj* tangível.
tango *m* MÚS tango (baile, música).
tanino *m* QUÍM tanino.
tanque *m* **1** tanque (de guerra). **2** tanque (depósito).
tantalio *m* QUÍM tântalo.
tantear *tr* **1** comparar, confrontar. **2** (fig) tatear (intentar averiguar). ● *intr* **3** titubear, vacilar.
tanteo *m* **1** comparação, confrontação. **2** estimação.
tanto, ta *adj* **1** tanto (calificación): *hacía tanto frío que no quise salir = fazia tanto frio que eu não quiz sair.* **2** tanto (gran número): *tantos elogios lo dejaron sonrojado = tantos elogios o deixou ruborizado.* **3** (en correlación con como) tanto (igualdad): *ella come tanto como tú = ela como tanto quanto você.* ● *adv* **4** tanto (hasta tal punto): *no cuesta tanto = não custa tanto.* **5** tanto (duración): *no puede tardar tanto = não pode demorar tanto.* ● *m* **6** ponto, gol: *marcó el primer tanto a los cinco minutos = marcou o primeiro ponto aos cinco minutos.* ■ **a las tantas** às tantas; **entre ~** enquanto.
Tanzania *f* Tanzânia.
tanzano, na *adj/m y f* tanzaniano.
tañer *tr* **1** tanger (campana). ● *intr* **2** tamborilar.
tañido *m* tangimento (sonido).
tapa *f* **1** tampa (de bote, olla). **2** capa (de libro). **3** aperitivo, salgadinho. ■ **levantar o volar la ~ de los sesos** (fig, fam) estourar os miolos.
tapacubos *m* calota.
tapadera *f* **1** cobertura, tampa. **2** (fig) acobertador, testa-de-ferro.
tapar *tr* **1** tampar, tapar. ● *tr y pron* **2** (fig) tapar (ocultar, encubrir). **3** cobrir (abrigar).
taparrabo o **taparrabos** *m* tapa-sexo.
tapear *tr* lambiscar, beliscar.
tapete *m* **1** tapete (alfombra). **2** caminho-de-mesa.
tapia *f* tapume. ■ **más sordo que una ~** (fig, fam) mais surdo que uma porta.
tapiar *tr* **1** taipar. **2** cercar com tapume.
tapicería *f* **1** tapeçaria (arte, telas). **2** tapeçaria (tienda).
tapicero, ra *m y f* tapeceiro.
tapioca *f* tapioca.
tapir *m* tapir.
tapiz *m* tapiz, tapete.
tapizar *tr* **1** atapetar, tapizar. ● *tr y pron* **2** (fig) revestir.
tapón *m* **1** tampa. **2** cerume (de oído). **3** tampão (para hemorragias). **4** (fig, fam) tampinha, baixinho.
taponar *tr* **1** tapar (cerrar). **2** (fig) tamponar (obstruir, atascar).
taponazo *m* estouro.
tapujo *m* **1** disfarce (embozo). **2** (fig, fam) dissimulação, rodeio.
taquicardia *f* MED taquicardia.
taquigrafía *f* taquigrafia.
taquigrafiar *tr* taquigrafar.
taquigráfico, ca *adj* taquigráfico.
taquígrafo, fa *m y f* **1** taquígrafo. ● *m* **2** taquígrafo (aparato).
taquilla *f* **1** bilheteria, guichê. **2** escaninho (armario). **3** bilheteria (recaudación).
taquillero, ra *adj* **1** (fam) sucesso de bilheteria. ● *m y f* **2** bilheteiro.
tara *f* **1** tara, defeito (de fábrica). **2** tara, defeito (moral, físico).
tarado, da *adj* louco, tarado.
tarambana *adj/m y f* (fam) destrambelhado, biruta.
taranta *f* **1** *Hond.* desmaio (desvanecimiento). **2** *C. Rica, Ecuad.* ímpeto (repente).
tarántula *f* tarântula.
tararear *tr* cantarolar.
tardanza *f* tardança, demora.
tardar *intr y pron* tardar, demorar.
tarde *f* **1** tarde (parte del día): *tengo cita con el dentista esta tarde = tenho hora no dentista hoje a tarde.* ● *adv* **2** tarde. ■ **buenas tardes** boa-tarde.
tardío, a *adj* **1** tardio, temporão (fruto, flor). **2** tardio, extratemporâneo.
tardo, da *adj* **1** tardo (lento). **2** tardo (torpe). **3** TAUROM tardo.
tarea *f* **1** tarefa (trabajo). **2** (fig) tarefa (obligación, penalidad).
tarifa *f* **1** tarifa (tabla de precios). **2** tarifa (precio unitario). **3** tarifa, taxa.

tarifar *tr* **1** tarifar (aplicar tarifa). • *intr* **2** brigar, discutir.
tarima *f* tarima.
tarjeta *f* **1** cartão. **2** cartão perfurado (de identificación). ♦ ~ **de crédito** cartão de crédito.
tarot *m* tarô (baraja, juego).
tarrina *f* terrina.
tarro *m* **1** tarro (recipiente). **2** (fig, fam) coco (cabeza).
tarso *m* ANAT tarso.
tarta *f* torta (dulce, salada).
tartaja *adj/m y f* (fam, desp) tatibitate.
tartajear *intr* (fam, desp) tatibitatear.
tartamudear *intr* gaguejar, tartamudear.
tartamudeo *m* gaguejo, tartamudez.
tartamudo, da *adj/m y f* tartamudo.
tartera *f* torteira (recipiente).
tarugo *m* **1** tarugo (de madera). **2** (fig, fam) burro, asno (zoquete).
tarumba *adj* (fam) atarantado, baratinado.
tasa *f* **1** taxa (tributo, pago). **2** taxa (medida, precio, restricción). ♦ ~ **de paro** taxa de desemprego.
tasación *f* taxação.
tasar *tr* **1** taxar (fijar precio). **2** taxar (valorar, calcular).
tasca *f* taberna.
tata *f* **1** (fam) babá (niñera). • *m* **2** *Amér.* papai (padre).
tatami *m* tatame.
tatarabuelo, la *m y f* tataravô.
tataranieto, ta *m y f* tataraneto.
¡tate! *interj* **1** puxa!, então era isso! (sorpresa). **2** (fam) cuidado!
tatuaje *m* tatuagem.
tatuar *tr y pron* tatuar.
taurino, na *adj* taurino.
tauro *adj/m y f* **1** ASTROL taurino. • **Tauro** *m* **2** ASTR Touro (constelación, signo zodiacal).
tauromaquia *f* tauromaquia (arte, libro).
taxativo, va *adj* taxativo.
taxi *m* táxi.
taxímetro *m* taxímetro.
taxista *m o f* taxista.
taxonomía *f* taxonomia.
Tayikistán *m* Tadjiquistão.
tayiko, ka *adj/m y f* **1** tadjique. • *m* **2** tadjique (lengua).
taza *f* **1** xícara (vasija). **2** xícara, xicarada (medida).
tazón *m* **1** pote (vasija). **2** pia (de fuentes).
te *pron* **1** te, lhe (acusativo): *no te he oído = não te ouvi*. **2** te, lhe (dativo): *te daré un bonito regalo = vou te dar um bonito presente*. **3** se, te (reflexivo): *tienes que vestirte rápido = você tem que se vestir rápido*.

> **Te** no se acentúa cuando es un pronombre personal: *te quiero mucho; te espero a las nueve.*
>
> **Té** se acentúa cuando se refiere a la bebida (infusión); *tengo té de menta, ¿quieres?; el té verde es bueno para la salud.*

te *f* te (letra).
té *m* **1** chá (infusión). **2** chá-da-índia, chá (árbol).
tea *f* **1** tição, tocha. **2** (fig, fam) porre, fogo (borrachera).
teatral *adj* teatral.
teatro *m* **1** teatro (edificio). **2** teatro (obra). **3** teatro (escenario).
tebeo *m* gibi, revista em quadrinhos. ■ **estar más visto que el** ~ (coloq) ser mais conhecido que a nota de um real.
techar *tr* cobrir com teto.
techo *m* **1** teto (de casa, piso). **2** teto (parte superior). **3** (fig) teto (casa, habitación). ■ **sin** ~ sem-teto.
techumbre *f* telhado, cobertura.
tecla *f* tecla. ■ **tocar una** ~ (fig, fam) conduzir um assunto com cuidado.
teclado *m* teclado.
teclear *intr* **1** teclar, teclear. **2** (fig, fam) tamborilar.
técnica *f* **1** técnica (procedimiento, recursos). **2** técnica (pericia, habilidad).
tecnicismo *m* **1** tecnicismo (tecnología). **2** tecnicismo (término técnico).
técnico, ca *adj* **1** técnico (tecnológico). **2** técnico, especializado (lenguaje). • *m y f* **3** técnico (especialista).
tecnicolor *m* tecnicólor.
tecnocracia *f* POL tecnocracia.
tecnócrata *adj/m y f* tecnocrata.

tecnología *f* **1** tecnologia (conocimientos, instrumentos). **2** tecnologia (terminología).
tecnológico, ca *adj* tecnológico.
tectónico, ca *adj* **1** tectônico (arquitectónico). **2** GEOL tectônico.
tedio *m* tédio.
teflón *m* Teflon, teflão.
teja *f* **1** telha (del tejado). **2** tília (tilo).
tejadillo *m* toldo.
tejado *m* telhado.
tejanos *m pl* calça jeans.
tejar *m* telheira, olaria.
tejar *tr* telhar.
tejemaneje *m* **1** (fam) sururu, agitação. **2** (fam) falcatrua, maracutaia.
tejer *tr* **1** tecer. **2** (fam) tecer (componer, idear).
tejido, da *adj* **1** tecido. • *m* **2** tecido (material). **3** tecido (textura). ◆ **~ muscular** ANAT tecido muscular.
tejo *m* **1** teixo (árbol). **2** pedaço de telha.
tela *f* **1** tela (tejido). **2** teia (de araña). **3** tela (pintura). **4** membrana. **5** (fig) assunto. ■ **tener ~ marinera** (fam, fig) não ser pouca coisa.
telar *m* **1** tear (máquina). **2** (gralte pl) tecelagem (fábrica).
telaraña *f* **1** teia-de-aranha. **2** (fig) embaçamento (de ojos).
tele *f* (fam) tevê.
telebasura *f* (coloq) chanchada.
telecompra *f* telemarketing.
telecomunicación *f* telecomunicação.
telediario *m* telejornal, noticiário.
teledirigir *tr* teleguiar.
teleférico *m* teleférico.
telefilme *m* telefilme.
telefonear *intr y tr* telefonar.
telefonía *f* telefonia.
telefónico, ca *adj* telefônico.
telefonista *m o f* telefonista.
teléfono *m* **1** telefone (aparato). **2** telefone (número). ◆ **~ móvil** telefone celular.
telegrafiar *tr y pron* telegrafar.
telegráfico, ca *adj* telegráfico.
telégrafo *m* telégrafo (sistema, aparato).
telegrama *m* telegrama (despacho, impreso).
telele *m* (fam) chilique, faniquito.
telemarketing *m* telemarketing.
telemática *f* telemática.
telemetría *f* telemetria.
telenovela *f* telenovela.
teleobjetivo *m* teleobjetiva.
telepatía *f* telepatia.
telescópico, ca *adj* telescópico.
telescopio *m* ÓPT telescópio.
telesilla *f* teleférico.
telespectador, ra *m y f* telespectador.
teletexto *m* teletexto.
teletipo *m* teletipo.
televenta *f* televenda.
televidente *m o f* telespectador.
televisar *tr* televisionar.
televisión *f* **1** televisão (transmisión). **2** televisão (aparato). ◆ **~ de pago** televisão por assinatura; **~ en color** televisão em cores.
televisivo, va *adj* televisivo.
televisor *m* televisor, televisão.
telón *m* cortina de boca, pano de boca. ◆ **~ de fondo** (fig) pano de fundo.
telonero, ra *adj/m y f* **1** *artista menor que abre espetáculo.* • *m y f* **2** cenarista.
telúrico, ca *adj* telúrico.
telurio *m* QUÍM telúrio.
tema *m* **1** tema (proposición, texto). **2** tema, tópico (materia). **3** assunto, tema. ■ **cambiar de ~** mudar de assunto.
temario *m* temário.
temática *f* temática.
temático, ca *adj* temático.
temblar *intr* **1** tremer (agitarse). • *intr y tr* **2** (fig) tremer, temer.
tembleque *f* (fam) tremedeira, tremelique.
temblequear *intr* (fam) tremelicar.
temblor *m* **1** tremor, tremedeira. **2** *Amér.* tremor de terra.
tembloroso, sa *adj* trêmulo.
temer *tr* **1** temer (tener miedo). **2** temer (recelar).
temerario, ria *adj* **1** temerário (imprudente). **2** temerário (peligroso).
temeridad *f* temeridade.
temeroso, sa *adj* **1** temeroso (asustador). **2** temeroso (cobarde).
temor *m* **1** temor (miedo). **2** temor, receio.
témpano *m* **1** bloco (de hielo, tierra). **2** tarol (tambor). **3** tímpano (tambor).
temperamento *m* **1** temperamento (carácter). **2** temperamento, compleição.

temperar *tr y pron* amenizar, temperar (moderar).
temperatura *f* temperatura. ♦ **~ ambiente** temperatura ambiente.
tempestad *f* **1** tempestade, temporal. **2** (fig) tempestade (agitación).
tempestuoso, sa *adj* **1** tempestuoso. **2** (fig) tempestuoso (tenso, violento).
templado, da *adj* **1** morno, suave. **2** comedido, moderado. **3** (fam) sereno, tranqüilo (nervios, carácter).
templanza *f* **1** temperança (moderación). **2** bom tempo (clima).
templar *tr e intr* **1** amornar (calentar). • *tr y pron* **2** (fig) moderar, temperar (sentimiento). • *tr* **3** temperar (suavizar).
temple *m* **1** tempérie (temperatura). **2** (fig) inteireza, têmpera (del ánimo). **3** (fig) disposição, humor.
templo *m* templo.
temporada *f* temporada. ■ **de ~** de estação.
temporal *adj* **1** temporário, temporal. **2** provisório, temporal. • *m* **3** temporal, tempestade.
temporalidad *f* temporalidade.
temporero, ra *adj/m y f* trabalhador por temporada.
temporizador *m* temporizador.
temporizar *intr* temporizar (ajustarse).
tempranero, ra *adj* **1** precoce (anticipado). • *adj/m y f* **2** madrugador.
temprano, na *adj* **1** precoce, prematuro. • *m* **2** temporão (frutas). • *adv* **3** cedo: *me desperté muy temprano hoy = acordei muito cedo hoje.*
tenaz *adj* **1** tenaz (resistente). **2** (fig) tenaz (firme, pertinaz).
tenazas *f pl* **1** torquês (instrumento). **2** pinça, tenazes.
tendal *m* **1** toldo, tendal. **2** varal (de ropa). **3** tendal (secadero).
tendedero *m* varal (de ropa).
tendencia *f* **1** tendência (propensión). **2** tendência (idea).
tendencioso, sa *adj* tendencioso.
tender *tr* **1** estender, tender (ropa, mano). **2** estender, estirar (desdoblar). **3** preparar (trampa). **4** tender, ter tendência.
tenderete *m* barraquinha, posto de venda.
tendero, ra *m y f* lojista, vendedor.
tendido *m* **1** estiramento, desdobramento. **2** fiação (cables). **3** construção (de puente).
tendón *m* ANAT tendão.
tenebrosidad *f* tenebrosidade.
tenebroso, sa *adj* **1** tenebroso (oscuro, oculto). **2** (fig) tenebroso (sombrío, perverso).
tenedor, ra *m y f* **1** possuidor. • *m* **2** garfo (cubierto). **3** estrela (categoría).
tenencia *f* **1** posse, porte (posesión). **2** tenência (cargo).
tener *tr* **1** ter (poseer, disfrutar). **2** ter (contener). **3** segurar: *ten mi bolso un momento, por favor = segura minha bolsa um momento, por favor.* **4** ter, padecer (enfermedad). **5** ter, sentir (amor, cariño, pena). **6** ter, manter (discusión, conversación). **7** guardar: *suele tener sus cremas en el baño = costuma guardar seus cremes no banheiro.* **8** ter (emplear). **9** estar com, sentir (frío, hambre, sed). **10** estar com (poseer): *¿tienes tú mi bolígrafo? = está com você minha caneta?* • *aux* **11** ter: *tenía hechos todos los ejercicios = tinha todos os exercícios feitos.* ■ **~ en cuenta** levar em consideração; **~ que** ter que: *tengo que terminarlo hoy = tenho que terminá-lo hoje.*
tenia *f* tênia (gusano).
tenida *f* **1** reunião maçônica. **2** *Chile, Perú* terno (traje).
teniente *m* **1** MIL tenente. • *m o f* **2** substituto, assistente.
tenis *m* **1** tênis (deporte). • *f pl* **2** tênis (zapatillas). ♦ **~ de mesa** tênis de mesa, pingue-pongue.
tenista *m o f* tenista.
tenor *m* MÚS teor (voz, cantante). ■ **a ~ de** de acordo com.
tenorio *m* (fig) donjuán, conquistador.
tensar *tr* esticar, retesar.
tensión *f* **1** tensão (estiramiento). **2** tensão (estrés). **3** tensão (voltaje). **4** MED pressão, tensão. ♦ **~ alta** MED tensão alta, hipertensão; **~ baja** MED tensão baixa, hipotensão.
tenso, sa *adj* **1** tenso (estirado). **2** (fig) tenso (nervioso).
tensor, ra *adj/m y f* **1** tensor. • *m* **2** tensor (mecanismo).

tentación *f* **1** tentação (deseo). **2** tentação (impulso repentino). ■ **caer en la ~** cair na tentação.
tentáculo *m* ZOOL tentáculo.
tentar *tr* **1** tatear, apalpar. **2** tentar (instigar, estimular). **3** tentar (intentar, procurar).
tentativa *f* tentativa (intento, prueba).
tentempié *m* (fam) tira-gosto, lanchinho.
tentetieso *m* joão-teimoso (muñeco).
tenue *adj* **1** tênue (delicado, débil). **2** tênue (insignificante).
teñido, da *adj* **1** tingido, pintado. • *m* **2** tintura, tingimento.
teñir *tr y pron* tingir (pelo, ropa).
teología *f* teologia.
teoría *f* **1** teoria (doctrina). **2** teoria (teórica). **3** teoria (hipótesis).
teórico, ca *adj/m y f* teórico.
teorizar *tr e intr* teorizar.
tequila *m* tequila.
terapeuta *m o f* terapeuta.
terapéutica *f* terapêutica.
terapéutico, ca *adj* terapêutico.
terapia *f* terapia.
terbio *m* QUÍM térbio.
tercer (*apócope de* **tercero**) *adj* (antepuesto al sustantivo) terceiro: *es el tercer día que no viene = é o terceiro dia que ele não vem.* ◆ **~ mundo** terceiro mundo.
tercero, ra *adj/m y f* **1** terceiro. • *m* **2** terceiro, terceiros (otra persona).
terciar *intr* **1** terçar, intervir (mediar). • *tr* **2** atravessar, terçar. • **~se** *pron* **3** apresentar-se, oferecer-se.
terciario, ria *adj* **1** terciário. • *adj/m y f* **2** GEOL terciário.
tercio, cia *adj* terço, terça parte.
terciopelo *m* veludo.
terco, ca *adj* teimoso, obstinado.
tergal *m* tergal (tejido).
tergiversación *f* distorção.
tergiversar *tr* distorcer.
termal *adj* termal.
termas *f pl* termas.
térmico, ca *adj* térmico.
terminación *f* **1** terminação, conclusão. **2** GRAM terminação.
terminal *adj* **1** terminal, final. • *m* **2** INF terminal. • *f* **3** ponto final (de transporte público).
terminante *adj* terminante, categórico.
terminar *tr e intr* terminar, acabar.
término *m* **1** término, fim. **2** fronteira. **3** prazo. **4** termo (palabra). • **términos** *m pl* **5** termos, condições. ◆ **~ medio** meio termo. ■ **poner o dar ~** pôr termo, pôr fim.
terminología *f* terminologia.
termita *f* **1** térmita, cupim. **2** QUÍM termita.
termo *m* **1** garrafa térmica, termo. **2** termossifão.
termodinámico, ca *adj* termodinâmico.
termométrico, ca *adj* termométrico.
termómetro *m* FÍS termômetro.
termostato o **termóstato** *m* termostato.
terna *f* terno, trio.
ternero, ra *m y f* terneiro, bezerro.
terneza *f* ternura.
ternilla *f* ANAT cartilagem.
ternura *f* ternura.
terquedad *f* teimosia, obstinação.
terrado *m* terraço.
terraplén *m* aterro.
terraplenar *tr* terraplenar.
terráqueo, a *adj* terráqueo, terrestre.
terrario *m* terrário.
terrateniente *m o f* terra-tenente.
terraza *f* **1** terraço, varanda. **2** varanda, espaço (de bar, restaurante).
terrazo *m* laje, lajota.
terremoto *m* terremoto.
terrenal *adj* terrenal, terreal.
terreno, na *adj* **1** terreno. • *m* **2** terreno, lote (área). **3** terreno, solo (suelo). **4** (fig, fam) terreno (ámbito, campo). ■ **ganar/perder ~** (fig, fam) ganhar/perder terreno.
terrestre *adj* terrestre.
terrible *adj* **1** terrível, temível. **2** terrível (intolerable).
terrícola *m o f* terrícola.
territorial *adj* territorial.
territorio *m* **1** território (área). **2** território, jurisdição.
terrón *m* torrão.
terror *m* terror.
terrorífico, ca *adj* terrificante, aterrorizante.
terrorismo *m* terrorismo.
terrorista *adj/m y f* terrorista.
terroso, sa *adj* terroso.

t

terruño *m* (fam) pedaço de chão, terrinha.
terso, sa *adj* terso.
tersura *f* pureza.
tertulia *f* tertúlia, reunião. ■ **estar de ~** bater papo.
tesina *f* monografia, projeto de tese.
tesis *f* **1** tese (proposición). **2** tese (disertación).
tesitura *f* **1** MÚS tessitura. **2** (fig) atitude, conduta.
teso, sa *adj* **1** teso, duro. • *m* **2** teso, cimo.
tesón *m* afinco, esforço.
tesonería *f* persistência.
tesorería *f* tesouraria.
tesorero, ra *m y f* tesoureiro.
tesoro *m* **1** tesouro (joyas, dinero). **2** Tesouro (del Estado). **3** (fig) tesouro (excelente, estimado).
test *m* teste, prova.
testado, da *adj* **1** testado (controlado, comprobado). **2** testado, testamental.
testaferro *m* testa-de-ferro.
testamentaría *f* testamentaria.
testamentario, ria *adj* **1** testamentário. • *m y f* **2** testamenteiro.
testamento *m* testamento. ◆ **~ abierto** testamento público.
testar *intr* testar, fazer testamento.
testarada *f* **1** testada (golpe). **2** teimosia.
testarazo *m* testada, cabeçada (golpe).
testarudez *f* teimosia.
testarudo, da *adj/m y f* cabeça-dura, teimoso.
testera *f* **1** testeira (fachada). **2** testeira (de las caballerías).
testículo *m* ANAT testículo.
testificación *f* testificação.
testificar *tr* **1** testificar (afirmar). **2** testemunhar, testificar.
testigo *m o f* **1** testemunha. • *m* **2** (fig, fam) testemunho (prueba, marca). ◆ **~ de cargo** testemunha de acusação; **~ de Jehová** testemunha-de-jeová.
testimonial *adj* testemunhal.
testimoniar *tr* testemunhar.
testimonio *m* **1** testemunho (declaración). **2** testemunho (prueba).
testuz *amb* **1** testo, testa (de animales). **2** cangote, cogote.
teta *f* **1** teta, mama (de mujer). **2** teta, úbere (de animales).
tétano o **tétanos** *m* MED tétano.
tetera *f* **1** bule de chá. **2** *Amér.* mamadeira.
tetilla *f* **1** teta (de lo machos). **2** queijo galego.
tetina *f* bico de mamadeira.
tetrabrik *m* tetrapack.
tetraciclina *f* BIOQ tetraciclina.
tétrico, ca *adj* tétrico.
textil *adj y m* têxtil.
texto *m* **1** texto (escrito, pasaje). **2** FILOL texto (enunciado).
textual *adj* textual.
textura *f* **1** textura (de tejido). **2** (fig) textura (de una obra).
tez *f* tez.
ti *pron* você, ti: *no tengo nada contra ti = não tenho nada contra você, no espero mucho de ti = não espero muito de você.*
tía *f* **1** tia (pariente). **2** (vulg) cara (apelativo): *¿quién es esta tía? = quem é essa cara?*
tibetano, na *adj/m y f* **1** tibetano. • *m* **2** tibetano (lengua).
tibia *f* **1** ANAT tíbia. **2** tíbia (flauta).
tibieza *f* tibieza.
tibio, bia *adj* **1** morno, tíbio. **2** (fig) tíbio, indolente.
tiburón *m* tubarão.
tic *m* tique, mania.
tictac *m* tiquetaque.
tiempo *m* **1** tempo (duración). **2** tempo (período, intervalo). **3** tempo, estação (época). **4** tempo (oportunidad, momento). ◆ **~ muerto** DEP tempo morto. ■ **a ~** a tempo; **al mismo ~** ao mesmo tempo; **con el ~** com o tempo; **ganar ~** (fig) ganhar tempo.
tienda *f* **1** loja. **2** tenda, barraca.
tienta *f* MED especilho, tenta.
tiento *m* **1** tato (habilidad). **2** tento, tino. **3** bengala (de ciego). ■ **con ~** com tato.
tierno, na *adj* **1** tenro, macio. **2** (fig) terno, afetuoso.
tierra *f* **1** terra (suelo). **2** terra, pátria. **3** terra, terreno. **Terra 4** Terra (planeta). ◆ **~ de nadie** terra de ninguém. ■ **echar por ~** (fig, fam) lançar por terra.
tieso, sa *adj* **1** teso, firme (rígido). **2** estirado, teso. **3** (fig, coloq) duro (sin dinero, de frío).

tiesto *m* **1** vaso (para plantas). **2** *Chile, Ur.* vasilha.
tifón *m* tufão.
tifus *m* MED tifo.
tigre *m* **1** tigre. **2** (fig, fam) tigre (sanguinario).
tigresa *f* **1** tigresa. **2** (fig) tigresa, pantera (mujer atractiva).
tijera *f* (gralte pl) tesoura.
tijeretazo *m* tesourada.
tijeretear *tr* dar tesouradas (sin cuidado).
tila *f* tília.
tilde *amb* **1** acento gráfico. **2** til.
tilín *m* tlim.
tilo *m* tília.
timador, ra *m y f* trapaceiro, impostor, charlatão.
timar *tr* ludibriar, enganar.
timba *f* **1** (fam) partida, rodada (de juego de azar). **2** *Amér.* pança, barrigona.
timbal *m* MÚS timbal, timbale.
timbrado, da *adj* timbrado.
timbrar *tr* timbrar, carimbar.
timbrazo *m* campainhada.
timbre *m* **1** campainha. **2** timbre, insígnia. **3** selo, carimbo.
timidez *f* timidez.
tímido, da *adj* tímido.
timo *m* **1** (fam) trapaça, falcatrua. **2** ANAT timo.
timón *m* **1** timão (rueda, palanca). **2** MAR timão, leme.
timonear *intr* **1** timonear. • *tr* **2** *Col., Guat., Méx.* comandar, dirigir (negocios).
timonel *m* timoneiro.
timorato, ta *adj* timorato.
tímpano *m* **1** ANAT tímpano. **2** ARQ tímpano.
tina *f* **1** tina, cuba. **2** banheira, tina.
tinaja *f* tina (de barro cocido).
tinglado *m* **1** palanque, tablado. **2** alpendre (cobertizo).
tinieblas *f pl* **1** trevas. **2** (fig) ignorância.
tino *m* **1** tino, discernimento. **2** tino, tato. **3** (fig) tino (prudencia).
tinta *f* tinta. ◆ **~ china** tinta nanquim. ■ **saber de buena ~** saber de fontes seguras.
tinte *m* **1** tinta, tintura (para cabello, tejido). **2** tingimento, tintura.
tintero *m* **1** tinteiro. **2** depósito de tinta.
tintinear o **tintinar** *intr* tilintar, tinir.
tintineo *m* tlim, tlimtlim.
tinto, ta *adj* **1** tinto. • *adj y m* **2** vermelhão, vinho.
tintorería *f* tinturaria.
tintura *f* **1** tintura, tinta (sustancia). **2** (fig) tintura, tingimento (noción).
tiña *f* **1** MED tinha. **2** (fig) miséria, mesquinharia.
tío *m* **1** tio (pariente). **2** (fam) cara (compañero): *¿qué pasa, tío? = e aí, cara?*
tiovivo *m* carrossel.
tipear *intr y tr* datilografar.
tipejo, ja *m y f* (desp) tipinho (despreciable).
tipiadora *f* máquina de escrever.
típico, ca *adj* típico, característico.
tipificación *f* tipificação.
tipificar *tr* tipificar.
tiple *m* MÚS tiple.
tipo *m* **1** tipo, sujeito (individuo). **2** tipo (modelo). **3** tipo, categoria. ■ **jugarse el ~** (fig, fam) arriscar a pele.
tipografía *f* tipografia.
tipográfico, ca *adj* tipográfico.
tipología *f* **1** tipologia. **2** MED biotipologia.
tique *m* **1** cédula. **2** *Amér.* tíquete, bilhete.
tiquete *m Amér. Centr., Col.* tíquete, bilhete.
tiquismiquis *m pl* **1** frescuras. • *m o f* **2** (fam) fresco (melindroso).
tira *f* **1** tira, fita. **2** tira (de cómic). ■ **la ~ de** (fig, vulg) uma porrada de: *había la tira de bebida = tinha uma porrada de bebida.*
tirabuzón *m* **1** (fig) cacho, caracol (del pelo). **2** saca-rolhas.
tirada *f* **1** tirada, arremesso. **2** tiragem, impressão (de una edición).
tirado, da *adj* **1** (coloq) fácil, bico. **2** (coloq) barato, dado.
tirador, ra *m y f* **1** atirador. • *m* **2** puxador, puxavante (de mueble).
tiraje *m* tiragem, impressão.
tiralíneas *m* tira-linhas.
tiranía *f* **1** tirania (gobierno). **2** (fig) tirania, opressão.
tiranicidio *m* tiranicídio.
tiránico, ca *adj* tirânico.
tiranizar *tr* tiranizar.
tirano, na *adj/m y f* tirano.
tirante *adj* **1** esticado. **2** (fig) tenso. • **tirantes** *m pl* **3** alças (de prenda de vestir).

tirar *tr y pron* **1** atirar, jogar. • *tr* **2** jogar fora. **3** puxar: *no me tires del pelo = não puxe o meu cabelo.* **4** esbanjar, jogar fora (dinero). **5** derrubar. **6** continuar, seguir. • *intr* **7** atrair. • **~se** *pron* **8** ficar (permanecer): *me tiré dos horas en la cola = fiquei duas horas na fila.* **9** (vulg) transar, comer.
tirita *f* band-aid.
tiritar *intr* tiritar, tremer.
tiritera *f* (coloq) tremedeira, tremor.
tiro *m* **1** tiro, disparo. **2** DEP lançamento. ♦ **~ al blanco** tiro ao alvo. ■ **ni a tiros** (fig, fam) nem que me paguem; **salir el ~ por la culata** (fig, fam) sair o tiro pela culatra.
tiroides *adj y m* ANAT tireóide.
tirón *m* **1** puxão. **2** arrancada. ■ **de un ~** de uma vez.
tironear *intr* dar puxões.
tirotear *tr y pron* tirotear.
tirria *f* mania, aversão.
tisana *f* tisana.
tisis *f* MED tísica, tuberculose.
titánico, ca *adj* **1** titânico. **2** (fig) titânico (colosal, gigantesco).
titanio *m* QUÍM titânio.
títere *m* **1** títere, fantoche. **2** (fig) marionete, maria-vai-com-as-outras.
titilar *intr* **1** titilar, estremecer. **2** tremeluzir.
titiritar *intr* tiritar, tremer (de frío, miedo).
titiritero, ra *m y f* titereiro.
titubeante *adj* titubeante.
titubear *intr* **1** titubear (oscilar). **2** (fig) titubear, vacilar.
titulación *f* titulação.
titulado, da *m y f* **1** titulado. **2** *Amér.* suspeito.
titular *adj/m y f* **1** titular (de cargo, entidad). • *m* **2** titular (de periódico).
titular *tr* **1** titular, intitular (nombrar). • **~se** *pron* **2** diplomar-se.
título *m* **1** título (de obra). **2** título (renombre, distinción). **3** diploma.
tiza *f* giz.
tiznado, da *adj* **1** tisnado. **2** *Amér. Centr., Arg.* bêbedo (borracho).
tiznar *tr y pron* **1** tisnar. • **~se** *pron* **2** *Amér.* embriagar-se (emborracharse).
tizne *amb* tisne.
tizón *m* tição.
toalla *f* toalha (de baño, playa).
toallero *m* toalheiro.
toar *tr* MAR toar, rebocar (embarcación).
tobillera *f* tornozeleira (venda).
tobillo *m* ANAT tornozelo.
tobogán *m* tobogã.
tocadiscos *m* toca-discos.
tocado, da *adj* **1** (fig) amalucado, tocado. **2** afetado, tocado (por lesión, enfermedad). • *m* **3** toucado (prenda, adorno).
tocador, ra *adj/m y f* **1** tocador (músico). • *m* **2** toucador (habitación). **3** penteadeira, toucador (mueble).
tocante *adv* tocante, concernente.
tocar *tr e intr* **1** tocar, apalpar. **2** tocar, roçar. • *tr* **3** tocar (instrumento, canción). **4** mexer, encostar (modificar, alterar): *no he tocado tu texto = não mexi no seu texto.* **5** mencionar, tocar (asunto, tema). **6** caber a, concernir: *nos toca a todos cuidar a nuestros niños = cabe a todos nós cuidar das nossas crianças.*
tocata *f* MÚS tocata.
tocateja a ~ *loc adv* (coloq) à vista.
tocayo, ya *m y f* xará.
tocho, cha *adj* **1** (fam) ignorante, rude (inculto). • *m* **2** (fam) calhamaço.
tocino *m* toucinho. ♦ **~ de cielo** quindim.
tocología *f* MED tocologia.
tocólogo, ga *m y f* MED tocólogo.
tocón *m* tora, toco.
todavía *adv* **1** ainda (aún): *está durmiendo todavía = está dormindo ainda.* **2** ainda (sin embargo, a pesar): *él es malo y todavía me gusta = é mau e ainda gosto dele.* **3** ainda (ponderación): *esta falda es todavía más cara = esta saia é ainda mais cara.* **4** até, ainda (concesivo): *si no comieras todavía entendería tu adelgazamiento = se você não comesse até entederia seu emagrecimento.*

> La principal acepción de **todavía** en español es 'aún', 'mientras', ***ainda*** en portugués. Sin embargo, ***todavia*** en portugués significa 'sin embargo, no obstante'. Son frecuentes los errores por no distinguir esta diferencia de significados.

todo, da *adj* **1** todo (completo): *se comió todo el pan = comeu o pão todo.* **2**

todo (cada): *recibe cartas todos los días = recebe cartas todos os dias.* **3** verdadeiro, perfeito (intensificador): *el piso es todo un lujo = o apartamento é um verdadeiro luxo.* • *adv* **4** todo (enteramente): *ha sido un buen hombre durante toda su vida = foi um bom homem durante toda a sua vida.* • *pron indef* **5** todos: *todos esperaban el gran concierto = todos esperavam pelo grande show.* **6** tudo: *ha hecho todo lo que ha podido para ayudarlo = fez tudo o que podia para ajudá-lo.* • *m* **7** todo: *el todo es mayor que una parte = o todo é maior que uma parte.* ■ **ante ~** antes de tudo, em primeiro lugar; **del ~** completamente, totalmente; **después de ~** depois de tudo.

todopoderoso, sa *adj* **1** todo-poderoso. • **Todopoderoso** *m* **2** Todo-poderoso.

todoterreno *adj y m* **1** com tração nas quatro rodas (vehículo). • *m o f* **2** (fig) pau para toda obra: *este chico es un todoterreno = este garoto é pau para toda obra.*

toga *f* toga.

Togo *m* República Togolesa.

togolés, sa *adj/m y f* togolês.

toldo *m* toldo (cubierta).

tolerancia *f* **1** tolerância (respeto, consideración). **2** tolerância (resistencia, aguante).

tolerar *tr* **1** tolerar (sufrir). **2** tolerar (soportar, resisitir). **3** tolerar (permitir).

tolva *f* tremonha, moega.

toma *f* **1** toma, tomada. **2** tomada (conquista, ocupación). **3** tomada (adquisición). **4** tomada (de electricidad).

tomado, da *adj* **1** rouco. • *adj/m y f* **2** *Amér.* (coloq) bêbedo (borracho).

tomadura *f* toma, tomada. ◆ **~ de pelo** (fig, fam) tiração de sarro, gozação.

tomar *tr* **1** pegar (agarrar). **2** tomar (adquirir). **3** comer: *¿qué tomarás para comer? = o que você vai comer?* **4** tomar, beber. **5** pegar, tomar (transporte). **6** tomar (adoptar, emplear): *no tomes decisiones precipitadas = não tome decisões precipitadas.* **7** tomar (ocupar un sitio). **8** tomar (sol, baño, masaje). **9** pegar, virar (rumbo, dirección). ■ **¡toma!** bem feito!, eu te disse!

tomatal *m* tomatal.

tomate *m* **1** tomate (fruto, planta). **2** (fig, fam) angu, auê (lío).

tomatera *f* **1** tomateiro. **2** *Chile* bebedeira, fogo.

tomavistas *m o f* CINE cinegrafista.

tómbola *f* tômbola.

tomillo *m* tomilho.

tomo *m* **1** tomo (libro). **2** (fig) tomo, vulto (importancia).

tonada *f* **1** toada (estrofa). **2** toada (música).

tonadilla *f* tonadilha.

tonal *adj* MÚS tonal.

tonalidad *f* **1** tonalidade (de colores). **2** MÚS tonalidade (de sonidos).

tonel *m* **1** tonel (cuba grande). **2** tonel (medida). **3** (fig, fam) barril (gordo).

tonelada *f* tonelada (medida).

tonelaje *m* tonelagem.

tonelería *f* tanoaria (oficio, oficina).

Tonga *f* Tonga.

tongano, na *adj/m y f* tonganês.

tongo *m* (coloq) marmelada, trapaça (en competiciones).

tónica *f* **1** tônica (água). • *adj y f* **2** MÚS tônica.

tónico, ca *adj y m* **1** tônico, revigorante. • *adj* **2** GRAM tônico (sílaba, acento).

tonificación *f* tonificação.

tonificador, ra *adj* tonificante, tonificador.

tonificar *tr* tonificar.

tonillo *m* **1** tom (monótono, burlón). **2** sotaque (acento, deje).

tono *m* **1** tom, tonalidade (de sonido, voz). **2** tom, entoação. **3** tom, caráter. ■ **fuera de ~** (fig, fam) fora de lugar.

tontaina *adj/m y f* (fam) boboca.

tontear *intr* **1** tontear. **2** (fig, fam) flertar (coquetear).

tontería *f* **1** tolice (imbecilidad). **2** tolice, bobagem (dicho, hecho).

tonto, ta *adj/m y f* **1** tonto. • *adj* **2** (fam) tonto (absurdo). **3** (fam) tonto, besta (inútil). ■ **hacer el ~** (fig, fam) fazer gracinhas.

top *m* top, bustiê (prenda de vestir). ◆ **~ model** top model.

topacio *m* topázio.

topar *tr, intr y pron* **1** topar (encontrar). **2** (fig) topar (tropezar).

tope *m* **1** tope, obstáculo (impedimento). **2** (fam) limite, ponto máximo.

tópico, ca *adj* **1** tópico. • *m* **2** tópico (medicamento). **3** tópico (tema, asunto).

topless *m* topless.
topo *m* **1** toupeira. **2** (fig) cegueta. **3** (fig) infiltrado.
topografía *f* topografia.
topográfico, ca *adj* topográfico.
topología *f* topologia.
toponimia *f* toponímia.
topónimo *m* topônimo.
toque *m* **1** toque (roce). **2** toque (de instrumento). **3** toque (llamamiento).
toquetear *tr* **1** apalpar. **2** cutucar (con insistencia).
tórax *m* ANAT tórax.
torbellino *m* **1** redemoinho, remoinho. **2** (fig) turbilhão (de ideas, gente, problemas).
torcedura *f* torcedura.
torcer *tr y pron* **1** entortar, torcer (encorvar). **2** torcer (inclinar). • *tr, intr y pron* **3** torcer, virar (desviar). • **~se** *pron* **4** (fig) torcer (tergiversar).
torcido, da *adj* torto.
tordo, da *adj* **1** tonto, imbecil. • *adj/m y f* **2** tordilho, malhado (caballería).
torear *intr y tr* **1** tourear. • *tr* **2** (fig) esquivar-se. **3** (fig) brincar com cara (burlarse).
toreo *m* toureio.
torería *f* grupo de toureiros.
torero, ra *adj* **1** toureiro. • *m y f* **2** toureiro, toureador.
toril *m* touril.
torio *m* QUÍM tório.
tormenta *f* **1** tormenta, tempestade. **2** (fig) tormenta (adversidad, desgracia).
tormento *m* **1** tormento (dolor). **2** tormento (aflicción, angustia).
torna *f* regresso, volta (regreso).
tornado *m* tornado.
tornar *tr* **1** tornar (devolver). **2** tonar, voltar. • *tr y pron* **3** tornar (transformar, cambiar).
tornasol *m* **1** tornassol (planta). **2** QUÍM tornassol.
tornasolar *tr y pron* tornar-se furta-cor.
tornear *tr* **1** tornear (labrar, pulir). • *intr* **2** tornear, dar forma (cuerpo).
torneo *m* torneio (competición, combate).
tornillo *m* parafuso. ■ **faltarle a alguien un ~** (coloq) ter alguém um parafuso frouxo.
torniquete *m* torniquete.
torno *m* torno (máquina). ■ **en ~** em torno, em redor.
toro *m* **1** touro (animal). **2** (fig) touro (hombre fuerte). • **toros** *m pl* **3** tourada.
toronja *f* toranja.
toronjo *m* toronjeira.
torpe *adj* **1** lerdo, lento. **2** lerdo, burro.
torpedear *tr* **1** torpedear. **2** (fig) torpedear (hacer fracasar).
torpedero, ra *adj y m* torpedeiro.
torpedo *m* **1** torpedo (proyectil). **2** raia-elétrica (pez).
torpeza *f* lerdeza.
torpor *m* torpor.
torrar *tr* torrar.
torre *f* **1** torre (edificio). **2** torre (del ajedrez). ◆ **~ de Babel** torre de Babel.
torrefacto, ta *adj* torrefato.
torrencial *adj* torrencial.
torrente *m* torrente.
torreón *m* torreão.
tórrido, da *adj* tórrido.
torrija *f* GAST torrija.
torso *m* torso.
torta *f* **1** bolo, torta. **2** *Arg., Chile, Ur.* torta (pastel relleno). **3** (fig) safanão, bolacha (bofetón). ■ **dar o pegar una ~** (fig, fam) dar un safanão.
tortazo *m* **1** (fig, fam) bofetão. **2** (fig, fam) trompaço.
tortícolis o **torticolis** *m o f* MED torcicolo.
tortilla *f* **1** omelete. **2** *Méx.* tortilha (de maíz).
tórtolo, la *m y f* **1** pomba-rola. • **tótolos** *m pl* **2** (coloq) pombinhos (enamorados).
tortuga *f* **1** tartaruga (reptil). **2** (coloq) tartaruga (persona lenta).
tortuosidad *f* tortuosidade.
tortuoso, sa *adj* **1** tortuoso. **2** (fig) tortuoso (solapado, indirecto).
tortura *f* **1** tortura (curvatura). **2** tortura (dolor).
torturar *tr y pron* torturar.
torvo, va *adj* torvo.
tos *f* tosse.
toscano, na *adj/m y f* toscano.
tosco, ca *adj* **1** tosco (grosero, basto). • *adj/m y f* **2** (fig) tosco (inculto).
toser *intr* tossir.
tostada *f* torrada (pan).
tostado, da *adj* **1** tostado. • *m* **2** tostadura. **3** *Ecuad.* milho torrado.

tostar *tr y pron* **1** tostar (poner al fuego). **2** (fig) tostar (requemar). **3** (fig) torrar (broncear).
total *adj* **1** total (general). ● *adv* **2** resumindo, em conclusão: *total, no hemos podido ir a la playa = resumindo, não pudemos ir à praia*. ● *m* **3** total (suma). **4** total (totalidad).
totalidad *f* **1** totalidade (integridad). **2** totalidade (suma).
totalitario, ria *adj* totalitário.
totalitarismo *m* totalitarismo.
totalizar *tr* totalizar.
tótem *m* totem.
totémico, ca *adj* totêmico.
toxicidad *f* toxicidade.
tóxico, ca *adj y m* MED tóxico.
toxicomanía *f* toxicomania.
toxina *f* BIOL toxina.
tozudez *f* teimosia.
tozudo, da *adj* teimoso.
traba *f* **1** trava (calza). **2** (fig) empecilho (impedimento).
trabado, da *adj* travado.
trabajado, da *adj* trabalhado (elaborado).
trabajador, ra *adj/m y f* trabalhador.
trabajar *intr* **1** trabalhar (ejercer, laborar). **2** trabalhar (esforzarse). **3** trabalhar (funcionar).
trabajo *m* **1** trabalho (ocupación, oficio). **2** trabalho (producción, obra). **3** trabalho (lugar). **4** trabalho (esfuerzo). ◆ **trabajos forzados** trabalhos forçados.
trabajoso, sa *adj* **1** trabalhoso, custoso. **2** trabalhoso, cansativo.
trabalenguas *m* trava-língua.
trabar *tr e intr* **1** travar (prender, agarrar). ● *tr* **2** entrelaçar (ideas, pensamientos). **3** travar, impedir (desarrollo, funcionamiento).
trabazón *f* **1** travação, travamento. **2** (fig) união.
trabucar *tr y pron* **1** trabucar (trastornar, descomponer). **2** (fig) confundir.
trabuco *m* **1** trabuco (máquina de guerra). **2** trabuco (arma).
traca *f* traque (de petardos).
tracción *f* tração.
tractor *adj* **1** trator. ● *m* **2** trator (vehículo).
tractorista *m o f* tratorista.
tradición *f* tradição.
tradicional *adj* tradicional.
tradicionalista *adj/m y f* tradicionalista.
traducción *f* **1** tradução (proceso, obra). **2** tradução (explicación, interpretación). ◆ **~ automática** tradução automática; **~ literal** tradução literal.
traducir *tr* **1** traduzir (a otra lengua). **2** (fig) traduzir (explicar, interpretar).
traductor, ra *adj/m y f* tradutor.
traer *tr* **1** trazer (trasladar, conducir). **2** trazer (atraer hacia sí). **3** trazer (causar, acarrear). **4** vestir, luzir.
tráfago *m* tráfega, movimentação.
traficante *adj/m y f* traficante.
traficar *intr* traficar.
tráfico *m* **1** tráfico (comercio, negocio). **2** tráfego (de vehículos). ◆ **~ áereo** tráfego áereo.
tragaderas *f pl* **1** goela (faringe). **2** (fig, fam) credulidade. **3** tolerância (aguante).
tragaldabas *m o f* (fam) comilão.
tragaluz *m* clarabóia.
tragaperras *adj y f* caça-níqueis (máquina).
tragar *tr* **1** engolir, tragar (alimento). ● *tr y pron* **2** (fig) engolir, tragar (creer). **3** (fig) suportar, tragar. ■ **no ~ algo** (fig, fam) não engolir algo.
tragedia *f* **1** tragédia (obra). **2** (fig, fam) tragédia, desgraça.
trágico, ca *adj/m y f* **1** trágico (obra). ● *adj* **2** (fig) trágico (infausto, desgraciado).
tragicomedia *f* tragicomédia.
tragicómico, ca *adj* tragicômico.
trago *m* **1** trago, gole. **2** bebida alcoólica.
tragón, na *adj/m y f* (fam) comilão.
traición *f* traição.
traicionar *tr* **1** trair, atraiçoar. **2** trair, demonstrar infidelidade. **3** (fig, fam) trair (delatar).
traicionero, ra *adj/m y f* traiçoeiro.
traído, da *adj* trazido.
traidor, ra *adj/m y f* traidor.
tráiler *m* **1** trailer, reboque (de camping). **2** trailer (de película).
trainera *adj y f* traineira (embarcación).
traje *m* **1** traje, vestimenta. **2** traje (vestido típico).
trajeado, da *adj* vestido, trajado.
trajear *tr y pron* trajar terno.

trajín *m* (fam) andança.
trajinar *intr y tr* ir de um lado para outro.
trallazo *m* chicotada.
trama *f* **1** trama (de hilos). **2** trama (argumento). **3** (fig) trama (confabulación).
tramar *tr* **1** tramar, tecer (hilos). **2** (fig) tramar, conspirar.
tramitar *tr* tramitar.
trámite *m* trâmite.
tramo *m* **1** trecho (de camino). **2** lance (de escalera).
tramontana *f* tramontana (viento).
tramoya *f* **1** tramóia (máquina). **2** (fig) tramóia (enredo, disimulo).
tramoyista *m* tramoieiro.
trampa *f* **1** armadilha (para cazar). **2** (fig, fam) armadilha, cilada (engaño).
trampear *intr* **1** enganar. **2** trapacear.
trampero, ra *m y f* armador de armadilhas.
trampilla *f* alçapão (portezuela).
trampolín *m* **1** trampolim. **2** (fig) trampolim (medio, recurso).
tramposo, sa *adj/m y f* trapaceiro.
tranca *f* tranca, retranca.
trancazo *m* **1** pancada (golpe). **2** (fig, fam) trancaço (gripe).
trance *m* **1** transe (momento crítico). **2** transe (éxtasis).
tranquilidad *f* tranqüilidade.
tranquilizante *adj y m* tranqüilizante (medicamento).
tranquilizar *tr y pron* tranqüilizar.
tranquillo *m* (fig) jeito. ■ **coger el ~** (fig, fam) pegar o jeito.
tranquilo, la *adj* **1** tranqüilo (sosegado, quieto). **2** tranqüilo (pacífico).
transacción *f* transação.
transalpino, na *adj* transalpino.
transatlántico, ca *adj* **1** transatlântico. • *m* **2** transatlântico (buque).
transbordador, ra *adj* **1** transbordante. • *m* **2** ferryboat (embarcación).
transbordar *tr y pron* baldear, fazer transbordo.
transbordo *m* baldeação, transbordo.
transcendencia *f* ⇒ trascendencia.
transcendental *adj* ⇒ trascendental.
transcendente *adj* ⇒ trascendente.
transcender *intr* ⇒ trascender.
transcontinental *adj* transcontinental.
transcribir *tr* **1** transcrever (copiar). **2** transcrever (transliterar).
transcripción *f* **1** transcrição (copia). **2** transcrição (transliteración).
transcurrir *intr* transcorrer.
transcurso *m* transcurso, decurso.
transeúnte *adj/m y f* transeunte.
transexual *adj/m y f* transexual.
transferencia *f* **1** transferência (traslado). **2** transferência (operación bancaria).
transferir *tr* **1** transferir (trasladar). **2** transferir (dinero).
transfiguración *f* transfiguração.
transfigurar *tr y pron* transfigurar.
transformación *f* **1** transformação (cambio, conversión). **2** BIOL transformação.
transformador, ra *adj/m y f* **1** transformador. • *m* **2** ELEC transformador (aparato).
transformar *tr y pron* **1** transformar (cambiar). **2** transformar (convertir).
transformismo *m* transformismo.
transformista *adj/m y f* transformista.
tránsfuga *f* trânsfuga.
transfusión *f* transfusão. ◆ **~ de sangre** MED transfusão de sangue.
transgenético, ca *adj* transgênico.
transgredir *tr* transgredir.
transgresión *f* transgressão.
transición *f* transição.
transicional *adj* transicional.
transido, da *adj* **1** (fig) transido (angustiado, fatigado). **2** (fig) miserável.
transigencia *f* transigência.
transigente *adj* transigente.
transigir *tr e intr* **1** transigir (consentir, ceder). • *tr* **2** transigir (conciliar).
transistor *m* transistor.
transitar *intr* transitar.
transitivo, va *adj* GRAM transitivo.
tránsito *m* **1** trânsito (paso). **2** trânsito, circulação.
transitoriedad *f* transitoriedade.
transitorio, ria *adj* transitório.
translación *f* translação.
transliteración *f* transliteração.
transliterar *tr* transliterar.
translúcido, da *adj* translúcido.
transmarino, na *adj* transmarino.
transmigración *f* transmigração.
transmigrar *intr* transmigrar (nación, alma).
transmigratorio, ria *adj* transmigratório.

transmisión *f* **1** transmissão (comunicación). **2** transmissão (propagación, contagio). **3** transmissão (emisión, difusión).
transmisor, ra *adj* **1** transmissor. • *m* **2** transmissor (aparato).
transmitir *tr e intr* **1** transmitir (difundir). • *tr* **2** transmitir (comunicar, transferir). **3** transmitir (contagiar, propagar).
transmutación *f* transmutação.
transmutar *tr y pron* transmutar.
transoceánico, ca *adj* transoceânico.
transparencia *f* **1** transparência (claridad, evidencia). **2** transparência (diapositiva).
transparentar *tr* **1** transparentar (traslucirse). • *tr y pron* **2** (fig) mostrar, refletir (sentimiento).
transparente *adj* **1** transparente, translúcido. **2** (fig) transparente (claro, evidente).
transpiración *f* transpiração.
transpirar *intr y pron* transpirar, suar.
transpirenaico, ca *adj* transpirenaico.
transportar *tr* **1** transportar (llevar). • **~se** *pron* **2** transportar-se, enlevar-se.
transporte *m* **1** transporte (traslado). **2** transporte (vehículo).
transportista *m o f* transportador.
transposición *f* transposição, movimento.
transubstanciar *tr y pron* transubstanciar.
transvasar *tr* transvasar.
transvase *m* trasfega, trasfegadura.
transversal *adj* transversal.
transverso, sa *adj* transverso.
tranvía *m* bonde (vehículo).
trapacear *intr* trapacear.
trapacería *f* trapaçaria.
trapaza *f* trapaça.
trapecio *m* **1** trapézio (para gimnasia). **2** GEOM trapézio.
trapecista *m o f* trapezista.
trapero, ra *m y f* trapeiro.
trapichear *intr* (fam) fazer trambiques.
trapisonda *f* (fam) banzé, fuzuê.
trapo *m* **1** trapo, farrapo (tela). **2** trapo, pano (para limpiar). • **trapos** *m pl* **3** (fam) roupas. ■ **a todo ~** (fig, fam) a todo vapor.
tráquea *f* **1** ANAT traquéia. **2** BOT traquéia.
traqueal *adj* traqueal.
traqueotomía *f* MED traqueotomia.
traquetear *intr* **1** tamborilar (hacer ruido). • *tr* **2** sacudir, chocalhar (agitar).
traqueteo *m* **1** estalido (ruido). **2** sacudida (movimiento).
tras *prep* **1** trás (después de): *comía una aceituna tras otra = comia uma azeitona trás outra*. **2** atrás de (detrás de, al otro lado): *se puso tras la cortina = pôs-se atrás da cortina*. **3** atrás de (en busca de): *el perro salió tras el gato = o cachorro saiu atrás do gato*.
trasbordar *tr* ⇒ transbordar.
trascendental *adj* transcendental.
trascender *intr* transcender (sobrepasar).
trascribir *tr* ⇒ transcibir.
trascripción *f* ⇒ transcripción.
trasegar *tr* **1** transvasar. **2** (fig) encharcar (beber mucho).
trasero, ra *adj* **1** traseiro. • *m* **2** traseiro (nalgas).
trasfondo *m* âmago, fundo.
trashumante *adj* transumante.
trashumar *intr* transumar.
trasiego *m* trasfega, trasfego.
traslación *f* **1** translação (traslado). **2** translação (traducción).
trasladar *tr y pron* **1** mudar, trasladar. • *tr* **2** trasladar, traduzir. **3** trasladar, transcrever.
traslado *m* **1** mudança, traslado. **2** transcrição, traslado (copia).
traslucirse *pron* transluzir-se.
trasluz *m* translucidez. ■ **al ~** contra a luz.
trasmano a ~ *loc adv* fora de mão.
trasnochada *f* **1** noite anterior. **2** noite em claro.
trasnochado, da *adj* **1** tresnoitado. **2** (fig) acabado (desmejorado).
trasnochar *intr y tr* **1** tresnoitar. • *intr* **2** pernoitar (pernoctar).
traspapelar *tr y pron* extraviar, perder (documento).
trasparente *adj* ⇒ transparente.
traspasar *tr y pron* **1** transpassar, traspassar (atravesar). • *tr* **2** passar, levar (a otro sitio). **3** transpassar, traspassar (transgredir).
traspaso *m* **1** transpasse, traspasse. **2** traspasso, traspassação. **3** transgressão.
traspié *m* **1** traspés (tropezón). **2** traspés, rasteira (zancadilla).

trasplantar *tr* **1** transplantar (plantas, órganos). • *tr y pron* **2** (fig) transplantar (ideas, costumbres).
trasplante *m* **1** transplante (traslado). **2** MED transplante.
trasquilar *tr y pron* tosquiar, tosar.
trastabillar *intr* **1** tropeçar. **2** cambalear, oscilar. **3** gaguejar (tartamudear, trabarse la lengua).
trastada *f* **1** (fam) sacanagem (mala acción). **2** (fam) travessura.
trastazo *m* (fam) porrada (golpe, porrazo).
traste *m* **1** MÚS traste. **2** *Amér.* (gralte pl) traste, cacareco (trasto).
trastear *tr* **1** trastejar (instrumento musical). • *intr* **2** revolver trastos. **3** (fig) fazer travessuras.
trastero, ra *adj y m* de despejo (cuarto, habitación).
trastienda *f* **1** quarto de despensa (de una tienda). **2** (fam, fig) astúcia.
trasto *m* **1** traste (mueble, utensilio). **2** trambolho (cosa inútil). • **trastos** *m pl* **3** petrechos, apetrechos.
trastocar *tr y pron* transtornar.
trastornado, da *adj* transtornado.
trastornar *tr* **1** transtornar (revolver). **2** transtornar (invertir el orden).
trastorno *m* transtorno.
trastrocar *tr y pron* transtrocar.
trasunto *m* **1** transunto (copia escrita). **2** transunto (imitación).
trata *f* tráfico (de personas). ◆ **~ de blancas** tráfico de mulheres.
tratado *m* **1** tratado (ajuste, convenio). **2** tratado (documento).
tratamiento *m* **1** tratamento (trato). **2** tratamento (fórmula de cortesía). **3** tratamento (sistema curativo).
tratante *m o f* tratante (negociador).
tratar *tr, intr y pron* **1** tratar (relacionarse). • *tr* **2** tratar (manejar, usar). • *tr e intr* **3** tratar, discorrer sobre (temas, asunto). • *intr* **4** tratar (intentar).
trato *m* **1** trato (comportamiento). **2** trato (relación, comunicación). **3** (fig) trato (acuerdo, contrato).
trauma *m* **1** MED ⇒ traumatismo. **2** PSIC trauma.
traumático, ca *adj* traumático.
traumatismo *m* MED traumatismo.
traumatizar *tr y pron* traumatizar.
traumatología *f* MED traumatologia.
traumatólogo, ga *m y f* MED traumatologista.
través *m* **1** través (inclinación). **2** (fig) desgraça (infortunio).
travesaño *m* **1** travessão (pieza). **2** travesseiro comprido. **3** DEP travessão.
travesía *f* **1** travessa (callejuela). **2** travessia (viaje).
travestí o **travesti** *m* travesti.
travestido, da *adj* travestido.
travesura *f* travessura.
traviesa *f* **1** travessa (travesía, distancia). **2** dormente (de vía férrea). **3** aposta.
travieso, sa *adj* **1** travesso (atravesado). **2** (fig) travesso (sutil, sagaz).
trayecto *m* trajeto.
trayectoria *f* **1** trajetória (línea, recorrido). **2** trajetória (evolución, desarrollo).
traza *f* **1** traça, planta (de edificio, obra). **2** traça (aspecto). **3** (fig) vestígio.
trazado, da *adj* **1** traçado. • *m* **2** traçado (traza, diseño). **3** traçado (recorrido, dirección).
trazar *tr* **1** traçar (hacer trazos). **2** traçar (delinear, diseñar).
trazo *m* **1** traço (delineación). **2** traço (línea, raya).
trébol *m* **1** trevo (planta). **2** trevo (cruce de carreteras).
trece *adj y m* **1** treze.
trecho *m* trecho (espacio, distancia).
tregua *f* **1** trégua (paz temporal). **2** (fig) trégua (descanso).
treinta *adj y m* **1** trinta.
treintañero, ra *adj* trintão, trintenário.
treintavo, va *adj* trigésimo.
treintena *f* trintena.
tremebundo, da *adj* tremebundo.
tremendo, da *adj* **1** tremendo (terrible). **2** tremendo (temible).
trementina *f* terebintina.
tremolar *tr e intr* tremular.
tremolina *f* **1** tremulina (aire). **2** (fig, fam) rebuliço (bulla, confusión).
trémulo, la *adj* trêmulo.
tren *m* **1** trem (vehículo). **2** trem (instrumentos, máquinas). ◆ **~ de aterrizaje** trem de pouso. ■ **estar como un ~** (fig, fam) ser um avião (mujer); ser um deus grego (hombre).

trenza *f* trança.
trenzado *m* **1** trançado. **2** cabriola (salto).
trenzar *tr* trançar.
trepa *f* **1** subida, trepação. **2** (fam) arrivista.
trepanación *f* trepanação.
trepanar *tr* trepanar.
trepar *tr e intr* **1** trepar (subir). • *intr* **2** trepar (planta). **3** (fig, fam) subir (ser promovido).
trepidación *f* trepidação.
trepidante *adj* **1** trepidante. **2** (fig) trepidante (movido, agitado).
trepidar *intr* trepidar.
tres *adj y m* **1** três. ■ **ni a la de ~** (fig, fam) nem que me paguem.
trescientos, tas *adj y m* **1** trezentos.
tresillo *m* **1** estofado (sofás). **2** MÚS tresillo.
treta *f* treta, tramóia.
tría *f* triagem.
tríada *f* tríade, tríada.
triangular *adj* triangular.
triangular *tr* triangular.
triángulo *adj* **1** triângulo. • *m* **2** GEOM triângulo. **3** MÚS triângulo (instrumento).
tribal o **tribual** *adj* tribal.
tribu *f* tribo.
tribulación *f* **1** atribulação (congoja, pena). **2** atribulação (adversidad).
tribuna *f* **1** tribuna (plataforma). **2** tribuna, púlpito.
tribunal *m* tribunal.
tributación *f* tributação.
tributar *tr* **1** tributar (pagar tributo). **2** (fig) tributar (manifestar consideración).
tributario, ria *adj/m y f* tributário.
tributo *m* **1** tributo (impuesto). **2** tributo (reconocimiento).
tríceps *adj y m* ANAT tríceps.
triciclo *m* **1** triciclo (vehículo). **2** velocípede (juguete).
tricolor *adj* tricolor.
tricot *m* tricô.
tricotar *tr e intr* tricotar.
tridente *adj* **1** tridente. • *m* **2** tridente (arpón).
trienal o **trieñal** *adj* trienal.
trienio *m* triênio.
trifulca *f* (fig, fam) forrobodó, briga.
trifurcación *f* trifurcação.
trifurcarse *pron* trifurcar-se.
trigal *m* trigal.
trigésimo, ma *adj/m y f* trigésimo.
trigo *m* trigo (planta, grano).
trigonometría *f* MAT trigonometria.
trigueño, ña *adj* trigueiro (color).
triguero, ra *adj* **1** trigueiro. • *m y f* **2** triticultor.
trilingüe *adj* trilíngüe.
trilla *f* **1** trilha, debulha. **2** trilhadura (tiempo de trillar). **3** trilho (instrumento).
trillado, da *adj* **1** trilhado, batido (camino). **2** (fig) batido, conhecido (tema, asunto).
trillar *tr* **1** trilhar, debulhar. **2** (fig) trilhar (maltratar).
trillizo, za *adj/m y f* trigêmeo.
trillón *m* MAT quintilião.
trilogía *f* trilogia.
trimestral *adj* trimestral.
trimestre *m* **1** trimestre (período). **2** trimestre (salario).
trinar *intr* **1** trinar, gorjear. **2** (fig, fam) chiar (rabiar).
trincar *tr* **1** trincar (desmenuzar). **2** (coloq) pegar (detener, coger). **3** (coloq) roubar.
trinchar *tr* trinchar.
trinchera *f* **1** trincheira (zanja defensiva). **2** impermeável militar.
trineo *m* trenó.
trinidad *f* trindade.
Trinidad y Tobago *f* Trindade e Tobago.
trinitrotolueno *m* QUÍM trinitrotolueno.
trinquete *m* MAR traquete (verga mayor).
trío *m* **1** trio. **2** MÚS trio (terceto).
tripa *f* **1** tripa (intestino). **2** ventre. **3** (fig) barriga: *he comido demasiado y me duele la tripa = comi muito e me dói a barriga.* ■ **hacer de las ~ corazón** (fig) fazer das tripas coração.
tripartito, ta *adj* tripartido.
tripi *m* (coloq) LSD.
triple *adj y m* triplo.
triplicación *f* triplicação.
triplicar *tr y pron* triplicar.
triplo, pla *adj y m* ⇒ triple.
trípode *m* **1** tripé (soporte). **2** tripeça, trípode.

t

tríptico *m* **1** tríptico (tablita). **2** tríptico (pintura, grabado).
tripudo, da *adj/m y f* pançudo.
tripulación *f* tripulação.
tripulante *m o f* tripulante.
tripular *tr* **1** tripular (dotar de tripulación). **2** tripular (conducir).
triquina *f* triquina.
triquinosis *f* MED triquinose.
triquiñuela *f* (fam) manha, traquinada.
triquitraque *m* **1** traque (ruido). **2** buscapé (artefacto).
tris *m* **1** tris (sonido). **2** (fig, fam) triz (porción pequeña).
triscar *intr* triscar (moverse).
trisemanal *adj* trisemanal.
trisílabo, ba *adj y m* GRAM trissílabo.
triste *adj* **1** triste (afligido). **2** triste (melancólico). **3** triste (doloroso, enojoso).
tristeza *f* tristeza.
tristón, na *adj* tristonho.
tritón *m* tritão.
trituración *f* trituração.
triturador, ra *adj* triturador.
trituradora *f* triturador (máquina).
triturar *tr* **1** triturar (moler, desmenuzar). **2** triturar (mascar).
triunfador, ra *adj/m y f* triunfador.
triunfal *adj* triunfal.
triunfalismo *m* **1** triunfalismo (seguridad, superioridad). **2** triunfalismo (optimismo).
triunfante *adj* triunfante.
triunfar *intr* **1** triunfar (en competición). **2** (fig) vencer (en la vida).
triunfo *m* **1** triunfo (victoria, éxito). **2** (fig) sucesso, vitória (en la vida).
trivial *adj* **1** (fig) trivial (conocido, común). **2** (fig) trivial (nimio).
trivialidad *f* trivialidade.
triza *f* **1** MAR pedacinho, bocado (trozo). **2** MAR adriça.
trocar *tr* **1** trocar, permutar. • *tr y pron* **2** converter, transformar: *el accidente trocó mi tranquilidad en aflicción = o acidente converteu minha tranqüilidade em aflição.*
trocear *tr* **1** cortar em pedaços. **2** detonar (proyectil).
troceo *m* divisão em pedaços.
trofeo *m* **1** troféu (insignia). **2** (fig) troféu (victoria, triunfo).
troglodita *adj/m y f* **1** troglodita. **2** (fig) troglodita (bárbaro, cruel).
trola *f* (fam) lorota, peta (mentira).
trolebús *m* trólebus.
trolero, ra *adj/m y f* (fam) mentiroso, trapaceiro.
tromba *f* tromba (manga). ♦ **~ de agua** tromba d'água.
trombo *m* trombo.
tromboflebitis *f* MED tromboflebite.
trombón *m* **1** MÚS trombone. • *m o f* **2** MÚS trombonista.
trombosis *f* MED trombose.
trompa *f* **1** MÚS trompa. **2** tromba (nariz). **3** corneta (juguete). **4** ANAT trompa.
trompazo *m* trompaço.
trompeta *f* **1** MÚS trompete. • *m* **2** MÚS trompetista.
trompetazo *m* ruído de trompeta.
trompetilla *f* aparelho de surdez antigo.
trompetista *m o f* MÚS trompetista.
trompicar *tr* **1** tropeçar. • *intr* **2** cambalear.
trompicón *m* **1** tropeção. **2** cambaleio (tumbo, vaivén). **3** safanão (golpe).
trompo *m* **1** pião (juguete). **2** capotagem (de automóvil).
tronado, da *adj* **1** deteriorado, gasto. **2** (fig, coloq) maluco, louco.
tronar *impers* **1** trovejar. • *intr* **2** troar, estrondear.
tronchante *adj* (fam) engraçado.
tronchar *tr y pron* **1** tronchar (árbol). • **~se** *pron* **2** (fig, fam) morrer de rir.
troncho *m* troncho.
tronco *m* **1** tronco (de árbol, arbusto). **2** tronco (de cuerpo). **3** tronco (conducto principal).
tronera *f* **1** troneira, bombardeira (para disparar). **2** caçapa (de billar).
trono *m* **1** trono (asiento). **2** (fig) trono (dignidad).
tropa *f* **1** tropa (turba, muchedumbre). **2** tropa (gente militar). • **tropas** *f pl* **3** MIL tropas.
tropel *m* tropel.
tropelía *f* tropelia.
tropezar *intr* **1** tropeçar. **2** (fig) tropeçar (desacertar).
tropezón *m* tropeção, tropeço.
tropical *adj* tropical.
trópico *m* trópico.
tropiezo *m* **1** tropeço, tropeção. **2** (fig) tropeço, mancada (desliz).

tropismo *m* BIOL tropismo.
tropo *m* RET tropo.
troposfera *f* MET troposfera.
troquel *m* troquel.
troquelar *tr* cunhar.
trotacalles *m o f* (coloq) rueiro, batedor de pernas.
trotamundos *m o f* viajante, viageiro.
trotar *intr* **1** trotar. **2** (fig, fam) bater pernas (andar mucho).
trote *m* **1** trote (de caballería). **2** (fig) azáfama (trabajo apresurado). ■ **a ~** (fig) com pressa.
trovador *m* trovador.
trozo *m* pedaço, parte.
trucaje *m* **1** adulteração, falsificação. **2** CINE trucagem.
trucar *tr* **1** adulterar, falsificar. **2** CINE trucar.
trucha *f* truta (pez).
trucho, cha *adj Amér. Centr., Col.* trucha.
truco *m* **1** truque (ardid). **2** truque (de magia).
truculencia *f* truculência.
truculento, ta *adj* truculento.
trueno *m* trovão.
trueque *m* troca.
trufa *f* **1** trufa de chocolate. **2** trufa (hongo).
truhán, na *adj/m y f* **1** truão, bufão. **2** trapaceiro.
truhanesco, ca *adj* truanesco, trapaceiro.
truncado, da *adj* truncado (cortado, incompleto).
truncar *tr* **1** truncar (cortar). **2** (fig) truncar (dejar incompleto). **3** (fig) truncar (interrumpir).
trust *m* ECON truste.
tu (*apócope de* **tuyo**) *adj poses* **1** seu, teu (posesión, pertenecia): *¿qué ha pasado con tu bici? = o que aconteceu com a sua bicicleta?* **2** seu, teu (parentesco): *esperaremos a tu novia = vamos esperar a sua namorada.*
tú *pron* você, tu: *voy sólo si vas tú = vou só se você for.*
tuberculina *f* tuberculina.
tubérculo *m* **1** BOT tubérculo (tallo). **2** MED tubérculo.
tuberculosis *f* MED tuberculose.
tuberculoso, sa *adj/m y f* tuberculoso.
tubería *f* tubulação, encanamento.
tubo *m* **1** tubo, canudo (para líquido, gases). **2** tubo (de pasta de dientes, pomada). ◆ **~ de escape** tubo de escape. ■ **por un ~** (coloq) a dar com o pau.
tubular *adj* tubular.
tucán *m* tucano.
tuerca *f* porca (pieza).
tuerto, ta *adj/m y f* caolho.
tueste *m* tostadura.
tuétano *m* **1** tutano (médula). **2** tutano (parte interior).
tufarada *f* fedentina.
tufo *m* **1** bafo (emanación gaseosa). **2** (coloq) bodum, fedor. **3** (fig) cheiro (sospecha).
tugurio *m* **1** tugúrio (choza). **2** (fig) boteco, antro.
tul *m* tule.
tulipán *m* tulipa.
tullido, da *adj/m y f* tolhido, entrevado.
tullir *tr y pron* tolher, entrevar.
tumba *f* **1** tumba (sepulcro). **2** tombo (voltereta).
tumbar *tr* **1** tombar (derribar). **2** tombar (inclinar). **3** (fig, fam) rodar (en examen). ● **~se** *pron* **4** (fam) deitar.
tumbo *m* **1** tombo (movimiento). **2** solavanco (vaivén violento).
tumbón, na *adj/m y f* **1** (fam) preguiçoso. ● *adj* **2** fingido (disimulado).
tumbona *f* espreguiçadeira.
tumefacción *f* tumefação.
tumefacto, ta *adj* tumefacto, tumefato.
tumescencia *f* tumescência, tumefação.
túmido, da *adj* túmido, inchado.
tumor *m* tumor. ◆ **~ benigno/maligno** MED tumor benigno/maligno.
tumulto *m* tumulto.
tumultuoso, sa *adj* tumultuoso.
tuna *f* **1** tuna (planta). **2** tuna (vida holgazana). **3** MÚS tuna.
tunante, ta *adj/m y f* tunante, vagabundo.
tunda *f* (fam) tunda, surra.
tundir *tr* **1** (fig) tundar, surrar, espancar. **2** (fig, fam) esgotar, cansar.
tundra *f* tundra.
tunecino, na *adj/m y f* tunisiano.
túnel *m* **1** túnel (paso subterráneo). **2** (fig) túnel (situación difícil).
Túnez o **Tunicia** *f* Tunísia.
tungsteno *m* QUÍM tungstênio.

túnica *f* túnica.
tuno, na *adj/m y f* **1** tunante, vagabundo. • *m* **2** estudante da tuna.
tuntún al ~ *loc adv* a esmo.
tupé *m* **1** topete. **2** (fig) atrevimento.
tupí *adj/m y f* **1** tupi. • *m* **2** tupi (lengua).
tupido, da *adj* **1** espesso. **2** (fig) obtuso, estúpido.
tupir *tr* **1** compactar, espessar. **2** encolher (tela, tejido). • **~se** *pron* **3** (fig) entupir-se, empanturrar-se.
turba *f* **1** (desp) turba, multidão. **2** carvão.
turbación *f* turbação.
turbador, ra *adj/m y f* turbador.
turbamulta *f* (desp) turbamulta, turba.
turbante *m* turbante.
turbar *tr y pron* turbar, pertubar.
túrbido, da *adj* túrbido, turvo.
turbina *f* turbina.
turbio, bia *adj* **1** turvo. **2** (fig) duvidoso. **3** (fig) confuso (lenguaje, explicación).
turbión *m* tromba d'água.
turbo *m* turbo.
turbulencia *f* **1** turbulência. **2** (fig) turbulência, confusão, alvoroço.
turbulento, ta *adj/m y f* **1** turbulento (turbio). • *adj* **2** (fig) turbulento, alvoroçado.
turco, ca *adj/m y f* **1** turco, turquesco. • *m* **2** turco, turquesco (lengua).
turgencia *f* turgência, turgidez.
turgente *adj* **1** turgente, túrgido (abultado). **2** MED túrgido (humor).
turismo *m* **1** turismo. • *adj y m* **2** veículo de turismo.
turista *m o f* **1** turista. • *adj* **2** turista, econômico (tarifa).
turístico, ca *adj* turístico.
Turkmenistán *m* Turkmenistão.
turmix *f* batedeira elétrica.
turnar *intr y pron* alternar, revezar.
turno *m* **1** turno, vez. **2** turno, turma. ■ **de ~** de plantão.
turón *m* ariranha.
turquesa *f* **1** turquesa (mineral). • *adj y m* **2** turquesa (color).
Turquía *f* Turquía.
turrón *m* torrone (dulce).
turulato, ta *adj* (fam) estupefato, perplexo.
tusar *tr* **1** *Amér.* tosar, tosquiar. **2** *Guat.* murmurar.
tuso, sa *adj Col.* picado, marcado (de viruela).
tutear *tr y pron* tutear.
tutela *f* **1** tutela, custódia. **2** (fig) proteção. **3** DER tutela, tutoria.
tutelar *adj* tutelar.
tutelar *tr* tutelar.
tuteo *m* tuteio.
tutiplén a ~ *loc adv* (coloq) de montão.
tutor, ra *m y f* **1** tutor. **2** orientador (profesor).
tutsi *adj/m y f* tútsi.
Tuvalu *f* Tuvalu.
tuyo, ya *pron* seu, teu: *¿son tuyas estas blusas? = estas blusas são suas?* ◆ **lo ~** a sua praia, a tua praia: *cocinar no es lo tuyo = cozinhar não é a sua praia*; o que é seu, o que é teu: *no me meteré en lo tuyo = não vou me intrometer com o que é seu.*

Uu

u, U *f* u, U (letra).
u *conj* (ante palabras que empiezan por o u ho) ou: *llegará a las siete u ocho = chegará às sete ou oito, no sé si quedarme en pensión u hotel = não sei se fico em pensão ou hotel.*
ubérrimo, ma *adj* ubérrimo.
ubicación *f* localização.
ubicar *intr y pron* **1** localizar. • *tr* **2** *Amér.* posicionar.
ubicuidad *f* ubiqüidade.
ubicuo, cua *adj* ubíquo.
ubre *f* úbere, teta.
UCI (*siglas de* **Unidad de Cuidados Intensivos**) *f* UTI (Unidade de Terapia Intensiva).
Ucrania *f* Ucrânia.
ucraniano, na *adj/m y f* ucraniano.
UE (*siglas de* **Unión Europea**) *f* UE (União Européia).
¡uf! *interj* ufa!
ufanarse *pron* ufanar-se, vangloriar-se.
ufano, na *adj* **1** ufano, orgulhoso. **2** (fig) satisfeito.
Uganda *f* Uganda.
ugandés, sa *adj/m y f* ugandense.
¡uh! *interj* uh! (desilusión, desdén).
ujier *m* esbirro.
úlcera *f* MED úlcera.
ulceración *f* MED ulceração.
ulcerar *tr y pron* ulcerar.
ulterior *adj* ulterior.
ultimar *tr* **1** ultimar, concluir. **2** *Amér.* matar.
ultimátum *m* ultimato, ultimátum.
último, ma *adj* **1** último (más reciente): *es el último disco de Caetano Veloso = é o último disco de Caetano Veloso.* **2** último (definitivo): *es mi último intento = é minha última tentiva.* • *adj/m y f* **3** último. ■ **por ~** por fim, finalmente.
ultra *adj/m y f* ultra, extremista.
ultraderecha *f* extrema direita.
ultraizquierda *f* extrema esquerda.
ultrajante *adj* ultrajante.
ultrajar *tr* ultrajar.
ultraje *m* ultraje.
ultraligero, ra *adj* **1** ultraleve. • *adj y m* **2** AER ultraleve.
ultramar *m* ultramar.
ultramarino, na *adj* **1** ultramarino. • *m* **2** (gralte pl) loja de secos e molhados.
ultranza a ~ *loc adv* até a morte.
ultrarrojo, ja *adj* FÍS ultravermelho.
ultrasónico, ca *adj* ultra-sônico.
ultrasonido *m* FÍS ultra-som.
ultratumba *f* além-túmulo.
ultravioleta *adj* FÍS ultravioleta.
ulular *intr* ulular.
ululato *m* alarido, gritaria.
umbilical *adj* ANAT umbilical. ◆ **cordón ~** cordão umbilical.
umbral *m* **1** umbral. **2** soleira (entrada). **3** ARQ umbral, ombreira.
umbrío, a *adj* umbrátil, sombrio.
un, na *art* **1** um (indeterminado): *esperé a que una chica me atendiera = esperei que uma moça me atendesse.* • *adj* **2** um (apócope de uno): *hay un paquete sobre la mesa = há um pacote sobre a mesa.*
unánime *adj* unânime.
unanimidad *f* unanimidade.
unción *f* unção. ◆ **extrema ~** extrema-unção.
undécimo, ma *adj/m y f* undécimo.
undular *intr* ondear, ondular.
ungido, da *adj/m y f* ungido.
ungir *tr* ungir.
ungüento *m* ungüento.
unicameral *adj* unicameral.
unicelular *adj* unicelular.
unicidad *f* unicidade, singularidade.
único, ca *adj* **1** único (solo). **2** (fig) único, excepcional.
unidad *f* **1** unidade (unicidad). **2** unidade (medida). ◆ **~ monetaria** unidade monetária.
unidimensional *adj* unidimensional.
unidireccional *adj* unidirecional.
unido, da *adj* unido.
unifamiliar *adj* unifamiliar.

unificación *f* unificação.
unificar *tr y pron* unificar.
uniformar *tr* uniformizar, uniformar.
uniforme *adj* **1** uniforme. • *m* **2** uniforme (vestido).
uniformidad *f* uniformidade.
uniformizar *tr* uniformizar.
unilateral *adj* unilateral.
unión *f* **1** união (enlace). **2** união (relación, comunicación).
unipersonal *adj* unipessoal.
unir *tr y pron* **1** unir, juntar. **2** unir (relacionar). **3** unir (acercar, aproximar).
unisex *adj* unissex.
unísono, na *adj* **1** uníssono. • *m* **2** MÚS uníssono.
unitario, ria *adj* **1** unitário. • *adj/m y f* **2** POL unitário.
universal *adj* **1** ASTR universal. **2** universal (general).
universalidad *f* universalidade.
universidad *f* **1** universidade (institución, edificio). **2** universidade (universalidad).
universitario, ria *adj/m y f* universitário.
universo, sa *adj* **1** universo, universal. • *m* **2** ASTR universo. **3** (fig) universo (mundo).
unívoco, ca *adj/m y f* unívoco.
uno, na *adj* **1** um: *no quiero uno sino dos huevos fritos = não quero um mas sim dois ovos fritos*. **2** um, único. • *pron* **3** um (indefinido): *tengo muchos lápices ¿quieres uno? = tenho muitos lápiz, quer um?* • *m* **4** uma pessoa, alguém: *¿qué debe hacer uno en esta situación? = o que deve fazer uma pessoa nessa situação?* ■ **cada ~ a lo suyo** cada macaco no seu galho; **de ~ en ~** de um em um; **~ que otro** um ou outro (poucos); **unos cuantos** uns quantos.
untadura *f* untadura.
untar *tr* **1** untar, besuntar. **2** (fig) subornar.
unto *m* **1** unto, banha. **2** (fig) suborno.
untuosidad *f* untuosidade.
untuoso, sa *adj* untuoso, gorduroso.
untura *f* untura.
uña *f* **1** unha. **2** (fig) garra. ■ **con uñas y dientes** (fig, fam) com unhas e dentes; **ser ~ y carne** (fig, fam) ser unha e carne.
uñada *f* unhada, arranhão.
uñero *m* unheiro.
upa *adj Perú, Ecuad.* imbecil.
upar *tr* levantar (a alguien).
uperizar *tr* pasteurizar.
uralita *f* uralita.
uranio, nia *adj* uraniano.
Urano *m* ASTR Urano.
urbanidad *f* urbanidade.
urbanismo *m* urbanismo.
urbanización *f* urbanização.
urbanizar *tr* urbanizar.
urbano, na *adj* **1** urbano. • *m* **2** (fam) guarda urbano.
urbe *f* urbe, cidade.
urdimbre *f* urdidura.
urdir *tr* **1** urdir (hilos). **2** (fig) tramar.
urea *f* QUÍM uréia.
uremia *f* MED uremia.
uréter *m* ANAT ureter.
uretra *f* ANAT uretra.
urgencia *f* **1** urgência. • **urgencias** *f pl* **2** emergência, pronto-socorro.
urgente *adj* urgente.
urgir *intr* **1** urgir. **2** obrigar.
úrico, ca *adj* úrico.
urinario, ria *adj* **1** urinário. • *m* **2** mictório público.
urna *f* **1** urna (funeraria). **2** urna (para votos). ■ **ir a las urnas** ir às urnas.
urología *f* MED urologia.
urraca *f* **1** gralha (ave). **2** (fig) matraca.
urticaria *f* MED urticária.
urubú *m* urubu.
Uruguay *m* Uruguai.
uruguayo, ya *adj/m y f* uruguaio.
usado, da *adj* usado, gasto.
usanza *f* usança.
usar *tr e intr* **1** usar, utilizar. • **~se** *pron* **2** estar na moda.
uso *m* **1** uso, utilização. **2** uso (consumo, gasto). ■ **hacer buen/mal ~** fazer bom/mau uso.
usted *pron* **1** o senhor, a senhora: *siéntese usted, por favor = sente a senhora, por favor*. **2** *Amér.* você: *usted es de Bolivia, ¿verdad? = você é da Bolívia, verdade?*
usual *adj* usual.
usuario, ria *adj/m y f* usuário.
usufructo *m* usufruto.
usufructuario, ria *adj/m y f* DER usufrutuário.
usura *f* **1** usura. **2** *Arg.* vantagem.

usurero, ra *m y f* **1** usurário. **2** agiota.
usurpación *f* usurpação.
usurpador, ra *adj/m y f* usurpador.
usurpar *tr* usurpar.
utensilio *m* utensílio.
uterino, na *adj* MED uterino.
útero *m* ANAT útero.
útil *adj* **1** útil (provechoso). **2** útil (no festivo). ◆ **día ~** dia útil.
utilidad *f* **1** utilidade (provecho). **2** utilidade, serventia.
utilitario, ria *adj* **1** utilitário. ● *adj y m* **2** utilitário (vehículo).
utilización *f* utilização.
utilizar *tr y pron* utilizar.
utillaje *m* instrumental, ferramentas.
utopía o **utopia** *f* utopia.
utópico, ca *adj* utópico.
uva *f* uva. ◆ **mala ~** (fig, fam) mau humor.
uve *f* vê (letra). ◆ **~ doble** dábliu.
UVI (*siglas de* **Unidade de Vigilancia Intensiva**) *f* UTI (Unidade de Terapia Intensiva).
úvula *f* ANAT úvula.
¡uy! *interj* ui!
Uzbekistán *m* Uzbequistão.
uzbeko, ka *adj/m y f* uzbeque.

Vv

v, V *f* v, V (letra).
vaca *f* **1** vaca. **2** *Amér.* vaquinha (dinero).
vacación *f* (gralte pl) férias.
vacante *adj* **1** vacante, vago. • *adj y f* **2** vaga (cargo, empleo).
vacar *intr* **1** folgar. **2** vagar (cargo, plaza).
vaciar *tr y pron* **1** esvaziar. **2** verter. • **~se** *pron* **3** (fig, fam) desabafar.
vaciedad *f* **1** vacuidade, vaziez. **2** (fig) vagueza.
vacilación *f* vacilação.
vacilar *intr* **1** vacilar, oscilar, cambalear. **2** (fig) hesitar, titubear. **3** *Guat.*, *Méx.* embriagar-se.
vacilón, na *adj* brincalhão, sarrista.
vacío, a *adj* **1** vazio (sin contenido). **2** vazio, oco (hueco). **3** vazio, vago (cargo, plaza). **4** (fig) vazio, fútil. • *m* **5** vazio. **6** FÍS vácuo.
vacuna *f* vacina.
vacunar *tr* **1** vacinar. **2** (fig, fam) proteger.
vacuno, na *adj y m* bovino.
vacuo, cua *adj* **1** vácuo, vazio. • *m* **2** vácuo, vazio.
vadear *tr* vadear.
vademécum *m* vade-mécum.
vado *m* **1** vau (de río). **2** entrada de veículos.
vagabundear *intr* vagabundear.
vagabundo, da *adj/m y f* vagabundo.
vagancia *f* **1** vagagem, vadiagem. **2** preguiça.
vagar *intr* vagar, perambular.
vagina *f* ANAT vagina.
vaginal *adj* vaginal.
vago, ga *adj* **1** vago, incerto, indeterminado. • *adj/m y f* **2** preguiçoso.
vagón *m* vagão.
vagoneta *f* vagonete, trole.
vaguada *f* talvegue.
vaguear *intr* **1** vaguear (vagar). **2** vadiar (holgazanear).
vaguedad *f* ambigüidade, imprecisão.
vaharada *f* baforada.
vahído *m* desmaio.
vaho *m* bafo.
vaina *f* **1** bainha (de armas). **2** vagem (planta). **3** (fig, fam) bobagem, asneira.
vainilla *f* baunilha (planta, esencia).
vaivén *m* vaivém.
vajilla *f* louça, baixela.
vale *m* **1** vale, recibo. • **¡~!** *interj* **2** ok!, falou!
valencia *f* QUÍM valência.
Valenciana, Comunidad *f* Comunidade Valenciana.
valenciano, na *adj/m y f* valenciano.
valentía *f* **1** valentia, vigor. **2** valentia, audácia.
valentonada *f* valentice, fanfarrice.
valer *m* valor, valia.
valer *tr* **1** valer (tener valor). **2** custar, valer. • *intr* **3** valer, ter validade. • **~se** *pron* **4** valer-se, servir-se.
valeriana *f* valeriana.
valeroso, sa *adj* valoroso, corajoso.
valía *f* valia, valor.
válido, da *adj* válido.
valido, da *adj/m y f* valido, preferido.
valiente *adj/m y f* valente, corajoso.
valija *f* **1** mala postal (de correos). **2** *Amér.* mala, bagagem.
valimiento *m* valimento.
valla *f* **1** cerca. **2** outdoor, painel (publicitaria). **3** DEP obstáculo (atletismo).
vallado *m* **1** cerca. **2** *P. Rico* (fig, hum) caipira.
vallar *tr* cercar.
valle *m* **1** vale (llanura). **2** vale, várzea. **3** vale (depresión).
valor *m* **1** valor (utilidad). **2** valor, preço. **3** valor (validez). **4** coragem, valor.
valorar *tr* avaliar, valorizar.
valorizar *tr* valorizar.
vals *m* MÚS valsa (baile, música).
valva *f* **1** BOT valva. **2** ZOOL valva.
válvula *f* **1** vávula (dispositivo). **2** ANAT vávula.
vampiresa *f* (fam) vampe, mulher fatal.

vampiro *m* **1** vampiro (ser fantástico). **2** vampiro (murciélago).
vanadio *m* QUÍM vanádio.
vanagloria *f* vanglória.
vanagloriarse *pron* vangloriar-se.
vandálico, ca *adj* vandálico.
vandalismo *m* vandalismo.
vándalo, la *adj/m y f* vândalo.
vanguardia *f* **1** vanguarda (movimiento). **2** MIL vanguarda.
vanguardismo *m* vanguardismo.
vanidad *f* **1** vaidade (presunción). **2** vaidade, futilidade.
vanidoso, sa *adj* vaidoso.
vano, na *adj* **1** vão (inútil). **2** vão (vacío, hueco). **3** vão, vaidoso.
Vanuatu *m* Vanuatu.
vanuatuense *adj/m y f* vanuatuense.
vapor *m* **1** vapor (fluido gasoso). **2** vapor (buque).
vaporización *f* vaporização.
vaporizar *tr* vaporizar, evaporar.
vaporoso, sa *adj* **1** vaporoso. **2** (fig) vaporoso (tenue).
vapulear *tr* **1** chacoalhar, sacolejar (a alguien). **2** (fig) dar um esfrega (reprender). • *tr y pron* **3** (fig) dar uma surra.
vapuleo *m* **1** chacoalhão, sacolejo. **2** (fig) surra, pau.
vara *f* **1** vara (rama delgada). **2** (fig) vara (poder, autoridad). ◆ **varita mágica** varinha de condão.
varadero *m* varadouro (para embarcaciones).
varapalo *m* **1** varapau. **2** varada (golpe).
varar *intr* **1** varar, encalhar (embarcación). • **~se** *pron* **2** *Amér. Merid.* enguiçar, encalhar (vehículo).
varear *tr* varejar, varar.
variabilidad *f* variabilidade.
variable *adj* **1** variável, mutável. **2** variável (inestable). • *f* **3** MAT variável.
variación *f* **1** variação (transformación, cambio). **2** variação (diversidad).
variado, da *adj* variado.
variante *f* variante.
variar *tr* **1** variar, diversificar. • *intr* **2** variar, modificar-se.
varice o **várice** *f* MED ⇒ variz.
variedad *f* **1** variedade (variación). **2** variedade, sortimento.
varilla *f* **1** varinha, vareta. **2** (fam) vareta (de paraguas, abanico).
vario, ria *adj* **1** vário, variado. **2** vário (inconstante, cambiante). • **varios** *adj pl* **3** vários (algunos, unos): *estuvimos allí varios días = estivemos lá vários dias.*
variopinto, ta *adj* diversificado, heterogêneo.
varita *f* varinha.
variz *f* MED (gralte pl) variz.
varón *m* homem, varão: *querían un hijo varón porque tenían ya dos niñas = queriam um filho homem porque já tinham duas meninas.*
varonil *adj* varonil.
vasallo, lla *adj/m y f* vassalo.
vasco, ca *adj/m y f* **1** basco. • *m* **2** basco (lengua).
vasectomía *f* MED vasectomia.
vaselina *f* vaselina (sustancia).
vasija *f* vasilha.
vaso *m* **1** copo (recipiente, contenido). **2** ANAT vaso. ◆ **vasos sanguíneos** vasos sangüíneos. ■ **ahogarse en un ~ de agua** (fig, fam)

> En español **vaso** significa 'recipiente que sirve para beber', lo que recibe el nombre de ***copo*** en portugués. Por otro lado, la palabra portuguesa ***vaso*** significa principalmente 'jarrón'.

vástago *m* **1** broto, rebento. **2** (fig) rebento, filho.
vastedad *f* vastidão.
vasto, ta *adj* vasto.
váter *m* **1** privada, vaso sanitário. **2** banheiro (cuarto de baño).
Vaticano *m* Vaticano.
vaticano, na *adj* vaticano.
vaticinar *tr* vaticinar.
vatio *m* FÍS watt.
vaya *interj* **1** puxa!, pôxa!: *¡vaya! empieza a llover otra vez = pôxa! está chovendo outra vez.* **2** que (intensificador): *¡vaya coche más malo! = que carro mais ruim!*
vecinal *adj* vizinho, vicinal.
vecindad *f* vizinhança.
vecindario *m* vizinhança, vizindário.
vecino, na *adj/m y f* **1** vizinho. • *adj* **2** vizinho, semelhante. **3** vizinho, próximo: *ciudad vecina = cidade vizinha.*

veda *f* veto, proibição.
vedado *m* vetado, proibido.
vedar *tr* vetar (prohibir).
vedette *f* vedete.
vega *f* vaiga, várzea.
vegetación *f* vegetação.
vegetal *adj* **1** vegetal. • *m* **2** vegetal (planta).
vegetar *intr y pron* **1** vegetar (germinar, nutrirse). • *intr* **2** (fig) vegetar (vivir artificialmente).
vegetariano, na *adj/m y f* vegetariano.
vehemencia *f* veemência.
vehemente *adj* veemente.
vehículo *m* **1** veículo (transporte). **2** (fig) veículo (medio).
veinte *adj y m* **1** vinte.
veinteañero, ra *adj/m y f* na faixa dos vinte anos, vintaneiro.
veinteavo, va *adj* vinte avos.
veintitantos, tas *adj* vinte e poucos.
vejación *f* vexação.
vejatorio, ria *adj* vexatório.
vejestorio *m* (desp) velhote.
vejez *f* **1** velhice, ancianidade. **2** velhice, antigüidade.
vejiga *f* ANAT bexiga.
vela *f* **1** vela (candela). **2** vela (vigilia). **3** vela (de barco). ■ **a dos velas** (fig, fam) com uma mão atrás outra na frente; **en ~** em claro.
velada *f* **1** sarau. **2** noitada, festa noturna.
velador, ra *adj/m y f* **1** velador. • *m* **2** velador (mueble).
velamen *m* MAR velame.
velar *adj y f* FON velar.
velar *intr* **1** velar, ficar acordado. • *tr* **2** velar, vigiar. **3** velar, cuidar.
velatorio *m* velório (acto, lugar).
velcro *m* velcro.
veleidad *f* **1** veleidade (volubilidad). **2** veleidade (capricho).
velero, ra *adj* **1** veleiro. • *m* **2** MAR veleiro (embarcación).
veleta *f* **1** veleta, cata-vento. • *m o f* **2** (fig) veleta (inconstante).
vello *m* pêlo, pelugem.
vellosidad *f* pelosidade.
velo *m* véu (tela). ♦ **~ del paladar** véu palatino, palato mole.
velocidad *f* **1** velocidade (ligereza, rapidez). **2** FÍS velocidade.
velocímetro *m* velocímetro.
velocista *m o f* DEP velocista.
velódromo *m* velódromo.
velomotor *m* ciclomotor.
veloz *adj* veloz (ligero, ágil).
vena *f* **1** ANAT veia. **2** veia, veio (de mineral, agua). **3** (fig, fam) veia, vocação (inspiración). **4** BOT veia, nervura. ■ **llevar algo en las venas** (fig, fam) levar algo na veia.
venado *m* veado, cervo.
vencedor, ra *adj/m y f* vencedor.
vencer *tr* **1** vencer (derrotar). **2** vencer, prostrar (cansancio, sueño). **3** vencer, superar (pereza, desánimo). • *intr* **4** vencer, terminar (plazo).
vencido, da *adj/m y f* vencido.
vencimiento *m* **1** vencimento, vitória. **2** vencimento (de plazo).
venda *f* venda.
vendaje *m* bandagem.
vendar *tr* vendar (ojos, herida).
vendaval *m* vendaval.
vendedor, ra *adj/m y f* vendedora.
vender *tr* **1** vender (bienes, mercancías). **2** (fig) vender, sacrificar (honra, confianza). • **~se** *pron* **3** (fig, fam) vender-se (dejarse sobornar).
vendimia *f* vindima.
vendimiar *tr* vindimiar.
veneno *m* **1** veneno (sustancia). **2** (fig, fam) veneno (nocivo, perjudicial).
venenoso, sa *adj* venenoso.
veneración *f* veneração.
venerar *tr* venerar.
venéreo, a *adj* venéreo.
venezolano, na *adj/m y f* venezuelano.
Venezuela *f* Venezuela.
venganza *f* vingança.
vengar *tr y pron* vingar.
vengativo, va *adj* vingativo.
venia *f* **1** vênia (perdón). **2** vênia (licencia, permiso).
venial *adj* venial.
venida *f* **1** vinda (llegada). **2** vinda (regreso).
venidero, ra *adj* vindouro.
venir *intr y pron* **1** vir (llegar). • *intr* **2** vir (caminar, moverse). **3** vir (producirse, ocurrir). **4** dar, ficar com (manifestarse): *a veces me vienen ganas de pegarte = às vezes me da vontade de bater em você.* **5** vir (volver a tratar un asun-

to). **6** vir (proceder, derivar). **7** vir (figurar, aparecer). **8** vir (surgir).
venta *f* **1** venda (negociación). **2** venda (objeto vendido). ■ **estar a la ~** esta à venda.
ventaja *f* **1** vantagem (superioridad). **2** vantagem (condición favorable).
ventajear *tr Amér.* levar vantagem.
ventajista *adj/m y f* aproveitador, oportunista.
ventajoso, sa *adj* vantajoso.
ventana *f* **1** janela. **2** venta (de la nariz).
ventanal *m* janela grande.
ventanilla *f* **1** guichê (taquilla). **2** janela, vidro (de vehículo).
ventarrón *m* ventania.
ventear *impers* **1** ventanear, ventanejar. • *tr* **2** olfatear, farejar.
ventilación *f* **1** ventilação (aireación). **2** ventilação (corriente de aire).
ventilador *m* ventilador.
ventilar *tr y pron* **1** ventilar, arejar. • *tr* **2** (fig, fam) resolver, solucionar. **3** fazer público.
ventisca *f* **1** nevasca. **2** ventania (viento fuerte).
ventisquear *impers* nevar com vento.
ventolera *f* **1** ventania, ventaneira. **2** (fig) veneta.
ventosa *f* ventosa.
ventosear *intr y pron* ventanejar, soltar ventosidades.
ventosidad *f* ventosidade.
ventoso, sa *adj* ventoso.
ventrículo *m* ANAT ventrículo.
ventrílocuo, cua *adj/m y f* ventríloquo.
ventura *f* **1** ventura (felicidad). **2** ventura (suerte).
venturoso, sa *adj* venturoso.
Venus *m* ASTR Vênus.
ver *tr, intr y pron* **1** ver, enxergar. • *tr y pron* **2** ver (visitar). • *tr* **3** ver (observar, reconocer). **4** ver (comprender, darse cuenta). **5** ver (considerar, reflexionar). **6** ver (juzgar). **7** ver (averiguar, buscar). **8** ver (prever, presentir). • **~se** *pron* **9** ■ **a ~** vejamos, pois bem: *a ver, empezamos por aquí = vejamos, começamos por aqui*; **hay que ~** tem que ver.
vera *f* **1** beira (orilla). • *m* **2** guaiaco (árbol).
veracidad *f* veracidade.
veraneante *adj/m y f* veranista.
veranear *intr* veranear.
veraniego, ga *adj* de verão, estival.
verano *m* verão.
veras *f pl* veras (realidad, verdad). ■ **de ~** de veras.
veraz *adj* veraz.
verbal *adj* **1** verbal. **2** GRAM verbal.
verbalizar *tr* verbalizar.
verbena *f* **1** verbena (planta). **2** festejo noturno ao ar livre.
verbigracia *m* verbi gratia, por exemplo.
verbo *m* GRAM verbo. ◆ **~ auxiliar** GRAM verbo auxiliar; **verbo regular/irregular** GRAM verbo regular/irregular.
verborrea *f* (fam) verborréia.
verdad *f* **1** verdade, veracidade. **2** verdade (hecho real). **3** verdade, máxima (juicio, proposición). ■ **de ~** de verdade; **~ a medias** meia verdade.
verdadero, ra *adj* verdadeiro.
verde *adj y m* **1** verde (color). • *adj/m y f* **2** ecologista. • *adj* **3** verde (inmaduro). **4** (fig) verde, inexperiente. ■ **poner a alguien ~** (fig, fam)
verdear *intr* **1** verdear, verdejar. **2** esverdear, verdecer.
verdecer *intr* verdecer, reverdecer.
verdor *m* **1** verdor, verdura (color). **2** (fig) verdor (fuerza, vigor).
verdoso, sa *adj* esverdeado, verdoso.
verdugo *m* **1** broto (vástago). **2** açoite (de cuero). **3** (fig)
verdulería *f* quitanda.
verdulero, ra *m y f* verdureiro.
verdura *f* **1** verdura (hortalizas). **2** verdura (color verde).
vereda *f* **1** vereda (camino). **2** *Amér. Merid.* calçada (acera).
veredicto *m* veredicto.
verga *f* **1** pênis. **2** verga (rama).
vergel *m* vergel, pomar.
vergonzoso, sa *adj* **1** vergonhoso. • *adj/m y f* **2** envergonhado.
vergüenza *f* **1** vergonha (turbación). **2** vergonha (pundonor). **3** vergonha (encogimiento, cortedad). • **vergüenzas** *f pl* **4** vergonhas (órganos sexuales). ◆ **poca ~** poca-vergonha.
vericueto *m* **1** vreia (lugar). **2** (fig) meandro (asunto complicado).
verídico, ca *adj* verídico.
verificación *f* verificação.
verificar *tr y pron* verificar.

V

verja *f* grade.
vermú o **vermut** *m* vermute.
vernáculo, la *adj* vernáculo.
verosímil *adj* verossímil.
verruga *f* verruga.
verrugoso, sa *adj* verrugoso.
versado, da *adj* versado (práctico, instruido).
versar *intr* versar (sobre materia).
versátil *adj* versátil.
versatilidad *f* versatilidade.
versificación *f* versificação.
versificar *intr y tr* versificar.
versión *f* **1** versão (traducción). **2** versão, interpretação (de hecho, suceso).
verso *m* verso.
vértebra *f* vértebra.
vertebral *adj* vertebral.
vertebrado, da *adj y m* **1** ZOOL vertebrado. • **vertebrados** *m pl* **2** ZOOL vertebrados.
vertedero *m* depósito de lixo, lixão.
verter *tr y pron* **1** verter, entornar. • *tr* **2** verter (traducir).
vertical *adj y f* GEOM vertical.
vértice *m* vértice.
vertido *m pl* esgoto industrial.
vertiente *amb* **1** vertente (declive, inclinación). • *f* **2** vertente (pendiente).
vertiginoso, sa *adj* vertiginoso.
vértigo *m* **1** vertigem (desequilibrio). **2** (fig) vertigem (mareo).
vesícula *f* vesícula. ◆ ~ **biliar** vesícula biliar.
vespertino, na *adj* vespertino.
vespino *m* vespa, motoneta.
vestíbulo *m* **1** vestíbulo (atrio, portal). **2** vestíbulo (sala).
vestido, da *adj* **1** vestido. • *m* **2** vesta, vestimenta. **3** vestido (ropa femenina).
vestidura *f* vestidura.
vestigio *m* vestígio (indicio, huella).
vestimenta *f* ⇒ vestidura.
vestir *tr y pron* **1** vestir (ropa, zapato). • *tr* **2** vestir, trajar.
vestuario *m* **1** vestuário (ropa). **2** vestiário (habitación).
veta *f* **1** friso, faixa. **2** veio, filão.
vetar *tr* vetar, proibir.
veteado, da *adj* frisado, listado.
veteranía *f* veteranice.
veterano, na *adj/m y f* **1** MIL veterano. • *adj* **2** (fig) veterano (antiguo, experimentado).
veterinaria *f* veterinária.
veterinario, ria *adj/m y f* veterinário.
veto *m* veto, proibição.
vetusto, ta *adj* vetusto.
vez *f* **1** vez (momento, ocasión). **2** vez (turno, vuelta). **3** vez (posición). ■ **a la ~** ao mesmo tempo; **a veces** às vezes; **tal ~** talvez; **una ~ que** uma vez que.
vía *f* **1** via (calle, carretera, acera). **2** trilho, via (de tren). **3** via (conducto). • *prep* **4** via: *fui a Brasil vía Lisboa = fui ao Brasil via Lisboa.* ◆ ~ **respiratoria** via respiratória. ■ **en vías de** em vias de.
viabilidad *f* viabilidade.
viable *adj* viável.
viaducto *m* viaduto.
viajante *adj/m y f* **1** viajante (viajero). • *m y f* **2** viajante, caixeiro-viajante.
viajar *intr* viajar.
viaje *m* **1** viagem (traslado). **2** viagem (jornada, camino). **3** diário de viagem (libro, memoria). ■ **¡buen ~!** boa viagem!
viajero, ra *adj/m y f* **1** viajante. • *m y f* **2** passageiro, viajante (en transporte público).
vianda *f* **1** vianda (sustento, alimento). **2** *Arg., Ur.* marmita (fiambrera).
viandante *m o f* viandante, transeunte.
víbora *f* **1** víbora (réptil). **2** (fig) víbora (perverso).
vibración *f* **1** vibração (oscilación). **2** vibração (temblor).
vibrante *adj* **1** vibrante. • *adj y f* **2** FON vibrante.
vibrar *tr e intr* **1** vibrar. • *intr* **2** (fig) vibrar (conmoverse).
vibratorio, ria *adj* vibratório.
vicaría *f* **1** vicariato (oficio, dignidad). **2** vicariato (oficina, territorio).
vicario, ria *adj/m y f* **1** vigário (sustituto). • *m* **2** vigário (juez eclesiástico).
vicepresidente, ta *m y f* vice-presidente.
vicerrector, ra *m y f* vice-reitor.
viceversa *adv* vice-versa.
viciar *tr y pron* **1** viciar (corromper). • *tr* **2** viciar (adulterar, falsificar).
vicio *m* **1** vício (defecto). **2** vício (perversión). **3** vício (mala costumbre).
vicioso, sa *adj/m y f* **1** vicioso (pervertido). • *adj* **2** (fam) mimado (niño).

vicisitud *f* **1** vicissitude (acontecimiento). **2** vicissitude (accidente, contrariedad).
víctima *f* vítima.
victoria *f* vitória. ■ **cantar ~** (fig) cantar vitória.
victorioso, sa *adj* vitorioso.
vid *f* videira.
vida *f* **1** vida (existencia). **2** (fig) vida (vitalidad). ◆ **~ privada** vida privada. ■ **buscarse la ~** (fig, coloq) ir à luta, virar-se; **de por ~** (fig) para o resto da vida; **ganarse la ~** (fig) ganhar a vida; **jugarse la ~** (fig) apostar tudo; **pasar a mejor ~** (fig) passar desta para melhor; **perder la ~** (fig) perder a vida.
vidente *adj/m y f* vidente.
vídeo *m* **1** vídeo (aparato). **2** vídeo (grabación).
videocámara *f* videocâmara.
videocasete *m* ⇒ videocinta.
videocinta *f* videocassete.
videoclip *m* videoclipe.
videoclub *m* videoclube.
videoconferencia *f* videoconferência.
videoconsola *f* videogame (aparato).
videodisco *m* videodisco.
videojuego *m* videojogo, videogame (juego).
videoteca *m* videoteca (colección, lugar).
vidorra *f* (fam) vidão.
vidriera *f* **1** vidraça. **2** *Amér. Merid.* vitrina, vitrine.
vidriero, ra *m y f* **1** vidreiro (soplador). **2** vidraceiro (colocador).
vidrio *m* **1** vidro (material). **2** vidro (placa, pieza, vaso).
vidrioso, sa *adj* **1** vidrento. **2** (fig) escorregadiço (suelo).
viejo, ja *adj/m y f* **1** velho, idoso. ● *adj* **2** velho (antiguo, pasado). ● *m y f* **3** (coloq) cara, camarada (amigo). **viejos 4** *Amér.* (fam) velhos (padres).
viento *m* **1** vento (aire). **2** (fam) rumo, direção. **3** (fig) vento (ventosidad). ◆ **instrumento de ~** instrumento de sopro. ■ **a los cuatro vientos** (fig, fam) aos quatro ventos; **contra ~ y marea** (fig) de qualquer jeito, apesar de todas as dificuldades.
vientre *m* **1** ANAT ventre. **2** ventre (tripa).
viernes *m* sexta-feira.
Vietnam *m* Vietnã.
vietnamita *adj/m y f* vietnamita.
viga *f* viga. ◆ **~ maestra** viga mestra.
vigencia *f* vigência.
vigente *adj* vigente.
vigésimo, ma *adj/m y f* vigésimo.
vigía *f* **1** vigia (atalaya). ● *m o f* **2** vigia, guarda.
vigilancia *f* vigilância.
vigilante *adj* **1** vigilante. ● *m o f* **2** vigilante, vigia.
vigilar *tr e intr* **1** vigiar. ● *intr* **2** ter cuidado: *vigila que viene un coche = tenha cuidado que vem um carro.*
vigilia *f* vigília (vela).
vigor *m* **1** vigor (fuerza). **2** vigor (viveza).
vigorizar *tr y pron* vigorizar, vigorar.
vigoroso, sa *adj* vigoroso.
VIH (*siglas de* **Virus de Inmunodeficiencia Humana**) *m* HIV (Vírus da Imunodeficiência Humana).
vikingo, ga *adj/m y f* viking.
vil *adj* vil (despreciable, indigno).
vileza *f* **1** vileza (maldad). **2** vileza (indignidad, infamia).
vilipendiar *tr* vilipendiar.
villa *f* **1** vila, povoado. **2** vila, casa de campo.
villancico *m* canção de Natal, vilancico.
villanía *f* vilania, vileza.
villano, na *adj* **1** (fig) vilão (rústico, descortés). **2** (fig) vilão (indigno, indecoroso).
villorrio *m* (desp) vilória, vilório.
vilo en ~ *loc adv* **1** no ar (suspendido). **2** (fig) inquieto, apreensivo.
vinagre *m* vinagre.
vinagrera *f* **1** vinagreira. ● **vinagreras** *f pl* **2** galheteiro.
vinagrero, ra *m y f* vinagreiro (vendedor, fabricante).
vinagreta *f* vinagrete.
vinculación *f* vinculação.
vinculante *adj* vinculador, vinculativo.
vincular *tr* **1** vincular (atar). **2** (fig) vincular (sujetar). **3** (fig) vincular (someter, obligar).
vínculo *m* (fig) vínculo.
vindicación *f* vindicação.
vindicar *tr y pron* vindicar (vengar).
vindicativo, va *adj* vindicativo (vengativo).
vinícola *adj* vinícola.

vinicultor, ra *m y f* vinicultor.
vinicultura *f* vinicultura.
vinilo *m* QUÍM vinil.
vino *m* vinho (licor). ♦ ~ **de mesa** vinho de mesa. ■ **tener mal** ~ (fig, fam) querer brigar quando bebe.
vinoso, sa *adj* vinoso.
viña *f* vinha. ■ **de todo hay en la** ~ **del Señor** (fig, fam) há de tudo nesta vida.
viñedo *m* vinhedo.
viñeta *f* **1** vinheta, ilustração. **2** vinheta (recuadro).
viola *f* **1** viola, violeta (flor). **2** MÚS viola (instrumento). ● *m o f* **3** MÚS violeiro.
violáceo, a *adj* **1** violáceo (tono). ● *adj y f* **2** BOT violácea.
violación *f* **1** violação. **2** estupro.
violado, da *adj y m* violeta, violáceo (color).
violar *tr* **1** violar, infringir (ley, normas). **2** violentar, estuprar. **3** violar, invadir (lugar).
violencia *f* violência.
violentar *tr* **1** violentar (obligar, forzar). **2** violentar, arrombar. ● *tr y pron* **3** (fig) irritar.
violento, ta *adj* **1** violento (intenso). **2** violento, brutal. **3** violento, iráscivel.
violeta *f* **1** violeta (planta, flor). ● *adj y m* **2** violeta (color).
violín *m* **1** MÚS violino. ● *m o f* **2** MÚS violinista.
violinista *m o f* MÚS violinista.
violonchelista *m o f* MÚS violoncelista.
violonchelo *m* MÚS violoncelo.
VIP (*siglas de* **Very Important Person**) *adj/m y f* VIP (Very Important Person).
viperino, na *adj* **1** viperino. **2** (fig) viperino (perverso).
viraje *m* virada (de dirección, idea).
virar *tr* **1** FOT virar. ● *intr* **2** (fig) virar (de dirección).
virgen *adj/m y f* **1** virgem. ● *adj* **2** virgem (intacto). **3** virgem (puro).
virginal *adj* virginal.
virginidad *f* virgindade.
virgo *adj/m y f* **1** ASTROL virginiano. ● *m* **2** virgo (hímen). ● **Virgo** *f* **3** ASTR Virgem (constelación, signo zodiacal).
virguería *f* **1** (fam) delicadeza (adorno). **2** (fam) delicadeza (perfección, exactitud).
vírico, ca *adj* viral, virótico.
viril *adj* viril, varonil.
virilidad *f* virilidade.
virtual *adj* virtual.
virtualidad *f* virtualidade.
virtud *f* **1** virtude (bondad). **2** virtude (dignidad).
virtuosismo *m* virtuosidade, virtuosismo.
virtuoso, sa *adj/m y f* virtuoso.
viruela *f* MED varíola.
virulé a la ~ *loc adv* em desordem, em mal estado.
virulencia *f* virulência.
virulento, ta *adj* virulento.
virus *m* **1** BIOL vírus (microorganismo). **2** MED, INF vírus.
viruta *f* maravalha, apara.
visa *f Amér.* visto: *visa de entrada en un país = visto de entrada num país.*
visado *m* visto.
visar *tr* **1** visar, pôr visto (reconocer, autorizar). **2** examinar, verificar.
vis à vis *loc adv* vis-à-vis.
víscera *f* víscera.
visceral *adj* **1** visceral. **2** (fig) visceral (profundo, arraigado).
viscosa *f* viscose.
viscosidad *f* viscosidade.
viscoso, sa *adj* viscoso.
visera *f* viseira (de gorra, casco).
visibilidad *f* visibilidade.
visigodo, da *adj/m y f* visigodo.
visillo *m* brise-bise.
visión *f* **1** visão, vista (sentido). **2** visão (percepción). **3** visão (punto de vista). **4** visão (ilusión).
visionario, ria *adj/m y f* visionário.
visita *f* **1** visita, visitação. **2** visita (visitante).
visitador, ra *adj/m y f* visitador, visitante.
visitante *adj/m y f* **1** visitante. ● *adj y m* **2** DEP visitante: *ganó el equipo visitante = ganhou o time visitante.*
visitar *tr* **1** visitar (museo, pariente, país). **2** visitar, atender (enfermo).
vislumbrar *tr* vislumbrar, entrever.
viso *m* **1** mirante, mirador. **2** viso (aspecto, apariencia). **3** reflexo, brilho.
visón *m* vison (animal, piel, abrigo).
visor *m* visor.
víspera *f* véspera.

vista *f* **1** vista, visão (sentido). **2** vista, olhar (mirada, fijación). **3** vista (observación). **4** vista, panorama. ◆ **~ cansada** vista cansada. ■ **a la ~** (fig) em vista (negocios, proyectos); **apartar la ~** (fig) desviar os olhos; **conocer de ~** conhecer de vista; **hacer la ~ gorda** (fam) fazer vista grossa; **¡hasta la ~!** até mais ver!; **ser corto de ~** ter vista curta.
vistazo *m* olhadela, espiada.
visto, ta *adj* visto. ◆ **~ bueno** aprovação.
vistosidad *f* ostentação.
vistoso, sa *adj* vistoso, chamativo.
visual *adj* **1** visual. ● *f* **2** visão, vista.
visualizar *tr* **1** visualizar (hacer visible). **2** visualizar (imaginar).
vital *adj* **1** vital: *ciclo vital = ciclo vital.* **2** vital (esencial).
vitalicio, cia *adj* **1** vitalício. ● *m* **2** pensão vitalícia.
vitalidad *f* **1** vitalidade (fuerza vital). **2** (fig) vitalidade (energía).
vitalizar *tr* vitalizar.
vitamina *f* vitamina.
vitaminado, da *adj* vitaminado.
vitamínico, ca *adj* vitamínico.
vitícola *adj* **1** vitícola. ● *m o f* **2** vitícola, viticultor.
viticultor, ra *m y f* viticultor.
viticultura *f* viticultura.
vitorear *tr* vitoriar.
vitrina *f* vitrina.
vitrocerámica *f* vitrocerâmica.
vitrocerámico, ca *adj* de vitrocerâmica.
vituperar *tr* vituperar.
vituperio *m* **1** vitupério (crítica). **2** vitupério (censura, desaprobación).
viudedad *f* viuvez.
viudo, da *adj/m y f* viúvo.
¡viva! *interj* viva!
vivacidad *f* **1** vivacidade (agilidad). **2** vivacidade (viveza, esplendor).
vivalavirgen *m o f* **1** boa-vida (despreocupado). **2** (fam) boa-vida (vividor).
vivaracho, cha *adj* (fam) esperto, sagaz.
vivaz *adj* **1** vivaz, vivedouro. **2** vivaz (agudo, perspicaz).
víveres *m pl* víveres.
vivero *m* viveiro.
vivienda *f* moradia, habitação.
viviente *adj/m y f* vivente.
vivificar *tr* **1** vivificar (dar vida). **2** vivificar (confortar, fortalecer).
vivir *intr* **1** viver (tener vida). **2** viver (durar). ● *intr y tr* **3** morar, habitar: *vive sola = mora sozinha.*
vivo, va *adj/m y f* **1** vivo (astuto). ● *adj* **2** vivo (viviente). **3** vivo (intenso, fuerte). **4** vivo (ingenioso, listo). ● *m* **5** vivo, debrum (borde, orilla). ■ **en ~**
vocablo *m* vocábulo.
vocabulario *m* vocabulário.
vocación *f* **1** vocação (inspiración divina). **2** vocação (inclinación).
vocacional *adj* vocacional.
vocal *adj* **1** vocal. ● *f* **2** vogal. ● *m o f* **3** vogal (portavoz).
vocalizar *intr* **1** vocalizar. **2** MÚS vocalizar.
vocear *intr* **1** vozear, bradar. ● *tr* **2** apregoar, divulgar.
vociferar *tr e intr* vociferar (vocear).
vocinglero, ra *adj/m y f* vozeiro, vozeirão.
vodevil *m* vaudevile.
vodka o **vodca** *amb* vodca.
voladizo, za *adj y m* saliente, ressaltado.
voladura *f* vôo, voadura.
volandas en ~ *loc adv* no vôo.
volante *m* **1** volante (de vehículo). **2** babado (de prenda de vestir).
volar *intr* **1** voar (ir por el aire). **2** voar (avión). **3** (fig) voar (ir con prisas). **4** (fig) sumir, desaparecer. **5** (fig) voar (el tiempo). ● *tr* **6** (fig) explodir.
volátil *adj/m y f* **1** volátil. ● *adj* **2** FÍS volátil (volatilizable).
volatilidad *f* FÍS volatilidade.
volatilizar *tr y pron* **1** volatilizar, vaporizar. ● **~se** *pron* **2** (fig, fam) evaporar (desaparecer).
volcán *m* **1** vulcão. **2** (fig) vulcão (pasión ardiente).
volcánico, ca *adj* vulcânico.
volcar *tr e intr* **1** verter, virar. ● *tr y pron* **2** derramar (contenido). ● **~se** *pron* **3** (fig) dedicar.
voleibol *m* vôleibol.
volframio *m* QUÍM volfrâmio.
volquete *m* caminhão basculante.
voltaje *m* voltagem.
voltear *tr* **1** dar a volta. **2** *Amér.* derrubar, derramar. **3** *Amér.* voltar (girar, torcer).
voltereta *f* cambalhota, pirueta.
voltímetro *m* voltímetro.
voltio *m* FÍS volt.

volubilidad *f* volubilidade.
voluble *adj* volúvel.
volumen *m* **1** volume (corpulencia). **2** volume (tamaño). **3** volume (intensidad de sonido).
voluminoso, sa *adj* volumoso.
voluntad *f* **1** vontade, desejo. **2** vontade (determinación). **3** vontade (elección). ◆ **buena/mala ~** boa/má vontade.
voluntariado *m* **1** voluntariado (alistamiento). **2** voluntariado (soldados).
voluntariedad *f* voluntariedade.
voluntario, ria *adj/m y f* voluntário.
voluntarioso, sa *adj* voluntarioso.
voluptuosidad *f* voluptuosidade.
voluptuoso, sa *adj/m y f* voluptuoso.
volver *intr y pron* **1** voltar (regresar). ● *tr* **2** virar (invertir). **3** deixar (convertir): *esto vuelve la comida más sabrosa = isto deixa a comida mais saborosa.* ● **~se** *pron* **4** voltar-se, virar-se. **5** ficar, transformar-se: *cuando está tranquilo se vuelve otra persona = quando está tranqüilo fica outra pessoa.* ■ **~ atrás** voltar atrás; **~se loco** ficar doido.
vomitar *tr* **1** vomitar, borcar. **2** (fig) vomitar (lava, fuego).
vómito *m* vômito.
vorágine *f* voragem, turbilhão.
voraz *adj* voraz.
vos *pron* **1** (lit) vós: *esperaré por vos, mi dulce doncella = esperarei por vós minha doce doncela.* **2** *Arg.* você: *vos sos muy simpático = você é muito simpático.*
vosear *tr* vosear.
voseo *m* utilização do pronome vos.
vosotros, tras *pron* vocês: *vosotros vais a venir esta noche = vocês vão vir esta noite.*
votación *f* **1** votação (proceso). **2** votação (votos).
votante *adj/m y f* votante.
votar *intr y tr* votar.
voto *m* **1** voto (promesa). **2** voto (opinión, parecer). **3** voto (papeleta).
voyeur *m o f* voyeur.
voz *f* **1** voz (sonido). **2** voz (timbre). **3** (fig) voz (cantante). **4** (fig) voz (autoridad, fuerza). ◆ **~ activa/pasiva** GRAM voz ativa/passiva. ■ **alzar la ~** (fam) falar alto; **a voces** aos berros, aos gritos; **correr la ~** (fig, fam) correr o boato; **dar voces** (fig, fam) chamar aos gritos.
vozarrón *m* vozeirão.
vudú *m* vodu.
vuelco *m* **1** virada (cambio brusco). **2** transtorno, contrariedade.
vuelo *m* **1** vôo: *el vuelo del pájaro = o vôo do pássaro.* **2** vôo (trayecto, viaje). ◆ **~ chárter** vôo charter. ■ **cogerlas al ~** (fig, fam) pegar no ar.
vuelta *f* **1** volta (giro). **2** volta (curvatura). **3** volta (circunvalación). **4** volta (regreso). **5** troco (dinero). ◆ **~ de campana** capotagem; **media ~** meia volta. ■ **a la ~ de la esquina** (fig) atrás da esquina, logo ali; **dar cien vueltas** (fig) botar no chinelo; **darle vueltas a algo** (fig, fam) ficar dando voltas sobre algo.
vuelto *m Amér.* troco (dinero).
vuestro, tra *pron poses* **1** de vocês (posesión, pertenencia): *¿ésta es vuestra casa? = esta casa é de vocês?* **2** de vocês (relación): *espero a vuestra madre = estou esperando a mãe de vocês.* **3** de vocês (costumbre): *éste es vuestro restaurante preferido = este é o restaurante preferido de vocês.* ● **vuestros** *m pl* **4** os seus (familiares, amigos). ◆ **lo ~** a praia de vocês: *practicar deportes no es lo vuestro = praticar esportes não é a praia de vocês*; o que é de vocês: *cuidaros de lo vuestro y dejadme en paz = cuidem do que é de vocês e me deixem em paz.*
vulgar *adj* **1** vulgar, popular. **2** vulgar (ordinario). **3** vulgar, grosseiro.
vulgaridad *f* vulgaridade.
vulgarizar *tr y pron* **1** vulgarizar (popularizar). **2** vulgarizar, tornar reles.
vulnerable *adj* vulnerável.
vulnerar *tr* **1** transgredir (ley, norma). **2** quebrar (promesa).
vulva *f* ANAT vulva.

Ww-Xx

w, W *f* w, W (letra).
walkie-talkie *m* walkie-talkie.
walkman *m* walkman.
waterpolo *m* pólo aquático, water polo.
watio *m* FÍS watt.
whisky *m* uísque.
windsurf o **windsurfing** *m* windsurfe.
windsurfista *adj/m y f* windsurfista.
wolframio *m* QUÍM tungstênio, wolfrâmio.

x, X *f* x, X (letra).
xenofobia *f* xenofobia.
xenófobo, ba *adj/m y f* xenófobo.
xenón *m* QUÍM xênon, xenônio.
xenotransplante *m* MED heterotransplante.
xerocopia *f* xerocópia.
xerocopiar *tr* xerocopiar.
xerografía *f* xerografia (sistema, fotocopia).
xerografiar *tr* xerografar, xerocar.
xilófono *m* MÚS xilofone.
xocoyote *m Méx.* caçula (hijo menor).

Yy

y, Y *f* y, Y (letra).
y *conj* **1** e (adición): *habrá niños y adultos = haverá crianças e adultos.* **2** (en principio de frases) e (énfasis): *¿y si no estuviera yo aquí? = e se eu não estivesse aqui?*
ya *adv* **1** já (tiempo pasado): *esta calle ya ha sido más tranquila = esta rua já foi mais tranqüila.* **2** já (en este momento): *tenía dos lápices y ya no los encuentro = tinha dois lápiz e já não os encontro.* **3** já (ahora, inmediatamente): *quiero que lo hagas ya = quero que você faça isso já.* **4** já (acción realizada): *ya hemos terminado los deberes = já terminamos a tarefa.* • *conj* **5** já (distributiva): *suele venir mucho por aquí, ya solo, ya acompañado = costuma vir muito aqui, já só, já acompanhado.* ■ **~ que** já que.
yac *m* iaque.
yacaré *m Amér. Merid.* jacaré (caimán).
yacente *adj* **1** jacente. • *m* **2** jazida.
yacer *intr* **1** jazer, estar deitado. **2** jazer (muerto).
yacimiento *m* jazida.
yaguar *m* jaguar.
yak *m* iaque.
yanqui *adj/m y f* ianque.
yarda *f* jarda.
yate *m* iate.
yayo, ya *m y f* (fam) vovô, vovó (f).
yedra *f* hera.
yegua *f* **1** égua. **2** *Amér. Centr.* guimba (colilla).
yema *f* **1** gema (brote). **2** gema (de huevo). **3** polpa (del dedo).
Yemen *m* Iêmen.
yemení *adj/m y f* iemenita.
yen *m* iene (moneda).
yerbabuena *f* hortelã.
yermo, ma *adj* **1** ermo (inhabitado). **2** ermo, deserto (incultivado). • *m* **3** ermo.
yerno *m* genro.
yerto, ta *adj* hirto.
yesería *f* **1** gessada (obra). **2** gesseira (fábrica, tienda).
yesero, ra *adj* **1** gesseiro. • *m y f* **2** gesseiro, estucador.
yeso *m* **1** gesso. **2** gessada (obra).
yeyé *adj/m y f* iê-iê-iê.
Yibuti *m* Djibuti.
yibutiano, na *adj/m y f* djibutiense.
yo *pron* **1** eu:, *no he sido yo = não fui eu.* • *m* **2** FIL eu.
yodado, da *adj* iodado.
yodo *m* QUÍM iodo.
yoga *m* ioga.
yogur *m* iogurte.
yonqui *m o f* (coloq) drogado, viciado.
yóquey o **yoqui** *m* jóquei.
yuca *f* **1** iúca, aipim. **2** *Amér. Centr., Bol.* (fig) mentira (embuste).
yugo *m* **1** jugo, canga. **2** (fig) jugo (carga pesada).
Yugoslavia *f* Iugoslávia.
yugoslavo, va o **yugoeslavo, va** *adj/m y f* iugoslavo.
yugular *adj y f* ANAT jugular.
yugular *tr* **1** jugular, degolar. **2** (fig) jugular (detener).
yunque *m* **1** bigorna (herramienta). **2** ANAT bigorna.
¡yupi! *interj* oba!
yuppie *adj/m y f* yuppie.
yuta *f Chile* lesma (molusco).
yute *m* juta (planta, tejido).
yuxtaponer *tr y pron* justapor.
yuxtaposición *f* justaposição.

Zz

z, Z *f* z, Z (letra).
zacatear *tr Guat.* dar pasto, pastar.
zafacoca *f Amér.* briga (riña).
zafado, da *adj/m y f* safado, descarado.
zafaduría *f Arg., Ur.* safadeza.
zafar *tr y pron* safar.
zafarrancho *m* **1** faxina, limpeza geral. **2** (fig, fam) estrago (destrozo). **3** (fig, fam) confusão, briga.
zafiro *m* safira (piedra preciosa).
zaga *f* **1** parte traseira. **2** DEP zaga (defensa).
zaguán *m* saguão.
zaguero, ra *m y f* DEP zagueiro.
zaherir *tr* insultar, ofender.
zalamería *f* adulação, bajulação.
zalamero, ra *adj/m y f* adulador, bajulador.
zalema *f* **1** (fam) salamaleque, rapapé (reverencia). **2** ⇒ zalamería.
Zambia *f* Zâmbia.
zambiano, na *adj/m y f* zambiense, zambiano.
zambo, ba *adj/m y f* **1** zambo, cambaio. • *adj* **2** *Amér.* zambo (mestizo).
zambomba *f* MÚS zambumba.
zambombazo *m* zabumbada.
zambullida *f* mergulho, imersão.
zambullir *tr y pron* mergulhar.
zambullón *m Amér. Merid.* mergulho.
zampabollos *m o f* (fam) esganado, comilão.
zampar *tr* **1** zampar, devorar. **2** esconder rápido. **3** assestar (propinar, asestar).
zampón, na *adj/m y f* fominha (comilón).
zanahoria *f* cenoura.
zanca *f* **1** sanco (de aves). **2** (fig, fam) palito, cambito.
zancada *f* pernada (paso largo).
zancadilla *f* **1** rasteira, sancadilha. **2** (fig, fam) cilada, sancadilha.
zancadillear *intr* rasteirar.
zanganear *intr* (fam) vagabundear.
zángano *m* **1** zangão (insecto). **2** (fig, fam) zângano (holgazán).
zangolotear *tr. y pron* **1** (fam) sacolejar. • *intr* **2** (fig) perambular.
zanja *f* **1** escavação. **2** fundação, base. **3** *Amér.* valeta.
zanjar *tr* **1** escavar (abrir zanjas). **2** (fig) resolver (dificultades, problemas).
zanquear *intr* **1** mancar. **2** correr. **3** *Amér. Centr.* buscar (procurar).
zapata *f* **1** coturno (calzado). **2** sapata (del freno).
zapatazo *m* sapatada (golpe).
zapatear *tr* **1** sapatear. **2** (fig, fam) maltratar, pisotear.
zapateo *m* sapateio.
zapatería *f* sapataria.
zapatero, ra *m y f* sapateiro.
zapatiesta *f* alvoroço, balbúrdia.
zapatilla *f* **1** quede (deportiva). **2** chinelo (de casa).
zapato *m* sapato.
zapear *intr* **1** fazer zapping. • *tr* **2** enxotar gatos. **3** (fig, fam) enxotar (ahuyentar).
zapping *m* zapping.
zarandajas *f pl* (fam) besteira.
zarandear *tr y pron* sarandear, sacudir.
zarandeo *m* saracoteio.
zarcillo *m* **1** brinco (pendiente, arete). **2** gavinha.
zarpa *f* **1** garra (de animales). **2** (vulg) garra (mano de hombre).
zarpar *tr e intr* MAR zarpar.
zarpazo *m* **1** agatanhadura, arranhadura (golpe). **2** pancada (golpazo).
zarrapastroso, sa *adj/m y f* (fam) esfarrapado (andrajoso).
zarza *f* sarça, amora-preta.
zarzal *m* sarçal.
zarzamora *f* sarça-amoreira.
zarzuela *f* MÚS zarzuela.
¡zas! *interj* zás!
zascandil *m* (fam) trapaceiro.
zascandilear *intr* trapacear.
zeta o **zeda** *f* **1** zê (letra). **2** dzeta (letra griega).
zigzag *m* ziguezague.

zigzaguear *intr* ziguezaguear.
Zimbabue *m* Zimbábue.
zimbabuense *adj/m y f* zimbabuano, zimbabuense.
zinc *m* QUÍM zinco.
zipizape *m* (fam) fuzuê, confusão.
zócalo *m* **1** ARQ soco (de pared). **2** ARQ soco, soclo (de pedestal). **3** ARQ friso.
zodiac *f* lancha de borracha.
Zodiaco o **Zodíaco** *m* ASTR Zodíaco.
zombi *m* zumbi.
zona *f* **1** zona (franja). **2** zona (espacio, superficie). **3** GEOG zona. ◆ ~ **franca** zona franca; ~ **industrial** zona industrial.
zoncera *f* **1** *Amér.* zonzeira (tontera). **2** *Arg.* bobagem, besteira.
zonzo, za *adj/m y f* **1** sem graça (soso). **2** simplório (tonto, simple).
zoo *m* zôo.
zoología *f* zoologia.
zoológico, ca *adj* **1** zoológico. ● *m* **2** zoológico (parque).
zoom *m* zoom.
zoomorfo, fa *adj* zoomorfo.
zopenco, ca *adj/m y f* (fam) rude, bronco.
zoquete *adj/m y f* **1** (fig, fam) estúpido, lerdo. ● *m* **2** (fig) nacada (de pan).
zorra *f* **1** zorra, raposa (mamífero). **2** (fig, vulg) puta, galinha.
zorrería *f* raposia.
zorro *m* **1** zorro (mamífero). **2** (fig) zorro (hombre astuto). ● **zorros** *m pl* **3** espanador.
zote *adj/m y f* zote, pateta.
zozobra *f* **1** soçobro (de embarcación). **2** (fig) soçobro (inquietud, aflicción).
zozobrar *intr* **1** soçobrar, ir a pique (embarcación). ● *intr y pron* **2** (fig) ir a pique (fracasar, frustrarse).
zueco *m* tamanco.
zulo *m* **1** madrigueira. **2** esconderijo.
zulú *adj/m y f* zulu.
zumbado, da *adj/m y f* (fig, fam) doido.
zumbar *intr* **1** zumbir. ● *tr* **2** (fig) meter, lascar (golpe).
zumbido *m* **1** zumbido. **2** (fam) pancada (golpe).
zumbón, na *adj/m y f* (fig, fam) zombador.
zumo *m* suco. ◆ ~ **de naranja** suco de laranja.
zurcido, da *m* cerzido, cerzidura.
zurcir *tr* **1** cerzir, costurar. **2** (fig) cerzir (unir, juntar).
zurdazo *m* soco de esquerda.
zurdo, da *adj/m y f* canhoto.
zurra *f* **1** (fig, fam) surra (castigo, paliza). **2** curtição (de pieles).
zurrar *tr* **1** curtir (pieles). **2** (fig, fam) surrar (castigar).
zutano, na *m y f* (fam) sicrano.

Português-Espanhol

Aa

a, A [a] *m* a, A (letra).

a [a] *art* **1** la. • *pron pers* **2** la. • *pron dem* **3** la. • *m* **4** sobresaliente (en exámenes): *tirou A em todas amatérias = ha sacado sobresaliente en todas las asignaturas*. **5** MÚS la (nota, acorde).

a [a] *prep* **1** (tiempo) a: *a que horas você vai chegar? = ¿a qué hora llegarás?* **2** (lugar) a: *moro a duas quadras da praia = vivo a domanzanas de la playa*. **3** (dirección) a: *vou a Barcelona de férias = me voy de vacaciones a Barcelona*. **4** (modo) a: *escolhe os seus amigos a dedo = escoge sus amigos a dedo*. **5** (distribución) a: *dois a dois = dos a dos*. **6** (introduciendo objeto indirecto) a: *deu a bola a seu filho = le dio la pelota a su hijo*. **7** (introduciendo el objeto directo cuando es un nombre propio o hay ambigüedad) a:, *mordeu o cachorro à serpente = el perro mordió a la serpiente*. **8** (introduciendo infinitivos) a: *pôs-se a chorar = se puso a llorar*. **9** (introduciendo locuciones adverbiales y preposicionales) a:, *a pé = a pie*, *com referência a = referente a*.

à [a] *contr* **1** (prep. a y art. fem. a) *a la*: *entregou o livro à bibliotecária = entregó el libro a la bibliotecaria*. **2** (prep. a y pron. dem. fem. a) a la: *chamou à que estava mais perto = llamó a la que estaba más cerca*.

aba [ˈaba] *f* **1** ala (de sombrero, compresas). **2** solapa (de libro). **3** pie, falda (de montaña). **4** orilla (de río, mar, lago). • **abas** *f pl* **5** cercanías.

abacate [abaˈkatʃɪ] *m* **1** aguacate (fruto). **2** ⇒ abacateiro.

abacateiro [abakaˈteyrʊ] *m* aguacate (árbol).

abacaxi [abakaˈʃi] *m* **1** piña; ananás (Amér). **2** (gír, fig) lío, enredo.

abade [aˈbadʒɪ] *m* **1** abad (de monasterio). **2** abad (superior, canónigo).

abadessa [abaˈdesa] *f* abadesa (superiora).

abadia [abaˈdʒia] *f* abadía (monasterio, iglesia).

abafadiço, ça [abafaˈdʒisʊ, sa] *adj* sofocante (clima, ambiente).

abafado, da [abaˈfadʊ, da] *adj* **1** cargado (ambiente, aire). **2** cubierto, tapado. **3** reprimido (sentimientos).

abafamento [abafaˈmẽtʊ] *m* sofocación.

abafante [abaˈfãtʃɪ] *adj 2 gén* **1** sofocante. **2** (fam) llamativo.

abafar [abaˈfaʀ] *tr, intr e pron* **1** sofocar (ahogar). • *tr* **2** tapar (recipiente). **3** apagar (fuego). **4** (gír) mangar (robar).

abafo [aˈbafʊ] *m* **1** ahogo, sofoco. **2** abrigo (contra el frío).

abaixado, da [abayˈʃadʊ, da] *adj* **1** bajado. **2** (fig) humillado (oprimido).

abaixamento [abayʃaˈmẽtʊ] *m* (fig) rebajamiento (humillación).

abaixar [abayˈʃaʀ] *tr, intr e pron* **1** bajar (descender). **2** rebajar (precios, valores). • *tr e pron* **3** rebajar (humillar).

abaixo [aˈbayʃʊ] *adv* **1** abajo: *a bola rolou escada abaixo = la pelota rodó escaleras abajo*. **2** debajo. • **~!** *interj* **3** ¡abajo!: *abaixo a ditadura! = ¡abajo la dictadura!*

abajur [abaˈʒuʀ] *m* **1** lámpara. **2** pantalla (de lámpara).

abalado, da [abaˈladʊ, da] *adj* **1** frágil (estructura, relación). **2** (fig) conmovido.

abalançar [abalãˈsaʀ] *tr* **1** pesar (en balanza). **2** calcular (cantidad, dimensión). **3** impeler, incitar.

abalar [abaˈlaʀ] *tr* **1** debilitar. **2** (fig) persuadir (inducir). • *tr e pron* **3** conmover, perturbar.

abalizar [abaliˈzaʀ] *tr* **1** abalizar. • **~-se** *pron* **2** destacarse.

abalo [aˈbalʊ] *m* **1** estremecimiento. **2** conmoción (agitación, perturbación).

abalroar [abawʀʊˈaʀ] *tr* MAR abordar (arremeter).

abanão [abaˈnãw] *m* (fam) abaniqueo violento.

abanar [aba'naʀ] *tr e pron* **1** abanicar. • *tr e intr* **2** menear, mover (mano, cabeza, cola).
abancar [abã'kaʀ] *intr e pron* tomar asiento.
abandalhado, da [abãda'ʎadʊ, da] *adj* canallesco.
abandalhar [abãda'ʎaʀ] *tr e pron* encanallarse.
abandonado, da [abãdo'nadʊ, da] *adj /m e f* **1** abandonado (desamparado). • *adj* **2** abandonado (descuidado).
abandonar [abãdo'naʀ] *tr* **1** abandonar (dejar, desamparar). **2** (fig) abandonar (renunciar).
abandono [abã'donʊ] *m* **1** abandono (alejamiento, renuncia). **2** abandono (desamparo, negligencia). ■ **ao ~** abandonado.
abano [a'banʊ] *m* abanico, abano. ■ **ter orelhas de ~** (fam) tener orejas de elefante.
abaratar [abaɾa'taʀ] *tr* **1** abaratar. **2** (fig) menospreciar.
abarbado, da [abaʀ'badʊ, da] *adj* **1** sobrecargado (de trabajo, actividades). **2** próximo, cercano.
abarcar [abaʀ'kaʀ] *tr* **1** abarcar (ceñir, rodear). **2** englobar.
abarcia [abaʀ'sia] *f* MED bulimia.
abarrotar [abaʀo'taʀ] *tr e pron* atiborrar, abarrotar (llenar).
abastado, da [abayʃ'tadʊ, da] *adj/m e f* **1** rico, adinerado. • *adj* **2** abastecido.
abastança [abayʃ'tãsa] *f* **1** abundancia. **2** bienestar, riqueza.
abastar [abayʃ'taʀ] *tr e pron* **1** abastecer. • *intr* **2** bastar.
abastardado, da [abayʃtaʀ'dadʊ, da] *adj* **1** bastardeado. **2** (fig) adulterado, alterado.
abastecedor, ra [abayʃtese'doʀ, ɾa] *adj/m e f* suministrador, abastecedor.
abastecer [abayʃte'seʀ] *tr* suministrar, abastecer.
abastecimento [abayʃtesi'mẽtʊ] *m* suministro, abastecimiento.
abate [a'batʃɪ] *m* **1** descuento (en precio, deuda). **2** matanza (de ganado, aves).
abater [aba'teʀ] *tr* **1** abatir (derribar). • *tr e pron* **2** (fig) abatir (desanimar, desalentar). **3** (fig) abatir (humillar).
abatido, da [aba'tʃidʊ, da] *adj* abatido (derribado).
abatimento [abatʃi'mẽtʊ] *m* **1** abatimiento. **2** descuento (precio).
abaulado, da [abaw'ladʊ, da] *adj* curvado (abombado).
abaular [abaw'laʀ] *tr e pron* encorvar (abombar).
abc ou **á-bê-cê** [abe'se] *m* **1** abecedario, alfabeto. **2** (fig) abecé (rudimentos).
abdicação [abidʒɪka'sãw] *f* abdicación.
abdicar [abidʒɪ'kaʀ] *tr e intr* **1** abdicar. **2** renunciar (a un derecho).
abdome ou **abdômen** [abi'dõmɪ o abi'dõmẽy] *m* ANAT abdomen.
abdominal [abidomi'naw] *adj 2 gén* **1** abdominal. • *m* **2** músculo abdominal. • **abdominais** *f pl* **3** abdominales (ejercicio).
abdução [abidu'sãw] *f* abducción (de un miembro, órgano).
abeberar [abebe'ɾaʀ] *tr e pron* **1** abrevar. • **~-se** *pron* **2** embeberse, saciarse (de conocimientos).
abecedário [abese'daɾyʊ] *m* **1** abecedario. **2** cartilla (cuaderno).
abeirar [abey'ɾaʀ] *tr e pron* aproximar, avecinar.
abelha [a'beʎa] *f* abeja (insecto).
abelha-mestra [abeʎa'mɛʃtɾa] *f* abeja reina.
abelhão [abe'ʎãw] *m* **1** zángano; abejón. **2** (fig) gorrón.
abelhudice [abeʎu'dʒisɪ] *f* indiscreción, entremetimiento.
abelhudo, da [abe'ʎudʊ, da] *adj/m e f* **1** entremetido, curioso. **2** astuto.
abençoar [abẽso'aʀ] *tr* **1** bendecir (consagrar). **2** bendecir (alabar).
aberração [abeʀa'sãw] *f* **1** aberración (desviación). **2** aberración (desvarío, desatino).
aberrante [abe'ʀãtʃɪ] *adj 2 gén* aberrante.
aberrar [abe'ʀaʀ] *tr e pron* aberrar.
aberta [a'bɛʀta] *f* **1** combés, descubierto (local, espacio). **2** grieta, brecha. **3** zanja. **4** paso, acceso. **5** claro (en el cielo, bosque).
aberto, ta [a'bɛʀtʊ, ta] *adj* **1** abierto (descerrado). **2** abierto (descubierto). **3** despejado (cielo). **4** (fig) abierto (franco, sincero). **5** (fig) abierto (liberal).

abertura [abeʀ'tuɾa] *f* **1** abertura (orificio). **2** escote (prendas). **3** apertura, inicio (curso, celebración).
abespinhado, da [abeʃpi'ɲadʊ, da] *adj* enfurecido.
abete ou **abeto** [a'betʃɪ o a'betʊ] *m* abeto (árbol, madera).
abetumar [abetu'maʀ] *tr* embetunar, abetunar.
abiscoitar ou **abiscoutar** [abiʃkoy'taʀ o abiʃkow'taʀ] *tr* **1** bizcochar. **2** lograr, conseguir.
abismado, da [abi'ʒmadʊ, da] *adj* abismado (atónito).
abismar [abi'ʒmaʀ] *tr e pron* **1** abismar (hundir). **2** (fig) maravillar, asombrar; abismarse (Amér).
abismo [a'biʒmʊ] *m* **1** abismo. **2** (fig) abismo (inmensidad).
abissal [abi'saw] *adj 2 gén* abisal, abismal.
abjeção [abiʒe'sãw] *f* abyección, envilecimiento.
abjeto, ta [abi'ʒɛtʊ, ta] *adj* abyecto, vil.
abjunção [abiʒũ'sãw] *f* liberación, desopresión.
abjuração [abiʒuɾa'sãw] *f* abjuración.
abjurar [abiʒu'ɾaʀ] *intr e tr* abjurar (de una creencia, religión).
ablactar [ablaki'taʀ] *tr* destetar, despechar.
ablaquear [ablake'aʀ] *tr* soltar, desceñir.
ablativo, va [abla'tʃivʊ, va] *adj* **1** ablativo (separador). • *adj/m* **2** GRAM ablativo.
ablução [ablu'sãw] *f* ablución (lavatorio).
abnegação [abinega'sãw] *f* abnegación.
abnegado, da [abine'gadʊ, da] *adj* abnegado.
abnegar [abine'gaʀ] *tr* **1** abnegar, renunciar. • **~-se** *pron* **2** sacrificarse.
abnegativo, va [abinega'tʃivʊ, va] *adj* abnegado.
abnormal [abinoʀ'maw] *adj 2 gén* ⇒ anormal.
abnormalidade [abinoʀmali'dadʒɪ] *f* anormalidad.
abnuência [abinu'ẽsya] *f* desconcordia.
abóbada [a'bɔbada] *f* ARQ bóveda.
abobadado, da [aboba'dadʊ, da] *adj* abovedado.
abobado, da [abo'badʊ, da] *adj* atontado.
abobar [abo'baʀ] *tr e pron* **1** abobar, atontar. **2** sorprender.
abóbora [a'bɔboɾa] *f* calabaza (fruto, planta).
aboboreira [abobo'ɾeyɾa] *f* calabacera (planta).
abocanhar [abokã'ɲaʀ] *tr e pron* **1** morder. • *tr* **2** (fig, fam) apañar (apoderarse).
abocar [abo'kaʀ] *tr* **1** asir (con la boca). **2** aparecer (presentarse). • **~-se** *pron* **3** comunicarse, hablar.
abochornado, da [aboʃoʀ'nadʊ, da] *adj* abochornado, bochornoso.
abochornar [aboʃoʀ'naʀ] *tr e intr* **1** abochornar. • **~-se** *pron* **2** avergonzarse, sonrojarse.
abodegado, da [abode'gadʊ, da] *adj* **1** transformado en bodega. **2** (fam) aburrido.
abolição [aboli'sãw] *f* abolición.
abolir [abo'liʀ] *tr* **1** abolir. **2** terminar.
abolorecer [aboloɾe'seʀ] *tr, intr e pron* enmohecer.
abolorecimento [aboloɾesi'mẽtʊ] *m* **1** enmohecimiento. **2** hongo.
abominar [abomi'naʀ] *tr e pron* abominar, odiar.
abominável [abomi'navew] *adj 2 gén* abominable.
abonado, da [abo'nadʊ, da] *adj* **1** abonado (dinero). • *adj/m e f* **2** rico.
abonançar [abonã'saʀ] *tr, intr e pron* tranquilizar, acalmar.
abonar [abo'naʀ] *tr e pron* **1** abonar (acreditar). **2** adelantar (dinero). • **~-se** *pron* **3** vanagloriarse.
abonecado, da [abone'kadʊ, da] *adj* amuñecado.
abono [a'bonʊ] *m* **1** abono (dinero). **2** garantía (fianza). **3** adelanto (pago).
abordagem [aboʀ'daʒẽy] *f* **1** MAR abordaje. **2** (fig) abordaje (de un asunto).
abordar [aboʀ'daʀ] *tr* **1** MAR abordar. **2** (fig) acercarse (a alguien). **3** (fig) abordar (asunto).
aborígine ou **aborígene** [abo'ɾiʒinɪ o abo'ɾiʒenɪ] *adj/m e f* aborigen.
aborrecedor, ra [aboʀese'doʀ, ɾa] *adj/m e f* **1** aburrido. **2** enfadadizo.
aborrecer [aboʀe'seʀ] *tr e pron* **1** aburrir. • *tr e intr* **2** aborrecer.

aborrecido, da [abore'sidʊ, da] *adj* **1** aburrido (fastidioso). **2** enfadado.
aborrecimento [aboresi'mẽtʊ] *m* **1** aburrimiento (fastidio). **2** enfado. **3** aborrecimiento.
aborrecível [abore'sivew] *adj 2 gén* **1** aburrido. **2** aborrecible.
abortado, da [aboʀ'tadʊ, da] *adj* abortado.
abortar [aboʀ'taʀ] *intr* **1** abortar (malparir). • *tr* **2** (fig) abortar, interrumpir (plan, despegue).
aborto [a'boʀtʊ] *m* **1** aborto. **2** (fig, pej, coloq) aborto, feto (horrible, feo).
abotoado, da [aboto'adʊ, da] *adj* abotonado.
abotoar [aboto'aʀ] *tr e pron* **1** abotonar (prendas). • *tr, intr e pron* **2** abotonar (plantas). • *intr* **3** (gír) palmar (morir).
abracadabra [abraka'dabra] *m* abracadabra.
abraçar [abra'saʀ] *tr e pron* **1** abrazar. • *tr* **2** (fig) aceptar (opinión, situación).
abraço [a'brasʊ] *m* abrazo.
abrandamento [abrãda'mẽtʊ] *m* ablandamiento.
abrandar [abrã'daʀ] *tr e pron* **1** ablandar. **2** mitigar. • **~-se** *pron* **3** enternecerse.
abranger [abrã'ʒeʀ] *tr* **1** englobar. **2** abarcar (contener). • *tr e intr* **3** (fig) alcanzar (vista). **4** entender, comprender.
abrasado, da [abra'zadʊ, da] *adj* **1** abrasado (quemado). **2** ardiente. **3** (fig) entusiasmado.
abrasador, ra [abraza'doʀ, ra] *adj/m e f* **1** abrasador. **2** (fig) emocionante.
abrasar [abra'zaʀ] *tr, intr e pron* **1** abrasar. • *tr e pron* **2** (fig) abrasar (apasionar).
abrasileirado, da [abraziley'radʊ, da] *adj que parece brasileño.*
abrasileirar [abraziley'raʀ] *tr e pron* parecer brasileño.
abre-alas [abri'alaʃ] *m carroza que encabeza un desfile de Carnaval.*
abrejeirado, da [abreʒey'radʊ, da] *adj* travieso; pícaro.
abreviação [abrevia'sãw] *f* **1** abreviación. **2** abreviatura.
abreviar [abrevi'aʀ] *tr* **1** abreviar (sintetizar, resumir). **2** abreviar (reducir, acortar).
abreviatura [abrevia'tura] *f* abreviatura.
abricó [abri'kɔ] *m* albaricoque.
abridor, ra [abri'doʀ, ra] *adj/m e f* **1** abridor. **2** grabador (instrumento). • *m* **3** abridor (de botellas).
abrigado, da [abri'gadʊ, da] *adj* abrigado.
abrigar [abri'gaʀ] *tr e pron* **1** abrigar (resguardar). **2** (fig) guardar (sentimiento, opinión).
abrigo [a'brigʊ] *m* **1** abrigo (lugar). **2** (fig) abrigo (protección).
abril [a'briw] *m* abril.

> En Brasil el 1 de **abril** es el día en que se hacen inocentadas, equivalente al 28 de diciembre en España, el día de los Santos Inocentes.

abrilhantar [abriʎã'taʀ] *tr e pron* abrillantar.
abrimento [abri'mẽtʊ] *m* apertura.
abrir [a'briʀ] *tr e pron* **1** abrir. **2** (fig) hacer confidencias. • *intr* **3** abrir (irrumpir). ■ **~ a cabeça** abrirse de miras; **~ amãos** ser generoso.
abrolhar [abro'ʎaʀ] *tr, intr e pron* brotar, germinar (plantas).
abrolho [a'broʎʊ] *m* **1** abrojo. **2** retoño.
abrumar [abru'maʀ] *tr e pron* **1** anieblar. **2** ensombrecer (oscurecer).
abrupto, ta [a'brupitʊ, ta] *adj* **1** abrupto (espargado). **2** (fig) abrupto (áspero).
abrutalhado, da [abruta'ʎadʊ, da] *adj* grosero, embrutecido.
abrutalhar [abruta'ʎaʀ] *tr e pron* embrutecer.
abrutamento [abruta'mẽtʊ] *m* embrutecimiento.
abscesso [abi'sesʊ] *m* MED absceso (tumor).
abscissa [abisi'sa] *f* **1** GEOM abcisa.
absentista [abisẽ'tʃiʃta] *adj/m e f* absentista.
abside ['abisidʒɪ] *f* ARQ ábside.
absinto [abi'sĩtʊ] *m* **1** ajenjo, absintio. **2** absenta.
absolto, ta [abi'sowtʊ, ta] *adj* absuelto.
absoluto, ta [abiso'lutʊ, ta] *adj* **1** absoluto (pleno). **2** absoluto (independien-

te). ■ em ~ completamente; de ningún modo.

absolver [abisow'veʀ] *tr* **1** DIR absolver. ● *tr e pron* **2** eximir (culpa).

absolvição [abisowvi'sãw] *f* DIR absolución.

absolvido, da [abisow'vidʊ, da] *adj* absuelto.

absorção [abisoʀ'sãw] *f* **1** absorción. **2** (fig) contemplación.

absorto, ta [abi'soʀtʊ, ta] *adj* (fig) absorto (abstraído).

absorvente [abisoʀ'vẽtʃɪ] *adj 2 gén* **1** absorbente. ● *m* **2** compresa.

absorver [abisoʀ'veʀ] *tr* **1** absorver (asimilar, embeber). **2** absorver (consumir, gastar). ● *tr e pron* **3** (fig) entusiasmar.

absorvido, da [abisoʀ'vidʊ, da] *adj* absorto.

abstenção [abiʃtẽ'sãw] *f* abstención.

abstencionismo [abiʃtẽsyo'niʒmʊ] *m* abstencionismo.

abster [abiʃ'teʀ] *tr e pron* **1** privar. ● **~-se** *pron* **2** abstenerse.

abstinência [abiʃtʃi'nẽsya] *f* abstinencia.

abstinente [abiʃtʃi'nẽtʃɪ] *adj/m e f* abstinente (de placeres).

abstração [abiʃtra'sãw] *f* abstracción.

abstraído, da [abiʃtra'idʊ, da] *adj* **1** abstraído. **2** despistado.

abstrair [abiʃtra'iʀ] *tr* **1** abstraer (separar). ● **~-se** *pron* **2** abstraerse (concentrarse).

abstrato, ta [abiʃ'tratʊ, ta] *adj* **1** abstracto (inconcreto). **2** ART, FIL abstracto.

absurdo, da [abi'suʀdʊ, da] *adj* **1** absurdo (sin sentido). ● *m* **2** absurdo, disparate. **3** FIL absurdo.

abulia [abu'lia] *f* MED abulia.

abundância [abũ'dãsya] *f* abundancia. ■ **em ~** en abundancia.

abundante [abũ'dãtʃɪ] *adj 2 gén* **1** abundante (copioso). **2** rico.

abundar [abũ'daʀ] *intr e tr* **1** abundar. ● *intr* **2** sobrar.

aburguesado, da [abuʀge'zadʊ, da] *adj* aburguesado.

abusado, da [abu'zadʊ, da] *adj* atrevido.

abusador, ra [abuza'doʀ, ɾa] *adj/m e f* abusón.

abusão [abu'zãw] *f* abusión, abuso.

abusar [abu'zaʀ] *tr* **1** abusar (usar mal). ● *tr e intr* **2** abusar (aprovecharse, excederse).

abusivo, va [abu'zivʊ, va] *adj* abusivo.

abuso [a'buzʊ] *m* **1** abuso. **2** fastidio. **3** superstición.

abutre [a'butrɪ] *m* **1** buitre (ave). **2** (fig, pej) desaprensivo.

abuzinar [abuzi'naʀ] *tr e intr* **1** bocinar (en automóvil). **2** (fig) hacer barullo.

AC [a'se] (*siglas de* **Acre**) *m* Acre (Estado brasileño).

acabado, da [aka'badʊ, da] *adj* **1** acabado (concluido). **2** perfecto (de calidad).

acabamento [akaba'mẽtʊ] *m* **1** acabado, remate (ropa, pintura, construcción). **2** (fig) acabamiento (término, fin).

acabar [aka'baʀ] *tr, intr e pron* **1** acabar, terminar. ● *tr* **2** acabar, romper (una relación).

acaboclado, da [akabo'kladʊ, da] *adj* amestizado.

acabrunhado, da [akabɾũ'ɲadʊ, da] *adj* debilitado, abatido (físicamente).

acabrunhar [akabɾũ'ɲaʀ] *tr, intr e pron* **1** afligir, entristecer. ● *tr e pron* **2** desanimar, desalentar.

acaçapado, da [akasa'padʊ, da] *adj* agazapado, agachado.

acaçapar [akasa'paʀ] *tr e pron* **1** agazapar (agachar, ocultar). ● *tr* **2** aplastar, achatar.

acachar [aka'ʃaʀ] *tr e pron* **1** ⇒ agachar. **2** ocultar, agazapar.

acachoar [akaʃo'aʀ] *intr e pron* borbotar, borbollar.

acácia [a'kasya] *f* acacia (árbol).

academia [akade'mia] *f* **1** gimnasio. **2** escuela. **3** escuela de samba (para carnaval).

acadêmico, ca [aka'dẽmikʊ, ka] *adj* **1** académico (educacional). **2** académico (clásico, convencional).

acafelar [akafe'laʀ] *tr* **1** revocar, enlucir (pared). **2** (fig) disimular, encubrir.

açafrão [asa'fɾãw] *m* azafrán.

acalanto [aka'lãtʊ] *m* nana (canto, arrullo).

acalcanhado, da [akawkã'ɲadʊ, da] *adj* **1** destalonado, destaconado (calzado). **2** (fig) gastado (viejo).

acalentamento [akalẽta'mẽtʊ] *m* arrullo, nana.
acalentar [akalẽ'taʀ] *tr e pron* **1** arrullar, acunar. **2** abrazar (refugiar).
acalmado, da [akaw'madʊ, da] *adj* tranquilo, sereno.
acalmar [akaw'maʀ] *tr, intr e pron* calmar (sosegar).
acalorar [akalo'raʀ] *tr e pron* **1** acalorar. • *tr* **2** (fig) acalorar (avivar, excitar).
acamado, da [aka'madʊ, da] *adj* **1** acostado. **2** encamado (por enfermedad).
acamar [aka'maʀ] *tr e pron* **1** acostar. • *intr e pron* **2** encamarse (enfermar). • *tr* **3** disponer en camadas (capas).
açambarcar [asãbaʀ'kaʀ] *tr* **1** acaparar. **2** adueñarse.
acampamento [akãpa'mẽtʊ] *m* **1** campamento (excursionista, militar). **2** camping.
acampanar [akãpa'naʀ] *tr* acampanar.
acampar [akã'paʀ] *tr, intr e pron* acampar.
acanalado, da [akana'ladʊ, da] *adj* acanalado.
acanalar [akana'laʀ] *tr* acanalar.
acanalhado, da [akana'ʎadʊ, da] *adj* acanallado, abellacado.
acanelado, da [akane'ladʊ, da] *adj/m e f* acanelado (color, sabor).
acanhado, da [akã'ŋadʊ, da] *adj* **1** tímido. **2** corto, bajo (de tamaño). **3** estrecho (apretado).
acanhamento [akãŋa'mẽtʊ] *m* **1** timidez. **2** encogimiento (de ánimo).
acanhar [akã'ŋaʀ] *tr e pron* **1** apretar, estrechar. **2** avergonzar.
acanhoar ou **acanhonear** [akãŋo'aʀ o akãŋone'aʀ] *tr* ⇒ canhonear.
acantoar [akãto'aʀ] *tr e pron* **1** arrinconar, apartar. **2** ocultarse, esconderse.
ação [a'sãw] *f* **1** acción, acto. **2** acción, efecto (del tiempo, medicamento). **3** acción (de un libro, drama, película). ◆ **mercado de ações** ECON
acarear [akaɾe'aʀ] *tr* **1** DIR carear. **2** confrontar, cotejar.
acariciar [akaɾisi'aʀ] *tr e pron* **1** acariciar. • *tr* **2** (fig) acariciar (idea, proyecto).
acarinhar [akaɾĩ'ŋaʀ] *tr e pron* acariciar.
acarneirado, da [akaʀney'ɾadʊ, da] *adj* **1** (fig) aborregado (carácter). **2** (fig) dócil.
ácaro ['akaɾʊ] *m* ZOOL ácaro.
acarrancado, da [akaʀã'kadʊ, da] *adj* ⇒ carrancudo, da.
acarretar [akaʀe'taʀ] *tr* **1** acarrear (ocasionar). • *intr* **2** carretear (con carreta, carro).
acarreto [aka'ʀetʊ] *m* acarreamiento, acarreo.
acartonado, da [akaʀto'nadʊ, da] *adj* acartonado.
acasalamento [akazala'mẽtʊ] *m* apareamiento, emparejamiento.
acasalar [akaza'laʀ] *tr, intr e pron* **1** aparear (para procrear). • *tr* **2** aparear, emparejar.
acaso [a'kazʊ] *m* **1** acaso, casualidad. **2** imprevisto. • *adv* **3** acaso (por casualidad): *acaso viu minha blusa branca?* = *¿acaso has visto mi blusa blanca?* **4** acaso (quizá, tal vez): *acaso esteja almoçando na lanchonete* = *acaso esté comiendo en el bar*. ▪ **por ~** por casualidad.
acastanhado, da [akayʃtã'ŋadʊ, da] *adj/m* acastañado (color).
acastelhanar [akayʃteʎã'naʀ] *tr e pron* castellanizar.
acatar [aka'taʀ] *tr* **1** acatar (con obediencia). **2** respetar.
acatarrado, da [akata'ʀadʊ, da] *adj* acatarrado.
acatingado, da [akatʃĩ'gadʊ, da] *adj* maloliente; catingoso (Arg, Bol).
acatitado, da [akatʃi'tadʊ, da] *adj* presumido.
acaudilhar [akawdʒi'ʎaʀ] *tr* **1** acaudillar. • **~-se** *pron* **2** acaudillarse.
acautelado, da [akawte'ladʊ, da] *adj* cauto.
acautelar [akawte'laʀ] *tr, intr e pron* cautelar (prevenir).
acebolado, da [asebo'ladʊ, da] *adj* encebollado (comida).
acebolar [asebo'laʀ] *tr* encebollar.
acedência [ase'dẽsya] *f* consentimiento, aquiescencia.
aceder [ase'deʀ] *tr e intr* **1** acceder (consentir). • *tr* **2** acceder (resignarse).
acéfalo, la [a'sɛfalʊ, la] *adj* acéfalo (sin cabeza).
aceiramento [aseyɾa'mẽtʊ] *m* aceración.
aceirar [asey'ɾaʀ] *tr* **1** acerar. **2** acechar.

aceiro, ra [a'seyɾu, ɾa] *adj* **1** acerado (material). • *m* **2** acerero (trabajador).
aceitação [aseyta'sãw] *f* aceptación.
aceitar [asey'taʀ] *tr* **1** aceptar (aprobar). **2** aceptar (admitir, asumir). **3** aceptar (reconocer).
aceitável [asey'tavew] *adj 2 gén* aceptable.
aceite [a'seytʃɪ] *adj 2 gén* **1** aceptado, aprobado. • *m* **2** COM reconocimiento de deuda.
aceito, ta [a'seytu, ta] *adj* **1** aceptado. **2** grato.
aceleração [aseleɾa'sãw] *f* aceleración.
acelerado, da [asele'ɾadu, da] *adj* **1** acelerado. **2** (fig) acelerado (precipitado).
acelerador, ra [aseleɾa'doʀ, ɾa] *adj/m* acelerador.
acelerar [asele'ɾaʀ] *tr, intr e pron* **1** acelerar. • *tr* **2** acelerar (abreviar).
acenar [ase'naʀ] *tr e intr* gesticular.
acender [asẽ'deʀ] *tr, intr e pron* **1** encender (fuego, luz). • *tr e pron* **2** encender (poner en funcionamiento). **3** (fig) encender (ánimos).
aceno [a'sẽnu] *m* **1** seña. **2** gesto.
acento [a'sẽtu] *m* **1** acento (fonético). **2** acento (tilde). **3** acento (prosódico).
acentuação [asẽtwa'sãw] *f* GRAM acentuación.
acentuado, da [asẽtu'adu, da] *adj* GRAM acentuado.
acentuar [asẽtu'aʀ] *tr* **1** GRAM acentuar. **2** (fig) acentuar (realzar, enfatizar). • *tr e pron* **3** acentuarse, aumentar.
acepção [asepi'sãw] *f* acepción (significado).
acepilhar [asepi'ʎaʀ] *tr* pulir.
acepipe [ase'pipɪ] *m* ⇒ petisco.
acéquia [a'sɛkya] *f* acequia.
aceragem [ase'ɾaʒẽy] *f* aceración.
acerar [ase'ɾaʀ] *tr* ⇒ aceirar.
acerca [a'seʀka] ~ **de** *loc prep* acerca de, con respecto a.
acercar [aseʀ'kaʀ] *tr e pron* acercar (aproximar).
acerola [ase'ɾɔla] *f* acerola.
acérrimo, ma [a'sɛʀimu, ma] *adj* acérrimo.
acertado, da [aseʀ'tadu, da] *adj* acertado (adecuado).
acertar [aseʀ'taʀ] *tr* **1** acertar (en el blanco). **2** alcanzar, golpear.
acerto [a'seʀtu] *m* **1** acierto. **2** prudencia, tacto.
acervo [a'seʀvu] *m* **1** acervo. **2** acervo.
aceso, sa [a'sezu, za] *adj* **1** encendido (iluminado). **2** encendido, ardiente. **3** (fig) encendido (excitado).
acessar [ase'saʀ] *tr* COMP acceder, entrar.
acessibilidade [asesibili'dadʒɪ] *f* accesibilidad.
acessível [ase'sivew] *adj 2 gén* **1** accesible. **2** asequible (económicamente). **3** asequible (comprensible).
acesso [a'sɛsu] *m* acceso.
acessório, a [ase'sɔɾyu, a] *adj* **1** accesorio (complementario). • *m* **2** accesorio (complemento). **3** CINE, TEAT, TV atrezo.
acetato [ase'tatu] *m* QUÍM acetato.
acetinar [asetʃi'naʀ] *tr* satinar.
acetona [ase'tõna] *f* QUÍM acetona.
achacoso, sa [aʃa'kozu, za] *adj/m e f* ⇒ achacadiço, ça.
achado, da [a'ʃadu, da] *adj* **1** hallado. • *m* **2** encuentro. **3** descubrimiento. **4** (gír) ganga.
achador, ra [aʃa'doʀ, ɾa] *adj/m e f* descubridor.
achanar [aʃa'naʀ] *tr e pron* **1** allanar. • *tr* **2** (fig) derrotar, abatir.
achaparrado, da [aʃapa'ʀadu, da] *adj* achaparrado, rechoncho.
achaque [a'ʃakɪ] *m* achaque (indisposición).
achar [a'ʃaʀ] *tr* **1** hallar, encontrar. **2** creer, opinar. • *intr* **3** juzgar, considerar.
achatado, da [aʃa'tadu, da] *adj* achatado.
achatar [aʃa'taʀ] *tr e pron* achatar (aplanar).
achegado, da [aʃe'gadu, da] *adj* **1** allegado (próximo). • *m e f* **2** allegado.
achego [a'ʃegu] *m* **1** acercamiento. **2** (fig) amparo.
achicar [aʃi'kaʀ] *tr e pron* achicar.
achincalhar [aʃĩka'ʎaʀ] *tr e pron* **1** burlarse. **2** humillar.
achinesado, da [aʃine'zadu, da] *adj* achinado.
achocalhar [aʃoka'ʎaʀ] *tr* **1** cencerrear (forma, sonido). **2** sonajear.
acicate [asi'katʃɪ] *m* acicate.
acidentado, da [asidẽ'tadu, da] *adj/m e f* accidentado.

acidental [asidẽ'taw] *adj 2 gén* accidental.
acidentar [asidẽ'taR] *tr e pron* **1** accidentar. **2** alterar, modificar.
acidente [asi'dẽtʃɪ] *m* **1** accidente (imprevisto). **2** accidente (de tráfico).
acidez [asi'deyʃ] *f* acidez.
acidificar [asidʒifi'kaR] *tr e pron* QUÍM acidificar.
ácido, da ['asidʊ, da] *adj* **1** ácido. **2** agrio. • *m* **3** QUÍM ácido.
aciganado, da [asiga'nadʊ, da] *adj* agitanado.
acima [a'sima] *adv* arriba: *rio acima* = *río arriba*. ■ ~ **de** por encima de.
acinzentado, da [asĩzẽ'tadʊ, da] *adj/m* grisáceo.
acionado, da [asyo'nadʊ, da] *adj* **1** accionado (en acción). • *m* **2** DIR reo.
acionar [asyo'naR] *tr* accionar.
acionário, a [asyo'naryʊ, a] *adj* ⇒ acionista.
acionista [asyo'niʃta] *adj/m e f* accionista.
acirrado, da [asi'Radʊ, da] *adj* irritado.
aclamação [aklama'sãw] *f* aclamación.
aclamar [akla'maR] *tr e intr* **1** aclamar; vitorear. • **~-se** *pron* **2** proclamarse (cargo, función).
aclaração [aklara'sãw] *f* aclaración.
aclarar [akla'raR] *tr, intr e pron* **1** aclarar (clarear). • *tr e pron* **2** aclarar (conceptos, ideas). • *intr* **3** aclarar, despejar (cielo).
aclimar ou **aclimatar** [akli'maR o aklima'taR] *tr e pron* aclimatar.
acne ['akinɪ] *f* acné.
aço ['asʊ] *m* **1** acero. **2** (fig, coloq) cachaza (aguardiente).
acobertar [akobeR'taR] *tr e pron* ocultar.
acochado, da [ako'ʃadʊ, da] *adj* comprimido, apretado.
acochar [ako'ʃaR] *tr e pron* **1** agazapar. • *tr* **2** comprimir (apretar).
acocorado, da [akoko'radʊ, da] *adj* **1** agachado. **2** en cuclillas.
acocorar [akoko'raR] *tr e pron* acuclillar.
acoitar [akoy'taR] *tr e pron* asilar, acoger.
açoitar [asoy'taR] *tr e pron* azotar, flagelar (con vara, látigo).
açoite [a'soytʃɪ] *m* **1** azote (látigo). **2** azote (golpe, cachete).
acolá [ako'la] *adv* allá, acullá.
acolchoado, da [akowʃo'adʊ, da] *adj* acolchado.
acolhedor, ra [akoʎe'doR, ra] *adj/m e f* acogedor.
acolher [ako'ʎeR] *tr e pron* **1** acoger (refugiar). • *tr* **2** recibir, atender.
acolhimento [akoʎi'mẽtʊ] *m* acogimiento, acogida.
acólito [a'kɔlitʊ] *m* acólito (seglar).
acometer [akome'teR] *tr, intr e pron* **1** acometer (embestir). • *tr* **2** provocar (ofender).
acomodado, da [akomo'dadʊ, da] *adj/m e f* acomodado.
acomodar [akomo'daR] *tr e pron* **1** acomodar (poner cómodo). • *tr* **2** acomodar (arreglar).
acompanhamento [akõpãŋa'mẽtʊ] *m* **1** acompañamiento. **2** MÚS acompañamiento (voz, instrumento).
acompanhar [akõpã'ŋaR] *tr* **1** acompañar. • *tr e pron* **2** MÚS acompañar (con voz, instrumento). • **~-se** *pron* **3** acompañarse (rodearse).
aconchegado, da [akõʃe'gadʊ, da] *adj* próximo.
aconchegar [akõʃe'gaR] *tr e pron* **1** aproximar. **2** acomodar (poner cómodo).
aconchego [akõ'ʃegʊ] *m* **1** comodidad. **2** amparo.
acondicionado, da [akõdʒisyo'nadʊ, da] *adj* **1** acondicionado. **2** adecuado.
acondicionamento [akõdʒisyona'mẽtʊ] *m* acondicionamiento.
acondicionar [akõdʒisyo'naR] *tr* **1** acondicionar (calificar). **2** acondicionar (acomodar).
aconselhado, da [akõse'ʎadʊ, da] *adj* aconsejado.
aconselhamento [akõseʎa'mẽtʊ] *m* consejo.
aconselhar [akõse'ʎaR] *tr, intr e pron* **1** aconsejar. • **~-se** *pron* **2** debatir, discutir.
aconselhável [akõse'ʎavew] *adj 2 gén* aconsejable.
acontecer [akõte'seR] *tr e intr* ocurrir, pasar.
acontecimento [akõtesi'mẽtʊ] *m* acontecimiento.
acoplamento [akopla'mẽtʊ] *m* acoplamiento.

acoplar [ako'plaʀ] *tr e pron* acoplar.
açor [a'soʀ] *m* azor (ave).
acordado, da [akoʀ'dadʊ, da] *adj/m e f* **1** despierto. **2** prudente, sensato.
acordar [akoʀ'daʀ] *tr, intr e pron* **1** despertar. • *tr e pron* **2** acordar (pactar).
acorde [a'kɔʀdʒɪ] *adj 2 gén* **1** acorde. • *m* **2** MÚS acorde.
acordeão [akoʀde'ãw] *m* MÚS acordeón.
acordeonista [akoʀdeo'niʃta] *adj/m e f* MÚS acordeonista.
acordo [a'koʀdʊ] *m* **1** acuerdo (resolución). **2** acuerdo (pacto).
acordoar [akoʀdo'aʀ] *tr* acordonar.
acorrentado, da [akoʀẽ'tadʊ, da] *adj* encadenado.
acorrentar [akoʀẽ'taʀ] *tr e pron* encadenar.
acorrer [ako'ʀeʀ] *tr e intr* acudir (socorrer).
acossamento [akosa'mẽtʊ] *m* **1** acoso (persecución). **2** acoso (tormento, insistencia).
acossar [ako'saʀ] *tr* **1** acosar (perseguir). **2** acosar (atormentar, incomodar).
acostamento [akoʃta'mẽtʊ] *m* arcén (de carreteras).
acostar [akoʃ'taʀ] *tr e pron* **1** acercar (aproximar). • **~-se** *pron* **2** recostarse, tumbarse.
acostumado, da [akoʃtu'madʊ, da] *adj* acostumbrado (habituado).
acostumar [akoʃtu'maʀ] *tr e pron* acostumbrar.
acotovelar [akotove'laʀ] *tr e pron* **1** dar codazos. **2** empujar. • *tr* **3** (fig) provocar (instigar).
açougue [a'sowgɪ] *m* carnicería.
açougueiro [asow'geyɾʊ] *m* **1** carnicero (propietario, trabajador). **2** matarife, jifero.
acovardar [akovaʀ'daʀ] *tr e pron* acobardar.
acre ['akɾɪ] *m* **1** acre (medida). • *adj 2 gén* **2** acre (sabor, olor).
Acre ['akɾɪ] *m* Acre (Estado brasileño).
acreditado, da [akɾedʒi'tadʊ, da] *adj* **1** acreditado (reputado). **2** acreditado (probado, autorizado).
acreditar [akɾedʒi'taʀ] *tr e intr* **1** acreditar (probar, reputar). **2** creer (aceptar, admitir). • *tr* **3** abonar (dinero).
acrescentar [akɾesẽ'taʀ] *tr e intr* **1** acrecentar (añadir). • *tr e pron* **2** acrecentar (aumentar, crecer).
acrescer [akɾe'seʀ] *tr e intr* ⇒ acrescentar.
acréscimo [a'kɾɛsimʊ] *m* **1** aumento, acrecentamiento. **2** aumento (de temperatura).
acrílico, ca [a'kɾiliku, ka] *adj/m* QUÍM acrílico.
acrioulado, da [akɾiow'ladʊ, da] *adj* acriollado.
acrisolado, da [akɾizo'ladʊ, da] *adj* acrisolado (metal).
acrobacia [akɾoba'sia] *f* **1** acrobacia. **2** (fig) malabarismo.
acrobata [akɾo'bata] *s 2 gén* acróbata.
acromático, ca [akɾo'matʃiku, ka] *adj* **1** ÓPT, BIOL acromático. **2** MÚS diatónico.
acrónimo [a'kɾonimʊ] *m* acrónimo.
acrópole [a'kɾɔpolɪ] *f* acrópolis.
acuado, da [akʊ'adʊ, da] *adj* **1** perseguido. **2** arrinconado. **3** (fig) obligado.
acuar [aku'aʀ] *tr* perseguir (caza, enemigo).
açúcar [a'sukaʀ] *m* **1** azúcar (de caña, remolacha). **2** (fig) dulzura (suavidad). **3** (fig, coloq) lábia.
açucarado, da [asuka'ɾadʊ, da] *adj* azucarado.
açucarar [asuka'ɾaʀ] *tr* azucarar.
açucareiro, ra [asuka'ɾeyɾʊ, ɾa] *adj* **1** azucarero. • *m* **2** azucarera (recipiente).
açucena [asu'sẽna] *f* azucena (planta).
açude [a'sudʒɪ] *m* **1** presa. **2** embalse.
acudir [aku'dʒiʀ] *tr e intr* **1** acudir (socorrer). **2** acudir (atender).
acuidade [akwi'dadʒɪ] *f* acuidad (agudeza, sutileza).
açular [asu'laʀ] *tr* **1** azuzar (incitar). • *tr e pron* **2** (fig) estimular (irritar).
acumulação [akumula'sãw] *f* acumulación. ♦ **~ de capital** acumulación de capital.
acumulado, da [akumu'ladʊ, da] *adj* acumulado (amontonado, reunido).
acumular [akumu'laʀ] *tr e pron* **1** acumular (amontonar, reunir). • *tr e intr* **2** acumular, compaginar (trabajos, tareas).
acumulativo, va [akumula'tʃivʊ, va] *adj* acumulativo.

acúmulo [a'kumulʊ] *m* ⇒ acumulação.
acunhar [akũ'ŋaʀ] *tr* acuñar (monedas, términos).
acurado, da [aku'ɾadʊ, da] *adj* esmerado, acurado.
acurar [aku'ɾaʀ] *tr e pron* perfeccionar, esmerar.
acusação [akuza'sãw] *f* **1** acusación (incriminación, denuncia). **2** confesión.
acusado, da [aku'zadʊ, da] *adj/m e f* **1** acusado (incriminado). • *adj* **2** acusado (pronunciado, denunciado).
acusador, ra [akuza'doʀ, ɾa] *adj/m e f* acusador.
acusar [aku'zaʀ] *tr, intr e pron* **1** acusar (imputar, incriminar). • *tr* **2** acusar (recibo).
acusativo, va [akuza'tʃivʊ, va] *adj* **1** DIR acusatorio. • *adj/m* **2** GRAM acusativo.
acústica [a'kuʃtʃika] *f* FÍS acústica.
acústico, ca [a'kuʃtʃikʊ, ka] *adj* acústico.
acutilar [akutʃi'laʀ] *tr e pron* acuchillar.
adaga [a'daga] *f* daga.
adail [ada'iw] *m* adalid.
adaptação [adapita'sãw] *f* **1** adaptación (ajuste). **2** adaptación, modificación (de una obra).
adaptado, da [adapi'tadʊ, da] *adj* **1** adaptado (ajustado). **2** adaptado, modificado (obra).
adaptador, ra [adapita'doʀ, ɾa] *adj/m e f* **1** adaptador. • *m* **2** adaptador (dispositivo).
adaptar [adapi'taʀ] *tr* **1** adaptar (acomodar, ajustar). **2** adaptar, modificar (obra). **3** MÚS adaptar.
adarga [a'daʀga] *f* adarga (escudo).
adega [a'dɛga] *f* **1** bodega (almacén). **2** bodega (tienda).
adegueiro, ra [ade'geyɾʊ, ɾa] *m e f* bodeguero.
adelgaçar [adewga'saʀ] *tr, intr e pron* adelgazar.
ademais [ade'mayʃ] *adv* además.
ademanes [ade'mãneyʃ] *m pl* ademanes.
adensar [adẽ'saʀ] *tr, intr e pron* condensar, adensar.
adentrar [adẽ'tɾaʀ] *tr e pron* entrar, adentrarse (penetrar).
adentro [a'dẽtɾʊ] *adv* (form) adentro.
adepto, ta [a'dɛpitʊ, ta] *adj/m e f* **1** adepto (iniciado). **2** adepto (partidario, simpatizante).
adequação [adekwa'sãw] *f* adecuación.
adequado, da [ade'kwadʊ, da] *adj* adecuado, apropiado.
adequar [ade'kwaʀ] *tr e pron* adecuar.
adereçar [adeɾe'saʀ] *tr e pron* adornar.
adereço [ade'ɾesʊ] *m* **1** adorno. **2** atrezo (de escena, plató).
aderência [ade'ɾẽsya] *f* **1** adherencia. **2** (fig) adhesión (a una idea, ideología).
aderente [ade'ɾẽtʃɪ] *adj/m e f* **1** adherente (unido, partidario). • **aderentes** *m pl* **2** amigos, compañeros.
aderido, da [ade'ɾidʊ, da] *adj* **1** adherido (pegado). **2** (fig) adherido (a una causa, ideología).
aderir [ade'ɾiʀ] *tr e intr* **1** adherir (pegar). • *tr* **2** adherir, apoyar (partido, causa).
adesão [ade'zãw] *f* adhesión.
adesivo, va [ade'zivʊ, va] *adj* adhesivo.
adestrador, ra [adeyʃtɾa'doʀ, ɾa] *adj/m e f* adiestrador.
adestramento [adeyʃtɾa'mẽtʊ] *m* adiestramiento (instrucción).
adeus [a'dewʃ] *m* adiós.
adiado, da [adʒi'adʊ, da] *adj* aplazado.
adiamantar [adʒiamã'taʀ] *tr* abrillantar.
adiamento [adʒia'mẽtʊ] *m* aplazamiento (prórroga).
adiantado, da [adʒiã'tadʊ, da] *adj* **1** adelantado (avanzado). **2** adelantado (desarrollado). • *adv* **3** por adelantado. **4** antes. ◆ ~ **em anos** entrado en años.
adiantamento [adʒiãta'mẽtʊ] *m* **1** anticipo, adelanto (de dinero). **2** adelantamiento (avance). **3** adelanto (desarrollo).
adiantar [adʒiã'taʀ] *tr e pron* **1** adelantar (avanzar). • *tr* **2** adelantar (anticipar). • *intr* **3** servir (valer la pena). **4** adelantar (reloj).
adiante [adʒi'ãtʃɪ] *adv* **1** (posición) delante. **2** (movimiento) adelante, por delante. **3** en adelante. **4** después (más adelante).
adiar [adʒi'aʀ] *tr* aplazar (tarea, compromiso).
adiável [adʒi'avew] *adj 2 gén* aplazable.
adição [adʒi'sãw] *f* **1** adición (añadidura). **2** adición (suma).
adicionado, da [adʒisyo'nadʊ, da] *adj* adicionado, aumentado.

adicional [adʒisyo'naw] *adj/m e f* **1** adicional, accesorio. • *m* **2** gratificación (en el salario). **3** paga extra.
adicionar [adʒisyo'naʀ] *tr* **1** adicionar. • *tr e intr* **2** MAT sumar.
adicto, ta [a'dʒikitʊ, ta] *adj* **1** adicto (aficionado, apegado). • *m e f* **2** adicto (a una sustancia).
adido, da [a'dʒidʊ, da] *adj* **1** agregado (añadido). • *adj/m e f* **2** agregado (diplomático, empleado).
adinheirado, da [adʒĩŋey'radʊ, da] *adj* ⇒ endinheirado, da.
adiposo, sa [adʒi'pozʊ, za] *adj* adiposo.
aditivo, va [adʒi'tʃivʊ, va] *adj/m* aditivo.
adivinhação [adʒivĩŋa'sãw] *f* **1** adivinación (predicción). **2** acertijo.
adivinhar [adʒivĩ'ŋaʀ] *tr* **1** adivinar (predecir). **2** adivinar (acertar).
adivinho, nha [adʒi'vĩŋʊ, ŋa] *m e f* adivino.
adjacente [adʒiʒa'sẽtʃɪ] *adj 2 gén* adyacente.
adjetivar [adʒiʒetʃi'vaʀ] *tr* **1** GRAM adjetivar. **2** (fig) calificar.
adjetivo, va [adʒiʒe'tʃivʊ, va] *adj/m* GRAM adjetivo.
adjudicação [adʒiʒudʒika'sãw] *f* DIR adjudicación.
adjudicar [adʒiʒudʒi'kaʀ] *tr* **1** adjudicar (conferir). **2** adjudicar (conceder, entregar). • **~-se** *pron* **3** adjudicarse (atribuirse).
adjunto, ta [adʒi'ʒũtʊ, ta] *adj* **1** adjunto (unido). • *adj/m e f* **2** adjunto (auxiliar, suplente).
administração [adʒiminiʃtra'sãw] *f* administración.
administrador, ra [adʒiminiʃtra'doʀ, ra] *adj/m e f* administrador.
administrar [adʒiminiʃ'traʀ] *tr e intr* **1** administrar (gestionar). • *tr* **2** administrar (aplicar): *administrar justiça = administrar justicia.*
administrativo, va [adʒiminiʃtra'tʃivʊ, va] *adj* administrativo.
admiração [adʒimira'sãw] *f* **1** admiración (consideración, veneración). **2** admiración (sorpresa).
admirado, da [adʒimi'radʊ, da] *adj* admirado.
admirador, ra [adʒimira'doʀ, ra] *adj/m e f* admirador.
admirar [adʒimi'raʀ] *tr e pron* **1** admirar (venerar, considerar). • *tr e intr* **2** admirar (sorprender).
admirável [adʒimi'ravew] *adj 2 gén* admirable.
admissão [adʒimi'sãw] *f* **1** admisión (recibimiento, reconocimiento). **2** admisión.
admissível [adʒimi'sivew] *adj 2 gén* admisible.
admitir [adʒimi'tʃiʀ] *tr* **1** admitir (reconocer). **2** admitir (tolerar, permitir).
admoestação [adʒimoeʃta'sãw] *f* **1** amonestación (reprimenda). **2** amonestación (advertencia).
admoestar [adʒimoeʃ'taʀ] *tr* **1** amonestar (reprender). **2** amonestar (advertir).
admonitório, a [adʒimoni'tɔryʊ, a] *adj* admonitorio.
adobe [a'dobɪ] *m* adobe (ladrillo).
adoçante [ado'sãtʃɪ] *adj 2 gén* **1** edulcorante. **2** (fig) suavizante, atenuante. • *m* **3** edulcorante (sustancia).
adoção [ado'sãw] *f* adopción.
adoçar [ado'saʀ] *tr e pron* **1** endulzar (azucarar). **2** (fig) endulzar (suavizar).
adocicar [adosi'kaʀ] *tr* **1** endulzar (levemente). **2** (fig) suavizar, mitigar (sufrimiento, dolor).
adoecer [adoe'seʀ] *tr e intr* **1** enfermar. • *intr* **2** menstruar.
adoentado, da [adoẽ'tadʊ, da] *adj* **1** enfermo. **2** débil.
adoidado, da [adoy'dadʊ, da] *adj* **1** locado. • *adv* **2** (coloq) mogollón, mucho: *comer adoidado = comer mogollón.*
adolescência [adole'sẽsya] *f* adolescencia.
adolescente [adole'sẽtʃɪ] *adj/m e f* adolescente.
adoração [adora'sãw] *f* adoración (veneración, culto).
adorador, ra [adora'doʀ, ra] *adj/m e f* adorador, admirador.
adorar [ado'raʀ] *tr e intr* **1** adorar (rendir culto, venerar). • *tr* **2** (coloq) encantar.
adormecer [adoʀme'seʀ] *tr* **1** adormecer. • *intr e pron* **2** adormecerse.
adornar [adoʀ'naʀ] *tr e pron* **1** adornar (engalanar). **2** adornar (enaltecer).
adorno [a'doʀnʊ] *m* adorno, atavío.
adotar [ado'taʀ] *tr* **1** adoptar (hijo). **2** optar (escoger). **3** seguir, continuar.

adotivo, va [ado'tʃivʊ, va] *adj/m e f* adoptivo.
adquirir [adʒiki'ɾiʀ] *tr* **1** adquirir (ganar, conseguir). **2** adquirir (comprar).
adquisição [adʒikizi'sãw] *f* ⇒ aquisição.
adrede [a'dɾedʒɪ] *adv* adrede, a propósito.
adrenalina [adɾena'lina] *f* **1** BIOQ adrenalina. **2** (fig, coloq) excitación.
adro ['adɾʊ] *m* atrio (de iglesia).
adscrever [adʒiʃkɾe'veʀ] *tr* añadir (aumentar).
adscrição [adʒiʃkɾi'sãw] *f* **1** añadidura. **2** adscripción (inscripción, registro).
adscrito, ta [adʒiʃ'kɾitʊ, ta] *adj* adscrito.
adstrato [adʒiʃ'tratʊ] *m* FILOL adstrato.
adstringente [adʒiʃtɾĩ'ʒẽtʃɪ] *adj 2 gén* astringente.
aduaneiro, ra [adua'neyɾʊ, ɾa] *adj/m e f* aduanero.
adubar [adu'baʀ] *tr* **1** abonar (tierra). **2** adobar (guisar, aderezar).
adubo [a'dubʊ] *m* **1** abono (fertilizante). **2** adobo (condimento).

Adjetivos pátrios do Brasil / Gentilicios de Brasil

Acre	acreano
Alagoas	alagoano
Amapá	amapaense
Aracaju	aracajuano/ aracajuense
Amazonas	amazonense/ baré
Belém	belenense
Belo Horizonte	belo-horizontino
Boa Vista	boa-vistense
Brasília	brasiliense
Curitiba	curitibano
Espírito Santo	espírito-santense/ capixaba
Fernando de Noronha	noronhense
Florianópolis	florianopolitano
Fortaleza	fortalense
Goiânia	goianiense
João Pessoa	pessoense
Macapá	macapaense
Maceió	maceioense
Manaus	manauense
Maranhão	maranhense
Marajó	marajoara
Natal	natalense/ papa-jerimum
Porto Alegre	porto-alegrense
Porto Velho	porto-velhense
Rio de Janeiro (estado)	fluminense
Rio de Janeiro (ciudad)	carioca
Rio Branco	rio-branquense
Rio Grande do Norte	rio-grandense-do-norte/ norte-rio-grandense/ potiguar
Rio Grande do Sul	rio-grandense-do-sul/ sul-rio-grandense/ gaúcho.
Rondônia	rondoniano
Roraima	roraimense
Salvador	salvadorense/ soteropolitano
Santa Catarina	catarinense/ catarineta/ barriga-verde
São Paulo (estado)	paulista
São Paulo (ciudad)	paulistano
Sergipe	sergipano
Teresina	teresinense
Tocantins	tocantinense

adufa [a'dufa] *f* persiana.
adulação [adula'sãw] *f* adulación.
adular [adu'laʀ] *tr* adular (lisonjear).
adulteração [aduwteɾa'sãw] *f* adulteración.
adulterar [aduwte'ɾaʀ] *tr e pron* **1** adulterar (falsificar). **2** adulterar (viciar, corromper).
adultério [aduw'tɛɾiʊ] *m* adulterio.
adúltero, ra [a'duwteɾʊ, ɾa] *adj/m e f* adúltero.
adulto, ta [a'duwtʊ, ta] *adj/m e f* adulto.
adunco, ca [a'dũkʊ, ka] *adj* adunco (corvo).
adusto, ta [a'duʃtʊ, ta] *adj* adusto (quemado).
adutor, ra [adu'toʀ, ɾa] *adj/m* ANAT aductor (músculo).
advento [adʒi'vẽtʊ] *m* llegada (aparición).
adverbial [adʒiveʀbi'aw] *adj 2 gén* GRAM adverbial.
advérbio [adʒi'vɛʀbyʊ] *m* GRAM adverbio.
adversão [adʒiveʀ'sãw] *f* **1** contrariedad (oposición). **2** adversión (advertencia, aviso).
adversário, a [adʒiveʀ'saɾyʊ, a] *adj/m e f* **1** adversario (contendiente, opositor). • *adj* **2** ⇒ adverso, sa.
adversativo, va [adʒiveʀsa'tʃivʊ, va] *adj* GRAM adversativo.
adversidade [adʒiveʀsi'dadʒɪ] *f* adversidad.
adverso, sa [adʒi'vɛʀsʊ, sa] *adj* adverso.
advertência [adʒiveʀ'tẽsya] *f* **1** advertencia (aviso). **2** advertencia (amonestación).
advertido, da [adʒiveʀ'tʃidʊ, da] *adj* **1** advertido (informado). **2** prudente.
advertir [adʒiveʀ'tʃiʀ] *tr, intr e pron* **1** advertir; parejar (Méx). • *tr e intr* **2** advertir (avisar).
advir [adʒi'viʀ] *tr e intr* **1** advenir (suceder). **2** resultar.
advocacia [adʒivoka'sia] *f* abogacía.
advogado, da [adʒivo'gadʊ, da] *m e f* **1** abogado (letrado). **2** abogado (mediador). **3** (fig) abogado (defensor).
advogar [adʒivo'gaʀ] *tr* **1** abogar (en un juicio). **2** abogar (interceder). • *intr* **3** ejercer de abogado.
aeração [aeɾa'sãw] *f* ventilación, aireación.
aéreo, a [a'ɛɾyʊ, a] *adj* **1** aéreo. **2** (fig) aéreo (ligero). **3** (fig) despistado. **4** (fig) aéreo (elevado, sublime).
aeróbico, ca [ae'ɾɔbikʊ, ka] *adj* **1** BIOL aeróbico. **2** ESPORT aeróbico.
aerodinâmico, ca [aeɾodʒi'nãmikʊ, ka] *adj* aerodinámico.
aeródromo [ae'ɾɔdɾomʊ] *m* aeródromo.
aeromoço, ça [aeɾo'mosʊ, sa] *m e f* asistente de vuelo.
aeromodelo [aɛɾomo'delʊ] *m* aeromodelo.
aeronáutico, ca [aɛɾo'nawtʃikʊ, ka] *adj* aeronáutico.
aeronavegação [aɛɾonavega'sãw] *f* aeronavegación.
aeroplano [aɛɾo'planʊ] *m* aeroplano.
aeroporto [aɛɾo'poʀtʊ] *m* aeropuerto.
aerossol [aɛɾo'sɔw] *m* aerosol.
afã [a'fã] *m* **1** afán (trabajo excesivo). **2** afán (empeño).
afadigar [afadʒi'gaʀ] *tr e pron* **1** cansar. **2** fastidiar.
afagar [afa'gaʀ] *tr, intr e pron* **1** acariciar. • *tr* **2** (fig) acariciar (idea, plan).
afago [a'fagʊ] *m* caricia.
afamado, da [afa'madʊ, da] *adj* famoso, afamado.
afanar [afa'naʀ] *intr e pron* **1** afanar, entregarse (al trabajo). • *tr* **2** conquistar (conseguir).
afanoso, sa [afa'nozʊ, za] *adj* afanoso.
afasia [afa'zia] *f* MED afasia.
afastado, da [afayʃ'tadʊ, da] *adj* **1** alejado (distante). **2** separado.
afastar [afayʃ'taʀ] *tr e pron* **1** alejar. **2** dimitir. • *tr* **3** (fig) apartar (separar).
afável [a'favew] *adj 2 gén* afable.
afazer [afa'zeʀ] *tr e pron* acostumbrarse.
afazer [afa'zeʀ] *m* quehacer.
afear [afe'aʀ] *tr e pron* afear.
afecção [afeki'sãw] *f* MED afección.
afegane [afe'gãnɪ] *adj/m e f* ⇒ afegão, gã.
Afeganistão [afegãniʃ'tãw] *m* Afganistán.
afegão, gã [afe'gãw, 'gã] *adj/m e f* afgano.
afeição [afey'sãw] *f* **1** afección (apego). **2** afección (afición, inclinación).
afeiçoado, da [afeyso'adʊ, da] *adj* **1** apegado. **2** bien hecho (forma, figura).

afeiçoar [afeyso'aʀ] *tr e pron* **1** apegar. **2** aficionar (inducir). **3** adaptar, ajustar.
afeito, ta [a'feytʊ, ta] *adj* acostumbrado.
afeminar [afemi'naʀ] *tr e pron* ⇒ efeminar.
aferição [aferi'sãw] *f* contraste (pesos, medidas).
aferir [afe'riʀ] *tr* **1** contrastar, aferir (pesos, medidas). **2** poner el contraste (marca de garantía).
aferrado, da [afe'ʀadʊ, da] *adj* aferrado (obstinado).
aferroar [afeʀo'aʀ] *tr* **1** aguijonear (picar). **2** (fig) aguijonear (atormentar).
aferrolhar [afeʀo'ʎaʀ] *tr e pron* **1** acerrojar. • *tr* **2** (fig) encerrar.
aferventado, da [afeʀvẽ'tadʊ, da] *adj* **1** hervido (ligeramente). **2** (fig) acalorado, fervoso.
aferventar [afeʀvẽ'taʀ] *tr, intr e pron* **1** hervir. • *tr* **2** (fig) excitar (estimular).
afervorar [afeʀvo'raʀ] *tr* hervir.
afetação [afeta'sãw] *f* afectación.
afetar [afe'taʀ] *tr* **1** afectar (fingir). **2** afectar (conmover, sensibilizar).
afetividade [afetʃivi'dadʒɪ] *f* afectividad.
afeto, ta [a'fɛtʊ] *adj* **1** afecto (inclinado, simpatizante). • *m* **2** afecto (cariño); cholo (Amér).
afetuoso, sa [afetu'ozʊ, za] *adj* afectuoso; chunco (Bol, Perú).
affaire [a'fɛʀ] *m* affaire, afer (relación sentimental).
afiançado, da [afiã'sadʊ, da] *adj* avalado.
afiançar [afiã'saʀ] *tr, intr e pron* **1** afianzar (avalar). • *tr* **2** garantizar, afirmar.
afiar [afi'aʀ] *tr* **1** afilar (amolar). • *tr e pron* **2** (fig) afilar, aguzar (sentidos).
aficionado, da [afisyo'nadʊ, da] *adj/m e f* aficionado.
afigurar [afigu'raʀ] *tr* **1** figurar (representar, delinear). • *tr e pron* **2** figurarse (imaginar).
afilar [afi'laʀ] *tr, intr e pron* **1** afilar (aguzar). • *tr e pron* **2** afilar (rasgos). • *tr* **3** aguzar, aguijar (instigar).
afilhado, da [afi'ʎadʊ, da] *m e f* **1** ahijado. **2** protegido, favorito.
afiliação [afilia'sãw] *f* afiliación.
afiliar [afili'aʀ] *tr e pron* afiliar.
afim [a'fĩ] *adj 2 gén* **1** afín (próximo). • *adj/m e f* **2** afín (pariente).
afinação [afina'sãw] *f* **1** afinación, afinamiento. **2** delicadeza, finura. **3** afinación (esmero, perfeccionamiento).
afinado, da [afi'nadʊ, da] *adj* **1** afinado (fino). **2** afinado (esmerado).
afinador, ra [afina'doʀ, ra] *adj/m e f* **1** afinador (especialista). • *m* **2** afinador (templador).
afinal [afi'naw] *adv* finalmente, al final: *afinal concluiu seus estudos = al final terminó sus estudios.* ■ **~ de contas** al fin y al cabo, a fin de cuentas.
afinar [afi'naʀ] *tr, intr e pron* **1** afinar (aguzar). • *tr* **2** afinar (voz, instrumento). • *intr* **3** afinar (cantar).
afincar [afĩ'kaʀ] *tr e pron* **1** afianzar (clavar). **2** aferrarse, empeñarse. • *tr* **3** fijar, concentrar: *afincou a atenção no quadro = fijó la atención en el cuadro.*
afinco [a'fĩkʊ] *m* ahínco.
afinidade [afini'dadʒɪ] *f* **1** afinidad (parentesco). **2** afinidad (semejanza).
afirmação [afiʀma'sãw] *f* afirmación.
afirmar [afiʀ'maʀ] *tr, intr e pron* **1** afirmar (aseverar). • *tr e pron* **2** afirmar (consolidar). • **~-se** *pron* **3** afianzarse, consolidarse.
afirmativo, va [afiʀma'tʃivʊ, va] *adj* afirmativo.
afivelar [afive'laʀ] *tr* hebillar.
afixação [afikisa'sãw] *f* fijación.
afixar [afiki'saʀ] *tr* fijar (pegar, clavar).
afixo [a'fikisʊ] *m* GRAM afijo.
aflar [a'flaʀ] *tr e intr* **1** resollar (respirar). **2** (fig) agitar (menear). • *intr* **3** (fig) jadear.
aflautado, da [aflaw'tadʊ, da] *adj* aflautado (sonido).
aflautar [aflaw'taʀ] *tr e pron* aflautar (sonido).
afleimar [afley'maʀ] *tr e pron* **1** (fam) ⇒ afleumar (1). **2** (fig, fam) encender, irritar.
aflição [afli'sãw] *f* aflicción (angustia).
afligir [afli'ʒiʀ] *tr, intr e pron* afligir (angustiar).
aflitivo, va [afli'tʃivʊ, va] *adj* aflictivo.
aflito, ta [a'flitʊ, ta] *adj/m e f* afligido (angustiado).
aflorar [aflo'raʀ] *intr* **1** aflorar, surgir. • *tr* **2** acariciar, rozar.

afluente [aflu'ẽtʃɪ] *adj 2 gén* **1** afluente (abundante). • *adj/m* **2** afluente (río).
afluir [aflu'iʀ] *tr* **1** afluir (desembocar). **2** afluir (acudir en masa).
afluxo [a'flukisʊ] *m* **1** aflujo, afluencia (de líquidos). **2** afluencia (abundancia).
afobação [afoba'sãw] *f* **1** agobio. **2** prisa.
afobado, da [afo'badʊ, da] *adj* **1** agobiado. **2** apresurado.
afobar [afo'baʀ] *tr* **1** apresurar. • **~-se** *pron* **2** agobiarse.
afofado, da [afo'fadʊ, da] *adj* **1** fofo (blando). **2** (fig) vanidoso, engreído.
afogado, da [afo'gadʊ, da] *adj/m e f* **1** ahogado. • *adj* **2** asfixiado. **3** asfixiante (ambiente).
afogamento [afoga'mẽtʊ] *m* ahogamiento, ahogo.
afogar [afo'gaʀ] *tr e pron* **1** ahogar. **2** ahogarse (sofocar). • *tr* **3** embeber (en líquido). • *intr* **4** calarse (motor).
afogueado, da [afoge'adʊ, da] *adj* **1** achicharrado. **2** (fig) al rojo vivo (animado): *era um debate afogueado = el debate estaba al rojo vivo.*
afoguear [afoge'aʀ] *tr* **1** quemar, achicharrar. • *tr e pron* **2** (fig) acalorar, avivar.
afoitar [afoy'taʀ] *tr* **1** osar, envalentonarse. • **~-se** *pron* **2** atreverse.
afoito, ta [a'foytʊ, ta] *adj* **1** atrevido. **2** precipitado, ansioso.
afônico, ca [a'fonikʊ, ka] *adj* afónico.
afora [a'fɔra] *adv* **1** fuera. **2** a lo largo de, por todo. • *prep* **3** además de: *tinha dois carros na garagem, afora uma moto = tenía dos coches en el garaje, además de una moto.* **4** excepto: *reprobou em todas as matérias afora educação física = suspendió todas las asignaturas, excepto educación física.*
aforar [afo'raʀ] *tr e pron* **1** aforar (heredad). **2** aforar (fueros, privilegios).
aforismo [afo'rizmʊ] *m* aforismo.
aformosear [afoʀmoze'aʀ] *tr e pron* embellecer, hermosear.
aforquilhar [afoʀki'ʎaʀ] *tr* ahorquillar.
afortunado, da [afoʀtu'nadʊ, da] *adj* afortunado.
afrancesado, da [afrãse'zadʊ, da] *adj* afrancesado.
afrancesar [afrãse'zaʀ] *tr e pron* afrancesar.
África ['afrika] *f* África.
África do Sul, República da [ʀepublika'dafrikadʊsuw] *f* Sudáfrica.
africano, na [afri'kãnʊ, na] *adj/m e f* africano.
afro ['afrʊ] *adj/m e f* afro, africano.
afro-americano, na [afroameri'kanʊ, na] *adj/m e f* afroamericano.
afrodisíaco, ca [afrodʒi'ziakʊ, ka] *adj/m* afrodisíaco, afrodisiaco.
afronta [a'frõta] *f* **1** afrenta (vergüenza). **2** ofensa, injuria.
afrontado, da [afrõ'tadʊ, da] *adj* **1** afrentado (ofendido). **2** indispuesto (por indigestión).
afrontamento [afrõta'mẽtʊ] *m* **1** afrontamiento. **2** indisposición (por indigestión).
afrontar [afrõ'taʀ] *tr e pron* **1** afrontar, hacer frente (enemigo, problema). • *tr* **2** afrontar, confrontar. **3** afrentar, ofender.
afrouxamento [afrowʃa'mẽtʊ] *m* **1** aflojamiento. **2** (fig) relajación.
afrouxar [afrow'ʃaʀ] *tr e intr* **1** aflojar, distender. • *tr e pron* **2** (fig) relajar.
afta ['afita] *f* MED afta.
aftoso, sa [afi'tozʊ, za] *adj* MED aftoso.
afugentar [afuʒẽ'taʀ] *tr* ahuyentar.
afundado, da [afũ'dadʊ, da] *adj* **1** hundido (sumido). **2** (fig) hundido, abatido.
afundamento [afũda'mẽtʊ] *m* hundimiento.
afundar [afũ'daʀ] *tr, intr e pron* **1** hundir (sumir). • *tr e pron* **2** (fig, fam) hundir, abatir. • *tr* **3** (fig) profundizar (en un asunto). • *intr e pron* **4** frustrarse.
afunilado, da [afuni'ladʊ, da] *adj* **1** embudado. **2** estrecho, delgado.
afunilar [afuni'laʀ] *tr e pron* estrechar.
afuselado, da [afuze'ladʊ, da] *adj* ahusado.
agá [a'ga] *m* hache (letra).
agachado, da [aga'ʃadʊ, da] *adj* agachado.
agachar [aga'ʃaʀ] *tr e pron* **1** agachar. • **~-se** *pron* **2** humillarse, postrarse.
agalegado, da [agale'gadʊ, da] *adj* agallegado (semejante a los gallegos).
agarrado, da [aga'ʀadʊ, da] *adj* **1** agarrado (capturado). **2** agarrado (avaro). **3** aferrado, obstinado.

agarrar [aga'RaR] *tr* **1** agarrar (asir). **2** agarrar (capturar). • *tr e pron* **3** (fig) recurrir, valerse. • **~-se** *pron* **4** aferrarse, apegarse.
agasalhado, da [agaza'ʎadʊ, da] *adj* **1** abrigado, protegido. **2** (fig) cómodo, confortable.
agasalhar [agaza'ʎaR] *tr e pron* **1** abrigar (cubrir). **2** abrigar, agasajar (hospedar).
agasalho [aga'zaʎʊ] *m* **1** abrigo, refugio. **2** abrigo (ropa).
agastar [agayʃ'taR] *tr e pron* enfadar.
ágata ['agata] *f* MIN ágata.
agauchar [agaw'ʃaR] *tr e pron* agauchar.
agência [a'ʒẽsya] *f* agencia. ♦ **~ bancária** oficina bancaria; **~ de notícias** agencia de prensa.
agenciador, ra [aʒẽsya'doR, ɾa] *adj/m e f* **1** agente, representante. **2** diligente, oficioso.
agenciamento [aʒẽsya'mẽtʊ] *m* representación.
agenciar [aʒẽsi'aR] *tr e intr* **1** agenciar (diligenciar). • *tr* **2** representar (como intermediario).
agenda [a'ʒẽda] *f* agenda. ♦ **~ eletrônica** agenda electrónica.
agente [a'ʒẽtʃɪ] *s 2 gén* **1** agente (representante). **2** agente (espía). ♦ **~ de polícia** agente de policía; **~ secreto** agente secreto.
agigantar [aʒigã'taR] *tr e pron* agigantar.
ágil ['aʒiw] *adj 2 gén* **1** ágil (ligero). **2** (fig) ágil (vivo, rápido).
agilidade [aʒili'dadʒɪ] *f* agilidad.
agilização [aʒiliza'sãw] *f* agilización.
agilizar [aʒili'zaR] *tr e pron* **1** agilizar (acelerar). • *tr* **2** (fig) agilizar (aligerar).
ágio ['aʒiʊ] *m* agio.
agiotar [aʒyo'taR] *intr* COM especular.
agir [a'ʒiR] *intr* **1** actuar, obrar. • *tr e intr* **2** actuar (producir efecto).
agitação [aʒita'sãw] *f* agitación.
agitado, da [aʒi'tadʊ, da] *adj* **1** agitado (movido). **2** (fig) agitado, inquieto.
agitar [aʒi'taR] *tr e pron* **1** agitar (batir). **2** (fig) agitar, inquietar.
agito [a'ʒitʊ] *m* (gír) movida (agitación).
aglomeração [aglomeɾa'sãw] *f* aglomeración.
aglomerado, da [aglome'ɾadʊ, da] *adj* **1** aglomerado (amontonado). • *m* **2** aglomerado (aglomeración).
aglomerar [aglome'ɾaR] *tr e pron* aglomerar (amontonar).
aglutinação [aglutʃina'sãw] *f* aglutinación (unión).
aglutinar [aglutʃi'naR] *tr e pron* **1** aglutinar (pegar, unir). **2** MED aglutinar.
agnóstico, ca [agi'nɔʃtʃikʊ, ka] *adj/m e f* agnóstico.
agonia [ago'nia] *f* **1** estertor. **2** (fig) agonía, angustia.
agoniado, da [agoni'adʊ, da] *adj* **1** agónico, agonizante. **2** (fig) agobiado (por la prisa, tensión, presión).
agoniar [agoni'aR] *tr* **1** agonizar. • *tr e pron* **2** (fig) agobiar, angustiar.
agonizar [agoni'zaR] *intr* **1** agonizar. **2** (fig) agonizar (sufrir).
agora [a'gɔɾa] *adv* **1** ahora: *está entrando agora no apartamento = está entrando ahora en el piso*. • *conj* **2** ahora (sin embargo): *falar é fácil, agora fazer é difícil = hablar efácil; ahora, hacer es difícil*. **3** ora: *agora chora, agora ri = ora llora, ora ríe*. ■ **~ mesmo** ahora mismo; **~ que** ahora que; **por ~** por ahora.
agorinha [agɔ'ɾiŋa] *adv* (fam) ahorita.
agosto [a'goʃtʊ] *m* agosto (mes).
agourar [agow'ɾaR] *tr e pron* augurar, agorar (pronosticar).
agoureiro, ra [agow'ɾeyɾʊ, ɾa] *adj/m e f* **1** agorero (adivino). **2** agorero (supersticioso).
agouro [a'gowɾʊ] *m* agüero, augurio.
agraciar [agɾasi'aR] *tr* **1** agraciar, honrar. **2** agraciar (favorecer).
agradar [agɾa'daR] *tr e intr* **1** agradar (gustar). • **~-se** *pron* **2** agradarse (complacerse).
agradável [agɾa'davew] *adj 2 gén* agradable; macanudo (Amér).
agradecer [agɾade'seR] *tr e intr* agradecer.
agradecido, da [agɾade'sidʊ, da] *adj* agradecido.
agradecimento [agɾadesi'mẽtʊ] *m* agradecimiento.
agrado [a'gɾadʊ] *m* **1** agrado. **2** gratificación (recompensa).
agramatical [agɾamatʃi'kaw] *adj 2 gén* agramatical.
agrário, a [a'gɾaɾyʊ, a] *adj* agrario.
agravamento [agɾava'mẽtʊ] *m* **1** agravamiento. **2** agravio.

agravante [agɾaˈvãtʃɪ] *adj/m e f* agravante.
agravar [agɾaˈvaʀ] *tr e pron* **1** agravar, empeorar. • *tr* **2** agravar (engravecer). **3** agravar (con impuestos).
agravo [aˈgɾavʊ] *m* **1** agravio (ofensa, perjuicio). **2** agravamiento (empeoramiento).
agredido, da [agɾeˈdʒidʊ, da] *adj/m e f* agredido.
agredir [agɾeˈdʒiʀ] *tr* agredir (atacar, injuriar).
agregação [agɾegaˈsãw] *f* agregación (agrupación).
agregado, da [agɾeˈgadʊ, da] *adj* **1** agregado (adjuntado). • *m* **2** agregado (conjunto). • *m e f* **3** criado, sirviente.
agregar [agɾeˈgaʀ] *tr* **1** agregar (reunir). **2** agregar (añadir).
agressão [agɾeˈsãw] *f* **1** agresión (ataque, injuria). **2** MIL agresión.
agressividade [agɾesiviˈdadʒɪ] *f* agresividad.
agressivo, va [agɾeˈsivʊ, va] *adj/m e f* agresivo.
agressor, ra [agɾeˈsoʀ, ɾa] *adj/m e f* agresor.
agreste [aˈgɾɛʃtʃɪ] *adj 2 gén* **1** agreste (campestre). **2** (fig) agreste (rudo).
agrião [agɾiˈãw] *m* **1** berro. **2** VET agrión (tumor).
agrícola [aˈgɾikola] *adj 2 gén* **1** agrícola. • *m e f* **2** agrícola (agricultor).
agricultar [agɾikuwˈtaʀ] *tr* cultivar (tierra).
agricultor, ra [agɾikuwˈtoʀ, ɾa] *adj/m e f* agricultor.
agricultura [agɾikuwˈtuɾa] *f* agricultura.
agridoce [agɾiˈdosɪ] *adj/m* agridulce (sabor).
agrilhoar [agɾiʎoˈaʀ] *tr* encadenar (con grilletes).
agro, gra [ˈagɾʊ, gɾa] *adj/m* **1** agrio (ácido). **2** (fig) arduo.
agronomia [agɾonoˈmia] *f* agronomía.
agrônomo, ma [aˈgɾõnomʊ, ma] *m e f* agrónomo.
agropecuário, a [agɾopeˈkwaɾyʊ, a] *adj* agropecuario.
agror [aˈgɾoʀ] *m* agrura (sabor).
agrupamento [agɾupaˈmẽtʊ] *m* agrupamiento.
agrupar [agɾuˈpaʀ] *tr e pron* **1** agrupar. **2** agregar (anexar).
agrura [aˈgɾuɾa] *f* **1** agrura (sabor). **2** agrura (del terreno).
água [ˈagwa] *f* **1** agua. **2** aguas, visos (de maderas, tejidos). **3** (fam) borrachera. • **águas** *f pl* **4** aguas (lluvia). ◆ **~ de rosas** agua de rosas. ■ **claro como ~** claro como el agua; **ficar com ~ na boca** (fig, fam) hacerse la boca agua.
aguaçal [agwaˈsaw] *m* aguazal (pantano).
aguaceiro [agwaˈseyɾʊ] *m* **1** aguacero. **2** (fig) contrariedad, contratiempo.
água-com-açúcar [agwakõaˈsukaʀ] *adj inv* (fam) empalagoso.
água-de-coco [agwadʒɪˈkokʊ] *f* agua de coco.
aguado, da [aˈgwadʊ, da] *adj* **1** aguado. **2** (fig) aguado, frustrado. **3** insípido.
água-forte [agwaˈfɔʀtʃɪ] *f* aguafuerte.
água-furtada [agwafuʀˈtada] *f* desván.
aguapé [agwaˈpɛ] *m* aguapé, camalote (planta).
aguar [aˈgwaʀ] *tr* **1** aguar. **2** (fig) aguar (frustrar). • *intr e pron* **3** (fam) babear, hacerse la boca agua.
aguardar [agwaʀˈdaʀ] *tr* aguardar, esperar.
aguardente [agwaʀˈdẽtʃɪ] *f* aguardiente. ◆ **~ de cana** aguardiente de caña, cachaza.
aguçado, da [aguˈsadʊ, da] *adj* **1** aguzado (afilado). **2** (fig) aguzado, alerta (sentido).
aguçar [aguˈsaʀ] *tr e intr* **1** aguzar (sacar punta). • *tr* **2** aguzar (afilar). **3** (fig) aguzar (sentidos, inteligencia).
agudeza [aguˈdeza] *f* **1** agudeza (afiladura). **2** (fig) agudeza (perspicacia).
agudizar [agudʒiˈzaʀ] *tr* **1** agudizar (aguzar). • *tr e pron* **2** (fig) agudizarse (enfermedad).
agudo, da [aˈgudʊ, da] *adj* **1** agudo (puntiagudo). **2** agudo (afilado). **3** (fig) agudo (sentidos). **4** GRAM agudo, oxítono. • *adj/m* **5** MÚS agudo.
agüentar [agwẽˈtaʀ] *tr e intr* **1** aguantar (resistir). • *tr* **2** aguantar (sostener). **3** mantener, sustentar (familia).
aguerrido, da [ageˈʀidʊ, da] *adj* **1** aguerrido. **2** (fig) belicoso, agresivo.

águia ['agya] *f* **1** águila (ave). • *s 2 gén* **2** (fig) águila, lince (astuto).
aguilhada [agi'ʎada] *f* aguijada.
aguilhão [agi'ʎãw] *m* aguijón (de aguja, insectos).
aguilhoada [agiʎo'ada] *f* **1** aguijonazo, aguijonada. **2** (fig) aguijonazo (estímulo).
aguilhoar [agiʎo'aʀ] *tr* **1** aguijonear, aguijar (buey, mula). **2** (fig) aguijonear (incitar).
agulha [a'guʎa] *f* **1** aguja (de coser, bordar). **2** aguja (de jeringuilla). **3** aguja (de reloj, brújula). **4** (fig) sarcasmo. • **agulhas** *f pl* **5** agujas (costillas). ♦ **~ de crochê** aguja de gancho.
agulhada [agu'ʎada] *f* pinchazo, agujazo.
agulheiro [agu'ʎeyɾʊ] *m* **1** alfiletero. **2** guardagujas.
ah! ['a] *interj* ¡ah!
ai ['ay] *m* **1** ay (quejido). • **~!** *interj* **2** ¡ay! (dolor).
aí [a'i] *adv* **1** ahí (lugar): *o livro está aí, acima da mesa = el libro está ahí, encima de la mesa*. **2** en ese caso, entonces: *pode ser que aconteça alguma coisa, mas aí eu aviso para você = puede que pase algo, pero en ese caso te aviso*. **3** ahí (en eso): *aí se encontra a dificuldade = ahí radica la dificultad*. **4** alrededor (aproximadamente): *sua fortuna anda aí nuns dez milhões de dólares = su fortuna ronda alrededor de los diez millones de dólares*. ■ **é ~?** (*gir*) ¿qué tal?; **espera ~** (*gir*) espera un momento; **por ~** por ahí.
aiatolá [ayato'la] *m* ayatolá.
aidético, ca [ay'dɛtʃikʊ, ka] *adj/m e f* sidoso.
AIDS ['aydʒiʃ] (*siglas de* **Acquired Immunological Deficiency Syndrome**) *f* MED sida (Síndrome de Inmunodeficiencia Adquirida).
ai-jesus [ayʒe'zuyʃ] *m* **1** (fig) niña de los ojos (predilecto). • **~!** *interj* **2** ¡por Dios!
ainda [a'ĩda] *adv* **1** (en presente) aún, todavía. **2** (en pasado) aún, todavía. **3** (en futuro) aún, todavía; algún día. **4** aún, todavía (hasta el momento). **5** mismo, precisamente. **6** por lo menos. **7** encima, además.
aipo ['aypʊ] *m* apio.
airado, da [ay'ɾadʊ, da] *adj* **1** aéreo. **2** desvariado, alucinado.
airoso, sa [ay'ɾozʊ, za] *adj* **1** airoso (garboso). **2** airoso (digno).
ajardinado, da [aʒaʀdʒi'nadʊ, da] *adj* ajardinado.
ajeitado, da [aʒey'tadʊ, da] *adj* **1** arreglado (dispuesto). **2** adaptado (acondicionado). **3** habilidoso, mañoso.
ajeitar [aʒey'taʀ] *tr e pron* **1** arreglar (componer). • *tr* **2** elaborar. • **~-se** *pron* **3** ofrecerse, presentarse.
ajoelhar [aʒoe'ʎaʀ] *tr, intr e pron* **1** arrodillar. **2** (fig) someter.
ajuda [a'ʒuda] *f* ayuda. ♦ **~ de custo** ayuda de costa. ■ **ainda para mais ~** para más inri.
ajudante [aʒu'dãtʃɪ] *adj/m e f* ayudante.
ajudar [aʒu'daʀ] *tr, intr e pron* **1** ayudar. • **~-se** *pron* **2** ayudarse (valerse).
ajuizar [aʒuy'zaʀ] *tr* **1** juzgar (opinar). **2** calcular, evaluar. **3** enjuiciar (llevar a juicio). • *tr e pron* **4** considerar, juzgar.
ajuntado, da [aʒũ'tadʊ, da] *adj* juntado, unido.
ajuntamento [aʒũta'mẽtʊ] *m* agrupación (reunión).
ajuntar [aʒũ'taʀ] *tr, intr e pron* ⇒ juntar.
ajustado, da [aʒuʃ'tadʊ, da] *adj* **1** ajustado (justo, exacto). **2** ajustado (acordado).
ajustamento [aʒuʃta'mẽtʊ] *m* **1** ajustamiento (adaptación). **2** acuerdo. **3** ajuste, liquidación (de cuentas).
ajustar [aʒuʃ'taʀ] *tr e pron* **1** ajustar (adaptar). • *tr* **2** ajustar (acordar). **3** ajustar, liquidar (cuentas).
ajuste [a'ʒuʃtʃɪ] *m* **1** ajuste (encaje). **2** ajuste (acuerdo, pacto). **3** ajuste, liquidación (de cuentas).
ala ['ala] *f* **1** ala (sector): *a ala direita do partido = el ala derecha del partido*. **2** fila (hilera).
alabastro [ala'bayʃtrʊ] *m* **1** alabastro (piedra). **2** (fig) alabastro (vaso).
alactamento [alakita'mẽtʊ] *m* lactación.
alado, da [a'ladʊ, da] *adj* **1** alado. **2** (fig) alado (ligero).
alagação [alaga'sãw] *f* inundación.
alagadiço, ça [alaga'dʒisʊ, sa] *adj* alagadizo, anegadizo.
alagar [ala'gaʀ] *tr e pron* **1** alagar (inundar). • *tr* **2** (fig) desolar, arrasar.
Alagoas [ala'goaʃ] *m* Alagoas.
alagoso, sa [ala'gozʊ, za] *adj* inundado.

alambicar [alãbiˈkaʀ] *tr* alambicar (destilar).
alambique [alãˈbikɪ] *m* **1** alambique. **2** destilería.
alambrado, da [alãˈbɾadʊ, da] *adj* **1** alambrado. • *m* **2** alambrado (cerca).
alambrar [alãˈbɾaʀ] *tr* alambrar.
alambre [aˈlãbɾɪ] *m* ⇒ arame.
alameda [alaˈmeda] *f* **1** alameda (bosque). **2** alameda (paseo).
álamo [ˈalamʊ] *m* álamo (árbol).
alapar [alaˈpaʀ] *tr e pron* **1** ocultar, esconder. • **~-se** *pron* **2** agacharse.
alar [aˈlaʀ] *tr* **1** alzar, subir. **2** (fig) dar alas, hacer volar (imaginación). • **~-se** *pron* **3** elevarse, emprender el vuelo.
alaranjado, da [alaɾãˈʒadʊ, da] *adj/m* anaranjado.
alarde [aˈlaʀdʒɪ] *m* alarde (ostentación).
alardear [alaʀdeˈaʀ] *tr* **1** alardear, ostentar. • *intr e pron* **2** alardear (fanfarronear).
alargamento [alaʀgaˈmẽtʊ] *m* alargamiento (ensanchamiento).
alargar [alaʀˈgaʀ] *tr, intr e pron* **1** alargar (estirar). • *tr* **2** aflojar. • *tr e pron* **3** alargar, prolongar.
alarido [alaˈɾidʊ] *m* **1** alarido. **2** griterío.
alarife [alaˈɾifɪ] *adj/m e f* (fam) pícaro; alarife (Arg, Ur).
alarmante [alaʀˈmãtʃɪ] *adj 2 gén* alarmante.
alarmar [alaʀˈmaʀ] *tr e pron* alarmar (asustar).
alarme [aˈlaʀmɪ] *m* **1** alarma (señal). **2** (fig) alarma (inquietud, confusión).
alastrar [alayʃˈtɾaʀ] *tr, intr e pron* **1** extender, esparcir. • *tr e pron* **2** propagar (enfermedad, epidemia).
alatinar [alatʃiˈnaʀ] *tr e pron* latinizar (lengua, cultura).
alaúde [alaˈudʒɪ] *m* MÚS laúd.
alavanca [alaˈvãka] *f* **1** palanca. **2** (fig) herramienta, medio.
alavancar [alavãˈkaʀ] *tr* impulsar, fomentar.
alazão, zã [alaˈzãw, ˈzã] *adj/m e f* alazán.
albanês, sa [awbaˈneyʃ, za] *adj/m e f* **1** albanés. • *m* **2** albanés (lengua).
Albânia [awˈbãnya] *f* Albania.
albarda [awˈbaʀda] *f* **1** albarda. **2** (fig) humillación, opresión.
albardar [awbaʀˈdaʀ] *tr* **1** albardar, enalbardar (caballerías). **2** (fig) oprimir, humillar.
albatroz [awbaˈtɾɔyʃ] *m* albatros.
albergado, da [awbeʀˈgadʊ, da] *adj/ m e f* **1** albergado, hospedado. **2** asilado.
albergar [awbeʀˈgaʀ] *tr, intr e pron* **1** albergar, hospedar. • *tr* **2** (fig) albergar (contener).
albergaria [awbeʀgaˈɾia] *f* **1** albergue (establecimiento). **2** alojamiento. **3** asilo, hospicio.
albergue [awˈbɛʀgɪ] *m* **1** albergue, refugio. **2** asilo, hospicio.
albino, na [awˈbinʊ, na] *adj/m e f* albino.
albornoz [awboʀˈnɔyʃ] *m* chilaba.
álbum [ˈawbũ] *m* **1** álbum (de fotos, sellos). **2** álbum (disco).
alça [ˈawsa] *f* **1** asa, asidero. **2** tirante.
alcácer ou **alcáçar** [awˈkaseʀ o aw-ˈkasaʀ] *m* alcázar (fortaleza).
alcachofra [awkaˈʃofɾa] *f* alcachofa.
alçada [awˈsada] *f* **1** DIR jurisdicción, competencia. **2** DIR alzada (recurso).
alcagüetar [awkagweˈtaʀ] *tr* (coloq) soplar (acusar, delatar).
alcagüete [awkaˈgwetʃɪ] *s 2 gén* (coloq) soplón.
alçamento [awsaˈmẽtʊ] *m* alzamiento, alzadura.
alcançado, da [awkãˈsadʊ, da] *adj* **1** alcanzado, tocado. **2** (fig) alcanzado, conseguido (objetivo, sueño).
alcançar [awkãˈsaʀ] *tr* **1** alcanzar (llegar). **2** alcanzar (tocar). • *tr e intr* **3** (fig) alcanzar, conseguir (sueño, objetivo).
alcance [awˈkãsɪ] *m* **1** alcance (distancia). **2** alcance, seguimiento. **3** (fig) alcance (significación, efecto).
alcantilado, da [awkãtʃiˈladʊ, da] *adj* acantilado.
alcaparra [awkaˈpaʀa] *f* alcaparra.
alçar [awˈsaʀ] *tr, intr e pron* **1** alzar, levantar. • *tr* **2** alzar (edificar). **3** alzar (enaltecer). • **~-se** *pron* **4** alzarse, rebelarse.
alcatifa [awkaˈtʃifa] *f* alfombra; alcatifa, tapete.
alcatra [awˈkatɾa] *f* **1** rabada. **2** (vulg) culo.
alcatrão [awkaˈtɾãw] *m* alquitrán.
alcatraz [awkaˈtɾayʃ] *m* alcatraz (ave).
alce [ˈawsɪ] *m* **1** alce (animal). **2** alzamiento.

álcool [ˈawkow] *m* **1** QUÍM alcohol. **2** alcohol (bebida).

> En Brasil los vehículos también pueden utilizar **alcohol** como combustible.

alcoólatra [awˈkɔlatra] *adj/m e f* alcohólico.
alcoólico, ca [awˈkɔlikʊ, ka] *adj/m e f* alcohólico.
alcoolizar [awkoliˈzaʀ] *tr* **1** alcoholar. • **~-se** *pron* **2** alcoholizarse.
alcova [awˈkova] *f* alcoba; recámara (Amér).
alcovitar [awkoviˈtaʀ] *tr e intr* alcahuetear, celestinear.
alcunha [awˈkũɲa] *f* alcuño, mote.
alcunhar [awkuˈɲaʀ] *tr* apodar.
aldeão, ã [awdeˈãw, ˈã] *adj/m e f* aldeano, pueblerino.
aldeia [awˈdeya] *f* **1** pueblo, aldea. **2** poblado (indígena).
aleatório, a [aleaˈtɔryʊ, a] *adj* aleatorio (casual, fortuito).
alegação [alegaˈsãw] *f* alegación (alegato).
alegado [aleˈgadʊ] *m* alegato.
alegar [aleˈgaʀ] *tr* alegar (hecho, razón).
alegoria [alegoˈria] *f* alegoría.
alegórico, ca [aleˈgorikʊ, ka] *adj* alegórico.
alegrar [aleˈgraʀ] *tr, intr e pron* **1** alegrar. • *tr e intr* **2** (fig) alegrar (avivar).
alegre [aˈlɛgrɪ] *adj 2 gén* **1** alegre (contento). **2** (fig) alegre (vivo).
alegria [aleˈgria] *f* alegría.
aleijar [aleyˈʒaʀ] *tr e pron* **1** lisiar, mutilar. • *tr* **2** (fig) adulterar, deturpar.
aleitamento [aleytaˈmẽtʊ] *m* amamantamiento.
aleitar [aleyˈtaʀ] *tr* amamantar.
aleivosia [aleyvoˈzia] *f* alevosía.
aleluia [aleˈluya] *f* **1** aleluya (cántico). • **~!** *interj* **2** ¡aleluya!
além [aˈlẽy] *adv* **1** allí, allá. **2** más allá. • *m* **3** más allá: *muita gente acredita nos espíritos do além = muchos creen en los espíritus del más allá.*
Alemanha [aleˈmãɲa] *f* Alemania.
alemão, mã [aleˈmãw, ˈmã] *adj/m e f* **1** alemán. • *m* **2** alemán (lengua).
alentado, da [alẽˈtadʊ, da] *adj* valiente.
alentador, ra [alẽtaˈdoʀ, ra] *adj/m e f* alentador.
alentar [alẽˈtaʀ] *tr* **1** alentar, animar. **2** (fig) alentar, nutrir (esperanza, ilusión). • *intr* **3** alentar (tomar aliento).
alento [aˈlẽtʊ] *m* **1** aliento. **2** (fig) aliento (vigor, ánimo). **3** (fig) inspiración, entusiasmo.
alergia [alerˈʒia] *f* **1** MED alergia. **2** (fig) alergia, aversión.
alérgico, ca [aˈlɛʀʒikʊ, ka] *adj/m e f* MED alérgico.
alerta [aˈlɛʀta] *adv* **1** alerta (con atención). • *adj 2 gén* **2** alerta, vigilante. • *m* **3** alerta (señal). • **~!** *interj* **4** ¡alerta!
alertar [alerˈtaʀ] *tr, intr e pron* alertar.
alfabetar [awfabeˈtaʀ] *tr* alfabetizar (ordenar).
alfabetizar [awfabetʃiˈzaʀ] *tr e pron* alfabetizar (instruir).
alfabeto [awfaˈbɛtʊ] *m* **1** alfabeto (abecedario). **2** alfabeto (sistema de signos).
alface [awˈfasɪ] *f* lechuga (planta).
alfaiate, ta [awfayˈatʃɪ, ta] *m e f* sastre.
alfândega [awˈfãdega] *f* aduana (oficina, derechos).
alfandegar [awfãdeˈgaʀ] *tr* aduanar.
alfinetada [awfineˈtada] *f* **1** pinchazo, alfilerazo. **2** (fig) alfilerazo, pulla.
alfinete [awfiˈnetʃɪ] *m* alfiler.
alfombra [awˈfõbra] *f* alfombra; alcatifa, tapete.
alga [ˈawga] *f* alga.
algazarra [awgaˈzaʀa] *f* algazara, alborozo.
álgebra [ˈawʒebra] *f* MAT álgebra.
algébrico, ca [awˈʒɛbrikʊ, ka] *adj* MAT algebraico.
algema [awˈʒẽma] *f* **1** (gralte pl) esposas. **2** (gralte pl) **3** (fig) opresión.
algemado, da [awʒeˈmadʊ, da] *adj* **1** esposado. **2** (fig) oprimido.
algemar [awʒeˈmaʀ] *tr* **1** esposar. **2** (fig) oprimir, coaccionar.
algo [ˈawgʊ] *pron* **1** algo (alguna cosa): *encontrou algo de interessante? = ¿encontraste algo interesante?* • *adv* **2** algo (un poco): *tenho algo de comida = tengo algo de comida.*
algodão [awgoˈdãw] *m* algodón.
algoritmo [awgoˈritʃimʊ] *m* algoritmo.

alguém [aw'gẽy] *pron* **1** alguien. **2** (fig, coloq) alguien (persona importante): *estude para ser alguém na vida = estudia para ser alguien en la vida.*

algum, ma [aw'gũ, ma] *pron* **1** algún, alguno: *trouxe algum dinheiro = he traído algún dinero.* **2** alguno (ninguno): *não tinha motivo algum para ameaçá-lo = no tenía motivo alguno para amenazarlo.*

algures [aw'gureyʃ] *adv* en alguna parte, en algún lugar: *já a vi algures = ya la había visto en alguna parte.*

alhanar [aʎa'naʀ] *tr* **1** allanar, aplanar. **2** (fig) allanar, facilitar.

alheado, da [aʎe'adʊ, da] *adj* **1** distraído, absorto. **2** alienado (loco).

alhear [aʎe'aʀ] *tr* **1** enajenar, transmitir (dominio, derecho). • *tr e pron* **2** alejar, apartar. • **~-se** *pron* **3** alienarse, enajenarse.

alheio, a [a'ʎeyʊ, a] *adj* **1** ajeno (de otro). **2** (fig) ajeno (alejado, distante). **3** alienado (loco).

alheta [a'ʎeta] *f* **1** aleta (de barco). **2** pista, rastro. ■ **ir na ~ da** ir tras la pista de.

alho ['aʎʊ] *m* ajo.

alho-poró [aʎopo'rɔ] *m* puerro.

alhures [a'ʎureyʃ] *adv* en otro lugar, en otra parte: *já ouvira aquela canção alhures = ya había oído aquella canción en otra parte.*

ali [a'li] *adv* **1** (lugar) allí: *vou comprar ali na esquina = voy a comprar allí a la esquina.* **2** (tiempo) allí (entonces): *viu sua namorada com seu melhor amigo e ali acabou tudo = vio a su novia con su mejor amigo y allí terminó todo.*

aliado, da [ali'adʊ, da] *adj/m e f* aliado.

aliança [ali'ãsa] *f* **1** alianza (unión). **2**

aliar [ali'aʀ] *tr e pron* **1** juntar, aliar (cualidades, metales). **2** aliar, pactar (países).

aliás [ali'ayʃ] *adv* **1** además: *aliás, não era a primeira vez que ele fazia isso = además, no era la primera vez que hacía eso.* **2** sin embargo, no obstante: *fazer dicionário é trabalho árduo, aliás, muito interessante = hacer un diccionario es una ardua tarea; sin embargo, es muy interesante.* **3** de otro modo, si no: *ela é uma boa amiga, aliás não falaria bem de você = es una buena amiga, si no no hablaría bien de ti.*

álibi ['alibi] *m* coartada.

alicate [ali'katʃɪ] *m* alicate (tenazas).

alicerçar [aliseʀ'saʀ] *tr* **1** cimentar (construcción). **2** (fig) cimentar (fundamentar, consolidar).

alicerce [ali'sɛʀsɪ] *m* **1** (gralte pl) cimiento (construcción). **2** (fig) (gralte pl) cimiento (base, fundamento).

aliciar [alisi'aʀ] *tr* **1** atraer, seducir. **2**

alienado, da [alye'nadʊ, da] *adj/m e f* **1** alienado, enajenado. **2** indiferente, ajeno (a lo que ocurre).

alienar [alye'naʀ] *tr e pron* **1** alienar, enloquecer. **2** apartar, alejar.

alienista [alye'niʃta] *adj/m e f* alienista (médico).

aligeirar [aliʒey'ɾaʀ] *tr* **1** aligerar (aliviar). **2** (fig) aligerar (atenuar, moderar).

alimária [ali'marya] *f* **1** alimaña (animal irracional). **2** (fig) animal (grosero).

alimentação [alimẽta'sãw] *f* alimentación.

alimentador, ra [alimẽta'doʀ, ɾa] *adj/m* alimentador.

alimentar [alimẽ'taʀ] *adj 2 gén* **1** alimentario. **2** alimenticio.

alimentar [alimẽ'taʀ] *tr* **1** alimentar (nutrir). **2** (fig) alimentar (fomentar).

alimentício, a [alimẽ'tʃisyʊ, a] *adj* alimenticio.

alimento [ali'mẽtʊ] *m* **1** alimento (nutriente). **2** (fig) alimento (fomento).

alínea [a'linya] *f* inicio de párrafo.

alinhar [alĩ'ŋaʀ] *tr e pron* **1** alinear (ahilar). **2** (fig) aliñar (adornar).

alinhavar [alĩŋa'vaʀ] *tr* **1** hilvanar. **2** (fig) hilvanar (ideas, frases).

alinho [a'lĩŋʊ] *m* **1** alineamiento (alineación). **2** (fig) aliño (adorno).

alisar [ali'zaʀ] *tr* alisar (ropa, cabello, piel).

alísio [a'lizyʊ] *adj* alisio (viento).

alistar [aliʃ'taʀ] *tr* **1** alistar. • *tr e pron* **2** alistar, enrolar.

aliteração [alitera'sãw] *f* GRAM aliteración.

aliviado, da [alivi'adʊ, da] *adj* **1** aliviado (de un peso). **2** aliviado (descansado).

aliviar [alivi'aʀ] *tr* **1** aliviar (aligerar). • *tr e pron* **2** (fig) aliviar, desahogar (deuda, preocupación).

alívio [a'livyʊ] *m* alivio.

alma ['awma] *f* **1** alma (ánima). **2** (fig) alma (viveza, energía). **3** (fig) alma (esencia,

base). ◆ ~ **penada** alma en pena. ■ **ter dor de ~** (fig, fam) caérsele el alma a los pies.
almanaque [awma'nakɪ] *m* almanaque.
almejar [awme'ʒaʀ] *tr* **1** anhelar, ansiar. ● *intr* **2** agonizar.
almirante [awmi'ɾãtʃɪ] *m* MIL almirante.
almíscar [aw'miʃkaʀ] *m* **1** almizcle (sustancia, esencia). **2** almizcleña (planta).
almoçar [awmo'saʀ] *tr e intr* almorzar.
almoço [aw'mosʊ] *m* almuerzo.
almofada [awmo'fada] *f* cojín; almohadón.
almofadar [awmofa'daʀ] *tr* **1** adornar con cojines. **2** acolchar.
almofadinha [awmofa'dʒĩŋa] *f* **1** almohadilla. **2** acerico.
almofariz [awmofa'ɾiʃ] *m* almirez.
almôndega [aw'mõdega] *f* albóndiga.
almoxarifado [awmoʃaɾi'fadʊ] *m* depósito, almacén.
alô [a'lo] *m* **1** hola (saludo). ● ~! *interj* **2** aló; diga.
alocar [alo'kaʀ] *tr* colocar, poner.
alocução [aloku'sãw] *f* alocución.
áloe ou **aloé** ['aloɛ o alo'ɛ] *m* áloe, aloe (planta, jugo).
aloirado, da ou **alourado, da** [aloy'ɾadʊ, da o alow'ɾadʊ, da] *adj* enrubiado.
aloirar ou **alourar** [aloy'ɾaʀ o alow'ɾaʀ] *tr e pron* enrubiar.
alojamento [aloʒa'mẽtʊ] *m* alojamiento.
alojar [alo'ʒaʀ] *tr, intr e pron* **1** alojar (hospedar). **2** guardar, almacenar.
alombado, da [alõ'badʊ, da] *adj* **1** arqueado, curvado. **2** (fig) perezoso.
alongado, da [alõ'gadʊ, da] *adj* **1** alargado (estirado). **2** alejado (distante).
alongamento [alõga'mẽtʊ] *m* **1** alargamiento (dilatación). **2** estiramiento (de músculos).
alongar [alõ'gaʀ] *tr e pron* **1** alargar, estirar. **2** extender (brazo, mano). **3** alejar, apartar.
aloucado, da [alow'kadʊ, da] *adj* alocado, insensato.
alpendre [aw'pẽdrɪ] *m* **1** alpende, alpendre (pórtico). **2** alpendre (cobertizo).
alperce ou **alperche** [aw'pɛʀsɪ o aw'pɛʀʃɪ] *m* **1** albérchigo, albaricoque. **2** ⇒ alperceiro ou alpercheiro.
alperceiro ou **alpercheiro** [awpeʀ'seyɾʊ o awpeʀ'ʃeyɾʊ] *m* alberchiguero, albaricoquero.
alpestre [aw'pɛʃtɾɪ] *adj 2 gén* alpestre, alpino.
alpinista [awpi'niʃta] *adj/m e f* alpinista.
alpino, na [aw'pinʊ, na] *adj* alpino.
alquebrar [awke'bɾaʀ] *tr e intr* curvar, doblar (espalda).
alquilar [awki'laʀ] *tr* alquilar (caballerías).
alquimia [awki'mia] *f* alquimia.
alta ['awta] *f* **1** aumento (precios). **2** alta (hospital).
alta-costura [awtakoʃ'tuɾa] *f* alta costura.
alta-fidelidade [awtafideli'dadʒɪ] *f* alta fidelidad (reproducción, equipo).
altanado, da [awta'nadʊ, da] *adj* altanero, orgulloso.
altanaria [awtana'ɾia] *f* altanería, soberbia.
altaneiro, ra [awta'neyɾʊ] *adj* **1** altanero (ave). **2** (fig) altanero, soberbio.
altar [aw'taʀ] *m* altar.
alta-tensão [awtatẽ'sãw] *f* ELEC alta tensión.
alteamento [awtea'mẽtʊ] *m* elevación.
altear [awte'aʀ] *tr, intr e pron* **1** elevar, alzar (voz, volumen); subir (precio, oferta). ● *tr* **2** (fig) ensalzar, sublimar.
alteração [awteɾa'sãw] *f* **1** alteración (modificación). **2** alteración (ánimo).
alterado, da [awte'ɾadʊ, da] *adj* **1** alterado (modificado). **2** alterado (excitado, agitado).
alterar [awte'ɾaʀ] *tr e pron* **1** alterar (modificar). **2** alterar (agitar, perturbar).
altercação [awteʀka'sãw] *f* altercado, disputa.
altercar [awteʀ'kaʀ] *tr e intr* altercar.
alternado, da [awteʀ'nadʊ, da] *adj* **1** alternado, alternativo. **2** alterno: *dias alternados = días alternos.*
alternância [awteʀ'nãsya] *f* alternancia.
alternar [awteʀ'naʀ] *tr e intr* **1** alternar (turnar). ● *tr* **2** alternar (combinar).
alternativa [awteʀna'tʃiva] *f* alternativa.
alternativo, va [awteʀna'tʃivʊ, va] *adj* **1** alternativo (alternado). **2** alternativo (substitutivo): *energias alternativas = energías alternativas.*
alterno, na [aw'tɛʀnʊ, na] *adj* alterno, alternado.
alteza [aw'teza] *f* **1** alteza (altura). **2** (fig) alteza (nobleza).

altibaixo, xa [awtʃi'bayʃʊ, ʃa] *adj* **1** desnivelado, desigual. • **altibaixos** *m pl* **2** altibajos (desniveles).

Altíssimo [aw'tʃisimʊ] *m* el Altísimo, Dios.

altista [aw'tʃiʃta] *adj/m e f* **1** alcista. • *s 2 gén* **2** MÚS contralto, alto.

altitude [awtʃi'tudʒɪ] *f* **1** GEOG altitud. **2** altitud, altura (dimensión). **3** (fig) elevación, sublimidad.

altivez [awtʃi'veyʃ] *f* altivez, soberbia.

altivo, va [aw'tʃivʊ, va] *adj* altivo, soberbio.

alto, ta ['awtʊ, ta] *adj* **1** alto, elevado. **2** alto, caro (precio). **3** alto, fuerte (volumen). **4** alto (célebre, importante). **5** (coloq) alegre (embriagado). • *m* **6** alto, altura. • *adv* **7** alto: *o avião voava muito alto = el avión volaba muy alto.* **8** alto (fuerte): *cantava muito alto = cantaba muy alto.* ♦ **altos e baixos** altos y bajos. ■ **por ~** por alto; por encima.

alto-falante [awtʊfa'lãtʃɪ] *m* altavoz.

alto-mar [awtʊ'maʀ] *m* alta mar.

alto-relevo [awtʊʀe'levʊ] *m* alto relieve.

altruísta [awtɾu'iʃta] *adj/m e f* altruista.

altura [aw'tuɾa] *f* **1** altura (estatura). **2** altura (cumbre, elevación). **3** altura (posición, lugar): *em que altura de Ipanema ele mora? = ¿a qué altura de Ipanema vive?* • **alturas** *f pl* **4** alturas (cielo). ■ **à ~** (fig) a la altura; **nestas alturas** (fig, fam) a estas alturas.

aluar [alu'aʀ] *tr e pron* **1** enloquecer. **2** estar en celo.

alucinação [alusina'sãw] *f* **1** alucinación (visión). **2** alucinación (desvarío).

alucinante [alusi'nãtʃɪ] *adj 2 gén* alucinante.

alucinar [alusi'naʀ] *tr e pron* **1** alucinar (desvariar). • *tr* **2** (fig) alucinar (fascinar, encantar).

alude [a'ludʒɪ] *m* alud.

aludir [alu'dʒiʀ] *tr* aludir.

alugado, da [alu'gadʊ, da] *adj* **1** alquilado (local, vehículo). **2** asalariado.

alugar [alu'gaʀ] *tr* **1** alquilar. **2** (coloq) dar la lata, molestar.

aluguel [alu'gɛw] *m* **1** alquiler. **2** (coloq) aburrimiento, pesadez.

alumbrado, da [alũ'bradʊ, da] *adj* **1** iluminado, alumbrado. **2** (fig) deslumbrado, maravillado.

alumbrar [alũ'braʀ] *tr e pron* **1** iluminar, alumbrar. **2** (fig) deslumbrar, maravillar.

alumiação [alumia'sãw] *f* iluminación, alumbramiento.

alumiado, da [alumi'adʊ, da] *adj* **1** iluminado. **2** (fig) ilustrado (instruido).

alumiar [alumi'aʀ] *tr, intr e pron* **1** alumbrar, iluminar. • *tr e pron* **2** (fig) iluminar (ilustrar, instruir).

alumínio [alu'minyʊ] *m* QUÍM aluminio.

alunar [alu'naʀ] *intr* alunizar.

aluno, na [a'lunʊ, na] *m e f* alumno.

alusão [alu'zãw] *f* alusión.

alusivo, va [alu'zivʊ, va] *adj* alusivo.

aluvial [aluvi'aw] *adj 2 gén* aluvial, de aluvión.

aluvião [aluvi'ãw] *f* aluvión.

alva ['awva] *f* **1** alba, aurora. **2** alba (vestidura).

alvanel ou **alvenel** [awva'nɛw o awve'nɛw] *m* albañil.

alvará [awva'ɾa] *f* licencia, permiso (documento).

alvedrio [awve'dɾiʊ] *m* albedrío (voluntad).

alveitar [awvey'taʀ] *m* albéitar, veterinario.

alvejar [awve'ʒaʀ] *intr* **1** blanquear. **2** amanecer. • *tr e intr* **3** apuntar (arma).

alvenaria [awvena'ɾia] *f* albañilería.

álveo ['awvyʊ] *m* álveo (cauce).

alvéolo [aw'vɛolʊ] *m* **1** ANAT alveolo, alvéolo. **2** alveolo, celdilla (del panal).

alvescer [awve'seʀ] *intr* blanquecer, blanquear.

alvino, na [aw'vinʊ, na] *adj* ANAT alvino.

alvíssaras [aw'visaɾayʃ] *f pl* albricias.

alvitrar [awvi'tɾaʀ] *tr* aconsejar, proponer.

alvo, va ['awvʊ, va] *adj* **1** blanco (color). **2** (fig) puro, inocente. • *m* **3** (fig) blanco (objetivo).

alvor [aw'voʀ] *m* albor, alba.

alvorada [awvo'ɾada] *f* **1** alborada, alba. **2** (fig) albor (principio).

alvorecer [awvoɾe'seʀ] *m* amanecer.

alvorecer [awvoɾe'seʀ] *intr* amanecer, alborear.

alvoroçado, da [awvoɾo'sadʊ, da] *adj* **1** alborotado (inquieto). **2** asustado, sobresaltado.

alvoroçar [awvoɾo'saʀ] *tr e pron* **1** alborotar (inquietar). **2** alborozar, alegrar.

alvoroço [awvo'ɾosʊ] *m* **1** alboroto (desorden, tumulto). **2** alborozo, alegría.
alvura [aw'vuɾa] *f* **1** albura, blancura. **2** (fig) pureza, inocencia.
ama ['ãma] *f* **1** ama de cría, nodriza. **2** gobernanta (de una casa). **3** criada. **4** ama (señora).
amabilidade [amabili'dadʒɪ] *f* amabilidad.
amacacado, da [amaka'kadʊ, da] *adj* **1** monesco. **2** (fig) imitado, plagiado.
amaciar [amasi'aʀ] *tr* **1** suavizar. **2** ablandar.
ama-de-leite [ãmadʒɪ'leytʃɪ] *f* ama de cría, nodriza.
amado, da [a'madʊ, da] *adj/m e f* amado.
amador, ra [ama'doʀ, ɾa] *adj/m e f* **1** aficionado, amateur. **2** (form) amador, amante.
amadorismo [amado'ɾiʒmʊ] *m* amateurismo.
amadrinhar [amadɾĩ'ɲaʀ] *tr* amadrinar (ser madrina).
amadurecer [amaduɾe'seʀ] *tr, intr e pron* madurar (fruto).
âmago ['ãmagʊ] *m* **1** ANAT médula. **2** (fig, fam) meollo (esencia).
amainar [amay'naʀ] *tr e intr* **1** MAR amainar (velas). ● *intr* **2** (fig) amainar, calmar (viento, tempestad).
amaldiçoar [amawdʒiso'aʀ] *tr* maldecir.
amálgama [a'mawgama] *f* **1** QUÍM amalgama. **2** (fig) amalgama (mezcla).
amalgamar [amawga'maʀ] *tr e pron* (fig) amalgamar (mezclar).
amalucado, da [amalu'kadʊ, da] *adj* alocado.
amamentação [amamẽta'sãw] *f* amamantamiento.
amamentar [amamẽ'taʀ] *tr* **1** amamantar. **2** (fig) alimentar.
amancebar-se [amãse'baʀsɪ] *pron* **1** amancebarse. **2** (pej) conchabarse, aliarse.
amaneirado, da [amaney'ɾadʊ, da] *adj* amanerado, afectado.
amanhã [amã'ɲã] *adv* **1** mañana (día siguiente): *amanhã não vou à escola = mañana no voy al colegio.* ● *m* **2** mañana (el día siguiente): *amanhã é outra história = mañana es otro cantar.* **3** mañana (futuro): *temos esperanças no amanhã = tenemos esperanzas en el mañana.* ■ **depois de ~** pasado mañana: *o encontro é depois de amanhã = el encuentro es pasado mañana.*
amanhar [amã'ɲaʀ] *tr* **1** preparar, diponer. **2** cultivar (tierra). ● *tr e pron* **3** (coloq) arreglarse, adornarse.
amanhecer [amãɲe'seʀ] *m* **1** amanecer. **2** (fig) comienzo, inicio.
amanhecer [amãɲe'seʀ] *impess* **1** amanecer. ● *intr* **2** (fig) amanecer (encontrarse):, *amanheci em Santa Catarina = amanecí en Santa Catarina.*
amanho [a'mãɲʊ] *m* cultivo.
amansar [amã'saʀ] *tr, intr e pron* amansar, domesticar (animal).
amante [a'mãtʃɪ] *adj/m e f* **1** amante (enamorado). **2** amante, aficionado.
amanteigado, da [amãtey'gadʊ, da] *adj* mantecoso.
Amapá [ama'pa] *m* Amapá (Estado brasileño).
amar [a'maʀ] *tr e pron* **1** amar, querer. ● *tr* **2** adorar. **3** encantar: *amo chocolate = me encanta el chocolate.*
amaragem [amaɾa'ʒẽy] *f* amaraje.
amarar [ama'ɾaʀ] *tr, intr e pron* alejarse de costa (embarcación).
amarelar [amaɾe'laʀ] *tr, intr e pron* **1** amarillear. ● *tr e intr* **2** madurar (fruta).
amarelecer [amaɾele'seʀ] *intr* ⇒ amarelar.
amarelo, la [ama'ɾɛlʊ, la] *adj/m* **1** amarillo (color). ● *adj* **2** amarillo (raza).
amarfanhar [amaʀfã'ɲaʀ] *tr* estrujar, arrugar.
amargar [amaʀ'gaʀ] *tr e intr* **1** amargar (sabor). ● *tr* **2** padecer, sufrir.
amargo, ga [a'maʀgʊ, ga] *adj/m* **1** amargo (sabor). ● *adj* **2** (fig) amargo (aflictivo).
amargura [amaʀ'guɾa] *f* **1** amargura, amargor (sabor). **2** (fig) amargura (disgusto).
amargurado, da [amaʀgu'ɾadʊ, da] *adj* amargado.
amargurar [amaʀgu'ɾaʀ] *tr e pron* **1** amargar, afligir. **2** amargar, angustiar.
amaricado, da [amaɾi'kadʊ, da] *adj* amaricado, amariconado.
amaricar-se [amaɾi'kaʀsɪ] *pron* amariconarse, afeminarse.
amarra [a'maʀa] *f* **1** MAR amarra. ● **amarras** *f pl* **2** (fig) amarras (apoyo).

amarração [amaʀa'sãw] *f* **1** MAR amarre, amarradura. **2** MAR amarradero.
amarrado, da [ama'ʀadʊ, da] *adj* **1** amarrado, atado. **2** (fig) atado (comprometido, obligado).
amarradoiro ou **amarradouro** [amaʀa'doyɾʊ o amaʀa'dowɾʊ] *m* MAR amarradero.
amarrar [ama'ʀaʀ] *tr* **1** amarrar, atar. **2** comprometer (moralmente). **3** dificultar, impedir. • **~-se** *pron* **4** obstinarse.
amarrotado, da [amaʀo'tadʊ, da] *adj* **1** arrugado (tela, papel). **2** (fig) magullado.
amarrotar [amaʀo'taʀ] *tr e pron* arrugar.
amartelado, da [amaʀte'ladʊ, da] *adj* martillado (superficie).
ama-seca [ãma'seka] *f* ama seca.
amassadeira [amasa'deyɾa] *f* amasadera (recipiente).
amassadoiro ou **amassadouro** [amasa'doyɾʊ o amasa'dowɾʊ] *m* amasadera (recipiente).
amassador, ra [amasa'doʀ, ɾa] *adj/m e f* **1** amasador. • *m* **2** amasadero (de pan).
amassadura [amasa'duɾa] *f* amasadura, amasamiento.
amassar [ama'saʀ] *tr* **1** amasar (masa). • *tr, intr e pron* **2** arrugar (papel, tela).
amasso [a'masʊ] *m* (coloq) magreo.
amatutar-se [amatu'taʀsɪ] *pron* volverse paleto.
amável [a'mavew] *adj 2 gén* amable.
Amazonas [ama'zonayʃ] *m* Amazonas (Estado brasileño).
amazonense [amazo'nẽsɪ] *adj/m e f* amazonense.
âmbar ['ãbaʀ] *adj/m* **1** ámbar (color). • *m* **2** ámbar (resina).
ambição [ãbi'sãw] *f* ambición.
ambicionar [ãbisyo'naʀ] *tr* ambicionar.
ambicioso, sa [ãbisi'ozʊ, za] *adj/m e f* **1** ambicioso, codicioso. • *adj* **2** ambicioso, osado (proyecto, idea).
ambidestro, tra [ãbi'deʃtɾʊ, tɾa] *adj/m e f* ambidiestro.
ambiental [ãbiẽ'taw] *adj 2 gén* ambiental.
ambiente [ãbi'ẽtʃɪ] *adj 2 gén* **1** ambiente (temperatura, medio). • *m* **2** ambiente, medio ambiente. **3** ambiente (círculo, grupo).
ambigüidade [ãbigwi'dadʒɪ] *f* ambigüedad.
ambíguo, a [ã'bigwʊ, a] *adj* ambiguo.
âmbito ['ãbitʊ] *m* **1** ámbito (contorno). **2** (fig) ámbito, campo (área).
ambivalência [ãbiva'lẽsya] *f* ambivalencia.
ambos, bas ['ãbʊʃ, bayʃ] *adj pl* **1** ambos. • *pron* **2** ambos: *viu ambos quando saía do cinema = los vio a ambos cuando salía del cine.*
ambulância [ãbu'lãsya] *f* ambulancia.
ambulante [ãbu'lãtʃɪ] *adj 2 gén* **1** ambulante, errante. **2** andante.
ambulatório, a [ãbula'tɔɾyʊ, a] *adj* **1** ambulatorio. • *m* **2** ambulatorio, enfermería.
ameaça [ame'asa] *f* **1** amenaza (intimidación). **2** amenaza (advertencia).
ameaçador, ra [ameasa'doʀ, ɾa] *adj/m e f* amenazador, amenazante.
ameaçar [amea'saʀ] *tr* amenazar (intimidar).
ameba [a'mɛba] *f* ZOOL ameba.
amedrontar [amedɾõ'taʀ] *tr, intr e pron* amedrentar, atemorizar.
ameigar [amey'gaʀ] *tr* acariciar, mimar.
amêijoa [a'meyʒoa] *f* almeja.
ameixa [a'meyʃa] *f* ciruela.
ameixeira [amey'ʃeyɾa] *f* ciruelo (árbol).
amelaçar [amela'saʀ] *tr* **1** dar apariencia de melaza. **2** (fig) empalagar, endulzar.
amelado, da [ame'ladʊ, da] *adj* melifluo, meloso.
amêndoa [a'mẽdoa] *f* almendra.
amendoal [amẽdo'aw] *m* almendral.
amendoeira [amẽdo'eyɾa] *f* almendro (árbol).
amendoim [amẽdo'ĩ] *m* cacahuete; maní (Amér).
ameninar [ameni'naʀ] *tr, intr e pron* **1** aniñarse. • *intr e pron* **2** remozar.
amenizar [ameni'zaʀ] *tr, intr e pron* amenizar.
ameno, na [a'mẽnʊ, na] *adj* **1** ameno (agradable). **2** apacible (temperatura).
amentar [amẽ'taʀ] *tr* recordar.
América [a'mɛɾika] *f* América.
americano, na [ameɾi'kãnʊ, na] *adj/m e f* americano.
ameríndio, a [ame'ɾĩdʒyʊ, a] *adj/m e f* amerindio.
amerissar [ameɾi'saʀ] *intr* amerizar.

amesquinhar [ameʃkĩˈŋaʀ] *tr e pron* empequeñecer.
amestrar [ameʃˈtraʀ] *tr* amaestrar.
ametista [ameˈtʃiʃta] *f* amatista (piedra).
amial [amiˈaw] *m* alisal.
amianto [amiˈãtʊ] *m* amianto.
amical [amiˈkaw] *adj 2 gén* amigable.
amicto [aˈmikitʊ] *m* amito.
amido [aˈmidʊ] *m* almidón.
amidoado, da [amidoˈadʊ, da] *adj* almidonado.
amidoar [amidoˈaʀ] *tr* almidonar.
amigar [amiˈgaʀ] *tr e pron* amigar, amistar.
amigável [amiˈgavew] *adj 2 gén* amigable.
amígdala [aˈmigidala] *f* ANAT amígdala.
amigdalite [amigidaˈlitʃɪ] *f* MED amigdalitis.
amigo, ga [aˈmigʊ, ga] *adj* **1** amigo (amistoso). • *adj/m e f* **2** amigo. **3** amigo (amante). **4** aliado (país).
amigo-da-onça [amigʊdaˈõsa] *m* (fam) mal amigo.
amistoso, sa [amiʃˈtozʊ, za] *adj* amistoso.
amiúde [amiˈudʒɪ] *adv* a menudo, frecuentemente.
amizade [amiˈzadʒɪ] *f* amistad.
amnésia [amiˈnɛzya] *f* amnesia.
amnésico, ca [amiˈnɛzikʊ, ka] *adj/m e f* amnésico.
amniótico, ca [aminiˈɔtʃikʊ, ka] *adj* ZOOL amniótico.
amo [ˈãmʊ] *m* **1** amo, dueño. **2** jefe, patrón (de empleado).
amodorrar [amodoˈʀaʀ] *tr, intr e pron* amodorrarse.
amoedar [amoeˈdaʀ] *tr* amonedar.
amofinação [amofinaˈsãw] *f* preocupación, molestia.
amofinado, da [amofiˈnadʊ, da] *adj* preocupado, molesto.
amofinar [amofiˈnaʀ] *tr e pron* molestar, preocupar.
amoitar [amoyˈtaʀ] *tr e pron* esconder, ocultar.
amolação [amolaˈsãw] *f* **1** afiladura. **2** (fig) fastidio, molestia.
amolador, ra [amolaˈdoʀ, ɾa] *adj/m* **1** afilador. • *adj/m e f* **2** (fig) pesado, fastidioso.
amoladura [amolaˈduɾa] *f* amoladura.
amolante [amoˈlãtʃɪ] *adj 2 gén* molesto.
amolar [amoˈlaʀ] *tr* **1** amolar (afilar). • *tr, intr e pron* **2** (fig, fam) amolar (fastidiar).
amoldar [amowˈdaʀ] *tr e pron* **1** amoldar (ajustar). **2** (fig) amoldar (acomodar).
amolecado, da [amoleˈkadʊ, da] *adj* aniñado.
amolecer [amoleˈseʀ] *tr, intr e pron* **1** ablandar. **2** (fig) ablandar (conmover).
amolecimento [amolesiˈmẽtʊ] *m* ablandamiento.
amolgado, da [amowˈgadʊ, da] *adj* abollado.
amolgar [amowˈgaʀ] *tr, intr e pron* **1** abollar (superficie). • *tr* **2** ablandar (temperamento). **3** golpear.
amoníaco [amoˈniakʊ] *m* QUÍM amoníaco.
amontoado, da [amõtoˈadʊ, da] *adj* amontonado.
amontoar [amõtoˈaʀ] *tr* **1** amontonar (apilar). • *intr e pron* **2** amontonar (acumular, juntar).
amor [aˈmoʀ] *m* **1** amor (sentimiento). **2** amor (atracción sexual). **3** amor (esmero, dedicación). **4** amor (relación amorosa). **5** amor (amado).
amora [aˈmɔɾa] *f* mora (fruta).
amoral [amoˈɾaw] *adj 2 gén* amoral.
amoralidade [amoɾaliˈdadʒɪ] *f* amoralidad.
amordaçar [amoʀdaˈsaʀ] *tr* amordazar.
amoreira [amoˈɾeyɾa] *f* morera (árbol).
amorfo, fa [aˈmɔʀfʊ, fa] *adj* **1** amorfo (sin forma). **2** (fig) amorfo (sin personalidad).
amoroso, sa [amoˈɾozʊ, za] *adj* amoroso.
amor-perfeito [amoʀpeʀˈfeytʊ] *m* trinitaria (planta).
amor-próprio [amoʀˈpɾɔpɾyʊ] *m* **1** amor propio (dignidad). **2** vanidad.
amortalhado, da [amoʀtaˈʎadʊ, da] *adj* amortajado.
amortalhar [amoʀtaˈʎaʀ] *tr* **1** amortajar. **2** aniquilar, matar. • *tr e pron* **3** vestirse con sencillez.
amortecedor, ra [amoʀteseˈdoʀ, ɾa] *adj/m* amortiguador.
amortecer [amoʀteˈseʀ] *tr, intr e pron* **1** (fig) amortiguar (ruido, pasión). **2** debilitar.

amortecido, da [amoRte'sidʊ, da] *adj* **1** amortiguado. **2** adormecido, dormido (miembro).
amortecimento [amoRtesi'mẽtʊ] *m* **1** FÍS amortiguamiento. **2** amortecimiento.
amortização [amoRtʃiza'sãw] *f* amortización.
amortizado, da [amoRtʃi'zadʊ, da] *adj* amortizado.
amortizar [amoRtʃi'zaR] *tr* **1** amortizar (deuda). **2** amortizar, recuperar (fondos).
amortizável [amoRtʃi'zavew] *adj 2 gén* amortizable.
amostra [a'mɔʃtɾa] *f* **1** demostración, presentación. **2** muestra (porción). **3** muestra (ejemplo, modelo). **4** muestra (señal, indicio).
amostragem [amoʃ'tɾaʒẽy] *f* muestreo (muestra).
amotinação [amotʃina'sãw] *f* motín.
amoucado, da [amow'kadʊ, da] *adj* duro de oído.
amovível [amo'vivew] *adj 2 gén* amovible.
amparado, da [ãpa'ɾadʊ, da] *adj* amparado (apoyado).
amparar [ãpa'ɾaR] *tr e pron* **1** amparar (proteger). **2** sustentar (mantener).
amparo [ã'paɾʊ] *m* **1** amparo (ayuda, protección). **2** apoyo (sujeción).
ampère [ã'pɛɾɪ] *m* FÍS amperio, ampere.
ampliação [ãplia'sãw] *f* ampliación.
ampliador, ra [ãplia'doR, ɾa] *adj/m e f* ampliador.
ampliar [ãpli'aR] *tr e pron* **1** ampliar (extender, dilatar). • *tr* **2** exagerar.
amplidão [ãpli'dãw] *f* amplitud.
amplificação [ãplifika'sãw] *f* amplificación.
amplificador, ra [ãplifika'doR, ɾa] *adj/m e f* **1** amplificador. • *m* **2** amplificador (aparato).
amplificar [ãplifi'kaR] *tr* **1** amplificar (ampliar). **2** exaltar, engrandecer (acto, valor, cualidades).
amplitude [ãpli'tudʒɪ] *f* **1** amplitud. **2** ASTR, FÍS amplitud.
amplo, pla ['ãplʊ, pla] *adj* **1** amplio (extenso, espacioso). **2** (fig) amplio (lato).
ampola [ã'pola] *f* ampolla (recipiente).
ampulheta [ãpu'ʎeta] *f* ampolleta (reloj de arena).
amputação [ãputa'sãw] *f* amputación (de miembro).
amputado, da [ãpu'tadʊ, da] *adj* **1** amputado (miembro). • *m e f* **2** mutilado.
amputar [ãpu'taR] *tr* **1** amputar (miembro). **2** (fig) reducir, limitar.
amuado, da [amu'adʊ, da] *adj* **1** (fam) pachucho (decaído). **2** malhumorado, enojado.
amuar [amu'aR] *intr e pron* **1** disgustarse, enojarse. • *tr e pron* **2** importunar.
amuleto [amu'letʊ] *m* amuleto; guayaca (Amér. Merid).
amuo [a'muʊ] *m* mal humor, enojo.
amurada [amu'ɾada] *f* **1** muro, muralla. **2** MAR amurada (de una embarcación).
amuralhado, da [amuɾa'ʎadʊ, da] *adj* amurallado.
amuralhar [amuɾa'ʎaR] *tr* amurallar.
amurar [amu'ɾaR] *tr* **1** MAR amurar. **2** amurallar.
anacoreta [anako'ɾeta] *s 2 gén* anacoreta.
anacrônico, ca [ana'kɾõnikʊ, ka] *adj* anacrónico.
anacronismo [anakɾo'niʒmʊ] *m* anacronismo.
anaeróbio, a [anae'ɾɔbyʊ, a] *adj/m* BIOL anaerobio.
anagrama [ana'gɾãma] *m* anagrama.
anais [a'nayʃ] *m pl* **1** anales (publicación). **2** anales (registros).
anal [a'naw] *adj 2 gén* anal.
analfabetismo [anawfabe'tʃiʒmʊ] *m* analfabetismo.
analfabeto, ta [anawfa'bɛtʊ, ta] *adj/m e f* **1** analfabeto. **2** (fig) analfabeto (ignorante).
analgésico, ca [anaw'ʒɛzikʊ, ka] *adj/m* analgésico.
analisado, da [anali'zadʊ, da] *adj* analizado.
analisar [anali'zaR] *tr* **1** analizar (partículas, tejidos). **2** analizar (obra, asunto).
análise [a'nalizɪ] *f* **1** análisis (separación). **2** análisis (psicoanálisis).
analista [ana'liʃta] *s 2 gén* **1** analista (químico, médico). **2** psicoanalista.
analítico, ca [ana'litʃikʊ, ka] *adj* analítico.
analogia [analo'ʒia] *f* analogía.
análogo, ga [a'nalogʊ, ga] *adj* análogo.
anão, nã [a'nãw, 'nã] *adj/m e f* enano.

anarquia [anaʀˈkia] *f* POL anarquía.
anárquico, ca [aˈnaʀkikʊ, ka] *adj* anárquico.
anarquismo [anaʀˈkiʒmʊ] *m* anarquismo.
anarquista [anaʀˈkiʃta] *adj/m e f* **1** anarquista. **2** (fig) alborotador.
anatomia [anatoˈmia] *f* **1** anatomía (ciencia). **2** (fig) disección (análisis).
anatômico, ca [anaˈtõmikʊ, ka] *adj* anatómico.
anca [ˈãka] *f* **1** anca (de animal). **2** (fig, fam) (gralte pl) anca (cadera).
ancestral [ãseʃˈtraw] *adj 2 gén* **1** ancestral. • **ancestrais** *m pl* **2** antepasados.
anchova [ãˈʃova] *f* anchoa.
ancião, ã [ãsiˈãw, ˈã] *adj/m e f* **1** anciano. • *adj* **2** antiguo (viejo).
âncora [ˈãkora] *f* **1** ancla, áncora. **2** (fig) áncora (protección, amparo). **3** (fig) reclamo (propaganda, atracción).
ancorar [ãkoˈraʀ] *intr e tr* **1** MAR anclar, fondear. • *tr* **2** (fig) basar, apoyar.
anda [ˈãda] *f* andas.
andadeira [ãdaˈdeyra] *f* (gralte pl) andador (para niños).
andador, ra [ãdaˈdoʀ, ra] *adj* andador, andarín.
andaime [ãˈdaymɪ] *m* andamio.
andaluz, za [ãdaˈluyʃ, za] *adj/m e f* andaluz.
andamento [ãdaˈmẽtʊ] *m* **1** marcha. **2** (fig) marcha, curso.
andança [ãˈdãsa] *f* **1** (gralte pl) andanza (viaje). **2** (fam) faena (trabajo árduo).
andante [ãˈdãtʃɪ] *adj/m e f* **1** andante, errante. • *s 2 gén* **2** transeúnte.
andar [ãˈdaʀ] *m* **1** andar, andadura. **2** piso, planta (de edificio). **3** capa, piso.
andar [ãˈdaʀ] *intr* **1** andar (caminar). **2** andar (funcionar). **3** portarse. **4** andar, haber. **5** (con gerundio) andar: *ando viajando muito = ando viajando mucho*. • *tr* **6** andar (estar en compañía).
andarilho, lha [ãdaˈriʎʊ, ʎa] *adj* andariego.
andino, na [ãˈdʒinʊ, na] *adj/m e f* andino.
ândito [ˈãdʒitʊ] *m* ándito.
andor [ãˈdoʀ] *m* andas.
andorinha [ãdoˈrĩɲa] *f* golondrina (ave).
Andorra [ãˈdoʀa] *f* Andorra.
andorrano, na [ãdoˈʀãnʊ, na] *adj/m e f* andorrano.
andrógino, na [ãˈdrɔʒinʊ, na] *adj/m e f* BIOL andrógino (hermafrodita).
anedota [aneˈdɔta] *f* **1** anécdota. **2** chiste.
anel [aˈnɛw] *m* **1** anillo (joya). **2** anillo (argolla, aro).
anelado, da [aneˈladʊ, da] *adj* **1** anhelado. **2** anillado.
anelar [aneˈlaʀ] *tr* **1** anillar, redondear. **2** anhelar (desear).
anemia [aneˈmia] *f* MED anemia.
anêmico, ca [aˈnẽmikʊ, ka] *adj/m e f* MED anémico.
anêmona [aˈnẽmona] *f* anémona, anemona.
anestesia [aneʃteˈzia] *f* **1** anestesia. **2** (fig) apatía.
aneurisma [anewˈriʒma] *m* MED aneurisma.
anexação [anekisaˈsãw] *f* anexión.
anexar [anekiˈsaʀ] *tr* anexar (unir, juntar).
anexo, xa [aˈnɛkisʊ, kisa] *adj/m* anexo.
anfíbio, a [ãˈfibyʊ, a] *adj* **1** anfibio. • *adj/m* **2** ZOOL anfibio, batracio. • **anfíbios** *m pl* **3** ZOOL anfibios.
anfitrião [ãfitriˈãw] (*f* **anfitriã, anfitrioa**) *m e f* anfitrión.
ânfora [ˈãfora] *f* ánfora (cántaro).
angariar [ãgariˈaʀ] *tr* **1** colectar, recaudar. **2** granjear (atraer, captar).
angelical [ãʒeliˈkaw] *adj 2 gén* angelical.
angélico, ca [ãˈʒɛlikʊ, ka] *adj* angélico, agelical.
angina [ãˈʒina] *f* MED angina.
Angola [ãˈgɔla] *f* Angola.
angolano, na [ãgoˈlãnʊ, na] *adj/m e f* angoleño.
angorá [ãgoˈra] *adj/m* angora (lana).
angra [ˈãgra] *f* ensenada, angra.
angu [ãˈgu] *m* polenta.
angular [ãguˈlaʀ] *adj 2 gén* angular.
angular [ãguˈlaʀ] *tr* **1** doblar, torcer (camino, esquina). **2** angular.
ângulo [ˈãgulʊ] *m* **1** GEOM ángulo. **2** ángulo (esquina, arista).
anguloso, sa [ãguˈlozʊ, za] *adj* **1** anguloso. **2** (fig) anguloso (huesudo).
angústia [ãˈguʃtʃya] *f* angustia (ansiedad, temor).
anidrido ou **anídrido** [aniˈdridʊ o aˈnidridʊ] *m* QUÍM anhídrido.

anil [a'niw] *adj/m e f* **1** añil (color). • *m* **2** añil (sustancia).
anilar [ani'laR] *tr* añilar.
anilho [a'niʎʊ] *m* ojal (hendedura).
anilina [ani'lina] *f* QUÍM anilina.
animação [anima'sãw] *f* **1** animación (viveza). **2** animación (entusiasmo, regocijo).
animado, da [ani'madʊ, da] *adj* **1** animado (vivo). **2** animado (alegre, entusiasmado). **3** animado (concurrido).
animador, ra [anima'doR, ɾa] *adj/m e f* **1** animador. • *adj* **2** esperanzador.
animadversão [animadʒiveR'sãw] *f* animadversión.
animal [ani'maw] *adj/m* animal.
animalizar [animali'zaR] *tr e pron* embrutecer.
animar [ani'maR] *tr* **1** animar (dar vida). • *tr, intr e pron* **2** animar (impulsar, fomentar). • **~-se** *pron* **3** animarse.
ânimo ['ãnimʊ] *m* **1** ánimo (alma). **2** ánimo (esfuerzo, energía). **3** ánimo (intención, voluntad).
aninar [ani'naR] *tr* ⇒ ninar.
aninhar [anĩ'ŋaR] *intr e pron* anidar (ave).
aniquilado, da [aniki'ladʊ, da] *adj* aniquilado.
aniquilar [aniki'laR] *tr* **1** aniquilar (exterminar). • *tr e pron* **2** desanimar, desmoralizar.
anis [a'niʃ] *m* anís (planta).
anistia [aniʃ'tʃia] *f* amnistia.
anistiar [aniʃtʃi'aR] *tr* amnistiar.
aniversariar [aniveRsaɾi'aR] *intr* cumplir años.
aniversário [aniveR'saɾyʊ] *m* **1** cumpleaños (de nacimiento). **2** aniversario (de un hecho).
anjo ['ãʒʊ] *m* **1** ángel (espíritu). **2** (fig) ángel (bondadoso).
ano ['ãnʊ] *m* **1** año (período). • **anos** *m pl* **2** años (cumpleaños). ♦ **~ bissexto** año bisiesto. ■ **entrado em anos** (fig) entrado en años; **fazer anos** cumplir años.
ânodo ['ãnodʊ] *m* ELEC ánodo.
anoitecer [anoyte'seR] *m* anochecer.
anoitecer [anoyte'seR] *impess* **1** anochecer. • *intr* **2** anochecer (estar, encontrarse): *anoitecemos em São Salvador = anochecimos en San Salvador, anoiteceu doente = anocheció enfermo.*
anojadiço, ça [anoʒa'dʒisʊ, sa] *adj* asqueroso.
anojar [ano'ʒaR] *tr e pron* **1** asquear. **2** molestar, disgustar.
ano-luz [ãnʊ'luyʃ] *m* año luz.
anomalia [anoma'lia] *f* **1** anomalía (irregularidad). **2** BIOL anomalía (malformación).

Animal / Animal

La fraseología con animales en portugués y español a veces utiliza animales distintos para referirse a la misma expresión:

cabra-cega	**gallinita ciega**
cada macaco no seu galho	**cada mochuelo a su olivo**
com a pulga atrás da orelha	**tener la mosca detrás de la oreja**
como formigas	**como lobos hambrientos**
falar como papagaio	**hablar como una cotorra**
ficar cobra	**estar mosca**
gatunagem	**ratería**
ir pentear macacos	**ir a freír monas**
macaco velho	**perro viejo**
macaco velho não mete a mão em cumbuca	**pájaro viejo no entra en mi jaula**
matar dois coelhos com uma só cajadada	**matar dos pájaros de un tiro**
quando as galinhas tiverem dentes	**cuando las vacas vuelen**
ser um carrapato	**ser una lapa**
ter minhocas na cabeça	**tener pájaros en la cabeza**

anômalo, la [a'nõmalʊ, la] *adj* anómalo.
anônimo, ma [a'nõnimʊ, ma] *adj/m e f* anónimo.
ano-novo [ãnʊ'novʊ] *m* **1** año nuevo. **2** nochevieja.
anoraque [ano'rakɪ] *m* anorak.
anorexia [anoreki'sia] *f* MED anorexia.
anormal [anoʀ'maw] *adj* **1** anormal (irregular, distinto). **2** anormal (insólito).
anotação [anota'sãw] *f* anotación.
anotador, ra [anota'doʀ, ra] *adj/m e f* anotador.
anotar [ano'taʀ] *tr* anotar, apuntar.
anseio [ã'seyʊ] *m* **1** ansia (angustia). **2** ansia, anhelo.
ânsia ['ãsya] *f* **1** ansia, angustia. **2** ansia, anhelo.
ansiar [ãsi'aʀ] *tr* **1** ansiar (anhelar). • *tr e pron* **2** angustiar.
ansiedade [ãsye'dadʒɪ] *f* ansiedad.
ansioso, sa [ãsi'ozʊ, za] *adj* **1** ansioso (angustiado). **2** ansioso (deseoso).
antagônico, ca [ãta'gõnikʊ, ka] *adj* antagónico.
antagonista [ãtago'niʃta] *adj/m e f* antagonista (opositor).
antártico, ca [ã'taʀtʃikʊ, ka] *adj* antártico.
ante ['ãtʃɪ] *prep* **1** ante, delante de (en presencia de). **2** ante (en consecuencia de).
antebraço [ãtʃɪ'brasʊ] *m* antebrazo.
antecâmara [ãtʃɪ'kãmara] *f* antecámara, antesala.
antecedente [ãtese'dẽtʃɪ] *adj/m* **1** antecedente (precedente). • **antecedentes** *m pl* **2** antecedentes (hechos, sucesos). **3** antepasados.
anteceder [ãtese'deʀ] *tr* **1** preceder, anteceder. • **~-se** *pron* **2** anticiparse.
antecessor, ra [ãtese'soʀ, ra] *adj/m e f* antecesor, predecesor.
antecipação [ãtesipa'sãw] *f* **1** anticipación. **2** anticipo (de dinero).
antecipar [ãtesi'paʀ] *tr, intr e pron* **1** anticipar (adelantar). • *tr e pron* **2** anticipar (aventajar).
antedata [ãte'data] *f* antedata.
antedizer [ãtedʒi'zeʀ] *tr* predecir.
antemão [ãtʃɪ'mãw] **de ~** *adv* de antemano: *disseram-me de antemão que não poderia ir = me dijeron de atemano que no podría ir.*
antemuro [ãtʃɪ'murʊ] *m* antemuro.
antena [ã'tẽna] *f* **1** antena (de animal). **2** TELECOM antena.
antenado, da [ãte'nadʊ, da] *adj/m e f* (fig, gír) enterado.
anteontem [ãtʃɪ'õtẽy] *adv* anteayer.
antepassado, da [ãtʃɪpa'sadʊ, da] *adj/m e f* antepasado.
anteposição [ãtʃɪpozi'sãw] *f* anteposición.
anteprojeto [ãtʃɪpro'ʒɛtʊ] *m* anteproyecto.
anterior [ãteri'oʀ] *adj 2 gên* anterior.
antes ['ãtʃɪʃ] *adv* **1** antes (en tiempo, lugar): *o ponto está antes da padaria = la parada está antes de la panadería.* **2** antes (antiguamente): *antes as coisas eram diferentes = antes las cosas eran distintas.* **3** antes (preferencia): *antes ir ao cinema que ver teve = antes ir al cine que ver la tele.* ■ **~ de** antes de; **o quanto ~** cuanto antes.
antever [ãte'veʀ] *tr* **1** prever (ver con anticipación). **2** prever (presagiar).
antiácido [ãtʃi'asidʊ] *adj/m* antiácido.
antiaéreo, a [ãtʃya'ɛryʊ, a] *adj* antiaéreo.
antibiótico [ãtʃibi'ɔtʃikʊ] *m* MED antibiótico.
anticarro [ãtʃi'kaʀʊ] *adj/m* antitanque, anticarro.
anticaspa [ãtʃi'kayʃpa] *adj/m* anticaspa.
antichoque [ãtʃi'ʃɔkɪ] *adj* a prueba de choque.
anticéptico, ca [ãtʃi'sɛpitʃikʊ, ka] *adj* FIL dogmático.
anticiclone [ãtʃisi'klõnɪ] *m* anticiclón.
anticoncepção [ãtʃikõsepi'sãw] *f* anticoncepción.
anticorpo [ãtʃi'koʀpʊ] *m* BIOL, MED anticuerpo.
anticristão, tã [ãtʃikriʃ'tãw, 'tã] *adj/m e f* anticristiano.
anti-depressivo, va [ãtʃidepre'sivʊ, va] *adj/m* MED antidepresivo.
antidoping [ãtʃi'dɔpĩ] *adj/m* antidoping, antidopaje.
antídoto [ã'tʃidotʊ] *adj/m* MED antídoto.
antidroga [ãtʃi'drɔga] *adj 2 gên* antidroga.
antiferrugem [ãtʃife'ʀuʒẽy] *adj inv* antioxidante.

antifogo [ãtʃi'fogʊ] *adj inv* ignífugo.
antifurto [ãtʃi'fuʀtʊ] *adj inv* ⇒ anti-roubo.
antígeno [ã'tʃiʒenʊ] *m* BIOL, MED antígeno.
antigo, ga [ã'tʃigʊ, ga] *adj* **1** antiguo (remoto). **2** antiguo (viejo).
Antigua [ã'tʃigwa] *f* Antigua.
antigualha [ãtʃi'gwaʎa] *f* antigualla.
antiguano, na [ãtʃi'gwãnʊ, na] *adj/m e f* antigüeño.
antiguidade ou **antigüidade** [ãtʃigi'dadʒɪ o ãtʃigwi'dadʒɪ] *f* antigüedad.
anti-herói [ãtʃye'rɔy] *m* antihéroe.
anti-horário, a [ãtʃyo'raryʊ, a] *adj* contrario a las manecillas del reloj.
antiinflamatório, a [ãtʃĩflãma'tɔryʊ, a] *adj/m* MED antiinflamatorio.
antilhano, na [ãtʃi'ʎãnʊ, na] *adj/m e f* antillano.
antílope [ã'tʃilopɪ] *m* antílope (animal, piel).
antinomia [ãtʃino'mia] *f* antinomia.
antipatia [ãtʃipa'tʃia] *f* antipatía.
antipático, ca [ãtʃi'patʃikʊ, ka] *adj/m e f* antipático.
antípoda [ã'tʃipoda] *adj/m e f* **1** GEOG antípoda. **2** (fig) antípoda (opuesto).
antiquado, da [ãtʃi'kwadʊ, da] *adj* anticuado.
antiquar [ãtʃi'kwaʀ] *tr e pron* anticuarse.
antiquário [ãtʃi'kwaryʊ] *m* **1** anticuario (coleccionista). **2** tienda de antigüedades.
anti-rábico, ca [ãtʃi'ʀabikʊ, ka] *adj* antirrábico.
anti-revolucionário, a [ãtʃiʀevolusyo'naryʊ, a] *adj/m e f* antirrevolucionario.
anti-roubo [ãtʃi'ʀowbʊ] *adj inv* antirrobo.
anti-rugas [ãtʃi'ʀugayʃ] *adj/m* antiarrugas.
anti-seqüestro [ãtʃise'kwɛʃtrʊ] *adj 2 gén* antisecuestro.
anti-social [ãtʃisosi'aw] *adj 2 gén* antisocial.
antisséptico, ca [ãtʃi'sɛpitʃikʊ, ka] *adj/m* antiséptico.
antitabagista [ãtʃitaba'ʒiʃta] *adj 2 gén* **1** antitabaco, antitabaquista. • *s 2 gén* **2** antitabaquista.
antítese [ã'tʃitezɪ] *f* **1** RET antítesis. **2** FIL antítesis.
antitruste [ãtʃi'truʃtʃɪ] *adj 2 gén* ECON antimonopolio.
antojo ou **antolho** [ã'toʒʊ o ã'toʎʊ] *m* posicionamiento visible.
antologia [ãtolo'ʒia] *f* antología.
antonímia [ãto'nimya] *f* GRAM antonimia.
antônimo, ma [ã'tõnimʊ, ma] *adj/m* GRAM antónimo.
antonomásia [ãtono'mazya] *f* antonomasia.
antro ['ãtrʊ] *m* **1** antro (caverna). **2** (fig) antro (tugurio).
antropocêntrico, ca [ãtropo'sẽtrikʊ, ka] *adj* antropocéntrico.
antropocentrismo [ãtroposẽ'triʒmʊ] *m* antropocentrismo.
antropologia [ãtropolo'ʒia] *f* antropología.
antropólogo, ga [ãtro'pɔlogʊ, ga] *m e f* antropólogo.
antropometria [ãtropome'tria] *f* antropometría.
antropomórfico, ca [ãtropo'mɔʀfikʊ, ka] *adj* antropomórfico.
antropomorfo, fa [ãtropo'mɔʀfʊ, fa] *adj* antropomorfo.
antropônimo [ãtro'põnimʊ] *m* antropónimo.
anual [anu'aw] *adj 2 gén* anual.
anualidade [anwali'dadʒɪ] *f* ⇒ anuidade.
anuência [anu'ẽsya] *f* anuencia.
anuidade [anuy'dadʒɪ] *f* anualidad.
anuir [anu'iʀ] *intr e tr* consentir; chinear (Amér. Centr).
anular [anu'laʀ] *adj 2 gén* **1** anular. • *m* **2** anular (dedo).
anular [anu'laʀ] *tr e pron* **1** anular (invalidar). • *tr* **2** anular (suspender). **3** anular (incapacitar, desautorizar).
anunciação [anũsya'sãw] *f* anunciación.
anunciar [anũsi'aʀ] *tr e intr* **1** anunciar (publicar, avisar). • *tr e pron* **2** anunciar, pronosticar.
anúncio [anũ'syʊ] *m* **1** anuncio (comunicación, aviso). **2** anuncio (pronóstico).
ânus ['ãnuʃ] *m* ano.
anzol [ã'zɔw] *m* anzuelo.
anzolado, da [ãzo'ladʊ, da] *adj* ganchudo.
ao ['aʊ] *contr* **1** (prep a y art o) al. **2** (prep a y pron dem o) al, a lo: *perdoei ao que me ofendeu = perdoné al que me ofen-*

dió. **3** (seguido de infinitivo) al (causa, consecuencia). **4** (seguido de infinitivo) al (tiempo).

aonde [aˈõdʒɪ] *adv* adonde, adónde: *ali é aonde vamos = allí es adonde vamos*.

AP [aˈpe] (*siglas de* **Amapá**) *m* Amapá (Estado brasileño).

apachorrar-se [apaʃoˈʀaʀsɪ] *pron* calmarse.

apadrinhar [apadrĩˈɲaʀ] *tr* **1** apadrinar (ser padrino). **2** apadrinar (patrocinar, proteger). • **~-se** *pron* **3** apadrinarse (ampararse).

apadroar [apadroˈaʀ] *tr* **1** ser patrono. **2** apadrinar (patrocinar, proteger).

apagado, da [apaˈgadʊ, da] *adj* **1** apagado (extinguido). **2** borroso. **3** (fig) apagado, amortiguado (color, brillo). **4** (fig) apagado (desanimado).

apagador [apagaˈdoʀ] *m* **1** borrador (de pizarra). **2** apagador (apagavelas).

apagar [apaˈgaʀ] *tr, intr e pron* **1** apagar (fuego, luz, brillo). **2** borrar (escrito, dibujo). • *tr e pron* **3** eliminar. • *tr e intr* **4** COMP suprimir.

apaisanar [apayzãˈnaʀ] *tr e pron* apaisanarse.

apaixonado, da [apayʃoˈnadʊ, da] *adj/m e f* **1** enamorado (de alguien). **2** apasionado.

apaixonar [apayʃoˈnaʀ] *tr e pron* **1** enamorar. **2** apasionar.

apaladar [apalaˈdaʀ] *tr* sazonar.

apalancar [apalãˈkaʀ] *tr* cerrar con palenque.

apalear [apaleˈaʀ] *tr* apalear; garrotear (Amér).

apalermado, da [apaleʀˈmadʊ, da] *adj* atontado, alelado.

apalermar [apaleʀˈmaʀ] *tr e pron* atontar, alelar.

apalhaçado, da [apaʎaˈsadʊ, da] *adj* apayasado.

apalpar [apawˈpaʀ] *tr* **1** palpar (tocar). **2** acariciar. **3** (fig) tantear.

apandilhar [apãdʒiˈʎaʀ] *tr* **1** hacer trampas (en el juego). • **~-se** *pron* **2** apandillarse.

apanha [aˈpãɲa] *f* cosecha, recolección.

apanhadeira [apãɲaˈdeyra] *f* **1** recolectora. **2** recogedor.

apanhado, da [apãˈɲadʊ, da] *adj* **1** cogido, recogido; agarrado (Amér). **2** recolectado. **3** capturado (preso).

apanhador, ra [apãɲaˈdoʀ, ɾa] *adj/m e f* recolector.

apanhar [apãˈɲaʀ] *tr e intr* **1** coger: *apanhou suas coisas e foi embora = cogió sus cosas y se fue*; agarrar (Amér). • *tr* **2** recoger: *apanha os seus brinquedos = recoge tus juguetes*. **3** capturar (prender): *apanharam os dois fugitivos = han capturado a los dos fugitivos*. **4** coger, recolectar (cosecha).

apantufar [apãtuˈfaʀ] *tr* **1** dar forma de pantufla. • **~-se** *pron* **2** calzar pantuflas.

aparado, da [apaˈɾadʊ, da] *adj* **1** recortado. **2** afilado.

aparador [apaɾaˈdoʀ] *m* aparador (mueble).

aparar [apaˈɾaʀ] *tr* **1** aparar (sujetar). **2** cortar. **3** parar, frenar (golpe).

aparatar [apaɾaˈtaʀ] *tr* volver aparatoso.

aparato [apaˈɾatʊ] *m* **1** aparato, ostentación. **2** preparativo (para festividad, ceremonia).

aparceirar [apaʀseyˈɾaʀ] *tr e pron* hacerse compañero.

aparecer [apaɾeˈseʀ] *intr e tr* **1** aparecer (manifestarse). • *tr* **2** aparecer.

aparecimento [apaɾesiˈmẽtʊ] *m* aparición.

aparelhagem [apaɾeˈʎaʒẽy] *f* aparejos (accesorios).

aparelhar [apaɾeˈʎaʀ] *tr, intr e pron* **1** equipar (proveer). • *tr e pron* **2** adornar.

aparelho [apaˈɾeʎʊ] *m* **1** aparato. **2** aparejo (de pesca, caza).

aparência [apaˈɾẽsya] *f* apariencia.

aparentado, da [apaɾẽˈtadʊ, da] *adj* **1** emparentado. **2** bien emparentado.

aparentar [apaɾẽˈtaʀ] *tr e pron* **1** aparentar (parecer). **2** aparentar (simular).

aparente [apaˈɾẽtʃɪ] *adj 2 gén* aparente (simulado).

aparição [apaɾiˈsãw] *f* **1** aparición (surgimiento). **2** aparición (fantasma).

aparo [aˈpaɾʊ] *m* recorte.

aparreirar [apaʀeyˈɾaʀ] *tr* emparrar.

apartado, da [apaʀˈtadʊ, da] *adj* apartado.

apartamento [apaʀtaˈmẽtʊ] *m* piso, apartamento; departamento (Amér).

apartar [apaʀ'taʀ] *tr e pron* **1** apartar (separar). **2** desviar (de camino, dirección).

aparte [a'paʀtʃɪ] *m* aparte.

apassivar [apasi'vaʀ] *tr e pron* volver pasivo, apático.

apatetado, da [apate'tadʊ, da] *adj* atontado.

apatia [apa'tʃia] *f* apatía.

apavorar [apavo'ɾaʀ] *tr, intr e pron* aterrar, aterrorizar.

apaziguar [apazi'gwaʀ] *tr e pron* apaciguar.

apeadeiro [apea'deyɾʊ] *m* apeadero.

apear [ape'aʀ] *tr, intr e pron* **1** apear (de vehículo). • *tr e pron* **2** (fig) destituir (de cargo, empleo).

apeçonhar [apesõ'ɲaʀ] *tr* emponzoñar.

apedrejar [apedɾe'ʒaʀ] *tr, intr e pron* apedrear.

apegação [apega'sãw] *f* apego.

apegado, da [ape'gadʊ, da] *adj* apegado, encariñado.

apegar [ape'gaʀ] *tr, intr e pron* **1** encariñar, apegarse. • *tr* **2** acostumbrar. • *tr e pron* **3** contagiar.

apego [a'pegʊ] *m* **1** apego, afecto. **2** ahínco (dedicación).

apelado, da [ape'ladʊ, da] *adj* DIR apelado.

apelar [ape'laʀ] *tr e intr* **1** DIR apelar. • *tr* **2** (fig, gír) echar mano de.

apelativo, va [apela'tʃivʊ, va] *adj* **1** apelativo. **2** GRAM apelativo.

apelidar [apeli'daʀ] *tr e pron* **1** apodar. • *tr* **2** llamar (convocar).

apelido [ape'lidʊ] *m* apodo, sobrenombre.

apelintrado, da [apelĩ'tɾadʊ, da] *adj* andrajoso; chirajoso (Amér. Centr).

apelo [a'pelʊ] *m* **1** llamamiento. **2** reclamo (publicitario).

apenas [a'pẽnayʃ] *adv* **1** apenas (difícilmente). **2** apenas (solamente): *cansado, apenas conseguiu chegar ao sofá = cansado, apenas consiguió llegar al sofá.* **3** sólo: *fala apenas dos seus problemas = habla sólo de sus problemas.*

apêndice [a'pẽdʒisɪ] *m* **1** apéndice (anexo). **2** ANAT apéndice.

apendicite [apẽdʒi'sitʃɪ] *f* MED apendicitis.

apensar [apẽ'saʀ] *tr* anexar.

apequenar [apeke'naʀ] *tr e pron* **1** empequeñecer. **2** (fig) humillar, rebajar.

aperaltar [apeɾaw'taʀ] *tr e pron* engalanar.

aperceber [apeʀse'beʀ] *tr e pron* **1** apercibir (darse cuenta). **2** apercibir (preparar).

apercepção [apeʀsepi'sãw] *f* percepción.

aperfeiçoar [apeʀfeyso'aʀ] *tr e pron* **1** perfeccionar. • **~-se** *pron* **2** especializarse (en estudios).

aperitivo, va [apeɾi'tʃivʊ, va] *adj/m* aperitivo.

aperolar [apeɾo'laʀ] *tr* asemejar a la perla.

aperreação [apeʀea'sãw] *f* **1** aperreo. **2** fastidio.

aperreado, da [apeʀe'adʊ, da] *adj* **1** (fig) oprimido. **2** (fig) fastidiado.

aperrear [apeʀe'aʀ] *tr* **1** aperrear. **2** (fig) oprimir, sojuzgar.

apertado, da [apeʀ'tadʊ, da] *adj* **1** apretado. **2** estrecho (de tamaño). **3** corto (de tiempo, dinero).

apertar [apeʀ'taʀ] *tr, intr e pron* **1** apretar (estrechar). • *tr e pron* **2** apretar (ejercer presión). **3** (fig) apretarse el cinturón.

aperto [a'peʀtʊ] *m* **1** apretón. **2** ajuste (de ropa). **3** (fig) aflicción, angustia.

apesar [ape'zaʀ] **~ de** *loc adv* a pesar de, pese a: *apesar do frio, saiu sem casaco = a pesar del frío, salió sin abrigo.*

apessoado, da [apeso'adʊ, da] *adj* apersonado.

apetecer [apete'seʀ] *tr e intr* **1** apetecer (gustar). **2** apetecer (desear).

apetite [ape'tʃitʃɪ] *m* **1** apetito. **2** (fig, fam) predilección.

apetitoso, sa [apetʃi'tozʊ, za] *adj* apetitoso.

apetrechar [apetɾe'ʃaʀ] *tr e pron* pertrechar.

apetrecho [ape'tɾeʃʊ] *m* **1** (gralte pl) pertrechos (municiones). **2** (gralte pl) pertrechos (accesorios).

ápice ['apisɪ] *m* **1** ápice (punta). **2** (fig, fam) perfección, rigor.

apiedar [apie'daʀ] *tr e pron* apiadar.

apinhar [apĩ'ɲaʀ] *tr e pron* **1** apiñar. **2** abarrotar.

apitar [api'taʀ] *intr* **1** pitar. **2** (fig, fam) pintar: *ele não pode te despedir porque não apita nada nesta empresa = no te pude despedir porque no pinta nada en esta empresa.*

apito [a'pitʊ] *m* **1** pito, silbato (instrumento). **2** pitido (sonido).
aplacar [apla'kaʀ] *tr, intr e pron* aplacar.
aplainar [aplay'naʀ] *tr* **1** alisar, acepillar (madera). **2** aplanar, allanar.
aplanadora [aplãna'doɾa] *f* apisonadora.
aplaudir [aplaw'dʒiʀ] *tr e intr* **1** aplaudir. • *tr e pron* **2** (fig) elogiar, alabar.
aplauso [a'plawzʊ] *m* **1** aplauso. **2** (fig) elogio.
aplebear-se [aplebe'aʀsɪ] *pron* (pej) aplebeyarse.
aplicação [aplika'sãw] *f* **1** aplicación (colocación). **2** aplicación (puesta en práctica). **3** aplicación (esfuerzo). **4** ECON inversión.
aplicado, da [apli'kadʊ, da] *adj* **1** aplicado (sobrepuesto). **2** aplicado (dedicado). **3** aplicado (práctico).
aplicar [apli'kaʀ] *tr* **1** aplicar (sobreponer). **2** aplicar (practicar). **3** invertir (dinero). **4** administrar (medicamento).
Apocalipse [apoka'lipisɪ] *m* Apocalipsis.
apodar [apo'daʀ] *tr* **1** burlarse; pifiar, mechificar (Amér). **2** apodar.
apoderar-se [apode'ɾaʀsɪ] *pron* apoderarse.
apodrecer [apodɾe'seʀ] *tr, intr e pron* pudrir, podrir.
apodrir [apo'dɾiʀ] *intr* pasarse (alimento).
apófise [a'pɔfizɪ] *f* ANAT apófisis.
apogeu [apo'ʒew] *m* **1** ASTR apogeo. **2** (fig, fam) apogeo, auge.
apoiar [apoy'aʀ] *tr e pron* **1** apoyar (recostar, posar). **2** apoyar (basar). • *tr* **3** apoyar (favorecer).
apoio [a'poyʊ] *m* **1** apoyo (soporte). **2** apoyo (ayuda, protección).
apólice [a'pɔlisɪ] *f* póliza.
apologia [apolo'ʒia] *f* apología.
apoltronar-se [apowtɾo'naʀsɪ] *pron* acobardarse.
apontado, da [apõ'tadʊ, da] *adj* **1** puntiagudo. **2** apuntado (anotado).
apontador [apõta'doʀ] *m* **1** sacapuntas. **2** manecilla (de reloj).
apontamento [apõta'mẽtʊ] *m* apunte (anotación).
apontar [apõ'taʀ] *tr* **1** afilar. **2** apuntar (dirección, arma). **3** • *intr* **4** aparecer, despuntar (surgir).
apoquentar [apokẽ'taʀ] *tr e pron* desazonar, preocupar.
aporreado, da [apoʀe'adʊ, da] *adj* **1** aporreado, apaleado. **2** preocupado.
aporrear [apoʀe'aʀ] *tr* **1** aporrear. **2** (fig) importunar.
aporrinhar [apoʀĩ'ɲaʀ] *tr e pron* ⇒ apoquentar.
aportar [apoʀ'taʀ] *tr e intr* **1** arribar (embarcación). • *tr* **2** llevar al puerto.
após [a'pɔyʃ] *prep* **1** después de, tras (tiempo). **2** detrás de, tras (espacio): *meu carro está após o seu* = *mi coche está detrás del tuyo*. • *adv* **3** después.
aposentadoria [apozẽtado'ɾia] *f* jubilación.
aposentar [apozẽ'taʀ] *tr e pron* **1** jubilar (retirar). **2** aposentar (hospedar).
aposento [apo'zẽtʊ] *m* aposento (habitación).
aposição [apozi'sãw] *f* **1** adjunción, añadidura. **2** GRAM aposición.
apossar [apo'saʀ] *tr e pron* apoderar.
aposta [a'pɔʃta] *f* apuesta.
apostado, da [apoʃ'tadʊ, da] *adj* apostado.
apostar [apoʃ'taʀ] *tr* **1** apostar (dinero). **2** disputar (carrera).
apostasia [apoʃta'zia] *f* apostasía.
apostila [apoʃ'tʃila] *f* **1** dossier (de estudio, asignatura). **2** apostilla.
aposto [a'poʃtʊ] *m* GRAM aposición.
apostolar [apoʃto'laʀ] *adj 2 gén* ⇒ apostólico, ca.
apostólico, ca [apoʃ'tɔlikʊ, ka] *adj* apostólico.
apóstolo [a'pɔʃtolʊ] *m* apóstol.
apostura [apoʃ'tuɾa] *f* apostura.
apótema [a'pɔtema] *m* GEOM apotema.
apoteose [apote'ɔzɪ] *f* apoteosis.
apoucado, da [apow'kadʊ, da] *adj* **1** apocado (escaso). **2** apocado (humillado).
apoucamento [apowka'mẽtʊ] *m* apocamiento.
aprazar [apɾa'zaʀ] *tr* **1** fijar (fecha, plazo). **2** convocar (reunión, empleados).
aprazer [apɾa'zeʀ] *tr, intr e pron* aplacer.
aprazimento [apɾazi'mẽtʊ] *m* placer, complacencia.
aprazível [apɾa'zivew] *adj 2 gén* apacible.
apreciação [apɾesya'sãw] *f* apreciación.

apreciar [apresi'aR] *tr* **1** apreciar (sentir afecto). **2** apreciar, valorar (mérito). **3** calcular, evaluar (daños, gastos).
apreciável [apresi'avew] *adj* apreciable (calculable).
apreço [a'presu] *m* aprecio.
apreender [apreẽ'deR] *tr* **1** aprehender, comprender. **2** aprehender (coger, asir).
apreensão [apreẽ'sãw] *f* comprensión.
apreensível [apreẽ'sivew] *adj 2 gén* comprensible.
apreensivo, va [apreẽ'sivu, va] *adj* **1** comprensivo. **2** aprensivo (receloso).
apregoar [aprego'aR] *tr e intr* **1** pregonar. **2** (fig) tachar (calificar).
aprender [aprẽ'deR] *tr e intr* aprender.
aprendiz [aprẽ'dʒiʃ] *m* aprendiz.
aprendizado [aprẽdʒi'zadu] *m* aprendizaje.
aprendizagem [aprẽdʒi'zaʒẽy] *f* ⇒ aprendizado.
apresentação [aprezẽta'sãw] *f* **1** presentación (introducción). **2** presencia (aspecto). **3** prefacio.
apresentador, ra [aprezẽta'doR, ra] *adj/m e f* presentador.
apresentante [aprezẽ'tãtʃɪ] *s 2 gén* ⇒ apresentador, ra.
apresentar [aprezẽ'taR] *tr e pron* **1** presentar (dar a conocer). **2** presentar (mostrar). • *tr* **3** presentar, manifestar. **4** presentar (ofrecer).
apressado, da [apre'sadu, da] *adj* **1** apresurado. **2** precipitado.
apressar [apre'saR] *tr e pron* **1** apresurar. **2** precipitar (acelerar).
apressurar-se [apresu'raRSI] *pron* apresurarse.
aprestamento [apreʃta'mẽtu] *m* preparación, apresto.
aprestar [apreʃ'taR] *tr e pron* aprestar.
aprilino, na [apri'linu, na] *adj* abrileño.
aprimorado, da [aprimo'radu, da] *adj* perfeccionado.
a priori [apri'ɔri] *loc adv* a priori: *a priori parece uma boa pessoa = a priori me parece una buena persona.*
aprisionar [aprizio'naR] *tr* **1** aprisionar; cacharrear (Amér. Centr). **2** aprisionar.
aprobativo, va [aproba'tʃivu, va] *adj* aprobatorio.
aprofundamento [aprofũda'mẽtu] *m* **1** ahondamiento. **2** profundización.
aprofundar [aprofũ'daR] *tr e pron* **1** ahondar. **2** profundizar (en materia, problema).
aprontamento [aprõta'mẽtu] *m* preparación.
aprontar [aprõ'taR] *tr* **1** preparar. **2** terminar. • *intr* **3** (fam) tramar. • *tr e pron* **4** arreglarse (acicalarse).
apropositado, da [apropozi'tadu, da] *adj* **1** conveniente. **2** prudente (juicioso).
apropositar [apropozi'taR] *tr* **1** hacer o decir oportunamente. **2** adecuar (situación, sentimiento).
apropriação [apropria'sãw] *f* apropiación.
apropriado, da [apropri'adu, da] *adj* apropiado.
apropriar [apropri'aR] *tr e pron* **1** apropiar (adueñarse). **2** apropiar (adecuar).
aprovação [aprova'sãw] *f* **1** aprobación (aceptación). **2** aprobación (de un examen).
aprovado, da [apro'vadu, da] *adj/m* **1** aprobado (en un examen). • *adj* **2** aprobado (aceptado).
aprovar [apro'vaR] *tr e intr* **1** aprobar (aceptar, autorizar). • *tr* **2** aprobar (examen).
aproveitado, da [aprovey'tadu, da] *adj* provechoso.
aproveitar [aprovey'taR] *tr, intr e pron* aprovechar.
aprovisionar [aprovizyo'naR] *tr* aprovisionar.
aproximação [aprosima'sãw] *f* **1** aproximación (acercamiento). **2** (fam) reconciliación.
aproximar [aprosi'maR] *tr e pron* **1** aproximar (acercar). • *tr* **2** comparar, confrontar.
aprumar [apru'maR] *tr* **1** CONSTR, ARQ aplomar. • **~-se** *pron* **2** (fig) recuperarse (salud, financieramente).
aprumo [a'prumu] *m* **1** aplomo (verticalidad). **2** (fig) elegancia.
aptidão [apitʃi'dãw] *f* aptitud.
apto, ta ['apitu, ta] *adj* apto.
apunhalar [apuɲa'laR] *tr e pron* **1** apuñalar. • *tr e intr* **2** (fig) traicionar.
apuração [apura'sãw] *f* **1** purificación. **2** cómputo, cálculo. **3** averiguación.

apurado, da [apu'radʊ, da] *adj* **1** averiguado, sacado en limpio. **2** fino (sentido). **3** apurado (esmerado).
apurar [apu'raR] *tr, intr e pron* **1** purificar. **2** perfeccionar. • *tr e pron* **3** apurar (dar prisa). • *tr* **4** averiguar (hecho, verdad). **5** escrutar (votos). **6** recaudar, juntar (dinero).
apuro [a'purʊ] *m* **1** esmero. **2** apuro (dificultad). **3** purificación.
aquarela [akwa'rɛla] *f* acuarela.
aquário [a'kwaryʊ] *m* **1** pecera. **Aquário 2** ASTR Acuario (constelación, signo zodiacal).
aquartelar [akwaRte'laR] *tr e pron* MIL acuartelar.
aquático, ca [a'kwatʃikʊ, ka] *adj* acuático.
aquecedor, ra [akese'doR, ra] *adj/m* calentador (aparato).
aquecer [ake'seR] *tr, intr e pron* **1** calentar. • *intr e pron* **2** (fig) calentarse (enfadarse).
aquecimento [akesi'mẽtʊ] *m* **1** calentamiento. **2** calefacción.
aqueduto [akwe'dutʊ] *m* acueducto.
aquele, la [a'kelɪ, la] *pron dem* **1** (lejos) aquel: *minha bicicleta é aquela = mi bicicleta es aquella.* **2** (mencionado anteriormente) aquel: *isto aconteceu aquele dia que fomos ao cinema = eso pasó aquel día que fuimos al cine.*
aqui [a'ki] *adv* **1** aquí: *o isqueiro está aqui = el mechero está aquí, aqui chegará mais tarde = aquí llegará más tarde.*
aquiescer [akie'seR] *intr e tr* consentir.
aquietação [akieta'sãw] *f* aquietamiento.
aquietar [akie'taR] *tr, intr e pron* aquietar.
aquilatar [akila'taR] *tr* aquilatar.
aquilo [a'kilʊ] *pron dem* **1** aquello, lo: *aquilo foi horrível = aquello ha sido terrible, aconteceu aquilo que eu disse = pasó lo que te dije.* **2** (pej) aquél.
aquinhoar [akiŋo'aR] *tr* dividir, repartir.
aquisição [akizi'sãw] *f* adquisición.
aquisitivo, va [akizi'tʃivʊ, va] *adj* adquisitivo.
aquoso, sa [a'kwozʊ, za] *adj* acuoso.
ar ['aR] *m* **1** aire (atmósfera). **2** aire (viento). ◆ ~ **condicionado** aire acondicionado.
árabe ['arabɪ] *adj/m e f* **1** árabe. • *m* **2** árabe (lengua).
árabe-saudita [arabɪsaw'dʒita] *adj/m e f* saudí.
arabesco [ara'beʃkʊ] *m* arabesco.
Arabia Saudita [arabyasaw'dʒita] *m* Arabia Saudí, Arabia Saudita.
arado [a'radʊ] *m* arado (herramienta).
aragem [a'raʒẽy] *f* brisa.
aragonês, sa [arago'neyʃ, za] *adj/m e f* aragonés.
arame [a'ramɪ] *m* alambre.
aramifício [arami'fisyʊ] *m* **1** fábrica de alambre. **2** alambrera.
aramudo, da [a'ramudʊ, da] *adj* (gír) forrado (rico).
arandela [arã'dɛla] *f* arandela.
aranha [a'raɲa] *f* araña.
araque [a'rakɪ] *m* (fam) potra, chiripa.
arar [a'raR] *tr* arar (tierra).
araucária [araw'karya] *f* araucaria (árbol).
arauto [a'rawtʊ] *m* emisario, mensajero.
arbitragem [aRbi'traʒẽy] *f* arbitraje.
arbitral [aRbi'traw] *adj 2 gén* arbitral.
arbitrar [aRbi'traR] *tr* arbitrar (proceder libremente).
arbitrário, a [aRbi'traryʊ, a] *adj* arbitrario.
arbítrio [aR'bitryʊ] *m* arbitrio.
árbitro ['aRbitrʊ] *m* **1** ESPORT árbitro. **2** DIR árbitro (juez).
arbóreo, a [aR'bɔryʊ, a] *adj* arbóreo.
arborescer [aRbore'seR] *intr* arborecer.
arborizar [aRbori'zaR] *tr* arborizar.
arbusto [aR'buʃtʊ] *m* arbusto.
arca ['aRka] *f* arca.
arcada [aR'kada] *f* **1** ARQ arcada. **2** ARQ bóveda arqueada. • **arcadas** *f pl* **3** arcadas (del estómago).
arcaico, ca [aR'kaykʊ, ka] *adj* arcaico.
arcar [aR'kaR] *tr, intr e pron* **1** arquear. • *intr e pron* **2** asumir (responsabilidad, gastos).
arcebispo [aRse'biʃpʊ] *m* arzobispo.
arcipreste [aRsi'prɛʃtʃɪ] *m* arcipreste.
arco ['aRkʊ] *m* **1** arco (arma). **2** arco, aro (de barril, tambor). **3** diadema (para el pelo).
arco-da-velha [aRkʊda'vɛʎa] *m* (fam) ⇒ arco-íris.
arco-íris [aRkʊ'iriʃ] *m* arco iris.
ar-condicionado [aRkõdʒisyo'nadʊ] *m* aire acondicionado.

ardência [aʀ'dẽsya] *f* **1** ardor (calor). **2** ardor, quemazón (de estómago).
ardente [aʀ'dẽtʃɪ] *adj 2 gén* **1** ardiente, abrasador. **2** (fig) picante (comida).
arder [aʀ'deʀ] *intr* **1** arder (quemarse). **2** picar (comida). • *tr e intr* **3** ansiar, desear.
ardido, da [aʀ'dʒidʊ, da] *adj* **1** quemado. **2** picante (comida).
ardor [aʀ'doʀ] *m* **1** ardor (calor). **2** picor (del paladar). **3** ⇒ ardência.
ardósia [aʀ'dɔzya] *f* pizarra (roca).
árduo, a ['aʀduo, a] *adj* **1** arduo (difícil). **2** arduo (penoso).
área ['aɾea] *f* **1** área (espacio). **2** área (unidad). **3** área (terreno, era). **4** área, campo (científico, artístico).
areado, da [aɾe'adʊ, da] *adj* bruñido.
areal [aɾe'aw] *m* arenal.
arear [aɾe'aʀ] *tr e pron* **1** arenar, enarenar. • *tr* **2** bruñir, lustrar. **3** refinar (azúcar). • *intr* **4** desorientarse.
areento, ta [aɾe'ẽtʊ, ta] *adj* ⇒ arenoso, sa.
arefação [aɾefa'sãw] *f* arefacción.
areia [a'ɾeya] *f* **1** arena (partículas). • *adj/m* **2** beige (color).
arejamento [aɾeʒa'mẽtʊ] *m* aireación.
arejar [aɾe'ʒaʀ] *tr e pron* **1** airear. • *intr e pron* **2** airearse, despejarse: *fui dar uma volta para arejar = fui a dar una vuelta para airearme.*
arena [a'ɾena] *f* **1** arena (lugar). **2** pista (de circo).
arenal [aɾe'naw] *m* ⇒ areal.
arenoso, sa [aɾe'nozʊ, za] *adj* arenoso.
ares ['aɾeyʃ] *m pl* aires, clima.
aresta [a'ɾɛʃta] *f* **1** arista (borde). **2** BOT arista. • **arestas** *f pl* **3** aristas, asperezas.
arfar [aʀ'faʀ] *intr* **1** jadear, resollar. **2** balancear.
argamassa [aʀga'masa] *f* argamasa.
argamassar [aʀgama'saʀ] *tr* argamasar.
Argélia [aʀ'ʒɛlia] *f* Argelia.
argelino, na [aʀʒe'linʊ, na] *adj/m e f* argelino.
argentar [aʀʒẽ'taʀ] *tr* argentar (platear).
argentário [aʀʒẽ'taɾyʊ] *m* platero (mueble).
Argentina [aʀʒẽ'tʃina] *f* Argentina.
argentino, na [aʀʒẽ'tʃinʊ, na] *adj/m e f* **1** argentino. • *adj* **2** argentino, argénteo.
argila [aʀ'ʒila] *f* arcilla.
argileira [aʀʒi'leyɾa] *f* barrera (de extracción).
argola [aʀ'gɔla] *f* **1** argolla (aro). **2** aldaba (de puerta).
argolada [aʀgo'lada] *f* aldabada (golpe).
argüente [aʀ'gwẽtʃɪ] *adj 2 gén* arguyente.
argüição [aʀgwi'sãw] *f* argumentación.
argüido, da [aʀ'guidʊ, da] *adj* argumentado, argüido.
argüir [aʀ'guiʀ] *tr* **1** argüir, aducir. • *tr e pron* **2** reprender.
argumentação [aʀgumẽta'sãw] *f* **1** argumentación. **2** discusión, controversia.
argumentar [aʀgumẽ'taʀ] *tr e intr* **1** argumentar (aducir). • *tr* **2** argumentar (discutir).
argumento [aʀgu'mẽtʊ] *m* **1** argumento (razonamiento). **2** argumento (materia, asunto).
ária ['aɾya] *adj/m e f* ⇒ ariano, na.
ariano, na [aɾi'anʊ, na] *adj/m e f* **1** ario (estirpe nórdica). **2** ASTROL aries.
aridez [aɾi'deyʃ] *f* aridez.
árido, da ['aɾidʊ, da] *adj* **1** árido (seco). **2** árido (estéril).
Áries ['aɾieyʃ] *s 2 gén* ASTR Aries (constelación, signo zodiacal).
aríete [a'ɾietʃɪ] *m* MAR ariete.
aripar [aɾi'paʀ] *intr* cribar la arena.
ariscar [aɾiʃ'kaʀ] *tr e pron* ariscarse.
arisco, ca [a'ɾiʃkʊ, ka] *adj* **1** arenoso. **2** (fig, fam) arisco (áspero, intratable).
aristocracia [aɾiʃtokɾa'sia] *f* aristocracia.
aristocrata [aɾiʃto'kɾata] *adj/m e f* aristócrata.
aritmética [aɾitʃi'mɛtʃika] *f* aritmética.
aritmético, ca [aɾitʃi'mɛtʃikʊ, ka] *adj/m e f* aritmético.
arma ['aʀma] *f* **1** arma (instrumento). **2** (fig) armas (defensa). **3** (fig) armas (medio).
armação [aʀma'sãw] *f* **1** armazón, armadura (estructura). **2** montura (de gafas).
armada [aʀ'mada] *f* **1** ardid, artimaña. **2** MAR armada.
armadilha [aʀma'dʒiʎa] *f* **1** armadijo (trampa). **2** (fig) ardid.
armado, da [aʀ'madʊ, da] *adj* **1** armado. **2** (fig) prevenido.
armador, ra [aʀma'doʀ, ɾa] *m e f* armador (de muebles, artefactos).

armadura [aʀma'dura] *f* armadura (de guerrero).
armamento [aʀma'mẽtu] *m* armamento.
armar [aʀ'maʀ] *tr e pron* **1** armar: *armou a guerrilha = armó la guerrilla*. **2** armar, cargar (arma). **3** (fig) fortalecer. • *tr* **4** armar, montar. • **~-se** *pron* **5** (fig) armarse (formarse, fraguarse).
armaria [aʀma'ria] *f* armería (heráldica).
armarinho [aʀma'riɲu] *m* mercería.
armário [aʀ'maryu] *m* **1** armario (mueble). **2** (fig, fam) armario (persona corpulenta).
armazém [aʀma'zẽy] *m* **1** almacén. **2** ultramarinos (tienda); abarrotería (Amér).
armazenagem [aʀmaze'naʒẽy] *f* almacenamiento, almacenaje.
armazenar [aʀmaze'naʀ] *intr e tr* almacenar.
armeiro [aʀ'meyru] *m* armero.
armela [aʀ'mɛla] *f* armella (de puertas, ventanas).
Armênia [aʀ'menya] *f* Armenia.
armênio, a [aʀ'menyu, a] *adj/m e f* armenio.
ARN [aɛʀi'enɪ] (*siglas de* **ácido ribonucléico**) *m* BIOQ ARN (ácido ribonucleico).
arnica [aʀ'nika] *f* árnica (planta).
aro ['aru] *m* **1** aro (anillo, argolla). **2** aro (armadura, estructura).
aroeira [aro'eyra] *f* aroeira (planta).
aroma [a'roma] *m* aroma (olor).
arpado, da [aʀ'padu, da] *adj* arpado.
arpão [aʀ'pãw] *m* **1** arpón. **2** (gír) jeringuilla.
arpejo [aʀ'peʒu] *m* MÚS arpegio.
arpoar [aʀpo'aʀ] *tr* **1** MAR arponear. **2** (fig) capturar.
arqueação [aʀkea'sãw] *f* arqueo, arqueamiento.
arqueado, da [aʀke'adu, da] *adj* arqueado.
arqueamento [aʀkea'mẽtu] *m* arqueo (curvatura).
arquear [aʀke'aʀ] *tr e pron* arquear.
arqueiro [aʀ'keyru] *m* arquero (soldado).
arquejante [aʀke'ʒãtʃɪ] *adj 2 gén* jadeante.
arquejar [aʀke'ʒaʀ] *intr* **1** jadear. • *tr* **2** emitir (gemido, sollozo).
arquejo [aʀ'keʒu] *m* jadeo.
arqueologia [aʀkeolo'ʒia] *f* arqueología.
arqueológico, ca [aʀkeo'lɔʒiku, ka] *adj* arqueológico.
arqueólogo, ga [aʀke'ɔlogu, ga] *m e f* arqueólogo.
arquétipo [aʀ'kɛtʃipu] *m* arquetipo.
arquibancada [aʀkibã'kada] *f* grada, gradería.
arquiconfraria [aʀkikõfra'ria] *f* archicofradía.
arquiduque [aʀki'dukɪ] *m* archiduque.
arquiepiscopal [aʀkiepiʃko'paw] *adj 2 gén* arzobispal.
arquimilionário, a [aʀkimilio'naryu, a] *adj/m e f* archimillonario.
arquipélago [aʀki'pɛlagu] *m* archipiélago.
arquitetar [aʀkite'taʀ] *tr* **1** proyectar, diseñar. **2** edificar. **3** (fig) maquinar (urdir).
arquiteto, ta [aʀki'tɛtu, ta] *m e f* arquitecto.
arquitetônico, ca [aʀkite'toniku, ka] *adj* arquitectónico.
arquitetura [aʀkite'tura] *f* **1** arquitectura. **2** (fig) estructura.
arquitrave [aʀki'travɪ] *m* ARQ arquitrabe.
arquivar [aʀki'vaʀ] *tr* **1** archivar. **2** (fig) memorizar.
arquivo [aʀ'kivu] *m* **1** archivo (documentos). **2** archivador (mueble).
arquivolta [aʀki'vɔwta] *f* ARQ arquivolta.
arrabalde [aʀa'bawdʒɪ] *m* arrabal.
arrabaldeiro, ra [aʀabaw'deyru, ra] *m e f* arrabalero.
arracimado, da [aʀasi'madu, da] *adj* arracimado.
arraçoar [aʀaso'aʀ] *tr* alimentar (en raciones).
arraia [a'ʀaya] *f* raya (pez).
arraial [aʀay'aw] *m* **1** feria (de productos, diversiones). **2** MIL campamento.
arraigado, da [aʀay'gadu, da] *adj* arraigado.
arraigar [aʀay'gaʀ] *tr, intr e pron* arraigar (planta).
arramar [aʀa'maʀ] *intr e pron* enramar.
arrampado [aʀã'padu] *m* declive, ladera.
arranca [a'ʀãka] *f* arrancadura, arrancamiento.

arrancada [aʀã'kada] *f* **1** arrancadura. **2** arrancada, arranque.
arrancar [aʀã'kaʀ] *tr* **1** arrancar (sacar). **2** (fig) arrancar, suscitar (sonrisas, aplausos). **3** (fig) arrancar (secretos, confesiones). • *intr* **4** arrancar (vehículo). • **~-se** *pron* **5** salir (de repente).
arranca-rabo [aʀãka'ʀabʊ] *m* (fam) bronca, riña.
arranchamento [aʀãʃa'mẽtʊ] *m* ranchería.
arranchar [aʀã'ʃaʀ] *tr e pron* ranchear.
arranco [a'ʀãkʊ] *m* **1** arranque (arrebato). **2** estertor.
arranha-céu [aʀaŋa'sew] *m* rascacielos.
arranhador, ra [aʀaŋa'doʀ, ɾa] *m e f* arañador.
arranhadura [aʀaŋa'duɾa] *f* arañazo, rascadura.
arranhar [aʀa'ŋaʀ] *tr e intr* **1** arañar, rascar (herir). • *tr* **2** (fig) chapurrar (lengua). **3** (fig) aporrear (piano).
arranjado, da [aʀã'ʒadʊ, da] *adj* **1** arreglado (ordenado). **2** arreglado (asunto, aparato).
arranjamento [aʀãʒa'mẽtʊ] *m* arreglo.
arranjar [aʀã'ʒaʀ] *tr* **1** arreglar (ordenar). **2** arreglar (reparar). • *tr e pron* **3** casarse. • **~-se** *pron* **4** apañárselas.
arranjo [a'ʀãʒʊ] *m* **1** orden, arreglo (disposición). **2** arreglo (acuerdo). **3** adorno. • **arranjos** *m pl* **4** preparativos. **5** bienes, pertenecias.
arranque [a'ʀãkɪ] *m* **1** ⇒ arranco. **2** ARQ arranque.
arrasador, ra [aʀaza'doʀ, ɾa] *adj/m e f* arrasador.
arrasamento [aʀaza'mẽtʊ] *m* arrasamiento.
arrasar [aʀa'zaʀ] *tr* **1** arrasar, allanar (superficie). **2** echar pestes (criticar). • *tr e pron* **3** arrasar, llenar (hasta el borde). **4** humillar.
arrastadiço, ça [aʀaʃta'dʒisʊ, sa] *adj* arrastradizo.
arrastado, da [aʀaʃ'tadʊ, da] *adj* **1** arrastrado. **2** (fig) lento, retardado. • *m* **3** arrastre.
arrastamento [aʀaʃta'mẽtʊ] *m* arrastramiento.
arrastão [aʀaʃ'tãw] *m* arrastre (pesca).
arrastar [aʀaʃ'taʀ] *tr* **1** arrastrar (tirar). • *tr e pron* **2** vivir (miserablemente). • *tr* **3** arrastrar (atraer, obligar).
arrasto [a'ʀaʃtʊ] *m* **1** arrastre, arrastramiento. **2** arrastre (pesca).
arrazoador, ra [aʀazoa'doʀ, ɾa] *m e f* alegador.
arrazoar [aʀazo'aʀ] *tr* **1** argumentar, razonar. **2** DIR alegar. • *tr e intr* **3** discutir.
arre! ['aʀɪ] *interj* ¡hala! (fastidio).
arreamento [aʀea'mẽtʊ] *m* **1** arreo. **2** mobiliario (de casa).
arrear [aʀe'aʀ] *tr e pron* **1** arrear (engalanar). • *tr* **2** amueblar.
arrebanhar [aʀebã'ŋaʀ] *tr* reunir, juntar (ganado, gente).
arrebatamento [aʀebata'mẽtʊ] *m* arrebato.
arrebatar [aʀeba'taʀ] *tr* **1** arrebatar (arrancar). **2** robar. **3** raptar, secuestrar.
arrebato [aʀe'batʊ] *m* ⇒ arrebatamento.
arrebentar [aʀebẽ'taʀ] *tr e intr* ⇒ rebentar.
arrebique [aʀe'bikɪ] *m* **1** colorete. **2** adorno exagerado.
arrebitado, da [aʀebi'tadʊ, da] *adj* **1** respingón (nariz). **2** (fig) irascible. **3** (fig) petulante, engreído.
arrebitar [aʀebi'taʀ] *tr e pron* **1** arremangar (ropa). **2** erguir (levantar).
arrebito [aʀe'bitʊ] *m* arremango.
arrebol [aʀe'bɔw] *m* arrebol.
arrebolar [aʀebo'laʀ] *tr* redondear.
arrecadação [aʀekada'sãw] *f* **1** recaudación. **2** depósito (lugar).
arrecadado, da [aʀeka'dadʊ, da] *adj* **1** recaudado. **2** ahorrador.
arrecadador, ra [aʀekada'doʀ, ɾa] *adj/m e f* recaudador.
arrecadar [aʀeka'daʀ] *tr* **1** recaudar (cobrar). **2** recaudar (guardar).
arredado, da [aʀe'dadʊ, da] *adj* alejado.
arredamento [aʀeda'mẽtʊ] *m* alejamiento.
arredar [aʀe'daʀ] *tr, intr e pron* **1** alejar. • *tr e pron* **2** apartar.
arredondamento [aʀedõda'mẽtʊ] *m* redondeo.
arredondar [aʀedõ'daʀ] *tr e pron* **1** redondear (poner redondo). • *tr e intr* **2** redondear (número, valor).

arredor [aʀe'dɔʀ] *adv* alrededor: *havia um quintal arredor da casa = había un jardín alrededor de la casa.*
arrefeçar [aʀefe'saʀ] *tr* vender muy barato.
arrefecer [aʀefe'seʀ] *tr, intr e pron* **1** enfriar. • *intr* **2** suavizar, moderar.
arrefecido, da [aʀefe'sidʊ, da] *adj* **1** enfriado (ambiente, temperatura). **2** desanimado, apático.
arrefentar [aʀefẽ'taʀ] *tr* refrescar.
ar-refrigerado [aʀefriʒe'ɾadʊ] *m* acondicionador de aire.
arregaçado, da [aʀega'sadʊ, da] *adj* regazado, remangado.
arregaçar [aʀega'saʀ] *tr* **1** regazar, remangar. • **~-se** *pron* **2** levantarse, arquearse.
arregaço [aʀe'gasʊ] *m* **1** reprimienda. **2** discusión.
arregalar [aʀega'laʀ] *tr* poner los ojos como platos.
arreganhado, da [aʀegã'ɲadʊ, da] *adj* abierto.
arreganhar [aʀegã'ɲaʀ] *tr* **1** abrir. • *tr e pron* **2** mostrar los dientes.
arreganho [aʀe'gãɲʊ] *m* abrimiento (de boca).
arregimentar [aʀeʒimẽ'taʀ] *tr* regimentar.
arrego [a'ʀegʊ] *m* rendición.
arregoar [aʀego'aʀ] *tr e intr* **1** surcar (tierra). • *intr* **2** agrietarse (fruto).
arreio [a'ʀeyʊ] *m* **1** arreos (para caballerías). **2** arreo (ornamento).
arreliado, da [aʀeli'adʊ, da] *adj* **1** camorrista, pendenciero. **2** insolente, descarado.
arreliar [aʀeli'aʀ] *tr e pron* enfadar, irritar.
arremangar [aʀemã'gaʀ] *tr, intr e pron* **1** remangar. • *tr e intr* **2** amenazar (con la mano).
arremansar-se [aʀemã'saʀsɪ] *pron* remansarse.
arrematação [aʀemata'sãw] *f* **1** remate (fin). **2** adjudicación, remate (en una subasta).
arrematar [aʀema'taʀ] *tr, intr e pron* **1** rematar, finalizar. • *tr e intr* **2** adjudicar (en una subasta). • *tr* **3** rematar (costura, cosido).
arremate [aʀe'matʃɪ] *m* **1** remate (término). **2** remate (de un cosido).
arremedar [aʀeme'daʀ] *tr* remedar.
arremedo [aʀe'medʊ] *m* remedo.
arremessar [aʀeme'saʀ] *tr* **1** lanzar (arrojar). **2** repeler, repudiar.
arremesso [aʀe'mesʊ] *m* **1** lanzamiento. **2** osadía, atrevimiento. **3** acometimiento.
arremeter [aʀeme'teʀ] *tr e intr* arremeter.
arremetida [aʀeme'tʃida] *f* arremetida.
arreminar-se [aʀemi'naʀsɪ] *pron* (fam) enfurecerse.
arrendado, da [aʀẽ'dadʊ, da] *adj* arrendado (local, establecimiento).
arrendador, ra [aʀẽda'doʀ, ɾa] *adj/m e f* arrendador.
arrendamento [aʀẽda'mẽtʊ] *m* arrendamiento.
arrendar [aʀẽ'daʀ] *tr* arrendar, alquilar.
arrendatário, a [aʀẽda'taɾyʊ, a] *adj/m e f* arrendatario.
arrenegação [aʀenega'sãw] *f* reniego.
arrenegado, da [aʀene'gadʊ, da] *adj* renegado.
arrenegar [aʀene'gaʀ] *intr* ⇒ renegar.
arrenego [aʀe'negʊ] *m* reniego.
arrepanhado, da [aʀepã'ɲadʊ, da] *adj* **1** robado, pillado. **2** arrugado. **3** ahorrado, economizado.
arrepanhar [aʀepã'ɲaʀ] *tr e pron* **1** doblar, remangar (vestido). **2** arrugar. • *tr* **3** ratear, ahorrar.
arrepelar [aʀepe'laʀ] *tr e pron* repelar (tirar del pelo).
arrepender-se [aʀepẽ'deʀsɪ] *pron* arrepentirse.
arrependido, da [aʀepẽ'dʒidʊ, da] *adj/m e f* arrepentido.
arrependimento [aʀepẽdʒi'mẽtʊ] *m* arrepentimiento.
arrepia-cabelo [aʀepiaka'belʊ] *m* cascarrabias.
arrepiado, da [aʀepi'adʊ, da] *adj* **1** erizado (pelo, cabello). **2** asustado.
arrepiamento [aʀepia'mẽtʊ] *m* ⇒ arrepio.
arrepiante [aʀepi'ãtʃɪ] *adj 2 gén* escalofriante.
arrepiar [aʀepi'aʀ] *tr e intr* **1** erizar (pelo). • *tr, intr e pron* **2** horripilar.
arrepio [aʀe'piʊ] *m* escalofrío, estremecimiento.
arrestado, da [aʀeʃ'tadʊ, da] *adj/m e f* DIR embargado.

arrestar [aʀeʃ'taʀ] *tr* DIR embargar.
arrevesar [aʀeve'zaʀ] *tr* **1** invertir (poner al revés). **2** enredar, embrollar.
arrevessado [aʀeve'sadʊ] *m* vómito.
arrevessar [aʀeve'saʀ] *tr e intr* **1** revesar, vomitar. • *tr* **2** odiar.
arriba [a'ʀiba] *adv* **1** arriba. • **~!** *interj* **2** ¡arriba!
arribação [aʀiba'sãw] *f* llegada.
arribada [aʀi'bada] *f* ⇒ arribação.
arribar [aʀi'baʀ] *tr e intr* **1** arribar (nave). **2** levantar, suspender. • *tr* **3** arribar (llegar). **4** arribar (convalecer).
arrieiro [aʀi'eyɾʊ] *m* arriero.
arrimadiço, ça [aʀima'dʒisʊ, sa] *adj* (fig, fam) gorrón (aprovechado).
arrimar [aʀi'maʀ] *tr e pron* **1** arrimarse (apoyar). • *tr* **2** ordenar (arreglar). • **~-se** *pron* **3** arrimarse (unirse). **4** arrimarse (valerse).
arrimo [a'ʀimʊ] *m* arrimo (apoyo, sostén).
arrincoar [aʀĩko'aʀ] *tr e pron* **1** arrinconar (apartar). **2** arrinconar (acorralar). **3** arrinconarse, aislarse.
arriosca [aʀi'ɔʃka] *f* enredo, trampa.
arriscado, da [aʀiʃ'kadʊ, da] *adj* arriesgado.
arriscar [aʀiʃ'kaʀ] *tr, intr e pron* arriesgar, poner en peligro.
arroba [a'ʀoba] *f* arroba (medida).

> Una **arroba** en español son 25 libras, unos 11,5 kg. En Brasil, una ***arroba***, como medida de peso de productos agropecuarios, equivale a 15 kg.

arrobar [aʀo'baʀ] *tr* **1** pesar por arrobas. **2** (fig) evaluar a grosso modo.
arrocho [a'ʀoʃʊ] *m* **1** agarrotamiento. **2** garrote (palo). **3** aprieto, apuro (financiero). **4** represión policial.
arrogância [aʀo'gãsya] *f* arrogancia.
arrogante [aʀo'gãtʃɪ] *adj 2 gén* arrogante.
arrogar [aʀo'gaʀ] *tr e pron* arrogarse.
arroio [a'ʀoyʊ] *m* arroyo.
arrojadiço, ça [aʀoʒa'dʒisʊ, sa] *adj* **1** arrojadizo. **2** ⇒ arrojado, da.
arrojado, da [aʀo'ʒadʊ, da] *adj* (fam) arrojado, osado.
arrojamento [aʀoʒa'mẽtʊ] *m* **1** lanzamiento. **2** arrojo (osadía).
arrojar [aʀo'ʒaʀ] *tr e pron* arrojar (tirar, lanzar).
arrojo [a'ʀoʒʊ] *m* **1** lanzamiento. **2** arrojo, osadía.
arrolar [aʀo'laʀ] *tr* **1** hacer una lista. • *tr e pron* **2** alistar (inscribir).
arrolhar [aʀo'ʎaʀ] *tr* **1** encorchar (botellas). **2** silenciar, acallar. **3** intimidar, asustar.
arrombado, da [aʀõ'badʊ, da] *adj* destrozado.
arrombamento [aʀoba'mẽtʊ] *m* rompimiento.
arrombar [aʀõ'baʀ] *tr* **1** romper, derribar. **2** forzar (puerta). **3** (fig) destrozar (humillar).
arrotar [aʀo'taʀ] *tr e intr* eructar.
arrotear [aʀote'aʀ] *tr* cultivar (plantas).
arrotéia [aʀo'teya] *f* artiga, escalio.
arroto [a'ʀotʊ] *m* eructo.
arroubar [aʀow'baʀ] *tr e pron* arrobar, extasiar.
arroxeado, da [aʀoʃe'adʊ, da] *adj* amoratado.
arroxear [aʀoʃe'aʀ] *tr, intr e pron* amoratar.
arroz [a'ʀoyʃ] *m* arroz (planta, grano).
arroz-doce [aʀoʒ'dosɪ] *m* GAST arroz con leche.
arrufar [aʀu'faʀ] *tr, intr e pron* enfadar, irritar.
arruinado, da [aʀui'nadʊ, da] *adj* **1** arruinado (destruido). **2** inflamado, infectado (herida).
arruinar [aʀui'naʀ] *tr* **1** arruinar (destruir). • *tr e pron* **2** arruinar (empobrecer). • *intr* **3** infectar (herida).
arrulhar [aʀu'ʎaʀ] *intr* **1** arrullar (paloma). • *tr* **2** (fig) arrullar, adormecer (niño).
arrulho [a'ʀuʎʊ] *m* **1** arrullo (de paloma). **2** (fig) arrullo (canto).
arrumação [aʀuma'sãw] *f* **1** orden, disposición. **2** (fig, coloq) curro (empleo).
arrumador, ra [aʀuma'doʀ, ɾa] *adj/m e f* arreglador, ordenador.
arrumar [aʀu'maʀ] *tr* **1** ordenar (arreglar). **2** preparar, disponer. **3** conseguir, lograr. **4** poner rumbo. **5** armar (causar).
arsenal [aʀse'naw] *m* **1** arsenal (de armas). **2** (fig, fam) arsenal (montón, conjunto).

arte [ˈaʀtʃɪ] *f* **1** arte (creación). **2** arte (disposición, aptitud). **3** arte (conocimientos). **4** don, arte (habilidad). **5** arte (astucia, maña). **6** (fig, fam) travesura. **7** arte (de pesca).
arteirice [aʀteyˈɾisɪ] *f* **1** travesura. **2** artería, astucia.
arteiro, ra [aʀˈteyɾʊ, ɾa] *adj* **1** travieso. **2** artero, astuto.
artéria [aʀˈtɛɾya] *f* ANAT arteria.
artesanato [aʀtezaˈnatʊ] *m* **1** artesanía. **2** artesanado (artesanos).
artesão, sã [aʀteˈzãw, ˈzã] *m e f* **1** artesano. • *m* **2** ARQ artesón.
ártico, ca [ˈaʀtʃikʊ, ka] *adj* ártico.
articulação [aʀtʃikulaˈsãw] *f* **1** articulación (movimiento). **2** ANAT articulación. **3** DIR articulado.
articulado, da [aʀtʃikuˈladʊ, da] *adj* **1** articulado. • *m* **2** DIR articulado.
articular [aʀtʃikuˈlaʀ] *tr e pron* **1** articular (unir). • *tr* **2** articular (pronunciar).
artículo [aʀˈtʃikulʊ] *m* artículo (parte).
artífice [aʀˈtʃifisɪ] *m* artífice.
artifício [aʀtʃiˈfisyʊ] *m* **1** artificio (artefacto). **2** (fig, fam) artificio (doblez, disimulo).
artigo [aʀˈtʃigʊ] *m* **1** artículo (objeto). **2** artículo (de periódico, revista). **3** DIR artículo (de ley, contrato).
artilharia [aʀtʃiʎaˈɾia] *f* artillería.
artilheiro [aʀtʃiˈʎeyɾʊ] *m* artillero.
artimanha [aʀtʃiˈmãŋa] *f* artimaña, ardid.
artista [aʀˈtʃiʃta] *adj/m e f* **1** artista. **2** artista (talentoso). • *adj 2 gén* **3** astuto.
artrite [aʀˈtɾitʃɪ] *f* MED artritis.
arvoado, da [aʀvoˈadʊ, da] *adj* aturdido, mareado.
arvorado, da [aʀvoˈɾadʊ, da] *adj* arborizado.
arvorar [aʀvoˈɾaʀ] *tr* **1** arborizar. **2** enarbolar (bandera). **3** enarbolarse (caballo). **4** alardear.
árvore [ˈaʀvoɾɪ] *f* árbol (planta).
arvoredo [aʀvoˈɾedʊ] *m* arboleda.
as [ˈayʃ] *art* **1** las. • *pron pers* **2** las. • *pron dem* **3** las.
ás [ˈayʃ] *m* **1** as (naipe). **2** (fig) as (campeón).
asa [ˈaza] *f* **1** ala (de aves, avión). **2** asa (de cesto, taza).
asado, da [aˈzadʊ, da] *adj* alado.
asar [aˈzaʀ] *tr* poner alas.
ascendência [asẽˈdẽsya] *f* **1** ascendencia (origen). **2** ascensión, ascenso.
ascendente [asẽˈdẽtʃɪ] *adj/m* ascendente.
ascender [asẽˈdeʀ] *intr e pron* ascender.
ascensão [asẽˈsãw] *f* **1** ascensión (elevación). **2** ascenso (de categoría).
ascensor [asẽˈsoʀ] *m* ascensor.
asco [ˈayʃkʊ] *m* asco.
áscua [ˈayʃkwa] *f* ascua.
asfalto [ayʃˈfawtʊ] *m* asfalto.
asfixia [ayʃfikiˈsia] *f* asfixia.
asfixiar [ayʃfikisiˈaʀ] *tr, intr e pron* **1** asfixiar (ahogar). • *intr e pron* **2** asfixiar, sofocar (calor, bochorno).
Ásia [ˈazya] *f* Asia.
asiático, ca [aziˈatʃikʊ, ka] *adj/m e f* asiático.
asilado, da [aziˈladʊ, da] *adj/m e f* asilado.
asilo [aˈzilʊ] *m* **1** asilo (institución benéfica). **2** asilo (refugio).
asma [ˈayʒma] *f* MED asma.
asmático, ca [ayˈʒmatʃikʊ, ka] *adj/m e f* MED asmático.
asneira [ayʒˈneyɾa] *f* tontería, estupidez.
asno [ˈayʒnʊ] *m* asno (animal).
aspa [ˈayʃpa] *f* **1** aspa. • **aspas** *f pl* **2** comillas (signo gráfico).
aspargo [ayʃˈpaʀgʊ] *m* espárrago.
aspecto [ayʃˈpɛkitʊ] *m* **1** aspecto (apariencia). **2** lado, ángulo.
asperger ou **aspergir** [ayʃpeʀˈʒeʀ o aʃpeʀˈʒiʀ] *tr e pron* asperjar, rociar.
áspero, ra [ˈayʃpeɾʊ, ɾa] *adj* **1** áspero (terreno, superficie). **2** áspero (carácter, sabor).
aspersão [ayʃpeʀˈsãw] *f* aspersión.
aspiração [ayʃpiɾaˈsãw] *f* **1** aspiración (de aire). **2** aspiración (pretensión, deseo).
aspirador, ra [ayʃpiɾaˈdoʀ, ɾa] *adj* **1** aspirador. • *m* **2** aspirador, aspiradora (aparato).
aspirante [ayʃpiˈɾãtʃɪ] *adj/m e f* aspirante.
aspirar [ayʃpiˈɾaʀ] *tr e intr* **1** aspirar (respirar). • *tr* **2** aspirar (absorver).
aspirina [ayʃpiˈɾina] *f* aspirina.
assado, da [aˈsadʊ, da] *adj* asado.

assador, ra [asa'doʀ, ɾa] *adj/m e f* asador (cocinero).
assalariado, da [asalaɾi'adʊ, da] *adj/m e f* asalariado.
assalariar [asalaɾi'aʀ] *tr e pron* asalariar.
assaltar [asaw'taʀ] *tr e intr* **1** asaltar (acometer). • *tr* **2** asaltar (sobrevenir).
assalto [a'sawtʊ] *m* asalto.
assanhado, da [asã'ŋadʊ, da] *adj* **1** provocativo (sexualmente). **2** desgreñado (pelo).
assanhamento [asãŋa'mẽtʊ] *m* **1** provocación (sexual). **2** ensañamiento.
assanhar [asã'ŋaʀ] *tr e pron* **1** ensañar. **~-se** *pron* **2** tontear, ligar.
assar [a'saʀ] *tr e intr* **1** asar (comida). **2** abrasar (de calor).
assassinar [asasi'naʀ] *tr* asesinar.
assassinato [asasi'natʊ] *m* asesinato.
assassino, na [asa'sinʊ, na] *m e f* asesino.
assaz [a'sayʃ] *adv* (form) asaz (bastante).
asseado, da [ase'adʊ, da] *adj* aseado.
assear [ase'aʀ] *tr e pron* asear.
assediar [asedʒi'aʀ] *tr* asediar.
assédio [a'sedʒyʊ] *m* asedio.
assegurar [asegu'ɾaʀ] *tr* **1** asegurar (garantizar). **2** asegurar (aseverar).
asseio [a'seyʊ] *m* **1** aseo (limpieza). **2** aseo (esmero).
asselvajado, da [asewva'ʒadʊ, da] *adj* salvaje.
assembléia [asẽ'blɛya] *f* **1** asamblea (reunión). **2** asamblea (corporación).
assemelhado, da [aseme'ʎadʊ, da] *adj* semejante (parecido).
assemelhar [aseme'ʎaʀ] *tr e pron* asemejar (parecer).
assentada [asẽ'tada] *f* **1** DIR sesión de un tribunal. **2** sentada, asentada.
assentado, da [asẽ'tadʊ, da] *adj* **1** sentado (juicioso). **2** asentado (depositado). **3** asentado, fijado (acuerdo, tratado).
assentar [asẽ'taʀ] *tr e pron* **1** sentar (acomidar). **2** asentar (afirmar). • *tr* **3** asentarse, establecer (morada).
assente [a'sẽtʃɪ] *adj 2 gén* ⇒ assentado, da.
assentir [asẽ'tʃiʀ] *intr e tr* asentir (aprobar, consentir).
assento [a'sẽtʊ] *m* **1** asiento (mueble). **2** fondillos (ropa). **3** asiento (poso). **4** base (fundamento, apoyo).
assepsia [asepi'sia] *f* MED asepsia.
asserção [aseʀ'sãw] *f* aserción.
assessor, ra [ase'soʀ, ɾa] *adj/m e f* asesor.
assessorar [aseso'ɾaʀ] *tr e pron* asesorar.
assessoria [aseso'ɾia] *f* **1** asesoramiento. **2** asesoría (empresa).
assestar [aseʃ'taʀ] *tr* **1** asestar (arma, vista). **2** asestar (golpe).
asseverar [aseve'ɾaʀ] *tr* aseverar.
assexuado, da [asekisu'adʊ, da] *adj* asexuado.
assexual [asekisu'aw] *adj 2 gén* BIOL asexual.
assíduo, a [a'sidwʊ, a] *adj* **1** asiduo (frecuente). **2** asiduo (perseverante).
assim [a'sĩ] *adv* **1** así (de este modo). **2** así (cantidad, tamaño): *ele pescou um peixe assim de grande = pescó un pez así de grande*. **3** así (igual, del mismo modo): *o carro dos ladrões era assim = el coche de los ladrones era así*. • *conj* **4** así que: *chove, assim apanho o guarda-chuva = llueve, así que cojo el paraguas*. ■ **~ como** así como (comparación, equivalencia): *eu, assim como ele, trabalho no campo = yo, así como él, trabajo en el campo*; así como, así que (tan pronto como): *assim como retirei o dinheiro, paguei a conta = así que saqué el dinero, pagué la cuenta*; **~ como ~** así como así.
assimetria [asime'tɾia] *f* asimetría.
assimilado, da [asimi'ladʊ, da] *adj* asimilado.
assimilar [asimi'laʀ] *tr e pron* **1** asimilar (asemejar). **2** asimilar (comprender).
assinação [asina'sãw] *f* **1** firma. **2** DIR notificación.
assinado, da [asi'nadʊ, da] *adj* firmado.
assinalado, da [asina'ladʊ, da] *adj* **1** señalado. **2** (fig) señalado (insigne, famoso).
assinalamento [asinala'mẽtʊ] *m* señalamiento.
assinalar [asina'laʀ] *tr* **1** señalar (marcar). • **~-se** *pron* **2** aparecer (surgir). **3** señalarse, distinguirse.
assinante [asi'nãtʃɪ] *s 2 gén* **1** firmante. **2** suscriptor (de revista, periódico).
assinar [asi'naʀ] *tr e pron* **1** firmar (rubricar). **2** suscribirse (a una publicación).

• *tr* **3** asignar (señalar). **4** fijar (fecha, plazo). • **~-se** *pron* **5** distinguirse.
assinatura [asina'tura] *f* **1** firma. **2** suscripción (a una publicación).
assisado, da [asi'zadʊ, da] *adj* sensato (juicioso).
assistência [asiʃ'tẽsya] *f* **1** asistencia (comparecencia). **2** asistencia (público). **3** asistencia (auxilio).
assistente [asiʃ'tẽtʃɪ] *adj/m e f* **1** asistente. **2** adjunto (profesor).
assistido, da [asiʃ'tʃidʊ, da] *adj* asistido (auxiliado).
assistir [asiʃ'tʃiʀ] *tr e intr* **1** asistir (comparecer). • *tr* **2** asistir (auxiliar). **3** ver (cine, teatro, televisión).
assoalhado, da [asoa'ʎadʊ, da] *adj* (fig) propagado (noticia, secreto).
assoar [aso'aʀ] *tr e pron* sonar (nariz).
assoberbado, da [asobeʀ'badʊ, da] *adj* soberbio, altivo.
assobiada [asobi'ada] *f* silba, pitada.
assobiador, ra [asobia'doʀ, ɾa] *adj/m e f* silbador.
assobiar [asobi'aʀ] *tr e intr* **1** silbar. **2** abuchear.
assobio [aso'biʊ] *m* **1** silbido (sonido). **2** silbato, pito (instrumento).
associação [asosia'sãw] *f* **1** asociación (unión). **2** asociación (organización).
associado, da [asosi'adʊ, da] *adj* **1** asociado (relacionado). • *m e f* **2** asociado (socio).
associar [asosi'aʀ] *tr e pron* **1** asociar (juntar, reunir). **2** asociarse (mancomunarse). • *tr* **3** asociar (relacionar). **4** MAT asociar.
assolapar [asola'paʀ] *tr e pron* ⇒ solapar.
assolar [aso'laʀ] *tr* **1** asolar (destruir). **2** (fig) desolarse (afligir).
assomada [aso'mada] *f* cumbre, auge.
assomado, da [aso'madʊ, da] *adj* irritado, colérico.
assomar [aso'maʀ] *tr e intr* **1** asomar (surgir). • *tr* **2** subir (ascender). • **~-se** *pron* **3** emborracharse.
assombrado, da [asõ'bɾadʊ, da] *adj* **1** sombrío (oscuro). **2** (fig) sombrío (triste). **3** asombrado (sorprendido). **4** asustado.
assombrar [asõ'bɾaʀ] *tr e pron* **1** sombrear. • *tr e intr* **2** asombrar (maravillar). • *tr, intr e pron* **3** asombrar, atemorizar.
assombro [a'sõbɾʊ] *m* **1** asombro (admiración). **2** asombro (susto, espanto).
assomo [a'sõmʊ] *m* asomo (aparición, indicio).
assoprado, da [aso'pradʊ, da] *adj* soplado (aire).
assoprador, ra [asopɾa'doʀ, ɾa] *m e f* soplador (de aire).
assoprar [aso'pɾaʀ] *tr e intr* soprar.
assorear [asoɾe'aʀ] *tr* sedimentar (río, canal).
assovinar [asovi'naʀ] *intr* agujerear.
assumir [asu'miʀ] *tr* **1** asumir (aceptar). **2** adquirir (forma, apariencia).
assunção [asũ'sãw] *f* asunción (aceptación).
assunto [a'sũtʊ] *m* asunto (tema, cuestión).
assustado, da [asuʃ'tadʊ, da] *adj* asustado.
assustador, ra [asuʃta'doʀ, ɾa] *adj/m e f* asustador.
assustar [asuʃ'taʀ] *tr, intr e pron* asustar (atemorizar).
asteca [ayʃ'tɛka] *adj/m e f* **1** azteca. • *m* **2** azteca (lengua).
asterisco [ayʃte'ɾiʃkʊ] *m* asterisco.
asteróide [ayʃte'ɾɔydʒɪ] *adj/m* ASTR asteroide.
astigmático, ca [ayʃtʃigi'matʃikʊ, ka] *adj* MED astigmático.
astral [ayʃ'traw] *adj 2 gén* **1** astral. • *m* **2** (fig) ánimo (humor).
astro ['ayʃtrʊ] *m* astro (celeste).
astrolábio [ayʃtro'labyʊ] *m* ASTR astrolabio.
astronômico, ca [ayʃtɾo'nomikʊ, ka] *adj* astronómico.
astúcia [ayʃ'tusia] *f* astucia.
asturiano, na [ayʃturi'anʊ, na] *adj/m e f* asturiano.
astuto, ta [ayʃ'tutʊ, ta] *adj* astuto.
ata ['ata] *f* **1** acta. **2** (fig) relato, crónica.
ataca [a'taka] *f* cordón.
atacadista [ataka'dʒiʃta] *adj/m e f* mayorista.
atacado, da [ata'kadʊ, da] *adj* **1** atacado (agredido). **2** ajustado (prieto).
atacante [ata'kãtʃɪ] *adj/m e f* **1** agresor (asaltante). **2** ESPORT delantero.
atacar [ata'kaʀ] *tr e intr* atacar (acometer).
atadura [ata'duɾa] *f* atadura.

atalaia [ata'laya] *f* **1** atalaya (torre). • *s 2 gén* **2** centinela.
atalhado, da [ata'ʎadʊ, da] *adj* atajado (interrumpido).
atalhar [ata'ʎaʀ] *tr* **1** atajar (interrumpir). **2** obstruir (entrada, paso).
atalho [a'taʎʊ] *m* **1** atajo (camino). **2** obstáculo (dificultad).
atamento [ata'mẽtʊ] *m* **1** ⇒ atadura. **2** (fig) timidez.
atapetar [atape'taʀ] *tr e pron* alfombrar.
ataque [a'takɪ] *m* **1** ataque (acometida). **2** ataque (crítica, ofensa).
atar [a'taʀ] *tr e pron* **1** atar (sujetar). **2** atar (vincular). • *tr* **3** establecer (relación).
atarantação [ataɾãta'sãw] *f* atarantamiento.
atarantado, da [ataɾã'tadʊ, da] *adj* atarantado.
atarefado, da [ataɾe'fadʊ, da] *adj* atareado.
atarefar [ataɾe'faʀ] *tr e pron* atarear.
atarracado, da [ataʀa'kadʊ, da] *adj* ajustado (apretado).
atarraxar [ataʀa'ʃaʀ] *tr* atornillar.
atascar [atayʃ'kaʀ] *tr e pron* atascarse (en lodo).
atassalhar [atasa'ʎaʀ] *tr* **1** rasgar (tejido). **2** (fig) destrozar, desbaratar.
ataúde [ata'udʒɪ] *m* ataúd.
atavio [ata'viʊ] *m* atavío.
até [a'tɛ] *adv* **1** hasta (incluso): *ri até sozinho = se ríe hasta solo.* **2** hasta (máximo): *podem entrar até dez pessoas = pueden entrar hasta diez personas.* • *prep* **3** hasta. ■ ~ **que não** tanto, ni tanto: *até que não doeu = no dolió tanto.*
atear [ate'aʀ] *tr* **1** prender (fuego). • *tr e pron* **2** atizar (fuego, pasión).
ateísmo [ate'iʒmʊ] *m* ateísmo.
ateliê [ateli'e] *m* taller.
atemorizar [atemoɾi'zaʀ] *tr, intr e pron* atemorizar.
atenazar [atena'zaʀ] *tr* **1** atenazar (apretar). **2** (fig) atenazar (mortificar).
atenção [atẽ'sãw] *f* **1** atención (interés). **2** atención (cuidado). **3** atención (cortesía). • **~!** *interj* **4** ¡atención!
atencioso, sa [atẽsi'ozʊ, za] *adj* atento (cortés).
atendente [atẽ'dẽtʃɪ] *s 2 gén* auxiliar sanitario.
atender [atẽ'deʀ] *tr* **1** atender (prestar atención). **2** atender (considerar). **3** contestar, atender (teléfono).
atendimento [atẽdʒi'mẽtʊ] *m* atención.
atenrar [atẽ'ʀaʀ] *tr e pron* enternecer.
atentado, da [atẽ'tadʊ, da] *adj* **1** atento (cuidadoso). **2** prudente, moderado.
atentar [atẽ'taʀ] *tr e intr* **1** atentar (atacar). • *tr* **2** prestar atención. **3** preocuparse. **4** (fam) chinchar (importunar).
atentatório, a [atẽta'tɔɾyʊ, a] *adj* atentatorio.
atento, ta [a'tẽtʊ, ta] *adj* atento (concentrado).
atenuação [atenua'sãw] *f* atenuación.
atenuar [atenu'aʀ] *tr e pron* atenuar.
ater-se [a'teʀsɪ] *pron* **1** atenerse (arrimarse). **2** atenerse (ajustarse).
atermar [ateʀ'maʀ] *tr e pron* fijar (plazo, fecha).
aterragem [ate'ʀaʒẽy] *f* ⇒ aterrissagem.
aterrar [ate'ʀaʀ] *tr, intr e pron* **1** aterrorizar, aterrar. • *tr* **2** aterrar (enterrar).
aterrissagem [ateʀi'saʒẽy] *f* aterrizaje.
aterrissar [ateʀi'saʀ] *intr* aterrizar.
aterro [a'teʀʊ] *m* aterramiento (de tierra).
aterrorizador, ra [ateʀoɾiza'doʀ, ɾa] *adj/m e f* aterrador.
aterrorizar [ateʀoɾi'zaʀ] *tr, intr e pron* aterrorizar, aterrar.
atestação [ateʃta'sãw] *f* atestación.
atestar [ateʃ'taʀ] *tr e intr* **1** atestar (atestiguar). • *tr* **2** demostrar (confirmar).
ateu, téia [a'tew, 'tɛya] *adj/m e f* ateo.
atiçador, ra [atʃisa'doʀ, ɾa] *adj* **1** atizador, provocador. • *m* **2** atizador (para fuego).
atiçamento [atʃisa'mẽtʊ] *m* avivamiento.
atiçar [atʃi'saʀ] *tr e intr* atizar, avivar (fuego, pasiones).
atijolar [atʃiʒo'laʀ] *tr* enladrillar.
atilar [atʃi'laʀ] *tr* **1** esmerarse. • *tr e pron* **2** perfeccionar.
átimo ['atʃimʊ] *m* instante.
atinado, da [atʃi'nadʊ, da] *adj* prudente.
atinar [atʃi'naʀ] *tr e intr* **1** atinar (acertar). • *tr* **2** deducir (comprender).
atingir [atʃĩ'ʒiʀ] *tr* **1** alcanzar (tocar). **2** lograr (conseguir). **3** alcanzar (llegar, elevarse). **4** atañer, afectar: *as mudanças não atingem sua seção = los cambios no atañen a su sección.*

atino [a'tʃinʊ] *m* tino (acierto).
atípico, ca [a'tʃipikʊ, ka] *adj* atípico.
atiradeira [atʃira'deyra] *f* tirachinas.
atiradiço, ça [atʃira'dʒisʊ, sa] *adj* atrevido.
atirador, ra [atʃira'doR, ra] *m e f* **1** tirador. • *m* **2** disparador (de arma).
atirar [atʃi'raR] *tr e intr* **1** disparar (proyectil). • *tr e pron* **2** arrojar, tirar.
atitude [atʃi'tudʒɪ] *f* **1** actitud (comportamiento). **2** actitud (postura).
ativação [atʃiva'sãw] *f* activación.
ativante [atʃi'vãtʃɪ] *adj/m e f* activador.
ativar [atʃi'vaR] *tr e pron* activar.
atividade [atʃivi'dadʒɪ] *f* **1** actividad (acciones). **2** actividad (tarea). **3** actividad (movimiento).
ativo, va [a'tʃivʊ, va] *adj* **1** activo: *membro ativo = miembro activo*. **2** activo (diligente). **3** activo (despierto).
atlântico, ca [a'tlãtʃikʊ, ka] *adj* **1** atlántico. • **Atlântico** *m* **2** océano Atlántico.
atlas ['atlayʃ] *m* atlas.
atleta [a'tlɛta] *s 2 gén* atleta.
atmosfera [atʃimoʃ'fɛra] *f* atmósfera.
ato ['atʊ] *m* **1** acto (hecho, acción). **2** acto (conducta). **3** acto (de obra teatral). **4** acto (hecho solemne). **5** acto (disposición legal).
à-toa ['atoa] *adj* **1** irreflexivo. **2** fácil (trabajo, actividad).
atochar [ato'ʃaR] *tr* **1** atochar. **2** acuñar.
atol [a'tɔw] *m* atolón.
atolado, da [ato'ladʊ, da] *adj* atascado (en lodazal, barrizal).
atolar [ato'laR] *tr, intr e pron* **1** atascarse (en lodazal, barrizal). • *tr e pron* **2** agobiar, sobrecargar (de trabajo).
atoleimar-se [atoley'maRsɪ] *pron* volverse tonto.
átomo ['atomʊ] *m* FÍS átomo.
atônito, ta [a'tonitʊ, ta] *adj* atónito.
atopetar [atope'taR] *tr* colmar (abarrotar).
ator, atriz [a'toR, a'triʃ] *m e f* actor, atriz.
atordoado, da [atoRdo'adʊ, da] *adj* aturdido; totoreco (Amér).
atordoamento [atoRdoa'mẽtʊ] *m* aturdimiento.
atordoar [atoRdo'aR] *tr, intr e pron* **1** aturdir (confundir). • *tr e pron* **2** mitigar.
atormentação [atoRmẽta'sãw] *f* tormento.
atormentar [atoRmẽ'taR] *tr e intr* **1** atormentar (torturar). **2** atormentar (importunar, mortificar).
atracão [atra'kãw] *m* encontronazo; quiñazo (Amér).
atração [atra'sãw] *f* **1** atracción (fuerza). **2** (fig) atractivo.
atracar [atra'kaR] *tr e intr* **1** MAR atracar. • *intr e pron* **2** (fig) sobar. • **~-se** *pron* **3** (fig) enzarzarse.
atraente [atra'ẽtʃɪ] *adj 2 gén* atrayente, atractivo.
atraiçoado, da [atrayso'adʊ, da] *adj* **1** traicionado. **2** traicionero.
atraiçoar [atrayso'aR] *tr e pron* traicionar.
atrair [atra'iR] *tr* **1** atraer (acercar). **2** atraer (interesar, seducir).
atrapalhação [atrapaʎa'sãw] *f* lío.
atrapalhar [atrapa'ʎaR] *tr* **1** estorbar (impedir). **2** estorbar (molestar). • **~-se** *pron* **3** liarse, confundirse.
atrás [a'trayʃ] *adv* **1** atrás, detrás: *esconde-u-se atrás do carro = se escondió detrás del coche*. **2** después: *ela chegou primeiro e ele atrás = ella llegó primero y él después*. **3** antes, anteriormente: *voltemos ao que eu dizia atrás = volvamos a lo que decía antes*.
atrasado, da [atra'zadʊ, da] *adj* **1** atrasado (retardado). **2** atrasado (subdesarrollado). • *adv* **3** tarde (retrasado): *chega todos os dias atrasado = llega tarde todos los días*.
atrasar [atra'zaR] *tr* **1** atrasar (retroceder). **2** atrasar, retardar. • *intr e pron* **3** atrasar (llegar tarde).
atraso [a'trazʊ] *m* **1** atraso, retraso. **2** atraso (subdesarrollo).
atrativo, va [atra'tʃivʊ, va] *adj/m* **1** atractivo. • *m* **2** estímulo, aliciente. • **atrativos** *m pl* **3** atractivos (encantos).
atravancamento [atravãka'mẽtʊ] *m* obstáculo, estorbo.
atravancar [atravã'kaR] *tr* obstaculizar, atrancar (paso).
através [atra'veyʃ] *adv* a través.
atravessado, da [atrave'sadʊ, da] *adj* **1** atravesado (cruzado). **2** atravesado (mirada). • *adv* **3** de reojo, de través.

atravessar [atrave'saR] *tr e pron* **1** atravesar (oblicuar). • *tr* **2** atravesar.
atrelado, da [atre'ladʊ, da] *adj* atraillado (atado).
atrelar [atre'laR] *tr* atraillar (dominar, sujetar).
atrever-se [atre'veRsɪ] *pron* atreverse.
atribuição [atribuy'sãw] *f* atribución.
atribuir [atribu'iR] *tr e pron* atribuir (achacar, imputar).
atribulado, da [atribu'ladʊ, da] *adj/m e f* atribulado.
atribular [atribu'laR] *tr e pron* atribular.
atributo [atri'butʊ] *m* **1** atributo (cualidad). **2** atributo (símbolo).
átrio ['atryʊ] *m* **1** atrio (patio interior). **2** atrio (zaguán).
atrito [a'tritʊ] *m* fricción (roce).
atroada [atro'ada] *f* estruendo.
atroamento [atroa'mẽtʊ] *m* aturdimiento.
atrocidade [atrosi'dadʒɪ] *f* atrocidad.
atrofia [atro'fia] *f* **1** MED atrofia. **2** (fig) debilitamiento.
atropelamento [atropela'mẽtʊ] *m* atropello (arrollamiento).
atropelar [atrope'laR] *tr e pron* atropellar (arrollar).
atropelo [atro'pelʊ] *m* **1** (fig) confusión, tumulto. **2** (fig) atropello.
atroz [a'trɔyʃ] *adj 2 gén* **1** atroz (cruel). **2** atroz (enorme, desmesurado).
atuação [atua'sãw] *f* actuación.
atual [atu'aw] *adj 2 gén* **1** actual (presente). **2** actual (moderno).
atualizar [atuali'zaR] *tr e pron* actualizar.
atuar [atu'aR] *intr* **1** actuar (obrar). • *tr* **2** actuar (producir efecto).
atum [a'tũ] *m* atún.
aturar [atu'raR] *tr* soportar (aguantar).
aturdido, da [atuR'dʒidʊ, da] *adj* aturdido (atolondrado).
aturdir [atuR'dʒiR] *tr, intr e pron* **1** aturdir (atolondrar). • *tr* **2** aturdir, pasmar.
audácia [aw'dasya] *f* audacia.
audaz [aw'dayʃ] *adj 2 gén* audaz.
audição [awdʒi'sãw] *f* **1** audición (percepción). **2** oído (sentido). **3** audición (prueba).
audiência [awdʒi'ẽsya] *f* **1** audiencia (atención). **2** audiencia (público). **3** audiencia (de radio, televisión).
áudio ['awdʒyʊ] *m* audio.
auditivo, va [awdʒi'tʃivʊ, va] *adj* auditivo.
auditor, ra [awdʒi'toR, Ra] *m e f* auditor.
auditoria [awdʒito'ria] *f* **1** auditoría (cargo, función). **2** auditoría (despacho).
auditório [awdʒi'tɔryʊ] *m* **1** auditorio (sala, edificio). **2** auditorio (oyentes).
auê [aw'e] *m* jaleo, confusión.
auferir [awfe'riR] *tr* obtener, sacar: *auferiu bons lucros do capital aplicado = obtuvo grandes ganancias del capital invertido.*
auge ['awʒɪ] *m* auge.
augurar [awgu'raR] *tr* **1** augurar (presagiar). **2** indicar.
augúrio [aw'guryʊ] *m* augurio (presagio, indicio).
aula ['awla] *f* **1** clase (lección, materia). **2** aula (sala).

> En español el **aula** es solamente el 'lugar donde se dan las clases', mientras que en portugués también son las propias clases: *hoje tive aula de espanhol = hoy tuve clase de español.*

aumentar [awmẽ'taR] *tr e intr* **1** aumentar (acrecentar). • *tr* **2** aumentar (prosperar).
aumentativo, va [awmẽta'tʃivʊ] *adj* aumentativo.
aumento [aw'mẽtʊ] *m* aumento (acrecentamiento).
aura ['awra] *f* **1** aura (viento). **2** aura (luz).
áureo, a ['awryʊ, a] *adj* áureo (dorado).
auréola [aw'rɛola] *f* aureola, auréola.
aureolar [awreo'laR] *tr e pron* (fig) glorificar, aureolar.
aurícula [aw'rikula] *f* ANAT, BOT aurícula.
auriculado, da [awriku'ladʊ, da] *adj* auriculado.
auricular [awriku'laR] *adj 2 gén* ANAT auricular.
aurora [aw'rɔra] *f* aurora.
auscultador [awʃkuwta'doR] *m* **1** auricular (del teléfono). **2** MED estetoscopio.
auscultar [awʃkuw'taR] *tr* MED auscultar.

ausência [aw'zẽsya] *f* **1** ausencia (alejamiento). **2** ausencia (falta, privación).
ausentar-se [awzẽ'taRSI] *pron* ausentarse.
ausente [aw'zẽtʃɪ] *adj/m e f* **1** ausente (alejado). **2** (fig) ausente, distraído.
auspiciar [awʃpisi'aR] *tr* auspiciar (presagiar).
auspício [awʃ'pisyʊ] *m* **1** auspicio (agüero). • *m pl* **2** patrocinio.
auspicioso, sa [awʃpisi'ozʊ, za] *adj* auspicioso, favorable.
austero, ra [awʃ'tɛɾʊ, ɾa] *adj* **1** austero (severo, estricto). **2** arduo, penoso (trabajo, actividad).
austral [awʃ'traw] *adj 2 gén* **1** austral. • *m* **2** austral (moneda).
Austrália [awʃ'tralya] *f* Australia.
australiano, na [awʃtrali'ãnʊ, na] *adj/m e f* australiano.
australopiteco [awʃtralopi'tɛkʊ] *m* ZOOL australopiteco.
Áustria ['awʃtrya] *f* Austria.
austríaco, ca [awʃ'triakʊ, ka] *adj/m e f* austriaco, austríaco.
autarquia [awtaR'kia] *f* autarquía.
autêntica [aw'tẽtʃika] *f* auténtica (certificación).
autenticação [awtẽtʃika'sãw] *f* autenticación, legalización.
autenticado, da [awtẽtʃi'kadʊ, da] *adj* autenticado.
autenticar [awtẽtʃi'kaR] *tr* **1** autenticar. **2** DIR compulsar (documento).
autêntico, ca [aw'tẽtʃikʊ, ka] *adj* **1** auténtico (verdadero, legítimo). **2** espontáneo, sincero.
autismo [aw'tʃiʒmʊ] *m* PSIC autismo.
autista [aw'tʃiʃta] *adj/m e f* PSIC autista.
auto ['awtʊ] *m* acto.
auto-adesivo, va [awtwade'zivʊ, va] *adj/m* autoadhesivo.
auto-avaliação [awtwavalia'sãw] *f* autoevaluación.
autobiografia [awtʊbiogra'fia] *f* autobiografía.
autobiográfico, ca [awtʊbio'grafikʊ, ka] *adj* autobiográfico.
autocapa [awtʊ'kapa] *f* funda de vehículo.
autocarga [awtʊ'kaRga] *m* camión de carga.
autocontrole [awtʊkõ'trolɪ] *m* autocontrol.
autocópia [awtʊ'kɔpya] *f* autocopia.
autocrítica [awtʊ'kritʃika] *f* autocrítica.
autóctone [aw'tɔkitonɪ] *adj/m e f* autóctono, nativo.
autodestruição [awtʊdeʃtruy'sãw] *f* autodestrucción.
autodidata [awtʊdʒi'data] *adj/m e f* autodidacta.
autódromo [aw'tɔdromʊ] *m* autódromo.
auto-escola [awtweʃ'kɔla] *f* autoescuela.
auto-estima [awtweʃ'tʃima] *f* autoestima.
auto-estrada [awtweʃ'trada] *f* autopista.
autógrafo, fa [aw'tɔgrafʊ, fa] *adj/m* autógrafo.
autolocadora [awtʊloka'doɾa] *f* agencia de alquiler de automóviles.
automação [awtʊma'sãw] *f* automatización.
automático, ca [awtʊ'matʃikʊ, ka] *adj* automático.
automatismo [awtʊma'tʃiʒmʊ] *m* automatismo.
automatizar [awtʊmatʃi'zaR] *tr* automatizar (proceso, dispositivo).
automedicar-se [awtʊmedʒi'kaRSI] *pron* automedicarse.
automobilismo [awtʊmobi'liʒmʊ] *m* automovilismo.
automobilista [awtʊmobi'liʃta] *adj/m e f* automovilista.
automotivo, va [awtʊmo'tʃivʊ, va] *adj* automotor.
automóvel [awtʊ'mɔvew] *adj/m* automóvil.
autonomia [awtono'mia] *f* **1** autonomía (independencia). **2** TEC autonomía (de un vehículo).
autónomo, ma [au'tõnomʊ, ma] *adj* autónomo.
autopeça [awtʊ'pɛsa] *f* recambios; repuestos (Amér).
autópsia [aw'tɔpisya] *f* MED autopsia.
autopunição [awtʊpuni'sãw] *f* castigo a uno mismo.
autor, ra [aw'toR, ɾa] *m e f* **1** autor (de obra artística, científica). **2** autor (artífice).
autoral [awto'ɾaw] *adj 2 gén* de autor.

auto-respeito [awtuʀeʃ'peytu] *m* respeto por uno mismo.
auto-retrato [awtuʀe'tratu] *m* autorretrato.
autoria [awto'ɾia] *f* autoría.
autoridade [awtoɾi'dadʒɪ] *f* **1** autoridad (poder). **2** autoridad (institución, individuo).
autoritário, a [awtoɾi'taɾyu, a] *adj* autoritario.
autoritarismo [awtoɾita'ɾiʒmu] *m* autoritarismo.
autorização [awtoɾiza'sãw] *f* autorización.
autorizado, da [awtoɾi'zadu, da] *adj* autorizado.
autorizar [awtoɾi'zaʀ] *tr* autorizar (dar autoriad).
auto-serviço [awtuseʀ'visu] *m* autoservicio.
auto-suficiência [awtusufisi'ẽsya] *f* autosuficiencia.
auto-suficiente [awtusufisi'ẽtʃɪ] *adj 2 gén* autosuficiente.
auxiliar [awsili'aʀ] *adj 2 gén* **1** auxiliar. • *adj/m e f* **2** auxiliar (ayudante).
auxiliar [awsili'aʀ] *tr* auxiliar (socorrer, ayudar).
auxílio [aw'silyu] *m* **1** auxilio (ayuda). **2** auxilio (asistencia).
avacalhação [avakaʎa'sãw] *f* (fam) ridiculización, burla.
avacalhado, da [avaka'ʎadu, da] *adj* (fam) ridiculizado, desmoralizado.
avacalhar [avaka'ʎaʀ] *tr e pron* (fam) ridiculizar, burlarse.
aval [a'vaw] *m* aval (garantía).
avalancha [ava'lãʃa] *f* avalancha, alud.
avaliação [avalia'sãw] *f* evaluación, valoración.
avaliado, da [avali'adu, da] *adj* valorado, estimado.
avaliador, ra [avalia'doʀ, ɾa] *adj/m e f* evaluador, examinador.
avaliar [avali'aʀ] *tr* **1** evaluar, valorar (calcular). **2** valorar, estimar (mérito).
avalista [ava'liʃta] *adj/m e f* avalista.
avalizar [avali'zaʀ] *tr* avalar.
avançada [avã'sada] *f* **1** avance. **2** delantera (parte anterior). **3** ataque, asalto.
avançado, da [avã'sadu, da] *adj* **1** avanzado (posición). **2** avanzado (innovador).
avançar [avã'saʀ] *tr e intr* **1** avanzar (adelantar). • *tr* **2** avanzar, progresar. **3** avanzar, transcurrir (tiempo).
avanço [a'vãsu] *m* avance.
avantajar [avãta'ʒaʀ] *tr e pron* **1** aventajar (superar). **2** aventajar (mejorar).
avante [a'vãtʃɪ] ~! *interj* ¡adelante!
avarento, ta [ava'ɾẽtu, ta] *adj/m e f* avaricioso, avaro.
avaria [ava'ɾia] *f* **1** avería. **2** (fig) daño, herida.
avariado, da [avaɾi'adu, da] *adj* averiado.
avariar [avaɾi'aʀ] *tr, intr e pron* **1** averiar (aparato). **2** estropearse, pasarse (alimento).
avaro, ra [a'vaɾu, ɾa] *adj/m e f* avaro.
avassalador, ra [avasala'doʀ, ɾa] *adj/m e f* avasallador.
avassalar [avasa'laʀ] *tr e pron* avasallar.
ave ['avɪ] *f* ave.
aveia [a'veya] *f* avena (planta, granos).
avelã [ave'lã] *f* avellana.
aveleira [ave'leyɾa] *f* avellano (árbol).
avelório [ave'lɔɾyu] *m* (gralte pl) abalorio.
aveludado, da [avelu'dadu, da] *adj* aterciopelado.
ave-maria [avɪma'ɾia] *f* **1** REL avemaría (oración). **2** avemaría (cuenta del rosario).
avença [a'vẽsa] *f* aveniencia.
avenida [ave'nida] *f* avenida (vía pública).
avental [avẽ'taw] *m* delantal.
aventar [avẽ'taʀ] *tr* **1** aventar, ventilar. **2** aventar (tirar). **3** sugerir. **4** exponer, explicar. **5** oler, olfatear.
aventura [avẽ'tuɾa] *f* **1** aventura (suceso, riesgo). **2** aventura (amorío).
aventurar [avẽtu'ɾaʀ] *tr e pron* **1** aventurar, arriesgar. **2** aventurar (explicación, hipótesis).
aventureiro, ra [avẽtu'ɾeyɾu, ɾa] *adj/m e f* **1** aventurero. **2** (fam) buscavidas.
averbamento [aveʀba'mẽtu] *m* nota, anotación.
averbar [aveʀ'baʀ] *tr* **1** marginar (anotar al margen). **2** anotar, inscribir.
averiguação [aveɾigwa'sãw] *f* averiguación.
averiguar [aveɾi'gwaʀ] *tr* **1** averiguar, descubrir. **2** indagar, investigar.

aversão [aveʀ'sãw] *f* aversión.
avessado, da [ave'sadʊ, da] *adj* adverso.
avessar [ave'saʀ] *tr* **1** hacer al revés. contrariar.
avessas [a'vesayʃ] *f pl* aviesas.
avesso, ssa [a'vesʊ, sa] *adj* **1** contrario, adverso. • *m* **2** revés, envés. **3** lado oculto (de alguien).
avestruz [aveyʃ'truyʃ] *s 2 gén* avestruz.
avezar [ave'zaʀ] *tr e pron* avezar, acostumbrar.
aviação [avia'sãw] *f* aviación.
aviado, da [avi'adʊ, da] *adj* **1** aviado, preparado. **2** aviado, apresurado.
aviamento [avia'mẽtʊ] *m* **1** avío (preparación). **2** marcha.
avião [avi'ãw] *m* avión.

> En portugués, la preposición utilizada con los medios de transportes es ***de*** (*ir de carro, de **avião**, de trem, de bicicleta*), salvo en *a pé* y *a cavalo*.

aviar [avi'aʀ] *tr* **1** concluir, terminar. **2** preparar (receta médica). **3** aviar, aprestar.
aviário, a [avi'aɾyʊ, a] *adj* **1** aviario, avícola. • *m* **2** criadero de pájaros.
avicultor, ra [avikuw'toʀ, ɾa] *m e f* avicultor.
avidez [avi'deyʃ] *f* avidez.
ávido, da ['avidʊ, da] *adj* ávido.
avigorar [avigo'ɾaʀ] *tr e pron* **1** vigorizar. **2** consolidar, asegurar.
avinhar [avĩ'ŋaʀ] *tr* **1** dar sabor u olor de vino. • **~-se** *pron* **2** emborrachar.
avios [a'viʊʃ] *m pl* avíos (utensilios).
avir [a'viʀ] *tr e pron* **1** avenir, conciliar. • *pron* **2**
avisado, da [avi'zadʊ, da] *adj* avisado.
avisar [avi'zaʀ] *tr e pron* **1** avisar (informar). • *tr* **2** avisar (prevenir).
aviso [a'vizʊ] *m* **1** aviso (información). **2** aviso (advertencia). **3** aviso (precaución). **4** opinión (parecer).
avistar [aviʃ'taʀ] *tr* **1** avistar. • **~-se** *pron* **2** avistarse (reunirse).
avivar [avi'vaʀ] *tr, intr e pron* **1** avivar. • *tr* **2** agilizar.
avizinhar [avizĩ'ŋaʀ] *tr e pron* **1** avecinar (acercar). • *tr* **2** lindar.
avó [a'vɔ] *f* **1** abuela. • **avós** *m pl* **2** abuelos.
avô [a'vo] *m* abuelo.
avoado, da [avo'adʊ, da] *adj* **1** despistado, ido. **2** confuso.
avolumado, da [avolu'madʊ, da] *adj* abultado, voluminoso.
avolumar [avolu'maʀ] *tr, intr e pron* aumentar de volumen.
avulso, sa [a'vuwsʊ, sa] *adj* **1** suelto. **2** MED extirpado.
avultar [avuw'taʀ] *tr, intr e pron* **1** abultar (aumentar). • *tr* **2** abultar (exagerar).
axadrezado, da [aʃadɾe'zadʊ, da] *adj* ajedrezado.
axial [akisi'aw] *adj 2 gén* **1** axil, axial. **2** (fig) fundamental.
axila [aki'sila] *f* **1** ANAT axila. **2** BOT axila.
axioma [akisi'õma] *m* axioma.
azabumbado, da [azabũ'badʊ, da] *adj* aturdido.
azáfama [a'zafama] *f* **1** prisa, urgencia. **2** ajetreo.
azafamado, da [azafa'madʊ, da] *adj* ajetreado.
azafamar [azafa'maʀ] *tr e pron* **1** agitar, alborotar. **2** ajetrear, atarear.
azamboar [azãbo'aʀ] *tr* **1** volver insípido. • *tr e intr* **2** atontar, aturdir.
azar [a'zaʀ] *m* **1** mala suerte, infortunio. **2** azar, casualidad.

> En portugués la palabra ***azar*** se utiliza principalmente en el sentido de 'mala suerte', mientras que en español tiene más el sentido de 'casualidad'. La palabra compartió el sentido de 'mala suerte' durante algunos siglos en las dos lenguas, pero la acepción evolucionó de forma diferente.

azar [a'zaʀ] *tr* **1** provocar, motivar. • **~-se** *pron* **2** ser oportuno. **3** arreglarse (engalanarse).
azarado, da [aza'ɾadʊ, da] *adj/m e f* desafortunado, desgraciado.

azaranzar [azarã'zaR] *tr e pron* aturdir, confundir.
azarar [aza'raR] *tr* **1** gafar; azarar (R. Dom). • **~-se** *pron* **2** salir mal parado.
azedar [aze'daR] *tr, intr e pron* agriar, acedar.
azedo, da [a'zedu, da] *adj* **1** agrio, ácido. **2** (fam) amargo. **3** (fig) irritado, violento. • *m* **4** agrura, acidez.
azedume [aze'dumɪ] *m* **1** agrura, acidez. **2** (fig) acidez, aspereza (en el trato, comportamiento).
azeite [a'zeytʃɪ] *m* **1** aceite. **2** (fig) noviazgo. ■ **com os seus azeites** (fam, fig) de mala leche.
azeiteira [azey'teyra] *f* aceitera, alcuza; vinagreras (Amér).
azeitona [azey'tõna] *f* **1** aceituna, oliva. • *adj/m* **2** aceituna (color).
Azerbaidjão ou **Azerbeidjã** [azeRbayd'ʒãw o azeRbey'dʒã] *m* Azerbaiyán.
azerbaijano, na [azeRbay'ʒãnu, na] *adj/m e f* azerbaiyano.
azeviche [aze'viʃɪ] *m* azabache (lignito).
azia [a'zia] *f* pirosis.
azinhaga [azĩ'ɲaga] *f* senda, vereda.
azinheira [azĩ'ɲeyra] *f* encina (árbol).
azo ['azu] *m* ocasión, motivo.
azougue [a'zowgɪ] *m* azogue (mercurio).
azucrim [azu'krĩ] *m* importunación.
azul [a'zuw] *adj/m* **1** azul (color). • *adj 2 gén* **2** (fig) asustado.
azulado, da [azu'ladu, da] *adj* azulado.
azulão [azu'lãw] *m* azulejo (ave).
azular [azu'laR] *tr* **1** azular. • *intr e pron* **2** azulear.
azulejo [azu'leʒu] *m* azulejo.

Bb

b, B [ˈbe] *m* b, B (letra).
baba [ˈbaba] *f* **1** baba. **2** (fig, gír) labia.
babá [baˈba] *f* **1** ama seca. **2** canguro (de niños).
babão, bona [baˈbãw, ˈbõna] *adj/m e f* baboso.
babar [baˈbaʀ] *tr, intr e pron* **1** babear. • **~-se** *pron* **2** balbuciar.
babel [baˈbɛw] *f* (fig) babel, vocerío (confusión).
babélico, ca [baˈbɛliku, ka] *adj* babélico.
baboso, sa [baˈbozu, za] *adj/m e f* **1** baboso. **2** (fig) tonto.
babugem [baˈbuʒẽy] *f* **1** espuma. **2** baba.
babujar [babuˈʒaʀ] *tr e pron* **1** babosear, babear. • *tr* **2** (fig) babosear (adular).
baby-doll [beybiˈdɔw] *m* pijama, camisón (femenino).
bacalhau [bakaˈʎaw] *m* **1** bacalao (pez). **2** (fig, fam) zurriago (látigo). **3** (fig, fam) remiendo.
bacalhoada [bakaʎoˈada] *f* GAST bacalao a la portuguesa.
bacamarte [bakaˈmaʀtʃɪ] *m* trabuco (arma).
bacana [baˈkãna] *adj 2 gén* **1** (gír) guay (excelente). **2** (fam) majo.
bacanal [bakaˈnaw] *f* **1** bacanal (fiesta). **2** (fig) bacanal (orgía).
bacelo [baˈselu] *m* sarmiento.
bacento, ta [baˈsẽtu, ta] *adj* apagado (sin brillo).
bacharel, la [baʃaˈrɛw, la] *m e f* **1** licenciado. **2** (fig, pej) bachiller (parlanchín).
bacharelado, da [baʃareˈladu, da] *adj/m e f* **1** licenciado. • *m* **2** licenciatura.

> El término ***bacharelado*** equivale al español **licenciatura**. En portugués existe el término ***licenciatura*** para designar la titulación obtenida al terminar la carrera de magisterio.

bacharelato [baʃareˈlatu] *m* ⇒ bacharelado.
bacia [baˈsia] *f* **1** jofaina, palangana. **2** bacía (vasija). **3** bacín, orinal. **4** ANAT pelvis.
bacilo [baˈsilu] *m* BIOL bacilo.
bacio [baˈsiu] *m* bacín (orinal).
baço, ça [ˈbasu, sa] *adj* **1** empañado. **2** trigueño, moreno. • *m* **3** ANAT bazo.
bactéria [bakiˈtɛrya] *f* BIOL bacteria.
bacteriano, na [bakiteriˈanu, na] *adj* bacteriano.
badalação [badalaˈsãw] *f* (fam) juerga, marcha.
badalar [badaˈlaʀ] *tr e intr* **1** repicar (campanas). **2** (fig) cotillear. • *intr* **3** (fig, fam) ir de marcha.
badanal [badaˈnaw] *m* alboroto.
bafafá [bafaˈfa] *m* (fam) jaleo (alboroto).
bafejar [bafeˈʒaʀ] *tr e intr* **1** avahar (echar vaho). **2** soplar. • *tr* **3** alentar (animar).
bafejo [baˈfeʒu] *m* **1** vaho. **2** brisa (de mar).
bafio [baˈfiu] *m* olor a moho.
bafo [ˈbafu] *m* **1** aliento, hálito. **2** aire caliente. **3** (fig) aliento (inspiración).
bafômetro [baˈfõmetru] *f* (fam) alcoholímetro.
baforada [bafoˈrada] *f* **1** alentada. **2** bocanada (de humo). **3** vaharada.
baforar [bafoˈraʀ] *tr e intr* **1** echar (humo, aire). • *tr* **2** (fam) eructar. • *intr* **3** vahar.
bagaçada [bagaˈsada] *f* ⇒ bagatela.
bagaço [baˈgasu] *m* **1** bagazo (de frutos). **2** (fig) cachivache. ■ **estar um ~** (fig, fam) estar hecho polvo.
bagagem [baˈgaʒẽy] *f* **1** bagaje, equipaje. **2** bagaje (intelectual, artístico).
bagana [baˈgãna] *f* **1** colilla (de cigarrillo). **2** cigarrillo.
bagatela [bagaˈtɛla] *f* bagatela.
bago [ˈbagu] *m* **1** grano (de fruta). **2** perdigón (de caza).

bagre ['bagrɪ] *m* **1** bagre (pez). **2** (fig, pej) callo (feo).
bagulho [ba'guʎʊ] *m* **1** (fig, fam) trasto (chisme). **2** (gír) maría (droga). **3** (fig, pej) cosas (pertenencias).
bagunça [ba'gũsa] *f* (gír) caos (desorden).
bagunçado, da [bagũ'sadʊ, da] *adj* desordenado.
bah! ['ba] *interj* ¡bah! (incredulidad).
Bahia [ba'ia] *f* Bahía (Estado brasileño).
baia ['baya] *f* box (para caballerizas).
baía [ba'ia] *f* bahía.
bailado [bay'ladʊ] *m* **1** danza. **2** coreografía.
bailar [bay'laʀ] *tr e intr* bailar.
bailarino, na [bayla'ɾinʊ, na] *m e f* bailarín.
baile ['baylɪ] *m* baile. ◆ ~ **à fantasia** baile de disfraces.
bailéu [bay'lɛw] *m* andamio colgado.
bainha [ba'ĩɲa] *f* **1** vaina (de arma, planta). **2** dobladillo (de ropa).
baioneta [bayo'neta] *f* bayoneta.
bairro ['bayʀʊ] *m* barrio.
baita ['bayta] *adj 2 gén* **1** gigantesco. **2** increíble (muy bueno).
baixa ['bayʃa] *f* **1** baja (de empleo). **2** baja (muerte, desaparición). **3** bajada (de altura, valor). ◆ **baixas militares** bajas militares.
baixada [bay'ʃada] *f* valle (entre montañas).
baixa-mar [bayʃa'maʀ] *f* bajamar.
baixar [bay'ʃaʀ] *tr e intr* **1** bajar (descender). **2** desprestigiarse. • *tr* **3** poner (ley, aviso, orden). **4** COMP bajar.
baixaria [bayʃa'ɾia] *f* (coloq) bajeza, grosería.
baixela [bay'ʃɛla] *f* vajilla.
baixo, xa ['bayʃʊ, ʃa] *adj* **1** bajo (pequeño). **2** bajo (a poca altura): *vôo baixo = vuelo bajo*. **3** bajo (inferior). **4** bajo (vulgar, grosero). • *m* **5** bajo (parte inferior). • *adv* **6** bajo (tono, volumen, altitud).
baixo-relevo [bayʃʊʀe'levʊ] *m* bajo relieve.
bajulação [baʒula'sãw] *f* adulación, halago.
bajular [baʒu'laʀ] *tr* adular, halagar.
bala ['bala] *f* **1** bala (proyectil). **2** caramelo (golosina). ◆ ~ **perdida** bala perdida. ■ **sair como uma** ~ (fig, fam) salir como una bala.
balada [ba'lada] *f* LIT balada (poesía, canción).
balaieiro, ra [balay'eyɾʊ, ɾa] *m e f* **1** cestero. • *m* **2** ballenero (pescador).
balaio [ba'layʊ] *m* cesto.
balança [ba'lãsa] *f* **1** balanza, báscula. **2** (fig) equilibrio. **3** ECON balanza.
balançar [balã'saʀ] *tr, intr e pron* **1** balancear (mover). • *tr e pron* **2** • *tr* **3** (fig) balancear (dudar).
balanceado, da [balãsy'adʊ, da] *adj* **1** mecido. • *m* **2** balanceo.
balanceamento [balãsya'mẽtʊ] *m* balanceo. ◆ ~ **de rodas** AUT equilibrado de ruedas.
balancear [balãsy'aʀ] *tr, intr e pron* **1** ⇒ balançar. • *tr* **2** equilibrar (ruedas).
balancim [balã'sĩ] *m* balancín.
balanço [ba'lãsʊ] *m* **1** balanceo (oscilación). **2** balance (de cuentas, situación). **3** columpio (para niños).
balão [ba'lãw] *m* **1** globo (aerostático). **2** globo, bocadillo (de cómics). **3** rotonda (en carretera). ◆ ~ **aerostático** globo aerostático.
balar [ba'laʀ] *tr* balar (ovejas, corderos).
balbuciação [bawbusia'sãw] *f* balbuceo.
balbuciar [bawbusi'aʀ] *tr e intr* balbucir, balbucear.
balbúcie [baw'busye] *f* balbucencia.
balbucio [bawbu'siʊ] *m* **1** ⇒ bulbuciação. **2** ensayo, tentativa.
balbúrdia [baw'buʀdʒya] *f* **1** alboroto, bulla. **2** desorden, tumulto.
balburdiar [bawbuʀdʒi'aʀ] *tr* confundir (mezclar).
balça ['bawsa] *f* sebe (cercado).
balcânico, ca [baw'kãnikʊ, ka] *adj/m e f* balcánico.
balcão [baw'kãw] *m* **1** mostrador (de tienda). **2** barra (de bar). **3** balcón.
balconista [bawko'niʃta] *s 2 gén* dependiente (de tienda).
baldado, da [baw'dadʊ, da] *adj* fracasado, frustrado.
baldar [baw'daʀ] *tr e pron* **1** utilizar en balde. • *tr* **2** frustrar.
balde ['bawdʒɪ] *m* balde, cubo. ■ **chutar o** ~ (fig, fam) arrojar la toalla.
baldeação [bawdʒya'sãw] *f* **1** trasbordo (de pasajeros, mercancías). **2** transvase (de líquido). **3** baldeo (del suelo).

baldio, a [baw'dʒiʊ, a] *adj* **1** baldío. • *m* **2** baldío (terreno).
baldoar [bawdo'aʀ] *tr* **1** baldonar, insultar. • *intr* **2** vociferar.
baldroca [baw'drɔka] *f* timo, estafa.
balé [ba'lɛ] *m* ballet.
baleado, da [bale'adʊ, da] *adj* **1** herido, muerto (de bala). **2** (fig, coloq) hecho polvo (agotado).
balear [bale'aʀ] *adj/m e f* balear.
balear [bale'aʀ] *tr* tirotear; balear (Amér).
baleeira [bale'eyɾa] *f* ballenera (embarcación).
baleeiro [bale'eyɾʊ] *adj* **1** ballenero. • *m* **2** ballenero (pescador).
baleia [ba'leya] *f* **1** ballena. **2** (coloq, pej) vaca (gordo).
baleiro, ra [ba'leyɾʊ, ɾa] *m e f* vendedor de caramelos.
balela [ba'lɛla] *f* bulo (mentira).
baliza [ba'liza] *f* **1** baliza (señal). **2** hito, mojón (de terreno).
balizagem [bali'zaʒẽy] *f* MAR abalizamiento.
balizar [bali'zaʀ] *tr* **1** abalizar, balizar. **2** estimar (calcular).
balnear [bawne'aʀ] *adj 2 gén* ⇒ balneário, a.
balneário, a [bawne'aɾyʊ, a] *adj* **1** balneario. • *m* **2** balneario.
balofice [balo'fisɪ] *f* voluminosidad.
balofo, fa [ba'lofʊ, fa] *adj* **1** voluminoso. **2** gordo, adiposo. **3** fofo, blando.
balsa ['bawsa] *f* balsa (embarcación).
balsamar [bawsa'maʀ] *tr* **1** perfumar, aromatizar. **2** (fig) aliviar (suavizar).
balsame [baw'sãmɪ] *m* conserva de carne.
bálsamo ['bawsamʊ] *m* bálsamo.
balseiro, a [baw'seyɾʊ, a] *m e f* balsero.
báltico, ca ['bawtʃikʊ, ka] *adj/m e f* **1** báltico. • *m* **2** báltico (lenguas).
baluarte [balu'aʀtʃɪ] *m* **1** baluarte (fortificación). **2** (fig) apoyo, base.
balzaquiano, na [bawzaki'ãnʊ, na] *adj/m e f* treintañero.
bamba ['bãba] *adj/m e f* (coloq, fig) maestro (experto).
bambalear [bãbale'aʀ] *tr, intr e pron* ⇒ bambolear.
bambalhão, lhona [bãba'ʎãw, 'ʎona] *adj* **1** tambaleante. **2** (fig) perozoso, tardo.
bambaré [bãba'ɾɛ] *m* alboroto, vocerío.
bambear [bãbe'aʀ] *tr e intr* aflojar (destensar).
bambeza [bã'beza] *f* **1** flojedad. **2** flaqueza (física, anímica).
bambo, ba ['bãbʊ, ba] *adj* **1** flojo (destensado). **2** flojo (sin vigor).
bambochar [bãbo'ʃaʀ] *intr* (coloq) correrse una juerga.
bambochata [bãbo'ʃata] *f* **1** bambochada. **2** juerga, farra.
bambolear [bãbole'aʀ] *tr, intr e pron* bambolear.
bamboleio [bãbo'leyʊ] *m* bamboleo.
bambu [bã'bu] *m* bambú (planta).
bambúrrio [bã'buʀyʊ] *m* (fam) chiripa.
banal [ba'naw] *adj 2 gén* banal.
banalidade [banali'dadʒɪ] *f* banalidad.
banana [ba'nãna] *f* **1** plátano; banana (Amér). **2** (fig, pej) polla. • *s 2 gén* **3** (fig, fam) gallina (cobarde, apocado).
bananeira [bana'neyɾa] *m* platanero, plátano (árbol); banano (Amér).
banca ['bãka] *f* **1** mesa rústica. **2** banca (en juegos). **3** puesto (de venta). **4** bufete (de abogados). ♦ **~ de jornal** quiosco.
bancada [bã'kada] *f* **1** fila (de asientos). **2** banca (asiento). **3** representación política.
bancário, a [bã'kaɾyʊ, a] *adj* **1** bancario. • *m e f* **2** empleado de banco.
bancarrota [bãka'ʀota] *f* bancarrota (quiebra).
banco ['bãkʊ] *m* **1** banco (asiento). **2** banco (institución financiera). **3** mostrador (de tienda). **4** ESPORT banquillo. ♦ **~ de dados** banco de dados.
banda ['bãda] *f* **1** banda (grupo musical). **2** lado. **3** banda (faja).
bandada [bã'dada] *f* bandada.
bandalho, lha [bã'daʎʊ, ʎa] *adj/m e f* granuja.
bandar [bã'daʀ] *tr* **1** vendar (herida) **2** adornar con bandas.
bandear [bãdɛ'aʀ] *tr, intr e pron* **1** agrupar (en bando). **2** cambiar de opinión. • *tr* **3** dudar, vacilar.
bandeira [bã'deyɾa] *f* **1** bandera. **2** (fig, fam) bandera (causa, ideología). ♦ **~ dois** tarifa nocturna (de taxi).
bandeirinha [bãdey'ɾĩŋa] *m* ESPORT juez de línea.
bandeirola [bãdey'ɾɔla] *f* banderola.

bandeja [bã'deʒa] *f* **1** bandeja. **2** aventador (para cereales).
bandido, da [bã'dʒidʊ, da] *m e f* bandido.
banditismo [bãdʒi'tʃiʒmʊ] *m* bandidaje.
bando ['bãdʊ] *m* **1** bando (grupo). **2** bando, pandilla.
bandoleiro, ra [bãdo'leyɾʊ, ɾa] *m e f* **1** bandolero (bandido). • *adj* **2** voluble, inconstante.
bandolim [bãdo'lĩ] *m* MÚS bandolina, mandolina.
bandônion [bã'dõniõw] *m* MÚS bandoneón.
bandurra [bã'duʀa] *f* MÚS bandurria.
bandurrear [bãduʀe'aʀ] *tr* tocar la bandurria.
bandurrilha [bãdu'ʀiʎa] *f* MÚS bandurria pequeña.
bangalô [bãga'lo] *m* bungaló (casa).
Bangladesh [bãgla'dɛʃɪ] *m* Bangla Desh.
banha ['bãɲa] *f* **1** manteca (de animal). **2** (fig, fam) grasa (corporal).
banhado [bã'ɲadʊ] *m* pantano.
banhar [bã'ɲaʀ] *tr e pron* **1** bañar. **2** mojar (humedecer).
banheira [bã'ɲeyɾa] *f* **1** bañera, tina. **2** (fig, pej) coche grande.
banhista [bã'ɲiʃta] *adj/m e f* bañista.
banho ['bãɲʊ] *m* **1** ducha, baño. **2** baño (exposición). • **banhos** *m pl* **3** baños, balneario. ■ **tomar ~** ducharse.
banho-maria [bãɲuma'ɾia] *m* baño María.
banido, da [ba'nidʊ, da] *adj/m e f* **1** exiliado, desterrado. **2** expulsado.
banimento [bani'mẽtʊ] *m* **1** destierro, exilio. **2** expulsión (de un grupo, lugar).
banir [ba'niʀ] *tr* **1** exiliar, expatriar. **2** expulsar (de un grupo, lugar).
banqueiro, ra [bã'keyɾʊ, ɾa] *m e f* **1** banquero (propietario). **2** banquero (en juegos de azar).
banqueta [bã'keta] *f* banqueta.
banquete [bã'ketʃɪ] *m* banquete.
banzar [bã'zaʀ] *tr* **1** sorprender. • *intr* **2** meditar, reflexionar.
banzé [bã'zɛ] *m* **1** (fam) follón (jaleo). **2** (fam) jolgorio.
banzear [bãze'aʀ] *tr* **1** balancear (embarcación). • *intr* **2** estar revuelto (mar).
banzeiro, ra [bã'zeyɾʊ, ɾa] *adj* revuelto (mar).
banzo, za ['bãzʊ, za] *adj* **1** triste. • *m* **2** nostalgia. **3** banzo.
baque ['bakɪ] *m* **1** baque (batacazo). **2** estrépito (ruido). **3** (fig) instante, momento.
baquear [bakɪ'aʀ] *intr* **1** derrumbarse, desplomarse. **2** (fig) arruinarse, quebrar.
bar ['baʀ] *m* **1** bar (establecimiento). **2** mueble bar.
barafunda [baɾa'fũda] *f* barahúnda.
barafustar [baɾafuʃ'taʀ] *tr e pron* irrumpir.
baralhar [baɾa'ʎaʀ] *tr* **1** barajar (naipes). • *tr e pron* **2** confundir, mezclar.
baralho [ba'ɾaʎʊ] *m* baraja.
baranga [ba'ɾãga] *adj 2 gén* (gír) chapucero, birria.
barão [ba'ɾãw] *m* **1** barón (título). **2** (fig) magnate.
barata [ba'ɾata] *f* **1** cucaracha (insecto). **2** (fig, vulg) chocho.
barataria [baɾata'ɾia] *f* **1** trueque. **2** DIR baratería, fraude.
barateamento [baɾatʃɪa'mẽtʊ] *m* abaratamiento.
baratear [baɾatʃɪ'aʀ] *tr e intr* **1** abaratar. • *tr* **2** baratear (regatear). • *tr e pron* **3** menospreciar.
barateiro, ra [baʀa'teyɾʊ, ɾa] *adj* **1** que vende barato. • *m e f* **2** baratero (en juegos).
baratinado, da [baɾatʃi'nadʊ, da] *adj* desorientado, trastornado.
baratinar [baɾatʃi'naʀ] *tr e pron* (fam) desorientar, trastornar.
barato, ta [ba'ɾatʊ, ta] *adj* **1** barato (precio, coste). **2** barato (ordinario). • *m* **3** (gír) pasada, gozada: *voar de asa-delta é um barato = volar en ala delta es una pasada.* • *adv* **4** barato: *come-se bem e barato neste restaurante = en este restaurante se come bien y barato.*
barba ['baʀba] *f* **1** barba. **2** viruta (de madera, papel).
barbada [baʀ'bada] *f* barbada (de caballo).
barbadiano, na [baʀbadʒi'ãnʊ, na] *adj/m e f* barbadense.
Barbados [baʀ'badʊʃ] *m* Barbados.
barbaridade [baʀbaʀi'dadʒɪ] *f* barbaridad (disparate).

barbárie [baʀˈbaɾye] *f* **1** barbarie (incultura). **2** barbarie (crueldad).
barbarismo [baʀbaˈɾiʒmʊ] *m* barbarismo, barbarie.
barbarizar [baʀbaɾiˈzaʀ] *tr e pron* **1** embrutecer. • *intr* **2** (fig, coloq) arrasar.
bárbaro, ra [ˈbaʀbaɾʊ, ɾa] *adj/m e f* **1** bárbaro. **2** (fig) bárbaro (inculto).
barbatana [baʀbaˈtãna] *f* **1** aleta. **2** barba de ballena.
barbeado, da [baʀbeˈadʊ, da] *adj* afeitado.
barbeador [baʀbeaˈdoʀ] *m* máquina de afeitar.
barbear [baʀbeˈaʀ] *tr e pron* afeitar.
barbearia [baʀbeaˈɾia] *f* barbería.
barbeiro, ra [baʀˈbeyɾʊ, ɾa] *m* **1** barbero. **2** vinchuca (insecto).
barbicha [baʀˈbiʃa] *f* **1** perilla (de pelo). **2** barba escasa.
barca [ˈbaʀka] *f* barca.
barco [ˈbaʀkʊ] *m* barco (embarcación).
barganha [baʀˈgãɲa] *f* **1** (fam) trueque, cambalache. **2** chanchullo.
barlavento [baʀlaˈvẽtʊ] *m* MAR barlovento.
barnabé [baʀnaˈbɛ] *m* (fam) chupatintas.
barqueiro, ra [baʀˈkeyɾʊ, ɾa] *m e f* barquero.
barquejar [baʀkeˈʒaʀ] *intr* barquear (ir en barco).
barra [ˈbaʀa] *f* **1** barra (pieza alargada). **2** barra (signo gráfico). **3** barra (de tribunal, gimnasia). **4** ruedo (refuerzo, forro). ◆ **~ fixa** ESPORT barra fija; **~ de ferramentas** COMP barra de herramientas. ■ **limpar a ~ de alguém** (fig, fam) sarcarle a alguien las castañas del fuego.
barraca [baˈʀaka] *f* **1** barraca. **2** tienda de campaña. **3** puesto (de mercado).
barracão [baʀaˈkãw] *m* **1** barracón (alojamiento). **2** almacén (depósito).
barraco [baˈʀakʊ] *m* chabola, choza.
barrado, da [baˈʀadʊ, da] *adj* embarrado (enlodado).
barragem [baˈʀaʒẽy] *f* represa, presa.
barranco [baˈʀãkʊ] *m* **1** barranco (despeñadero). **2** barranco (de río).
barrancudo, da [baʀãˈkudʊ, da] *adj* barrancoso.
barra-pesada [baʀapeˈzada] *adj/m e f* **1** (fam) peligroso. **2** sospechoso.
barrar [baˈʀaʀ] *tr* **1** barretear. **2** enrejar. **3** (fig) impedir, frustar. **4** ESPORT marcar (a un jugador).
barrear [baʀeˈaʀ] *tr* **1** barrear (fortificar). **2** embarrar (enlodar).
barregão, gã [baʀeˈgãw, ˈgã] *m e f* concubino.
barregar [baʀeˈgaʀ] *intr* **1** berrear. **2** balar.
barreira [baˈʀeyɾa] *f* **1** barrera (valla). **2** barrera (lugar). **3** control (policial).
barreirar [baʀeyˈɾaʀ] *tr* **1** atrincherar. **2** (fig) obstaculizar.
barreiro [baˈʀeyɾʊ] *m* **1** barrera (lugar). **2** lodazal.
barrento, ta [baˈʀẽtʊ, ta] *adj* **1** barroso (lodoso). **2** barroso (color).
barrete [baˈʀetʃɪ] *m* barreta (gorra).
barrica [baˈʀika] *f* barrica (tonel).
barricada [baʀiˈkada] *f* barricada.
barricar [baʀiˈkaʀ] *tr* hacer barricadas.
barriga [baˈʀiga] *f* **1** barriga, tripa. **2** (fig, fam) barriga (saliencia, protuberancia).
barril [baˈʀiw] *m* barril.
barro [ˈbaʀʊ] *m* **1** barro (arcilla). **2** barro (lodo).
barroca [baˈʀɔka] *f* **1** monte, loma. **2** barranco (despeñadero).
barrocal [baʀoˈkaw] *m* barrizal.
barroco, ca [baˈʀokʊ, ka] *adj* **1** barroco. • *m* **2** barroco (período). **3** barrueco (perla).
barroso, sa [baˈʀozʊ, za] *adj* **1** barroso (terreno, color). **2** barroso (con acné).
barrote [baˈʀɔtʃɪ] *m* viga (madero).
barroteamento [baʀotʃɪaˈmẽtʊ] *m* colocación de vigas.
barulhar [baɾuˈʎaʀ] *intr* **1** alborotar. • *tr e pron* **2** barajarse, confundirse.
barulheira [baɾuˈʎeyɾa] *f* **1** barullo (ruido). **2** alboroto.
barulhento, ta [baɾuˈʎẽtʊ, ta] *adj* ruidoso.
barulho [baˈɾuʎʊ] *m* **1** barullo (ruido). **2** algazara, alborozo. **3** (fig, fam) tumulto, motín.
basalto [baˈzawtʊ] *m* basalto.
basco, ca [ˈbayʃkʊ, ka] *adj/m e f* **1** vasco. • *m* **2** euskera, vasco (lengua).
báscula [ˈbayʃkula] *f* báscula.
base [ˈbazɪ] *f* **1** base (fundamento). **2** base (primera capa). **3** (fig) base (origen). ◆ **~ de dados** COMP base de datos.

baseado, da [baze'adʊ, da] *adj* **1** basado, apoyado. **2** firme, fundamentado.
basear [baze'aʀ] *tr* **1** servir de base. • *tr e pron* **2** basar (fundamentar).
básico, ca ['bazikʊ, ka] *adj* **1** básico (esencial). **2** QUÍM básico.
basílica [ba'zilika] *f* basílica.
basquetebol [bayʃkɛtʃɪ'bɔw] *m* baloncesto, básquet.
basta ['bayʃta] *f* **1** basta (hilván). • ~! *interj* **2** ¡basta!
bastante [bayʃ'tãtʃɪ] *adj 2 gén* **1** bastante (suficiente). **2** mucho. • *adv* **3** bastante (cantidad suficiente): *não estou com fome, jantei bastante = no tengo hambre, ya cené bastante.*
bastão [bayʃ'tãw] *m* bastón.
bastar [bayʃ'taʀ] *tr, intr e pron* bastar (ser suficiente).
bastardo, da [bayʃ'taʀdʊ, da] *adj/m e f* bastardo (ilegítimo).
bastidão [bayʃtʃi'dãw] *f* espesura.
bastidor [bayʃtʃi'doʀ] *m* **1** bastidor. • **bastidores** *m pl* **2** bastidores.
bastonete [bayʃto'netʃɪ] *m* bastoncillo.
bata ['bata] *f* bata (prenda).
batalha [ba'taʎa] *f* **1** batalla (combate). **2** (fig) lucha (esfuerzo). ♦ ~ **campal** batalla campal.
batalhão [bata'ʎãw] *m* batallón.
batalhar [bata'ʎaʀ] *tr e intr* **1** batallar. • *tr* **2** (fig) luchar.
batata [ba'tata] *f* **1** patata; papa (Amér). **2** bola (bíceps). ♦ **nariz de** ~ (fig, fam) nariz chata. ■ **mandar plantar batatas** (fig, fam) ir a freír espárragos.
batatada [bata'tada] *f* dulce de batata.
batateiro, ra [bata'teyrʊ, ɾa] *m e f* patatero, papero.
batedor, ra [bate'doʀ, ɾa] *adj/m e f* batidor. ♦ ~ **de carteiras** (fam) carterista.
bátega ['batega] *f* batea.
batelada [bate'lada] *f* (fam) montón.
batente [ba'tẽtʃɪ] *adj 2 gén* **1** batiente. • *m* **2** batiente (de ventanas, puertas).
bate-papo [batʃɪ'papʊ] *m* (fam) charla.
bater [ba'teʀ] *tr e intr* **1** pegar, golpear. **2** llamar, picar (timbre, puerta). **3** concordar, estar de acuerdo. • *tr* **4** pegar, zurrar. **5** batir (huevo, alas). **6** batir (récord). **7** (fam) patear (recorrer). • *intr* **8** tocar (campanas, tambor).
bateria [bate'ɾia] *f* **1** batería (de artillería). **2** batería, pila (eléctrica). **3** batería (de cocina).
baterista [bate'ɾiʃta] *s 2 gén* MÚS batería (músico).
baticum [batʃi'kũ] *m* latido (del corazón).
batida [ba'tʃida] *f* **1** colisión, choque. **2** latido (del corazón). **3** cóctel, coctel (bebida).
batimento [batʃi'mẽtʊ] *m* batimiento.
batina [ba'tʃina] *f* sotana (vestidura).
batismo [ba'tʃiʒmʊ] *m* bautismo.
batizado, da [batʃi'zadʊ, da] *adj* **1** bautizado. • *m* **2** bautizo.
batizar [batʃi'zaʀ] *tr* **1** REL bautizar. **2** (fig) bautizar (apodar).
batom [ba'tõ] *m* pintalabios.
batoque [ba'tokɪ] *m* tapón, corcho.
batucar [batu'kaʀ] *tr e intr* **1** *tocar instrumentos de percusión a ritmo de samba.* **2** martillear.
batuta [ba'tuta] *f* **1** batuta (bastón). • *adj 2 gén* **2** (fig) excelente.
baú [ba'u] *m* **1** baúl. **2** (fig, gír) ricachón.
baunilha [baw'niʎa] *f* vainilla (planta, esencia).
bazar [ba'zaʀ] *m* bazar (mercado, tienda).
bazófia [ba'zɔfya] *f* fanfarronería.
bazófio, a [ba'zɔfyʊ, a] *adj/m e f* fanfarrón; bocatero (Amér).
bê ['be] *m* be (letra).
bê-á-bá [bea'ba] *m* abecedario.
beata [be'ata] *f* **1** beata (beatificada). **2** (fig) beata (devota).
beatice [bea'tʃisɪ] *f* beatería (devoción).
beatificar [beatʃifi'kaʀ] *tr* beatificar (difunto).
beato, ta [be'atʊ, ta] *adj/m e f* beato.
bêbado, da ['bebadʊ, da] *m e f* borracho.
bebê [be'be] *m* bebé.
bebedeira [bebe'deyɾa] *f* borrachera.
bebedoiro ou **bebedouro** [bebe'doyɾʊ o bebe'dowɾʊ] *m* **1** fuente (para beber). **2** abrevadero.
beber [be'beʀ] *intr e tr* **1** beber. • *tr* **2** beber (absorber). **3** (fig) despilfarrar. • *intr* **4** (fam) emborracharse.
beberrão, rrona [bebe'ʀãw, 'ʀõna] *m e f* (fam) borrachín.

bebida [be'bida] *f* **1** bebida (líquido). **2** bebida (alcohol).
bebido, da [be'bidʊ, da] *adj* bebido (ingerido).
bebível [be'bivew] *adj 2 gén* bebible.
beça ['bɛsa] **à ~** *loc adv* (fam) un montón, mogollón: *ela bebeu à beça na festa = ella bebió mogollón en la fiesta.*
beco ['bekʊ] *m* callejón. ◆ **~ sem saída** (fig, fam) callejón sin salida.
bedelhar [bede'ʎaʀ] *intr* entrometerse.
bedelho [be'deʎʊ] *m* **1** cerrojo. **2** (fig, fam) chiquillo.
beduíno, na [bedu'inʊ, na] *adj/m e f* beduino.
bege ['bɛʒɪ] *adj/m* beis, beige (color).
beicinho [bey'sĩŋʊ] *m* bezo pequeño.
beiço ['beysʊ] *m* **1** labio. **2** (fig, fam) labio (borde).
beiçudo, da [bey'sudʊ, da] *adj/m e f* bezudo, befo.
beijar [bey'ʒaʀ] *tr e pron* besar.
beijo ['beyʒʊ] *m* **1** beso. **2** (fig, fam) roce, toque.
beira ['beyɾa] *f* **1** vera (orilla). **2** borde (extremo).
beirada [bey'ɾada] *f* vera (orilla).
beiral [bey'ɾaw] *m* alero (de tejado).
beirar [bey'ɾaʀ] *tr* **1** bordear (costear). **2** lindar (limitar).
beisebol [beyzɪ'bɔw] *m* béisbol.
belas-artes [bela'zaʀtʃɪʃ] *f pl* bellas artes.
beleguim [bele'gĩ] *m* (fig) guardaespaldas.
beleléu [bele'lɛw] *m* desaparición. ■ **ir para o ~** (fam) irse al traste, al garete: *o negócio foi para o beleléu = el negocio se fue al traste.*
beleza [be'leza] *f* belleza.
belga ['bɛwga] *adj/m e f* belga.
Bélgica ['bɛwʒika] *f* Bélgica.
beliche [be'liʃɪ] *m* **1** litera (cama). **2** cucheta.
bélico, ca ['bɛlikʊ, ka] *adj* bélico.
belicosidade [belikozi'dadʒɪ] *f* belicosidad.
beliscado, da [beliʃ'kadʊ, da] *adj* **1** pellizcado. **2** picado (molesto).
beliscão [beliʃ'kãw] *m* pellizco.
beliscar [beliʃ'kaʀ] *tr, intr e pron* **1** pellizcar. ● *tr* **2** picar (escocer). **3** (fig) picar (estimular).
Belize [be'lizɪ] *m* Belice.
belizenho, nha [beli'zẽŋʊ, ŋa] *adj/m e f* belicense, beliceño.
belo, la ['bɛlʊ, la] *adj* **1** bello (hermoso). **2** bello (espléndido).
bel-prazer [bɛwpra'zeʀ] *m* albedrío.
beltrano [bew'trãnʊ] *m* mengano.
bem ['bẽy] *adj* **1** bien. ● *m* **2** bien (bondad). **3** bien (alivio). **4** bien (beneficio). **5** bien (riqueza). **6** (gralte pl) bien (propiedades, pertenencias). ● *adv* **7** bien (correctamente). **8** bien (adecuadamente). **9** bien (bastante). **10** bien (aproximadamente). **11** exactamente. ● **~!** *interj* **12** bien. **13** bueno. **14** vaya. ◆ **meu ~** (fam) cariño: *meu bem, vem cá! = ¡cariño, ven acá!*
bem-acabado, da [bẽyaka'badʊ, da] *adj* bien acabado.
bem-aceito, ta [bẽya'seytʊ, ta] *adj* bien aceptado, bien recibido: *um produto bem-aceito no mercado = un producto bien aceptado en el mercado.*
bem-apessoado, da [bẽyapeso'adʊ, da] *adj* apuesto, bien plantado.
bem-arranjado, da [bẽyaʀã'ʒadʊ, da] *adj* ⇒ bem-arrumado, da.
bem-arrumado, da [bẽyaʀu'madʊ, da] *adj* **1** bien vestido, elegante. **2** arreglado, ordenado.
bem-aventurado, da [bẽyavẽtu'ɾadʊ, da] *adj* bienaventurado.
bem-avisado, da [bẽyavi'zadʊ, da] *adj* avisado, prudente.
bem-bom [bẽy'bõw] *m* comodidad (vida holgada).
bem-comportado, da [bẽykõpoʀ'tadʊ, da] *adj* educado, con modales.
bem-conceituado, da [bẽykõseytu'adʊ, da] *adj* respetado, reputado, renombrado.
bem-dotado, da [bẽydo'tadʊ, da] *adj* **1** dotado (capacitado). **2** (irón, fam) bien dotado (con grandes genitales).
bem-educado, da [bẽyedu'kadʊ, da] *adj* educado, cortés.
bem-estar [bẽyeʃ'taʀ] *m* bienestar.
bem-fadado, da [bẽyfa'dadʊ, da] *adj* bienhadado (afortunado).
bem-fazer [bẽyfa'zeʀ] *m* caridad, favor.
bem-fazer [bẽyfa'zeʀ] *tr* **1** beneficiar (hacer bien). ● *intr* **2** hacer el bien.

bem-feito, ta [bẽyˈfeytʊ, ta] *adj* bien hecho.

bemol [beˈmɔw] *adj/m* MÚS bemol.

bem-posto, ta [bẽypoʃtʊ, ta] *adj* **1** bien vestido, elegante. **2** garboso.

bem-querença [bẽykeˈɾẽsa] *f* ⇒ benquerença.

bem-querer [bẽykeˈɾeʀ] *m* bienquerencia, estima.

bem-querer [bẽykeˈɾeʀ] *tr e pron* estimar, apreciar.

bem-sucedido, da [bẽysuseˈdʒidʊ, da] *adj* **1** exitoso. **2** rico, acaudalado.

bem-vindo, da [bẽyˈvĩdʊ, da] *adj* bienvenido.

bênção [ˈbẽsãw] *f* bendición.

bendito, ta [bẽˈdʒitʊ, ta] *adj* **1** bendito (bendecido). **2** bendito (dichoso).

bendizer [bẽdʒiˈzeʀ] *tr* **1** bendecir (consagrar). **2** (fig) alabar, enaltecer.

beneficência [benefiˈsẽsya] *f* beneficencia.

beneficente [benefiˈsẽtʃɪ] *adj 2 gén* benéfico, caritativo.

beneficiar [benefisiˈaʀ] *tr e pron* **1** beneficiar. • *tr* **2** restaurar, reformar (inmueble).

beneficiário, a [benefisiˈaɾyʊ, a] *adj/m e f* beneficiario.

benefício [beneˈfisyʊ] *m* **1** beneficio (provecho). **2** beneficio (ganancia). **3** mejora, medra. ■ **em ~ de** en beneficio de.

benéfico, ca [beˈnɛfikʊ, ka] *adj* benéfico.

beneplácito [beneˈplasitʊ] *m* beneplácito.

benevolente [benevoˈlẽtʃɪ] *adj 2 gén* benevolente.

benévolo, la [beˈnɛvolʊ, la] *adj* benévolo.

benfeitor, ra [bẽfeyˈtoʀ, ɾa] *adj/m e f* bienhechor.

bengala [bẽˈgala] *f* **1** bastón. **2** muselina (tela).

bengaleiro, ra [bẽgaˈleyɾʊ, ɾa] *m e f* bastonero (vendedor, fabricante).

bengalês, sa [bẽgaˈleyʃ, za] *adj/m e f* bengalí.

benigno, na [beˈniginʊ, na] *adj* **1** benigno (benévolo). **2** benigno (enfermedad).

benquerença [bẽkeˈɾẽsa] *f* bienquerencia.

bento, ta [ˈbẽtʊ, ta] *adj* **1** bendecido, bendito. • *m* **2** benedictino (monje).

benzedeiro, ra [bẽzeˈdeyɾʊ, ɾa] *m e f* curandero.

benzeno [bẽˈzẽnʊ] *m* QUÍM benceno.

benzer [bẽˈzeʀ] *tr* **1** bendecir. • **~-se** *pron* **2** santiguarse.

berbigão [beʀbiˈgãw] *m* berberecho (molusco).

berçário [beʀˈsaɾyʊ] *m* nido (del hospital).

berço [ˈbeʀsʊ] *m* **1** cuna (de bebé). **2** (fig) cuna (patria).

berinjela [beɾĩˈʒɛla] *f* berenjena.

bermuda [beʀˈmuda] *f* (gralte pl) bermudas.

bernardice [beʀnaʀˈdʒisɪ] *f* disparate.

berra [ˈbeʀa] *f* celo (de ciervos).

berrante [beˈʀãtʃɪ] *adj 2 gén* chillón (llamativo).

berrar [beˈʀaʀ] *intr* **1** berrear (animal). • *tr e intr* **2** (fig) berrear (gritar).

berreiro [beˈʀeyɾʊ] *m* **1** berreo. **2** llorera.

berro [ˈbɛʀʊ] *m* **1** berrido, grito. **2** (gír) pipa (revólver).

bertoldice [beʀtoˈldʒisɪ] *f* tontería, estupidez.

besta [ˈbeʃta] *f* **1** bestia. **2** ballesta (arma). • *adj/m e f* **3** (pej) burro (ignorante). • *adj 2 gén* **4** (fig, fam) arrogante, presumido. ■ **fazer-se de ~** (fig, fam) hacerse el bobo.

bestalhão, lhona [beʃtaˈʎãw, ˈʎõna] *adj/m e f* (pej) imbécil, gilipollas.

besteira [beʃˈteyɾa] *f* tontería, estupidez.

bestial [beʃtʃiˈaw] *adj 2 gén* bestial (brutal, irracional).

best-seller [bɛʃtʃiˈsɛleʀ] *m* best-séller.

besuntar [bezũˈtaʀ] *tr e pron* **1** untar (extender). **2** pringar (ensuciar).

beta [ˈbɛta] *f* **1** beta (letra griega). **2** veta (vena).

betar [beˈtaʀ] *tr* **1** vetear. **2** (fig) armonizar, mezclar.

beterraba [beteˈʀaba] *f* remolacha; betabel (Méx).

betumar [betuˈmaʀ] *tr* embetunar.

bexiga [beˈʃiga] *f* **1** ANAT vejiga. **2** globo (de fiestas).

bexigar [beʃiˈgaʀ] *intr* vejar (mofar).

bezerro, rra [beˈzeʀʊ, ʀa] *m* becerro (animal, piel).

bi ['bi] *m* **1** (coloq) billón (dinero). **2** (coloq) bicampeón.
bíblia ['biblya] *f* REL Biblia.
bíblico, ca ['bibliku, ka] *adj* bíblico.
bibliografia [bibliogra'fia] *f* bibliografía.
bibliográfico, ca [biblio'grafiku, ka] *adj* bibliográfico.
biblioteca [biblio'tɛka] *f* **1** biblioteca (colección). **2** biblioteca (local, edificio). **3** biblioteca (mueble).
bica ['bika] *f* **1** fuente. **2** canalón.
bicão [bi'kãw] *m* **1** pico grande. **2** (fam) gorrón (aprovechado).
bíceps ['bisepis] *m* ANAT bíceps.
bicha ['biʃa] *f* **1** lombriz. **2** (gír, vulg) marica; rosquete (Perú).
bichar [bi'ʃaʀ] *intr* **1** agusanarse; abicharse (Arg, Ur). • *tr* **2** (fam) estropear; apolismar (Amér).
bicharada [biʃa'rada] *f* manada.
bicho ['biʃu] *m* **1** bicho (animal, insecto). **2** (fig) monstruo (persona fea). **3** (fig, fam) novato. ■ **ser o ~** (gír) ser una pasada.
bicho-carpinteiro [biʃukaʀpĩ'teyru] *m* barrenillo (escarabajo).
bicho-da-seda [biʃuda'seda] *m* gusano de la seda.
bicho-de-sete-cabeças [biʃudʒɪsetʃɪka'besayʃ] *m* (fam) camisa de once varas.
bicho-do-mato [biʃudu'matu] *m* fiera.
bicho-papão [biʃupa'pãw] *m* (fam) coco, bu (monstruo).
bichona [bi'ʃõna] *f* (gír, vulg) maricón.
bicicleta [bisi'klɛta] *f* bicicleta.
bico ['biku] *m* **1** pico (de ave). **2** pico, punta. **3** (fig, fam) pico (boca). **4** (fam) puntapié (golpe).■ **abrir/fechar o ~** (fig, fam) abrir/cerrar el pico; **ser bom de ~** (fig, fam) tener labia.
bicudo, da [bi'kudu, da] *adj* **1** picudo. • *m* **2** puntapié (golpe).
bidê [bi'de] *m* bidé.
biela [bi'ɛla] *f* biela.
Bielo-Rússia [biɛlo'ʀusya] *f* Bielorrusia.
bielo-russo, ssa [biɛlo'ʀusu, sa] *adj/m e f* bielorruso.
biênio [bi'ẽnyu] *m* bienio.
bife ['bifɪ] *m* bistec, bisté.
bifendido, da [bifẽ'dʒidu, da] *adj* bipartido.
bífido, da ['bifidu, da] *adj* BIOL bífido.
bifurcação [bifuʀka'sãw] *f* bifurcación.
bigode [bi'gɔdʒɪ] *m* **1** bigote. **2** (fam) bigote, bocera (de cerveza, leche).
bigodeira [bigo'deyra] *f* mostacho.
bigodudo, da [bigo'dudu, da] *adj* bigotudo.
bigorna [bi'gɔʀna] *f* bigornia.
bigue-bangue [bigɪ'bãgɪ] *m* ASTR big bang.
bile ['bilɪ] *f* **1** bilis. **2** (fig) bilis (cólera).
bilhão ou **bilião** [bi'ʎãw o bili'ãw] *m* mil millones, millardo.

> En español, un **billón** equivale a un millón de millones, mientras que en portugués un ***bilhão*** equivale a mil millones.

bilhar [bi'ʎaʀ] *m* billar.
bilhete [bi'ʎetʃɪ] *m* **1** nota (mensaje). **2** billete (de transporte).

> Para denominar el papel dinero, en portugués se utiliza el término ***nota de banco,*** no ***bilhete.***

bilheteiro, ra [biʎe'teyru, ra] *m e f* taquillero (de cine, teatro).
bilheteria [biʎete'ria] *f* taquilla (de venta de entradas).
bilíngüe [bi'lĩgwɪ] *adj/m e f* bilingüe.
bilionário, a [bilio'naryu, a] *adj/m e f* multimillonario.
bílis ['biliʃ] *f* MED ⇒ bile.
bilontra [bi'lõtra] *adj/m* **1** bribón. **2** mujeriego. • *m* **3** putero.
bilontragem [bilõ'traʒẽy] *f* (pej) bribonería.
bilontrar [bilõ'traʀ] *intr* bribonear.
bimba ['bĩba] *f* **1** ingle. **2** (fam) pichita.
bimbalhada [bĩba'ʎada] *f* campaneo.
bimensal [bimẽ'saw] *adj 2 gén* bimensual.
bimestral [bimeyʃ'traw] *adj 2 gén* bimestral.
binário, a [bi'naryu, a] *adj* binario.

binga [ˈbĩga] *f* cuerno.
bingo [ˈbĩgʊ] *m* bingo (juego, local).
binocular [binokuˈlaʀ] *adj 2 gén* binocular.
binóculo [biˈnɔkulʊ] *m* binóculo, prismáticos.
bioco [biˈokʊ] *m* velo (tul).
biodegradável [biodegɾaˈdavew] *adj 2 gén* biodegradable.
bioengenharia [bioẽʒẽɲaˈɾia] *f* bioingeniería.
bioestatística [bioeʃtaˈtʃiʃtʃika] *f* bioestadística.
biografar [biogɾaˈfaʀ] *tr e pron* biografiar.
biografia [biogɾaˈfia] *f* biografía.
biográfico, ca [bioˈgɾafikʊ, ka] *adj* biográfico.
biógrafo, fa [biˈɔgɾafʊ, fa] *m e f* biógrafo.
biologia [bioloˈʒia] *f* biología.
biológico, ca [bioˈlɔʒikʊ, ka] *adj* biológico.
biologista [bioloˈʒiʃta] *m e f* ⇒ biólogo, ga.
biólogo, ga [biˈɔlogʊ, ga] *m e f* biólogo.
biombo [biˈõbʊ] *m* biombo.
biopsia [biopiˈsia] *f* MED biopsia.
bioquice [bioˈkisɪ] *f* hipocresía.
bióxido [biˈɔkisidʊ] *m* QUÍM bióxido.
bípede [ˈbipedʒɪ] *adj/m e f* bípedo.
biqueira [biˈkeyɾa] *f* puntera.
biqueiro, ra [biˈkeyɾʊ, ɾa] *adj/m e f* inapetente.
biraia [biˈɾaya] *f* meretriz.
birbante [biʀˈbãtʃɪ] *adj/m e f* bribón.
biriba [biˈɾiba] *adj 2 gén* **1** palurdo. • *f* **2** porra.
biricera [biɾiˈseɾa] *f* chuchería, nadería.
birita [biˈɾita] *f* copa (bebida alcohólica).
birmanês, sa [biʀmaˈneyʃ, za] *adj/m e f* birmano.
birô [biˈɾo] *m* buró (escritorio).
birosca [biˈɾɔʃka] *f* bareto; boliche (Arg); cantina (Méx).
birra [ˈbiʀa] *f* **1** tirria (manía). **2** terquedad (obstinación).
birrar [biˈʀaʀ] *tr* encapricharse.
biruta [biˈɾuta] *f* **1** manga cataviento s. • *adj/m e f* **2** chiflado.
bis [ˈbiʃ] *adj* **1** bis (repetido). • *m* **2** MÚS bis (repetición). • *adv* **3** bis (dos veces). **4** bis (otra vez). • **~!** *interj* **5** ¡otra!
bisaco [biˈzakʊ] *m* alforja.
bisanual [bizanuˈaw] *adj 2 gén* bianual.
bisão [biˈzãw] *m* bisonte.
bisar [biˈzaʀ] *tr* **1** bisar. • *intr e tr* **2** pedir un bis.
bisavó [bizaˈvɔ] *f* bisabuela.
bisavô [bizaˈvo] *m* **1** bisabuelo. • **bisavôs** *m pl* **2** bisabuelos.
bisbilho [biʒˈbiʎʊ] *m* bisbiseo.
bisbilhotar [biʒbiʎoˈtaʀ] *intr* **1** (fam) entremeterse. • *tr e intr* **2** cotillear.
bisbilhoteiro, ra [biʒbiʎoˈteyɾʊ, ɾa] *adj/m e f* **1** (fam) entremetido. **2** cotilla, chismoso.
bisbilhotice [biʒbiʎoˈtʃisɪ] *f* chisme, cotilleo.
bisbórria [biʒˈbɔʀia] *s 2 gén* gentuza.
bisca [ˈbiʃka] *f* brisca (juego de naipes).
biscatear [biʃkatʃɪˈaʀ] *intr* (fam) chapucear.
biscoito [biʃˈkoytʊ] *m* **1** galleta, bizcocho. **2** bizcocho (porcelana).
bisel [biˈzɛw] *m* bisel.
bisneto, ta [biʃˈnɛtʊ, ta] *m e f* bisnieto.
bisonhice [bizõˈɲisɪ] *f* bisoñada.
bisonho, nha [biˈzõɲʊ, ɲa] *adj* **1** bisoño (novato, inexperto). **2** tímido, apocado.
bispado [biʃˈpadʊ] *m* obispado.
bispar [biʃˈpaʀ] *intr* **1** obispar. • *tr* **2** avistar.
bispo [ˈbiʃpʊ] *m* **1** obispo (eclesiástico). **2** alfil (de ajedrez).
bispote [biʃˈpɔtʃɪ] *m* orinal, bacín.
bisseção [biseˈsãw] *f* GEOM bisección.
bissexto, ta [biˈseʃtʊ, ta] *adj* bisiesto.
bissexuado, da [bisekisuˈadʊ, da] *adj* bisexual (hermafrodita).
bissexual [bisekisuˈaw] *adj/m e f* **1** bisexual (hermafrodita). **2** bisexual (tendencia sexual).
bistrô [biʃˈtɾo] *m restaurante pequeño y elegante.*
bitácula [biˈtakula] *f* MAR bitácora.
bitola [biˈtɔla] *f* **1** patrón, modelo. **2** vía (de tren). **3** (fig) calibre.
bitolar [bitoˈlaʀ] *tr* **1** (fig) • *tr e pron* **2** (fig, fam) volver estrecho de miras.
bituca [biˈtuka] *f* **1** colilla. • *m* **2** moroso (deudor).
bivalve [biˈvawvɪ] *adj/m* ZOOL bivalvo.
bívio [ˈbivyʊ] *m* encrucijada (de calles).
bizantinice [bizãtʃiˈnisɪ] *f* bizantinismo.
bizantino, na [bizãˈtʃinʊ, na] *adj/m e f* bizantino.

bizarrear [bizaʀe'aʀ] *intr* bizarrear.
bizarria [biza'ʀia] *f* **1** bizarría, gallardía. **2** excentricidad (rareza).
bizarro, rra [bi'zaʀʊ, ʀa] *adj* **1** extraño, raro. **2** extravagante (excéntrico).
blague ['blagɪ] *f* chiste, gracia.
blandícia [blã'dʒisya] *f* **1** blandura, caricia (mimo). **2** lisonja.
blasfêmia [blayʃ'fẽmya] *f* blasfemia.
blasonar [blazo'naʀ] *tr, intr e pron* **1** blasonar (jactarse). • *tr e intr* **2** blasonar (escudo de armas).
blecaute [ble'kawtʃɪ] *m* apagón.
blefado, da [ble'fadʊ, da] *adj* embaucado.
blindar [blĩ'daʀ] *tr* blindar.
blocar [blo'kaʀ] *tr* justificar (texto).
bloco ['blɔkʊ] *m* **1** bloque (de material). **2** bloque (agrupación). **3** bloque (parte). **4** bloc (de papel).
bloquear [blokɪ'aʀ] *tr* **1** bloquear, obstruir (paso, tráfico). **2** bloquear, impedir (desarrollo, funcionamiento).
bloqueio [blo'keyʊ] *m* **1** bloqueo (obstrucción). **2** bloqueo (interrupción).
blusa ['bluza] *f* **1** blusa. **2** bata (de trabajo).
blusão [blu'zãw] *m* blusón.
boa ['boa] *f* boa (reptil).
boa-fé [boa'fɛ] *f* buena fe.
boa-noite [boa'noytʃɪ] *m* buenas noches.
boas-vindas [boayʒ'vĩdayʃ] *f pl* bienvenida.
boatar [boa'taʀ] *intr e tr* rumorear.
boa-tarde [boa'taʀdʒɪ] *m* buenas tardes.
boate [bo'atʃɪ] *f* bar musical.
boato [bo'atʊ] *m* rumor (chisme).
bobagem [bo'baʒẽy] *f* **1** bobada. **2** (fam) chuchería (nadería).
bobalhão, lhona [boba'ʎãw, 'ʎõna] *adj/m e f* bobarrón, bobalicón.
bobeada [bobe'ada] *f* despiste.
bobear [bobe'aʀ] *intr* **1** bobear. **2** descuidarse.
bobeira [bo'bɛyra] *f* tontería. ■ **ficar de ~** tumbarse a la bartola.
bobice [bo'bisɪ] *f* bobería.
bobina [bo'bina] *f* bobina (de hilo, cable, papel).
bobo, ba ['bobʊ, ba] *adj/m e f* bobo, tonto. ■ **ficar ~** (fam) quedarse a cuadros.
boca ['boka] *f* **1** boca. **2** boca (abertura). **3** quemador, fuego (de cocina de gas). **4** (fig) principio (inicio). ■ **bater ~** (coloq) discutir, darle a la lengua; **~ a ~** boca a boca.
boca-aberta [boka'bɛrta] *s 2 gén* boquiabierto, pasmado.
boca-de-sino [bokadʒɪ'sinʊ] *f* forma de campana.
boca-de-siri [bokadʒɪsi'ri] *f* **1** (coloq) sigilo, silencio. • **~!** *interj* **2** ¡chitón!
bocado [bo'kadʊ] *m* **1** bocado (de comida). **2** pedazo (porción). **3** un poco. **4** (coloq) montón, mogollón.
boca-do-lixo [bokadʊ'liʃʊ] *f* bajos fondos.
bocagem [bo'kaʒẽy] *f* palabrería.
bocaina [bo'kayna] *f* cañada.
bocal [bo'kaw] *m* **1** boca (abertura). **2** casquillo (de bombilla). **3** MÚS boquilla.
boçal [bo'saw] *adj/m e f* ignorante (rudo).
bocejar [bose'ʒaʀ] *intr* bostezar.
bocejo [bo'seʒʊ] *m* bostezo.
boceta [bo'seta] *f* pastillero (cajita).
bochecha [bo'ʃeʃa] *f* **1** mejilla. **2** MAR amura.
bochechar [boʃe'ʃaʀ] *tr e intr* hacer gárgaras.
bochecho [bo'ʃeʃʊ] *m* gárgara.
bochechudo, da [boʃe'ʃudʊ, da] *adj/m e f* mofletudo.
bochorno [bo'ʃoʀnʊ] *m* bochorno (calor).
bochornoso, sa [boʃoʀ'nozʊ, za] *adj* bochornoso.
bócio ['bɔsyʊ] *m* MED bocio.
bocório, a [bo'kɔryʊ, a] *adj/m e f* **1** (coloq) canalla. **2** (coloq, pej) ignorante.
bodas ['bodayʃ] *f pl* boda. ◆ **~ de ouro** bodas de oro; **~ de prata** bodas de plata.
bode ['bɔdʒɪ] *m* **1** macho cabrío. **2** cofre (de dinero). **3** (fig, fam) bajón. **4** (fig, pej) adefesio, callo. **5** (fig, pej) pestilente (individuo). ◆ **~ expiatório** chivo expiatorio.
bodeado, da [bodʒɪ'adʊ, da] *adj* (fam) de bajón, deprimido.
bodega [bo'dɛga] *f* **1** bodega (de vino). **2** ultramarino (de comestibles).
bodegueiro, ra [bode'geyrʊ, ra] *m e f* **1** bodeguero. **2** (fig, pej) guarro, marrano.

bodoso, sa [bo'dozʊ, za] *adj* guarro, pestilente.
bodum [bo'dũ] *m* peste (mal olor).
boêmio, a [bo'ẽmyʊ, a] *adj/m e f* bohemio.
bofe ['bɔfɪ] *m* **1** bofe (pulmón). **2** (fig) adefesio. **3** (fig) cachas.
bofetada [bofe'tada] *f* **1** bofetada (cachetada). **2** (fig) insulto.
bofetão [bofe'tãw] *m* bofetón.
boi ['boy] *m* **1** buey. **2** (fig) gordo. **3** (fig) cornudo (infiel).
bói ['bɔy] *m* mensajero.
bóia ['bɔya] *f* **1** boya (de señalización). **2** flotador (para nadar).
boiada [boy'ada] *f* boyada.
bóia-fria [bɔya'fria] *adj/m e f* jornalero.
boiar [boy'aʀ] *tr* **1** echar al agua. • *intr* **2** flotar. **3** oscilar, balancearse. **4** (fig) oscilar, dudar.
boicotagem [boyko'taʒẽy] *f* boicoteo.
boicotar [boyko'taʀ] *tr* boicotear.
boicote [boy'kɔtʃɪ] *m* boicot, boicoteo.
boina ['boyna] *f* boina.
bojar [bo'ʒaʀ] *tr e intr* **1** hinchar (inflar). • *tr* **2** abombar.
bojo ['boʒʊ] *m* **1** bulto, protuberancia. **2** (fig) barriga (de vasija).
bola ['bɔla] *f* **1** bola (esfera). **2** balón, pelota. **3** círculo, circunferencia. ■ **oras bolas!** ¡caramba!
bolacha [bo'laʃa] *f* **1** galleta (alimento). **2** (fig, fam) galleta (bofetada).
bolandeira [bolã'deyɾa] *f* rueda (de engranaje).
boleado, da [bole'adʊ, da] *adj* redondeado.
bolear [bole'aʀ] *tr* **1** redondear. **2** biselar.
bole-bole [bɔlɪ'bɔlɪ] *m* (coloq) contoneo.
boléia [bo'lɛya] *f* **1** volantín (de carruaje). **2** (fam) asiento del conductor.
boleiro, ra [bo'leyɾʊ, ɾa] *m e f* ESPORT recogepelotas.
bolero [bo'lɛɾʊ] *m* MÚS bolero.
boletim [bole'tʃĩ] *m* **1** boletín (texto informativo). **2** boletín (publicación periódica). **3** boletín (escolar).
boleto [bo'letʊ] *m* boleta, entrada (de espectáculo).
bolha ['boʎa] *f* **1** ampolla (en la piel). **2** burbuja.
boliche [bo'liʃɪ] *m* boliche (juego).
bolina [bo'lina] *f* MAR bolina. ■ **ir ou navegar à ~** ir o navegar de bolina.
bolinar [boli'naʀ] *tr* **1** MAR bolinear. **2** engañar. • *tr e intr* **3** (coloq) magrear, sobar.
Bolívia [bo'livya] *f* Bolivia.
boliviano, na [bolivi'ãnʊ, na] *adj/m e f* **1** boliviano. • *m* **2** boliviano (moneda).
bolo ['bolʊ] *m* **1** pastel. **2** (coloq, fig) montón. ■ **dar/levar ~** (coloq) dar/llevarse plantón.
bololô [bolo'lo] *m* (coloq) lío (confusión).
bolônio, a [bo'lõnyʊ, a] *adj/m e f* bolonio (necio).
bolor [bo'loʀ] *m* **1** moho. **2** (fig) decrepitud.
bolorecer [bolore'seʀ] *tr, intr e pron* enmohecer.
bolorento, ta [bolo'rẽtʊ, ta] *adj* enmohecido.
bolsa ['bowsa] *f* **1** bolsa (saco). **2** bolso (de mujer). **3** beca (estipendio). **4** ECON bolsa. ◆ **~ de emprego** bolsa de trabajo. ■ **bater ~** (gír, fig) hacer la calle.
bolseiro, ra [bow'seyɾʊ, ɾa] *m e f* **1** bolsero (vendedor). **2** tesorero.
bolsista [bow'siʃta] *adj 2 gén* **1** ECON bursátil. • *adj/m e f* **2** becario. **3** ECON bolsista.
bolso ['bowsʊ] *m* bolsillo.
bom, boa ['bõ, 'boa] *adj* **1** bueno: *bom amigo = buen amigo*. **2** bueno (sabroso).
bomba ['bõba] *f* **1** bomba (explosivo). **2** bomba (mecanismo). **3** petardo (de pirotecnia). **4** (fig, fam) bomba (noticia). ◆ **~ atômica** bomba atómica. ■ **levar ~** (fig, fam) catear (en examen).
bombada [bõ'bada] *f* bombeo.
bombardeado, da [bõbaʀde'adʊ, da] *adj* bombardeado.
bombardeamento [bõbaʀdea'mẽtʊ] *m* ⇒ bombardeio.
bombardear [bõbaʀde'aʀ] *tr* **1** bombardear (atacar). **2** (fig) bombardear (con preguntas, órdenes).
bombardeio [bõbaʀ'deyʊ] *m* bombardeo.
bombardeiro [bõbaʀ'deyɾʊ] *m* bombardero (avión).
bomba-relógio [bõbaʀe'lɔʒyʊ] *f* bomba de relojería.

bombástico, ca [bõ'baʃtʃikʊ, ka] *adj* bombástico.
bombazina [bõba'zina] *f* bombasí, bombací.
bombeação [bõbea'sãw] *f* (fig, fam) escabechina, degollina (en examen).
bombeador, ra [bõbea'doʀ, ɾa] *adj/m e f* (fig, fam) hueso (profesor duro).
bombeiro [bõ'beyɾʊ] *m* **1** bombero (de incendios). **2** bombero (fontanero).
bombo ['bõbʊ] *m* MÚS bombo (instrumento).
bombom [bõ'bõw] *m* bombón.
bomboneira [bõbo'neyɾa] *f* bombonera.
bom-tom [bõ'tõ] *m* buena educación (modales): *não é de bom-tom comer com a boca aberta = no es de buena educación comer con la boca abierta.*
bonança [bo'nãsa] *f* **1** bonanza. **2** (fig) tranquilidad.
bonachão, chona [bona'ʃãw, 'ʃona] *adj* (fam) buenazo.
bonançoso, sa [bonã'sozʊ, za] *adj* **1** tranquilo (sosegado). **2** bonanzoso (próspero).
bondade [bõ'dadʒɪ] *f* bondad.
bondoso, sa [bõ'dozʊ, za] *adj* bondadoso.
boné [bo'nɛ] *m* gorra.
boneca [bo'nɛka] *f* (fig, fam) marica (afeminado).
boneco, ca [bo'nɛkʊ, ka] *m e f* **1** muñeco. • *m* **2** (fig) marioneta (persona influenciable).
bongô [bõ'go] *m* MÚS bongó.
bonificação [bonifika'sãw] *f* **1** bonificación. **2** ECON bono.
bonificar [bonifi'kaʀ] *tr* **1** bonificar. **2** gratificar, premiar.
bonifrate [boni'fratʃɪ] *m* **1** títere. **2** (fig) títere, muñeco (persona influenciable).
boniteza [boni'teza] *f* hermosura.
bonito, ta [bo'nitʊ, ta] *adj* **1** bonito (lindo). **2** guapo (hermoso). **3** bonito, noble (gesto, escrito). **4** excelente, magnífico. • *adv* **5** bien: *escreve bonito este menino = escribe bien este chico.*
bonomia [bono'mia] *f* bondad.
bonsai [bõ'say] *m* bonsái.
bônus ['bõnuʃ] *m* ECON bono.
bonzo ['bõzʊ] *m* bonzo.
bonzó [bõ'zɔ] *m* boleto de rifa.
boquear [boke'aʀ] *intr* **1** boquear (expirar). **2** murmurar.
boqueirão [bokey'ɾãw] *m* **1** bocaza. **2** boca grande (de canal, río, calle). **3** hoyo (profundo).
boquejar [boke'ʒaʀ] *tr e intr* **1** murmurar. **2** discutir. • *tr* **3** relatar. **4** censurar.
boquejo [bo'keʒʊ] *m* **1** murmullo. **2** (fig) charla.
boquete [bo'ketʃɪ] *m* boquete (orificio).
boquiaberto, ta [bokya'bɛʀtʊ, ta] *adj* **1** boquiabierto. **2** (fig) boquiabierto (estupefacto).
boquilha [bo'kiʎa] *f* ⇒ boquim.
boquim [bo'kĩ] *m* boquilla (de instrumentos de viento).
boquinha [bo'kĩŋa] *f* beso tierno.
borboleta [boʀbo'leta] *f* **1** mariposa (insecto). **2** ESPORT mariposa (en natación).
borbotão [boʀbo'tãw] *m* borbotón, borbollón.
borbulha [boʀ'buʎa] *f* **1** burbuja. **2** ampolla (en la piel).
borbulhagem [boʀbu'ʎaʒẽy] *f* burbujeo.
borbulhar [boʀbu'ʎaʀ] *intr* burbujear.
borda ['bɔʀda] *f* **1** borde, margen. **2** orilla, margen.
bordada [boʀ'dada] *f* MAR bordada.
bordadeira [boʀda'deyɾa] *f* bordadora.
bordado, da [boʀ'dadʊ, da] *adj* **1** bordado. • *m* **2** bordado, bordadura.
bordão [boʀ'dãw] *m* **1** bordón (bastón). **2** (fig, fam) muletilla (expresión).
bordar [boʀ'daʀ] *tr* bordar.
bordejar [boʀde'ʒaʀ] *intr* **1** navegar sin rumbo. • *tr* **2** (fig) rodear, dar rodeos.
bordel [boʀ'dɛw] *m* burdel (prostíbulo).
bordo ['bɔʀdʊ] *m* **1** bordo (de embarcación). **2** (fig) vuelta, paseo.
bordô [boʀ'do] *adj/m* **1** burdeos (color). • *m* **2** burdeos (vino).
bordoada [boʀdo'ada] *f* **1** bastonazo. **2** (fig) palo (adversidad).
boreal [boɾe'aw] *f* boreal.
boreste [bo'ɾɛʃtʃɪ] *m* MAR estribor.
borla ['bɔʀla] *f* **1** borla (pompón). **2** borla (birrete).
bornear [boʀne'aʀ] *tr* bornear (mirar con un ojo).
boro ['bɔɾʊ] *m* QUÍM boro.

borocoxô [bofoko'ʃo] *adj/m e f* (fam) pachucho (desanimado).
borra ['boʀa] *f* poso (sedimento).
borra-botas [bɔʀa'bɔtayʃ] *s 2 gén* (fig) pelagatos, don nadie.
borraceiro, ra [boʀa'seyɾʊ, ɾa] *adj* **1** lloviznoso. **2** húmedo. • *m* **3** llovizna.
borracha [bo'ʀaʃa] *f* **1** caucho. **2** goma (de borrar); borrador (Col). **3** manguera (de riego).
borracharia [boʀaʃa'ɾia] *f* taller de neumáticos; gomería (Arg); vulcanizadora (Méx).
borracheiro, ra [boʀa'ʃeyɾʊ, ɾa] *m e f* vendedor o reparador de neumáticos.
borracho, cha [bo'ʀaʃʊ, ʃa] *m e f* borracho (embriagado).
borrachudo, da [boʀa'ʃudʊ, da] *adj* hinchado.
borrada [bo'ʀada] *f* **1** (fam) porquería, suciedad. **2** (fam) indecencia.
borradela [boʀa'dɛla] *f* ⇒ borrão (1).
borrador [boʀa'doʀ] *m* **1** borrador (libro de cuentas). **2** cuaderno de notas.
borralho [bo'ʀaʎʊ] *m* **1** borrajo, rescaldo. **2** (fig) hogar (casa).
borrão [bo'ʀãw] *m* **1** borrón (de tinta). **2** borrador, esbozo.
borrar [bo'ʀaʀ] *tr* **1** ensuciar (manchar). **2** borrar (rayar). **3** pintarrajar.
borrasca [bo'ʀayʃka] *f* **1** borrasca (tempestad). **2** (fig) borrasca (contrariedad).
borrego, ga [bo'ʀegʊ, ga] *m e f* **1** borrego (cordero). **2** (fig) borrego (persona dócil). • *m* **3** borrego (nube).
borreguice [boɾe'gisɪ] *f* pereza.
borrifador, ra [boʀifa'doʀ, ɾa] *adj/m e f* **1** regador. **2** regadera (recipiente). • *m* **3** pulverizador; aspersor.
borrifar [boʀi'faʀ] *tr e pron* **1** rociar. • *intr* **2** rociar (lloviznar).
boscarejo, ja [boyʃka'ɾeʒʊ, ʒa] *adj* del bosque.
Bósnia Herzegóvina [bɔʒnyaeʀzegɔ'vina] *f* Bosnia-Herzegovina.
bósnio, a ['bɔʒnyʊ, a] *adj/m e f* bosnio.
bosque ['bɔʃkɪ] *m* bosque.
bosquejo [boʃ'keʒʊ] *m* bosquejo, esbozo.
bossa ['bɔsa] *f* **1** hinchazón. **2** (fam) saliencia, protuberancia. **3** joroba (corcova). **4** (fig) don (aptitud). ■ **ter ~** (gír) tener ángel.
bossa-nova [bɔsa'nɔva] *f* MÚS bossa nova.
bota ['bɔta] *f* **1** bota (calzado). **2** (fig) mentira. **3** (fig) chapuza (trabajo mal hecho). **4** bota (odre).
botada [bo'tada] *f* **1** patada. **2** embotadura.
bota-fogo [bɔta'fogʊ] *m* **1** botafuego (artillería). **2** (fig) follonero.
botânica [bo'tanika] *f* botánica.
botânico, ca [bo'tãnikʊ, ka] *adj/m e f* botánico.
botão [bo'tãw] *m* **1** botón (de prenda). **2** botón (de aparato). **3** botón (de flor).
botar [bo'taʀ] *tr* **1** arrojar, echar. **2** poner (preprarar). **3** poner (colocar). **4** prender (fuego). **5** poner (huevos). **6** poner (vestirse). **7** montar (negocio, tienda). **8** fijar (clavar). ■ **~ fora** echar a la basura.
bote ['bɔtʃɪ] *m* **1** bote (barco). **2** bote (golpe).
boteco [bo'tɛkʊ] *m* ⇒ botequim.
botelha [bo'teʎa] *f* botella.
botequim [bote'kĩ] *m* taberna, tasca.
botica [bo'tʃika] *f* botica (farmacia).
boticário, a [botʃi'kaɾyʊ, a] *m e f* boticario.
botija [bo'tʃiʒa] *f* botija. ■ **pegar alguém com a boca na ~** (fig, fam) pillar infraganti.
botijão [botʃi'ʒãw] *m* bombona.
botina [bo'tʃina] *f* bota, botín.
boto ['botʊ] *m* delfín.
botocar [boto'kaʀ] *intr* saltar hacia fuera.
botocudo, da [boto'kudʊ, da] *adj/m e f* botocudo.
Botsuana [botʃisu'ãna] *m* Botswana.
bouçar [bow'saʀ] *tr* rozar (matas, hierbas).
boutique [bʊ'tʃikɪ] *f* boutique.
bovino, na [bo'vinʊ, na] *adj/m* bovino.
boxe ['bɔkisɪ] *m* **1** box (de caballeriza). **2** puesto (en mercado). **3** boxeo.
boxeador, ra [bɔkisea'doʀ, ɾa] *m e f* boxeador.
braça ['bɾasa] *f* braza (medida).
braçada [bɾa'sada] *f* **1** brazado, brazada (cantidad). **2** brazada (movimiento).
braçadeira [bɾasa'deyɾa] *f* **1** embrazadura (de escudo). **2** brazal (distintivo, luto).

braçal [bra'saw] *adj 2 gén* **1** (fam) físico (trabajo, actividad). **2** braquial. • *m* **3** brazal.
bracear [brase'aR] *tr e intr* bracear.
bracelete [brase'letʃɪ] *m* brazalete, pulsera.
braço ['brasʊ] *m* **1** brazo (miembro). **2** (fam) manga (de prenda). **3** (fam) brazo (de asiento). **4** (fam) brazo (pieza movible). ◆ **~ direito** (fig, fam) mano derecha ■ **cruzar os braços** (fig, fam) cruzarse de brazos; **nos braços** en brazos.
braço-de-ferro [brasʊdʒɪ'fɛRʊ] *s 2 gén* autoritario.
bradar [bra'daR] *tr e intr* **1** bramar (gritar). • *tr* **2** clamar (pedir).
brado ['bradʊ] *m* **1** bramido (grito). **2** clamor.
braguilha [bra'giʎa] *f* bragueta.
braille ['braylɪ] *m* braille.
brâmane ['brãmanɪ] *adj/m e f* brahmán.
bramar [bra'maR] *intr* **1** bramar. • *tr e intr* **2** clamar (pedir).
bramido [bra'midʊ] *m* bramido.
bramir [bra'miR] *tr e intr* ⇒ bramar.
branco ['brãkʊ] *adj/m* **1** blanco (color). • *adj* **2** canoso. **3** blanco (raza).
brancura [brã'kura] *f* blancura.
brandalhão, lhona [brãda'ʎãw, 'ʎõna] *adj* **1** blandengue. **2** indolente.
brande ou **brandy** ['brãdʒɪ] *m* brandy.
brandir [brã'dʒiR] *tr* **1** blandir. • *intr e tr* **2** agitarse, oscilar.
brando, da ['brãdʊ, da] *adj* **1** blando (flexible). **2** blando, tierno (mirada, voz). **3** blando (apacible). **4** (fig) blando, flojo (perezoso).
brandura [brã'dura] *f* **1** blandura (afabilidad). **2** suavidad.
branqueamento [brãkea'mẽtʊ] *m* blanqueo.
branquear [brãke'aR] *tr, intr e pron* **1** blanquear (emblanquecer). • *tr* **2** blanquaer (de cal, yeso). **3** limpiar, lustrar.
brânquia ['brãkya] *f* ZOOL branquia.
brasa ['braza] *f* **1** brasa. **2** ardor, quemazón (en garganta, estómago). **3** (fig) ardor, deseo (excitación).
brasão [bra'zãw] *m* blasón (escudo).
braseiro [bra'zeyrʊ] *m* **1** brasero (utensilio). **2** brasas.
brasil [bra'ziw] *m* brasil (palo brasil).
Brasil [bra'ziw] *m* Brasil.
brasileirice [braziley'risɪ] *f* actitud brasileña.
brasileiro, ra [brazi'leyrʊ, ra] *adj/m e f* brasileño.
brasonar [brazo'naR] *tr* **1** blasonar. • *intr* **2** (fig) blasonar (vanagloriarse).
bravatear [bravate'aR] *tr e intr* **1** bravear. • *intr* **2** fanfarronear.
bravateiro, ra [brava'teyrʊ, ra] *adj* braveador (fanfarrón); rajón (Amér. Centr).
braveza [bra'veza] *f* **1** braveza (valentía). **2** braveza, fiereza.
bravio, a [bra'viʊ, a] *adj* **1** bravío (indómito). **2** tempestuoso (mar).
bravo, va ['bravʊ, va] *adj/m e f* **1** bravo (valiente). • *adj* **2** enfadado, cabreado. **3** severo, autoritario. • **~!** *interj* **4** ¡bravo!
bravura [bra'vura] *f* bravura.
breado, da [bre'adʊ, da] *adj* embreado.
brecar [bre'kaR] *tr e intr* frenar.
brecha ['brɛʃa] *f* **1** brecha (hendidura). **2** brecha (herida, corte).
brega ['brɛga] *adj/m e f* hortera, cursi.
breque ['brɛkɪ] *m* freno.
breu ['brew] *m* brea (sustancia).
breve ['brɛvɪ] *adj 2 gén* **1** breve (duración). **2** breve (sucinto). **3** breve (distancia). **4** poco (cantidad). • *m* **5** breve (documento).
breviário [brevi'aryʊ] *m* breviario (de rezos).
brevidade [brevi'dadʒɪ] *f* brevedad.
bridar [bri'daR] *tr* embridar.
briga ['briga] *f* riña; follisca, trompiza (Amér).
brigada [bri'gada] *f* **1** MIL brigada. **2** brigada (grupo de trabajo).
brigadeiro [briga'deyrʊ] *m* MIL brigadier.
brigar [bri'gaR] *tr e intr* **1** reñir (enemistarse). **2** (fig) pelear (discutir). **3** pelear (luchar).
briguento, ta [bri'gẽtʊ, ta] *adj* pendenciero, camorrista.
brilhante [bri'ʎãtʃɪ] *adj 2 gén* **1** brillante (reluciente). **2** (fig) brillante (notable, magnífico). • *m* **3** brillante (diamante).
brilhar [bri'ʎaR] *intr* **1** brillar (relucir). **2** (fig) brillar (sobresalir).
brilho ['briʎʊ] *m* **1** brillo (resplandor). **2** (fig) habilidad (destreza).

brilhoso, sa [bri'ʎozʊ, za] *adj* brillante (reluciente).
brim ['brĩ] *m* brin (tela).
brincadeira [brĩka'deyra] *f* **1** juego. **2** broma. **3** diversión carnavalesca.
brincalhão, lhona [brĩka'ʎãw, 'ʎõna] *adj* **1** juguetón. **2** bromista.
brincar [brĩ'kaR] *intr e tr* **1** jugar. **2** bromear.

> En portugués ***brincar*** no tiene el sentido de 'saltar'. Para este significado se utiliza el verbo ***pular***.

brinco ['brĩkʊ] *m* **1** pendiente (joya). **2** (fig) joya (bonito, valioso).
brindar [brĩ'daR] *tr e intr* **1** brindar. • *tr e pron* **2** obsequiar.
brinde ['brĩdʒɪ] *m* **1** brindis. **2** obsequio.
brinquedo [brĩ'kedʊ] *m* **1** juguete. **2** juego.
brio ['briʊ] *m* **1** orgullo, amor propio. **2** brío (valor).
briol [bri'ɔw] *m* MAR briol.
brioso, sa [bri'ozʊ, za] *adj* orgulloso.
brisa ['briza] *f* brisa.
britadeira [brita'deyra] *f* taladradora (de barrena o taladro).
britânico, ca [bri'tãnikʊ, ka] *adj/m e f* británico.
broa ['broa] *f* panecillo de harina de maíz.
broca ['brɔka] *f* **1** broca (barrena). **2** taladro manual. **3** carcoma (insecto).
brocado, da [bro'kadʊ, da] *adj* **1** perforado, taladrado. • *adj/m* **2** brocado (tela).
brocar [bro'kaR] *tr* **1** taladrar. **2** agujerear. • *intr* **3** (fig) cariar. **4** (fig) mentir, engañar.
brocha ['brɔʃa] *f* **1** tacha, tachuela. **2** brocha (para pintar).
brochar [bro'ʃaR] *tr* **1** clavar. **2** ceñir. **3** pintar con brocha.
broche ['brɔʃɪ] *m* **1** broche (adorno). **2** cierre.
brochete [bro'ʃetʃɪ] *f* GAST brocheta (pincho); chuzo (Col).
brochura [bro'ʃura] *f* **1** encuadernación en rústica. **2** (fig, coloq) impotencia (sexual).
broco, ca ['brokʊ, ka] *adj* (fam, pej) chocho (decrépito).
broma ['brõma] *adj/m e f* **1** grosero. • *f* **2** carcoma (insecto).
bromar [bro'maR] *tr* **1** bromar, corroer. • *tr e intr* **2** estropear, echar a perder. • *intr* **3** corromperse.
bronca ['brõka] *f* bronca.
bronco, ca ['brõkʊ, ka] *adj* **1** bronco (tosco). • *adj/m e f* **2** (fig) bronco, de mal genio.
brônquio ['brõkyʊ] *m* ANAT bronquio.
bronquite [brõ'kitʃɪ] *f* MED bronquitis.
bronze ['brõzɪ] *m* **1** bronce. **2** campana. **3** (fam) pasta, plata (dinero).
bronzeado, da [brõze'adʊ, da] *adj* bronceado.
bronzeador, ra [brõzea'doR, ra] *adj/m* bronceador.
bronzear [brõze'aR] *tr, intr e pron* broncear.
broquear [broke'aR] *tr* ⇒ brocar.
brotar [bro'taR] *tr e intr* **1** brotar (germinar). **2** brotar, manar (líquido).
broto ['brotʊ] *m* **1** broto, germen. **2** (fam) pimpollo, retoño.
brotoeja [broto'eʒa] *f* MED erupción.
broxa ['brɔʃa] *f* ⇒ brocha.
broxar [bro'ʃaR] *tr e intr* ⇒ brochar.
bruaca [bru'aka] *f* alforja.
bruaqueiro, ra [brua'keyrʊ, ra] *adj/m e f* **1** de carga (bestia). • *m e f* **2** alforjero.
brucelose [bruse'lɔzɪ] *f* VET brucelosis.
bruços ['brusʊʃ] **de ~** *loc adv* de bruces.
bruega [bru'ega] *f* (fam) cogorza.
bruguelo [bru'gelʊ] *m* retoño.
bruma ['bruma] *f* bruma.
brumaceiro, ra [bruma'seyrʊ, ra] *adj* brumoso.
Brunei [bru'ney] *m* Brunei.
bruneiano, na [bruney'ãnʊ, na] *adj/m e f* bruneano.
brunido, da [bru'nidʊ, da] *adj* **1** bruñido, pulido. • *m* **2** bruñido.
brunidor, ra [bruni'doR, ra] *adj/m e f* bruñidor.
brunir [bru'niR] *tr* **1** bruñir (dar brillo). **2** (fig) pulir (perfeccionar).
brusco, ca ['bruʃkʊ, ka] *adj* **1** brusco (áspero, desapacible). **2** brusco (repentino).
brusquidão [bruʃki'dãw] *f* brusquedad.

brutal [bru'taw] *adj 2 gén* **1** brutal (bestial). **2** (fig) brutal (extraordinario).
brutalidade [brutali'dadʒɪ] *f* **1** brutalidad (violencia, crueldad). **2** brutalidad (descortesía).
brutalizar [brutali'zaʀ] *tr, intr e pron* embrutecer.
brutamontes [bruta'mõtʃɪʃ] *s 2 gén* **1** gigantón. **2** bucéfalo.
brutesco, ca [bru'teʃkʊ, ka] *adj* **1** bruto (tosco). **2** grosero, ordinario (hechura).
bruto, ta ['brutʊ, ta] *adj* **1** bruto (al natural). **2** bruto (sin descuento). • *adj/m e f* **3** bruto (irracional). **4** bruto (rudo, grosero).
bruxa ['bruʃa] *f* bruja.
bruxaria [bruʃa'ria] *f* brujería.
bruxo ['bruʃʊ] *m* brujo.
bruxulear [bruʃule'aʀ] *intr* **1** centellear. **2** (fig) agonizar.
bubônico, ca [bu'bõnikʊ, ka] *adj* bubónico.
bucal [bu'kaw] *adj 2 gén* bucal.
bucha ['buʃa] *f* **1** estropajo. **2** tapón. **3** taco (para tornillos). **4** taco (para armas de fuego).
buchada [bu'ʃada] *f* entrañas (de animal).
bucho ['buʃʊ] *m* buche (de animal).
buchudo, da [bu'ʃudʊ, da] *adj* (fam) panzón (barrigudo).
bucle ['buklɪ] *m* bucle (rizo).
buço ['busʊ] *m* bozo (vello).
bucólico, ca [bu'kɔlikʊ, ka] *adj* bucólico.
bucuva [bu'kuva] *adj/m e f* simplón.
budismo [bu'dʒiʒmʊ] *m* budismo.
budista [bu'dʒiʃta] *adj/m e f* budista.
bué [bu'ɛ] *m* llorera.
bueiro [bu'eyrʊ] *m* **1** sumidero. **2** alcantarilla (boca).
búfalo ['bufalʊ] *m* búfalo.
bufar [bu'faʀ] *tr e intr* **1** expeler, echar (humo, vapor). **2** alardear. • *intr* **3** tirarse un pedo.
bufarinha [bufa'rĩŋa] *f* quincalla (baratija).
bufê [bu'fe] *m* **1** bufé (aparador). **2** catering.
bufo, fa ['bufʊ, fa] *adj/m e f* **1** bufo (bufón). • *m e f* **2** (fig) avaro. • *m* **3** bufido (voz).
bufonaria [bufona'ria] *f* bufonada; impertinencia (Col).
bugia [bu'ʒia] *f* bujía (vela, candelero).
bugiar [buʒi'aʀ] *intr* hacer monadas (tonterías).
bugiganga [buʒi'gãga] *f* baratija (quincalla).
bugio, a [bu'ʒiʊ, a] *m* mono (simio).
bugre, gra ['bugrɪ, gra] *m e f* (pej) salvaje, indígena.
buir [bu'iʀ] *tr* pulir.
bujão [bu'ʒãw] *m* **1** bombona, tanque (de gas); pipeta (Col). **2** tapón.
bulbo ['buwbʊ] *m* BOT bulbo.
bulcão [buw'kãw] *m* cerrazón (tormenta).
bule ['bulɪ] *m* tetera.
bulevar [bule'vaʀ] *m* bulevar.
Bulgária [buw'garya] *f* Bulgaria.
búlgaro, ra ['buwgarʊ, ra] *adj/m e f* **1** búlgaro. • *m* **2** búlgaro (lengua).
bulha ['buʎa] *f* bulla; bullaranga (Amér).
bulhento, ta [bu'ʎẽtʊ, ta] *adj/m e f* **1** bullanguero, follonero. • *adj* **2** ruidoso.
bulício [bu'lisyʊ] *m* **1** bullicio; rochela (Amér). **2** murmullo (ruido).
buliçoso, sa [buli'sozʊ, za] *adj* bullicioso; bullero (Amér).
bulimia [buli'mia] *f* MED bulimia.
bulir [bu'liʀ] *tr, intr e pron* **1** mover, mecer. • *tr* **2** menear (cuerpo). **3** tocar: *não bula nas minhas coisas = no toques mis cosas.*
bumerangue [bume'rãgɪ] *m* bumerán.
bunda ['bũda] *f* **1** (coloq) culo (nalgas). • *adj* **2** de pacotilla (ordinario).
bundudo, da ['bũdudʊ, da] *adj* (coloq, fam) culón.
buque ['bukɪ] *m* buque (embarcación).
buquê [bu'kɛ] *m* **1** ramillete (de flores). **2** buqué (del vino).
buraco [bu'rakʊ] *m* **1** agujero (orificio). **2** bache, hoyo. **3** brecha (grieta). ◆ **~ negro** agujero negro. ■ **sair do ~** (fig, fam) salir del aprieto.
burburinho [buʀbu'rĩŋʊ] *m* **1** murmullo; runrún (Amér). **2** bullicio (tumulto).
burgo ['buʀgʊ] *m* **1** burgo (población). **2** castillo.
burguês, sa [buʀ'geyʃ, za] *adj/m e f* burgués.

burguesia [buʀge'zia] *f* burguesía.
buril [bu'ɾiw] *m* buril.
burilar [buɾi'laʀ] *tr* burilar.
Burkina Faso [buʀkina'fazʊ] *f* Burkina Faso.
burla ['buʀla] *f* **1** burla (engaño). **2** burla (chanza).
burlar [buʀ'laʀ] *tr* burlar (engañar).
burlesco, ca [buʀ'leʃkʊ, ka] *adj* burlesco.
burocracia [buɾokɾa'sia] *f* burocracia.
burocrata [buɾo'kɾata] *s 2 gén* burócrata.
burocrático, ca [buɾo'kɾatʃikʊ, ka] *adj* burocrático.
burrada [bu'ʀada] *f* **1** burrada (manada). **2** (fig) burrada (tontería).
burro, rra ['buʀʊ, ʀa] *m e f* **1** burro. **2** mulo. • *adj/m e f* **3** (fig, fam) burro, asno. • *m* **4** burro (juego de naipes). ■ **pra ~** (fig, fam) mogollón.
burundanga [buɾũ'dãga] *f* **1** algarabía. **2** mezcolanza. **3** morondanga. **4** bazofia (comida).
Burundi [bu'ɾũdʒi] *m* Burundi.
burundinês, sa [buɾũdʒi'neyʃ, za] *adj/m e f* burundés.
busca ['buʃka] *f* **1** busca, búsqueda. **2** investigación.
buscar [buʃ'kaʀ] *tr* **1** buscar (intentar encontrar). **2** investigar. **3** buscar, recoger.
bússola ['busola] *f* brújula.
busto ['buʃtʊ] *m* busto (torso, estatua, senos).
butanês, sa [buta'neyʃ, za] *adj/m e f* butanés.
butuca [bu'tuka] *f* moscarda.
buzina [bu'zina] *f* bocina.
buzinar [buzi'naʀ] *intr e tr* **1** bocinar. • *tr* **2** (fig, fam) repetir insistentemente.
búzio ['buzyʊ] *m* caracol (molusco).
by-pass [bay'payʃ] *m* MED bypass.
byte ['baitʃɪ] *m* COMP byte.

Cc

c, C ['se] *m* c, C (letra).
cá ['ka] *adv* acá, aquí: *estamos todos cá entre amigos = estamos todos aquí entre amigos.* ■ **de ~ para lá** de aquí para allá; **para ~** para acá.
cabaça [ka'basa] *f* **1** calabaza. **2** calabacino (vasija).
cabaço [ka'basʊ] *m* **1** cesto. **2** (vulg) himen.
cabal [ka'baw] *adj 2 gén* cabal.
cabala [ka'bala] *f* cábala.
cabalar [kaba'laʀ] *intr* **1** conspirar. ● *tr e intr* **2** comprar votos.
cabana [ka'bãna] *f* cabaña (choza).
cabano, na [ka'bãnʊ, na] *adj* gacho (ganado bovino).
cabaré [kaba'ɾɛ] *m* cabaré.
cabeça [ka'besa] *f* **1** ANAT cabeza. **2** (fig, fam) cabeza (extremidad). **3** (fig, fam) cabeza (juicio). **4** (fig, fam) cabeza, cerebro (persona inteligente). **5** (fig, fam) cabeza (imaginación). ● *s 2 gén* **6** (fig, fam) cabeza, cabecilla. ◆ **~ de burro** (fig, fam) cabeza de chorlito. ■ **assentar a ~** (fig, fam) sentar la cabeza; **esquentar a ~** (fig, fam) calentarse la cabeza; **perder a ~** (fig, fam) perder la cabeza.
cabeçada [kabe'sada] *f* **1** cabezada (cabezazo). **2** tontería.
cabeça-de-bagre [kabesadʒɪ'bagɾɪ] *s 2 gén* (coloq) futbolista mediocre.
cabeça-de-vento [kabesadʒɪ'vẽtʊ] *s 2 gén* cabeza de chorlito.
cabeça-inchada [kabesaĩ'sada] *f* **1** pasión. **2** desengaño.
cabeçalho [kabe'saʎʊ] *m* **1** encabezamiento, cabecera (de documento). **2** cabezal (de coches).
cabecear [kabese'aʀ] *tr e intr* **1** cabecear (mover la cabeza). **2** cabecear (pelota). ● *tr* **3** cabecear (libro). ● *intr* **4** cabecear (dormir).
cabeceira [kabe'seyɾa] *f* **1** cabecera (de cama, río, mesa). **2** lápida (de sepultura).
cabeço [ka'besʊ] *m* **1** cabezo (cerro). **2** MAR cabezo.
cabedal [kabe'daw] *m* capital, caudal (bienes).
cabeleira [kabe'leyɾa] *f* cabellera, melena.
cabeleireiro, ra [kabeley'ɾeyɾʊ, ɾa] *m e f* peluquero.
cabelo [ka'belʊ] *m* **1** cabello, pelo. **2** vello. ◆ **~ branco** cana. ■ **pôr os cabelos em pé** (fig) poner los pelos de punta; **por um ~** (fig) por un pelo.
cabeludo, da [kabe'ludʊ, da] *adj* **1** melenudo. **2** (fig) peliagudo.
caber [ka'beʀ] *tr* **1** caber (contener). **2** caber (tocar, corresponder).
cabide [ka'bidʒɪ] *m* **1** percha (gancho). **2** perchero (mueble).
cabimento [kabi'mẽtʊ] *m* cabida.
cabina [ka'bina] *f* ⇒ cabine.
cabine [ka'binɪ] *f* **1** cabina (telefónica). **2** cabina (del conductor).
cabisbaixo, xa [kabi'sbayʃʊ, ʃa] *adj* cabizbajo.
cabo ['kabʊ] *m* **1** cabo (extremo). **2** cabo (de tierra). **3** mango (de utensilio). **4** cabo (fin, término). ■ **ao ~ de** al cabo de; **levar a ~** (fig) llevar a cabo.
caboclo, cla [ka'boklʊ, kla] *adj/m e f* **1** cholo (mestizo). ● *m e f* **2** (fig) desconfiado.
cabotar [kabo'taʀ] *intr* MAR hacer navegación de cabotaje.
cabotino, na [kabo'tsinʊ, na] *m e f* comediante (farandulero).
Cabo Verde [kabʊ'veʀdʒɪ] *m* Cabo Verde.
cabo-verdiano, na [kabʊve'ɾdʒi'ãnʊ, na] *adj/m e f* caboverdiano.
cabra ['kabɾa] *f* **1** cabra. ● *s 2 gén* **2** (fig) mestizo. ● *m* **3** (fig, fam) tipo, tío. **4** (fig) sicario.
cabriola [kabɾi'ɔla] *f* **1** cabriola (salto). **2** voltereta.
cabriolar [kabɾiɔ'laʀ] *intr* **1** cabriolar. **2** tambalear.
cabritar [kabɾi'taʀ] *intr* saltar, brincar.

cabrito [ka'britʊ] *m* cabrito, chivo (animal).
cábula ['kabula] *f* **1** novillos (de estudios). **2** escaqueo (del trabajo, obligación). • *adj/m e f* **3** novillero (en estudios).
caca ['kaka] *f* **1** (fam) caca (excremento). **2** (fig, fam)
caça ['kasa] *f* **1** caza (cacería). **2** caza (persecución).
caçada [ka'sada] *f* caza.
caçadeira [kasa'deyɾa] *f* cazadora (chaqueta).
caçador, ra [kasa'doʀ, ɾa] *adj/m e f* cazador.
caçamba [ka'sãba] *f* **1** cacimba, balde. **2** cabina (de vehículo).
cação [ka'sãw] *m* tiburón.
caçar [ka'saʀ] *tr e intr* **1** cazar (animal). • *tr* **2** (fig, fam) conseguir, lograr.
cacareco [kaka'ɾɛkʊ] *m* cachivache, trasto.
caçarola [kasa'ɾɔla] *f* cacerola.
cacatua [kaka'tua] *f* cacatúa.
cacau [ka'kaw] *m* cacao (fruto, polvo).
cacaueiro [kakaw'eyɾʊ] *m* cacao (árbol).
cacetada [kase'tada] *f* **1** porrazo; batacazo, suelazo (Amér). **2** (fig) fastidio.
cacete [ka'setʃɪ] *m* **1** porra, cachiporra. **2** (fig) paliza. • *adj/m e f* **3** (fig) fastidio. ■ **do ~** (vulg) cojonudo, de puta madre.
cacetear [kasetʃɪ'aʀ] *tr, intr e pron* dar la lata (importunar).
cachaça [ka'sasa] *f* cachaza (aguardiente).
cachaceiro, ra [kaʃa'seyɾʊ, ɾa] *adj/m e f* borracho, bebedor.
cachaço [ka'sasʊ] *m* cogote, nuca.
cachão [ka'sãw] *m* cachón (ola).
cachê [ka'se] *m* cachet (remuneración).
cacheado, da [kaʃe'adʊ, da] *adj* rizado (cabello).
cachear [kaʃe'aʀ] *intr* rizar (cabello).
cachecol [kaʃe'kɔw] *m* bufanda.
cachimbo [ka'sĩbʊ] *m* **1** pipa; cachimbo (Amér). **2** palmatoria.
cacho ['kaʃʊ] *m* **1** racimo. **2** tirabuzón (rizo).
cachoeira [kaʃo'eyɾa] *f* cascada.
cachorrada [kaʃo'ɾada] *f* perrada, perrería.
cachorro, rra [ka'soʀʊ, ʀa] *m e f* **1** perro. **2** (pej) cabrón (rufián).
cachorro-quente [kaʃoʀʊ'kẽtʃɪ] *m* perrito caliente; perro caliente (Amér).
cacife [ka'sifɪ] *s m* **1** apuesta inicial (en juegos). **2** (fig, fam) capital *a empresa não tem cacife para comprar computadores: la empresa no tiene capital para comprar ordenadores.*
caco ['kakʊ] *m* **1** añicos. **2** tiesto (cascajo). **3** cacharro.
caçoada [kaso'ada] *f* (fam) cachondeo, burla.
cacto ['kakitʊ] *m* cactus.
caçula [ka'sula] *m* benjamín.
cada ['kada] *det indef* **1** cada. **2** cada (intensificador). **3** cada (repetición): *cada dia ele está maimagro = cada día está máflaco.* **4** (coloq) cada uno: *os livros custam cinqüenta reais cada = los libros cuestan cincuenta reales cada uno.*
cadarço [ka'daʀsʊ] *m* **1** cordón. **2** cadarzo (seda).
cadastro [ka'dayʃtɾʊ] *m* **1** registro (archivo). **2** inventario (de bienes).
cadáver [ka'daveʀ] *m* **1** cadáver. **2** (fig) cadáver (flaco).
cadê [ka'de] *adv* (fam) dónde está.
cadeado [kadʒɪ'adʊ] *m* **1** candado (ce rradura). **2** cadena.
cadeia [ka'deya] *f* **1** cadena (serie). **2** cárcel, prisión. **3** cadena (de establecimientos). **4** cadena (emisora).
cadeira [ka'deyɾa] *f* **1** silla (mueble). **2** asignatura (en la escuela). **3** escaño (parlamentario). **4** asiento, tribuna (en estadio).
cadela [ka'dɛla] *f* perra (animal).
cadência [ka'dẽsya] *f* cadencia (ritmo).
cadenciado, da [kadẽsi'adʊ, da] *adj* cadencioso.
cadenciar [kadẽsi'aʀ] *tr* dar cadencia.
cadente [ka'dẽtʃɪ] *adj 2 gén* **1** cayente. **2** cadente (ruinoso).
caderneta [kadeʀ'neta] *f* **1** libreta (cuaderno). **2** libreta (de banco). **3** boletín (de notas). **4** libro de cuentas.
caderno [ka'dɛʀnʊ] *m* **1** cuaderno. **2** suplemento (de periódico).
cadete [ka'detʃɪ] *m* MIL cadete.
caducar [kadu'kaʀ] *intr* caducar (expirar).
caduco, ca [ka'dukʊ, ka] *adj* **1** caduco (perecedero). • *adj/m e f* **2** (pej) chocho, caduco.
cafajestada [kafaʒeʃ'tada] *f* canallada.
cafajeste [kafa'ʒɛʃtʃɪ] *adj/m e f* (pej) canalla (sinvergüenza); macaco (Amér).

café [ka'fɛ] *m* **1** café (grano, planta). **2** café (bebida, establecimiento).
café-da-manhã [kafɛdamã'nã] *m* desayuno.
cafeeiro, ra [kafe'eyrʊ, ɾa] *adj* **1** cafetalero; cafetero (Col). • *m* **2** cafeto (planta).
cafeicultor, ra [kafeykuw'toʀ, ɾa] *adj/m e f* caficultor.
cafeína [kafe'ina] *f* QUÍM cafeína.
cafezal [kafe'ʒaw] *m* cafetal.
cafezeiro, ra [kafe'ʒeyrʊ, ɾa] *m* **1** ⇒ cafeeiro, ra (1). **2** ⇒ cafeicultor, ra.
cafezinho [kafɛ'ʒĩŋʊ] *m* café (bebida); tinto (Col).
cafona [ka'fõna] *adj/m e f* (fam) hortera (vulgar).
cafonice [kafo'nisɪ] *f* (fam) horterada.
cafundó [kafũ'dɔ] *m* (fam) lugar de difícil acceso.
cafuné [kafu'nɛ] *m* caricia, mimo (en la cabeza).
cafuzo, za [ka'fuzʊ, za] *adj/m e f* zambo (mestizo).
cagaço [ka'gasʊ] *m* (fam) cague, miedo.
cagada [ka'gada] *f* cagada (excremento).
cagado, da [ka'gadʊ, da] *adj* cagado (sucio).
caganeira [kaga'neyra] *f* (fam) cagalera (diarrea).
cagão, gona [ka'gãw, 'gõna] *adj/m e f* **1** cagón. **2** (fig, fam) cagón, cagueta (cobarde).
cagar [ka'gaʀ] *tr, intr e pron* cagar (defecar).
caiação [kaya'sãw] *f* encaladura.
caiar [kay'aʀ] *tr* **1** encalar, blanquear. **2** (fig) enmascarar (disimular).
cãibra ['kãybra] *f* calambre (espasmo).
caído, da [ka'idʊ, da] *adj* **1** caído. **2** (fig) decaído (de salud, ánimo). **3** (fig) vencido, sometido. **4** chiflado, encaprichado.
caimão [kay'mãw] *m* caimán (reptil).
caipira [kay'pira] *adj/m e f* **1** campesino. **2** (pej) palurdo, paleto.
caipirada [kaypi'ɾada] *f* conjunto de campesinos.
caipirinha [kaypi'ɾĩŋa] *f* caipiriña (bebida).
caipora [kay'pɔra] *adj/m e f* (fig) desgraciado.
cair [ka'iʀ] *intr* **1** caer (precipitarse, desprenderse). **2** caer (decaer, declinar). **3** decaer (perder intensidad). **4** (fig) caer (morir). • *tr* **5** caer (enfermo). • *tr e intr* **6** tocar (corresponder). ■ ~ **bem/mal** (fig, fam) sentar bien/mal: *amarelo não lhe cai bem = el amarillo no le senta bien*; ~ **em si** volver en sí.
cais ['kayʃ] *m* muelle.
caixa ['kayʃa] *f* **1** caja (recipiente). **2** caja (contenido). **3** caja (registradora). **4** fondos (dinero). • *m* **5** libro de caja. • *s 2 gén* **6** cajero. ◆ ~ **de som** altavoz; ~ **eletrônico** cajero automático; ~ **postal** buzón.
caixa-d'água [kayʃa'dagwa] *f* depósito del agua.
caixa-forte [kayʃa'fɔʀtʃɪ] *f* caja fuerte.
caixão [kay'sãw] *m* féretro, ataúd.
caixeiro, ra [kay'seyrʊ, ɾa] *m e f* **1** cajero (dependiente). **2** repartidor.
caixeiro-viajante, caixeira-viajante [kayʃeyrʊvia'ʒãtʃɪ, kayʃeyravia'ʒãtʃɪ] *m e f* COM representante, viajante.
caixilho [kay'siʎʊ] *m* marco (de puertas, cuadros).
caixista [kay'siʃta] *s 2 gén* cajista.
cajado [ka'ʒadʊ] *m* cayado.
cajueiro [kaʒu'eyrʊ] *m* anacardo (árbol).
cal ['kaw] *f* cal.
cala ['kala] *f* **1** cala (ensenada). **2** cala, caladura (de fruta).
calabouço [kala'bowsʊ] *m* calabozo.
calaçaria [kalasa'ɾia] *f* holgazanería.
calaceiro, ra [kala'seyrʊ, ɾa] *adj/m e f* holgazán.
calado, da [ka'ladʊ, da] *adj* callado (reservado).
caladura [kala'duɾa] *f* cala (de fruta).
calafate [kala'fatʃɪ] *m* calafate.
calafetagem [kalafe'taʒẽy] *f* calafateo.
calafetar [kalafe'taʀ] *intr* calafatear.
calafrio [kala'fɾiʊ] *m* escalofrío.
calamidade [kalami'dadʒɪ] *f* calamidad.
calamitoso, sa [kalami'tozʊ, za] *adj* calamitoso.
cálamo ['kalamʊ] *m* **1** cálamo (pluma). **2** cálamo (flauta).
calão [ka'lãw] *m* argot.
calar [ka'laʀ] *intr e pron* **1** callar (dejar de hablar). • *tr, intr e pron* **2** callar (omitir).
calça ['kawsa] *f* (gralte pl) pantalón.
calçada [kaw'sada] *f* **1** acera; vereda (Amér. Merid). **2** calzada (camino).

calçadeira [kawsa'deyɾa] *f* calzador (para zapato).
calçado, da [kaw'sadʊ, da] *adj* **1** pavimentado. • *m* **2** calzado (zapatos).
calcanhar [kawkã'naʀ] *m* **1** talón, calcañar (del pie). **2** talón (de zapato, calcetín). ■ **estar nos calcanhares de alguém** (fig, fam) pisar los talones a alguien.
calção [kaw'sãw] *m* pantalón corto, calzón.
calcar [kaw'kaʀ] *tr* **1** calcar (pisar). **2** reprimir, contener. **3** calcar (copiar).
calçar [kaw'saʀ] *tr* **1** calzar (zapatos). **2** ponerse (pantalones). **3** pavimentar. **4** calzar (poner calces).
calcário, a [kaw'kaɾyʊ, a] *adj* calcáreo.
calcetar [kawse'taʀ] *tr* pavimentar, solar.
calcificar [kawsifi'kaʀ] *tr e pron* calcificar.
calcinar [kawsi'naʀ] *tr, intr e pron* calcinar.
calcinha [kaw'sĩŋa] *f* braga (prenda).
cálcio ['kawsyʊ] *m* QUÍM calcio.
calcorrear [kawkoʀe'aʀ] *intr* (coloq) patear (andar).
calcular [kawku'laʀ] *tr e intr* **1** calcular (contar). **2** calcular (evaluar).
cálculo ['kawkulʊ] *m* **1** cálculo (cómputo). **2** cálculo (conjetura).
calda ['kawda] *f* **1** almíbar. **2** ascua (de hierro). • **caldas** *f pl* **3** caldas (aguas termales).
caldeamento [kawdea'mẽtʊ] *m* caldeamiento.
caldear [kawde'aʀ] *tr* **1** caldear (metal, vidrio). **2** fundir (metal). **3** mestizar, mezclar.
caldeira [kaw'deyɾa] *f* **1** caldera (vasija). **2** caldera (calefactor).
caldeirada [kawdey'ɾada] *f* calderada.
caldeirão [kawdey'ɾãw] *m* caldero.
caldo ['kawdʊ] *m* **1** caldo (alimento). **2** jugo, zumo (de frutas). **3** (fig, fam) ahogadilla.
calefação [kalefa'sãw] *f* calefacción.
caleidoscópio [kaleydo'skɔpyʊ] *m* ⇒ calidoscópio.
calejado, da [kale'ʒadʊ, da] *adj* **1** calloso. **2** (fig) encallecido (corazón, alma).
calejar [kale'ʒaʀ] *tr, intr e pron* encallecer (criar callos, durezas).
calendário [kalẽ'daɾyʊ] *m* calendario.
calha ['kaʎa] *f* canalón, canelón (de tejado).
calhamaço [kaʎa'masʊ] *m* **1** cañamazo (tejido). **2** (fig, fam) tocho (libro).
calhambeque [kaʎã'bɛkɪ] *m* armatoste, trasto.
calhar [ka'ʎaʀ] *intr* **1** encajar (ajustar). **2** coincidir (al mismo tiempo). • *tr* **3** convenir (ser adecuado, oportuno).
calhorda [ka'ʎɔʀda] *adj/m e f* granuja, mal bicho.
calibrar [kali'bɾaʀ] *tr* calibrar.
calibre [ka'libɾɪ] *m* **1** calibre (diámetro). **2** calibrador (instrumento).
caliça [ka'lisa] *f* caliza.
cálice ['kalisɪ] *m* cáliz (copa).
calicida [kali'sida] *m* callicida.
cálido, da ['kalidʊ, da] *adj* cálido (caliente).
calidoscópio [kalido'skɔpyʊ] *m* calidoscopio.
caligrafia [kaligɾa'fia] *f* caligrafía.
caligráfico, ca [kali'gɾafikʊ, ka] *adj* caligráfico.
caligrama [kali'gɾãma] *m* caligrama.
calista [ka'liʃta] *s 2 gén* callista.
calma ['kawma] *f* calma (tranquilidad).
calmante [kaw'mãtʃɪ] *adj/m* calmante.
calmar [kaw'maʀ] *tr, intr e pron* ⇒ acalmar.
calmo, ma ['kawmʊ, ma] *adj* **1** calmado, sosegado. **2** tranquilo, sereno.
calo ['kalʊ] *m* callo (de piel).
calombo [ka'lõbʊ] *m* **1** coágulo (de sangre, leche). **2** tumor.
calor [ka'loʀ] *m* **1** calor (sensación, temperatura). **2** (fig) calor (entusiasmo). **3** (fig) calor (afecto, cariño). **4** FÍS calor.
calorento, ta [kalo'ɾẽtʊ, ta] *adj* caluroso.
caloria [kalo'ɾia] *f* FÍS caloría.
caloroso, sa [kalo'ɾozʊ, za] *adj* **1** caluroso, caliente. **2** (fig) caluroso (cariñoso).
calosidade [kalozi'dadʒɪ] *f* callosidad.
caloso, sa [ka'lozʊ, za] *adj* calloso.
calote [ka'lɔtʃɪ] *m* (fam) timo, estafa.
calouro, ra [ka'lowɾʊ, ɾa] *m e f* novato.
calúnia [ka'lunya] *f* calumnia.
caluniar [kaluni'aʀ] *tr e intr* calumniar.
calunioso, sa [kaluni'ozʊ, za] *adj* calumnioso.

calva [ˈkawva] *f* calva (de la cabeza).
calvário [kawˈvaɾyʊ] *m* **1** monte. **2** (fig) calvario (adversidad, sufrimiento).
calvo, va [ˈkawvʊ, va] *adj/m e f* **1** calvo (sin pelo). • *adj* **2** calvo (sin vegetación).
cama [ˈkãma] *f* **1** cama (lecho). **2** cama (mueble). **3** lecho (de río).
camada [kaˈmada] *f* **1** capa (cubierta). **2** capa (zona, plano). **3** clase (categoría): *é da camada pobre = es de la clase pobre.*
camafeu [kamaˈfew] *m* camafeo.
camaleão [kamaleˈãw] *m* **1** camaleón. **2** (fig) camaleón (persona mudable).
câmara [ˈkãmaɾa] *f* **1** cámara (habitación). **2** cámara (corporación). **3** cámara (aparato). • *s 2 gén* **4** cámara (camarógrafo). ♦ ~ **dos deputados** cámara de los diputados; ~ **fotográfica** cámara fotográfica.
camarada [kamaˈɾada] *adj 2 gén* **1** agradable. • *s 2 gén* **2** amigo, compañero.
camaradagem [kamaɾaˈdaʒẽy] *f* camaradería, compañerismo.
câmara-de-ar [kãmaɾadʒɪˈaʀ] *f* cámara de aire.
camarão [kamaˈɾãw] *m* camarón.
camareiro, ra [kamaˈɾeyɾʊ, ɾa] *m e f* camarero (de hotel, barco).
camarilha [kamaˈɾiʎa] *f* camarilla.
camarim [kamaˈɾĩ] *m* camerino.
Camarões, República de [ʀeˈpublikadʒɪkamaˈɾõyʃ] *m* Camerún.
camaronês, sa [kamaɾoˈneyʃ, za] *adj/m e f* camerunés.
camarote [kamaˈɾɔtʃɪ] *m* **1** camarote (de barco). **2** palco (de teatro).
cambado, da [kãˈbadʊ, da] *adj* torcido, curvado.
cambaio, a [kãˈbayʊ, a] *adj* patizambo.
cambalacho [kãbaˈlaʃʊ] *m* cambalache (trueque).
cambaleante [kãbaleˈãtʃɪ] *adj 2 gén* tambaleante.
cambalear [kãbaleˈaʀ] *intr* tambalear.
cambalhota [kãbaˈʎɔta] *f* voltereta (acrobacia).
cambar [kãˈbaʀ] *tr e intr* **1** combar. • *tr* **2** cambiar, mudar. • *tr e intr* **3** trocar (permutar).
cambial [kãbiˈaw] *adj 2 gén* cambiario.
câmbio [ˈkãbyʊ] *m* **1** cambio (permuta). **2** cambio (modificación). **3** ECON cambio (cotización).
Camboja [kãˈbɔʒa] *f* Camboya.
cambojano, na [kãboˈʒãnʊ, na] *adj/m e f* camboyano.
cambraia [kãˈbraya] *f* cambray (tela).
camélia [kaˈmɛlya] *f* camelia (flor, planta).
camelô [kameˈlo] *m* vendedor ambulante.
camembert [kamẽˈbɛʀtʃɪ] *m* camembert.
cameraman [kameɾaˈmã] *m* cámara; cameraman (Amér).
camicase [kamiˈkazɪ] *adj/m e f* **1** camicace (avión, piloto). **2** (fig) camicace (suicida).
caminhada [kamĩˈɲada] *f* **1** caminata. **2** manifestación (política).
caminhante [kamĩˈɲãtʃɪ] *adj/m e f* caminante.
caminhão [kamĩˈɲãw] *m* camión.
caminhar [kamĩˈɲaʀ] *tr e intr* **1** caminar (andar). **2** (fig) evolucionar, desarrollarse.
caminho [kaˈmĩɲʊ] *m* **1** camino (vía). **2** caminho (trayecto, itinerario). ♦ ~ **da roça** fila india. ■ **ficar no** ~ pillar de camino.
caminhoneiro, ra [kamĩɲoˈneyɾʊ, ɾa] *m e f* camionero.
caminhonete [kamĩɲoˈnɛtʃɪ] *f* camioneta.
camisa [kaˈmiza] *f* **1** camisa (prenda de vestir). **2** camisa (revestimiento). ♦ ~ **de dormir** camisón. ■ **jogar até a** ~ **do corpo** (fig, fam) jugarse hasta la camisa.
camisão [kamiˈʒãw] *m* **1** camisón. **2** bata.
camisaria [kamizaˈɾia] *f* camisería.
camiseta [kamiˈʒeta] *f* camiseta.
camisinha [kamiˈʒĩɲa] *f* condón (preservativo).
camisola [kamiˈʒɔla] *f* camisón.
camomila [kamoˈmila] *f* manzanilla, camomila (hierba, flor, infusión).
campa [ˈkãpa] *f* **1** campanilla. **2** lápida.
campainha [kãpaˈĩɲa] *f* **1** campanilla. **2** timbre (dispositivo). **3** (fig) chismoso (indiscreto).
campal [kãˈpaw] *adj 2 gén* campal.
campana [kãˈpãna] *f* campana.
campanário [kãpaˈnaɾyʊ] *m* campanario.

campanha [kã'pãɲa] *f* **1** campaña (campo llano). **2** campaña (actos). ♦ ~ **publicitária** campaña publicitaria.
campar [kã'paʀ] *tr e intr* **1** vanagloriarse. • *tr* **2** vencer, tener éxito.
campeão, ã [kãpe'ãw, 'ã] *m e f* campeón.
campear [kãpe'aʀ] *tr* **1** buscar. **2** alardear. • *intr* **3** acampar. **4** campar (sobresalir).
campeiro, ra [kã'peyɾʊ, ɾa] *adj* **1** campero. • *m e f* **2** campanero (tocador).
campeonato [kãpeo'natʊ] *m* campeonato.
campesino, na [kãpe'ʒinʊ, na] *adj* campesino.
campestre [kã'pɛʃtɾɪ] *adj 2 gén* **1** campestre. **2** silvestre (planta).
campina [kã'pina] *f* **1** campiña, prado. **2** llanura (planicie).
camping ['kãpĩ] *m* camping.
campo ['kãpʊ] *m* **1** campo (zona agraria). **2** campo (tierra laborable). **3** campo (materia, asunto). ♦ ~ **de concentração** campo de concentración; ~ **de visão** campo visual. ■ **ter o ~ livre** (fig, fam) tener el campo libre.
camponês, sa [kãpo'neyʃ, za] *m e f* campesino.
campônio, a [kã'põnyʊ, a] *m e f* ⇒ camponês, sa.
campo-santo [kãpo'sãtʊ] *m* camposanto (cementerio).
campus ['kãpuʃ] *m* campus.
camuflagem [kamu'flaʒẽy] *f* camuflaje.
camuflar [kamu'flaʀ] *tr e pron* **1** camuflar. **2** (fig, fam) camuflar (disimular, ocultar).
camundongo [kamũ'dõgʊ] *m* ratón.
camurça [ka'muʀsa] *f* gamuza (mamífero, piel, tejido).
cana ['kãna] *f* **1** caña. **2** (fig, fam) aguardiente.
cânabis ['kãnabiʃ] *f* canabis (cáñamo índico).
Canadá [kana'da] *m* Canadá.
canadense ou **canadiano, na** [kana'dẽsɪ o kanadʒi'ãnʊ, na] *adj/m e f* canadiense.
canal [ka'naw] *m* **1** canal (conducto, cauce). **2** canal (estrecho). **3** canal (de televisión, radio).
canalha [ka'naʎa] *adj/m e f* **1** canalla (vil, despreciable). • *f* **2** canalla (gente ruin).
canalhice [kana'ʎisɪ] *f* canallada.
canalização [kanaliza'sãw] *f* canalización.
canalizador, ra [kanaliza'doʀ, ɾa] *adj/m e f* fontanero (operario).
canalizar [kanali'ʒaʀ] *tr* **1** canalizar (cauces, agua). **2** (fig) canalizar (dirigir).
canapé [kana'pɛ] *m* **1** canapé (sillón). **2** canapé (aperitivo).
canário, a [ka'naɾyʊ, a] *adj/m e f* **1** canarino, canario. • *m e f* **2** canario (pájaro).
canastra [ka'naʃtɾa] *f* **1** canasta (cesto). **2** espalda (del cuerpo).
canastrão [kanaʃ'tɾãw] *m* (fig, fam) mal actor.
canavial [kanavi'aw] *m* cañaveral (plantío).
canavieiro, ra [kanavi'eyɾʊ, ɾa] *adj/m e f* cultivador de caña de azúcar.
canção [kã'sãw] *m* canción (composición). ♦ ~ **de ninar** canción de cuna.
cancela [kã'sɛla] *f* cancela (verja).
cancelamento [kãsela'mẽtʊ] *m* cancelación.
cancelar [kãse'laʀ] *tr* **1** cancelar (anular). **2** cancelar (suspender, interrumpir).
câncer ['kãseʀ] *m* **1** MED cáncer. **Câncer** **2** ASTR Cáncer (constelación, signo zodiacal).
canceriano, na [kãseɾi'ãnʊ, na] *adj* ASTROL cáncer (signo zodiacal).
cancerígeno, na [kãse'ɾiʒenʊ, na] *adj* cancerígeno.
canceroso, sa [kãse'ɾozʊ, za] *adj* canceroso.
cancha ['kãʃa] *f* **1** cancha (de deportes). **2** pista (del hipódromo). **3** (fig) experiencia (conocimiento).
cancioneiro [kãsyo'neyɾʊ] *m* cancionero.
cançoneta [kãso'neta] *f* cancioneta.
cancro ['kãkɾʊ] *m* **1** chancro (úlcera). **2** siete (instrumento).
candeeiro [kãde'eyɾʊ] *m* quinqué.
candeia [kã'deya] *f* **1** candil. **2** candela (vela).
candelabro [kãde'labɾʊ] *m* candelabro (candelero).
candente [kã'dẽtʃɪ] *adj 2 gén* candente.

candidatar [kã'dʒida'taʀ] *tr* **1** presentar un candidato. ● **~-se** *pron* **2** presentarse como candidato.
candidato, ta [kã'dʒi'datʊ, ta] *m e f* candidato.
candidatura [kã'dʒida'tuʀa] *f* candidatura.
cândido, da ['kã'dʒidʊ, da] *adj* cándido.
candomblé [kãdõ'blɛ] *m culto religioso de origen africano.*
candonga [kã'dõga] *f* candonga (ardid).
candongar [kãdõ'gaʀ] *intr* **1** adular (lisonjear). **2** intrigar.
candura [kã'dura] *f* candor.
caneca [ka'nɛka] *f* tarro (recipiente).
caneco [ka'nɛkʊ] *m* **1** tazón. **2** barril. **3** (coloq, fig) copa (trofeo). **4** (fam) diablo.
canela [ka'nɛla] *f* **1** canela (planta, corteza, especie). **2** espinilla, canilla (de la pierna). ■ **esticar as canelas** (fig, fam) estirar la pata.
canelada [kane'lada] *f* patada en la espinilla.
canelado, da [kane'ladʊ, da] *adj* acanalado (estriado).
canelar [kane'laʀ] *tr* acanalar.
caneta [ka'neta] *f* **1** bolígrafo; birome (Arg). **2** (fig, fam) pierna.
cânfora ['kãfora] *f* **1** QUÍM alcanfor. **2** ⇒ canforeira.
canforado, da [kãfo'radʊ, da] *adj* alcanforado.
canforar [kãfo'raʀ] *tr* alcanforar.
canforeira [kãfo'reyra] *f* alcanforero.
canga ['kãga] *f* **1** pareo (pañuelo). **2** yugo (para bestias, bueyes).
cangaço [kã'gasʊ] *m* **1** cachivache (trasto). **2** bagazo (de uva).
cangalha [kã'gaʎa] *f* albarda.
cangalheiro [kãga'ʎeyrʊ] *m* **1** carguero (bestia). **2** arriero.
cangalho [kã'gaʎʊ] *m* **1** (coloq, fig) cachivache (trasto). **2** (coloq, fig) vejestorio.
canguru [kãgu'ru] *m* canguro.
canhamaço [kãŋa'masʊ] *m* cañamazo (tejido, estopa).
cânhamo ['kãŋamʊ] *m* cáñamo (planta, filamento).
canhão [kã'nãw] *m* **1** cañón (artillería). **2** cañón (pluma). **3** cañón (de prendas de vestir).
canhestro, tra [kã'neʃtrʊ, tra] *adj* **1** chambón (poco hábil). **2** (fig) tímido.
canho, nha ['kãŋʊ, ŋa] *adj* ⇒ canhoto, ta.
canhonada [kãŋo'nada] *f* cañonazo (disparo).
canhonear [kãŋone'aʀ] *tr* cañonear.
canhoneio [kãŋo'neyʊ] *m* cañoneo.
canhoneiro, ra [kãŋo'neyrʊ, ra] *adj* cañonero.
canhoto, ta [kã'notʊ, ta] *adj/m e f* **1** zurdo. ● *adj* **2** chambón (poco hábil).
canibal [kani'baw] *adj/m e f* **1** caníbal (antropófago). **2** (fig) caníbal (cruel, feroz).
canibalesco, ca [kaniba'lɛʃkʊ, ka] *adj* canibalesco.
canibalismo [kaniba'liʒmʊ] *m* canibalismo.
caniçal [kani'saw] *m* carrizal.
caniço [ka'nisʊ] *m* **1** carrizo. **2** caña (de pescar).
canícula [ka'nikula] *f* canícula.
canil [ka'niw] *m* perrera (albergue, tienda).
canino, na [ka'ninʊ, na] *adj* canino.
canivete [kani'vɛtʃɪ] *m* navaja (cuchillo). ■ **dar aos canivetes** (fig, coloq) poner los pies en polvorosa.
canja ['kãʒa] *f* **1** GAST caldo de gallina con arroz. **2** (fig, fam) bis (en concierto).
canjerê [kãʒe're] *m* brujería.
canjica [kã'ʒika] *f* **1** GAST *papa de maíz tierno, leche y azúcar.* ● **canjicas** *f pl* **2** (fam) dientes.
cano ['kãnʊ] *m* **1** caño, tubo. **2** tubería. **3** cañón (de armas). ■ **dar o ~** (fig, fam) dejar plantado.
canoa [ka'noa] *f* canoa (embarcación). ■ **não ir nessa ~** (fig, coloq) no dejarse engañar.
canoagem [kano'aʒẽy] *f* remo (deporte).
canódromo [ka'nɔdromʊ] *m* canódromo.
canoeiro, ra [kano'eyrʊ, ra] *m e f* canoero (conductor).
canoísta [kano'iʃta] *adj/m e f* remero.
cânone ['kãnonɪ] *m* MÚS canon.
canônico, ca [ka'nõnikʊ, ka] *adj* canónico.
canonização [kanoniza'sãw] *f* canonización.
canonizar [kanoni'ʒaʀ] *tr* canonizar.
canoro, ra [ka'norʊ, ra] *adj* canoro.

cansaço [kã'sasʊ] *m* **1** cansancio (agotamiento). **2** (fig) cansancio (tedio, hastío).
cansar [kã'saʀ] *tr, intr e pron* **1** cansar (fatigar). **2** cansar (enfadar, hartar).
cansativo, va [kãsa'tsivʊ, va] *adj* **1** cansado (fatigoso). **2** fastidioso (aburrido).
canseira [kã'seyɾa] *f* cansera (cansancio).
cantábrico, ca [kã'tabɾiku, ka] *adj* cantábrico.
cantador, ra [kãta'doʀ, ɾa] *adj/m e f* **1** cantor, cantador. **2** cantador (de coplas populares).
cantante [kã'tãtʃɪ] *adj 2 gén* **1** cantante. • *s 2 gén* **2** (gír) sinvergüenza, granuja.
cantão [kã'tãw] *m* cantón (división administrativa).
cantar [kã'taʀ] *m* cantar (canción).
cantar [kã'taʀ] *tr e intr* **1** cantar (entonar). **2** leer (en voz alta).
cântaro ['kãtaɾʊ] *m* cántaro (vasija). ■ **a cântaros** a cántaros.
cantarolar [kãtaɾo'laʀ] *intr e tr* canturrear.
cantata [kã'tata] *f* MÚS cantata.
canteira [kã'teyɾa] *f* cantera (pedrera).
canteiro [kã'teyɾʊ] *m* **1** cantero (labrador). **2** cantero (porción de tierra).
cântico ['kãtʃikʊ] *m* cántico.
cantiga [kã'tsiga] *f* cantiga.
cantil [kã'tsiw] *m* cantimplora (frasco).
cantimplora [kãtʃĩ'plɔɾa] *f* cantimplora.
cantina [kã'tsina] *f* **1** cantina (bar, depósito). **2** (fam) restaurante italiano.
canto ['kãtʊ] *m* **1** canto (esquina). **2** rincón (ángulo entrante). **3** rincón (lugar retirado). **4** MÚS canto. ■ **em todo ~** en todas partes.
cantoneira [kãto'neyɾa] *f* **1** rinconera (mueble). **2** cantonera (refuerzo).
cantor, ra [kã'toʀ, ɾa] *adj/m e f* cantante.
cantoria [kãto'ɾia] *f* MÚS canturía (canto).
canudo [ka'nudʊ] *m* **1** pajita. **2** tubo, canuto.
cão ['kãw] *m* **1** perro (mamífero). **2** (fig) perro (persona despreciable). **3** can (gatillo). **4** (coloq, fig) diablo. ■ **~ que ladra, não morde** (fig, fam) perro ladrador, poco mordedor.
caos ['kawʃ] *m* **1** caos. **2** (fig) caos (desorden).
caótico, ca [ka'ɔtʃikʊ, ka] *adj* caótico.
capa ['kapa] *f* **1** capa (prenda de vestir). **2** funda (cubierta). **3** tapa (de libro, cuaderno).
capacete [kapa'setʃɪ] *m* **1** casco (protección). **2** capacete (de armadura).
capacho [ka'paʃʊ] *m* **1** calentador (calentapiernas). **2** limpiabarros.
capacidade [kapasi'dadʒɪ] *f* **1** capacidad (volumen). **2** capacidad (aptitud, talento). **3** (fig) eminencia.
capacitação [kapasita'sãw] *f* capacitación.
capacitado, da [kapasi'tadʊ, da] *adj* capacitado.
capacitar [kapasi'taʀ] *tr e pron* **1** capacitar. **2** convencer.
capado, da [ka'padʊ, da] *adj* capado (castrado).
capanga [ka'pãga] *f* **1** riñonera (bolso). **2** bolso en bandolera.
capão [ka'pãw] *m* castrado (animal).
capar [ka'paʀ] *tr* capar.
capataz [kapa'tayʃ] *m* capataz.
capaz [ka'payʃ] *adj 2 gén* **1** capaz (apto). **2** capaz (de contener).
capcioso, sa [kapsi'ozʊ, za] *adj* capcioso (insidioso).
capear [kape'aʀ] *tr* **1** forrar (libro, cuaderno). **2** revestir (pared, carretera). **3** (fig) capear (engañar).
capela [ka'pɛla] *f* **1** capilla (iglesia). **2** capilla (músicos).
capelão [kape'lãw] *m* capellán.
capelo [ka'pelʊ] *m* capelo (sombrero, dignidad).
capenga [ka'pẽga] *adj/m e f* paticojo, renco.
capengar [kapẽ'gaʀ] *tr e intr* cojear.
capeta [ka'peta] *m* **1** (coloq) diablo. **2** (coloq) diablillo (niño).
capilar [kapi'laʀ] *adj 2 gén* **1** capilar. • *adj/m* **2** ANAT capilar (vaso).
capim [ka'pĩ] *m* **1** capín. **2** (gír) pasta (dinero).
capina [ka'pina] *f* desbrozo.
capinar [kapi'naʀ] *tr* despejar lamalezas, desbrozar.
capital [kapi'taw] *adj 2 gén* **1** capital (de la cabeza). **2** capital (principal). • *f* **3** capital (ciudad). • *m* **4** ECON capital (dinero). ◆ **letra ~** letra mayúscula; **pena ~** pena capital.

capitalismo [kapita'liʒmʊ] *m* capitalismo.
capitalista [kapita'liʃta] *adj/m e f* capitalista.
capitalizar [kapitali'ʒaR] *tr* **1** ECON capitalizar. **2** (fig, fam) capitalizar (sacar beneficio).
capitanear [kapitane'aR] *tr e intr* capitanear.
capitania [kapita'nia] *f* capitanía.
capitão [kapi'tãw] *m* **1** capitán. **2** (fig) líder, jefe.
capitel [kapi'tew] *m* ARQ capitel.
capitólio [kapi'tɔlyʊ] *m* **1** capitolio (edificio). **2** (fig) gloria, triunfo.
capitulação [kapitula'sãw] *f* **1** capitulación. **2** MIL capitulación, rendición.
capitular [kapitu'laR] *tr* **1** capitular (acordar, pactar). **2** dividir (en capítulos). • *intr* **3** capitular, rendirse.
capítulo [ka'pitulʊ] *m* capítulo.
capô [ka'po] *m* capó.
capoeira [kapo'eyɾa] *f* **1** capoeira. **2** gallinero.
capoeiragem [kapoey'ɾaʒeỹ] *f* lucha de capoeira.
capoeirista [kapoey'ɾiʃta] *s 2 gén* practicante de capoeira.
capotar [kapo'taR] *intr* **1** capotar, dar vueltas de campana. **2** (gír)
capote [ka'potʃɪ] *m* **1** capote (abrigo). **2** (fig) disimulo.
capricho [ka'pɾiʃʊ] *m* **1** capricho. **2** esmero.
caprichoso, sa [kapɾi'sosʊ, sa] *adj* **1** caprichoso. **2** esmerado, cuidadoso.
capricorniano, na [kapɾikoRni'anʊ, na] *adj/m e f* ASTROL capricornio.
Capricórnio [kapɾi'kɔRnyʊ] *m* ASTR Capricornio (constelación, signo zodiacal).
cápsula ['kapsula] *f* **1** cápsula (envoltura). **2** cápsula (casquillo metálico). **3** cápsula (compartimiento). ◆ **~ espacial** cápsula espacial.
captar [ka'ptaR] *tr* **1** captar (agua). **2** captar, percatarse (comprender).
captor, ra [ka'ptoR, ɾa] *adj/m e f* captor.
captura [ka'ptuɾa] *f* captura.
capturar [kaptu'ɾaR] *tr* capturar.
capucho [ka'puʃʊ] *adj/m* **1** REL capuchino. • *m* **2** capullo (de seda, flor).
capulho [ka'puʎʊ] *m* capullo (de seda, flor).
capuz [ka'puz] *m* **1** capucha (prenda). **2** capó (vehículo).
cáqui ['kaki] *adj 2 gén* **1** caqui (color). • *m* **2** caqui (tela).
cara ['kaɾa] *f* **1** cara, rostro. **2** cara (semblante). **3** cara (de moneda). ■ **~ a ~** cara a cara; **encher a ~** (fig) emborracharse; ponerse las botas; **estar de ~ fechada ou amarrada** (fig) estar de morros; **estar na ~** (fig, fam) saltar a la vista.
caraça [ka'ɾasa] *f* (fig) cara de pan.
caracol [kaɾa'kɔw] *m* **1** caracol (molusco). **2** caracol, rizo.
caractere [kaɾakɪ'teɾɪ] *m* carácter (signo tipográfico).
característico, ca [kaɾakite'ɾiʃtʃikʊ, ka] *adj/m e f* característico.
caracterizar [kaɾakiteɾi'ʒaR] *tr e pron* **1** caracterizar (distinguir). **2** caracterizar (papel).
cara-de-pau [kaɾadʒɪ'paw] *adj/m e f* ⇒ caradura.
caradura [kaɾa'duɾa] *adj/m e f* caradura.
caralho [ka'ɾaʎʊ] *m* **1** (vulg) carajo, polla. • **~!** *interj* **2** (vulg) ¡caramba!; ¡joder!; ¡hostia! ■ **pra ~** (fig, coloq) mogollón, cantidad: *tinha gente pra caralho = había mogollón de gente.*
caramba! [ka'ɾãba] *interj* ¡caramba!
carambola [kaɾã'bɔla] *f* **1** carambola (fruto). **2** carambola (del billar).
caramboleiro, ra [kaɾãbo'leyɾʊ, ɾa] *m e f* **1** carambolo (árbol). • *adj/m e f* **2** (fig) embustero.
caramelo [kaɾa'mɛlʊ] *m* caramelo (azúcar fundido).

> En español **caramelo** se utiliza principalmente como sinónimo de golosina, que es ***bala*** en portugués.

caraminhola [kaɾami'nɔla] *f* **1** (gralte pl) tonterías. **2** greña (cabello).
caramujo [kaɾa'muʒʊ] *m* caramujo (caracol).
caramunha [kaɾa'muŋa] *f* berrinche.
caranguejo [kaɾã'geʒʊ] *m* cangrejo.
caraoquê [kaɾaw'ke] *m* karaoke.
carapaça [kaɾa'pasa] *f* caparazón (cubierta).
carapeta [kaɾa'peta] *f* **1** peonza, trompo. **2** (fig) mentirijilla.

carapinhada [karapi'nada] *f* granizado de zumo de frutas.
carapuça [kara'pusa] *f* **1** caperuza. **2** (fig, fam) indirecta, puntada (alusión).
caratê [kara'te] *m* kárate.
carateca [kara'teka] *s 2 gén* karateca.
caráter [ka'rateʀ] *m* **1** carácter (signo gráfico). **2** carácter (genio). **3** carácter (condición, naturaleza).
caravana [kara'vana] *f* caravana (de gente, viajeros).

> En portugués ***caravana*** no se utiliza en el sentido de 'tráfico denso' (***engarrafamento, congestionamento***) ni en el sentido de 'vehículo acondicionado para vivir en él' (***trailer, motor-home***).

caravaneiro, ra [karava'neyrʊ, ra] *adj/m e f* caravanero (guía).
caravela [kara'vɛla] *f* carabela (embarcación).
carboidrato [kaʀboy'dratʊ] *m* QUÍM hidrato de carbono, carbohidrato.
carbonato [kaʀbo'natʊ] *m* QUÍM carbonato.
carbônico, ca [kaʀ'bonikʊ, ka] *adj* QUÍM carbónico. ♦ **gás** ~ gas carbónico.
carbonizado, da [kaʀboni'ʒadʊ, da] *adj* carbonizado.
carbonizar [kaʀboni'ʒaʀ] *tr e pron* carbonizar.
carbono [kaʀ'bonʊ] *m* **1** QUÍM carbono. **2** (fam) papel carbón.
carburador [kaʀbura'doʀ] *m* carburador.
carburante [kaʀbu'rãtʃɪ] *adj/m* carburante (combustible).
carburar [kaʀbu'raʀ] *tr* QUÍM carburar.
carcaça [kaʀ'kasa] *f* **1** carcasa (esqueleto). **2** (fig, fam) armazón, armadura.
carcerário, a [kaʀse'raryʊ, a] *adj* carcelario.
cárcere ['kaʀserɪ] *m* cárcel, prisión.
carcereiro [kaʀse'reyrʊ] *m* carcelero.
carcinoma [kaʀsi'noma] *m* MED carcinoma.
carcoma [kaʀ'koma] *f* carcoma.
carcomido, da [kaʀko'midʊ, da] *adj* **1** carcomido. **2** (fig) acongojado, abatido.
carda ['kaʀda] *f* carda (para hilar).
cardápio [kaʀ'dapyʊ] *m* carta, menú.
cardar [kaʀ'daʀ] *tr* cardar (hilo).
cardeal [kaʀde'aw] *adj 2 gén* **1** cardinal. • *m* **2** REL cardenal. ♦ **número** ~ número cardinal; **ponto** ~ punto cardinal.
cardíaco, ca [ka'rdʒiakʊ, ka] *adj/m e f* cardíaco, cardiaco.
cardinal [ka'rdʒi'naw] *adj/m* ⇒ cardeal (1).
cardiologia [kaʀdʒiolo'ʒia] *f* MED cardiología.
cardiovascular [kaʀdʒiovaʃku'laʀ] *adj 2 gén* cardiovascular.
cardume [kaʀ'dumɪ] *m* **1** cardumen, cardume. **2** (fig) multitud (gran cantidad).
carear [kare'aʀ] *tr* atraer, conseguir.
careca [ka'rɛka] *f* **1** calva; calvicie. • *adj/m e f* **2** calvo. ♦ **pneu** ~ neumático gastado.
carecer [kare'seʀ] *tr* carecer.
careiro, ra [ka'reyrʊ, ra] *adj* carero.
carência [ka'rẽsya] *f* **1** carencia (falta, privación). **2** carencia (plazo).
carente [ka'rẽtʃɪ] *adj 2 gén* carente.
carestia [kareʃ'tsia] *f* carestía.
careta [ka'rɛta] *f* **1** mueca, gesto. **2** careta, máscara. • *s 2 gén* **3** (fig, gír) carca.
carga ['kaʀga] *f* **1** carga (colocación). **2** carga (peso). **3** (fig, fam) carga (obligación, responsabilidad). ♦ ~ **horária** carga horaria. ■ **arriar a** ~ (fig, fam) cansarse, fatigarse.
carga-d'água [kaʀga'dagwa] *f* aguacero, chaparrón.
cargo ['kaʀgʊ] *m* **1** cargo (función, empleo). **2** cargo (obligación). **3** cargo (cuidado, custodia).
cargueiro, ra [kaʀ'geyrʊ, ra] *adj/m* carguero.
cariado, da [kari'adʊ, da] *adj* cariado (diente, hueso).
cariar [kari'aʀ] *tr* **1** cariar. **2** corromper.
caribenho, nha [kari'beɲʊ, ɲa] *adj/m e f* caribeño.
caricato, ta [kari'katʊ, ta] *adj* **1** caricaturesco. • *m* **2** caricato (teatro).
caricatura [karika'tura] *f* caricatura.
carícia [ka'risya] *f* **1** caricia. **2** cariño.
caridade [kari'dadʒɪ] *f* caridad. ■ **fazer** ~ ser caritativo; mantener relaciones sexuales sin compromiso.
caridoso, sa [kari'dozʊ, za] *adj* caritativo.

cárie [ˈkarye] *f* caries.
carimbar [karĩˈbaʀ] *tr* sellar.
carimbo [kaˈrĩbʊ] *m* sello (timbre).
carinho [kaˈriŋʊ] *m* **1** cariño, afecto. **2** caricia.
carinhoso, sa [kariˈnozʊ, za] *adj* cariñoso, afectuoso.
carioca [karyˈoka] *adj/m e f* carioca.
carisma [kaˈriʒma] *m* carisma.
carismático, ca [kariʒˈmatʃikʊ, ka] *adj* carismático.
caritativo, va [karitaˈtsivʊ, va] *adj* ⇒ caridoso, sa.
cariz [kaˈriz] *m* **1** cara (fisionomía). **2** cariz (de atmósfera).
carmesim [kaʀmeˈsĩ] *adj 2 gén* **1** carmín, carmesí. • *m* **2** carmín (color); carmesí.
carmim [kaʀˈmĩ] *adj 2 gén* **1** carmín (color). • *m* **2** carmín (colorante).
carnadura [kaʀnaˈdura] *f* carnadura.
carnal [kaʀˈnaw] *adj 2 gén* carnal.
carnalidade [kaʀnaliˈdadʒɪ] *f* carnalidad.
carnaval [kaʀnaˈvaw] *m* **1** carnaval. **2** (fig) confusión, follón.
carnavalesco, ca [kaʀnavaˈleʃkʊ, ka] *adj* carnavalesco.
carnaz [kaʀˈnaz] *m* carnaza (de la piel).
carne [ˈkaʀnɪ] *f* **1** carne (músculo). **2** carne (alimento). **3** (fig, fam) carne (sensualismo). ♦ **~ ao ponto** carne al punto; **~ moída** carne picada ■ **ser da ~ e osso** (fig, fam) ser de carne y hueso.
carnear [kaʀneˈaʀ] *intr e tr* carnear (reses).
carneirada [kaʀneyˈrada] *f* **1** carnerada. **2** MED malaria, paludismo.
carneiro [kaʀˈneyrʊ] *m* **1** carnero (animal). **2** carcoma. • *f* **3** (fig) borrego (persona sometida).
carniça [kaʀˈnisa] *f* **1** carroña, carniza. **2** carne putrefacta.
carniçaria [kaʀnisaˈria] *f* (fig) carnicería, masacre.
carniceiro, ra [kaʀniˈseyrʊ, ra] *adj* **1** carnívoro. • *adj/m e f* **2** carnicero (sanguinario).
carnificina [kaʀnifiˈsina] *f* matanza, carnicería.
carnívoro, ra [kaʀˈnivorʊ, ra] *adj/m e f* **1** carnívoro. • **carnívoros** *m pl* **2** ZOOL carnívoros.
carnoso, sa [kaʀˈnozʊ, za] *adj* **1** carnoso. **2** (fig) suculento.
carnudo, da [kaʀˈnudʊ, da] *adj* **1** carnudo, carnoso. **2** (fig, fam) macizo.
caro, ra [ˈkaʀʊ, ra] *adj* **1** caro, costoso (precio). **2** caro (dificultoso). **3** estimado, querido. • *adv* **4** caro.
caroço [kaˈrosʊ] *m* **1** hueso (de fruta). **2** pepita (simiente).
carona [kaˈrona] *f* **1** autostop. • *s 2 gén* **2** autostopista. ■ **dar ~** recoger a un autostopista.
carótida [kaˈrɔtʃida] *f* ANAT carótida.
carpa [ˈkaʀpa] *f* carpa (pez).
carpete [kaʀˈpetʃɪ] *m* moqueta.
carpideira [kaʀpiˈdeyra] *f* plañidera.
carpintaria [kaʀpĩtaˈria] *f* carpintería.
carpinteiro, ra [kaʀpĩˈteyrʊ, ra] *m e f* carpintero.
carpir [kaʀˈpiʀ] *tr* **1** escar, carpir (tierra). • *intr e pron* **2** plañir.
carrada [kaˈrada] *f* **1** carretada. **2** (fig) carretada (gran cantidad).
carrancudo, da [kaʀãˈkudʊ, da] *adj* ceñudo.
carrapato [kaʀaˈpatʊ] *m* **1** garrapata. **2** (fig) lapa (persona pegajosa).
carrapicho [kaʀaˈpiʃʊ] *m* moño (de cabello).
carrasco [kaˈraʃkʊ] *m* **1** verdugo (ejecutor). **2** carrasco (formación vegetal).
carraspana [kaʀaʃˈpana] *f* **1** borrachera. **2** reprimenda.
carrear [kaʀeˈaʀ] *tr* **1** acarrear. • *intr* **2** conducir coche.
carregação [kaʀegaˈsãw] *f* **1** carga (peso). **2** montón (cantidad).
carregado, da [kaʀeˈgadʊ, da] *adj* **1** cargado (lleno, repleto). **2** cargado (ambiente, atmósfera). **3** intenso (color).
carregador, ra [kaʀegaˈdoʀ, ra] *adj/m e f* **1** cargador. **2** maletero, botones.
carregamento [kaʀegaˈmẽtʊ] *m* cargamento.
carregar [kaʀeˈgaʀ] *tr* **1** cargar (camión, arma, batería). **2** cargar, llevar. **3** llevar (conducir): *carregou o filho para a escola = llevó el hijo al cole.* • *tr e pron* **4**
carreira [kaˈreyra] *f* **1** carrera (profesional). **2** carrera (marcha). **3** hilera (serie).
carreiro [kaˈreyrʊ] *m* **1** carreto, carrero. **2** vereda, sendero.
carreta [kaˈreta] *f* **1** remolque. • *m* **2** carreta (de tracción animal). **3** carrete (de hilo).

carrete [ka'retʃɪ] *m* carrete (mecanismo).
carretel [kaʀe'tew] *m* carrete (de hilo, pescar).
carretilha [kaʀe'tsiʎa] *f* carretilla (utensilio de cocina).
carreto [ka'ɾetʊ] *m* flete.
carril [ka'ɾiw] *m* **1** carril (de tren). **2** carril, rodada (marca).
carrilhão [kaʀi'ʎãw] *m* carillón.
carrinho [ka'ɾiŋʊ] *m* **1** cochecito, carrito (de bebé). **2** carrete, carretel (de hilo, alambre).
carro ['kaʀʊ] *m* **1** coche, automóvil; carro (Amér). **2** coche, vagón (de tren). **3** carro (de máquinas). ◆ ~ **alegórico** carroza de carnaval.
carroça [ka'ɾosa] *f* **1** carreta, carruaje. **2** (fig) tartana (vehículo viejo).
carroçaria [kaʀosa'ɾia] *f* ⇒ carroceria.
carroceria [kaʀose'ɾia] *f* carrocería.
carro-pipa [kaʀʊ'pipa] *m* camión cisterna.
carrossel [kaʀo'sew] *m* tiovivo, carrusel.
carruagem [kaʀu'aʒẽy] *f* carruaje, diligencia.
carta ['kaʀta] *f* **1** carta (epístola). **2** carta (naipe). **3** carta (de menú). ◆ ~ **branca** (fig, fam) carta blanca; ~ **de motorista** carné de conducir; ~ **magna** carta magna. ■ **pôr as cartas na mesa** (fig, fam) poner las cartas boca arriba.
cartão [ka'ɾtãw] *m* **1** cartón (material). **2** tarjeta. **3** ESPORT tarjeta. ◆ ~ **de crédito** tarjeta de crédito; ~ **de visita** tarjeta de visita.
cartão-pedra [kaʀtãw'pedɾa] *m* cartón piedra.
cartão-postal [kaʀtãwpoʃ'taw] *m* tarjeta postal.
cartaz [ka'ɾtayʃ] *m* **1** cartel; anuncio. **2** (fig, fam) fama, popularidad. ■ **em** ~ en cartel.
carte ['kaʀtʃɪ] *m* kart.
carteira [ka'ɾteyɾa] *f* **1** cartera (billetera). **2** cartera (para documentos, papeles). **3** tarjeta, carné. ◆ ~ **de identidade** carné de identidad.
carteiro, ra [ka'ɾteyɾʊ, ɾa] *m e f* cartero.
cartel [ka'ɾtew] *m* **1** ECON cartel, cártel. **2** ⇒ cartaz (1).
cartela [ka'ɾtela] *f* **1** cartela. **2** muestrario.
cárter ['kaʀteʀ] *m* MEC cárter.
cartilagem [kaʀtʃi'laʒẽy] *f* ANAT cartílago.
cartilaginoso, sa [kaʀtʃilaʒi'nozʊ, za] *adj* cartilaginoso.
cartilha [ka'ɾtsiʎa] *f* cartilla (cuaderno).
cartografia [kaʀtogɾa'fia] *f* cartografía.
cartográfico, ca [kaʀto'gɾafikʊ, ka] *adj* cartográfico.
cartógrafo, fa [ka'ɾtɔgɾafʊ, fa] *m e f* cartógrafo.
cartola [ka'ɾtɔla] *f* **1** sombrero de copa. ● *m* **2** (fig, gír) cursi, pijo.
cartolina [kaʀto'lina] *f* cartulina.
cartomancia [kaʀtomã'sia] *f* cartomancia, cartomancía.
cartomante [kaʀto'mãtʃɪ] *adj/m e f* cartomántico.
cartonar [kaʀto'naʀ] *tr* encartonar.
cartório [ka'ɾtɔɾyʊ] *m* **1** notaría; escribanía. **2** registro (repartición).
cartucheira [kaʀtu'seyɾa] *f* cartuchera.
cartucho [ka'ɾtuʃʊ] *m* **1** cartucho (para armas). **2** cartucho (envoltorio). **3** cartucho (repuesto): *cartucho de tinta = cartucho de tinta*. ■ **queimar o último** ~ (fig, fam) quemar el último cartucho.
cartum [ka'ɾtũ] *m* **1** viñeta (en periódico, revista). **2** cómic.
cartuxo, xa [ka'ɾtuʃʊ, ʃa] *adj/m e f* REL cartujo.
caruncho [ka'ɾũʃʊ] *m* **1** carcoma (insecto). **2** carcoma (polvo).
caruru [kaɾu'ɾu] *m* carurú.
carvalhal [kaʀva'ʎaw] *m* robledal, carvallar.
carvalho [ka'ɾvaʎʊ] *m* roble, carvallo.
carvão [ka'ɾvãw] *m* **1** carbón. **2** carboncillo.
carvoaria [kaʀvoa'ɾia] *f* carbonería.
carvoeiro, ra [kaʀvo'eyɾʊ, ɾa] *adj/m e f* **1** carbonero. ● *f* **2** carbonera (depósito de carbón).
cãs ['kãyʃ] *f pl* canas.
casa ['kaza] *f* **1** casa (vivienda). **2** casa (familia, hogar). **3** ojal (para botones). **4** casilla (división). ◆ ~ **da moeda** casa de la moneda; ~ **de penhor** casa de empeño. ■ **de ficar em** ~ de andar por casa: *são sapatos de ficar em casa = são zapatos de andar por casa*; **sentir-se em** ~ estar como Pedro por su casa.
casaca [ka'ʒaka] *f* frac, fraque.
casacão [kaza'kãw] *m* abrigo, sobretodo.

casaco [ka'ʒakʊ] *m* chaqueta; saco (Amér).
casado, da [ka'ʒadʊ, da] *adj* **1** casado. **2** (fig) armonizado.
casal [ka'ʒaw] *m* **1** pareja. **2** matrimonio.
casamata [kaza'mata] *f* **1** prisión subterránea. MIL casamata.
casamento [kaza'mẽtʊ] *m* **1** boda, casamiento. **2** (fig) unión, alianza.
casar [ka'ʒaʀ] *tr, intr e pron* **1** casar (contraer matrimonio). **2** armonizar, combinar.
casarão [kaza'ɾãw] *m* **1** casón, casarón. **2** (fam) mansión.
casario [kaza'ɾiʊ] *m* caserío (conjunto de casas).
casca ['kayʃka] *f* **1** corteza, cáscara. **2** piel (de fruta). **3** caparazón (de animal).
casca-grossa [kayʃka'gɾɔsa] *adj/m e f* gamberro.
cascalho [kay'skaʎʊ] *m* **1** cascajo. **2** cacharro (moneda).
cascata [kays'kata] *f* **1** cascada. **2** (fig, fam) cuento chino (mentira).
cascavel [kayʃka'vɛw] *s 2 gén* **1** crótalo (serpiente). ● *m* **2** cascabel.
casco ['kayʃkʊ] *m* **1** casco (de équidos). **2** casco (de botella, tonel).
cascudo, da [kays'kudʊ, da] *adj* **1** cascarudo. ● *m* **2** croque, coscorrón.
caseiro, ra [ka'ʒeyɾʊ, ɾa] *adj* **1** casero. ● *m e f* **2** casero, guardés.
caserna [ka'ʒɛʀna] *f* caserna.
casimira [kazi'miʀa] *f* cachemir, casimir.
casmurro, rra [kaʒ'muʀʊ, ʀa] *adj/m e f* **1** testarudo, terco. **2** ensimismado.
caso ['kazʊ] *m* **1** caso (suceso). **2** caso (asunto, cuestión). **3** caso (historia). **4** (fig, fam) lío (amorío). **5** GRAM caso ● *conj* **6** en caso de que, caso que: *liga para mim caso você precise de algo = llámame en caso de que necesites algo.* ◆ ~ **contrário** en caso contrario. ■ **em todo ~** de todamaneras, a pesar de todo; **não vir ao ~** (fig, fam) no venir al caso.
caspa ['kayʃpa] *f* caspa.
cáspite! ['kayʃpitʃɪ] *interj* ¡cáspita!
casquete [kayʃ'ketʃɪ] *m* casquete (gorro).
casquinar [kayʃki'naʀ] *tr e intr* risotear.
casquinha [kayʃ'kĩŋa] *f* cucurucho (helado). ■ **tirar uma ~** (fig, fam) aprovecharse.
cassar [ka'saʀ] *tr* casar, anular.
cassete [ka'sɛtʃɪ] *m* **1** casete (cinta). **2** casete, radiocasete.
cassetete [kase'tetʃɪ] *m* porra (de policía).
cassino [ka'sinʊ] *m* casino.
casta ['kayʃta] *f* **1** casta (especie, clase). **2** casta (linaje).
castanha [kayʃ'tãŋa] *f* **1** castaña. **2** (fig, fam) coscorrón, croque.
castanheira [kayʃtã'neyɾa] *f* castañera.
castanheiro [kayʃtã'neyɾʊ] *m* castaño (árbol).
castanho, nha [kayʃ'tãŋʊ, ŋa] *adj* castaño (color).
castanholas [kayʃtã'nɔla] *f pl* MÚS castañuela.
castelhano, na [kayʃte'ʎãnʊ, na] *adj/m e f* **1** castellano. ● *m* **2** castellano (lengua).
castelo [kayʃ'tɛlʊ] *m* castillo. ◆ ~ **no ar** (fig, fam) castillos en el aire.
castiçal [kayʃtʃi'saw] *m* candelero.
castiçar [kayʃtʃi'saʀ] *tr* volver castizo.
castiço, ça [kayʃ'tsisʊ, sa] *adj* castizo.
castidade [kayʃtʃi'dadʒɪ] *f* castidad.
castigar [kayʃtʃi'gaʀ] *tr, intr e pron* **1** castigar (penar). ● *tr* **2** castigar (escarmentar, reprender).
castigo [kayʃ'tsigʊ] *m* **1** castigo (pena, punición). **2** castigo (tormento).
casto, ta ['kaʃtʊ, ta] *adj* **1** casto (puro, inocente). **2** casto (recatado, púdico). **3** puro (sin mezclas).
castor [kayʃ'toʀ] *m* castor.
castração [kayʃtra'sãw] *f* castración.
castrar [kayʃ'tɾaʀ] *tr e pron* **1** castrar (capar). ● *tr* **2** (fig, fam) castrar (anular, debilitar).
casual [kazu'aw] *adj 2 gén* casual (fortuito).
casualidade [kazwali'dadʒɪ] *f* casualidad.
casula [ka'ʒula] *f* casulla.
casulo [ka'ʒulʊ] *m* **1** capullo (envoltorio). **2** (fig, fam) abrigo, protección.
cata ['kata] *f* búsqueda, busca.
cataclismo [kata'kliʒmʊ] *m* **1** cataclismo (desastre natural). **2** (fig, fam) cataclismo (trastorno).
catacumba [kata'kũba] *f* catacumba.
catadura [kata'duɾa] *f* catadura (gesto,

semblante).
catafalco [kata'fawkʊ] *m* catafalco.
catalão, lana [kata'lãw, 'lana] *adj/m e f* **1** catalán. • *m* **2** catalán (lengua).
catalepsia [katale'pisia] *f* MED catalepsia.
catalisar [katali'ʒaʀ] *tr* **1** QUÍM catalizar. **2** (fig) estimular, incentivar.
catálise [ka'talizɪ] *f* QUÍM catálisis.
catalogação [kataloga'sãw] *f* catalogación.
catalogar [katalo'gaʀ] *tr* **1** catalogar. **2** (fig, fam) catalogar (tachar).
catálogo [ka'talogʊ] *m* catálogo.
catana [ka'tãna] *m* catán.
cataplasma [kata'plaʒma] *f* cataplasma.
catapora [kata'pɔɾa] *f* MED varicela.
catapulta [kata'puwta] *f* catapulta.
Catar [ka'taʀ] *m* Qatar.
catar [ka'taʀ] *tr* **1** recoger, coger (uno a uno). **2** limpiar (impurezas). **3** buscar (investigar).
catarata [kata'ɾata] *f* **1** catarata (salto de agua). **2** MED catarata.
catariano, na [kataɾi'ãnʊ, na] *adj/m e f* qatarí.
catarro [ka'taʀʊ] *m* **1** catarro, constipado (inflamación). **2** mucosidad (secreción).
catarse [ka'taʀsɪ] *f* catarsis.
catástrofe [ka'tayʃtɾofɪ] *f* **1** catástrofe (cataclismo). **2** (fig, fam) catástrofe, desastre.
catastrófico, ca [katayʃ'tɾɔfikʊ, ka] *adj* catastrófico.
catatônico, ca [kata'tonikʊ, ka] *adj* catatónico.
cata-vento [kata'vẽtʊ] *m* **1** veleta. **2** (fam) molinillo de viento (juguete).
catecismo [kate'siʒmʊ] *m* catecismo.
cátedra ['katedɾa] *f* **1** cátedra (asiento). **2** cátedra (empleo, dignidad).
catedral [kate'dɾaw] *adj/f* catedral.
catedrático, ca [kate'dɾatʃikʊ, ka] *adj/ m e f* catedrático.
categoria [katego'ɾia] *f* **1** categoría (clase). **2** categoría (prestigio). **3** GRAM categoría.
categórico, ca [kate'gɔɾikʊ, ka] *adj* categórico.
categorizar [kategoɾi'ʒaʀ] *tr* categorizar.
catequese [kate'kɛzɪ] *f* catequesis, catequismo.
catequizar [kateki'ʒaʀ] *tr* catequizar.
cateter [kate'teʀ] *m* MED catéter.
cateto [ka'tetʊ] *m* GEOM cateto.
catimba [ka'tsĩba] *f* (gír) destreza, habilidad.
catimplora [katʃĩ'plɔʀa] *f* ⇒ cantimplora.
catinga [ka'tsĩga] *adj 2 gén* **1** tacaño. • *f* **2** peste (mal olor).
catingar [katʃĩ'gaʀ] *intr* apestar (oler).
catingoso, sa [katʃĩ'gozʊ, za] *adj* apestoso.
cativante [katʃi'vãtʃɪ] *adj 2 gén* cautivador.
cativar [katʃi'vaʀ] *tr, intr e pron* **1** cautivar (aprisionar). • *tr* **2** (fig, fam) cautivar (atraer).
cativeiro [katʃi'veyɾʊ] *m* cautiverio, cautividad.
cativo, va [ka'tsivʊ, va] *adj* cautivo (prisionero).
catolicismo [katoli'siʒmʊ] *m* catolicismo.
catolicizar [katolisi'ʒaʀ] *tr* catolizar.
católico, ca [ka'tɔlikʊ, ka] *adj/m e f* **1** católico. • *adj* **2** (fig, fam) conservador.
catorze [ka'toʀzɪ] *adj/m* catorce.
catraca [ka'tɾaka] *f* torniquete (de cine, teatro).
catrapus [katɾa'puʃ] *m* galope del caballo.
catre ['katɾɪ] *m* catre.
caubói [kaw'bɔy] *m* vaquero, cowboy.
caução [kaw'sãw] *f* **1** caución (prevención, cautela). **2** DIR caución.
caucásio, a [kaw'kazyʊ, a] *adj* caucáseo.
caucionar [kawsyo'naʀ] *tr* caucionar.
cauda ['kawda] *f* cola. ♦ **~ de cometa** cola de cometa.
caudal [kaw'daw] *adj 2 gén* **1** caudal (de la cola). **2** caudal (caudaloso).
caudaloso, sa [kawda'lozʊ, za] *adj* caudaloso.
caudilho [kaw'dʒiʎʊ] *m* caudillo.
caule ['kawlɪ] *m* tallo.
causa ['kawza] *f* **1** causa (razón, motivo). **2** causa (fundamento, origen). ■ **por ~ de** a causa de, por causa de.
causal [kaw'ʒaw] *adj 2 gén* **1** GRAM causal. • *f* **2** motivo, razón.
causalidade [kawzali'dadʒɪ] *f* causalidad.
causar [kaw'ʒaʀ] *tr* causar (ocasionar).
causativo, va [kawza'tsivʊ, va] *adj* causativo.

causídico [kaw'ʒi'dʒikʊ] *m* causídico (abogado).
cáustico, ca ['kawʃtʃikʊ, ka] *adj/m* **1** cáustico. • *adj* **2** (fig, fam) cáustico (mordaz).
cautela [kaw'tɛla] *f* **1** cautela (precaución). **2** recibo de empeño.
cauteloso, sa [kawte'lozʊ, za] *adj* cauteloso.
cauterizar [kawteɾi'ʒaʀ] *tr* cauterizar.
cauto, ta ['kawtʊ, ta] *adj* cauteloso.
cava ['kava] *f* **1** sisa (de prenda). **2** cava, foso.
cavador, ra [kava'doʀ, ɾa] *adj/m e f* cavador.
cavala [ka'vala] *f* caballa.
cavalar [kava'laʀ] *adj 2 gén* **1** caballar. **2** (fig) colosal (exagerado).
cavalaria [kavala'ɾia] *f* **1** caballería (tropa). **2** caballada (manada). ◆ ~ **andante** caballería andante.
cavalariça [kavala'ɾisa] *f* caballeriza (edificio, lugar).
cavalariço [kavala'ɾisʊ] *m* caballerizo.
cavaleiroso, sa [kavaley'ɾozʊ, za] *adj* caballeroso.
cavalete [kava'letʃɪ] *m* **1** caballete (soporte). **2** potro (de suplicio).
cavalgadura [kavawga'duɾa] *f* cabalgadura.
cavalgar [kavaw'gaʀ] *tr e intr* cabalgar.
cavalheiresco, ca [kavaʎey'ɾeʃkʊ, ka] *adj* caballeresco (noble).
cavalheiro [kava'ʎeyɾʊ] *m* **1** caballero, señor (tratamiento). • *adj/m* **2** caballero (cortés).
cavalo [ka'valʊ] *m* **1** caballo (animal). **2** caballo (aparato gimnástico). **3** (fig, fam) animal (bruto, grosero). ◆ ~ **de corrida** caballo de carreras. ■ **cair do ~** (fig, fam) llevarse un chasco.
cavalo-marinho [kavalʊma'ɾĩŋʊ] *m* caballo de la mar, caballo marino.
cavalo-vapor [kavalʊva'poʀ] *m* caballo de vapor.
cavaquinho [kava'kĩŋʊ] *m* MÚS pequeña guitarra de cuatro cuerdas.
cavar [ka'vaʀ] *tr* **1** cavar (revolver). **2** cavar (excavar).
caveira [ka'veyɾa] *f* **1** calavera. **2** (fig, fam) desgracia, revés.
caverna [ka'vɛɾna] *f* **1** cueva, caverna. **2** MED caverna.
cavernal [kaveʀ'naw] *adj 2 gén* cavernario.
cavernícola [kaveʀ'nikʊla] *adj/m e f* cavernícola.
caviar [kavi'aʀ] *m* caviar.
cavidade [kavi'dadʒɪ] *f* cavidad.
cavilação [kavila'sãw] *f* **1** astucia. **2** sarcasmo.
cavilador, ra [kavila'doʀ, ɾa] *adj/m e f* **1** astucioso. **2** sarcástico.
cavilar [kavi'laʀ] *tr* maquinar (planear).
cavilha [ka'viʎa] *f* clavija.
cavilhar [kavi'ʎaʀ] *tr* enclavijar.
caviloso, sa [kavi'lozʊ, za] *adj* **1** sofístico. **2** (fig) capcioso.
cavo, va ['kavʊ, va] *adj* **1** cóncavo. **2** hueco.
cavoucar [kavow'kaʀ] *tr* **1** excavar, cavar. **2** (fig) investigar.
cavouco [ka'vowkʊ] *m* **1** cimiento (de edificio). **2** foso.
caxias [ka'ʃiayʃ] *adj/m e f* puntilloso (concienzudo).
Cazaquistão [kazakiʃ'tãw] *m* Kazajstán.
cê ['se] *m* ce (letra).
Ceará [sea'ɾa] *m* Ceará (Estado brasileño).
cebola [se'bola] *f* cebolla.
cebolinho [sebo'lĩŋʊ] *m* cebollino (semilla).
cê-cedilha [sese'dʒiʎa] *m* ce cedilla, cedilla.
ceco ['sekʊ] *m* ANAT ciego (intestino).
ceder [se'deʀ] *tr e intr* **1** ceder (rendirse). • *tr* **2** ceder (dar, transferir). • *intr* **3** ceder (aflojar).
cedível [se'dʒivew] *adj 2 gén* cedible.
cedo ['sedʊ] *adv* **1** temprano. **2** pronto.
cedro ['sedɾʊ] *m* cedro (árbol, madera).
cédula ['sɛdula] *f* **1** billete (dinero). **2** papeleta (voto).
cefaléia [sefa'lɛia] *f* MED cefalea.
cefálico, ca [se'falikʊ, ka] *adj* ANAT cefálico.
cegar [se'gaʀ] *tr, intr e pron* **1** cegar (quitar la vista). • *tr e intr* **2** (fig) cegar, ofuscar.
cego, ga ['sɛgʊ, ga] *adj/m e f* **1** ciego. • *adj* **2** ciego (ofuscado). **3** (fig) ciego (deslumbrado). • *m* **4** ANAT ciego.
cegonha [se'gõŋa] *f* **1** cigüeña (ave). **2** (fig) camión transportador (de vehículos).

cegueira [se'geyɾa] *f* **1** MED ceguera. **2** (fig) ceguera (falta de razón).
ceia ['seya] *f* cena (de navidad). ◆ **A Santa Ceia** La Última Cena.

> Las palabras ***cear*** y ***ceia*** se utilizaban antiguamente en el sentido de cenar, pero actualmente han quedado relegadas al contexto navideño. Habitualmente se emplea el verbo ***jantar***.

ceifa ['seyfa] *f* **1** siega. **2** mies (temporada).
ceifadeira [seyfa'deyɾa] *f* segadora (máquina).
ceifar [sey'faʀ] *tr* **1** segar. **2** recolectar. **3** cortar.
ceifeiro, ra [sey'feyɾʊ, ɾa] *adj/m e f* **1** segador.
cela ['sɛla] *f* **1** celda (de cárcel, convento). **2** celdilla (de panal).
celebração [selebra'sãw] *f* **1** celebración (acto solemne). **2** celebración (festejo).
celebrante [sele'bɾãtʃɪ] *adj/m e f* celebrante.
celebrar [sele'bɾaʀ] *tr* **1** celebrar (conmemorar, festejar). **2** celebrar (alabar).
celebrável [sele'bɾavew] *adj 2 gén* celebrable.
célebre ['sɛlebɾɪ] *adj 2 gén* **1** célebre (famoso). **2** notable, ilustre.
celebridade [selebɾi'dadʒɪ] *f* **1** celebridad (fama). **2** celebridad (famoso).
celebrizar [selebɾi'ʒaʀ] *tr e pron* **1** hacer célebre. ● *tr* **2** celebrar (festejar).
celeireiro [seley'ɾeyɾʊ] *m* cillero (guardador).
celeiro [se'leyɾʊ] *m* **1** granero. **2** cillero (cámara).
célere ['sɛleɾɪ] *adj 2 gén* célere (rápido).
celeridade [seleɾi'dadʒɪ] *f* celeridad (rapidez).
celeste [se'lɛʃtʃɪ] *adj 2 gén* celeste. ◆ **corpo ~** ASTR cuerpo celeste.
celestial [selɛʃtʃi'aw] *adj 2 gén* celestial.
celestina [seleʃ'tsina] *f* celestina (mineral).
celeuma [se'lewma] *f* vocerío (algarabía).
celga ['sɛwga] *f* ⇒ acelga.
celha ['seʎa] *f* (gralte pl) pestaña.
celibatário, a [seliba'taɾyʊ, a] *adj/m e f* **1** célibe. ● *adj* **2** (fig) estéril (improductivo).
celibato [seli'batʊ] *m* celibato.
celofane [selo'fãnɪ] *m* celofán (papel).
celta ['sɛwta] *adj/m e f* **1** celta. ● *m* **2** celta (lengua).
celtibérico, ca [sɛwtʃi'bɛɾikʊ, ka] *adj/m e f* celtibérico.
celtibero, ra [sewtʃi'bɛɾʊ, ɾa] *adj/m e f* celtíbero, celtibero.
célula ['sɛlula] *f* célula.
celular [selu'laʀ] *adj 2 gén* **1** celular. ● *m* **2** móvil (teléfono); celular (Amér).
celulite [selu'litʃɪ] *f* celulitis.
celulose [selu'lɔzɪ] *f* QUÍM celulosa.
cem ['sẽy] *adj/m* **1** cien. **2** (fig) cientos de.
cemento [se'mẽtʊ] *m* cemento.
cemitério [semi'tɛɾyʊ] *f* cementerio. ◆ **~ de automóveis** cementerio de coches.
cena ['sẽna] *f* **1** escena (representación). **2** escena (escenario): *cena do crime = escena del crimen.* ■ **entrar em ~** entrar en escena.
cenário [se'naɾyʊ] *m* **1** escenario (de teatro, cine). **2** atrezo.
cenarista [sena'ɾiʃta] *s 2 gén* ⇒ cenógrafo, fa.
cenho ['sẽɲʊ] *m* ceño (fruncimiento).
cenhoso, sa [sẽ'nozʊ, za] *adj* ceñudo.
cênico, ca ['sẽnikʊ, ka] *adj* escénico.
cenismo [se'niʒmʊ] *m* cenismo.
cenografia [senogɾa'fia] *f* escenografía.
cenógrafo, fa [se'nɔgɾafʊ, fa] *m e f* escenógrafo.
cenoura [se'nowɾa] *f* zanahoria.
censo ['sẽsʊ] *m* censo. ◆ **~ demográfico** censo demográfico.
censor, ra [sẽ'soʀ, ɾa] *m e f* censor.
censura [sẽ'suɾa] *f* **1** censura (de una obra). **2** censura (reprobación).
censurador, ra [sẽsuɾa'doʀ, ɾa] *adj/m e f* censurador.
censurar [sẽsu'ɾaʀ] *tr* **1** censurar (obra). **2** censurar (reprobar).
censurável [sẽsu'ɾavew] *adj 2 gén* **1** censurable. **2** reprochable.
centavo [sẽ'tavʊ] *m* centavo.
centeio [sẽ'teyʊ] *m* centeno (planta).
centena [sẽ'tena] *f* centena, centenar.

centenário, a [sẽteˈnaɾyʊ, a] *adj/m e f* centenario.
centésimo, ma [sẽˈtɛzimʊ, ma] *adj* **1** centésimo. • *m* **2** centésimo (de moneda).
centigrama [sẽtʃiˈgɾãma] *m* centigramo.
centilitro [sẽtʃiˈlitɾʊ] *m* centilitro.
centímetro [sẽˈtsimetɾʊ] *m* centímetro.
cêntimo [ˈsẽtʃimʊ] *m* céntimo.
cento [ˈsẽtʊ] *adj/m* ciento. ▪ **cem por ~** cien por cien; **por ~** por ciento.

> En portugués, entre las centenas y las decenas se intercala la conjunción copulativa *e*: ***cento e noventa***.

central [sẽˈtɾaw] *adj 2 gén* **1** central (céntrico). **2** (fig) central (fundamental, principal). • *f* **3** central. ◆ **calefação ~** calefación central; **~ hidroelétrica** central hidroeléctrica.
centralismo [sẽtɾaˈliʒmʊ] *m* centralismo.
centralização [sẽtɾalizaˈsãw] *f* centralización.
centralizador, ra [sẽtɾalizaˈdoʀ, ɾa] *adj* centralizador.
centralizar [sẽtɾaliˈʒaʀ] *tr e pron* **1** centralizar. • *tr* **2** atraer (mirada, atención).
centrar [sẽˈtɾaʀ] *tr* **1** centrar (focalizar). • *tr e intr* **2** ESPORT centrar.
centrifugação [sẽtɾifugaˈsãw] *f* centrifugación, centrifugado.
centrifugador, ra [sẽtɾifugaˈdoʀ, ɾa] *adj* centrifugador.
centrifugar [sẽtɾifuˈgaʀ] *tr* centrifugar.
centrífugo, ga [sẽˈtɾifugʊ, ga] *adj* centrífugo.
centro [ˈsẽtɾʊ] *m* **1** centro (medio). **2** centro (punto de convergencia). **3** centro (de ciudad, país). ◆ **~ comercial** centro comercial; **~ de atenção** centro de atención; **~ de ensino** centro de enseñanza; **~ de gravidade** centro de gravedad.
Centro-Africana, República [sẽtɾwafɾiˈkãna, ʀeˈpublika] *f* República Centroafricana.
centuplicar [sẽtupliˈkaʀ] *tr e pron* centuplicar.
centúria [sẽˈtuɾya] *f* **1** centuria. **2** centena.
cepa [ˈsepa] *f* **1** cepa. **2** (fig) cepa (linaje).
cepilhar [sepiˈʎaʀ] *tr* ⇒ acepilhar.
cepo [ˈsepʊ] *m* **1** cepo (de árbol). **2** cepo (de carpintería). **3** cepo (trampa).
cepticismo [sepitʃiˈsiʒmʊ] *m* escepticismo.
céptico, ca [ˈsɛpitʃikʊ, ka] *adj/m e f* escéptico.
cera [ˈseɾa] *f* **1** cera (vegetal, animal). **2** cera (cerumen). ◆ **~ depilatória** cera depilatoria.
cerâmica [seˈɾãmika] *f* **1** cerámica (arte, técnica). **2** cerámica (producto). **3** fábrica de cerámica.
cerâmico, ca [seˈɾãmikʊ, ka] *adj* cerámico.
ceramista [seɾaˈmiʃta] *adj/m e f* ceramista.
cerca [ˈseʀka] *f* valla (cercado).
cercado, da [seʀˈkadʊ, da] *adj* **1** cercado. • *m* **2** cercado (valla).
cercar [seʀˈkaʀ] *tr* **1** cercar (vallar). **2** cercar (sitiar).
cerceamento [seʀseaˈmẽtʊ] *m* cercenamiento.
cercear [seʀseˈaʀ] *tr* **1** cercenar (extremidades). **2** cercenar (cortar a cercén).
cerceio [seˈɾseyʊ] *m* ⇒ cerceamento.
cerco [ˈseʀkʊ] *m* **1** cerco (círculo). **2** cerco (asedio).
cereal [seɾeˈaw] *adj/m* cereal.
cerebral [seɾeˈbɾaw] *adj 2 gén* **1** cerebral. • *adj/m e f* **2** (fig) cerebral (racional).
cérebro [ˈsɛɾebɾʊ] *m* **1** ANAT cerebro. **2** (fig) cerebro (inteligencia).
cereja [seˈɾeʒa] *f* **1** cereza (fruto). • *adj/m* **2** cereza (color).
cerejal [seɾeˈʒaw] *m* cerezal.
cerejeira [seɾeˈʒeyɾa] *f* cerezo (árbol).
cerimônia [seɾiˈmõnya] *f* **1** ceremonia (acto). **2** ceremonia (formalismo, etiqueta).
cerimonial [seɾimõniˈaw] *adj 2 gén* **1** ceremonial (ceremonioso). • *m* **2** ceremonial (ritual, protocolo).
cerne [ˈsɛʀnɪ] *m* **1** cerne. **2** (fig) meollo, quid (esencia).

ceroulas [se'rowlayʃ] *f pl* calzoncillos largos.
cerração [sera'sãw] *f* niebla.
cerrado, da [se'radu, da] *adj* **1** cerrado (obstruido). **2** (fig) cerrado (estricto). ● *m* **3** cerrado, cercado.
cerrar [se'rar] *tr e pron* **1** cerrar (puerta, ventana, ojos). **2** (fig) cerrar (concluir). ● *tr* **3** cerrar, apretar (puños, dientes).
cerro ['seru] *m* cerro (monte).
certame ou **certâmen** [se'rtãmi o ser'tãmẽy] *m* certamen.
certeiro, ra [se'rteyru, ra] *adj* **1** certero (con puntería). **2** certero (acertado, adecuado).
certeza [se'rteza] *f* **1** certidumbre, certeza. **2** seguridad (confianza).
certidão [sertʃi'dãw] *f* certificado, partida. ◆ ~ **de nascimento** partida de nacimiento.
certificação [sertʃifika'sãw] *f* certificación.
certificado, da [sertʃifi'kadu, da] *adj* **1** certificado. ● *m* **2** certificado (documento). **3** comprobante.
certificar [sertʃifi'kar] *tr* **1** certificar (asegurar). **2** DIR certificar. ● *tr e pron* **3** cerciorar.
certo, ta ['sertu, ta] *adj* **1** cierto (verdadero). **2** correcto. **3** exacto. ● *pron* **4** cierto: *certo dia ela apareceu = cierto día ella apareció.* ● *m* **5** correcto: *ele estava fazendo o certo = él estaba haciendo lo correcto.* ● *adv* **6** ciertamente. ■ **ao ~** seguro: *não sei ao certo onde mora = no estoy seguro de dónde vive.*
cerúleo, a [se'rulyu, a] *adj* cerúleo.
cerume ou **cerúmen** [se'rumi o se'rumẽy] *m* cerumen.
cerveja [se'rveʒa] *f* cerveza.
cervejaria [serveʒa'ria] *f* cervecería.
cerviz [se'rviʃ] *f* ANAT cerviz.
cervo, va ['servu, va] *m e f* **1** ciervo. ● *m* **2** (fig, fam) cornudo.
cesariana [sezari'ãna] *f* MED cesárea.
céspede ['sɛʃpedʒi] *m* césped (tepe).
cessação [sesa'sãw] *f* cesación.
cessante [se'sãtʃi] *adj 2 gén* cesante.
cessar [se'sar] *tr e intr* cesar (suspender, acabarse).
cessar-fogo [sesar'fogu] *m* alto el fuego.
cessibilidade [sesibili'dadʒi] *f* cesibilidad.
cessionário, a [sesyo'naryu, a] *adj/m e f* cesionario.
cessível [se'sivew] *adj 2 gén* cesible.
cesta ['seʃta] *f* **1** cesta (recipiente). **2** ESPORT canasta, cesta (aro, punto).
cestaria [seʃta'ria] *f* cestería (tienda, oficio).
cestinha [seʃ'tsĩɲa] *s 2 gén* ESPORT máximo anotador (en baloncesto).
cesto ['seʃtu] *m* cesto (recipiente).
ceticismo [setʃi'siʒmu] *m* ⇒ cepticismo.
cético, ca ['sɛtʃiku, ka] *adj/m e f* ⇒ céptico, ca.
cetim [se'tsĩ] *m* satén.
cetinoso, sa [setʃi'nozu, za] *adj* satinado.
cetro ['sɛtru] *m* **1** cetro (vara). **2** (fig) cetro (soberanía).
céu ['sɛw] *m* **1** cielo (firmamento). **2** (fig) cielo (paraíso). ● **céus!** *interj* **3** ¡cielos! ◆ **sétimo ~** (fig, fam) séptimo cielo. ■ **estar no ~** (fig, fam) estar en la gloria; **mover céus e terras** (fig) mover cielo y tierra.
cevado, da [se'vadu, da] *adj* cebado (alimentado, saciado).
cevador [seva'dor] *m* cebador (de animales).
cevar [se'var] *tr e pron* **1** alimentar. **2** (fig) saciar, satisfacer. ● *tr* **3** cebar, engordar (animales).
cevo ['sevu] *m* **1** cebo (para el engorde). **2** cebo (de atracción).
chá ['ʃa] *m* **1** té. **2** infusión. ◆ ~ **preto** té negro.
chã ['ʃã] *f* llanura.
chácara ['ʃakara] *f* granja; chacra (Amér).
chacina [ʃa'sina] *f* **1** chacina, cecina. **2** (fig) masacre.
chacinar [ʃasi'nar] *tr* **1** acecinar (carne). **2** (fig) masacrar (asesinar).
chacota [ʃa'kɔta] *f* chacota (burla).
Chade ['ʃadʒi] *m* Chad.
chá-de-cadeira [ʃadʒika'deyra] *m* plantón.
chafariz [ʃafa'riʃ] *m* **1** chafariz (fuente). **2** (fig) llorón.
chafurda [ʃa'furda] *f* **1** pocilga (chiquero). **2** (fig) pocilga (tugurio).
chaga ['ʃaga] *f* **1** llaga (herida). **2** (fig) llaga (pena, dolor). **3** (fig) lacra (vicio, problema).

chagado, da [ʃa'gadʊ, da] *adj* **1** llagado (herido). **2** (fig) martirizado, afligido.
chagar [ʃa'gaʀ] *tr e pron* **1** llagar. • *tr* **2** (fig) atormentar, martirizar.
chaguento, ta [ʃa'gẽtʊ, ta] *adj* ⇒ chagado, da.
chalaça [ʃa'lasa] *f* chanza (gracia).
chalacear [ʃalase'aʀ] *intr* bromear.
chalaceiro, ra [ʃala'seyɾʊ, ɾa] *adj* bromista, burlón.
chalé [ʃa'lɛ] *f* chalé (de madera).
chaleira [ʃa'leyɾa] *f* tetera.
chaleirar [ʃaley'ɾaʀ] *tr* (coloq) hacer la pelota, adular.
chalrar [ʃaw'ɾaʀ] *intr* ⇒ charlear.
chalrear [ʃawɾe'aʀ] *intr* **1** chirlear (pájaros). **2** (fam) chirlar.
chama ['sama] *f* **1** llama (de fuego). **2** (gralte pl) llamas (incendio). **3** (fig) llama (fuerza, ardor).
chamada [ʃa'mada] *f* **1** llamada (llamamiento). **2** lista (de asistencia). **3** llamada (de teléfono). **4** titular (de prensa, televisión). **5** (fig) bronca, toque.
chamamento [ʃama'mẽtʊ] *m* llamamiento.
chamar [ʃa'maʀ] *tr* **1** llamar (dar voces, gesticular). **2** llamar (nombrar). **3** llamar (por teléfono). **4** llamar, calificar. • *intr* **5** sonar (teléfono). • **~-se** *pron* **6** llamarse: *chama-se João = se llama Juan.* ■ **estar chamando** comunicar (teléfono).
chamativo, va [ʃama'tsivʊ, va] *adj* llamativo.
chambão [ʃã'bãw] *adj/m* (fig)
chamego [ʃa'megʊ] *m* **1** excitación, ardor. **2** desenfreno (pasión). **3** cariño, afecto.
chamejante [ʃame'ʒãtʃɪ] *adj 2 gén* ardiente, apasionado: *tinha um olhar chamejante = tenía una mirada ardiente.*
chamejar [ʃame'ʒaʀ] *intr* **1** llamear. • *tr e intr* **2** (fig) destellar, brillar.
chaminé [ʃami'nɛ] *f* **1** chimenea (conducto). **2** chimenea (hogar). **3** estufa (de leña).
champanha ou **champanhe** [ʃã'paɲa o ʃã'paɲɪ] *m* champaña, champán.
chamuscar [ʃamu'skaʀ] *tr e pron* chamuscar.
chamusco [ʃa'muʃkʊ] *m* chamusco, chamusquina.
chança ['sãsa] *f* **1** chanza, gracia. **2** arrogancia.
chance ['sãsɪ] *f* oportunidad; chance (Amér).
chancela [ʃã'sela] *f* **1** timbre, sello. **2** logotipo.
chancelar [ʃãse'laʀ] *tr* timbrar, sellar.
chancelaria [ʃãsela'ɾia] *f* cancillería (cargo, dependencia).
chanceler [ʃãse'leʀ] *m* **1** canciller (diplomático). **2** canciller (ministro de Asuntos Exteriores). **3** canciller (jefe de gobierno).
chanfrador, ra [ʃãfɾa'doʀ, ɾa] *adj* (fam) chismoso.
chanfrar [ʃã'fɾaʀ] *tr* achaflanar, biselar.
chantagear [ʃãtaʒe'aʀ] *tr e intr* chantajear.
chantagem [ʃã'taʒẽy] *f* chantaje. ◆ **~ sentimental** chantaje emocional.
chantagista [ʃãta'ʒiʃta] *adj/m e f* chantajista.
chantilly [ʃãtʃi'li] *m* GAST chantillí.
chão, chã ['sãw, 'sa] *adj* **1** llano (liso). **2** (fig) llano, simple. • *m* **3** suelo. **4** piso (pavimento).
chapa ['sapa] *f* **1** chapa, placa (lámina). **2** placa (insignia). **3** plancha (para cocinar). **4** placa (matrícula). **5** radiografía. • *s 2 gén* **6** (fam) colega, compañero.
chapar [ʃa'paʀ] *tr* **1** chapear, chapar. **2** cuñar (moneda). **3** (coloq) propinar, endilgar (bofetada, insulto).
chaparia [ʃapa'ɾia] *f* **1** chapería (adorno). **2** chapa (carrocería).
chapelaria [ʃapela'ɾia] *m* sombrerería (oficio, tienda).
chapéu [ʃa'pew] *m* **1** sombrero. **2** ⇒ chapéu-de-chuva. **3** ⇒ chapéu-de-sol.
chapéu-coco [ʃapew'kokʊ] *m* bombín, sombrero de hongo.
chapéu-de-chuva [ʃapewdʒɪ'suva] *m* paraguas.
chapéu-de-sol [ʃapewdʒɪ'sɔw] *m* sombrilla.
chapinhar [ʃapi'naʀ] *tr e intr* **1** chapotear. **2** salpicar.
charco ['saʀkʊ] *m* charco.
charcutaria [ʃaʀkuta'ɾia] *f* charcutería, chacinería (comercio, embutidos).

charcuteiro, ra [ʃaʀku'teyɾu, ɾa] *m e f* charcutero.
charge ['saʀʒɪ] *f* viñeta (en periódicos).
chargista [ʃa'ɾʒiʃta] *adj/m e f* dibujante de viñetas.
charivari [ʃaɾi'vaɾi] *m* bulla, jaleo.
charla ['saʀla] *f* charla.
charlador, ra [ʃaʀla'doʀ, ɾa] *adj* charlador.
charlar [ʃaʀ'laʀ] *intr* charlar.
charlatanear [ʃaʀlatane'aʀ] *tr e intr* charlatanear.
charlatanice [ʃaʀlata'nisɪ] *f* charlatanería.
charlatão, tona [ʃaʀla'tãw, 'tona] *m e f* **1** charlatán (vendedor). **2** (fig) curandero, matasanos.
charme ['saʀmɪ] *m* encanto.
charmoso, sa [ʃaʀ'mozu, za] *adj* encantador, seductor.
charneira [ʃaʀ'neyɾa] *f* charnela (bisagra).
charro, rra ['saʀu, ʀa] *adj* rústico, tosco.
chárter ['saʀteʀ] *m* chárter (avión, vuelo).
charutaria [ʃaɾuta'ɾia] *f* tabaquería.
charuteira [ʃaɾu'teyɾa] *f* petaca (de tabaco).
charuteiro, ra [ʃaɾu'teyɾu, ɾa] *adj* **1** tabaquero. • *m e f* **2** tabaquero.
charuto [ʃa'ɾutu] *m* **1** puro (tabaco). **2** (pej) negrata.
chasco ['sasku] *m* chasco, burla.
chasquear [ʃaske'aʀ] *tr e intr* chasquear, burlar.
chateação [ʃatʃɪa'sãw] *m* **1** aburrimiento, fastidio. **2** enfado.
chateado, da [ʃatʃɪ'adu, da] *adj* enfadado, molesto.
chatear [ʃatʃɪ'aʀ] *tr, intr e pron* **1** (fam) fastidiar, chinchar. **2** (fam) aburrir, hastiar.
chateza [ʃa'teza] *f* **1** ⇒ chatice. **2** chatedad.
chatice [ʃa'tsisɪ] *f* aburrimiento, fastidio.
chatim [ʃa'tsĩ] *m* traficante.
chatinar [ʃatʃi'naʀ] *tr e intr* **1** traficar. **2** sobornar.
chato, ta ['satu, ta] *adj* **1** chato, plano. • *m* **2** ladilla.
chavascal [ʃavaʃ'kaw] *m* lodazal, ciénaga.
chavascar [ʃavaʃ'kaʀ] *tr* chapucear, frangollar.
chavasco, ca [ʃa'vasku, ka] *adj* chapucero, tosco.
chave ['savɪ] *f* **1** llave (para cerradura, instrumento, reloj). **2** (fig) clave (solución). ♦ ~ **inglesa** llave inglesa.
chavecar [ʃave'kaʀ] *intr* (gír) camelar.
chaveiro [ʃa'veyɾu, ɾa] *m e f* **1** llavero (empleado). • *m* **2** llavero (utensilio).
chávena ['savena] *f* taza (vasija).
chavo ['savu] *m* chavo, ochavo (moneda).
checagem [ʃe'kaʒẽy] *f* comprobación.
checar [ʃe'kaʀ] *tr e intr* verificar, comprobar; chequear (Amér).
checo, ca ['sɛku, ka] *adj/m e f* ⇒ tcheco, ca.
checkup [ʃe'kapɪ] *m* chequeo.
chefatura [ʃefa'tuɾa] *f* ⇒ chefia.
chefe ['sɛfɪ] *s 2 gén* **1** jefe. **2** director.
chefia [ʃe'fia] *f* **1** jefatura (cargo). **2** dirección (gobernación). **3** (fig) jefe, patrón.
chefiar [ʃefi'aʀ] *tr e intr* dirigir, mandar.
chega ['sega] *s 2 gén* **1** (fam) reprimenda. • ~! *interj* **2** ¡basta!
chegada [ʃe'gada] *f* llegada.
chegado, da [ʃe'gadu, da] *adj* **1** llegado. **2** allegado.
chegar [ʃe'gaʀ] *tr e intr* **1** llegar (arribar). **2** llegar (alcanzar). • *intr* **3** llegar (suceder): *chegou a primavera = llegó la primavera*. • *tr* **4** llegar, bastar.
cheia ['seya] *f* **1** crecida (de un río, lago). **2** (fig) aluvión (abundancia).
cheio, a ['seyu, a] *adj* **1** lleno (repleto). **2** lleno (gordo). **3** (gír) harto (fastidiado).
cheirar [ʃey'ɾaʀ] *tr e intr* **1** oler: *cheirou aflores do jardim = olió laflores del jardín*. **2** (fig) oler, husmear (entremeterse). • *intr* **3** oler, exhalar (bien, mal).
cheiro ['seyɾu] *m* **1** olor: *cheiro repugnante = olor repugnante*. **2** olor (olfato). ♦ **água de** ~ colonia.
cheiroso, sa [ʃey'ɾozu, za] *adj* oloroso, perfumado.

cheque [ˈsɛkɪ] *m* cheque. ◆ **~ ao portador** cheque al portador; **~ borrachudo** cheque sin fondos.
chiar [ˈsiaʀ] *intr* **1** chirriar (ave). **2** chirriar, rechinar. **3** gritar, vociferar.
chibo [ˈsibʊ] *m* chivo.
chicle ou **chiclete** [ˈsiklɪ o ʃiˈklɛtʃɪ] *m* chicle.
chico, ca [ˈsikʊ, ka] *m* **1** mono domesticado. **2** (fam) regla (menstruación).
chicória [ʃiˈkɔɾya] *f* achicoria (planta).
chicotada [ʃikoˈtada] *f* latigazo.
chicote [ʃiˈkotʃɪ] *m* **1** látigo. **2** sacudida (del tren).
chicotear [ʃikotʃɪˈaʀ] *tr* azotar; chicotear (Amér).
chifrada [ʃiˈfrada] *f* cornada.
chifre [ˈsifrɪ] *m* cuerno. ■ **botar ou pôr ~ em** (fig) poner cuernos.
chifrudo, da [ʃiˈfrudʊ, da] *adj* **1** cornudo. ● *adj/m e f* **2** (fig) cornudo (cónyuge).
chile [ˈsilɪ] *m* chile, ají.
Chile [ˈsilɪ] *m* Chile.
chileno, na [ʃiˈlenʊ, na] *adj/m e f* chileno.
chilique [ʃiˈlikɪ] *m* (fam) telele, patatús.
chilrear [ʃiwɾeˈaʀ] *tr e intr* gorjear, trinar.
chimpanzé [ʃĩpãˈʒɛ] *m* chimpancé.
chimpar [ʃĩˈpaʀ] *tr* **1** pegar. **2** pegar, plantar (golpe, beso).
China [ˈsina] *f* China.
chincha [ˈsĩʃa] *f* chinchorro (red, embarcación).
chinela [ʃiˈnɛla] *f* ⇒ chinelo.
chinelo [ʃiˈnɛlʊ] *m* chancleta, chinela, playera.
chinês, sa [ʃiˈneyʃ, za] *adj/m e f* **1** chino. ● *m* **2** chino (lengua).
chinfrim [ʃĩˈfrĩ] *adj 2 gén* **1** (pej) cutre, ordinario. ● *m* **2** (fam) algarabía, alboroto.
chinfrinada [ʃĩfriˈnada] *f* **1** cutrez. **2** ⇒ chinfrim (2).
chinfrinar [ʃĩfriˈnaʀ] *intr* **1** alborotar, agitar. ● *tr e intr* **2** ridiculizar, escarnecer. ● *tr* **3** irritar, enfurecer.
chio [ˈsiʊ] *m* **1** chirrido (de ave). **2** chirrido (ruido).
chip [ˈʃipɪ] *m* COMP chip.
chipanzé [ʃipãˈʒɛ] *m* ⇒ chimpanzé.
Chipre [ˈsiprɪ] *m* Chipre.
chique [ˈsikɪ] *adj 2 gén* chic, elegante.
chiqueiro [ʃiˈkeyɾʊ] *m* chiquero, pocilga.
chirriante [ʃiʀiˈãtʃɪ] *adj 2 gén* chirriante.
chirriar [ʃiʀiˈaʀ] *intr* chirriar (ave).
chispa [ˈʃiʃpa] *f* **1** chispa (centella). **2** (fig) chispa (ingenio).
chispada [ʃiʃˈpada] *f* sprint (carrera rápida).
chispar [ʃiʃˈpaʀ] *tr e intr* **1** chispear. ● *intr* **2** (fig) echar chispas (encolerizarse).
chiste [ˈʃiʃtʃɪ] *m* chiste.
chistoso, sa [ʃiʃˈtozʊ, za] *adj* chistoso, gracioso.
chita [ˈsita] *f* percal (tela).
chocalhar [ʃokaˈʎaʀ] *tr e intr* sonajear.
chocalho [ʃoˈkaʎʊ] *m* **1** sonajero. **2** cencerro.
chocante [ʃoˈkãtʃɪ] *adj 2 gén* **1** chocante, escandaloso. **2** (gír) genial; chévere (Amér).
chocar [ʃoˈkaʀ] *tr e pron* **1** chocar (golpear, impactar). ● *tr, intr e pron* **2** chocar (escandalizar). ● *tr* **3** (fam) incubarse (enfermedad).
chochar [ʃoˈsaʀ] *intr* secarse, marchitarse.
chocho, cha [ˈsoʃʊ, ʃa] *adj* **1** seco. **2** mustio, marchito.
choco, ca [ˈsokʊ, ka] *adj* **1** clueco (gallina). **2** (fig) podrido. ● *m* **3** empolladura, incubación.
chocolate [ʃokoˈlatʃɪ] *adj 2 gén* **1** achocolatado (color). ● *m* **2** chocolate.
chocolateira [ʃokolaˈteyɾa] *f* chocolatera (vasija).
chocolateiro, ra [ʃokolaˈteyɾʊ, ɾa] *adj/m e f* chocolatero (fabricante, vendedor).
chofer [ʃoˈfɛʀ] *m* chofer, chófer.
chofre [ˈsofrɪ] *m* golpe, choque.
choldra [ˈsowdɾa] *f* (fam) tángana, alboroto.
chope [ˈsopɪ] *m* caña (de cerveza).
choque [ˈsokɪ] *m* **1** choque (encuentro). **2** (fig) choque (disputa, riña). **3** MED choque, shock.
choradeira [ʃoraˈdeyɾa] *f* lloriqueo.
choramingar ou **choramigar** [ʃoramĩˈgaʀ o ʃoramiˈgaʀ] *intr* lloriquear.
choramingas [ʃoɾaˈmĩgayʃ] *s 2 gén* llorón.
chorão, rona [ʃoˈɾãw, ˈɾona] *adj* **1** llorón. ● *m* **2** sauce llorón.

chorar [ʃo'raʀ] *tr e intr* **1** llorar. **2** (fig) llorar (destilar, gotear). **3** (fig) llorar (lamentar, sentir).
choro ['soru] *m* **1** lloro, llanto. **2** (fig) lamentación.
choroso, sa [ʃo'rozu, za] *adj* **1** lloroso. **2** lastimoso.
chorudo, da [ʃo'rudu, da] *adj* **1** (fam) gordo, grasiento. **2** (fig) provechoso, ventajoso.
chorume [ʃo'rumɪ] *m* **1** grasa, lardo. **2** (fig) opulencia.
choupana [ʃow'pana] *f* cabaña.
choupo ['sowpu] *m* álamo, chopo.
chouriça [ʃow'risa] *f* ⇒ chouriço (2).
chouriceiro, ra [ʃowri'seyru, ra] *m e f* choricero (fabricante, vendedor).
chouriço [ʃow'risu] *m* **1** chorizo (embutido). **2** burlete.
choutar [ʃow'taʀ] *intr* trotar (caballo).
chovediço, ça [ʃove'dʒisu, sa] *adj* lluvioso.
chove-não-molha [ʃovɪnãw'mɔʎa] *m* (fam) indecisión.
chover [ʃo'veʀ] *intr* **1** llover. • *tr e intr* **2** (fig) llover (caer del cielo): *choveram bombas sobre a cidade = llovieron bombas sobre la ciudad.* **3** (fig) llover (abundar).
chucha ['suʃa] *f* **1** chupada, chupetada. **2** (fam) mama, teta (seno).
chuchadeira [ʃuʃa'deyra] *f* (fig, fam) chollo, ganga.
chuchado, da [ʃu'sadu, da] *adj* chupado, esquelético.
chuchar [ʃu'saʀ] *tr* **1** mamar (del pecho); morrongear (Amér). **2** chupar (succionar). **3** (fam) achuchar (instigar).
chulé [ʃu'lɛ] *m* **1** (vulg) mal olor de los pies. • *adj 2 gén* **2** (gír) cutre.
chulice [ʃu'lisɪ] *f* grosería, ordinariez.
chulo, la ['sulu, la] *adj* grosero, vulgar.
chumbado, da [ʃũ'badu, da] *adj* **1** emplomado. **2** herido (de bala). **3** empastado (diente); emplomado (Arg, Ur).
chumbador, ra [ʃũba'doʀ, ra] *adj/m e f* emplomador.
chumbagem [ʃũ'baʒẽy] *f* emplomadura.
chumbar [ʃũ'baʀ] *tr* **1** emplomar. **2** herir, matar (de un disparo).
chumbo ['sũbu] *m* **1** QUÍM plomo. **2** perdigón. **3** (fig, coloq) plomo, pesadez.
chupadela [ʃupa'dɛla] *f* chupada.
chupado, da [ʃu'padu, da] *adj* chupado.
chupão, pona [ʃu'pãw, 'pona] *adj/m e f* chupón.
chupar [ʃu'paʀ] *tr* **1** chupar (succionar). **2** chupar (absorber). **3** (fig) fundirse (dinero). • **~-se** *pron* **4** (fig) chuparse (enflaquecer).
churrascaria [ʃuʀayʃka'ria] *f* asador (restaurante).
churrasco [ʃu'rayʃku] *m* **1** churrasco. **2** parrillada (de carne).
churrasqueira [ʃuʀay'skeyra] *f* parrilla.
chusma ['suʃma] *f* montón.
chutar [ʃu'taʀ] *tr e intr* **1** chutar (pelota). **2** dar un puntapié. **3** (coloq) contestar al tuntún. **4** (gír) decir bolas (mentir).
chute ['sutʃɪ] *m* **1** puntapié. **2** disparo (en fútbol).
chuva ['suva] *f* **1** lluvia. **2** (fig) lluvia (abundancia). ◆ **~ ácida** lluvia ácida.
chuvada [ʃu'vada] *f* aguacero.
chuvarada [ʃuva'rada] *f* ⇒ chuvada.
chuveirada [ʃuvey'rada] *f* ducha rápida; duchazo (Amér).
chuveiro [ʃu'veyru] *m* **1** ducha. **2** chaparrón. **3** (fig) aluvión (afluencia): *chuveiro de telefonemas = aluvión de llamadas.*
chuvisco [ʃu'viʃku] *m* llovizna.
chuvoso, sa [ʃu'vozu, za] *adj* lluvioso.
cibernética [sibeʀ'nɛtʃika] *f* TEC cibernética.
cibernético, ca [sibeʀ'nɛtʃiku, ka] *adj* TEC cibernético.
cicatriz [sika'triʃ] *f* **1** cicatriz. **2** (fig) cicatriz (resentimiento).
cicatrizante [sikatri'ʒãtʃɪ] *adj/m* cicatrizante.
cicatrizar [sikatri'ʒaʀ] *tr, intr e pron* **1** cicatrizar (herida). • *tr* **2** (fig) cicatrizar (resentimiento, dolor).
cicatrizável [sikatri'ʒavew] *adj 2 gén* cicatrizable.
cicerone [sise'rõnɪ] *m* cicerone.
ciciar [sisi'aʀ] *tr e intr* **1** susurrar. • *intr* **2** zumbar.
cíclico, ca ['sikliku, ka] *adj* cíclico.
ciclismo [si'kliʒmu] *m* ciclismo.
ciclista [si'kliʃta] *adj/m e f* ciclista.
ciclo ['siklu] *m* **1** ciclo (período). **2** ciclo (fases).

ciclone [si'klõnɪ] *m* **1** ciclón (borrasca). **2** ciclón (huracán). **3** (fig) huracán (fuerza, ímpetu).
ciclope [si'klopɪ] *m* cíclope.
ciclovia [siklo'via] *f* carril bici.
cidadania [sidadã'nia] *f* ciudadanía.
cidadão, dã [sida'dãw, 'dã] *m e f* **1** ciudadano. • *m* **2** (fam) tipo.
cidade [si'dadʒɪ] *f* **1** ciudad. **2** centro (de ciudad). ♦ **~ maravilhosa** Río de Janeiro.
cidra ['sidra] *f* cidra.
ciência [si'ẽsya] *f* ciencia. ♦ **ciências exatas** ciencias exactas; **ciências humanas** ciencias humanas.
ciente [si'ẽtʃɪ] *adj 2 gén* esciente.
científico, ca [siẽ'tsifikʊ, ka] *adj* científico.
cientista [siẽ'tsiʃta] *s 2 gén* científico (investigador).
cifra ['sifra] *f* **1** cifra. **2** suma, total. **3** cifra (código, clave).
cifrado, da [si'fradʊ, da] *adj* cifrado.
cifrar [si'fraʀ] *tr* **1** cifrar (numerar). **2** cifrar (codificar). **3** (fig) resumir, reducir.
ciganada [sigã'nada] *f* gitanada.
cigano, na [si'gãnʊ, na] *adj/m e f* **1** gitano. **2** (fig) nómada, errante.
cigarra [si'gaʀa] *f* cigarra.
cigarrar [siga'raʀ] *tr e intr* fumar (cigarros).
cigarreira [siga'reyra] *f* cigarrera (pitillera).
cigarreiro, ra [siga'reyrʊ, ra] *adj/m e f* cigarrero.
cigarrilha [siga'riʎa] *f* cigarro.
cigarro [si'gaʀʊ] *m* cigarrillo.
cilada [si'lada] *f* **1** emboscada. **2** traición.
cilício [si'lisyʊ] *m* **1** cilicio (vestidura). **2** cilicio (cinturón).
cilindrada [silĩ'drada] *f* MEC cilindrada.
cilindrar [silĩ'draʀ] *tr* **1** cilindrar (en el torno). **2** cilindrar (aplastar, aplanar).
cilíndrico, ca [si'lĩdrikʊ, ka] *adj* cilíndrico.
cilindro [si'lĩdrʊ] *m* **1** GEOM cilindro. **2** MEC cilindro (rodillo).
cilindro-eixo [silĩdrʊ'eyʃʊ] *m* ANAT cilindro eje.
cima ['sima] *f* cima. ■ **em ~ de** sobre, encima.
cimeira [si'meyra] *f* **1** cimera (adorno). **2** cima (cumbre).
cimeiro, ra [si'meyrʊ, ra] *adj* cimero.
cimentação [simẽta'sãw] *f* **1** cimentación (de un edificio). **2** (fig) cimentación (consolidación).
cimentar [simẽ'taʀ] *tr* **1** cimentar (edificio, obra). • *tr e pron* **2** (fig) cimentar (consolidar).
cimento [si'mẽtʊ] *m* **1** cemento (argamasa). **2** cimento, cemento (masa mineral).
cimo ['simʊ] *m* cima, cumbre.
cinca ['sĩka] *f* **1** cinca. **2** (fig) error.
cincada [sĩ'kada] *f* ⇒ cinca.
cincar [sĩ'kaʀ] *intr* **1** hacer cinca. **2** fallar, errar.
cinco ['sĩkʊ] *adj/m* cinco.
cine ['sinɪ] *m* ⇒ cinema.
cineasta [sine'aʃta] *s 2 gén* cineasta.
cinema [si'nẽma] *m* cine (arte, sala). ♦ **~ mudo** cine mudo.
cinemateca [sinema'tɛka] *f* cinemateca.
cinematográfico, ca [sinemato'grafikʊ, ka] *adj* cinematográfico.
cinética [si'nɛtʃika] *f* FÍS cinética.
cingalês, sa [sĩga'leyʃ, za] *adj/m e f* cingalés, singalés.
Cingapura [sĩga'pura] *f* Singapur.
cingapuriano, na [sĩgapuri'ãnʊ, na] *adj/m e f* singapurense.
cingir [sĩ'ʒiʀ] *tr* **1** ceñir (rodear, cercar). • *tr e pron* **2** ceñir (ajustar). **3** (fig) ceñirse (limitarse).
cínico, ca ['sinikʊ, ka] *adj/m e f* **1** FIL cínico. **2** cínico (desvergonzado).
cinismo [si'niʒmʊ] *m* **1** FIL cinismo. **2** cinismo (desvergüenza).
cinqüenta [sĩ'kwẽta] *adj/m* cincuenta.
cinqüentenário [sĩkwẽte'naryʊ] *m* cincuentenario.
cinta ['sĩta] *f* **1** cinturón. **2** faja (prenda). **3** cintura, talle. **4** cinta, tira (de tela, papel).
cintilação [sĩtʃila'sãw] *f* **1** centelleo. **2** (fig) resplandor, fulgor.
cintilante [sĩtʃi'lãtʃɪ] *adj 2 gén* centelleante.
cintilar [sĩtʃi'laʀ] *intr* cintilar, centellear.
cinto ['sĩtʊ] *m* **1** cinturón (prenda). **2** cinturón, faja. ♦ **~ de segurança** cinturón de seguridad.
cintura [sĩ'tura] *f* **1** cintura (del cuerpo). **2** talle (del vestido).

cinturão [sĩtuˈɾãw] *m* cinturón.
cinza [ˈsĩza] *adj/m* **1** gris, ceniciento (color). ● *f* **2** ceniza.
cinzeiro [sĩˈʒeyɾʊ] *m* **1** cenicero (para tabaco). **2** cenicero (del hogar).
cinzel [sĩˈʒɛw] *m* cincel.
cinzelado, da [sĩzeˈladʊ, da] *adj* cincelado.
cinzelar [sĩzeˈlaʀ] *tr* cincelar.
cinzento, ta [sĩˈʒẽtʊ, ta] *adj/m* **1** ceniciento, gris (color). ● *adj* **2** (fig) apagado, apocado.
cio [ˈsiʊ] *m* celo.
cioso, sa [siˈozʊ, za] *adj* **1** celoso (receloso). **2** celoso, envidioso. **3** celoso (esmerado).
cipó [siˈpɔ] *m* bejuco.
cipreste [siˈpɾɛʃtʃɪ] *m* ciprés (árbol).
cipriota [sipɾiˈɔta] *adj/m e f* chipriota.
cirandar [siɾãˈdaʀ] *tr* cribar.
circense [siˈɾsẽsɪ] *adj 2 gén* circense.
circo [ˈsiʀkʊ] *m* **1** circo (espectáculo, recinto). **2** (fig) jaleo, jarana.
circuição [siʀkwiˈsãw] *f* circuición.
circuitar [siʀkwiˈtaʀ] *tr* circuir.
circuito [siʀˈkwitʊ] *m* **1** circuito (terreno, trayecto). **2** circuito (contorno). **3** ELEC circuito.
circulação [siʀkulaˈsãw] *f* **1** circulación (movimiento). **2** circulación (tráfico). **3** circulación (sanguínea).
circulante [siʀkuˈlãtʃɪ] *adj 2 gén* circulante.
circular [siʀkuˈlaʀ] *adj 2 gén* circular.
circular [siʀkuˈlaʀ] *tr* **1** rodear. ● *intr* **2** circular (sangre, electricidad, monedas). **3** circular (transitar). **4** circular, propagarse (noticia).
circulatório, a [siʀkulaˈtɔɾyʊ, a] *adj* circulatorio.
círculo [siʀˈkulʊ] *m* **1** círculo (circunferencia). **2** (fig) círculo (asociación): *círculo literário = círculo literario*. **3** (fig) círculo (área).
circunavegar [siʀkũnaveˈgaʀ] *tr* circunnavegar.
circuncidado, da [siʀkũsiˈdadʊ, da] *adj/m* **1** circuncidado. ● *adj* **2** (fig) privado, despojado.
circuncidar [siʀkũsiˈdaʀ] *tr* **1** circuncidar. **2** (fig) contener, reprimir.
circuncisão [siʀkũsiˈʒãw] *f* circuncisión.
circunciso, sa [siʀkũˈsizʊ, za] *adj* circunciso.
circundante [siʀkũˈdãtʃɪ] *adj 2 gén* circundante.
circundar [siʀkũˈdaʀ] *tr* circundar.
circunferência [siʀkũfeˈɾẽsya] *f* circunferencia.
circunflexo, xa [siʀkũˈflɛkisʊ, sa] *adj* circunflejo.
circunscrever [siʀkũʃkɾeˈveʀ] *tr* **1** circunscribir (limitar). ● *tr e pron* **2** (fig) circunscribirse (limitarse, ceñirse).
circunscrição [siʀkũʃkɾiˈsãw] *f* circunscripción.
circunscrito, ta [siʀkũʃˈkɾitʊ, ta] *adj* **1** GEOM circunscrito. **2** (fig) circunscrito (limitado).
circunstância [siʀkũʃˈtãsya] *f* **1** circunstancia (situación). **2** circunstancia (ocasión).
circunstancial [siʀkũʃtãsiˈaw] *adj 2 gén* circunstancial.
circunstanciar [siʀkũʃtãsiˈaʀ] *tr* circunstanciar.
circunvalação *f* MIL circunvalación.
círio [ˈsiɾyʊ] *m* cirio (vela).
cirrose [siˈɾɔzɪ] *f* MED cirrosis.
cirurgia [siɾuˈɾʒia] *f* **1** cirugía. **2** operación, intervención quirúrgica. ◆ ~ **estética** cirugía estética.
cirurgião, ã [siɾuʀʒiˈãw, ˈã] *m e f* cirujano.
cirúrgico, ca [siˈɾuʀʒikʊ, ka] *adj* quirúrgico.
cisão [siˈʒãw] *f* **1** escisión (división). **2** (fig) escisión (divergencia).
ciscar [siˈskaʀ] *tr e intr* **1** escarbar (el suelo). ● *tr* **2** deshierbar, desyerbar (plantación).
cisco [ˈsiʃkʊ] *m* **1** cisco (carbón). **2** basura.
cisma [ˈsiʒma] *f* **1** cisma (separación). **2** (fig) cisma (desavenencia). **3** (coloq) recelo. **4** (coloq) manía, obsesión.
cismado, da [siˈʒmadʊ, da] *adj* receloso (desconfiado).
cismar [siˈʒmaʀ] *tr e intr* **1** cavilar. **2** obstinarse. ● *intr* **3** desconfiar.
cisne [ˈsiʒnɪ] *m* cisne.
cissura [siˈsuɾa] *f* **1** cisura (grieta). **2** incisión.
cisterna [siʃˈtɛʀna] *f* cisterna.
cistite [siʃˈtsitʃɪ] *f* MED cistitis.

C

cita [ˈsita] *f* cita (mención, nota).
citação [sitaˈsãw] *f* **1** citación (mención). **2** cita (mención, nota). **3** DIR citación.
citar [siˈtaR] *tr* **1** citar. **2** DIR
cítara [ˈsitara] *f* MÚS cítara.
citatório, a [sitaˈtɔryʊ, a] *adj* DIR citatorio.
ciumar [syuˈmaR] *intr* **1** tener celos. **2** envidiar.
ciúme [siˈumɪ] *m* **1** (gralte pl) celos. **2** envidia.
ciumento, ta [syuˈmẽtʊ, ta] *adj/m e f* **1** celoso. **2** envidioso.
cívico, ca [ˈsivikʊ, ka] *adj* **1** cívico (civil). **2** cívico (patriótico).
civil [siˈviw] *adj 2 gén* **1** civil (ciudadano). **2** civil (laico, paisano). **3** civil (cívico). • *m* **4** (gralte pl) civil (paisano).
civilidade [siviliˈdadʒɪ] *f* civilidad, urbanidad.
civilização [sivilizaˈsãw] *f* **1** civilización (cultura). **2** civilización (desarrollo, progreso).
civilizado, da [siviliˈʒadʊ, da] *adj/m e f* civilizado.
civilizar [siviliˈʒaR] *tr e pron* civilizar.
civilizável [siviliˈʒavew] *adj 2 gén* civilizable.
civismo [siˈviʒmʊ] *m* civismo.
cizânia [siˈʒãnya] *f* **1** cizaña (planta). **2** (fig) cizaña (desavenencia).
clã [ˈklã] *m* clan.
clamar [klaˈmaR] *tr e intr* **1** clamar (gritar). • *tr* **2** clamar (pedir, exigir).
clamor [klaˈmoR] *m* clamor (vocerío).
clamoroso, sa [klamoˈrozʊ, za] *adj* **1** ruidoso. **2** clamoroso (rotundo).
clandestinidade [klãdeʃtʃiniˈdadʒɪ] *f* clandestinidad.
clandestino, na [klãdeʃˈtsinʊ, na] *adj* **1** clandestino. • *tr e pron* **2** polizón.
claque [ˈklakɪ] *f* claque, clac.
clara [ˈklara] *f* **1** clara (de huevo). **2** claro (de un bosque).
clarabóia [klaraˈbɔya] *f* claraboya.
clarão [klaˈrãw] *m* **1** claror (resplandor). **2** destello (brillo).
clarear [klareˈaR] *tr e intr* **1** clarear (iluminar). **2** (fig) aclarar (esclarecer, dilucidar).
clareira [klaˈreyra] *f* claro (de un bosque).
clareza [klaˈreza] *f* **1** claridad (resplandor). **2** (fig) claridad (entendimiento, percepción).
claridade [klariˈdadʒɪ] *f* claridad (brillo, resplandor).
clarificação [klarifikaˈsãw] *f* clarificación.
clarificador, ra [klarifikaˈdoR, ra] *adj/m e f* clarificador.
clarificar [klaRifiˈkaR] *tr e pron* **1** clarificar (alumbrar). **2** aclarar (esclarecer, dilucidar).
clarificativo, va [klarifikaˈtsivʊ, va] *adj* clarificativo.
clarim [klaˈrĩ] *m* **1** MÚS clarín (instrumento). • *s 2 gén* **2** MÚS clarín (músico).
clarinete [klariˈnetʃɪ] *m* **1** MÚS clarinete (instrumento). **2** MÚS clarinete, clarinetista.
clarividência [klariviˈdẽsya] *f* clarividencia.
clarividente [klariviˈdẽtʃɪ] *adj/m e f* clarividente.
claro, ra [ˈklarʊ, ra] *adj* **1** claro (luminoso). **2** claro (nítido). **3** claro, pálido (color). **4** (fig) claro (comprensible). • *m* **5** claro (abertura). • *adv* **6** claro, claramente. • ~! *interj* **7** ¡claro!
claro-escuro [klarweˈskurʊ] *m* claroscuro.
classe [ˈklasɛ] *f* **1** clase (tipo). **2** clase (categoría): *de primeira classe = de primera clase*. **3** clase (social).
classicismo [klasiˈsiʒmʊ] *m* clasicismo.
clássico, ca [ˈklasikʊ, ka] *adj/m e f* **1** clásico (grecorromano). **2** clásico (típico, característico). • *adj* **3** clásico (tradicional).
classificação [klasifikaˈsãw] *f* clasificación.
classificado, da [klasifiˈkadʊ, da] *adj* **1** clasificado. • *m* **2** (gralte pl) clasificado (anuncio).
classificar [klasifiˈkaR] *tr* **1** clasificar (ordenar). • *tr e pron* **2** clasificarse (en una competición).
classista [klaˈsiʃta] *adj/m e f* clasista.
claustro [ˈklawʃtrʊ] *m* **1** claustro (galería). **2** claustro (de profesores).
cláusula [ˈklawzula] *f* **1** DIR cláusula. **2** condición: *aceitou a tarefa sem impor nenhuma cláusula = aceptó el trabajo sin poner condiciones.*

clausular [klawzu'laR] *tr* DIR clausular (dividir en cláusulas).
clausura [klaw'ʒura] *f* clausura.
clausurar [klawzu'raR] *tr e pron* enclaustrar.
clavicórdio [klavi'kɔRdʒyʊ] *m* MÚS clavicordio.
clavícula [kla'vikula] *f* ANAT clavícula.
clemência [kle'mẽsya] *f* clemencia.
clemente [kle'mẽtʃɪ] *adj 2 gén* clemente.
cleptomaníaco, ca [klepitoma'niakʊ, ka] *adj/m e f* cleptómano.
cleptómano, na [kle'pitõmanʊ, na] *adj/m e f* ⇒ cleptomaníaco, ca.
clerical [kleri'kaw] *adj 2 gén* clerical.
clericalismo [klerika'liʒmʊ] *m* clericalismo.
clérigo ['klɛrigʊ] *m* clérigo.
clero ['klɛrʊ] *m* clero. ◆ ~ **regular** clero regular; ~ **secular** clero secular.
cliente [kli'ẽtʃɪ] *s 2 gén* cliente.
clientela [kliẽ'tɛla] *f* clientela.
clima ['klima] *m* clima.
climático, ca [kli'matʃikʊ, ka] *adj* climático.
climatização [klimatʃiza'sãw] *f* **1** climatización. **2** aclimatación.
climatizado, da [klimatʃi'ʒadʊ, da] *adj* **1** climatizado. **2** aclimatado.
climatizar [klimatʃi'ʒaR] *tr* **1** climatizar. • *tr e pron* **2** aclimatar.
climatologia [klimatolo'ʒia] *f* climatología.
climatológico, ca [klimato'lɔʒikʊ, ka] *adj* climatológico.
clímax ['klimaks] *m* clímax.
clínica ['klinika] *f* **1** clínica (hospital privado). **2** clínica (medicina práctica).
clínico, ca ['klinikʊ, ka] *adj* **1** clínico. • *m e f* **2** médico, clínico. ◆ **olho** ~ ojo clínico.
clipe ['klipɪ] *m* **1** clip (sujetapapeles). **2** videoclip.
clivagem [kli'vaʒẽy] *f* MINER clivaje.
clivar [kli'vaR] *tr* fragmentar (mineral).
cloaca [klo'aka] *f* **1** cloaca. **2** letrina.
clonar [klo'naR] *tr* clonar.
clone ['klõnɪ] *m* **1** clon. **2** (fig) copia, reproducción.
cloro ['klɔrʊ] *m* QUÍM cloro.
clorofórmio [kloro'fɔRmyʊ] *m* QUÍM cloroformo.
clube ['klubɪ] *m* **1** club (círculo, asociación). **2** polideportivo.
clubista [klu'biʃta] *adj/m e f* clubista.
coabitação [koabita'sãw] *f* cohabitación.
coabitar [koabi'taR] *tr e intr* cohabitar (convivir).
coação [koa'sãw] *f* DIR coacción.
coadjuvante [koadʒiʒu'vãtʃɪ] *adj/m e f* **1** coadyuvante. **2** actor secundario.
coadjuvar [koadʒiʒu'vaR] *tr e pron* coadyuvar.
co-administrar [koadʒiminiʃ'traR] *tr* coadministrar.
coadquirir [koadʒiki'riR] *tr* coadquirir.
coadunação [koaduna'sãw] *f* coadunación.
coadunar [koadu'naR] *tr e pron* coadunar.
coagir [koa'ʒiR] *tr* coaccionar.
coagulação [koagula'sãw] *f* coagulación.
coagulado, da [koagu'ladʊ, da] *adj* coagulado.
coagulante [koagu'lãtʃɪ] *adj/m* coagulante.
coagular [koagu'laR] *tr, intr e pron* coagular.
coala [ko'ala] *m* coala, koala.
coalhado, da [koa'ʎadʊ, da] *adj* **1** cuajado. **2** (fig, gír) abarrotado (repleto).
coalhar [koa'ʎaR] *tr, intr e pron* **1** cuajar (coagular). • *tr e pron* **2** cuajarse (llenarse).
coalheira [koa'ʎeyra] *f* cuajo (fermento).
coalho [ko'aʎʊ] *m* **1** coágulo. **2** ⇒ coalheira (1).
coalizão [koali'ʒãw] *f* coalición.
coalizar-se [koali'ʒaRsɪ] *pron* coligarse, coaligarse.
coar [ko'aR] *tr* **1** colar (filtrar). **2** gotear, destilar.
coarctada ou **coartada** [koaRkɪ'tada o koa'rtada] *f* coartada.
coarctar ou **coartar** [koa'rktaR o koa'rtaR] *tr e pron* coartar.
co-arrendar [koaRẽ'daR] *tr* coarrendar.
co-autor, ra [koaw'toR, ra] *m e f* coautor.
cobaia [ko'baya] *f* **1** cobaya. **2** (fig) conejillo de Indias.
cobalto [ko'bawtʊ] *m* QUÍM cobalto.
coberta *f* **1** cubierta (tapa). **2** cubierta (de cama, mesa). **3** MAR cubierta.

coberto, ta [ko'bɛʀtʊ, ta] *adj* **1** cubierto (tapado). **2** cubierto (protegido). **3** cubierto (lleno). **4** cubierto (pagado, liquidado).
cobertor [kobe'ɾtoʀ] *m* **1** cobertor (colcha). **2** cobertor, manta.
cobertura [kobe'ɾtuɾa] *f* **1** cobertura (cubierta). **2** ático. **3** cobertura (garantía, fondos). **4** cobertura (de una información).
cobiça [ko'bisa] *f* codicia.
cobiçado, da [kobi'sadʊ, da] *adj* codiciado.
cobiçar [kobi'saʀ] *tr* codiciar.
cobra ['kɔbɾa] *f* **1** serpiente. • *adj/m e f* **2** (fig, fam) víbora (malintencionado). **3** (fig, fam) hacha (sobresaliente). ■ **dizer cobras e lagartos de** (fig, fam) decir pestes de.
cobrador, ra [kobɾa'doʀ, ɾa] *adj/m e f* cobrador.
cobrança [ko'bɾãsa] *f* cobro.
cobrar [ko'bɾaʀ] *tr* **1** cobrar (dinero). **2** exigir, reclamar. • *tr e pron* **3** cobrar (adquirir): *cobrar forças = cobrar fuerzas.*
cobrável [ko'bɾavew] *adj 2 gén* cobrable.
cobre ['kɔbɾɪ] *m* **1** QUÍM cobre. **2** moneda.
cobreado, da [kobɾe'adʊ, da] *adj* cobreado.
cobrir [ko'bɾiʀ] *tr* **1** cubrir (tapar). **2** cubrir (pagar, liquidar). **3** cubrir (información, noticia). • *tr e pron* **4** cubrir (ocupar, extender).
cobro ['kobɾʊ] *m* **1** fin, término. **2** (coloq) cobrilla (herpes).
coca ['kɔka] *f* **1** coca (hierba, droga). **2** coca (embarcación).
coça ['kɔsa] *f* **1** rascadura. **2** (fig) paliza.
coçado, da [ko'sadʊ, da] *adj* **1** gastado (por el uso). **2** rascado (frotado). **3** zurrado, golpeado.
coçadura [kosa'duɾa] *f* paliza.
cocaína [koka'ina] *f* cocaína.
cocainômano, na [kokay'nõmanʊ, na] *adj/m e f* cocainómano.
coçar [ko'saʀ] *tr, intr e pron* **1** rascar. • *tr* **2** (fig, gír) currar (pegar). • *intr* **3** picar, escocer.
cocção [ko'kiʃãw] *f* cocción.
cóccix ['kɔkisikʃ] *m* ANAT cóccix.
cócega ['kɔsega] *f* **1** (gralte pl) cosquillas. **2** (fig) inquietud (impaciencia).
coceira [ko'seyɾa] *f* **1** picor. **2** prurito.
coche ['koʃɪ] *m* carro, carruaje.
cocheira [ko'seyɾa] *f* **1** cochera (garaje). **2** caballeriza.
cocheiro [ko'seyɾʊ] *m* cochero.
cochichar [koʃi'saʀ] *tr e intr* cuchichear.
cochicho [ko'siʃʊ] *m* cuchicheo.
coco ['kokʊ] *m* **1** coco (árbol, fruto). **2** (fig, fam) coco (cabeza).
cocô [ko'ko] *m* (fam) caca.
códão ['kɔdãw] *m* helada.
côdea ['kodʒya] *f* corteza (de árbol, fruto, pan).
códex ou **códice** ['kɔdɛks o 'kɔdʒisɪ] *m* códice.
codificação [ko'dʒifika'sãw] *f* codificación.
codificar [ko'dʒifi'kaʀ] *tr* **1** codificar (cifrar). **2** codificar (legislar).
código ['kɔ'dʒigʊ] *m* **1** código (de leyes, normas). **2** código (cifra). **3** COMP código. ♦ **~ civil** DIR código civil; **~ de barras** ~ código de barras.
co-diretor, ra [ko'dʒiɾe'toʀ, ɾa] *m e f* codirector.
codorna ou **codorniz** [ko'dɔʀna o kodoʀ'niʃ] *f* codorniz.
coeficiente [koefisi'ẽtʃɪ] *m* **1** coeficiente. **2** (fig) factor (concausa). ♦ **~ intelectual** coeficiente intelectual.
coelho, lha [ko'eʎʊ, ʎa] *m e f* conejo. ■ **matar dois coelhos de uma cajadada** (fig, fam) matar dos pájaros de un tiro.
coentro [ko'ẽtɾʊ] *m* cilantro (hierba).
coerção [koe'ɾsãw] *m* coerción.
coercível [koe'ɾsivew] *adj 2 gén* coercible.
coercivo, va [koe'ɾsivʊ, va] *adj* coercitivo.
coerência [koe'ɾẽsya] *f* coherencia.
coerente [koe'ɾẽtʃɪ] *adj 2 gén* coherente.
coesão [koe'ʒãw] *f* **1** cohesión. **2** FÍS cohesión.
coeso, sa [ko'ezʊ, za] *adj* **1** cohesivo (unido). **2** conexo (enlazado).
coestaduano, na [koeʃtadu'ãŋʊ, na] *adj/m e f* coterráneo, conterráneo.
coetâneo, a [koe'tãnyʊ, a] *adj/m e f* coetáneo.
coexistência [koeziʃ'tẽsya] *f* coexistencia.

coexistir [koeziʃ'tsiʀ] *tr e intr* coexistir.
cofre ['kɔfrɪ] *m* cofre (baúl).
cofre-forte [kɔfrɪ'fɔʀtʃɪ] *m* caja fuerte.
co-gestão [koʒeʃ'tãw] *f* cogestión.
cogitação [koʒita'sãw] *f* cogitación.
cogitar [koʒi'taʀ] *tr e intr* reflexionar, cogitar.
cognição [kogini'sãw] *f* cognición.
cognitivo, va [kogini'tsivʊ, va] *adj* cognitivo.
cognome [ko'ginõmɪ] *m* apodo.
cognoscitivo, va [koginosi'tsivʊ, va] *adj* cognoscitivo.
cogote [ko'gɔtʃɪ] *m* (fam) cogote.
cogumelo [kogu'mɛlʊ] *m* seta.
co-herdar [koeʀ'daʀ] *tr* coheredar.
co-herdeiro, ra [koeʀ'deyrʊ, ɾa] *m e f* coheredero.
coibição [koybi'sãw] *f* cohibición.
coibir [koy'biʀ] *tr e pron* cohibir.
coice ['koysɪ] *m* **1** coz. **2** coz (culata). **3** (fig) desplante.
coima ['koyma] *f* multa.
coimar [koy'maʀ] *tr* **1** multar. • *tr e pron* **2** acusar, tachar.
coincidência [koĩsi'dẽsya] *f* coincidencia.
coincidente [koĩsi'dẽtʃɪ] *adj 2 gén* coincidente.
coincidir [koĩsi'dʒiʀ] *tr e intr* **1** coincidir (ajustar). • *tr* **2** coincidir (simultanear).
coiote [koy'ɔtʃɪ] *m* coyote.
coiraça [koy'ɾaza] *f* coraza.
coirmão, mã [koiʀ'mãw, mã] *adj/m e f* **1** socio. **2** colega.
coiro ['koyɾʊ] *m* **1** cuero. **2** piel. **3** látigo; fuete, rejo, cuero (Amér).
coisa ['koyza] *f* **1** cosa. • *m* **2** (fam) demonio.
coitado, da [koy'tadʊ, da] *adj/m e f* **1** pobre (infeliz). • ~! *interj* **2** ¡pobre!
coitar [koy'taʀ] *tr* asilar (criminal).
coito [koy'tʊ] *m* coito (relación sexual).
cola ['kɔla] *f* **1** cola (pegamento). **2** cola (semilla, árbol).
colaboração [kolaboʀa'sãw] *f* colaboración.
colaborador, ra [kolaboʀa'doʀ, ɾa] *adj/m e f* colaborador.
colaborar [kolabo'ɾaʀ] *tr e intr* colaborar.
colação [kola'sãw] *f* **1** colación. **2** concesión (de título, derecho).
colacia [kola'sia] *f* (fig) amistad íntima.
colacionar [kolasyo'naʀ] *tr* colacionar.
colagem [ko'laʒẽy] *f* **1** pegadura. **2** ART colage.
colapsar [kola'psaʀ] *tr e intr* colapsar.
colapso [ko'lapsʊ] *m* **1** colapso. **2** MED colapso.
colar [ko'laʀ] *m* **1** collar (adorno). **2** cuello (de prendas de vestir).
colar [ko'laʀ] *tr, intr e pron* **1** pegar. • *tr e intr* **2** (fig, gír) copiar (en un examen). • *intr* **3** (fig, gír) colar: *resolvi mentir, e colou = decidí mentir, y coló.*
colarinho [kola'ɾĩɲʊ] *m* cuello (de camisa).
colateral [kolate'ɾaw] *adj/m e f* colateral.
colcha ['kowʃa] *f* colcha.
colchão [kow'sãw] *m* colchón.
coleção [kole'sãw] *f* colección.
colecionador, ra [kolesyona'doʀ, ɾa] *m e f* coleccionista.
colecionar [kolesyo'naʀ] *tr* coleccionar.
colega [ko'lɛga] *s 2 gén* colega (del trabajo, escuela).
colegial [koleʒi'aw] *adj 2 gén* **1** colegial. • *s 2 gén* **2** colegial (alumno).
colégio [ko'lɛʒyʊ] *m* colegio.
coleguismo [kole'giʒmʊ] *m* compañerismo.
cólera ['kɔleɾa] *f* **1** cólera. **2** MED cólera.
colérico, ca [ko'lɛɾikʊ, ka] *adj/m e f* **1** colérico (enfadado). **2** MED colérico (enfermo).
colesterol [koleʃte'ɾɔw] *m* BIOQ colesterol.
coleta [ko'lɛta] *f* **1** colecta. **2** recogida. **3** impuesto.
coletânea [kole'tãnya] *f* **1** MÚS recopilación. **2** LIT antología.
coletar [kole'taʀ] *tr* **1** recaudar (tributar). **2** recolectar, recoger (firmas, datos).
colete [ko'letʃɪ] *m* **1** chaleco. **2** corsé.
coletividade [koletʃivi'dadʒɪ] *f* colectividad.
coletivo, va [kole'tsivʊ, va] *adj* **1** colectivo. • *m* **2** autobús; colectivo (Amér).

coletor, ra [kole'toR, ra] *adj/m e f* **1** colector, recolector. **2** cobrador, recaudador.
coletoria [koleto'ria] *f* **1** colecturía. **2** recaudación.
colgar [kow'gaR] *tr* colgar (suspender).
colhedor, ra [koʎe'doR, ra] *adj/m e f* recolector.
colheita [ko'ʎeyta] *f* **1** cosecha (recolección). **2** (fig) cosecha.
colheiteiro, ra [koʎey'teyrʊ, ra] *m e f* cosechador.
colher [ko'ʎeR] *f* cuchara. ♦ **~ de chá** cucharilla; **~ de sopa** cuchara sopera.
colher [ko'ʎeR] *tr* **1** coger; tomar (Amér). **2** recoger. ● *intr* **3** cosechar.
colherada [koʎe'rada] *f* cucharada.
cólica ['kɔlika] *f* MED cólico.
colidir [koli'dʒiR] *tr e intr* **1** chocar. **2** (fig) chocar, ser contradictorio (hechos, palabras).
coligação [koliga'sãw] *f* **1** unión. **2** coligación (de partidos políticos, asociaciones). **3** coalición.
coligar [koli'gaR] *tr e pron* unir, juntar.
coligir [koli'giR] *tr* **1** colegir (unir). **2** colegir (inferir).
colina [ko'lina] *f* colina (monte).
colírio [ko'liryʊ] *m* MED colirio. ■ **ser um ~ para os olhos** (fig) ser un regalo para la vista.
colisão [koli'ʒãw] *f* **1** colisión. **2** (fig) indecisión.
coliseu [koli'ʒew] *m* coliseo.
colmatar [kowma'taR] *tr* GEOL colmatar.
colmeia [kow'mɛya] *f* **1** colmena (de abejas). **2** (fig) enjambre (muchedumbre).
colo ['kɔlʊ] *m* **1** ANAT cuello. **2** regazo.
colocação [koloka'sãw] *f* colocación.
colocado, da [kolo'kadʊ, da] *adj* colocado (situado, empleado).
colocar [kolo'kaR] *tr* **1** colocar, poner. **2** plantear (problema, cuestión). ● *tr e pron* **3** colocar (en un empleo). ● **~-se** *pron* **4** colocarse, ponerse: *tem que se colocar no lugar dele para entender o que aconteceu = tienes que ponerte en su lugar para entender lo que ocurrió.*
Colômbia [ko'lõbya] *f* Colombia.
colombiano, na [kolõbi'ãnʊ, na] *adj/m e f* **1** colombiano. **2** colombino.
cólon ['kɔlõw] *m* ANAT colon.
colônia [ko'lõnya] *f* **1** colonia (grupo, territorio). **2** colonia (agua perfumada).
colonial [koloni'aw] *adj 2 gén* colonial.
colonialismo [kolonia'liʒmʊ] *m* colonialismo.
colonização [koloniza'sãw] *f* colonización.
colonizado, da [koloni'ʒadʊ, da] *adj* colonizado.
colonizador, ra [koloniza'doR, ra] *adj/m e f* colonizador.
colonizar [koloni'ʒaR] *tr* colonizar.
colono, na [ko'lõnʊ, na] *m e f* colono.
colóquio [ko'lɔkyʊ] *m* coloquio.
coloração [kolora'sãw] *f* coloración.
colorau [kolo'raw] *m* pimentón.
colorido, da [kolo'ridʊ, da] *adj/m e f* colorido.
colorir [kolo'riR] *tr e pron* **1** colorear. ● **~-se** *pron* **2** ruborizarse.
colossal [kolo'saw] *adj 2 gén* colosal (enorme, extraordinario).
colosso [ko'losʊ] *m* **1** coloso (estatua). **2** (fig, fam) coloso (persona excepcional).
colostro [ko'loʃtrʊ] *m* calostro.
columbino, na [kolũ'binʊ, na] *adj* **1** columbino. **2** (fig) puro.
coluna [ko'luna] *f* columna.
colunista [kolu'niʃta] *s 2 gén* columnista.
com ['kõw] *prep* **1** con (compañía, reunión): *mora com os pais = vive con sus padres.* **2** con (en conformidad, acuerdo): *atuou de acordo com a situação = actuó de acuerdo con la situación.* **3** con (medio, instrumento, por medio de): *pegou a panela com a mão = tomó la sartén con la mano.* **4** con (comparación): *é parecida com a mãe = se parece a su madre.* **5** con (contenido): *uma garrafa com vinho = una botella con vino.* **6** con (finalidad, objetivo): *chegou ao poder com a idéia de mudar o país = llegó al poder con la idea de cambiar el país.*
coma ['kõma] *f* **1** coma (signo de puntuación). **2** cabellera. **3** MED coma.
comadre [ko'madrɪ] *f* **1** comadre. **2** (fam) comadre (alcahueta, amiga). **3** cuña (orinal). **4** comadrona.
comandante [komã'dãtʃɪ] *s 2 gén* MIL comandante.

comandar [komã'daʀ] *tr* **1** MIL comandar. **2** ordenar (mandar). **3** accionar (mecanismo, dispositivo). • *intr e tr* **4** gobernar (dirigir).
comando [ko'mãdʊ] *m* **1** MIL comando. **2** mando (de país, empresa, asociación). **3** junta.
comarca [ko'maʀka] *f* distrito judicial.
comatoso, sa [koma'tozʊ, za] *adj* MED comatoso.
combate [kõ'batɪ] *m* MIL combate.
combatente [kõba'tẽtʃɪ] *adj/m e f* MIL combatiente.
combater [kõba'teʀ] *tr, intr e pron* combatir.
combatividade [kõbatʃivi'dadʒɪ] *f* combatividad.
combativo, va [kõba'tsivʊ, va] *adj* combativo.
combinação [kõbina'sãw] *f* **1** acuerdo. **2** combinación (unión, armonía). **3** combinación (ropa interior femenina).
combinado, da [kõbi'nadʊ, da] *adj* **1** acordado. **2** combinado (conjuntado).
combinar [kõbi'naʀ] *tr, intr e pron* **1** combinar. • *tr* **2** quedar (en algo, con alguien). **3** pegar, combinar.
comboio [kõ'boyʊ] *m* convoy (de vehículos).
comburente [kõbu'ɾẽtʃɪ] *adj/m* QUÍM comburente.
combustão [kõbuʃ'tãw] *f* QUÍM combustión.
combustível [kõbuʃ'tsivew] *adj/m* QUÍM combustible.
começar [kome'saʀ] *tr e intr* empezar, comenzar.
começo [ko'mesʊ] *m* comienzo, principio.
comédia [ko'mɛdʒya] *f* **1** TEAT comedia. **2** (fig) comedia (fingimiento).
comediante [komeʒɪ'ãtʃɪ] *s 2 gén* **1** comediante (actor). **2** (fig) comediante (falso).
comedido, da [kome'dʒidʊ, da] *adj* comedido.
comedimento [komedʒi'mẽtʊ] *m* comedimiento.
comedir [kome'dʒiʀ] *tr e pron* **1** medir (palabras, actos). **2** contener.
come-e-dorme [komɛ'dɔʀmɛ] *s 2 gén* (fig, coloq) parásito (individuo).
comemoração [komemoɾa'sãw] *f* **1** conmemoración. **2** celebración.
comemorar [komemo'ɾaʀ] *tr* **1** conmemorar (recordar). **2** conmemorar (celebrar).
comemorativo, va [komemoɾa'tsivʊ, va] *adj* **1** conmemorativo. **2** historial clínico.
comensal [komẽ'saw] *s 2 gén* comensal (inquilino, compañero de mesa).
comensurar [komẽsu'ɾaʀ] *tr* conmensurar (medir).
comensurável [komẽsu'ɾavew] *adj 2 gén* conmensurable.
comentar [komẽ'taʀ] *tr* **1** comentar (explanar). **2** comentar (conversar).
comentário [komẽ'taɾyʊ] *m* comentario.
comer [ko'meʀ] *tr e intr* **1** comer. • *tr* **2** (fig) comer (consumir, destruir). **3** (fig) ventilarse (acabar). **4** (fig, vulg) follar. • **~-se** *pron* **5** (fig) corroer.
comercial [komeʀsi'aw] *adj 2 gén* **1** comercial. • *m* **2** RÁD, TV anuncio.

> El ***almoço comercial*** en español equivale al **menú del día** pero es un plato único, un plato combinado.

comercialização [komeʀsyaliza'sãw] *f* comercialización.
comercializar [komeʀsiali'ʒaʀ] *tr* comercializar.
comerciante [komeʀsi'ãtʃɪ] *adj/m e f* comerciante.
comerciar [komeʀsi'aʀ] *intr e tr* comerciar.
comércio [ko'mɛʀsyʊ] *m* comercio.
comes-e-bebes [komɛzɪ'bɛbɪʃ] *m pl* comida y bebidas (en fiestas, reuniones).
comestível [komeʃ'tsivew] *adj/m* comestible.
cometa [ko'meta] *m* ASTR cometa.
cometer [kome'teʀ] *tr* **1** cometer (realizar). **2** acometer (emprender). **3** cometer, incurrir (falta, delito).
comichão [komi'sãw] *f* **1** comezón (picazón). **2** (fig) comezón (desazón).
comichar [komi'saʀ] *tr e intr* **1** causar o sentir comezón. • *intr* **2** picar.
comicidade [komisi'dadʒɪ] *f* comicidad.

comício [koˈmisyʊ] *m* comicios (electorales).
cômico, ca [ˈkõmikʊ, ka] *adj* **1** cómico (divertido). • *m e f* **2** cómico (actor). **3** comediógrafo.
comida [koˈmida] *f* comida (alimento).
comido, da [koˈmidʊ, da] *adj* **1** comido (ingerido). **2** comido (desgastado, roído).
comigo [koˈmigʊ] *pron pers* conmigo.
comilança [komiˈlãsa] *f* atracón (de comida).
comilão, lona [komiˈlãw, ˈlona] *adj/m e f* comilón.
cominho [koˈmĩɲʊ] *m* comino (planta).
comissão [komiˈsãw] *f* **1** comisión (cometido). **2** comisión (comité).
comissariado [komisaɾiˈadʊ] *m* comisaría (empleo, oficina).
comissário, a [komiˈsaɾyʊ, a] *m e f* **1** comisario. **2** comisario (político, de policía). **3** comisionista.
comissionado, da [komisyoˈnadʊ, da] *adj/m e f* comisionado.
comissionar [komisyoˈnaʀ] *tr* comisionar (encargar).
comisso [koˈmisʊ] *m* comiso, decomiso.
comissura [komiˈsuɾa] *f* **1** ANAT comisura. **2** juntura (punto de unión).
comitê [komiˈte] *m* comité.
comitiva [komiˈtsiva] *f* comitiva (séquito).
comível [koˈmivew] *adj 2 gén* ⇒ comestível.
como [ˈkõmʊ] *conj* **1** como (comparativo, causal, en calidad de). • *adv* **2** cómo, qué (intensidad). **3** como, cómo (modo). **4** como (aproximadamente).
comoção [komoˈsãw] *f* **1** conmoción (perturbación). **2** conmoción (tumulto).
cômoda [ˈkõmoda] *f* cómoda.
comodidade [komodʒiˈdadʒɪ] *f* comodidad.
comodismo [komoˈdʒiʒmʊ] *m* **1** conformismo. **2** comodidad.
cômodo, da [ˈkõmodʊ, da] *adj* **1** cómodo. • *m* **2** comodidad. **3** habitación.
comovedor, ra [komoveˈdoʀ, ʀa] *adj* ⇒ comovente.
comovente [komoˈvẽtʃɪ] *adj 2 gén* conmovedor.
comover [komoˈveʀ] *tr, intr e pron* **1** conmover (agitar, perturbar). **2** conmover (enternecer).
comovido, da [komoˈvidʊ, da] *adj* conmovido (impresionado).
compactação [kõpakitaˈsãw] *f* compactación.
compactar [kõpaˈkitaʀ] *tr* **1** compactar. **2** COMP comprimir.
compacto, ta [kõˈpakitʊ, ta] *adj* **1** compacto. • *m* **2** MÚS sencillo (disco de vinilo).
compadecer [kõpadeˈseʀ] *tr e pron* compadecer.
compadre [kõˈpadɾɪ] *m* compadre.
compaginação [kõpaʒinaˈsãw] *f* compaginación.
compaginar [kõpaʒiˈnaʀ] *tr* compaginar.
compaixão [kõpayˈsãw] *f* compasión.
companheirismo [kõpãˈneyɾiʒmʊ] *m* compañerismo.
companheiro, ra [kõpãˈneyɾʊ, ɾa] *adj/m e f* compañero.
companhia [kõpãˈɲia] *f* **1** compañía (acompañamiento). **2** compañía (empresa).
comparação [kõpaɾaˈsãw] *f* comparación.
comparado, da [kõpaˈɾadʊ, da] *adj* comparado.
comparar [kõpaˈɾaʀ] *tr* **1** comparar (cotejar). • *tr e pron* **2** equiparar.
comparativo, va [kõpaɾaˈtsivʊ, va] *adj* comparativo.
comparável [kõpaˈɾavew] *adj 2 gén* comparable.
comparecer [kõpaɾeˈseʀ] *tr e intr* comparecer.
comparecimento [kõpaɾesiˈmẽtʊ] *m* **1** aparición (en un lugar). **2** DIR comparecencia.
comparsa [kõˈpaʀsa] *f* **1** comparsa (figurante). **2** colega.
compartilhar [kõpaʀtʃiˈʎaʀ] *tr* compartir.
compartimentado, da [kõpaʀtʃimẽˈtadʊ, da] *adj* compartimentado.
compartimento [kõpaʀtʃiˈmẽtʊ] *m* compartimiento.
compartir [kõpaˈɾtsiʀ] *tr* ⇒ compartilhar.
compassado, da [kõpaˈsadʊ, da] *adj* **1** compasado (moderado). **2** acompasado.
compassar [kõpaˈsaʀ] *tr* **1** compasar (medir). • *tr e pron* **2** compasar.
compassivo, va [kõpaˈsivʊ, va] *adj* compasivo.

Comparativo / Comparativo

En portugués hay tres tipos de comparativo:

— de **superioridad**:
Mariana é mais inteligente (do) que Paulo = Mariana es más inteligente que Paulo

— de **inferioridad**:
Paulo é menos inteligente (do) que Mariana = Paulo es menos inteligente que Mariana

— de **igualdad**:
Mariana é tão inteligente como / quanto Paulo = Mariana es tan inteligente como Paulo

compasso [kõˈpasʊ] *m* **1** compás (instrumento). **2** MÚS compás. ■ **ao ~ com** al compás de.

compatibilidade [kõpatʃibiliˈdadʒɪ] *f* compatibilidad.

compatível [kõpaˈtsivew] *adj 2 gén* compatible.

compatriota [kõpatɾiˈɔta] *adj/m e f* compatriota.

compelir [kõpeˈliʀ] *tr* compeler.

compêndio [kõˈpẽdʒyʊ] *m* **1** compendio (síntesis). **2** libro escolar.

compenetração [kõpenetɾaˈsãw] *f* compenetración.

compensação [kõpẽsaˈsãw] *f* compensación. ■ **em ~** en compensación, en contrapartida.

compensar [kõpẽˈsaʀ] *tr e pron* **1** compensar. **2** compensar, valer la pena.

compensatório, a [kõpẽsaˈtɔɾyʊ, a] *adj* compensatorio.

compensável [kõpẽˈsavew] *adj 2 gén* compensable.

competência [kõpeˈtẽsya] *f* competencia (idoneidad, habilidad).

competente [kõpeˈtẽtʃɪ] *adj 2 gén* competente.

competição [kõpetʃiˈsãw] *f* competición.

competidor, ra [kõpeˈtsiˈdoʀ, ɾa] *adj/m e f* competidor.

competir [kõpeˈtsiʀ] *tr e pron* **1** competir (rivalizar). **2** competer (incumbir).

competitividade [kõpetʃitʃiviˈdadʒɪ] *f* competitividad.

competitivo, va [kõpetʃiˈtsivʊ, va] *adj* competitivo.

compilação [kõpilaˈsãw] *f* compilación (reunión).

compilar [kõpiˈlaʀ] *tr* compilar (textos).

complacência [kõplaˈsẽsya] *f* complacencia.

complacente [kõplaˈsẽtʃɪ] *adj 2 gén* complaciente.

compleição [kõpleyˈsãw] *f* **1** complexión (constitución física). **2** temperamento.

complementar [kõplemẽˈtaʀ] *adj 2 gén* complementario.

complementar [kõplemẽˈtaʀ] *tr e pron* complementar.

complemento [kõpleˈmẽtʊ] *m* complemento.

completar [kõpleˈtaʀ] *tr e pron* **1** completar. ● *tr* **2** cumplir (años).

completo, ta [kõˈplɛtʊ, ta] *adj* completo.

complexado, da [kõplekiˈsadʊ, da] *adj* acomplejado.

complexão [kõplekiˈsãw] *f* complejo (conjunto, unión).

complexar [kõplekiˈsaʀ] *tr* acomplejar.

complexidade [kõplekisiˈdadʒɪ] *f* complejidad.

complexo, xa [kõˈplɛkisʊ, kisa] *adj* **1** complejo (compuesto). **2** complejo (complicado). ● *m* **3** PSIC complejo.

complicação [kõplikaˈsãw] *f* complicación.

complicado, da [kõpliˈkadʊ, da] *adj* complicado.

complicar [kõpliˈkaʀ] *tr e pron* **1** complicar. ● *tr* **2** implicar.

complô [kõ'plo] *m* complot (conspiración).
compor [kõ'poR] *tr e intr* **1** componer, elaborar. **2** MÚS componer. • *tr e pron* **3** componer (formar parte). **4** componer (aderezar, arreglar).
comportamento [kõpoRta'mẽtʊ] *m* comportamiento.
comportar [kõpo'ɾtaR] *tr* **1** comportar (implicar). **2** tolerar. **3** permitir.
composição [kõpozi'sãw] *f* **1** composición (música, poesía). **2** composición (de un medicamento). **3** redacción (ejercicio escolar). **4** GRAM, DIR composición.
compositor, ra [kõpozi'toR, ɾa] *adj/m e f* compositor.
composto, ta [kõ'poʃtʊ, ta] *adj* **1** compuesto. **2** (fig) compuesto (circunspecto). • *m* **3** GRAM compuesto.
compostura [kõpoʃ'tuɾa] *f* **1** compostura (circunspección). **2** composición.
compota [kõ'pɔta] *f* compota (de frutas).
compra ['kõpɾa] *f* **1** compra (adquisición). **2** (fig) compra, soborno.
comprador, ra [kõpɾa'doR, ɾa] *m e f* comprador.
comprar [kõ'pɾaR] *tr* **1** comprar. **2** (fig) comprar, sobornar.
comprazer [kõpɾa'ʒeR] *tr, intr e pron* **1** complacer. • *tr* **2** condescender (transigir).
comprazido, da [kõpɾa'ʒidʊ, da] *adj* complacido.
compreender [kõpɾeẽ'deR] *tr e pron* **1** comprender (abarcar). • *tr e intr* **2** comprender (entender). **3** comprender (incluir, contener).
compreensão [kõpɾeẽ'sãw] *f* comprensión.
compreensível [kõpɾeẽ'sivew] *adj 2 gén* comprensible.
compreensivo, va [kõpɾeẽ'sivʊ, va] *adj* comprensivo.
comprido, da [kõ'pɾidʊ, da] *adj* **1** largo. **2** (fig) largo (pesado). **3** (fig) largo (alto).
comprimento [kõpɾi'mẽtʊ] *m* **1** longitud (dimensión). **2** longitud, distancia. **3** tamaño.
comprimido, da [kõpɾi'midʊ, da] *adj/m* **1** comprimido. • *m* **2** comprimido (gragea).
comprimir [kõpɾi'miR] *tr e pron* **1** comprimir (volumen). **2** comprimir (apretar); achurrascar (Amér). **3** comprimir (oprimir).
comprometedor, ra [kõpɾomete'doR, ɾa] *adj* comprometedor.
comprometer [kõpɾome'teR] *tr e pron* **1** comprometer (obligar). **2** comprometer (arriesgar). • **~-se** *pron* **3** comprometerse (en una relación amorosa).
comprometido, da [kõpɾome'tsidʊ, da] *adj* comprometido.
compromisso [kõpɾo'misʊ] *m* **1** compromiso (obligación). **2** compromiso (esponsales).
comprovante [kõpɾo'vãtʃɪ] *adj 2 gén* **1** comprobante. • *m* **2** factura; tique.
comprovar [kõpɾo'vaR] *tr* comprobar.
compulsar [kõpuw'saR] *tr* compulsar, examinar (leyendo).
compulsivo, va [kõpuw'sivʊ, va] *adj* compulsivo.
computador [kõputa'doR] *m* ordenador.
cômputo ['kõputʊ] *m* cómputo (cuenta, cálculo).
comum [ko'mũ] *adj 2 gén* **1** común. • *m* **2** común (mayoría). ■ **ter algo en ~** tener algo en común.
comungar [komũ'gaR] *tr e intr* REL comulgar.
comunicação [komunika'sãw] *f* **1** comunicación. **2** aviso. ◆ **meios de ~** medios de comunicación.
comunicado [komuni'kadʊ] *m* **1** comunicado (prensa). **2** comunicado (nota oficial).
comunicador, ra [komunika'doR, Ra] *adj/m e f* **1** comunicador. • *m e f* **2** RÁD, TV presentador.
comunicar [komuni'kaR] *tr* **1** comunicar. **2** contagiar (enfermedad, estado de ánimo).
comunicativo, va [komunika'tsivʊ, va] *adj* **1** comunicativo. **2** contagioso.
comunidade [komuni'dadʒɪ] *f* **1** comunidad (colectividad). **2** comunión (de sentimientos, ideales).
comunismo [komu'niʒmʊ] *m* comunismo.
comunista [komu'niʃta] *adj/m e f* comunista.
comunitário, a [komuni'taRyʊ, a] *adj* comunitario.
comutar [komu'taR] *tr* **1** conmutar (cambiar). **2** DIR conmutar (pena, castigo).

concatenar [kõkate'naR] *tr e pron* concatenar.
côncavo, va ['kõkavʊ, va] *adj/m* cóncavo.
conceber [kõse'beR] *tr* **1** concebir (engendrar). **2** concebir (obra, idea). **3** concebir (imaginar).
conceder [kõse'deR] *tr* conceder, otorgar (cosa, gracia).
conceito [kõ'seytʊ] *m* **1** concepto (idea, opinión). **2** calificación, nota.
conceituado, da [kõseytu'adʊ, da] *adj* **1** reputado. **2** considerado.
conceituar [kõseytu'aR] *tr* **1** conceptuar (idea, opinión). **2** evaluar.
concelho [kõ'seʎʊ] *m* concejo (municipio).
concentração [kõsẽtɾa'sãw] *f* **1** concentración (atención). **2** ESPORT concentración.
concentrado, da [kõsẽ'tɾadʊ, da] *adj* **1** concentrado (reunido). **2** concentrado (atento). **3** concentrado (centralizado).
concentrar [kõsẽ'tɾaR] *tr* **1** condensar, espesar. • *tr e pron* **2** concentrar (centralizar). **3** concentrar (fijar la atención).
concepção [kõse'pisãw] *f* **1** concepción (engendramiento). **2** concepción (de ideas, teorías).
conceptual [kõsepitu'ãw] *adj 2 gén* conceptual.
concernir [kõseR'niR] *tr* concernir.
concertar [kõse'ɾtaR] *tr e pron* **1** concertar (armonizar). • *tr* **2** concertar, pactar (precio, asunto).
concerto [kõ'seRtʊ] *m* **1** concierto (acuerdo). **2** MÚS concierto.
concessão [kõse'sãw] *f* **1** concesión. **2** permiso.
concesionária [kõsesyo'naɾya] *f* concesionario (de vehículos).
concha ['kõʃa] *f* **1** concha (de molusco). **2** cucharón. **3** platillo (de balanza).
concidadão [kõsida'dãw] *m e f* conciudadano.
conciliação [kõsilya'sãw] *f* conciliación.
conciliar [kõsili'aR] *tr e pron* **1** conciliar (armonizar). **2** conciliar (aliar).
conciliável [kõsili'avew] *adj 2 gén* conciliable.
concílio [kõ'silyʊ] *m* concilio.
concisão [kõsi'ʒãw] *f* concisión.
conciso, sa [kõ'sizʊ, za] *adj* conciso.
conclave [kõ'klavɪ] *m* conclave, cónclave.
concludente [kõklu'dẽtʃɪ] *adj 2 gén* concluyente (decisivo).
concluído, da [kõklu'idʊ, da] *adj* concluido (terminado).
concluir [kõklu'iR] *tr* **1** concluir (terminar). **2** concluir (deducir).
conclusão [kõklu'ʒãw] *f* **1** conclusión (fin). **2** conclusión (deducción).
conclusivo, va [kõklu'ʒivʊ, va] *adj* conclusivo.
concordância [kõkoR'dãsya] *f* concordancia.
concordar [kõkoR'daR] *tr e intr* **1** concordar. ~ **com, em 2** estar de acuerdo, concordar (con, en).
concorrência [kõko'Rẽsya] *f* **1** competencia (rivalidad). **2** concurrencia.
concorrente [kõko'Rẽtʃɪ] *adj/m e f* **1** competidor. **2** concurrente.
concorrer [kõko'ReR] *tr* **1** concurrir (coincidir). **2** contribuir. • *tr e intr* **3** competir.
concorrido, da [kõko'Ridʊ, da] *adj* **1** concurrido. **2** codiciado.
concreção [kõkɾe'sãw] *f* concreción.
concretizar [kõkɾetʃi'ʒaR] *tr e pron* concretar.
concreto, ta [kõ'kɾɛtʊ, ta] *adj* **1** concreto. • *m* **2** hormigón; concreto (Amér).
concubina [kõku'bina] *f* concubina.
conculcar [kõkuw'kaR] *tr* (lit) conculcar.
concursado, da [kõku'ɾsadʊ, da] *adj* concursante.
concursar [kõku'ɾsaR] *tr* concursar.
concurso [kõ'kuRsʊ] *m* concurso.
condado [kõ'dadʊ, da] *m* condado (título, jurisdicción).
condão [kõ'dãw] *m* don, virtud.
conde ['kõdʒɪ] *m* conde.
condecoração [kõdekoɾa'sãw] *f* condecoración.
condecorar [kõdeko'ɾaR] *tr e pron* condecorar.
condenação [kõdena'sãw] *f* condena.
condenado, da [kõde'nadʊ, da] *adj/m e f* condenado.
condenar [kõde'naR] *tr e pron* **1** condenar (incriminar). • *tr* **2** condenar (reprobar). **3** rechazar.
condensar [kõdẽ'saR] *tr e pron* condensar.

condescender [kõdesẽ'deʀ] *tr e intr* condescender; humanar (Amér).
condessa [kõ'desa] *f* **1** condesa. **2** pequeña cesta.
condição [kõdʒi'sãw] *f* **1** condición (circunstancia). **2** condición (estado). ■ **sob a ~ de que** a condición de que.
condicionado, da [kõdʒisyo'nadʊ, da] *adj* condicionado, acondicionado.
condicional [kõdʒisyo'naw] *adj 2 gén* condicional. ◆ **liberdade ou livramento ~** libertad condicional.
condicionamento [kõ'dʒisyona'mẽtʊ] *m* condicionamiento.
condicionar [kõ'dʒisyo'naʀ] *tr* **1** condicionar. ● **~-se** *pron* **2** acostumbrarse.
condimentar [kõ'dʒimẽ'taʀ] *tr* **1** GAST condimentar. **2** (fig) alegrar.
condimento [kõ'dʒi'mẽtʊ] *m* condimento.
condizente [kõ'dʒi'ʒẽtʃɪ] *adj 2 gén* correspondiente.
condizer [kõ'dʒi'ʒeʀ] *tr e intr* condecir.
condoer [kõdo'eʀ] *tr e pron* conmover, compadecer.
condolência [kõdo'lẽsya] *f* condolencia (compasión).
condomínio [kõdo'minyʊ] *m* **1** condominio. **2** gastos de comunidad.
condução [kõdu'sãw] *f* conducción.
conducente [kõdu'sẽtʃɪ] *adj 2 gén* conducente (a un fin).
conduta [kõ'duta] *f* conducta (moral).
condutor, ra [kõdu'toʀ, ɾa] *adj* **1** conductor. ● *m e f* **2** conductor (de vehículos); chófer; chofer (Amér). ◆ **~ elétrico** ELEC conductor eléctrico.
conduzir [kõdu'ʒiʀ] *tr* **1** conducir (guiar). **2** conducir, gobernar (empresa, país). ● **~-se** *pron* **3** (fig) conducirse (comportarse).
cone ['kõnɪ] *m* cono.
conectar [koneki'taʀ] *tr e pron* **1** conectar. **2** COMP conectar (a internet, a la red).
conexão [koneki'sãw] *f* conexión.
conexo, xa [ko'nɛkisʊ, kisa] *adj* conexo.
confabular [kõfabu'laʀ] *tr e intr* confabular.
confecção [kõfeki'sãw] *f* **1** confección. **2** confecciones (prendas de vestir).
confeccionar [kõfekisyo'naʀ] *tr* confeccionar (medicamentos, prendas de vestir, manjares, bebidas, obras).
confederação [kõfedera'sãw] *f* confederación.
confederado, da [kõfede'ɾadʊ, da] *adj/m e f* confederado.
confederar [kõfede'ɾaʀ] *tr e pron* confederar.
confeitaria [kõfeyta'ɾia] *f* **1** confitería, pastelería. **2** salón de té.
conferência [kõfe'rẽsya] *f* **1** comprobación. **2** conferencia (charla).
conferenciar [kõferẽsi'aʀ] *tr e intr* conferenciar.
conferir [kõfe'ɾiʀ] *tr* **1** conferir, comprobar. **2** concordar (coincidir).
confessado, da [kõfe'sadʊ, da] *adj/m e f* confesado.
confessar [kõfe'saʀ] *tr, intr e pron* confesar (culpa, pecado, secreto).
confessionário [kõfesyo'naɾyʊ] *m* **1** confesonario (recinto). **2** confesionario (confesión).
confessor [kõfe'soʀ] *m* confesor.
confiado, da [kõfi'adʊ, da] *adj* **1** confiado. ● *m e f* **2** (fam) confianzudo.
confiança [kõfi'ãsa] *f* confianza.
confiante [kõfi'ãtʃɪ] *adj 2 gén* confiado.
confiar [kõfi'aʀ] *tr, intr e pron* confiar.
confidência [kõfi'dẽsya] *f* confidencia.
confidencial [kõfidẽsi'aw] *adj 2 gén* confidencial.
confidenciar [kõfidẽsi'aʀ] *tr e pron* confiar (secreto); confesar.
configuração [kõfigura'sãw] *f* **1** configuración. **2** COMP configuración (del ordenador).
configurar [kõfigu'ɾaʀ] *tr* configurar.
confim [kõ'fĩ] *adj 2 gén* confín.
confinar [kõfi'naʀ] *tr e intr* **1** confinar (limitar). ● *tr e pron* **2** confinar (encerrar).
confins [kõ'fĩʃ] *m pl* confines.
confirmação [kõfiʀma'sãw] *f* confirmación.
confirmar [kõfiʀ'maʀ] *tr* **1** sostener. ● *tr e pron* **2** confirmar (corroborar).
confiscar [kõfi'skaʀ] *tr* confiscar (bienes).
confisco [kõ'fiʃkʊ] *m* confiscación.
confissão [kõfi'sãw] *f* confesión.
conflito [kõ'flitʊ] *m* conflicto.
conflituoso, sa [kõflitu'ozʊ, za] *adj* conflictivo.

confluente [kõflu'ẽtʃɪ] *adj/m* confluente.
confluir [kõflu'iʀ] *intr* confluir.
conformação [kõfoʀma'sãw] *f* **1** conformación (configuración). **2** resignación.
conformado, da [kõfoʀ'madʊ, da] *adj/m e f* (fig) resignado.
conformar [kõfoʀ'maʀ] *tr e pron* **1** conformar (formar). **2** conformar, concordar.
conforme [kõ'fɔʀmɪ] *adj 2 gén* **1** conforme (idéntico). **2** conforme (de acuerdo). **3** adecuado. • *adv* **4** conforme. • *conj* **5** conforme, según.
conformidade [kõfoʀmi'dadʒɪ] *f* **1** conformidad (similitud). **2** conformidad (resignación).
conformismo [kõfoʀ'miʒmʊ] *m* conformismo.
conformista [kõfoʀ'miʃta] *adj/m e f* conformista.
confortador, ra [kõfoʀta'doʀ, ɾa] *adj/m e f* confortante.
confortar [kõfo'ɾtaʀ] *tr e pron* confortar.
confortável [kõfo'ɾtavew] *adj 2 gén* confortable (cómodo).
conforto [kõ'foʀtʊ] *m* **1** confortación, alivio (moral). **2** comodidad.
confrangedor, ra [kõfrãʒe'doʀ, ɾa] *adj* angustioso.
confranger [kõfrã'ʒeʀ] *tr e pron* **1** (fig) angustiar. **2** contraer, apretar.
confraria [kõfɾa'ɾia] *f* cofradía.
confraternizar [kõfɾateʀni'ʒaʀ] *tr e intr* confraternizar.
confrontação [kõfɾõta'sãw] *f* **1** confrontación (cotejo). **2** confrontación (careo).
confrontar [kõfɾõ'taʀ] *tr* **1** confrontar (cotejar, comparar). • *tr e pron* **2** confrontar (enfrentar). **3** confrontar (carear).
confronto [kõ'fɾõtʊ] *m* **1** confrontación (comparación). **2** confrontación, enfrentamiento.
confundir [kõfũ'dʒiʀ] *tr e pron* **1** confundir (mezclar, fundir). **2** confundir (equivocar, cambiar).
confusão [kõfu'ʒãw] *f* confusión.
confuso, sa [kõ'fuzʊ, za] *adj* **1** confuso. **2** desordenado.
congelação [kõʒela'sãw] *f* congelación.
congelado, da [kõʒe'ladʊ, da] *adj* congelado.
congelador, ra [kõʒela'doʀ, ɾa] *adj* **1** que congela. • *m* **2** congelador.
congelar [kõʒe'laʀ] *tr, intr e pron* **1** congelar. • *tr* **2** congelar, detener (imagen). **3** ECON (fig) congelar (precios, salarios, cuentas).
congeminar [kõʒemi'naʀ] *tr e pron* multiplicar.
congênere [kõ'ʒẽneɾɪ] *adj 2 gén* **1** congénere. **2** similar.
congênito, ta [kõ'ʒẽnitʊ, ta] *adj* **1** congénito. **2** innato (connatural): *tem uma capacidade congênita para a pintura = tiene una capacidad innata para la pintura*. **3** (fig) apropiado, adecuado.
congestão [kõʒeʃ'tãw] *f* MED congestión.
congestionamento [kõʒeʃtʃiona'mẽtʊ] *m* **1** congestión. **2** congestión, caravana (de vehículos).
congestionar [kõʒeʃtʃio'naʀ] *tr e pron* **1** congestionar (acumular fluido). • *tr, intr e pron* **2** congestionar (obstruir, entorpecer): *a estrada de saída da cidade se congestiona às sextas = la carretera de salida de la ciudad se congestiona los viernes*.
conglomeração [kõglomeɾa'sãw] *f* conglomeración.
conglomerado, da [kõglome'ɾadʊ, da] *adj/m* conglomerado.
Congo, República do ['kõgʊ, ʀe'publika dʊ] *f* República del Congo.
Congo, República Democrática do ['kõgʊ, ʀe'publika demo'kɾatʃika dʊ] *f* República Democrática del Congo.
congolês, sa [kõgo'leyʃ, za] *adj/m e f* congoleño, congolés.
congratular [kõgɾatu'laʀ] *tr* **1** congratular (felicitar). • **~-se** *pron* **2** celebrar.
congregação [kõgɾega'sãw] *f* **1** congregación (reunión, asamblea, junta). **2** congregación (hermandad).
congregar [kõgɾe'gaʀ] *tr e pron* congregar.
congressista [kõgɾe'siʃta] *adj/m e f* congresista.
congresso [kõ'gɾɛsʊ] *m* **1** congreso (reunión). **2** congreso (cámara legislativa).
congruente [kõgɾu'ẽtʃɪ] *adj 2 gén* congruente.

C

conhaque [kõ'nakɪ] *m* coñac.
conhecedor, ra [kõŋese'doʀ, ɾa] *adj/m e f* conocedor.
conhecer [kõŋe'seʀ] *tr* **1** conocer (saber). **2** conocer (visitar): *conheço muitos países latino-americanos = conozco muchos países latinoamericanos.* • *tr e pron* **3** conocer (tener trato): *conheço ela há muitos anos = la conozco hace muchos años.*
conhecido, da [kõŋe'sidʊ, da] *adj/m e f* conocido.
conhecimento [kõŋesi'mẽtʊ] *m* **1** conocimiento (entendimiento). **2** conocimiento (saber). **3** conocido (amigo). ♦ **conhecimentos gerais** conocimientos generales.
cônico, ca ['kõnikʊ, ka] *adj* GEOM cónico.
conivência [kõni'vẽsya] *f* **1** connivencia (complicidad, confabulación). **2** BOT connivencia.
conivente [koni'vẽtʃɪ] *adj 2 gén* connivente (cómplice).
conjetura [kõʒe'tuɾa] *f* conjetura.
conjeturar [kõʒetu'ɾaʀ] *intr e tr* conjeturar.
conjugação [kõʒuga'sãw] *f* **1** conjugación (combinación). **2** GRAM conjugación.
conjugado, da [kõʒu'gadʊ, da] *adj* **1** conjugado (combinado). **2** GRAM conjugado. ♦ **apartamento ~** estudio.
conjugal [kõʒu'gaw] *adj 2 gén* conyugal.
conjugar [kõʒu'gaʀ] *tr e pron* **1** conjugar (combinar). **2** GRAM conjugar.
conjugável [kõʒu'gavew] *adj 2 gén* conjugable.
cônjuge ['kõʒuʒɪ] *s 2 gén* cónyuge.
conjunção [kõʒũ'sãw] *f* **1** conjunción (unión). **2** conjetura. **3** ASTR conjunción (de los astros).
conjuntivo, va [kõʒũ'tsivʊ, va] *adj* **1** conjuntivo. • *m* **2** GRAM conjuntivo (subjuntivo).
conjunto, ta [kõ'ʒũtʊ, ta] *adj* **1** conjunto. • *m* **2** conjunto. ♦ **~ musical** conjunto musical (grupo). ■ **em ~** en conjunto.
conjuntura [kõʒũ'tuɾa] *f* coyuntura. ♦ **~ econômica** coyuntura económica.
conjuração [kõʒuɾa'sãw] *f* **1** conjuración, conjura. **2** conspiración.
conjurar [kõʒu'ɾaʀ] *tr* **1** conjurar (conspirar). **2** conjurar, alejar (peligro). **3** conjurar (exorcizar).
conluiado, da [kõluy'adʊ, da] *adj* confabulado.
conluiar [kõluy'aʀ] *tr e pron* confabular.
conluio [kõ'luyʊ] *m* confabulación.
conosco [ko'noʃkʊ] *pron* **1** con nosotros. **2** en nosotros.
conotação [konota'sãw] *f* connotación.
conotar [kono'taʀ] *tr* connotar.
conquanto [kõ'kwãtʊ] *conj* aunque: *não passou na prova, conquanto tivesse estudado = aunque había estudiado, no aprobó el examen.*
conquista [kõ'kiʃta] *f* **1** conquista (de territorio, situación). **2** conquista (logro). **3** conquista (seducción).
conquistador, ra [kõkiʃta'doʀ, ɾa] *adj/m e f* **1** conquistador (triunfador, vencedor). **2** conquistador (seductor).
conquistar [kõkiʃ'taʀ] *tr* **1** conquistar (subyugar, vencer). **2** conquistar (seducir).
consagração [kõsagɾa'sãw] *f* consagración.
consagrar [kõsa'gɾaʀ] *tr e pron* **1** consagrar (dedicar): *consagrou a vida aos estudos = consagró la vida a los estudios.* **2** consagrar (acreditar, afamar).
consangüíneo, a [kõsã'gwinyʊ, a] *adj/m e f* consanguíneo.
consangüinidade [kõsagwini'dadʒɪ] *f* consanguinidad.
consciência [kõsi'ẽsya] *f* conciencia, consciencia. ■ **a ~** a conciencia.
consciencioso, sa [kõsyẽsi'ozʊ, za] *adj* serio, responsable.
consciente [kõsi'ẽtʃɪ] *adj 2 gén* **1** consciente. • *m* **2** consciente.
consecução [kõseku'sãw] *f* consecución.
consecutivo, va [kõseku'tsivʊ, va] *adj* consecutivo.
conseguido, da [kõse'gidʊ, da] *adj* conseguido.
conseguinte [kõse'gĩtʃɪ] *adj 2 gén* consiguiente. ■ **por ~** por consiguiente.
conseguir [kõse'giʀ] *tr* **1** conseguir (obtener). **2** conseguir (tener éxito).
conselheiro, ra [kõse'ʎeyɾʊ, ɾa] *adj/m e f* consejero.

conselho [kõ'seʎʊ] *m* **1** consejo (recomendación). **2** consejo (reunión). ◆ **~ de guerra** consejo de guerra.
consenso [kõ'sẽsʊ] *m* consenso.
consentimento [kõsẽtʃi'mẽtʊ] *m* consentimiento.
consentir [kõsẽ'tsiʀ] *tr* consentir (permitir).
consequência [kõsẽ'kwẽsya] *f* consecuencia.
consequente [kõsẽ'kwẽtʃɪ] *adj 2 gén* **1** consecuente (resultante). **2** consecuente (lógico). ● *s 2 gén* **3** MAT, GRAM consecuente.
consertar [kõse'ɾtaʀ] *tr* **1** arreglar (reparar). **2** arreglar (ordenar).
conserto [kõ'sɛʀtʊ] *m* **1** reparación. **2** arreglo, orden.
conserva [kõ'sɛʀva] *f* conserva (comida). ■ **em ~** en conserva.
conservação [kõsɛʀva'sãw] *f* conservación (preservación).
conservador, ra [kõsɛʀva'doʀ, ɾa] *adj/m e f* **1** conservador (preservador). ● *m* **2** QUÍM conservante (de alimentos, bebidas).
conservadorismo [kõsɛʀvado'ɾiʒmʊ] *m* conservadurismo.
conservante [kõse'ɾvãtʃɪ] *m* QUÍM ⇒ conservador, ra.
conservar [kõse'ɾvaʀ] *tr e pron* **1** conservar (preservar). **2** conservar (perdurar).
consideração [kõsideɾa'sãw] *f* consideración. ■ **levar em ~** tener en cuenta.
considerado, da [kõside'ɾadʊ, da] *adj* considerado.
considerar [kõside'ɾaʀ] *tr* **1** considerar (tener en cuenta). **2** considerar (juzgar, estimar).
considerável [kõside'ɾavew] *adj 2 gén* considerable.
consignação [kõsigina'sãw] *f* consignación.
consignar [kõsigi'naʀ] *tr* **1** consignar (registrar). **2** dejar constancia. **3** confiar, entregar.
consigo [kõ'sigʊ] *pron* **1** consigo, con usted, contigo (en su compañía): *pode trazer consigo os seufilhos = puede traer con usted a sus hijos*. **2** consigo, dentro de sí (en el alma): *levava consigo a dor daqueles anos = llevaba consigo el dolor de aquellos años*.
consistência [kõsiʃ'tẽsya] *f* **1** consistencia (firmeza, coherencia). **2** consistencia (solidez).
consistir [kõsiʃ'tsiʀ] *tr* **1** consistir (basarse, fundamentarse). **2** consistir (estar formado).
consoante [kõso'ãtʃɪ] *adj 2 gén* **1** consonante (armonioso). ● *f* **2** consonante. ● *conj* **3** conforme: *tomei o remédio consoante as instruções = tomé la medicina conforme a las instrucciones*. ● *prep* **4** según, conforme: *reajo consoante a provocação = reacciono según la provocación*.
consolação [kõsola'sãw] *f* **1** consolación. **2** consuelo. ◆ **prêmio de ~** premio de consolación.
consolador, ra [kõsola'doʀ, ɾa] *adj/m e f* **1** consolador. ● *m* **2** (fig) chupete. **3** (fig) consolador (pene artificial).
consolar [kõso'laʀ] *tr e pron* **1** consolar. ● **~-se** *pron* **2** consolarse (resignarse).
consolidação [kõsolida'sãw] *f* **1** consolidación (estabilización). **2** solidificación. **3** ECON fusión (de empresas).
consolidar [kõsoli'daʀ] *tr e pron* **1** consolidar (estabilizar). ● *intr e pron* **2** fusionar (empresas). ● *tr* **3** ECON consolidar (deuda).
consolo [kõ'solʊ] *m* **1** consuelo. **2** consola (mueble).
consonância [kõso'nãsya] *f* **1** consonancia (concordancia). **2** MÚS consonancia.
consonântico, ca [kõso'nãtʃikʊ, ka] *adj* consonántico.
consorciar [kõsoʀsi'aʀ] *tr e pron* **1** asociar, unir. **2** casarse.
consórcio [kõ'sɔʀsyʊ] *m* **1** asociación. ● **2** consorcio (matrimonio). **3** cooperativa.
consorte [kõ'sɔʀtʃɪ] *s 2 gén* **1** consorte. **2** compañero.
conspiração [kõʃpiɾa'sãw] *f* conspiración.
conspirar [kõʃpi'ɾaʀ] *intr e tr* conspirar.
constância [kõʃ'tãsya] *f* **1** constancia (perseverancia). **2** constancia (frecuencia, asiduidad).
constante [kõʃ'tãtʃɪ] *adj 2 gén* **1** constante. ● *f* **2** MAT constante.
constar [kõʃ'taʀ] *intr* **1** constar (saber). ● *tr* **2** constar (estar formado por). **3** formar parte.

constatação [kõʃtata'sãw] *f* constatación.
constatar [kõʃta'taʀ] *tr* constatar.
constelação [kõʃtela'sãw] *f* **1** constelación (de estrellas). **2** (fig) constelación (grupo, serie).
consternação [kõʃteʀna'sãw] *f* consternación.
consternado, da [kõʃteʀ'nadʊ, da] *adj* consternado.
consternar [kõʃteʀ'naʀ] *tr e pron* consternar.
constipação [kõʃtʃipa'sãw] *f* **1** constipación, constipado. **2** constipación, estreñimiento.
constipar [kõʃtʃi'paʀ] *tr, intr e pron* **1** constipar. ● *tr e pron* **2** estreñir.
constitucional [kõʃtʃitusyo'naw] *adj 2 gén* constitucional.
constituição [kõʃtʃitui'sãw] *f* **1** constitución (leyes). **2** constitución (formación). **3** constitución (complexión).
constituído, da [kõʃtʃitu'idʊ, da] *adj* constituido.
constituinte [kõʃtʃitu'ĩtʃɪ] *adj/m e f* **1** constituyente. ● *adj 2 gén* **2** integrante.
constituir [kõʃtʃitu'iʀ] *tr e pron* **1** constituir (formar, establecer). ● *tr* **2** constituir (designar).
constranger [kõʃtɾã'ʒeʀ] *tr* **1** constreñir. **2** coaccionar. ● *tr e intr* **3** avergonzar.
constrangimento [kõʃtɾãʒi'mẽtʊ] *m* **1** vergüenza. **2** constreñimiento, coacción.
constringir [kõʃtɾĩ'ʒiʀ] *tr* **1** comprimir. ● *tr e pron* **2** constreñir (reducir, oprimir).
construção [kõʃtɾu'sãw] *f* **1** construcción (edificación). **2** construcción (creación). **3** GRAM construcción.
construir [kõʃtɾu'iʀ] *tr* **1** construir (edificar). **2** construir (crear, elaborar).
construtivo, va [kõʃtɾu'tsivʊ, va] *adj* **1** constructivo, de construcción (edificatorio): *materiais construtivos = materiales de construcción.* **2** constructivo (edificativo): *crítica construtiva = crítica constructiva.*
construtor, ra [kõʃtɾu'toʀ, ɾa] *adj* constructor.
consubstancial [kõsubiʃtãsi'aw] *adj 2 gén* consubstancial.
consubstanciar [kõsubiʃtãsi'aʀ] *tr e pron* fusionar, unir.
cônsul ['kõsuw] *m* cónsul.
consulado [kõsu'ladʊ] *m* consulado (cargo, oficina).
consular [kõsu'laʀ] *adj 2 gén* consular.
consulta [kõ'suwta] *f* **1** consulta (opinión, consejo). **2** consulta, cita, hora: *tenho uma consulta marcada com o médico = tengo cita con el médico.*
consultar [kõsuw'taʀ] *tr, intr e pron* **1** consultar (preguntar). ● *tr* **2** (fig) consultar (examinar).
consultor, ra [kõsuw'toʀ, ɾa] *adj/m* **1** consultor (consejero). **2** consultante.
consultório, a [kõsuw'tɔɾyʊ, a] *adj* **1** consultivo. ● *m* **2** consultorio.
consumação [kõsuma'sãw] *f* **1** consumación. **2** consumición (en un bar, café).
consumado, da [kõsu'madʊ, da] *adj* **1** consumado (terminado). **2** consumado (competente).
consumar [kõsu'maʀ] *tr e pron* **1** consumar: *consumar um crime = consumar un crimen.* ● **~-se** *pron* **2** perfeccionarse, consagrarse.
consumição [kõsumi'sãw] *f* **1** consumición (consunción). **2** (coloq) aburrimiento.
consumir [kõsu'miʀ] *tr e pron* **1** consumir (destruirse). **2** (fig) consumirse (de rabia, celos). ● *tr* **3** consumir (gastar, usar).
consumismo [kõsu'miʒmʊ] *m* consumismo.
consumista [kõsu'miʃta] *adj/m e f* consumista.
consumo [kõ'sumʊ] *m* consumo.
conta [kõ'ta] *s f* **1** cuenta (cálculo). **2** cuenta (de collar). ◆ **~ bancária** cuenta bancaria. ■ **afinal de contas** a fin de cuentas; **dar-se ~ de** darse cuenta de; **demais da ~** más de la cuenta; **levar em ~** tener en cuenta; **prestar ou saldar contas** rendir cuentas.
contábil [kõ'tabiw] *adj 2 gén* contable.
contabilidade [kõtabili'dadʒɪ] *f* contabilidad.
contabilista [kõtabi'liʃta] *s 2 gén* contable.
contabilizar [kõtabili'ʒaʀ] *tr* **1** contabilizar (registrar). **2** (coloq) contabilizar (calcular).
contado, da [kõ'tadʊ, da] *adj* **1** contado (calculado). **2** contado (narrado).
contador, ra [kõta'doʀ, ɾa] *adj/m e f* **1** contador (narrador). **2** contable. ● *adj/m* **3** contador (medidor).

contagem [kõ'taʒẽy] *f* cuenta, conteo.
contagiar [kõtaʒi'aR] *tr e pron* **1** contagiar (enfermedad). • *tr* **2** (fig) contagiar (transmitir, influir).
contágio [kõ'taʒyʊ] *m* contagio.
contagioso, sa [kõtaʒi'ozʊ, za] *adj* contagioso.
conta-gotas [kõta'gotayʃ] *m* gotero; cuentagotas (Amér).
contaminação [kõtamina'sãw] *f* **1** ECOL contaminación. **2** (fig) contaminación (influencia).
contaminado, da [kõtami'nadʊ, da] *adj* contaminado.
contaminar [kõtami'naR] *tr e pron* **1** ECOL contaminar. **2** (fig) contaminar (influir).
contanto [kõ'tãtʊ] ~ **que** *loc conj* siempre que, con tal que: *amanhã comerei em sua casa, contanto que você coma hoje na minha = mañana comeré en tu casa, siempre que comas hoy en la mía.*
contar [kõ'taR] *tr e intr* **1** contar (calcular). • *tr* **2** contar (relatar). **3** contar (considerar, incluir). **4** esperar (prever). • **~-se** *pron* **5** pasar (transcurrir).
contatar [kõta'taR] *tr e intr* **1** contactar (conectar). • *tr* **2** contactar (comunicar).
contato [kõ'tatʊ] *m* **1** contacto (proximidad). **2** contacto (relación, conexión). **3** contacto (enlace). **4** FOT contacto.
contável [kõ'tavew] *adj 2 gén* contable (computable).
contemplação [kõtẽpla'sãw] *f* **1** contemplación (observación). **2** contemplación (atención, consideración).
contemplar [kõtẽ'plaR] *tr e pron* **1** contemplar (mirar). • *tr* **2** contemplar (considerar). **3** premiar.
contemplativo, va [kõtẽpla'tsivʊ, va] *adj* contemplativo (meditativo).
contemporâneo, a [kõtẽpo'rãnyʊ, a] *adj/m e f* contemporáneo.
contenção [kõtẽ'sãw] *f* **1** contención (retención). **2** contienda (lucha, disputa).
contencioso, sa [kõtẽsi'ozʊ, za] *adj/m e f* **1** contencioso (litigioso). • *m* **2** DIR contencioso.
contenda [kõ'tẽda] *f* contienda (lucha, disputa).
contender [kõtẽ'deR] *tr* **1** contender (pelear, discutir, litigar). **2** competir (rivalizar).
contentamento [kõtẽta'mẽtʊ] *m* contentamiento.
contentar [kõtẽ'taR] *tr e pron* **1** contentar (alegrar). • *tr* **2** calmar (apaciguar).
contente [kõ'tẽtʃɪ] *adj 2 gén* contento.
contentor, ra [kõtẽ'toR, ra] *adj/m* **1** continente (contenedor). • *m* **2** ⇒ contêiner.
conter [kõ'teR] *tr* **1** contener (encerrar). • *tr e pron* **2** contener (reprimir). **3** incluir.
conterrâneo, a [kõte'rãnyʊ, a] *adj/m* conterráneo, coterráneo.
contestação [kõteʃta'sãw] *f* **1** contestación. **2** DIR contestación.
contestar [kõteʃ'taR] *tr* **1** contestar (replicar, impugnar). • *tr e pron* **2** contestar (responder). • *intr* **3** contestar (protestar).
contestatário, a [kõteʃta'taryʊ, a] *adj/m e f* contestatario.
conteúdo [kõte'udʊ] *m* contenido (capacidad, asunto).
contexto [kõ'teʃtʊ] *m* contexto (lingüístico, histórico, cultural).
contigo [kõ'tsigʊ] *pron* contigo.

> Según la zona, en Brasil se utiliza para la segunda persona del singular el pronombre ***tu*** o el pronombre ***você***. Por lo tanto, la utilización del pronombre ***contigo*** o ***com você*** también depende de la zona geográfica.

contíguo, a [kõ'tsigwʊ, a] *adj* contiguo.
continência [kõtʃi'nẽsya] *f* **1** continencia (moderación). **2** continencia (castidad).
continente [kõtʃi'nẽtʃɪ] *adj/m* **1** continente (contenedor). • *adj 2 gén* **2** continente (moderado, casto). • *m* **3** GEOG continente.
contingência [kõtʃi'ʒẽsya] *f* contingencia.
contingente [kõtʃi'ʒẽtʃɪ] *adj 2 gén* **1** contingente (incierto). • *m* **2** contingente (parte, grupo). **3** MIL contingente.
continuação [kõtʃinua'sãw] *f* continuación.
continuado, da [kõtʃinu'adʊ, da] *adj* continuado, continuo: *o barulho continuado não a deixava dormir = el ruido continuo no la dejaba dormir.*

C

continuar [kõtʃinu'aʀ] *tr e intr* **1** continuar (proseguir). • *intr* **2** continuar (perdurar). • *tr* **3** perseverar.
continuidade [kõtʃinui'dadʒɪ] *f* **1** continuidad (unión). **2** continuidad (persistencia).
contínuo, a [kõ'tsinwʊ, a] *adj* **1** continuo. • *m* **2** chico de los recados, ordenanza.
contista [kõ'tsiʃta] *adj/m e f* **1** cuentista (narrador). **2** (fig) cuentista (embustero).
conto ['kõtʊ] *m* **1** cuento (relato). **2** cuento (embuste). **3** cuento (cómputo). ◆ **~ de fadas** cuento de hadas.
conto-do-vigário [kõtʊdʊvi'garyʊ] *m* timo de la estampita.
contorção [kõto'rsãw] *f* contorsión.
contorcer [kõto'rseʀ] *tr e pron* retorcer, torcer.
contorcionista [kõtoʀsio'niʃta] *adj/m e f* contorsionista.
contornar [kõtoʀ'naʀ] *tr* **1** contornar (rodear). **2** contornear (perfilar). **3** (fig) esquivar: *contornou o problema = esquivó el problema.*
contorno [kõ'toʀnʊ] *m* **1** contorno (perfil, perímetro). **2** desvío (de camino).
contra ['kõtra] *prep* **1** contra (en oposición): *lutar contra o crime organizado = luchar contra el crimen organizado.* **2** contra (hacia, en dirección a): *remar contra a maré = remar contra la corriente.* **3** contra (en contacto con). • *m* **4** contra (inconveniente, obstáculo). • *adv* **5** contrariamente, en contra: *votar contra = votar en contra.*
contra-atacar [kõtrata'kaʀ] *tr e intr* **1** contraatacar. **2** rebatir, refutar.
contra-ataque [kõtra'takɪ] *m* contraataque.
contrabaixo [kõtra'bayʃʊ] *m* **1** MÚS contrabajo (instrumento, voz). • *s 2 gén* **2** MÚS contrabajo.
contrabalançar [kõtrabalã'saʀ] *tr* **1** contrabalancear (equilibrar). **2** (fig) contrabalancear (compensar).
contrabandista [kõtrabã'dʒiʃta] *adj/m e f* contrabandista.
contrabando [kõtra'bãdʊ] *m* contrabando (comercio, mercancía).
contração [kõtra'sãw] *f* **1** contracción. **2** GRAM contracción.
contracapa [kõtra'kapa] *f* contraportada.
contracenar [kõtrase'naʀ] *tr* **1** actuar (con otro actor). • *tr e intr* **2** representar (papel secundario).
contracepção [kõtrasepi'sãw] *f* anticoncepción, contracepción.
contraceptivo [kõtrasepi'tsivʊ] *adj/m* anticonceptivo, contraceptivo.
contracorrente [kõtrako'rẽtʃɪ] *f* contracorriente. ■ **à ~** a contracorriente.
contradição [kõtra'dʒi'sãw] *f* **1** contradicción (oposición). **2** FIL contradicción. ■ **sem ~** incontestable.
contraditar [kõtra'dʒi'taʀ] *tr* **1** contestar (responder). **2** contradecir.
contraditório, a [kõtra'dʒi'tɔryʊ, a] *adj* contradictorio.
contradizer [kõtra'dʒi'ʒeʀ] *tr e pron* **1** contradecir. **2** discrepar. • *tr* **3** refutar, impugnar.
contraente [kõtra'ẽtʃɪ] *adj/m e f* **1** contrayente (en matrimonio). **2** contratante (en un contrato).
contra-espionagem [kõtraeʃpio'naʒẽy] *f* contraespionaje.
contrafação [kõtrafa'sãw] *f* **1** contrahechura, contrahacimiento. **2** simulación, fingimiento.
contrafeito, ta [kõtra'feytʊ, ta] *adj* **1** contrahecho (falsificado). **2** forzado, constreñido (coaccionado).
contrafilé [kõtrafi'lɛ] *m* contrafilete.
contraforte [kõtra'fɔʀtʃɪ] *m* **1** CONSTR contrafuerte (de un muro). **2** contrafuerte (de cuero).
contragolpe [kõtra'gɔwpɪ] *m* **1** contragolpe (golpe). **2** contragolpe (de estado).
contraído, da [kõtra'idʊ, da] *adj* **1** contraído. **2** GRAM contracto.
contrair [kõtra'iʀ] *tr e pron* **1** contraer. • *tr* **2** contraer (compromiso, matrimonio, enfermedad).
contralto [kõ'trawtʊ] *m* MÚS contralto (voz, instrumento).
contramaré [kõtrama'rɛ] *f* contramarea, contracorriente.
contra-ofensiva [kõtraofẽ'siva] *f* contraofensiva.
contraponto [kõtra'põtʊ] *m* MÚS contrapunto.
contrapor [kõtra'poʀ] *tr e pron* contraponer.

contraposto, ta [kõtra'poʃtu, ta] *adj* contrapuesto, contrario.
contraproducente [kõtraprodu'sẽtʃɪ] *adj 2 gén* contraproducente.
contraproposta [kõtrapro'pɔʃta] *f* contrapropuesta, contraproposición.
contra-revolução [kõtraʀevolu'sãw] *f* contrarrevolución.
contrariado, da [kõtrari'adu, da] *adj* **1** contrariado. **2** disgustado (descontento).
contrariar [kõtrari'aʀ] *tr* **1** contrariar, oponer. **2** dificultar, impedir. **3** no cumplir, incumplir.
contrariedade [kõtrarie'dadʒɪ] *f* **1** contrariedad. **2** quebrantamiento (de una ley). **3** enfado.
contrário, a [kõ'traryu, a] *adj* **1** contrario (opuesto). **2** revés. • *m* **3** contrario.
contra-senha [kõtra'sẽŋa] *f* contraseña.
contra-senso [kõtra'sẽsu] *m* contrasentido, disparate.
contrastar [kõtraʃ'taʀ] *tr* **1** contrastar (cotejar). **2** contrastar (divergir). **3** contradecir.
contrastável [kõtraʃ'tavew] *adj 2 gén* contrastable.
contraste [kõ'traʃtʃɪ] *m* **1** contraste. **2** MED contraste (de radiología).
contratar [kõtra'taʀ] *tr e pron* **1** contratar. • *tr* **2** tratar: *contratava em ouro = trataba en oro.*
contratempo [kõtra'tẽpu] *m* contratiempo. ■ **a ~** a deshora.
contrato [kõ'tratu] *m* **1** contrato. • *adj* **2** GRAM contracto, contraído. ♦ **~ bilateral** contrato bilateral; **~ de trabalho** contrato laboral.
contratual [kõtratu'aw] *adj 2 gén* contractual.
contravir [kõtra'viʀ] *tr e intr* **1** contravenir, transgredir. **2** redargüir, replicar.
contribuição [kõtribui'sãw] *f* contribución.
contribuinte [kõtribu'ĩtʃɪ] *adj/m e f* contribuyente.
contribuir [kõtribu'iʀ] *tr e intr* contribuir.
contributivo, va [kõtribu'tsivu, va] *adj* contributivo.
contrição [kõtri'sãw] *f* contrición (arrepentimiento).
contrito, ta [kõ'tritu, ta] *adj* contrito, arrepentido.
controlado, da [kõtro'ladu, da] *adj* controlado.
controlar [kõtro'laʀ] *tr* **1** controlar, fiscalizar. **2** controlar, dominar. • *tr e pron* **3** controlar, contener.
controlável [kõtro'lavew] *adj 2 gén* controlable.
controle [kõ'trolɪ] *m* **1** control. **2** TEC botón, interruptor. ♦ **~ de natalidade** control de natalidad; **~ de qualidade** control de calidad; **~ remoto** control remoto; mando a distancia.
controvérsia [kõtro'vɛʀsya] *f* **1** controversia. **2** polémica.
controverso, sa [kõtro'vɛʀsu, sa] *adj* **1** controvertido. **2** polémico.
controverter [kõtrove'rteʀ] *tr* controvertir.
controvertido, da [kõtrove'rtsidu, da] *adj* controvertido.
contudo [kõ'tudu] *conj* con todo, sin embargo.
contundente [kõtũ'dẽtʃɪ] *adj 2 gén* **1** contundente. **2** (fig) contundente (decisivo).
contundir [kõtũ'dʒiʀ] *tr e pron* **1** contundir. • *tr* **2** (fig) herir (sentimientos).
conturbação [kõtuʀba'sãw] *f* **1** conturbación. **2** (fig) motín.
conturbar [kõtuʀ'baʀ] *tr e pron* **1** conturbar. **2** (fig) amotinar.
contusão [kõtu'ʒãw] *f* **1** contusión, lesión. **2** (fig) conmoción.
contuso, sa [kõ'tuzu, za] *adj* contuso, contundido.
convalescença [kõvale'sẽsa] *f* convalecencia.
convalescente [kõvale'sẽtʃɪ] *adj/m e f* convaleciente (de una enfermedad).
convalidação [kõvalida'sãw] *f* convalidación.
convalidar [kõvali'daʀ] *tr* convalidar.
convenção [kõvẽ'sãw] *f* **1** convención (asamblea). **2** convención (pacto).
convencer [kõvẽ'seʀ] *tr, intr e pron* convencer (persuadir).
convencido, da [kõvẽ'sidu, da] *adj* convencido.
convencimento [kõvẽsi'mẽtu] *m* **1** convencimiento. **2** convicción.
convencionar [kõvẽsio'naʀ] *tr, intr e pron* pactar, acordar.

C

conveniência [kõveni'ẽsya] *f* **1** conveniencia (utilidad, provecho). **2** conveniencia (comodidad).
conveniente [kõveni'ẽtʃɪ] *adj 2 gén* **1** conveniente (útil, provechoso). **2** conveniente (apropiado, oportuno).
convênio [kõ'vẽnyʊ] *m* convenio.
convento [kõ'vẽtʊ] *m* convento.
conventual [kõvẽtu'aw] *adj 2 gén* conventual.
convergência [kõve'ɾʒẽsya] *f* **1** GEOM convergencia. **2** (fig) convergencia (de opiniones, intereses).
convergente [kõve'ɾʒẽtʃɪ] *adj 2 gén* **1** GEOM convergente. **2** (fig) convergente (opiniones, ideas, intereses).
convergir [kõve'ɾʒiʀ] *tr* **1** GEOM convergir. **2** (fig) convergir (ideas, opiniones).
conversa [kõ'vɛʀsa] *f* **1** conversación, charla. **2** tema (de conversación).
conversação [kõveʀsa'sãw] *f* conversación.
conversão [kõve'ɾsãw] *f* **1** conversión (transformación). **2** conversión (religiosa). ◆ ~ **da pena** DIR conmutación de pena.
conversar [kõve'ɾsaʀ] *intr e tr* **1** conversar, charlar. ● *tr* **2** hablar (en una conferencia).
converter [kõve'ɾteʀ] *tr e pron* **1** convertir (transformar). ● *tr* **2** cambiar (monedas). ● *intr* **3** encestar (en baloncesto).
convés [kõ'vɛyʃ] *m* MAR cubierta.
convexo, xa [kõ'vɛkisʊ, kisa] *adj* convexo.
convicção [kõviki'sãw] *f* convicción (religiosa, política, moral).
convicto, ta [kõ'vikitʊ, ta] *adj* **1** convencido. **2** convicto.
convidado, da [kõvi'dadʊ, da] *adj* invitado, convidado.
convidar [kõvi'daʀ] *tr e pron* **1** invitar, convidar. ● *tr e intr* **2** atraer.
convincente [kõvĩ'sẽtʃɪ] *adj 2 gén* **1** convincente (persuasivo). **2** creíble.
convir [kõ'viʀ] *tr* **1** convenir (concordar). ● *tr e intr* **2** convenir (ser adecuado, servir).
convite [kõ'vitʃɪ] *m* **1** convite. **2** invitación (tarjeta, entrada).
conviva [kõ'viva] *s 2 gén* ⇒ convidado, da.
convivência [kõvi'vẽsya] *f* convivencia.
conviver [kõvi'veʀ] *intr* convivir (cohabitar).
convívio [kõ'vivyʊ] *m* **1** convivio. **2** convivencia.
convocação [kõvoka'sãw] *f* convocación, convocatoria (citación, reunión).
convocar [kõvo'kaʀ] *tr* convocar (citar).
convocatória [kõvoka'tɔrya] *f* convocatoria (anuncia).
convosco [kõ'voʃkʊ] *pron* con vosotros.
convulsão [kõvuw'sãw] *f* **1** MED convulsión. **2** (fig) convulsión (agitación).
convulsionar [kõvuwsio'naʀ] *intr e pron* **1** MED convulsionar. ● *tr, intr e pron* **2** (fig) convulsionar (agitar). ● *tr* **3** perturbar.
convulsivo, va [kõvuw'sivʊ, va] *adj* **1** convulsivo. **2** (fig) convulso (excitado).
cooperação [koopeɾa'sãw] *f* cooperación.
cooperador, ra [koopeɾa'doʀ, ɾa] *adj/m e f* cooperador.
cooperar [koope'ɾaʀ] *tr e intr* cooperar.
cooperativismo [koopeɾatʃi'viʒmʊ] *m* ECON cooperativismo.
cooperativa [koopeɾa'tsiva] *f* cooperativa (sociedad).
cooperativo, va [koopeɾa'tsivʊ, va] *adj* cooperativo.
coordenação [kooʀdena'sãw] *f* **1** coordinación (organización, gestión). **2** GRAM coordinación.
coordenada [kooʀde'nada] *f* **1** coordenada (orientación). **2** GRAM oración coordinada. **3** GEOM coordenada.
coordenado, da [kooʀde'nadʊ, da] *adj* **1** coordinado (organizado). **2** GRAM coordinado.
coordenador, ra [kooʀdena'doʀ, ɾa] *adj/m e f* coordinador.
coordenar [kooʀde'naʀ] *tr e pron* **1** coordinar (organizar, gestionar). ● *tr* **2** GRAM coordinar (unir, ligar).
copa ['kɔpa] *f* **1** copa (para beber). **2** copa (de un árbol, de sombrero). **3** ESPORT copa (campeonato). ■ **de ~ e cozinha** muy íntimo.
copa-cozinha [kɔpako'ʒĩŋa] *f* antecocina.
co-participação [kopaʀtʃisipa'sãw] *f* coparticipación.

copeiro, ra [ko'peyrʊ, ɾa] *m e f* **1** despensero (repostero). **2** sirviente (camarero). • *m* **3** copero (mueble).
cópia ['kɔpya] *f* **1** copia (reproducción). **2** copia (abundancia).
copiador, ra [kopia'doʀ, ɾa] *adj* **1** copiador. • *adj/m e f* **2** copista (reproductor).
copiar [kopi'aʀ] *tr* **1** copiar (reproducir). • *tr e pron* **2** copiar (imitar).
co-piloto [kopi'lotʊ] *m* copiloto.
copioso, sa [kopi'ozʊ, za] *adj* copioso; tupido (Chile).
copo ['kɔpʊ] *m* **1** vaso. **2** copa. ■ **ser um bom ~** (fig, fam) ser una esponja.
co-propriedade [koproprie'dadʒɪ] *f* copropiedad.
co-proprietário, a [koproprie'taryʊ, a] *m e f* copropietario.
cópula ['kɔpula] *f* **1** cópula (unión). **2** cópula (coito). **3** GRAM cópula.
copular [kopu'laʀ] *tr* **1** copular (unir). **2** copular (fornicar).
coqueiro [ko'keyrʊ] *m* cocotero.
coqueluche [koke'luʃɪ] *f* **1** MED tosferina. **2** (fig) moda, fiebre: *esse grupo de rock é a nova coqueluche nacional = ese grupo de rock es la última moda nacional.*
cor ['koʀ] *f* **1** color. **2** pigmento. ■ **de ~** de memoria.
coração [koɾa'sãw] *m* **1** corazón. **2** (fig) corazón (centro, núcleo). **3** (fig) corazón (sentimiento, amor). ■ **abrir o ~** (fig) abrir el corazón; **de todo ~** de todo corazón.
corado, da [ko'ɾadʊ, da] *adj* **1** colorido. **2** sonrosado; colorado.
coragem [ko'ɾaʒẽy] *m* **1** coraje (valor). **2** perseverancia.
corajoso, sa [koɾa'ʒozʊ, za] *adj* valiente, valeroso.
coral [ko'ɾaw] *adj/m* **1** coral (conjunto de cantantes). • *adj 2 gén* **2** ⇒ coralino, na. • *m* **3** coral (marino).
coralino, na [koɾa'linʊ, na] *adj* coralino (color, forma, textura).
corante [ko'ɾãtʃɪ] *adj/m* colorante (pigmento).
corar [ko'ɾaʀ] *tr* **1** colorear; colorar. **2** dorar (tostar). • *intr* **3** sonrojarse, ruborizarse.
corcel [ko'ɾsɛw] *m* corcel.
corda ['kɔʀda] *f* **1** cuerda (de hilo). **2** cuerda (de reloj). **3** cadena (de personas). **4** ANAT cuerda (vocal). **5** GEOM cuerda. ■ **com a ~ no pescoço** con la soga al cuello; **dar ~ a** dar cuerda a.
cordame [koʀ'dãmɪ] *m* cordaje (conjunto de cuerdas).
cordão [koʀ'dãw] *m* **1** cordón. **2** collar. ◆ **~ umbilical** cordón umbilical.
cordeiro [koʀ'deyrʊ] *m* **1** cordero. **2** (fig) cordero (manso).
cordel [koʀ'dɛw] *m* cordel (cuerda). ◆ **literatura de ~** literatura de cordel.
cor-de-rosa [koʀdʒɪ'ʀɔza] *adj/m e f* **1** rosa; rosado. • *adj inv* **2** (fig) de color de rosa.
cordial [ko'ɾdʒi'aw] *adj 2 gén* cordial (amable, educado).
cordialidade [koʀdʒiali'dadʒɪ] *f* cordialidad (afectividad).
cordura [koʀ'duɾa] *f* cordura.
coreano, na [koɾe'ãnʊ, na] *adj/m e f* **1** coreano. • *m* **2** coreano (lengua).
Coréia, República da [ko'ɾɛya, ʀe'publika da] *f* República de Corea.
Coréia, República Democrática Popular da [ko'ɾɛya, ʀe'publika demo'kɾatʃika popu'laʀ da] *f* República Democrática Popular de Corea.
coreografia [koɾeogɾa'fia] *f* coreografía.
coreógrafo, fa [koɾe'ɔgɾafʊ, fa] *m e f* coreógrafo.
coreto [ko'ɾetʊ] *m* quiosco (templete). ■ **bagunçar o ~** (fam) chafar los planes.
corista [ko'ɾiʃta] *s 2 gén* **1** corista. • *adj 2 gén* **2** corista (religioso).
cornada [koʀ'nada] *f* cornada (golpe).
cornear [koʀne'aʀ] *tr* acornear.
corneta [koʀ'neta] *f* MÚS corneta.
corneteiro [koʀne'teyrʊ] *m* corneta (oficial).
corno, na ['koʀnʊ, na] *adj* **1** (coloq, fig) cornudo (engañado). • *m* **2** cuerno (asta). **3** MÚS cuerno.
cornucópia [koʀnu'kɔpya] *f* cornucopia (vaso).
coro ['koɾʊ] *m* **1** coro (conjunto de voces). **2** coro (de una iglesia). **3** coro (medida hebrea).
coroa [ko'ɾoa] *f* **1** corona (ornamento). **2** corona (monarquía). **3** corona (moneda).

C

coroação [koroa'sãw] *f* **1** coronación. **2** coronamiento (fin).
coroar [koro'aR] *tr* **1** coronar (rey). **2** coronar (finalizar). **3** premiar.
corola [ko'rɔla] *f* BOT corola.
corolário [koro'laryʊ] *m* corolario (proposición).
coronário, a [koro'naryʊ, a] *adj* **1** coronario. **2** ANAT coronario (del corazón).
coronel [koro'nɛw] *m* **1** MIL coronel. **2** cacique (latifundista).
coronha [ko'rõɲa] *f* **1** culata (de una arma). **2** (fam) facha (aspecto).
corpete [koR'petʃɪ] *m* corpiño.
corpo ['koRpʊ] *m* **1** cuerpo (de un organismo). **2** cuerpo (cadáver). **3** cuerpo (materia). **4** cuerpo (agrupación de personas). ♦ **~ celeste** cuerpo celeste; **~ de bombeiros** cuerpo de bomberos; **~ de delito** DIR cuerpo del delito. ■ **de ou em ~ e alma** en cuerpo y alma; **tomar ~** tomar cuerpo.
corpo-a-corpo [koRpwa'koRpʊ] *m* cuerpo a cuerpo (enfrentamiento).
corporação [koRpora'sãw] *f* corporación (comunidad, asociación, empresa).
corporal [koRpo'raw] *adj 2 gén* **1** corporal. • *m* **2** corporal (lienzo).
corporativo, va [koRpora'tsivʊ, va] *adj* corporativo.
corpóreo, a [koR'pɔryʊ, a] *adj* corpóreo.
corpulento, ta [koRpu'lẽtʊ, ta] *adj* **1** corpulento. **2** obeso.
correção [koRe'sãw] *f* **1** corrección (rectificación, enmienda). **2** corrección (mejora). **3** corrección (reprensión, castigo). **4** corrección (honestidad).
corredeira [koRe'deyra] *f* **1** corredera (de lomolinos). **2** cascada (catarata).
corrediço, ça [koRe'dʒisʊ, sa] *adj* corredizo.
corredor, ra [koRe'doR, ra] *adj/m e f* **1** corredor. • *m* **2** corredor, pasillo.
correia [ko'reya] *f* correa.
correição [koRey'sãw] *f* ⇒ correção.
correio [ko'reyʊ] *m* **1** correo (mensajero, cartero). **2** correo (institución, edificio, buzón). **3** correo (correspondencia).
correlação [koRela'sãw] *f* correlación.
correlativo, va [koRela'tsivʊ, va] *adj/m e f* correlativo.
correligionário, a [koRelіʒyo'naryʊ, a] *adj/m e f* correligionario.
corrente [ko'rẽtʃɪ] *f* **1** corriente (de agua, aire). **2** cadena (de eslabones). **3** corriente (tendencia). • *adj 2 gén* **4** corriente (actual, común, usual).
correnteza [koRẽ'teza] *f* **1** corriente (de agua). **2** curso (evolución). **3** fluidez (oral, escrita).
correr [ko'reR] *intr* **1** correr (ir de prisa, deslizar). **2** correr (fluir). **3** (fig) correr (transcurrir). • *tr* **4** recorrer (visitar).
correria [koRe'ria] *f* **1** corrida (carrera). **2** ajetreo, prisa.
correspondência [koReʃpõ'dẽsya] *f* **1** correspondencia (relación). **2** correspondencia (correo, carteo).
correspondente [koReʃpõ'dẽtʃɪ] *adj 2 gén* **1** correspondiente (adecuado). • *adj/m e f* **2** corresponsal (periodista).
corresponder [koReʃpõ'deR] *tr e pron* **1** corresponder (tener relación). **2** corresponder (retribuir). • **~-se** *pron* **3** corresponderse (cartearse).
corretagem [koRe'taʒẽy] *f* corretaje (oficio, comisión).
corretivo, va [koRe'tsivʊ, va] *adj* **1** correctivo (corrector). • *m* **2** correctivo (castigo).
corretor, ra [koRe'toR, ra] *adj/m* **1** corrector (correctivo). • *adj/m e f* **2** corrector (de estilo, pruebas).
corrida [ko'rida] *f* **1** corrida (carrera). **2** carrera (de un taxi).
corrigir [koRi'ʒiR] *tr e pron* **1** corregir (enmendar). • *tr* **2** corregir (reprender, castigar). **3** arreglar.
corrimão [koRi'mãw] *m* pasamano.
corroboração [koRobora'sãw] *f* corroboración.
corroborar [koRobo'raR] *tr e pron* **1** corroborar (fortalecer, reanimar). • *tr* **2** corroborar (confirmar, ratificar).
corroer [koRo'eR] *tr e pron* corroer (gastar, carcomer, destruir).
corromper [koRõ'peR] *tr e pron* **1** corromper (deteriorar). **2** corromper (pervertir). • *tr* **3** corromper (alterar).
corrompido, da [koRõ'pidʊ, da] *adj* ⇒ corrupto, ta.
corrosão [koRo'ʒãw] *f* **1** QUÍM corrosión. **2** GEOL corrosión.

corrosivo, va [koʀoˈʒivʊ, va] *adj* corrosivo.
corrupção [koʀupiˈsãw] *f* corrupción.
corruptível [koʀupiˈtsivew] *adj 2 gén* corruptible.
corrupto, ta [koˈɾupitʊ, ta] *adj* **1** corrupto (deteriorado, alterado). • *adj/m e f* **2** corrupto (depravado, pervertido).
corruptor, ra ou **corrutor, ra** [koʀupiˈtoʀ, ɾa o koʀuˈtoʀ, ɾa] *m e f* corruptor.
corsário [koˈɾsaɾyʊ] *adj/m* **1** corsario (capitán pirata). **2** corsario (navío).
corso, sa [koʀsʊ, sa] *adj/m e f* **1** corso. • *m* **2** MAR corso (piratería). **3** banco (de sardinas).
cortante [koˈɾtãtʃɪ] *adj 2 gén* **1** cortante. **2** punzante (dolor). **3** cortante (viento).
cortar [koˈɾtaʀ] *tr, intr e pron* **1** cortar (dividir, separar). • *tr* **2** suprimir. **3** MED operar.
corte [ˈkɔʀtʃɪ] *m* **1** corte (tajo). **2** corte (filo). **3** recorte (disminución). **4**
cortejador, ra [koʀteʒaˈdoʀ, ɾa] *adj/m e f* cortejador.
cortejar [koʀteˈʒaʀ] *tr* **1** cortejar. **2** adular.
cortejo [koˈɾteʒʊ] *m* **1** cortejo (séquito). **2** reverencia (saludo).
cortês [koˈɾteyʃ] *adj 2 gén* **1** cortesano. **2** cortés (educado).
cortesã [koʀteˈʒã] *f* dama cortesana.
cortesão, sã [koʀteˈʒãw, ˈʒã] *adj* **1** cortesano (palaciego). • *adj/m e f* **2** (pej) adulador. • *m e f* **3** cortesano (sirviente).
cortesia [koʀteˈʒia] *f* cortesía (atención).
cortiça [koˈɾtsisa] *f* **1** corcho. **2** flotador.
cortina [koˈɾtsina] *f* **1** cortina. **2** telón (de teatro). ◆ **~ de ferro** telón de acero; **~ de fumaça** cortina de humo.
cortinado, da [koʀtʃiˈnadʊ, da] *adj* **1** cortinado. • *m* **2** cortinón.
coruja [koˈɾuʒa] *f* **1** curuja, lechuza. **2** (fam) bruja (mujer fea). • *adj 2 gén* **3** orgulloso (de alguien).
corveta [koˈɾveta] *f* MAR corbeta.
corvina [koˈɾvina] *f* corvina.
corvo [ˈkoʀvʊ] *m* **1** cuervo. **2** ARQ modillón.
coscuvilhar [koʃkuviˈʎaʀ] *intr* chismear; cuentear (Amér. Centr).
coscuvilheiro, ra [koʃkuviˈʎeyɾʊ, ɾa] *adj/m e f* chismoso.
co-seno [koˈsenʊ] *m* MAT coseno.
coser [koˈʒeʀ] *tr e intr* **1** coser. • *tr* **2** (fig) coser (a navajazos, tiros). • **~-se** *pron* **3** juntarse.
cosmético, ca [koʒˈmɛtʃikʊ, ka] *adj/m* **1** cosmético. • *adj* **2** estético (cirugía).
cósmico, ca [ˈkɔʃmikʊ, ka] *adj* cósmico.
cosmo [ˈkɔʒmʊ] *m* cosmos.
cosmopolita [koʃmopoˈlita] *adj 2 gén* cosmopolita.
costa [ˈkɔʃta] *f* **1** costa. **2** pendiente. **3** BOT costilla.
costado, da [koʃˈtadʊ, da] *m* **1** costado, lado. **2** pendiente. **3** (coloq) espalda.
Costa do Marfim [kɔʃtadʊmaʀˈfĩ] *f* Costa de Marfil.
Costa Rica [kɔʃtaˈɾika] *f* Costa Rica.
costarriquenho, nha [kɔʃtaʀiˈkẽɲʊ, ɲa] *adj/m e f* costarricense.
costela [koʃˈtɛla] *f* **1** ANAT costilla. **2** BOT costilla.
costeleta [koʃteˈleta] *f* **1** costilleta. **2** patilla (de la barba).
costumar [koʃtuˈmaʀ] *tr e pron* **1** acostumbrar (adquirir costumbre): *costumou-se ao trabalho árduo = se acostumbró a trabajar duramente*. • *intr* **2** acostumbrar, soler: *costuma fazer calor nesta época do ano = suele hacer calor en esta época del año*.
costume [koʃˈtumɪ] *m* **1** costumbre. **2** moda. **3** peculiaridad.
costura [koʃˈtuɾa] *f* **1** costura (labor, oficio). **2** costura (puntadas). **3** MED sutura.
costurar [koʃtuˈɾaʀ] *tr e intr* **1** coser. **2** confabularse, conchabarse.
costureiro, ra [koʃtuˈɾeyɾʊ, ɾa] *adj/m* costurero (modisto).
cota [ˈkɔta] *f* **1** cuota (parte). **2** cuota (pago en metálico).
cotação [kotaˈsãw] *f* cotización (precio, valor).
cotar [koˈtaʀ] *tr* **1** cotizar, fijar (el precio). **2** demarcar (un terreno).
cotejo [koˈteʒʊ] *m* cotejo.
cotidiano, na [kotʃiˈdʒiˈãnʊ, na] *adj* **1** cotidiano, diario. • *m* **2** día a día.
cotização [kotʃizaˈsãw] *f* prorrata.
cotizar [kotʃiˈʒaʀ] *tr* **1** cotizar. **2** escotar. • **~-se** *pron* **3** contribuir.
cotonete [kotoˈnɛtʃɪ] *m* bastoncillo (de algodón).

C

cotovelada [kotove'lada] *f* codazo.
cotovelo [koto'velʊ] *m* **1** codo. **2** recodo.
cotovia [koto'via] *f* cotovía.
couraçado, da [kowra'sadʊ, da] *adj* **1** acorazado. **2** (fig) insensible.
couro ['kowrʊ] *m* **1** cuero. **2** (pej) pellejo (piel del hombre). **3** peletería (oficio). **4** látigo. **5** (pej) bruja (mujer fea). **6** (fig) pelota (de fútbol).
couve ['kowvɪ] *f* col.
couve-flor [kowvɪ'flɔʀ] *f* coliflor.
cova ['kɔva] *f* **1** cueva. **2** AGR surco. **3** sepultura (hoyo). **4** (fig) muerte; ñata (Perú); pelada (Chile). **5** (fig) aprieto (dificultad).
covardia [kova'rdʒia] *f* cobardía.
coveiro [ko'veyrʊ] *m* sepulturero.
covil [ko'viw] *m* **1** cubil. **2** madriguera. **3** (fig) madriguera (antro). **4** (fig) prostíbulo.
coxa ['koʃa] *f* muslo. ■ **nas coxas** (fig, fam) chapucero, chapuza.
coxear [koʃe'aʀ] *tr e intr* **1** cojear. ● *intr* **2** dudar.
coxia [ko'sia] *f* **1** pasillo. **2** bastidores (de teatro).
coxo, xa ['koʃʊ, ʃa] *adj/m e f* **1** cojo. ● *adj* **2** (fig) cojo (incompleto). **3** manco (un verso).
cozedura [koze'dura] *f* cocedura (cocción).
cozer [ko'ʒeʀ] *tr e intr* **1** cocer. **2** cocinar.
cozido, da [ko'ʒidʊ, da] *adj* **1** cocido. **2** cocinado. ● *m* **3** cocido (plato).
cozinha [ko'ʒĩŋa] *f* **1** cocina (compartimiento). **2** cocina (arte, platos).
cozinhar [kozĩ'naʀ] *tr e intr* **1** cocinar. **2** cocer. ● *tr* **3** (fig) tramar.
cozinheiro, ra [kozĩ'neyrʊ, ra] *m e f* cocinero.
crachá [kra'sa] *m* **1** credencial. **2** medalla (condecoración). **3** insignia.
craniano, na [krani'ãnʊ, na] *adj* craneal.
crânio ['krãnyʊ] *m* **1** ANAT cráneo. **2** (fig) cerebro (talento, inteligencia). **3** (fig) cerebro (persona inteligente).
craque ['krakɪ] *s 2 gén* **1** crac (fenómeno). ● *m* **2** crac (droga). **3** crack (de la bolsa, financiero). ● **~!** *interj* **4** ¡crac!
crasso, ssa ['krasʊ, sa] *adj* **1** grueso (espeso). **2** (fig) craso (indisculpable).
cratera [kra'tɛra] *f* **1** cráter. **2** cratera, crátera. **3** socavón.
cravação [krava'sãw] *f* **1** enclavación. **2** clavazón. **3** engaste (de piedras).
cravar [kra'vaʀ] *tr e pron* **1** clavar. ● *tr* **2** clavar (engastar).
cravejado, da [krave'ʒadʊ, da] *adj* **1** clavado. **2** engastado.
cravejar [krave'ʒaʀ] *tr* **1** clavar (clavetear). **2** engastar. **3** intercalar.
cravelha [kra'veʎa] *f* **1** clavija. **2** clavillo.
cravo ['kravʊ] *m* **1** clavo (especia). **2** clavel. **3** clavo baladí. **4** clavo (callo). **5** espinilla (grano). **6** VET clavo (tumor de las caballerías).
creche ['krɛʃɪ] *f* guardería.
credencial [kredẽsi'aw] *adj 2 gén* **1** credencial. **2** confiable.
credibilidade [kre'dʒibili'dadʒɪ] *f* credibilidad.
creditar [kre'dʒi'taʀ] *tr e pron* **1** confiar, creer en. **2** (fig) atribuir (hecho, condición, rasgo).
crédito ['krɛ'dʒitʊ] *m* **1** crédito (confianza, reputación). **2** ECON crédito. **3** (gralte pl) crédito (de un libro, película). ◆ **cartão de ~** tarjeta de crédito.
credo ['krɛdʊ] *m* **1** REL credo (oración). **2** REL credo (parte de la misa). **3** credo (doctrina). ● **~!** *interj* **4** (coloq) ¡jesús! (asombro).
credor, ra [kre'doʀ, ra] *adj/m e f* acreedor.
cremação [krema'sãw] *f* **1** cremación, incineración. **2** (fig) aniquilación (de malos sentimientos).
cremalheira [krema'ʎeyra] *f* **1** MEC cremallera. **2** cremallera (de una vía férrea).
cremar [kre'maʀ] *tr* **1** incinerar; cremar (Méx). ● *tr e pron* **2** (fig) aniquilar (malos sentimientos).
creme ['krẽmɪ] *m* **1** crema (alimento). **2** crema (cosmético). **3** pomada. ● *adj/m* **4** crema (color).
cremoso, sa [kre'mozʊ, za] *m* cremoso.
crença ['krẽsa] *f* creencia.
crente ['krẽtʃɪ] *adj/m e f* **1** creyente. **2** protestante (evangélico).
crepe ['krɛpɪ] *m* **1** crep (tejido). **2** crepe (tortita). **3** crespón. **4** luto.
crepitação [krepita'sãw] *f* crepitación.

crepitar [krepi'taʀ] *tr e intr* **1** crepitar. • *intr* **2** centellear.

crepuscular [krepuʃku'laʀ] *adj/m e f* **1** crepuscular. **2** (fig) vago (indefinido).

crepúsculo [kre'puʃkulʊ] *m* **1** crepúsculo. **2** (fig) crepúsculo (decadencia).

crer ['kreʀ] *tr e intr* **1** creer. • *tr e pron* **2** considerar.

crescente [kre'sẽtʃɪ] *adj* **1** creciente. • *m* **2** ASTR creciente. **3** *creciente* (de blasón). **4** media luna (islamismo). • *f* **5** crecida.

crescer [krey'seʀ] *intr* **1** crecer. • *tr* **2** avanzar.

crescimento [kreysi'mẽtʊ] *m* **1** crecimiento. **2** (fig) prosperidad (éxito). ♦ ~ **econômico** crecimiento económico.

crespo, pa ['kreyʃpʊ, pa] *adj* **1** rugoso. **2** crespo (pelo). **3** encrespado (mar).

crestar [kreyʃ'taʀ] *tr e pron* **1** quemar (el sol). **2** arrugar. **3** enflaquecer (debilitar).

cretense [kre'tẽsɪ] *adj/m e f* cretense.

cretino, na [kre'tsinʊ, na] *adj/m e f* **1** cretino. **2** (fam) atrevido (insolente).

cria ['kria] *f* **1** cría. **2** (fam, fig) crío (niño). **3** (fam, fig) discípulo.

criação [kria'sãw] *f* **1** creación. **2** educación (crianza). **3** infancia. **4** ■ **de** ~ (fam) adoptivo.

criadagem [kria'daʒẽy] *f* servidumbre (criados).

criado, da [kri'adʊ, da] *adj* **1** creado. **2** criado. **3** educado. **4** alimentado (amamantado). • *m e f* **5** criado (sirviente).

criador, ra [kria'doʀ, ra] *adj/m e f* **1** creador. **2** creativo. • **o Criador** *m* **3** REL el Creador (Dios).

criança [kri'ãsa] *f* **1** niño; chapulín (Amér. Centr); ñaño (Perú). • *adj/m* **2** crío (ingenuo).

criancice [kriã'sisɪ] *f* niñería, chiquillada.

criar [kri'aʀ] *tr* **1** crear (formar, inventar). **2** crear (fundar). **3** adquirir. **4** criar (alimentar). **5** coger (cariño, miedo): *criou afeição por aquelas crianças = les cogió cariño a aquellos niños.* • *tr e pron* **6** educar. • **~-se** *pron* **7** criarse (crecer).

criatividade [kriatʃivi'dadʒɪ] *f* creatividad.

criativo, va [kria'tsivʊ, va] *adj* **1** creativo (imaginativo). • *m e f* **2** creativo (publicista).

criatura [kria'tura] *f* **1** criatura. **2** persona.

crime ['krimɪ] *m* **1** DIR crimen (delito). **2** (fig, fam) crimen (error). **3** crimen (hampa). ♦ ~ **contra a humanidade** crimen contra la humanidad; ~ **organizado** crimen organizado.

criminal [krimi'naw] *adj/m* criminal.

criminalidade [kriminali'dadʒɪ] *f* criminalidad.

criminoso, sa [krimi'nozʊ, za] *adj/m e f* criminal.

crina ['krina] *f* crin.

crioulo, la [kri'owlʊ, la] *adj/m e f* criollo.

cripta ['kripita] *f* **1** cripta. **2** gruta.

crisântemo [kri'ʒãtemʊ] *m* crisantemo.

crise ['krisɪ] *f* crisis. ♦ ~ **convulsiva** MED crisis convulsiva; ~ **econômica** ECON crisis económica; ~ **nervosa** PSIC crisis nerviosa.

crismar ['kriʒmaʀ] *f* REL confirmar.

crispação [kriʃpa'sãw] *f* crispación.

crispar [kri'spaʀ] *tr e pron* **1** crispar (contraer). **2** encrespar, arrugar.

crista ['kriʃta] *f* **1** cresta. **2** (fig) cresta (de ola, de monte). **3** (coloq) cabello.

cristal [kriʃ'taw] *m* **1** cristal (vidrio). **2** MIN cristal. **3** GEOM cristal.

cristaleira [kriʃta'leyra] *f* cristalera (armario).

cristalino, na [kriʃta'linʊ, na] *adj* **1** GEOL cristalino (formado por cristales). **2** cristalino (transparente, nítido).

cristalização [kriʃtaliza'sãw] *f* **1** cristalización. **2** realización (de un sueño, deseo).

cristalizado, da [kriʃtali'ʒadʊ, da] *adj* **1** cristalizado. **2** (fig) realizado, materializado (deseo, sueño).

cristalizar [kriʃtali'ʒaʀ] *tr, intr e pron* **1** cristalizar. **2** estancar, inmovilizar. • *tr* **3** escarchar (frutas). • *tr e intr* **4** realizar, concretar (idea, proyecto).

cristandade [kriʃtã'dadʒɪ] *f* cristiandad (comunidad).

cristão, tã [kriʃ'tãw, 'tã] *adj/m e f* **1** cristiano (persona); cristiano (actitud, comportamiento). • *m* **2** (fam) cristo (nadie): *não há cristão que entenda isso = esto no lo entiende ni cristo.*

cristianismo [kriʃtʃiã'niʒmʊ] *m* cristianismo.

critério [kri'tɛryʊ] *m* criterio (evaluación, juicio).
criterioso, sa [kriteri'ozʊ, za] *adj* juicioso.
crítica ['kritʃika] *f* **1** crítica (examen, juicio). **2** crítica (censura). **3** crítica (conjunto de críticos).
criticar [kritʃi'kaʀ] *tr* **1** criticar (examinar, juzgar). **2** criticar (censurar).
crítico, ca ['kritʃikʊ, ka] *adj/m e f* **1** crítico (analista). • *adj* **2** crítico (menospreciador). **3** crítico (grave).
crivar [kri'vaʀ] *tr* **1** cribar (semillas, minerales). **2** (fig) acribillar (a preguntas).
crível ['krivew] *adj 2 gén* creíble.
crivo ['krivʊ] *m* **1** criba (instrumento). **2** (fig) criba (examen minucioso).
Croácia [kro'asya] *f* Croacia.
croata [kro'ata] *adj/m e f* **1** croata. • *m* **2** croata (lengua).
crocodilo [kroko'dʒilʊ] *m* **1** cocodrilo. **2** (fam, fig) falso amigo, hipócrita.
cromado, da [kro'madʊ, da] *adj/m* cromado.
cromático, ca [kro'matʃikʊ, ka] *adj* ÓPT cromático.
cromossoma [kromo'sõma] *m* BIOL cromosoma.
crônica ['krõnika] *f* **1** crónica (histórica, periodística). **2** ⇒ cronologia.
crônico, ca ['krõnikʊ, ka] *adj* crónico (duradero).
cronista [kro'niʃta] *adj/m e f* cronista.
cronograma [krono'grãma] *m* cronograma.
cronologia [kronolo'ʒia] *f* **1** cronología (ciencia). **2** cronología (serie temporal).
cronológico, ca [krono'lɔʒikʊ, ka] *adj* cronológico.
cronometragem [kronome'traʒẽy] *f* cronometraje.
cronometrar [kronome'traʀ] *tr* cronometrar.
croquete [kro'kɛtʃɪ] *m* GAST croqueta.
crosta ['kroʃta] *f* **1** costra (de pan, herida). **2** costra (corteza).
cru, a ['kru, a] *adj* **1** crudo (alimentos, cuero, seda). **2** crudo (duro, riguroso, cruel). • *m* **3** crudo (petróleo).
crucial [krusi'aw] *adj 2 gén* **1** crucial (decisivo). **2** crucial (en forma de cruz).
crucificado, da [krusifi'kadʊ, da] *adj/m e f* crucificado.
crucificar [krusifi'kaʀ] *tr* **1** crucificar (en la cruz). **2** (fig) crucificar (atormentar).
crucifixão [krusifiki'sãw] *f* **1** crucifixión (en la cruz). **2** (fig) crucifixión (acusación).
crucifixo, xa [krusi'fikisʊ, kisa] *adj* **1** crucificado. • *m* **2** crucifijo.
cruel [kru'ɛw] *adj 2 gén* **1** cruel (impío, insensible). **2** (fig) cruel (doloroso, trágico).
crueldade [kruew'dadʒɪ] *f* crueldad.
crueza [kru'eza] *f* **1** crudeza (no cocción). **2** crudeza, crueldad.
crustáceo, a [kruʃ'tasyʊ, a] *adj/m* ZOOL crustáceo.
cruz ['kruyʃ] *f* **1** cruz (instrumento de tortura). **2** cruz (de Cristo). **3** (fig) cruz (gran sacrificio). **4** cruz (condecoración militar). **5** cruz (reverso de moneda). **6** cruz (figura geométrica). ■ **levar a ~ ao calvário** concluir una tarea penosa.
cruzado, da [kru'ʒadʊ, da] *adj* **1** cruzado (en forma de cruz). **2** cruzado (atravesado, interceptado). • *m* **3** cruzado (moneda).
cruzador [kruza'doʀ] *m* MAR crucero (buque de guerra).
cruzamento [kruza'mẽtʊ] *m* **1** cruce (de caminos). **2** BIOL cruce (genético).
cruzar [kru'ʒaʀ] *tr e pron* **1** cruzar (objetos). **2** cruzar (calle, plaza). • **~-se** *pron* **3** cruzarse (atravesarse).
cruzeiro [kru'ʒeyrʊ] *adj* **1** ARQ crucero (arco). • *m* **2** cruceiro (moneda). **3** crucero (viaje de recreo).
cu['ku] *m* culo (ano).
cuba ['kuba] *f* **1** cuba (recipiente). **2** cubeta (de laboratorio). **3** FÍS cubeta (de mercurio).
Cuba ['kuba] *f* Cuba.
cubano, na [ku'bãnʊ, na] *adj/m e f* cubano.
cúbico, ca ['kubikʊ, ka] *adj* cúbico.
cubículo [ku'bikulʊ] *m* cubículo (alcoba, celda).
cubo ['kubʊ] *m* **1** MAT cubo. **2** GEOM cubo.
cuco ['kukʊ] *m* **1** cuco (ave). **2** cuco (reloj). **3** (fam) cocinero.
cueca [ku'ɛka] *f* (gralte pl) calzoncillo.

cuidado, da [kuy'dadʊ, da] *adj* **1** cuidado (esmerado, preciso). **2** premeditado. • *m* **3** cuidado (atención). **4** preocupación. • ~! *interj* **5** ¡cuidado!

cuidadoso, sa [kuyda'dozʊ, za] *adj* **1** cuidadoso, atento. **2** delicado.

cuidar [kuy'daʀ] *tr* **1** pensar, meditar. **2** cuidar (responsabilizarse de). **3** cuidar (prestar atención). • *tr e pron* **4** suponer (creer).

cujo, a ['kuʒʊ, a] *pron rel* **1** cuyo: *a casa cujo endereço te dei = la casa cuyas señas te di, o livro cuja autora morreu = el libro cuya autora murió.* • *m* **2** (coloq) interfecto, susodicho.

culinário, a [kuli'naɾyʊ, a] *adj* culinario.

culminação [kuwmina'sãw] *f* culminación.

culminar [kuwmi'naʀ] *intr* culminar.

culpa ['kuwpa] *f* **1** culpa (causa de un daño). **2** culpa (falta).

culpabilidade [kuwpabili'dadʒɪ] *f* culpabilidad.

culpado, da [kuw'padʊ, da] *adj/m e f* **1** DIR acusado. **2** culpable.

culpar [kuw'paʀ] *tr e pron* culpar.

culpável [kuw'pavew] *adj 2 gén* culpable.

cultivador, ra [kuwtʃiva'doʀ, ɾa] *adj/m* cultivador (labrador).

cultivar [kuwtʃi'vaʀ] *intr e tr* **1** cultivar (la tierra). • *tr* **2** cultivar (criar). **3** cultivar, mantener (amistades, hábitos). • *tr e pron* **4** cultivar (arte, ciencia).

cultivo [kuw'tsivʊ] *m* cultivo (de la tierra, del conocimento).

culto, ta ['kuwtʊ, ta] *adj* **1** culto, cultivado. **2** cultivado (la tierra). • *m* **3** culto (religión). **4** culto (adoración).

cultor, ra [kuw'toʀ, ɾa] *adj/m e f* cultor (cultivador).

cultuar [kuwtu'aʀ] *tr* rendir culto.

cultura [kuw'tuɾa] *f* **1** cultura (conocimientos). **2** cultura (costumbres). **3** cultivo (de la tierra).

cultural [kuwtu'ɾaw] *adj 2 gén* cultural.

cume ['kumɪ] *m* **1** cumbre (de una montaña). **2** (fig) cumbre (último grado).

cúmplice ['kũplisɪ] *adj/m e f* cómplice.

cumplicidade [kũplisi'dadʒɪ] *f* complicidad.

cumpridor, ra [kũpɾi'doʀ, ɾa] *adj/m e f* cumplidor.

cumprimentar [kũpɾimẽ'taʀ] *tr, intr e pron* **1** saludar. **2** elogiar. **3** felicitar. **4** presentar.

cumprimento [kũpɾi'mẽtʊ] *m* **1** cumplimiento (ejecución). **2** elogio, cumplido. **3** felicitación. **4** reverencia (inclinación). **5** saludo, salutación.

cumprir [kũ'pɾiʀ] *tr e pron* **1** cumplir, llevar a cabo (orden, deseo, promesa). **2** cumplir, alcanzar: *cumpre os requisitos básicos = cumple los requisitos básicos.* • *tr* **3** desempeñar (cargo). • **~-se** *pron* **4** cumplirse (suceder).

cumulativo, va [kumula'tsivʊ, va] *adj* acumulativo.

cúmulo ['kumulʊ] *m* **1** cúmulo (acumulación). **2** colmo (grado máximo).

cunha ['kuɲa] *f* **1** cuña (alzaprima). **2** METEOR cuña.

cunhado, da [kũ'nadʊ, da] *m e f* **1** cuñado (pariente). • *adj* **2** acuñado (moneda, metal).

cunhagem [kũ'naʒẽy] *f* acuñación.

cunho ['kũɲʊ] *m* **1** cuño (marca, sello). **2** (fig) tendencia.

cúpido, da ['kupidʊ, da] *adj* codicioso.

cupincha [ku'pĩʃa] *s 2 gén* (fam) compinche (colega).

cúpula ['kupula] *f* **1** ARQ cúpula. **2** (fig) cúpula (directiva).

cura ['kuɾa] *f* **1** cura (curación). **2** cura (tratamiento). **3** cura (secado de alimentos). • *m* **4** cura (sacerdote).

curaçau [kuɾa'saw] *m* curasao.

curado, da [ku'ɾadʊ, da] *adj* **1** curado (reestablecido). **2** curado (queso, piel).

curandeiro, ra [kuɾã'deyɾʊ, ɾa] *adj/m* curandero; yerbatero (Amér).

curar [ku'ɾaʀ] *tr, intr e pron* **1** curar (sanar). **2** curar, corregir (un comportamiento). • *tr* **3** curar (secar, ahumar).

curativo, va [kuɾa'tsivʊ, va] *m* **1** cura (apósito). **2** curación (en una herida).

curdo, da ['kuʀdʊ, da] *adj/m e f* **1** curdo. • *m* **2** curdo (lengua).

cúria ['kuɾya] *f* curia (tribunal eclesiástico).

curiosidade [kuɾiozi'dadʒɪ] *f* **1** curiosidad (deseo de saber). **2** (gralte pl) curiosidad (rareza).

curioso, sa [kuɾi'ozʊ, za] *adj/m e f* **1** curioso (cuidadoso). **2** curioso (interesado, inquisitivo). • *adj* **3** curioso (llamativo).
curral [ku'ɾaw] *m* corral (de ganado).
currículo [ku'ɾikulʊ] *m* **1** currículo (programación escolar). **2** currículo (curriculum vitae).
cursar [ku'ɾsaʀ] *tr* **1** cursar (recorrer). **2** cursar (seguir estudios).
cursivo, va [ku'ɾsivʊ, va] *adj/m* cursiva (tipo de letra).
curso ['kuʀsʊ] *m* **1** curso (evolución, recorrido). **2** curso (escolar). **3** curso (circulación). **4** (fig) escuela, academia: *o curso fica longe da sua casa = la academia está lejos de tu casa.*
cursor [ku'ɾsoʀ] *m* COMP cursor.
curta-metragem [kuʀtame'tɾaʒẽy] *m* CINE cortometraje.
curtido, da [ku'ɾtsidʊ, da] *adj* **1** curtido (carne, cuero). **2** curtido (tostado, moreno). **3** (fam) divertido.
curtir [ku'ɾtsiʀ] *tr* **1** curtir (cuero, pieles). **2** (fam) disfrutar. **3** soportar. • *intr* **4** (fig) endurecer.
curto, ta ['kuʀtʊ, ta] *adj* **1** corto. **2** (fig) corto (poco inteligente).
curto-circuito [kuʀtosiʀ'kwitʊ] *m* ELEC cortocircuito.
curtume [ku'ɾtumi] *m* curtimbre.
curva ['kuʀva] *f* **1** GEOM curva. **2** curva (en carretera).
curvado, da [ku'ɾvadʊ, da] *adj* **1** curvado. **2** (fig) sometido.
curvar [ku'ɾvaʀ] *tr, intr e pron* **1** curvar. • *tr* **2** subyugar.
curvatura [kuʀva'tuʀa] *f* curvatura.
curvo, va ['kuʀvʊ, va] *adj* curvo.
cuspe ['kuʃpɪ] *f* (fam) ⇒ cuspo.
cuspideira [kuʃpi'deyɾa] *f* escupidera.
cuspir [ku'spiʀ] *intr e tr* escupir.
cuspo ['kuʃpʊ] *m* saliva, escupitajo.
custa ['kuʃta] *f* **1** ⇒ custo • **custas** *f pl* **2** DIR costas.
custar [kuʃ'taʀ] *tr* **1** costar (valer). • *intr* **2** costar (presentar dificultad).
custear [kuʃte'aʀ] *tr* costear (pagar).
custo ['kuʃtʊ] *m* **1** costo (dinero). **2** (fig) esfuerzo.
custódia [kuʃ'tɔdʒya] *f* **1** DIR custodia. **2** REL custodia.
custodiar [kuʃto'dʒiaʀ] *tr* custodiar.
custoso, sa [kuʃ'tozʊ, za] *adj* costoso (caro).
cutâneo, a [ku'tãnyʊ, a] *adj* cutáneo.
cutelaria [kutela'ɾia] *f* cuchillería.
cuteleiro, ra [kute'leyɾʊ, ɾa] *m e f* cuchillero.
cutelo [ku'tɛlʊ] *m* cuchillo (de carnicero).
cútis ['kutʃiʃ] *f* cutis.
czar [ki'ʒaʀ] *m* zar.

Dd

d, D ['de] *m* d, D (letra).

da ['da] *contr* **1** (prep. de y art. fem. a) de la: *a letra da música = la letra de la canción.* **2** (prep. de y pron. dem. a) de la: *esta é a menina da qual te falei = ésta es la chica de la que te he hablado.*

dábliu ['dabliʊ] *m* uve doble; doble u, doble uve (Amér).

dádiva ['dadʒiva] *f* dádiva.

dado, da ['dadʊ] *adj* **1** amigable. **2** dado (entregado). **3** dado (sabido). **4** dado (propenso). **5** dado (determinado). • *m* **6** dato (información). **7** dado (para juegos).

daí [da'i] *contr* **1** (prep. de y adv. aí) de ahí: *saia já daí = sal de ahí, a partir daí, não o vi mais = a partir de ahí, ya no lo he vuelto a ver.* **2** entonces, después: *fuimos ao cinema, e daí a um bar = fuimos al cine y después a un bar.* ■ **e ~?** ¿y qué?

daiquiri [day'kiɾi] *m* daiquiri.

dalai-lama [dalay'lama] *m* dalai-lama.

dali [da'li] *contr* (prep. de y adv. ali) de allí: *ele é dali, do Rio de Janeiro = él es de allí, de Río de Janeiro, dali em diante, permaneceu calado = de allí en adelante, se quedó callado*; desde allí: *dali partimos para Bahia = desde allí nos fuimos a Bahía.*

dália ['dalya] *f* dalia.

dálmata ['dawmata] *adj/m e f* **1** dálmata (dalmático). **2** dálmata (raza de perro). • *m* **3** dálmata (lengua).

dalmático, ca [daw'matʃikʊ, ka] *adj* **1** dalmático, dálmata. • *m* **2** ⇒ dálmata (3).

daltônico, ca [daw'tõnikʊ, ka] *adj/m e f* daltónico, daltoniano.

daltonismo [dawto'niʒmʊ] *m* MED daltonismo.

dama ['dãma] *f* **1** dama (mujer). **2** dama (pieza de ajedrez). • **damas** *fpl* **3** damas (juego). ◆ **~ de honor ou honra** dama de honor; **primeira ~** primera dama.

damasco [da'maʃkʊ] *m* **1** damasco (tejido). **2** albaricoque, damasco (fruto).

damasqueiro [dama'ʃkeyɾʊ] *m* albaricoquero, damasco.

danação [dana'sãw] *f* **1** dañación. **2** condena. **3** rabia (hidrofobia).

danado, da [da'nadʊ, da] *adj/m e f* **1** dañado. **2** condenado. **3** rabioso (hidrófobo).

danar [da'naʀ] *tr e pron* **1** dañar. **2** (coloq) enfadar, cabrear; empacar (Amér); retobar (Arg). • *tr* **3** condenar. • **~-se** *pron* **4** extenuarse, agotarse.

dança ['dãsa] *f* danza.

dançador, ra [dãsa'doʀ, ɾa] *adj/m e f* **1** danzador. **2** bailarín.

dançar [dã'saʀ] *tr e intr* **1** danzar, bailar. **2** (fig) bailar (ser holgado). • *tr* **3** (coloq) acabar.

dançarino, na [dãsa'ɾinʊ, na] *adj/m e f* danzarín, bailarín.

danificação [dãnifika'sãw] *f* daño.

danificado, da [dãnifi'kadʊ, da] *adj* **1** damnificado. **2** estropeado.

danificar [dãnifi'kaʀ] *tr e pron* **1** damnificar. **2** estropear (aparato, motor).

daninho, nha [dã'nĩŋʊ, ŋa] *adj* dañino.

dano, na ['dãnʊ, na] *adj/m e f* **1** danés. • *m* **2** daño.

dantes ['dãtʃɪʃ] *contr* **1** (prep. de y adv. antes) antes. **2** antes, antiguamente.

daquele, la [da'kelɪ, la] *contr* (prep. de y pron. aquele) de aquel.

daqueles, las [da'kelɪʃ, laʃ] *contr* (coloq) extraordinario: *foi um dia daqueles = fue un día extraordinario.*

daqui [da'ki] *contr* (prep. *de* y pron *aqui*) de aquí: *daqui à eternidade = de aquí a la eternidad.*

daquilo [da'kilʊ] *contr* (prep. *de* y pron *aquilo*) de aquello: *daquilo que eu te falei = de aquello de lo que te hablé.*

dar ['daʀ] *tr* **1** dar (donar, regalar). **2** dar (entregar). **3** dar (transmitir, comunicar). **4** dar (producir). ■ **~ de si** dar de sí; **~ para alguém** (coloq) acostarse con alguien; **~ que falar** (fam) dar que hablar; **quem me dera!** ¡ojalá!

dardejante [daʀde'ʒãtʃɪ] *adj 2 gén* **1** que arroja dardos. **2** hiriente.
dardejar [daʀde'ʒaʀ] *tr* **1** arrojar dardos. **2** (fig) herir.
dardo ['daʀdʊ] *m* dardo.
data ['data] *f* fecha.
datar [da'taʀ] *tr* **1** fechar. **2** datar.
datilógrafo, fa [datʃi'lɔgrafʊ, fa] *adj/m e f* dactilógrafo, mecanógrafo.
dativo, va [da'tʃivʊ, va] *adj/m* GRAM dativo.
de ['de] *prep* **1** de (origen): *é do Japão = es de Japón*. **2** de (posesión): *casa de Pedro = casa de Pedro*. **3** de (materia): *colar de pérolas = collar de perlas*. **4** en (medio de transporte). **5** de (finalidad): *viagem de negocios = viaje de negócios*. **6** para (destino). **7** de (comparativo): *o mais velho de todos = el más viejo de todos*.
deambular [deãbu'laʀ] *intr* deambular (caminar).
debaixo [de'bayʃʊ] *adv* debajo.
debalde [de'bawdʒɪ] *adv* en balde, de balde (inútilmente).
debandada [debã'dada] *f* desbandada, marcha, salida (militar, fuga, desorden).
debandar [debã'daʀ] *tr e intr* desbandar.
debate [de'batʃɪ] *m* debate (controversia, discusión).
debater [deba'teʀ] *intr* **1** debatir. • *tr e intr* **2** debatir (argumentar). • **~-se** *pron* **3** debatirse.
debelar [debe'laʀ] *tr* **1** debelar. **2** (fig) vencer, superar (algo negativo).
debicar [debi'kaʀ] *tr e intr* **1** pellizcar, picar (alimentos). • *tr* **2** picotear.
débil ['dɛbiw] *adj 2 gén* débil (flojo).
debilidade [debili'dadʒɪ] *f* debilidad (física, moral).
debilitação [debilita'sãw] *f* ⇒ debilitamento.
debilitado, da [debili'tadʊ, da] *adj* debilitado (enflaquecido).
debilitamento [debilita'mẽtʊ] *m* debilitamiento (enflaquecimiento).
debilitar [debili'taʀ] *tr e pron* debilitar (perder la salud, el ánimo).
debitar [debi'taʀ] *tr e pron* debitar.
débito ['dɛbitʊ] *m* **1** débito. **2** (fig) deuda (moral). **3** débito conyugal.
debochado, da [debo'ʃadʊ, da] *adj* **1** burlesco. **2** indecoroso (libertino). • *m e f* **3** burlón.
debochar [debo'ʃaʀ] *tr* **1** burlar (chasquear). • *tr e pron* **2** pervertir.
deboche [de'bɔʃɪ] *m* **1** burla. **2** libertinaje.
debruçar [debru'saʀ] *tr e pron* **1** echar (de bruces). **2** inclinar. **3** pender. **4** arrodillar. **5** (fig) volcarse (en un asunto): *o advogado debruçou-se sobre o caso = el abogado se volcó en el caso*.
debulhador, ra [debuʎa'doʀ, ra] *adj* desgranador.
debulhar [debu'ʎaʀ] *tr* desgranar, descascarar.
debutante [debu'tãtʃɪ] *adj/m e f* debutante.
debutar [debu'taʀ] *intr* debutar (estrenarse).
debute [de'butʃɪ] *m* **1** debut. **2** decimoquinto aniversario (de una señorita).
década ['dɛkada] *f* década.
decadência [deka'dẽsya] *f* decadencia.
decadente [deka'dẽtʃɪ] *adj 2 gén* decadente.
decaído, da [deka'idʊ, da] *adj* **1** decaído (alicaído). **2** decaído (decadente).
decaimento [dekai'mẽtʊ] *m* **1** decaimiento (debilitamiento). **2** decaimiento (decadencia).
decair [deka'iʀ] *tr e intr* **1** decaer. **2** tumbar (caer). • *tr* **3** caer (gracia, calidad). • *intr* **4** MAR decaer.
decalcar [dekaw'kaʀ] *tr* **1** calcar (copiar). **2** cotejar (pruebas, exámenes).
decanato [deka'natʊ] *m* decanato.
decano [de'kãnʊ] *m* **1** decano (del clero, institución). **2** (fig) decano (veterano).
decantar [dekã'taʀ] *tr* **1** decantar (enaltecer). • *tr e pron* **2** QUÍM decantar (purificar).
decapagem [deka'paʒẽy] *f* QUÍM decapado.
decapar [deka'paʀ] *tr* QUÍM decapar.
decapitação [dekapita'sãw] *f* decapitación.
decapitar [dekapi'taʀ] *tr* **1** decapitar (degollar). **2** (fig) derrocar (jefe, autoridad).
decência [de'sẽsya] *f* **1** decencia. **2** honestidad, honradez.
decênio [de'sẽnyʊ] *m* decenio (período).
decente [de'sẽtʃɪ] *adj 2 gén* **1** decente (digno). **2** honesto, correcto.
decepar [dese'paʀ] *tr* **1** descepar (árboles). **2** amputar (miembros). **3** desunir. **4** (fig) abatir (derrumbar).
decepção [desepi'sãw] *f* decepción (desilusión).

decepcionar [desepisyo'naR] *tr, intr e pron* decepcionar (defraudar).
decerto [de'sERtʊ] *adv* seguramente.
decibel [desi'bɛw] *m* FÍS decibel, decibelio.
decidido, da [desi'dʒidʊ, da] *adj* decidido.
decidir [desi'dʒiR] *tr, intr e pron* decidir (resolver).
decifrar [desi'fraR] *tr* descifrar.
décima ['dɛsima] *f* **1** décima (parte). **2** decena.
decimal [desi'maw] *adj 2 gén* **1** decimal. • *adj/f* **2** MAT fracción decimal.
decisão [desi'zãw] *f* decisión.
decisivo, va [desi'zivʊ, va] *adj* decisivo.
declamação [deklama'sãw] *f* declamación.
declamar [dekla'maR] *tr e intr* declamar.
declamatório, a [deklama'tɔryʊ, a] *adj* declamatorio.
declaração [deklaɾa'sãw] *f* **1** declaración (anuncio). **2** declaración (de bienes). **3** declaración (amorosa). **4** decreto, explicación.
declarar [dekla'ɾaR] *tr e pron* **1** declarar (anunciar, decretar). • *tr* **2** declarar (bienes, mercancías, renta). **3** aclarar. **4** DIR declarar (en un juicio). • **~-se** *pron* **5** pronunciarse.
declinação [deklina'sãw] *f* **1** declinación. **2** (fig) declinación (menoscabo).
declinar [dekli'naR] *tr* **1** declinar (inclinar). **2** declinar (rechazar). **3** declarar. **4** (fig) declinar (decaer).
declinável [dekli'navew] *adj 2 gén* declinable.
declínio [de'klinyʊ] *m* **1** declive (pendiente). **2** (fig) declive (decadencia).
declive [de'klivɪ] *m* **1** declive. • *adj 2 gén* **2** inclinado.
decodificar [dekodʒifi'kaR] *tr* descodificar.
decolagem [deko'laʒẽy] *m* despegue.
decolar [deko'laR] *intr* **1** despegar (aeronave). **2** (fig) despegar (iniciar).
decompor [dekõ'poR] *tr e pron* **1** descomponer (separar). **2** descomponer (corromper). **3** descomponer (desfigurar).
decomposto, ta [dekõ'poʃtʊ, ta] *adj* descompuesto.
decomposição [dekõpozi'sãw] *f* **1** descomposición (desorden). **2** descomposición (putrefacción). **3** (fig) desaparición.
decoração [dekoɾa'sãw] *f* **1** decoración (adorno). **2** decoración (memorización).
decorador, ra [dekoɾa'doR, ɾa] *adj/m e f* **1** decorador. **2** memorión.
decorar [deko'ɾaR] *tr e intr* **1** decorar (memorizar). • *tr* **2** decorar (adornar). **3** decorar (condecorar).
decorativo, va [dekoɾa'tʃivʊ, va] *adj* decorativo.
decoro [de'koɾʊ] *m* decoro (gravedad, recato).
decoroso, sa [deko'ɾozʊ, za] *adj* decoroso.
decorrente [deko'Rẽtʃɪ] *adj 2 gén* resultante.
decorrer [deko'ReR] *intr* **1** discurrir, transcurrir (el tiempo). • *tr* **2** proceder, venir de (originarse): *essas coisas decorrem de sua falta de educação = esas cosas vienen de su falta de educación.*
decorrido, da [deko'Ridʊ, da] *adj* transcurrido.
decorticar o **descorticar** [dekoRtʃi'kaR o deʃkoRtʃi'kaR] *tr* descortezar (plantas, frutos, granos).
decotado, da [deko'tadʊ, da] *adj* escotado (ropa).
decote [de'kɔtʃɪ] *m* escote (de prenda de vestir).
decrépito, ta [de'kɾɛpitʊ, ta] *adj* decrépito (viejo, deteriorado).
decrescente [dekɾe'sẽtʃɪ] *adj 2 gén* decreciente.
decrescer [dekɾe'seR] *tr* decrecer (disminuir).
decretação [dekɾeta'sãw] *f* DIR decreto (resolución).
decretar [dekɾe'taR] *tr* DIR decretar.
decreto [de'kɾɛtʊ] *m* decreto. ♦ **~ legislativo** DIR decreto legislativo.
decurso [de'kuRsʊ] *m* decurso; transcurso.
dedicação [dedʒika'sãw] *f* **1** dedicación (devoción). **2** dedicatoria (inscripción).
dedicado, da [dedʒi'kadʊ, da] *adj* dedicado.
dedicar [dedʒi'kaR] *tr* dedicar (ofrecer).
dedicatória [dedʒika'tɔrya] *f* dedicatoria (inscripción).

dedo ['dedʊ] *m* **1** dedo. **2** dedo (porción). ◆ ~ **mínimo** dedo meñique; ~ **polegar** dedo gordo o pulgar. ■ **a** ~ (fig) cuidadosamente; **de lamber os dedos** (fig) de chuparse los dedos.

dedução [dedu'sãw] *f* **1** deducción (conclusión). **2** deducción (disminución).

dedutível [dedu'tʃivew] *adj 2 gén* deducible.

deduzir [dedu'ziʀ] *tr* deducir (concluir, disminuir).

defasagem [defa'zaʒẽy] *f* **1** desfase, diferencia de fase. **2** (fig) desfase (inadaptación).

defasar [defa'zaʀ] *tr* **1** desfasar. ● *tr e pron* **2** (fig) desfasar (pasar de moda).

defasado, da [defa'zadʊ, da] *adj* **1** desfasado. **2** (fig) desfasado (inadaptado).

defecação [defeka'sãw] *f* defecación.

defecar [defe'kaʀ] *tr* defecar (purificar).

defecção [defeki'sãw] *f* defección (abandono, deserción).

defeito [de'feytʊ] *m* defecto (imperfección).

defeituoso, sa [defeytu'ozʊ, za] *adj* defectuoso.

defender [defẽ'deʀ] *tr, intr e pron* defender (proteger, abrigar).

defensiva [defẽ'siva] *f* defensiva.

defensivo, va [defẽ'sivʊ, va] *adj/m e f* defensivo.

defensor, ra [defẽ'soʀ, ɾa] *adj/m e f* **1** defensor (de una causa, idea, doctrina). **2** defensor (protector).

deferência [defe'ɾẽsya] *f* **1** deferencia (respeto, cortesía). **2** deferencia (condescendencia).

deferimento [defeɾi'mẽtʊ] *m* **1** aprobación, anuencia (consentimiento). **2** concesión.

deferir [defe'ɾiʀ] *tr* **1** aprobar. **2** conceder (otorgar). **3** atender (condescender).

defesa [de'feza] *f* **1** defensa (protección). **2** prohibición. **3** defensa (alegación).

defeso, sa [de'fezʊ, za] *adj* **1** vedado (prohibido). **2** exento (libre). ● *m* **3** veda (de caza, pesca).

deficiência [defisi'ẽsya] *f* **1** insuficiencia (de un órgano). **2** deficiencia (carencia).

deficiente [defisi'ẽtʃɪ] *adj* **1** deficiente (incompleto). **2** deficiente (deficitario). ● *s 2 gén* **3** deficiente (físico, mental).

déficit ['dɛfisitʃi] *m* **1** déficit (descubierto). **2** déficit (carencia).

deficitário, a [defisi'taɾyʊ, a] *adj* deficitario.

definhado, da [defĩ'ɲadʊ, da] *adj* **1** debilitado. **2** flaco. **3** (fig) marchito.

definhamento [defĩɲa'mẽtʊ] *m* **1** debilitamiento. **2** enflaquecimiento. **3** (fig) marchitamiento.

definhar [defĩ'ɲaʀ] *tr e pron* **1** debilitar. ● *intr* **2** enflaquecer. **3** (fig) marchitar.

definição [defini'sãw] *f* **1** definición (descripción). **2** definición (nitidez).

definido, da [defi'nidʊ, da] *adj/m* definido.

definir [defi'niʀ] *tr* **1** definir (delimitar). **2** definir (describir). ● *tr e pron* **3** definir (retratar, perfilar).

definitivo, va [defini'tʃivʊ, va] *adj* definitivo.

deflação [defla'sãw] *f* ECON deflación.

deflagrar [defla'gɾaʀ] *tr e intr* **1** deflagrar (arder). ● *tr* **2** propagar.

deformação [defoʀma'sãw] *f* **1** deformación (alteración). **2** deformación (tergiversación).

deformado, da [defoʀ'madʊ, da] *adj* deformado.

deformar [defoʀ'maʀ] *tr e pron* **1** deformar. ● *tr* **2** (fig) corromper, viciar.

deforme [de'fɔʀmɪ] *adj 2 gén* deforme.

deformidade [defoʀmi'dadʒɪ] *f* deformidad (moral, estética).

defraudar [defɾaw'daʀ] *tr* **1** defraudar (desfalcar). **2** defraudar (decepcionar, entorpecer).

defrontar [defɾõ'taʀ] *tr e pron* **1** afrontar (poner enfrente). **2** confrontar (comparar).

defronte [de'fɾõtʃɪ] *adv* enfrente. ■ ~ **a** frente a.

defunção [defũ'sãw] *f* defunción.

defunto, ta [de'fũtʊ, ta] *adj/m e f* difunto.

degelar [deʒe'laʀ] *tr, intr e pron* **1** deshelar (derretir). **2** descongelar.

degelo [de'ʒelʊ] *m* deshielo.

degenerado, da [deʒene'ɾadʊ, da] *adj* degenerado.

degenerar [deʒene'ɾaʀ] *tr, intr e pron* **1** degenerar (empeorar). ● *tr* **2** deformar, tergiversar.

degenerativo, va [deʒeneɾa'tʃivʊ, va] *adj* degenerativo.

deglutir [deglu'tʃiʀ] *tr e intr* FÍS deglutir.
degola [de'gɔla] *f* degollación.
degolar [dego'laʀ] *tr e pron* **1** degollar. • *tr* **2** (fig, fam) despedir.
degradação [degɾada'sãw] *f* **1** degradación (humillación, bajeza). **2** devastación.
degradado, da [degɾa'dadʊ, da] *adj* degradado (destituido).
degradar [degɾa'daʀ] *tr e pron* **1** degradar (destituir). **2** (fig) degradar (humillar).
degrau [de'gɾaw] *m* **1** escalón. **2** grado (peldaño). **3** (fig) escalón.
degredo [de'gɾedʊ] *m* **1** destierro. **2** (fig) exilio.
degustação [deguʃta'sãw] *f* **1** degustación (cata). **2** (fig) degustación (disfrute).
deidade [dey'dadʒɪ] *f* deidad.
deitar [dey'taʀ] *tr e pron* **1** acostar, reclinar. **2** echar (poner). • *tr e intr* **3** tirar (piedras, cohetes). • *tr* **4** verter. **5** echar, emanar (olor, sangre, humo).
deixa ['deyʃa] *f* herencia (patrimonio).
deixar [dey'ʃaʀ] *tr e pron* **1** dejar (prestar). • *tr* **2** dejar (abandonar). **3** olvidar (recuerdos, miedos). **4** dejar (olvidar). **5** dejar (perder). **6** dejar (permitir). • *tr e pron* **7** dejar (abandonar). • **~-se** *pron* **8** dejarse (entregarse). ■ **~ a desejar** dejar mucho que desear; **~ atrás** dejar atrás; **~ para lá** (fam) no preocuparse; **~-se de** dejarse de.
dejetar [deʒe'taʀ] *tr e intr* **1** defecar. • *tr* **2** expeler.
dejeto [de'ʒɛtʊ] *m* deyección (excremento).
delambido, da [delã'bidʊ, da] *adj/m e f* relamido.
delatar [dela'taʀ] *tr e pron* delatar; quemar (Amér. Centr).
delator [dela'toʀ] *adj/m e f* delator.
dele, la ['delɪ, la] *contr* (prep. de y pron. ele) suyo: *este carro é dele = este coche es suyo, este vestido é dela = este vestido es suyo.*
delegação [delega'sãw] *f* delegación.
delegacia [delega'sia] *f* **1** comisaría de policía. **2** delegación (cargo, oficina).
delegado, da [dele'gadʊ, da] *adj/m e f* **1** delegado. • *m e f* **2** comisario (de policía).
delegar [dele'gaʀ] *tr* delegar.
deleitação [deleyta'sãw] *f* deleitación (placer).
deleitar [deley'taʀ] *tr e pron* deleitar.
deleite [de'leytʃɪ] *m* deleite.
delfim [dew'fĩ] *m* **1** delfín (título). **2** ⇒ golfinho.
delgado, da [dew'gadʊ, da] *adj* delgado.
deliberação [delibeɾa'sãw] *f* deliberación.
deliberar [delibe'ɾaʀ] *tr e intr* **1** deliberar. • **~-se** *pron* **2** decidirse.
delicadeza [delika'deza] *f* delicadeza.
delicado, da [deli'kadʊ, da] *adj* delicado.
delícia [de'lisya] *f* delicia.
deliciar [delisi'aʀ] *tr e pron* deleitar.
delicioso, sa [delisi'ozʊ, za] *adj* delicioso.
delimitação [delimita'sãw] *f* delimitación.
delimitar [delimi'taʀ] *tr* delimitar.
delineamento [delinea'mẽtʊ] *m* delineación.
delinear [deline'aʀ] *tr* **1** delinear. **2** (fig) describir (explicar).
delinqüência [delĩ'kwẽsya] *f* delincuencia.
delinqüir [delĩ'kwiʀ] *tr e intr* delinquir.
delir [de'liʀ] *tr* **1** disolver (en líquido). **2** decolorar.
delirante [deli'ɾãtʃɪ] *adj 2 gén* delirante.
delirar [deli'ɾaʀ] *intr* **1** delirar (desvariar). **2** (fig) delirar (disparatar).
delírio [de'liɾyʊ] *m* delirio.
delito [de'litʊ] *m* delito.
delonga [de'lõga] *f* retraso, demora (tardanza).
delongar [delõ'gaʀ] *tr e pron* retrasar, demorar.
delta ['dɛwta] *m* **1** delta (letra griega). **2** delta (de un río).
demagogia [demago'ʒia] *f* demagogia.
demagógico, ca [dema'gɔʒikʊ, ka] *adj* demagógico.
demagogo, ga [dema'gogʊ, ga] *m e f* demagogo.
demais [de'mayʃ] *adj* **1** demasiado. • *adv* **2** mucho, demasiado. • *pron* **3** demás. • **~!** *interj* **4** (fam) muy bueno. ■ **por ~** demasiado, mucho.
demanda [de'mãda] *f* **1** demanda (petición, solicitud). **2** DIR demanda.

d

demandado, da [demã'dadʊ, da] *adj* **1** demandado (solicitado). • *adj/m e f* **2** DIR demandado.
demandante [demã'dãtʃɪ] *adj/m e f* DIR demandante.
demandar [demã'daʀ] *tr* **1** demandar (pedir). **2** DIR demandar.
demarcação [demaʀka'sãw] *f* demarcación (de un terreno).
demarcar [demaʀ'kaʀ] *tr* demarcar (terrenos, países).
demasia [dema'zia] *f* demasía. ■ **em ~** en demasía.
demasiado, da [demazi'adʊ, da] *adj* **1** demasiado: *demonstrou uma afeição demasiada por ela = le demostró demasiado cariño.* • *adv* **2** demasiado: *ele estava demasiado cansado para fazer qualquer coisa = estaba demasiado cansado para hacer nada.*
demência [de'mẽsya] *f* demencia. ◆ **~ precoce** demencia precoz.
demente [de'mẽtʃɪ] *adj/m e f* MED demente.
demissão [demi'sãw] *f* **1** dimisión, renuncia. **2** despido. ◆ **carta de ~** carta de dimisión; carta de despido.
demissionário, a [demisio'naryʊ, a] *adj* dimisionario.
demitente [demi'tẽtʃɪ] *adj 2 gén* demitente.
demitir [demi'tʃiʀ] *tr* **1** despedir (exonerar). • **~-se** *pron* **2** dimitir.

> La palabra ***demitir*** puede llevar a confusión, pues en portugués se utiliza el mismo verbo para referirse a cuando uno renuncia a un cargo o cuando lo echan.

demo ['dẽmʊ] *f* **1** COMP demo. • *m* **2** diablo.
democracia [demokra'sia] *f* democracia.
democrata [demo'krata] *adj/m e f* demócrata.
democrático, ca [demo'kratʃikʊ, ka] *adj* democrático.
democratização [demokratʃiza'sãw] *f* democratización.
demografia [demogra'fia] *f* demografía.
demográfico, ca [demo'grafikʊ, ka] *adj* demográfico.
demolhar [demo'ʎaʀ] *tr* poner de remojo.
demolição [demoli'sãw] *f* demolición.
demolir [demo'liʀ] *tr* **1** demoler (construcción). **2** (fig) arruinar.
demoníaco, ca [demo'niakʊ, ka] *adj* **1** demoníaco, demoniaco. • *m e f* **2** (fig) demoníaco (endemoniado).
demônio [de'mõnyʊ] *m* demonio.
demonstração [demõʃtra'sãw] *f* demostración.
demonstrar [demõʃ'traʀ] *tr* **1** demostrar (probar). **2** demostrar (manifestar). • **~-se** *pron* **3** revelarse.
demonstrativo, va [demõʃtra'tʃivʊ, va] *adj* **1** demostrativo. • *m* **2** GRAM demostrativo.
demora [de'mɔra] *f* demora, retraso.
demorado, da [demo'radʊ, da] *adj* **1** lento. **2** demorado (retrasado). **3** largo.
demorar [demo'raʀ] *intr* **1** tardar. • *tr* **2** retardar, retrasar.
demover [demo'veʀ] *tr e pron* **1** desplazar. • *tr* **2** desferrar (disuadir).
demudado, da [demu'dadʊ, da] *adj* demudado (alterado, desfigurado).
demudar [demu'daʀ] *tr e pron* demudar.
denegação [denega'sãw] *f* denegación (negativa, negación).
denegrir [dene'griʀ] *tr* **1** ennegrecer. • *tr e pron* **2** (fig) denigrar (deslustrar).
denominação [denomina'sãw] *f* denominación.
denominado, da [denomi'nadʊ, da] *adj* denominado.
denominar [denomi'naʀ] *tr e pron* denominar.
denominativo, va [denomina'tʃivʊ] *adj* denominativo.
densidade [dẽsi'dadʒɪ] *f* densidad. ◆ **~ demográfica** densidad demográfica.
densificar [dẽsifi'kaʀ] *tr e pron* densificar.
denso, sa ['dẽsʊ, sa] *adj* denso.
dentado, da [dẽ'tadʊ, da] *adj* dentado.
dentadura [dẽta'dura] *f* dentadura.
dental [dẽ'taw] *adj 2 gén* **1** dental. **2** FON dental.
dente ['dẽtʃɪ] *m* diente, muela. ◆ **~ de leite** diente de leche; **~ de siso** muela del juicio. ■ **armado até os dentes** (fig,

fam) armado hasta los dientes; **mostrar os dentes a** (fig, fam) enseñar o mostrar los dientes.

denteado, da [dẽtʃɪ'adʊ, da] *adj* ⇒ dentado, da.

dentição [dẽtʃi'sãw] *f* dentición.

dentista [dẽ'tʃiʃta] *adj/m e f* dentista.

dentre ['dẽtɾɪ] *prep* de entre.

dentro ['dẽtɾʊ] *adv* **1** dentro. **2** adentro. ■ **~ de** dentro de: *as chaves estão dentro de casa = las llaves están dentro de casa*; dentro de; **por ~** por dentro: *a fruta está podre por dentro = la fruta está podrida por dentro.*

dentuço, ça [dẽ'tusʊ, sa] *adj/m e f* dentudo.

denúncia [de'nũsya] *f* denuncia.

denunciar [denũsi'aʀ] *intr e pron* denunciar.

deontologia [deõtolo'ʒia] *f* deontología.

deparar [depa'ɾaʀ] *tr, intr e pron* deparar (presentar).

departamento [depaʀta'mẽtʊ] *m* **1** departamento (subdivisión). **2** departamento (sector, ministerio).

departir [depaʀ'tʃiʀ] *tr* **1** departir, repartir. **2** dar parte (informar). ● *tr e pron* **3** alejar, apartar.

depauperamento [depawpeɾa'mẽtʊ] *f* depauperación.

depauperar [depawpe'ɾaʀ] *tr* depauperar (empobrecer).

depenado, da [depe'nadʊ, da] *adj* desplumado.

depenar [depe'naʀ] *tr e pron* desplumar.

dependência [depẽ'dẽsya] *f* **1** dependencia (subordinación). **2** dependencia (relación). **3** drogodependencia.

dependente [depẽ'dẽtʃɪ] *adj/m e f* **1** dependiente (económicamente). **2** dependiente (adicto).

depender [depẽ'dẽʀ] *tr* **1** depender (necesitar). **2** formar parte (pertenecer).

dependurar [depẽdu'ɾaʀ] *tr e pron* ⇒ pendurar.

depilação [depila'sãw] *f* depilación.

depilatório, a [depila'tɔɾyʊ, a] *adj/m e f* depilatorio.

deplorável [deplo'ɾavew] *adj 2 gén* deplorable.

depoimento [depoi'mẽtʊ] *m* declaración.

depois [de'poiʃ] *adv* **1** después. **2** además: *ela é linda e, depois, solteira = ella es linda y, además, soltera.* ■ **~ de** después de: *depois do jantar vem o café = después de la cena viene el café*; **~ que** después de, tras.

depor [de'poʀ] *tr* **1** deponer (cargo, objeto). **2** depositar.

deportação [depoʀta'sãw] *f* deportación.

deportado, da [depoʀ'tadʊ, da] *adj/m e f* deportado.

deportar [depoʀ'taʀ] *tr* deportar.

deposição [depozi'sãw] *f* **1** deposición (privación, degradación, renuncia). **2** deposición (declaración).

depositante [depozi'tãtʃɪ] *adj/m e f* depositador.

depositar [depozi'taʀ] *tr* **1** depositar (bajo custodia). **2** depositar (colocar).

depositário, a [depozi'taɾyʊ, a] *m e f* depositario.

depósito [de'pɔzitʊ] *m* **1** depósito (acción, objeto, lugar). **2** almacén.

deposto, ta [de'poʃtʊ, ta] *adj* depuesto (destituido).

depreciação [depɾesia'sãw] *f* depreciación.

depreciar [depɾesi'aʀ] *tr e pron* depreciar.

depredador, ra [depɾeda'doʀ, ɾa] *adj/m e f* depredador.

depredar [depɾe'daʀ] *tr* **1** depredar (devastar). **2** depredar (robar).

depreender [depɾeẽ'deʀ] *tr* **1** comprender, percibir. **2** concluir, deducir.

depressa [de'pɾɛsa] *adv* deprisa.

depressão [depɾe'sãw] *f* **1** depresión (reducción). **2** depresión (concavidad). **3** (fig) depresión (desánimo).

depressivo, va [depɾe'sivʊ, va] *adj/m e f* depresivo.

deprimente [depɾi'mẽtʃɪ] *adj 2 gén* deprimente.

deprimido, da [depɾi'midʊ, da] *adj* deprimido.

deprimir [depɾi'miʀ] *tr e pron* **1** deprimir (ánimo). **2** deprimir (humillar). ● *tr* **3** deprimir (debilitar).

depuração [depuɾa'sãw] *f* **1** depuración (purificación). **2** (fig) perfeccionamiento (de estilo, técnica, comportamiento).

depurador, ra [depuʀa'doʀ, ɾa] *adj/m* depurador.

depurar [depu'ɾaʀ] *tr e pron* **1** depurar (purificar). **2** (fig) perfeccionar (estilo, técnica, comportamiento).

deputado, da [depu'tadʊ, da] *adj/m e f* diputado.
deputar [depu'taʀ] *tr* **1** diputar (destinar). **2** delegar (poder).
deriva [de'ɾiva] *f* deriva.
derivação [deɾiva'sãw] *f* **1** derivación (desviación). **2** origen. **3** GRAM derivación.
derivado, da [deɾi'vadʊ, da] *adj/m e f* **1** derivado. • *adj* **2** derivado (desviado).
derivar [deɾi'vaʀ] *tr, intr e pron* **1** derivar (desviar). • *intr e pron* **2** derivar. • *tr* **3** pasar (tiempo). • **~-se** *pron* **4** extenderse.
dermatologia [deʀmatolo'ʒia] *f* MED dermatología.
dermatológico, ca [deʀmato'lɔʒikʊ, ka] *adj* dermatológico.
dérmico, ca ['dɛʀmikʊ, ka] *adj* dérmico.
derradeiro, ra [deʀa'deyɾʊ, ɾa] *adj* postrero, último.
derramar [deʀa'maʀ] *tr e pron* **1** derramar (verter, tirar). **2** esparcir, propagar. • *tr* **3** desramar.
derrame [de'ʀãmɪ] *m* **1** ⇒ derramamento. **2** MED derrame.
derrapagem [deʀa'paʒẽy] *f* derrape.
derrapar [deʀa'paʀ] *intr* derrapar.
derrear [deʀe'aʀ] *tr e pron* **1** derrengar (deslomar). • *tr* **2** (fig) desacreditar.
derreter [deʀe'teʀ] *tr, intr e pron* **1** derretir (liquidar). • *tr e pron* **2** (fig) ablandar (suavizar). **3** (fig) derretir (enternecer). • **~-se** *pron* **4** derretirse (enamorarse).
derretido, da [deʀe'tʃidʊ, da] *adj* derretido (líquido).
derretimento [deʀetʃi'mẽtʊ] *m* derretimiento.
derribar [deʀi'baʀ] *tr* **1** derribar. • **~-se** *pron* **2** postrarse.
derrocada [deʀo'kada] *f* **1** derrocamiento. **2** (fig) desmoronamiento (degradación).
derrocar [deʀo'kaʀ] *tr e pron* **1** derrocar (edificio). • *tr* **2** (fig) derrocar (al rey, gobierno).
derrogação [deʀoga'sãw] *f* derogación.
derrogar [deʀo'gaʀ] *tr* derogar.
derrota [de'ʀɔta] *f* **1** derrota (vencimiento). **2** derrota (camino).
derrotado, da [deʀo'tadʊ, da] *adj* derrotado.
derrotar [deʀo'taʀ] *tr* derrotar (vencer, destruir).
derrubado, da [deʀu'badʊ, da] *adj* derrumbado.
derrubar [deʀu'baʀ] *tr* **1** derrumbar. **2** tirar al suelo (objeto).
derruído, da [deʀu'idʊ, da] *adj* derruido.
derruir [deʀu'iʀ] *tr e pron* derruir.
desabafar [dezaba'faʀ] *tr, intr e pron* **1** desahogar (aliviar). • *tr e pron* **2** desarropar (descubrir). **3** airear (ventilar).
desabafo [deza'bafʊ] *m* desahogo (alivio).
desabamento [dezaba'mẽtʊ] *m* **1** derrumbe. **2** desmoronamiento.
desabilitar [dezabili'taʀ] *tr e pron* **1** inhabilitar. • *tr* **2** COMP desactivar.
desabitado, da [dezabi'tadʊ, da] *adj* deshabitado.
desabitar [dezabi'taʀ] *tr* **1** deshabitar (casa). **2** deshabitar, despoblar.
desabotoado, da [dezaboto'adʊ, da] *adj* desabotonado (flor).
desabotoar [dezaboto'aʀ] *tr, intr e pron* **1** desabotonar (plantas, flores). • *tr* **2** desabotonar (prenda).
desabrochar [dezabɾo'ʃaʀ] *tr* **1** desabrochar (ropa). • *tr, intr e pron* **2** desabotonar (brotar). • *intr e pron* **3** (fig) florecer, brotar (nacer, aparecer).
desacatar [dezaka'taʀ] *tr* **1** desacatar (desobedecer). • *tr e intr* **2** (coloq) deslumbrar (impresionar).
desacato [deza'katʊ] *m* **1** desacato. **2** (coloq) gran éxito.
desaceleração [dezaseleɾa'sãw] *f* desaceleración.
desacelerar [dezasele'ɾaʀ] *tr e intr* desacelerar.
desacertado, da [dezaseʀ'tadʊ, da] *adj* desacertado.
desacerto [deza'seʀtʊ] *m* **1** desacierto. **2** despropósito.
desacompanhado, da [dezacõpã'ŋadʊ, da] *adj* **1** desacompañado. **2** sin.
desaconchegar [dezakõʃe'gaʀ] *tr e pron* ⇒ desconchegar.
desaconselhado, da [dezakõse'ʎadʊ, da] *adj* **1** desaconsejado (sin consejo). **2** inconveniente.
desaconselhar [dezakõse'ʎaʀ] *tr* desaconsejar.

desacordado, da [dezakoʀ'dadʊ, da] *adj* **1** inconsciente. **2** disconforme. **3** olvidadizo.
desacordar [dezakoʀ'daʀ] *intr e pron* **1** desmayar. • *tr, intr e pron* **2** desacordar, desmemoriarse.
desacorde [deza'kɔʀdʒɪ] *adj 2 gén* **1** desacorde, discorde (disconforme). • *m* **2** MÚS discordancia.
desacordo [deza'koʀdʊ] *m* **1** desacuerdo (discordia). **2** desmayo (desvanecimiento). **3** desatino. **4** MÚS discordancia.
desacostumado, da [dezakoʃtu'madʊ, da] *adj* desacostumbrado, deshabituado.
desacostumar [dezakoʃtu'maʀ] *tr e pron* desacostumbrar.
desacreditado, da [dezakredʒi'tadʊ] *adj* desacreditado.
desacreditar [dezakredʒi'taʀ] *tr e pron* desacreditar.
desafeto, ta [deza'fɛtʊ, ta] *adj* **1** desafecto (contrario). • *m* **2** desafección, desestimación.
desafiar [dezafi'aʀ] *tr* **1** desafiar (retar). **2** incitar. • *tr e intr* **3** desafilar.
desafinado, da [dezafi'nadʊ, da] *adj* MÚS desafinado (voz, instrumento).
desafinar [dezafi'naʀ] *tr, intr e pron* **1** MÚS desafinar. • *tr e intr* **2** (fig) desentonar (contrastar).
desafio [deza'fiʊ] *m* desafío (duelo, reto).
desafogado, da [dezafo'gadʊ, da] *adj* **1** (fig) desahogado, holgado (económicamente). **2** (fig) desahogado (aliviado).
desafogar [dezafo'gaʀ] *tr* **1** desobstruir (garganta, pulmones). • *tr e pron* **2** descongestionar. **3** (fig) desahogar (deudas, penas).
desafogo [deza'fogʊ] *m* desahogo (alivio).
desaforado, da [dezafo'radʊ, da] *adj* descarado; conchudo, impávido, lambido (Amér).
desaforar [dezafo'raʀ] *tr* cambiar de jurisdicción.
desafortunado, da [dezafoʀtu'nadʊ, da] *adj* desafortunado, desgraciado; torcido (Amér. Centr).
desagradar [dezagra'daʀ] *tr e pron* desagradar.
desagradável [dezagra'davew] *adj 2 gén* desagradable.
desagradecer [dezagrade'seʀ] *tr* desagradecer.
desagradecido, da [dezagrade'sidʊ, da] *adj/m e f* desagradecido, ingrato.
desagradecimento [dezagradesi'mẽtʊ] *m* desagradecimiento, ingratitud.
desagrado [deza'gradʊ] *m* desagrado, disgusto.
desagregação [dezagrega'sãw] *f* **1** desagregación. **2** disgregación.
desagregado, da [dezagre'gadʊ, da] *adj* desagregado.
desagregar [dezagre'gaʀ] *tr e pron* desagregar.
desagrupar [dezagru'paʀ] *tr* desagrupar, separar.
desaguar [deza'gwaʀ] *tr e pron* **1** desaguar (vaciar). **2** desaguar (desembocar).
desaire [de'zayrɪ] *m* desaire.
desajeitado, da [dezaʒey'tadʊ, da] *adj* **1** desordenado. • *adj/m e f* **2** cohibido (tímido). **3** desmañado, torpe; chapetón, guaso (Amér).
desajeitar [dezaʒey'taʀ] *tr e pron* **1** desarreglar, transtornar. • *tr* **2** desordenar.
desajuizado, da [dezaʒui'zadʊ, da] *adj* desjuiciado.
desajustado, da [dezaʒuʃ'tadʊ, da] *adj* desajustado.
desajustamento [dezaʒuʃta'mẽtʊ] *m* desajuste.
desajustar [dezaʒuʃ'taʀ] *tr* **1** desajustar (desconvenir). **2** desordenar (trastornar). • *tr e pron* **3** desajustar (aflojar).
desalentado, da [dezalẽ'tadʊ, da] *adj/m e f* desalentado.
desalentar [dezalẽ'taʀ] *tr e intr* desalentar.
desalento [deza'lẽtʊ] *m* desaliento.
desalinhado, da [dezalĩ'ɲadʊ, da] *adj* **1** desalineado. **2** desaliñado; maltraído (Amér).
desalmado, da [dezaw'madʊ, da] *adj/m e f* desalmado.
desalojamento [dezaloʒa'mẽtʊ] *m* desalojamiento.
desalojar [dezalo'ʒaʀ] *tr, intr e pron* desalojar.
desambientado, da [dezãbiẽ'tadʊ, da] *adj/m e f* desambientado.
desamor [deza'moʀ] *m* desamor.
desamparado, da [dezãpa'radʊ, da] *adj/m e f* desamparado.

desamparar [dezãpa'raR] *tr e pron* desamparar (abandonar).
desamparo [dezã'parʊ] *m* desamparo.
desandar [dezã'daR] *tr e intr* **1** desandar. **2** provocar, tener diarrea. • *intr* **3** decaer, deteriorar.
desanimação [dezanima'sãw] *f* desanimación.
desanimado, da [dezani'madʊ, da] *adj/m e f* desanimado (desalentado).
desanimar [dezani'maR] *tr, intr e pron* **1** desanimar (desalentar). • *intr* **2** decaer (ir a menos).
desânimo [de'zãnimʊ] *m* desánimo.
desanuviar [dezanuvi'aR] *tr, intr e pron* **1** despejar (cielo). **2** (fig) disipar (problemas, angustias, tensiones).
desapaixonar [dezapayʃo'naR] *tr e pron* desapasionar, desenamorar.
desaparecer [dezapare'seR] *tr e intr* **1** desaparecer (ocultar). • *intr* **2** desaparecer (extinguirse).
desaparecido, da [dezapare'sidʊ, da] *adj/m e f* desaparecido.
desaparecimento [dezaparesi'mẽtʊ] *m* **1** desaparición (ocultación). **2** (fig) desaparición (muerte).
desaparição [dezapari'sãw] *f* ⇒ desaparecimento.
desapegado, da [dezape'gadʊ, da] *adj* desapegado.
desapegar [dezape'gaR] *tr e pron* desapegar (apartarse).
desapego [deza'pegʊ] *m* desapego.
desaperceber [dezapeRse'beR] *tr e pron* desabastecer, desguarnecer.
desapercebido, da [dezapeRse'bidʊ, da] *adj* desapercibido.
desapertar [dezapeR'taR] *tr e pron* **1** desapretar. **2** (fig) aliviar. • **~-se** *pron* **3** (fam) irse (retirarse).
desapontado, da [dezapõ'tadʊ, da] *adj* **1** decepcionado. **2** despuntado (sin punta).
desapontamento [dezapõta'mẽtʊ] *m* decepción.
desapontar [dezapõ'taR] *tr e pron* **1** decepcionar (desilusionar). • *tr* **2** despuntar.
desapreciar [dezapresi'aR] *tr* despreciar.
desapreço [deza'presʊ] *m* ⇒ desprezo.
desaprovação [dezaprova'sãw] *f* desaprobación.
desaproveitar [dezaprovey'taR] *tr* desaprovechar.
desarmamento [dezaRma'mẽtʊ] *m* desarme (desmontaje).
desarmar [dezaR'maR] *tr e pron* desarmar (desmontar).
desarmonia [dezaRmo'nia] *f* desarmonía.
desarmônico, ca [dezaR'mõnikʊ, ka] *adj* inarmónico.
desarmonizar [dezaRmoni'zaR] *tr e pron* desarmonizar.
desarraigamento [dezaRayga'mẽtʊ] *m* desarraigo.
desarraigar [dezaRay'gaR] *tr e pron* **1** desarraigar (árbol, planta). • *tr* **2** desarraigar (desterrar).
desarrancar [dezaRã'kaR] *tr* arrancar.
desarranjar [dezaRã'ʒaR] *tr e pron* **1** desarreglar. • *tr, intr e pron* **2** (fam) descomponer (estómago).
desarranjo [deza'Rãʒʊ] *m* desarreglo.
desarrumação [dezaRuma'sãw] *f* desorden.
desarrumar [dezaRu'maR] *tr* **1** desordenar. • *tr e pron* **2** desaliñar.
desarticular [dezaRtʃiku'laR] *tr e pron* **1** desarticular (dislocar). **2** (fig) desarticular (desorganizar).
desarvorado, da [dezaRvo'radʊ, da] *adj* desarbolado.
desassistir [dezasiʃ'tʃiR] *tr* desasistir.
desassossegado, da [dezasose'gadʊ, da] *adj* desasosegado.
desassossegar [dezasose'gaR] *tr, intr e pron* desasosegar.
desassossego [dezaso'segʊ] *m* desasosiego.
desastrado, da [dezayʃ'tradʊ, da] *adj/m e f* **1** torpe. • *adj* **2** desastroso (catastrófico).
desastre [de'zayʃtrɪ] *m* desastre.
desastroso, sa [dezayʃ'trozʊ, za] *adj* desastroso (catastrófico).
desatar [deza'taR] *tr e pron* **1** desatar (desenlazar). **2** eximir.
desatascar [dezatay'ʃkaR] *tr e pron* desatascar.
desatenção [dezatẽ'sãw] *f* desatención.
desatencioso, sa [dezatẽsi'ozʊ, za] *adj* **1** desatento (distraído). **2** desatento (descortés).
desatender [dezatẽ'deR] *tr* desatender.

desatento, ta [deza'tẽtʊ, ta] *adj/m e f* **1** desatento, distraído. **2** despreocupado.
desatinado, da [dezatʃi'nadʊ, da] *adj/m e f* **1** desatinado (loco). • *adj* **2** trastornado (perturbado).
desativado, da [dezatʃi'vadʊ, da] *adj* desactivado.
desativar [dezatʃi'vaʀ] *tr* desactivar, anular (dispositivos, potencias).
desautorizar [dezawtoɾi'zaʀ] *tr* desautorizar (negar autorización).
desavença [deza'vẽsa] *f* desavenencia.
desavergonhado, da [dezaveʀgõ'ŋadʊ, da] *adj/m e f* desvergonzado.
desavisado, da [dezavi'zadʊ, da] *adj/m e f* desavisado.
desbancar [deyʒbã'kaʀ] *tr* desbancar.
desbaratar [deyʒbaɾa'taʀ] *tr* **1** desbaratar (fortuna, enemigo). **2** desordenar.
desbarrancar [deyʒbaʀã'kaʀ] *tr* ⇒ esbarrancar.
desbastar [deyʒbaʃ'taʀ] *tr* **1** desbastar (pulir). **2** (fig) desbastar, refinar (actitudes, modales).
desbaste [deyʒ'baʃtʃɪ] *m* desbaste.
desbloquear [deyʒbloke'aʀ] *tr* desbloquear.
desbloqueio [deyʒblo'keyʊ] *m* desbloqueo.
desbocar [deyʒbo'kaʀ] *tr* **1** verter (líquido). **2** desbocar (desembocar).
desbordamento [deyʒboʀda'mẽtʊ] *m* desbordamiento.
desbordar [deyʒboʀ'daʀ] *tr, intr e pron* **1** desbordar (derramarse). • *tr* **2** (fig) desbordar (sobrepasar).
desbotar [deyʒbo'taʀ] *tr, intr e pron* **1** descolorar. **2** palidecer.
desbravar [deʒbɾa'vaʀ] *tr* **1** desbravar (amansar). **2** desbrozar.
desbundar [deyʒbũ'daʀ] *tr e intr* (fig, coloq) pasmar, dejar boquiabierto.
desbunde [deyʒ'bũdʒɪ] *m* (fig, coloq) flipe, pasada (admiración).
descabelar [deyʃkabe'laʀ] *tr* **1** despeinar. • **~-se** *pron* **2** (fig) tirarse de los pelos.
descabido, da [deyʃka'bidʊ, da] *adj* inoportuno.
descadeirar [deyʃkadey'ɾaʀ] *tr e pron* **1** descaderar. **2** (fig) fatigar.
descafeinado, da [deyʃkafey'nadʊ, da] *adj* descafeinado.
descalabro [deyʃka'labɾʊ] *m* **1** descalabro (daño, pérdida). **2** decadencia, ruina.
descalçar [deyʃkaw'saʀ] *tr e pron* **1** descalzar (zapatos); desenguantarse. • *tr* **2** descalzar (calzos).
descalço, ça [deyʃ'kawsʊ, sa] *adj* **1** descalzo. **2** (fig) descalzo (arruinado).
descamisado, da [deyʃkami'zadʊ, da] *adj/m e f* descamisado (sin camisa).
descampado, da [deyʃkã'padʊ, da] *adj/m e f* descampado.
descansar [deyʃkã'saʀ] *tr e intr* **1** descansar. • *tr* **2** (fig) reposar. **3** mitigar (preocupación, pena). • *intr* **4** (fig) morirse.
descanso [deyʃ'kãsʊ] *m* **1** descanso, reposo. **2** lentitud (calma). **3** descanso (soporte).
descarado, da [deyʃka'ɾadʊ, da] *adj* descarado.
descaramento [deyʃkaɾa'mẽtʊ] *m* descaro.
descarga [deyʃ'kaʀga] *f* **1** descarga. **2** disparo. **3** cadena (del retrete).
descarnar [deyʃkaʀ'naʀ] *tr* **1** descarnar (hueso). **2** (fig) descarnar (alejar). • *tr e pron* **3** (fig) descarnar (demacrar).
descaro [deyʃ'kaɾʊ] *m* ⇒ descaramento.
descarregar [deyʃkaʀe'gaʀ] *tr e intr* **1** descargar. • *tr e pron* **2** descargar (desembocar). **3** descargar (exonerar, aliviar).
descarrilamento [deyʃkaʀila'mẽtʊ] *m* descarrilamiento.
descarrilar [deyʃkaʀi'laʀ] *tr e intr* **1** descarrilar (tren). **2** descarriarse (socialmente).
descartar [deyʃkaʀ'taʀ] *tr, intr e pron* **1** descartar (en el juego). • *tr* **2** descartar (deshechar).
descascar [deyʃka'ʃkaʀ] *tr e intr* **1** descascarar (frutos, granos); mondar (fruta). **2** descascarillar (paredes).
descavalgar [deyʃkavaw'gaʀ] *tr e intr* descabalgar, desmontar.
descendência [desẽ'dẽsya] *f* descendencia.
descendente [desẽ'dẽtʃɪ] *adj/m e f* **1** descendiente (pariente). **2** seguidor (de una idea, estilo). • *adj 2 gén* **3** descendente.
descender [desẽ'deʀ] *tr* descender (provenir).

descenso [de'sẽsʊ] *m* descenso, bajada.
descentralizar [desẽtrali'zaʀ] *tr e intr* **1** descentralizar. • *tr* **2** distanciar, apartar.
descentrar [desẽ'tɾaʀ] *tr e pron* descentrar.
descer [de'seʀ] *tr e intr* **1** descender (bajar). • *intr* **2** descender (disminuir). **3** llegar (tocar): *a camisa descia até os joelhos = la camisa le llegaba a las rodillas.* • *tr* **4** bajar, apearse (del autobús, caballo).
descerebrado, da [desere'bradʊ, da] *adj* idiota, cretino.
descida [de'sida] *f* **1** bajada, descenso. **2** (fig) descenso (declive, caída).
desclassificado, da [deyʃklasifi'kadʊ, da] *adj/m e f* **1** desclasificado (destituido). • *m e f* **2** descalificado (de una prueba).
descoberto, ta [deyʃko'bɛʀtʊ, ta] *adj* **1** descubierto (abierto, expuesto). **2** descubierto (desvelado). **3** descubierto (inventado, divulgado).
descobridor, ra [deyʃkobri'doʀ, ɾa] *adj/m e f* descubridor.
descobrimento [deyʃkobɾi'mẽtʊ] *m* descubrimiento.
descobrir [deyʃko'bɾiʀ] *tr* **1** descubrir (destapar). **2** descubrir (encontrar). **3** descubrir (divulgar). **4** descubrir (percibir).
descolado, da [deyʃko'ladʊ, da] *adj* **1** despegado, suelto. **2** (fig) resuelto.
descolagem [deyʃko'laʒẽy] *f* **1** despegadura. **2** ⇒ decolagem.
descolar [deyʃko'laʀ] *tr, intr e pron* **1** despegar (desprender). • *tr e intr* **2** (fig) despegar (arrancar). • *intr* **3** despegar (avión); decolar (Chile, Col, Ecuad).
descolonização [deyʃkoloniza'sãw] *f* descolonización.
descolonizar [deyʃkoloni'zaʀ] *tr e pron* descolonizar.
descoloração [deyʃkolora'sãw] *f* decoloración.
descolorar [deyʃkolo'ɾaʀ] *tr, intr e pron* decolorar, descolorar.
descolorir [deyʃkolo'ɾiʀ] *tr, intr e pron* descolorir, descolorarse.
descompensar [deyʃkõpẽ'saʀ] *intr* descompensar.
descomplicar [deyʃkõpli'kaʀ] *tr* simplificar.
descompor [deyʃkõ'poʀ] *tr e pron* **1** descomponer (desordenar). • *tr, intr e pron* **2** descomponer (transformarse).
descomposição [deyʃkõpozi'sãw] *f* descomposición (desorden, alteración).
descomposto, ta [deyʃkõ'poʃtʊ, ta] *adj* **1** descompuesto (descomedido). **2** descompuesto (modificado).
descompressão [deyʃkõpre'sãw] *f* descompresión.
descomprimir [deyʃkõpri'miʀ] *tr* descomprimir.
descomunal [deyʃkomu'naw] *adj 2 gén* extraordinario.
desconcentrar [deyʃkõsẽ'tɾaʀ] *tr* **1** desconcentrar (diseminar). **2** descentrar.
desconcertado, da [deyʃkõseʀ'tadʊ, da] *adj* desarreglado, desordenado.
desconcertante [deyʃkõseʀ'tãtʃɪ] *adj 2 gén* desconcertante.
desconcertar [deyʃkõseʀ'taʀ] *tr e pron* **1** desordenar, desarreglar. **2** desconcertar (aturdir). • *tr* **3** estropear.
desconcerto [deyʃkõ'seʀtʊ] *m* **1** desconcierto (desorden). **2** desacuerdo.
desconchegar [deyʃkõʃe'gaʀ] *tr* **1** apartar. • *tr e pron* **2** desacomodar.
desconectar [deyʃkoneki'taʀ] *tr* **1** desconectar. **2** (fig) desconectar (aislar).
desconexo, xa [deyʃko'nɛkisʊ, kʃa] *adj* inconexo (desunido).
desconfiado, da [deyʃkõfi'adʊ, da] *adj/ m e f* desconfiado.
desconfiança [deyʃkõfi'ãsa] *f* desconfianza.
desconfiar [deyʃkõfi'aʀ] *intr e pron* **1** desconfiar. • *intr* **2** sospechar.
desconforme [deyʃkõ'fɔʀmɪ] *adj 2 gén* disconforme, inconforme.
desconformidade [deyʃkõfoʀmi'dadʒɪ] *f* disconformidad, desconformidad.
desconfortante [deyʃkõfoʀ'tãtʃɪ] *adj 2 gén* incómodo.
desconfortar [deyʃkõfoʀ'taʀ] *tr* **1** incomodar. **2** desalentar.
desconforto [deyʃkõ'foʀtʊ] *m* **1** incomodidad (molestia). **2** desaliento, desánimo.
descongelação [deyʃkõʒela'sãw] *f* descongelación.
descongelar [deyʃkõʒe'laʀ] *tr e pron* **1** descongelar (comida, nevera). **2** (fig) romper el hielo.

descongestionar [deyʃkõʒeʃtʃio'naʀ] *tr e pron* descongestionar (nariz, tráfico).
desconhecedor, ra [deyʃkoɲese'doʀ, ɾa] *adj/m e f* **1** desconecedor. **2** desagradecido.
desconhecer [deyʃkõɲe'seʀ] *tr* **1** desconocer (ignorar). **2** no reconocer (no admitir). • *tr e pron* **3** desconocer (no identificar).
desconhecido, da [deyʃkoɲe'sidʊ, da] *adj/m e f* **1** desconocido (ignorado). • *m e f* **2** desconocido, extraño: *não fale com desconhecidos = no hables con extraños.*
desconhecimento [deyʃkõɲesi'mẽtʊ] *m* **1** desconocimiento (ignorancia). **2** ingratitud.
desconjuntar [deyʃkõʒũ'taʀ] *tr e pron* descoyuntar (dislocar, desarticular).
desconsolação [deyʃkõsola'sãw] *f* desconsuelo.
desconsolar [deyʃkõso'laʀ] *tr, intr e pron* **1** desconsolar. **2** desanimar.
descontar [deyʃkõ'taʀ] *tr* **1** descontar (restar, deducir). **2** desconsiderar, pasar por alto (fallos, errores).
descontentamento [deyʃkõtẽta'mẽtʊ] *m* descontento.
descontentar [deyʃkõtẽ'taʀ] *tr e pron* descontentar.
descontente [deyʃkõ'tẽtʃɪ] *adj 2 gén* descontento.
descontinuar [deyʃkõtʃinu'aʀ] *tr* interrumpir, suspender (tratamiento).
descontinuidade [deyʃkõtʃinui'dadʒɪ] *f* **1** discontinuidad. **2** variación (cambio).
descontínuo, a [deyʃkõ'tʃinwʊ, a] *adj* discontinuo (intermitente, interrumpido).
desconto [deyʃ'kõtʊ] *m* **1** descuento (rebaja). **2** COM descuento (de un título de crédito).
descontração [deyʃkõtɾa'sãw] *f* **1** relajación. **2** (fig) tranquilidad, desenvoltura.
descontraído, da [deyʃkõtɾa'idʊ, da] *adj* **1** distendido (músculo). **2** (fig) distendido, relajado (situación, conducta).
descontrair [deyʃkõtɾa'iʀ] *tr e pron* distender, relajar.
descontrolado, da [deyʃkõtɾo'ladʊ, da] *adj* descontrolado.
descontrolar [deyʃkõtɾo'laʀ] *tr e pron* descontrolarse.
descontrole [deyʃkõ'tɾolɪ] *m* descontrol.
descorado, da [deyʃko'ɾadʊ, da] *adj* descolorido.
descorar [deyʃko'ɾaʀ] *tr e intr* decolorar.
descortês [deyʃkoʀ'teyʃ] *adj 2 gén* descortés (grosero, rudo).
descortesia [deyʃkoʀte'zia] *f* descortesía.
descortinar [deyʃkoʀtʃi'naʀ] *tr* **1** descorrer (cortina). **2** avistar (distinguir).
descosturar [deyʃkoyʃtu'ɾaʀ] *tr, intr e pron* descoser.
descrédito [deyʃ'kɾɛdʒitʊ] *m* descrédito.
descrença [deyʃ'kɾẽsa] *f* **1** incredulidad. **2** descreimiento, descreencia.
descrever [deyʃkɾe'veʀ] *tr e pron* **1** describir (representar, dibujar). • *tr e intr* **2** describir (explicar, narrar).
descrição [deyʃkɾi'sãw] *f* descripción (representación).
descriminação [deyʃkɾimina'sãw] *f* DIR exculpación, absolución (de un crimen).
descriminar [deyʃkɾimi'naʀ] *tr* DIR exculpar, absolver.
descritivo, va [deyʃkɾi'tʃivʊ, va] *adj* descriptivo.
descrito, ta [deyʃ'kɾitʊ, ta] *adj* **1** descrito (dibujado). **2** descrito (explicado, narrado).
descuidado, da [deyʃkuy'dadʊ, da] *adj/ m e f* descuidado (distraído, indolente).
descuidar [deyʃkuy'daʀ] *tr, intr e pron* **1** descuidar (desatender). • **~-se** *pron* **2** descuidarse (desprevenirse).
descuido [deyʃ'kuydʊ] *m* **1** descuido (distracción). **2** descuido (negligencia).
desculpa [dey'ʃkuwpa] *f* **1** excusa (pretexto). **2** perdón, disculpa.
desculpar [deyʃkuw'paʀ] *tr, intr e pron* **1** disculpar (perdonar). • *tr e pron* **2** disculpar (justificar). • *tr e intr* **3** dispensar (eximir).
descumprimento [deyʃkũpɾi'mẽtʊ] *m* incumplimiento.
descurar [deyʃku'ɾaʀ] *tr, intr e pron* **1** descuidar (desatender). • *tr e intr* **2** volverse descuidado.
desde ['deyʒdʒɪ] *prep* **1** (lugar) desde. **2** (tiempo) desde. **3** (escala) desde: *estavam juntos desde o mais pobre até o mais rico = estaban juntos desde el más pobre hasta el más rico.* ■ **~ então** desde entonces; **~ quando** desde cuando; **~**

que desde que; sólo si, siempre que: *pode brincar aqui desde que não faça barulho = puedes jugar aquí sólo si no haces ruido.*

desdém [deyʒ'dẽy] *m* **1** desdén (desprecio). **2** desdén (descuido).

desdenhar [deyʒdẽ'ŋaʀ] *tr, intr e pron* **1** desdeñar (despreciar). • *tr* **2** burlarse.

desdenhoso, sa [deyʒdẽ'ŋozʊ, za] *adj* **1** desdeñoso (altivo, soberbio). **2** desdeñoso (indiferente).

desdentado [deyʒdẽ'tadʊ, da] *adj/m e f* desdentado, mellado.

desdobrar [deyʒdo'bɾaʀ] *tr* **1** desdoblar (extender). **2** desdoblar (dividir). • *tr e pron* **3** mostrar, desvelar.

desejado, da [deze'ʒadʊ, da] *adj* **1** deseado (codiciado, soñado). **2** deseado (sexualmente).

desejar [deze'ʒaʀ] *tr, intr e pron* **1** desear (querer). • *tr* **2** desear (codiciar, pretender).

desejo [de'zeʒʊ] *m* **1** deseo (voluntad). **2** deseo (codicia, ambición).

desejoso, sa [deze'ʒozʊ, za] *adj* deseoso.

deselegante [dezele'gãtʃɪ] *adj/m e f* **1** desaliñado, inelegante. **2** descortés.

desembaraçado, da [dezẽbaɾa'sadʊ, da] *adj* **1** desembarazado (despejado, desobstruido). **2** desenredado (cabello, hilos).

desembaraçar [dezẽbaɾa'saʀ] *tr e pron* **1** desembarazar (desobstruir). **2** desenredar (cabello, hilos). **3** desembarazar (deshinibirse).

desembaraço [dezẽba'ɾasʊ] *m* **1** desembarazo (desobstrucción). **2** desembarazo (desenvoltura).

desembarcadouro [dezẽbaʀka'dowɾʊ] *m* desembarcadero.

desembarcar [dezẽbaʀ'kaʀ] *tr e intr* **1** desembarcar (de un barco, avión, coche). • *intr* **2** (fig) desembarcar (llegar).

desembargar [dezẽbaʀ'gaʀ] *tr e intr* **1** desembargar (desobstruir). • *tr* **2** DIR desembargar.

desembargo [dezẽ'baʀgʊ] *m* **1** desembargo (desobstrucción). **2** DIR desembargo.

desembarque [dezẽ'baʀkɪ] *m* **1** desembarque. **2** desembarcadero (lugar). **3** MIL desembarco.

desembocadura [dezẽboka'duɾa] *f* desembocadura (desemboque).

desembocar [dezẽbo'kaʀ] *tr* **1** desembocar (río, afluente). **2** (fig) desembocar, terminar (hecho, incidente).

desembolsar [dezẽbow'saʀ] *tr* **1** sacar (del bolso). • *tr e intr* **2** (fig) desembolsar (gastar, pagar).

desembolso [dezẽ'bowsʊ] *m* desembolso (gasto, pago).

desembrulhar [dezẽbɾu'ʎaʀ] *tr* **1** desenvolver, desempaquetar. **2** desdoblar, extender. • *tr e pron* **3** (fig) desenredar, aclarar (embrollo).

desempacotar [dezẽpako'taʀ] *tr* desempaquetar.

desempatar [dezẽpa'taʀ] *tr e intr* desempatar (juego, elección).

desempate [dezẽ'patʃɪ] *m* **1** desempate. **2** (fig) solución.

desempenar [dezẽpe'naʀ] *tr* **1** alisar, aplanar (madera, pared). • *tr, intr e pron* **2** enderezar.

desempenhar [dezẽpẽ'ŋaʀ] *tr* **1** desempeñar, ejercer (cargo, función). • *tr e intr* **2** desempeñar, interpretar (papel).

desempenho [dezẽ'pẽŋʊ] *m* **1** desempeño (ejecución, actuación). **2** desempeño (de una deuda).

desempoeirar [dezẽpoey'ɾaʀ] *tr e pron* desempolvar (limpiar).

desempoleirar [dezẽpoley'ɾaʀ] *tr e intr* **1** bajar del palo (del gallinero, de la jaula). **2** bajar, descolgar (de un lugar alto).

desempregado, da [dezẽpɾe'gadʊ, da] *adj/m e f* desempleado, parado.

desempregar [dezẽpɾe'gaʀ] *tr* **1** despedir. • **~-se** *pron* **2** dimitir.

desemprego [dezẽ'pɾegʊ] *m* desempleo, paro.

desencadear [dezẽkade'aʀ] *tr e pron* **1** desencadenar (desamarrar). **2** (fig) desencadenar (desunir, separar). • *tr* **3** (fig) desencadenar, generar (acontecimiento).

desencaixar [dezẽkay'ʃaʀ] *tr* **1** sacar (de una caja). • *tr, intr e pron* **2** desencajar, descoyuntar.

desencaminhar [dezẽkamĩ'ŋaʀ] *tr e pron* **1** extraviar (camino). • *tr, intr e pron* **2** (fig) descaminar (pervertir).

desencanar [dezẽka'naʀ] *tr* **1** retirar, quitar (tubería, cañería). • *intr* **2** desembocar, afluir (conducto).

desencantamento [dezẽkãta'mẽtʊ] *m* desencanto.
desencantar [dezẽkã'taʀ] *tr, intr e pron* **1** desencantar (deshechizar). • *tr e pron* **2** desencantar (desilusionar).
desencasquetar [dezẽkayʃke'taʀ] *tr e pron* **1** descubrirse (cabeza). • *tr, intr e pron* **2** (fig) quitar de la cabeza (idea).
desencontrado, da [dezẽkõ'tradʊ, da] *adj* opuesto (caminos, opiniones).
desencontrar [dezẽkõ'trаʀ] *tr e pron* perder, no encontrar.
desencontro [dezẽ'kõtrʊ] *m* **1** desencuentro (en una cita). **2** (fig) discrepancia.
desencorajar [dezẽkora'ʒaʀ] *tr, intr e pron* desanimar, desalentar.
desenfadado, da [dezẽfa'dadʊ, da] *adj* **1** desenojado. **2** despreocupado, desenfadado.
desenfadar [dezẽfa'daʀ] *tr, intr e pron* divertirse, entretenerse.
desenfado [dezẽ'fadʊ, da] *m* desenojo.
desenfeitar [dezẽfey'taʀ] *tr e pron* desadornar.
desenfeitiçar [dezẽfeytʃi'saʀ] *tr e pron* deshechizar (desembrujar).
desenferrujar [dezẽfeʀu'ʒaʀ] *tr* **1** desoxidar. • *tr e pron* **2** (fig) desoxidar, reactivar (articulaciones, idioma).
desenfreamento [dezẽfrea'mẽtʊ] *m* **1** desenfreno (sin freno). **2** (fig) desenfreno (descontrol, inmoderación).
desenfrear [dezẽfre'aʀ] *tr e pron* **1** desenfrenar (a las caballerías). • *intr e pron* **2** abalanzarse, precipitarse. • *tr, intr e pron* **3** (fig) dar rienda suelta (a la imaginación, rabia).
desenfreio [dezẽ'freyʊ] *m* ⇒ desenfreamento.
desenfurecer [dezẽfure'seʀ] *tr e pron* desenfurecer.
desengaiolar [dezẽgayo'laʀ] *tr e pron* **1** desenjaular (animal). **2** (fig) desenjaular (desencarcelar).
desengajado, da [dezẽga'ʒadʊ, da] *adj* emancipado, desligado.
desengajar [dezẽga'ʒaʀ] *tr e pron* desligar, emancipar.
desenganado, da [dezẽga'nadʊ, da] *adj* desengañado (desilusionado).
desenganar [dezẽga'naʀ] *tr e pron* **1** desengañar (esclarecer). • *tr* **2** desahuciar (enfermo).
desenganchar [dezẽgã'ʃaʀ] *tr e intr* desenganchar (soltar, desprender).
desengano [dezẽ'gãnʊ] *m* **1** desengaño (desilusión). **2** desengaño (esclarecimiento).
desengarrafar [dezẽgaʀa'faʀ] *tr* descongestionar (tráfico).
desengasgar [dezẽgay'ʃgaʀ] *tr e pron* pasarse el atragantamiento.
desengonçado, da [dezẽgõ'sadʊ, da] *adj* **1** desgoznado, desengoznado. **2** (fig) descoyuntado (dislocado).
desengonçar [dezẽgõ'saʀ] *tr e pron* desgoznar, desengoznar.
desengordurar [dezẽgoʀdu'raʀ] *tr* desengrasar (quitar la grasa).
desenhador, ra [dezẽɲa'doʀ, ra] *adj/m e f* ⇒ desenhista.
desenhar [dezẽ'ɲaʀ] *tr e intr* **1** dibujar. • *tr* **2** (fig) dibujar (describir). **3** trazar (idear, planear).
desenhista [dezẽ'ɲiʃta] *s 2 gén* **1** dibujante. **2** diseñador (gráfico, técnico).
desenho [de'zẽɲʊ] *m* **1** dibujo (grafismo, representación). **2** dibujo (arte). ◆ ~ **animado** dibujo animado.
desenlaçar [dezẽla'saʀ] *tr e pron* desenlazar (desatar).
desenlace [dezẽ'lasɪ] *m* **1** desenlace (fin, solución). **2** desatadura.
desenquadrar [dezẽkwa'draʀ] *tr, intr e pron* desenfocar.
desenraizar [dezẽʀay'zaʀ] *tr, intr e pron* **1** ⇒ desarraigar. **2** desenraizar.
desenrascado, da [dezẽʀay'ʃkadʊ, da] *adj* **1** desenmallado (pescado). **2** (fig) desembarazado, libre (de problemas).
desenrascar [dezẽʀayʃ'kaʀ] *tr* **1** desenmallar, desenredar. • *tr e pron* **2** desenredar (problemas, líos).
desenredar [dezẽʀe'daʀ] *tr* **1** desenredar (lío). • *tr e pron* **2** desenredar, aclarar.
desenrolar [dezẽʀo'laʀ] *tr e pron* **1** desenrollar. • *tr* **2** desenvolver (desempaquetar). • *tr e pron* **3** desarrollar (conversación, asunto).
desenroscar [dezẽʀoyʃ'kaʀ] *tr e pron* desenroscar.
desentender [dezẽtẽ'deʀ] *tr* **1** no entender. **2** desentenderse (despreocuparse).
desentendimento [dezẽtẽdʒi'mẽtʊ] *m* **1** ignorancia. **2** discrepancia.

desenterrado, da [dezẽte'ʀadʊ, da] *adj* desenterrado.
desenterrar [dezẽte'ʀaʀ] *tr* **1** desenterrar. **2** (fig) desenterrar (del olvido).
desentoar [dezẽto'aʀ] *tr e intr* **1** MÚS desentonar. • *intr e pron* **2** desentonar (en una situación).
desentranhar [dezẽtrã'ɲaʀ] *tr e pron* **1** desentrañar, arrancar. • *tr e intr* **2** (fig) desentrañar (misterio).
desentristecer [dezẽtriʃte'seʀ] *tr, intr e pron* alegrar.
desentupir [dezẽtu'piʀ] *tr* **1** desobstruir, desatrampar. **2** desatascar. • *intr* **3** (coloq) desembuchar (hablar).
desenvolto, ta [dezẽ'vowtʊ, ta] *adj* **1** desenvuelto (resuelto). **2** (fam) travieso, inquieto.
desenvoltura [dezẽvow'tuɾa] *f* **1** desenvoltura (vivacidad). **2** (fam) travesura.
desenvolver [dezẽvow'veʀ] *tr e pron* **1** desarrollar (acrecentar). **2** • **~-se** *pron* **3** desarrollarse (progresar).
desenvolvido, da [dezẽvow'vidʊ, da] *adj* **1** desarrollado (avanzado). **2** desarrollado (fuerte, crecido).
desenvolvimento [dezẽvowvi'mẽtʊ] *m* desarrollo (crecimiento, progreso).
desequilibrado, da [dezekili'bɾadʊ, da] *adj* desequilibrado.
desequilibrar [dezekili'bɾaʀ] *tr e pron* **1** desequilibrar (tambalear). • *tr* **2** desequilibrar (desproporcionar).
desequilíbrio [dezeki'libɾyʊ] *m* desequilibrio.
deserção [dezeʀ'sãw] *f* **1** deserción (de un lugar, actividad). **2** MIL deserción.
deserdado, da [dezeʀ'dadʊ, da] *adj/m e f*
deserdar [dezeʀ'daʀ] *tr* desheredar.
desertar [dezeʀ'taʀ] *tr* **1** despoblar. **2** (fig) ausentarse. • *tr e intr* **3** MIL desertar.
desértico, ca [de'zɛʀtʃikʊ, ka] *adj* desértico.
desertificação [dezeʀtʃifika'sãw] *f* desertización, desertificación.
deserto, ta [de'zɛʀtʊ, ta] *adj* **1** desierto (despoblado, vacío). • *m* **2** desierto. ■ **pregar no ~** (fig, fam) predicar en el desierto.
desertor, ra [dezeʀ'toʀ, ɾa] *adj/m e f* MIL desertor.
desesperação [dezeyʃpeɾa'sãw] *f* ⇒ desespero.
desesperado, da [dezeyʃpe'ɾadʊ, da] *adj/m e f* **1** desesperado (desesperanzado). • *adj* **2** desesperado (atormentado).
desesperança [dezeyʃpe'ʀãsa] *f* desesperanza.
desesperar [dezeyʃpe'ɾaʀ] *tr, intr e pron* **1** desesperar (desesperanzar). **2** desesperar (exasperar).
desespero [dezeyʃ'peɾʊ] *m* **1** desespero (desesperanza). **2** desesperación (angustia, exasperación).
desestabilização [dezeyʃtabiliza'sãw] *f* desestabilización.
desestabilizado, da [dezeyʃtabili'zadʊ, da] *adj* desestabilizado.
desestabilizar [dezeyʃtabili'zaʀ] *tr e pron* desestabilizar.
desestimular [dezeyʃtʃimu'laʀ] *tr e pron* desanimar.
desfaçatez [deyʃfasa'teyʃ] *f* desfachatez.
desfalcado, da [deyʃfaw'kadʊ, da] *adj* desfalcado.
desfalecer [deyʃfale'seʀ] *tr e intr* **1** desfallecer (desmayar). **2** desfallecer (debilitar). • *intr* **3** (fig) decaer.
desfalecido, da [deyʃfale'sidʊ, da] *adj* **1** desfallecido (desmayado). **2** abatido.
desfavelar [deyʃfave'laʀ] *tr* **1** quitar una favela: *desfavelaram aquele morro há alguns anos = hace unos años quitaron la favela de aquella colina.* • *tr e pron* **2** salir de la favela: *desfavelou-se porque herdou uma fazendola = salió de la favela porque heredó una pequeña hacienda.*
desfavorável [deyʃfavo'ɾavew] *adj 2 gén* **1** desfavorable (contrario). **2** desfavorable (desventajoso, perjudicial).
desfazer [deyʃfa'zeʀ] *tr e pron* **1** deshacer (desarreglar). **2** deshacer (disolver, fragmentar). **3** deshacer (derritir). • **~-se** *pron* **4** deshacerse (despojarse).
desfechar [deyʃfe'ʃaʀ] *tr* **1** abrir (cerradura). • *tr e intr* **2** disparar, descerrajar (arma). **3** terminar, acabar.
desfecho [deyʃ'feʃʊ] *m* **1** desenlace. **2** disparo.
desfeitear [deyʃfeyte'aʀ] *tr* afrontar, insultar.
desfeito, ta [deyʃ'feytʊ, ta] *adj* **1** deshecho (destruido). **2** deshecho (desarre-

glado): *penteado desfeito = peinado deshecho*. **3** deshecho (anulado). **4** deshecho (diluido, derretido). **5** deshecho (desunido, disuelto): *tropa desfeita = tropa deshecha*.

desferir [deyʃfe'ɾiʀ] *tr* **1** despedir (emitir, lanzar). **2** repartir (golpes, puñetazos).

desfiado, da [deyʃfi'adʊ, da] *adj* **1** deshilachado. **2** desmenuzado.

desfiar [deyʃfi'aʀ] *tr e pron* **1** deshilar. **2** deshilachar. • *tr* **3** desmenuzar.

desfigurado, da [deyʃfigu'ɾadʊ, da] *adj* **1** desfigurado (deformado). **2** desfigurado (feo).

desfigurar [deyʃfigu'ɾaʀ] *tr e pron* **1** desfigurar (deformar). • *tr* **2** (fig) desfigurar (afear).

desfiladeiro [deyʃfila'deyɾʊ] *m* desfiladero (paso).

desfilar [deyʃfi'laʀ] *intr* **1** desfilar (andar en fila). **2** desfilar (modelos). **3** (fig) desfilar (sucederse). **4** MIL desfilar.

desfile [deyʃ'filɪ] *m* desfile (marcha, pase).

desfloração [deyʃfloɾa'sãw] *f* BOT desfloración.

desflorar [deyʃflo'ɾaʀ] *tr e pron* **1** desflorar (planta). **2** (fig) desflorar (desvirgar).

desfocar [deyʃfo'kaʀ] *tr* desenfocar.

desfolhar [deyʃfo'ʎaʀ] *tr e pron* deshojar.

desforra [deyʃ'fɔʀa] *f* desagravio.

desforrar [deyʃfo'ʀaʀ] *tr e pron* desagraviar; indemnizar, resarcir.

desfraldar [deyʃfraw'daʀ] *tr* desplegar (al viento).

desfrutar [deyʃfɾu'taʀ] *tr e intr* disfrutar.

desgarrado, da [deyʃga'ʀadʊ, da] *adj* desviado.

desgarrar [deyʒga'ʀaʀ] *tr, intr e pron* **1** apartar, desviar. • *tr e pron* **2** separar, alejar.

desgarre [deyʒ'gaʀɪ] *m* **1** desvío, extravío. **2** alejamiento, separación.

desgastar [deʃgayʃ'taʀ] *tr* **1** desgastar (corroer, limar). **2** (fam) digerir.

desgaste [dyʒ'gayʃtʃɪ] *m* **1** desgaste (erosión). **2** (fig) desgaste (debilitamiento).

desgostar [deyʒgoyʃ'taʀ] *tr* **1** disgustar. • *tr e pron* **2** dejar de gustar.

desgosto [deyʒ'goyʃtʊ] *m* **1** desafecto. **2** disgusto.

desgostoso, sa [deyʒgoʃ'toyzʊ za] *adj* **1** disgustado, triste. **2** desagradable (sabor).

desgovernado, da [deyʒgoveʀ'nadʊ, da] *adj* **1** desgobernado. **2** descontrolado.

desgovernar [deyʒgoveʀ'naʀ] *tr e intr* **1** desgobernar. • *tr, intr e pron* **2** descontrolar. • *tr e pron* **3** (fig) depravar, corromper. • **~-se** *pron* **4** (fig) desorientarse.

desgoverno [deyʒgo'veʀnʊ] *m* **1** desgobierno (descontrol, desorden). **2** (fig) desorientación.

desgraça [deyʒ'gɾasa] *f* **1** desgracia (desdicha). **2** desgracia (calamidad). **3** (fam) pena, desastre: *esse homem é uma desgraça! = ¡qué pena de hombre!*

desgraçado, da [deyʒgɾa'sadʊ, da] *adj/m e f* **1** desgraciado (desventurado). **2** desgraciado (infame). • *adj* **3** (fam) extraordinario.

desgraçar [deyʒgɾa'saʀ] *tr* **1** desgraciar (perjudicar). • *tr e pron* **2** hacer desgraciado.

desgravar [deyʒgɾa'vaʀ] *tr* borrar (grabación).

desgrenhar [deygɾẽ'ŋaʀ] *tr e pron* desgreñar.

desgrudar [deygɾu'daʀ] *tr, intr e pron* **1** despegar (desprender). • *tr* **2** (fig) desviar, apartar (mirada, vista).

desiderato [dezide'ʀatʊ] *m* desiderátum.

desídia [de'zidʒya] *f* desidia.

desidioso, sa [dezidʒi'ozʊ, za] *adj* desidioso.

desidratação [dezidɾata'sãw] *f* deshidratación.

desidratado, da [dezidɾa'tadʊ, da] *adj* deshidratado.

desidratante [dezidɾa'tãtʃɪ] *adj/m* deshidratante.

desidratar [dezidɾa'taʀ] *tr e pron* deshidratar.

designação [dezigina'sãw] *f* **1** designación (denominación, nombramiento). **2** designación (indicación).

designar [dezigi'naʀ] *tr* **1** designar (denominar, nombrar). **2** designar (indicar, señalar).

desígnio [de'ziginyʊ] *m* designio.

desigual [dezigw'aw] *adj 2 gén* **1** desigual (diferente). **2** desigual (inconstante, irregular, desproporcional).

desigualar [dezigwa'laʀ] *tr e pron* desigualar.

desigualdade [dezigwaw'dadʒɪ] *f* **1** desigualdad (diferencia). **2** desigualdad (desproporción, inconstancia).
desiludido, da [dezilu'dʒidʊ, da] *adj* **1** decepcionado, desengañado. **2** desesperanzado.
desiludir [dezilu'dʒiʀ] *tr, intr e pron* **1** decepcionarse, desengañarse. • **~-se** *pron* **2** descreer (dejar de creer).
desilusão [dezilu'zãw] *f* **1** desesperanza. **2** desilusión (frustración).
desimpedir [dezĩpe'dʒiʀ] *tr* desobstruir, desatascar.
desinchar [dezĩ'ʃaʀ] *tr, intr e pron* deshinchar (desinflar).
desinclinar [dezĩkli'naʀ] *tr* enderezar.
desincumbir-se [dezĩkũ'biʀsɪ] *pron* desentenderse (de un asunto).
desinfecção [dezĩfeki'sãw] *f* desinfección.
desinfeccionar [dezĩfekisio'naʀ] *tr* ⇒ desinfetar.
desinfetante [dezĩfe'tãtʃɪ] *adj/m* desinfectante.
desinfetar [dezĩfe'taʀ] *tr e intr* desinfectar.
desinflação [dezĩfla'sãw] *f* ECON deflación.
desinflamação [dezĩflama'sãw] *f* desinflamación.
desinflamar [dezĩfla'maʀ] *tr, intr e pron* desinflamar.
desinflar [dezĩ'flaʀ] *tr e pron* desinflar (deshinchar).
desinformação [dezĩfoʀma'sãw] *f* desinformación.
desinformar [dezĩfoʀ'maʀ] *tr* desinformar.
desinibir [dezini'biʀ] *tr e pron* desinhibir.
desintegração [dezĩtegra'sãw] *f* desintegración.
desintegrar [dezĩte'graʀ] *tr e pron* desintegrar.
desinteressado, da [dezĩtere'sadʊ, da] *adj* **1** desinteresado. **2** desmotivado.
desinteressar [dezĩtere'saʀ] *tr e pron* **1** perder el interés. • **~-se** *pron* **2** desinteresarse.
desinteresse [dezĩte'resɪ] *m* **1** desinterés (indiferencia). **2** desinterés (descuido).
desintoxicação [dezĩtokisika'sãw] *f* desintoxicación.
desintoxicar [dezĩtoki'sikaʀ] *tr, intr e pron* desintoxicar.
desistência [deziʃ'tẽsya] *f* desistimiento, desistencia.
desistir [desiʃ'tʃiʀ] *tr* **1** desistir. **2** desdecirse (retractarse). • *intr* **3** (coloq) cagar.
desleal [deyʒle'aw] *adj 2 gén* desleal.
desleixar [deyʒley'ʃaʀ] *tr e pron* **1** descuidar (desatender). • **~-se** *pron* **2** gandulear (holgazanear).
desleixo [deyʒ'leyʃʊ] *m* **1** descuido (dejadez). **2** desánimo.
desligado, da [deyʒli'gadʊ, da] *adj* **1** desligado, separado. **2** apagado, desconectado (aparato). • *adj/m e f* **3** (coloq) despistado, distraído.
desligar [deyʒli'gaʀ] *tr* **1** desligar, separar. **2** apagar, desconectar (aparato). • *tr e pron* **3** destituir (de cargo, función). • **~-se** *pron* **4** olvidar, librarse (pensamiento, idea).
deslindar [deyʒlĩ'daʀ] *tr* deslindar.
deslizar [deyʒli'zaʀ] *intr e pron* **1** deslizar (resbalar). • *intr* **2** deslizar (descuidar). • *tr e pron* **3** apartarse (desviarse).
deslize [deyʒ'lizɪ] *m* **1** desliz (equívoco). **2** ⇒ deslizamento.
deslocado, da [deyʒlo'kadʊ, da] *adj* **1** dislocado (hueso). **2** descolocado, desplazado. **3** inoportuno (impropio).
deslocamento [deyʒloka'mẽtʊ] *m* **1** dislocación (de hueso, articulación). **2** desplazamiento.
deslocar [deyʒlo'kaʀ] *tr e pron* **1** dislocar (hueso, articulación). **2** descolocar, desplazar. • *tr* **3** trasladar (de lugar, puesto, función).
deslumbrado, da [deyʒlũ'bradʊ, da] *adj/m e f* deslumbrado.
deslumbramento [deyʒlũbra'mẽtʊ] *m* deslumbramiento.
deslumbrar [deyʒlũ'braʀ] *tr e intr* **1** deslumbrar (cegar). • *tr, intr e pron* **2** (fig) deslumbrar (impresionar).
desluzido, da [deyʒlu'zidʊ, da] *adj* **1** deslucido (oscuro). **2** (fig) deslucido (mediocre). **3** (fig) calumniado, difamado.
desluzir [deyʒlu'ziʀ] *tr e pron* **1** deslucir (deslustrar). **2** (fig) deslucir (desacreditar).

desmaiar [deyʒmay'aʀ] *tr, intr e pron* **1** palidecer. • *intr* **2** desmayar (desfallecer); desguanzar (Amér. Centr, Méx).

desmancha-prazeres [deyʒmãʃapɾa'zeʀiʃ] *adj/m e f* (coloq) aguafiestas.

desmanchar [deyʒmã'ʃaʀ] *tr e pron* **1** deshacer (embrollo, nudo). **2** desmontar, desmantelar (aparato, mueble). **3** disolver (desaparecer, extinguir). • *tr* **4** desmanchar (limpiar). • **~-se** *pron* **5** deshacerse (en elogios, excusas).

desmantelamento [deyʒmãtela'mẽtʊ] *m* desmantelamiento.

desmantelar [deyʒmãte'laʀ] *tr e pron* **1** desmantelar (desmontar). • *tr* **2** desmantelar (desarticular).

desmaquilar [deyʒmaki'laʀ] *tr e pron* **1** desmaquillar. **2** (fig) simplificar.

desmarcado, da [deyʒmaʀ'kadʊ, da] *adj* **1** desmedido. **2** anulado (compromiso, cita).

desmarcar [deyʒmaʀ'kaʀ] *tr* **1** desmarcar (quitar una marca). **2** cancelar (aplazar). • **~-se** *pron* **3** desmarcarse (jugador).

desmascarar [deyʒmayʃka'ɾaʀ] *tr e pron* **1** desenmascarar (rostro). **2** (fig) desenmascarar (revelar).

desmaterialização [deyʒmateɾiliza'sãw] *f* desintegración.

desmazelo [deyʒma'zelʊ] *m* dejadez (desaliño).

desmedido, da [deyʒme'dʒidʊ, da] *adj* desmedido.

desmedrar [deyʒme'dɾaʀ] *tr e intr* desmedrar (deteriorar).

desmembramento [deyʒmẽbɾa'mẽtʊ] *m* desmembración.

desmembrar [deyʒmẽ'bɾaʀ] *tr e pron* desmembrar (dividir).

desmemoriado, da [deyʒmemoɾi'adʊ, da] *adj/m e f* desmemoriado.

desmentido, da [deyʒmẽ'tʃidʊ, da] *adj* **1** desmentido (negado). **2** errado (disparo). • *m* **3** desmentido (mentís).

desmentir [deyʒmẽ'tʃiʀ] *tr* **1** desmentir (negar). • *tr e pron* **2** contradecir.

desmerecedor, ra [deyʒmeɾese'doʀ, ɾa] *adj/m e f* desmerecedor.

desmerecer [deyʒmeɾe'seʀ] *tr, intr e pron* desmerecer (infravalorar).

desmerecimento [deyʒmeɾesi'mẽtʊ] *m* desmerecimiento, demérito.

desmesurado, da [deyʒmezu'ɾadʊ, da] *adj* desmesurado (excesivo).

desmiolado, da [deyʒmyo'ladʊ, da] *adj/m e f* **1** (fig, fam) descerebrado (insensato). **2** (fig, fam) descerebrado (desmemoriado). • *adj* **3** desmigajado.

desmobiliar [deyʒmobili'aʀ] *tr* desamueblar, desamoblar.

desmobilizar [deyʒmobili'zaʀ] *tr* **1** MIL desmovilizar. **2** desmovilizar (huelga, protesta).

desmontado, da [deyʒmõ'tadʊ, da] *adj* desmontado.

desmontar [deyʒmõ'taʀ] *tr e pron* **1** desmontar (descabalgar). • *tr* **2** desmontar (desarmar). **3** (fig) desconcertar (transtornar).

desmoralizar [deyʒmoɾali'zaʀ] *tr e pron* **1** desmoralizar (corromper). **2** desmoralizar (desanimar).

desmoronamento [deyʒmoɾona'mẽtʊ] *m* desmoronamiento.

desmoronar [deyʒmoɾo'naʀ] *tr e pron* **1** desmoronar (edificio). **2** (fig) desmoronar (venir a menos).

desmotivado, da [deyʒmotʃi'vadʊ, da] *adj* desmotivado.

desmotivar [deyʒmotʃi'vaʀ] *tr e pron* desmotivar.

desnatado, da [deyʒna'tadʊ, da] *adj* desnatado.

desnatar [deyʒna'taʀ] *tr* desnatar (productos lácteos).

desnecessário, a [deyʒnese'saɾyʊ, a] *adj* inncecesario.

desnível [deyʒ'nivew] *m* **1** desnivel. **2** desigualdad: *desnível social = desigualdad social*.

desnivelar [deyʒnive'laʀ] *tr* **1** desnivelar. **2** diferenciar, distinguir.

desnorteado, da [deyʒnoʀtʃɪ'adʊ, da] *adj/m e f* desorientado.

desnortear [deyʒnoʀtʃɪ'aʀ] *tr, intr e pron* desorientar, desnortarse.

desnublar [deyʒnu'blaʀ] *tr e pron* despejar, desanublar.

desnudar [deyʒnu'daʀ] *tr e pron* **1** desnudar. • *tr* **2** despojar (descubrir).

desobedecer [dezobede'seʀ] *tr e intr* desobedecer.

desobediência [dezobedʒi'ẽsya] *f* desobediencia.

desobediente [dezobedʒi'ẽtʃɪ] *adj/m e f* desobediente.

desobstrução [dezobʃtru'sãw] *f* desobstrucción.
desobstruir [dezobʃtru'iʀ] *tr e pron* desobstruir.
desocupação [dezokupa'sãw] *f* desalojamiento (retirada).
desocupar [dezoku'paʀ] *tr* **1** desocupar, liberar. **2** desocupar (vaciar).
desodorante [dezodo'rãtʃɪ] *adj/m* desodorante.
desodorizante [dezodori'zãtʃɪ] *adj/m* desodorizante.
desolação [dezola'sãw] *f* **1** desolación (consternación). **2** desolación (devastación, despoblación).
desolado, da [dezo'ladʊ, da] *adj* **1** desolado (consternado). **2** desolado (devastado, despoblado).
desolador, ra [dezola'doʀ, ra] *adj* **1** desolador (devastador). **2** desolador (consternador).
desolar [dezo'laʀ] *tr* **1** desolar (consternar). • *tr e pron* **2** desolar (devastar, despoblar).
desonesto, ta [dezo'nɛʃtʊ, ta] *adj/m e f* deshonesto.
desonra [de'zõʀa] *f* deshonra.
desonrar [dezõ'ʀaʀ] *tr e pron* deshonrar.
desordem [de'zɔʀdẽy] *f* **1** desorden (desorganización). **2** desorden (tumulto).
desordenar [dezoʀde'naʀ] *tr e pron* **1** desordenar (desorganizar). • *tr* **2** sublevar (amotinar).
desorganização [dezoʀganiza'sãw] *f* desorganización.
desorganizado, da [dezoʀgani'zadʊ, da] *adj* desorganizado.
desorganizar [dezoʀgani'zaʀ] *tr e pron* desorganizar.
desorientação [dezoriẽta'sãw] *f* **1** desorientación. **2** (fig) desorientación (desconcierto, perplejidad).
desorientado, da [dezoriẽ'tadʊ, da] *adj/m e f* desorientado.
desorientar [dezoryẽ'taʀ] *tr e pron* **1** desorientar. **2** (fig) desorientar (desconcertar).
desossar [dezo'saʀ] *tr* deshuesar.
despachado, da [deyʃpa'ʃadʊ, da] *adj* **1** despachado (tramitado). **2** designado (para cargo público). **3** despachado (despedido). **4** despachado (enviado).
despachar [deyʃpa'ʃaʀ] *tr* **1** despachar, resolver (petición, asunto). **2** despachar (atender). **3** despachar, despedir (empleado). **4** despachar (enviar).
despacho [deyʃ'paʃʊ] *m* **1** despacho (comunicación). **2** despacho, comisión (para cargo público). **3** despacho (envío).
despautério [deyʃpaw'tɛryʊ] *m* (fam) disparate.
despavorido, da [deyʃpavo'ridʊ, da] *adj* despavorido.
despedaçar [deyʃpeda'saʀ] *tr e pron* **1** despedazar. **2** (fig) despedazar (afligir).
despedida [deyʃpe'dʒida] *f* **1** despedida (partida). **2** (fig) despedida (conclusión).
despedir [deyʃpe'dʒiʀ] *tr e pron* **1** despedir, despedirse. • *tr* **2** despedir (exhalar). **3** despedir (lanzar).
despegar [deyʃpe'gaʀ] *tr, intr e pron* **1** despegar (desprender). • *tr e pron* **2** (fig) despegar (desapegar).
despeitado, da [deyʃpey'tadʊ, da] *adj* despechado.
despeitar [deyʃpey'taʀ] *tr e pron* despechar, causar despecho.
despeito [deyʃ'peytʊ] *m* despecho.
despejado, da [deyʃpe'ʒadʊ, da] *adj* **1** vertido, derramado. **2** despejado (desobstruido).
despejar [deyʃpe'ʒaʀ] *tr* **1** verter (derramar). **2** desahuciar (a un inquilino). **3** vaciar. **4** despejar (desocupar, evacuar). • *tr e pron* **5** despejar (desobstruir).
despejo [deyʃ'peʒʊ] *m* **1** desalojo, evacuación. **2** desahucio (de un inmueble). **3** desembarazo, desenvoltura.
despencar [deyʃpẽ'kaʀ] *tr, intr e pron* **1** arrancar, desprender. • *intr e pron* **2** precipitarse (despeñarse).
despenhadeiro [deyʃpẽŋa'deyrʊ] *m* despeñadero.
despenhar [deyʃpẽ'ŋaʀ] *tr e pron* despeñar.
despensa [deyyʃ'pẽsa] *f* **1** despensa. **2** trastero.
despenteado, da [deyʃpẽte'adʊ, da] *adj* despeinado.
despentear [deyʃpẽte'aʀ] *tr, intr e pron* despeinar.
desperdiçado, da [deyʃpeʀdʒi'sadʊ, da] *adj* desperdiciado.
desperdiçar [deyʃpeʀdʒi'saʀ] *tr* **1** desperdiciar (malbaratar). **2** desperdiciar (desaprovechar).

desperdício [deyʃpeʀ'dʒisyʊ] *m* **1** desperdicio (derroche). **2** pérdida (desaprovechamiento): *desperdício de tempo = pérdida de tiempo.*

despertador, ra [deyʃpeʀta'doʀ, ɾa] *adj/ m e f* **1** despertador. • *adj/m* **2** despertador (reloj).

despertar [deyʃpeʀ'taʀ] *m* despertar.

despertar [deyʃpeʀ'taʀ] *tr, intr e pron* **1** despertar. • *tr* **2** (fig) despertar (estimular): *despertar o apetite = despertar el apetito.*

desperto, ta [deyʃ'pɛʀtʊ, ta] *adj* despierto (desvelado).

despesa [deyʃ'peza] *f* gasto, desembolso.

despido, da [deyʃ'pidʊ, da] *adj* **1** desnudo. **2** (fig) desnudo, deshojado (árbol, planta).

despiedado, da [deyʃpie'dadʊ, da] *adj* despiadado.

despir [deyʃ'piʀ] *tr e pron* **1** desnudar. **2** quitar (prendas de vestir).

despistar [deyʃpiʃ'taʀ] *tr e pron* **1** despistar (desorientar). • *tr* **2** despistar, disimular.

despiste [deyʃ'piʃtʃɪ] *m* **1** despiste (desorientación). **2** disimulo, engaño.

desplantar [deyʃplã'taʀ] *tr* desarraigar, desplantar.

desplante [deyʃ'plãtʃɪ] *m* desplante (descaro).

despojar [deyʃpo'ʒaʀ] *tr e pron* **1** despojar (desposeer). **2** despojar (desvestir).

despojo [deyʃ'poʒʊ] *m* **1** despojo (revestimiento). • **despojos** *m pl* **2** despojos (restos).

despoluição [deyʃpolwi'sãw] *f* descontaminación.

despoluir [deyʃpolu'iʀ] *tr* descontaminar.

despontar [deyʃpõ'taʀ] *tr e pron* **1** despuntar (perder la punta). • *tr* **2** despuntar (surgir).

desposar [deyʃpo'zaʀ] *tr e pron* desposar (casar).

déspota ['dɛyʃpota] *adj/m e f* déspota.

despotismo [deyʃpo'tʃiʒmʊ] *m* despotismo.

despovoado, da [deyʃpovo'adʊ, da] *adj* **1** despoblado (inhabitado). **2** (fig) desierto (vacío).

despovoar [deyʃpovo'aʀ] *tr e pron* **1** despoblar. **2** (fig) despoblar (vaciar, despojar).

desprender [deyʃprẽ'deʀ] *tr e pron* **1** desprender (soltar). • *tr* **2** desprender (emanar). • **~-se** *pron* **3** desprenderse (prescindir).

desprendimento [deyʃprẽdʒi'mẽtʊ] *m* **1** desprendimiento (separación). **2** desprendimiento (desapego).

despreocupação [deyʃprewkupa'sãw] *f* despreocupación.

despreocupado, da [deyʃprewku'padʊ, da] *adj* despreocupado.

despreparado, da [deyʃprepa'radʊ, da] *adj* no preparado.

desprestigiar [deyʃpreʃtʃiʒi'aʀ] *tr e pron* desprestigiar.

desprestígio [deyʃpreʃ'tʃiʒyʊ] *m* desprestigio.

desprevenido, da [deyʃpreve'nidʊ, da] *adj* **1** desprevenido. **2** desprovisto, falto.

desprevenir [deyʃpreve'niʀ] *tr e pron* no prevenir.

desprezar [deyʃpre'zaʀ] *tr e pron* despreciar (desestimar).

desprezível [deyʃpre'zivew] *adj 2 gén* despreciable.

desprezo [deyʃ'prezʊ] *m* desprecio.

desprogramar [deyʃprogra'maʀ] *tr* **1** desprogramar (aparato). **2** anular (cita, compromiso).

desproporção [deyʃpropoʀ'sãw] *f* desproporción.

desproporcionado, da [deyʃpropoʀsyo-'nadʊ, da] *adj* desproporcionado.

despropósito [deyʃpro'pɔzitʊ] *m* **1** despropósito. **2** (fam) barbaridad (gran cantidad).

desproteger [deyʃprote'ʒeʀ] *tr* desproteger.

desprotegido, da [deyʃprote'ʒidʊ, da] *adj* desprotegido.

desprovido, da [deyʃpro'vidʊ, da] *adj* desprovisto.

desqualificação [deyʃkwalifika'sãw] *f* descalificación.

desqualificado, da [deyʃkwalifi'kadʊ, da] *adj/m e f* descalificado.

desqualificar [deyʃkwalifi'kaʀ] *tr e pron* **1** descalificar (de una competición). **2** descalificar (desacreditar).

desregulado, da [deyʃʀegu'ladʊ, da] *adj* desajustado.

desrespeitar [deyʃʀeʃpey'taʀ] *tr* no respetar.

desrespeito [deyʒʀeyʃ'peytu] *m* falta de respeto.
desse, ssa ['desɛ, sa] *contr* (prep. de y pron. dem. esse) de ese.
dessecar [dese'kaʀ] *tr* desecar.
destacado, da [deyʃta'kadu, da] *adj* **1** destacado (notable, notorio). **2** despegado (suelto, separado).
destacamento [deyʃtaka'mẽtu] *m* MIL destacamento.
destacar [deyʃta'kaʀ] *tr, intr e pron* **1** destacar (sobresalir). • *tr e pron* **2** despegar (cartel, pegatina).
destapar [deyʃta'paʀ] *tr e pron* **1** destapar (abrir). • *tr* **2** destapar (revelar).
destaque [deyʃ'takɪ] *m* **1** relieve. **2** (fig) estrella.
deste, ta ['deyʃtʃɪ, ta] *contr* (prep. de y pron. dem. deste) de este: *o trabalho deste aluno é fraco = el trabajo de este alumno eflojo, não sai desta cama há dias = hace días que no sale de esta cama.*
destemido, da [deyʃte'midu, da] *adj* valiente (intrépido).
destemperado, da [deʃtẽpe'radu, da] *adj* **1** destemplado (metales). **2** desabori-do. **3** diluido (tinta, pintura). **4** desajustado (desarreglado, estropeado); destemperado (Amér. Centr).
desterrar [deyʃte'ʀaʀ] *tr e pron* **1** desterrar (expatriar). **2** (fig) apartarse (distanciarse).
desterro [deyʃ'teʀu] *m* **1** destierro (expatriación). **2** destierro (lugar).
destilação [deyʃtʃila'sãw] *f* QUÍM destilación.
destilado, da [deyʃtʃi'ladu, da] *adj* destilado.
destilador, ra [deyʃtʃila'doʀ, ra] *m e f* **1** destilador (persona). • *m* **2** destilador (alambique).
destilar [deyʃtʃi'laʀ] *tr* **1** QUÍM destilar. **2** (fig) provocar (incitar). • *tr e intr* **3** rezumar.
destilaria [deyʃtʃila'ria] *f* destilería.
destinar [deyʃtʃi'naʀ] *tr* **1** destinar (designar, reservar). **2** determinar (fijar). **3** resolver (decidir).
destinatário, a [deyʃtʃina'taryu, a] *m e f* destinatario (de una carta, atención).
destino [deyʃ'tʃinu] *m* **1** destino (hado). **2** destino (meta). **3** destino (dirección).
destituição [deyʃtʃitui'sãw] *f* destitución.
destituir [deyʃtʃitu'iʀ] *tr e pron* **1** destituir (deponer). **2** despojar (desposeer); descamisar (Amér).
destoar [deyʃto'aʀ] *intr* **1** desentonar (desafinar). • *tr* **2** discordar (discrepar).
destorcer [deyʃtoʀ'seʀ] *tr* **1** destorcer. **2** (fig) aclarar.
destreza [deyʃ'treza] *f* **1** destreza (habilidad). **2** agilidad.
destrinçar [deyʃtrĩ'saʀ] *tr* destrenzar (hilos).
destro, tra ['dɛyʃtru, tra] *adj* **1** diestro (derecha). **2** diestro (persona). **3** diestro (hábil).
destroçar [deyʃtro'saʀ] *tr* **1** destrozar (despedazar, devastar). **2** (fig) despilfarrar; botar (Amér).
destroço [deyʃ'trɔsu] *m* destrozo (devastación, destrucción); quebrazón (Amér).
destróier [deyʃ'trɔyeʀ] *m* cazatorpedero.
destronado, da [deyʃtro'nadu, da] *adj* destronado.
destronar [deyʃtro'naʀ] *tr* **1** destronar (soberanía). **2** destronar (rebajar).
destruição [deyʃtrui'sãw] *f* **1** destrucción (demolición). **2** destrucción (exterminio, muerte).
destruído, da [deyʃtru'idu, da] *adj* destruido.
destruir [deyʃtru'iʀ] *tr* destruir (devastar, destrozar).
destrutivo, va [deyʃtru'tʃivu, va] *adj* destructivo.
desumano, na [dezu'mãnu, na] *adj* inhumano, deshumano.
desunião [dezuni'ãw] *f* desunión.
desunir [dezu'niʀ] *tr* desunir (separar); desunificar (Chile, Guat).
desuso [de'zuzu] *m* desuso.
desvairar [deʃvay'raʀ] *tr* **1** desvariar (delirar). • *tr, intr e pron* **2** exasperar, exaltar.
desvalido, da [deyʒva'lidu, da] *adj* **1** inválido (nulo). • *adj/m e f* **2** desvalido (desamparado).
desvalorização [deyʒvaloriza'sãw] *f* **1** desvalorización (desprestigio). **2** desvalorización (devaluación).
desvalorizar [deyʒvalori'zaʀ] *tr e pron* **1** desvalorizar (despreciar). • *tr* **2** desvalorizar, devaluar (moneda).

desvanecer [deyʒvãne'seʀ] *tr e pron* **1** desvanecer (disipar). **2** envanecer. • *tr* **3** desvanecer (disuadir).
desvantagem [deyʒvã'taʒẽy] *f* desventaja.
desvario [deyʒva'riʊ] *m* **1** desvarío (locura). **2** desvarío (desatino).
desvelar [deyʒve'laʀ] *tr* **1** desvelar (quitar el sueño). • *tr e pron* **2** desvelar (descubrir).
desvelo [deyʒ'velʊ] *m* **1** desvelo (insomnio). **2** desvelo (celo, cuidado).
desvendar [deyʒvẽ'daʀ] *tr* **1** desvendar (ojos). • *tr e pron* **2** (fig) revelar (descubrir).
desventura [deyʒvẽ'tura] *f* desventura.
desvergonha [deʃveʀ'goɲa] *f* desvergüenza.
desviado, da [deyʒvi'adʊ, da] *adj* **1** desviado (descentrado). **2** apartado, lejos. • *adj/m e f* **3** perdido, descarriado.
desviar [deyʒvi'aʀ] *tr e pron* **1** desviar (dirección). **2** desviar (apartar).
desvincular [deyʒvĩku'laʀ] *tr e pron* desvincular; desarmortizar (Arg, Chile).
desvio [deyʒ'viʊ] *m* **1** desvío, desviación (de dirección). **2** desviación (camino apartado). **3** desfalco (de dinero). **4** desviación (de comportamiento).
desvirtuar [deyʒviʀtu'aʀ] *tr e pron* **1** desvirtuar. • *tr* **2** tergiversar (trastocar).
desvitalizar [deyʒvitali'zaʀ] *tr* desvitalizar.
detalhar [deta'ʎaʀ] *tr* **1** detallar (referir, exponer). **2** trazar, esbozar.
detalhe [de'taʎɪ] *m* **1** detalle (pormenor). **2** nimiedad (asunto).
detecção [detekɪ'sãw] *f* **1** detección (descubrimiento). **2** ELECTR detección.
detectar [deteki'taʀ] *tr* **1** detectar (descubrir). **2** ELECTR detectar.
detector, ra [deteki'toʀ, ra] *adj/m* **1** detector. • *m* **2** ELECTR detector.
detenção [detẽ'sãw] *f* **1** detención (parada). **2** detención (privación de libertad).
detentor, ra [detẽ'toʀ, ra] *adj/m e f* DIR detentador.
deter [de'teʀ] *tr e pron* **1** detener (parar). **2** contener, reprimir. • *tr* **3** detener (prender).
detergente [deteʀ'ʒẽtʃɪ] *adj/m* detergente.
deterioração [deteriorɪza'sãw] *f* deterioración, deterioro.
deteriorar [deterio'raʀ] *tr e pron* **1** deteriorar (estropear). **2** deteriorarse (empeorar, degenerar).
determinação [deteʀmina'sãw] *f* **1** determinación (fijación, indicación). **2** determinación (resolución). **3** determinación (osadía).
determinado, da [deteʀmi'nadʊ, da] *adj* **1** determinado (estipulado). **2** determinado (osado). • *pron* **3** determinado (cierto).
determinar [deteʀmi'naʀ] *tr* **1** determinar (fijar, establecer). **2** DIR determinar (decreto).
determinismo [deteʀmi'niʒmʊ] *m* FIL determinismo.
detestar [deteyʃ'taʀ] *tr e pron* detestar (aborrecer).
detestável [deteyʃ'tavew] *adj 2 gén* detestable.
detetive [dete'tʃivɪ] *m* detective.
detido, da [de'tʃidʊ, da] *adj* **1** detenido (parado). • *adj/m e f* **2** detenido (preso).
detonador, ra [detona'doʀ, ra] *adj* **1** detonador. • *m* **2** detonador (de explosivos).
detrás [de'trayʃ] *adv* **1** detrás: *ali está o prédio da escola, e detrás, o hospital = allí está el edificio de la escuela y, detrás, el hospital.* **2** detrás (después): *primeiro veio a escola de samba de Beija Flor, e detrás, a de Mangueira = primero vino la escuela de samba de Beija Flor y, detrás, la de Mangueira.*
detrator, ra [detra'toʀ, ra] *adj/m e f* **1** detractor (despreciador). **2** detractor (infamador).
detrimento [detri'mẽtʊ] *m* detrimento (perjuicio). ■ **em ~ de** en detrimento de.
detrito [de'tritʊ] *m* GEOL, MED detrito, detritus.
deturpar [detuʀ'paʀ] *tr* **1** deturpar (deformar). **2** alterar, modificar.
deus, sa ['dewʃ, za] *m* **1** dios (deidad). **2** (fig) dios (ídolo). ■ **meu Deus!** ¡Dios mío!
devagar [deva'gaʀ] *adv* **1** despacio. **2** suavemente.
devaneio [deva'neyʊ] *m* **1** quimera, sueño. **2** devaneo (delirio, desatino).

d

devassar [deva'saʀ] *tr* **1** invadir. **2** investigar, indagar.
devassidão [devasi'dãw] *f* libertinaje, depravación.
devasso, ssa [de'vasʊ, sa] *adj/m e f* libertino, depravado; piche (Amer. Centr).
devastação [devayʃta'sãw] *f* **1** devastación. **2** depredación, saqueo.
devastar [devayʃ'taʀ] *tr* **1** devastar (asolar). **2** saquear, pillar.
devedor, ra [deve'doʀ, ɾa] *adj/m e f* deudor.
dever [de'veʀ] *m* **1** deber (obligación). **2** deberes (ejercicios).
dever [de'veʀ] *tr* **1** deber (estar obligado). **2** deber (adeudar). • *intr* **3** deber (ser probable).

> En español se distingue el **deber** de probabilidad del de obligación mediante la preposición de. En portugués no se utiliza ninguna preposición: *depois dessa longa viagem, você deve estar cansado = después de este viaje tan largo debes de estar cansado.*

deveras [de'vɛɾayʃ] *adv* de veras, realmente.
devido, da [de'vidʊ, da] *adj/m* **1** debido (adeudado). • *m* **2** deber (obligación).
devoção [devo'sãw] *f* **1** devoción (veneración). **2** (fig) devoción (inclinación).
devolução [devolu'sãw] *f* devolución.
devoluto, ta [devo'lutʊ] *adj* **1** deshabitado, desocupado. **2** adquirido por devolución.
devolver [devow'veʀ] *tr* **1** devolver (entregar). **2** devolver, recompensar (gesto). **3** devolver (vomitar). **4** devolver (reflejar).
devorar [devo'ɾaʀ] *tr* **1** devorar (comer); embicar (Cuba). **2** (fig) devorar (destruir, consumir).
devotar [devo'taʀ] *tr* **1** prometer (a una divinidad). • **~-se** *pron* **2** dedicarse, consagrarse.
devoto, ta [de'vɔtʊ, ta] *adj* **1** devoto. • *m e f* **2** devoto (venerador).
dez ['dɛyʃ] *adj/m* diez.
dezenove [deze'nɔvɪ] *adj/m* diecinueve.
dezesseis [deze'seyʃ] *adj/m* dieciséis.
dezessete [deze'sɛtʃɪ] *adj/m* diecisiete.
dezembro [de'zẽbɾʊ] *m* diciembre.
dezena [de'zẽna] *f* decena.
dezoito [de'zoytʊ] *adj/m* dieciocho.
dia ['dʒia] *m* **1** día. • **dias** *m pl* **2** (fig) días (vida, existencia). ◆ **~ de anos** cumpleaños; **~ de finados ou dos mortos** día de difuntos; **~ enforcado** puente (festivo); **~ feriado** día festivo. ■ **do ~** del día; **do ~ para a noite** de la noche a la mañana; **em ~** al día (actualizado).
dia-a-dia [dʒia'dʒia] *m* cotidiano, rutina.
diabete ou **diabetes** [dʒya'bɛtʃɪ o dʒya'bɛtʃɪʃ] *f* MED diabetes.
diabético, ca [dʒia'bɛtʃikʊ, ka] *adj/m e f* diabético.
diabo [dʒi'abʊ] *m* **1** diablo; candanga, mandinga (Amér). **2** diablo (astuto, malo, travieso). **3** diablo (feo).
diabólico, ca [dʒia'bɔlikʊ, ka] *adj* diabólico.
diabrura [dʒia'bɾuɾa] *f* **1** diablura (acto del diablo). **2** (fig) diablura (travesura); judería (Amér).
diácono [dʒi'akonʊ] *m* diácono.
diadema [dʒia'dẽma] *f* diadema (adorno, corona).
diáfano, na [dʒi'afanʊ, na] *adj* **1** diáfano (transparente). **2** (fig) delgado, delicado.
diafragma [dʒia'fragima] *m* diafragma.
diagnosticar [dʒiaginoyʃtʃi'kaʀ] *tr* diagnosticar.
diagnóstico [dʒiagi'nɔyʃtʃikʊ] *adj/m* diagnóstico.
diagonal [dʒiago'naw] *adj 2 gén* diagonal (oblicuo).
diagrama [dʒia'gɾãma] *m* diagrama (gráfico, dibujo).
dialetal [dʒiale'taw] *adj 2 gén* dialectal.
dialética [dʒia'lɛtʃika] *f* FIL dialéctica.
dialeto [dʒia'lɛtʊ] *m* FILOL dialecto.
dialético, ca [dʒia'lɛtʃikʊ, ka] *adj* dialéctico.
dialogado, da [dʒialo'gadʊ, da] *adj* dialogado.
dialogar [dʒialo'gaʀ] *tr* dialogar.
diálogo [dʒi'alogʊ] *m* diálogo (conversación).
diamante [dʒia'mãtʃɪ] *m* diamante (joya). ◆ **~ bruto** diamante bruto o en bruto.

diamantífero, ra [dʒiamã'tʃiferʊ, ɾa] *adj* diamantífero.
diâmetro [dʒi'ãmetrʊ] *m* GEOM diámetro.
diante [dʒi'ãtʃɪ] *prep* frente, ante: *recuou diante a segurança do adversário = retrocedió ante la seguridad del adversario.*
dianteira [dʒiã'teyɾa] *f* delantera (espacio avanzado). ■ **tomar a dianteira** coger o tomar la delantera.
dianteiro, ra [dʒiã'teyɾʊ, ɾa] *adj/m* **1** delantero. • *m* **2** ESPORT delantero.
diária [dʒi'aɾya] *f* **1** paga, sueldo (de un día). **2** dieta (remuneración). **3** tarifa diaria (de hotel).
diário, a [dʒi'aɾyʊ, a] *adj* **1** diario. • *m* **2** diario (libro). **3** diario (periódico).
diarréia [dʒia'ʀɛya] *f* diarrea.
diáspora [dʒi'ayʃpoɾa] *f* **1** HIST diáspora. **2** diáspora (de un pueblo).
diatribe [dʒia'tɾibɪ] *f* diatriba.
dica ['dʒika] *f* (fam) consejo, información.
dicção [dʒiki'sãw] *f* **1** dicción (pronunciación). **2** dicción (expresión, estilo).
dicionário [dʒisio'naɾyʊ] *m* diccionario. ♦ ~ **ambulante** (fig) diccionario ambulante; ~ **bilíngüe** diccionario bilingüe; ~ **monolíngüe** diccionario monolingüe.
dicotomia [dʒikoto'mia] *f* **1** dicotomía (clasificación, división). **2** dicotomía (repartición de honorarios).
didática [dʒi'datʃika] *f* didáctica.
didático, ca [dʒi'datʃikʊ, ka] *adj* didáctico.
diérese [dʒi'eɾezɪ] *f* GRAM diéresis.
diesel ['dʒizew] *adj/m* gasóleo; diesel (C. Rica, Cuba, Esp, Méx, P. Rico).
dieta [dʒi'ɛta] *f* **1** dieta (régimen). **2** POL dieta.
dietética [dʒie'tɛtʃika] *f* dietética.
dietético, ca [dʒie'tɛtʃikʊ, ka] *adj* dietético.
difamação [dʒifama'sãw] *f* difamación.
difamar [dʒifa'maʀ] *tr e pron* difamar.
diferença [dʒife'ɾẽsa] *f* **1** diferencia (distinción). **2** diferencia (variedad). • **diferenças** *f pl* **3** diferencias (discrepancias).
diferençar [dʒifeɾẽ'saʀ] *tr e pron* diferenciar.
diferenciação [dʒifeɾẽsoia'sãw] *f* diferenciación.
diferencial [dʒifeɾẽsi'aw] *adj 2 gén* **1** diferencial. • *m* **2** diferencia. **3** MEC diferencial.
diferente [dʒife'ɾẽtʃɪ] *adj 2 gén* **1** diferente. • **diferentes** *pron* **2** varios: *em diferentes ocasiões ele me falou isso = me dijo eso en varias ocasiones.*
diferir [dʒife'ɾiʀ] *tr* **1** diferir (aplazar). **2** diferir (distinguir).
difícil [dʒi'fisiw] *adj 2 gén* **1** difícil (complejo). **2** difícil (grave). ■ **bancar o ~** (fig) darse importancia.
dificuldade [dʒifikuw'dadʒɪ] *f* dificultad.
dificultar [dʒifikuw'taʀ] *tr e pron* dificultar (complicar).
dificultoso, sa [dʒifikuw'tozʊ, za] *adj* dificultoso.
difluir [dʒiflu'iʀ] *tr* difluir.
difteria [dʒifite'ɾia] *f* MED difteria.
difundir [dʒifũ'dʒiʀ] *tr e pron* **1** difundir (esparcir físicamente). **2** difundir (noticias, costumbres, conocimientos).
difusão [dʒifu'zãw] *f* **1** difusión (divulgación). **2** RÁD difusión.
difuso, sa [dʒi'fuzʊ, za] *adj* **1** difuso (difundido). **2** difuso (ancho, dilatado). **3** difuso (impreciso).
difusor, ra [dʒifu'zoʀ, ɾa] *adj/m* difusor.
digerir [dʒiʒe'ɾiʀ] *tr* **1** digerir. **2** (fig) digerir (asimilar, comprender).
digestão [dʒiʒeyʃ'tãw] *f* digestión.
digestivo, va [dʒiʒeyʃ'tʃivʊ, va] *adj* **1** digestivo. • *adj/m* **2** digestivo (medicamento).
digital [dʒiʒi'taw] *adj 2 gén* **1** digital. • *f* **2** digital, dedalera (planta).
digitalizar [dʒiʒitali'zaʀ] *tr* COMP digitalizar.
digitar [dʒiʒi'taʀ] *tr* teclear; digitar (Chile, Col, El Salv, Hond, Ur).
dígito ['dʒiʒitʊ] *m* **1** dedo. **2** ASTR, MAT dígito. **3** COMP dígito.
dignar-se [dʒigi'naʀsɪ] *pron* dignarse (condescender).
dignidade [dʒigini'dadʒɪ] *f* dignidad.
dignificar [dʒiginifi'kaʀ] *tr e pron* dignificar.
dignitário, a [dʒigini'taɾyʊ, a] *m e f* dignatario.
digno, na ['dʒiginʊ, na] *adj* **1** digno. **2** digno (merecedor).

d

digressão [dʒigɾe'sãw] *f* **1** digresión (divagación). **2** evasiva. **3** LIT disertación.
dilacerar [dʒilase'ɾaʀ] *tr* **1** dilacerar (desgarrar, destrozar). **2** (fig) dilacerar (humillar). • **~-se** *pron* **3** dilacerarse.
dilapidar [dʒilapi'daʀ] *tr* **1** dilapidar (dinero, bienes). **2** demoler, destruir.
dilatação [dʒilata'sãw] *f* **1** dilatación. **2** MED dilatación.
dilatar [dʒila'taʀ] *tr e pron* **1** dilatar (por calor). **2** (fig) dilatar (extenderse, aumentar).
dilema [dʒi'lẽma] *m* **1** dilema (argumento). **2** (fig) dilema (duda).
diligência [dʒili'ʒẽsya] *f* **1** diligencia (celo). **2** diligencia (prontitud). **3** diligencia (trámite).
diligente [dʒili'ʒẽtʃɪ] *adj 2 gén* **1** diligente (cuidadoso). **2** diligente (rápido).
diluente [dʒilu'ẽtʃɪ] *adj/m* diluyente.
diluição [dʒilui'sãw] *f* dilución.
diluir [dʒilu'iʀ] *tr e pron* **1** diluir (un líquido). **2** (fig) diluir (atenuar, desaparecer).
diluviar [dʒiluvi'aʀ] *intr* diluviar.
dilúvio [dʒi'luvyʊ] *m* **1** diluvio (lluvia). **2** (fig) diluvio (abundancia).
dimensão [dʒimẽ'sãw] *f* **1** dimensión (tamaño). **2** (fig) dimensión (importancia, alcance).
dimensional [dʒimẽsio'naw] *adj 2 gén* dimensional.
dimensionar [dʒimẽsio'naʀ] *tr* dimensionar.
diminuição [dʒiminui'sãw] *f* **1** disminución. **2** (fig) depreciación.
diminuir [dʒiminu'iʀ] *tr e intr* **1** disminuir. **2** reducir. **3** MAT restar. • *tr* **4** parecer menor (hacer menos). **5** reducir, moderar (la bebida, comida). • *intr* **6** • *tr e pron* **7** humillarse, despreciarse.
diminuto, ta [dʒimi'nutʊ, ta] *adj* **1** diminuto (pequeño). **2** escaso.
Dinamarca [dʒina'maʀka] *f* Dinamarca.
dinamarquês, sa [dʒinamaʀ'keyʃ, za] *adj/m e f* **1** danés. • *m* **2** danés (lengua).
dinâmica [dʒi'nãmika] *f* **1** dinámica (funcionamiento, evolución). **2** FÍS dinámica.
dinâmico, ca [dʒi'nãmikʊ, ka] *adj* **1** (fig) dinámico (cambiante). **2** (fig) dinámico (activo, creativo).
dinamismo [dʒinã'miʒmʊ] *m* **1** dinamismo (energía). **2** (fig) dinamismo (vitalidad).
dinamização [dʒinamiza'sãw] *f* dinamización.
dinamizador, ra [dʒinamiza'doʀ, ɾa] *adj* incentivador, animador.
dinamizar [dʒinami'zaʀ] *tr* dinamizar.
dinastia [dʒinayʃ'tʃia] *f* dinastía.
dinástico, ca [dʒi'nayʃtʃikʊ, ka] *adj* dinástico.
dinheiro [dʒĩ'ɲeyɾʊ] *m* **1** dinero (moneda); plata (Col). **2** dinero (fortuna). ♦ **~ de plástico** dinero de plástico (tarjeta de crédito); **~ sujo** dinero sucio; **~ trocado** cambio. ■ **fazer ~** hacer dinero; **trocar ~** cambiar dinero.
dinossauro [dʒino'sawɾʊ] *m* dinosaurio.
diocesano, na [dʒiose'zãnʊ, na] *adj/m* diocesano.
diocese [dʒio'sɛzɪ] *f* diócesis.
díodo ['dʒiodʊ] *m* ELECTR diodo.
dioptria [dʒiopi'tɾia] *f* ÓPT dioptría.
dióxido [dʒi'ɔkisidʊ] *m* QUÍM dióxido.
diploma [dʒi'plõma] *m* diploma (título, documento).
diplomacia [dʒiploma'sia] *f* **1** diplomacia (ciencia, carrera). **2** diplomacia (cuerpo diplomático).
diplomar [dʒiplo'maʀ] *tr* **1** diplomar. • **~-se** *pron* **2** diplomarse.
diplomata [dʒiplo'mata] *s 2 gén* **1** diplomático (representante del Estado). **2** (fig) caballero, dama (persona distinguida).
diplomático, ca [dʒiplo'matʃikʊ, ka] *adj* **1** diplomático (perteneciente a la diplomacia). • *m e f* **2** diplomatista.
dique ['dʒikɪ] *m* **1** dique (para las aguas). **2** MAR dique. **3** GEOL dique.
direção [dʒiɾe'sãw] *f* **1** dirección (orientación, encauzamiento). **2** dirección (de empresa, gobierno, administración). **3** dirección (cargo).
direcional [dʒiɾesyo'naw] *adj 2 gén* **1** direccional. **2** AUT intermitente (luz); direccional (Amér).
direcionar [dʒiɾesio'naʀ] *tr* **1** orientar. **2** dirigir (atención, esfuerzo).
direita [dʒi'ɾeyta] *f* **1** derecha (mano). **2** derecha (lado, dirección). **3** POL derecha. ■ **à ~** a la derecha; **de direitas** POL de derechas.

direito, ta [dʒiˈreytʊ, ta] *adj* **1** derecho (lado). **2** derecho, recto. **3** correcto, justo. **4** derecho (de pie). • *m* **5** justicia, razón. **6** derecho (facultad legal). **7** derecho (leyes y normas jurídicas). **8** derechazo (boxeo).

direto, ta [dʒiˈrɛtʊ, ta] *adj* **1** directo (en línea recta). **2** franco, claro. • *m* **3** derechazo (golpe). • *adv* **4** directamente.

diretor, ra [dʒireˈtoʀ, ra] *adj/m e f* director.

diretório, a [dʒireˈtɔryʊ, a] *adj* **1** directorio. • *m* **2** directorio (junta directiva). **3** COMP directorio.

diretriz [dʒireˈtriʃ] *adj* **1** directriz. • *f* **2** trazado (camino). **3** directriz (orientación). **4** GEOM directriz.

dirigente [dʒiriˈʒẽtʃɪ] *adj/m e f* dirigente.

dirigido, da [dʒiriˈʒidʊ, da] *adj* dirigido (planeado, orientado).

dirigir [dʒiriˈʒiʀ] *tr* **1** dirigir (conducir, orientar). **2** dirigir (la palabra). • *tr e intr* **3** conducir, manejar (un vehículo).

dirigível [dʒiriˈʒivew] *adj 2 gén* **1** dirigible. • *m* **2** AER dirigible (globo).

dirimir [dʒiriˈmiʀ] *tr* **1** DIR dirimir (anular). **2** dirimir (resolver).

discernimento [dʒiseʀniˈmẽtʊ] *m* discernimiento.

discernir [dʒiseʀˈniʀ] *tr e intr* **1** discernir (distinguir). **2** juzgar, evaluar.

disciplina [dʒisiˈplina] *f* **1** disciplina (obediencia). **2** disciplina (orden). **3** disciplina (materia, asignatura).

disciplinar [dʒisipliˈnaʀ] *adj 2 gén* **1** disciplinario (punitivo). **2** disciplinario (educacional).

disciplinar [dʒisipliˈnaʀ] *tr* **1** disciplinar (flagelar, castigar). • *tr e pron* **2** disciplinar (contener, refrenar).

discípulo, la [dʒiˈsipulʊ, la] *m e f* **1** discípulo (alumno, aprendiz). **2** discípulo (seguidor).

disco [ˈdʒiʃkʊ] *m* **1** disco (objeto circular). **2** disco (del semáforo). **3** disco (de música). **4** disco (del teléfono). **5** ESPORT disco. ◆ ~ **compacto** disco compacto; ~ **rígido** COMP disco duro ~ **voador** platillo volante (ovni).

discordância [dʒiʃkoʀˈdãsya] *f* **1** discordancia (divergencia). **2** MÚS discordancia (desarmonía).

discordar [dʒiʃkoʀˈdaʀ] *tr* **1** discordar (discrepar). **2** desentonar (colores, objetos). • *intr* **3** MÚS discordar.

discórdia [dʒiˈʃkɔʀdʒya] *f* discordia (discrepancia, desacuerdo).

discorrer [dʒiʃkoˈʀeʀ] *tr e intr* discurrir, disertar.

discoteca [dʒiʃkoˈtɛka] *f* **1** discoteca (colección de discos). **2** discoteca (mueble, local). **3** discoteca (local público).

discrepância [dʒiʃkreˈpãsya] *f* discrepancia (diferencia, disentimiento).

discrepar [dʒiʃkreˈpaʀ] *tr* **1** discrepar (divergir). **2** discrepar (desentonar).

discreto, ta [dʒiʃˈkrɛtʊ, ta] *adj* **1** discreto (modesto, reservado). **2** discreto (distinto).

discrição [dʒiʃkriˈsãw] *f* discreción (moderación, prudencia). ■ **a ~** a discreción.

discriminação [dʒiʃkriminaˈsãw] *f* discriminación.

discriminar [dʒiʃkrimiˈnaʀ] *tr e pron* **1** discriminar (diferenciar, separar). • *tr* **2** discriminar (excluir).

discriminatório, a [dʒiʃkriminaˈtɔryʊ, a] *adj* **1** discriminatorio (clasificatorio). **2** discriminatorio (de inferioridad).

discursar [dʒiʃkuʀˈsaʀ] *intr* **1** hacer un discurso. • *tr* **2** discurrir, hablar. **3** explicar.

discursivo, va [dʒiʃkuʀˈsivʊ, va] *adj* discursivo.

discurso [dʒiˈʃkuʀsʊ] *m* **1** discurso (oratoria, sermón). **2** FIL discurso (raciocinio, pensamiento).

discussão [dʒiʃkuˈsãw] *f* **1** discusión (examen). **2** discusión (pelea).

discutir [dʒiʃkuˈtʃiʀ] *tr* **1** discutir (analizar cuestionando). • *tr e intr* **2** discutir (debatir).

discutível [dʒiʃkuˈtʃivew] *adj 2 gén* **1** discutible. **2** dudoso.

disenteria [dʒizẽteˈria] *f* MED disentería.

disfarçado, da [dʒiʃfaʀˈsadʊ, da] *adj* **1** disfrazado (enmascarado). **2** (fig) disfrazado (falso).

disfarçar [dʒiʃfaʀˈsaʀ] *tr* **1** disfrazar (disimular). • **~-se** *pron* **2** disfrazarse.

disfarce [dʒiˈʃfaʀsɪ] *m* disfraz.

disforme [dʒiˈʃfɔʀmɪ] *adj 2 gén* **1** deforme (desproporcionado). **2** deforme (sin forma).

disfunção [dʒiʃfũ'sãw] *f* MED disfunción (de un órgano).
disjunção [dʒiʒũ'sãw] *f* disyunción.
disjuntiva [dʒiʒũ'tʃiva] *f* GRAM disyuntiva.
disjuntor [dʒiʒũ'toR] *adj/m* ELEC disyuntor.
díspar ['dʒiʃpaR] *adj 2 gén* dispar.
disparar [dʒiʃpa'raR] *tr* **1** disparar (arma). ● *tr e intr* **2** disparar, accionar (alarma, sirena).
disparatado, da [dʒiʃpara'tadʊ, da] *adj* disparatado (absurdo).
disparate [dʒiʃpa'ratʃɪ] *m* **1** disparate (absurdidad). **2** disparate (atrocidad).
disparidade [dʒiʃpari'dadʒɪ] *f* **1** disparidad. **2** despropósito.
disparo [dʒi'ʃparʊ] *m* disparo (detonación).
dispêndio [dʒi'ʃpẽdʒyʊ] *m* dispendio (gasto).
dispendioso, sa [dʒiʃpẽdʒi'ozʊ, za] *adj* dispendioso.
dispensa [dʒi'ʃpẽsa] *f* **1** dispensa (exención, permiso). **2** dispensa (documento).
dispensar [dʒiʃpẽ'saR] *tr* **1** rehusar. **2** dispensar (conceder, dar). **3** dispensar (absolver). **4** despedir.
dispersão [dʒiʃpeR'sãw] *f* **1** dispersión (disgregación). **2** (fig) dispersión (falta de atención).
dispersar [dʒiʃpeR'saR] *tr, intr e pron* **1** dispersar (disgregar). **2** disipar. ● *tr e pron* **3** (fig) distraer.
disperso, sa [dʒi'ʃpɛRsʊ, sa] *adj* **1** disperso (disgregado). **2** (fig) ⇒ dispersivo, va (2).
displicência [dʒiʃpli'sẽsya] *f* displicencia (indiferencia).
disponibilidade [dʒiʃponibili'dadʒɪ] *f* disponibilidad.
disponível [dʒiʃpo'nivew] *adj 2 gén* **1** disponible. **2** disponible (libre).
dispor [dʒi'ʃpoR] *tr* **1** disponer (colocar, acomodar, distribuir). **2** disponer (ordenar, organizar). ~ **de 3** disponer de (poseer). ● *tr e pron* **4** disponer (preparar).
disposição [dʒiʃpozi'sãw] *f* **1** disposición (distribución). **2** disposición (aptitud, ánimo). **3** disposición (deliberación, precepto). **4** disposición (voluntad).
dispositivo [dʒiʃpozi'tʃivʊ] *adj/m* dispositivo.
disposto, ta [dʒi'ʃpoʃtʊ, ta] *adj* **1** dispuesto (colocado). **2** dispuesto (preparado). **3** dispuesto (activo, animado).
disputa [dʒi'ʃputa] *f* **1** disputa (debate). **2** disputa (competición). **3** disputa (pelea, riña).
disputar [dʒiʃpu'taR] *tr e intr* **1** disputar (debatir). ● *tr* **2** disputar (competir).
disquete [dʒi'ʃkɛtʃɪ] *m* COMP disquete.
dissecar [dʒise'kaR] *tr* **1** ANAT disecar (diseccionar). **2** (fig) diseccionar (analizar).
disse-me-disse [dʒisɪmɪ'dʒisɪ] *m* (coloq) cotilleo, chismorreo.
disseminação [dʒisemina'sãw] *f* **1** diseminación (esparcimiento). **2** (fig) difusión, propagación.
disseminar [dʒisemi'naR] *tr e pron* diseminar (esparcir).
dissertação [dʒiseRta'sãw] *f* disertación.
dissertar [dʒiseR'taR] *tr* disertar.
dissidência [dʒisi'dẽsya] *f* disidencia (desaveniencia, separación).
dissidente [dʒisi'dẽtʃɪ] *adj 2 gén* disidente. ◆ ~ **político** disidente político.
dissimilação [dʒisimila'sãw] *f* **1** diferenciación. **2** FON disimilación.
dissimulação [dʒisimula'sãw] *f* disimulación, disimulo.
dissimulado, da [dʒisimu'ladʊ, da] *adj* **1** disimulado. ● *adj/m* **2** falso.
dissimular [dʒisimu'laR] *tr* **1** disimular (disfrazar). ● *tr e intr* **2** disimular (fingir).
dissipação [dʒisipa'sãw] *f* **1** disipación. **2** disipación (libertinaje).
dissipar [dʒisi'paR] *tr e pron* **1** disipar (desvanecer). ● *tr* **2** disipar (derrochar).
disso ['dʒisʊ] *contr* (prep. de y pron. dem. isso) de eso: *falou muito mal disso = habló muy mal de eso.*
dissociação [dʒisosia'sãw] *f* disociación (separación).
dissociar [dʒisosi'aR] *tr e pron* **1** disociar. **2** (fig) disociar (separar).
dissolução [dʒisolu'sãw] *f* disolución (de sustancias).
dissolvente [dʒisow'vẽtʃɪ] *adj/m e f* disolvente.
dissolver [dʒisow'veR] *tr e pron* **1** disolver (sustancias). **2** (fig) disolver (separar). **3** (fig) desvanecer (disipar).

dissonância [dʒiso'nãsya] *f* disonancia.
dissonante [dʒiso'nãtʃɪ] *adj 2 gén* disonante.
dissonar [dʒiso'naʀ] *intr* disonar.
dissuadir [dʒisua'dʒiʀ] *tr e pron* disuadir (persuadir).
distância [dʒiʃ'tãsya] *f* **1** distancia. **2** diferencia (social). ■ **manter ~** guardar las distancias.
distanciamento [dʒiʃtãsya'mẽtʊ] *m* distanciamiento.
distanciar [dʒiʃtãsi'aʀ] *tr e pron* distanciar (separar, apartar); despegar (Amér. Centr, Méx).
distante [dʒiʃ'tãtʃɪ] *adj 2 gén* **1** distante (lejano). **2** distante (diferente). ● *adv* **3** lejos: *a escola fica distante da sua casa = la escuela está lejos de su casa.*
distar [dʒiʃ'taʀ] *tr e intr* **1** distar (estar alejado). ● *tr* **2** distar (diferenciarse).
distender [dʒiʃtẽ'deʀ] *tr e pron* **1** distender. **2** extender (alargar). **3** tensar.
distensão [dʒiʃtẽ'sãw] *f* **1** distensión (aflojamiento). **2** (fig) distensión (relajación).
distinção [dʒiʃtʃĩ'sãw] *f* **1** distinción (diferencia). **2** distinción (elegancia).
distinguir [dʒiʃtʃĩ'giʀ] *tr e pron* **1** distinguir (diferenciar). ● *tr* **2** distinguir (divisar).
distintivo, va [dʒiʃtʃĩ'tʃivʊ, va] *adj* **1** distintivo. ● *m* **2** distintivo (insignia).
distinto, ta [dʒiʃ'tʃĩtʊ, ta] *adj* **1** distinto (diferente). **2** ilustre, distinguido (insigne); prominente (Amér).
disto ['dʒiʃtʊ] *contr* (prep. de y pron. dem. isto) de esto.
distorção [dʒiʃtoʀ'sãw] *f* **1** distorsión (deformación). **2** (fig) distorsión (tergiversación).
distorcer [dʒiʃtoʀ'seʀ] *tr* **1** distorsionar (alterar). **2** (fig) distorsionar (tergiversar).
distorcido, da [dʒiʃtoʀ'sidʊ, da] *adj* distorsionado (deformado).
distração [dʒiʃtra'sãw] *f* **1** distracción (falta de concentración). **2** distracción (equivocación, despiste). **3** distracción (diversión, entretenimiento).
distraído, da [dʒiʃtra'idʊ] *adj* distraído (despistado).
distrair [dʒiʃtra'iʀ] *tr e pron* **1** distraer (apartar la atención). ● *tr* **2** separar (dividir). **3** desviar. ● **~-se** *pron* **4** distraer (entretenerse, divertirse).
distribuição [dʒiʃtribui'sãw] *f* distribución.
distribuidor, ra [dʒiʃtribui'doʀ, ra] *adj* **1** distribuidor. ● *m* **2** distribuidor (intermediario).
distribuidora [dʒiʃtribui'dora] *f* distribuidora (empresa).
distribuir [dʒiʃtribu'iʀ] *tr* distribuir (dividir, repartir).
distributivo, va [dʒiʃtribu'tʃivʊ, va] *adj* distributivo.
distrito [dʒiʃ'tritʊ] *m* distrito. ◆ **~ policial** comisaría.
distúrbio [dʒiʃ'tuʀbyʊ] *m* **1** disturbio. **2** disfunción (de los órganos).
ditado [dʒi'tadʊ] *adj/m* **1** dictado (ejercicio). ● *m* **2** proverbio.
ditador [dʒita'doʀ] *m* dictador (gobernante).
ditadura [dʒita'dura] *f* dictadura.
ditame [dʒi'tãmɪ] *f* dictamen.
ditar [dʒi'taʀ] *tr* **1** dictar (decir). **2** (fig) dictar (inspirar, sugerir).
ditatorial [dʒitatori'aw] *adj 2 gén* dictatorial, dictatorio.
dito, ta ['dʒitʊ, ta] *adj* **1** dicho (mencionado, referido). **2** llamado (denominado). ● *m* **3** dicho (expresión). **4** chisme (habladuría); mitote (Méx). ◆ **~ popular** refrán.
ditongo [dʒi'tõgʊ] *m* GRAM diptongo.
ditoso, sa [dʒi'tozʊ, za] *adj* dichoso (afortunado); fortunoso, suerteto (Amér); lechero (Méx).
diurno, na [dʒi'uʀnʊ, na] *adj* diurno.
diva ['dʒiva] *f* **1** diva (diosa). **2** diva (cantante de ópera, artista).
divã [dʒi'vã] *m* **1** diván. **2** (fig) terapia.
divagação [dʒivaga'sãw] *f* **1** divagación (vagabundeo). **2** (fig) divagación (disgresión).
divagar [dʒiva'gaʀ] *intr* **1** divagar (vagar, vagabundear); manguear (Amér). **2** divagar (desvariar, delirar).
divergência [dʒiveʀ'ʒẽsya] *f* divergencia.
divergente [dʒiveʀ'ʒẽtʃɪ] *adj 2 gén* divergente.
divergir [dʒiveʀ'ʒiʀ] *tr e intr* **1** divergir (apartarse). **2** (fig) divergir (discrepar).
diversão [dʒiveʀ'sãw] *f* **1** diversión (entretenimiento). **2** cambio de dirección.

diversidade [dʒiveʀsi'dadʒɪ] *f* **1** diversidad (variedad). **2** desacuerdo. **3** diversidad (abundancia).
diversificação [dʒiveʀsifika'sãw] *f* diversificación.
diversificado, da [dʒiveʀsifi'kadʊ, da] *adj* diversificado.
diversificar [dʒiveʀsifi'kaʀ] *tr e intr* **1** diversificar (ampliar). • *intr* **2** diferenciar (distinguir).
diverso, sa [dʒi'vɛʀsʊ, sa] *adj* **1** diverso (distinto, diferente). • **diversos** *pron* **2** varios.
divertido, da [dʒiveʀ'tʃidʊ, da] *adj* divertido; alegrón (Amér).
divertimento [dʒiveʀtʃi'mẽtʊ] *m* divertimiento (diversión).
divertir [dʒiveʀ'tʃiʀ] *tr e pron* **1** divertir, alegrar. • *tr* **2** entretener; hamaquear (Amér).
dívida ['dʒivida] *f* **1** deuda (económica); dita (Amér); chillo, jarana (Amér. Centr). **2** (fig) deuda (obligación moral).
dividendo, da [dʒivi'dẽdʊ, da] *adj* divisible.
dividido, da [dʒivi'dʒidʊ, da] *adj* dividido.
dividir [dʒivi'dʒiʀ] *tr e pron* **1** dividir (partir). • *tr* **2** dividir (repartir). **3** dividir (provocar discordia). • *intr* **4** MAT dividir.
divinatório, a [dʒivina'tɔryʊ, a] *adj* divinatorio (adivinatorio).
divindade [dʒivĩ'dadʒɪ] *f* divinidad.
divinização [dʒiviniza'sãw] *f* divinización.
divino, na [dʒi'vinʊ] *adj* **1** divino (deífico). **2** (fig) divino (sublime).
divisa [dʒi'viza] *f* **1** frontera. **2** divisa (moneda extranjera). **3** divisa (heráldica). **4** insignia (de los militares).
divisão [dʒivi'zãw] *f* **1** división. **2** MAT división. **3** MIL división. **4** ESPORT división (categoría).
divisar [dʒivi'zaʀ] *tr* **1** divisar (avistar). **2** delimitar.
divisório, a [dʒivi'zɔryʊ, a] *adj* divisorio.
divorciar [dʒivoʀsi'aʀ] *tr e pron* **1** divorciar. **2** (fig) separar: *o trabalho divorciou-o da sua família = el trabajo lo separó de su familia.*
divórcio [dʒi'vɔʀsyʊ] *m* **1** divorcio. **2** (fig) separación (alejamiento).
divulgação [dʒivuwga'sãw] *f* divulgación (difusión).
divulgar [dʒivuw'gaʀ] *tr* **1** divulgar. • **~-se** *pron* **2** promocionarse.
dizer [dʒi'zeʀ] *m* decir (dicho, sentencia).
dizer [dʒi'zeʀ] *tr* **1** decir (expresar, hablar). **2** decir (informar). **3** decir (discurrir). **4** decir (ordenar). **5** (fig) decir (con gestos, mirada). **6** decir (significar). • **~-se** *pron* **7** considerarse: *diz-se um grande ator = se considera un gran actor.*
dízima ['dʒizima] *f* diezmo (impuesto).
dizimação [dʒizima'sãw] *f* aniquilación (destrucción).
dizimar [dʒizi'maʀ] *tr e intr* **1** (fig) diezmar (exterminar, arruinar); desbarrancar, descamisar (Amér); pasear (Amér. Centr). • *tr* **2** (fig) disipar (malgastar).
dízimo, ma ['dʒizimʊ, ma] *adj* **1** décimo. • *m* **2** diezmo.
Djibuti [dʒi'butʃi] *m* Djibuti.
djibutiano, na [dʒibutʃi'ãnʊ, na] *adj/m e f* de Djibuti.
do ['dʊ] *contr* **1** (prep. de y art. def. o) del. **2** (prep. de y pron. dem. o) del. **3** (prep. de y pron. neutro o) de lo.
dó ['dɔ] *m* **1** pena (compasión); pensión (Amér). **2** luto.
doação [doa'sãw] *f* donación.
doador, ra [doa'doʀ, ɾa] *adj/m e f* donante. ◆ **~ universal** donante universal.
doar [do'aʀ] *tr* **1** donar. • *tr e pron* **2** (fig) dedicar (entregar).
dobar [do'baʀ] *tr e intr* **1** devanar (hilo). • *intr* **2** transcurrir (tiempo).
dobra ['dɔbɾa] *m* **1** doblez, dobladura. **2** pliegue. **3** GEOL plegamiento.
dobradiça [dobɾa'dʒisa] *f* bisagra.
dobradiço, ça [dobɾa'dʒisʊ, sa] *adj* flexible, maleable.
dobrado, da [do'bɾadʊ, da] *adj* **1** doblado, curvado. **2** doble (multiplicado por dos). **3** (fig) múltiples.
dobrar [do'bɾaʀ] *tr e intr* **1** doblar (duplicar). • *tr e pron* **2** doblar (curvar). **3** (fig) doblar (aumentar); amuchar (Amér). • *tr* **4** doblar (plegar). **5** (fig) dominar.
dobro ['dobɾʊ] *adj/m* doble, duplo.
doca ['dɔka] *f* dársena.
doçaria [dosa'ɾia] *f* confitería.
doce ['dosɪ] *adj 2 gén* **1** dulce. **2** (fig) dulce (grato, apacible). • *adj* **3** (fig)

dulce (afectuoso, tierno). • *m* **4** dulce (golosina).
docência [do'sẽsya] *f* docencia.
docente [do'sẽtʃɪ] *adj/m e f* docente.
dócil ['dɔsiw] *adj 2 gén* dócil.
docilidade [dosili'dadʒɪ] *f* docilidad.
documentação [dokumẽta'sãw] *f* **1** documentación. **2** acervo gráfico (de una institución, archivo).
documental [dokumẽ'taw] *adj 2 gén* documental.
documentar [dokumẽ'taʀ] *tr* **1** documentar (probar, justificar); espuelar (Col, P. Rico). • *tr e pron* **2** documentar (informar).
documentário, a [dokumẽ'taɾyʊ, a] *adj* **1** documental. • *m* **2** CINE, TV documental.
documento [doku'mẽtʊ] *m* documento.
doçura [do'suɾa] *f* **1** dulzura (sabor). **2** (fig) dulzura (ternura).
dodecaedro [dodeka'ɛdɾʊ] *m* GEOM dodecaedro.
doença [do'ẽsa] *f* enfermedad. ♦ ~ **contagiosa** enfermedad contagiosa; ~ **da vaca louca ou de Creutzfeld-Jakob** enfermedad de las vacas locas o de Creutzfeld-Jakob; ~ **de Alzheimer** Alzheimer; ~ **de Parkinson** Parkinson; ~ **do coração** (fam) enfermedad del corazón, cardiopatía; ~ **do sono** enfermedad del sueño; ~ **hereditária** enfermedad hereditaria; ~ **mental** enfermedad mental; ~ **sexualmente transmissível** enfermedad de transmisión sexual; ~ **tropical** enfermedad tropical; ~ **venérea**
doente [do'ẽtʃɪ] *adj/m e f* enfermo.
doentio, a [doẽ'tʃiʊ, a] *adj* **1** enfermizo; enfermoso (Amér). **2** (fig) enfermizo (excesivo).
doer [do'eʀ] *tr e intr* **1** doler. • **~-se** *pron* **2** dolerse (lamentarse, resentirse).
dogma ['dɔgima] *m* dogma.
dogmático, ca [dogi'matʃikʊ, ka] *adj* **1** dogmático. • *adj/m* **2** (fig) dogmático (categórico).
doidice [doy'dʒisɪ] *f* locura; loquera (Amér).
doido, da ['doydʊ, da] *adj/m e f* **1** loco; dementado (Amér). • *adj* **2** (fig, fam) contento, entusiasmado. ♦ ~ **varrido** (fam) loco de atar.
doído, da [do'idʊ, da] *adj* **1** dolorido (apenado). **2** doloroso.
dois ['doyʃ] *adj/m* dos.
dólar ['dɔlaʀ] *m* dólar (moneda).
dolência [do'lẽsya] *f* dolor (sufrimiento).
dólmen ['dɔwmẽy] *m* dolmen.
dolorido, da [dolo'ɾidʊ, da] *adj* dolorido.
doloroso, sa [dolo'ɾozʊ, za] *adj* doloroso.
dom ['dõw] *m* **1** don (tratamiento). **2** don (dádiva, gracia). **3** don (cualidad).
domador, ra [doma'doʀ, ɾa] *adj/m e f* domador.
domar [do'maʀ] *tr* **1** domar (domesticar). **2** (fig) domar (someter).
domesticação [domeʃtʃika'sãw] *f* domesticación, doma.
domesticar [domeʃtʃi'kaʀ] *tr e pron* **1** domesticar. **2** (fig) domesticar (civilizar).
doméstico, ca [do'mɛʃtʃikʊ, ka] *adj* doméstico. ♦ **vôo** ~ vuelo doméstico; **empregada doméstica** empleada del hogar; **tarefas domésticas** tareas domésticas.
domiciliar [domisili'aʀ] *tr* **1** domiciliar. • **~-se** *pron* **2** domiciliarse.
domiciliário, a [domisili'aɾyʊ, a] *adj* domiciliario. ♦ **vista domiciliária** DIR vista domiciliaria.
domicílio [domi'silyʊ] *m* domicilio. ■ **a** ~ a domicilio.
dominação [domina'sãw] *f* dominación.
dominância [domi'nãsya] *f* predominancia.
dominante [domi'nãtʃɪ] *adj 2 gén* **1** dominante. • *f* **2** MÚS dominante.
dominar [domi'naʀ] *tr e intr* **1** dominar (preponderar, influir). • *tr e pron* **2** dominarse (refrenarse).
domingo [do'mĩgʊ] *m* domingo.
domingueiro, ra [domĩ'geyɾʊ, ɾa] *adj* dominguero.
Dominica [domi'nika] *f* Dominica.
dominical [domini'kaw] *adj 2 gén* dominical.
Dominicana, República [ʀepublikadomini'kãna] *f* República Dominicana.
dominicano, na [domini'kãnʊ, na] *adj/m e f* **1** dominicano. • *adj/m* **2** REL dominicano, dominico.

domínio [do'minyʊ] *m* **1** dominio (poder). **2** dominio (territorio). **3** dominio (conocimiento).
dominiquês, sa [domini'keyʃ, za] *adj/m e f* de Dominica.
dominó [domi'nɔ] *m* dominó (juego).
dona ['dõna] *f* doña (tratamiento).
dona-de-casa [dõnadʒɪ'kaza] *f* ama de casa.
donaire [do'nayrɪ] *m* donaire (gallardía, gracia).
donativo [dona'tʃivʊ] *m* donativo; remojo (Amér).
dono, na ['dõnʊ, na] *m e f* **1** dueño (propietario). **2** amo, señor.
donzela [dõ'zɛla] *f* **1** doncella (virgen). **2** doncella (pez).
doping ['dɔpĩ] *m* ESPORT dopaje, doping.
dor ['doʀ] *f* **1** dolor. • **dores** *f pl* **2** dolores (de parto). ♦ ~ **de cabeça** dolor de cabeza. ■ **tomar as dores por alguém** (fig) salir en defensa de alguien.
doravante [doʀa'vãtʃɪ] *adv* de ahora en adelante.
dormência [doʀ'mẽsya] *f* **1** adormecimiento. **2** hormigueo (de un miembro). **3** (fig) apatía (dejadez).
dormente [doʀ'mẽtʃɪ] *adj/m e f* **1** durmiente. • *adj* **2** dormido (miembro).
dormir [doʀ'miʀ] *m* sueño.
dormir [doʀ'miʀ] *intr e tr* **1** dormir. • *tr* **2** (fig) acostarse (mantener relaciones sexuales). • *intr* **3** (fig) dormir (reposar, parar). **4** acostarse. **5** dormirse (un miembro).
dormitório [doʀmi'tɔryʊ] *m* dormitorio.
dorna ['dɔʀna] *f* tina (vasija).
dorsal [doʀ'saw] *adj 2 gén* dorsal. ♦ **espinha** ~ ANAT espina dorsal.
dorso ['doʀsʊ] *m* **1** ANAT dorso. **2** dorso (revés). **3** lomo (de un libro).
DOS ['dɔʃ] (*siglas de* **Disc Operating System**) *m* COMP DOS.
dosagem [do'zaʒẽy] *f* **1** dosificación. **2** dosis.
dosar [do'zaʀ] *tr* dosificar.
dose ['dɔzɪ] *f* **1** dosis. **2** (fig) dosis (porción).
dossiê [dosi'e] *m* dossier (informe, expediente).
dotação [dota'sãw] *f* dotación.
dotado, da [do'tadʊ, da] *adj* dotado (provisto, equipado).
dotar [do'taʀ] *tr* **1** dotar (con dote). **2** dotar (beneficiar, favorecer).
dote ['dɔtʃɪ] *m* **1** dote. • **dotes** *m pl* **2** dotes.
dourado, da [dow'radʊ, da] *adj/m* **1** dorado (color). • *adj* **2** (fig) dorado (esplendoroso).
dourar [dow'raʀ] *tr* **1** dorar (joyas, alimentos). **2** (fig) dorar (paliar). • *tr e pron* **3** (fig) resplandecer.
doutor, ra [dow'toʀ, ra] *m e f* **1** doctor (título académico). **2** doctor (médico). **3** señor (término de respeto).
doutoramento [dowtora'mẽtʊ] *m* doctoramiento.
doutorar [dowto'raʀ] *tr e pron* doctorar (graduar).
doutrina [dow'trina] *f* **1** doctrina (conjunto de ideas, principios). **2** doctrina (sabiduría).
doutro, tra ['dowtrʊ, tra] *contr* (prep. de y pron. indef. outro) de otro.
doze ['dozɪ] *adj/m* doce.
draga ['draga] *f* **1** draga. **2** (pej) tartana (coche viejo).
dragagem [dra'gaʒẽy] *f* dragado.
dragão [dra'gãw] *m* **1** dragón. **2** (pej) callo (feo).
dragar [dra'gaʀ] *tr* **1** dragar. **2** escavar.
drama ['drãma] *m* drama.
dramático, ca [dra'matʃikʊ, ka] *adj* dramático.
dramatização [dramatʃiza'sãw] *f* dramatización.
dramaturgia [dramatuʀ'ʒia] *f* dramaturgia, dramática.
dramaturgo [drama'tuʀgʊ] *m* dramaturgo.
drástico, ca ['drayʃtʃikʊ, ka] *adj* drástico (radical).
drenagem [dre'naʒẽy] *f* drenaje.
drenar [dre'naʀ] *tr* drenar.
dreno ['drẽnʊ] *m* **1** cañería. **2** MED tubo (para drenar).
driblar [dri'blaʀ] *tr* **1** ESPORT driblar, regatear. **2** (fig) engañar. **3** (fig) esquivar.
drible ['driblɪ] *m* **1** dribling (regate, finta). **2** (fig) dribling (elusión).
drinque ['drĩkɪ] *f* copa, trago.
droga ['drɔga] *f* **1** droga. **2** (fig, fam) porquería.
drogado, da [dro'gadʊ, da] *adj* drogado.

drogar [dɾoˈgaʀ] *tr* **1** medicar. • *tr e pron* **2** drogar.
drogaria [dɾogaˈɾia] *f* farmacia.

> En Brasil las ***drogarias*** son una mezcla entre una droguería y una farmacia. Son tiendas donde venden medicamentos y los ***droguistas*** (dependientes) conocen los medicamentos y pueden hacer recomendaciones de uso. Sin embargo, no son licenciados en farmacéutica ni pueden hacer fórmulas magistrales. En estas tiendas también pueden encontrarse productos de higiene y limpieza, que no se encontrarían en una farmacia.

dromedário [dɾomeˈdaɾyʊ] *m* dromedario.
dual [duˈaw] *adj/m* dual.
dualidade [dwaliˈdadʒɪ] *f* dualidad.
dualismo [dwaˈliʒmʊ] *m* dualismo.
dubiedade [dubieˈdadʒɪ] *f* duda, dubiedad.
dúbio, a [ˈdubyʊ, a] *adj* dudoso, dubio.
dubitativo, va [dubitaˈtʃivʊ, va] *adj* dubitativo.
dublagem [duˈblaʒẽy] *f* CINE, TV doblaje.
dublar [duˈblaʀ] *tr* **1** CINE, TV doblar. **2** hacer de doble.
ducha [ˈduʃa] *f* ducha.
dúctil [ˈdukitʃiw] *adj 2 gén* dúctil (manejable, flexible).
duelo [duˈɛlʊ] *m* **1** duelo. **2** (fig) duelo (enfrentamiento).
duende [duˈẽdʒɪ] *m* duende.
dueto [duˈetʊ] *m* MÚS dúo, dueto (composición, cantantes).
dulcificar [duwsifiˈkaʀ] *tr* **1** endulzar. • *tr e pron* **2** (fig) dulcificar (suavizar).
dum, ma [ˈdũ, ma] *contr* **1** (prep. de y art. indef. um) de un: *é o livro dum professor = es el libro de un profesor*, *é filho duma amiga minha = es hijo de una amiga mía*.
duna [ˈduna] *f* duna.
duo [ˈduʊ] *m* ⇒ dueto.
duodécimo, ma [dwoˈdɛsimʊ, ma] *adj/m e f* duodécimo.
duodeno [dwoˈdẽnʊ] *m* ANAT duodeno.
dupla [ˈdupla] *f* pareja. ■ **em ~** en parejas.
dúplex [ˈduplɛkisi] *adj/m* dúplex.
duplicação [duplikaˈsãw] *f* **1** duplicación. **2** ART reproducción.
duplicado, da [dupliˈkadu, da] *adj/m* duplicado.
duplicar [dupliˈkaʀ] *tr, intr e pron* **1** duplicar. • *tr* **2** ART reproducir.
duplicidade [duplisiˈdadʒɪ] *f* duplicidad.
duplo, pla [ˈduplʊ, pla] *adj/m* duplo, doble.
duque [ˈdukɪ] *m* duque.
duquesa [duˈkeza] *f* duquesa.
dura [ˈduɾa] *f* **1** duración. **2** (fam) regañina.
durabilidade [duɾabiliˈdadʒɪ] *f* durabilidad.
duração [duɾaˈsãw] *f* duración.
duradouro, ra [duɾaˈdowɾʊ, ɾa] *adj* duradero.
durante [duˈɾãtʃɪ] *prep* durante.
durar [duˈɾaʀ] *intr* durar.
durável [duˈɾavew] *adj 2 gén* duradero, durable.
durex [duˈɾɛkisɪ] *m* celo (cinta adhesiva); cinta (Col).
dureza [duˈɾeza] *f* **1** dureza. **2** (fig) dureza (severidad). **3** (fig, fam) calvario (dificultad).
duro, ra [ˈduɾʊ, ɾa] *adj* **1** duro (resistente). **2** (fig) duro (penoso). **3** duro (severo). ♦ **cabeza dura** cabezón, testarudo. ■ **estar ~** (coloq) estar sin blanca.
dúvida [ˈduvida] *f* duda. ■ **sem ~** sin duda; **tirar as ~** aclarar las dudas.
duvidar [duviˈdaʀ] *tr e intr* dudar.
duvidoso, sa [duviˈdozʊ, za] *adj* **1** dudoso. **2** sospechoso.
duzentos [duˈzẽtʊʃ] *adj/m* doscientos.
dúzia [ˈduzia] *f* docena. ♦ **meia ~** media docena. ■ **às dúzias** (fig, fam) a docenas.
DVD [deveˈde] (*siglas de* **Digital Video Disk**) *m* DVD.

Ee

e, E ['ɛ] *m* e, E (letra).
e ['e] *conj* **1** y (adición): *era moreno e alto = era moreno y alto*. **2** y (pero): *vem trabalhar e não faz nada = viene a trabajar y no hace nada*. **3** y (sin embargo): *foi um grande artista e morreu na miséria = fue un gran artista y murió en la miseria*.
ebanesteria [ebaneyʃte'ɾia] *f* ebanistería (técnica, obra, taller).
ebanista [eba'niʃta] *s 2 gén* ebanista.
ébano ['ɛbanʊ] *m* ébano (árbol, madera).
ébrio, a ['ɛbɾyʊ, a] *adj/m e f* ebrio.
ebulição [ebuli'sãw] *f* **1** ebullición. **2** (fig) ebullición (agitación).
ebúrneo, a [e'buʀnyʊ, a] *adj* ebúrneo.
echarpe [e'ʃaʀpɪ] *f* **1** echarpe, chal. **2** bufanda, pañuelo.
eclesiástico, ca [eklezi'ayʃtʃikʊ, ka] *adj/ m e f* eclesiástico.
eclético, ca [e'klɛtʃikʊ, ka] *adj/m e f* ecléctico.
ecletismo [ekle'tʃiʒmʊ] *m* **1** FIL eclecticismo. **2** ARQ eclecticismo.
eclipsado, da [eklipi'sadʊ, da] *adj* eclipsado.
eclipsar [eklipi'saʀ] *tr e pron* **1** ASTR eclipsar. **2** (fig) eclipsar (oscurecer, deslucir).
eclipse [e'klipisɪ] *m* ASTR eclipse. ◆ ~ **da Lua ou lunar** eclipse lunar; ~ **de Sol ou solar** eclipse solar.
eclodir [eklo'dʒiʀ] *intr* **1** surgir. **2** BIOL eclosionar.
eclosão [eklo'zãw] *f* **1** eclosión (abertura). **2** (fig) eclosión (aparición, surgimiento).
eco ['ɛkʊ] *m* **1** eco. **2** (fig) eco (difusión, repercusión). **3** (fig) eco (rumor, noticia).
ecoar [eko'aʀ] *intr* **1** resonar. ● *tr* **2** repetir.
ecografia [ekogɾa'fia] *f* MED ecografía.
ecologia [ekolo'ʒia] *f* ecología.
ecológico, ca [eko'lɔʒikʊ, ka] *adj* ecológico.
ecologismo [ekolo'ʒiʒmʊ] *m* ecologismo.
ecologista [ekolo'ʒiʃta] *adj/m e f* ecologista.
economia [ekono'mia] *f* **1** ECON economía. ● **economias** *f pl* **2** economías (ahorros). ◆ ~ **de mercado** economía de mercado; ~ **doméstica** economía doméstica; ~ **informal ou subterrânea** economía sumergida.
econômico, ca [eko'nõmikʊ, ka] *adj* **1** económico. **2** económico (barato). **3** económico (ahorrador).
economista [ekono'miʃta] *adj/m e f* economista.
economizar [ekonomi'zaʀ] *tr e intr* economizar.
ecosfera [ekoʃ'fɛɾa] *f* ecosfera.
ecossistema [ekosiʃ'tẽma] *m* ecosistema.
ecumênico, ca [eku'mẽnikʊ, ka] *adj* ecuménico (universal).
edema [e'dẽma] *m* MED edema.
éden ['ɛdẽy] *m* edén.
edição [edʒi'sãw] *f* **1** edición (de un libro, disco, película). **2** edición (de un evento). **3** edición (conjunto de ejemplares). ◆ ~ **ampliada** edición ampliada; ~ **clandestina ou pirata** edición pirata; ~ **de bolso** edición de bolsillo; ~ **especial** edición especial; ~ **integral** edición íntegra; ~ **limitada** edición limitada; **segunda** ~ (fig) segunda edición.
edificação [edʒifika'sãw] *f* edificación.
edificante [edʒifi'kãtʃɪ] *adj 2 gén* edificante.
edificar [edʒifi'kaʀ] *tr* **1** edificar (construir). ● *tr, intr e pron* **2** (fig) edificar (intelectualmente).
edifício [edʒi'fisyʊ] *m* edificio.
edil [e'dʒiw] *m* edil (concejal).
edilidade [edʒili'dadʒɪ] *f* edilidad (concejalía).
edital [edʒi'taw] *m* **1** DIR edicto. ● *adj 2 gén* **2** DIR edictal.
editar [edʒi'taʀ] *tr* **1** editar (publicar). **2** CINE, RÁD, TV editar.
édito ['edʒitʊ] *m* edicto (nota pública).

editor, ra [edʒi'toʀ, ɾa] *adj/m e f* editor. ◆ ~ **de texto** COMP editor de texto.
editora [edʒi'toɾa] *f* editorial (empresa).
editorial [edʒitoɾi'aw] *adj 2 gén* **1** editorial. ● *m* **2** editorial (artículo de opinión).
edredom [edɾe'dõw] *m* edredón (cobertor).
educação [eduka'sãw] *f* educación. ◆ ~ **a distância** educación a distancia.
educador, ra [eduka'doʀ, ɾa] *adj/m e f* educador.
educar [edu'kaʀ] *tr* **1** educar. ● ~**-se** *pron* **2** perfeccionarse.
educativo, va [eduka'tʃivʊ, va] *adj* educativo.
edulcorante [eduwko'ɾãtʃɪ] *adj/m* edulcorante.
efe ['ɛfɛ] *m* efe (letra).
efebo [e'febʊ] *m* efebo (mancebo).
efeito [e'feytʊ] *m* efecto (resultado, fin, eficacia). ◆ ~ **estufa** efecto invernadero; **efeitos especiais** CINE, TV efectos especiales. ■ **fazer** ~ hacer efecto; **levar a** ~ llevar a efecto.
efeméride [efe'mɛɾidʒɪ] *f* efeméride (acontecimiento, conmemoración).
efêmero, ra [e'fẽmeɾʊ, ɾa] *adj/m* efímero.
efeminado [efemi'nadʊ] *adj/m* afeminado; manflora, mujerengo (Amér).
efervescência [efeʀve'sẽsya] *f* efervescencia.
efervescente [efeʀve'sẽtʃɪ] *adj 2 gén* efervescente.
efetivar [efetʃi'vaʀ] *tr* **1** hacer efectivo (llevar a efecto). ● *tr e pron* **2** hacer efectivo (empleado).
efetividade [efetʃivi'dadʒɪ] *f* efectividad.
efetivo, va [efe'tʃivʊ, va] *adj* **1** efectivo. ● *adj/m* **2** efectivo, fijo (en un empleo).
efetuar [efetu'aʀ] *tr e pron* efectuar (ejecutar, realizar).
eficácia [efi'kasya] *f* eficacia.
eficaz [efi'kayʃ] *adj 2 gén* eficaz.
eficiência [efisi'ẽsya] *f* eficiencia.
eficiente [efisi'ẽtʃɪ] *adj 2 gén* eficiente.
efígie [e'figyɛ] *f* efigie (imagen, personificación).
eflorescer [eflore'seʀ] *intr* florecer (plantas).
efluente [eflu'ẽtʃɪ] *adj 2 gén* **1** fluido. **2** (fig) fácil, espontáneo.
eflúvio [e'fluvyʊ] *m* efluvio.
efusão [efu'zãw] *f* efusión (derramamiento, expansión).
efusividade [efuzivi'dadʒɪ] *f* efusividad.
efusivo, va [efu'zivʊ, va] *adj* efusivo.
égide ['ɛʒidʒɪ] *f* egida, égida (escudo, protección).
egípcio, a [e'ʒipisyʊ, a] *adj/m e f* **1** egipcio. ● *adj/m* **2** egipcio (lengua).
egiptologia [eʒipitolo'ʒia] *f* egiptología.
Egito [e'ʒitʊ] *m* Egipto.
ego ['ɛgʊ] *m* PSIC ego.
egoísmo [ego'iʒmʊ] *m* egoísmo.
egoísta [ego'iʃta] *adj/m e f* egoísta.
égua ['ɛgwa] *f* yegua.
eira ['eyɾa] *f* **1** era. **2** depósito (de sal).
eis ['eiʃ] *adv* he aquí.
eito ['eytʊ] *m* hilera.
eixo ['eyʃʊ] *m* **1** eje (línea imaginaria). **2** eje (de un mecanismo). **3** (fig) eje (apoyo, soporte). **4** (fig) eje (centro, punto). **5** ASTR eje. **6** GEOM eje.
ejetar [eʒe'taʀ] *tr* lanzar; proyectar.
ela ['ɛla] *pron* ella.
elaboração [elaboɾa'sãw] *f* elaboración (preparación).
elaborar [elabo'ɾaʀ] *tr* **1** elaborar (preparar, realizar, trabajar). **2** elaborar (crear).
elasticidade [elaʃtʃisi'dadʒɪ] *f* **1** elasticidad (flexibilidad). **2** FÍS elasticidad.
elástico, ca [e'laʃtʃikʊ, ka] *adj* **1** elástico. **2** (fig) elástico (flexible). ◆ **moral elástica** moral dudosa.
eldorado [ɛwdo'ɾadʊ] *m* El Dorado, Eldorado.
ele ['ɛlɪ] *m* ele (letra).
ele ['elɪ] *pron* él: *ele foi ao cinema = él se fue al cine*, *faço tudo por ele = lo hago todo por él*. ■ **que só** ~ (fig, fam) como él solo.
elefante, ta [ele'fãtʃɪ, ta] *m e f* **1** elefante. ● *adj* **2** (fig, pej) vaca (gordo).
elefantino, na [elefã'tʃinʊ, na] *adj* elefantino.
elegância [ele'gãsya] *f* elegancia.
elegante [ele'gãtʃɪ] *adj 2 gén* **1** elegante (distinguido). **2** elegante (correcto, delicado). ● *adj/m e f* **3** elegante (de buen gusto).
eleger [ele'ʒeʀ] *tr* **1** elegir (escoger). ● *tr e pron* **2** elegir (por votación).

elegível [ele'ʒivew] *adj 2 gén* elegible.
eleição [eley'sãw] *f* **1** elección (deliberación). **2** POL elecciones.
eleito, ta [e'leytʊ, ta] *adj/m e f* **1** elegido; electo. • *adj/m* **2** REL elegido (predestinado).
eleitor, ra [eley'toʀ, ɾa] *adj/m e f* elector.
eleitorado [eleyto'ɾadʊ] *m* electorado.
eleitoral [eleyto'ɾaw] *adj 2 gén* electoral.
elementar [elemẽ'taʀ] *adj 2 gén* **1** elemental (de un elemento). **2** elemental (básico, simple).
elemento [ele'mẽtʊ] *m* **1** elemento (parte). **2** elemento (fundamento). **3** elemento (medio). **4** (fam) elemento (individuo). ■ **estar no seu ~** (fig, fam) estar en su elemento.
elenco [e'lẽkʊ] *m* **1** elenco (catálogo). **2** elenco (artistas).
elepê [ele'pe] *m* elepé.
eletivo, va [ele'tʃivʊ, va] *adj* electivo.
eletricidade [eletɾisi'dadʒɪ] *f* FÍS electricidad.
eletricista [eletɾi'siʃta] *s 2 gén* **1** electricista. **2** TV iluminador.
elétrico, ca [e'lɛtɾikʊ, ka] *adj* **1** eléctrico. **2** (fig) eléctrico (nervioso).
eletrificação [eletɾifika'sãw] *f* electrificación.
eletrificar [eletɾifi'kaʀ] *tr* electrificar.
eletrização [eletɾiza'sãw] *f* electrización.
eletrizado, da [eletɾi'zadʊ, da] *adj* **1** electrizado: **2** (fig) electrizado (entusiasmado).
eletrizar [eletɾi'zaʀ] *tr e pron* **1** electrizar. **2** (fig) electrizar (entusiasmar).
eletrochoque [elɛtɾo'ʃɔkɪ] *m* MED electrochoque.
eletrocutar [eletɾoku'taʀ] *tr* electrocutar.
eletrodo ou **elétrodo** [ele'tɾodʊ o e'lɛtɾodʊ] *m* FÍS electrodo.
eletrodoméstico [eletɾodo'mɛʃtʃikʊ] *adj/m* electrodoméstico.
eletromagnético, ca [eletɾomagi'nɛtʃikʊ, ka] *adj* electromagnético.
elétron [e'lɛtɾõw] *m* FÍS electrón.
eletrônica [ele'tɾonika] *f* electrónica.
eletrónico, ca [ele'tɾõnikʊ, ka] *adj* electrónico.
elevação [eleva'sãw] *f* **1** elevación (alzamiento). **2** elevación (alto). **3** ascenso (de categoría).
elevado, da [ele'vadʊ, da] *adj* **1** elevado. **2** (fig) elevado (superior). • *m* **3** paso elevado (de escaléxtric).
elevador, ra [eleva'doʀ, ɾa] *adj* **1** elevador. • *m* **2** elevador (ascensor).
elevar [ele'vaʀ] *tr e pron* **1** elevar (levantar). **2** aumentar (salario, valor). **3** (fig) elevar (exaltar). **4** ascender, destacar.
elfo ['ewfʊ] *m* elfo.
eliminação [elimina'sãw] *f* eliminación.
eliminar [elimi'naʀ] *tr* **1** eliminar (excluir, prescindir). **2** eliminar (matar).
eliminatória [elimina'tɔɾia] *f* eliminatoria.
eliminatório, a [elimina'tɔɾyʊ, a] *adj* eliminatorio.
elipse [e'lipisɪ] *f* **1** GEOM elipse. **2** GRAM elipsis.
elíptico, ca [e'lipitʃikʊ, ka] *adj* GEOM elíptico.
elite [e'litʃɪ] *f* élite.
elitismo [eli'tʃiʒmʊ] *m* elitismo.
elitista [eli'tʃiʃta] *adj/m e f* elitista.
elixir [eli'ʃiʀ] *m* elixir (licor medicinal).
elmo ['ewmʊ] *m* yelmo.
elo ['elʊ] *m* **1** eslabón (argolla). **2** (fig) eslabón (conexión).
elocução [eloku'sãw] *f* elocución.
elogiar [eloʒi'aʀ] *tr* elogiar.
elogio [elo'ʒiʊ] *m* elogio.
elogioso, sa [eloʒi'ozʊ, za] *adj* elogioso.
eloqüência [elo'kwẽsya] *f* elocuencia.
eloqüente [elo'kwẽtʃɪ] *adj 2 gén* elocuente.
elucidar [elusi'daʀ] *tr e pron* elucidar.
eludir [elu'dʒiʀ] *tr* eludir (evitar).
elusivo, va [elu'zivʊ, va] *adj* elusivo.
em ['ẽy] *prep* **1** (en adjuntos adverbiales) en (lugar): *mora em Madrid = vive en Madrid*; en (tiempo): *terminará o curso em dois anos = terminará el curso en dos años*; en (modo): *abriu a porta em trajes menores = abrió la puerta en ropa interior*; en (distribución): *as crianças colocam-se em fileiras para o jogo = los niños se colocan en filas para el juego*. **2** (en adjuntos nominales) en: *estrada en construção = carretera em cons-*

trucción. **3** como, en señal de (finalidad): *abanou o lenço em despedida = como despedida, agitó el pañuelo, trajou-se de negro, em luto = se vistió de negro en señal de luto.* **4** (en locuciones adverbiales) en: *de vez em quando = de vez en cuando, em vista de = en vista de.* **5** (precediendo gerundio, en oraciones temporales y condicionales) al; si: *em anoitecendo, partiremos = partiremos al anochecer, em continuando a guerra, muitas pessoas morrerão = si la guerra continua, morirá mucha gente.*

emaçar [ema'saR] *tr* **1** empaquetar. **2** envolver (cubrir).

emagrecer [emagɾe'seR] *tr e intr* **1** enmagrecer (adelgazar). **2** (fig) reducir (lucro, rendimiento).

emagrecido, da [emagɾe'sidʊ, da] *adj* enflaquecido.

emagrecimento [emagɾesi'mẽtʊ] *m* adelgazamiento.

emanação [emana'sãw] *f* **1** emanación (exalación). **2** emanación (procedencia).

emanar [ema'naR] *intr* **1** emanar (exalar). **2** emanar (tener origen).

emancipação [emãsipa'sãw] *f* emancipación.

emancipar [emãsi'paR] *tr e pron* emancipar.

emaranhado, da [emaɾã'ɲadʊ, da] *adj/m* **1** enmarañado (pelo, matojos). • *adj* **2** (fig) enmarañado (confuso).

emaranhar [emaRã'ɲaR] *tr e pron* **1** enmarañar (pelo, matojos). **2** (fig) enmarañar (asunto).

embaçar [ẽba'saR] *tr e pron* empañar.

embaciado, da [ẽbasi'adʊ, da] *adj* empañado.

embaciar [ẽbasi'aR] *tr e pron* **1** ⇒ embaçar. • *tr* **2** (fig) empañar (deshonrar).

embaixada [ẽbay'ʃada] *f* **1** embajada (mensaje). **2** embajada (cargo, oficina, empleados).

embaixador, ra [ẽbayʃa'doR, ɾa] *m e f* **1** embajador (cargo). **2** (fig) embajador (mensajero).

embaixatriz [ẽbayʃa'tɾiʃ] *f* embajadora (esposa del embajador).

embalado, da [ẽba'ladʊ, da] *adj* **1** embalado (acelerado). **2** (fig) acariciado, alimentado (fomentado).

embalagem [ẽba'laʒẽy] *f* embalaje; embaladura (Chile, Perú).

embalar [ẽba'laR] *tr* **1** embalar (empaquetar). **2** acunar. **3** (fig) acariciar, alimentar (soñar). **4** engañar (ilusionar). • *tr e pron* **5** balancear.

embalsamar [ẽbawsa'maR] *tr* **1** embalsamar (cadáver). • *tr e pron* **2** embalsamar (perfumar).

embandeirado, da [ẽbãdey'ɾadʊ, da] *adj* **1** embanderado. **2** (gír) alegre (festivo).

embandeirar [ẽbãdey'ɾaR] *tr e pron* embanderar.

embaraçado, da [ẽbaɾa'sadʊ, da] *adj* **1** embarazado (cohibido). **2** embarazado (impedido, complicado).

embaraçar [ẽbaɾa'saR] *tr e pron* **1** embarazar (cohibir). **2** embarazar (impedir, complicar).

embaraço [ẽba'ɾasʊ] *m* **1** embarazo (estorbo). **2** embarazo (apuro). **3** (coloq) regla (menstruación).

embaraçoso, sa [ẽbaɾa'sozʊ, za] *adj* embarazoso (perturbador).

embaralhar [ẽbaɾa'ʎaR] *tr e pron* ⇒ baralhar.

embarcação [ẽbaRka'sãw] *f* embarcación.

embarcadouro [ẽbaRka'dowɾʊ] *m* embarcadero.

embarcar [ẽbaR'kaR] *tr, intr e pron* **1** embarcar. • *tr* **2** (coloq) caer (en una trampa, engaño).

embargado, da [ẽbaR'gadʊ, da] *adj* **1** embargado (dificultado). **2** (fig) embargado (contenido, finalizado).

embargar [ẽbaR'gaR] *tr* **1** (fig) embargar, contener (voz). **2** embargar (obstaculizar). **3** DIR embargar.

embargo [ẽ'baRgʊ] *m* **1** obstáculo (impedimento). **2** DIR embargo.

embarque [ẽ'baRkɪ] *m* embarque.

embarrar [ẽba'RaR] *tr* **1** embarrar. **2** topar (chocar).

embarrigar [ẽbaRi'gaR] *intr* **1** criar barriga (engordar). **2** quedarse embarazada.

embasbacar [ẽbayʃba'kaR] *tr, intr e pron* dejar o quedarse boquiabierto.

embate [ẽ'batʃɪ] *m* **1** embate (choque). **2** (fig) oposición, resistencia.

embater [ẽba'teR] *tr e pron* chocar, encontrar.

e

embaucador, ra [ẽbawka'doR, ɾa] *adj/m e f* embaucador.
embaucar [ẽbaw'kaR] *tr* embaucar.
embebedar [ẽbebe'daR] *tr e pron* **1** emborrachar; enchispar (Amér). **2** (fig) embriagar (de gloria).
embeber [ẽbe'beR] *tr e pron* **1** embeber (absorber). **2** embeber (impregnar). **3** embeber (empapar).
embelecar [ẽbele'kaR] *tr* embelecar.
embeleco [ẽbe'leku] *m* **1** embeleco. **2** (coloq) ligue, lío amoroso.
embelezamento [ẽbeleza'mẽtu] *m* embellecimiento.
embelezar [ẽbele'zaR] *tr e pron* **1** embellecer. **2** embelesar.
embevecido, da [ẽbeve'sidu, da] *adj* embelesado.
embirração [ẽbiRa'sãw] *f* **1** testarudez, terquedad. **2** aversión, antipatía.
embirrar [ẽbi'RaR] *tr* **1** empeñarse, obstinarse. **2** repugnar, sentir aversión.
embirrativo, va [ẽbiRa'tʃivu, va] *adj* antipático.
emblema [ẽ'blẽma] *m* emblema.
emblemático, ca [ẽble'matʃiku, ka] *adj* **1** emblemático. **2** (fig) emblemático, simbólico.
embocadura [ẽboka'duɾa] *f* **1** embocadura, bocado (del freno). **2** embocadura, boquilla (de un instrumento). **3** embocadura (bocacalle).
êmbolo ['ẽbolu] *m* **1** émbolo (de un pistón). **2** MED émbolo.
embolorar [ẽbolo'ɾaR] *tr, intr e pron* enmohecer (florecerse).
embora [ẽ'bɔɾa] *conj* aunque, a pesar de: *ele jantou peixe, embora fosse vegetariano = él cenó pescado, aunque era vegetariano.*
emborcar [ẽboR'kaR] *tr, intr e pron* **1** volcar (torcer). • *tr* **2** derramar. **3** vaciar (recipiente).
emborrachar [ẽboRa'ʃaR] *tr e pron* emborrachar.
emborrascar [ẽboRayʃ'kaR] *tr e pron* **1** emborrascarse (tiempo). • *tr* **2** (fig) emborrascar (irritar, enfurecer).
emboscada [ẽboyʃ'kada] *f* emboscada.
emboscar [ẽboyʃ'kaR] *tr e pron* emboscar.
embotar [ẽbo'taR] *tr e pron* **1** embotar (desafilar). **2** (fig) embotar (debilitar, insensibilizar).
embrandecer [ẽbɾãde'seR] *tr, intr e pron* **1** ablandar, reblandecer. • *tr* **2** (fig) ablandar, enternecer.
embravecer [ẽbɾave'seR] *tr, intr e pron* embravecer, enfurecer (mar, viento).
embrenhar [ẽbɾẽ'ŋaR] *tr e pron* embreñarse.
embretada [ẽbɾe'tada] *f* acorralamiento.
embriagado, da [ẽbɾia'gadu, da] *adj* **1** embriagado; ébrio. • *m e f* **2** borracho.
embriagador, ra [ẽbɾiaga'doR, ɾa] *adj/m e f* embriagador.
embriagar [ẽbɾia'gaR] *tr, intr e pron* embriagar.
embriaguez [ẽbɾia'geyʃ] *f* embriaguez.
embrião [ẽbɾi'ãw] *m* BIOL, BOT embrión.
embrionário, a [ẽbɾio'naɾyu, a] *adj* embrionario.
embrulhado, da [ẽbɾu'ʎadu, da] *adj* **1** envuelto; empaquetado. **2** embrollado, complicado.
embrulhar [ẽbɾu'ʎaR] *tr* **1** empaquetar; envolver. **2** liar (tabaco). • *tr e pron* **3** embrollar, enmarañar.
embrulho [ẽ'bɾuʎu] *m* **1** paquete. **2** embrollo (confusión). **3** (fig) embuste.
embrutecer [ẽbɾute'seR] *tr, intr e pron* embrutecer.
embrutecimento [ẽbɾutesi'mẽtu] *m* embrutecimiento.
embruxar [ẽbɾu'ʃaR] *tr* embrujar.
embuste [ẽ'buyʃtʃɪ] *m* embuste.
embustear [ẽbuyʃte'aR] *tr* engañar, mentir.
embusteiro, ra [ẽbuyʃ'teyɾu, ɾa] *adj/m e f* embustero.
embutido, da [ẽbu'tʃidu, da] *adj* **1** empotrado (armario). **2** incrustado (de piedras, marfil). **3** embutido (encajado).
embutir [ẽbu'tʃiR] *tr* **1** empotrar (en la pared). **2** incrustrar. **3** embutir (encajar).
eme ['ẽmɪ] *m* eme (letra).
emenda [e'mẽda] *f* enmienda (corrección).
emendar [emẽ'daR] *tr e pron* **1** enmendar (corregir). **2** unir (juntar).
ementa [e'mẽta] *f* **1** apunte, nota. **2** resumen.
emergência [emeR'ʒẽsya] *f* **1** emergencia. **2** ASTR nacimiento (de un astro).
emergente [emeR'ʒẽtʃɪ] *adj 2 gén* **1** emergente. • *adj/m e f* **2** nuevo rico. **3** en vías de desarrollo (país).

emergir [emeʀ'ʒiʀ] *tr e intr* **1** emerger. • *tr* **2** salir a la luz (manifestarse).
emersão [emeʀ'sãw] *f* ASTR emersión.
emerso, sa [e'mɛʀsʊ, sa] *adj* emergido.
emigração [emigɾa'sãw] *f* emigración.
emigrante [emi'gɾãtʃɪ] *adj/m e f* emigrante.
emigrar [emi'gɾaʀ] *tr e intr* emigrar.
eminência [emi'nẽsya] *f* **1** eminencia (elevación, prominencia). **2** (fig) eminencia (excelencia).
eminente [emi'nẽtʃɪ] *adj 2 gén* **1** eminente (elevado). **2** eminente (excelente).
emir [e'miʀ] *m* emir.
Emirados Árabes Unidos [emiɾadʊʒaɾabeʃu'nidʊʃ] *m pl* Emiratos Árabes Unidos.
emissão [emi'sãw] *f* **1** emisión (exhalación). **2** ECON emisión (títulos, valores).
emissário, a [emi'saɾyʊ, a] *adj/m e f* **1** emisario (mensajero). • *m* **2** emisario (desaguadero).
emissor, ra [emi'soʀ, ɾa] *adj/m e f* emisor.
emissora [emi'soɾa] *f* emisora (estación).
emitir [emi'tʃiʀ] *tr* **1** emitir (manifestar). **2** remitir (enviar). • *tr e intr* **3** emitir (dinero).
emoção [emo'sãw] *f* emoción.
emocionado, da [emosyo'nadʊ, da] *adj* emocionado.
emocional [emosyo'naw] *adj 2 gén* emocional.
emocionante [emosyo'nãtʃɪ] *adj 2 gén* emocionante.
emocionar [emosyo'naʀ] *tr, intr e pron* emocionar.
emoldurar [emowdu'ɾaʀ] *tr* enmarcar.
emolumento [emolu'mẽtʊ] *m* emolumento.
emotividade [emotʃivi'dadʒɪ] *f* emotividad.
emotivo, va [emo'tʃivʊ, va] *adj* emotivo.
empacar [ẽpa'kaʀ] *intr* **1** empacarse (animal). **2** (fig) estancar (detener).
empachar [ẽpa'ʃaʀ] *tr* **1** sobrecargar (sobrellenar). • *tr e pron* **2** empachar (hartar).
empacho [ẽ'paʃʊ] *m* empacho.
empacotado, da [ẽpako'tadʊ, da] *adj* empaquetado (embalado).
empacotar [ẽpako'taʀ] *tr* **1** empaquetar (embalar). • *intr* **2** (coloq) cargarse (matar).
empada [ẽ'pada] *f* **1** empanada, emparedado. **2** (fig, fam) incordio.
empadroar [ẽpadɾo'aʀ] *tr e pron* empadronar.
empalhar [ẽpa'ʎaʀ] *tr* **1** disecar. **2** tejer (con paja).
empalidecer [ẽpalide'seʀ] *tr e intr* **1** empalidecer. **2** (fig) empalidecer (disminuir).
empalmar [ẽpaw'maʀ] *tr* **1** escamotear (ocultar). **2** (fig) escamotear (robar).
empapar [ẽpa'paʀ] *tr e pron* **1** empapar (absorver). **2** amortiguar (golpe).
empapelar [ẽpape'laʀ] *tr* **1** empapelar (envolver). **2** empapelar (paredes, armarios).
emparceirar [ẽpaʀsey'ɾaʀ] *tr e pron* asociar, unir.
emparedado, da [ẽpaɾe'dadʊ, da] *adj* **1** emparedado. **2** (fig) emparedado (encerrado).
emparedar [ẽpaɾe'daʀ] *tr* **1** emparedar. **2** delimitar (cercar).
emparelhado, da [ẽpaɾe'ʎadʊ, da] *adj* **1** emparejado. **2** igualado (equiparado).
emparelhamento [ẽpaɾeʎa'mẽtʊ] *m* emparejamiento.
emparelhar [ẽpaɾe'ʎaʀ] *tr* **1** juntar. **2** equiparar, igualar. **3** combinar (por igual).
empastar [ẽpayʃ'taʀ] *tr e pron* **1** amasar (sustancia). **2** empastar (cubrir con pasta).
empata [ẽ'pata] *s 2 gén* (pej, coloq) entrometido.
empatar [ẽpa'taʀ] *tr e intr* empatar (en una votación, competición); hacer tablas (en ajedrez).
empate [ẽ'patʃɪ] *m* **1** empate (en una votación, competición). **2** inversión (de dinero, recursos).
empatia [ẽpa'tʃia] *f* empatía.
empecilho [ẽpe'siʎʊ] *m* impedimento, estorbo.
empedernir [ẽpedeʀ'niʀ] *tr* **1** empedernir (endurecer). • *tr e pron* **2** (fig) empedernir (insensibilizar).
empedrado, da [ẽpe'dɾadʊ, da] *adj/m* empedrado.

empedrar [ẽpe'draʀ] *tr* **1** empedrar (suelo). • *tr, intr e pron* **2** (fig) endurecer, empedernir (carácter).
empenhar [ẽpẽ'ŋaʀ] *tr* **1** empeñar (prendar). **2** impelir, obligar. • *tr e pron* **3** comprometerse.
empenho [ẽ'pẽŋʊ] *m* **1** empeño (interés). **2** empeño (insistencia). **3** empeño (prenda).
emperiquitar-se [ẽpeɾiki'taʀsɪ] *tr e pron* emperifollarse.
emperramento [ẽpeʀa'mẽtʊ] *m* emperramiento.
emperrar [ẽpe'ʀaʀ] *tr, intr e pron* **1** atascar. • *tr* **2** trabar (impedir). • *tr e pron* **3** (fig) emperrarse.
empertigado, da [ẽpeʀtʃi'gadʊ, da] *adj* **1** erecto, enderezado. **2** (fig) soberbio.
empertigar [ẽpeʀtʃi'gaʀ] *tr e pron* **1** enderezar. • **~-se** *pron* **2** (fig) ensoberbecerse.
empestar [ẽpeyʃ'taʀ] *tr e pron* **1** apestar (contagiar). **2** infectar. • *tr* **3** (fig) corromper.
empilhar [ẽpi'ʎaʀ] *tr e pron* apilar.
empinar [ẽpi'naʀ] *tr e pron* **1** empinar (enderezar). • *tr* **2** (fig) empinar (beber).
empírico, ca [ẽ'piɾikʊ, ka] *adj* **1** empírico. • *m e f* **2** (fig, pej) sabiondo.
empoado, da [ẽpo'adʊ, da] *adj* empolvado.
empoar [ẽpo'aʀ] *tr* empolvar.
empobrecer [ẽpobre'seʀ] *tr, intr e pron* empobrecer.
empobrecimento [ẽpobresi'mẽtʊ] *m* empobrecimiento.
empoeirar [ẽpoey'ɾaʀ] *tr e pron* empolvar.
empola [ẽ'pola] *f* vesícula, ampolla.
empolado, da [ẽpo'ladʊ, da] *adj* ampollado.
empolar [ẽpo'laʀ] *tr, intr e pron* **1** ampollar. • *tr e pron* **2** (fig) pompear.
empoleirar [ẽpoley'ɾaʀ] *tr e pron* **1** subir al palo (de un gallinero, jaula). **2** (fig) subir (a algo): *o menino empoleirou-se no sofá = el niño se subió al sofá.*
empolgante [ẽpow'gãtʃɪ] *adj 2 gén* motivador, excitante.
empolgar [ẽpow'gaʀ] *tr* **1** empuñar (asir). **2** arrebatar (con violencia).
empossar [ẽpo'saʀ] *tr* **1** nombrar. • **~-se** *pron* **2** tomar posesión.
empreendedor, ra [ẽpreẽde'doʀ, ɾa] *adj/m e f* emprendedor.
empreender [ẽpreẽ'deʀ] *tr* emprender (realizar).
empreendimento [ẽpreẽdʒi'mẽtʊ] *m* empresa (acción).
empregado, da [ẽpre'gadʊ, da] *adj/m e f* empleado.
empregador, ra [ẽprega'doʀ, ɾa] *adj/m e f* empleador.
empregar [ẽpre'gaʀ] *tr* **1** emplear (utilizar). **2** emplear (gastar, consumir).
emprego [ẽ'pregʊ] *m* **1** empleo (uso). **2** empleo (ocupación, cargo).
empregue [ẽ'pregɪ] *adj 2 gén* ⇒ empregado, da.
empreitada [ẽprey'tada] *f* contrata (contrato).
empreiteiro, ra [ẽprey'teyɾʊ, ɾa] *adj/m e f* contratista.
emprenhar [ẽpɾẽ'ŋaʀ] *tr e intr* preñar (fecundar).
empresa [ẽ'preza] *f* empresa. ♦ **~ construtora** empresa constructora; **~ multinacional** empresa multinacional.
empresarial [ẽprezaɾi'aw] *adj 2 gén* empresarial.
empresário, a [ẽpre'zaɾyʊ, a] *m e f* **1** empresario. • *adj* **2** empresarial.
emprestar [ẽpreyʃ'taʀ] *tr* prestar (dejar).
empréstimo [ẽ'preyʃtʃimʊ] *m* **1** préstamo. **2** cesión (de un jugador). **3** FILOL préstamo.
emproar [ẽpɾo'aʀ] *tr e pron* **1** ensoberbecer. • *tr* **2** MAR aproar.
empunhadura [ẽpũŋa'duɾa] *f* empuñadura.
empunhar [ẽpũ'ŋaʀ] *tr* empuñar (asir).
empurrão [ẽpu'ʀãw] *m* empujón (empellón).
empurrar [ẽpu'ʀaʀ] *tr e pron* **1** empujar. • *tr* **2** endosar (endilgar).
emputecer [empute'seʀ] *tr e pron* (vulg) cabrear.
empuxão [ẽpu'ʃãw] *m* empujón.
empuxar [ẽpu'ʃaʀ] *tr* empujar.
emudecer [emude'seʀ] *tr, intr e pron* enmudecer.
emulação [emula'sãw] *f* **1** emulación. **2** competición (rivalidad).
emulsão [emuw'sãw] *f* QUÍM emulsión.

enaltecer [enawte'seR] *tr* ensalzar, enaltecer.
enamorado, da [enamo'radʊ, da] *adj* enamorado.
enamorar [enamo'raR] *tr e pron* enamorar.
encabeçar [ẽkabe'saR] *tr* **1** encabezar (iniciar). **2** encabezar (liderar). **3** encabezar (texto). • *tr e pron* **4** convencer (persuadir).
encabulado, da [ẽkabu'ladʊ, da] *adj* avergonzado.
encabular [ẽkabu'laR] *tr, intr e pron* **1** avergonzar. • *tr e pron* **2** irritar.
encadeado, da [ẽkade'adʊ, da] *adj* **1** encadenado (ligado). **2** (fig) encadenado (preso).
encadeamento [ẽkadea'mẽtʊ] *m* **1** encadenamiento (conexión). **2** RET concatenación.
encadear [ẽkade'aR] *tr e pron* **1** encadenar (concatenar). • *tr* **2** encadenar (inmobilizar).
encadernação [ẽkadeRna'sãw] *f* encuadernación.
encadernar [ẽkadeR'naR] *tr* encuadernar.
encaixar [ẽkay'ʃaR] *tr* **1** encajonar (guardar). • *tr, intr e pron* **2** encajar (ajustar).
encaixe [ẽkay'ʃɪ] *m* encaje (ajuste).
encalço [ẽ'kawsʊ] *m* pista, rastro.
encalhado, da [ẽka'ʎadʊ, da] *adj* **1** encallado (navío). **2** (fig) estancado, encallado. **3** sin salida: *as roupas de inverno encalharam nas lojas por causa do tempo quente = la ropa de invierno no tuvo salida debido al calor.*
encalhar [ẽka'ʎaR] *tr* **1** encallar (navío). **2** estancarse, encallarse.
encaminhamento [ẽkamĩɲa'mẽtʊ] *m* encaminamiento.
encaminhar [ẽkamĩ'ɲaR] *tr e pron* encaminar (dirigir, orientar).
encanecer [ẽkane'seR] *intr e tr*
encantado, da [ẽkã'tadʊ, da] *adj* **1** encantado (hechizado). **2** (fig) encantado (deslumbrado, maravillado).
encantador, ra [ẽkãta'doR, ra] *adj/m e f* **1** encantador (mágico). **2** (fig) encantador (deleitoso).
encantamento [ẽkãta'mẽtʊ] *m* **1** encantamiento (sortilegio). **2** (fig) encantamiento (deslumbramiento).
encantar [ẽkã'taR] *tr e pron* **1** encantar (embrujar). **2** (fig) encantar (deslumbrar).
encanto [ẽ'kãtʊ] *m* **1** encantamiento (hechizo). **2** encanto (atracción).
encaracolado, da [ẽkarako'ladʊ, da] *adj* rizado (cabello).
encarar [ẽka'raR] *tr* **1** encarar (mirar a la cara). **2** encarar (enfrentar). **3** analizar.
encarceramento [ẽkaRsera'mẽtʊ] *m* encarcelamiento.
encarcerar [ẽkaRse'raR] *tr* **1** encarcelar. • *tr e pron* **2** recluir, aislar.
encardido, da [ẽkaR'dʒidʊ, da] *adj* amarillento, mugriento (ropa, papel).
encardir [ẽkaR'dʒiR] *tr* **1** enmugrecer. • *tr e intr* **2** lavar mal (ropa).
encarecer [ẽkare'seR] *tr e intr* **1** encarecer (precio). • *tr* **2** encarecer (enaltecer, elogiar). **3** encarecer (aconsejar).
encarecido, da [ẽkare'sidʊ, da] *adj* **1** encarecido (caro). **2** (fig) encarecido (alabado).
encargo [ẽ'kaRgʊ] *m* **1** cargo (función). **2** carga (responsabilidad).
encarnação [ẽkaRna'sãw] *f* encarnación.
encarnado, da [ẽkaR'nadʊ, da] *adj/m* encarnado (rojo).
encarnar [ẽkaR'naR] *tr, intr e pron* **1** encarnar (materializar). • *intr* **2** engordar. • *tr* **3** encarnar (personificar). **4** encarnar (personaje).
encarniçado, da [ẽkaRni'sadʊ, da] *adj* encarnizado.
encarniçar [ẽkaRni'saR] *tr* **1** encarnizar (perro). **2** instigar (a un animal).
encarregado, da [ẽkaRe'gadʊ, da] *adj/m e f* encargado.
encarregar [ẽkaRe'gaR] *tr e pron* **1** encargar. • *tr* **2** imponer.
encarrilhar [ẽkaRi'ʎaR] *tr* **1** encarrilar. **2** acertar (atinar).
encasacar [ẽkaza'kaR] *tr e pron* **1** abrigar (arropar). **2** (coloq) trajear.
encastelar [ẽkayʃte'laR] *tr* **1** encastillar (fortificar). • *tr e pron* **2** apilar (amontonar). • **~-se** *pron* **3** (fig) encastillarse (refugiarse, prevenirse).
encatarrar [ẽkata'RaR] *tr e pron* acatarrarse; agripar (Chile, Col, Cuba, El Salv, Méx).
encavacado, da [ẽkava'kadʊ, da] *adj* enfadado.

encefalite [ẽsefa'litʃɪ] *f* MED encefalitis.
encéfalo [ẽ'sɛfalʊ] *m* ANAT encéfalo.
encenação [ẽsena'sãw] *f* **1** escenificación (representación). **2** montaje (teatral).
encenar [ẽse'naʀ] *tr* **1** escenificar. **2** montar (espectáculo). **3** dirigir (espectáculo). **4** representar (personaje).
encerado, da [ẽse'ɾadʊ, da] *adj* encerado (color).
enceramento [ẽseɾa'mẽtʊ] *m* enceramiento.
encerar [ẽse'ɾaʀ] *tr e pron* encerar.
encerramento [ẽseʀa'mẽtʊ] *m* **1** encierro. **2** créditos (de un programa).
encerrar [ẽse'ʀaʀ] *tr e pron* **1** encerrar (meter). • *tr* **2** terminar. **3** (fig) encerrar (contener).
encestar [ẽseyʃ'taʀ] *tr e intr* **1** encestar (guardar). • *tr* **2** (coloq) golpear (zurrar); emplumar (Guat, Hond).
encetar [ẽse'taʀ] *tr* **1** comenzar. **2** sustraer (separar).
encharcado, da [ẽʃaʀ'kadʊ, da] *adj* **1** encharcado. **2** (fig) lleno, repleto. **3** (fig, fam) borracho.
encharcar [ẽʃaʀ'kaʀ] *tr e pron* **1** encharcar. • *tr* **2** empapar (mojar).
enchente [ẽ'ʃẽtʃɪ] *f* **1** riada. **2** (fig) avalancha (de objetos, personas).
encher [ẽ'ʃeʀ] *tr e pron* **1** llenar. **2** saciar, hartar. • *intr e pron* **3** (coloq) hartar (enfadar). • *tr* **4** cumplir (ejecutar).
enchido, da [ẽ'ʃidʊ, da] *adj* lleno.
enchimento [ẽʃi'mẽtʊ] *m* relleno.
enciclopédia [ẽsiklo'pɛdʒya] *f* enciclopedia.
enciclopédico, ca [ẽsiklo'pɛdʒikʊ, ka] *adj* enciclopédico.
encimar [ẽsi'maʀ] *tr* encimar (encumbrar).
enciumar [ẽsyu'maʀ] *tr e pron* poner celoso.
encoberta [ẽko'bɛʀta] *f* escondrijo.
encoberto, ta [ẽko'bɛʀtʊ, ta] *adj* **1** encapotado (el cielo). **2** escondido, disfrazado.
encobridor, ra [ẽkobɾi'doʀ, ɾa] *adj/m e f* encubridor (tapadera).
encobrimento [ẽkobɾi'mẽtʊ] *m* encubrimiento, ocultación.
encobrir [ẽko'bɾiʀ] *tr* **1** acoger. **2** tapar (vista, sonido). **3** encubrir, ocultar. • *tr e pron* **4** disimular.
encofrar [ẽko'fɾaʀ] *tr* guardar en un cofre.
encolher [ẽko'ʎeʀ] *tr, intr e pron* **1** encoger (tamaño). **2** (fig) encoger (abatir, deprimir).
encolhido, da [ẽko'ʎidʊ, da] *adj/m e f* encogido.
encomenda [ẽko'mẽda] *f* encargo, encomienda. ■ **de ~** (irón, fam) como anillo al dedo.
encomendar [ẽkomẽ'daʀ] *tr* **1** encomendar, encargar. • *tr e pron* **2** encomendar (confiarse a alguien): *encomendou-se a todos os santos = se encomendó a todos los santos.*
encomissar [ẽkomi'saʀ] *intr* decomisar.
encontrado, da [ẽkõ'tɾadʊ, da] *adj* **1** encontrado (hallado). **2** junto, unido.
encontrão [ẽkõ'tɾãw] *m* encontronazo.
encontrar [ẽkõ'tɾaʀ] *tr* **1** encontrar (hallar). **2** encontrarse (deparar con). • **~-se** *pron* **3** encontrarse (estar).
encontro [ẽ'kõtɾʊ] *m* **1** encuentro (reunión, cita). **2** encuentro (hallazgo). **3** encuentro (choque, disputa).
encorajador, ra [ẽkoɾaʒa'doʀ, ɾa] *adj* alentador, animador.
encorajar [ẽkoɾa'ʒaʀ] *tr e pron* encorajar, alentar.
encosta [ẽ'kɔyʃta] *f* cuesta, ladera.
encostado, da [ẽkoyʃ'tadʊ, da] *adj* arrimado, apoyado.
encostar [ẽkoyʃ'taʀ] *tr e pron* **1** arrimar, apoyar. • *intr e tr* **2** acostar, reclinar. • *tr* **3** apartar, abandonar. **4** (fam) zurrar. • **~-se** *pron* **5** ampararse.
encosto [ẽ'koyʃtʊ] *m* **1** arrimadero. **2** (fig) arrimo, protección.
encouraçar [ẽkowɾa'saʀ] *tr* **1** acorazar (navío). **2** (fig) acorazar (proteger).
encovado, da [ẽko'vadʊ, da] *adj* encovado (hundido, oculto).
encovar [ẽko'vaʀ] *tr* **1** encovar. • *tr e pron* **2** esconder.
encravado, da [ẽkɾa'vadʊ, da] *adj* **1** clavado, enclavado. **2** incrustado. **3** trabado, atascado.
encravar [ẽkɾa'vaʀ] *tr e pron* **1** clavar. • *tr* **2** incrustar. **3** trabar, atascar.
encrave [ẽ'kɾavɪ] *m* enclave (territorio).
encrespado, da [ẽkɾeyʃ'padʊ, da] *adj* **1** encrespado (rizado, crespo). **2** (fig) encrespado (irritado).

encrespar [ẽkɾeyʃ'paʀ] *tr e pron* **1** encrespar (rizar, erizar). • **~-se** *pron* **2** encresparse (irritarse).
encruzamento [ẽkɾuza'mẽtʊ] *m* cruce.
encruzar [ẽkɾu'zaʀ] *tr* **1** cruzar (hacer una cruz). **2** cruzar (atravesar). • **~-se** *pron* **3** sentarse de piernas cruzadas.
encruzilhada [ẽkɾuzi'ʎada] *f* encrucijada (de caminos).
encurralar [ẽkuʀa'laʀ] *tr* acorralar (encorralar).
encurtamento [ẽkuʀta'mẽtʊ] *m* acortamiento (disminución).
encurtar [ẽkuʀ'taʀ] *tr* **1** acortar. **2** limitar.
encurvamento [ẽkuʀva'mẽtʊ] *m* curvatura.
encurvar [ẽkuʀ'vaʀ] *tr, intr e pron* **1** curvar, arquear. • *tr e pron* **2** (fig) humillar.
endêmico, ca [ẽ'dẽmikʊ, ka] *adj* endémico.
endereçar [ẽdeɾe'saʀ] *tr e pron* **1** dirigir (encaminar). • *tr* **2** poner la dirección (en una carta).
endereço [ẽde'ɾesʊ] *m* dirección (domicilio).
endiabrado, da [ẽdʒia'bɾadʊ, da] *adj/m e f* **1** diabólico. **2** (fig) endiablado (malo, terrible).
endinheirado, da [ẽdʒĩŋey'ɾadʊ, da] *adj* adinerado.
endireitar [ẽdʒiɾey'taʀ] *tr e pron* **1** enderezar (erguir). • *tr e intr* **2** enderezar (corregir).
endívia [ẽ'dʒivya] *f* endivia, endibia.
endividado, da [ẽdʒivi'dadʊ, da] *adj* endeudado.
endividamento [ẽdʒivida'mẽtʊ] *m* endeudamiento.
endividar [ẽdʒivi'daʀ] *tr e pron* endeudar.
endogamia [ẽdoga'mia] *f* BIOL endogamia.
endógeno, na [ẽ'dɔʒenʊ, na] *adj* endógeno.
endoidante [ẽdoy'dãtʃɪ] *adj 2 gén* enloquecedor.
endoidecer [ẽdoyde'seʀ] *tr e intr* enloquecer.
endoidecido, da [ẽdoyde'sidʊ, da] *adj* enloquecido.
endomingar [ẽdomĩ'gaʀ] *tr e pron* endomingarse.
endossado, da [ẽdo'sadʊ, da] *adj* endosado (cedido).
endossar [ẽdo'saʀ] *tr* **1** endosar (documento de crédito). **2** endosar (encargo, responsabilidad).
endurecer [ẽduɾe'seʀ] *tr, intr e pron* **1** endurecer (fortalecer). **2** (fig) endurecer (encruelecer). • *intr* **3** (fig) endurecer (insensibilizar).
endurecimento [ẽduɾesi'mẽtʊ] *m* endurecimiento.
ene ['ẽnɪ] *m* ene (letra).
enegrecer [enegɾe'seʀ] *tr, intr e pron* ennegrecer.
enegrecido, da [enegɾe'sidʊ, da] *adj* ennegrecido.
energético, ca [eneʀ'ʒɛtʃikʊ, ka] *adj* energético.
energia [eneʀ'ʒia] *f* **1** energía (vigor, fuerza). **2** energía (firmeza).
enérgico, ca [e'nɛʀʒikʊ, ka] *adj* enérgico (fuerte, firme).
enervante [eneʀ'vãtʃɪ] *adj 2 gén* enervante (irritante).
enervar [eneʀ'vaʀ] *tr, intr e pron* **1** enervar (irritar). • *tr e pron* **2** (form) enervar (debilitar).
enevoado, da [enevo'adʊ, da] *adj* nublado.
enevoar [enevo'aʀ] *tr e pron* **1** nublar (cielo). • *tr* **2** (fig) nublar (empañar).
enfadar [ẽfa'daʀ] *tr e pron* **1** aburrir. **2** incomodar.
enfadonho, nha [ẽfa'dõŋʊ, ŋa] *adj* aburrido.
enfarte [ẽ'faʀtʃɪ] *m* ⇒ infarto.
ênfase ['ẽfazɪ] *f* énfasis.
enfastiar [ẽfaʃtʃi'aʀ] *tr, intr e pron* **1** aburrir, hastiar. • *tr* **2** irritar.
enfático, ca [ẽ'fatʃikʊ, ka] *adj* enfático.
enfatizar [ẽfatʃi'zaʀ] *tr* enfatizar.
enfeitado, da [ẽfey'tadʊ, da] *adj* adornado; arreglado.
enfeitar [ẽfey'taʀ] *tr e pron* **1** adornar, ataviar. • *tr, intr e pron* **2** embellecer.
enfeite [ẽ'feytʃɪ] *m* adorno, atavío.
enfeitiçado, da [ẽfeytʃi'sadʊ, da] *adj* **1** hechizado (embrujado). **2** (fig) hechizado (fascinado).
enfeitiçar [ẽfeytʃi'saʀ] *tr* **1** embrujar, hechizar. **2** (fig) hechizar (embelesar).
enfeixar [ẽfey'ʃaʀ] *tr* hacinar (en haces).

e

enfermagem [ẽfeʀˈmaʒẽy] *f* enfermería (actividad).
enfermar [ẽfeʀˈmaʀ] *tr e intr* enfermar.
enfermaria [ẽfeʀmaˈria] *f* enfermería (lugar).
enfermeiro, ra [ẽfeʀˈmeyrʊ, ra] *m e f* enfermero.
enfermiço, ça [ẽfeʀˈmisʊ, sa] *adj* enfermizo.
enfermidade [ẽfeʀmiˈdadʒɪ] *f* enfermedad.
enfermo, ma [ẽˈfeʀmʊ, ma] *adj/m e f* (form) enfermo.

> En portugués se utiliza bastante más la palabra ***doente***, la palabra ***enfermo*** es mucho más restringida y formal.

enferrujar [ẽfeʀuˈʒaʀ] *tr, intr e pron* **1** oxidar, herrumbrar. • *tr* **2** manchar (con óxido). • *tr, intr e pron* **3** (fig) oxidar (perder agilidad, memoria).
enfezado, da [ẽfeˈzadʊ, da] *adj* enfadado, irritado.
enfiar [ẽfiˈaʀ] *tr* **1** enhebrar. **2** introducir, meter. **3** (fam) pegar (golpear). • *tr, intr e pron* **4** meterse (penetrar): *enfiou por uma ruela = se metió por una callejuela.*
enfileirar [ẽfileyˈraʀ] *tr* enfilar (poner en fila).
enfim [ẽˈfĩ] *adv* **1** finalmente, al fin: *enfim sós = al fin solos.* • *~! interj* **2** en fin: *enfim, que podemos fazer = en fin, qué se le va a hacer.*
enfocar [ẽfoˈkaʀ] *tr* enfocar.
enforcar [ẽfoʀˈkaʀ] *tr e pron* **1** ahorcar. • *tr* **2** (fig) derrochar (dinero). • *tr e intr* **3** (fig) hacer puente (entre dos festivos).
enformar [ẽfoʀˈmaʀ] *tr* **1** moldear (vaciar). • *intr* **2** formar (modelar).
enfraquecer [ẽfrakeˈseʀ] *tr, intr e pron* **1** enflaquecer, debilitar. **2** (fig) desanimar.
enfraquecido, da [ẽfrakeˈsidʊ, da] *adj* debilitado, débil.
enfraquecimento [ẽfrakesiˈmẽtʊ] *m* enflaquecimiento (debilitamiento).
enfrentamento [ẽfrẽtaˈmẽtʊ] *m* enfrentamiento (lucha, polémica).
enfrentar [ẽfrẽˈtaʀ] *tr e pron* enfrentar, afrontar (dificultad, adversario).
enfronhar [ẽfrõˈŋaʀ] *tr* enfundar.
enfunar [ẽfuˈnaʀ] *tr, intr e pron* **1** MAR hinchar (velas). • *tr e pron* **2** (fig) inflar (enorgullecer). • *tr* **3** (fig) alentar.
enfurecer [ẽfureˈseʀ] *tr, intr e pron* **1** enfurecer (irritar). • **~-se** *pron* **2** (fig) enfurecerse (tempestad, viento).
enfurecido, da [ẽfureˈsidʊ, da] *adj* enfurecido.
engajado, da [ẽgaˈʒadʊ, da] *adj/m e f* comprometido (políticamente).
engajar [ẽgaˈʒaʀ] *tr e pron* **1** contratar. **2** alistarse. **3** captar (atraer).
engalanar [ẽgalaˈnaʀ] *tr e pron* engalanar.
enganado, da [ẽgaˈnadʊ, da] *adj* **1** engañado (engatusado). **2** errado.
enganar [ẽgaˈnaʀ] *tr, intr e pron* **1** engañar (mentir). • *tr* **2** engañar (frío, hambre). **3** engañar (engatusar). **4** engañar (ser infiel).
engano [ẽˈgãnʊ] *m* **1** engaño (mentira, falsedad). **2** engaño (falsa impresión). **3** engaño (error).
enganoso, sa [ẽgãˈnozʊ, za] *adj* engañoso.
engarrafado, da [ẽgaʀaˈfadʊ, da] *adj* **1** embotellado (líquido). **2** congestionado (tráfico).
engarrafamento [ẽgaʀafaˈmẽtʊ] *m* atasco, embotellamiento (de tráfico); trancón (Col).
engarrafar [ẽgaʀaˈfaʀ] *tr* **1** embotellar. • *tr e intr* **2** congestionar (tráfico). • *intr* **3** atascar (sobrellenar).
engasgado, da [ẽgayʒˈgadʊ, da] *adj* atragantado.
engasgar [ẽgayʒˈgaʀ] *tr, intr e pron* **1** atragantar (ahogar). • *tr e intr* **2** atascar. • *tr e pron* **3** (fig) trabucarse, atascarse.
engasgo [ẽˈgayʒgʊ] *m* atragantamiento.
engastar [ẽgayʃˈtaʀ] *tr* engastar.
engaste [ẽˈgayʃtʃɪ] *m* engaste (guarnición).
engatar [ẽgaˈtaʀ] *tr* **1** enganchar (agarrar). **2** embragar (vehículo). • *tr, intr e pron* **3** enganchar (enroscar).
engate [ẽˈgatʃɪ] *m* enganche (pieza).
engendrar [ẽʒẽˈdraʀ] *tr* **1** engendrar. **2** generar (producir).
engenhar [ẽʒẽˈŋaʀ] *tr* **1** ingeniar (inventar). **2** conspirar (tramar).
engenharia [ẽʒẽŋaˈria] *f* ingeniería.

engenheiro, ra [ẽʒẽˈɲeyɾʊ, ɾa] *m e f* ingeniero.
engenho [ẽˈʒẽɲʊ] *m* **1** ingenio (habilidad, talento). **2** ingenio (mecanismo). **3** hacienda (propiedad rural).
engenhoso, sa [ẽʒẽˈɲozʊ, za] *adj* ingenioso.
engessado, da [ẽʒeˈsadʊ, da] *adj* **1** enyesado (pared). **2** enyesado, escayolado (miembro).
englobar [ẽgloˈbaʀ] *tr e pron* **1** englobar. • *tr* **2** dar forma de globo.
engodo [ẽˈgodʊ] *m* cebo.
engolir [ẽgoˈliʀ] *tr* **1** engullir. **2** (fig) tragar (soportar).
engomadeira [ẽgomaˈdeyɾa] *f* planchadora.
engomar [ẽgoˈmaʀ] *tr* **1** engomar. • *tr e intr* **2** planchar (ropa).
engordar [ẽgoʀˈdaʀ] *tr e intr* **1** engordar (cebar). **2** engordar (ponerse gordo).
engordurar [ẽgoʀduˈɾaʀ] *tr* **1** engrasar (manchar). • **~-se** *pron* **2** volverse grasiento.
engraçado, da [ẽgɾaˈsadʊ, da] *adj* **1** gracioso (chistoso). **2** agradable (afable).
engraçar [ẽgɾaˈsaʀ] *tr* **1** adornar. **2** realzar, embellecer. **3** simpatizar. • *tr e pron* **4** congraciar. • **~-se** *pron* **5** enamorarse.
engrandecer [ẽgɾãdeˈseʀ] *tr e pron* **1** engrandecer (tamaño). • *tr, intr e pron* **2** (fig) engrandecer (exaltar, elevar).
engravatado, da [ẽgɾavaˈtadʊ, da] *adj* encorbatado.
engravatar [ẽgɾavaˈtaʀ] *tr e pron* **1** encorbatar. • **~-se** *pron* **2** trajearse.
engravidar [ẽgɾaviˈdaʀ] *tr e intr* embarazar (preñar).
engraxador [ẽgɾaʃaˈdoʀ] *adj/m* engrasador.
engraxar [ẽgɾaˈʃaʀ] *tr* engrasar (untar).
engrenagem [ẽgɾeˈnaʒẽy] *f* MEC engranaje.
engrenar [ẽgɾeˈnaʀ] *tr, intr e pron* **1** MEC engranar. • *tr* **2** (fig) entablar (conversación, discusión).
engripado, da [ẽgɾiˈpadʊ, da] *adj* averiado.
engrossador, ra [ẽgɾosaˈdoʀ, ɾa] *adj/m* **1** engrosador. **2** difamador. **3** (fig, fam) pelota (adulador).
engrossar [ẽgɾoˈsaʀ] *tr, intr e pron* **1** engrosar. • *tr* **2** abonar (fertilizar). **3** (fam) hacer la pelota. • *tr e intr* **4** (fig, coloq) ser grosero.
enguia [ẽˈgia] *f* anguila (pez).
enguiçado, da [ẽgiˈsadʊ, da] *adj* **1** gafado. **2** estropeado.
enguiçar [ẽgiˈsaʀ] *tr* **1** echar mal de ojo, gafar. • *tr e intr* **2** averiar (aparato).
enguiço [ẽˈgisʊ] *m* **1** (fig, fam) mal de ojo. **2** (fam) malestar. **3** (fam) raquitismo. **4** (fam) niño raquítico.
engulho [ẽˈguʎʊ] *m* náusea.
enigma [eˈnigima] *m* enigma.
enigmático, ca [enigiˈmatʃikʊ, ka] *adj* enigmático.
enjeitamento [ẽʒeytaˈmẽtʊ] *m* rechazo.
enjeitar [ẽʒeyˈtaʀ] *tr e pron* **1** rechazar, recusar. • *tr* **2** abandonar (a un bebé).
enjoado, da [ẽʒoˈadʊ, da] *adj* **1** mareado. **2** (fig) tedioso. **3** (fig) aburrido, harto (de algo).
enjoar [ẽʒoˈaʀ] *tr e intr* **1** marear. • *tr* **2** empachar. **3** repugnar (causar aversión).
enjoativo, va [ẽʒoaˈtʃivʊ, va] *adj* nauseabundo.
enjôo [ẽˈʒoʊ] *m* **1** náusea. **2** mareo. **3** tedio.
enlaçar [ẽlaˈsaʀ] *tr e pron* **1** enlazar (atar). **2** (fig) abrazar. **3** enlazar (unir, vincular).
enlace [ẽˈlasɪ] *m* **1** enlace (unión, conexión). **2** abrazo.
enlameado, da [ẽlameˈadʊ, da] *adj* **1** enlodado. **2** (fig) mancillado (reputación).
enlamear [ẽlãmeˈaʀ] *tr e pron* **1** enlodar. **2** (fig) mancillar (desdorar).
enlatado, da [ẽlaˈtadʊ, da] *adj* **1** enlatado. • *adj/m* **2** conserva (alimento).
enlatar [ẽlaˈtaʀ] *tr* enlatar.
enleado, da [ẽleˈadʊ, da] *adj* liado, enmarañado.
enlear [ẽleˈaʀ] *tr* **1** liar (atar). **2** llamar la atención. • *tr e pron* **3** involucrar (implicar).
enleio [ẽˈleyʊ] *m* **1** atadura. **2** (fig) lío (embrollo). **3** atadijo. **4** confusión (ofuscamiento).
enlevação [ẽlevaˈsãw] *f* deleite, éxtasis.
enlevar [ẽleˈvaʀ] *tr e pron* deleitar (encantar).

enlevo [ẽ'levʊ] *m* deleite.
enlouquecer [ẽlowke'seʀ] *tr e intr* enloquecer.
enobrecedor, ra [ẽnobrese'doʀ, ɾa] *adj/m e f* ennoblecedor.
enojado, da [eno'ʒadʊ, da] *adj* **1** mareado. **2** aburrido, asqueado.
enojar [eno'ʒaʀ] *tr e pron* **1** asquear, repugnar. **2** enojar, enfadar. **3** aburrir, cansar.
enologia [enolo'ʒia] *f* enología.
enorme [e'nɔrmɪ] *adj 2 gén* **1** enorme. **2** (fig) atroz.
enormidade [enoʀmi'dadʒɪ] *f* enormidad.
enovelar [enove'laʀ] *tr e pron* **1** devanar. • *tr* **2** (fig) embrollar.
enquadramento [ẽkwadɾa'mẽtʊ] *m* **1** encuadramiento. **2** (fig) enfoque (directrices).
enquadrar [ẽkwa'dɾaʀ] *tr e pron* **1** encuadrar, enmarcar. **2** cuadrar (encajar).
enquanto [ẽ'kwãtʊ] *conj* **1** cuando: *enquanto ele estava casado não saía de casa = cuando estaba casado, no salía de casa*. **2** mientras: *enquanto eu varro o chão, você lava os pratos = mientras barro el suelo, tú lavas los platos*. **3** a medida que: *enquanto ele vai ficando mais velho, vai amadurecendo = a medida que se hace mayor, va madurando*. **4** en cuanto (en calidad de): *enquanto filha, deve obedecer ao seu pai = en cuanto hija, tiene que obedecer a su padre*.
enquistar [ẽkiʃ'taʀ] *tr e pron* enquistar (embutir, encajar).
enraivecer [ẽʀayve'seʀ] *tr, intr e pron* encolerizar.
enraivecido, da [ẽʀayve'sidʊ, da] *adj* rabioso, encolerizado.
enraizar [ẽʀay'zaʀ] *tr, intr e pron* **1** enraizar. **2** (fig) arraigar (establecerse).
enrascada [ẽʀayʃ'kada] *f* apuro, aprieto.
enredadeira [ẽʀeda'deyɾa] *f* **1** enredadera (planta). **2** chismosa.
enredado, da [ẽʀe'dadʊ, da] *adj* **1** enredado (liado). **2** enredado (confuso).
enredar [ẽʀe'daʀ] *tr e pron* **1** enredar (con red). **2** enmarañar. **3** enredarse (complicarse). • *tr e intr* **4** (fig) enredar (meter cizaña).
enredo [ẽ'ʀedʊ] *m* **1** enredo (maraña). **2** enredo (trama). **3** (fig) enredo (complicación).
enriquecer [ẽʀike'seʀ] *tr e intr* **1** enriquecer. • *tr, intr e pron* **2** (fig) enriquecer (prosperar).
enriquecido, da [ẽʀike'sidʊ, da] *adj* **1** enriquecido (económicamente). **2** (fig) enriquecido (mejorado).
enriquecimento [ẽʀikesi'mẽtʊ] *m* enriquecimiento.
enrolado, da [ẽʀo'ladʊ, da] *adj* **1** enrollado. **2** envuelto.
enrolador, ra [ẽʀola'doʀ, ɾa] *adj/m* enrollador.
enrolamento [ẽʀola'mẽtʊ] *m* bobina.
enrolar [ẽʀo'laʀ] *tr* **1** enrollar. **2** envolver (empaquetar). • *tr e pron* **3** (fig) embrollar, confundir.
enroscar [ẽʀoyʃ'kaʀ] *tr e pron* **1** enroscar. • **~-se** *pron* **2** (fig) acurrucarse.
enrouquecer [ẽʀowke'seʀ] *tr e intr* enronquecer.
enrugado, da [ẽʀu'gadʊ, da] *adj* arrugado.
enrugar [ẽʀu'gaʀ] *tr, intr e pron* **1** arrugar. • *intr* **2** (fig) envejecer.
ensaboado, da [ẽsabo'adʊ, da] *adj* **1** enjabonado. • *m* **2** enjabonado (enjabonadura).
ensaboar [ẽsabo'aʀ] *tr e pron* **1** enjabonar (con jabón). • *tr* **2** enjabonar (reprender).
ensaiar [ẽsay'aʀ] *tr* **1** ensayar (experimentar). **2** intentar. **3** ensayar (papel).
ensaio [ẽ'sayʊ] *m* **1** ensayo, prueba. **2** ensayo (género literario). **3** ensayo (de un espectáculo).
ensaísta [ẽsa'iʃta] *s 2 gén* ensayista.
ensambladura [ẽsãbla'duɾa] *f* ensambladura, ensamblaje.
ensanchar [ẽsã'ʃaʀ] *tr e pron* ensanchar (ampliar).
ensangüentado, da [ẽsãgwẽ'tadʊ, da] *adj* **1** ensangrentado (manchado). **2** sangriento (violento).
ensangüentar [ẽsãgwẽ'taʀ] *tr e pron* **1** ensangrentar. **2** (fig) manchar (reputación).
ensartar [ẽsaʀ'taʀ] *tr* ensartar (enfilar).
enseada [ẽse'ada] *f* ensenada.
ensejo [ẽ'seʒʊ] *m* ocasión, oportunidad.
ensimesmado, da [ẽsimeyʃ'madʊ, da] *adj* ensimismado.

ensinamento [ẽsina'mẽtʊ] *m* **1** enseñanza (doctrina). **2** lección (conocimientos).
ensinar [ẽsi'naʀ] *tr* **1** enseñar (instruir). **2** enseñar (mostrar).
ensino [ẽ'sinʊ] *m* **1** enseñanza (educación, magisterio). **2** adiestramiento. **3** (fig) lección: *que isso lhe sirva de ensino = que eso le sirva de lección.* ◆ **~ médio** enseñanza media; **~ primário** enseñanza primaria; **~ superior** enseñanza superior.
ensoberbecer [ẽsobeʀbe'seʀ] *tr e pron* ensoberbecer.
ensombrar [ẽsõ'bɾaʀ] *tr e pron* ensombrecer.
ensombrecer [ẽsõbɾe'seʀ] *intr e pron* ⇒ ensombrar.
ensopado, da [ẽso'padʊ, da] *adj* mojado, calado.
ensopar [ẽso'paʀ] *tr e pron* **1** empaparse, mojarse; ensoparse (Amér. Merid). • *tr* **2** guisar (carne, legumbres).
ensurdecedor, ra [ẽsuʀdese'doʀ, ɾa] *adj* ensordecedor.
ensurdecer [ẽsuʀde'seʀ] *tr e intr* ensordecer.
entaipar [ẽtay'paʀ] *tr* tapiar.
entalado, da [ẽta'ladʊ, da] *adj* **1** entablillado. **2** encajonado (en un lugar estrecho). **3** (fig) atragantado.
entalar [ẽta'laʀ] *tr* **1** entablillar. • *tr, intr e pron* **2** encajonar (en un lugar estrecho). • *tr e pron* **3** atragantar.
entalhar [ẽta'ʎaʀ] *tr e intr* **1** entretallar, tallar. • *tr* **2** envasar (líquidos, cereales).
entalhe [ẽ'taʎɪ] *m* entalladura.
entalho [ẽ'taʎʊ] *m* ⇒ entalhe.
entanto [ẽ'tãtʊ] *adv* **1** mientras, entretanto. • *conj* **2** sin embargo, no obstante. ■ **no ~** sin embargo, no obstante; entretanto.
então [ẽ'tãw] *adv* **1** entonces (en ese momento): *não pude fazer isso então e também não posso agora = no pude hacerlo entonces y tampoco puedo ahora.* **2** entonces (en tal caso): *se você não quer falar conmigo, então por que me liga? = si no quieres hablar conmigo, entonces ¿por qué me llamas?* • **~!** *interj* **3** ¡cómo!, ¡no es posible! • *m* **4** antaño, entonces.
entardecer [ẽtaʀde'seʀ] *m* atardecer (ocaso).
entardecer [ẽtaʀde'seʀ] *intr* **1** atardecer. **2** (fig) terminar, concluir.
ente ['ẽtʃɪ] *m* **1** FIL ente. **2** (fig) sujeto, persona: *um ente querido = una persona querida.*
enteado, da [ẽtʃɪ'adʊ, da] *adj/m e f* hijastro.
entediar [ẽtedʒi'aʀ] *tr e pron* **1** tediar. **2** enfadar.
entender [ẽtẽ'deʀ] *m* ⇒ entendimento.
entender [ẽtẽ'deʀ] *tr* **1** entender (percibir, comprender). **2** entender (saber). **3** entender (opinar).
entendido, da [ẽtẽ'dʒidʊ, da] *adj* **1** entendido. • *adj/m e f* **2** entendido, especialista.
entendimento [ẽtẽdʒi'mẽtʊ] *m* **1** entendimiento (razón). **2** entendimiento (acuerdo).
entenrecer [ẽtẽʀe'seʀ] *tr e pron* ⇒ enternecer.
enternecedor, ra [ẽteʀnese'doʀ, ɾa] *adj/m* enternecedor.
enternecer [ẽteʀne'seʀ] *tr e pron* enternecer.
enterrador, ra [ẽteʀa'doʀ, ɾa] *adj/m e f* enterrador, sepulturero.
enterramento [ẽteʀa'mẽtʊ] *m* enterramiento.
enterrar [ẽte'ʀaʀ] *tr* **1** enterrar, soterrar. **2** enterrar (sepultar). **3** (fig) enterrar (sobrevivir a alguien).
enterro [ẽ'teʀʊ] *m* entierro, funeral.
entestar [ẽteyʃ'taʀ] *tr* **1** confinar, lindar. **2** tapar (cubrir con tapa).
entibiar [ẽtʃibi'aʀ] *tr, intr e pron* **1** entibiar. **2** (fig) entibiar (ánimos, entusiasmo).
entidade [ẽtʃi'dadʒɪ] *f* **1** FIL entidad, esencia. **2** entidad (ente, ser). **3** entidad (importancia, valor). **4** entidad (sociedad, asociación).
entoação [ẽtoa'sãw] *f* **1** MÚS entonación. **2** canto.
entoar [ẽto'aʀ] *tr* **1** entonar, cantar. **2** FON entonar. **3** (fig) encaminar, dirigir.
entocar [ẽto'kaʀ] *tr e pron* esconder.
entonação [ẽtona'sãw] *f* entonación.
entonar [ẽto'naʀ] *tr* **1** ⇒ entoar. • *tr e pron* **2** envanecer, ensoberbecer.
entontecer [ẽtõte'seʀ] *tr, intr e pron* **1** marear. **2** entontecer.
entornar [ẽtoʀ'naʀ] *tr* **1** entornar (volcar). **2** (fig) derrochar. • *tr, intr e pron*

3 derramar. • *tr e pron* **4** (fig) propagar, difundir.
entorno [ẽ'toRnʊ] *m* **1** entorno. **2** alrededores, cercanías.
entorpecente [ẽtoRpe'sẽtʃɪ] *adj 2 gén* **1** entorpecedor. • *m* **2** estupefaciente.
entorpecer [ẽtoRpe'seR] *tr, intr e pron* **1** entorpecer. **2** debilitar. • *tr* **3** retardar, dificultar.
entortar [ẽtoR'taR] *tr, intr e pron* **1** torcer (curvar). **2** torcer (pervertir, corromper).
entrada [ẽ'trada] *f* **1** entrada (lugar). **2** entrada (inicio). **3** entrada (billete). **4** entrada (primer pago). **5** entrante (plato).
entrado, da [ẽ'tradʊ, da] *adj* **1** entrado (empezado). **2** entrado (avanzado): *entrado em anos = entrado en años.*
entra-e-sai [ẽtraɪ'sai] *m* ir y venir, vaivén.
entrançar [ẽtrã'saR] *tr* **1** entrenzar. • *tr e pron* **2** entrelazar.
entranha [ẽ'trãɲa] *f* **1** entraña (víscera). **2** (fig) entrañas (índole, genio, sentimientos).
entranhar [ẽtrã'ɲaR] *tr* **1** entrañar (introducir, clavar). • *tr e pron* **2** (fig) arraigar.
entrante [ẽ'trãtʃɪ] *adj 2 gén* entrante (próximo).
entrar [ẽ'traR] *tr e intr* **1** entrar (penetrar). • *tr* **2** entrar (atravesar, introducirse). **3** entrar (integrar, ingresar): *entrou numa ordem religiosa = entró en una orden religiosa.* **4** (fig) entrar, alcanzar (época, edad): *ele já entrou nos 60 anos = ya ha entrado en los 60.* ■ **~ bem** (fig, irón) salir malparado.
entravar [ẽtra'vaR] *tr* trabar, obstaculizar.
entrave [ẽ'travɪ] *m* traba (obstáculo).
entre ['ẽtrɪ] *prep* **1** entre (medio): *entre o Rio e Niterói = entre Río y Niterói.* **2** entre (estado intermedio): *entre vermelho e alaranjado = entre rojo y anaranjado.* **3** entre (reciprocidad): *se entendem entre eles = se entienden entre ellos.* **4** entre (según costumbre de): *esse comportamento é normal entre os atores = ese comportamiento es normal entre los actores.* **5** cerca de (aproximadamente): *há entre dez mil pessoas no estádio = hay cerca de diez mil personas en el estadio.*
entreaberto, ta [ẽtrea'bERtʊ, ta] *adj* **1** entreabierto. **2** clareado, despejado (cielo).
entreabrir [ẽtrea'briR] *tr e pron* **1** entreabir. **2** clarear (cielo).
entreato [ẽtre'atʊ] *m* entreacto (intermedio).
entrechocar [ẽtreʃo'kaR] *tr e pron* entrechocar.
entrecortar [ẽtrekoR'taR] *tr* **1** entrecortar. **2** (fig) entrecortarse (interrumpir).
entrecosto [ẽtre'koʃtʊ] *m* ⇒ entrecôte.
entrecôte [ẽtre'kotʃɪ] *m* entrecot.
entrega [ẽ'trɛga] *f* **1** entrega. **2** entrega (rendición). **3** entrega (devoción, interés).
entregar [ẽtre'gaR] *tr* **1** entregar (dar). **2** entregar (devolver). **3** entregar (delatar). • **~-se** *pron* **4** entregarse (dedicarse). **5** entregarse (rendirse).
entregue [ẽ'trɛgɪ] *adj 2 gén* **1** entregado (dado). **2** entregado (dedicado): *entregue aos estudos = entregado a los estudios.*
entrelaçar [ẽtrela'saR] *tr e pron* **1** entrelazar. **2** enlazar (dedos, manos). **3** (fig) mezclar, confundir.
entrelinha [ẽtre'lĩɲa] *f* **1** entrelínea, interlineado. • **entrelinhas** *f pl* **2** entre líneas (sobreentendido).
entremear [ẽtreme'aR] *tr, intr e pron* **1** entremediar. **2** mezclar.
entremeio [ẽtre'meyʊ] *m* intermedio (mitad).
entrementes [ẽtre'mẽtʃɪʃ] *adv* **1** entretanto; mientras tanto. • *m* **2** entretanto.
entreolhar-se [ẽtreo'ʎaRsɪ] *pron* mirarse mutuamente.
entreposto, ta [ẽtre'poyʃtʊ, ta] *adj* **1** interpuesto. • *m* **2** emporio (centro comercial).
entretanto [ẽtre'tãtʊ] *adv* **1** entretanto: *vá preparando o jantar, entretanto eu ponho a mesa = ve preparando la cena, entretanto yo pongo la mesa.* • *conj* **2** sin embargo, no obstante: *não havia estudado, entretanto passou no teste = no había estudiado, sin embargo aprobó el examen.*
entretempo [ẽtre'tẽpʊ] *m* intervalo.
entretenimento [ẽtreteni'mẽtʊ] *m* entretenimiento.
entreter [ẽtre'teR] *tr e pron* **1** entretener (distraer). • *tr, intr e pron* **2** entretener (divertir). **3** entretener (retener).

entretido, da [ẽtɾe'tʃidʊ, da] *adj* **1** entretenido (distraído). **2** entretenido (divertido).
entrevar [ẽtɾe'vaʀ] *tr, intr e pron* **1** envarar (dejar paralítico). **2** (fig) entristecer.
entrever [ẽtɾe'veʀ] *tr* **1** entrever (vislumbrar, ver). **2** entrever (presentir). • **~-se** *pron* **3** verse, reunirse.
entrevista [ẽtɾe'viʃta] *f* **1** entrevista (declaración). **2** entrevista (encuentro, conversación).
entrevistador, ra [ẽtɾeviʃta'doʀ, ɾa] *adj/m e f* entrevistador.
entrevistar [ẽtɾeviʃ'taʀ] *tr e pron* entrevistar.
entrincheirar [ẽtɾĩʃey'ɾaʀ] *tr e pron* atrincherar.
entristecer [ẽtɾiʃte'seʀ] *tr, intr e pron* **1** entristecer. **2** marchitar (plantas). • *intr e pron* **3** (fig) anublar, oscurecer.
entroncado, da [ẽtɾõ'kadʊ, da] *adj* **1** corpulento. **2** entroncado (unido).
entroncar [ẽtɾõ'kaʀ] *intr e pron* **1** robustecer. **2** entroncar (parentesco).
entronizar [ẽtɾoni'zaʀ] *tr e pron* entronizar (en el trono, altar).
entropia [ẽtɾo'pia] *f* FÍS entropía.
entulho [ẽ'tuʎʊ] *m* **1** escombro. **2** (fig) desecho (basura).
entupido, da [ẽtu'pidʊ, da] *adj* **1** entupido, atascado (cañerías). **2** abarrotado. **3** (fig, coloq) a punto de rebentar (empachado).
entupimento [ẽtupi'mẽtʊ] *m* **1** obstrucción, atasco (cañerías). **2** abarrotamiento.
entupir [ẽtu'piʀ] *tr, intr e pron* **1** entupir. **2** abarrotarse. **3** (fig) enmudecer.
entusiasmado, da [ẽtuziayʒ'madʊ, da] *adj* entusiasmado.
entusiasmar [ẽtuzyayʒ'maʀ] *tr e pron* entusiasmar.
entusiasmo [ẽtuzi'ayʒʃmʊ] *m* entusiasmo (exhaltación).
entusiasta [ẽtuzi'ayʒʃta] *s 2 gén* entusiasta.
entusiástico, ca [ẽtuzi'ayʒʃtʃikʊ, ka] *adj* entusiástico.
enumeração [enumeɾa'sãw] *f* **1** enumeración. **2** RET enumeración.
enumerar [enume'ɾaʀ] *tr* **1** enumerar. **2** numerar (contar).
enunciação [enũsia'sãw] *f* enunciación.
enunciado, da [enũsi'adʊ, da] *adj* **1** enunciado. • *m* **2** enunciado (tesis).
enunciar [enũsi'aʀ] *tr* enunciar.
envaidecer [ẽvayde'seʀ] *tr e pron* envanecer (ensoberbecer).
envelhecer [ẽveʎe'seʀ] *tr e intr* **1** envejecer. • *intr e tr* **2** parecer mayor.
envelhecido, da [ẽveʎe'sidʊ, da] *adj* **1** envejecido. **2** decadente.
envelhecimento [ẽveʎesi'mẽtʊ] *m* envejecimiento.
envelopar [ẽvelo'paʀ] *tr* ensobrar.
envelope [ẽve'lɔpɪ] *m* sobre.
envenenado, da [ẽvene'nadʊ, da] *adj* **1** envenenado. **2** (fig) estropeado, corrupto. **3** (fig) envenenado (amargado).
envenenamento [ẽvenena'mẽtʊ] *m* envenenamiento.
envenenar [ẽvene'naʀ] *tr e pron* **1** envenenar. **2** estropear, corromper. **3** envenenar (amargar).
enveredar [ẽveɾe'daʀ] *intr* **1** tomar, seguir (vereda, camino). **2** encaminarse (a un lugar).
envergadura [ẽveʀga'duɾa] *f* **1** (fig) envergadura (importancia). **2** MAR envergadura (de las velas).
envergar [ẽveʀ'gaʀ] *tr* **1** MAR envergar. **2** (fig, fam) vestir.
envergonhado, da [ẽveʀgõ'ŋadʊ, da] *adj* **1** vergonzoso (tímido). **2** avergonzado (humillado).
envergonhar [ẽveʀgõ'ŋaʀ] *tr e pron* **1** avergonzarse. • *tr* **2** avergonzar (humillar).
envernizar [ẽveʀni'zaʀ] *tr* **1** barnizar. **2** pulir, lustrar.
enviado, da [ẽvi'adʊ, da] *adj* **1** enviado. • *m e f* **2** enviado (mensajero).
enviar [ẽvi'aʀ] *tr e intr* **1** enviar (carta, invitación). **2** enviar (encomendar). **3** dar, lanzar (puñetazo, mirada).
envidar [ẽvi'daʀ] *tr e intr* envidar.
envidraçado, da [ẽvidɾa'sadʊ, da] *adj* **1** acristalado. **2** empañado.
envidraçar [ẽvidɾa'saʀ] *tr* **1** encristalar. • *tr e pron* **2** empañar.
enviesado, da [ẽvie'zadʊ, da] *adj* **1** torcido, inclinado. **2** (fig) desviado (del buen camino).
enviesar [ẽvie'zaʀ] *tr e pron* torcer, inclinar.
envio [ẽvi'ʊ] *m* envío.

envolto, ta [ẽ'vowtʊ, ta] *adj* **1** envuelto (implicado). **2** envuelto (empaquetado). **3** envuelto (rodeado).
envoltório, a [ẽvow'tɔryʊ, a] *adj* **1** envolvente. • *m* **2** envoltorio.
envolvente [ẽvow'vẽtʃɪ] *adj 2 gén* **1** envolvente. **2** cautivante.
envolver [ẽvow'veʀ] *tr* **1** envolver (contener). **2** cautivar, seducir. • *tr, intr e pron* **3** envolver (arropar). • *tr e intr* **4** envolver (empaquetar).
envolvimento [ẽvowvi'mẽtʊ] *m* **1** envolvimiento. **2** (fig) relación (amorosa).
enxada [ẽ'ʃada] *f* **1** azada. **2** (fig) oficio, ocupación.
enxadrista [ẽʃa'driʃta] *s 2 gén* **1** ajedrecista. • *adj 2 gén* **2** ajedrecístico.
enxaguar [ẽʃa'gwaʀ] *tr* **1** enjuagar (aclarar). **2** enjuagar (lavar).
enxame [ẽ'ʃãmɪ] *m* **1** enjambre (de abejas). **2** (fig) enjambre (multitud).
enxamear [ẽʃãme'aʀ] *tr* **1** enjambrar (recoger abejas). • *intr* **2** enjambrar (criar colmena).
enxaqueca [ẽʃa'keka] *f* jaqueca.
enxerga [ẽ'ʃɛʀga] *f* **1** jergón. **2** catre.
enxergar [ẽʃeʀ'gaʀ] *tr* **1** ver (distinguir). **2** avistar.
enxerido, da [ẽʃe'ridʊ, da] *adj* **1** insertado. • *adj/m e f* **2** entrometido.
enxerir [ẽʃe'riʀ] *tr* **1** plantar, clavar. • *tr e intr* **2** insertar.
enxertar [ẽʃeʀ'taʀ] *tr e intr* **1** injertar. • *tr, intr e pron* **2** insertar (introducir).
enxó [ẽ'ʃɔ] *m* desbastador.
enxofrado, da [ẽʃo'fradʊ, da] *adj* **1** azufrado; sulfurado. **2** (fig, fam) sulfurado (enfadado, irritado).
enxofrar [ẽʃo'fraʀ] *tr* **1** sulfurar, azufrar. • *tr e pron* **2** (fam, fig) sulfurarse (enfadarse, irritarse).
enxofre [ẽ'ʃofrɪ] *m* QUÍM azufre.
enxotar [ẽʃo'taʀ] *tr* **1** oxear, zalear (ahuyentar). **2** echar (expulsar).
enxoval [ẽʃo'vaw] *m* ajuar (de novia, bebé).
enxovalhado, da [ẽʃova'ʎadʊ, da] *adj* **1** sucio, manchado. **2** (fig) deshonrado, mancillado.
enxovalhar [ẽʃova'ʎaʀ] *tr e pron* **1** ensuciar, manchar. **2** arrugar. **3** (fig) deshonrar, mancillar.
enxugar [ẽʃu'gaʀ] *tr, intr e pron* **1** secar, enjugar. • *tr* **2** enjugarse (lágrimas). **3** reducir (disminuir).
enxurrada [ẽʃu'ʀada] *f* **1** torrente (de agua). **2** (fig) torrente (montón, serie).
enxuto, ta [ẽ'ʃutʊ, ta] *adj* **1** seco. **2** (fig) sobrio.
enzima [ẽ'zima] *f* BIOQ enzima.
eólico, ca [e'ɔlikʊ, ka] *adj* **1** eólico (del viento). • *adj/m e f* **2** eólico (griego).
epicentro [epi'sẽtrʊ] *m* epicentro.
épico, ca ['ɛpikʊ, ka] *adj* **1** épico. **2** (fig) épico (fantástico, memorable). • *m* **3** épico (autor).
epidemia [epide'mia] *f* **1** MED epidemia. **2** (fig) plaga (abundancia).
epidêmico, ca [epi'dẽmikʊ, ka] *adj* epidémico.
epiderme [epi'dɛmɪ] *f* ANAT epidermis.
epidérmico, ca [epi'dɛmikʊ, ka] *adj* **1** epidérmico. **2** (fig) superficial.
epiglote [epi'glɔtʃɪ] *f* ANAT epíglotis.
epígrafe [e'pigrafɪ] *f* **1** epígrafe (inscripción). **2** epígrafe (de un texto).
epilepsia [epilep'sia] *f* MED epilepsia.
epiléptico, ca ou **epilético, ca** [epi'lɛpitʃikʊ, ka o epi'lɛtʃikʊ, ka] *adj/m e f* MED epiléptico.
epílogo [e'pilogʊ] *m* epílogo (de una obra).
episcopal [epiʃko'paw] *adj 2 gén* episcopal.
episódico, ca [epi'zɔdʒikʊ, ka] *adj* episódico.
episódio [epi'zɔdʒyʊ] *m* episodio (parte, suceso).
epístola [e'piʃtola] *f* **1** epístola (misiva, carta). **2** epístola (poema).
epistolar [epiʃto'laʀ] *adj 2 gén* epistolar.
epitáfio [epi'tafyʊ] *m* epitafio.
epíteto [e'pitetʊ] *m* epíteto.
época ['ɛpoka] *f* **1** época (temporada). **2** época (período histórico).
epopéia [epo'pɛya] *f* **1** epopeya (poema). **2** (fig) epopeya (heroicidades).
epóxi [e'pɔkisɪ] *m* QUÍM epoxi.
equação [ekwa'sãw] *f* **1** MAT ecuación. **2** síntesis (de un problema).
equador [ekwa'doʀ] *m* **1** GEOG Ecuador. **2** ASTR Ecuador.
Equador [ekwa'doʀ] *m* Ecuador.
equânime [e'kwãnimɪ] *adj 2 gén* ecuánime.

equanimidade [ekwãnimi'dadʒɪ] *f* **1** ecuanimidad (constancia). **2** ecuanimidad (imparcialidad).
equatorial [ekwatori'aw] *adj 2 gén* **1** ecuatorial. • *m* **2** ASTR ecuatorial (telescopio).
equatoriano, na [ekwatori'ãnʊ, na] *adj/m e f* ecuatoriano.
eqüestre [e'kwɛʃtrɪ] *adj 2 gén* ecuestre.
eqüidade [ekwi'dadʒɪ] *f* equidad.
eqüidistante [ekwidʒiʃ'tãtʃɪ] *adj 2 gén* equidistante.
eqüidistar [ekwidʒiʃ'taʀ] *tr e intr* equidistar.
equilibrar [ekili'braʀ] *tr e pron* **1** equilibrar (compensar). **2** (fig) equilibrar (armonizar).
equilíbrio [eki'libryʊ] *m* **1** FÍS equilibrio. **2** (fig) equilibrio (estabilidad, armonía, moderación).
equilibrado, da [ekili'bradʊ, da] *adj* **1** equilibrado (compensado). **2** (fig) equilibrado (sensato).
equilibrismo [ekili'briʒmʊ] *m* equilibrismo.
eqüino, na [e'kwinʊ, na] *adj/m* equino (caballar).
equinócio [eki'nɔsyʊ] *m* ASTR equinoccio.
equipamento [ekipa'mẽtʊ] *m* **1** equipamiento. **2** MAR tripulación. **3** equipo (utensilios).
equipar [eki'paʀ] *tr e pron* equipar (proveer).
equiparação [ekipara'sãw] *f* equiparación.
equiparar [ekipa'raʀ] *tr, intr e pron* **1** equiparar. **2** cotejar.
equipe [e'kipɪ] *f* **1** equipo (grupo). **2** ESPORT equipo.
equitação [ekita'sãw] *f* equitación.
eqüitativo, va [ekwita'tʃivʊ, va] *adj* equitativo.
equivalência [ekiva'lẽsya] *f* equivalencia.
equivalente [ekiva'lẽtʃɪ] *adj 2 gén* equivalente.
equivaler [ekiva'leʀ] *intr e pron* equivaler.
equivocação [ekivoka'sãw] *f* equivocación.
equivocado, da [ekivo'kadʊ, da] *adj* equivocado.
equivocar [ekivo'kaʀ] *tr e pron* equivocar (errar).
equívoco, ca [e'kivokʊ, ka] *adj* **1** equívoco (ambiguo, impreciso). • *m* **2** ⇒ equivocação.
era ['ɛra] *f* era (época histórica).
erário [e'raryʊ] *m* erario (hacienda pública).
ereção [ere'sãw] *f* **1** erección (levantamiento). **2** erección (fundación, creación).
eremita [ere'mita] *m e f* **1** eremita, ermitaño. **2** (fig) eremita (solitario).
ereto, ta [e'rɛtʊ, ta] *adj* erecto (levantado, rígido).
ergonomia [eʀgono'mia] *f* ergonomía.
erguer [eʀ'geʀ] *tr* **1** erguir, levantar (poner derecho). **2** edificar, construir. **3** levantar (voz, mirada). **4** alentar, animar.
eriçado, da [eri'sadʊ, da] *adj* erizado.
eriçar [eri'saʀ] *tr e pron* erizar.
erigir [eri'ʒiʀ] *tr* **1** erigir (construir, levantar). **2** erigir (crear, fundar).
ermida [eʀ'mida] *f* ermita.
ermo, ma ['eʀmʊ, ma] *adj* **1** solitario (solo). • *adj/m* **2** yermo (deshabitado).
erosão [ero'zãw] *f* erosión (de la tierra).
erosivo, va [ero'zivʊ, va] *adj* erosivo.
erótico, ca [e'rɔtʃikʊ, ka] *adj* **1** erótico (sensual). **2** erótico (excitante).
erotismo [ero'tʃiʒmʊ] *m* erotismo.
erradicação [eʀadʒika'sãw] *f* erradicación.
erradicar [eʀadʒi'kaʀ] *tr* erradicar.
errado, da [e'ʀadʊ, da] *adj* errado, equivocado.
errante [e'ʀãtʃɪ] *adj 2 gén* errante (vagabundo, nómada).
errar [e'ʀaʀ] *tr e intr* **1** errar (equivocarse). • *tr* **2** errar (no acertar). **3** errar (vagar).
errata [e'ʀata] *f* **1** fe de erratas. **2** errata (equivocación).
erro ['eʀʊ] *m* **1** error, equivocación. **2** inexactitud, incorrección.
errôneo, a [e'ʀõnyʊ, a] *adj* erróneo.
erudição [erudʒi'sãw] *f* erudición (cultura).
erudito, ta [eru'dʒitʊ, ta] *adj/m* erudito (instruido).
erupção [erupi'sãw] *f* **1** erupción (cutánea). **2** GEOL erupción.
eruptivo, va [erupi'tʃivʊ, va] *adj* eruptivo.

erva [ˈɛʀva] *f* **1** hierba, yerba (planta). **2** hortalizas, legumbres. **3** yerba mate (R. de la Plata).
erval [eʀˈvaw] *m* yerbal (Arg, Par, Ur).
ervanário, a [eʀvaˈnaɾyʊ, a] *adj/m e f* **1** herbolario (vendedor). • *m* **2** herbolario (establecimiento).
ervilha [eʀˈviʎa] *f* guisante; arveja (Amér).
esbaforido, da [eyʒbafoˈɾidʊ, da] *adj* **1** jadeante, sofocado. **2** apresurado.
esbanjador, ra [eyʒbãʒaˈdoʀ, ɾa] *adj/m* derrochador, disipador.
esbanjar [eyʒbãˈʒaʀ] *tr* derrochar, malgastar.
esbarrão [eyʒbaˈʀãw] *m* encontronazo.
esbarrar [eyʒbaˈʀaʀ] *tr* **1** tropezar, chocar. **2** tropezar, topar (encontrar).
esbater [eyʒbaˈteʀ] *tr* **1** ART esfumar. **2** dar relieve (figura).
esbatido, da [eyʒbaˈtʃidʊ, da] *adj* pálido.
esbelto, ta [eyʒˈbɛwtʊ, ta] *adj* esbelto.
esboçar [eyʒboˈsaʀ] *tr* **1** esbozar, bosquejar (obra, proyecto). **2** esbozar, planear (idea, plan).
esboço [eyʒˈbosʊ] *m* **1** esbozo, bosquejo (dibujo). **2** bosquejo (idea vaga). **3** rudimentos.
esbofetear [eyʒbofetʃɪˈaʀ] *tr* abofetear.
esboroar [eʃboɾoˈaʀ] *tr, intr e pron* pulverizar, deshacer.
esbracejar [eyʒbɾaseˈʒaʀ] *tr e intr* ⇒ bracejar.
esbranquiçado, da [eyʒbɾãkiˈsadʊ, da] *adj/m* **1** blanquecino, albo. • *adj* **2** descolorido.
esbravejar [eyʒbɾaveˈʒaʀ] *intr* **1** enfurecerse, embravecerse. • *tr* **2** gritar, vociferar.
esbugalhado, da [eyʒbugaˈʎadʊ, da] *adj* salido, saltón: *olhos esbugalhados = ojos saltones.*
esbugalhar [eyʒbugaˈʎaʀ] *tr* poner los ojos como platos.
esburacado, da [eyʒbuɾaˈkadʊ, da] *adj* agujereado.
esburacar [eyʒbuɾaˈkaʀ] *tr* agujerear.
escabeche [eyʃkaˈbɛʃɪ] *m* escabeche (salsa).
escabroso, sa [eyʃkaˈbɾozʊ, za] *adj* escabroso (escarpado).
escada [eyʃˈkada] *f* **1** escalera. **2** (fig) escalón (medio): *foi a escada para alcançar o sucesso = fue el escalón para alcanzar el éxito.*
escadaria [eyʃkadaˈɾia] *f* escalinata.
escaiola [eyʃkayˈɔla] *f* escayola.
escala [eyʃkaˈlaʀ] *tr* **1** escalar (asaltar). **2** robar, saquear; macaquear, gabanear (Amér. Centr). **3** escalar (subir, trepar). **4** asolar, destruir.
escalada [eyʃkaˈlada] *f* **1** escalada, escalamiento (subida). **2** escalada (aumento rápido).
escalador, ra [eyʃkalaˈdoʀ, ɾa] *adj/m e f* escalador.
escalão [eyʃkaˈlãw] *m* **1** escalón (de escalera). **2** escalón (grado).
escalar [eyʃkaˈlaʀ] *tr* **1** escalar (asaltar). **2** robar, saquear. **3** escalar (subir, trepar). **4** asolar, destruir.
escalavrar [eyʃkalaˈvɾaʀ] *tr* arañar, herir.
escaldado, da [eyʒʃkawˈdadʊ, da] *adj* escaldado.
escaldante [eyʃkawˈdãtʃɪ] *adj 2 gén* escaldante.
escaldar [eyʃkawˈdaʀ] *tr* **1** escaldar, quemar. **2** escaldar (con agua). **3** resecar. **4** rehogar.
escalonar [eyʃkaloˈnaʀ] *tr* escalonar (graduar).
escalope [eyʃkaˈlɔpɪ] *m* escalope.
escama [eyʃˈkãma] *f* **1** ZOOL escama. **2** cochinilla (insecto).
escamado, da [eyʃkaˈmadʊ, da] *adj* descamado.
escamar [eyʃkaˈmaʀ] *tr e pron* **1** escamar, descamar (peces). • **~-se** *pron* **2** enfadarse, irritarse.
escambar [eyʃkãˈbaʀ] *tr* permutar.
escambo [eyʃˈkãbʊ] *m* permutación, permuta.
escamotear [eyʃkamoteˈaʀ] *tr e intr* **1** escamotear (esconder). • *tr* **2** (fig) escamotear (hurtar, robar).
escancarar [eyʃkãkaˈɾaʀ] *tr e pron* **1** abrir. • *tr* **2** descubrir (dar a conocer).
escandalizar [eyʃkãdaliˈzaʀ] *tr e intr* **1** escandalizar (causar escándalo). • *tr e pron* **2** escandalizarse (indignarse).
escândalo [eyʃˈkãdalʊ] *m* **1** escándalo (desvergüenza). **2** escándalo (alboroto).
escandaloso, sa [eyʃkãdaˈlozʊ, za] *adj* **1** escandaloso (inmoral, vergonzoso). **2** escandaloso (ruidoso).

escandecer ou **escandescer** [eyʃ-kã-de'seʀ] *tr, intr e pron* encandecer.
escandinavo, va [eyʃkãdʒi'navʊ, va] *adj/m e f* escandinavo.
escanear [eyʃkãne'aʀ] *tr* escanear.
escangalhado, da [eyʒʃkãga'ʎadʊ, da] *adj* **1** escacharrado. **2** estropeado.
escangalhar [eyʃkãga'ʎaʀ] *tr* descangallar (estropear).
escapada [eyʃka'pada] *f* escapada (fuga, salida).
escapadela [eyʃkapa'dɛla] *f* ⇒ escapada.
escapar [eyʃka'paʀ] *tr* **1** escapar (salir). **2** escapar (huir). **3** (fig) escaparse (al entendimiento). **4** (fig) escaparse (soltarse). ● *intr* **5** sobrevivir.
escapatória [eyʃkapa'tɔrya] *f* escapatoria.
escape [eyʃ'kapɪ] *m* **1** escape, salida. **2** escape, fuga (de un líquido, gas). **3** escape (tubo).
escapulir [eyʃkapu'liʀ] *tr, intr e pron* escapar, fugarse.
escaramuça [eyʃkara'musa] *f* **1** escaramuza (combate). **2** escaramuza (riña, discusión).
escaravelho [eyʃkara'veʎʊ] *m* escarabajo (insecto).
escarlate [eyʃkaʀ'latʃɪ] *adj/m* **1** escarlata (color). ● *m* **2** escarlata (tela).
escarmentar [eyʒʃkaʀmẽ'taʀ] *tr* escarmentar (castigar, reprender).
escarnecer [eyʃkaʀne'seʀ] *tr* escarnecer.
escarninho, nha [eyʒʃkaʀ'nĩŋʊ, ŋa] *adj* **1** escarnecedor (sarcástico). ● *m* **2** ⇒ escárnio.
escárnio [eyʃ'kaʀnyʊ] *m* escarnio, mofa, burla.
escarpa [eyʃ'kaʀpa] *f* escarpa.
escarpado, da [eyʃkaʀ'padʊ, da] *adj* escarpado.
escarranchar [eyʃkaʀã'ʃaʀ] *tr e pron* escarranchar, esparrancar.
escarrar [eyʃka'ʀaʀ] *tr e intr* expectorar, escupir.
escarro [eyʃ'kaʀʊ] *m* expectoración (esputo).
escarvar [eyʃkaʀ'vaʀ] *tr* escarbar (ahondar).
escassear [eyʃkase'aʀ] *intr* **1** escasear. ● *tr* **2** escatimar (cercenar, disminuir).
escassez [eyʃka'seyʃ] *f* **1** escasez (poquedad, mengua). **2** escasez (pobreza).
escasso, ssa [eyʃ'kasʊ, sa] *adj* **1** escaso (insuficiente). **2** escaso (poco, limitado). ● *m* **3** avaro, mezquino.
escavacado, da [eyʃkava'kadʊ, da] *adj* excavado.
escavação [eyʃkava'sãw] *f* **1** excavación. **2** investigación.
escavador, ra [eyʃkava'doʀ, ra] *adj/m* excavador.
escavar [eyʃka'vaʀ] *tr e pron* **1** excavar. ● *tr* **2** (fig) investigar.
escindir [esĩ'dʒiʀ] *tr e pron* escindir (separar, dividir).
esclarecedor, ra [eyʃklarese'doʀ, ra] *adj* esclarecedor.
esclarecer [eyʃklare'seʀ] *tr* **1** esclarecer, aclarar (explicar). **2** esclarecer (ennoblecer).
esclarecido, da [eyʃklare'sidʊ, da] *adj* **1** iluminado. **2** elucidado.
esclarecimento [eyʃklaresi'mẽtʊ] *m* **1** esclarecimiento (aclaración, explicación). **2** esclarecimiento (ilustración).
esclerose [eyʃkle'rɔzɪ] *f* MED esclerosis.
escoadouro [eyʃkoa'dowrʊ] *m* albañal (sumidero).
escoamento [eyʃkoa'mẽtʊ] *m* desagüe, desaguadero.
escoar [eyʃko'aʀ] *tr* **1** escurrir, desaguar (líquido). ● *intr* **2** disiparse, desvanecerse. ● *intr e pron* **3** escurrirse (zafarse).
escocês [eyʃko'seyʃ] *adj/m e f* escocés.
Escócia [eyʃ'kɔsya] *f* Escocia.
escol [eyʃ'kɔw] *m* elite.
escola [eyʃ'kɔla] *f* **1** escuela (establecimiento). **2** escuela (sistema, doctrina). **3** escuela (conocimientos, enseñanzas).
escolar [eyʃko'laʀ] *adj 2 gén* **1** escolar. ● *s 2 gén* **2** escolar (estudiante).
escolaridade [eyʃkolari'dadʒɪ] *f* escolaridad.
escolarização [eyʃkolariza'sãw] *f* escolarización.
escolarizar [eyʃkolari'zaʀ] *tr* escolarizar.
escolha [eyʃ'koʎa] *f* **1** preferencia (predilección). **2** elección (selección).
escolher [eyʃko'ʎeʀ] *tr* **1** escoger, elegir. **2** escoger (señalar).

escolhido, da [eyʃko'ʎidʊ, da] *adj* escogido.
escolho [eyʃ'koʎʊ] *m* **1** escollo (peñasco). **2** (fig) escollo (obstáculo, dificultad).
escolta [eyʃ'kɔwta] *f* escolta (protección).
escoltar [eyʃkow'taʀ] *tr* **1** escoltar (proteger). **2** escoltar (acompañar).
esconde-esconde [eyʃkõdʒɪʃ'kõdʒɪ] *m* escondite (juego).
esconder [eyʃkõ'deʀ] *tr e pron* esconder (ocultar).
esconderijo [eyʃkõde'ɾiʒʊ] *m* escondrijo.
escondido, da [eyʃkõ'dʒidʊ, da] *adj* escondido (oculto).
esconjurar [eyʃkõʒu'ɾaʀ] *tr* **1** conjurar (jurar). **2** conjurar (exorcizar).
esconso, sa [eyʃ'kõsʊ, sa] *adj* **1** ⇒ escondido, da (1). **2** oblicuo, inclinado.
escora [eyʃ'kɔɾa] *f* **1** escora (puntal, apoyo). **2** (fig) arrimo, sostén.
escorar [eyʃko'ɾaʀ] *tr* **1** escorar, apuntalar. • *tr, intr e pron* **2** ampararse, apoyarse.
escorbuto [eyʃkoʀ'butʊ] *m* MED escorbuto.
escória [eyʃ'kɔɾya] *f* **1** escoria (residuo). **2** escoria (lava). **3** (fig) escoria (vileza).
escoriação [eyʃkoɾia'sãw] *f* excoriación.
escorpião [eyʃkoʀpi'ãw] *m* **1** escorpión (arácnido). **Escorpião 2** ASTR Escorpio (constelación, signo zodiacal).
escorraçar [eyʃkoʀa'saʀ] *tr* expulsar, echar.
escorredor [eyʃkoʀe'doʀ] *m* escurridor (colador).
escorrega [eyʃko'ʀɛga] *m* ⇒ escorregador.
escorregadela [eyʃkoʀega'dɛla] *f* resbalón (resbalamiento).
escorregadio, a [eyʃkoʀega'dʒiʊ, a] *adj* escurridizo, resbaladizo.
escorregador, ra [eyʃkoʀega'doʀ, ɾa] *adj* **1** resbalador. • *m* **2** tobogán.
escorregar [eyʃkoʀe'gaʀ] *intr* **1** resbalar, deslizar. **2** incurrir, caer (en errores). **3** (fig) volar (tiempo).
escorreito, ta [eyʃko'ʀeytʊ, ta] *adj* perfecto, impecable.
escorrer [eyʃko'ʀeʀ] *tr* **1** escurrir: *escorreu a alface = escurrió la lechuga.* • *intr* **2** gotear, deslizar.
escorrimento [eyʃkoʀi'mẽtʊ] *m* escurrimiento.
escotilha [eyʃko'tʃiʎa] *f* MAR escotilla.
escova [eyʃ'kova] *f* **1** cepillo. • *s 2 gén* **2** (fam) plasta, pelmazo.
escovadela [eyʃkova'dɛla] *f* **1** cepilladura. **2** (fig) reprimienda.
escovar [eyʃko'vaʀ] *tr* **1** cepillar. **2** (fam) reprender, abroncar. **3** (fam) dar una paliza.
escravatura [eyʃkɾava'tuɾa] *f* ⇒ escravidão.
escravidão [eyʃkɾavi'dãw] *f* **1** esclavitud. **2** (fig) esclavitud (de una pasión, vicio).
escravizar [eyʃkɾavi'zaʀ] *tr* **1** esclavizar. **2** (fig) cautivar, encantar.
escravo, va [eyʃ'kɾavʊ, va] *adj/m e f* **1** esclavo. **2** (fig) esclavo (de una pasión, vicio).
escrever [eyʃkɾe'veʀ] *tr* **1** escribir (representar). **2** escribir (libros, artículos, cartas). **3** MÚS escribir (componer). • **~-se** *pron* **4** cartearse.
escriba [eyʃ'kɾiba] *m* **1** escriba (intérprete). **2** escriba (escribiente).
escrita [eyʃ'kɾita] *f* **1** escritura (sistema de signos): *escrita ideográfica = escritura ideográfica.* **2** escritura (estilo).
escrito, ta [eyʃ'kɾitʊ, ta] *adj* **1** escrito. • *m* **2** escrito (nota, documento, obra).
escritor, ra [eyʃkɾi'toʀ, ɾa] *m e f* escritor.
escritório [eyʃkɾi'tɔɾyʊ] *m* **1** despacho. **2** escritorio (mueble). **3** oficina.
escritura [eyʃkɾi'tuɾa] *f* **1** DIR escritura (documento). **2** escritura (estilo, caligrafía).
escrituração [eyʃkɾituɾa'sãw] *f* DIR escritura.
escriturar [eyʃkɾitu'ɾaʀ] *tr* DIR escriturar.
escriturário [eyʃkɾitu'ɾaɾyʊ] *adj/m* **1** DIR escriturario. **2** escriturario (de la Biblia).
escrivaninha [eyʃkɾivã'nĩɲa] *f* escritorio (mueble).
escrivão [eyʃkɾi'vãw] *m* escribano, notario.
escroto [eyʃ'kɾotʊ] *m* **1** ANAT escroto. • *adj/m e f* **2** (fig, vulg) canalla, sabandija; tropa (Amér. Centr, Méx).
escrúpulo [eyʃ'kɾupulʊ] *m* **1** escrúpulo (duda, recelo). **2** escrúpulo (meticulosidad).

escrupuloso, sa [eyʃkrupu'lozʊ, za] *adj* escrupuloso (exacto, meticuloso).
escrutar [eyʃkru'taʀ] *tr* **1** escrutar (indagar). **2** ⇒ escrutinar.
escrutinar [eyʃkrutʃi'naʀ] *tr* escrutar (votos).
escrutínio [eyʃkru'tʃinyʊ] *m* **1** escrutinio (de votos). **2** urna (para los votos).
escudar [eyʃku'daʀ] *tr e pron* escudar.
escudeiro [eyʃku'deyrʊ] *m* **1** escudero, paje (de un caballero). **2** escudero (título nobiliario).
escuderia [eyʃkude'ria] *f* ESPORT escudería.
escudo [eyʃ'kudʊ] *m* **1** escudo (arma). **2** escudo (moneda).
esculpido, da [eyʃkuw'pidʊ, da] *adj* esculpido.
esculpir [eyʃkuw'piʀ] *tr e intr* esculpir (labrar, grabar).
escultor, ra [eyʃkuw'toʀ, ra] *m e f* escultor.
escultórico, ca [eyʃkuw'tɔrikʊ, ka] *adj* ⇒ escultural.
escultura [eyʃkuw'tura] *f* escultura (arte, obra).
escultural [eyʃkuwtu'raw] *adj 2 gén* **1** escultural. **2** (fig) escultural (bello): *tem um corpo escultural = tiene un cuerpo escultural.*
escumadeira [eyʃkuma'deyra] *f* espumadera.
escurecer [eyʃkure'seʀ] *tr, intr e pron* **1** oscurecer. • *tr e pron* **2** oscurecerse, nublarse. • *tr* **3** (fig) oscurecer (deslustrar, disminuir).
escuridão [eyʃkuri'dãw] *f* **1** oscuridad. **2** (fig) tristeza.
escuro, ra [eyʃ'kurʊ, ra] *adj* **1** oscuro (sin luz). **2** oscuro (negruzco). **3** (fig) oscuro (difícil).
escusa [eyʃ'kuza] *f* excusa.
escusado, da [eyʃku'zadʊ, da] *adj* excusado (superfluo, innecesario).
escusar [eyʃku'zaʀ] *tr* **1** excusar (eximir). • *tr e pron* **2** excusar (justificar).
escuso, sa [eyʃ'kuzʊ, za] *adj* **1** escondido, oculto. **2** excusado.
escuta [eyʃ'kuta] *f* **1** escucha. • *s 2 gén* **2** escucha (centinela, espía). ♦ ~ **telefônica** escucha telefónica.
escutar [eyʃku'taʀ] *tr* **1** escuchar (oír). **2** escuchar (prestar atención, hacer caso). **3** espiar.
esdrúxulo, la [eyʒ'druʃulʊ, la] *adj/m* **1** ⇒ proparoxítono, na. • *adj* **2** (coloq) raro, estrafalario.
esfacelar [eyʃfase'laʀ] *tr* destruir, arruinar.
esfacelo [eyʃfa'selʊ] *m* declive, decadencia.
esfalfar [eyʃfaw'faʀ] *tr e pron* cansar, extenuar.
esfaquear [eyʃfake'aʀ] *tr e pron* acuchillar (cortar, herir, matar).
esfarelar [eyʃfare'laʀ] *tr e pron* desmigajar, pulverizar.
esfarinhar [eyʃfarĩ'ɲaʀ] *tr* reducir a harina.
esfarrapado, da [eyʃfaʀa'padʊ, da] *adj* guiñaposo, harapiento.
esfarrapar [eyʃfaʀa'paʀ] *tr* **1** desgarrar, rasgar. **2** (fig) estropear, arruinar.
esfera [eyʃ'fɛra] *f* **1** GEOM esfera. **2** esfera (globo terrestre).
esférico, ca [eyʃ'fɛrikʊ, ka] *adj* **1** esférico. **2** (fam) barrigudo, gordo.
esferográfica [eyʃfero'grafika] *f* estilográfica (pluma).
esfinge [eyʃ'fĩʒɪ] *f* esfinge (animal).
esfoladura [eyʃfola'dura] *f* **1** excoriación, arañazo. **2** desolladura.
esfolar [eyʃfo'laʀ] *tr* **1** desollar. • *tr e pron* **2** arañarse, herirse.
esfomeado, da [eyʃfome'adʊ, da] *adj/m e f* hambriento, famélico.
esforçado, da [eyʃfoʀ'sadʊ, da] *adj* **1** esforzado (valiente, enérgico). • *adj/m e f* **2** aplicado (disciplinado).
esforçar [eyʃfoʀ'saʀ] *tr e pron* **1** esforzar (vigorar). • *tr, intr e pron* **2** esforzar, animar.
esforço [eyʃ'foʀsʊ] *m* **1** esfuerzo (intensificación). **2** esfuerzo (ánimo, valor).
esfrangalhar [eyʃfrãga'ʎaʀ] *tr* desgarrar, despedazar.
esfregão [eyʃfre'gãw] *m* **1** estropajo. **2** esponja.
esfregar [eyʃfre'gaʀ] *tr* **1** friccionar, frotar. • *tr e pron* **2** fregar.
esfriamento [eyʃfria'mẽtʊ] *m* enfriamiento.
esfriar [eyʃfri'aʀ] *tr, intr e pron* **1** enfriar. **2** (fig) enfriar, entibiar (afectos, pasiones).
esfumaçado, da [eyʃfuma'sadʊ, da] *adj* ahumado.

esfumaçar [eyʃfuma'saʀ] *tr* ahumar (llenar de humo).
esfumado, da [eyʃfu'madʊ, da] *adj* esfumado.
esfumar [eyʃfu'maʀ] *tr* **1** ART esfumar. **2** ⇒ esfumaçar. • *tr e pron* **3** esfumarse (desaparecer).
esfuziar [eyʃfuzi'aʀ] *intr* **1** silbar, soplar (viento). • *tr* **2** lanzar, arrojar.
esganação [eyʒgãna'sãw] *f* avaricia.
esganado, da [eyʒga'nadʊ, da] *adj* **1** estrangulado. **2** avaro. **3** glotón, comilón.
esganar [eyʒga'naʀ] *tr e pron* estrangular.
esganiçado, da [eyʒgãni'sadʊ, da] *adj* desgañitado.
esganiçar [eyʒgãni'saʀ] *tr* **1** chillar, graznar. • **~-se** *pron* **2** desgañitarse.
esgar [eyʒ'gaʀ] *m* **1** gesto (del rostro). **2** mueca.
esgarçar [eyʒgaʀ'saʀ] *tr, intr e pron* **1** rasgar. • *intr e pron* **2** deshacerse, desfragmentarse.
esgazeado, da [eyʒgaze'adʊ, da] *adj* **1** pálido. **2** inquieta (la vista).
esgotado, da [eyʒgo'tadʊ, da] *adj* agotado.
esgotamento [eyʒgota'mẽtʊ] *m* agotamiento.
esgotar [eyʒgo'taʀ] *tr, intr e pron* **1** agotar (achicar, secar). **2** agotar, cansar.
esgoto [eyʒ'gotʊ] *m* **1** cloaca. **2** ⇒ esgotamento.
esgrima [eyʒ'ɾrima] *f* esgrima.
esgrimir [eyʒgɾi'miʀ] *tr* **1** esgrimir (practicar esgrima). **2** esgrimir (blandir, empuñar). **3** esgrimir (argumentar).
esgueirar [eyʒgey'ɾaʀ] *tr* **1** esquivar. • **~-se** *pron* **2** zafarse (escaparse, librarse).
esguelha [eyʒ'geʎa] *f* **1** sesgo, soslayo. **2** bies (de un tejido).
esguicho [eyʒ'giʃʊ] *m* chorro (de líquido).
esguio, a [eyʒ'giʊ] *adj* delgado, esbelto.
eslavo, va [eyʒ'lavʊ, va] *adj/m e f* **1** eslavo. • *m* **2** eslavo (lengua).
eslovaco, ca [eyʒlo'vakʊ, ka] *adj/m e f* **1** eslovaco. • *m* **2** eslovaco (lengua).
Eslováquia [eyʒlo'vakya] *f* Eslovaquia.
Eslovênia [eyʒlo'vẽnya] *f* Eslovenia.
esloveno, na [eyʒlo'vẽnʊ, na] *adj/m e f* **1** esloveno. • *m* **2** esloveno (lengua).
esmagador, ra [eyʒmaga'doʀ, ɾa] *adj/m e f* **1** aplastante. • *adj* **2** opresivo.
esmagamento [eyʒmaga'mẽtʊ] *m* aplastamiento.
esmagar [eyʒma'gaʀ] *tr* **1** aplastar (deformar). **2** aniquilar (destruir). **3** (fig) oprimir, subyugar (someter). **4** (fig) aplastar (derrotar, vencer).
esmaltado, da [eyʒmaw'tadʊ, da] *adj* esmaltado.
esmaltar [eyʒmaw'taʀ] *tr* **1** esmaltar (barnizar). **2** esmaltar (realzar, abrillantar). • *tr e pron* **3** (fig) adornar.
esmalte [eyʒ'mawtʃɪ] *m* **1** esmalte (barniz). **2** esmalte (pintura azul). **3** esmalte (de los dientes).
esmeralda [eyʒme'ɾawda] *f* **1** esmeralda (piedra). • *adj 2 gén* **2** esmeralda (color).
esmerar [eyʒme'ɾaʀ] *tr* **1** esmerar (perfeccionar). • **~-se** *pron* **2** esmerarse (extremarse, esforzarse).
esmeril [eyʒme'ɾiw] *m* esmeril.
esmerilar ou **esmerilhar** [eyʒmeɾi'laʀ o eyʒmeɾi'ʎaʀ] *tr* **1** esmerilar (pulir). **2** perfeccionar.
esmero [eyʒ'meɾʊ] *m* esmero (cuidado).
esmigalhar [eyʒmiga'ʎaʀ] *tr e pron* **1** desmigajar. • *tr* **2** aplastar (comprimir).
esmo ['eyʒmʊ] *m* estimación (valor aproximado).
esmola [eyʒ'mɔla] *f* limosna.
esmolar [eyʒmo'laʀ] *tr e intr* **1** limosnear, mendigar; huesear (Amér. Centr). **2** dar limosna.
esmorecer [eyʒmoɾe'seʀ] *tr* **1** debilitar. **2** desanimar, desalentar.
esmorecido, da [eyʒmoɾe'sidʊ, da] *adj* **1** desanimado, desalentado. **2** débil, debilitado.
esôfago [e'zofagʊ] *m* ANAT esófago.
esotérico, ca [ezo'tɛɾikʊ, ka] *adj* **1** esotérico, oculto. **2** FIL esotérico.
esoterismo [ezote'ɾiʒmʊ] *m* esoterismo.
espaçamento [eyʃpasa'mẽtʊ] *m* espaciamiento.
espaçar [eyʃpa'saʀ] *tr* **1** espaciar (separar). **2** prolongar, extender.
espacial [eyʃpasi'aw] *adj 2 gén* espacial.
espaço [eyʃ'pasʊ] *m* **1** espacio (distancia). **2** espacio (extensión).
espaçoso, sa [eyʃpa'sozʊ, za] *adj* **1** espacioso, amplio. **2** espacioso (lento, pausado).

espada [eyʃ'pada] *f* **1** espada (arma). • *m* **2** espada (torero). • **espadas** *f pl* **3** espadas (palo de la baraja).
espadim [eyʃpa'dʒĩ] *m* espadín (espada pequeña).
espádua [eyʃ'padwa] *f* **1** ANAT (coloq) omóplato, escápula. **2** (coloq) hombro.
espaguete [eyʃpa'gɛtʃɪ] *m* espagueti.
espairecer [eyʃpayɾe'seʀ] *tr, intr e pron* distraer, entretener.
espaldar [eyʃpaw'daʀ] *m* espaldar (de un asiento).
espalhado, da [eyʃpa'ʎadʊ, da] *adj/m e f* **1** esparcido, diseminado. **2** divulgado, difundido.
espalhafatoso, sa [eyʃpaʎafa'tozʊ, za] *adj* bullanguero, jaranero; jaranista (Amér).
espalhar [eyʃpa'ʎaʀ] *tr e pron* **1** propagar, divulgar. **2** diseminar, desparramar. **3** dispersar (grupo). **4** irradiar, despedir.
espalmado, da [eyʃpaw'madʊ, da] *adj* abierto, extendido.
espalmar [eyʃpaw'maʀ] *tr* **1** abrir, extender (mano, alas). **2** aplastar, aplanar. **3** laminar (metal).
espanador [eyʃpana'doʀ] *m* plumero (para el polvo).
espanar [eyʃpa'naʀ] *tr* desempolvar (quitar el polvo).
espancamento [eyʃpãka'mẽtʊ] *m* paliza, tunda; estaqueada (Amér); rejeada (Amér. Centr, Col).
espancar [eyʃpã'kaʀ] *tr* pegar, tundir (dar una paliza); guasquear (Amér); potrear (Guat, Perú).
Espanha [eyʃ'pãɲa] *f* España.
espanhol, la [eyʃpã'ɲɔw, la] *adj/m e f* **1** español. • *m* **2** español (lengua).
espantado, da [eyʃpã'tadʊ, da] *adj* **1** espantado (asustado). **2** espantado (sorprendido, admirado). **3** (coloq) llamativo, chillón.
espantalho [eyʃpã'taʎʊ] *m* **1** espantapájaros. **2** (fig) espantajo, adefesio (mal vestido).
espantar [eyʃpã'taʀ] *tr e pron* **1** espantar (asustar). **2** espantar (sorprender, admirar). • *tr* **3** ahuyentar.
espanto [eyʃ'pãtʊ] *m* **1** espanto (miedo, susto); canillera (Col); chalchihuite (Amér. Centr). **2** espanto (asombro, sorpresa).
espantoso, sa [eyʃpã'tozʊ, za] *adj* **1** espantososo (espantador). **2** espantoso (asombroso).
esparadrapo [eyʃpaɾa'dɾapʊ] *m* esparadrapo.
espargo [eyʃ'paʀgʊ] *m* ⇒ aspargo.
esparramar [eyʃpaʀa'maʀ] *tr, intr e pron* **1** desparramar (esparcir). • *tr* **2** desparramar (verter, derramar). • **~-se** *pron* **3** (coloq) repantigarse (arrellanarse).
esparso, sa [eyʃ'paʀsʊ, sa] *adj* **1** esparcido (divulgado). **2** esparcido (disperso).
espasmo [eyʃ'payʒmʊ] *m* **1** MED espasmo. **2** (fig) arrebatamiento (éxtasis).
espatifado, da [eyʃpatʃi'fadʊ, da] *adj* **1** (coloq) hecho trizas. **2** (coloq) fundido (dinero).
espátula [eyʃ'patula] *f* espátula (paleta).
espavorido, da [eyʃpavo'ɾidʊ, da] *adj* despavorido.
espavorir [eyʃpavo'ɾiʀ] *tr e pron* despavorir.
especial [eyʃpesi'aw] *adj 2 gén* **1** especial (singular). **2** especial (peculiar).
especialidade [eyʃpesiali'dadʒɪ] *f* **1** especialidad (particularidad). **2** especialidad (actividad). ♦ **~ da casa** especialidad de la casa.
especialista [eyʃpesia'liʃta] *adj/m e f* especialista (profesional, médico).
especialização [eyʃpesializa'sãw] *f* especialización.
especializar [eyʃpesiali'zaʀ] *tr e pron* **1** caracterizar. • **~-se** *pron* **2** especializarse (en una actividad).
especiaria [eyʃpesia'ɾia] *f* especia (condimento).
espécie [eyʃ'pɛsyɛ] *f* **1** especie (tipo). **2** BIOL especie.
especificar [eyʃpesifi'kaʀ] *tr* **1** clasificar. **2** especificar (detallar). **3** especificar (explicar, explicitar).
especificidade [eyʃpesifisi'dadʒɪ] *f* especificidad (particularidad).
específico, ca [eyʃpe'sifikʊ, ka] *adj* **1** específico (peculiar). **2** específico (especial, propio).
espécime ou **espécimen** [eyʃ'pɛsimɪ o eyʃ'pɛsimẽy] *m* espécimen.
espectador, ra [eyʃpekita'doʀ, ɾa] *adj/m e f* **1** espectador. • *m* **2** testigo.
espectral [eyʃpeki'tɾaw] *adj 2 gén* espectral.

e

espectro [eyʃ'pɛkitɾʊ] *m* **1** espectro. **2** ilusión (engaño).
especulação [eyʃpekula'sãw] *f* **1** especulación. **2** disquisición (reflexión).
especulador, ra [eyʃpekula'doʀ, ɾa] *adj/ m e f* especulador.
especular [eyʃpeku'laʀ] *adj 2 gén* especular.
especulativo, va [eyʃpekula'tʃivʊ, va] *adj* **1** especulativo. **2** curioso.
espeleologia [eyʃpeleolo'ʒia] *f* espeleología.
espelhar [eyʃpe'ʎaʀ] *tr e pron* **1** pulir (espejar). **2** (fig) reflejar (hacer patente). • **~-se** *pron* **3** mirarse al espejo.
espelho [eyʃ'peʎʊ] *m* **1** espejo. **2** (fig) espejo (reflejo): *os olhos são o espelho da alma = los ojos son el espejo del alma.*
espelunca [eyʃpe'lũka] *f* **1** (pej) guarida. **2** (fig) cueva (de ladrones).
espera [eyʃ'pɛɾa] *f* **1** espera. **2** tardanza. **3** esperanza (expectativa). **4** esperadero. **5** emboscada. **6** remanso.
esperança [eyʃpe'ɾãsa] *f* **1** esperanza. **2** (fig) promesa. **3** ilusión. ♦ **~ de vida** esperanza de vida.
esperançado, da [eyʃpeɾã'sadʊ, da] *adj* esperanzado.
esperançar [eyʃpeɾã'saʀ] *tr e pron* esperanzar.
esperanto [eyʃpe'ɾãtʊ] *m* esperanto (lengua).
esperar [eyʃpe'ɾaʀ] *tr e intr* **1** esperar (tener esperanza). **2** esperar (aguardar). • *tr* **3** esperar (suponer, imaginar).
esperma [eyʃ'pɛʀma] *m* esperma (semen).
espermatozóide [eyʃpeʀmato'zɔydʒɪ] *m* BIOL espermatozoide.
espernear [eyʃpeʀne'aʀ] *intr* **1** pernear (piernas). • *tr e intr* **2** (fig) pernear (irritarse, quejarse).
espertar [eyʃpeʀ'taʀ] *tr e intr* **1** ⇒ despertar. • *tr* **2** MAR tensar (cabo).
esperto, ta [eyʃ'pɛʀtʊ, ta] *adj* **1** despierto. **2** (fig) vivo (listo). • *adj/m e f* **3** (pej, coloq) deshonesto. **4** (pej, coloq) traidor (desleal).
espessar [eyʃpe'saʀ] *tr, intr e pron* **1** espesar (entupir). • *tr e pron* **2** espesar (condensar).
espesso, ssa [eyʃ'pesʊ, sa] *adj* **1** espeso (denso). **2** espeso (grueso, corpulento).
espessura [eyʃpe'suɾa] *f* espesura (densidad, consistencia).
espetacular [eyʃpetaku'laʀ] *adj 2 gén* espectacular.
espetáculo [eyʃpe'takulʊ] *m* **1** espectáculo. **2** (coloq) fenómeno (portento).
espetar [eyʃpe'taʀ] *tr* **1** espetar (con el asador). **2** espetar (clavar, atravesar). **3** (fig) clavar (vista). **4** (fig) espetar (decir).
espeto [eyʃ'petʊ] *m* **1** espeto. **2** (fig) palillo (muy delgado). **3** incordio.
espevitado, da [eyʃpevi'tadʊ, da] *adj* **1** despabilado. **2** enfadado. **3** animado.
espevitar [eyʃpevi'taʀ] *tr* **1** despabilar. **2** avivar (llama, sentimientos). • *tr e intr* **3** fijar la vista.
espezinhar [eyʃpezĩ'ŋaʀ] *tr* **1** pisotear. **2** (fig) pisotear (humillar).
espia [eyʃ'pia] *s 2 gén* **1** ⇒ espião. **2** vigía, centinela.
espião, a [eyʃpi'ãw, 'ã] *adj/m e f* **1** espía (vigilante). • *m e f* **2** espía (agente secreto).
espiar [eyʃpi'aʀ] *tr e intr* **1** espiar. • *tr* **2** esperar (ocasión).
espicaçar [eyʃpika'saʀ] *tr* **1** picotear. **2** pinchar repetidamente. **3** (fig) picar (avivar).
espiga [eyʃ'piga] *f* **1** espiga. **2** padrastro (pellejo). **3** (fig, coloq) padrastro (fastidio).
espigado, da [eyʃpi'gadʊ, da] *adj* **1** espigado. **2** (fam) espigado (alto). **3** (fig, fam) engañado. **4** (fam) bifurcado.
espigão [eyʃpi'gãw] *m* **1** espigón (punta). **2** (pej, coloq) torre (edificio alto).
espigar [eyʃpi'gaʀ] *tr e intr* **1** espigar (echar espigas). • *tr* **2** engañar.
espinafre [eyʃpi'nafɾɪ] *m* **1** espinaca. **2** larguirucho.
espingarda [eyʃpĩ'gaʀda] *f* **1** espingarda (escopeta). **2** espingardero.
espinha [eyʃ'pĩŋa] *f* **1** espinazo. **2** espina (peces). **3** cresta (de una montaña). **4** espinilla (acné). **5** (fam) estorbo (dificultad). **6** (fam) mala voluntad.
espinho [eyʃ'pĩŋʊ] *m* **1** espina (de planta). **2** púa (del erizo).
espinhoso, sa [eyʃpĩ'ŋozʊ, za] *adj* **1** espinoso. **2** (fig) espinoso (difícil).
espiolhar [eyʃpioʎ'aʀ] *tr e pron* **1** ⇒ despiolhar. • *tr* **2** escudriñar.

espionagem [eyʃpino'naʒẽy] *f* espionaje. ◆ ~ **industrial** espionaje industrial.
espira [eyʃ'piɾa] *f* espira (de una espiral).
espiral [eyʃpi'ɾaw] *adj 2 gén* **1** espiral. ● *f* **2** espiral (línea). **3** diu (dispositivo intrauterino).
espirar [eyʃpi'ɾaʀ] *intr* **1** espirar (respirar). ● *tr* **2** espirar (exhalar).
espiritismo [eyʃpiɾi'tʃiʒmʊ] *m* espiritismo.
espírito [eyʃ'piɾitʊ] *m* **1** espíritu (alma). **2** espíritu (espectro). **3** (fig) espíritu (característica): *o espírito da época = el espíritu de la época.* ◆ ~ **de contradição** espíritu de contradicción; ~ **esportivo** espíritu deportivo. ■ **levantar o** ~ (fig) levantar el espíritu.
Espírito Santo [eyʃpiɾitʊ'sãtʊ] *m* Espíritu Santo (Estado brasileño).
espiritual [eyʃpiɾitu'aw] *adj 2 gén* espiritual.
espiritualidade [eyʃpiɾituali'dadʒɪ] *f* **1** espiritualidad. **2** elevación (trascendencia).
espiritualismo [eyʃpiɾitwa'liʒmʊ] *m* **1** espiritualismo. **2** espiritualidad.
espirituoso, sa [eyʃpiɾitu'ozʊ, za] *adj* espiritoso (vivo, gracioso).
espirrar [eyʃpi'ʀaʀ] *intr* **1** estornudar. **2** crepitar. **3** (fig, fam) bufar (resoplar). **4** (fig, fam) irrumpir. ● *tr e intr* **5** escupir (despedir, arrojar).
espirro [eyʃ'piʀʊ] *m* **1** estornudo. **2** chorro (de líquido).
esplanada [eyʃpla'nada] *f* **1** explanada. **2** altiplano.
esplêndido, da [eyʃ'plẽdʒidʊ, da] *adj* espléndido (magnífico).
esplendor [eyʃplẽ'doʀ] *m* **1** esplendor (resplandor). **2** (fig) esplendor (suntuosidad).
esplendoroso, sa [eyʃplẽdo'ɾozʊ, za] *adj* **1** esplendoroso (resplandeciente). **2** (fig) esplendoroso (magnífico, suntuoso).
espojar [eyʃpo'ʒaʀ] *tr e pron* revolcarse.
espoleta [eyʃpo'lɛta] *f* **1** espoleta. **2** (fig, fam) despabilado.
espoliação [eyʃpolia'sãw] *f* expoliación.
espoliar [eyʃpoli'aʀ] *tr* expoliar.
esponja [eyʃ'põʒa] *f* **1** ZOOL esponja. **2** esponja (de limpieza). **3** (fam) esponja (parásito, chupón). ■ **ser uma** ~ (fig, fam) ser una esponja (beber mucho).
esponjoso, sa [eyʃpõ'ʒozʊ, za] *adj* **1** esponjoso. **2** poroso.
espontaneidade [eyʃpõtaney'dadʒɪ] *f* espontaneidad.
espontâneo, a [eyʃpõ'tãnyʊ, a] *adj* espontáneo (voluntario, natural).
espora [eyʃ'pɔɾa] *f* **1** espuela. **2** (fig) espuela (estímulo). ● *adj 2 gén* **3** (fam) ordinario, vulgar.
esporádico, ca [eyʃpo'ɾadʒikʊ, ka] *adj* esporádico.
esporão [eyʃpo'ɾãw] *m* espolón (de los gallináceos).
esporo [eyʃ'pɔɾʊ] *m* BOT esporo.
esporte [eyʃ'pɔʀtʃɪ] *m* **1** deporte. ● *adj* **2** de sport, deportivo (vestido): *ropa esporte = ropa de sport.*
esportista [eyʃpoʀ'tʃiʃta] *adj/m e f* deportista.
esportividade [eyʃpoʀtʃivi'dadʒɪ] *f* **1** deportividad. **2** deportismo.
esportivo, va [eyʃpoʀ'tʃivʊ, va] *adj* **1** deportivo. **2** ⇒ esporte (2).
esposo, sa [eyʃ'pozʊ, za] *m e f* **1** esposo. ● **esposos** *m pl* **2** cónyuges.
espote [eyʃ'pɔtʃɪ] *m* spot (anuncio).
espraiar [eyʃpɾay'aʀ] *tr, intr e pron* **1** extender, esparcir. ● *tr e pron* **2** explayar (dilatarse). ● *tr* **3** (fig) explayarse (divertirse).
espreguiçar [eyʃpɾegi'saʀ] *tr, intr e pron* **1** desperezarse. ● *tr* **2** despertar.
espreitar [eyʃpɾey'taʀ] *tr e intr* **1** vigilar, espiar. ● *tr* **2** acechar. **3** adivinar (intuir).
espremedor, ra [eyʃpɾeme'doʀ, ɾa] *adj/ m e f* exprimidor.
espremer [eyʃpɾe'meʀ] *tr* **1** exprimir (zumo). **2** (fig) exprimir (explotar). **3** (fig) exprimir (estrujar, agotar).
espuma [eyʃ'puma] *f* espuma.
espumante [eyʃpu'mãtʃɪ] *adj 2 gén* **1** espumoso. **2** (fig) rabioso (furioso).
espumar [eyʃpu'maʀ] *intr* **1** espumar. **2** (fig) espumajear (enfurecerse). ● *tr* **3** jabonar.
esputar [eyʃpu'taʀ] *intr* esputar.
esquadra [eyʃ'kwadɾa] *f* **1** MAR, MIL escuadra. **2** equipo (deportivo).
esquadrão [eyʃkwa'dɾãw] *m* **1** MAR escuadrilla. **2** MIL escuadrón (de caballería). **3** ⇒ esquadra (2).
esquadro [eyʃ'kwadɾʊ] *m* escuadra (instrumento). ■ **no** ~ a escuadra.

esquálido, da [eyʃ'kwalidu, da] *adj* escuálido (sucio, flaco).
esquartejar [eyʃkwaʀte'ʒaʀ] *tr* **1** descuartizar. **2** desacreditar.
esquecer [eyʃke'seʀ] *tr, intr e pron* **1** olvidar. • *tr* **2** abandonar, dejar (tabaco, dieta).
esquecidiço, ça [eyʃkesi'dʒisu, sa] *adj* olvidadizo.
esquecido, da [eyʃke'sidu, da] *adj* **1** olvidado. **2** olvidadizo.
esquecimento [eyʃkesi'mẽtu] *m* **1** olvido. **2** desmemoria.
esquelético, ca [eyʃke'lɛtʃiku, ka] *adj* esquelético (delgaducho).
esqueleto [eyʃke'letu] *m* **1** ANAT esqueleto. **2** esbozo (esquema). **3** resumen. **4** (fig) esqueleto (muy delgado).
esquema [eyʃ'kẽma] *m* **1** esquema (representación, resumen). **2** (fam) organización, funcionamiento.
esquemático, ca [eyʃke'matʃiku, ka] *adj* esquemático.
esquematizar [eyʃkematʃi'zaʀ] *tr* **1** esquematizar. **2** planear, programar.
esquentado, da [eyʃkẽ'tadu, da] *adj* **1** caliente. **2** recalentado (comida). **3** irritadizo.
esquentamento [eyʃkẽta'mẽtu] *m* **1** calentamiento. **2** irritación (rabia).
esquentar [eyʃkẽ'taʀ] *tr, intr e pron* **1** calentar. **2** (fig) ponerse nervioso (irritarse). • *tr e pron* **3** calentar (excitar). • *tr e intr* **4** calentar (animar, exaltar).
esquerda [eyʃ'keʀda] *f* **1** izquierda (mano, lado). • **esquerdas** *f pl* **2** POL izquierda. ■ **à ~** a la izquierda.
esquerdo, da [eyʃ'keʀdu, da] *adj* **1** izquierdo. **2** torpe. **3** desagrable (incómodo).
esqui [eyʃ'ki] *m* esquí (plancha, deporte). ♦ **~ aquático** esquí acuático.
esquiador, ra [eyʃkia'doʀ, ra] *adj/m e f* esquiador.
esquiar [eyʃki'aʀ] *intr* esquiar.
esquimó [eyʃki'mɔ] *adj/m e f* **1** esquimal. • *m* **2** esquimal (lengua).
esquina [eyʃ'kina] *f* esquina. ■ **da ~** del vecindario.
esquisitice [eyʃkizi'tʃisɪ] *f* excentricidad, extravagancia.
esquisito, ta [eyʃki'zitu, ta] *adj* **1** raro, extraño. **2** diferente (anormal, excéntrico). **3** asqueroso, feo: *que inseto exquisito! = ¡qué insecto más asqueroso!*
esquivança [eyʃki'vãsa] *f* esquivez.
esquivar [eyʃki'vaʀ] *tr e pron* **1** esquivar. **2** librar (escapar). • **~-se** *pron* **3** escabullirse.
esquivo, va [eyʃ'kivu, va] *adj* esquivo.
esquizofrenia [eyʃkizofre'nia] *f* PSIC esquizofrenia.
esquizofrênico, ca [eyʃkizo'frẽniku, ka] *adj/m e f* PSIC esquizofrénico.
esse ['esɪ] *m* **1** ese (letra). **2** ese (forma). ■ **com todos os esses e erres** (fig) con todos los puntos y comas.
esse, ssa ['ese, sa] *pron dem* **1** (distancia) ese: *essa época é muito antiga = esa época es muy antigua.* **2** (anafórico) ese: *saúde e amor, esses são os meus desejos = salud y amor, esos son mis deseos.*
essência [e'sẽsya] *f* **1** esencia (naturaleza). **2** esencia (base). **3** QUÍM esencia.
essencial [esẽsi'aw] *adj 2 gén* **1** esencial (inherente). **2** esencial (principal, fundamental).
estabelecer [eyʃtabele'seʀ] *tr* **1** establecer (instituir, crear). **2** establecer (decretar). **3** establecer (determinar, precisar).
estabelecimento [eyʃtabelesi'mẽtu] *m* **1** establecimiento (instauración). **2** establecimiento (determinación).
estabilidade [eyʃtabili'dadʒɪ] *f* **1** estabilidad (firmeza, equilibrio). **2** estabilidad (invariabilidad).
estabilização [eyʃtabiliza'sãw] *f* estabilización.
estabilizar [eyʃtabili'zaʀ] *tr, intr e pron* estabilizar.
estábulo [eyʃ'tabulu] *m* establo.
estaca [eyʃ'taka] *f* **1** estaca (palo afilado). **2** astilla (de madera). **3** mojón (señal).
estação [eyʃta'sãw] *f* **1** estación (parada). **2** parada (pausa). **3** puesto (policial, aduanero). **4** estación (período, época). **5** estación (del año). **6** estación (instalaciones). **7** estación (ferroviaria). **8** MAR cabina.
estacar [eyʃta'kaʀ] *tr e intr* parar (detener).
estacionamento [eyʃtasiona'mẽtu] *m* **1** estacionamiento (de un vehículo). **2** aparcamiento (lugar para estacionar).

estacionar [eyʃtasio'naʀ] *tr e intr* **1** estacionar (aparcar). • *tr* **2** parar, frecuentar. • *intr* **3** (fig) estacionarse (estancarse). **4** detenerse (permanecer).
estacionário, a [eyʃtasio'naryʊ, a] *adj* **1** (fig) estacionario. **2** ASTR estacionario.
estada [eyʃ'tada] *f* estada.
estadia [eyʃta'dʒia] *f* **1** estancia, estadía (permanencia). **2** MAR, DIR estadía.
estádio [eyʃ'tadʒyʊ] *m* **1** estadio (recinto). **2** estadio (fase). **3** profesión (empleo).
estadista [eyʃta'dʒiʃta] *s 2 gén* estadista.
estadística [eyʃta'dʒiʃtʃika] *f* ciencia de gobernar.
estado [eyʃ'tadʊ] *m* **1** estado (situación). **2** estado (condición). **3** estado (país soberano). **4** estado (estamento).
Estados Unidos da América [eyʃtadʊzunidʊʒda'mɛrika] *m pl* Estados Unidos de América.

> Las siglas para referirse a ***Estados Unidos da América*** son distintas en los dos idiomas. En portugués se utiliza EUA, mientras que en español se usa EE UU.

estado-unidense [eyʃtadowni'dẽsɛ] *adj 2 gén* estadounidense.
estadual [eyʃtadu'aw] *adj 2 gén* del Estado, federal (división territorial).
estafar [eyʃta'faʀ] *tr, intr e pron* **1** fatigar. • *tr* **2** estafar. **3** tediar (importunar). **4** (fam) apalear.
estafermo [eyʃta'feʀmʊ] *m* **1** estafermo. **2** (coloq) estafermo (atontado). **3** (fam) estorbo (rémora).
estafeta [eyʃta'feta] *s 2 gén* **1** estafeta. **2** cartero.
estagiar [eyʃtaʒi'aʀ] *intr* hacer prácticas.
estagiário, a [eyʃtaʒi'aryʊ, a] *adj/m e f* en prácticas.
estágio [eyʃ'taʒyʊ] *m* **1** prácticas (en un empleo). **2** perfeccionamiento. **3** estadio (fase). **4** BIOL estadio.
estagnação [eyʃtagna'sãw] *f* **1** estancación. **2** (fig) paralización. **3** ECON paralización.
estagnado, da [eyʃtagi'nadʊ, da] *adj* **1** estancado. **2** (fig) paralizado (parado).
estagnar [eyʃtagi'naʀ] *tr e intr* **1** estancar. **2** (fig) estancar (estacionar).
estalada [eyʃta'lada] *f* **1** estallido. **2** (fig) motín (desorden). **3** (fam) bofetada.
estalagem [eyʃta'laʒẽy] *f* **1** estalaje (posada). **2** cortijo (edificaciones).
estalar [eyʃta'laʀ] *tr e intr* **1** estallar, reventar. **2** chasquear (dar chasquidos). **3** (fig) latir. • *intr* **4** explosionar.
estaleiro [eyʃta'leyrʊ] *m* astillero.
estalido [eyʃta'lidʊ] *m* **1** estallido (chasquido). **2** estruendo.
estalo [eyʃ'talʊ] *m* **1** estallo (estallido). **2** crujido, chasquido. **3** rebumbio. **4** petardo. **5** (fam) bofetada.
estampa [eyʃ'tãpa] *f* **1** estampa (reproducción). **2** grabado.
estampado, da [eyʃtã'padʊ, da] *adj* **1** estampado (grabado). **2** publicado. **3** estampado (patente, visible).
estampagem [eyʃtã'paʒẽy] *f* estampado.
estampar [eyʃtã'paʀ] *tr* **1** estampar (imprimir). **2** grabar (labrar). **3** pintar.
estampido [eyʃtã'pidʊ] *m* estampido.
estampilha [eyʃtã'piʎa] *f* estampilla.

Estados brasileiros / Estados brasileños

Acre	Maranhão	Rio de Janeiro
Alagoas	Mato Grosso	Rio Grande do Norte
Amapá	Mato Grosso do Sul	Rio Grande do Sul
Amazonas	Minas Gerais	Rondônia
Bahia	Pará	Roraima
Ceará	Paraíba	Santa Catarina
Distrito Federal	Paraná	São Paulo
Espírito Santo	Pernambuco	Sergipe
Goiás	Piauí	Tocatins

estancar [eyʃtã'kaʀ] *tr, intr e pron* **1** estancar (líquido). **2** (fig) estancar (parar). **3** agotar (secar). • *tr* **4** (fig) agotar, consumir.
estância [eyʃ'tãsya] *f* **1** estancia (permanencia). **2** estancia (habitación). **3** estación (de reposo). **4** (fig) cementerio.
estandardizar [eyʃtãdaʀdʒi'zaʀ] *tr e pron* ⇒ padronizar.
estandarte [eyʃtã'daʀtʃɪ] *m* **1** estandarte (bandera). **2** (fig) estandarte (símbolo).
estanho [eyʃ'tãɲʊ] *m* estaño.
estanque [eyʃ'tãkɪ] *adj 2 gén* **1** estanco (impermeable). **2** estancado (parado). • *m* **3** estancamiento.
estante [eyʃ'tãtʃɪ] *f* **1** estantería. **2** atril (para partituras).
estar [eyʃ'taʀ] *intr* **1** estar. **2** estar (sentar). • *tr* **3** estar (encontrarse). **4** estar (permanecer). **5** estar (localizarse). **6** estar (pertenecer). **7** estar (depender). **8** estar (consistir). **9** estar (tener disposición). **10** estar (en proceso). **11** estar (en compañía). **12** estar (cohabitar). **13** ir (vestir). **14** estar (alcanzar). **15** ser (en relación con). **16** tener (sentir). ■ **~ a fim de** (fam) tener ganas de; **~ em si** estar en su juicio; **~ fora de si** estar fuera de sí; **~ por fora** (coloq) no saber de algo.
estarrecer [eyʃtaʀe'seʀ] *tr, intr e pron* horrorizar, aterrar.
estatal [eyʃta'taw] *adj 2 gén* estatal.
estatelado, da [eyʃtate'ladʊ, da] *adj* estrellado (roto).
estatelar [eyʃtate'laʀ] *tr e pron* **1** estrellar (romper, golpearse). **2** aturdir, pasmar.
estática [eyʃ'tatʃika] *f* estática.
estático, ca [eyʃ'tatʃikʊ, ka] *adj* estático (inmóvil).
estatística [eyʃta'tʃiʃtʃika] *f* estadística (censo).
estatístico, ca [eyʃta'tʃiʃtʃikʊ, ka] *adj* **1** estadístico. • *m e f* **2** estadístico (estadista).
estátua [eyʃ'tatwa] *f* estatua (escultura).
estatueta [eyʃtatu'eta] *f* estatuilla.
estatura [eyʃta'tuɾa] *f* **1** estatura (altura). **2** (fig) estatura (magnitud).
estatutário, a [eyʃtatu'taɾyʊ, a] *adj* estatutario.
estatuto [eyʃta'tutʊ] *m* **1** estatuto (reglamento). **2** DIR estatuto (ley).
estável [eyʃ'tavew] *adj 2 gén* estable (firme, constante).
este ['eyʃtʃɪ] *adj/m e f* ⇒ leste.
este, ta ['eʃytʃɪ, ta] *pron dem* este: *este é o meu livro = éste es mi libro, esta noite janto com você = esta noche ceno contigo.*
esteio [eyʃ'teyʊ] *m* puntal.
esteira [eyʃ'teyɾa] *f* **1** estera (tejido). **2** estera (alfombra). **3** (fig) estela (rastro). **4** MAR estela.
esteiro [eyʃ'teyɾʊ] *m* estuario.
estelar [eyʃte'laʀ] *adj 2 gén* estelar.
estendal [eyʃtẽ'daw] *m* **1** tendal (tendedero). **2** tendal (ropa).
estender [eyʃtẽ'deʀ] *tr* **1** extender (desdoblar, estirar). **2** tender (para secar). • *tr e pron* **3** extender (prolongar). **4** extender (propagar).
estenografia [eyʃtenogɾa'fia] *f* estenografía.
estenógrafo, fa [eyʃte'nɔgɾafʊ, fa] *m e f* estenógrafo.
estepe [eyʃ'tɛpɪ] *f* **1** estepa. • *m* **2** rueda de repuesto.
estépico, ca [eyʃ'tɛpikʊ, ka] *adj* estepario.
estercar [eyʃteʀ'kaʀ] *tr* estercolar (abonar).
esterco [eyʃ'teʀkʊ] *m* estiercol.
estereotipar [eyʃteɾyotʃi'paʀ] *tr* **1 2** (fig) estereotipar (fijar por repetición).
estereótipo [eyʃteɾe'ɔtʃipʊ] *m* **1** estereotipo (plancha). **2** estereotipo (imagen, idea aceptada).
estéril [eyʃ'tɛɾiw] *adj 2 gén* **1** estéril (infértil). **2** (fig) estéril (improductivo, inútil).
esterilidade [eyʃteɾili'dadʒɪ] *f* **1** esterilidad (asepsia). **2** esterilidad (infertilidad).
esterilização [eyʃteɾiliza'sãw] *f* **1** esterilización (operación). **2** MED esterilización (de gérmenes).
esterilizar [eyʃteɾili'zaʀ] *tr e pron* **1** esterilizar (volver infecundo). • *tr* **2** MED esterilizar (de gérmenes).
esterno [eyʃ'tɛʀnʊ] *m* ANAT, ZOOL esternón.
estertor [eyʃteʀ'toʀ] *m* MED estertor.
estética [eyʃ'tɛtʃika] *f* estética.
esteticista [eyʃtetʃi'siʃta] *adj/m e f* esteticista.
estético, ca [eyʃ'tɛtʃikʊ, ka] *adj* estético (artístico).
estiagem [eyʃtʃi'aʒẽy] *f* estiaje (sequía).
esticada [eyʃtʃi'kada] *f* estiramiento (alargamiento).

esticado, da [eyʃtʃi'kadʊ, da] *adj* estirado, liso.
esticar [eyʃtʃi'kaʀ] *tr* **1** estirar (tensar). **2** estirar (alisar). • *tr e pron* **3** estirar (musculatura). **4** (fig) seguir la juerga. • *intr* **5** estirar (agrandar). • **~-se** *pron* **6** echarse, tenderse.
estigma [eyʃ'tʃigima] *m* **1** estigma (marca, señal). **2** (fig) estigma (deshonra).
estilete [eyʃtʃi'letʃɪ] *m* **1** estilete (puñal). **2** cúter (cuchilla).
estilhaçar [eyʃtʃiʎa'saʀ] *tr, intr e pron* astillar.
estilhaço [eyʃtʃi'ʎasʊ] *m* **1** astilla. **2** añicos.
estilingue [eyʃtʃi'lĩgɪ] *m* tirachinas.
estilista [eyʃtʃi'liʃta] *adj/m e f* **1** estilista (del lenguaje). **2** estilista (de moda).
estilístico, ca [eyʃtʃi'liʃtʃikʊ, ka] *adj* estilístico.
estilo [eyʃ'tʃilʊ] *m* **1** estilo (modo, manera). **2** estilo (características). **3** estilo (elegancia). **4** registro (del lenguaje).
estima [eyʃ'tʃima] *f* estima (cariño, admiración).
estimação [eyʃtʃima'sãw] *f* **1** estimación (aprecio). **2** estimación (evaluación).
estimado, da [eyʃtʃi'madʊ, da] *adj* **1** estimado (aproximado). **2** estimado (querido).
estimar [eyʃtʃi'maʀ] *tr* **1** estimar (evaluar, calcular). **2** estimar (conjeturar). **3** desear.
estimativo, va [eʃytʃima'tʃivʊ, va] *adj* **1** estimado (apreciado). **2** estimativo (conjeturado).
estimulação [eyʃtʃimula'sãw] *f* estimulación.
estimulante [eyʃtʃimu'lãtʃɪ] *adj 2 gén* **1** estimulante (incitante). • *adj/m e f* **2** estimulante (medicamento).
estimular [eyʃtʃimu'laʀ] *tr* **1** estimular (incentivar, animar). **2** estimular (excitar).
estímulo [eyʃ'tʃimulʊ] *m* (fig) estímulo (incentivo).
estio [eyʃ'tʃiʊ] *m* estío.
estipêndio [eyʃtʃi'pẽdʒyʊ] *m* estipendio, remuneración.
estipular [eyʃtʃipu'laʀ] *tr* estipular (acordar).
estirado, da [eyʃtʃi'ɾadʊ, da] *adj* **1** estirado (extendido). **2** (fig) acostado (echado). **3** (fig) extenso.
estirar [eyʃtʃi'ɾaʀ] *tr* **1** estirar (alargar). **2** estirar (retesar). **3** MED estirar, distender (músculos). • **~-se** *pron* **4** acostarse (echarse).
estirpe [eyʃ'tʃiʀpɪ] *f* estirpe.
estivador, ra [eyʃtʃiva'doʀ, ɾa] *m e f* MAR estibador.
estival [eyʃtʃi'vaw] *adj 2 gén* estival.
estocada [eyʃto'kada] *f* **1** estocada. **2** (fig) puñalada (crítica).
estofado, da [eyʃto'fadʊ, da] *adj* **1** tapizado. **2** acolchado.
estofar [eyʃto'faʀ] *tr* **1** tapizar. **2** acolchar.
estofo [eyʃ'tofʊ] *m* **1** tapiz. **2** relleno (de algodón, pluma, espuma).
estoicismo [eyʃtoy'siʒmʊ] *m* **1** FIL estoicismo. **2** (fig) estoicismo (fortaleza).
estóico, ca [eyʃ'tɔykʊ, ka] *adj/m e f* **1** FIL estoico. **2** (fig) estoico (fuerte).
estojo [eyʃ'toʒʊ] *m* estuche, funda.
estômago [eyʃ'tõmagʊ] *m* **1** ANAT estómago. **2** (fig) estómago (aguante).
estômato [eyʃ'tõmatʊ] *m* BOT estoma.
Estônia [eyʃ'tõnya] *f* Estonia.
estoniano, na [eyʃtoni'ãnʊ, na] *adj/m e f* **1** estonio, estoniano. • *m* **2** estonio (lengua).
estonteante [eyʃtõte'ãtʃɪ] *adj 2 gén* sorprendente, deslumbrador.
estontear [eyʃtõte'aʀ] *tr, intr e pron* **1** aturdir, atolondrar. • *tr* **2** (fig) deslumbrar (maravillar).
estopa [eyʃ'topa] *f* estopa (residuo, tela).
estoque [eyʃ'tɔkɪ] *m* **1** stock. **2** estoque (arma).
estorcer [eyʃtoʀ'seʀ] *tr* **1** torcer (doblar). • **~-se** *pron* **2** retorcerse (de dolor).
estore [eyʃ'tɔɾɪ] *m* estor.
estória [eyʃ'tɔɾya] *f* historia (narración).
estorno [eyʃ'toʀnʊ] *m* **1** rescisión, anulación. **2** CONT reintegro, restitución.
estorvar [eyʃtoʀ'vaʀ] *tr* **1** estorbar (dificultar). • *tr e pron* **2** estorbar (incomodar).
estorvo [eyʃ'toʀvʊ] *m* estorbo.
estourado, da [eyʃtow'ɾadʊ, da] *adj* **1** reventado. **2** (fig) nervioso, irritable. **3** (fig) valiente. **4** (fig, fam) pelado, sin blanca.
estourar [eyʃtow'ɾaʀ] *intr* **1** estallar, explotar. **2** (fig) tener éxito. • *tr, intr e pron* **3** reventar, romper. • *tr* **4** derrochar (dinero). **5** hacer una batida (policial). • *tr e pron* **6** (fam) cansar, agotar.

estouro [eyʃ'towɾʊ] *m* **1** reventón. **2** estampido. **3** (fig) éxito (sorprendente).
estrabismo [eyʃtɾa'biʒmʊ] *m* MED estrabismo.
estrada [eyʃ'tɾada] *f* carretera. ◆ ~ **de ferro** ferrocarril.
estrado [eyʃ'tɾadʊ] *m* **1** estrado, tarima. **2** somier.
estragão [eyʃtɾa'gãw] *m* estragón.
estragar [eyʃtɾa'gaʀ] *tr e pron* **1** estropear (malograr). **2** pudrir. **3** estragar, corromper. **4** arruinar, debilitar.
estrago [eyʃ'tɾagʊ] *m* **1** estrago, daño. **2** avería (de un aparato). **3** (fam) despilfarro, derroche. **4** (fam) follón (alboroto); bullaranga, mitote (Amér).
estralejar [eyʃtɾale'ʒaʀ] *tr e intr* ⇒ estalar.
estrangeirado, da [eyʃtɾãʒey'ɾadʊ, da] *adj* extranjerizado.
estrangeiro, ra [eyʃtɾã'ʒeyɾʊ, ɾa] *adj/m e f* **1** extranjero. ● *m* **2** extranjero (país).
estrangulador, ra [eyʃtɾãgula'doʀ, ɾa] *adj/m e f* **1** estrangulador. ● *adj* **2** BOT epifito.
estrangulamento [eyʃtɾãgula'mẽtʊ] *m* estrangulación.
estrangular [eyʃtɾãgu'laʀ] *tr e pron* **1** estrangular. **2** atragantar. **3** comprimir, estrechar. ● *tr* **4** contener, reprimir (emoción).
estranhar [eyʃtɾã'ŋaʀ] *tr* **1** extrañar (causar sorpresa). **2** rechazar. **3** no reconocer.
estranheza [eyʃtɾã'ŋeza] *f* extrañeza, singularidad.
estranho, nha [eyʃ'tɾãŋʊ, ŋa] *adj/m e f* **1** extraño, raro. **2** extranjero. ● *adj* **3** desconocido, nuevo.
estratagema [eyʃtɾata'ʒẽma] *m* estratagema.
estratégia [eyʃtɾa'tɛʒya] *f* estrategia.
estratégico, ca [eyʃtɾa'tɛʒikʊ, ka] *adj* estratégico.
estrategista [eyʃtɾate'ʒiʃta] *adj/m e f* estratega.
estratificação [eyʃtɾatʃifika'sãw] *f* estratificación.
estratificar [eyʃtɾatʃifi'kaʀ] *tr e pron* estratificar.
estrato [eyʃ'tɾatʊ] *m* estrato.
estratosfera [eyʃtɾatoʃ'fɛʀa] *f* METEOR estratosfera.
estratosférico, ca [eyʃtɾatoʃ'fɛɾikʊ, ka] *adj* estratosférico.
estrear [eyʃtɾe'aʀ] *tr* **1** estrenar (inaugurar). ● *intr e pron* **2** estrenarse (debutar). ● *tr, intr e pron* **3** estrenar (presentar).
estrebuchar [eyʃtɾebu'ʃaʀ] *tr, intr e pron* **1** estremecer (temblar). **2** (fig) afligir, agitar.
estréia [eyʃ'tɾɛya] *f* **1** estreno, debut. **2** inaguración.
estreitamento [eyʃtɾeyta'mẽtʊ] *m* estrechamiento.
estreitar [eyʃtɾey'taʀ] *tr, intr e pron* **1** estrechar (reducir, disminuir). **2** estrechar (relación).
estreiteza [eyʃtɾey'teza] *f* estrechez.
estreito, ta [eyʃ'tɾeytʊ, ta] *adj* **1** estrecho (reducido). **2** estrecho (apretado). ● *m* **3** GEOG estrecho.
estrela [eyʃ'tɾela] *f* **1** ASTR estrella. **2** (fig) estrella (eminencia). **3** (fig) estrella (artista). **4** (fig) estrella (suerte). ◆ ~ **cadente** estrella fugaz; ~ **polar** estrella polar.
estrelado, da [eyʃtɾe'ladʊ, da] *adj* **1** estrellado. **2** adornado.
estrela-do-mar [eyʃtɾeladʊ'maʀ] *f* estrella de mar.
estrelar [eyʃtɾe'laʀ] *tr, intr e pron* **1** adornar. ● *tr* **2** dar forma de estella. **3** protagonizar.
estrelinha [eyʃtɾe'lĩŋa] *f* asterisco.
estremar [eyʃtɾe'maʀ] *tr* **1** demarcar. **2** discernir (distinguir). ● **~-se** *pron* **3** destacarse.
estremecer [eyʃtɾeme'seʀ] *tr, intr e pron* **1** estremecer (hacer temblar). ● *tr e intr* **2** estremecer (impresionar). ● *intr* **3** estremecerse (de frío, miedo).
estremecido, da [eyʃtɾeme'sidʊ, da] *adj* **1** estremecido. **2** debilitado, enflaquecido.
estremecimento [eyʃtɾemesi'mẽtʊ] *m* estremecimiento.
estremenho, nha [eyʃtɾe'mẽŋʊ, ŋa] *adj/ m e f* extremeño (de Extremadura).
estrépito [eyʃ'tɾɛpitʊ] *m* **1** estrépito (ruido). **2** (fig) estrépito, ostentación.
estressado, da [eyʃtɾe'sadʊ, da] *adj/m e f* estresado.
estressante [eystɾe'sãtʃɪ] *adj 2 gén* estresante.

estressar [eyʃtre'saR] *tr e pron* estresar.
estresse [eyʃ'trɛsɪ] *m* MED estrés.
estria [eyʃ'tria] *f* **1** estría (surco). **2** estría (de la piel).
estriado, da [eyʃtri'adʊ, da] *adj* estriado.
estriar [eyʃtri'aR] *tr* estriar.
estribilho [eyʃtri'biʎʊ] *m* estribillo.
estribo [eyʃ'tribʊ] *m* **1** estribo (de montar). **2** estribo (de vehículo). **3** ANAT estribo.
estridência [eyʃtri'dẽsya] *f* estridencia.
estridente [eyʃtri'dẽtʃɪ] *adj 2 gén* estridente.
estripador, ra [eyʃtripa'doR, ra] *adj/m e f* destripador.
estripar [eyʃtri'paR] *tr* destripar (tripas).
estrito, ta [eyʃ'tritʊ, ta] *adj* **1** estricto, riguroso. **2** preciso, exacto.
estrofe [eyʃ'trɔfɪ] *f* estrofa.
estrondo [eyʃ'trõdʊ] *m* **1** estruendo. **2** lujo, pompa.
estrondoso, sa [eyʃtrõ'dozʊ, za] *adj* **1** estruendoso. **2** notorio.
estropiar [eyʃtropi'aR] *tr e pron* **1** (fig) mutilar, recortar. • *tr* **2** (fig) destrozar (canción, poema). **3** fatigar.
estropício [eyʃtro'pisyʊ] *m* estropicio.
estrume [eyʃ'trumɪ] *m* abono, estiércol.
estrumeira [eyʃtru'meyra] *f* **1** estercolero. **2** (fig) estercolero (lugar sucio).
estrutura [eyʃtru'tura] *f* estructura (distribución).
estruturação [eyʃtrutura'sãw] *f* estructuración.
estrutural [eyʃtrutu'raw] *adj 2 gén* estructural.
estruturalismo [eyʃtrutura'liʒmʊ] *m* estructuralismo.
estruturar [eyʃtrutu'raR] *tr* **1** estructurar. • *tr e pron* **2** (fig) fortalecer.
estuário [eyʃtu'aryʊ] *m* estuario.
estudante [eyʃtu'dãtʃɪ] *adj/m e f* estudiante.
estudantil [eyʃtudã'tʃiw] *adj 2 gén* estudiantil.
estudar [eyʃtu'daR] *tr e intr* **1** estudiar (aprender). • *tr e pron* **2** estudiar (reflexionar). • *tr* **3** estudiar (observar).
estúdio [eyʃ'tudʒyʊ] *m* estudio (de cine, grabación, revelado).
estudioso, sa [eyʃtudʒi'ozʊ, za] *adj/m e f* **1** estudioso. • *adj* **2** esmerado, exhaustivo.
estudo [eyʃ'tudʊ] *m* **1** estudio (conocimiento). **2** estudio (boceto). **3** estudio (investigación). **4** MÚS estudio.
estufa [eyʃ'tufa] *f* **1** estufa (hogar). **2** invernadero.
estufar [eyʃtu'faR] *tr* **1** estufar. **2** estofar (cocinar). • *tr e pron* **3** hinchar (inflar).
estugar [eyʃtu'gaR] *intr* apretar el paso.
estultícia [eyʃtuw'tʃisya] *f* estulticia.
estulto, ta [eyʃ'tuwtʊ, ta] *adj* estulto, necio; mudenco (Amér. Centr).
estupefação [eyʃtupefa'sãw] *f* **1** estupefacción (pasmo). **2** MED estupor.
estupefaciente [eyʃtupefasi'ẽtʃɪ] *adj/m e f* **1** estupefaciente (narcótico). **2** asombroso.
estupefato, ta [eyʃtupe'fatʊ, ta] *adj* **1** estupefacto (atónito). **2** soporoso.
estupendo, da [eyʃtu'pẽdʊ, da] *adj* estupendo.
estupidez [eyʃtupi'deyʃ] *f* **1** estupidez. **2** grosería.
estúpido, da [eyʃ'tupidʊ, da] *adj/m e f* **1** estúpido. **2** grosero.
estupor [eyʃtu'poR] *m* **1** MED estupor. **2** (fig) estupor, asombro; ñato (Arg). **3** (coloq) engendro (feo).
estuprar [eyʃtu'praR] *tr* violar (abusar sexualmente).
estupro [eyʃ'tuprʊ] *m* violación (abuso sexual).
estuque [eyʃ'tukɪ] *m* estuco.
esvair [eyʃva'iR] *tr e pron* **1** desvanecer, disipar. • **~-se** *pron* **2** (fig) deshacerse. **3** escurrirse, evaporarse (tiempo).
esvaziamento [eyʃvazia'mẽtʊ] *m* vaciamiento.
esvaziar [eyʒʃvazi'aR] *tr* **1** vaciar (sacar). • *tr e pron* **2** (fig) menoscabar (desacreditar).
esverdeado, da [eyʒʃveRdɛ'adʊ, da] *adj* **1** verdoso. **2** pálido (tez).
esvoaçar [eyʒʃvoa'saR] *intr e pron* **1** aletear. **2** ondear, flamear (bandera).
etapa [e'tapa] *f* **1** etapa (distancia, trecho). **2** (fig) etapa (fase). **3** parte, tiempo (de un partido).
etário, a [e'taryʊ, a] *adj* de edad: *faixa etária = franja de edad.*
éter ['ɛteR] *m* **1** FÍS éter (aire atmosférico). **2** QUÍM éter. ♦ **~ etílico ou sulfúrico** QUÍM éter etílico.

etéreo, a [e'tɛryʊ, a] *adj* **1** etéreo. **2** (fig) etéreo (celestial, sublime).
eternidade [eteʀni'dadʒɪ] *f* **1** eternidad (perpetuidad). **2** eternidad (tras la muerte).
eternizar [eteʀni'zaʀ] *tr e pron* **1** eternizar (perpetuar). **2** (fig) eternizar (inmortalizar).
eterno, na [e'tɛʀnʊ, na] *adj* **1** eterno (sin fin). **2** (fig) eterno (imperecedero, inmutable).
ética ['ɛtʃika] *f* ética.
ético, ca ['ɛtʃikʊ, ka] *adj* ético.
etílico, ca [e'tʃilikʊ, ka] *adj* **1** QUÍM etílico. **2** etílico (alcohólico).
etimologia [etʃimolo'ʒia] *f* etimología (origen, estudio).
etíope [e'tʃiopɪ] *adj/m e f* **1** etíope. **2** etíope (lengua).
Etiópia [etʃi'ɔpya] *f* Etiopía.
etiqueta [etʃi'keta] *f* **1** etiqueta (protocolo). **2** etiqueta (rótulo). **3** marca.
etnia [etʃi'nia] *f* etnia.
étnico, ca ['ɛtʃinikʊ, ka] *adj* étnico.
etnografia [etʃinogra'fia] *f* etnografía.
etnográfico, ca [etʃino'grafikʊ, ka] *adj* etnográfico.
etrusco, ca [e'truʃkʊ] *adj/m e f* **1** etrusco. • *m* **2** etrusco (lengua).
eu ['ew] *pron* **1** yo: *eu sou tradutora = yo soy traductora.* • *m* **2** yo (individualidad). **3** PSIC yo (ego).
eucalipto [ewka'lipitʊ] *m* eucalipto (árbol, madera, extracto).
eufemismo [ewfe'miʒmʊ] *m* eufemismo.
euforia [ewfo'ria] *f* **1** PSIC euforia. **2** (fig) euforia (entusiasmo).
eufórico, ca [ew'fɔrikʊ, ka] *adj* **1** PSIC eufórico. **2** eufórico (entusiasmado).
eunuco [ew'nukʊ] *adj/m* eunuco (castrado).
euro ['ewrʊ] *m* ECON euro (moneda).
eurocâmara [ewro'kãmara] *f* eurocámara.
eurodiputado, da [ewrodʒipu'tadʊ, da] *m e f* eurodiputado.
euromercado [ewromeʀ'kadʊ] *m* euromercado.
Europa [ew'rɔpa] *f* Europa.
europarlamentário, a [ewropaʀlamẽ'taryʊ, a] *m e f* europarlamentario.
europarlamento [ewropaʀla'mẽtʊ] *m* europarlamento.
europeísmo [ewrope'iʒmʊ] *m* europeísmo.
europeu, péia [ewro'pew, 'pɛya] *adj/m e f* europeo.
eutanásia [ewta'nazya] *f* eutanasia.
evacuação [evakua'sãw] *f* **1** evacuación (desalojo). **2** evacuación (de excrementos, secreciones).
evacuar [evaku'aʀ] *tr* **1** evacuar (desalojar, desocupar). • *tr, intr e pron* **2** evacuar (humores, orina).
evadir [eva'dʒiʀ] *tr e pron* **1** evadir (eludir, esquivar). • **~-se** *pron* **2** evadirse (fugarse, escaparse).
evangélico, ca [evã'ʒɛlikʊ, ka] *adj* **1** evangélico (del Evangelio). **2** evangélico (protestante).
evangelizar [evãʒeli'zaʀ] *tr* evangelizar.
evaporação [evapora'sãw] *f* **1** evaporación (de un líquido). **2** (fig) evaporación (desaparición).
evaporado, da [evapo'radʊ, da] *adj* evaporado.
evaporador, ra [evapora'doʀ, ra] *adj/m* evaporador.
evaporar [evapo'raʀ] *tr, intr e pron* **1** evaporar (líquido). **2** (fig) evaporar (disipar, desvanecer).
evasão [eva'zãw] *f* **1** evasión (fuga). **2** (fig) evasión (evasiva, efugio).
evasê [eva'ze] *adj 2 gén* evasé (ropa): *uma saia evasê = una falda evasé.*
evasiva [eva'ziva] *f* evasiva.
evasivo, va [eva'zivʊ, va] *adj* evasivo.
evencer [evẽ'seʀ] *tr* DIR desposeer (de un cargo, propiedad).
evento [e'vẽtʊ] *m* **1** evento (acaecimiento). **2** acontecimiento (espectáculo, conmemoración, congreso).
eventual [evẽtu'aw] *adj 2 gén* **1** eventual (ocasional). • **eventuais** *m pl* **2** gastos eventuales.
eventualidade [evẽtuali'dadʒɪ] *f* eventualidad.
evidência [evi'dẽsya] *f* evidencia. ■ **em ~** de moda.
evidenciar [evidẽsi'aʀ] *tr e pron* **1** evidenciar. • **~-se** *pron* **2** destacarse, exhibirse.
evidente [evi'dẽtʃɪ] *adj 2 gén* evidente.
evitar [evi'taʀ] *tr* **1** evitar (esquivar, apartarse). **2** evitar (impedir algo).

evocação [evoka'sãw] *f* evocación.
evocar [evo'kaR] *tr* **1** evocar, invocar (a los espíritus). **2** (fig) evocar (recordar).
evocativo, va [evoka'tʃivʊ, va] *adj* evocatorio.
evolução [evolu'sãw] *f* **1** evolución (desarrollo, progreso). **2** evolución (movimiento circular). ◆ ~ **das espécies** BIOL evolución de las especies.
evolucionar [evolusyo'naR] *tr e intr* ⇒ evoluir.
evoluído, da [evolu'idʊ, da] *adj* evolucionado.
evoluir [evolu'iR] *tr e intr* **1** evolucionar (desarrollarse). ● *intr* **2** evolucionar (desplazarse).
evolutivo, va [evolu'tʃivʊ, va] *adj* evolutivo.
exacerbar [ezaseR'baR] *tr e pron* **1** exacerbar (irritar). **2** exacerbar, agravar, avivar (pasión, enfermedad).
exageração [ezaʒera'sãw] *f* **1** ⇒ exagero. **2** RET hipérbole.
exagerado, da [ezaʒe'radʊ, da] *adj/m e f* exagerado.
exagerar [ezaʒe'raR] *tr, intr e pron* exagerar.
exagero [eza'ʒerʊ] *m* exageración.
exalação [ezala'sãw] *f* **1** exhalación (de vapores). **2** exhalación (centella).
exalar [eza'laR] *tr, intr e pron* **1** exhalar (vapores, perfumes). **2** exhalar (suspiros, gritos).
exaltação [ezawta'sãw] *f* exaltación.
exaltado, da [ezaw'tadʊ, da] *adj/m e f* exaltado.
exaltar [ezaw'taR] *tr* **1** exaltar (elevar, realzar). ● *tr e pron* **2** exaltarse (arrebatarse).
exame [e'zãmɪ] *m* **1** examen (investigación). **2** examen (test). **3** prueba, análisis (médica). ◆ ~ **antidoping** control antidopaje; ~ **de consciência** examen de consciencia; ~ **médico** examen médico.
examinador, ra [ezamina'doR, ra] *adj/m e f* examinador.
examinar [ezami'naR] *tr* **1** examinar (investigar, observar). **2** examinar (a un paciente, alumno).
exangue [e'ʒãgɪ] *adj 2 gén* exangüe.
exasperante [ezayʃpe'rãtʃɪ] *adj 2 gén* exasperante.
exasperar [ezayʃpe'raR] *tr e pron* **1** exasperar (enfurecer). **2** intensificar.
exatidão [ezatʃi'dãw] *f* **1** exactitud (puntualidad). **2** exactitud (precisión).
exato, ta [e'zatʊ, ta] *adj* **1** correcto (sin errores). **2** riguroso (preciso, exacto).
exaurir [ezaw'riR] *tr e pron* **1** agotar, cansar. **2** consumir, agotar.
exaustão [ezawʃ'tãw] *f* agotamiento.
exaustivo, va [ezawʃ'tʃivʊ, va] *adj* exhaustivo.
exausto, ta [e'zawʃtʊ, ta] *adj* exhausto.
exaustor [ezawʃ'toR] *adj/m* extractor (de humos).
exceção [ese'sãw] *f* **1** excepción. **2** (fig) privilegio (exención, ventaja).
excedente [ese'dẽtʃɪ] *adj 2 gén* **1** excedente (resto). ● *m* **2** excedente.
exceder [ese'deR] *tr* **1** exceder. ● **~-se** *pron* **2** excederse. **3** enfadarse.
excelência [ese'lẽsya] *f* **1** excelencia (cualidad). **2** excelencia (tratamiento).
excelente [ese'lẽtʃɪ] *adj 2 gén* excelente (sobresaliente).
excelentíssimo, ma [eselẽ'tʃisimʊ, ma] *adj* excelentísimo (tratamiento).
excentricidade [esẽtrisi'dadʒɪ] *f* excentricidad (extravagancia).
excêntrico, ca [e'sẽtrikʊ, ka] *adj/m e f* **1** excéntrico. ● *adj* **2** GEOM excéntrico.
excepcional [esepisio'naw] *adj 2 gén* **1** excepcional (no ordinario). **2** excepcional (excelente).
excessivo, va [ese'sivʊ, va] *adj* excesivo.
excesso [e'sɛsʊ] *m* **1** exceso. ● **excesos** *m pl* **2** excesos (abuso, delito).
exceto [e'sɛtʊ] *prep* excepto (a excepción de, fuera de, menos).
excetuar [esetu'aR] *tr e pron* exceptuar.
excisão [esi'zãw] *f* MED ablación, extirpación.
excitação [esita'sãw] *f* **1** excitación (agitación). **2** excitación (deseo sexual).
excitado, da [esi'tadʊ, da] *adj* **1** excitado (agitado, exaltado). **2** excitado (sexualmente).
excitante [esi'tãtʃɪ] *adj/m e f* excitante (estimulante).
excitar [esi'taR] *tr e pron* **1** excitar (estimular, provocar). **2** excitar (sexualmente).
exclamação [eyʃklama'sãw] *f* **1** exclamación (de alegría, emoción, pena). **2** GRAM exclamación.
exclamar [eyʃkla'maR] *tr* exclamar.

e

exclamativo, va [eyʃklama'tʃivʊ, va] *adj* exclamativo, exclamatorio.
excluído, da [eyʃklu'idʊ, da] *adj* excluido.
excluir [eyʃklu'iʀ] *tr* **1** excluir (descartar, separar). **2** excluirse (ser incompatible). **3** despojar (privar). ● **~-se** *pron* **4** apartarse, retirarse.
exclusão [eyʃklu'zãw] *f* exclusión.
exclusiva [eʃklu'ziva] *f* exclusiva (entrevista).
exclusividade [eyʃkluzivi'dadʒɪ] *f* exclusividad.
exclusivo, va [eyʃklu'zivʊ, va] *adj* **1** exclusivo. ● *m* **2** monopolio.
excomungar [eyʃkomũ'gaʀ] *tr* **1** REL excomulgar. **2** (fig) condenar, reprobar.
excremento [eyʃkre'mẽtʊ] *m* excremento (materia fecal).
excretar [eyʃkre'taʀ] *tr* excretar, expeler (excrementos).
excursão [eyʃkuʀ'sãw] *f* **1** excursión (viaje, paseo). **2** (fig) divagación.
excursionismo [eyʃkuʀsio'niʒmʊ] *m* excursionismo.
execução [ezeku'sãw] *f* **1** ejecución (realización). **2** ejecución (ajusticiamiento). **3** MÚS ejecución. ◆ **~ penal** DIR ejecución penal.
executado, da [ezeku'tadʊ, da] *adj* **1** ejecutado (realizado). ● *adj/m e f* **2** ejecutado (ajusticiado).
executante [ezeku'tãtʃɪ] *adj/m e f* ejecutante.
executar [ezeku'taʀ] *tr* **1** ejecutar (realizar). **2** (coloq) ejecutar (matar).
executivo, va [ezeku'tʃivʊ, va] *adj* **1** ejecutivo (ejecutor). ● *m* **2** ejecutivo (poder). ● *m e f* **3** ejecutivo (individuo).
executor, ra [ezeku'toʀ, ɾa] *adj/m e f* ejecutor.
exemplar [ezẽ'plaʀ] *adj 2 gén* **1** ejemplar (modélico). ● *m* **2** ejemplar (modelo, prototipo): *é um exemplar único na sua turma = es un ejemplar único en su grupo*. **3** ejemplar (de un libro, colección, especie).
exemplar [ezẽ'plaʀ] *tr* ejemplarizar (con castigo).
exemplificar [ezẽplifi'kaʀ] *tr* ejemplificar.
exemplo [e'zẽplʊ] *m* **1** ejemplo (modelo). **2** ejemplo (muestra, ilustración). **3** ejemplo (lección, castigo). ■ **por ~** por ejemplo.
exéquias [e'zɛkiayʃ] *f pl* exequias.
exeqüível [eze'kwivew] *adj 2 gén* exequible, ejecutable.
exercer [ezeʀ'seʀ] *tr* **1** ejercer (practicar, realizar): *exercer pressão = ejercer presión*. **2** ejercer, desempeñar (cargo, oficio, función).
exercício [ezeʀ'sisyʊ] *m* **1** ejercicio (práctica, actividad). **2** ejercicio (gimnasia). **3** ejercicio (tarea, prueba). ■ **dar ~ a** llevar a la práctica.
exercitar [ezeʀsi'taʀ] *tr* **1** ejercitar (practicar, cultivar). ● *tr e pron* **2** ejercitar (adiestrar, instruir).
exército [e'zɛʀsitʊ] *m* **1** MIL ejército. **2** (fig) ejército (multitud). ◆ **~ de salvação** ejército de salvación.
exibição [ezibi'sãw] *f* exhibición (muestra, presentación).
exibicionismo [ezibisio'niʒmʊ] *m* **1** exhibicionismo (ostentación). **2** exhibicionismo (perversión sexual).
exibicionista [ezibisio'niʃta] *s 2 gén* exhibicionista.
exibir [ezi'biʀ] *tr e pron* exhibir (mostrar, presentar).
exigência [ezi'ʒẽsya] *f* **1** exigencia (requerimiento). **2** exigencia (pretensión).
exigente [ezi'ʒẽtʃɪ] *adj 2 gén* exigente.
exigir [ezi'ʒiʀ] *tr* **1** exigir (requerir). **2** exigir (necesitar, precisar).
exigüidade [ezigwi'dadʒɪ] *f* exigüidad.
exíguo, a [e'zigwʊ, a] *adj* exiguo.
exilado, da [ezi'ladʊ, da] *adj/m e f* exiliado.
exilar [ezi'laʀ] *tr e pron* exiliar (expatriar).
exílio [e'zilyʊ] *m* **1** exilio (expatriación). **2** exilio (lugar).
exímio, a [e'zimyʊ, a] *adj* eximio (ilustre).
eximir [ezi'miʀ] *tr e pron* eximir.
existência [eziʃ'tẽsya] *f* **1** existencia (vida). **2** existencia (presencia).
existencial [eziʃtẽsi'aw] *adj 2 gén* existencial.
existencialismo [eziʃtẽsia'liʒmʊ] *m* existencialismo.
existente [eziʃ'tẽtʃɪ] *adj/m e f* existente.
existir [eziʃ'tʃiʀ] *intr* **1** existir (vivir). **2** existir (haber, hallarse). ■ **não ~** (coloq) ser genial, fenomenal.
êxito ['ezitʊ] *m* éxito.
êxodo ['ezodʊ] *m* éxodo.

exoneração [ezonera'sãw] *f* **1** exoneración (destitución). **2** exoneración (de una obligación).
exonerar [ezone'raR] *tr e pron* **1** exonerar (de una obligación). **2** exonerar, destituir (de un empleo).
exorbitante [ezoRbi'tãtʃɪ] *adj 2 gén* exorbitante (excesivo).
exorcismar [ezoRsi'ʒmaR] *tr* REL exorcizar.
exorcizar [ezoRsi'zaR] *tr* ⇒ exorcismar.
exortação [ezoRta'sãw] *f* **1** exhortación (incitación). **2** exhortación (consejo, advertencia).
exortar [ezoR'taR] *tr* **1** exhortar (inducir). **2** estimular (animar).
exortativo, va [ezoRta'tʃivʊ, va] *adj* exhortatorio, exhortativo.
exótico, ca [e'zɔtʃikʊ, ka] *adj* **1** exótico (extranjero). **2** exótico (extravagante).
exotismo [ezo'tʃiʒmʊ] *m* exotismo.
expandir [eyʃpã'dʒiR] *tr e pron* **1** expandir (dilatar). **2** expandir (extender). **3** expandir (difundir). **4** desahogar.
expansão [eʃpã'sãw] *f* **1** expansión (dilatación). **2** (fig) expansión (desahogo). **3** expansión (crecimento).
expansivo, va [eyʃpã'sivʊ, va] *adj* **1** expansivo (expansible). **2** (fig) expansivo (comunicativo).
expatriado, da [eyʃpatri'adʊ, da] *adj/m e f* expatriado.
expectante [eyʃpeki'tãtʃɪ] *adj 2 gén* expectante.
expectativa [eyʃpekita'tʃiva] *f* **1** expectativa. **2** expectación. ♦ **~ de vida** esperanza de vida.
expedição [eyʃpedʒi'sãw] *f* **1** expedición (emisión, despacho). **2** expedición (excursión).
expediente [eyʃpedʒi'ẽtʃɪ] *adj 2 gén* **1** expediente. • *m* **2** expediente (despacho, emisión). **3** expediente (desembarazo, desenvoltura). **4** expediente (recurso, medio). **5** horario (de oficinas, tiendas, trabajo).
expedir [eyʃpe'dʒiR] *tr* **1** expedir (despachar, emitir). **2** expedir (remitir, enviar). **3** (fig) proferir.
expedito, ta [eʃype'dʒitʊ, ta] *adj* expedito (activo, rápido).
expelir [eyʃpe'liR] *tr* **1** expeler (arrojar). **2** expeler (expulsar). **3** (fig) lanzar (proferir).
expensas [eyʃ'pẽsayʃ] *f pl* expensas (gastos).
experiência [eyʃperi'ẽsya] *f* **1** experimentación, experimento (método científico). **2** experiencia (de vida). **3** FIL experiencia.
experiente [eyʃperi'ẽtʃɪ] *adj/m e f* experimentado, conocedor.
experimentação [eyʃperimẽta'sãw] *f* **1** experimento. **2** experimentación (método científico).
experimentado, da [eyʃperimẽ'tadʊ, da] *adj/m e f* experimentado.
experimental [eyʃperimẽ'taw] *adj 2 gén* experimental.
experimentar [eyʃperimẽ'taR] *tr* **1** experimentar (ensayar, probar). **2** experimentar (impresión, sentimiento). **3** probar (ropa, calzado).
experimento [eyʃperi'mẽtʊ] *m* experimento.
experto, ta [eyʃ'pɛRtʊ, ta] *adj/m e f* experto, perito.
expiar [eyʃpi'aR] *tr e pron* **1** expiar (purificar). • *tr* **2** expiar (penitencia, castigo).
expiatório, a [eyʃpia'tɔryʊ, a] *adj* expiatorio.
expiração [eyʃpira'sãw] *f* **1** MED espiración (del aire). **2** expiración (muerte).
expirar [eyʃpi'raR] *tr* **1** espirar, exhalar. • *intr* **2** expirar (morir). **3** (fig) expirar, acabar (período de tiempo).
explanar [eyʃplã'naR] *tr* explicar, esclarecer.
explicação [eyʃplika'sãw] *f* **1** explicación (esclarecimiento). **2** explicación (razón, motivo). **3** explicación (del profesor).
explicar [eyʃpli'kaR] *tr* **1** explicar. **2** explicar (enseñar). **3** explicar (justificar).
explicativo, va [eyʃplika'tʃivʊ, va] *adj* explicativo.
explicável [eyʃpli'kavew] *adj 2 gén* explicable.
explicitar [eyʃplisi'taR] *tr* explicitar.
explícito, ta [eyʃ'plisitʊ, ta] *adj* explícito.
explodir [eyʃplo'dʒiR] *intr* **1** explotar, explosionar. • *tr e intr* **2** prorrumpir (en aplausos, sollozos).
exploração [eyʃplora'sãw] *f* **1** exploración. **2** explotación (de personas, recursos).
explorador, ra [eyʃplora'doR, ra] *adj/m e f* **1** explorador. **2** explotador (de personas, recursos).

explorar [eyʃplo'raR] *tr* **1** explorar (registrar). **2** investigar. **3** explotar (personas, recursos, beneficios).
explosão [eyʃplo'zãw] *f* **1** explosión. **2** (fig) explosión (de entusiasmo, alegría).
explosivo, va [eyʃplo'zivʊ, va] *adj/m* QUÍM explosivo.
expoente [eyʃpo'ẽtʃɪ] *s 2 gén* **1** exponente (protipo). **2** MAT exponente.
expor [eyʃ'poR] *tr e pron* **1** exponer (presentar, mostrar). **2** exponer (arriesgar). • *tr* **3** exponer (explicar).
exportação [eyʃpoRta'sãw] *f* exportación.
exportador, ra [eyʃpoRta'doR, ra] *adj/m e f* exportador.
exportar [eyʃpoR'taR] *tr e intr* **1** exportar. **2** COMP exportar.
exposição [eyʃpozi'sãw] *f* **1** exposición (exhibición). **2** exposición (explicación).
expositor [eyʃpozi'toR] *adj/m e f* **1** expositor. • *m* **2** expositor (mueble).
exposto, ta [eyʃ'poʃtʊ, ta] *adj/m e f* **1** expuesto. • *m e f* **2** expósito.
expressão [eyʃpre'sãw] *f* **1** expresión, manifestación (de ideas, pensamientos). **2** expresión (rostro, gestos). **3** expresión (viveza). **4** GRAM expresión. **5** MAT expresión: *expressão algébrica = expresión algebraica.*
expressar [eyʃpre'saR] *tr e pron* ⇒ exprimir.
expressionismo [eyʃpresio'niʒmʊ] *m* ART, MÚS expresionismo.
expressividade [eyʃpresivi'dadʒɪ] *f* expresividad.
expressivo, va [eyʃpre'sivʊ, va] *adj* expresivo.
expresso, ssa [eyʃ'prɛsʊ, sa] *adj* **1** expreso (claro, patente). • *m* **2** expreso (tren, correo).
exprimir [eyʃpri'miR] *tr e pron* **1** expresar (manifestar). **2** expresar (revelar). • **~-se** *pron* **3** expresarse (comunicarse).

> El término ***exprimir,*** debido a una distinta evolución etimológica, en portugués se utiliza con el sentido de expresar, mientras que en español significa 'sacar el jugo', tanto en sentido figurado como literal.

exprimível [eyʃpri'mivew] *adj 2 gén* expresable.
expropriação [eyʃpropria'sãw] *f* expropiación.
expropriar [eyʃpropri'aR] *tr* expropiar.
expulsão [eyʃpuw'sãw] *f* expulsión.
expulsar [eyʃpuw'saR] *tr* expulsar.
expulso, sa [eyʃ'puwsʊ, sa] *adj* expulsado, expelido.
expurgação [eyʃpuRga'sãw] *f* expurgación, expurgo.
expurgar [eyʃpuR'gaR] *tr* **1** expurgar (limpiar, purificar). **2** expurgar, corregir (texto). **3** descascar.
êxtase ['eyʃtazɪ] *m* éxtasis.
extasiar [eyʃtazi'aR] *tr e pron* extasiar.
extático, ca [eyʃ'tatʃikʊ, ka] *adj* extático.
extemporâneo, a [eʃtẽpo'rãnyʊ, a] *adj* extemporáneo.
extensão [eyʃtẽ'sãw] *f* **1** extensión (de dimensión, duración). **2** extensión (telefónica).
extensível [eyʃtẽ'sivew] *adj 2 gén* extensible.
extensivo, va [eyʃtẽ'sivʊ, va] *adj* extensivo.
extenso, sa [eyʃ'tẽsʊ, sa] *adj* extenso (vasto, largo). ■ **por ~** por extenso.
extensor, ra [eyʃtẽ'soR, ra] *adj* **1** extensor. • *m* **2** ANAT músculo extensor.
extenuante [eyʃtenu'ãtʃɪ] *adj 2 gén* extenuante.
extenuar [eyʃtenu'aR] *tr e pron* **1** extenuar (debilitar). • *tr* **2** (fig) gastar, consumir (bienes, dinero).
exterior [eyʃteRi'oR] *adj 2 gén* **1** exterior (externo). **2** exterior (internacional). • *m* **3** exterior (apariencia). **4** extranjero (país).
exteriorizar [eyʃteriori'zaR] *tr e pron* exteriorizar.
exterminar [eyʃteRmi'naR] *tr* exterminar.
extermínio [eyʃteR'minyʊ] *m* exterminio.
externo, na [eyʃ'teRnʊ, na] *adj* externo.
extinção [eyʃtʃĩ'sãw] *f* extinción.
extinguir [eyʃtʃĩ'giR] *tr e pron* **1** extinguir (fuego). **2** extinguir (consumir). • *tr* **3** extinguir (acabar, aniquilar).
extinto, ta [eyʃ'tʃĩtʊ, ta] *adj* **1** extinto. • *m e f* **2** extinto (difunto).
extintor [eyʃtʃĩ'toR] *m* extintor.
extirpação [eyʃtʃiRpa'sãw] *f* extirpación.
extirpar [eyʃtʃiR'paR] *tr* **1** extirpar (arrancar). **2** (fig) extirpar (vicios, abusos).

extirpável [eyʃtʃiʀ'pavew] *adj 2 gén* extirpable.
extorquir [eyʃtoʀ'kiʀ] *tr* extorsionar.
extorsão [eyʃtoʀ'sãw] *f* extorsión.
extra ['eyʃtra] *adj 2 gén* **1** extra (adicional). **2** extra (cualitativo). • *adj/m e f* **3** extra (regalo, pago, trabajo).
extração [eyʃtra'sãw] *f* **1** extracción. **2** MED extirpación.
extradição [eyʃtradʒi'sãw] *f* extradición.
extraditado, da [eyʃtradʒi'tadʊ, da] *adj* extraditado.
extrair [eyʃtra'iʀ] *tr* **1** extraer, arrancar (sacar). **2** extraer (copiar, reproducir).
extrajudicial [eyʃtraʒudʒisi'aw] *adj 2 gén* DIR extrajudicial.
extraordinário, a [eyʃtraoʀdʒi'naryʊ, a] *adj* **1** extraordinario (no común). **2** extraordinario (excelente). **3** extraordinario (increíble).
extrapolação [eyʃtrapola'sãw] *f* extrapolación.
extrapolar [eyʃtrapo'laʀ] *tr e intr* **1** extrapolar. • *intr* **2** exceder, pasarse.
extraterrestre [eyʃtrate'ʀɛʃtrɪ] *adj/m e f* extraterrestre.
extrato [eyʃ'tratʊ] *m* extracto.
extrator, ra [eyʃtra'toʀ, ra] *adj/m e f* extractor.
extravagância [eyʃtrava'gãsya] *f* extravagancia.
extravagante [eyʃtrava'gãtʃɪ] *adj/m e f* extravagante.
extravasar [eyʃtrava'zaʀ] *tr, intr e pron* **1** derramar, extravasarse. • *tr e pron* **2** manifestar.
extraviado, da [eyʃtravi'adʊ, da] *adj* **1** extraviado (perdido). **2** (fig) extraviado (descarriado).
extraviar [eyʃtravi'aʀ] *tr e pron* **1** extraviar (desviar). **2** extraviar (perder); embolatar (Col). • *tr* **3** robar.
extremado, da [eyʃtre'madʊ, da] *adj* extremado.
extremar [eyʃtre'maʀ] *tr e pron* extremar.
extremidade [eyʃtremi'dadʒɪ] *f* **1** extremidad (punta). **2** (fig) miseria.
extremismo [eyʃtre'miʒmʊ] *m* extremismo.
extremista [eyʃtre'miʃta] *adj/m e f* extremista.
extremo, ma [eyʃ'trẽmʊ] *adj* **1** extremo. • *m* **2** extremo (punta).
extremoso, sa [eyʃtre'mozʊ, za] *adj* **1** extremoso (inmoderado). **2** extremoso (cariñoso).
extrovertido, da [eyʃtroveʀ'tʃidʊ, da] *adj* extrovertido.
exuberância [ezube'rãsia] *f* **1** exuberancia. **2** vivacidad, entusiasmo.
exuberante [ezube'rãtʃɪ] *adj 2 gén* **1** exuberante. **2** vivaz, vigoroso.
exultante [ezuw'tãtʃɪ] *adj 2 gén* exultante.
exultar [ezuw'taʀ] *intr* exultar.
ex-voto [eyʃ'vɔtʊ] *m* exvoto.

Ff

f, F [ˈɛfi] *m* f, F (letra).
fá [ˈfa] *m* MÚS fa.
fã [ˈfã] *s 2 gén* fan, seguidor.
fábrica [ˈfabrika] *f* **1** fábrica (fabricación). **2** fábrica (establecimiento). **3** fábrica, edificio. ■ **de ~** de fábrica.
fabricação [fabrikaˈsãw] *f* fabricación.
fabricante [fabriˈkãtʃɪ] *s 2 gén* fabricante (productor, dueño).
fabricar [fabriˈkaʀ] *tr e intr* **1** fabricar (producir). ● *tr* **2** fabricar (edificar).
fabrico [faˈbriku] *m* **1** fabricación. **2** producción (producto).
fabril [faˈbriw] *adj 2 gén* fabril.
fábula [ˈfabula] *f* **1** fábula (narración). **2** fábula (mitología). **3** (fig) fábula (invención).
fabuloso, sa [fabuˈlozu, za] *adj* **1** fabuloso (legendario). **2** (fig) fabuloso (maravilloso).
faca [ˈfaka] *f* **1** cuchillo. **2** cuchilla (hoja). **3** abrecartas. ■ **com a ~ na garganta** (fig, fam) con el agua al cuello; **~ de dois gumes** (fig, fam) arma de doble filo.
facada [faˈkada] *f* **1** cuchillada. **2** (fig) puñalada (pesadumbre). ■ **dar uma ~** (coloq) pedir dinero prestado.
façanha [faˈsãɲa] *f* hazaña.
facção [fakiˈsãw] *f* **1** facción (bando). **2** MIL expedición.
faccioso, sa [fakisiˈozu, za] *adj/m e f* **1** faccioso (revoltoso). ● *adj* **2** faccionario.
face [ˈfasɪ] *f* **1** cara, rostro. **2** cara (expresión): *boa face = buena cara*. **3** cara (de una hoja, moneda). **4** GEOM cara. ■ **dar de ~** (fig, fam) encontrar de cara; **de ~** de cara.
faceiro, ra [faˈseyru, ra] *adj* **1** coqueto (presumido). **2** contento, alegre.
faceta [faˈseta] *f* **1** faceta (lado). **2** (fig) faceta (aspecto).
facetar [faseˈtaʀ] *tr* **1** tallar (piedras). **2** pulir (perfeccionar).
fachada [faˈʃada] *f* **1** fachada (de un edificio). **2** (fig) fachada (apariencia).
facho [ˈfaʃu] *m* **1** hacha, antorcha. **2** (fig) antorcha (guía).
facial [fasiˈaw] *adj 2 gén* facial.
fácil [ˈfasiw] *adj 2 gén* **1** fácil (sencillo). **2** (fig) fácil (dócil). ● *adv* **3** fácil.
facilidade [fasiliˈdadʒɪ] *f* **1** facilidad (sencillez). **2** facilidad (aptitud): *tem facilidade para aprender línguas = tiene facilidad para aprender idiomas*. ● **facilidades** *f pl* **3** facilidades.
facílimo, ma [faˈsilimu, ma] *adj* facilísimo.
facilitar [fasiliˈtaʀ] *tr* **1** facilitar (posibilitar). **2** facilitar (proporcionar). ● **~-se** *pron* **3** prestarse.
factível [fakiˈtʃivew] *adj 2 gén* factible.
factual [fakituˈaw] *adj 2 gén* factual, fáctico.
faculdade [fakuwˈdadʒɪ] *f* **1** facultad (capacidad). **2** facultad (característica, propiedad). **3** facultad (institución universitaria).
facultar [fakuwˈtaʀ] *tr* facultar.
facultativo, va [fakuwtaˈtʃivu, va] *adj* **1** facultativo (potestativo, opcional). ● *m e f* **2** facultativo (médico).
fada [ˈfada] *f* **1** hada. **2** augurio.
fadado, da [faˈdadu, da] *adj* predestinado.
fadar [faˈdaʀ] *tr* **1** vaticinar. **2** predestinar.
fadiga [faˈdʒiga] *f* **1** fatiga. **2** desgaste (por uso).
fado [ˈfadu] *m* sino, destino.
fagote [faˈgɔtʃɪ] *m* MÚS fagot.
fagulha [faˈguʎa] *f* centella, chispa.
faia [ˈfaya] *f* haya.
faiança [fayˈãsa] *f* mayólica.
faisão [fayˈzãw] *m* faisán.
faísca [faˈiʃka] *f* **1** chispa (chiribita). **2** rayo (descarga eléctrica). ● *adj 2 gén* **3** valiente.
faiscar [fayʃˈkaʀ] *tr e intr* **1** chispear (echar chispas). **2** centellear, centellar.
faixa [ˈfayʃa] *f* **1** faja (superficie). **2** faja (prenda). **3** cinturón (cinto).

fala ['fala] *f* **1** habla (facultad). **2** discurso. **3** papel (de actor). **4** timbre (de voz).
falácia [fa'lasya] *f* **1** falacia. **2** griterío.
falacioso, sa [falasi'ozʊ, za] *adj* falaz.
falado, da [fa'ladʊ, da] *adj* **1** hablado, referido, citado. **2** afamado. **3** difamado, criticado.
falador, ra [fala'doʀ, ɾa] *adj/m e f* **1** hablador. **2** maldecidor.
falange [fa'lãʒɪ] *f* **1** MIL falange. **2** ANAT falange.
falante [fa'lãtʃɪ] *adj 2 gén* **1** hablador. • *s 2 gén* **2** hablante.
falar [fa'laʀ] *m* **1** habla (variedad de lengua). **2** habla (modo de expresión).
falar [fa'laʀ] *tr, intr e pron* **1** hablar. • *tr* **2** decir. **3** contar, explicar. **4** acordar (llegar a un acuerdo). • *tr e intr* **5** discursear. • *intr* **6** influir, tener prioridad. **7** ordenar, mandar. **8** revelar, contar. ■ ~ **grosso** (fig) hablar autoritariamente.
falcão [faw'kãw] *m* halcón.
falecer [fale'seʀ] *intr* fallecer.
falecido, da [fale'sidʊ, da] *adj/m e f* **1** fallecido. **2** necesitado.
falecimento [falesi'mẽtʊ] *m* **1** fallecimiento (muerte). **2** falta (carencia).
falência [fa'lẽsya] *f* **1** falta (carencia). **2** quiebra (bancarrota).
falésia [fa'lɛzya] *f* costa escarpada.
falha ['faʎa] *f* **1** grieta. **2** defecto (error). **3** (fig) falta (omisión). **4** (fig) manía. **5** GEOL falla.
falhado, da [fa'ʎadʊ, da] *adj* **1** agrietado. **2** malogrado (frustrado). • *m e f* **3** fracasado.
falhar [fa'ʎaʀ] *tr e intr* **1** fallar (no funcionar). **2** errar (blanco, tiro). • *tr* **3** incumplir. **4** partir, quebrar.
falho, lha ['faʎʊ, ʎa] *adj* falto (carente).
fálico, ca ['falikʊ, ka] *adj* fálico.
falido, da [fa'lidʊ, da] *adj/m e f* fallido, quebrado.
falir [fa'liʀ] *intr* **1** quebrar (arruinarse). **2** fracasar. • *tr e intr* **3** (fig) faltar, carecer.
falo ['falʊ] *m* falo.
falsear [fawse'aʀ] *tr* **1** falsear (falsificar). **2** traicionar.
falsete [faw'setʃɪ] *m* MÚS falsete.
falsidade [fawsi'dadʒɪ] *f* **1** falsedad (mentira). **2** falsedad (hipocresía).
falsificação [fawsifika'sãw] *f* falsificación.
falsificador, ra [fawsifika'doʀ, ɾa] *adj/m e f* falsificador.
falsificar [fawsifi'kaʀ] *tr* falsificar (falsear, adulterar).
falso, sa ['fawsʊ, sa] *adj* **1** falso. • *m* **2** (fam) mentira (calumnia).
falta ['fawta] *f* falta.
faltar [faw'taʀ] *tr e intr* **1** faltar (carecer). **2** faltar (incumplir): *faltar a uma promessa = faltar a una promesa.*
falto, ta ['fawtʊ, ta] *adj* falto (carente).
faltoso, sa [faw'tozʊ, za] *adj* **1** culpable. **2** falto (carente).
fama ['fãma] *f* fama.
famélico, ca [fa'mɛlikʊ, ka] *adj* famélico, hambriento.
famigerado, da [famiʒe'ɾadʊ, da] *adj* famoso, célebre.
família [fa'milya] *f* familia. ■ **em ~** en familia (en la intimidad).
familiar [famili'aʀ] *adj/m* **1** familiar (pariente). • *adj* **2** familiarizado. **3** familiar (sencillo, simple).
familiaridade [familiaɾi'dadʒɪ] *f* familiaridad (confianza, llaneza).
familiarizar [familiaɾi'zaʀ] *tr e pron* **1** familiarizar. **2** (fig) familiarizar (habituar).
faminto, ta [fa'mĩtʊ, ta] *adj* hambriento; lángaro (Col, Méx); filoso (Hond).
famoso, sa [fa'mozʊ, za] *adj* famoso.
fanático, ca [fa'natʃikʊ, ka] *adj/m e f* **1** fanático (religioso). **2** fanático (entusiasmado).
fanatismo [fana'tʃiʒmʊ] *m* fanatismo.
fanfarra [fã'faʀa] *f* **1** MÚS fanfarria. **2** (fig) fanfarria (baladronada).
fanhoso, sa [fã'ɲozʊ, za] *adj* fañoso (Amér).
fanico [fã'nikʊ] *m* **1** pizca. **2** pellizco (pequeño lucro). **3** destino incierto.
fantasia [fãta'zia] *f* **1** fantasía (imaginación, ficción). **2** disfraz. **3** fantasía (bisutería).
fantasiar [fãtazi'aʀ] *tr* **1** fantasear. • *intr* **2** fantasear. • *tr e pron* **3** disfrazar.
fantasioso, sa [fãtazi'ozʊ, za] *adj* fantasioso.
fantasma [fã'tayʃma] *m* **1** fantasma. **2** (fig, hum) persona muy delgada y blanca. **3** (fig) sombra.

fantasmagórico, ca [fãtayʃmaˈgɔriku, ka] *adj* **1** fantasmagórico. **2** imaginario.
fantástico, ca [fãˈtayʃtʃiku, ka] *adj/m* **1** fantástico (quimérico). • *adj* **2** falso.
fantoche [fãˈtɔʃɪ] *m* **1** fantoche (títere). **2** (fig) marioneta.
fanzine [fãˈzinɪ] *m* fanzine.
faqueiro [faˈkeyru] *m* **1** cubertería. **2** cuchillero.
faquir [faˈkiʀ] *m* faquir.
faraó [faraˈɔ] *m* **1** faraón (rey, soberano). **2** faraón (juego de cartas).
faraônico, ca [faraˈõniku, ka] *adj* **1** faraónico. **2** (fig) faraónico (grandioso).
farda [ˈfaʀda] *f* **1** uniforme. **2** (fig) milicia.
fardado, da [faʀˈdadu, da] *adj* uniformado.
fardar [faʀˈdaʀ] *tr e pron* uniformar (vestir con uniforme).
fardo [ˈfaʀdu] *m* **1** fardo; biguán, tamuga (Amér. Centr). **2** (fig) carga (obligación).
farejar [fareˈʒaʀ] *tr e intr* **1** husmear, rastrear (presa, pista). • *tr* **2** oler. **3** encontrar (hallar).
farelo [faˈrɛlu] *m* **1** salvado. **2** (fig) paja (insignificancia).
faringe [faˈrĩʒɪ] *f* ANAT faringe.
farinha [faˈrĩɲa] *f* harina. ◆ **~ de mesa** harina de mandioca.
farinheira [farĩˈɲeyra] *f* harinera (vendedora).
farinhento, ta [farĩˈɲẽtu, ta] *adj* harinoso.
farmacêutico, ca [faʀmaˈsewtʃiku, ka] *adj* farmacéutico.
farmácia [faʀˈmasya] *f* **1** farmacia. **2** botiquín.
fármaco [ˈfaʀmaku] *m* fármaco.
farmacologia [faʀmakoloˈʒia] *f* farmacología.
farmacológico, ca [faʀmakoˈlɔʒiku, ka] *adj* farmacológico.
farnel [faʀˈnɛw] *m* **1** fardel, talega. **2** comida para una jornada.
farol [faˈrɔw] *m* **1** faro (torre). **2** faro (del coche); foco (Chile, Pan). **3** guía (líder). **4** (fig, fam) farol (fachenda).
farpa [ˈfaʀpa] *f* **1** harapo. **2** astilla. **3** rasgadura (corte).
farpado, da [faʀˈpadu, da] *adj* **1** farpado. **2** bífida (lengua).
farra [ˈfaʀa] *f* **1** farra (juerga). **2** (fam) broma (burla).
farrapo [faˈʀapu] *m* **1** harapo (ropa, trapo). **2** andrajoso.
farrear [faʀeˈaʀ] *intr* farrear.
farsa [ˈfaʀsa] *f* **1** farsa; papelada (Amér). **2** chanza; jarana (Amér); raspa (Méx). **3** (fig) farsa (embuste).
farsante [faʀˈsãtʃɪ] *s 2 gén* **1** farsante (comediante). • *adj/m e f* **2** burlón.
fartar [faʀˈtaʀ] *tr e pron* **1** hartar. **2** saciar (hambre, sed). **3** (fig) hartar (cansar). • *tr* **4** (fig) saciar (deseos, pasiones).
farto, ta [ˈfaʀtu, ta] *adj* **1** satisfecho (bebida, comida). **2** abundante.
fartura [faʀˈtura] *f* **1** hartura (hartazgo). **2** hartura (abundancia).
fascículo [faˈsikulu] *m* fascículo.
fascinação [fasinaˈsãw] *f* fascinación (mal de ojo).
fascinante [fasiˈnãtʃɪ] *adj 2 gén* fascinante.
fascinar [fasiˈnaʀ] *tr* **1** fascinar. • *intr* **2** fascinar (deslumbrar).
fascínio [faˈsinyu] *m* fascinación (atracción).
fascismo [faˈsiʒmu] *m* fascismo.
fascista [faˈsiʃta] *adj 2 gén* fascista.
fase [ˈfazɪ] *f* **1** fase. **2** ASTR fase. **3** ELEC fase.
fasquia [fayʃˈkia] *m* ripia, ripio (de madera).
fastidioso, sa [fayʃtʃidʒiˈozu, za] *adj* **1** fastidioso. **2** irritable.
fastio [fayʃˈtʃiu] *m* **1** hastío (repugnancia). **2** hastío (tedio).
fasto, ta [ˈfayʃtu, ta] *adj* **1** fasto (venturoso). • *m* **2** fasto, fausto (pompa).
fastuoso, sa [fayʃtuˈozu, za] *adj* fastuoso.
fatal [faˈtaw] *adj 2 gén* **1** fatal (inevitable). **2** fatal (malo).
fatalidade [fataliˈdadʒɪ] *f* **1** fatalidad (destino). **2** fatalidad (desgracia).
fatalismo [fataˈliʒmu] *m* **1** fatalismo. **2** fatalista (creyente en fatalismos).
fatia [faˈtʃia] *f* **1** rebanada. **2** parte (porción).
fatiar [faˈtʃiaʀ] *tr* **1** rebanar. **2** fragmentar.
fatídico, ca [faˈtʃidʒiku, ka] *adj* **1** fatídico. **2** fatal (funesto).
fatigar [fatʃiˈgaʀ] *tr e pron* fatigar; fregar (Amér).

fato [ˈfatʊ] *m* **1** hecho (asunto). **2** hecho (acontecimiento, suceso). **3** hecho (acción). **4** hecho (realidad): *o controle da delinqüência agora é um fato = el control de la delincuencia ahora es un hecho.* **5** hato (rebaño pequeño).

fator [faˈtoR] *m* **1** factor (hacedor). **2** factor (elemento).

fatual [fatuˈaw] *adj 2 gén* factual.

fátuo, a [ˈfatuʊ, a] *adj* **1** fatuo (presuntuoso). **2** fatuo (insensato).

fatura [faˈtuɾa] *f* **1** factura (relación de mercancías). **2** factura (cuenta).

faturamento [fatuɾaˈmẽtʊ] *m* facturación.

faturar [fatuˈɾaR] *tr* **1** facturar (mercancías). • *tr e intr* **2** (fig, fam) sacar provecho.

fauna [ˈfawna] *f* **1** fauna (animales). **2** fauna (obra).

fausto, ta [ˈfawʃtʊ, ta] *adj* **1** fausto (feliz). • *m* **2** fausto (lujo).

faustoso, sa [fawʃˈtozʊ, za] *adj* ⇒ fastuoso, sa.

fava [ˈfava] *f* haba. ■ **ir ou mandar às favas** (fig, fam) ir o mandar a freír espárragos; **são favas contadas** (fig, fam) son habas contadas.

favela [faˈvɛla] *f* chabola; favela (Amér).

favo [ˈfavʊ] *m* **1** alveolo, celdilla (del panal). **2** panal.

favor [faˈvoR] *m* **1** favor (ayuda). **2** favor (gracia). ■ **a ou em ~ de** a favor de; **por ~** por favor.

favorável [favoˈɾavew] *adj 2 gén* favorable.

favorecedor, ra [favoɾeseˈdoR, ɾa] *adj* favorecedor.

favorecer [favoɾeˈseR] *tr* **1** favorecer (ayudar, apoyar). • **~-se** *pron* **2** favorecerse (sacar provecho).

favorecido, da [favoɾeˈsidʊ, da] *adj* **1** favorecido (ayudado). **2** favorecido (mejorado).

favorecimento [favoɾesiˈmẽtʊ] *m* provecho (beneficio). ♦ **~ pessoal** provecho personal.

favoritismo [favoɾiˈtʃiʒmʊ] *m* favoritismo.

favorito, ta [favoˈɾitʊ, ta] *adj* **1** favorito (preferido). **2** favorito (con más posibilidades).

fax [ˈfakisɪ] *m* fax.

faxina [faˈʃina] *f* **1** limpieza. **2** (fig, fam) desfalco. ■ **fazer uma ~** hacer limpieza.

faz-de-conta [fayʃdʒɪˈkõta] *m* fantasía, imaginación.

fazedor, ra [fazeˈdoR, ɾa] *adj/m e f* hacedor (ejecutor).

fazenda [faˈzẽda] *f* **1** hacienda (finca). **2** hacienda (bienes, patrimonio). ♦ **Fazenda Pública** hacienda pública.

fazendário, a [fazẽˈdaɾyʊ, a] *adj* fiscal.

fazendeiro, ra [fazẽˈdeyɾʊ, ɾa] *adj/m e f* hacendado (propietario).

fazer [faˈzeR] *tr* **1** hacer (producir, crear). **2** hacer (preparar): *fez um almoço delicioso = hizo una comida deliciosa.* **3** hacer, llevar a cabo (acción, empresa). **4** hacer (ganar, conseguir): *fazer uma fortuna = hacer una fortuna.* **5** dar (provocar, infundir): *me faz muita pena = me da mucha pena, o filme não me fez medo = la película no me dio miedo.* **6** hacer, ocuparse: *eu faço tudo = yo me ocupo de todo.* **7** hacer (ordenar): *fazer a cama = hacer la cama, fazer as unhas = hacerse las uñas.* **8** cumplir (años). **9** hacer (tiempo atmosférico): *faz frio/calor = hace frío/calor.* • **~ que** *tr e pron* **10** hacer que (fingir): *ele faz que canta = él hace que canta.* ■ **~ e desfazer** (fig, fam) hacer y deshacer; **~-se de rogado** hacerse rogar; **tanto faz** tanto da.

fé [ˈfɛ] *f* **1** REL fe. **2** fe (confianza). ■ **à falsa ~** a mala fe; **dar ~** dar fe; **ter ~ em alguém** tener fe, confiar.

fealdade [feawˈdadʒɪ] *f* **1** fealdad. **2** (fig) gravedad (importancia).

febre [ˈfɛbɾɪ] *f* **1** fiebre. **2** (fig) fiebre (ansia, deseo). ♦ **~ amarela** fiebre amarilla; **~ do ouro** (fig) fiebre del oro; **~ recorrente** fiebre recurrente; **~ tifóide** fiebre tifoidea.

febril [feˈbɾiw] *adj 2 gén* **1** febril. **2** (fig) febril (ardoroso).

fechado, da [feˈʃadʊ, da] *adj* **1** cerrado (asegurado). **2** (fig) cerrado (retraído, reservado). **3** (fig) cerrado (estricto). • *m* **4** cercado.

fechadura [feʃaˈduɾa] *f* **1** cerradura (cierre). **2** cerradura (mecanismo).

fechar [feˈʃaR] *tr* **1** cerrar (asegurar). • *tr e pron* **2** cerrar, incomunicar. **3** (fig) cerrar (concluir). • *tr e intr* **4** ponerse en rojo (semáforo): *o sinal fechou = el se-*

máforo está en rojo. **5** cerrar, clausurar (establecimiento). • **~-se** *pron* **6** (fig) encerrarse (ensimismarse).
fecho [ˈfeʃʊ] *m* **1** cierre (cerrojo). **2** cierre (conclusión, final). ♦ **~ de correr** pestillo.
fécula [ˈfɛkula] *f* fécula.
fecundação [fekũdaˈsãw] *f* fecundación.
fecundar [fekũˈdaʀ] *tr, intr e pron* **1** fecundar, fertilizar. • *tr e pron* **2** fecundar (inseminar).
fecundidade [fekũdʒiˈdadʒɪ] *f* fecundidad (fertilidad).
fecundo, da [feˈkũdʊ, da] *adj* **1** fecundo (fértil, prolífico). **2** (fig) imaginativo, creativo.
fedelho [feˈdeʎʊ] *m* **1** crío, mocoso. **2** niñato.
feder [feˈdeʀ] *intr* heder.
federação [federaˈsãw] *f* **1** federación (asociación). **2** federación (Estado federal).
federal [fedeˈraw] *adj 2 gén* federal.
federar [fedeˈraʀ] *tr e pron* federar.
federativo, va [federaˈtʃivʊ, va] *adj* federativo.
fedor [feˈdoʀ] *m* hedor.
fedorento, ta [fedoˈrẽtʊ, ta] *adj/m e f* hediondo.
feição [feyˈsãw] *f* **1** aspecto, forma. **2** (fig) carácter. • **feições** *f pl* **3** facciones (rasgos).
feijão [feyˈʒãw] *m* **1** alubia, frijol, judía. **2** (fam) pan: *é ele quem traz o feijão para casa = es él quien trae el pan a casa.*
feijoada [feyʒoˈada] *f* potaje (de alubias).
feio, a [ˈfeyʊ, a] *adj/m e f* **1** feo (sin belleza). • *adj* **2** (fig) feo (vil). **3** (fig) feo (triste, grave). **4** feo (tiempo).
feioso, sa [feyˈozʊ, za] *adj/m e f* feo.
feira [ˈfeyra] *f* **1** feria (mercado). **2** feria (exposición). **3** compra: *sempre faço feira no sábado = siempre hago la compra en el mercado los sábados.* **4** día de la semana.
feirante [feyˈrãtʃɪ] *adj/m e f* feriante (vendedor).
feita [ˈfeyta] *f* **1** acto, obra. **2** oportunidad. ■ **(de) uma ~** una vez.
feitiçaria [feytʃisaˈria] *f* hechicería (brujería).
feiticeiro, ra [feytʃiˈseyrʊ, ra] *adj/m e f* hechicero (brujo).
feitiço, ça [feyˈtʃisʊ, sa] *adj* **1** falso. **2** postizo, hechizo: *bigode feitiço = bigote postizo.* • *m* **3** hechizo (brujería). **4** (fig) hechizo (fascinación).
feitio [feyˈtʃiʊ] *m* **1** formato, hechura. **2** forma, manera.
feito, ta [ˈfeytʊ, ta] *adj* **1** acostumbrado. **2** adulto, maduro. **3** crecido. **4** hecho (decidido, resuelto). • *m* **5** hecho (acto, acontecimiento). **6** hazaña. **7** DIR (gralte pl) hecho. • *conj* **8** como: *gritava feito uma louca = gritaba como una loca.* ■ **de ~** de hecho.
feitor, ra [feyˈtoʀ, ra] *adj* **1** hacedor (ejecutor). • *m* **2** gestor. **3** capataz. **4** hacedor (casero).
feitoria [feytoˈria] *f* **1** administración. **2** cargo de gestor.
feiúra [feyˈura] *f* fealdad.
feixe [ˈfeyʃɪ] *m* **1** haz, manojo. **2** (fig) montón.
fel [ˈfɛw] *m* **1** hiel (bilis). **2** vesícula biliar. **3** (fig) amargura.
felicidade [felisiˈdadʒɪ] *f* **1** felicidad. **2** éxito, suerte.
felicitação [felisitaˈsãw] *f* felicitación.
felicitar [felisiˈtaʀ] *tr e pron* **1** felicitar. • *tr* **2** hacer feliz.
felino, na [feˈlinʊ, na] *adj* **1** felino (félido). **2** (fig) ágil. • *m e f* **3** felino (animal).
feliz [feˈliʃ] *adj 2 gén* **1** feliz (dichoso). **2** feliz (satisfecho). **3** favorable.
felizardo, da [feliˈzaʀdʊ, da] *m e f* afortunado.
felpa [ˈfɛwpa] *f* **1** felpa. **2** pelusa.
felpudo, da [fewˈpudʊ, da] *adj* felpudo (afelpado).
feltro [ˈfewtrʊ] *m* fieltro.

Feiras / Dias de la semana	
Segunda-feira	Lunes
Terça-feira	Martes
Quarta-feira	Miércoles
Quinta-feira	Jueves
Sexta feira	Viernes
Sábado	Sábado
Domingo	Domingo

fêmea [ˈfẽmya] *f* **1** hembra. **2** hembra (pieza).
fêmeo, a [ˈfẽmyʊ, a] *adj* femíneo, femenil.
feminilidade [feminiliˈdadʒɪ] *f* femineidad, feminidad.
feminino, na [femiˈninʊ, na] *adj* **1** femenino (de mujer). **2** femenino (sexo). • *adj/m* **3** GRAM femenino.
feminismo [femiˈniʒmʊ] *m* feminismo.
feminista [femiˈniʃta] *adj/m e f* feminista.
fêmur [ˈfẽmuʀ] *m* fémur.
fenda [ˈfẽda] *f* **1** grieta, hendidura. **2** ranura, rendija.
fender [fẽˈdeʀ] *tr e pron* **1** hender (abrir). **2** dividir (separar).
fenecer [feneˈseʀ] *intr* **1** fenecer (terminar). **2** fenecer (morir).
fenício, a [feˈnisyʊ, a] *adj/m e f* fenicio.
feno [ˈfẽnʊ] *m* heno (hierba).
fenomenal [fenõmeˈnaw] *adj 2 gén* fenomenal (extraordinario).
fenômeno [feˈnõmenʊ] *m* **1** fenómeno (natural). **2** fenómeno (maravilla, prodigio).
fenomenologia [fenõmenoloˈʒia] *f* FIL fenomenología.
fera [ˈfɛɾa] *f* **1** fiera (animal). **2** (fig) fiera (cruel, severo). • *adj/m e f* **3** (fig, coloq) fiera (excelente).
feracidade [feʀasiˈdadʒɪ] *f* feracidad.
feraz [feˈɾayʃ] *adj 2 gén* feraz (fértil).
fereza [feˈɾeza] *f* fiereza (ferocidad).
féria [ˈfɛɾya] *f* **1** día libre. **2** jornal. • **férias** *f pl* **3** vacaciones.
feriado, da [feɾiˈadʊ, da] *adj/m* festivo (día).
ferido, da [feˈɾidʊ, da] *adj/m e f* **1** herido (lastimado). **2** (fig) herido (ofendido).
ferimento [feɾiˈmẽtʊ] *m* herida.
ferir [feˈɾiʀ] *tr, intr e pron* **1** herir (lastimar). • *tr* **2** golpear. **3** (fig) herir (molestar). **4** herir (impresionar).
fermentação [feʀmẽtaˈsãw] *f* fermentación.
fermentar [feʀmẽˈtaʀ] *tr e intr* fermentar.
fermento [feʀˈmẽtʊ] *m* **1** BIOL fermento. **2** (fig) fermento (motivo).
ferocidade [feɾosiˈdadʒɪ] *f* **1** ferocidad (fiereza). **2** (fig) ferocidad (crueldad).
feroz [feˈɾɔyʃ] *adj 2 gén* **1** feroz (salvaje). **2** (fig) feroz (cruel, terrible). **3** destemido.
ferradura [feʀaˈduɾa] *f* herradura.
ferragem [feˈʀaʒẽy] *f* herraje.
ferramenta [feʀaˈmẽta] *f* **1** herramienta (instrumento). **2** (fig) herramienta (medio).
ferrão [feˈʀãw] *m* **1** aguijón (punta). **2** ZOOL aguijón.
ferrar [feˈʀaʀ] *tr* **1** herrar (poner herradura). **2** herrar (guarnecer). **3** aferrar (agarrar). • *tr e pron* **4** (coloq) perjudicar, dañar. • **~-se** *pron* **5** (fig) aferrarse.
ferreiro [feˈʀeyɾʊ] *m* herrero.
ferrenho, nha [feˈʀẽŋʊ, ŋa] *adj* **1** férreo (de hierro). **2** (fig) implacable, férreo.
férreo, a [ˈfɛʀyʊ, a] *adj* **1** férreo (de hierro). **2** (fig) férreo (inquebrantable, tenaz). **3** ferruginoso.
ferrete [feˈʀetʃɪ] *m* ferrete (instrumento).
ferro [ˈfɛʀʊ] *m* **1** QUÍM hierro. **2** hierro (instrumento, herramienta). • **ferros** *m pl* **3** hierros (esposas, grilletes). **4** tenazas. ♦ **~ elétrico** plancha. ■ **de ~** de hierro: *saúde de ferro = salud de hierro.*
ferrolho [feˈʀoʎʊ] *m* cerrojo.
ferroso, sa [feˈʀozʊ, za] *adj* **1** QUÍM ferroso. **2** ferruginoso.
ferroviário, a [feʀoviˈaɾyʊ, a] *adj/m e f* **1** ferroviario. • *m e f* **2** ferroviario (empleado).
ferrugem [feˈʀuʒẽy] *f* **1** herrumbre. **2** tizne.
ferrugento, ta [feʀuˈʒẽtʊ, ta] *adj* **1** herrumbroso. **2** (fig) viejo, anticuado.
ferry [ˈfɛʀɪ] *m* ferry, transbordador.
fértil [ˈfɛʀtʃiw] *adj 2 gén* **1** fértil (fecundo). **2** (fig) fértil (creativo).
fertilidade [feʀtʃiliˈdadʒɪ] *f* **1** fertilidad (fecundidad). **2** (fig) fertilidad (abundancia).
fertilização [feʀtʃilizaˈsãw] *f* **1** fertilización (fecundación). **2** fertilización (abono).
fertilizante [feʀtʃiliˈzãtʃɪ] *adj/m* fertilizante.
fertilizar [feʀtʃiliˈzaʀ] *tr, intr e pron* fertilizar.
fervente [feʀˈvẽtʃɪ] *adj 2 gén* hirviente.
ferver [feʀˈveʀ] *tr e intr* **1** hervir. • *tr* **2** hervir (cocer). • *intr* **3** (fig) hervir (excitarse, agitarse). **4** hervir (escaldar, quemar).
fervilhar [feʀviˈʎaʀ] *intr* **1** hervir. **2** (fig) pulular.

fervor [feʀˈvoʀ] *m* **1** hervor. **2** fervor (calor). **3** (fig) ardor (enardecimiento). **4** (fig) fervor (religioso).
fervoroso, sa [feʀvoˈɾozʊ, za] *adj* **1** hervoroso. **2** fervoroso. **3** dedicado, celoso. **4** (fig) ardoroso (fogoso).
fervura [feʀˈvuɾa] *f* **1** hervida, hervor (ebullición). **2** (fig) hervor (excitación).
festa [ˈfɛyʃta] *f* **1** fiesta. **2** fiesta (festividad). **3** fiesta (día de descanso). **4** (fig) fiesta (alegría). ● **festas** *f pl* **5** fiestas (navideñas).
festejar [feyʃteˈʒaʀ] *intr e tr* **1** festejar (hacer fiestas). ● *tr* **2** festejar (celebrar).
festejo [feyʃˈteʒʊ] *m* festejo (celebración).
festim [feyʃˈtʃĩ] *m* **1** festín (fiesta particular). **2** festín (banquete).
festival [feyʃtʃiˈvaw] *m* **1** festival (de artes): *festival do cinema brasileiro = festival de cine brasileño*. **2** cortejo (cívico).
festividade [feyʃtʃiviˈdadʒɪ] *f* festividad.
festivo, va [feyʃˈtʃivʊ, va] *adj* **1** festivo (festival). **2** festivo (alegre). **3** (fam) poco serio.
fetal [feˈtaw] *adj 2 gén* fetal.
fetiche [feˈtʃiʃɪ] *m* fetiche.
fétido, da [ˈfɛtʃidʊ, da] *adj* fétido.
feto [ˈfɛtʊ] *m* **1** feto. **2** helecho.
feudal [fewˈdaw] *adj 2 gén* feudal.
feudalismo [fewdaˈliʒmʊ] *m* feudalismo.
feudo [ˈfewdʊ] *m* **1** feudo. **2** (fig) feudo (dominio): *feudo eleitoral = feudo electoral*.
fevereiro [feveˈɾeyɾʊ] *m* febrero.
fezes [ˈfɛzeyʃ] *f pl* **1** heces (excrementos). **2** heces (residuos).
fiabilidade [fiabiliˈdadʒɪ] *f* fiabilidad.
fiação [fiaˈsãw] *f* **1** hilado. **2** cableado.
fiambre [fiˈãbɾɪ] *m* fiambre (alimento).
fiança [fiˈãsa] *f* **1** fianza (aval). **2** DIR fianza.
fiar [fiˈaʀ] *tr* **1** fiar (vender a crédito). **2** confiar. ● *tr e pron* **3** fiarse (confiar). ● *tr e intr* **4** hilar.
fiasco [fiˈayʃkʊ] *m* fiasco.
fiável [fiˈavew] *adj 2 gén* fiable.
fibra [ˈfibɾa] *f* **1** fibra (filamento). **2** fibra (hilo).
fibrilar [fibɾiˈlaʀ] *tr* MED fibrilar.
fibroso, sa [fiˈbɾozʊ, za] *adj* fibroso.
ficar [fiˈkaʀ] *intr e pron* **1** quedarse (permanecer). ● *tr, intr e pron* **2** quedarse (estar, mantenerse). ● *intr* **3** quedar (estar situado): *a escola fica muito longe = la escuela queda muy lejos*. **4** quedar (mantener en secreto): *isso fica entre mim e você = eso queda entre tú y yo*. **5** quedar (perdurar): *daquela paixão ficam lembranças maravilhosas = de aquel amor quedan recuerdos maravillosos*. **6** quedar (restar, sobrar): *depois do furacão não ficou nada em pé = después del huracán no quedó nada en pie*. **7** quedar (aplazar): *a reunião ficou para segunda = la reunión quedó para el lunes*. **8** quedar (en un reparto): *da herança do avô ficou-lhe a casa = de la herencia del abuelo le quedó la casa*. **9** llevar (tocar): *o filme ficou com três prêmios = la película se llevó tres premios*. **10** quedarse (apoderarse, adquirir): *ficou com os meus discos = se quedó con mis discos*. **11** tocar (en un sorteo): *ficamos com o primeiro prêmio = nos tocó el primer premio*. **12** quedar (costar). **13** quedar (corresponder). **14** quedar en (comprometerse a). **15** ponerse: *se não comer direito vai ficar doente = si no comes bien vas a ponerte enfermo*. **16** (coloq) enrollarse, liarse. **17** quedar (sentar, ajustarse): *o preto não fica bem em você = el negro no te queda bien*. **18** quedar (ser considerado como): *A. Cabral ficou como o descobridor do Brasil = A. Cabral quedó como descubridor de Brasil*. **19** ponerse, volverse: *ficou muito contente com a notícia = se puso muy contenta con la noticia*. **20** volverse, hacerse: *depois da morte da mulher ficou um homem muito triste = después de la muerte de su mujer se volvió un hombre muy triste*. **21** quedarse (en un puesto, responsabilidad): *fiquei de diretor por um ano = me quedé de director durante un año*. ● **~-se** *pron* **22** defenderse.
ficção [fikiˈsãw] *f* **1** ficción (invención, fantasía). **2** LIT ficción.
ficcional [fikisioˈnaw] *adj 2 gén* ficcional.
ficha [ˈfiʃa] *f* **1** ficha (de juego). **2** ficha (pieza canjeable). **3** ficha (de datos). **4** (fam, fig) ficha (informaciones sobre alguien).

fichar [fi'ʃaʀ] *tr* fichar (catalogar).
fictício, a [fiki'tʃisyʊ, a] *adj* **1** ficticio (imaginario). **2** ficticio (irreal).
fidalgo, ga [fi'dawgʊ, ga] *adj/m e f* **1** hidalgo (aristócrata). **2** hidalgo (generoso).
fidalguia [fidaw'gia] *f* **1** hidalguía (clase noble). **2** hidalguía (nobleza, generosidad).
fidedigno, na [fide'dʒiginʊ, na] *adj* fidedigno.
fidelidade [fideli'dadʒɪ] *f* **1** fidelidad (lealtad). **2** fidelidad (exactitud).
fieira [fie'yɾa] *f* **1** hilo, cordel. **2** hilera (fila). **3** (fig) experiencia. **4** ARQ hilera, parhilera.
fiel [fi'ɛw] *adj 2 gén* **1** fiel (leal). **2** fiel (exacto): *memória fiel = memoria fiel.*
fifia ['fifya] *f* estridencia (sonido).
figa ['figa] *f* higa (amuleto).
fígado ['figadʊ] *m* **1** hígado. **2** (fig) hígado (valor).
figo ['figʊ] *m* **1** higo (fruta). **2** (coloq) higo (arrugado, aplastado).
figueira [fi'geyɾa] *f* higuera.
figueiral [figey'ɾãw] *f* higueral.
figura [fi'guɾa] *f* **1** figura (forma, contorno). **2** figura (dibujo, representación). **3** ilustración, estampa (en un libro). **4** figura (impresión visual). **5** símbolo, alegoría. **6** (fig) figura (personaje destacado). **7** figura (actor, personaje). **8** figura (literaria). ■ **ser uma ~** (coloq) ser una personaje (ser diferente, poco común).
figuração [figuɾa'sãw] *f* **1** figuración (representación). **2** figuración (presencia). **3** figuración (extras).
figurado, da [figu'ɾadʊ, da] *adj* **1** figurado (representado). **2** simbólico. **3** figurado (imaginado, supuesto).
figurante [figu'ɾãtʃɪ] *adj/m e f* figurante (comparsa, extra).
figurar [figu'ɾaʀ] *tr* **1** figurar (dibujar, representar). **2** figurar (simbolizar). **3** demostrar. **4** figurar (imaginar). ● *intr* **5** figurar (destacar).
figurativo, va [figuɾa'tʃivʊ, va] *adj/m e f* figurativo.
figurino [figu'ɾinʊ] *m* **1** modelo, diseño (de vestuario). **2** (fig) lechuguino (a la moda).
Fiji, República de ['fiʒi, ʀe'publika de] *f* República de Fiyi.
fijiano, na [fiʒi'ãnʊ, na] *adj/m e f* fiyiano.
fila ['fila] *f* **1** fila (alineación). **2** cola, fila. **3** MIL fila. ◆ **~ de espera** lista de espera.
filamento [fila'mẽtʊ] *m* **1** filamento (hilo). **2** filamento (de bombilla).
filamentoso, sa [filamẽ'tozʊ, za] *adj* filamentoso.
filantropo, pa [filã'tɾopʊ, pa] *adj/m e f* filántropo.
filão [fi'lãw] *m* **1** MIN filón. **2** (fig) filón (de provecho, beneficios).
filar [fi'laʀ] *intr* **1** escapar. **2** adelantar (vehículos). **3** (coloq) colar, tragar (disculpa, mentira). ● *tr* **4** (coloq) seguir, vigilar (disimuladamente). **5** agarrar, prender.
filarmônica [filaʀ'mõnika] *f* orquesta sinfónica.
filarmônico, ca [filaʀ'mõnikʊ, ka] *adj* filarmónico.
fileira [fi'leyɾa] *f* **1** hilera (fila). **2** MIL fila.
filete [fi'lɛtʃɪ] *m* **1** hilo. **2** hilito, chorrito.
filho, lha ['fiʎʊ, ʎa] *m e f* **1** hijo (descendiente). **2** (fig) hijo, oriundo (de un lugar). **3** (fig) hijo, heredero (de una ideología, movimiento). ● *adj* **4** fruto (resultado, consecuencia). ◆ **filhinho de papai** niño de papá; **~ adotivo** hijo adoptivo. ■ **meu ~** hijo mío.
filho-da-puta, filha-da-puta [fiʎuda'puta, fiʎada'puta] *m e f* (vulg) hijo de puta.
filiação [filia'sãw] *f* **1** filiación (parentesco). **2** filiación (a un partido, comunidad). **3** cadena, secuencia.
filial [fili'aw] *adj 2 gén* **1** filial (del hijo). **2** filial (dependiente). ● *f* **3** filial (sucursal).
filiar [fili'aʀ] *tr* **1** ahijar, prohijar (adoptar). ● *tr, intr e pron* **2** afiliar.
filigrana [fili'gɾãna] *f* **1** filigrana (obra). **2** filigrana (marca, señal). **3** (fig) menudencia (insignificancia).
Filipinas [fili'pinayʃ] *f pl* Filipinas.
filipino, na [fili'pinʊ, na] *adj/m e f* **1** filipino. ● *m* **2** filipino (lengua).
filmagem [fiw'maʒẽy] *f* filmación, rodaje.
filmar [fiw'maʀ] *tr e intr* **1** filmar (registrar). ● *tr* **2** grabar, registrar. ● *intr* **3** ser fotogénico.
filme ['fiwmɪ] *m* **1** película (cinta). **2** película (largometraje). ◆ **~ fotográfico**

f

película fotográfica; ~ **preto-e-branco** película en blanco y negro. ■ **queimar o ~** (fig) poner en ridículo.

filmoteca [fiwmo'tɛka] *f* filmoteca (colección, lugar).

filologia [filolo'ʒia] *f* filología.

filológico, ca [filo'lɔʒikʊ, ka] *adj* filológico.

filólogo, ga [fi'lɔlogʊ, ga] *m e f* filólogo.

filosofal [filozo'faw] *adj 2 gén* filosofal.

filosofar [filozo'faʀ] *intr* filosofar (razonar, inducir).

filosofia [filozo'fia] *f* **1** filosofía (ciencia). **2** filosofía (doctrina, teoría).

filosófico, ca [filo'zɔfikʊ, ka] *adj* filosófico.

filósofo, fa [fi'lɔzofʊ, fa] *adj/m e f* **1** filósofo. **2** (fig) filósofo (austero).

filtração [fiwtɾa'sãw] *f* **1** filtración (de líquido, gas). **2** (fig) infiltración (intromisión).

filtrar [fiw'tɾaʀ] *tr e pron* **1** filtrar (líquidos). **2** (fig) filtrar (infiltrar).

filtro ['fiwtɾʊ] *m* **1** filtro (de fluidos). **2** flitro (de agua potable). **3** filtro (de cigarro). **4** ELEC filtro. **5** ÓPT filtro (de luz).

fim ['fĩ] *m* **1** fin, final. **2** fin, finalidad. **3** (fig) fin (muerte, desaparición). ♦ **~ de semana** fin de semana. ■ **dar ~ a** (fig, fam) dar fin (acabar, matar); **estar a ~ de** tener ganas.

fímbria ['fĩbɾya] *f* **1** franja, línea: *a fímbria do horizonte = la línea del horizonte.* **2** fimbria (del vestido).

final [fi'naw] *adj 2 gén* **1** final. ● *m* **2** final, fin (término, desenlace). ● *f* **3** final (de una competición).

finalidade [finali'dadʒɪ] *f* finalidad (objetivo, fin, propósito).

finalista [fina'liʃta] *s 2 gén* finalista (de una competición, certamen).

finalizar [finali'zaʀ] *tr, intr e pron* finalizar (terminar).

finanças [fi'nãsayʃ] *f pl* **1** finanzas (caudales, bienes). **2** finanzas (del Estado).

financeiro, ra [finã'seyɾʊ, ɾa] *adj* **1** financiero. ● *m e f* **2** financiero.

financiamento [finãsia'mẽtʊ] *m* financiación, financiamento.

financiar [finãsi'aʀ] *tr* financiar.

finar [fi'naʀ] *intr* **1** acabar, finalizar. ● **~-se** *pron* **2** finar (morir). **3** (fig) finarse (desear).

finca ['fĩka] *f* **1** puntal (estaca). **2** (fig) puntal (apoyo, soporte).

fincar [fĩ'kaʀ] *tr, intr e pron* **1** hincar (clavar, enterrar). **2** (fig) fincar; afincarse (establecerse).

findar [fĩ'daʀ] *tr, intr e pron* **1** finalizar (terminar). ● *intr* **2** (fig) desvanecer (disipar).

findo, da ['fĩdʊ, da] *adj* terminado, concluido.

finês, sa [fi'neyʃ, za] *adj/m e f* ⇒ finlandês, sa.

fineza [fi'neza] *f* **1** fineza (delgadez). **2** fineza (elegancia). **3** (fig) fineza (gentileza).

fingido, da [fĩ'ʒidʊ, da] *adj* fingido (simulado, inventado).

fingimento [fĩʒi'mẽtʊ] *m* **1** fingimiento. **2** fingimiento (falsedad, hipocresía).

fingir [fĩ'ʒiʀ] *intr* **1** fingir (disimular). ● *tr, intr e pron* **2** fingir (simular).

finito, ta [fi'nitʊ, ta] *adj/m e f* finito.

finlandês, sa [fĩlã'deyʃ, za] *adj/m e f* **1** finlandés. ● *m* **2** finlandés (lengua).

Finlândia [fĩ'lãdʒya] *f* Finlandia.

fino, na ['finʊ, na] *adj* **1** fino (delgado). **2** fino (puntiagudo, afilado). **3** (fig) fino (agudo, penetrante). **4** (fig) fino (suave, terso). **5** fino (apurado, sutil). **6** (fig) fino (elegante, delicado). **7** (fig) fino (excelente, selecto). **8** (fig) sagaz, astuto.

fintar [fĩ'taʀ] *tr* **1** imputar finta o tributo. **2** fintar (amagar). ● *tr e intr* **3** fintar (regatear).

finura [fi'nuɾa] *f* **1** finura (delgadez). **2** finura (delicadeza, sutileza).

fio ['fiʊ] *m* **1** hilo (hebra). **2** pelo. **3** hilo (alambre). **4** cadena (de oro, plata). **5** hilo (de araña, gusano). **6** hilo (chorro). **7** hilo (telefónico, telegráfico). **8** veta (de madera, piedra). **9** (fig) lazo (ligadura).

firma ['fiʀma] *f* **1** firma (rúbrica). **2** firma (empresa, comercio).

firmamento [fiʀma'mẽtʊ] *m* **1** firmamento (cielo). **2** firmeza.

firmar [fiʀ'maʀ] *tr e pron* **1** apoyar (asentar). **2** (fig) asegurar, consolidar (fortalecer). ● *tr* **3** fijar, establecer. **4** asentar (bases, jurisprudencia). ● *tr, intr e pron* **5** basar, fundamentar.

firme ['fiʀmɪ] *adj 2 gén* **1** firme (estable, fuerte). **2** (fig) firme (inalterable, constante). **3** (fig) firme (enérgico, decidido).

firmeza [fiʀ'meza] *f* **1** firmeza (solidez, seguridad). **2** firmeza (determinación, constancia).
fiscal [fiʃ'kaw] *adj 2 gén* **1** fiscal. • *s 2 gén* **2** inspector (empleado). **3** (fig) censor, crítico.
fiscalização [fiʃkaliza'sãw] *f* **1** fiscalización (inspección). **2** vigilancia, control.
fiscalizar [fiʃkali'zaʀ] *tr e pron* **1** fiscalizar (vigilar, controlar). • *intr* **2** fiscalizar (ejercer de fiscal).
fisco ['fiʃkʊ] *m* fisco.
fisga ['fiʒga] *f* **1** fisga (arpón). **2** fisura, grieta.
fisgada [fiʒ'gada] *f* (coloq) puntada, punzada (dolor agudo).
física ['fizika] *f* FÍS física.
físico, ca ['fizikʊ, ka] *adj* **1** físico. **2** físico (corporal). • *m e f* **3** físico (científico). • *m* **4** físico (apariencia).
fisiologia [fizyolo'ʒia] *f* fisiología.
fisiológico, ca [fizyo'lɔʒikʊ, ka] *adj* fisiológico.
fisionomia [fizyono'mia] *f* **1** fisonomía (del rostro). **2** (fig) fisonomía (aspecto).
fisioterapeuta [fizyotera'pewta] *s 2 gén* fisioterapeuta.
fisioterapia [fizyotera'pia] *f* MED fisioterapia.
fissão [fi'sãw] *f* fisión (cisión).
fissura [fi'sura] *f* **1** fisura (grieta). **2** (coloq) locura, pasión (afición).
fita ['fita] *f* **1** cinta (de adorno). **2** cinta (métrica, aislante). **3** banda (honorífica). **4** cinta (magnética, cinematográfica).
fitar [fi'taʀ] *tr, intr e pron* **1** fijar, clavar (vista, mirada). • *tr* **2** erguir (orejas).
fito, ta ['fitʊ, ta] *adj* **1** fijo, fijado (vista). **2** erguido (orejas). • *m* **3** hito (blanco).
fitossanitário, a [fitosãni'taryʊ, a] *adj* fitosanitario.
fivela [fi'vɛla] *f* **1** hebilla. **2** horquilla (para el pelo).
fixação [fikisa'sãw] *f* **1** fijación (colocación). **2** (fig) fijación (obsesión).
fixar [fiki'saʀ] *tr* **1** fijar (pegar, clavar). **2** fijar, determinar. • *tr e pron* **3** fijar (estabilizar). **4** fijar (vista).
fixe ['fikisɪ] *adj 2 gén* **1** acordado, fijado. **2** fijo (idea, cartel).
fixo, a ['fikisʊ, sa] *adj* **1** fijo (pegado, clavado). **2** fijo (inmóvil). **3** fijo, concentrado (atención, mirada). **4** (fig) fijo (precio, condiciones). **5** fijo (inalterable, seguro).
flã ['flã] *m* flan.
flacidez [flasi'deyʃ] *f* **1** flacidez. **2** (fig) relajación (en las costumbres, la moral).
flácido, da ['flasidʊ, da] *adj* **1** flácido. **2** (fig) lánguido.
flagelado, da [flaʒe'ladʊ, da] *adj* **1** flagelado. • *adj/m e f* **2** flagelado (castigado, víctima).
flagelar [flaʒe'laʀ] *tr e pron* **1** flagelar. • *tr, intr e pron* **2** (fig) flagelar (torturar).
flagelo [fla'ʒɛlʊ] *m* **1** flagelo (látigo, azote). **2** (fig) flagelo, castigo (físico, moral). **3** flagelo, azote (calamidad).
flagrante [fla'grãtʃɪ] *adj* flagrante (in fraganti).
flamejante [flame'ʒãtʃɪ] *adj 2 gén* flamante (llameante).
flamenco, ca [fla'mẽkʊ, ka] *adj/m* MÚS flamenco.
flamengo, ga [fla'mẽgʊ, ga] *adj/m e f* **1** flamenco (de Flandes). • *m* **2** FILOL flamenco (lengua).
flanco ['flãkʊ] *m* **1** flanco (lateral). **2** CONSTR flanco (baluarte).
flanela [fla'nɛla] *f* **1** franela. **2** paño, trapo (para el polvo).
flanquear [flãke'aʀ] *tr* ladear.
flash ['flɛʃɪ] *m* FOT flas (dispositivo, resplandor).
flatulência [flatu'lẽsya] *f* **1** ventosidad (pedo, gas). **2** (fig) aires (jactancia).
flauta ['flawta] *f* **1** MÚS flauta. **2** (coloq, fig) vagancia. **3** (coloq) burla (sarcasmo).
flecha ['flɛʃa] *f* **1** flecha (saeta). **2** flecha (indicador).
flechar [fle'ʃaʀ] *tr* **1** flechar (herir). **2** flechar (tensar).
flectir [fleki'tʃiʀ] *tr* **1** doblegar, curvar (flexionar). • *intr* **2** (fig) doblegar (suavizar).
flertar [fleʀ'taʀ] *tr e intr* flirtear, coquetear.
flexão [fleki'sãw] *f* **1** flexión (dobladura). **2** flexibilidad (elasticidad).
flexibilidade [flekisibili'dadʒɪ] *f* **1** flexibilidad (elasticidad, agilidad). **2** (fig) flexibilidad (adaptabilidad).
flexibilizar [flekisibili'zaʀ] *tr e pron* flexibilizar.

flexionar [flekisyo'naR] *tr e pron* **1** flexionar. **2** GRAM tener flexión.
flexível [fleki'sivew] *adj 2 gén* flexible (ágil, elástico).
floco ['flɔkʊ] *m* **1** copo (de nieve, algodón); flojel (pelusa). **2** copo (de cereal).
flor ['floR] *f* **1** flor (planta). **2** (fig) flor (esplendor): *na flor da idade = en la flor de la vida.* **3** (fig) sol, amor: *ele é uma flor de menino = es un sol de niño.* ■ **à ~ da pele** (fig) a flor de piel; **fina ~** (fig) la flor y nata.
flora ['flɔra] *f* **1** flora (plantas). **2** flora (tratado).
floração [flora'sãw] *f* **1** BOT floración. **2** (fig) floración (desarrollo).
floral [flo'raw] *adj 2 gén* floral.
florão [flo'rãw] *m* florón (adorno).
floreado, da [florı'adʊ, da] *adj* **1** floreado (adornado). **2** (fig) florido (exornado).
floreiro, ra [flo'reyrʊ, ra] *m e f* **1** florero (comerciante). ● *m* **2** florero (recipiente).
florejar [flore'ʒaR] *tr e intr* florecer (echar flores).
florescência [flore'sẽsya] *f* **1** BOT florescencia. **2** (fig) florecimiento (desarrollo).
florescente [flore'sẽtʃı] *adj 2 gén* **1** floreciente. **2** (fig) floreciente (próspero).
florescer [flore'seR] *tr e intr* **1** florecer (echar flores). ● *intr* **2** (fig) florecer (prosperar).
florescimento [floresi'mẽtʊ] *m* ⇒ florescência.
floresta [flo'rεyʃta] *f* **1** bosque, floresta. **2** (fig) bosque (maraña).
florestal [floreyʃ'taw] *adj 2 gén* forestal.
floricultor [florikuw'toR] *m* floricultor.
floricultura [florikuw'tura] *f* floricultura.
florido, da [flo'ridʊ, da] *adj* **1** florido (adornado). **2** (fig) licencioso.
florir [flo'riR] *intr* **1** florecer (echar flores). ● *tr* **2** (fig) florecer (brotar).
fluente [flu'ẽtʃı] *adj 2 gén* **1** fluyente, fluente. **2** (fig) espontáneo, fluido.
fluidez [flui'deyʃ] *f* **1** fluidez. **2** (fig) fluidez, fluencia (naturalidad).
fluido, da [flu'idʊ, da] *adj/m* **1** fluido. ● *adj* **2** (fig) flácido.
fluir [flu'iR] *tr e intr* **1** fluir (líquido). ● *tr* **2** (fig) emanar.
flúor ['fluoR] *m* QUÍM flúor.
fluorescente [fluore'sẽtʃı] *adj 2 gén* FÍS fluorescente.
flutuação [flutwa'sãw] *f* **1** flotación. **2** fluctuación (variación).
flutuante [flutu'ãtʃı] *adj 2 gén* **1** flotante. **2** fluctuante (oscilante). ● *m* **3** MAR muelle.
flutuar [flutu'aR] *tr* **1** flotar. **2** (fig) flotar (en el ambiente). ● *tr e intr* **3** ondular.
fluvial [fluvi'aw] *adj 2 gén* fluvial.
fluxo ['flukisʊ] *m* **1** flujo (corriente). **2** flujo (de la marea). **3** ANAT fluido.
fobia [fo'bia] *f* fobia (aversión, temor): *fobia de altura = fobia a las alturas.*
foca ['fɔka] *f* **1** foca. ● *s 2 gén* **2** avaro. **3** (coloq) novato.
focal [fo'kaw] *adj 2 gén* focal.
focinho [fo'sĩŋʊ] *m* **1** hocico. **2** (fig) hocico (cara).
foco ['fɔkʊ] *m* **1** foco (lámpara). **2** (fig) foco (centro).
foder [fo'deR] *tr e intr* **1** (vulg) joder, follar. ● *tr, intr e pron* **2** (fig, vulg) joder (molestar).
fofo, fa ['fofʊ, fa] *adj* **1** fofo (blando). **2** (coloq, fig) rico (encantador, simpático). ● *m* **3** (coloq) piltra (cama).
fofoca [fo'fɔka] *f* (coloq) cotilleo, chisme.
fofocar [fofo'kaR] *tr e intr* (coloq) cotillear, chismorrear.
fogacho [fo'gaʃʊ] *m* **1** llama. **2** hoguera.
fogão [fo'gãw] *m* **1** fogón. **2** estufa.
fogareiro [foga'rεyrʊ] *m* hornillo (portátil).
fogo ['fogʊ] *m* **1** fuego (calor, materia, llama). **2** fuego (incendio). **3** fogón. **4** fuego (hogar). ◆ **~ de artifício** fuegos artificiales. ■ **abrir o ~** abrir fuego; **brincar com ~** (fig) jugar con fuego; **cuspir ~** (fig, fam) echar fuego por los ojos.
fogosidade [fogozi'dadʒı] *f* fogosidad.
fogoso, sa [fo'gozʊ, za] *adj* **1** fogoso (ardiente). **2** (fig) fogoso (apasionado). **3** (fig) ardoroso (vehemente).
fogueira [fo'geyra] *f* **1** hoguera. **2** (fig) aprieto (dificultad).
foguete [fo'getʃı] *m* **1** cohete (de artificio). **2** cohete (vehículo). **3** bronca, rapapolvo.

foice [ˈfoysɪ] *f* hoz (herramienta).
folclore [fowˈklɔʀɪ] *m* **1** folclor, folclore (costumbres, tradiciones). **2** invención, fantasía.
folclórico, ca [fowˈklɔrikʊ, ka] *adj* **1** folclórico. **2** fantasioso, irreal.
fôlder [ˈfowdeʀ] *m* folleto, prospecto.
fole [ˈfɔlɛ] *m* **1** fuelle (aparato). **2** fuelle (bolsa).
fôlego [ˈfolegʊ] *m* **1** aliento (hálito). **2** aliento (respiración). ■ **prender o ~** tomar aliento.
folga [ˈfɔwga] *f* **1** descanso, pausa. **2** (fig) ocio. **3** (fig) facilidad.
folgado, da [fowˈgadʊ, da] *adj* **1** holgado (desocupado). **2** holgado (ancho).
folgar [fowˈgaʀ] *tr e intr* **1** holgar (descansar). ● *tr* **2** aflojar (destensar). ● *intr* **3** holgarse (divertirse).
folha [ˈfoʎa] *f* **1** hoja (de planta). **2** hoja (de papel, libro). **3** hoja (lámina, chapa). ◆ **~ avulsa ou volante** hoja volante, volante; **~ de porta** batiente.
folhagem [foˈʎaʒẽy] *f* **1** follaje. **2** (fig) paja (relleno).
folhear [foʎeˈaʀ] *tr* **1** chapear, chapar (laminar). **2** (fig) hojear (libro, revista).
folhelho [foˈʎeʎʊ] *m* BOT folículo.
folhetim [foʎeˈtʃĩ] *m* **1** folletín (gacetilla). **2** folletín (género literario).
folheto [foˈʎetʊ] *m* folleto (impreso, programa).
folhoso, sa [foˈʎozʊ, za] *adj* **1** frondoso. ● *m* **2** omaso.
folia [foˈlia] *f* **1** fiesta, baile. **2** farra, juerga; parranda (Amér). ◆ **~ carnavalesca** festejo carnavalesco.
foliar [foliˈaʀ] *adj 2 gén* foliar (foliáceo).
fólio [ˈfɔlyʊ] *m* **1** libro (numerado por hojas). **2** folio (hoja).
fome [ˈfõmɛ] *f* **1** hambre (apetito). **2** hambre (escasez). ◆ **~ canina** hambre canina.
fomentar [fomẽˈtaʀ] *tr* **1** (fig) fomentar (promover). **2** (fig) fomentar (instigar, atizar).
fomento [foˈmẽtʊ] *m* **1** (fig) fomento (promoción). **2** (fig) alivio (consuelo).
fone [ˈfõnɪ] *m* auricular (del teléfono).
fonema [foˈnema] *m* FON fonema.
fonética [foˈnɛtʃika] *f* fonética.
fonético, ca [foˈnɛtʃikʊ, ka] *adj* fonético.
fonológico, ca [fonoˈlɔʒikʊ, ka] *adj* fonológico.
fonte [ˈfõtʃɪ] *f* **1** fuente (manantial). **2** fuente (construcción). **3** fuente (origen, procedencia). **4** (fig) fuente (razón, causa). ■ **de ~ limpa** (fig) de buena fuente.
fora [ˈfɔra] *adv* **1** fuera (en la parte exterior): *há uma pessoa fora esperando = hay una persona fuera esperando.* **2** fuera (en el extranjero): *passou dois anos fora = pasó dos años fuera.* ● *prep* **3** excepto, salvo, fuera de. ● *m* **4** (coloq) metedura de pata. ■ **dar o ~ em** (gír) cortar, romper (relación); **jogar ~** (fam) tirar a la basura.
forasteiro, ra [forayʃˈteyrʊ, ʀa] *adj/m e f* **1** forastero (extranjero). ● *adj* **2** forastero (ajeno).
forca [ˈfoʀka] *f* **1** horca (de ejecución). **2** horca (de labranza). **3** (fig) trampa.
força [ˈfoʀsa] *f* **1** fuerza (energía, vigor). **2** fuerza (violencia). **3** fuerza (impacto). **4** FÍS fuerza. ◆ **~ pública** fuerza pública; **forças armadas** MIL fuerzas armadas. ■ **à ~** a la fuerza, por fuerza; **dar uma ~** (coloq) echar una mano.
forcado [foʀˈkadʊ] *m* horca (instrumento agrícola).
forçado, da [foʀˈsadʊ, da] *adj* **1** forzoso (obligatorio). **2** forzado (artificial, afectado).
forçar [foʀˈsaʀ] *tr e pron* **1** forzar (obligar). ● *tr* **2** forzar (aplicar fuerza).
forcejo [foʀˈseʒu] *m* forcejeo.
forçoso, sa [foʀˈsozʊ, za] *adj* forzoso (inevitable, obligatorio).
forçudo, da [foʀˈsudʊ, da] *adj* (coloq) forzudo.
forense [foˈrẽsɪ] *adj 2 gén* forense.
forja [ˈfɔʀʒa] *f* forja, fragua.
forjar [foʀˈʒaʀ] *tr* **1** forjar (metal). **2** (fig) forjar, crear (inventar).
forma [ˈfɔʀma] *f* **1** forma (figura). **2** forma (estado). **3** forma (modo). ■ **de ~ que** de forma que.
forma [ˈfoʀma] *f* forma, molde. ◆ **~ de gelo** cubitera; **pão de ~** pan de molde.
formação [foʀmaˈsãw] *f* **1** formación (creación). **2** formación (educación).
formal [foʀˈmaw] *adj 2 gén* **1** formal (solemne, serio). **2** formal (expreso).

formalidade [foʀmali'dadʒɪ] *f* **1** formalidad (requisito). **2** formalidad (seriedad, convencionalismo).
formalismo [foʀma'liʒmʊ] *m* formalismo.
formalizar [foʀmali'zaʀ] *tr* **1** formalizar (oficializar). **2** normalizar, regularizar.
formando, da [foʀ'mãdʊ, da] *m e f* graduando.
formão [foʀ'mãw] *m* formón (herramienta).
formar [foʀ'maʀ] *tr e pron* **1** formar (dar forma). **2** formar (crear). • *tr, intr e pron* **3** MIL formar.
formatar [foʀma'taʀ] *tr* COMP formatear.
formativo, va [foʀma'tʃivʊ, va] *adj* formativo.
formato [foʀ'matʊ] *m* **1** formato. **2** forma (apariencia).
formatura [foʀma'tuɾa] *f* **1** formación. **2** graduación: *festa de formatura = fiesta de graduación.*
formidável [foʀmi'davew] *adj 2 gén* **1** formidable (enorme). **2** (coloq) formidable (estupendo).
formiga [foʀ'miga] *f* **1** hormiga. **2** (fig) hormiga (trabajador, ahorrativo).
formigamento [foʀmiga'mẽtʊ] *m* hormigueo (cosquilleo).
formigar [foʀmi'gaʀ] *tr* hormiguear (picar).
formigueiro [foʀmi'geyɾʊ] *m* **1** hormiguero. **2** (fig) hormiguero (de gente). **3** (fig) impaciencia.
formol [foʀ'mɔw] *m* QUÍM formol.
formoso, sa [foʀ'mozʊ, za] *adj* **1** hermoso (bello). **2** hermoso (apacible).
formosura [foʀmo'zuɾa] *f* hermosura.
fórmula ['fɔʀmula] *f* **1** fórmula (método). **2** fórmula (expresión, cliché). **3** FÍS, MAT, QUÍM fórmula. ♦ ~ **mágica** fórmula mágica.
formulação [foʀmula'sãw] *f* formulación (creación de fórmulas).
formular [foʀmu'laʀ] *tr* **1** formular (expresar). **2** formular (recetar).
formulário [foʀmu'laɾyʊ] *m* formulario (impreso).
fornada [foʀ'nada] *f* **1** hornada. **2** (coloq, fig) hornada (de personas).
fornalha [foʀ'naʎa] *f* **1** horno (de carbón). **2** (fig) horno (lugar caliente).
fornecedor, ra [foʀnese'doʀ, ɾa] *adj/m e f* abastecedor, provedor.
fornecer [foʀne'seʀ] *tr e pron* **1** abastecer (proveer). • *tr* **2** facilitar (proporcionar).
fornecimento [foʀnesi'mẽtʊ] *m* **1** abastecimiento. **2** provisión.
fornicação [foʀnika'sãw] *f* fornicación.
fornicar [foʀni'kaʀ] *tr e intr* fornicar.
fornido, da [foʀ'nidʊ, da] *adj* **1** abastecido. **2** fornido (robusto).
forno ['foʀnʊ] *m* **1** horno (aparato). **2** (fig) horno (lugar caliente).
foro ['fɔɾʊ] *m* **1** foro (plaza). **2** foro (tribunal).
forquilha [foʀ'kiʎa] *f* **1** horca (de labranza). **2** horquilla (vara).
forrado, da [fo'ʀadʊ, da] *adj* **1** forrado. **2** (fig, coloq) forrado, rico; platudo, fondeado (Amér).
forragem [fo'ʀaʒẽy] *f* forraje (pasto).
forrar [fo'ʀaʀ] *tr e pron* **1** ahorrar (libertar). **2** ahorrar (economizar). • *tr* **3** forrar.
forreta [fo'ʀeta] *s 2 gén* (coloq) tacaño, agarrado.
forro, rra ['foʀʊ, ʀa] *adj* **1** horro (esclavo). **2** horro (exento). • *m* **3** forro (tela).
fortalecedor, ra [foʀtalese'doʀ, ɾa] *adj/m e f* fortalecedor.
fortalecer [foʀtale'seʀ] *tr e pron* **1** fortalecer. • *tr* **2** reconfortar, animar.
fortalecimento [foʀtalesi'mẽtʊ] *m* fortalecimiento.
fortaleza [foʀta'leza] *f* **1** fortaleza, fuerza. **2** fortaleza (ciudadela).
forte ['fɔʀtʃɪ] *adj 2 gén* **1** fuerte (robusto). **2** fuerte (valiente). **3** fuerte (poderoso). • *m* **4** fuerte (recinto). • *adv* **5** fuerte (con fuerza).
fortificação [foʀtʃifika'sãw] *f* **1** fortificación (fortalecimiento). **2** fortificación (costrucción).
fortificar [foʀtʃifi'kaʀ] *tr e pron* **1** fortificar (fortalecer). **2** fortificar (defender).
fortuito, ta [foʀ'twitʊ, ta] *adj* fortuito.
fortuna [foʀ'tuna] *f* **1** fortuna (destino). **2** fortuna (suerte, éxito). ■ **fazer ~** hacer fortuna.
fosco, ca [foyʃkʊ, ka] *adj* **1** deslustrado. **2** opaco.
fosfato [foyʃ'fatʊ] *m* QUÍM fosfato.
fosforita [foyʃfo'ɾita] *f* fosforita.

fósforo ['fɔyforu] *m* **1** QUÍM fósforo. **2** fósforo (cerilla).
fossa ['fɔsa] *f* **1** fosa (hoyo). **2** ANAT fosa (cavidad).
fossar [fo'saR] *tr e intr* **1** escarbar (tierra). • *tr* **2** (fig) escarbar (inquirir).
fóssil ['fɔsiw] *adj/m* **1** GEOL fósil. • *adj/m e f* **2** (fig) fósil (anticuado, viejo).
fossilizar [fosili'zaR] *tr e pron* **1** fosilizarse. **2** (fig, fam) pasar a la historia.
fosso ['fosu] *m* **1** foso (hoyo). **2** foso (de una fortaleza).
fotão [fo'tãw] *m* FÍS ⇒ fóton.
foto ['fɔtu] *f* foto (fotografía).
fotocópia [foto'kɔpya] *f* fotocopia.

> En Brasil se utilizan mucho más las palabras ***xerox*** y ***xerocopiar***, provenientes de la marca, en lugar de ***fotocópia, fotocopiadora*** y ***fotocopiar***.

fotografar [fotogra'faR] *tr e intr* **1** fotografiar. • *tr* **2** (fig) grabar (recordar).
fotografia [fotogra'fia] *f* **1** fotografía (arte). **2** fotografía (imagen). ■ **tirar ~** tirar una fotografía.
fotográfico, ca [foto'grafiku, ka] *adj* fotográfico.
fotógrafo, fa [fo'tɔgrafu, fa] *m e f* fotógrafo.
fotossíntese [foto'sĩtezɪ] *f* fotosíntesis.
foz ['fɔyʃ] *f* desembocadura.
fração [fra'sãw] *f* **1** fracción (división). **2** fracción (parte, pedazo). **3** MAT fracción.
fracassar [fraka'saR] *tr* **1** fracasar (hacerse pedazos). • *tr e intr* **2** fracasar (malograr).
fracasso [fra'kasu] *m* **1** fracaso (malogro). **2** retumbo.
fracionar [frasyo'naR] *tr e pron* fraccionar.
fraco, ca ['fraku, ka] *adj* **1** débil, frágil: *saúde fraca = salud frágil.* **2** blando (tierno). **3** frágil (quebradizo). **4** blando (de carácter). • *adj/m e f* **5** débil (desvalido). • *m* **6** debilidad: *ele tem um fraco pelo chocolate = tiene debilidad por el chocolate.*
frade ['fradʒɪ] *m* fraile.
fraga ['fraga] *f* **1** peñasco, peña. **2** brenha.
fragata [fra'gata] *f* fragata.
frágil ['fraʒiw] *adj 2 gén* **1** frágil (quebradizo). **2** frágil (delicado): *aparelho frágil = aparato delicado.* **3** débil (enclenque).
fragilidade [fraʒili'dadʒɪ] *f* fragilidad.
fragmentação [fragimẽta'sãw] *f* fragmentación.
fragmentar [fragimẽ'taR] *tr e pron* fragmentar.
fragmentário, a [fragimẽ'taryu, a] *adj* fragmentario.
fragmento [fragi'mẽtu] *m* **1** fragmento (parte). **2** fragmento (de texto, música).
fragor [fra'goR] *m* fragor.
fragrância [fra'grãsya] *f* fragancia.
fragrante [fra'grãtʃɪ] *adj 2 gén* fragante.
fralda ['frawda] *f* **1** pañal. **2** faldón (de la camisa). **3** falda (de montaña).
framboesa [frãbo'eza] *f* frambuesa (fruto).
França ['frãsa] *f* Francia.
francês, sa [frã'seyʃ, za] *adj/m e f* **1** francés. • *adj* **2** (fig) hipócrita.
franciscano, na [frãsiʃ'kãnu, na] *adj/m e f* franciscano.
franco, ca ['frãku, ka] *adj* **1** franco (leal, sincero). **2** decidido, firme. **3** franco (libre de impuestos). • *m* **4** franco (moneda). • **francos** *m pl* **5** francos (pueblo).
francófono, na [frã'kɔfonu, na] *adj/m e f* francófono.
frango ['frãgu] *m* **1** pollo (ave). **2** (fig, fam) pollo (joven).
franja ['frãʒa] *f* **1** fleco (adorno). **2** flequillo.
franjar [frã'ʒaR] *tr* **1** desflecar. **2** hacer un flequillo (en el peinado).
franquear [frãkɪ'aR] *tr* **1** franquear, liberar (de impuestos). **2** franquear (conceder). **3** COM conceder franquicia. • **~-se** *pron* **4** franquearse (sincerarse).
franqueza [frã'keza] *f* **1** franqueza (sinceridad). **2** franqueza (liberalidad).
franzido, da [frã'zidu, da] *adj/m* **1** fruncido, frunce (tela). • *adj* **2** fruncido (arrugado).
franzino, na [frã'zinu, na] *adj* **1** fino (delgado). **2** flaco.
franzir [frã'ziR] *tr* **1** fruncir (tela). **2** arrugar.
fraque ['frakɪ] *m* frac.

fraquejar [frake'ʒaʀ] *intr* flaquear.
fraqueza [fra'keza] *f* **1** flaqueza (extenuación). **2** flaqueza (debilidad).
frasco ['frayʃkʊ] *m* frasco.
frase ['frazɪ] *f* **1** frase. **2** MÚS frase. ◆ **~ feita** frase hecha.
fraternal [frateʀ'naw] *adj 2 gén* fraternal.
fraternidade [frateʀni'dadʒɪ] *f* fraternidad.
fraternizar [frateʀni'zaʀ] *tr e pron* **1** fraternizar (unir). ● *tr e intr* **2** fraternizar (confraternizar).
fraterno, na [fra'tɛʀnʊ, na] *adj* fraterno.
fratricida [fratri'sida] *adj/m e f* fratricida.
fratura [fra'tura] *f* fractura.
fraturar [fratu'raʀ] *tr, intr e pron* fracturar.
fraude ['frawdʒɪ] *f* **1** fraude. **2** contrabando.
fraudulento, ta [frawdu'lẽtʊ, ta] *adj* fraudulento.
freada [fre'ada] *f* frenazo.
frear [fre'aʀ] *tr e intr* **1** frenar. ● *tr* **2** (fig) frenar (moderar).
freelance [frɪ'lãsɪ] *adj/m e f* free lance.
freguês, sa [fre'geyʃ, za] *m e f* **1** feligrés. **2** parroquiano (cliente).
freguesia [frege'zia] *f* **1** feligresía. **2** parroquia (iglesia). **3** parroquia (clientela).
frei ['frey] *m* fraile.
freio ['freyʊ] *m* **1** freno. **2** (fig) freno (limitación).
freira ['freyra] *f* freira.
freire ['freyrɪ] *m* freile.
freixo ['freyʃʊ] *m* fresno.
fremente [fre'mẽtʃɪ] *adj 2 gén* agitado (mar).
fremir [fre'miʀ] *intr e tr* **1** rugir, bramar. ● *tr e intr* **2** agitar, temblar.
frêmito ['frẽmitʊ] *m* **1** frémito. **2** (fig) escalofrío.
frenesi ou **frenesim** [frene'zi o frene'zĩ] *m* (fig) frenesí (exaltación).
frenético, ca [fre'nɛtʃikʊ, ka] *adj* frenético.
frente ['frẽtʃɪ] *f* **1** ANAT frente. **2** frente (cara). **3** (fig) frente (coalición). **4** METEOR frente. ◆ **~ fria** frente frío. ■ **à ~** al frente; **em ~** enfrente; **fazer ~** hacer frente; **~ a ~** frente a frente.
freqüência [fre'kwẽsya] *f* **1** frecuencia (repetición). **2** frecuentación. ◆ **~ modulada** frecuencia modulada.
freqüentar [frekwẽ'taʀ] *tr* **1** frecuentar. **2** cursar (estudiar).
freqüente [fre'kwẽtʃɪ] *adj 2 gén* **1** frecuente. **2** acelerado (pulso, respiración).
fresco, ca ['freyʃkʊ, ka] *adj* **1** fresco (frío). **2** fresco (alimento). **3** (fig) fresco, ligero (prenda). **4** (fig) fresco (reciente). ■ **ficar ~** quedarse tan fresco.
frescura [freyʃ'kura] *f* **1** frescura. **2** viento fresco. **3** (fam) frescura (desvergüenza). **4** (fam) melindre, pamema. **5** (fam) sentimentalismo.
fressura [fre'sura] *f* bofes.
fresta ['frɛyʃta] *f* **1** rendija. **2** grieta.
fretar [fre'taʀ] *tr* fletar (alquilar).
frete ['frɛtʃɪ] *m* **1** flete (precio, tasa). **2** flete (carga). **3** encargo. **4** (fig) cruz (obligación).
freudiano, na [frɔydʒi'ãnʊ, na] *adj/m e f* freudiano.
fria ['fria] *f* **1** (coloq) pipa (pistola). **2** (fam) lío (problema).
friagem [fri'aʒẽy] *f* frío.
frialdade [friaw'dadʒɪ] *f* frialdad, frío.
fricção [friki'sãw] *f* **1** fricción (friega). **2** fricción (roce).
friccionar [frikisyo'naʀ] *tr e pron* **1** friccionar. **2** rozar.
frieira [fri'eyra] *f* **1** sabañón, friera. **2** pie de atleta.
frieza [fri'eza] *f* **1** frialdad, frío. **2** (fig) frialdad (indiferencia).
frigideira [friʒi'deyra] *f* **1** sartén. ● *s 2 gén* **2** (fam) boceras, bocazas. ■ **sair da ~ para o fogo** (fig, fam) saltar de la sartén y dar en las brasas.
frígido, da ['friʒidʊ, da] *adj* **1** frígido (frío). **2** frígido (sexualmente).
frigorífico, ca [frigo'rifikʊ, ka] *adj* **1** frigorífico. **2** (fig) desalentador. ● *adj/m* **3** frigorífico (nevera).
frio, a ['friʊ, a] *adj* **1** frío. **2** (fig) frío (calmado). **3** (fig) frío (indiferente). **4** (fig) frío (color). ● *m* **5** frío (sensación). **6** escalofrío.
friorento, ta [frio'rẽtʊ, ta] *adj* friolero.
frisar [fri'zaʀ] *tr, intr e pron* **1** frisar (encrespar). **2** arrugar. ● *tr* **3** frisar (rozar).
friso ['frizʊ] *m* **1** ARQ friso. **2** friso (faja pintada).

fritada [fri'tada] *f* **1** fritada. **2** GAST revuelto.
fritar [fri'taR] *tr e intr* freír.
frito, ta ['fritʊ, ta] *adj* **1** frito. **2** (fam) apurado (arruinado).
frívolo, la ['frivolʊ, la] *adj/m e f* frívolo (fútil).
frondoso, sa [frõ'dozʊ, za] *adj* **1** frondoso (espeso). **2** (fig) ramificado (dividido).
fronha ['frõɲa] *f* **1** funda de almohada. **2** (fig) envoltura.
frontal [frõ'taw] *adj 2 gén* **1** frontal. **2** (fig) frontal (franco, directo). • *adj/m* **3** ANAT frontal (hueso). • *m* **4** fachada.
frontão [frõ'tãw] *m* ARQ frontón.
fronte ['frõtʃɪ] *f* **1** ANAT frente. **2** frente (fachada). ■ **curvar a ~** (fig) bajar la cabeza.
fronteira [frõ'teyra] *f* **1** frontera. **2** (fig) frontera (límite).
fronteiriço, ça [frõtey'risʊ, sa] *adj* fronterizo (limítrofe).
fronteiro, ra [frõ'teyrʊ, ra] *adj* **1** frontero. **2** cercano.
frota ['frɔta] *f* **1** flota (de navíos). **2** flota (de vehículos).
frouxo, xa ['frowʃʊ, ʃa] *adj* **1** flojo (poco apretado). **2** (fig) flojo (débil). • *adj/m e f* **3** (fig, coloq) cagado (cobarde).
frufru [fru'fru] *m* frufrú.
fruição [frui'sãw] *f* fruición, goce.
fruir [fru'iR] *tr e intr* fruir.
frustração [fruʃtra'sãw] *f* frustración (decepción).
frustrado, da [fruʃ'tradʊ, da] *adj* **1** frustrado (malogrado). • *adj/m e f* **2** frustrado (decepcionado).
frustrante [fruʃ'trãtʃɪ] *adj 2 gén* frustrante.
frustrar [fruʃ'traR] *tr e pron* **1** frustrar (malograr). **2** frustrar (decepcionar).
fruta ['fruta] *f* fruta.
fruteiro, ra [fru'teyrʊ, ra] *adj* **1** frutal. • *adj/m e f* **2** frutero (vendedor). • *m* **3** frutero (recipiente).
frutificar [frutʃifi'kaR] *tr e intr* fructificar.
fruto ['frutʊ] *m* **1** fruto. **2** fruto (provecho, resultado). **3** fruto (hijo). ◆ **~ proibido** fruta prohibida; **frutos do mar** frutos del mar.
frutuoso, sa [frutu'ozʊ, za] *adj* fructuoso.
fuá [fu'a] *m* comentario malicioso.
fubá [fu'ba] *m* harina (de maíz, arroz).
fubica [fu'bika] *m* (coloq) don nadie.
fuça ['fusa] *f* **1** (coloq) morro. **2** (coloq) cara, rostro.
fuçar [fu'saR] *tr e intr* hociquear, hocicar.
fúchsia ou **fúcsia** ['fuʃsya o 'fukʃya] *f* **1** fucsia (árbol). • *adj/f* **2** fucsia (color).
fuga ['fuga] *f* **1** fuga, huída. **2** fuga, escape (de gas, líquido).
fugacidade [fugasi'dadʒɪ] *f* fugacidad.
fugaz [fu'gayʃ] *adj 2 gén* fugaz (rápido).
fugida [fu'ʒida] *f* **1** huida. **2** (fig) escapatoria (efugio). ■ **de ~** deprisa y corriendo; de refilón (de pasada).
fugidio, a [fuʒi'dʒiʊ, a] *adj* **1** huidizo. **2** (fig) fugaz.
fugido, da [fu'ʒidʊ, da] *adj* huido.
fugir [fu'ʒiR] *tr, intr e pron* **1** huir. • *tr* **2** abandonar (lugar, región). **3** evitar, esquivar.
fugitivo, va [fuʒi'tʃivʊ, va] *adj/m e f* **1** fugitivo. • *adj* **2** fugaz. **3** impreciso.
fulano, na [fu'lãnʊ, na] *m e f* **1** fulano. **2** don nadie.
fulcral [fuw'kraw] *adj 2 gén* fulcral.
fulcro ['fuwkrʊ] *m* sustentación, base.
fuleiro, ra [fu'leyrʊ, ra] *adj/m e f* **1** fulero (falso). **2** mediocre.
fulgir [fuw'ʒiR] *tr e intr* **1** fulgir. • *intr* **2** (fig) sobresalir, destacar.
fulgor [fuw'goR] *m* fulgor.
fulgurante [fuwgu'rãtʃɪ] *adj 2 gén* fulgurante.
fulgurar [fuwgu'raR] *intr* **1** fulgurar. **2** relampaguear.
fuligem [fu'liʒẽy] *f* fuligo, hollín.
fulminante [fuwmi'nãtʃɪ] *adj 2 gén* **1** fulminante: *Zeus foi um deus fulminante* = *Zeus era un dios fulminante*. **2** fulminante (rápido, veloz). **3** fulminante (mortal). **4** indignado, colérico.
fulminar [fuwmi'naR] *tr e intr* **1** fulminar (rayos). • *tr* **2** fulminar (matar, destruir). **3** (fig) fulminar (con la mirada, palabras).
fulvo, va ['fuwvʊ, va] *adj* **1** aleonado, leonado. **2** (fig) violento, amenazador (expresión).
fumaça [fu'masa] *f* **1** humo. **2** ⇒ fumaceira. • **fumaças** *f pl* **3** (fig) humos (vanidad, altivez).
fumado, da [fu'madʊ, da] *adj* **1** ahumado. **2** (coloq) fumado (colocado).

fumante [fu'mãtʃɪ] *adj/m e f* fumador.
fumar [fu'maʀ] *tr e intr* **1** fumar (tabaco). • *tr* **2** ahumar (alimentos). • *intr* **3** enrabiarse, encolerizarse.
fumarada [fuma'ɾada] *f* **1** fumarada (humo). **2** calada (chupada).
fumegante [fume'gãtʃɪ] *adj 2 gén* humeante: *sopa fumegante = sopa humeante.*
fumegar [fume'gaʀ] *intr* **1** humear (echar humo). • *tr e intr* **2** exhalar (vapores, olores).
fumeiro [fu'meyɾʊ] *m* secadero (de alimentos).
fumicultor, ra [fumikuw'toʀ, ɾa] *adj/m e f* tabaquero, tabacalero.
fumicultura [fumikuw'tuɾa] *f* cultivo del tabaco.
fumigar [fumi'gaʀ] *tr* **1** fumigar. **2** provocar humo. **3** vaporizar, evaporar.
fumo ['fumʊ] *m* **1** humo. **2** tabaco.
funâmbulo [fu'nãbulʊ] *m* funámbulo.
função [fũ'sãw] *f* **1** función (actividad, característica). **2** función (papel, obligación). **3** función (cargo). **4** función (representación, espectáculo). **5** fiesta, reunión solemne.
funcional [fũsyo'naw] *adj 2 gén* **1** funcional. **2** funcional (práctico). **3** funcionarial.
funcionalismo [fũsyona'liʒmʊ] *m* **1** funcionariado. **2** funcionalismo.
funcionamento [fũsyona'mẽtʊ] *m* funcionamiento.
funcionar [fũsyo'naʀ] *intr* **1** funcionar (ejercer una función). **2** (fig) funcionar (resultar bien, marchar).
funcionário, a [fũsyo'naɾyʊ, a] *m e f* empleado, trabajador.

> En portugués se denomina ***funcionário*** a cualquier trabajador, sea o no de un organismo público. La persona que desempeña un empleo público es un ***funcionário público***.

funda ['fũda] *f* honda; cauchera (Col).
fundação [fũda'sãw] *f* **1** fundación (creación). **2** fundación (institución). **3** fundamentación.
fundado, da [fũ'dadʊ, da] *adj* fundado.
fundador, ra [fũda'doʀ, ɾa] *adj/m e f* **1** fundador. **2** iniciador, creador.
fundamental [fũdamẽ'taw] *adj 2 gén* **1** fundamental. **2** fundamental (indispensable).
fundamentalismo [fũdamẽta'liʒmʊ] *m* fundamentalismo.
fundamentar [fũdamẽ'taʀ] *tr* **1** fundamentar (cimentar). • *tr, intr e pron* **2** (fig) fundamentar (basar, fundar).
fundamento [fũda'mẽtʊ] *m* **1** fundamento (principio, base). **2** fundamento (cimiento).
fundar [fũ'daʀ] *tr* **1** fundar (crear, instituir). **2** profundizar. **3** cimentar (edificio). • *tr e pron* **4** (fig) fundar, argumentar.
fundear [fũde'aʀ] *tr e intr* **1** fondear. • *intr* **2** tocar, ir al fondo.
fundiário, a [fũdʒi'aɾyʊ, a] *adj* agrario.
fundição [fũdʒi'sãw] *f* **1** fundición. **2** fundición (fábrica). **3** fundición (aleación).
fundir [fũ'dʒiʀ] *tr e pron* **1** fundir (derretir). **2** fundir, unir.
fundista [fũ'dʒiʃta] *adj/m e f* ESPORT fondista.
fundo, da ['fũdʊ, da] *adj* **1** hondo, profundo. **2** arraigado, firme. **3** denso, cerrado. **4** (fig) ignorante, flojo. • *adv* **5** profundamente. • *m* **6** fondo, hondura. **7** lugar recóndito. **8** fondo (contenido, sustancia).
fundura [fũ'duɾa] *f* **1** hondura. **2** (gralte pl) lejanía. **3** (fig) incompetencia.
fúnebre ['funebɾɪ] *adj* **1** fúnebre. • *adj 2 gén* **2** (fig) fúnebre (lúgubre, sombrío).
funeral [fune'ɾaw] *adj/m* funeral.
funerário, a [fune'ɾaɾyʊ, a] *adj* funerario.
funesto, ta [fu'nɛyʃtʊ, ta] *adj* **1** funesto (aciago). **2** mortal.
fungar [fũ'gaʀ] *intr* **1** aspirar, inspirar. **2** husmear. **3** (fig, coloq) lloriquear.
fungo ['fũgʊ] *m* hongo, seta.
funicular [funiku'laʀ] *adj/m* funicular.
funil [fu'niw] *m* embudo.
furacão [fuɾa'kãw] *m* **1** huracán, ciclón. **2** (fig) tumulto.
furação [fuɾa'sãw] *f* perforación.
furado, da [fu'ɾadʊ, da] *adj* **1** perforado, agujereado. **2** (coloq) mal hecho, de mala calidad.

furador [fura'doR] *m* **1** punzón, buril. **2** perforador (utensilio).
furar [fu'raR] *tr* **1** agujerear, horadar. **2** dar una primicia. • *intr* **3** irrumpir. **4** superar dificultades. **5** (coloq) dar plantón. • *tr e intr* **6** irse a pique (negocio).
fúria ['furya] *f* **1** furia (ira). **2** entusiasmo, fervor. **3** furia (agitación).
furibundo, da [furi'bũdu, da] *adj* furibundo (furioso).
furioso, sa [furi'ozu, za] *adj* **1** furioso (indignado, enfadado). **2** furioso (violento). **3** fuerte.
furna ['fuRna] *f* caverna, gruta.
furo ['furu] *m* **1** agujero, hoyo. **2** primicia. **3** (fig) grado, fase.
furor [fu'roR] *m* **1** furor (cólera, ira). **2** (fig) furor (excitación, inspiración).
furtar [fuR'taR] *tr e intr* **1** hurtar. • *tr* **2** falsificar, plagiar. • *tr e pron* **3** escaquearse.
furtivo, va [fuR'tʃivu, va] *adj* **1** furtivo (a hurtadillas). **2** furtivo (clandestino).
furto ['fuRtu] *m* hurto (robo). ■ **a ~** (fig) a hurto, a hurtadillas.
fusa ['fuza] *f* (vulg) prostituta.
fusão [fu'zãw] *f* **1** fusión (fundición). **2** fusión (unión).
fusca ['fuʃka] *m* escarabajo (automóvil).
fusionar [fuzio'naR] *tr* **1** fusionar (fundir). • *tr e pron* **2** mezclar, confundir.
fusível [fu'zivew] *adj 2 gén* **1** fusible, fundible. • *m* **2** ELEC fusible.
fuso ['fuzu] *m* huso (pieza). ◆ **~ horario** GEOG huso horario.
fustigar [fuʃtʃi'gaR] *tr* **1** fustigar (azotar). **2** (fig) fustigar (censurar).
futebol [futʃi'bɔw] *m* fútbol. ◆ **~ americano** fútbol americano; **~ de salão** fútbol sala.
futebolista [futʃibo'liʃta] *adj/m e f* futbolista.
futebolístico, ca [futʃibo'liʃtʃiku, ka] *adj* futbolístico.
fútil ['futʃiw] *adj/m* fútil.
futilidade [futʃili'dadʒɪ] *f* futilidad.
futrica [fu'trika] *f* **1** taberna, bodega. **2** trastos. **3** (coloq) chisme (cotilleo).
futurar [futu'raR] *tr* **1** conjeturar, suponer. • *tr e intr* **2** prever, pronosticar.
futurismo [futu'riʒmu] *m* futurismo.
futurista [futu'riʃta] *adj/m e f* futurista.
futuro, ra [fu'turu, ra] *adj* **1** futuro (venidero). • *m* **2** futuro. ■ **ter ~** tener futuro.
fuxiqueiro, ra [fuʃi'keyru, ra] *adj/m e f* cotilla, chismoso.
fuzilado, da [fuzi'ladu, da] *adj* fusilado.
fuzilamento [fuzila'mẽtu] *m* fusilamiento.
fuzilar [fuzi'laR] *intr* **1** relampaguear. • *tr* **2** fusilar (ejecutar).

Gg

g, G [ˈʒe] *m* g, G (letra).
gabação [gabaˈsãw] *f* elogio, alabanza.
Gabão [gaˈbãw] *m* Gabón.
gabar [gaˈbaʀ] *tr* **1** elogiar, alabar. • **~-se** *pron* **2** jactarse, darse aires.
gabardina [gabaʀˈdʒina] *f* gabardina.
gabarito [gabaˈɾitʊ] *m* **1** clave de respuestas (en un examen). **2** (fig) nivel, categoría.
gabinete [gabiˈnetʃɪ] *m* **1** gabinete (despacho). **2** laboratorio. **3** (fam) retrete.
gabonense [gaboˈnẽsɪ] *adj/m e f* gabonés.
gadanha [gaˈdãŋa] *f* guadaña.
gadanho [gaˈdãŋʊ] *m* **1** garra. **2** horca (instrumento).
gado [ˈgadʊ] *m* ganado.
gaélico, ca [gaˈɛlikʊ, ka] *adj* **1** gaélico. • *m* **2** gaélico (lengua).
gafanhoto [gafãˈŋotʊ] *m* saltamontes.
gafe [ˈgafɛ] *f* indiscreción, metedura de pata.
gagá [gaˈga] *adj/m e f* (coloq) gagá, chocho; ñoño (Amér); chuchumeco (Col).
gago, ga [ˈgagʊ, ga] *adj/m e f* gago, tartamudo.
gagueira [gaˈgeyɾa] *f* gaguera (tartamudez).
gaguejar [gageˈʒaʀ] *tr e intr* **1** gaguear (tartamudear). • *intr* **2** balbucear.
gaguejo [gaˈgweʒʊ] *m* tartamudeo.
gaiatada [gayaˈtada] *f* **1** pandilla (de muchachos). **2** travesura.
gaiato [gayˈatʊ] *adj/m e f* **1** travieso, traste. **2** juguetón.
gaiola [gayˈɔla] *f* **1** jaula. **2** (fig, fam) jaula (cárcel). **3** armazón, esqueleto.
gaita [ˈgayta] *f* MÚS armónica.
gaivota [gayˈvɔta] *f* gaviota.
gajo [ˈgaʒʊ] *m* **1** (coloq) fulano. **2** (hum) bruto.
gala [ˈgala] *f* **1** gala (vestido, fiesta). **2** fiesta nacional.
galáctico, ca [gaˈlakitʃikʊ, ka] *adj* galáctico.
galaico, ca [gaˈlaykʊ, ka] *adj/m e f* galaico.
galalau [galaˈlaw] *m* (fam) gigante.
galante [gaˈlãtʃɪ] *adj 2 gén* **1** galante (gentil). **2** elegante. **3** divertido, gracioso. **4** galante (pícaro).
galanteio [galãˈteyʊ] *m* galanteo.
galão [gaˈlãw] *m* **1** galón (tira bordada). **2** galón (distintivo militar). **3** galón (medida).
galardão [galaʀˈdãw] *m* **1** galardón. **2** (fig) honra, gloria.
galardoar [galaʀdoˈaʀ] *tr* **1** galardonar. **2** consolar, mitigar.
galáxia [gaˈlakisya] *f* galaxia.
galé [gaˈlɛ] *f* **1** galera (embarcación). **2** galera (tabla de composición).
galeão [galeˈãw] *m* galeón (embarcación).
galear [galeˈaʀ] *intr* vestir de gala.
galego, ga [gaˈlegʊ, ga] *adj/m e f* **1** gallego. • *m* **2** gallego (lengua). **3** (pej) portugués.
galeria [galeˈɾia] *f* **1** galería (corredor, local). **2** (fig) galería (colección). **3** (fig) galería (de personajes).
galerista [galeˈɾiʃta] *adj/m e f* galerista.
galês, sa [gaˈleyʃ, za] *adj/m e f* **1** galés. • *m* **2** galés (lengua).
galgar [gawˈgaʀ] *tr e intr* **1** andar (a zancadas). **2** trepar (subir). **3** saltar. • *tr* **4** recorrer (distancia).
galgo, ga [ˈgawgʊ, ga] *m e f* galgo (perro).
galhardete [gaʎaʀˈdetʃɪ] *m* banderín.
galhardia [gaʎaʀˈdʒia] *f* gallardía.
galhardo, da [gaˈʎaʀdʊ, da] *adj* **1** gallardo (elegante). **2** gallardo (valiente).
galho [ˈgaʎʊ] *m* **1** gajo (rama). **2** cuerno.
galhofa [gaˈʎɔfa] *f* **1** gracejo, broma. **2** chacota, escarnio.
galicismo [galiˈsiʒmʊ] *m* galicismo.
galimatias [galimaˈtʃiayʃ] *m* galimatías.
galináceo, a [galiˈnasyʊ, a] *adj/m* gallináceo.
galinha [gaˈlĩŋa] *f* **1** gallina. • *adj/m e f* **2** (coloq) promiscuo (sexualmente). **3**

(fig) veleidoso, voluble. **4** (fig) gallina (cobarde).
galinheiro, ra [galĩ'ɲeyrʊ, ɾa] *m e f* **1** gallinero (vendedor). • *m* **2** gallinero. **3** (coloq) gallinero (de teatro).
galo, la ['galʊ, la] *adj/m e f* **1** galo (francés). • *m* **2** gallo (ave). **3** gallo (pez). **4** (fam) chichón. ♦ **~ de briga** gallo de pelea. ■ **outro ~ cantaria** (fig, fam) otro gallo cantaría; **ouvir o ~ cantar sem saber onde** (fig, fam) oír campanas sin saber donde.
galocha [ga'lɔʃa] *f* galocha.
galopada [galo'pada] *f* galopada.
galopante [galo'pãtʃɪ] *adj 2 gén* galopante.
galopar [galo'paʀ] *intr* **1** galopar (caballo). **2** galopar (cabalgar).
galope [ga'lɔpɪ] *m* galope (carrera).
galvanização [gawvãniza'sãw] *f* FÍS galvanización.
galvanizar [gawvãni'zaʀ] *tr* **1** FÍS galvanizar. **2** galvanizar (metalizar).
gama ['gãma] *m* **1** gamma (letra). • *f* **2** gama (escala, gradación). **3** MÚS gama.
Gâmbia ['gãbya] *f* Gambia.
gambiano, na [gãbi'ãnʊ, na] *adj/m e f* gambiano.
gana ['gãna] *f* **1** gana. **2** ímpetu (vehemencia). **3** odio.
Gana ['gãna] *f* Ghana.
ganância [ga'nãsya] *f* **1** ambición. **2** ganancia. **3** usura.
gancho ['gãʃʊ] *m* **1** gancho, garfio. **2** anzuelo. **3** (fig) gancho (atractivo).
gandulo, la [gã'dulʊ, la] *m e f* gandul.
ganense ou **ganês, sa** [ga'nẽsɪ o ga'nẽyʃ, za] *adj/m e f* ganés.
ganga ['gãga] *f* dril.
gânglio ['gãglyʊ] *m* ANAT, MED ganglio.
gangrenar [gãgɾe'naʀ] *tr, intr e pron* gangrenarse.
gângster ou **gangster** ['gãgiʃteʀ] *m* gángster.
ganhador, ra [gãɲa'doʀ, ɾa] *adj/m e f* **1** ganador. **2** jornalero.
ganhão, nhoa [gã'ɲãw, 'ɲoa] *m e f* buscavidas.
ganha-pão [gãɲa'pãw] *m* (fig) pan (sustento).
ganhar [gã'ɲaʀ] *tr e intr* **1** ganar (vencer). • *tr* **2** ganar (cobrar). **3** recibir (ser obsequiado). **4** ganar (merecer). **5** ganar (alcanzar). **6** ganar (mejorar). **7** ganar (ahorrar tiempo). **8** (fam) sufrir, llevarse: *ganhar um tapa = llevarse una bofetada*.
ganho, nha ['gãɲʊ, ɲa] *adj* **1** ganado. • *m* **2** ganancia, provecho. **3** (coloq) robo, hurto.
ganido [ga'nidʊ] *m* gañido.
ganir [ga'niʀ] *tr e intr* gañir (aullar).
ganso, sa ['gãsʊ, sa] *m e f* **1** ganso. • *m* **2** (gír) curda, melopea (borrachera).
garagem [ga'ɾaʒẽy] *f* **1** garaje. **2** taller mecánico.
garante [ga'ɾãtʃɪ] *s 2 gén* garante (avalista).
garantia [gaɾã'tʃia] *f* **1** garantía (compromiso). **2** garantía (fianza). **3** garantía (documento).
garantir [gaɾã'tʃiʀ] *tr* **1** garantizar, avalar. **2** asegurar. **3** garantizar (atestar). **4** prometer.
garboso, sa [gaʀ'bozʊ, za] *adj* garboso (gallardo).
garçom, garçonete [gaʀ'sõw, gaʀso'nɛtʃɪ] *m e f* camarero.
gare ['gaɾɪ] *f* estación (de ferrocarril).
garfo ['gaʀfʊ] *m* **1** tenedor (cubierto). **2** escarpidor.
gargalhada [gaʀga'ʎada] *f* carcajada, risotada.
gargalhar [gaʀga'ʎaʀ] *intr* carcajear.
gargalho [gaʀ'gaʎʊ] *m* gargajo, esputo.
gargalo [gaʀ'galʊ] *m* **1** gollete, cuello (de botella). **2** (hum) gañote (garganta).
garganta [gaʀ'gãta] *f* **1** garganta. **2** (fig) garganta (voz). **3** garganta (desfiladero). ■ **não passar pela ~** (fig, fam) no tragar.
gargantilha [gaʀgã'tʃiʎa] *f* gargantilla.
gargarejo [gaʀga'ɾeʒʊ] *m* **1** gárgara. **2** gargarismo (líquido).
gari [ga'ɾi] *s 2 gén* basurero, barrendero.
garimpar [gaɾĩ'paʀ] *tr e intr* **1** extraer (metales, piedras preciosas). • *tr* **2** (fig) rebuscar, escudriñar.
garotada [gaɾo'tada] *f* chiquillería, muchachada (grupo).
garoto, ta [ga'ɾotʊ, ta] *m e f* **1** chico, niño. • *m* **2** (fam) corto (de cerveza).
garoupa [ga'ɾowpa] *f* **1** mero, cherna. **2** (coloq) mentira.

garra ['gaʀa] *f* **1** garra. **2** (fig) garra (mano). **3** (fig) garra (determinación, vigor).
garrafa [ga'ʀafa] *f* botella.
garrafão [gaʀa'fãw] *m* garrafón.
garrafeira [gaʀa'feyɾa] *f* bodega (almacén).
garrido, da [ga'ʀidʊ, da] *adj* garrido (elegante).
garrote [ga'ʀɔtʃɪ] *m* **1** garrote (ejecución). **2** torniquete.
gárrulo, la ['gaʀulʊ, la] *adj/m e f* gárrulo (charlatán).
garupa [ga'ɾupa] *f* **1** grupa. **2** alforja.
gás ['gayʃ] *m* **1** gas. **2** (fig, fam) gas (energía, fuerza). **3** (fig) fanfarronería. • **gases** *m pl* **4** gases. ♦ ~ **natural** gas natural; ~ **nobre** QUÍM gas noble.
gasganete [gayʒga'netʃɪ] *m* gaznate, garganta.
gasoduto [gazo'dutʊ] *m* gasoducto.
gasóleo [ga'zɔlyʊ] *m* gasóleo.
gasolina [gazo'lina] *f* **1** gasolina. **2** (fam) cachaza (aguardiente).
gasosa [ga'zoza] *f* gaseosa.
gasoso, sa [ga'zozʊ, za] *adj* gaseoso.
gastar [gayʃ'taʀ] *tr e intr* **1** gastar (dinero). • *tr e pron* **2** gastar, desgastar (deteriorar). **3** (fig) desgastarse (debilitarse).
gasto, ta ['gayʃtʊ, ta] *adj* **1** gastado. **2** (fig) desgastado (acabado, abatido). ■ **dar para o** ~ ser suficiente para vivir.
gástrico, ca ['gayʃtɾikʊ, ka] *adj* ANAT gástrico.
gastrite [gayʃ'tɾitʃɪ] *f* MED gastritis.
gastronomia [gayʃtɾono'mia] *f* gastronomía.
gastronômico, ca [gayʃtɾo'nõmikʊ, ka] *adj* gastronómico.
gata ['gata] *f* **1** gata (felino). **2** MAR gata. **3** (gír) venus (mujer guapa). ♦ ~ **borralheira** cenicienta.
gatilho [ga'tʃiʎa] *m* gatillo (de un arma).
gatinhar [gatʃĩ'ŋaʀ] *intr* gatear (andar a gatas).
gato ['gatʊ] *m* **1** gato (felino). **2** grapa, laña (para cerámica, barro). **3** lapsus. **4** (fig) gato (sagaz, listo). **5** (coloq) gato (ladrón). ♦ ~ **escaldado** (fig, fam) gato escaldado. ■ **meia dúzia de gatos pingados** (fig, fam) cuatro gatos; **vender** ~ **por lebre** dar gato por liebre; **viver como** ~ **e cachorro** llevarse como el perro y el gato.
gatuno, na [ga'tunʊ, na] *m e f* ratero, caco (ladrón).
gáudio ['gawʒyʊ] *m* **1** regocijo, júbilo. **2** juerga, farra.
gaulês, sa [gaw'leyʃ, za] *adj* galo (francés).
gaveta [ga'veta] *f* **1** cajón (de mueble). **2** (gír) chirona (cárcel); cana (Col, Chile, Perú, Ur). ♦ ~ **de sapateiro** (fig) cajón de sastre.
gay ['gey] *adj/m e f* gay (homosexual).
gaze ['gazɪ] *f* gasa (tela, venda).
gazela [ga'zɛla] *f* gacela.
gazeta [ga'zeta] *f* gaceta (publicación).
gazetilha [gaze'tʃiʎa] *f* **1** gacetilla (de periódico). **2** folletín.
gê ['ʒe] *m* ge (letra).
geada [ʒe'ada] *f* helada.
geado, da [ʒe'adʊ, da] *adj* escarchado, helado.
gear [ʒe'aʀ] *intr* **1** helar. **2** (fig) helar (hacer frío). • *tr* **3** congelar.
gel ['ʒɛw] *m* gel.
gelada [ʒe'lada] *f* helada.
geladeira [ʒela'deyɾa] *f* **1** nevera, frigorífico, heladera. • *m* **2** celda (de prisión).
gelado, da [ʒe'ladʊ, da] *adj* **1** helado (congelado). **2** helado (frío). **3** (fig) helado (estupefacto, atónito).
gelar [ʒe'laʀ] *tr, intr e pron* **1** congelar. • *tr e intr* **2** enfriar. **3** helarse, congelarse (sentir frío).
gelatina [ʒela'tʃina] *f* gelatina (sustancia, dulce).
gelatinoso, sa [ʒelatʃi'nozʊ, za] *adj* gelatinoso.
geléia [ʒe'lɛya] *f* jalea, mermelada. ♦ ~ **real** jalea real.
geleira [ʒe'leyɾa] *f* **1** glaciar. **2** iceberg.
geleiro [ʒe'leyɾʊ] *m* fabricante o vendedor de hielo.
gélido, da ['ʒɛlidʊ, da] *adj* **1** gélido (helado). **2** (fig) frío (insensible).
gelo ['ʒelʊ] *m* **1** hielo. **2** (fig) frío. **3** (fig) escalofrío. **4** (fig) hielo (frialdad, insensibilidad).
gelosia [ʒelo'zia] *f* celosía.
gema ['ʒẽma] *f* **1** yema. **2** gema (piedra preciosa).

gêmeo, a [ˈʒẽmyʊ, a] *adj/m e f* **1** gemelo, mellizo. • *adj* **2** gemelo (par, idéntico). **3** ANAT gemelos.

gemer [ʒeˈmeʀ] *tr e intr* **1** gemir. **2** sufrir, padecer. • *tr* **3** entonar, cantar (algo triste).

gemido [ʒeˈmidʊ] *m* gemido.

geminado, da [ʒemiˈnadʊ, da] *adj* **1** geminado. **2** adosado.

geminar [ʒemiˈnaʀ] *tr* geminar.

geminiano, na [ʒeminiˈãnʊ, na] *adj/m e f* ASTROL géminis.

gene [ˈʒẽnɪ] *m* BIOL gen.

genealogia [ʒenealoˈʒia] *f* genealogía.

genealógico, ca [ʒeneaˈlɔʒikʊ, ka] *adj* genealógico.

genebra [ʒeˈnɛbɾa] *f* ginebra.

general [ʒeneˈɾaw] *m* general.

generalidade [ʒeneɾaliˈdadʒɪ] *f* generalidad (mayoría).

generalização [ʒeneɾalizaˈsãw] *f* **1** generalización (difusión, vulgarización). **2** generalización (abstracción).

generalizar [ʒeneɾaliˈzaʀ] *tr, intr e pron* **1** generalizar (extender). • *tr e intr* **2** generalizar (abstraer).

generativo, va [ʒeneɾaˈtʃivʊ, va] *adj* generativo. ◆ **gramática generativa** GRAM gramática generativa.

genérico, ca [ʒeˈnɛɾikʊ, ka] *adj* **1** genérico: *desinência genérica = desinencia genérica.* **2** genérico (general). ◆ **medicamento ~** medicamento genérico.

gênero [ˈʒẽneɾʊ] *m* **1** género (clase, especie). **2** ART, LIT género. **3** GRAM género. ◆ **~ humano** género humano.

generosidade [ʒeneɾoziˈdadʒɪ] *f* **1** generosidad (bondad, altruismo). **2** generosidad (prodigalidad).

generoso, sa [ʒeneˈɾozʊ, za] *adj* **1** generoso (noble). **2** generoso (desprendido).

gênese [ˈʒẽnezɪ] *f* **1** génesis (origen). • **Gênese** *m* **2** Génesis.

genética [ʒeˈnɛtʃika] *f* genética.

gengibre [ʒẽˈʒibɾɪ] *m* jengibre.

gengiva [ʒẽˈʒiva] *f* encía.

genial [ʒeniˈaw] *adj 2 gén* **1** genial (intelectual). **2** (gír) genial (estupendo, formidable).

genialidade [ʒenialiˈdadʒɪ] *f* genialidad.

gênio [ˈʒẽnyʊ] *m* **1** genio (talento, don). **2** genio (individuo): *Einstein era um gênio = Einstein era un genio.* **3** genio (humor, índole).

genioso, sa [ʒeniˈozʊ, za] *adj* de mal genio, irascible.

genital [ʒeniˈtaw] *adj 2 gén* **1** genital. • **genitais** *m pl* **2** genitales.

genitivo, va [ʒeniˈtʃivʊ, va] *adj/m* GRAM genitivo.

genocídio [ʒenoˈsidʒyʊ] *m* genocidio.

genoma [ʒeˈnõma] *m* BIOL genoma.

genro [ˈʒẽʀʊ] *m* yerno.

gente [ˈʒẽtʃɪ] *f* **1** gente (personas, pueblo). **2** gente (familia). **3** gente (empleados, colectivo). ◆ **~ bem** gente bien; **~ grande** gente mayor.

gentil [ʒẽˈtʃiw] *adj 2 gén* **1** gentil (noble). **2** gentil (amable).

gentileza [ʒẽtʃiˈleza] *f* gentileza (amabilidad, delicadeza).

gentio, a [ʒẽˈtʃiʊ, a] *adj/m e f* **1** pagano, idólatra. • *m* **2** gentío, muchedumbre.

genuíno, na [ʒenuˈinʊ, na] *adj* **1** genuino, auténtico. **2** sincero.

geofísico, ca [ʒeoˈfizikʊ, ka] *adj* **1** geofísico. • *m e f* **2** geofísico (científico).

geografia [ʒeogɾaˈfia] *f* geografía.

geográfico, ca [ʒeoˈgɾafikʊ, ka] *adj* geográfico.

geógrafo, fa [ʒeˈɔgɾafʊ, fa] *m e f* geógrafo.

geologia [ʒeoloˈʒia] *f* geología.

geológico, ca [ʒeoˈlɔʒikʊ, ka] *adj* geológico.

geólogo, ga [ʒeˈɔlogʊ, ga] *m e f* geólogo.

geometria [ʒeomeˈtɾia] *f* geometría. ◆ **~ analítica** geometría analítica; **~ descritiva** geometría descriptiva.

geométrico, ca [ʒeoˈmɛtɾikʊ, ka] *adj* **1** geométrico. **2** (fig) geométrico (exacto, riguroso).

geopolítico, ca [ʒeopoˈlitʃikʊ, ka] *adj* geopolítico.

Geórgia [ʒeˈɔʀʒya] *f* Georgia.

georgiano, na [ʒeoʀʒiˈãnʊ, na] *adj/m e f* georgiano.

geração [ʒeɾaˈsãw] *f* **1** generación (engendramiento). **2** generación (descendencia). **3** (fig) generación (producción, formación).

gerador, ra [ʒera'doR, ra] *adj/m e f* **1** generador (originador, genitor). • *m* **2** ELEC generador.
geral [ʒe'raw] *adj 2 gén* **1** general (mayoritario, total, común). **2** general (no especializado). • *m* **3** mayoría. ◆ **clínica ~** medicina interna. ■ **estar nos seus gerais** (fig) estar o sentirse a sus anchas.
gerânio [ʒe'rãnyʊ] *m* geranio.
gerar [ʒe'raR] *tr e pron* **1** generar (producir, causar). • *tr* **2** generar (procrear).
gerência [ʒe'rẽsya] *f* gerencia (gestión, oficina, cargo).
gerenciar [ʒerẽsi'aR] *tr* administrar, gestionar.
gerente [ʒe'rẽtʃɪ] *adj/m e f* gerente.
geriatra [ʒeRi'atra] *s 2 gén* geriatra.
gerir [ʒe'riR] *tr* administrar, dirigir (empresa, negocio).
germanar [ʒeRma'naR] *tr e pron* hermanar.
germânico, ca [ʒeR'mãnikʊ, ka] *adj/m e f* **1** germánico. • *m* **2** germánico (lengua).
germano, na [ʒeR'mãnʊ, na] *adj/m e f* **1** germano (hermano). **2** germano (germánico).
germe ou **gérmen** ['ʒɛRmɪ o 'ʒɛRmẽy] *m* **1** germen (microrganismo). **2** (fig) germen (origen, causa). **3** MED germen (microbio).
germinar [ʒeRmi'naR] *intr* **1** germinar (semillas). **2** desarrollarse, evolucionar.
gerontocracia [ʒerõtokra'sia] *f* gerontocracia.
gerúndio [ʒe'rũdʒyʊ] *m* GRAM gerundio.
gesso ['ʒesʊ] *m* **1** yeso. **2** yeso (escultura, ornato). ◆ **~ comum** yeso negro.
gesta ['ʒɛyʃta] *f* **1** gesta (hazaña). **2** gesta (cantar).
gestação [ʒeyʃta'sãw] *f* **1** gestación (embarazo). **2** (fig) gestación (de ideas, sentimientos).
gestante [ʒeyʃ'tãtʃɪ] *adj/f* gestante.
gestão [ʒeyʃ'tãw] *f* **1** gestión (gerencia, administración). **2** mandato político.
gesticular [ʒeyʃtʃiku'laR] *tr e intr* gesticular.
gesto ['ʒɛyʃtʊ] *m* **1** gesto (gesticulación). **2** gesto (semblante, aspecto).
gestor, ra [ʒeyʃ'toR, ra] *m e f* gestor (gerente).
gestual [ʒeyʃtu'aw] *adj 2 gén* gestual.
gibão [ʒi'bãw] *m* jubón (chaquetilla, chaleco).
giesta [ʒi'ɛyʃta] *f* ginesta (retama, esparto).
gigabyte [ʒiga'baytʃɪ] *m* COMP gigabyte.
gigante [ʒi'gãtʃɪ] *s 2 gén* **1** gigante (ser fabuloso). **2** (fig) gigante (hombre alto). **3** (fig) gigante (genio).
gigantesco, ca [ʒigã'teyʃkʊ, ka] *adj* **1** gigantesco (enorme, inmenso). **2** (fig) admirable, grandioso.
gilete [ʒi'lɛtʃɪ] *f* gillete, maquinilla desechable.
ginasta [ʒi'nayʃta] *adj/m e f* **1** gimnasta (atleta). **2** (fig) gimnasta (ágil, diestro).
ginástica [ʒi'nayʃtʃika] *f* gimnasia. ◆ **~ aeróbica** aerobic, aeróbic.
ginástico, ca [ʒi'nayʃtʃikʊ, ka] *adj* gimnástico.
gincana [ʒĩ'kãna] *f* gincana, competición.
ginecologista [ʒinekolo'ʒiʃta] *s 2 gén* ginecólogo.
girafa [ʒi'rafa] *f* jirafa.
girar [ʒi'raR] *tr e intr* **1** girar. **2** correr, circular (sangre, tiempo, noticia). • *intr* **3** dar vueltas. **4** (fig) girar (versar).
girassol [ʒira'sɔw] *m* **1** girasol. **2** ópalo girasol.
giratório, a [ʒira'tɔryʊ, a] *adj* giratorio.
gíria ['ʒirya] *f* **1** jerga, argot (lenguaje especializado). **2** jerga (jerigonza).
giro, ra ['ʒirʊ, ra] *m e f* **1** (coloq) chiflado, pirado. • *m* **2** giro (rotación, circulación). **3** vuelta, paseo. **4** circunloquio, rodeo.
giz ['ʒiʃ] *m* tiza.
gizar [ʒi'zaR] *tr* **1** escribir, dibujar (con tiza). **2** proyectar (plano, proyecto).
glaciação [glasia'sãw] *f* glaciación (congelación).
glacial [glasi'aw] *adj 2 gén* **1** glacial (helado). **2** (fig) glacial (desafecto).
glaciário, a [glasi'aryʊ, a] *adj* glaciar.
glamour [gla'muR] *m* glamour, encanto.
glande ['glãdʒɪ] *f* **1** glande (bellota). **2** ANAT glande.

glândula [ˈglãdula] *f* **1** ANAT glándula. **2** BOT glándula. ♦ ~ **pineal** ANAT glándula pineal.
glaucoma [glawˈkõma] *m* MED glaucoma.
gleba [ˈgleba] *f* **1** gleba. **2** feudo.
glicínia [gliˈsinya] *f* BIOQ glicina.
glicose [gliˈkɔzɪ] *f* QUÍM glucosa.
global [gloˈbaw] *adj 2 gén* **1** global (total). **2** global (mundial).
globalização [globalizaˈsãw] *f* globalización.
globalizar [globaliˈzaʀ] *tr, intr e pron* globalizar (universalizar).
globo [ˈglobʊ] *m* **1** globo (esfera). **2** globo (Tierra).
globular [globuˈlaʀ] *adj 2 gén* **1** globular (esférico). **2** BIOQ globular.
globulina [globuˈlina] *f* BIOQ globulina.
glóbulo [ˈglɔbulʊ] *m* **1** glóbulo (esfera pequeña). **2** BIOQ glóbulo.
glória [ˈglɔrya] *f* **1** gloria (fama, honra). **2** mérito, valor. **3** vanagloria, ufanía.
gloriar [gloriˈaʀ] *tr e pron* **1** gloriar, glorificar. ● **~-se** *pron* **2** gloriarse (alabarse).
glorificação [glorifikaˈsãw] *f* glorificación.
glorificar [glorifiˈkaʀ] *tr* **1** glorificar (alabar). **2** glorificar (santificar).
glorioso, sa [gloriˈozʊ, za] *adj* **1** glorioso (célebre). **2** glorioso (esplendoroso).
glosa [ˈglɔza] *f* **1** glosa (comentario). **2** crítica, censura. **3** (coloq) supresión.
glosar [gloˈzaʀ] *tr* **1** glosar (escribir). **2** glosar (comentar).
glote [ˈglɔtʃɪ] *f* ANAT glotis.
glúteo, a [ˈglutʃyʊ, a] *adj* **1** glúteo (nalga). ● *m* **2** ANAT glúteo (músculos).
godo, da [ˈgodʊ, da] *adj/m e f* **1** godo (pueblo). ● *adj* **2** (fig) bárbaro.
goela [goˈɛla] *f* **1** pescuezo, garganta. ● *s 2 gén* **2** ganancioso.
goiaba [goyˈaba] *f* guayaba.
goiabada [goyaˈbada] *f* guayaba (jalea).
goiabeira [goyaˈbeyra] *f* guayabo.
Goiás [goyˈayʃ] *m* Goiás (Estado brasileño).
goiva [ˈgoyva] *f* gubia (formón).
gol [ˈgow] *m* **1** portería, arco (meta). **2** gol.
gola [ˈgɔla] *f* **1** cuello (de vestidura). **2** ARQ gola.
gole [ˈgɔlɪ] *m* sorbo, trago.
goleada [goleˈada] *f* goleada.
goleador, ra [goleaˈdoʀ, ra] *adj/m e f* goleador.
golear [goleˈaʀ] *tr e intr* golear.
goleiro, ra [goˈleyrʊ, ra] *m e f* portero, guardameta; arquero, guardavalla (Amér).
golfar [gowˈfaʀ] *tr e intr* **1** chorrear, salir a borbotones (sangre). ● *tr* **2** lanzar, expelir (luz, humo).
golfe [ˈgowfɪ] *m* golf.
golfinho [gowˈfĩŋʊ] *m* **1** delfín. **2** minigolf.
golfo [ˈgowfʊ] *m* GEOG golfo.
golo [ˈgolʊ] *m* (fam) ⇒ gole.
golpe [ˈgɔwpɪ] *m* **1** golpe (choque). **2** golpe (contusión). **3** (fig) golpe (infortunio). **4** (fig) golpe (robo, timo). ♦ ~ **de sorte** golpe de suerte o fortuna; ~ **de Estado** golpe de Estado; ~ **de olho** (fig) ojeada, vistado; golpe de vista.
golpear [gowpeˈaʀ] *tr* **1** golpear. ● *tr e pron* **2** (fig) abrir, rajar.
goma [ˈgõma] *f* **1** goma, caucho. **2** engrudo. **3** (fig) presunción, fanfarronada. ♦ ~ **de mascar** goma de mascar (chicle).
gomo [ˈgõmʊ] *m* **1** gajo (de fruta). **2** yema, brote.
gonzo [ˈgõzʊ] *m* bisagra, gozne.
gorar [goˈraʀ] *tr e intr* **1** ponerse huero (huevo). **2** (fig) malograr, frustrar.
gorda [ˈgoʀda] *f* (coloq) farra, parranda.
gordalhão, lhona [goʀdaˈʎãw, ˈʎona] *adj/m e f* gordinflón.
górdio [ˈgɔʀdʒyʊ] *adj* gordiano.
gordo, da [ˈgoʀdʊ, da] *adj/m e f* **1** gordo (grueso). ● *adj/m* **2** gordo (graso). ● *adj* **3** gordo (grande).
gordura [goʀˈdura] *f* **1** gordura (grasa). **2** gordura, obesidad.
gordurento, ta [goʀduˈrẽtʊ, ta] *adj* grasiento, grasoso.
gorgolejar [goʀgoleˈʒaʀ] *tr e intr* **1** gorgotear. ● *intr* **2** graznar.
gorila [goˈrila] *s 2 gén* **1** gorila. **2** (coloq) gorila (guardaespaldas).
gorjear [goʀʒeˈaʀ] *intr* **1** gorjear (ave). ● *tr e intr* **2** (fig) cantar (con voz melodiosa).

g

gorjeta [goʀ'ʒeta] *f* **1** propina. **2** escoplo.
gorra ['goʀa] *f* gorra.
gorro ['goʀu] *m* gorro.
gostar [goyʃ'taʀ] *tr* **1** gustar (apreciar, agradar). **2** gustar (disfrutar). **3** acostumbrar, soler: *gosta de ir dormir cedo = acostumbra a irse a dormir pronto.*
gosto ['goyʃtu] *m* **1** gusto (sentido). **2** sabor. **3** gusto (placer). **4** gusto (apreciación): *bom gosto = buen gusto.* ■ **ao ~ de** al gusto de; **com muito ~** con mucho gusto; **ter muito ~** tener mucho gusto.
gostosão, sona [goyʃto'zãw, 'zona] *adj/ m e f* tío bueno.
gostoso, sa [goyʃ'tozu, za] *adj* **1** gustoso, sabroso. **2** gustoso, agradable. **3** suave, delicado (voz, piel). **4** (coloq) bueno, macizo (sexy).
gota ['gota] *f* **1** gota (líquido). **2** gota, pizca. ■ **~ a ~** gota a gota.
gótico, ca ['gɔtʃiku, ka] *adj* **1** gótico (godo). ● *adj/m* **2** gótico (escritura, letra). **3** gótico (arte, estilo). **4** gótico (lengua).
goto ['gotu] *m* (coloq) glotis.
governação [goveʀna'sãw] *f* gobernación.
governador, ra [goveʀna'doʀ, ɾa] *adj/ m e f* **1** gobernador (gobernante). **2** gobernador (de un estado, provincia).
governamental [goveʀnamẽ'taw] *adj 2 gén* gubernamental.
governanta [goveʀ'nãta] *f* **1** gobernanta. **2** aya.
governante, ta [goveʀ'nãtʃɪ, ta] *adj/m e f* gobernante.
governar [goveʀ'naʀ] *tr e intr* **1** gobernar (mandar). **2** gobernar (dirigir, controlar).
governativo, va [goveʀna'tʃivu, va] *adj* gubernativo.
governável [goveʀ'navew] *adj 2 gén* **1** gobernable. **2** (fig) dócil.
governo [go'veʀnu] *m* gobierno.
gozar [go'zaʀ] *tr, intr e pron* **1** gozar, disfrutar. ● *intr* **2** alcanzar el orgasmo, correrse. ● *tr* **3** (fam) burlarse, cachondearse.
gozo ['gozu] *m* **1** goce (posesión). **2** gozo (satisfacción). **3** orgasmo.
grã ['grã] *f* cochinilla, grana (insecto, carmín).
Grã-Bretanha [grãbre'tãŋa] *f* Gran Bretaña.
graça ['grasa] *f* **1** gracia (favor). **2** gracia (cualidad). **3** gracia (chiste). ■ **de ~** gratis, de gracia; **graças a** gracias a.
gracejar [grase'ʒaʀ] *intr* **1** gracejar. ● *tr* **2** bromear, mofarse.
gracejo [gra'seʒu] *m* **1** gracejo. **2** broma, mofa.
grácil ['grasiw] *adj 2 gén* grácil.
graciosidade [grasiozi'dadʒɪ] *f* graciosidad.
gracioso, sa [grasi'ozu, za] *adj/m e f* **1** gracioso (chistoso). ● *adj* **2** gracioso (garboso).
gradar [gra'daʀ] *tr e intr* **1** gradar. ● *tr* **2** enrejar, cercar.
gradaria [grada'ria] *f* enrejado.
grade ['gradʒɪ] *f* **1** reja. **2** parrilla (de programación).
gradeado, da [grade'adu, da] *adj/m* enrejado, enverjado.
gradeamento [gradea'mẽtu] *m* cercamiento.
grado ['gradu] *m* GEOM grado. ■ **de bom/mau ~** de buen/mal grado.
graduação [gradua'sãw] *f* **1** graduación (división). **2** graduación (titulación). **3** carrera (universitaria).
graduado, da [gradu'adu, da] *adj* **1** graduado (dividido). ● *adj/m e f* **2** graduado (licenciado).
gradual [gradu'aw] *adj 2 gén* gradual.
graduando [gradu'ãdu] *m* graduando.
graduar [gradu'aʀ] *tr* **1** graduar (dividir). **2** graduar (regular). ● *tr e pron* **3** graduar (licenciar).
grafar [gra'faʀ] *tr* **1** escribir. **2** grafiar.
grafia [gra'fia] *f* grafía.
gráfica ['grafika] *f* **1** grafía. **2** tipografía, imprenta (local).
gráfico, ca ['grafiku, ka] *adj* **1** gráfico: *sinais gráficos = signos gráficos, artes gráficas = artes gráficas.* ● *m* **2** gráfico, gráfica.
grafita [gra'fita] *f* MIN grafito.
grafite [gra'fitʃɪ] *f* mina (de lápiz).
grafito [gra'fitu] *m* **1** grafito (en monumentos). **2** ⇒ grafite (3).
grainha [gra'ĩŋa] *f* semilla, pepita (de uva, tomate).
gralha ['graʎa] *f* grajo; cuervo.
grama ['grãma] *f* **1** césped. ● *m* **2** gramo.

gramar [gɾa'maʀ] *intr e tr* **1** agramar (lino). • *tr e intr* **2** plantar (hierba, césped).

gramática [gɾa'matʃika] *f* **1** gramática (reglas). **2** gramática (manual, tratado). ♦ ~ **descritiva** gramática descriptiva; ~ **generativa ou gerativa** gramática generativa; ~ **normativa** gramática normativa.

gramatical [gɾamatʃi'kaw] *adj 2 gén* gramatical.

gramático, ca [gɾa'matʃikʊ, ka] *s 2 gén* gramático (entendido, autor).

gramíneo, a [gɾa'minyʊ, a] *adj 2 gén* gramíneo.

grampeador [gɾãpea'doʀ] *m* grapadora.

grampear [gɾãpe'aʀ] *tr* **1** grapar. **2** (coloq) pinchar (línea telefónica).

grampo ['gɾãpʊ] *m* **1** grapa (instrumento). **2** grapa (pieza metálica). **3** horquilla (del pelo).

grana ['gɾãna] *f* (coloq) pasta; plata (Amér): *está cheio de grana = tiene mucha pasta.*

granada [gɾa'nada] *f* granada (explosivo).

granar [gɾa'naʀ] *tr* **1** granular (desmenuzar). • *intr* **2** granar.

grandalhão, lhona [gɾãda'ʎãw, 'ʎõna] *adj/m e f* grandullón.

grande ['gɾãdʒɪ] *adj 2 gén* **1** grande (vasto). **2** grande (largo). **3** grande (excesivo). **4** grande (intenso): *seu grande amor = su gran amor.* **5** grande (excelente, magnífico): *é uma grande mulher = es una gran mujer.* • *m* **6** mayor (adulto).

grandeza [gɾã'deza] *f* **1** grandeza (tamaño). **2** grandeza (nobleza). **3** grandeza (superioridad).

grandiosidade [gɾãdʒiozi'dadʒɪ] *f* grandiosidad.

grandioso, sa [gɾãdʒi'ozʊ, za] *adj* grandioso (magnífico).

granel [gɾa'nɛw] *m* **1** cargamento a granel. **2** granero. ■ **a** ~ a granel.

granítico, ca [gɾã'nitʃikʊ, ka] *adj* granítico.

granito [gɾã'nitʊ] *m* granito (roca).

granizar [gɾãni'zaʀ] *intr* granizar (hielo).

granizo [gɾã'nizʊ] *m* **1** granizo (hielo). **2** (fig) granizo (gran cantidad).

granja ['gɾãʒa] *f* granja (hacienda).

granjear [gɾãʒe'aʀ] *tr* **1** cultivar (tierra). **2** granjear (conseguir). **3** granjear (captar).

granjeio [gɾã'ʒeyʊ] *m* **1** cultivo (de la tierra). **2** cosecha. **3** granjeo, provecho.

granjeiro, ra [gɾã'ʒeyɾʊ, ɾa] *m e f* granjero.

granulação [gɾãnula'sãw] *f* granulación (desmenuzamiento).

granulado, da [gɾanu'ladʊ, da] *adj* **1** granulado. • *adj/m* **2** granulado (preparado).

grão ['gɾãw] *m* **1** grano (semilla). **2** grano (partícula). **3** (fig) pizca, migaja.

grão-de-bico [gɾãwde'bikʊ] *f* garbanzo.

grasnar ou grasnir [gɾay'ʒnaʀ o gɾayʒ'niʀ] *intr* graznar.

grassar [gɾa'saʀ] *intr* propagar (multiplicar, extender).

gratidão [gɾatʃi'dãw] *f* gratitud.

gratificação [gɾatʃifika'sãw] *f* **1** gratificación (premio, remuneración). **2** gratificación (propina). **3** satisfacción, alegría.

gratificante [gɾatʃifi'kãtʃɪ] *adj 2 gén* gratificante.

gratificar [gɾatʃifi'kaʀ] *tr* gratificar (recompensar).

gratinar [gɾatʃi'naʀ] *tr* gratinar.

grátis ['gɾatʃiʃ] *adj inv* **1** gratis. • *adv* **2** gratis.

grato, ta ['gɾatʊ, ta] *adj* agradecido.

gratuitidade [gɾatuitʃi'dadʒɪ] *f* gratuidad.

gratuito, ta [gɾa'tuitʊ, ta] *adj* **1** gratuito (gratis). **2** gratuito (sin fundamento).

grau ['gɾaw] *m* **1** grado (nivel). **2** grado (de parentesco). **3** grado (título). **4** GEOM, FÍS grado.

graúdo, da [gɾa'udʊ, da] *adj* **1** grande, crecido (desarrollado). • *adj/m e f* **2** poderoso, influyente.

gravação [gɾava'sãw] *f* **1** gravamen (impuesto). **2** grabación.

gravador, ra [gɾava'doʀ, ɾa] *adj/m e f* **1** grabador. • *m* **2** grabadora (magnetófono).

gravar [gɾa'vaʀ] *tr* **1** gravar (carga, impuesto). **2** grabar (labrar).

gravata [gɾa'vata] *f* corbata (prenda).

gravata-borboleta [gravataboRbo'leta] *f* pajarita.
grave ['gravɪ] *adj/m* **1** grave (pesado). • *adj 2 gén* **2** grave (importante, preocupante). **3** grave (difícil, arduo).
grávida ['gravida] *f* embarazada, preñada, grávida.
gravidade [gravi'dadʒɪ] *f* **1** gravedad (importancia). **2** FÍS gravedad.
gravidez [gravi'deyʃ] *f* embarazo, preñez.
grávido, da ['gravidʊ, da] *adj* embarazado.
gravitacional [gravitasyo'naw] *adj 2 gén* gravitacional.
gravitar [gravi'taR] *intr* **1** gravitar. **2** (fig) girar: *o futebol do Rio gravita en torno do Romário = el fútbol de Río gira en torno a Romário.*
gravoso, sa [gra'vozʊ, za] *adj* gravoso.
gravura [gra'vura] *f* grabado. ♦ ~ **a água-forte** grabado al agua fuerte.
graxa ['graʃa] *f* **1** grasa (sebo). **2** BOT grasa (del enebro).
Grécia ['grɛsya] *f* Grecia.
grego, ga ['gregʊ, ga] *adj/m e f* **1** griego. • *m* **2** griego (lengua). **3** (fig) chino: *não me fale em grego = no me hables en chino.* ♦ ~ **antigo** griego antiguo.
gregoriano, na [gregori'ãnʊ, na] *adj* gregoriano.
grelha ['greʎa] *f* **1** parrilla (utensilio). **2** reja (verja).
grelhar [gre'ʎaR] *tr* asar (a la parrilla, plancha).
grelo ['grelʊ] *m* **1** grillo (de tubérculo). **2** (vulg) clítoris.
grêmio ['grẽmyʊ] *m* **1** regazo. **2** gremio (corporación).
greta ['greta] *f* grieta.
gretar [gre'taR] *tr, intr e pron* **1** agrietar. • *intr e pron* **2** (fig) estallar (reventar).
greve ['grɛvɪ] *f* huelga. ♦ ~ **de braços cruzados** huelga de brazos caídos.
grevista [gre'viʃta] *adj/m e f* huelguista.
grifar [gri'faR] *tr* **1** escribir (con letra grifa). **2** subrayar, recalcar.
grifo ['grifʊ] *m* **1** grifo (animal mitológico). **2** enigma.
grilar [gri'laR] *intr* **1** grillar. • *tr, intr e pron* **2** (coloq) preocuparse.
grilhão [gri'ʎãw] *m* **1** grillete, grillo. **2** cadena (adorno).
grilo ['grilʊ] *m* **1** grillo (insecto). **2** ruido (en coches viejos). **3** (coloq) inquietud, preocupación.
grinalda [gri'nawda] *f* guirnalda (corona).
gripal [gri'paw] *adj 2 gén* gripal.
gripe ['gripɪ] *f* gripe; gripa (Col, Ur, Ven).
gris ['griʃ] *adj/m* **1** gris (color). • *adj 2 gén* **2** borroso (difuso).
grisalho, lha [gri'zaʎʊ, ʎa] *adj* **1** canoso (pelo, barba). **2** grisáceo. **3** (fig) cano (mayor, anciano).
grita ['grita] *f* griterío.
gritante [gri'tãtʃɪ] *adj 2 gén* **1** gritón. **2** estridente.
gritar [gri'taR] *intr e tr* gritar, chillar.
gritaria [grita'ria] *f* gritería, griterío.
grito ['gritʊ] *m* **1** grito. **2** chirrido. **3** (fig) grito (protesta).
groselha [gro'zɛʎa] *f* grosella (fruto, jarabe).
grosseiro, ra [gro'seyrʊ, ra] *adj/m e f* **1** grosero, tosco. **2** grosero (descortés). **3** obsceno, indecente.
grosseria [grose'ria] *f* grosería.
grosso, ssa ['grosʊ, sa] *adj* **1** grueso (corpulento). **2** espeso, denso. **3** (fig) bueno (abundante, copioso): *salário grosso = buen salario.* **4** áspero (superficie). • *adj/m e f* **5** (coloq) grosero.
grossura [gro'sura] *f* **1** grosor. **2** hartazgo.
grotesco, ca [gro'teʃkʊ, ka] *adj/m* **1** ARQ, ART grotesco, grutesco. **2** (fig) grotesco (ridículo, extravagante).
grua ['grua] *f* **1** grúa (máquina). **2** TV grúa.
grunhido [grũ'ɲidʊ] *m* **1** gruñido (del cerdo). **2** (fig) gruñido, respingo.
grunhir [grũ'ɲiR] *intr* **1** gruñir. • *tr e intr* **2** (fig) gruñir, refunfuñar.
grupamento [grupa'mẽtʊ] *m* agrupamiento.
grupo ['grupʊ] *m* **1** grupo (conjunto). **2** (coloq) trola, bola.
gruta ['gruta] *f* gruta.
guache ['gwaʃɪ] *m* ART guache, aguada (técnica, pintura).
guampa ['gwãpa] *f* cuerno, asta; guampa (Arg, Par, Ur).

guanaco [gwa'nakʊ] *m* guanaco.
guano [gw'ãnʊ] *m* guano, estiércol.
guaraná [gwaɾa'na] *m* **1** paulinia; guaraná (Amér. Centr, Bol, Par). **2** guaraná (bebida, comida).
guarda [gw'aʀda] *f* **1** guardia (vigilancia). **2** (fig) guardia (custodia). **3** guardia (tropa). **4** guarda (página). ■ **em ~** en guardia.
guarda-chuva [gwaʀda'ʃuva] *m* paraguas.
guarda-costas [gwaʀda'kɔyʃtayʃ] *m* **1** guardacostas. ● *s 2 gén* **2** (fig) guardaespaldas.
guardador, ra [gwaʀda'doʀ, ɾa] *adj/m e f* **1** guardador. **2** avaro, mezquino.
guarda-florestal [gwaʀdafloɾeyʃ'taw] *s 2 gén* guarda forestal.
guarda-freios [gwaʀda'freyʊʃ] *s 2 gén* guardafrenos.
guarda-lama [gwaʀda'lãma] *m* guardabarros.
guarda-livros [gwaʀda'livɾʊʃ] *s 2 gén* contable.
guarda-meta [gwaʀda'mɛta] *s 2 gén* guardameta; guardavalla (Amér).
guardanapo [gwaʀda'napʊ] *m* servilleta.
guarda-noturno [gwaʀdano'tuʀnʊ] *s 2 gén* vigilante nocturno.
guardar [gwaʀ'daʀ] *tr* **1** guardar (vigilar, defender). **2** guardar (colocar). **3** guardar (conservar). **4** recordar, memorizar. ● **~-se** *pron* **5** guardarse (precaverse).
guarda-redes [gwaʀda'ʀedʒɪʃ] *m* portero, guardameta; arquero, guardavalla (Amér).
guarda-roupa [gwaʀda'ʀowpa] *m* **1** guardarropa (armario, vestidos). **2** guardarropía.
guarda-sol [gwaʀda'sɔw] *m* guardasol, quitasol.
guardião [gwaʀdʒi'ãw] *m* **1** guardián. **2** guardaespaldas.
guarida [gwa'ɾida] *f* **1** guarida (cueva). **2** (fig) guarida (refugio).
guarita [gwa'ɾita] *f* garita.
guarnecer [gwaʀne'seʀ] *tr* **1** guarnecer (dotar). **2** guarnecer (adornar).
guarnição [gwaʀni'sãw] *f* **1** guarnición (adorno). **2** guarnición (tropa). **3** guarnición (alimentos).
Guatemala [gwate'mala] *f* Guatemala.
guatemalteco, ca [gwatemaw'tɛkʊ, ka] *adj/m e f* guatemalteco.
gude ['gudʒɪ] *m* **1** canica. **2** juego de canicas.
guei ['gey] *adj/m e f* gay, homosexual.
guelra ['gɛwʀa] *f* agalla, branquia.
guepardo [ge'paʀdʊ] *m* guepardo, onza.
guerra ['gɛʀa] *f* guerra. ◆ **~ civil** guerra civil; **~ fria** guerra fría.
guerrear [geʀe'aʀ] *tr e intr* **1** guerrear. ● *tr* **2** guerrear (oponer, contradecir).
guerreiro, ra [ge'ʀeyɾʊ, ɾa] *adj* **1** guerrero (belicoso). ● *adj/m e f* **2** guerrero (luchador). ● *m* **3** guerrero (soldado).
guerrilha [ge'ʀiʎa] *f* **1** guerrilla. **2** polémica continua.
guerrilheiro, ra [geʀi'ʎeyɾʊ, ɾa] *adj/m e f* guerrillero.
gueto ['getʊ] *m* gueto.
guia ['gia] *f* **1** guía (guiamiento). **2** albarán. **3** (fig) aperitivo (bebida). ● *s 2 gén* **4** guía (acompañante). ● *m* **5** guía, manual.
Guiana [guy'ãna] *f* Guayana.
guianense [guyã'nẽsɪ] *adj/m e f* guayanés.
guiar [gi'aʀ] *tr e pron* **1** guiar (orientar). ● *tr* **2** amparar, socorrer.
guichê [gi'ʃe] *m* ventanilla.
guidão [gi'dãw] *m* ⇒ guidom.
guidom [gi'dõw] *m* volante, dirección.
guilhotina [giʎo'tʃina] *f* **1** guillotina (para decapitar). **2** guillotina (para papel).
guinada [gi'nada] *f* MAR guiñada.
guinar [gi'naʀ] *tr e intr* **1** MAR guiñar. **2** (fig) cambiar (de vida, idea).
guinchar [gĩ'ʃaʀ] *tr* remolcar (vehículo).
guincho ['gĩʃʊ] *m* **1** grúa (máquina). **2** grúa (para remolcar).
guindado, da [gĩ'dadʊ, da] *adj* **1** izado. **2** (fig) ascendido, promovido.
guindar [gĩ'daʀ] *tr* guindar (izar).
guindaste [gĩ'dayʃtʃɪ] *m* grúa (máquina).
Guiné [gi'nɛ] *f* Guinea.
guineano, na [gine'ãnʊ, na] *adj/m e f* guineano.
Guiné-Bissau [ginɛbi'saw] *f* Guinea-Bissau.
guineense [gine'ẽsɪ] *adj/m e f* guineano (de Guinea-Bissau).

Guiné-Equatorial [ginɛekwatoɾi'aw] *f* Guinea Ecuatorial.
guinéu-equatoriano, na [ginɛwekwatoɾi'ãnʊ, na] *adj/m e f* guineoecuatorial.
guisado, da [gi'zadʊ, da] *adj/m* guisado.
guisar [gi'zaʀ] *tr* **1** guisar (cocinar). **2** (fig) guisar (preparar).
guita ['gita] *f* **1** guita (cuerda). **2** (coloq) guita, pasta (dinero).
guitarra [gi'taʀa] *f* MÚS guitarra. ♦ **~ espanhola** guitarra española.

> El término ***guitarra*** en Brasil normalmente se utiliza para referirse a la guitarra eléctrica. La guitarra clásica o española se denomina ***violão***.

guitarrista [gita'ʀiʃta] *adj/m e f* **1** MÚS guitarrista. **2** (coloq) falsificador (de dinero).
guizo ['gizʊ] *m* cascabel.
gula ['gula] *f* **1** gula, glotonería. **2** (fig) avidez. **3** ARQ gola.
guloseima [gulo'zeym̭a] *f* ⇒ gulodice (2).
guloso, sa [gu'lozʊ, za] *adj/m e f* goloso (laminero).
gume ['gumɪ] *m* **1** filo (corte). **2** (fig) perspicacia.
guri, a [gu'ɾi, a] *m e f* (fam) chaval (niño).
guru [gu'ɾu] *m* **1** gurú. **2** líder (jefe).
gustação [guʃta'sãw] *f* **1** degustación. **2** gusto, paladar.
gutural [gutu'ɾaw] *adj 2 gén* gutural.

Hh

h, H [a'ga] *m* h, H (letra).
hábil ['abiw] *adj 2 gén* **1** hábil (astuto, mañoso). **2** hábil (ágil, útil).
habilidade [abili'dadʒɪ] *f* habilidad (destreza).
habilidoso, sa [abili'dozʊ, za] *adj* habilidoso.
habilitação [abilita'sãw] *f* habilitación (capacitación).
habilitar [abili'taR] *tr* **1** habilitar (declarar hábil). • *tr e pron* **2** habilitar (capacitar).
habitabilidade [abitabili'dadʒɪ] *f* habitabilidad.
habitação [abita'sãw] *f* vivienda, morada.

> ***Habitação*** en portugués sólo tiene el sentido de 'edificación, vivienda', que también tiene en español. En el sentido de aposento, en portugués se dice ***quarto***.

habitante [abi'tãtʃɪ] *adj/m e f* habitante.
habitar [abi'taR] *tr* **1** habitar (vivir). **2** poblar.
habitat [abi'tatʃɪ] *m* ECOL hábitat (condiciones).
habitável [abi'tavew] *adj 2 gén* habitable.
hábito ['abitʊ] *m* **1** hábito (costumbre). **2** hábito (práctica).
habituação [abitua'sãw] *f* habituación.
habituado, da [abitu'adʊ, da] *adj* **1** habituado. • *m e f* **2** asiduo (de un lugar).
habitual [abitu'aw] *adj 2 gén* habitual (común, usual).
habituar [abitu'aR] *tr e pron* habituar (acostumbrar).
Haiti [ay'tʃi] *m* Haití.
haitiano, na [aytʃi'anʊ, na] *adj/m e f* haitiano.
hálito ['alitʊ] *m* **1** hálito (aliento). **2** (fig) olor (emanación).
halo ['alʊ] *m* **1** halo (cerco). **2** halo (aureola).
haltere ou **halter** [aw'tɛɾɪ o aw'tɛR] *m* haltera (barra).
halterofilia [awteɾofi'lia] *f* ⇒ halterofilismo.
halterofilismo [awteɾofi'liʒmʊ] *m* halterofilia.
hamburguer [ãbuR'geR] *f* hamburguesa.
hamster ['Rãmiʃter] *m* hámster.
handebol [Rẽdʒi'bɔw] *m* balonmano.
handicap [Rẽdʒi'kapɪ] *m* **1** (fig) desventaja, obstáculo (impedimento, inconveniente). **2** ESPORT handicap (compensación).
hangar [ã'gaR] *m* hangar.
harmonia [aRmo'nia] *f* **1** armonía (proporción, concordancia). **2** armonía (paz, concordia).
harmônica [aR'monika] *f* MÚS armónica.
harmônico, ca [aR'monikʊ, ka] *adj* **1** armónico (proporcional). • *m* **2** MÚS armónico.
harmonioso, sa [aRmoni'ozu, za] *adj* **1** armonioso (sonido). **2** (fig) armonioso (bien combinado).
harmonizar [aRmoni'zaR] *tr, intr e pron* **1** armonizar (combinar). • *tr e intr* **2** MÚS armonizar.
harpa ['aRpa] *f* MÚS arpa.
harpia [aR'pia] *f* **1** arpía (ser mitológico). **2** (fig) arpía (mujer mala).
hasta ['aʃta] *f* **1** asta (lanza). **2** subasta. ◆ **~ pública** subasta pública.
haste ['ayʃtʃɪ] *f* **1** asta (de bandera). **2** tallo (de planta).
hastear [ayʃtʃɪ'aR] *tr e pron* izar, enarborar.
haurir [aw'ɾiR] *tr* **1** agotar (gastar). **2** (form) agotar, extraer.
haver [a'veR] *m* haber.
haver [a'veR] *impess* **1** haber (existir). **2** haber (encontrarse, estar). **3** hacer (tiempo): *acabei a escola há dez anos = terminé la escuela hace diez años.* **4** ha-

h

ber (acontecer): *ontem houve uma festa na praia = ayer hubo una fiesta en la playa.* • **~-se** *pron* **5** haberse, comportarse. • *aux* **6** (precediendo participio) haber: *não havia acabado o filme quando foi embora = no había terminado la película cuando se marchó.* **~ de 7** (precediendo infinitivo indica futuro): *nunca hei de lá voltar = nunca regresaré allí.* ■ **haja o que houver** pase lo que pase; **não ~ como** no haber como; **não há de ou por quê** no hay de que.

haxixe [a'ʃiʃɪ] *m* hachís (droga).

hebdomadário, a [ebidoma'daɾyu, a] *adj* **1** hebdomadario (semanal). • *m* **2** hebdomadario (semanario).

hebraico, ca [e'brayku, ka] *adj* **1** hebraico, hebreo. • *m* **2** hebreo (lengua).

hebreu, bréia [e'brew, 'brɛya] *adj* **1** hebreo. • *m* **2** ⇒ hebraico, ca (2).

hecatombe [eka'tõbɪ] *f* **1** hecatombe (sacrificio). **2** (fig) hecatombe (mortandad).

hectare [eki'taɾɪ] *m* hectárea.

hectolitro [ekito'litɾu] *m* hectolitro.

hectômetro [eki'tõmetɾu] *m* hectómetro.

hediondo, da [edʒi'õdu, da] *adj* **1** horrendo, feo. **2** hediondo (repugnante, obsceno).

hedonista [edo'niʃta] *adj/m e f* hedonista.

hegemonia [eʒemo'nia] *f* hegemonía (supremacía).

helênico, ca [e'leniku, ka] *adj* helénico.

heleno, na [e'lenu, na] *adj/m e f* heleno.

hélice ['ɛlisɪ] *f* **1** hélice (aletas). **2** GEOM hélice (curva, espiral).

helicóptero [eli'kɔpiteɾu] *m* helicóptero.

hélio ['ɛlyu] *m* QUÍM helio.

heliporto [eli'poRtu] *m* helipuerto.

helminto [ew'mĩtu] *m* ZOOL helminto.

helvécio, a [ew'vɛsyu, a] *adj/m e f* helvecio.

helvético, ca [ew'vɛtʃiku, ka] *adj/m e f* ⇒ helvécio, a.

hem ['ẽy] *interj* ¿eh?

hematologia [ematolo'ʒia] *f* MED hematología.

hematológico, ca [emato'lɔʒiku, ka] *adj* hematológico.

hematólogo, ga [ema'tɔlogu, ga] *m e f* hematólogo.

hematoma [ema'toma] *m* MED hematoma.

hemeroteca [emeɾo'tɛka] *f* hemeroteca.

hemiciclo [emi'siklu] *m* hemiciclo.

hemiplegia [emiple'ʒia] *f* MED hemiplejia, hemiplejía.

hemiplégico, ca [emi'plɛʒiku, ka] *adj* MED hemipléjico.

hemisférico, ca [emiʃ'fɛɾiku, ka] *adj* hemisférico.

hemisfério [emiʃ'fɛɾyu] *m* GEOG, GEOM hemisferio.

hemistíquio [emiʃ'tʃikyu] *m* hemistiquio.

hemofilia [emofi'lia] *f* MED hemofilia.

hemofílico, ca [emo'filiku, ka] *adj/m e f* MED hemofílico.

hemoglobina [emoglo'bina] *f* BIOQ hemoglobina.

hemorragia [emoRa'ʒia] *f* MED hemorragia.

hemorrágico, ca [emo'Raʒiku, ka] *adj* hemorrágico.

hemorróidas ou **hemorróides** [emo'Rɔydays o emo'Rɔydʒɪʃ] *f pl* MED hemorroides.

hepático, ca [e'patʃiku, ka] *adj/m e f* **1** MED hepático. • *adj* **2** BOT hepático.

hepatite [epa'tʃitʃɪ] *f* MED hepatitis.

heptagonal [epitago'naw] *adj 2 gén* heptagonal.

heptassílabo, ba [epita'silabu, ba] *adj/m* heptasílabo.

hera ['ɛɾa] *f* hiedra, yedra.

heráldico, ca [e'ɾawdʒiku, ka] *adj* **1** heráldico. **2** (fig) distinguido, majestuoso.

herança [e'ɾãsa] *f* **1** herencia (derecho). **2** DIR herencia (patrimonio). **3** (fig) herencia (legado).

herbáceo, a [eR'basyu, a] *adj* herbáceo.

herbário [eR'baɾyu] *m* herbario.

herbívoro, ra [eR'bivoɾu, ɾa] *adj/m* herbíboro.

hercúleo, a [eR'kulyu, a] *adj* hercúleo.

hércules ['ɛRkulɪʃ] *m* (fig) hércules.

herdar [eR'daR] *tr* **1** heredar (bienes). **2** BIOL heredar.

herdeiro, ra [eR'deyɾu, ɾa] *m e f* heredero (sucesor).

hereditário, a [eɾedʒi'taɾyu, a] *adj* hereditario.

herege [e'ɾɛʒɪ] *adj/m e f* hereje.

heresia [ere'zia] *f* **1** herejía (contravención). **2** herejía (blasfemia).
herético, ca [e'rɛtʃikʊ, ka] *adj* herético.
hermafrodita [ɛRmafro'dʒita] *adj/m e f* hermafrodita.
hermético, ca [ɛR'mɛtʃikʊ, ka] *adj* **1** hermético (cerrado). **2** (fig) hermético (impenetrable, ininteligible).
hérnia ['ɛRnya] *f* MED hernia.
herói [e'rɔy] *m* **1** héroe (semidiós). **2** héroe (hazañoso).
heróico, ca [e'rɔykʊ, ka] *adj* **1** heroico (valiente). **2** LIT heroico.
heroína [ero'ina] *f* **1** heroína (hazañosa). **2** heroína (protagonista). **3** heroína (narcótico).
heroinômano, na [eroy'nõmanʊ, na] *adj/m e f* heroinómano.
heroísmo [ero'iʒmʊ] *m* heroísmo (arrojo, valentía).
herpes ['ɛRpɪʃ] *m* herpes.
hertz ['RɛRtʃizi] *m* FÍS hertz, hercio.
hesitação [ezita'sãw] *f* hesitación, duda.
hesitante [ezi'tãtʃɪ] *adj 2 gén* **1** dudoso. **2** titubeante.
hesitar [ezi'taR] *tr e intr* **1** hesitar, dudar. **2** titubear.
heterodoxo, xa [eteRo'dɔkisʊ, kisa] *adj/m e f* heterodoxo (disidente).
heterogeneidade [eteroʒeney'dadʒɪ] *f* heterogeneidad.
heterogêneo, a [etero'ʒẽnyʊ, a] *adj* heterogéneo (desigual, diverso).
heterossexual [eterosekisu'aw] *adj/m e f* heterosexual.
heterossexualidade [eterosekisuali'dadʒɪ] *f* heterosexualidad (inclinación, práctica).
hexagonal [ezago'naw] *adj 2 gén* GEOM hexagonal.
hexágono, na [e'zagonʊ, na] *adj* **1** hexagonal. • *m* **2** GEOM hexágono.
hexassílabo, ba [eza'silabʊ, ba] *adj/ m* hexasílabo.
hiato [i'atʊ] *m* FON hiato.
hibernação [ibeRna'sãw] *f* hibernación.
hibernáculo [iber'nakulʊ] *m* invernadero (para plantas, animales).
hibernar [iber'naR] *intr* hibernar.
híbrido, da ['ibridʊ, da] *adj/m* **1** BIOL híbrido (animal, vegetal). • *adj/m e f* **2** híbrido (heterogéneo).
hidático, ca [i'datʃikʊ, ka] *adj* hidatídico.
hidratação [idrata'sãw] *f* hidratación.
hidratante [idra'tãtʃɪ] *adj/m* hidratante (sustancia, producto).
hidratar [idra'taR] *tr e pron* **1** QUÍM hidratar. **2** hidratar (humedecer).
hidrato [i'dratʊ] *m* QUÍM hidrato.
hidráulico, ca [i'drawlikʊ, ka] *adj* hidráulico.
hidravião ou **hidroavião** [idravi'ãw o idrwavi'ãw] *m* hidroavión.
hídrico, ca ['idrikʊ, ka] *adj* hídrico.
hidrogênio [idro'ʒẽnyʊ] *m* QUÍM hidrógeno.
hidrografia [idrogra'fia] *f* hidrografía.
hidrográfico, ca [idro'grafikʊ, ka] *adj* hidrográfico.
hidrológico, ca [idro'lɔʒikʊ, ka] *adj* hidrológico.
hidromassagem [idroma'saʒẽy] *f* hidromasaje.
hidromel [idro'mɛw] *m* hidromel, hidromiel.
hidrômetro [i'drõmetrʊ] *m* contador (de agua).
hidrosfera [idroyʃ'fɛra] *f* hidrosfera.
hidroterapia [idrotera'pia] *f* hidroterapia.
hidróxido [i'drɔkisidʊ] *m* QUÍM hidróxido.
hiena [i'ẽna] *f* hiena.
hierarquia [ierar'kia] *f* jerarquía (organización, gradación).
hierárquico, ca [ie'raRkikʊ, ka] *adj* jerárquico.
hierarquização [ieraRkiza'sãw] *f* jerarquización.
hierático, ca [ie'ratʃikʊ, ka] *adj* hierático (sagrado).
hieroglífico, ca [iero'glifikʊ, ka] *adj* **1** jeroglífico. • *m* **2** ⇒ hieróglifo.
hieróglifo [ie'rɔglifʊ] *m* **1** jeroglífico (símbolos, signos). **2** (fig) jeroglífico (difícil de entender).
hífen ['ifẽy] *m* guión (signo gráfico).
higiene [iʒi'ẽnɪ] *f* **1** higiene (limpieza). **2** MED higiene.
higiênico, ca [iʒi'ẽnikʊ, ka] *adj* higiénico.
higienista [iʒiẽ'niʃta] *s 2 gén* higienista.
higienizar [iʒiẽni'zaR] *tr* higienizar.
hilariante [ilari'ãtʃɪ] *adj 2 gén* hilarante.

h

hímen [ˈimẽy] *m* himen.
híndi [ˈĩdʒi] *m* hindi.
hindu [ĩˈdu] *adj/m e f* hindú.
hino [ˈinʊ] *m* himno (cántico, música).
hiperatividade [ipeɾatʃiviˈdadʒɪ] *f* hiperactividad.
hiperativo, va [ipeɾaˈtʃivʊ, va] *adj/m e f* hiperactivo.
hipérbato ou **hipérbaton** [iˈpɛʀbatʊ o iˈpɛʀbatõw] *m* GRAM hipérbaton, hipérbato.
hipérbole [iˈpɛʀbolɪ] *f* **1** RET hipérbole. **2** GEOM hipérbola.
hiperbólico, ca [ipeʀˈbɔlikʊ, ka] *adj* RET hiperbólico.
hipermercado [ipeʀmeʀˈkadʊ] *m* hipermercado.
hiperônimo, ma [ipeˈɾõnimʊ, ma] *adj/m* GRAM hiperónimo.
hipersensível [ipeʀsẽˈsivew] *adj 2 gén* hipersensible.
hipertensão [ipeʀtẽˈsãw] *f* MED hipertensión.
hipertenso, sa [ipeʀˈtẽsʊ, sa] *adj/m e f* MED hipertenso.
hípico, ca [ˈipikʊ, ka] *adj* hípico.
hipismo [iˈpiʒmʊ] *m* hipismo.
hipnose [ipiˈnɔzɪ] *f* hipnosis.
hipnótico, ca [ipiˈnɔtʃikʊ, ka] *adj* **1** hipnótico. **2** (fig) fascinante, atrayente.
hipnotização [ipinotʃizaˈsãw] *f* hipnotización.
hipnotizar [ipinotʃiˈzaʀ] *tr* **1** hipnotizar (provocar hipnosis). **2** (fig) hipnotizar (fascinar).
hipocampo [ipoˈkãpʊ] *m* hipocampo (pez).
hipocondríaco, ca [ipokõˈdɾiakʊ, ka] *adj/m e f* hipocondríaco, hipocondriaco.
hipocrisia [ipokɾiˈzia] *f* hipocresía.
hipócrita [iˈpɔkɾita] *adj/m e f* hipócrita.
hipoderme [ipoˈdɛʀmɪ] *f* ANAT hipodermis.
hipodérmico, ca [ipoˈdɛʀmikʊ, ka] *adj* hipodérmico.
hipódromo [iˈpɔdɾomʊ] *m* hipódromo.
hipônimo, ma [iˈponimʊ, ma] *adj/m* hipónimo.
hipopótamo [ipoˈpɔtamʊ] *m* hipopótamo.
hipoteca [ipoˈtɛka] *f* hipoteca.
hipotecar [ipoteˈkaʀ] *tr* hipotecar.
hipotecário, a [ipoteˈkaɾyʊ, a] *adj* hipotecario.
hipotenusa [ipoteˈnuza] *f* GEOM hipotenusa.
hipótese [iˈpɔtezɪ] *f* hipótesis (suposición).
hipotético, ca [ipoˈtɛtʃikʊ, ka] *adj* hipotético.
hirsuto, ta [iʀˈsutʊ, ta] *adj* **1** hirsuto (pelo). **2** dejado, descuidado; maltraído (Amér); escachalandrado (Amér. Centr, Col).
hirto, ta [ˈiʀtʊ, ta] *adj* **1** tieso, rígido. **2** inmóvil, tieso.
hispânico, ca [iʃˈpãnikʊ, ka] *adj/m e f* **1** hispánico. **2** hispano.
hispanidade [iʃpãniˈdadʒɪ] *f* hispanidad.
hispano, na [iʃˈpãnʊ, na] *adj/m e f* hispano.
hispano-americano, na [iʃpãnwameɾiˈkãnʊ, na] *adj/m e f* hispanoamericano.
hispanófono, na [iʃpaˈnɔfonʊ, na] *adj/m e f* hispanohablante.
histeria [iʃteˈɾia] *f* **1** MED histeria. **2** histeria (excitación).
histérico, ca [iʃˈtɛɾikʊ, ka] *adj/m e f* histérico.
história [iʃˈtɔrya] *f* **1** historia (disciplina). **2** historia (acontecimientos). **3** historia (narración, cuento).
historiado, da [iʃtoɾiˈadʊ, da] *adj* historiado.
historiador, ra [iʃtoɾiaˈdoʀ, ɾa] *adj/m e f* historiador (especialista, narrador).
historial [iʃtoɾiˈaw] *adj 2 gén* historial.
historiar [iʃtoɾiˈaʀ] *tr* **1** historiar (narrar, contar). **2** historiar (adornar, recargar).
histórico, ca [iʃˈtɔɾikʊ, ka] *adj* **1** histórico. **2** histórico (memorable). **3** histórico (real, verdadero).
historieta [iʃtoɾiˈeta] *f* historieta.
historiografia [iʃtoɾyogɾaˈfia] *f* historiografía (arte, estudio, descripción).
historiográfico, ca [iʃtoɾyoˈgɾafikʊ, ka] *adj* historiográfico.
histrião [iʃtɾiˈãw] *m* histrión (actor, cómico).
hitita [hiˈtʃita] *adj/m e f* hitita.
HIV [agaiˈve] (*siglas de* **Human Immunodeficience Virus**) *m* VIH (Virus de Inmunodeficiencia Humana).

hoje ['oʒɪ] *adv* **1** hoy. **2** hoy en día, actualmente.
holandês, sa [olã'deyʃ, za] *adj/m e f* **1** holandés. • *m* **2** holandés (lengua).
holocausto [olo'kawʃtʊ] *m* **1** holocausto (sacrificio). **2** (fig) holocausto (matanza).
holofote [olo'fɔtʃɪ] *m* foco (lámpara).
holograma [olo'grama] *m* holograma.
homem ['õmẽy] *m* **1** hombre (ser humano). **2** hombre (humanidad). **3** hombre (varón). **4** hombre (adulto, viril). **5** hombre (marido, amante). **6** hombre (individuo, tipo).
homenagear [omenaʒe'aʀ] *tr* homenajear.
homenagem [ome'naʒẽy] *f* homenaje.
homeopatia [omeopa'tʃia] *f* MED homeopatía.
homérico, ca [o'mɛʀikʊ, ka] *adj* homérico.
homicida [omi'sida] *adj/m e f* homicida.
homicídio [omi'sidʒyʊ] *m* homicidio.
homilia [omi'lia] *f* **1** homilía. **2** (fig) sermón (discurso aburrido).
homófono, na [o'mɔfonʊ, na] *adj* homófono.
homogeneidade [omoʒeney'dadʒɪ] *f* homogeneidad.
homogeneizar [omoʒeney'zaʀ] *tr e pron* homogeneizar.
homogêneo, a [omo'ʒẽnyʊ, a] *adj* **1** homogéneo (igual, semejante). **2** homogéneo (uniforme).
homologação [omologa'sãw] *f* homologación (reconocimiento, validación).
homologar [omolo'gaʀ] *tr* **1** DIR homologar (ratificar). **2** homologar (reconocer).
homologável [omolo'gavew] *adj 2 gén* homologable.
homônimo, ma [o'mõnimʊ, ma] *adj* **1** homónimo (tocayo). **2** homónimo (palabra).
homossexual [omosekisu'aw] *adj/m e f* homosexual.
homossexualidade [omosekisuali'dadʒɪ] *f* homosexualidad.
Honduras [õ'durayʃ] *f* Honduras.
honestar [oneyʃ'taʀ] *tr* honestar (honrar).
honestidade [oneyʃtʃi'dadʒɪ] *f* honestidad.
honesto, ta [o'nɛyʃtʊ, ta] *adj* **1** honesto (honrado, serio). **2** (fig) honesto (razonable, justo).
honorabilidade [honorabili'dadʒɪ] *f* honorabilidad.
honorário, a [hono'raryʊ, a] *adj* **1** honorario (socio, rector). • **honorários** *m pl* **2** honorarios (sueldo).
honorífico, ca [hono'rifikʊ, ka] *adj* honorífico.
honra ['õʀa] *f* **1** honor (principios). **2** honra (dignidad). **3** honor (privilegio, reconocimiento). **4** honra, honor (virtud, castidad).
honradez [õʀa'deyʃ] *f* honradez (rectitud).
honrado, da [õ'ʀadʊ, da] *adj* **1** honrado (digno, virtuoso). **2** honrado (tratado con honra).
honrar [õ'ʀaʀ] *tr* **1** honrar (exaltar). • *tr e pron* **2** honrar (dignificar).
honraria [õʀa'ria] *f* (gralte pl) honor, honores (título, distinción).
honroso, sa [õ'ʀozʊ, za] *adj* **1** honroso (digno). **2** honroso (decoroso).
hóquei ['rɔkey] *m* hockey.
hora ['ɔra] *f* **1** hora. **2** momento: *na hora em que a viu, saiu correndo = en el momento en que la vio, salió corriendo.* ◆ ~ **do rush** hora punta; ~ **do vamos ver** (coloq) la hora de la verdad. ■ **na** ~ a la hora, a tiempo.
horário, a [o'raryʊ, a] *adj* **1** horario. • *m* **2** horario.
horda ['ɔʀda] *f* **1** horda (tribu). **2** (fig) horda (grupo).
horizontal [orizõ'taw] *adj 2 gén* **1** horizontal. • *f* **2** horizontal.
horizonte [ori'zõtʃɪ] *m* **1** horizonte (línea). **2** horizonte (campo de visión).
hormonal [oʀmo'naw] *adj 2 gén* hormonal.
hormônio [oʀ'mõnyʊ] *m* hormona.
horóscopo [o'ʀɔyʃkopʊ] *m* horóscopo (gráfico, predicción, escrito).
horrendo, da [o'ʀẽdʊ, da] *adj* **1** horrendo (aterrador). **2** horrendo (feo).
horripilante [oʀipi'lãtʃɪ] *adj 2 gén* horripilante.
horripilar [oʀipi'laʀ] *tr, intr e pron* **1** horripilar (cabello). • *tr e pron* **2** horripilar (horrorizar).
horrível [o'ʀivew] *adj 2 gén* **1** horrible. **2** fatal (mal): *o trânsito está horrível = el tráfico está fatal.*
horror [o'ʀoʀ] *m* **1** horror (repulsa, aversión). **2** horror (miedo).

h

horrorizar [ororiˈzaʀ] *tr, intr e pron* horrorizar.
horroroso, sa [oroˈrozʊ, za] *adj* horroroso.
horta [ˈɔʀta] *f* huerta.
hortaliça [oʀtaˈlisa] *f* hortaliza.
hortelã [oʀteˈlã] *f* hierbabuena.
hortelão, loa [oʀteˈlãw, ˈloa] *m e f* hortelano (cultivador).
hortênsia [oʀˈtẽsya] *f* hortensia (planta, flor).
hortícola [oʀˈtʃikʊla] *adj 2 gén* hortícola.
horticultura [oʀtʃikuwˈtura] *f* horticultura.
horto [ˈoʀtʊ] *m* huerto.
hosana [oˈzãna] *f* REL hosanna.
hospedagem [oyʃpeˈdaʒẽy] *f* hospedaje.
hospedar [oyʃpeˈdaʀ] *tr e pron* hospedar.
hospedaria [oyʃpedaˈria] *f* hospedería.
hóspede [ˈɔyʃpedʒɪ] *s 2 gén* huésped.
hospedeiro, ra [oyʃpeˈdeyrʊ, ra] *m e f* hospedero.
hospício [oyʃˈpisyʊ] *m* **1** manicomio. **2** hospicio (albergue).
hospital [oyʃpiˈtaw] *m* hospital. ♦ **~ do sangue** MIL hospital de sangre.
hospitalar [oyʃpitaˈlaʀ] *adj 2 gén* hospitalario (médico).
hospitaleiro, ra [oyʃpitaˈleyrʊ, ra] *adj/m e f* hospitalario (acogedor).
hospitalidade [oyʃpitaliˈdadʒɪ] *f* **1** hospedaje (alojamiento). **2** hospitalidad (buena acogida).
hospitalizar [oyʃpitaliˈzaʀ] *tr e pron* hospitalizar.
hoste [ˈɔyʃtʃɪ] *f* hueste (ejército).
hóstia [ˈɔyʃtʃya] *f* REL hostia.
hostil [oyʃˈtʃiw] *adj 2 gén* **1** hostil (enemigo, amenazador). **2** hostil, contrario.
hostilidade [oyʃtʃiliˈdadʒɪ] *f* hostilidad.
hostilizar [oyʃtʃiliˈzaʀ] *tr e pron* **1** hostilizar (agredir, atacar). • *tr* **2** hostilizar (molestar).
hotel [oˈtɛw] *m* hotel (establecimiento).
hotelaria [otelaˈria] *f* hostelería.
hoteleiro, ra [oteˈleyrʊ, ra] *adj* **1** hotelero: *indústria hoteleira = industria hotelera.* • *m e f* **2** hotelero (propietario).
humanidade [umãniˈdadʒɪ] *f* **1** humanidad (cualidad, sentimiento). **2** humanidad (género).
humanismo [umãˈniʒmʊ] *m* humanismo.
humanista [umãˈniʃta] *adj/m e f* humanista.
humanitário, a [umãniˈtaryʊ, a] *adj/m e f* humanitario.
humanização [umãnizaˈsãw] *f* humanización.
humanizar [umãniˈzaʀ] *tr e pron* **1** humanizar. **2** (fig) humanizarse (volverse benigno).
humano, na [uˈmãnʊ, na] *adj* **1** humano. **2** (fig) humano (piadoso).
humildade [umiwˈdadʒɪ] *f* **1** humildad (modestia). **2** humildad (sumisión).
humilde [uˈmiwdʒɪ] *adj 2 gén* **1** humilde (modesto). **2** humilde (sumiso). • *adj/m e f* **3** humilde (pobre).
humilhação [umiʎaˈsãw] *f* humillación.
humilhante [umiˈʎãtʃɪ] *adj 2 gén* humillante.
humilhar [umiˈʎaʀ] *tr e pron* **1** humillarse. **2** humillar, rebajar. **3** humillar (subyugar).
humor [huˈmoʀ] *m* **1** humor (líquido). **2** humor (condición, índole). **3** humor (gracia, ironía). ♦ **senso de ~** sentido del humor.
humorismo [umoˈriʒmʊ] *m* humorismo (comicidad).
humorista [umoˈriʃta] *adj/m e f* humorista, cómico.
humorístico, ca [umoˈriʃtʃikʊ, ka] *adj* humorístico.
húngaro, ra [ˈũgarʊ, ra] *adj/m e f* **1** húngaro. • *m* **2** húngaro (lengua).
Hungria [ũˈgria] *f* Hungría.
hurra [ˈuʀa] *m* **1** hurra (grito): *dos hurras para você = dos hurras por ti.* • **~!** *interj* **2** ¡hurra!

Ii

i, I ['i] *m* i, I (letra).
ianque [i'ãkɪ] *adj/m e f* yanqui.
iate [i'atʃɪ] *m* yate.
ibérico, ca [i'bɛrikʊ, ka] *adj/m e f* ibérico.
ibero, ra [i'bɛrʊ, ɾa] *adj/m e f* **1** ⇒ ibérico, ca. • *m* **2** íbero (lengua).
ibero-americano, na [ibɛrwameri'kãnʊ, na] *adj/m e f* iberoamericano.
içar [i'saʀ] *tr* **1** MAR izar. • *tr e pron* **2** (fig) subir, elevar.
iceberg [aysɪ'bɛʀgɪ] *m* iceberg.
ícone ['ikonɪ] *m* **1** ícono, icono (símbolo). **2** (fig) persona emblemática.
icônico, ca [i'kõnikʊ, ka] *adj* icónico.
iconografia [ikonogɾa'fia] *f* iconografía.
iconográfico, ca [ikono'gɾafikʊ, ka] *adj* iconográfico.
icterícia [ikite'ɾisya] *f* MED ictericia.
ictiologia [ikitʃiolo'ʒia] *f* ictiología.
ictiologista [ikitʃiolo'ʒiʃta] *adj/m e f* ictiólogo.
ida ['ida] *f* **1** ida, marcha. **2** ida: *passagem de ida e volta = billete de ida y vuelta.*
idade [i'dadʒɪ] *f* **1** edad. **2** edad (edad avanzada): *é uma mulher de idade = es una mujer de edad.* **3** edad (época, tiempo). ◆ **terceira ~** tercera edad.
ideal [ide'aw] *adj 2 gén* **1** ideal. **2** ideal, perfecto. • *m* **3** ideal (prototipo, modelo).
idealismo [idea'liʒmʊ] *m* idealismo.
idealista [idea'liʃta] *adj/m e f* idealista.
idealização [idealiza'sãw] *f* idealización.
idealizar [ideali'zaʀ] *tr e pron* **1** idealizar. • *tr* **2** idear, imaginar.
idéia [i'dɛya] *f* **1** idea (representación). **2** idea (conocimiento). **3** idea (opinión). **4** idea (plano, propósito).
idem ['idẽy] *pron dem* ídem.
idêntico, ca [i'dẽtʃikʊ, ka] *adj* idéntico.
identidade [idẽtʃi'dadʒɪ] *f* **1** identidad. **2** MAT identidad.
identificação [idẽtʃifika'sãw] *f* identificación.
identificar [idẽtʃifi'kaʀ] *tr e pron* **1** identificar (igualar). **2** identificar (reconocer). • **~-se** *pron* **3** identificarse (solidarizarse).
ideologia [ideolo'ʒia] *f* ideología.
ideológico, ca [ideo'lɔʒikʊ, ka] *adj* ideológico.
idílico, ca [i'dʒilikʊ, ka] *adj* idílico.
idílio [i'dʒilyʊ] *m* **1** idilio (poema). **2** (fig) idilio (relación).
idioma [idʒi'õma] *m* idioma, lengua.
idiomático, ca [idʒio'matʃikʊ, ka] *adj* idiomático.
idiossincrasia [idʒiosĩkɾa'zia] *f* idiosincrasia.
idiota [idʒi'ɔta] *adj/m e f* **1** idiota (tonto, corto). **2** idiota (pretencioso, engreído). • *adj* **3** idiota (estúpido).
idiotice [idʒio'tʃisɪ] *f* idiotez.
idiotizar [idʒiotʃi'zaʀ] *tr, intr e pron* idiotizar.
idólatra [i'dɔlatɾa] *adj/m e f* idólatra.
idolatrar [idola'tɾaʀ] *tr e intr* **1** idolatrar. • *tr e pron* **2** (fig) idolatrar (amar, adorar).
ídolo ['idolʊ] *m* **1** ídolo (imagen, figura). **2** (fig) ídolo (admirado): *esse ator é o ídolo das meninas = ese actor es el ídolo de las chicas.*
idoneidade [idoney'dadʒɪ] *f* idoneidad.
idôneo, a [i'dõnyʊ, a] *adj* **1** idóneo. **2** capaz, competente.
idoso, sa [i'dozʊ, za] *adj* viejo, mayor: *um homem idoso = un hombre mayor.*
Iêmen [i'ẽmẽy] *m* Yemen.
iemenita [ieme'nita] *adj/m e f* yemení.
igara [i'gaɾa] *f* canoa (embarcación).
iglu [i'glu] *m* iglú.
ígneo, a ['iginyʊ, a] *adj* **1** ígneo. **2** (fig) ardiente (entusiasta).
ignição [igini'sãw] *f* ignición.
ignífugo, ga [igi'nifugʊ, ga] *adj* ignífugo.

ignóbil [igi'nɔbiw] *adj 2 gén* innoble.
ignomínia [igino'minya] *f* ignominia.
ignominioso, sa [iginomini'ozʊ, za] *adj* ignominioso.
ignorado, da [igino'ɾadʊ, da] *adj* ignorado.
ignorância [igino'ɾãsya] *f* **1** ignorancia. **2** grosería (rusticidad). **3** ingenuidad.
ignorante [igino'ɾãtʃɪ] *adj/m e f* **1** ignorante. **2** grosero (maleducado).
ignorar [igino'ɾaʀ] *tr* **1** ignorar (desconocer). • *tr e pron* **2** ignorar (desatender, omitir).
ignoto, ta [igi'notʊ, ta] *adj/m e f* ignoto.
igreja [i'gɾeʒa] *f* iglesia (comunidad, templo).
igual [i'gwaw] *adj 2 gén* **1** igual (idéntico). **2** igual (liso). • *s 2 gén* **3** igual (semejante): *só relacionava-se com seus iguais = sólo se relacionaba con sus iguales.* • *conj* **4** como. ■ **de ~ para ~** de igual a igual.
igualar [igwa'laʀ] *tr e pron* **1** igualar (equiparar). • *tr* **2** igualar (allanar, nivelar).
igualdade [igwaw'dadʒɪ] *f* igualdad.
igualitário, a [igwali'taɾyʊ, a] *adj* igualitario.
igualitarismo [igwalita'ɾiʒmʊ] *m* igualitarismo.
iguana [i'gwãna] *m* iguana.
iguaria [igwa'ɾia] *f* manjar delicioso.
ilação [ila'sãw] *f* ilación (inferencia).
ilegal [ile'gaw] *adj 2 gén* ilegal.
ilegalidade [ilegali'dadʒɪ] *f* ilegalidad.
ilegalizar [ilegali'zaʀ] *tr* ilegalizar.
ilegítimo, ma [ile'ʒitʃimʊ, ma] *adj* **1** ilegítimo. • *adj/m e f* **2** ilegítimo (bastardo).
ilegível [ile'ʒivew] *adj 2 gén* ilegible.
íleo ['ilyʊ] *m* **1** ANAT íleon (intestino). **2** MED íleo.
ileso, sa [i'lezʊ, za] *adj* ileso.
iletrado, da [ile'tradʊ, da] *adj* iletrado (analfabeto).
ilha ['iʎa] *f* **1** GEOG isla. **2** (fig) isla (zona delimitada).
ilhar [i'ʎaʀ] *tr e pron* aislar.
ilhéu, lhoa [i'ʎɛw, 'ʎoa] *adj/m e f* **1** isleño. • *m* **2** islote (pequeña isla). **3** islote (peñasco).
ilhó [i'ʎɔ] *s 2 gén* **1** ojete (orificio). **2** anilla (aro).
ilhota [i'ʎɔta] *f* islote (isla).
ilibado, da [ili'badʊ, da] *adj* **1** inmaculado. **2** eximido (rehabilitado).
ilibar [ili'baʀ] *tr* **1** purificar (volver inmaculado). **2** rehabilitar.
ilícito, ta [i'lisitʊ, ta] *adj* **1** ilícito. • *m* **2** ilicitud.
ilimitado, da [ilimi'tadʊ, da] *adj* ilimitado (infinito).
ilógico, ca [i'lɔʒikʊ, ka] *adj* ilógico.
iludido, da [ilu'dʒidʊ, da] *adj* iluso, engañado.
iludir [ilu'dʒiʀ] *tr e pron* iludir, engañar.
iluminação [ilumina'sãw] *f* **1** iluminación (irradiación, luz). **2** (fig) iluminación (conocimiento).
iluminado, da [ilumi'nadʊ, da] *adj* **1** iluminado. **2** (fig) inspirado. • *adj/m e f* **3** iluminado (ilustrado).
iluminar [ilumi'naʀ] *tr e pron* **1** iluminar (alumbrar). **2** (fig) iluminar (instruir, esclarecer).
iluminismo [ilumi'niʒmʊ] *m* **1** iluminismo. **2** FIL ilustración.
ilusão [ilu'zãw] *f* **1** ilusión (engaño). **2** ilusión (esperanza).
ilusionista [iluzio'niʃta] *adj/m e f* ilusionista (prestidigitador).
iluso, sa [i'luzʊ, za] *adj* iluso.
ilusório, a [ilu'zɔɾyʊ, a] *adj* ilusorio (ficticio, engañoso).
ilustração [iluʃtɾa'sãw] *f* **1** ilustración (esclarecimiento, saber). **2** ilustración (estampa).
ilustrado, da [iluʃ'tɾadʊ, da] *adj* **1** ilustrado (culto, instruido). **2** ilustrado (con estampas).
ilustrador, ra [iluʃtɾa'doʀ, ɾa] *adj* ilustrativo.
ilustrar [iluʃ'tɾaʀ] *tr e pron* **1** glorificar. • *tr* **2** ilustrar (instruir). **3** ilustrar (esclarecer).
ilustrativo, va [iluʃtɾa'tʃivʊ, va] *adj* **1** ilustrativo (decorativo). **2** ilustrativo (esclarecedor).
ilustre [i'luʃtɾɪ] *adj 2 gén* ilustre (insigne, célebre).
Ilustríssimo, ma [iluʃ'tɾisimʊ, ma] *adj* Ilustrísimo (tratamiento).
ímã ['imã] *m* **1** imán (objeto imantado). **2** (fig) imán (atractivo).

imaculado, da [imaku'ladʊ, da] *adj* inmaculado (puro, impoluto).
imagem [i'maʒẽy] *f* **1** imagen (figura, representación). **2** imagen (estatua).
imaginação [imaʒina'sãw] *f* **1** imaginación (facultad, capacidad). **2** imaginación (creación artística).
imaginar [imaʒi'naʀ] *tr* **1** imaginar (idear, inventar). **2** imaginar (pensar, considerar).
imaginário, a [imaʒi'naɾyʊ, a] *adj* imaginario (ficticio).
imaginativo, va [imaʒinat'ʃivʊ, va] *adj* **1** imaginativo (inventivo, creativo). **2** imaginativo (soñador).
imame [i'mãmɪ] *m* imán, imam.
imanente [ima'nẽtʃɪ] *adj 2 gén* inmanente.
imantar [imã'taʀ] *tr* imantar.
imaterial [imateɾi'aw] *adj 2 gén* inmaterial.
imaturidade [imatuɾi'dadʒɪ] *f* inmadurez.
imaturo, ra [ima'tuɾʊ, ɾa] *adj* **1** inmaduro. • *adj/m e f* **2** inmaduro (inexperto).
imbatível [ĩba'tʃivew] *adj* imbatible.
imbecil [ĩbe'siw] *adj 2 gén* imbécil.
imbecilidade [ĩbesili'dadʒɪ] *f* imbecilidad.
imberbe [ĩ'bɛʀbɪ] *adj/m* **1** imberbe (sin barba). **2** (fig) joven, principiante.
imbricação [ĩbɾika'sãw] *f* imbricación.
imbricar [ĩbɾi'kaʀ] *tr* imbricar.
imbróglio [ĩ'bɾɔglyʊ] *m* (coloq) embrollo (confusión, lío).
imbuir [ĩbu'iʀ] *tr e pron* **1** impregnar (embeber). **2** (fig) imbuir (influir).
imediação [imedʒia'sãw] *f* **1** inmediación. • **imediações** *f pl* **2** inmediaciones (alrededores).
imediato, ta [imedʒi'atʊ, ta] *adj* **1** inmediato (contiguo). **2** directo (sin intermediario): *contato imediato = contacto directo.*
imemorável [imemo'ɾavew] *adj 2 gén* inmemoriable.
imemorial [imemoɾi'aw] *adj 2 gén* ⇒ imemorável.
imensidade [imẽsi'dadʒɪ] *f* **1** inmensidad (infinitud). **2** inmensidad, infinidad (gran número).
imensidão [imẽsi'dãw] *f* ⇒ imensidade.
imenso, sa [i'mẽsʊ, sa] *adj* **1** inmenso (enorme, infinito). • *pron* **2** mucho: *tem imenso dinheiro = tiene mucho dinero.*
imerecido, da [imeɾe'sidʊ, da] *adj* inmerecido.
imergente [imeʀ'ʒẽtʃɪ] *adj 2 gén* zambullidor.
imergir [imeʀ'ʒiʀ] *tr e pron* **1** sumergir. **2** (fig) adentrarse (introducirse).
imersão [imeʀ'sãw] *f* inmersión.
imersível [imeʀ'sivew] *adj 2 gén* sumergible.
imerso, sa [i'mɛʀsʊ, sa] *adj* inmerso (sumergido).
imigração [imigɾa'sãw] *f* inmigración.
imigrado, da [imi'gɾadʊ, da] *adj/m e f* ⇒ imigrante.
imigrante [imi'gɾãtʃɪ] *adj/m e f* inmigrante.
imigrar [imi'gɾaʀ] *intr* inmigrar.
imigratório, a [imigɾa'tɔɾyʊ, a] *adj* inmigratorio.
iminência [imi'nẽsya] *f* inminencia.
iminente [imi'nẽtʃɪ] *adj 2 gén* inminente.
imiscuir-se [imiʃku'iʀsɪ] *pron* inmiscuirse (entrometerse).
imitação [imita'sãw] *f* **1** imitación (representación). **2** imitación (copia).
imitar [imi'taʀ] *tr* **1** imitar (reproducir). **2** imitar (copiar).
imitativo, va [imita'tʃivʊ, va] *adj* imitativo.
imobiliária [imobili'aɾya] *f* inmobiliaria (empresa).
imobiliário, a [imobili'aɾyʊ, a] *adj* **1** inmobiliario. • *adj/m* **2** (gralte pl) bien inmueble.
imobilidade [imobili'dadʒɪ] *f* **1** inmovilidad. **2** (fig) serenidad, imperturbabilidad.
imobilismo [imobi'liʒmʊ] *m* inmovilismo.
imobilização [imobiliza'sãw] *f* **1** inmovilización. **2** DIR inmovilización (de bienes).
imobilizar [imobili'zaʀ] *tr e pron* **1** inmovilizar (dejar quieto). • *tr* **2** inmovilizar (cuerpo, miembro).
imoderação [imodeɾa'sãw] *f* inmoderación.

imoderado, da [imode'ɾadʊ, da] *adj* inmoderado.
imodéstia [imo'dɛyʃtʃya] *f* inmodestia.
imolação [imola'sãw] *f* **1** inmolación (sacrificio). **2** (fig) masacre.
imolar [imo'laʀ] *tr, intr e pron* **1** inmolar (sacrificar). • *tr* **2** masacrar.
imoral [imo'ɾaw] *adj 2 gén* **1** inmoral. • *adj/m e f* **2** inmoral, lascivo (individuo).
imoralidade [imoɾali'dadʒɪ] *f* **1** inmoralidad (depravación). **2** inmoralidad (acción, hecho).
imorredoiro, ra ou **imorredouro, ra** [imoʀe'doyɾʊ, ɾa o imoʀe'dowɾʊ, ɾa] *adj* **1** imperecedero (eterno, infinito). **2** duradero, perdurable.
imortal [imoʀ'taw] *adj 2 gén* **1** inmortal (eterno). **2** (fig) inmortal (perdurable).

> En Brasil, un ***imortal*** es un miembro de la Academia Brasileira de Letras.

imortalidade [imoʀtali'dadʒɪ] *f* **1** inmortalidad (eternidad). **2** (fig) inmortalidad (duración indefinida).
imortalizar [imoʀtali'zaʀ] *tr e pron* **1** inmortalizar. • *tr* **2** volver inmortal.
imotivado, da [imotʃi'vadʊ, da] *adj* inmotivado.
imóvel [i'mɔvew] *adj 2 gén* **1** inmóvil (quieto). **2** (fig) inmóvil (inmutable). **3** inmueble, raíz (bien).
impaciência [ĩpasi'ẽsya] *f* impaciencia.
impacientar [ĩpasiẽ'taʀ] *tr e pron* impacientar.
impaciente [ĩpasi'ẽtʃɪ] *adj 2 gén* **1** impaciente. **2** (fig) protestón, impertinente.
impactante [ĩpaki'tãtʃɪ] *adj 2 gén* impactante.
impacto, ta [ĩ'pakitʊ, ta] *adj* **1** incrustado, metido. **2** estrellado, chocado. • *m* **3** impacto (choque).
impalpável [ĩpaw'pavew] *adj/m* impalpable.
impaludismo [ĩpalu'dʒiʒmʊ] *m* MED paludismo, malaria.
impar [ĩ'paʀ] *intr* **1** respirar mal, ahogarse. **2** atiborrarse, hartarse. • *tr e intr* **3** himpar.
ímpar ['ĩpaʀ] *adj/m* **1** MAT impar (número). • *adj 2 gén* **2** (fig) impar (único).
imparcial [ĩpaʀsi'aw] *adj 2 gén* imparcial.
imparcialidade [ĩpaʀsiali'dadʒɪ] *f* imparcialidad.
impartilhável [ĩpaʀtʃi'ʎavew] *adj 2 gén* indivisible.
impasse [ĩ'pasɪ] *m* impasse.
impassível [ĩpa'sivew] *adj 2 gén* **1** impasible (al dolor). **2** impasible (imperturbable).
impávido, da [ĩ'pavidʊ, da] *adj* impávido.
impecável [ĩpe'kavew] *adj 2 gén* **1** impecable (virtuoso). **2** (fig) impecable (intachable).
impedância [ĩpe'dãsya] *f* FÍS impediencia, impedancia.
impedido, da [ĩpe'dʒidʊ, da] *adj* **1** impedido (prohibido). **2** obstruido, interrumpido.
impedimento [ĩpedʒi'mẽtʊ] *m* **1** impedimento (obstáculo, estorbo). **2** ESPORT fuera de juego.
impedir [ĩpe'dʒiʀ] *tr* **1** coger por los pies. **2** impedir (imposibilitar).
impeditivo, va [ĩpedʒi'tʃivʊ, va] *adj* impeditivo.
impelir [ĩpe'liʀ] *tr* **1** impeler (impulsar). **2** (fig) impeler (estimular).
impenetrável [ĩpene'tɾavew] *adj 2 gén* **1** impenetrable. **2** (fig) impenetrable (incomprensible).
impensável [ĩpẽ'savew] *adj 2 gén* impensable.
imperador [ĩpeɾa'doʀ] *m* emperador.
imperar [ĩpe'ɾaʀ] *tr e intr* **1** imperar (mandar). **2** imperar (prevalecer).
imperativo, va [ĩpeɾa'tʃivʊ, va] *adj* **1** imperativo (imperioso). • *adj/m* **2** GRAM imperativo. • *m* **3** imperativo (imposición).
imperatriz [ĩpeɾa'tɾiʃ] *f* emperatriz.
imperceptível [ĩpeʀsepi'tʃivew] *adj 2 gén* **1** imperceptible. **2** insignificante, ínfimo; chirrisco (Amér. Centr, Ven).
imperdível [ĩpeʀ'dʒivew] *adj 2 gén* imperdible.
imperdoável [ĩpeʀdo'avew] *adj 2 gén* imperdonable.
imperecível [ĩpeɾe'sivew] *adj 2 gén* imperecedero.

imperfeição [ĩpeʀfey'sãw] *f* **1** imperfección: *a imperfeição do gênero humano = la imperfección del género humano.* **2** imperfección (defecto).
imperfeito, ta [ĩpeʀ'feytʊ, ta] *adj* **1** imperfecto (defectuoso). **2** imperfecto (incompleto).
imperial [ĩpeɾi'aw] *adj 2 gén* **1** imperial. **2** (fig) arrogante, autoritario; cocaroco (Chile). **3** (fig) lujoso, pomposo.
imperialismo [ĩpeɾia'liʒmʊ] *m* POL, ECON imperialismo.
imperialista [ĩpeɾia'liʃta] *adj/m e f* imperialista.
imperícia [ĩpe'ɾisya] *f* impericia.
império [ĩ'pɛɾyʊ] *m* **1** imperio (dignidad). **2** imperio (gobierno). **3** imperio (período, territorio). **4** (fig) imperio (potencia).
imperioso, sa [ĩpeɾi'ozʊ, za] *adj* **1** imperioso (autoritario). **2** arrogante, altivo.
impermeabilização [ĩpeʀmeabiliza'sãw] *f* impermeabilización.
impermeabilizar [ĩpeʀmeabili'zaʀ] *tr* impermeabilizar.
impermeável [ĩpeʀme'avew] *adj 2 gén* **1** impermeable. • *m* **2** impermeable, chubasquero.
imperscrutável [ĩpeɾiʃkɾu'tavew] *adj 2 gén* inescrutable.
impertérrito, ta [ĩpeʀ'tɛʀitʊ, ta] *adj* impertérrito.
impertinência [ĩpeʀtʃi'nẽsya] *f* **1** impertinencia (despropósito). **2** impertinencia (insolencia).
impertinente [ĩpeʀtʃi'nẽtʃɪ] *adj 2 gén* **1** impertinente (despropositado). • *adj/m e f* **2** impertinente (insolente).
imperturbável [ĩpeʀtuʀ'bavew] *adj 2 gén* imperturbable.
impessoal [ĩpeso'aw] *adj 2 gén* **1** impersonal (poco original). **2** impersonal (inconcreto).
ímpeto ['ĩpetʊ] *m* **1** ímpetu (impulso). **2** ímpetu (fuerza, violencia). **3** ímpetu (ardor, vehemencia).
impetuosidade [ĩpetuozi'dadʒɪ] *f* **1** impetuosidad. **2** ardor, arrebatamiento.
impetuoso, sa [ĩpetu'ozʊ, za] *adj* **1** impetuoso (violento). **2** impetuoso (precipitado).
impiedade [ĩpie'dadʒɪ] *f* impiedad.
impiedoso, sa [ĩpie'dozʊ, za] *adj* impiedoso (cruel).
impigem ou **impingem** [ĩ'piʒẽy o ĩ'pĩʒẽy] *f* (fam) impétigo.
impingir [ĩpĩ'ʒiʀ] *tr* **1** meter, dar: *impingiu-lhe um bofetão = le metió un bofetón.* **2** (fig) endilgar, endosar.
impio, a [ĩ'piʊ, a] *adj/m e f* impío (cruel, deshumano).
ímpio, a ['ĩpyʊ, a] *adj/m e f* impío (irreligioso).
implacável [ĩpla'kavew] *adj 2 gén* **1** implacable. **2** inflexible.
implantação [ĩplãta'sãw] *f* **1** implantación. **2** ANAT implantación (injerto).
implantar [ĩplã'taʀ] *tr e pron* **1** implantar (injertar). **2** implantar (establecer).
implante [ĩ'plãtʃɪ] *m* **1** implantación. **2** MED implante.
implementação [ĩplemẽta'sãw] *f* aplicación, puesta en práctica.
implementar [ĩplemẽ'taʀ] *tr* realizar, poner en práctica.
implemento [ĩple'mẽtʊ] *m* **1** (gralte pl) implemento. **2** cumplimiento.
implicação [ĩplika'sãw] *f* **1** implicación (participación). **2** implicación (consecuencia).
implicado, da [ĩpli'kadʊ, da] *adj* **1** implicado (enredado). **2** inferido (sobrentendido). • *adj/m e f* **3** implicado (involucrado).
implicância [ĩpli'kãsya] *f* **1** implicación. **2** provocación.
implicar [ĩpli'kaʀ] *tr* **1** implicar (conllevar, acarrear). **2** implicar (inferir, significar). • *tr e pron* **3** implicar (involucrar).
implícito, ta [ĩ'plisitʊ, ta] *adj* implícito.
imploração [ĩploɾa'sãw] *f* imploración.
implorar [ĩplo'ɾaʀ] *tr e intr* implorar.
implosão [ĩplo'zãw] *f* implosión.
impolido, da [ĩpo'lidʊ, da] *adj* (fig) basto, ordinario; vallunco (Amér. Centr); chafalote (Arg, Ur).
impoluto, ta [ĩpo'lutʊ, ta] *adj* impoluto (limpio).
imponderável [ĩpõde'ɾavew] *adj 2 gén* **1** imponderable (incalculable). **2** (fig) imponderable (ínfimo).
imponência [ĩpõ'nẽsya] *f* imponencia.

imponente [ĩpo'nẽtʃɪ] *adj 2 gén* **1** imponente; impresionante. **2** (fig) arrogante.
impontual [ĩpõtu'aw] *adj 2 gén* impuntual.
impopular [ĩpopu'laʀ] *adj 2 gén* impopular.
impopularidade [ĩpopulari'dadʒɪ] *f* impopularidad.
impor [ĩ'poʀ] *tr e pron* **1** imponer (forzar). • *tr* **2** imponer (instituir, establecer). • **~-se** *pron* **3** imponerse (hacerse valer).
importação [ĩpoʀta'sãw] *f* importación (entrada).
importado, da [ĩpoʀ'tadʊ, da] *adj* **1** importado. • *m* **2** (gralte pl) producto importado.
importador, ra [ĩpoʀta'doʀ, ra] *adj/m e f* importador.
importância [ĩpoʀ'tãsya] *f* **1** importancia (valor). **2** importancia (prestigio).
importante [ĩpoʀ'tãtʃɪ] *adj 2 gén* **1** importante (esencial). **2** importante (prestigioso).
importar [ĩpoʀ'taʀ] *tr, intr e pron* **1** importar (interesar): *não se importa com nada = nada le importa.* • *tr e intr* **2** importar (mercancías, costumbres). • *tr* **3** comportar, implicar.
importe [ĩ'pɔʀtʃɪ] *m* importe.
importunação [ĩpoʀtuna'sãw] *f* importunación.
importunar [ĩpoʀtu'naʀ] *tr* **1** importunar; chamarrear, enchinchar (Guat). • *tr e pron* **2** enfadarse, molestarse.
importuno, na [ĩpoʀ'tunʊ, na] *adj* **1** importuno (inoportuno). • *adj/m* **2** importuno (molesto).
imposição [ĩpozi'sãw] *f* **1** imposición (orden, obligación). **2** imposición (exigencia).
impossibilidade [ĩposibili'dadʒɪ] *f* imposibilidad.
impossibilitar [ĩposibili'taʀ] *tr* **1** imposibilitar (impedir). • *tr e pron* **2** imposibilitar (incapacitar): *o acidente impossibilitou-o de trabalhar = el accidente lo imposibilitó para trabajar.*
impossível [ĩpo'sivew] *adj 2 gén* **1** imposible (irrealizable). **2** increíble, absurdo.
imposto [ĩ'poyʃtʊ, ta] *adj* **1** impuesto. • *m* **2** impuesto (tributo). ♦ **~ de renda** impuesto sobre la renta.
impostor, ra [ĩpoyʃ'toʀ, ra] *adj/m e f* impostor (farsante).
impotência [ĩpo'tẽsya] *f* **1** impotencia (incapacidad). **2** impotencia (sexual).
impotente [ĩpo'tẽtʃɪ] *adj 2 gén* **1** impotente (incapaz). • *adj/m* **2** impotente (sexual).
impraticável [ĩpratʃi'kavew] *adj 2 gén* impracticable (imposible).
imprecação [ĩpreka'sãw] *f* imprecación.
imprecaução [ĩprekaw'sãw] *f* imprudencia.
imprecisão [ĩpresi'zãw] *f* imprecisión.
impreciso, sa [ĩpre'sizʊ, za] *adj* impreciso.
impregnar [ĩpregi'naʀ] *tr e pron* **1** impregnar (empapar). **2** (fig) impregnar (influir).
imprensa [ĩ'prẽsa] *f* **1** imprenta (máquina). **2** imprenta (arte). **3** prensa (publicaciones). **4** prensa (periodistas). **5** medios de comunicación.
imprensar [ĩprẽ'saʀ] *tr* **1** prensar. • *tr, intr e pron* **2** imprimir (publicación).
imprescindível [ĩpresĩ'dʒivew] *adj 2 gén* imprescindible.
impressão [ĩpre'sãw] *f* **1** impresión (marca, estampa). **2** impresión (sensación, efecto). **3** impresión (opinión, idea, noción). **4** presión, contacto.
impressionante [ĩpresio'nãtʃɪ] *adj 2 gén* impresionante.
impressionar [ĩpresio'naʀ] *tr* **1** impresionar (fijar). • *tr, intr e pron* **2** impresionar (conmover).
impresso, ssa [ĩ'prɛsʊ, sa] *adj* **1** impreso. • *m* **2** impreso.
impressor, ra [ĩpre'soʀ, ra] *adj* **1** impresor. • *m e f* **2** impresor (trabajador, dueño).
impressora [ĩpre'sora] *f* COMP impresora. ♦ **~ a jato de tinta** impresora de chorro de tinta.
imprestável [ĩpreyʃ'tavew] *adj 2 gén* **1** inservible. **2** (coloq) impresentable.
impreterível [ĩprete'rivew] *adj 2 gén* **1** indeclinable. **2** improrrogable.
imprevidente [ĩprevi'dẽtʃɪ] *adj/m e f* imprevisor, imprudente.

imprevisível [ĩprevi'zivew] *adj 2 gén* imprevisible.
imprevisto, ta [ĩpre'viʃtu, ta] *adj/m* imprevisto.
imprimação [ĩprima'sãw] *f* imprimación.
imprimir [ĩpri'miR] *tr, intr e pron* **1** imprimir (marcar, estampar). ● *tr* **2** imprimir (obra).
ímprobo, ba ['ĩprobu, ba] *adj/m e f* ímprobo.
improcedente [ĩprose'dẽtʃɪ] *adj 2 gén* **1** improcedente (ilegal). **2** improcedente (inoportuno).
improdutivo, va [ĩprodu'tʃivu, va] *adj* improductivo.
impropério [ĩpro'pɛryu] *m* improperio (insulto).
impropriedade [ĩproprye'dadʒɪ] *f* **1** impropiedad (incorrección). **2** impropiedad (inoportunidad).
impróprio, a [ĩ'prɔpryu, a] *adj* **1** impropio (inadecuado, incorrecto). **2** impropio (inoportuno).
improvável [ĩpro'vavew] *adj 2 gén* improbable.
improvisação [ĩproviza'sãw] *f* improvisación.
improvisar [ĩprovi'zaR] *intr e tr* **1** improvisar: *no recital, os músicos improvisaram = en el recital, los músicos improvisaron.* ● *tr* **2** improvisar (inventar): *improvisou uma desculpa = improvisó una excusa.*
improviso, sa [ĩpro'vizu, za] *adj* **1** improviso. ● *m* **2** MÚS improvisación.
imprudência [ĩpru'dẽsya] *f* imprudencia.
imprudente [ĩpru'dẽtʃɪ] *adj/m e f* imprudente.
impudente [ĩpu'dẽtʃɪ] *adj 2 gén* impudente.
impudico, ca [ĩpu'dʒiku, ka] *adj/m e f* impúdico.
impudor [ĩpu'doR] *m* **1** impudor (desvergüenza). **2** impudor (cinismo).
impugnação [ĩpugina'sãw] *f* impugnación.
impugnar [ĩpugi'naR] *tr* **1** impugnar (combatir). **2** DIR impugnar (recurrir).
impulsão [ĩpuw'sãw] *f* impulso; impulsión.
impulsar [ĩpuw'saR] *tr* impulsar, impeler.
impulsionador, ra [ĩpuwsiona'doR, ra] *adj/m e f* impulsor.
impulsionar [ĩpuwsio'naR] *tr* ⇒ impulsar.
impulsivo, va [ĩpuw'sivu, va] *adj* **1** impulsivo (impelente). ● *adj/m e f* **2** impulsivo (irreflexivo).
impulso [ĩ'puwsu] *m* **1** impulso (empuje). **2** impulso (fuerza).
impulsor, ra [ĩpuw'soR, ra] *adj/m e f* impulsor.
impune [ĩ'punɪ] *adj 2 gén* impune.
impunidade [ĩpuni'dadʒɪ] *f* impunidad.
impureza [ĩpu'reza] *f* **1** impureza (materia). **2** impureza (impudicia). **3** inmundicia, suciedad.
impuro, ra [ĩ'puru, ra] *adj* **1** impuro (adulterado). **2** impuro (contaminado). **3** impuro (impúdico). ● *adj/m e f* **4** indecente, libertino.
imputação [ĩputa'sãw] *f* **1** imputación (acusación). **2** (fig) responsabilidad (obligación).
imputar [ĩpu'taR] *tr* **1** imputar (atribuir). **2** calificar, tildar.
imundície ou **imundícia** [imũ'dʒisɪ o imũ'dʒisya] *f* **1** inmundicia, suciedad. **2** (coloq) montón (abundancia).
imundo, da [i'mũdu, da] *adj* **1** inmundo, sucio. **2** inmundo (inmoral).
imune [i'mũnɪ] *adj 2 gén* **1** inmune (exento). **2** BIOL inmune.
imunidade [imuni'dadʒɪ] *f* **1** inmunidad (exención). **2** BIOL, MED inmunidad.
imunitário, a [imuni'taryu, a] *adj* BIOL, MED inmunitario.
imunização [imuniza'sãw] *f* BIOL, MED inmunización. ◆ ~ **ativa** MED inmunización activa.
imunizar [imuni'zaR] *tr* **1** inmunizar. ● *tr e pron* **2** (fig) inmunizar, proteger: *imunizou-se contra as decepções amorosas = se ha inmunizado contra las decepciones amorosas.*
imunodeficiente [imunodefisi'ẽtʃɪ] *adj/m e f* MED inmunodeficiente.
imunológico, ca [imuno'lɔʒiku, ka] *adj* MED inmunológico.
imutável [imu'tavew] *adj 2 gén* inmutable.
inabalável [inaba'lavew] *adj 2 gén* **1** inamovible. **2** (fig) arraigado, enraizado. **3** (fig) inquebrantable.

i

inábil [iˈnabiw] *adj 2 gén* **1** inhábil (torpe). **2** inhábil (inepto). **3** DIR incapaz.
inabilitar [inabiliˈtaR] *tr e pron* **1** inhabilitar, incapacitar. • *tr* **2** suspender (examen, prueba).
inabitado, da [inabiˈtadu, da] *adj* inhabitado.
inabitável [inabiˈtavew] *adj 2 gén* inhabitable.
inacabado, da [inakaˈbadu, da] *adj* **1** inacabado. • *adj/m* **2** GRAM ⇒ imperfectivo, va.
inação [inaˈsãw] *f* **1** inacción, ociosidad. **2** (fig) indecisión. **3** (fig) pusilanimidad.
inaceitável [inaseyˈtavew] *adj 2 gén* inaceptable.
inacessível [inaseˈsivew] *adj 2 gén* **1** inaccesible (inalcanzable). **2** inaccesible (incomprensible). **3** insensible, inmune.
inacreditável [inakredʒiˈtavew] *adj 2 gén* increíble, inconcebible.
inadaptado, da [inadapiˈtadu, da] *adj/m e f* inadaptado.
inadequação [inadekwaˈsãw] *f* inadecuación.
inadequado, da [inadeˈkwadu, da] *adj* inadecuado, impropio.
inadiável [inadʒiˈavew] *adj 2 gén* inaplazable.
inadmissível [inadʒimiˈsivew] *adj 2 gén* inadmisible.
inadvertência [inadʒiveRˈtẽsya] *f* inadvertencia.
inadvertido, da [inadʒiveRˈtʃidu, da] *adj* inadvertido.
inalação [inalaˈsãw] *f* inhalación.
inalar [inaˈlaR] *tr* **1** inhalar. **2** (fig) asimilar, acoger.
inalienável [inalieˈnavew] *adj 2 gén* inalienable.
inalterabilidade [inawterabiliˈdadʒi] *f* inalterabilidad.
inalterado, da [inawteˈradu, da] *adj* **1** inalterado. **2** (fig) tranquilo, calmado.
inalterável [inawteˈravew] *adj 2 gén* **1** inalterable, inmutable. **2** (fig) impasible.
inamovível [inamoˈvivew] *adj 2 gén* **1** inamovible. **2** (fig) obstinado, pertinaz.
inane [iˈnãni] *adj 2 gén* **1** vacío, hueco. **2** inane.
inanição [inãniˈsãw] *f* **1** inanidad. **2** MED inanición.
inanimado, da [inãniˈmadu, da] *adj* inanimado, inerte.
inapelável [inapeˈlavew] *adj 2 gén* DIR inapelable (sentencia, fallo).
inapetência [inapeˈtẽsya] *f* inapetencia.
inapetente [inapeˈtẽtʃi] *adj 2 gén* inapetente.
inapreciável [inapresiˈavew] *adj 2 gén* **1** inapreciable (insignificante). **2** inapreciable (incalculable).
inapresentável [inaprezẽˈtavew] *adj 2 gén* impresentable.
inaproveitado, da [inaproveyˈtadu, da] *adj* desaprovechado.
inaptidão [inapitʃiˈdãw] *f* **1** ineptitud. **2** DIR inhabilitación.
inapto, ta [iˈnapitu, ta] *adj* inepto (incapaz).
inatacável [inataˈkavew] *adj 2 gén* **1** inatacable. **2** incontestable.
inatingível [inatʃĩˈʒivew] *adj 2 gén* inalcanzable, inasequible.
inatividade [inatʃiviˈdadʒi] *f* inactividad.
inativo, va [inaˈtʃivu, va] *adj* **1** inactivo (parado). **2** inactivo (ocioso). **3** inactivo (ineficaz).
inato, ta [iˈnatu, ta] *adj* innato.
inatural [inatuˈraw] *adj 2 gén* innatural.
inaudível [inawˈdʒivew] *adj 2 gén* inaudible.
inauguração [inawguraˈsãw] *f* **1** inauguración (apertura). **2** estreno.
inaugural [inawguˈraw] *adj 2 gén* inaugural.
inaugurar [inawguˈraR] *tr* **1** inaugurar (obra, monumento). **2** estrenar: *inaugurar um vestido = estrenar un vestido.* • *tr e pron* **3** inaugurar (iniciar).
inca [ˈĩka] *adj 2 gén* **1** inca (incaico). • *s 2 gén* **2** inca (soberano). • **incas** *m pl* **3** incas.
incalculável [ĩkawkuˈlavew] *adj 2 gén* incalculable.
incandescente [ĩkãdeˈsẽtʃi] *adj 2 gén* **1** incandescente. **2** (fig) ardiente, fogoso.
incansável [ĩkãˈsavew] *adj 2 gén* incansable.

incapacidade [ĩkapasi'dadʒɪ] *f* **1** incapacidad (ineptitud). **2** DIR incapacidad.
incapacitação [ĩkapasita'sãw] *f* incapacitación.
incapacitado, da [ĩkapasi'tadʊ, da] *adj/m e f* incapacitado (inepto).
incapacitar [ĩkapasi'taʀ] *tr e pron* incapacitar (inhabilitar).
incapaz [ĩka'payʃ] *adj 2 gén* **1** incapaz. • *adj/m e f* **2** incapaz (inepto, ignorante).
inçar [ĩ'saʀ] *tr e intr* **1** infestar, propagarse (parásitos). • *tr* **2** contagiar, contaminar. **3** (fig) llenar, esparcirse.
incauto, ta [ĩ'kawtʊ, ta] *adj/m e f* **1** incauto (descuidado). **2** incauto (ingenuo, crédulo).
incendiar [ĩsẽdʒi'aʀ] *tr e pron* **1** incendiar. **2** abrasarse. **3** (fig) acalorarse, excitarse.
incendiário, a [ĩsẽdʒi'aɾyʊ, a] *adj* **1** incendiario. **2** (fig) incendiario (sedicioso, subversivo).
incêndio [ĩ'sẽdʒyʊ] *m* **1** incendio. **2** (fig) incendio (pasión vehemente).
incenso [ĩ'sẽsʊ] *m* **1** incienso (resina). **2** (fig) incienso (lisonja).
incentivar [ĩsẽtʃi'vaʀ] *tr* **1** incentivar. **2** promover.
incentivo, va [ĩsẽ'tʃivʊ, va] *adj/m* incentivo.
incerteza [ĩsẽʀ'teza] *f* incertidumbre.
incerto, ta [ĩs'ɛʀtʊ, ta] *adj* **1** incierto (dudoso, inconstante). **2** incierto (desconocido).
incessante [ĩse'sãtʃɪ] *adj 2 gén* incesante.
incesto [ĩ'seyʃtʊ] *m* incesto.
inchação [ĩʃa'sãw] *f* **1** hinchazón (dilatación). **2** (fig) hinchazón (vanidad, soberbia).
inchado, da [ĩ'ʃadʊ, da] *adj* **1** hinchado (dilatado, inflado). **2** (fig) hinchado (vanidoso).
inchar [ĩ'ʃaʀ] *tr, intr e pron* **1** hinchar (inflar). **2** (fig) hinchar (envanecerse).
incidência [ĩsi'dẽsya] *f* **1** incidencia (alcance). **2** incidencia (incidente).
incidente [ĩsi'dẽtʃɪ] *adj 2 gén* **1** secundario, accesorio. **2** ÓPT incidente. • *m* **3** incidente (acontecimiento).
incidir [ĩsi'dʒiʀ] *tr* **1** incidir (recaer, afectar). **2** incidir (incurrir).
incineração [ĩsinera'sãw] *f* incineración.
incinerar [ĩsine'ɾaʀ] *tr* incinerar (cremar).
incipiente [ĩsipi'ẽtʃɪ] *adj 2 gén* incipiente.
incircuncidado, da [ĩsiʀkũsi'dadʊ, da] *adj/m* incircuncidado.
incisão [ĩsi'zãw] *f* incisión.
incisivo, va [ĩsi'zivʊ, va] *adj* **1** incisivo (cortante). **2** (fig) penetrante, intenso. **3** (fig) perspicaz, agudo.
inciso, sa [ĩ'sizʊ, za] *adj* **1** inciso (cortado). • *adj/m* **2** GRAM inciso.
incisório, a [ĩsi'zɔɾyʊ, a] *adj* incisorio.
incitador, ra [ĩsita'doʀ, ɾa] *adj/m e f* incitador.
incitante [ĩsi'tãtʃɪ] *adj 2 gén* incitante.
incitar [ĩsi'taʀ] *tr* **1** incitar (estimular). **2** azuzar, provocar. • *tr e pron* **3** excitarse, agudizarse.
incivilizado, da [ĩsivili'zadʊ, da] *adj* incivilizado.
inclassificável [ĩklasifi'kavew] *adj 2 gén* inclasificable.
inclemência [ĩkle'mẽsya] *f* inclemencia (severidad).
inclemente [ĩkle'mẽtʃɪ] *adj 2 gén* inclemente (severo).
inclinação [ĩklina'sãw] *f* **1** inclinación (ladeamiento). **2** (fig) inclinación (propensión).
inclinado, da [ĩkli'nadʊ, da] *adj* **1** inclinado (oblicuo). **2** (fig) inclinado (tendente).
inclinar [ĩkli'naʀ] *tr e pron* **1** inclinar (ladear). **2** (fig) inclinar (tender). • **~-se** *pron* **3** (fig) postrarse.
incluir [ĩklu'iʀ] *tr e pron* **1** incluir (meter). • *tr* **2** incluir (contener).
inclusão [ĩklu'zãw] *f* inclusión.
inclusive [ĩklu'zivɪ] *adv* **1** inclusive. **2** incluso (hasta, aun).
inclusivo, va [ĩklu'zivʊ, va] *adj* inclusivo.
incoerência [ĩkoe'ɾẽsya] *f* incoherencia.
incoerente [ĩkoe'ɾẽtʃɪ] *adj 2 gén* incoherente.
incógnita [ĩ'kɔginita] *f* **1** incógnita. **2** MAT incógnita.
incógnito, ta [ĩ'kɔginitʊ, ta] *adj/m e f* **1** incógnito. • *adv* **2** de incógnito.

i

incolor [ĩko'loʀ] *adj 2 gén* **1** incoloro. • *adj* **2** (fig) insípido (sin gracia). **3** (fig) indefinido.
incólume [ĩ'kɔlumɪ] *adj 2 gén* incólume.
incombustível [ĩkõbuʃ'tʃivew] *adj 2 gén* incombustible.
incomensurável [ĩkomẽsu'ravew] *adj 2 gén* inconmensurable.
incomodado, da [ĩkomo'dadʊ, da] *adj* **1** incomodado (estorbado). **2** incomodado (enfadado).
incomodar [ĩkomo'daʀ] *tr, intr e pron* **1** incomodar (estorbar). • *tr e pron* **2** incomodar (irritar).
incomodativo, va [ĩkomoda'tʃivʊ, va] *adj* incómodo.
incomodidade [ĩkomodʒi'dadʒɪ] *f* incomodidad.
incômodo, da [ĩ'kõmodʊ, da] *adj* **1** incómodo: *silhão incômodo = sillón incómodo*. **2** incómodo (embarazoso). • *m* **3** indisposición (mal estar). **4** molestia: *não se deu ao incômodo de ajudar-me = no se tomó la molestia de ayudarme*.
incomparável [ĩkõpa'ravew] *adj 2 gén* incomparable.
incompassível [ĩkõpa'sivew] *adj 2 gén* incompasible.
incompatibilidade [ĩkõpatʃibili'dadʒɪ] *f* incompatibilidad.
incompatibilizar [ĩkõpatʃibili'zaʀ] *tr e pron* **1** incompatibilizar. **2** enemistar.
incompatível [ĩkõpa'tʃivew] *adj 2 gén* incompatible.
incompetência [ĩkõpe'tẽsya] *f* incompetencia.
incompetente [ĩkõpe'tẽtʃɪ] *adj 2 gén* **1** incompetente (desautorizado). • *adj/m e f* **2** incompetente (incapaz).
incompleto, ta [ĩkõ'plɛtʊ, ta] *adj* incompleto (inacabado, imperfecto).
incomportável [ĩkõpoʀ'tavew] *adj 2 gén* incomportable, intolerable.
incompreendido, da [ĩkõpreẽ'dʒidʊ, da] *adj/m e f* incomprendido.
incompreensão [ĩkõpreẽ'sãw] *f* incomprensión.
incompreensível [ĩkõpreẽ'sivew] *adj 2 gén* incomprensible.
incompreensivo, va [ĩkõpreẽ'sivʊ, va] *adj* **1** incomprensivo (intolerante). **2** lerdo (limitado).
incompressível [ĩkõpreẽ'sivew] *adj 2 gén* **1** incompresible. **2** (fig) irrefrenable.
incomunicação [ĩkomunika'sãw] *f* incomunicación.
incomunicar [ĩkomuni'kaʀ] *tr* incomunicar.
inconcebível [ĩkõse'bivew] *adj 2 gén* inconcebible.
inconciliável [ĩkõsili'avew] *adj 2 gén* inconciliable.
incondicional [ĩkõdʒisio'naw] *adj 2 gén* incondicional.
inconfessável [ĩkõfɛ'savew] *adj 2 gén* inconfesable.
inconfesso, ssa [ĩkõ'fɛsʊ, sa] *adj* **1** inconfesado. • *adj/m e f* **2** inconfeso (reo).
inconfidência [ĩkõfi'desya] *f* **1** indiscreción. **2** revelación (delación).
inconfidente [ĩkõfi'dẽtʃɪ] *adj 2 gén* **1** indiscreto. • *adj/m e f* **2** infidente (desleal); cuatrero (Amér).
inconformado, da [ĩkõfoʀ'madʊ, da] *adj/m e f* disconforme, inconforme.
inconformismo [ĩkõfoʀ'miʒmʊ] *m* inconformismo.
inconformista [ĩkõfoʀ'miʃta] *adj 2 gén* inconformista.
inconfundível [ĩkõfũ'dʒivew] *adj 2 gén* inconfundible.
incongruência [ĩkõgru'ẽsya] *f* incongruencia.
incongruente [ĩkõgru'ẽtʃɪ] *adj 2 gén* incongruente.
inconquistável [ĩkõkiʃ'tavew] *adj 2 gén* inconquistable (inexpugnable).
inconsciência [ĩkõsi'ẽsya] *f* **1** inconsciencia: *estado de inconsciência = estado de inconsciencia*. **2** inconsciencia (irresponsabilidad, irreflexión).
inconsciente [ĩkõsi'ẽtʃɪ] *adj 2 gén* **1** inconsciente (dormido). **2** inconsciente (reflejo). • *adj/m e f* **3** inconsciente (irresponsable).
inconseqüente [ĩkõse'kwẽtʃɪ] *adj 2 gén* inconsecuente (ilógico).
inconsideração [ĩkõsidera'sãw] *f* inconsideración.
inconsistência [ĩkõsiʃ'tẽsya] *f* inconsistencia.
inconsistente [ĩkõsiʃ'tẽtʃɪ] *adj 2 gén* inconsistente (inestable).

inconsolável [ĩkõso'lavew] *adj 2 gén* inconsolable.
inconstância [ĩkõʃ'tãsya] *f* inconstancia.
inconstante [ĩkõʃ'tãtʃɪ] *adj/m e f* inconstante (variable).
inconstitucional [ĩkõʃtʃitusio'naw] *adj 2 gén* inconstitucional.
inconstitucionalidade [ĩkõʃtʃitusionali'dadʒɪ] *f* inconstitucionalidad.
incontável [ĩkõ'tavew] *adj 2 gén* **1** incontable. **2** inenarrable.
incontestado, da [ĩkõteyʃ'tadʊ, da] *adj* incontestado.
incontestável [ĩkõteyʃ'tavew] *adj 2 gén* indiscutible, incontestable.
incontornável [ĩkõtoʀ'navew] *adj 2 gén* (fig) ineludible.
incontrolável [ĩkõtro'lavew] *adj 2 gén* incontrolable.
inconveniência [ĩkõveni'ẽsya] *f* **1** inconveniencia (incomodidad). **2** inconveniencia (despropósito).
inconveniente [ĩkõveni'ẽtʃɪ] *adj 2 gén* **1** inconveniente (inadecuado). • *m* **2** inconveniente (obstáculo). **3** inconveniente (perjuicio).
incorporação [ĩkoʀpora'sãw] *f* incorporación.
incorporar [ĩkoʀpo'raʀ] *tr e pron* **1** incorporar (agregar). **2** materializar. **3** incorporarse (a un grupo).
incorpóreo, a [ĩkoʀ'pɔryʊ, a] *adj* incorpóreo.
incorreção [ĩkoʀe'sãw] *f* incorrección.
incorrer [ĩko'ʀeʀ] *tr e intr* incurrir (en un error, culpa).
incorreto, ta [ĩko'ʀɛtʊ, ta] *adj* **1** incorrecto (equivocado). **2** incorrecto (descortés).
incorrigível [ĩkoʀi'ʒivew] *adj 2 gén* incorregible.
incorruptível [ĩkoʀupi'tʃivew] *adj 2 gén* incorruptible.
incorrupto, ta [ĩko'ʀupitʊ, ta] *adj* incorrupto.
incredulidade [ĩkreduli'dadʒɪ] *f* incredulidad.
incrédulo, la [ĩ'krɛdulʊ, la] *adj/m e f* incrédulo.
incrementado, da [ĩkremẽ'tadʊ, da] *adj* incrementado (aumentado).
incrementar [ĩkremẽ'taʀ] *tr* **1** incrementar (aumentar). **2** elaborar (plato).
incremento [ĩkre'mẽtʊ] *m* incremento.
increpador, ra [ĩkrepa'doʀ, ra] *adj/m e f* increpador.
increpar [ĩkre'paʀ] *tr* increpar.
incriminação [ĩkrimina'sãw] *f* incriminación.
incriminar [ĩkrimi'naʀ] *tr, intr e pron* incriminar (inculpar, acusar).
incrível [ĩ'krivew] *adj/m* **1** increíble. • *adj 2 gén* **2** (fig) increíble (extraordinario).
incruento, ta [ĩkru'ẽtʊ, ta] *adj* incruento.
incrustar [ĩkruʃ'taʀ] *tr e intr* **1** incrustar (embutir). **2** incrustar (revestir).
incubação [ĩkuba'sãw] *f* **1** incubación. **2** MED incubación.
incubadora [ĩkuba'dora] *f* incubadora.
incubar [ĩku'baʀ] *tr e intr* **1** incubar (empollar). • *tr* **2** incubarse (enfermedad).
inculca [ĩ'kuwka] *f* inculcación.
inculcar [ĩkuw'kaʀ] *tr* **1** inculcar (infundir, fijar). **2** aparentar. **3** recomendar, aconsejar.
inculpado, da [ĩkuw'padʊ, da] *adj/m e f* inculpado.
inculpar [ĩkuw'paʀ] *tr e pron* inculpar.
inculto, ta [ĩ'kuwtʊ, ta] *adj* **1** inculto (tierra). **2** (fig) inculto (sin cultura, instrucción).
incultura [ĩkuw'tura] *f* incultura.
incumbência [ĩkũ'bẽsya] *f* incumbencia.
incumbir [ĩkũ'biʀ] *tr e pron* incumbir.
incurável [ĩku'ravew] *adj 2 gén* **1** incurable. **2** (fig) incurable (irremediable).
incúria [ĩ'kurya] *f* **1** incuria. **2** inacción, inercia.
incursão [ĩkuʀ'sãw] *f* **1** incursión (correría). **2** incursión (entrada).
incutir [ĩku'tʃiʀ] *tr* infundir, imbuir.
indagação [ĩdaga'sãw] *f* indagación.
indagar [ĩda'gaʀ] *tr* indagar.
indecência [ĩde'sẽsya] *f* **1** indecencia (indecoro). **2** indecencia (obscenidad).
indecente [ĩde'sẽtʃɪ] *adj/m e f* indecente, obsceno.
indecifrável [ĩdesi'fravew] *adj 2 gén* indescifrable.
indecisão [ĩdesi'zãw] *f* indecisión.

i

indeciso, sa [ĩde'sizʊ, za] *adj/m e f* **1** indeciso (irresoluto). • *adj* **2** impreciso, vago.
indeclinável [ĩdekli'navew] *adj 2 gén* indeclinable (irrecusable).
indecoro [ĩde'korʊ] *m* indecoro.
indecoroso, sa [ĩdeko'rozʊ, za] *adj* indecoroso.
indefectível [ĩdefeki'tʃivew] *adj 2 gén* **1** indefectible. **2** indestructible.
indefensável [ĩdefẽ'savew] *adj 2 gén* indefendible.
indeferir [ĩdefe'riR] *tr* desatender, negar.
indefeso, sa [ĩde'fezʊ, za] *adj* indefenso.
indefinição [ĩdefini'sãw] *f* indefinición.
indefinido, da [ĩdefi'nidʊ, da] *adj* indefinido (indeterminado).
indefinível [ĩdefi'nivew] *adj 2 gén* indefinible.
indelével [ĩde'lɛvew] *adj 2 gén* **1** indeleble. **2** (fig) perdurable.
indelicadeza [ĩdelika'deza] *f* indelicadeza.
indene [ĩ'dẽnɪ] *adj 2 gén* indemne.
indenização [ĩdeniza'sãw] *f* indemnización.
indenizar [ĩdeni'zaR] *tr e pron* indemnizar.
independência [ĩdepẽ'dẽsya] *f* **1** independencia (autonomía). **2** independencia (emancipación).
independente [ĩdepẽ'dẽtʃɪ] *adj 2 gén* **1** independiente (autónomo). **2** independiente (autosuficiente).
independentismo [ĩdepẽdẽ'tʃiʒmʊ] *m* independentismo.
independentista [ĩdepẽdẽ'tʃiʃta] *adj/m e f* independentista.
independentizar [ĩdepẽdẽtʃi'zaR] *tr e pron* independizar.
indescritível [ĩdeyʃkri'tʃivew] *adj 2 gén* indescriptible.
indesejável [ĩdeze'ʒavew] *adj/m e f* indeseable.
indestrutível [ĩdeyʃtru'tʃivew] *adj 2 gén* indestructible.
indeterminado, da [ĩdeteRmi'nadʊ, da] *adj* **1** indeterminado (indefinido). **2** irresoluto.
indevido, da [ĩde'vidʊ, da] *adj* **1** indebido (optativo). **2** indebido (injusto, inmerecido).
índex ['ĩdɛks] *m* **1** índice (de un libro). • *adj/m* **2** índice (dedo).
indexação [ĩdekisa'sãw] *f* indización, indexación.
indexar [ĩdeki'saR] *tr* indizar, indexar.
indiano, na [ĩdʒi'ãnʊ, na] *adj/m e f* indio, hindú.
indicação [ĩdʒika'sãw] *f* **1** indicación (aclaración). **2** indicación (sugerencia). **3** nominación, elección.
indicador, ra [ĩdʒika'doR, ra] *adj* **1** indicador (indicativo). • *adj/m* **2** indicador (dispositivo). • *m* **3** dedo índice.
indicar [ĩdʒi'kaR] *tr* **1** indicar (mostrar). **2** señalar, apuntar. **3** indicar (aconsejar).
indicativo, va [ĩdʒika'tʃivʊ, va] *adj/m* **1** indicativo. • *adj/m e f* **2** GRAM indicativo.
índice ['ĩdʒisɪ] *m* **1** índice (lista, catálogo). **2** índice (puntero). **3** índice (indicio, señal). **4** índice (dedo).
indiciar [ĩdʒisi'aR] *tr* **1** indiciar (dar indicios). **2** denunciar, acusar.
indício [ĩ'dʒisyʊ] *m* **1** indicio (señal). **2** DIR indicio.
indiferença [ĩdʒife'rẽsa] *f* **1** indiferencia (apatía). **2** indiferencia (desinterés, desprecio).
indiferente [ĩdʒife'rẽtʃɪ] *adj 2 gén* **1** indiferente (indistinto). • *adj/m e f* **2** indiferente (insensible).
indígena [ĩ'dʒiʒena] *adj/m e f* **1** indígena (nativo). **2** indio americano.
indigência [ĩdʒi'ʒẽsya] *f* **1** indigencia (pobreza). **2** indigentes, mendigos.
indigente [ĩdʒi'ʒẽtʃɪ] *adj/m e f* indigente.
indigestão [ĩdʒiʒeyʃ'tãw] *f* **1** indigestión. **2** hartazgo.
indigesto, ta [ĩdʒi'ʒɛyʃtʊ, ta] *adj* **1** indigesto. **2** (fig) indigesto (confuso, abstruso).
indignação [ĩdʒigina'sãw] *f* indignación.
indignado, da [ĩdʒigi'nadʊ, da] *adj* indignado (furioso).
indignar [ĩdʒigi'naR] *tr e pron* indignar.
indignidade [ĩdʒigini'dadʒɪ] *f* indignidad (infamia).
indigno, na [ĩ'dʒiginʊ, na] *adj* **1** indigno (desmerecedor). **2** indigno (impropio).

índigo [ˈĩdʒigʊ] *m* índigo.
índio, a [ˈĩdʒyʊ, a] *adj/m e f* **1** indio (indígena americano). **2** indio (hindú).
indireta [ĩdʒiˈrɛta] *f* indirecta (observación).
indireto, ta [ĩdʒiˈrɛtʊ, ta] *adj* **1** indirecto (oblicuo). **2** disimulado, encubierto. **3** indirecto (intermediario).
indiscernível [ĩdʒiseʀˈnivew] *adj 2 gén* indiscernible.
indisciplina [ĩdʒisiˈplina] *f* indisciplina.
indisciplinado, da [ĩdʒisipliˈnadʊ, da] *adj* **1** indisciplinado (rebelde). **2** desorganizado.
indiscreto, ta [ĩdʒiʃˈkrɛtʊ, ta] *adj/m e f* **1** indiscreto (inconfidente). **2** indiscreto (cotilla).
indiscrição [ĩdʒiʃkriˈsãw] *f* **1** indiscreción (imprudencia). **2** inconfidencia.
indiscriminado, da [ĩdʒiʃkrimiˈnadʊ, da] *adj* indiscriminado (indistinto).
indiscutível [ĩdʒiʃkuˈtʃivew] *adj 2 gén* indiscutible.
indispensável [ĩdʒiʃpẽˈsavew] *adj 2 gén* **1** indispensable (imprescindible). **2** habitual.
indisponível [ĩdʒiʃpoˈnivew] *adj 2 gén* indisponible.
indispor [ĩdʒiʃˈpoʀ] *tr* **1** indisponer (desarreglar). **2** indisponer (enfermar).
indisposição [ĩdʒiʃpoziˈsãw] *f* **1** indisposición (falta de disposición). **2** indisposición (malestar). **3** manía (aversión).
indisposto, ta [ĩdʒiʃˈpoyʃtʊ, ta] *adj* **1** indispuesto (desarreglado). **2** indispuesto (con malestar). **3** indispuesto (desavenido).
indissolúvel [ĩdʒisoˈluvew] *adj 2 gén* indisoluble.
indistinto, ta [ĩdʒiʃˈtʃĩtʊ, ta] *adj* **1** indistinto (indefinido). **2** indistinto (igual).
individual [ĩdʒividuˈaw] *adj 2 gén* **1** individual (particular). **2** individual (para uno): *quarto individual = habitación individual.*
individualidade [ĩdʒividualiˈdadʒɪ] *f* individualidad (particularidad).
individualismo [ĩdʒividuaˈliʒmʊ] *m* individualismo (egoísmo).
individualista [ĩdʒividuaˈliʃta] *adj/m e f* individualista (egoísta).
individualizar [ĩdʒividualiˈzaʀ] *tr e pron* **1** individualizar (particularizar). • *tr* **2** individualizar (individuar).
indivíduo, a [ĩdʒiˈvidwʊ, a] *m* individuo (ser).
indivisível [ĩdʒiviˈzivew] *adj 2 gén* indivisible.
indiviso, sa [ĩdʒiˈvizʊ, za] *adj* **1** indiviso (entero). **2** indiviso (indivisible).
indizível [ĩdʒiˈzivew] *adj 2 gén* **1** indecible (intraducible). **2** indecible (extraordinario).
indócil [ĩˈdɔsiw] *adj 2 gén* **1** indócil (desobediente, indomable). **2** impaciente, nervioso.
indocilidade [ĩdosiliˈdadʒɪ] *f* indocilidad (indisciplina, rebeldía).
indo-europeu, péia [ĩdwewroˈpew, ˈpɛya] *adj/m* indoeuropeo (pueblo, lengua).
índole [ˈĩdolɪ] *f* **1** índole (carácter). **2** índole (naturaleza).
indolência [ĩdoˈlẽsya] *f* **1** indolencia (indiferencia, apatía). **2** indolencia (pereza).
indolente [ĩdoˈlẽtʃɪ] *adj/m e f* **1** indolente (indiferente). **2** indolente (descuidado). • *adj 2 gén* **3** indoloro.
indomado, da [ĩdoˈmadʊ, da] *adj* **1** indomado. **2** (fig) incontrolado.
indomável [ĩdoˈmavew] *adj 2 gén* **1** (fig) invencible. **2** inexorable (fatal).
indomesticado, da [ĩdomeyʃtʃiˈkadʊ, da] *adj* indomesticado.
indômito, ta [ĩˈdõmitʊ, ta] *adj* **1** indómito (indomado). **2** indómito (indominable).
Indonésia [ĩdoˈnɛzya] *f* Indonesia.
indonésio, a [ĩdoˈnɛzyʊ, a] *adj/m e f* **1** indonesio. • *m* **2** indonesio (lengua).
indubitável [ĩdubiˈtavew] *adj 2 gén* indubitable, indudable.
indução [ĩduˈsãw] *f* **1** inducción (persuasión, instigación). **2** FIL inducción.
indulgência [ĩduwˈʒẽsya] *f* **1** indulgencia (benevolencia). **2** indulgencia (indulto, perdón).
indulgente [ĩduwˈʒẽtʃɪ] *adj/m e f* indulgente (clemente, transigente).
indultar [ĩduwˈtaʀ] *tr e pron* indultar (perdonar, disculpar).
indulto [ĩˈduwtʊ] *m* indulto (absolución, perdón).

indumentária [ĩdumẽ'tarya] *f* indumentaria (vestimenta).
indumentário, a [ĩdumẽ'taryʊ, a] *adj* indumentario.
indústria [ĩ'duʃtrya] *f* **1** industria (destreza). **2** industria (actividad). **3** industria (fábrica). **4** ocupación (oficio).
industrial [ĩduʃtri'aw] *adj 2 gén* **1** industrial: *pólo industrial = polígono industrial.* **2** industralizado.
industrialismo [ĩduʃtria'liʒmʊ] *m* industrialismo.
industrialista [ĩduʃtria'liʃta] *adj/m e f* industrialista.
industrialização [ĩduʃtrializa'sãw] *f* industrialización.
industrializar [ĩduʃtriali'zaʀ] *tr e pron* industralizar (sector, actividad, país).
industriar [ĩduʃtri'aʀ] *tr* **1** preparar. • *tr e pron* **2** industriar (instruir, adiestrar).
industrioso, sa [ĩduʃtri'ozʊ, za] *adj* **1** industrioso (trabajador). **2** industrioso (habilidoso).
indutivo, va [ĩdu'tʃivʊ, va] *adj* inductivo.
induzido, da [ĩdu'zidʊ, da] *adj* inducido.
induzir [ĩdu'ziʀ] *tr* **1** inducir (instigar). **2** inspirar, provocar.
inebriante [inebri'ãtʃɪ] *adj 2 gén* **1** embriagador. **2** (fig) arrebatador.
inebriar [inebri'aʀ] *tr, intr e pron* **1** embriagar, inebriar. **2** (fig) embelesar.
inédito, ta [i'nɛdʒitʊ, ta] *adj/m e f* **1** inédito (no publicado). • *adj* **2** inédito (desconocido).
inefável [ine'favew] *adj 2 gén* **1** inefable. **2** (fig) delicioso (encantador).
ineficácia [inefi'kasya] *f* ineficacia.
ineficaz [inefi'kayʃ] *adj 2 gén* **1** ineficaz. **2** (fig) estéril, infructífero.
ineficiência [inefisi'ẽsya] *f* ineficiencia, ineficacia.
ineficiente [inefisi'ẽtʃɪ] *adj 2 gén* ineficiente, ineficaz.
inegável [ine'gavew] *adj 2 gén* innegable.
inelutável [inelu'tavew] *adj 2 gén* **1** ineluctable. **2** indiscutible, irrefutable.
inépcia [i'nɛpisya] *f* **1** inepcia (ineptitud). **2** inepcia (necedad).
inepto, ta [i'nɛpitʊ, ta] *adj/m e f* **1** inepto (inhábil). **2** inepto (necio).
inequívoco, ca [ine'kivokʊ, ka] *adj* inequívoco.
inércia [i'nɛʀsya] *f* **1** FÍS inercia. **2** (fig) inercia (inacción).
inerência [ine'rẽsya] *f* inherencia.
inerente [ine'rẽtʃɪ] *adj 2 gén* inherente.
inerme [i'nɛʀmɪ] *adj 2 gén* inerme.
inerte [i'nɛʀtʃɪ] *adj 2 gén* **1** inerte. **2** (fig) apático.
inescrutável [ineyʃkru'tavew] *adj 2 gén* inescrutable.
inescusável [ineyʃku'savew] *adj 2 gén* **1** inexcusable (ineludible). **2** inexcusable (injustificable).
inesgotável [ineyʃgo'tavew] *adj 2 gén* inagotable.
inesperado, da [ineyʃpe'radʊ, da] *adj* **1** inesperado. • *m* **2** imprevisto.
inesquecível [ineyʃke'sivew] *adj 2 gén* inolvidable.
inestimável [ineyʃtʃi'mavew] *adj 2 gén* **1** inestimable (inapreciable). **2** (fig) inestimable (precioso).
inevitável [inevi'tavew] *adj/m* **1** inevitable. • *adj 2 gén* **2** (fam) habitual: *chegou em casa com o seu inevitável cansaço = llegó a casa con su habitual cansancio.*
inexatidão [inezatʃi'dãw] *f* inexactitud.
inexato, ta [ine'zatʊ, ta] *adj* inexacto.
inexaurível [inezaw'rivew] *adj 2 gén* inagotable.
inexcedível [inese'dʒivew] *adj 2 gén* insuperable.
inexeqüível [ineze'kwivew] *adj 2 gén* inexequible.
inexistência [ineziʃ'tẽsya] *f* inexistencia.
inexistente [ineziʃ'tẽtʃɪ] *adj 2 gén* inexistente.
inexorável [inezo'ravew] *adj 2 gén* **1** inexorable (inflexible). **2** estricto (severo).
inexperiência [ineyʃperi'ẽsya] *f* inexperiencia.
inexperiente [ineyʃperi'ẽtʃɪ] *adj/m e f* **1** inexperto. **2** ingenuo.
inexplicável [ineyʃpli'kavew] *adj/m* **1** inexplicable. • *adj 2 gén* **2** singular.
inexplorado, da [ineyʃplo'radʊ, da] *adj* inexplorado.

inexpressável [ĩneyʃpre'savew] *adj 2 gén* inexpresable.
inexpressivo, va [ineyʃpre'sivʊ, va] *adj* inexpresivo.
inexpugnável [ineyʃpugi'navew] *adj 2 gén* **1** inexpugnable (inconquistable). **2** (fig) intrépido.
inextricável [ineyʃtri'kavew] *adj 2 gén* **1** inextricable. **2** irresoluble.
infalível [ĩfa'livew] *adj 2 gén* **1** infalible (seguro). **2** fatal (inevitable).
infamador, ra [ĩfama'doʀ, ra] *adj/m e f* infamador.
infame [ĩ'fãmɪ] *adj/m e f* **1** infame (desacreditado). **2** infame (despreciable): *comentário infame = comentario infame.*
infâmia [ĩ'famya] *f* **1** infamia (descrédito). **2** calumnia (acusación falsa).
infância [ĩ'fãsya] *f* **1** infancia. **2** (fig) infancia (principio).
infantaria [ĩfãta'ria] *f* MIL infantería.
infante [ĩ'fãtʃɪ] *adj 2 gén* **1** infantil. • *m* **2** infante (hijo del rey).
infantil [ĩfã'tʃiw] *adj 2 gén* **1** infantil. **2** (fig) infantil (ingenuo, inocente).
infartar [ĩfaʀ'taʀ] *tr* **1** obstruir (entupir). **2** hartar (de comida).
infarto [ĩ'faʀtʊ] *m* **1** obstrucción (obturación). **2** atracón, hartazgo (de comida).
infatigável [ĩfatʃi'gavew] *adj 2 gén* infatigable (incansable).
infausto, ta [ĩ'fawʃtʊ, ta] *adj* **1** infausto. **2** azaroso.
infecção [ĩfeki'sãw] *f* **1** infección. **2** (fig) corrupción.
infeccionar [ĩfekisio'naʀ] *tr, intr e pron* **1** infectar, infeccionar. • *tr e pron* **2** (fig) infectar (corromper).
infeccioso, sa [ĩfekisi'ozʊ, za] *adj* infeccioso.
infecundidade [ĩfekũdʒi'dadʒɪ] *f* infecundidad.
infelicidade [ĩfelisi'dadʒɪ] *f* **1** infelicidad (desdicha). **2** desgracia, catástrofe.
infeliz [ĩfe'liʃ] *adj/m e f* **1** infeliz (desgraciado). • *adj 2 gén* **2** inconveniente, inapropiado. **3** flojo: *teve uma infeliz atuação no seu último filme = la actuación en su última película fue floja.*
inferência [ĩfe'rẽsya] *f* inferencia (deducción).
inferior [ĩferi'oʀ] *adj 2 gén* **1** inferior (por debajo, menor). **2** inferior (peor). • *adj/m e f* **3** (fig)
inferioridade [ĩferiori'dadʒɪ] *f* inferioridad (condición, situación).
inferiorizar [ĩferiori'zaʀ] *tr e pron* disminuir, rebajar.
inferir [ĩfe'riʀ] *tr* inferir (deducir).
infernal [ĩfeʀ'naw] *adj 2 gén* **1** infernal. **2** infernal (terrible, insoportable).
inferno [ĩ'fɛʀnʊ] *m* **1** REL infierno. **2** (fig) horno (lugar ardiente). **3** (fig) infierno (martirio). **4** (fig) infierno (discordia).
infertilidade [ĩfeʀtʃili'dadʒɪ] *f* infertilidad.
infestar [ĩfeyʃ'taʀ] *tr* **1** infestar (inficionar). **2** infestar (dañar, estragar). **3** invadir, asolar.
infetar [ĩfe'taʀ] *tr e pron* **1** infectar (infeccionar). **2** (fig) infectar (corromper).
infeto, ta [ĩ'fɛtʊ, ta] *adj* **1** infecto (inficionado). **2** infecto (pestilente).
infidelidade [ĩfideli'dadʒɪ] *f* infidelidad (deslealtad).
infiel [ĩfi'ɛw] *adj/m e f* **1** infiel (desleal). **2** infiel (pagano).
infiltração [ĩfiwtra'sãw] *f* **1** infiltración (de un líquido). **2** (fig) infiltración (espionaje).
infiltrar [ĩfiw'traʀ] *tr e pron* **1** infiltrar (líquido). **2** (fig) infiltrarse (introducirse). **3** (fig) infiltrar, infundir.
ínfimo, ma ['ĩfimʊ, ma] *adj/m e f* **1** ínfimo (bajo, último). **2** ínfimo (pequeñísimo).
infindável [ĩfĩ'davew] *adj 2 gén* inacabable (infinible).
infinidade [ĩfĩni'dadʒɪ] *f* **1** infinidad, infinitud. **2** (fig) infinidad (gran número).
infinitivo, va [ĩfini'tʃivʊ, va] *adj/m* GRAM infinitivo.
infinito, ta [ĩfi'nitʊ, ta] *adj* **1** infinito (sin límite). **2** infinito (incalculable).
inflação [ĩfla'sãw] *f* **1** inflación (hinchazón). **2** (fig) inflación (vanidad, presunción). **3** ECON inflación.
inflacionismo [ĩflasio'niʒmʊ] *m* inflacionismo.
inflado, da [ĩ'fladʊ, da] *adj* **1** inflado (hinchado). **2** (fig) inflado (soberbio).
inflamação [ĩflama'sãw] *f* **1** inflamación (encendimiento). **2** (fig) excitación, exaltación. **3** MED inflamación.

inflamado, da [ĩfla'madʊ, da] *adj* **1** inflamado (en llamas). **2** (fig) exaltado, irritado. **3** MED inflamado.
inflamar [ĩfla'maʀ] *tr e pron* **1** inflamar (incendiar). **2** (fig) inflamar (exaltar, enardecer). **3** MED inflamar.
inflamatório, a [ĩflama'tɔryʊ, a] *adj* inflamatorio.
inflamável [ĩfla'mavew] *adj 2 gén* inflamable.
inflar [ĩ'flaʀ] *tr, intr e pron* **1** inflar (hinchar). **2** (fig) inflar (ensoberbecerse).
inflectir [ĩfleki'tʃiʀ] *tr e pron* **1** inclinar. • *intr e pron* **2** girar, doblar. • *tr* **3** incidir, reflejar.
inflexão [ĩfleki'sãw] *f* **1** inflexión (torcimiento, flexión). **2** inflexión (tono). **3** GRAM inflexión (flexión).
inflexível [ĩfleki'sivew] *adj 2 gén* **1** inflexible (rígido). **2** (fig) inflexible (inconvencible).
infligir [ĩfli'ʒiʀ] *tr* infligir (daño, castigo).
influência [ĩflu'ẽsya] *f* **1** influencia (efecto). **2** influencia (poder corrupto). **3** influencia (autoridad, prestigio).
influenciar [ĩfluẽsi'aʀ] *tr e pron* influenciar, influir.
influente [ĩflu'ẽtʃɪ] *adj/m e f* influyente.
influenza [ĩflu'ẽza] *f* influenza (gripe).
influir [ĩflu'iʀ] *intr e tr* **1** hacer fluir. • *tr* **2** inspirar (sugerir). **3** suscitar, infundir.
influxo [ĩ'flukisʊ] *m* **1** influjo, influencia. **2** (fig) afluencia (abundancia).
informação [ĩfoʀma'sãw] *f* **1** información (comunicación). **2** información (conocimiento).
informal [ĩfoʀ'maw] *adj 2 gén* **1** informal (amorfo). **2** informal (no convencional).
informalidade [ĩfoʀmali'dadʒɪ] *f* informalidad.
informar [ĩfoʀ'maʀ] *tr e pron* **1** informar (comunicar). • *tr* **2** informar (enseñar). **3** DIR informar, instruir (proceso).
informática [ĩfoʀ'matʃika] *f* informática.
informático, ca [ĩfoʀ'matʃikʊ, ka] *adj* informático.
informativo, va [ĩfoʀma'tʃivʊ, va] *adj* informativo.
informatização [ĩfoʀmatʃiza'sãw] *f* informatización.
informatizar [ĩfoʀmatʃi'zaʀ] *tr* informatizar.
informe [ĩ'fɔʀmɪ] *m* **1** informe (explicación). • *adj 2 gén* **2** informe (amorfo).
infortúnio [ĩfoʀ'tunyʊ] *m* **1** infortunio (desdicha). **2** infortunio (revés, desgracia).
infração [ĩfra'sãw] *f* infracción.
infra-estrutura [ĩfraeyʃtru'tura] *f* **1** infraestructura (servicios). **2** infraestructura (base).
infrator, ra [ĩfra'toʀ, ra] *adj/m e f* infractor.
infravermelho, lha [ĩfraveʀ'meʎʊ, ʎa] *adj/m e f* infrarrojo.
infringir [ĩfrĩ'ʒiʀ] *tr* infringir.
infrutífero, ra [ĩfru'tʃiferʊ, ra] *adj* infructífero.
infundado, da [ĩfũ'dadʊ, da] *adj* infundado.
infundir [ĩfũ'dʒiʀ] *tr* **1** infundir (inspirar). **2** infundir (verter, derramar).
infusão [ĩfu'zãw] *f* **1** infusión (bebida). **2** infusión (farmacéutica).
ingente [ĩ'ʒẽtʃɪ] *adj 2 gén* ingente (desmedido).
ingenuidade [ĩʒenui'dadʒɪ] *f* ingenuidad.
ingênuo, a [ĩ'ʒẽnwʊ, a] *adj* ingenuo (inocente).
ingerência [ĩʒe'rẽsya] *f* injerencia (introducción).
ingerir [ĩʒe'riʀ] *tr* **1** ingerir (tragar). • **~-se** *pron* **2** injerirse, inmiscuirse.
ingestão [ĩʒeʃ'tãw] *f* ingestión.
Inglaterra [ĩgla'teʀa] *f* Inglaterra.
inglês, sa [ĩ'gleyʃ, za] *adj/m e f* **1** inglés. • *m* **2** inglés (lengua).
inglório, a [ĩ'glɔryʊ, a] *adj* desapercibido, inadvertido.
ingovernável [ĩgoveʀ'navew] *adj 2 gén* **1** ingobernable. **2** rebelde (indisciplinado).
ingratidão [ĩgratʃi'dãw] *f* ingratitud.
ingrato, ta [ĩ'gratʊ, ta] *adj/m e f* **1** ingrato (desagradecido). • *adj* **2** ingrato (áspero, duro).
ingrediente [ĩgredʒi'ẽtʃɪ] *m* ingrediente.
íngreme ['ĩgremɪ] *adj 2 gén* **1** inclinado (pendiente). **2** (fig) trabajoso.
ingressar [ĩgre'saʀ] *tr* **1** ingresar (entrar). **2** ingresar (afiliar).

ingresso [ĩ'grɛsʊ] *m* **1** ingreso (entrada). **2** ingreso (admisión).
ingurgitação [ĩguʀʒita'sãw] *f* ingurgitación.
ingurgitar [ĩguʀʒi'taʀ] *tr* **1** llenar, henchir. **2** ingurgitar (engullir).
inibição [inibi'sãw] *f* **1** inhibición (impedimento). **2** PSIC inhibición (timidez).
inibir [ini'biʀ] *tr e pron* **1** inhibir (reprimir, contener). • *tr* **2** prohibir.
iniciação [inisia'sãw] *f* **1** iniciación (comienzo). **2** iniciación (ceremonia).
iniciado, da [inisi'adʊ, da] *adj* **1** iniciado (comenzado). • *adj/m e f* **2** iniciado (en un saber, secta).
inicial [inisi'aw] *adj 2 gén* **1** inicial. • *f* **2** inicial (letra).
iniciar [inisi'aʀ] *tr e pron* **1** iniciar (comenzar). **2** iniciar (instruir).
iniciativa [inisia'tʃiva] *f* **1** iniciativa (propuesta). **2** iniciativa (capacidad).
início [i'nisyʊ] *m* inicio.
inigualável [inigwa'lavew] *adj 2 gén* inigualable.
iniludível [inilu'dʒivew] *adj 2 gén* ineludible.
inimaginável [inimaʒi'navew] *adj 2 gén* inimaginable.
inimigo, ga [ini'migʊ, ga] *adj* **1** enemigo (contrario). • *m e f* **2** enemigo.
inimitável [inimi'tavew] *adj 2 gén* inimitable.
inimizade [inimi'zadʒɪ] *f* enemistad.
inimizar [inimi'zaʀ] *tr e pron* enemistar.
ininteligível [inĩteli'ʒivew] *adj 2 gén* ininteligible.
ininterrupto, ta [inĩte'ʀupitʊ, ta] *adj* ininterrumpido.
iníquo, a [i'nikwʊ, a] *adj* inicuo.
injeção [ĩʒe'sãw] *f* **1** inyección (introducción, fluido). **2** (fig) inyección (estímulo).
injetar [ĩʒe'taʀ] *tr e pron* **1** inyectar (introducir). **2** (fig) inyectar (estimular).
injetor, ra [ĩʒe'toʀ, ɾa] *adj/m e f* inyector.
injunção [ĩʒũ'sãw] *f* imposición (orden).
injúria [ĩ'ʒuɾya] *f* **1** injuria (injusticia). **2** injuria (agravio, ofensa).
injuriar [ĩʒuɾi'aʀ] *tr* **1** injuriar (ultrajar). **2** injuriar (dañar).
injurioso, sa [ĩʒuɾi'ozʊ, za] *adj* injurioso (ofensivo).
injustiça [ĩʒuʃ'tʃisa] *f* injusticia.
injustificável [ĩʒuʃtʃifi'kavew] *adj 2 gén* injustificable.
injusto, ta [ĩ'ʒuʃtʊ, ta] *adj/m e f* injusto.
inocência [ino'sẽsya] *f* **1** inocencia (exención de culpa). **2** inocencia (ingenuidad).
inocente [ino'sẽtʃɪ] *adj 2 gén* **1** inocente (ingenuo). **2** inocente (inofensivo). • *adj/m e f* **3** inocente (exculpado).
inoculação [inokula'sãw] *f* **1** inoculación. **2** (fig) difusión, propagación.
inocular [inoku'laʀ] *tr e pron* **1** MED inocular. **2** (fig) difundir, propagar (ideas, sentimientos).
inócuo, a [i'nɔkwʊ] *adj* inocuo.
inodoro, ra [ino'dɔɾʊ, ɾa] *adj* inodoro (sin olor).
inofensivo, va [inofẽ'sivʊ, va] *adj* inofensivo.
inolvidável [inowvi'davew] *adj 2 gén* inolvidable.
inominável [inomi'navew] *adj 2 gén* innombrable, innominable.
inoperância [inope'ɾãsya] *f* inoperancia.
inoperante [inope'ɾãtʃɪ] *adj 2 gén* inoperante.
inópia [i'nɔpya] *f* **1** inopia (pobreza); jaba (Ven). **2** inopia (escasez).
inopinado, da [inopi'nadʊ, da] *adj* inopinado.
inoportuno, na [inopoʀ'tunʊ, na] *adj/m e f* inoportuno; zorral (Amér. Centr, Col).
inorgânico, ca [inoʀ'gãnikʊ, ka] *adj* inorgánico.
inóspito, ta [i'nɔyʃpitʊ, ta] *adj* **1** inhóspito (incómodo, ingrato). **2** inhóspito (inhospitalario).
inovação [inova'sãw] *f* innovación.
inovador, ra [inova'doʀ, ɾa] *adj/m e f* innovador.
inovar [ino'vaʀ] *tr e intr* innovar.
inoxidável [inokisi'davew] *adj 2 gén* inoxidable. ◆ **aço** ~ acero inoxidable.
inqualificável [ĩkwalifi'kavew] *adj 2 gén* incalificable (no calificable).
inquérito [ĩ'kɛɾitʊ] *m* **1** indagación, pesquisa. **2** expediente (documentos).
inquestionável [ĩkeyʃtʃyo'navew] *adj 2 gén* incuestionable.
inquietação [ĩkieta'sãw] *f* **1** inquietud (desasosiego). **2** inquietud (inclinación):

inquietações literárias = *inquietudes literarias*.
inquietante [ĩkie'tãtʃɪ] *adj 2 gén* inquietante.
inquietar [ĩkie'taʀ] *tr e pron* **1** inquietar. **2** amotinar.
inquieto, ta [ĩki'ɛtʊ, ta] *adj/m e f* **1** inquieto (revoltoso). **2** inquieto (desasosegado).
inquietude [ĩkie'tudʒɪ] *f* ⇒ inquietação.
inquilino, na [ĩki'linʊ, na] *m e f* inquilino; arrendatario.
inquinar [ĩki'naʀ] *tr e pron* **1** inquinar (manchar). • *tr* **2** inquinar (contagiar, contaminar).
inquirição [ĩkiɾi'sãw] *f* inquisición (indagación).
inquirido, da [ĩki'ɾidʊ, da] *adj* interrogado (testimonio).
inquiridor, ra [ĩkiɾi'doʀ, ɾa] *adj/m e f* inquiridor.
inquirir [ĩki'ɾiʀ] *tr* **1** inquirir. **2** interrogar (judicialmente).
inquisição [ĩkizi'sãw] *f* **1** inquisición (indagación). **Inquisição 2** Inquisición (tribunal).
inquisidor, ra [ĩkizi'doʀ, ɾa] *adj/m e f* inquisidor (indagador).
inquisitivo, va [ĩkizi'tʃivʊ, va] *adj* inquisitivo.
insaciável [ĩsasi'avew] *adj 2 gén* **1** insaciable. • *adj/m e f* **2** ambicioso, codicioso; agalludo (Amér); caimán (Col).
insalubre [ĩsa'lubɾɪ] *adj 2 gén* insalubre.
insânia [ĩ'sãnya] *f* insania.
insano, na [ĩ'sãnʊ, na] *adj/m e f* **1** insano (loco, demente). • *adj* **2** (fig) insano (excesivo).
insatisfação [ĩsatʃiʃfa'sãw] *f* insatisfacción.
insatisfeito, ta [ĩsatʃiʃ'feytʊ, ta] *adj/m e f* insatisfecho.
inscrever [ĩʃkɾe'veʀ] *tr* **1** inscribir (grabar). • *tr e pron* **2** inscribir (apuntar).
inscrição [ĩʃkɾi'sãw] *f* **1** inscripción (escrito). **2** inscripción (matrícula).
inscrito, ta [ĩʃ'kɾitʊ, ta] *adj* **1** inscrito (grabado). **2** inscrito (anotado). • *adj/m e f* **3** inscrito (matriculado).
insegurança [ĩsegu'ɾãsa] *f* **1** inseguridad (peligrosidad). **2** inseguridad (desconfianza).
inseguro, ra [ĩse'guɾʊ, ɾa] *adj* **1** inseguro (peligroso). **2** inseguro (incierto).
inseminação [ĩsemina'sãw] *f* BIOL inseminación.
inseminar [ĩsemi'naʀ] *tr* inseminar.
insensatez [ĩsẽsa'teyʃ] *f* **1** insensatez (irreflexión). **2** insensatez (dicho, hecho).
insensato, ta [ĩsẽ'satʊ, ta] *adj/m e f* insensato.
insensibilidade [ĩsẽsibili'dadʒɪ] *f* **1** insensibilidad: *insensibilidade à dor* = *insensibilidad al dolor*. **2** (fig) insensibilidad (frialdad, dureza).
insensibilizar [ĩsẽsibili'zaʀ] *tr* **1** insensibilizar (anestesiar). • *tr e pron* **2** insensibilizar: *insensibilizar o sofrimento* = *insensibilizar al sufrimiento*.
insensível [ĩsẽ'sivew] *adj 2 gén* **1** insensible (dormido, anestesiado). **2** insensible (imperceptible). • *adj/m e f* **3** insensible (empedernido, frío).
inseparável [ĩsepa'ɾavew] *adj 2 gén* **1** inseparable (indivisible). **2** inseparable (inherente).
insepulto, ta [ĩse'puwtʊ, ta] *adj* insepulto.
inserção [ĩseʀ'sãw] *f* **1** inserción (introducción). **2** inserción (publicación).
inserido, da [ĩse'ɾidʊ, da] *adj* insertado (introducido).
inserir [ĩse'ɾiʀ] *tr* **1** inserir (introducir). • **~-se** *pron* **2** implantarse (establecerse).
inseticida [ĩsetʃi'sida] *adj/m* insecticida.
inseto [ĩs'ɛtʊ] *m* **1** insecto. **2** (fig) pobre diablo.
insídia [ĩ'sidʒya] *f* **1** emboscada (celada). **2** insidia (asechanza).
insidioso, sa [ĩsidʒi'ozʊ, za] *adj* insidioso.
insigne [ĩ'siginɪ] *adj 2 gén* insigne.
insígnia [ĩ'siginya] *f* **1** insignia. **2** logotipo.
insignificância [ĩsiginifi'kãsya] *f* **1** insignificancia (irrelevancia). **2** insignificancia (futilidad).
insignificante [ĩsiginifi'kãtʃɪ] *adj 2 gén* **1** insignificante (inapreciable). **2** insignificante (minúsculo).
insincero, ra [ĩsĩsɛɾʊ, ɾa] *adj* insincero.

insinuação [ĩsinua'sãw] *f* **1** insinuación (sugerencia). **2** insinuación (seducción).
insinuante [ĩsinu'ãtʃɪ] *adj 2 gén* **1** insinuante. **2** cautivador, convincente.
insinuar [ĩsinu'aʀ] *tr e pron* **1** infiltrar (introducir). • *tr e intr* **2** insinuar (dar a entender).
insípido, da [ĩ'sipidʊ, da] *adj* **1** insípido (insulso). **2** (fig) insípido (sin gracia).
insistência [ĩsiʃ'tẽsya] *f* insistencia (reiteración).
insistente [ĩsiʃ'tẽtʃɪ] *adj 2 gén* **1** insistente (perseverante, persistente). **2** insistente (reiterado).
insistir [ĩsiʃ'tʃiʀ] *tr e intr* **1** insistir (instar). • *tr* **2** insistir (repetir).
insociável [ĩsosi'avew] *adj 2 gén* **1** insociable (huraño). **2** asocial.
insofrível [ĩso'frivew] *adj 2 gén* insufrible.
insolação [ĩsola'sãw] *f* **1** FÍS insolación. **2** MED insolación.
insolência [ĩso'lẽsya] *f* **1** insolencia (hecho insólito). **2** insolencia (atrevimiento, descaro).
insolente [ĩso'lẽtʃɪ] *adj 2 gén* insolente (insólito).
insólito, ta [ĩ'sɔlitʊ, ta] *adj* insólito.
insolúvel [ĩso'luvew] *adj 2 gén* **1** insoluble, indisoluble. **2** indisoluble (inseparable).
insolvência [ĩsow'vẽsia] *f* insolvencia.
insolvente [ĩsow'vẽtʃɪ] *adj/m e f* insolvente.
insondável [ĩsõ'davew] *adj 2 gén* **1** insondable. **2** (fig) insondable (desconocido): *mistérios insondáveis = misterios insondables.*
insone [ĩ'sõnɪ] *adj/m e f* insomne.
insônia [ĩ'sonya] *f* insomnio.
insonoridade [ĩsonori'dadʒɪ] *f* insonoridad.
insonorizar [ĩsonori'zaʀ] *tr* insonorizar.
insonoro, ra [ĩso'nɔrʊ, ra] *adj* insonoro.
insosso, ssa [ĩ'sosʊ, sa] *adj* soso, insulso.
inspeção [ĩʃpe'sãw] *f* **1** inspección (examen, reconocimiento). **2** ⇒ inspetoria.
inspecionar [ĩʃpesio'naʀ] *tr* inspeccionar.
inspetor, ra [ĩʃpe'toʀ, ra] *m e f* inspector.
inspiração [ĩʃpira'sãw] *f* **1** inspiración (de aire). **2** (fig) inspiración (estímulo): *fonte de inspiração = fuente de inspiración.*
inspirado, da [ĩʃpi'radʊ, da] *adj* **1** inspirado (aire). **2** inspirado (artista).
inspirador, ra [ĩʃpira'doʀ, ra] *adj* **1** inspirador (aspirador). • *adj/m e f* **2** inspirador (numen, musa).
inspirar [ĩʃpi'raʀ] *tr e intr* **1** inspirar (aire). • *tr e pron* **2** inspirar (artista).
instabilidade [ĩʃtabili'dadʒɪ] *f* inestabilidad.
instalação [ĩʃtala'sãw] *f* **1** instalación (colocación). **2** instalación (red): *instalação elétrica = instalación eléctrica.* • **instalações** *f pl* **3** instalaciones (recinto).
instalador, ra [ĩʃtala'doʀ, ra] *adj/m e f* instalador.
instalar [ĩʃta'laʀ] *tr e pron* **1** instalar (colocar). • *tr* **2** instalar, montar (aparato, mueble). **3** COMP instalar (programa).
instância [ĩʃ'tãsya] *f* **1** instancia. **2** DIR instancia.
instantâneo, a [ĩʃtã'tãnyʊ, a] *adj* **1** instantáneo. • *m* **2** FOT instantánea.
instante [ĩʃ'tãtʃɪ] *adj 2 gén* **1** instante (insistente). • *m* **2** instante (momento, ocasión).
instar [ĩʃ'taʀ] *tr e intr* **1** instar (pedir, solicitar). • *intr* **2** instar (urgir).
instauração [ĩʃtawra'sãw] *f* instauración.
instaurar [ĩʃtaw'raʀ] *tr* instaurar.
instável [ĩʃ'tavew] *adj 2 gén* inestable.
instigação [ĩʃtʃiga'sãw] *f* instigación.
instigar [ĩʃtʃi'gaʀ] *tr* **1** instigar (provocar). **2** instigar (persuadir).
instintivo, va [ĩʃtʃĩ'tʃivʊ, va] *adj* instintivo.
instinto [ĩʃ'tʃĩtʊ] *m* **1** instinto (impulso): *instinto reprodutor = instinto reproductor.* **2** instinto (intuición).
institucional [ĩʃtʃitusio'naw] *adj 2 gén* institucional.
institucionalização [ĩʃtʃitusionaliza'sãw] *f* institucionalización.
institucionalizar [ĩʃtʃitusionali'zaʀ] *tr e pron* institucionalizar.

instituição [ĩʃtʃitui'sãw] *f* **1** institución (establecimiento). **2** institución (organismo). ■ **ser uma ~** (fig) ser una institución.

instituir [ĩʃtʃitu'iʀ] *tr* instituir (establecer, fundar). ■ **~ como herdeiro** DIR instituir (por) heredero.

instituto [ĩʃtʃi'tutʊ] *m* **1** instituto (estatuto). **2** instituto (organización). **3** instituto (edificio).

instrução [ĩʃtɾu'sãw] *f* **1** instrucción (cultura, saber). **2** (gralte pl) instrucción (regla, explicación): *manual de instruções = manual de instrucciones*.

instruir [ĩʃtɾu'iʀ] *tr, intr e pron* **1** instruir (enseñar). ● *tr* **2** instruir (comunicar).

instrumentação [ĩʃtɾumẽta'sãw] *f* **1** instrumentación (disposición). **2** instrumento (medio).

instrumental [ĩʃtɾumẽ'taw] *adj 2 gén* **1** instrumental. **2** MÚS instrumental. ● *m* **3** instrumental (instrumentos).

instrumentar [ĩʃtɾumẽ'taʀ] *tr* **1** equipar. **2** MED instrumentar. ● *tr e intr* **3** MÚS instrumentar.

instrumentista [ĩʃtɾumẽ'tʃiʃta] *adj/m e f* MÚS instrumentista (compositor, músico).

instrumento [ĩʃtɾu'mẽtʊ] *m* **1** instrumento (herramienta, utensilio). **2** instrumento (medio). **3** MÚS instrumento.

instrutor, ra [ĩʃtɾu'toʀ, ɾa] *adj/m e f* instructor.

insubmissão [ĩsubimi'sãw] *f* insumisión.

insubordinação [ĩsuboʀdʒina'sãw] *f* insubordinación.

insubornável [ĩsuboʀ'navew] *adj 2 gén* insobornable.

insubstituível [ĩsubiʃtʃitu'ivew] *adj 2 gén* insustituible.

insucesso [ĩsu'sesʊ] *m* fracaso.

insuficiência [ĩsufisi'ẽsya] *f* **1** insuficiencia (escasez, carencia). **2** insuficiencia (incompetencia). **3** MED insuficiencia. ◆ **~ cardíaca** MED insuficiencia cardíaca; **~ renal** MED insuficiencia renal.

insuficiente [ĩsufisi'ẽtʃɪ] *adj 2 gén* **1** insuficiente (escaso). **2** insuficiente (insatisfactorio).

insuflador, ra [ĩsufla'doʀ, ɾa] *adj* insuflador.

insuflar [ĩsu'flaʀ] *tr* **1** insuflar (inyectar). **2** (fig) insuflar (incitar, estimular).

insulano, na [ĩsu'lanʊ, na] *adj/m e f* insulano.

insular [ĩsu'laʀ] *adj 2 gén* **1** insular. ● *adj/m e f* **2** insuleño.

insular [ĩsu'laʀ] *tr e pron* **1** aislar (incomunicar). ● **~-se** *pron* **2** aislarse (retraerse).

insularidade [ĩsulari'dadʒɪ] *f* insularidad.

insulina [ĩsu'lina] *f* BIOQ insulina (hormona).

insulso, sa [ĩ'suwsʊ, sa] *adj* **1** soso (sin sal). **2** insulso (insípido). **3** (fig) insulso (apocado).

insultar [ĩsuw'taʀ] *tr* insultar (ofender).

insulto [ĩ'suwtʊ] *m* **1** insulto. **2** MED ataque.

insultuoso, sa [ĩsuwtu'ozʊ, za] *adj* insultador; insultante.

insuperável [ĩsupe'ɾavew] *adj 2 gén* insuperable.

insuportável [ĩsupoʀ'tavew] *adj 2 gén* **1** insoportable (insufrible): *calor insuportável = calor insoportable*. **2** (fig) insoportable (irritante).

insurgente [ĩsuʀ'ʒẽtʃɪ] *adj 2 gén* insurgente.

insurgir [ĩsuʀ'ʒiʀ] *tr e pron* insurreccionarse (sublevar).

insurreição [ĩsuʀei'sãw] *f* **1** insurrección. **2** (fig) rebeldía.

insuspeito, ta [ĩsuʃ'peytʊ, ta] *adj* **1** no sospechoso. **2** fidedigno. **3** imparcial, neutro.

insustentável [ĩsuʃtẽ'tavew] *adj 2 gén* **1** insostenible. **2** insoportable (intolerable).

intangível [ĩtã'ʒivew] *adj 2 gén* intangible.

intato, ta ou **intacto, ta** [in'tatʊ, ta o ĩn'takitʊ, ta] *adj* **1** intacto (inalterado). **2** intacto (ileso, incólume).

íntegra ['ĩtegɾa] *f* **1** totalidad. **2** texto completo.

integração [ĩtegɾa'sãw] *f* integración.

integral [ĩte'gɾaw] *adj 2 gén* **1** integral (total). **2** integral (alimento). ● *f* **3** MAT integral.

integrante [ĩte'gɾãtʃɪ] *adj/m e f* integrante.

integrar [ĩte'gɾaʀ] *tr e pron* **1** integrar (incluir). **2** integrarse (incorporar).

integridade [ĩtegri'dadʒɪ] *f* **1** integridad (plenitud). **2** (fig) integridad (rectitud).

íntegro, gra ['ĩtegrʊ, gra] *adj* **1** íntegro (completo). **2** (fig) íntegro (honrado).

inteirar [ĩtey'raR] *tr* **1** completar (cantidad); enterar (Arg, Chile). • *tr e pron* **2** integrar, formar. **3** enterar (saber, conocer).

inteiro, ra [ĩ'teyrʊ, ra] *adj* **1** entero (completo). **2** (fig) entero (íntegro, recto).

intelecto [ĩte'lɛkitʊ] *m* intelecto.

intelectual [ĩtelekitu'aw] *adj 2 gén* **1** intelectual (mental). • *adj/m e f* **2** intelectual (erudito).

inteligência [ĩteli'ʒẽsya] *f* **1** inteligencia (facultad, capacidad). **2** inteligencia (ingenio).

inteligente [ĩteli'ʒẽtʃɪ] *adj/m e f* inteligente.

inteligibilidade [ĩteliʒibili'dadʒɪ] *f* inteligibilidad.

inteligível [ĩteli'ʒivew] *adj 2 gén* **1** inteligible (comprensible). **2** inteligible (audible).

intempérie [ĩtẽ'pɛrye] *f* **1** intemperie. **2** adversidad.

intempestivo, va [ĩtẽpeyʃ'tʃivʊ, va] *adj 2 gén* intempestivo.

intemporal [ĩtẽpo'raw] *adj 2 gén* intemporal.

intenção [ĩtẽ'sãw] *f* intención. ♦ **segunda ~** (gralte pl) segunda intención.

intencionado, da [ĩtẽsio'nadʊ, da] *adj* intencionado.

intencional [ĩtẽsio'naw] *adj 2 gén* intencional.

intencionalidade [ĩtẽsionali'dadʒɪ] *f* intencionalidad.

intendente [ĩtẽ'dẽtʃɪ] *adj/m e f* intendente (jefe).

intender [ĩtẽ'deR] *tr* administrar, gestionar.

intensidade [ĩtẽsi'dadʒɪ] *f* **1** intensidad. **2** FON intensidad.

intensificação [ĩtẽsifika'sãw] *f* intensificación.

intensificar [ĩtẽsifi'kaR] *tr e pron* intensificar.

intensivo, va [ĩtẽ'sivʊ, va] *adj* intensivo.

intenso, sa [ĩ'tẽsʊ, sa] *adj* intenso.

intentar [ĩtẽ'taR] *tr* **1** intentar (planear). **2** intentar (pretender).

intento [ĩ'tetʊ] *m* intento.

intentona [ĩtẽ'tona] *f* intentona.

interação [ĩtera'sãw] *f* **1** interacción. **2** comunicación, diálogo.

interagir [ĩtera'ʒiR] *tr* **1** interactuar, interaccionar. **2** COMP interactuar.

interativo, va [ĩtera'tʃivʊ, va] *adj* **1** interactivo. **2** COMP interactivo.

intercalação [ĩteRkala'sãw] *f* intercalación.

intercalar [ĩteRka'laR] *adj 2 gén* intercalar (interpuesto).

intercalar [ĩteRka'laR] *tr e pron* intercalar.

intercâmbio [ĩteR'kãbyʊ] *m* intercambio.

interceder [ĩteRse'deR] *tr e intr* interceder.

interceptar [ĩteRsepi'taR] *tr* **1** interceptar (detener, interrumpir). **2** interceptar (apoderarse).

intercomunicação [ĩteRkomunika'sãw] *f* intercomunicación.

interconexão [ĩteRkoneki'sãw] *f* interconexión.

intercontinental [ĩteRkõtʃinẽ'taw] *adj 2 gén* intercontinental.

interdependência [ĩteRdepẽ'dẽsya] *f* interdependencia.

interdição [ĩteRdʒi'sãw] *f* **1** prohibición. **2** DIR interdicción.

interditado, da [ĩteRdʒi'tadʊ, da] *adj* prohibido, cerrado (paso, local).

interditar [ĩteRdʒi'taR] *tr* **1** prohibir, cerrar (paso, local). **2** aprehender (coger, prender).

interdito, ta [ĩteR'dʒitʊ, ta] *adj* **1** entredicto, entredicho (prohibido). **2** entredicto, entredicho (censura eclesiástica).

interessado, da [ĩtere'sadʊ, da] *adj/m e f* interesado (motivado, curioso).

interessante [ĩtere'sãtʃɪ] *adj 2 gén* **1** interesante (motivador, atractivo). • *adj/m* **2** interesante (curioso).

interessar [itere'saR] *tr* **1** interesar (importar, atañer). • *tr e intr* **2** interesar (cautivar). • **~-se** *pron* **3** interesarse.

interesse [ite'resɪ] *m* **1** interés (inclinación, curiosidad). **2** interés (provecho, utilidad).

interesseiro, ra [itere'seyrʊ, ɾa] *adj/m e f* interesado.
interestadual [ĩtereyʃtadu'aw] *adj 2 gén* interestatal.

> ***Interestatal*** y ***interestadual*** tienen la misma traducción en español: **interestatal**. Sin embargo, la primera se refiere al Estado como país y la segunda al Estado como región integrante de una federación.

interface [ĩteʀ'fasɪ] *f* **1** ELEC interfaz. **2** COMP interfaz.
interferência [ĩteʀfe'ɾẽsya] *f* **1** interferencia (alteración). **2** interferencia (de señales). **3** FÍS interferencia.
interferir [ĩteʀfe'ɾiʀ] *tr* **1** interferir (interponer). **2** interferir (en la recepción). • *tr e intr* **3** interceder.
interfone [ĩteʀ'fõnɪ] *m* telefonillo, interfono; citófono (Col).
intergovernamental [ĩteʀgoveʀnamẽ'taw] *adj 2 gén* intergubernamental.
ínterim ['ĩteɾĩ] *m* ínterin (intervalo).
interino, na [ĩte'ɾinʊ, na] *adj/m e f* interino.
interior [ĩteɾi'oʀ] *adj 2 gén* **1** interior (interno). **2** interior (nacional). **3** interior (habitación). • *m* **4** interior (parte interna). **5** interior (conciencia, ánimo).
interiorano, na [ĩteɾyo'ɾãnʊ, na] *adj/m e f* del interior.
interiorizar [ĩteɾyoɾi'zaʀ] *tr* interiorizar.
interjeição [ĩteʀʒey'sãw] *f* interjección.
interligação [ĩteʀliga'sãw] *f* interconexión.
interligar [ĩteʀli'gaʀ] *tr e pron* interconectar.
interlúdio [ĩteʀ'ludʒyʊ] *m* MÚS interludio.
intermediação [ĩteʀmedʒia'sãw] *f* intermediación, mediación.
intermediário, a [ĩteʀmedʒi'aɾyʊ, a] *adj* **1** interpuesto. • *m* **2** intermediario (mediador).
intermédio, a [ĩteʀ'mɛdʒyʊ, a] *adj* **1** intermedio (interpuesto). • *m* **2** intermedio (intervalo). **3** mediador, intermediario. **4** mediación.
interminável [ĩteʀmi'navew] *adj 2 gén* interminable.
intermitente [ĩteʀmi'tẽtʃɪ] *adj 2 gén* intermitente (discontinuo).
internacional [ĩteʀnasyo'naw] *adj 2 gén* **1** internacional (mundial). • **Internacional** *f* **2** Internacional (organización, himno).
internacionalização [ĩteʀnasyonaliza'sãw] *f* internacionalización.
internado, da [ĩteʀ'nadʊ, da] *adj/m* internado (en un asilo, escuela); ingresado (en un hospital).
internar [ĩteʀ'naʀ] *tr* **1** internar (en un asilo, colegio). **2** confinar. • *tr e pron* **3** internar (en un hospital).
internato [ĩteʀ'natʊ] *m* **1** internado, pensionado. **2** internado (régimen).
internauta [ĩteʀ'nawta] *s 2 gén* COMP internauta.
internet [ĩteʀ'nɛtʃɪ] *f* COMP internet.
interno, na [ĩ'tɛʀnʊ, na] *adj* **1** interno (interior). **2** interno (espiritual). • *adj/m e f* **3** interno (alumno).
interpelação [ĩteʀpela'sãw] *f* interpelación.
interpelar [ĩteʀpe'laʀ] *tr* **1** interpelar (preguntar, requerir). **2** POL interpelar.
interplanetário, a [ĩteʀplane'taɾyʊ, a] *adj* ASTR interplanetario.
interpor [ĩteʀ'poʀ] *tr e pron* **1** interponer (intercalar, obstaculizar). • **~-se** *pron* **2** mediar (arbitrar).
interposição [ĩteʀpozi'sãw] *f* interposición.
interposto, ta [ĩteʀ'poyʃtʊ, ta] *adj* interpuesto.
interpretação [ĩteʀpɾeta'sãw] *f* **1** interpretación (explicación). **2** interpretación (traducción).
interpretar [ĩteʀpɾe'taʀ] *tr* **1** interpretar, explicar (sentido, significado). **2** interpretar (traducir).
intérprete [ĩ'tɛʀpɾetʃɪ] *s 2 gén* **1** intérprete (exégeta, exegeta). **2** intérprete (traductor). **3** intérprete (actor).
inter-racial [ĩteʀasi'aw] *adj 2 gén* interracial.
inter-relação [ĩteʀela'sãw] *f* interrelación.
inter-relacionar [ĩteʀelasyo'naʀ] *tr* interrelacionar.

interrogação [ĩteRoga'sãw] *f* **1** interrogación (pregunta). **2** duda, incerteza.

interrogante [ĩteRo'gãtʃɪ] *adj/m e f* interrogador, interrogante.

interrogar [ĩteRo'gaR] *tr e pron* interrogar (preguntar).

interrogativo, va [ĩteRoga'tʃivʊ, va] *adj* interrogativo.

interrogatório, a [ĩteRoga'tɔryʊ, a] *adj* **1** ⇒ interrogativo, va. • *m* **2** interrogatorio (acto). **3** DIR interrogatorio.

interromper [ĩteRõ'peR] *tr* **1** interrumpir, suspender (acción). • *tr, intr e pron* **2** interrumpir, cortar (conversación).

interrupção [ĩteRupi'sãw] *f* **1** interrupción (suspensión, corte). **2** interrupción (en una conversación).

interrupto, ta [ĩte'Rupitʊ, ta] *adj* **1** interrumpido, suspendido. **2** interrumpido, discontinuo.

interruptor, ra [ĩteRupi'toR, ɾa] *adj* **1** interruptor. • *m* **2** interruptor (aparato).

interseção ou **intersecção** [ĩteRse'sãw o ĩteRseki'sãw] *f* **1** intersección (encuentro). **2** GEOM intersección (punto).

intersticial [ĩteRʃtʃisi'aw] *adj 2 gén* intersticial.

interstício [ĩteRʃ'tʃisyʊ] *m* **1** intersticio (hendidura, grieta). **2** DIR intersticio.

interurbano, na [ĩteruR'bãnʊ, na] *adj* interurbano.

intervalo [ĩteR'valʊ] *m* **1** intervalo, espacio. **2** pausa, intermedio.

Interjeções / Interjecciones

PORTUGUÊS	ESPAÑOL
Propias	
ah!, ai!, bah!, hein!, hum!, ih!, ô!, oh!, pô!, quá!, ué!, ui!, uh!, xi!, xô!	¡ah!, ¡ajá!, ¡ay!, ¡bah!, ¡chist!, ¡ea!, ¡eh!, ¡fuh!, ¡huy!, ¡pst!, ¡uf!
Derivadas	
Vocablos — onomatopeyas	
fiu!, irra!, olá!, opa!, plaft!, pluft!, psit!, psiu!, puxa!, urra!	¡cataplum!, ¡hale!, ¡olé!, ¡zas!, ¡plaf!, ¡psche!, ¡puah!, ¡puf!, ¡pum!, ¡quiá!, ¡rin-rin!, ¡sus!
Palabras	
acabou!, adeus!, adiante!, alto!, avante!, bravo!, chega!, danou-se!, fora!, legal!, maravilha!, morra!, olha!, oxalá!, pronto!, rua!, será!, silêncio!, tomara!, Virgem!, viva!	¡alto!, ¡anda!, ¡arrea!, ¡bestial!, ¡brutal!, ¡caramba!, ¡caray!, ¡demonios!, ¡diablos!, ¡estupendo!, ¡fenomenal!, ¡guay!, ¡hombre!, ¡Jesús!, ¡oiga!, ¡oye!, ¡porras!, ¡rediez!, ¡vale!, ¡vamos!, ¡venga!, ¡vaya!
Locuciones interjectivas	
ora essa!, ora bolas!, valha-me Deus!, não diga!, ora viva!, muito bem!, eu sabia!, alto lá!, nunca mais!, de jeito nenhum!, nem morto!, eu mereço!, não acredito!, não faça uma coisa dessas!, não pode ser!, sobrou prá mim!, é sempre a mesma coisa!, é inacreditável!, que loucura!, que sorte!, que desgraça!, que bobagem!, como pode!	¡Dios mío!, ¡la que nos espera!, ¡estás listo!, ¡que no me entere!, ¡ahí va!, ¡de ninguna manera!, ¡eso faltaba!, ¡pero qué te has creído!, ¡habrase visto!, ¡será posible!, ¡no te fastidia!, ¡no me digas!, ¡es el colmo!, ¡no te digo!, ¡qué bien!, ¡para morirse!, ¡madre mía!, ¡qué suerte!, ¡qué horror!, ¡qué barbaridad!, ¡qué tontería!, ¡cómo es posible!

intervenção [ĩtervẽ'sãw] *f* **1** intervención (mediación). **2** intervención, participación (en un debate, discusión).
intervencionista [ĩtervẽsyo'niʃta] *adj/m e f* intervencionista.
interventor, ra [ĩtervẽ'toR, ra] *adj/m e f* interventor.
intervir [ĩteR'viR] *tr e intr* **1** intervenir (interceder). **2** intervenir, interponer (autoridad). **3** intervenir (participar).
intestinal [ĩteyʃtʃi'naw] *adj 2 gén* intestinal.
intestino, na [ĩteyʃ'tʃinu, na] *adj* **1** intestino (interno). **2** intestino (civil). • *m* **3** ANAT intestino. ♦ **~ delgado** ANAT intestino delgado; **~ grosso** ANAT intestino grueso.
intimação [ĩtʃima'sãw] *f* intimación.
intimar [ĩtʃi'maR] *tr* **1** intimar (ordenar). **2** convocar, citar.
intimativo, va [ĩtʃima'tʃivu, va] *adj* enérgico, autoritario; calzonudo (Méx).
intimidação [ĩtʃimida'sãw] *f* intimidación.
intimidade [ĩtʃimi'dadʒɪ] *f* **1** intimidad (privacidad). **2** intimidad (amistad). **3** (gralte pl) familiaridad.
intimidar [ĩtʃimi'daR] *tr, intr e pron* intimidar.
íntimo, ma ['ĩtʃimu, ma] *adj* **1** íntimo (interior, profundo). **2** íntimo (privado). • *m e f* **3** íntimo (amistad).
intitular [ĩtʃitu'laR] *tr e pron* intitular, nombrar.
intocável [ĩto'kavew] *adj/m e f* intocable.
intolerância [ĩtole'rãsya] *f* intolerancia. ♦ **~ medicamentosa** intolerancia medicamentosa.
intolerante [ĩtole'rãtʃɪ] *adj/m e f* **1** intolerante. **2** MED intolerante, alérgico.
intolerável [ĩtole'ravew] *adj 2 gén* intolerable.
intoxicação [ĩtokisika'sãw] *f* intoxicación.
intoxicar [ĩtokisi'kaR] *tr, intr e pron* **1** intoxicar (envenenar). • *tr e pron* **2** (fig) cabrear, enfadar; empacar (Amér).
intraduzível [ĩtradu'zivew] *adj 2 gén* intraducible.
intragável [ĩtra'gavew] *adj 2 gén* **1** intragable (incomible). **2** (fig, coloq) intragable (insoportable).
intranet [ĩtra'netʃɪ] *f* COMP intranet.
intranqüilidade [ĩtrãkwili'dadʒɪ] *f* intranquilidad.
intranqüilizador, ra [ĩtrãkwiliza'doR, ra] *adj* intranquilizador.
intranqüilizar [ĩtrãkwili'zaR] *tr e pron* intranquilizar.
intransferível [ĩtrãʃfe'rivew] *adj 2 gén* intransferible.
intransigência [ĩtrãzi'ʒẽsya] *f* intransigencia.
intransigente [ĩtrãzi'ʒẽtʃɪ] *adj 2 gén* intransigente.
intransitável [ĩtrãzi'tavew] *adj 2 gén* **1** intransitable. **2** (fig) inaccesible.
intransmissível [ĩtraʒmi'sivew] *adj 2 gén* intransmisible.
intrépido, da [ĩ'trepidu, da] *adj/m e f* intrépido, osado.
intricado, da [ĩtri'kadu, da] *adj* ⇒ intrincado, da.
intriga [ĩ'triga] *f* **1** intriga; tamal (Amér); chivo (Ant). **2** cotilleo. **3** desavenencia.
intrigado, da [ĩtri'gadu, da] *adj* **1** enfadado. **2** intrigado, desconfiado. • *m e f* **3** enemigo.
intrigante [ĩtri'gãtʃɪ] *adj/m e f* **1** cotilla. **2** liante. • *adj 2 gén* **3** intrigante, sorprendente.
intrigar [ĩtri'gaR] *tr, intr e pron* **1** intrigar (inspirar curiosidad). **2** enemistar.
intrincado, da [ĩtrĩ'kadu, da] *adj* **1** mezclado, enredado. **2** (fig) intrincado, confuso; tramado (Amér. Centr).
intrincar [ĩtrĩ'kaR] *tr e pron* intrincar (enredar, confundir).
intrínseco, ca [ĩ'trĩseku, ka] *adj* intrínseco.
introdução [ĩtrodu'sãw] *f* **1** introducción (penetración). **2** introducción (prefacio).
introdutivo, va [ĩtrodu'tʃivu, va] *adj* ⇒ introdutório, a.
introdutório, a [ĩtrodu'tɔryu, a] *adj* introductorio.
introduzir [introdu'ziR] *tr e pron* **1** introducir (penetrar, entrar). • *tr* **2** introducir (admitir).
intrometer [ĩtrome'teR] *tr e pron* **1** entremeter. • **~-se** *pron* **2** entremeterse (inmiscuirse).
intrometimento [ĩtrometʃi'mẽtu] *m* entremetimiento.

intromissão [ĩtromi'sãw] *f* intromisión.
introversão [ĩtroveʀ'sãw] *f* introversión.
introvertido, da [ĩtroveʀ'tʃidʊ, da] *adj/m* introvertido.
intrusão [ĩtru'zãw] *f* **1** intrusión. **2** GRAM epéntesis.
intruso, sa [ĩ'truzʊ, za] *adj/m* intruso (detentador).
intuição [ĩtui'sãw] *f* **1** intuición (instinto). **2** FIL intuición.
intuir [ĩtu'iʀ] *tr* intuir.
intuitivo, va [ĩtui'tʃivʊ, va] *adj* intuitivo.
intuito [ĩ'tuitʊ] *m* objetivo, propósito.
intumescer [ĩtume'seʀ] *tr, intr e pron* **1** entumecerse (hinchar). • *tr* **2** (fig) ensoberbecerse (encrespar). • *tr e pron* **3** (fig) ensoberbecer (envanecer).
inumação [ĩnuma'sãw] *f* inhumación.
inumano, na [inu'mãnʊ, na] *adj* inhumano.
inumar [inu'maʀ] *tr* inhumar.
inumerável [inume'ravew] *adj 2 gén* **1** innumerable (incontable). **2** (fig) innumerable (numeroso).
inundação [inũda'sãw] *f* **1** inundación. **2** (fig) inundación (multitud).
inundar [inũ'daʀ] *tr* **1** inundar (de agua). • *intr* **2** desbordar (derramarse).
inusitado, da [inuzi'tadʊ, da] *adj* inusitado.
inútil [i'nutʃiw] *adj/m e f* inútil.
inutilidade [inutʃili'dadʒɪ] *f* inutilidad.
inutilizar [inutʃili'zaʀ] *tr e pron* **1** inutilizar. • *tr* **2** anular, frustrar.
invadir [ĩva'dʒiʀ] *tr* **1** invadir (tomar, ocupar). **2** (fig) invadir (dominar).
invalidação [ĩvalida'sãw] *f* invalidación.
invalidar [ĩvali'daʀ] *tr e pron* invalidar (anular).
invalidez [ĩvali'deyʃ] *f* **1** invalidez (nulidad). **2** invalidez (incapacidad).
inválido, da [ĩ'validʊ, da] *adj* **1** inválido (nulo). **2** inválido (débil). • *adj/m e f* **3** inválido (minusválido).
invariável [ĩvari'avew] *adj 2 gén* invariable.
invasão [ĩva'zãw] *f* **1** invasión (ocupación). **2** (fig) invasión (intromisión): *invasão da intimidade = invasión de la intimidad.*
invasor, ra [ĩva'zoʀ, ra] *adj/m e f* invasor.
inveja [ĩ'vɛʒa] *f* envidia. ■ **matar ou morrer de ~** (fig) comerse de envidia.
invejar [ĩve'ʒaʀ] *tr e pron* **1** envidiar (a alguien). • *tr* **2** envidiar (desear).
invejável [ĩve'ʒavew] *adj 2 gén* envidiable.
invejoso, sa [ĩve'ʒozʊ, za] *adj/m e f* envidioso.
invenção [ĩvẽ'sãw] *f* **1** invención (invento). **2** invención (inventiva). **3** (fig) invención (engaño).
invencibilidade [ĩvẽsibili'dadʒɪ] *f* invencibilidad.
invencível [ĩvẽ'sivew] *adj 2 gén* **1** invencible. **2** inalcanzable, insuperable: *uma cima invencível = una cima inalcanzable.* **3** irrefutable (argumento).
inventar [ĩvẽ'taʀ] *tr* **1** inventar (descubrir, crear). **2** inventar (imaginar).
inventariação [ĩvẽtaria'sãw] *f* inventario.
inventariar [ĩvẽtari'aʀ] *tr* inventariar.
inventário [ĩvẽ'taryʊ] *m* inventario (relación, documento).
inventiva [ĩvẽ'tʃiva] *f* inventiva.
inventivo, va [ĩvẽ'tʃivʊ, va] *adj* inventivo.
invento [ĩ'vẽtʊ] *m* invento.
inventor, ra [ĩvẽ'toʀ, ra] *adj/m e f* inventor.
invernada [ĩveʀ'nada] *f* invernada.
invernal [ĩveʀ'naw] *adj 2 gén* invernal.
invernia [ĩveʀ'nia] *f* invierno riguroso.
inverno [ĩ'vɛʀnʊ] *m* **1** invierno. **2** (fig) vejez.
invernoso, sa [ĩveʀ'nozʊ, za] *adj* invernizo.
inverossímil [ĩvero'simiw] *adj 2 gén* inverosímil.
inverossimilhança [ĩverosimi'ʎãsa] *f* inverosimilitud.
inversão [ĩveʀ'sãw] *f* **1** inversión (volteo). **2** ECON inversión. **3** (pej) inversión (homosexualidad).
inverso, sa [ĩ'vɛʀsʊ, sa] *adj* **1** inverso, invertido (volteado). • *adj/m* **2** inverso (opuesto, contrario).
inversor, ra [ĩveʀ'soʀ, ra] *adj/m e f* inversor (alterador).
invertebrado, da [ĩveʀte'bradʊ, da] *adj/m e f* **1** ZOOL invertebrado. • **invertebrados** *m pl* **2** ZOOL invertebrados.

inverter [ĩveR'teR] *tr e pron* **1** invertir (alterar, cambiar). ● *tr* **2** ECON invertir (capital).
invés [ĩ'vɛyʃ] *m* envés. ■ **ao ~** al revés (al contrario).
investida [ĩveyʃ'tʃida] *f* **1** embestida (embestidura). **2** intento, tentativa.
investidor, ra [ĩveyʃtʃi'doR, ɾa] *adj* **1** embestidor (acometedor). ● *m e f* **2** ECON inversor.
investidura [ĩveyʃtʃi'duɾa] *f* investidura.
investigação [ĩveyʃtʃiga'sãw] *f* investigación.
investigador, ra [ĩveyʃtʃiga'doR, ɾa] *adj* **1** investigador. ● *m e f* **2** investigador (de policía).
investigar [ĩveyʃtʃi'gaR] *tr* investigar.
investimento [ĩveyʃtʃi'mẽtʊ] *m* **1** embestida (acometida). **2** inversión (de tiempo, esfuerzo).
investir [ĩveyʃ'tʃiR] *tr, intr e pron* **1** embestir (acometer). ● *tr* **2** investir. **3** invertir (emplear). **4** ECON invertir.
inveterado, da [ĩvete'ɾadʊ, da] *adj* inveterado.
inviabilizar [ĩviabili'zaR] *tr* hacer inviable.
inviável [ĩvi'avew] *adj 2 gén* inviable.
invicto, ta [ĩ'vikitʊ, ta] *adj* **1** invicto. **2** invencible.
inviolável [ĩvio'lavew] *adj 2 gén* inviolable.
invisível [ĩvi'zivew] *adj 2 gén* invisible.
invocação [ĩvoka'sãw] *f* **1** invocación. **2** (fam) enfado, irritación.
invocar [ĩvo'kaR] *tr* **1** invocar. **2** (fam) provocar, irritar.
invólucro [ĩ'vɔlukɾʊ] *m* envoltorio.
involuntário, a [ĩvolũ'taɾyʊ, a] *adj* involuntario.
invulgar [ĩvuw'gaR] *adj 2 gén* infrecuente, singular.
invulnerável [ĩvuwne'ɾavew] *adj 2 gén* **1** invulnerable (ileso). **2** (fig) invulnerable (inafectado).
iodo [i'odʊ] *m* QUÍM yodo.
ioga [i'ɔga] *f* yoga.
iogurte [io'guRtʃɪ] *m* yogur.
ioiô [io'io] *m* yoyó.
íon ['iõw] *m* FÍS, QUÍM ion.
iônico, ca [i'õnikʊ, ka] *adj* **1** FÍS, QUÍM iónico. ● *adj/m e f* **2** jónico, jonio.
ionosfera [yonoʃ'fɛɾa] *f* ionosfera.
ípsilon ['ipisilõw] *m* **1** ípsilon. **2** i griega.
ir ['iR] *tr, intr e pron* **1** ir (desplazarse). ● *intr e pron* **2** ir (partir, salir). ● *tr* **3** ir (acudir, aparecer): *ontem não fui à aula de espanhol = ayer no fui a clase de español.* **4** ir (conducir, llevar): *esta rua vai para a cidade = la carretera va a la ciudad.* **5** ir, quedar (combinar): *a blusa vermelha não vai bem com essa saia = la blusa roja no queda bien con esa falda.* ● *intr* **6** ir (extenderse). **7** ir (marchar, desenvolverse): *como vai tudo no trabalho? = ¿cómo va todo en el trabajo?* ● **~ + inf** *aux* **8** (futuro) ir a: *vai chover = va a llover.* **~ + ger 9** ir + ger: *foi cantando a viagem inteira = fue cantando todo el viaje.* ● **~-se** *pron* **10** irse (desaparecer, consumirse): *foi-se a ilusão = la ilusión se fue, foi-se o inverno = se fue el invierno.* ■ **~-se abaixo** irse o venirse abajo; **~ dar ou ter a** ir a dar a; **~ embora** irse, marcharse; **~ indo** (fam) ir tirando.
ira ['iɾa] *f* **1** ira (cólera). **2** ira (venganza).
Irã [i'ɾã] *m* Irán.
iracundo, da [iɾa'kũdʊ, da] *adj* iracundo.
irado, da [i'ɾadʊ, da] *adj* iracundo, furioso.
iraniano, na [iɾãni'ãnʊ, na] *adj/m e f* iraní.
Iraque [i'ɾakɪ] *m* Irak.
iraquiano, na [iɾaki'ãnʊ, na] *adj/m e f* iraquí.
irar [i'ɾaR] *tr e pron* enfurecer, airar; empacar (Amér).
irascível [iɾay'ʃsivew] *adj/m e f* irascible.
iriar [iɾi'aR] *tr, intr e pron* irisar.
íris ['iɾiʃ] *s 2 gén* **1** iris (arco iris). **2** ANAT iris.
Irlanda [iR'lãda] *f* Irlanda. ◆ **~ do Norte** Irlanda del Norte.
irlandês, sa [iRlã'deyʃ, za] *adj/m e f* **1** irlandés. ● *m* **2** irlandés (lengua).
irmã [iR'mã] *f* **1** hermana (parentesco). **2** hermana (religiosa).
irmanar [iRmã'naR] *tr e pron* hermanar.
irmandade [iRmã'dadʒɪ] *f* **1** hermandad (parentesco). **2** hermandad (confraternidad).

irmão [iʀˈmãw] *m* **1** hermano (parentesco). **2** hermano (religioso). **3** hermano (cofrade).
ironia [iɾoˈnia] *f* **1** ironía (tono, burla). **2** (fig) ironía (acontecimiento).
irônico, ca [iˈɾõnikʊ, ka] *adj* irónico.
ironizar [iɾoniˈzaʀ] *tr e intr* **1** ironizar. • *tr* **2** burlarse.
irracional [iʀasyoˈnaw] *adj/m e f* irracional.
irracionalidade [iʀasyonaliˈdadʒɪ] *f* irracionalidad.
irradiação [iʀadʒiaˈsãw] *f* irradiación.
irradiar [iʀadʒiˈaʀ] *tr, intr e pron* **1** irradiar (energía). **2** (fig) irradiar (difundir, propagar).
irreal [iʀeˈaw] *adj 2 gén* irreal.
irrealidade [iʀealiˈdadʒɪ] *f* irrealidad.
irrealista [iʀeaˈliʃta] *adj 2 gén* **1** irreal. • *s 2 gén* **2** idealista.
irrealizável [iʀealiˈzavew] *adj 2 gén* irrealizable.
irreconhecível [iʀekõŋeˈsivew] *adj 2 gén* irreconocible.
irrecuperável [iʀekupeˈɾavew] *adj 2 gén* irrecuperable.
irrecusável [iʀekuˈzavew] *adj 2 gén* irrecusable.
irredutível [iʀeduˈtʃivew] *adj 2 gén* **1** irreductible, irreducible. **2** indivisible.
irrefletido, da [iʀefleˈtʃidʊ, da] *adj* irreflexivo.
irreflexão [iʀefleksiˈsãw] *f* irreflexión.
irrefutável [iʀefuˈtavew] *adj 2 gén* irrefutable.
irregular [iʀeguˈlaʀ] *adj 2 gén* **1** irregular (desigual). **2** irregular (ilegal).
irregularidade [iʀegulaɾiˈdadʒɪ] *f* **1** irregularidad (desigualdad). **2** irregularidad (defecto, fallo).
irrelevância [iʀeleˈvãsya] *f* irrelevancia.
irrelevante [iʀeleˈvãtʃɪ] *adj 2 gén* irrelevante.
irremediável [iʀemedʒiˈavew] *adj 2 gén* **1** irremediable. **2** (fig) inevitable, indefectible.
irreparável [iʀepaˈɾavew] *adj 2 gén* irreparable.
irrepreensível [iʀepɾeẽˈsivew] *adj 2 gén* irreprensible.
irreprimível [iʀepɾiˈmivew] *adj 2 gén* irreprimible.
irrequieto, ta [iʀekiˈɛtʊ, ta] *adj* inquieto, hiperactivo; tonto (Col).
irresistível [iʀeziʃˈtʃivew] *adj 2 gén* **1** irresistible. **2** (fig) irresistible (seductor).
irrespirável [iʀeyʃpiˈɾavew] *adj 2 gén* irrespirable.
irresponsabilidade [iʀeyʃpõsabiliˈdadʒɪ] *f* irresponsabilidad.
irresponsável [iʀeyʃpõˈsavew] *adj/m e f* irresponsable.
irreverência [iʀeveˈɾẽsya] *f* **1** irreverencia (dicho, hecho). **2** irreverencia (irrespetuosidad).
irreverente [iʀeveˈɾẽtʃɪ] *adj 2 gén* irreverente.
irreversível [iʀeveʀˈsivew] *adj 2 gén* irreversible; irrevertible (Amér).
irrevogável [iʀevoˈgavew] *adj 2 gén* irrevocable.
irrigação [iʀigaˈsãw] *f* **1** irrigación (de un terreno). **2** MED irrigación.
irrigar [iʀiˈgaʀ] *tr* **1** irrigar (terreno). **2** MED irrigar.
irrisório, a [iʀiˈzɔɾyʊ, a] *adj* **1** irrisorio (burlesco). **2** (fig) irrisorio (insignificante).
irritabilidade [iʀitabiliˈdadʒɪ] *f* irritabilidad.
irritação [iʀitaˈsãw] *f* **1** irritación (enfado, enojo). **2** MED irritación.
irritadiço, ça [iʀitaˈdʒisʊ, sa] *adj* irascible.
irritante [iʀiˈtãtʃɪ] *adj/m e f* **1** irritante. • *adj 2 gén* **2** DIR irritable.
irritar [iʀiˈtaʀ] *tr e pron* **1** irritar (enfadar, enojar). **2** MED irritar (inflamar).
irromper [iʀõˈpeʀ] *intr* irrumpir (entrar, aparecer).
irrompível [iʀõˈpivew] *adj 2 gén* irrompible.
irrupção [iʀupiˈsãw] *f* **1** irrupción (aparición). **2** irrupción (invasión).
isca [ˈiʃka] *f* **1** carnada, cebo (para la pesca). **2** (fig) cebo, anzuelo (engaño).
isenção [izẽˈsãw] *f* **1** exención. **2** nobleza, dignidad.
isentar [izẽˈtaʀ] *tr* exentar, eximir.
isento, ta [iˈzẽtʊ, ta] *adj* **1** exento (de carga, responsabilidad). **2** imparcial, ecuánime.
islã [iʃˈlã] *m* islam, islamismo.
islâmico, ca [iʃˈlãmikʊ, ka] *adj* islámico.

islamismo [iʃlã'miʒmʊ] *m* islamismo.
islamita [iʃlã'mita] *adj 2 gén* islamita, musulmán.
islandês, sa [iʃlã'deyʃ, za] *adj/m e f* **1** islandés. • *m* **2** islandés (lengua).
islão [iʃ'lãw] *m* ⇒ islã.
isolado, da [izo'ladʊ, da] *adj* **1** aislado (separado). **2** solitario. **3** aislado (particular, único).
isolador, ra [izola'doʀ, ɾa] *adj/m e f* **1** aislador. • *m* **2** ELEC aislador.
isolamento [izola'mẽtʊ] *m* aislamiento.
isolante [izo'lãtʃɪ] *adj 2 gén* aislante.
isolar [izo'laʀ] *tr e pron* aislar.
isometria [izome'tɾia] *f* GEOM isometría.
isopor [izo'poʀ] *m* porexpán.
isóscele ou **isósceles** [i'zɔselɪ o i'zɔselɪʃ] *adj inv* GEOM isósceles.
isótopo [i'zɔtopʊ] *adj/m* FÍS isótopo.
isqueiro [iʃ'keyɾʊ] *m* mechero, encendedor; quemador (Amér).
Israel [iʒʀa'ɛw] *m* Israel.
israelita [iʒʀae'lita] *adj/m e f* **1** israelita (hebreo, judío). **2** israelita (judaico).
isso ['isʊ] *pron dem* **1** eso. • ~! *interj* **2** ¡eso!, ¡sí! ■ **nisso** en eso; **por ~** por eso.
istmo ['iʃtʃimʊ] *m* GEOG istmo.
isto ['iʃtʊ] *pron dem* **1** esto. • *m* **2** pizca. • ~! *interj* **3** ¡eso!, ¡así!
Itália [i'talya] *f* Italia.
italiano, na [itali'ãnʊ, na] *adj/m e f* italiano.
itálico, ca [i'talikʊ, ka] *adj/m e f* **1** itálico (italiano). • *adj/m* **2** itálica, cursiva, bastardilla (letra).
item ['itẽy] *m* DIR ítem (cláusula, punto).
itinerante [itʃine'ɾãtʃɪ] *adj/m e f* itinerante.
itinerário [itʃine'ɾaɾyʊ, a] *adj* **1** itinerario (viario). • *m* **2** itinerario (descripción). **3** itinerario (ruta).
iugoslavo, va [yugoyʃ'lavʊ, va] *adj/m e f* yugoslavo.

Jj

j, J [ˈʒɔta] *m* j, J (letra).
já [ˈʒa] *adv* **1** ya (inmediatamente): *sai já daqui! = ¡vete ya de aquí!* **2** ya (ahora): *o seu pai já está voltando = ya vuelve tu padre.* **3** ya (antes): *já vi o filme = ya he visto la película.*
jacarandá [ʒakarãˈda] *m* jacarandá.
jacaré [ʒakaˈrɛ] *m* **1** yacaré, jacaré; caimán. **2** (coloq, fig) ligón.
jacente [ʒaˈsẽtʃɪ] *adj 2 gén* yacente.
jacinto [ʒaˈsĩtʊ] *m* jacinto.
jacobino, na [ʒakoˈbinʊ, na] *adj/m e f* HIST jacobino.
jactanciar-se [ʒaktãsiˈaʀsɪ] *pron* jactarse.
jactancioso, sa [ʒakitãsiˈozʊ, za] *adj/m e f* jactancioso.
jactar-se [ʒakiˈtaʀsɪ] *pron* ⇒ jactanciar-se.
jacto [ˈʒakitʊ] *m* ⇒ jato.
jade [ˈʒadʒɪ] *m* jade.
jaez [ʒaˈeyʃ] *m* jaez (arreo).
jaguar [ʒaˈgwaʀ] *m* jaguar.
Jamaica [ʒaˈmayka] *f* Jamaica.
jamaicano, na [ʒamayˈkãnʊ, na] *adj/m e f* jamaicano.
jamais [ʒaˈmayʃ] *adv* jamás (nunca).
jamba [ˈʒãba] *f* ARQ jamba.
janeiro [ʒaˈneyrʊ] *m* enero.
janela [ʒaˈnɛla] *f* **1** ventana (abertura, marco). **2** COMP ventana.
jangada [ʒãˈgada] *f* jangada (balsa).
jangadeiro, ra [ʒãgaˈdeyrʊ, ra] *m e f* balsero.
janota [ʒaˈnɔta] *adj/m e f* **1** elegante (garrido). **2** (pej) figurín (lechuguino); cachaco, futre, pepito, pitre (Amér).
jantar [ʒãˈtaʀ] *m* cena.
jantar [ʒãˈtaʀ] *tr e intr* **1** cenar. • *tr* **2** (fig, coloq) merendarse.
jantarada [ʒãtaˈrada] *f* comilona.
Japão [ʒaˈpãw] *m* Japón.
japonês, sa [ʒapoˈneyʃ, za] *adj/m e f* **1** japonés. • *m* **2** japonés (lengua).
jaqueta [ʒaˈketa] *f* **1** chaqueta. **2** sobrecubierta (de un libro).
jaquetão [ʒakeˈtãw] *m* chaquetón.
jarda [ˈʒaʀda] *f* yarda.
jardim [ʒaʀˈdʒĩ] *m* **1** jardín. **2** jardín de infancia. **3** (fig) país fértil en varias culturas.
jardinagem [ʒaʀdʒiˈnaʒẽy] *f* jardinería.
jardineira [ʒaʀdʒiˈneyra] *f* **1** jardinera (para plantas). **2** autobús.
jardineiro, ra [ʒaʀdʒiˈneyrʊ, ra] *m e f* jardinero.
jarra [ˈʒaʀa] *f* **1** jarra. **2** florero. **3** (fig) hortera.
jarrão [ʒaˈʀãw] *m* **1** jarrón. **2** (coloq) florero (mujer sentada a la que nadie saca a bailar).
jarreta [ʒaˈʀeta] *s 2 gén* **1** hortera. **2** persona ridícula.
jarro [ˈʒaʀʊ] *m* jarro.
jasmim [ʒayʒˈmĩ] *m* jazmín.
jato [ˈʒatʊ] *m* **1** ímpetu. **2** chorro. **3** avión de propulsión a chorro.
jaula [ˈʒawla] *f* jaula.
javali, na [ʒavaˈli, na] *m e f* jabalí.
javardice [ʒavaʀˈdʒisɪ] *f* **1** porquería, suciedad. **2** dejadez, desaliño; dejación (Amér. Centr, Col).
jazer [ʒaˈzeʀ] *intr* **1** yacer. • *tr* **2** yacer. **3** apoyarse.
jazida [ʒaˈzida] *f* **1** yacija (lecho). **2** (fig) quietud (serenidad).
jazigo [ʒaˈzigʊ] *m* **1** yacija (sepultura). **2** panteón. **3** yacimiento. **4** (fig) depósito (reservatorio).
jazz [ˈʒɛyʃ] *m* jazz.
jeca [ˈʒɛka] *adj 2 gén* pueblerino, hortera.
jeito [ˈʒeytʊ] *m* **1** modo (manera). **2** aspecto. **3** carácter (índole). **4** habilidad (capacidad). **5** torcedura. **6** arreglo (orden): *tive que dar um jeito no meu escritório = tuve que ordenar mi despacho.* **7** buenas maneras (buenos modos).
jeitoso, sa [ʒeyˈtozʊ, za] *adj* **1** hábil (mañoso); ardiloso (Amér). **2** garboso (elegante). **3** adecuado.

jejum [ʒe'ʒũ] *m* **1** ayuno. **2** (fig) ayuno (privación). **3** (fam) desconocimiento.
jeremiar [ʒeɾemi'aʀ] *tr* **1** jeremiquear. • *intr* **2** jeremiquear.
jesuíta [ʒezu'ita] *m* **1** jesuita. **2** (fig) jesuita (hipócrita).
joalharia [ʒoaʎa'ɾia] *f* joyería.
joalheiro, ra [ʒoa'ʎeyɾʊ, ɾa] *m e f* joyero (fabricante, vendedor).
joanete [ʒoa'netʃɪ] *m* **1** MAR juanete. **2** ANAT juanete.
joaninha [ʒoa'nĩɲa] *f* **1** ZOOL mariquita (insecto). **2** imperdible.
joão-ninguém [ʒoãwnĩ'gẽy] *m* don nadie.
joão-teimoso [ʒoãwtey'mozʊ] *m* tentetieso, dominguillo; dominguejo (Amér).
jocoso, sa [ʒo'kozʊ, za] *adj* jocoso.
joeira [ʒo'eyɾa] *f* **1** criba (tamiz). **2** cribada (tamización).
joeirar [ʒoey'ɾaʀ] *tr* **1** cribar. **2** examinar minuciosamente. **3** seleccionar.
joelhada [ʒoe'ʎada] *f* rodillazo.
joelho [ʒo'eʎʊ] *m* **1** ANAT rodilla. **2** rodilla (de un pantalón).
jogada [ʒo'gada] *f* **1** jugada. **2** juego: *o jogo político = el juego político.*
jogador, ra [ʒoga'doʀ, ɾa] *adj/m e f* **1** jugador (que juega). **2** jugador (profesional).
jogar [ʒo'gaʀ] *tr* **1** jugar (entretenerse, divertirse). **2** jugar, practicar (deporte). **3** jugar (apostar). **4** lanzar, arrojar. • *tr e intr* **5** (fig) jugar (arriesgar): *jogar com a vida = jugarse la vida.* ■ ~ **fora** tirar (a la basura).
jogo ['ʒɔgʊ] *m* **1** juego (diversión). **2** juego (competición). **3** juego (apuesta). • **juegos** *m pl* **4** juegos. ◆ ~ **de azar** juego de azar; ~ **de palavras** (fig) juego de palabras; ~ **sujo** (fig) juego sucio. ■ **abrir o** ~ (fig) enseñar las cartas.
jogral [ʒo'gɾaw] *m* juglar.
joguete [ʒo'getʃɪ] *m* ⇒ brinquedo.

> En portugués, la palabra más utilizada para «juguete de diversión» es ***brinquedo***.

jóia ['ʒɔya] *adj 2 gén* **1** (coloq) fenomenal, estupendo. • *f* **2** joya, alhaja. **3** (fig) joya (valía).
joio ['ʒoyʊ] *m* cizaña (planta, semilla).
jônico, ca ['ʒõnikʊ, ka] *adj* jónico.
jóquei, joqueta ['ʒɔkey, ʒo'kɛta] *m e f* **1** yóquey, yoqui. • *m* **2** hipódromo.
Jordânia [ʒoʀ'dãnya] *f* Jordania.
jordaniano, na [ʒoʀdãni'ãnʊ, na] *adj/m e f* jordano.
jornada [ʒoʀ'nada] *f* **1** jornada (caminata, viaje). **2** jornada (laboral). **3** ⇒ jornal (3). ◆ ~ **de trabalho** jornada laboral.
jornal [ʒoʀ'naw] *m* **1** periódico, diario (publicación). **2** noticiario (boletín informativo).
jornaleiro, ra [ʒoʀna'leyɾʊ, ɾa] *adj* **1** diario. • *adj/m e f* **2** jornalero.
jornalismo [ʒoʀna'liʒmʊ] *m* **1** periodismo. **2** prensa (publicaciones, periodistas).
jornalista [ʒoʀna'liʃta] *s 2 gén* periodista.
jornalístico, ca [ʒoʀna'liʃtʃikʊ, ka] *adj* periodístico.
jorrar [ʒo'ʀaʀ] *tr e intr* **1** chorrear. • *intr* **2** (fig) manar, fluir.
jorro ['ʒoʀʊ] *m* chorro (de un líquido).
jota ['ʒɔta] *m* jota (letra).
joule ['ʒowlɪ] *m* FÍS julio.
jovem ['ʒɔvẽy] *adj 2 gén* **1** joven (reciente, nuevo). • *adj/m e f* **2** joven (mozo).
jovial [ʒovi'aw] *adj 2 gén* **1** jovial (alegre, festivo). **2** gracioso, chistoso.
jovialidade [ʒoviali'dadʒɪ] *f* jovialidad.
jubilação [ʒubila'sãw] *f* **1** júbilo. **2** jubilación, retiro (de profesor, funcionario).

> El término ***jubilação*** como «retirada definitiva del trabajo» y como «pensión que cobra la persona jubilada» sólo se emplea para los maestros y los funcionarios. Para el resto de trabajadores se emplea el término ***aposentadoria.***

jubilar [ʒubi'laʀ] *tr, intr e pron* alegrar, regocijar.

jubileu [ʒubi'lew] *m* jubileo (indulgencia).
júbilo ['ʒubilʊ] *m* júbilo, alegría.
jubiloso, sa [ʒubi'lozʊ, za] *adj* jubiloso.
judaico, ca [ʒu'daykʊ, ka] *adj* judaico.
judaísmo [ʒuda'iʒmʊ] *m* judaísmo, hebraísmo.
judeu, dia [ʒu'dew, dʒ'ia] *adj* **1** ⇒ judaico, ca. • *adj/m e f* **2** judío. • *m e f* **3** nómada.
judiaria [ʒudʒia'ria] *f* **1** judería. **2** (fig) ⇒ judiação.
judicial [ʒudʒisi'aw] *adj 2 gén* judicial.
judiciário, a [ʒudʒisi'aryʊ, a] *adj* **1** ⇒ judicial. • *m* **2** poder judicial.
judô [ʒu'do] *m* yudo, judo.
judoca [ʒu'dɔka] *s 2 gén* yudoca, judoca.
jugo ['ʒugʊ] *m* **1** yugo (instrumento). **2** (fig) yugo (ley, dominio). **3** (fig) yugo (prisión, atadura).

> En portugués no se utiliza el término **jugo** para denominar el «zumo o líquido de las sustancias animales o vegetales sacado por presión, cocción o destilación». Para ello se emplea la palabra ***suco***.

jugular [ʒugu'laR] *adj 2 gén* **1** yugular. • *f* **2** yugular (vena).
juiz [ʒu'iʃ] *m* **1** juez (magistrado). **2** juez (de competición, certamen).
juízo [ʒu'izʊ] *m* **1** juicio (facultad mental). **2** juicio (cordura). **3** DIR juzgado (tribunal).
julgado, da [ʒuw'gadʊ, da] *adj* **1** juzgado (sentenciado). **2** juzgado (considerado). • *m* **3** juzgado (jurisdición).
julgamento [ʒuwga'mẽtʊ] *m* **1** enjuiciamiento, juicio (sentencia). **2** juzgamiento (opinión, consideración).
julgar [ʒuw'gaR] *tr e intr* **1** juzgar, sentenciar (un juez). • *tr* **2** juzgar (opinar). • *tr e pron* **3** juzgar (creer, considerar).
julho ['ʒuʎʊ] *m* julio (mes).
juliana [ʒuli'ãna] *adj/f* juliana (sopa).
jumento [ʒu'mẽtʊ] *m* **1** jumento, asno (animal). **2** (coloq) burro (necio).
junção [ʒũ'sãw] *f* **1** unión (reunión). **2** confluencia (convergencia).
junco ['ʒũkʊ] *m* **1** junco (planta). **2** junco (embarcación).
junho ['ʒũɲʊ] *m* junio.
júnior ['ʒunioR] *adj/m e f* **1** júnior (más joven). **2** ESPORT júnior.
junta ['ʒũta] *f* **1** junta (unión). **2** junta (reunión, asamblea). **3** junta (comisión). **4** ANAT junta, juntura.
juntar [ʒũ'taR] *tr, intr e pron* **1** juntar (unir, reunir). • *tr* **2** adicionar, adjuntar.
junto, a ['ʒũtʊ, a] *adj* **1** junto (unido, reunido). **2** junto (contiguo). **3** junto (acompañado).
juntura [ʒũ'tura] *f* junta (unión).
Júpiter ['ʒupiteR] *m* Júpiter (planeta).
jura ['ʒura] *f* **1** jura, juramento. **2** blasfemia (maldición).
jurado, da [ʒu'radʊ, da] *adj* **1** jurado (prometido). **2** declarado, manifiesto. • *m* **3** ⇒ júri.
juramentar [ʒuramẽ'taR] *tr* **1** juramentar. **2** jurar, declarar (bajo juramento). • **~-se** *pron* **3** juramentarse.
juramento [ʒura'mẽtʊ] *m* juramento (promesa).
jurar [ʒu'raR] *tr e intr* **1** jurar (declarar). • *tr* **2** jurar (aseverar, afirmar).
jurássico, ca [ʒu'rasikʊ, ka] *adj/m* jurásico.
júri ['ʒuri] *m* **1** DIR jurado. **2** jurado (en concurso, competición).
jurídico, ca [ʒu'ridʒikʊ, ka] *adj* jurídico.
jurisdição [ʒuriʃdʒi'sãw] *f* **1** jurisdicción (poder). **2** jurisdicción (territorio).
jurisprudência [ʒuriʃpru'dẽsya] *f* DIR jurisprudencia (ciencia).
jurista [ʒu'riʃta] *s 2 gén* **1** jurisconsulto. **2** prestamista.
juro ['ʒurʊ] *m* ECON interés. ■ **pagar com juros** (fig, fam) pagar con creces.
jus ['ʒuyʃ] *m* derecho, justicia. ■ **fazer ~** hacer justicia.
jusante [ʒu'zãtʃɪ] *f* MAR yusente.
justa ['ʒuʃta] *f* **1** justa (torneo). **2** justa (certamen).
justapor [ʒuʃta'poR] *tr e pron* yuxtaponer.
justaposição [ʒuʃtapozi'sãw] *f* yuxtaposición.
justeza [ʒuʃ'teza] *f* justeza, justedad.

justiça [ʒuʃˈtʃisa] *f* **1** justicia (cualidad, virtud). **2** justicia (derecho, razón).
justiçado, da [ʒuʃtʃiˈsadʊ, da] *adj/m e f* ajusticiado.
justiçar [ʒuʃtʃiˈsaʀ] *tr* ajusticiar.
justificação [ʒuʃtʃifikaˈsãw] *f* **1** justificación (argumentación). **2** justificación (disculpa, explicación). **3** justificación (prueba).
justificar [ʒuʃtʃifiˈkaʀ] *tr e pron* **1** justificar (probar). **2** justificar (explicar).
justificativa [ʒuʃtʃifikaˈtʃiva] *m* ⇒ justificação (3).
justificativo, va [ʒuʃtʃifikaˈtʃivʊ, va] *adj* **1** justificativo.
justo, ta [ˈʒuʃtʊ, ta] *adj* **1** justo (íntegro, recto). **2** justo (merecido). **3** justo (exacto, preciso). **4** justo (adecuado). **5** justo (lícito). • *adv* **6** justo (precisamente).
juvenil [ʒuveˈniw] *adj 2 gén* **1** juvenil. • *adj/m* **2** ESPORT juvenil (categoría).
juventude [ʒuvẽˈtudʒɪ] *f* **1** juventud (período). **2** juventud (gente joven). **3** (fig) juventud (vigor).

Kk

k, K [k'a] *m* k, K (letra).
kaiser [k'ayzer] *m* káiser.
kart [k'artı] *m* ⇒ carte.
ketchup [ket'ʃupı] *m* ketchup, catsup; salsa de tomate (Col).
kilt [k'iwtı] *m* kilt (falda escocesa).
kitsch [k'itʃ] *adj 2 gén* kitsch (cursi).
kiwi [k'iwi] *m* **1** ⇒ quivi. **2** ⇒ quiuí.
klaxon [kl'akisõw] *m* claxon.
Kuwait [kwa'itʃı] *m* Kuwait.

L l

l, L [ˈɛlɪ] *m* l, L (letra).
lá [ˈla] *m* **1** MÚS la (nota musical). • *adv* **2** allí. **3** entonces (futuro). **4** allá: *lá vai ele!* = *¡allá va!*
lã [ˈlã] *f* **1** lana (pelo). **2** lana (tejido).
labareda [labaˈɾeda] *f* **1** llamarada. **2** (fig) llamarada (vivacidad, ardor).
labéu [laˈbɛw] *m* labe, deshonra.
lábia [ˈlabya] *f* **1** labia. **2** astucia (maña); agalla (Amér).
labial [labiˈaw] *adj 2 gén* labial.
lábio [ˈlabyʊ] *m* **1** labio. **2** (fig) labio (borde).
labiríntico, ca [labiˈɾĩtʃikʊ, ka] *adj* **1** laberíntico. **2** (fig) laberíntico (enmarañado).
labirinto [labiˈɾĩtʊ] *m* **1** laberinto. **2** (fig) laberinto (cosa confusa). **3** ANAT laberinto (oído interno).
labor [laˈboʀ] *m* **1** labor (trabajo). **2** labor (faena trabajosa).
laboração [laboɾaˈsãw] *f* **1** labor. **2** trabajo (actividad).
laborar [laboˈɾaʀ] *tr* **1** laborar (arar). **2** trabajar.
laboratório [laboɾaˈtɔɾyʊ] *m* **1** laboratorio (oficina, taller). **2** (fig) laboratorio.
laborioso, sa [laboɾiˈozʊ, za] *adj* **1** laborioso (trabajador, esforzado). **2** laborioso (penoso).
labrego [laˈbɾegʊ] *adj* **1** labriego. **2** (fig) malcriado (grosero). • *m* **3** individuo grosero.
labuta [laˈbuta] *f* trabajo (labor).
labutar [labuˈtaʀ] *intr* **1** trabajar. **2** trajinar. • *tr* **3** llevar (soportar).
laca [ˈlaka] *f* **1** laca (sustancia resinosa). **2** laca (barniz). **3** cochinilla.
laçada [laˈsada] *f* **1** nudo corredizo. **2** lazada.
lacaio, a [laˈkayʊ, a] *m e f* **1** lacayo. **2** (fig) lacayo (rastrero).
laço [ˈlasu] *m* **1** lazo (lazada). **2** lazo (trampa de caza). **3** (fig) lazo (unión, vínculo).
lacônico, ca [laˈkonikʊ, ka] *adj* lacónico (conciso).
laconismo [lakoˈniʒmʊ] *m* laconismo.
lacrau [laˈkɾaw] *m* alacrán.
lacre [ˈlakɾɪ] *m* lacre.
lacrimejar [lakɾimeˈʒaʀ] *intr* lagrimear.
lacrimoso, sa [lakɾiˈmozʊ, za] *adj* **1** lagrimoso (con lágrimas). **2** lagrimoso (que incita a llorar).
lactação [lakitaˈsãw] *f* lactación.
lactário, a [lakiˈtaɾyʊ, a] *adj* lactario, lechoso.
lactente [lakiˈtẽtʃɪ] *adj/m e f* lactante (niño).
lácteo, a [ˈlakitʃyʊ, a] *adj* lácteo.
lacticínio [lakitʃiˈsinyʊ] *m* lacticinio, producto lácteo.
lactômetro [lakiˈtometɾʊ] *m* lactómetro.
lactose [lakiˈtɔzɪ] *f* QUÍM lactosa.
lacuna [laˈkuna] *f* **1** hueco (espacio vacío). **2** (fig) laguna (fallo, solución de continuidad).
lacustre [laˈkuʃtɾɪ] *adj 2 gén* lacustre.
ladainha [ladaˈiɲa] *f* **1** letanía. **2** (fam) monserga.
ladear [ladʒɪˈaʀ] *tr* **1** ladear (seguir a su lado). **2** desviar (cambiar de trayectoria).
ladeira [laˈdeyɾa] *f* cuesta (pendiente).
ladino, na [laˈdʒinʊ, na] *adj/m e f* ladino (astuto).
lado [ˈladʊ] *m* **1** lado. **2** lado (punto de vista). **3** lado (parentesco). **4** lado (facción, parte). ■ **de ~** de lado.
ladrado [laˈdɾadʊ] *m* **1** (coloq) ladrido. **2** (fig) calumnia, insulto.
ladrão, ladra [laˈdɾãw, ˈladɾa] *adj/m e f* ladrón (hurtador).
ladrar [laˈdɾaʀ] *intr* **1** ladrar (perro). **2** gritar (sin motivo). • *tr e intr* **3** (fig) calumniar, injuriar.
ladrido [laˈdɾidʊ] *m* ⇒ latido.
ladrilheiro [ladɾiˈʎeyɾʊ] *m* ladrillero.
ladrilho [laˈdɾiʎʊ] *m* **1** baldosa. **2** azulejo.

La palabra ***ladrilho*** no debe confundirse con el término español **ladrillo**, que es ***tijolo*** en portugués.

lagar [la'gaʀ] *m* **1** lagar (lugar). **2** lagar (recipiente).
lagarta [la'gaʀta] *f* oruga (larva).
lagartixa [lagaʀ'tʃiʃa] *f* lagartija.
lagarto [la'gaʀtʊ] *m* **1** lagarto (reptil). **2** piel (de lagarto). **3** pieza del ganado vacuno.
lago ['lagʊ] *m* lago.
lagoa [la'goa] *f* laguna (de agua).
lagosta [la'goyʃta] *f* langosta (crustáceo).
lagostim [lagoyʃ'tʃĩ] *m* cigala, cigarra de mar.
lágrima ['lagɾima] *f* **1** lágrima. **2** (fig) lágrima (de licor). **3** (fig) lágrima (forma).
laguna [la'guna] *f* brazo de mar.
laia ['laya] *f* laya, jaez.
laico, ca ['laykʊ, ka] *adj* laico.
laje ['laʒɪ] *f* laja, losa.
lajear [laʒe'aʀ] *tr* enlosar.
lama ['lama] *f* **1** barro, lodo. **2** llama, alpaca.
lamaçal [lama'saw] *m* **1** barrizal, lodazal. **2** (fig) sordidez, indecencia.
lamacento, ta [lama'sẽtʊ, ta] *adj* lodoso, cenagoso.
lambada [lã'bada] *f* **1** golpe. **2** lambada (baile). **3** latigazo. **4** crítica, censura.
lambedor, ra [lãbe'doʀ, ɾa] *adj/m e f* **1** lamedor. • *m* **2** (fig) pelota.
lamber [lã'beʀ] *tr e pron* **1** lamer, lamber. • *tr* **2** lamer (rozar). **3** arrasar, destruir.
lambição [lãbi'sãw] *f* **1** delación. **2** peloteo, adulación.
lambidela [lãbi'dela] *f* **1** lamedura, lamido. **2** propina.
lambido, da [lã'bido] *adj* lamido.
lambiscar [lãbiʃ'kaʀ] *tr e intr* picar, comer poca cantidad.
lambisco [lã'biʃkʊ] *m* bocado (de comida).
lambisgóia [lãbiʒ'gɔya] *s 2 gén* **1** delgado. **2** metomentodo, entrometido.
lambuzar [lãbu'zaʀ] *tr e pron* ensuciar, pringar.
lameiro [la'meyɾʊ] *m* lodazal, cenagal.
lamentação [lamẽta'sãw] *f* lamentación.
lamentar [lamẽ'taʀ] *tr e pron* **1** lamentar (quejarse). **2** lamentar (sentir pena, contrariedad).
lamentável [lamẽ'tavew] *adj 2 gén* lamentable.
lamento [la'mẽtʊ] *m* lamento.
lamentoso, sa [lamẽ'tozʊ, za] *adj* lamentoso.
lâmina ['lamina] *f* lámina.
laminar [lami'naʀ] *tr* **1** laminar (reducir con laminador). **2** reducir (la espesura).
lâmpada ['lãpada] *f* **1** lámpara (de petróleo, queroseno). **2** bombilla.
lamparina [lãpa'ɾina] *f* lamparilla.
lampejo [lã'peʒʊ] *m* chispa, centella, destello.
lampião [lãpi'ãw] *m* **1** lampión, lámpara. **2** farola.
lamúria [la'muɾya] *f* lloriqueo, lamentación.
lamuriante ou **lamuriento, ta** [lamuɾi'ãtʃɪ o lamuɾi'ẽtʊ, ta] *adj* llorica, quejica.
lamuriar [lamuɾi'aʀ] *tr, intr e pron* lloriquear, lametar, quejarse.
lança ['lãsa] *f* **1** lanza. **2** (coloq) ratero, chorizo.
lança-chamas [lãsa'ʃamays] *m* lanzallamas.
lançadeira [lãsa'deyɾa] *f* **1** lanzadera (de máquina de coser). **2** (fig) lanzadera (persona).
lançador, ra [lãsa'doʀ, ɾa] *adj/m e f* **1** lanzador (que arroja, dispara). **2** lancero (soldado).
lançamento [lãsamẽtʊ] *m* **1** lanzamiento (impulso). **2** lanzamiento (de un producto).
lançar [lã'saʀ] *tr* **1** lanzar (propulsar). **2** lanzar (arrojar). **3** lanzar (producto). **4** germinar, brotar. **5** poner de moda. **6** estrenar (espectáculo). **7** atribuir, imputar. **8** presentar (dar el nombre). **9** lanzar (mirada). • *tr e pron* **10** lanzarse (emprender).
lance ['lãsɪ] *m* **1** lance (acontecimiento). **2** lance (situación difícil).
lancha ['lãʃa] *f* **1** lancha (bote). **2** lancha, barca (de recreo).
lanchar [lã'ʃaʀ] *intr e tr* merendar.
lanche ['lãʃɪ] *m* merienda; lonche (Amér.).
lancheira [lã'ʃeyɾa] *f* fiambrera (tartera); portacomida (Amér).

l

lancheiro [lãˈʃeyɾʊ] *m* lanchero (patrón).
lanchonete [lãʃoˈnɛtʃɪ] *f establecimiento donde se venden refrigerios*; lonchería (Amér).
lancinante [lãsiˈnãtʃɪ] *adj 2 gén* **1** lancinante. **2** (fig) punzante, desgarrador.
lanço [ˈlãsʊ] *m* **1** lance (lanzamiento). **2** lance (pesca). **3** puja, licitación. **4** ESPORT lanzamiento.
languidez [lãgiˈdeyʃ] *f* **1** languidez (debilidad). **2** (fig) languidez (apatía).
lânguido, da [ˈlãgidʊ, da] *adj* **1** lánguido (débil). **2** mórbido (enfermo).
lanhar [lãˈŋaʀ] *tr e pron* **1** rasgar, desgarrar. **2** (fig) lacerar, herir.
lanterna [lãˈtɛʀna] *f* **1** linterna. **2** luces de posición (de un vehículo).
lanterneiro [lãteʀˈneyɾʊ] *m* **1** linternero, lamparero. **2** chapista (de carrocería).
Laos [ˈlawʃ] *m* Laos.
laosiano, na [lawziˈãnʊ, na] *adj/m e f* **1** laosiano. • *m* **2** laosiano (lengua).
lapa [ˈlapa] *f* **1** peña, piedra. **2** gruta, cueva.

> Cuando una persona es muy insistente e inoportuna, en portugués no se le llama **lapa**, sino ***garrapato***.

lapão [laˈpãw] *adj/m* lapón.
lapela [laˈpɛla] *f* solapa (de prenda).
lapidação [lapidaˈsãw] *f* lapidación.
lapidar [lapiˈdaʀ] *adj 2 gén* **1** lapidario, lapídeo. **2** (fig) lapidario (conciso).
lapidar [lapiˈdaʀ] *tr* **1** lapidar (apedrear). **2** (fig) abrillantar, labrar (piedras preciosas).
lapidário, a [lapiˈdaɾyʊ, a] *adj* **1** lapidario (inscrito). • *m e f* **2** lapidario (diamantista).
lápide [ˈlapidʒɪ] *f* lápida.
lápis [ˈlapiʃ] *m* **1** lápiz, lapicero. **2** lápiz (mineral).
lapiseira [lapiˈzeyɾa] *f* **1** portaminas. **2** portalápiz (estuche).
lapso, sa [ˈlapisʊ, sa] *adj* **1** equivocado, errado. • *m* **2** lapso (de tiempo). **3** lapsus (error, descuido).
laquê [laˈke] *m* laca, fijador (de pelo).
laquear [lakeˈaʀ] *tr* laquear (barnizar).
lar [ˈlaʀ] *f* hogar.
laranja [laˈɾãʒa] *f* **1** naranja (fruta). • *adj/m* **2** naranja (color).
laranjada [laɾãˈʒada] *f* naranjada.
laranjal [laɾãˈʒaw] *m* naranjal.
laranjeira [laɾãˈʒeyɾa] *f* naranjo (árbol).
larápio [laˈɾapyʊ] *m* ladrón, ratero.
lardo [ˈlaʀdʊ] *m* lardo (del tocino).
lareira [laˈɾeyɾa] *f* **1** chimenea. **2** hogar, lar (lumbre).
larga [ˈlaʀga] *f* soltura, libertad. ▪ **à ~** a lo grande; **dar largas** dar alas, dar rienda suelta.
largada [laʀˈgada] *f* salida.
largado, da [laʀˈgadʊ, da] *adj* **1** suelto. **2** abandonado, dejado (de aspecto).
largar [laʀˈgaʀ] *tr* **1** largar, soltar. **2** dejar, abandonar. • *tr, intr e pron* **3** largarse, salir.
largo, ga [ˈlaʀgʊ, ga] *adj* **1** ancho (amplio). **2** amplio (abundante, vasto). • *m* **3** ancho, anchura. **4** glorieta, plaza.
largueza [laʀˈgeza] *f* ⇒ largura.
largura [laʀˈguɾa] *f* anchura (dimensión).
laringe [laˈɾĩʒɪ] *f* ANAT laringe.
laringite [laɾĩˈʒitʃɪ] *f* MED laringitis.
larva [ˈlaʀva] *f* ZOOL larva.
larvado, da [laʀˈvadʊ, da] *adj* **1** MED larvado. **2** (fig) discontinuo.
larval [laʀˈvaw] *adj 2 gén* ZOOL larval, larvario.
lasanha [laˈzãŋa] *f* GAST lasaña.
lasca [ˈlayʃka] *f* **1** lasca. **2** astilla. **3** esquirla (de metal). **4** (fig) loncha (porción).
lascar [layʃˈkaʀ] *tr, intr e pron* **1** rajar; astillar. • *tr* **2** (fig) dar (de repente); largar (propinar). **3** (coloq) zurrar (pegar); tostar (Amér). **4** (fig, coloq) soltar, espetar (decir de repente).
lascívia [laˈsivya] *f* lascivia.
lascivo, va [laˈsivʊ, va] *adj/m e f* lascivo.
laser [ˈleyzeʀ] *m* COMP, ÓPT láser.
lassidão [lasiˈdãw] *f* lasitud.
lasso, ssa [ˈlasʊ, sa] *adj* **1** laso (agotado). **2** laso, laxo (flojo, suelto). **3** desgastado.
lástima [ˈlayʃtʃima] *f* **1** lástima. **2** desgracia, infortunio.

lastimar [layʃtʃi'maʀ] *tr* **1** lamentar. **2** compadecerse. • *tr e pron* **3** dolerse. • ~-**se** *pron* **4** lamentarse, quejarse.
lastimável [layʃtʃi'mavew] *adj* lamentable.
lastimoso, sa [layʃtʃi'mozʊ, za] *adj* **1** lamentoso. **2** lastimoso.
lastro ['layʃtrʊ] *m* lastre (de embarcación, globo).
lata ['lata] *f* **1** lata, hojalata. **2** lata (envase). **3** (fig) pérdida (económica). **4** (fig) chasco, decepción.
latão [la'tãw] *m* latón.
látego ['lategʊ] *m* **1** látigo. **2** (fig) acicate (incentivo).
latejante [late'ʒãtʃɪ] *adj 2 gén* palpitante, pulsátil.
latejar [late'ʒaʀ] *intr* palpitar, pulsar.
latejo [la'teʒʊ] *m* latido, palpitación.
latente [la'tẽtʃɪ] *adj 2 gén* latente (oculto).
lateral [late'ɾaw] *adj 2 gén* **1** lateral. • *f* **2** ESPORT banda (del campo deportivo). • *s 2 gén* **3** ESPORT lateral (jugador).
lateralidade [lateɾali'dadʒɪ] *f* lateralidad.
látex ['latɛks] *m* BOT látex.
latido [la'tʃidʊ] *m* **1** ladrido. **2** alarido, grito.
latifúndio [latʃi'fũdʒyʊ] *m* latifundio.
latim [la'tʃĩ] *m* **1** latín. **2** (fig, fam) chino: *isso é latim para mim = eso es chino para mí.*
latinismo [latʃi'niʒmʊ] *m* latinismo.
latino, na [la'tʃinʊ, na] *adj* **1** latino (lengua): *textos latinos = textos latinos.* • *adj/m e f* **2** latino: *música latina = música latina.*
latino-americano, na [latʃinwameɾi'kãnʊ, na] *adj/m e f* latinoamericano.
latir [la'tʃiʀ] *intr* **1** ladrar. **2** (fig) gritar.
latitude [latʃi'tudʒɪ] *f* **1** ASTR, GEOG latitud. **2** (fig) calibre (importancia).
lato, ta ['latʊ, ta] *adj* lato. ♦ ~ **sensu** en sentido lato.
latoaria [latoa'ɾia] *f* hojalatería, latonería.
latrina [la'tɾina] *f* letrina, retrete.
latrocínio [latɾo'sinyʊ] *m* (form) latrocinio (robo).
laurear [lawɾe'aʀ] *tr* **1** laurear (coronar). **2** (fig) laurear (recompensar, premiar).
laurel [law'ɾɛw] *m* **1** laurel (árbol). **2** (fig) laurel (corona, premio).
lauto, ta ['lawtʊ, ta] *adj* espléndido, opíparo.
lava ['lava] *f* **1** lava. **2** (fig) abundancia, copiosidad. **3** (fig) llama, fuego (sentimientos).
lavabo [la'vabʊ] *m* **1** lavatorio (ceremonia). **2** lavabo (pila).
lavadeira [lava'deyɾa] *f* **1** lavandera. **2** lavadora (máquina). **3** (fig, coloq) mujer humilde.
lavadora [lava'doɾa] *f* lavadora, lavavajillas.
lavagante [lava'gãtʃɪ] *m* bogavante.
lavagem [la'vaʒẽy] *f* **1** lavado, lavadura. **2** (fig, coloq) reprimenda.
lava-louças [lava'lowsayʃ] *f* lavavajillas.
lavanda [la'vãda] *f* lavanda (planta, esencia).
lavanderia [lavãde'ɾia] *f* lavandería.
lavar [la'vaʀ] *tr, intr e pron* **1** lavar (limpiar). • *tr e pron* **2** (fig) lavar, purificar.
lavatório [lava'tɔɾyʊ] *m* **1** lavabo (mueble, cuarto). **2** lavatorio (lavado). **3** (fig) purificación.
lavoura ou **lavoira** [la'vowɾa o la'voyɾa] *f* **1** labrado. **2** labrantío, gleba (tierra).
lavra ['lavɾa] *f* **1** labrada, labranza (tierra). **2** labra. **3** explotación (minera). **4** mina.
lavrador, ra [lavɾa'doʀ, ɾa] *adj/m e f* **1** labrador (campesino). • *m e f* **2** ganadero.
lavrar [la'vɾaʀ] *tr* **1** labrar (cultivar). **2** acuñar (monedas). **3** (fig) erosionar, desgastar.
laxante [la'ʃãtʃɪ] *adj/m* laxante.
laxar [la'ʃaʀ] *tr e pron* **1** laxar. • *tr* **2** (fig) debilitar, relajar.
laxismo [la'ʃiʒmʊ] *m* laxismo.
lazarento, ta [laza'ɾẽtʊ, ta] *adj/m e f* **1** leproso, lazarino. • *adj* **2** (coloq) insoportable, terrible.
lazer [la'zeʀ] *m* **1** ocio (tiempo libre). **2** ocio, pasatiempo.
lê ['le] *m* ele (letra).
leal [le'aw] *adj 2 gén* **1** leal, fiel. **2** legal.
lealdade [leaw'dadʒɪ] *f* lealtad.
leão [le'ãw] *m* **1** león (animal). **2** (fig) león (valiente, fuerte). **3** (fig) grosero. **Leão 4** ASTR Leo (constelación, signo zodiacal).

lebre [ˈlɛbrɪ] *f* liebre. ■ **vender gato por ~** (fig, fam) dar o vender gato por liebre.

lecionar [lesyoˈnaʀ] *tr e intr* **1** enseñar, instruir. ● **~-se** *pron* **2** estudiar.

legado [leˈgadʊ] *m* **1** legado, herencia. **2** legado (gobernador romano). **3** legado (eclesiástico).

legal [leˈgaw] *adj 2 gén* **1** legal. **2** (coloq) genial, bueno, majo; chévere (Col, Ecuad, Perú, P. Rico, Venez).

legalidade [legaliˈdadʒɪ] *f* **1** legalidad. **2** (fig) legitimidad.

legalização [legalizaˈsãw] *f* legalización.

legalizar [legaliˈzaʀ] *tr* legalizar.

legar [leˈgaʀ] *tr* **1** legar (dejar). **2** (fig) legar, transmitir.

legenda [leˈʒẽda] *f* **1** leyenda (cuento fantástico). **2** subtítulo (de película). **3** pie (de foto, página).

legendar [leʒẽˈdaʀ] *tr e intr* subtitular.

legendário, ria [leʒẽˈdaryʊ, rya] *m e f* legendario (colección).

legião [leʒiˈãw] *f* **1** MIL legión (cuerpo, división). **2** (fig) legión (grupo numeroso).

legionário [leʒyoˈnaryʊ] *adj/m* legionario.

legislação [leʒiʒlaˈsãw] *f* **1** legislación (leyes). **2** legislación (ciencia).

legislador, ra [leʒiʒlaˈdoʀ, ra] *adj/m e f* legislador.

legislar [leʒiʒˈlaʀ] *tr e intr* legislar.

legislativo, va [leʒiʒlaˈtʃivʊ, va] *adj* **1** legislativo. ● *adj/m* **2** legislativo (poder).

legislatura [leʒiʒlaˈtura] *f* **1** legislatura (período). **2** poder legislativo.

legista [leˈʒiʒta] *adj/m e f* **1** legista. ● *s 2 gén* **2** médico forense.

legitimação [leʒitʃimaˈsãw] *f* legitimación (validación).

legitimar [leʒitʃiˈmaʀ] *tr e pron* **1** DIR legitimar (legalizar). ● *tr* **2** legitimar (hijo). **3** legitimar (autenticar).

legitimidade [leʒitʃimiˈdadʒɪ] *f* **1** legitimidad (licitud). **2** DIR legitimidad (legalidad).

legítimo, ma [leˈʒitʃimʊ, ma] *adj* **1** legítimo (legal). **2** legítimo (lícito). **3** legítimo (hijo). **4** legítimo (genuino).

legível [leˈʒivew] *adj 2 gén* legible.

légua [ˈlɛgwa] *f* legua. ■ **às léguas** (fig, fam) a toda prisa.

legume [leˈgumɪ] *m* **1** legumbre (leguminosa). **2** legumbre (hortaliza).

leguminoso, sa [legumiˈnozʊ, za] *adj* leguminoso.

lei [ˈley] *f* **1** ley (regla, norma). **2** ley (código). **3** FÍS ley. ◆ **~ do menor esforço** ley del mínimo esfuerzo; **~ seca** ley seca.

leigo, ga [ˈleygʊ, ga] *adj/m e f* **1** lego (laico, seglar). **2** lego (desconocedor). ● *adj* **3** laico (irreligioso).

leilão [leyˈlãw] *m* subasta.

leiloar [leyloˈaʀ] *tr* subastar.

leiloeiro [leyloˈeyrʊ] *m* subastador.

leira [ˈleyra] *f* **1** surco. **2** era, huerto.

leitão [leyˈtãw] *m* lechón.

leite [ˈleytʃɪ] *m* **1** leche. **2** leche (savia blanca). ◆ **~ condensado** leche condensada; **~ integral** leche entera.

leiteira [leyˈteyra] *f* **1** lechera (vendedora). **2** lechera (recipiente).

leiteiro, ra [leyˈteyrʊ, ra] *adj* **1** lechero: *vaca leitera = vaca lechera*. ● *m e f* **2** lechero (vendedor, repartidor).

leiteria [leyteˈria] *f* lechería.

leito [ˈleytʊ] *m* **1** lecho (cama, reclinatorio). **2** lecho (de río, lago). **3** ARQ lecho. ■ **em seu ~ de morte** en su lecho de muerte.

leitor, ra [leyˈtoʀ, ra] *adj/m e f* **1** lector. **2** lector (revisor, evaluador). **3** lector (profesor).

leitoso, sa [leyˈtozʊ, za] *adj* lechoso.

leitura [leyˈtura] *f* **1** lectura: *tomou gosto pela leitura bem cedo = se aficionó a la lectura muy pronto*. **2** lectura (texto). **3** lectura (interpretación).

lema [ˈlẽma] *m* **1** lema (sentencia, emblema). **2** FILOL lema (entrada).

lembrança [lẽˈbrãsa] *f* **1** recuerdo (memoria). **2** recuerdo (reminiscencia). **3** recuerdo (souvenir).

lembrar [lẽˈbraʀ] *tr* **1** recordar (rememorar). ● *tr e pron* **2** recordar (memorizar).

leme [ˈlẽmɪ] *m* **1** timón (de barco, avión). **2** (fig) timón (dirección, gobierno).

lenço [ˈlẽsʊ] *m* pañuelo.

lençol [lẽˈsɔw] *m* **1** sábana. **2** capa freática.

lenda [ˈlẽda] *f* **1** leyenda (narración). **2** (fig) leyenda (mito). **3** (fig) farsa, mentira.

lendário, a [lẽˈdaryʊ, a] *adj* **1** legendario. ● *m* **2** legendario (colección).

lêndea [ˈlẽdʒya] *f* liendre.
lengalenga [lẽgaˈlẽga] *f* cantinela, retahíla.
lenha [ˈlẽɲa] *f* **1** leña (madera). **2** (fig) paliza, leña. **3** (fig, coloq) caña (crítica negativa). ■ **deitar ~ na fogueira** (fig, fam) echar leña al fuego.
lenhador [lẽɲaˈdoʀ] *adj/m* leñador.
lenho [ˈlẽɲʊ] *m* **1** leño (madero). **2** leño (tronco).
lenhoso, sa [lẽˈɲozʊ, za] *adj* leñoso.
lenitivo, va [leniˈtʃivʊ, va] *adj* **1** lenitivo (suavizante). ● *m* **2** lenitivo (calmante). **3** (fig) lenitivo (alivio).
lente [ˈlẽtʃɪ] *f* lente. ◆ **~ de contato** ÓPT lente de contacto, lentilla.
lentejoila ou **lentejoula** [lẽteˈʒɔyla o lẽteˈʒɔwla] *f* lentejuela.
lentidão [lẽtʃiˈdãw] *f* **1** lentitud. **2** indolencia, pereza.
lentilha [lẽˈtʃiʎa] *f* lenteja.

> ***Lentilha*** no se debe confundir con el término español **lentilla**, que es ***lente de contato*** en portugués.

lento, ta [ˈlẽtʊ, ta] *adj* **1** lento, pausado. **2** lento, demorado. ● *m* **3** MÚS lento. ● *adv* **4** lento, lentamente.
leoa [leˈoa] *f* **1** leona. **2** (fig) leona, fiera (de mal genio). **3** (fig) mujer fatal.
leonino, na [leoˈninʊ, na] *adj* **1** leonino. **2** leonino (desigual). ● *adj/m e f* **3** ASTROL leo.
leopardo [leoˈpaʀdʊ, da] *m* leopardo.
lépido, da [ˈlɛpidʊ, da] *adj* jovial (alegre).
lepra [ˈlɛpɾa] *f* **1** lepra. **2** (coloq) sarna perruna. **3** (fig) lepra (vicio).
leproso, sa [leˈpɾozʊ, za] *adj/m e f* **1** leproso. ● *adj* **2** (fig) asqueroso.
leque [ˈlɛkɪ] *m* **1** abanico. **2** (fig) abanico (de opciones, propuestas).
ler [ˈleʀ] *tr* **1** leer. **2** leer (declamar, recitar). **3** leer, interpretar (música, braille). **4** leer, conocer (obra): *li tudo de Shakespeare = he leído todo lo de Shakespeare*. ● *intr* **5** leer.
lerdo, da [ˈlɛʀdʊ, da] *adj* lerdo.
lesado, da [leˈzadʊ, da] *adj* **1** lesionado (herido). **2** DIR lesionado.
lesão [leˈzãw] *f* **1** lesión (daño, herida). **2** DIR lesión.
lesar [leˈzaʀ] *tr e pron* **1** lesionar. ● *tr* **2** ofender (molestar). ● *intr* **3** quedarse alelado.
lesbianismo [leʒbyãˈniʒmʊ] *m* lesbianismo.
lésbico, ca [ˈlɛʒbikʊ, ka] *adj* **1** lésbico, lesbiano. ● *adj/m e f* **2** lesbio.
lesionar [lezyoˈnaʀ] *tr e pron* lesionar.
lesivo, va [leˈzivʊ, va] *adj* lesivo.
lés-nordeste [lɛyʒnoʀˈdɛʃtʃɪ] *adj/m* lesnordeste (viento, dirección).
Lesoto [leˈzotʊ] *m* Lesoto.
lés-sudeste ou **lés-sueste** [lɛysuˈdɛʃtʃɪ o lɛyswˈɛʃtʃɪ] *adj/m* lesueste (viento, dirección).
leste [ˈlɛyʃtʃɪ] *adj/m* **1** este (región). **2** este (viento). ● **Leste** *m* **3** Este (punto cardinal).
lesto, ta [ˈleyʃtʊ, ta] *adj* **1** ligero, rápido. **2** listo, pronto (dispuesto). **3** listo, sagaz.
letal [leˈtaw] *adj 2 gén* letal.
letão, tã [leˈtãw, ˈtã] *adj/m e f* **1** letón. ● *m* **2** letón (lengua).
letargia [letaʀˈʒia] *f* **1** letargo. **2** (fig) sueño profundo. **3** (fig) desinterés. **4** (fig) depresión.
letárgico, ca [leˈtaʀʒikʊ, ka] *adj* letárgico.
Letônia [leˈtõnya] *f* Letonia.
letra [ˈletɾa] *f* **1** letra (signo). **2** letra (caligrafía). **3** letra (de canción, himno). ● **Letras** *f pl* **4** letras (humanidades). ◆ **~ capital** letra capital; **~ cursiva** letra cursiva; **~ de câmbio** ECON letra de cambio; **~ do tesouro** ECON letra del tesoro; **~ inicial** letra inicial; **~ maiúscula/minúscula** letra mayúscula/minúscula. ■ **com todas as letras** (fig) con pelos y señales; **tirar de ~** (fig, fam) estar chupado.
letrado, da [leˈtɾadʊ, da] *adj/m e f* **1** letrado (instruido). ● *m e f* **2** letrado (magistrado).
letreiro [leˈtɾeyɾʊ] *m* **1** letrero. **2** crédito (de película). **3** subtítulo (de película).
léu [ˈlɛw] *m* **1** ociosidad, inactividad. **2** ocasión (oportunidad).
leucemia [lewseˈmia] *f* MED leucemia.
leucócito [lewˈkɔsitʊ] *m* BIOL leucocito.
leva [ˈlɛva] *f* **1** leva (recluta). **2** MAR leva.
levada [leˈvada] *f* **1** torrente (de agua). **2** cascada. **3** acequia; toma (Amér).

levadiço, ça [leva'dʒisʊ, sa] *adj* levadizo.
levado, da [le'vadʊ, da] *adj/m e f* travieso, alborotador.
levantado, da [levã'tadʊ, da] *adj* **1** levantado (erguido). • *adj/m e f* **2** rebelde, sedicioso.
levantamento [levãta'mẽtʊ] *m* **1** levantamiento (erguimiento). **2** levantamiento (sublevación).
levantar [levã'taʀ] *tr e pron* **1** levantar, alzar. **2** levantar, estimular. **3** levantar, sublevar. • *tr e intr* **4** levantar (voz). • *tr* **5** levantar, erigir (monumento, edificio). **6** levantar, suscitar. **7** levantar, vigorizar.
levante [le'vãtʃɪ] *m* **1** Levante (Oriente). **2** levante (viento). **Levante 3** Levante (Oriente Medio).
levantino, na [levã'tʃinʊ, na] *adj/m e f* levantino.
levar [le'vaʀ] *tr* **1** llevar (transportar). **2** llevar (conducir): *aquela estrada leva à cidade = aquella carretera lleva a la ciudad*. **3** llevar, vestir. **4** tardar: *levou duas horas para chegar na cidade = tardó dos horas en llegar a la ciudad*. **5** tomarse: *levou o comentário na brincadeira = se tomó el comentario en broma*. ■ **deixar-se ~** dejarse llevar; **~ em consideração** tener en consideración.
leve ['lɛvɪ] *adj 2 gén* **1** leve (liviano). **2** leve (tenue). **3** leve (trivial). **4** ligero (sueño, alimento).
levedura [leve'dura] *f* **1** levadura (hongo). **2** levadura (sustancia).
leveza [le'veza] *f* **1** ligereza. **2** (pej, fig) liviandad.
leviandade [leviã'dadʒɪ] *f* liviandad.
leviano, na [levi'ãnʊ, na] *adj* **1** liviano (ligero, leve). • *adj/m e f* **2** liviano (inconstante, precipitado).
levita [le'vita] *m* **1** levita (eclesiástico). • *f* **2** levita (prenda).
levitação [levita'sãw] *f* levitación.
levitar [levi'taʀ] *intr* levitar.
lexema [leki'sẽma] *m* FILOL lexema.
lexical [lekisi'kaw] *adj 2 gén* léxico.
léxico, ca ['lɛkisikʊ, ka] *adj* **1** léxico. • *m* **2** léxico (vocabulario).
lexicografia [lɛkisikogra'fia] *f* lexicografía.
lexicógrafo, fa [lɛkisi'kɔgrafʊ, fa] *m e f* lexicógrafo.
lexicologia [lɛkisikolo'ʒia] *f* lexicología.
lexicólogo, ga [lɛkisi'kɔlogʊ, ga] *m e f* lexicólogo.
lhama ['ʎãma] *f* **1** llama (animal). **2** lama (tejido).
lhaneza [ʎã'neza] *f* llaneza (simplicidad).
lhano, na ['ʎãnʊ, na] *adj* **1** llano (sencillo). **2** llano (franco, sincero). • *m* **3** (gralte pl) llano, llanura.
lhe ['ʎe] *pron* le: *comprei-lhe muitos brinquedos = le compré muchos juguetes*.
lho ['ʎo] *contr* (form) se lo: *depois que ele pediu o aumento, o chefe resolveu dar-lho = después de pedir el aumento, el jefe se lo dio*.
lhufas ['ʎufayʃ] *pron* (fam) un bledo, ni gota (nada).
libanês, sa [libã'neyʃ, za] *adj/m e f* libanés.
Líbano ['libãnʊ] *m* Líbano.
libar [li'baʀ] *intr* **1** libar (hacer ofrendas). • *tr* **2** libar (chupar).
libelo [li'bɛlʊ] *m* **1** libelo (difamatorio). **2** DIR libelo.
libélula [li'bɛlula] *f* libélula.
liberação [libera'sãw] *f* **1** liberación. **2** (fig) liberación (de deuda, compromiso).
liberal [libe'raw] *adj 2 gén* **1** liberal (generoso). **2** liberal (profesión). • *adj/m e f* **3** POL liberal.
liberalidade [liberali'dadʒɪ] *f* **1** liberalidad (generosidad). **2** donativo generoso.
liberalismo [libera'liʒmʊ] *m* liberalismo.
liberalização [liberaliza'sãw] *f* liberalización.
liberalizar [liberali'zaʀ] *tr* **1** prodigar. • *tr e pron* **2** liberalizar.
liberar [libe'raʀ] *tr e pron* **1** liberar, exonerar (de carga, obligación). **2** liberar (libertar, soltar).
liberdade [libeʀ'dadʒɪ] *f* libertad.
Libéria [li'bɛrya] *f* Liberia.
liberiano, na [liberi'ãnʊ, na] *adj/m e f* liberiano.
libertação [libeʀta'sãw] *f* liberación.
libertador, ra [libeʀta'doʀ, ra] *adj/m e f* libertador, liberador.
libertar [libeʀ'taʀ] *tr e pron* **1** libertar (soltar). **2** libertar, eximir (de carga, obligación).

libertário, a [libeʀ'taɾyʊ, a] *adj/m e f* libertario, anarquista.
libertino, na [libeʀ'tʃinʊ, na] *adj/m e f* libertino.
liberto, ta [li'bɛʀtʊ, ta] *adj/m e f* **1** liberto (esclavo). • *adj* **2** liberado, libre.
Líbia ['libya] *f* Libia.
libidinoso, sa [libidʒi'nozʊ, za] *adj* libidinoso.
libido [li'bidʊ] *f* MED, PSIC libido.
líbio, a ['libyʊ, a] *adj/m e f* libio.
libra ['libɾa] *f* **1** libra (peso). **2** libra (moneda). **Libra 3** ASTR Libra (constelación, signo zodiacal).
librar [li'bɾaʀ] *tr e pron* **1** suspender (en el aire). **2** equilibrar.
libré [li'bɾɛ] *f* **1** librea, uniforme. **2** (coloq) traje.
libreto [li'bɾetʊ] *m* MÚS libreto.
liça ['lisa] *f* **1** liza (campo). **2** lid, lidia (combate).
lição [li'sãw] *f* **1** lección (instrucción, materia). **2** lección (capítulo). **3** (fig) lección (amonestación).
licença [li'sẽsa] *f* **1** licencia (permiso). **2** (fig) licencia (vida disoluta). ■ **com ~** con permiso, disculpe.
licença-maternidade [lisẽsamateʀni'dadʒɪ] *f* baja por maternidad.
licenciado, da [lisẽsi'adʊ, da] *adj* **1** autorizado. • *adj/m e f* **2** licenciado (graduado).
licenciamento [lisẽsia'mẽtʊ] *m* licenciamiento.
licenciar [lisẽsi'aʀ] *tr e pron* **1** licenciar (dar permiso). • **~-se** *pron* **2** licenciarse (graduarse).
licenciatura [lisẽsia'tuɾa] *f* diplomatura de magisterio.
licencioso, sa [lisẽsi'ozʊ, za] *adj/m e f* licencioso.
liceu [li'sew] *m* **1** liceo (instituto de enseñanza). **2** liceo (institución cultural).
licitação [lisita'sãw] *f* **1** licitación (en una subasta). **2** ECON concurso (de un servicio).
lícito, ta ['lisitʊ, ta] *adj* lícito.
licor [li'koʀ] *m* **1** licor (bebida). **2** licor (líquido). **3** copa: *na festa tomei três licores = en la fiesta me tomé tres copas.*
lida ['lida] *f* **1** lidia. **2** leída, lectura rápida.
lidar [li'daʀ] *tr e intr* **1** lidiar (pelear, luchar). • *tr* **2** aguantar, soportar. **3** lidiar (torear).
lide ['lidʒɪ] *f* **1** lid (combate). **2** lidia (taurina). **3** DIR lid (pleito). • *m* **4** entradilla.
líder ['lideʀ] *m* líder (guía, jefe).
liderar [lide'ɾaʀ] *tr* liderar.
lido, da ['lidʊ, da] *adj* leído (culto).
Liechtenstein [liʃitẽʃ'tãy] *m* Liechtenstein.
liga ['liga] *f* **1** liga (unión, pacto). **2** liga (asociación). **3** liga (prenda). **4** ligación (mezcla).
ligação [liga'sãw] *f* **1** llamada (de teléfono). **2** ligación (unión, mezcla). **3** ligación (enlace, vínculo). ■ **cair a ~** cortarse la llamada.
ligada [li'gada] *f* (coloq) llamada (de teléfono).
ligadura [liga'duɾa] *f* **1** ligadura (atadura). **2** MED ligadura.
ligamento [liga'mẽtʊ] *m* **1** ligamento (vínculo). **2** ANAT ligamento.
ligar [li'gaʀ] *tr* **1** llamar (por teléfono). **2** poner, encender (aparato, motor). **3** ligar (atar). **4** ligar (unir, conectar).
ligeireza [liʒey'ɾeza] *f* **1** ligereza (levedad). **2** ligereza (rapidez).
ligeiro, ra [li'ʒeyɾʊ, ɾa] *adj* **1** ligero (leve). **2** ligero (rápido). **3** ligero (ágil). **4** (fig) ligero (superficial, voluble).
lilás [li'layʃ] *m* **1** lila, lilac (arbusto). **2** lila (flor). • *adj/m* **3** lila (color).
lima ['lima] *f* **1** lima (fruto, árbol). **2** lima (labor, herramienta). **3** (fig) lima (corrección).
limalha [li'maʎa] *f* limalla.
limão [li'mãw] *m* limón (fruto, árbol).
limar [li'maʀ] *tr* **1** limar (pulir, alisar). **2** (fig) limar (corroer, debilitar). **3** (fig) limar (perfeccionar).
limbo ['lĩbʊ] *m* **1** limbo (de las almas). **2** (fig) olvido: *a obra caiu no limbo = la obra cayó en el olvido.*
limiar [limi'aʀ] *m* **1** umbral (de la puerta). **2** (fig) umbral (entrada, principio).
liminar [limi'naʀ] *adj 2 gén* **1** liminar, preliminar. • *adj/f* **2** DIR preliminar (antecedente).
limitação [limita'sãw] *f* **1** limitación (demarcación). **2** (fig) limitación (restricción).
limitado, da [limi'tadʊ, da] *adj* limitado.

limitar [limi'taR] *tr* **1** limitar, delimitar (extensión, cantidad). **2** limitar, restringir (alcance, repercusión).
limitativo, va [limita'tʃivʊ, va] *adj* limitativo.
limite [li'mitʃɪ] *m* **1** límite (línea). **2** límite (tope).
limítrofe [li'mitrofɪ] *adj 2 gén* **1** limítrofe (aledaño). **2** (fig) próximo, cercano.
limo ['limʊ] *m* **1** limo, lodo. **2** (fig) limosidad, sarro (de los dientes).
limoeiro [limo'eyrʊ] *m* limonero.
limonada [limo'nada] *f* limonada.
limoso, sa [li'mozʊ, za] *adj* limoso, barroso.
limpar [lĩ'paR] *tr e pron* **1** limpiar (lavar). **2** (fig) limpiar (reputación, nombre). • *tr* **3** limpiar (vaciar).
limpeza [lĩ'peza] *f* **1** limpieza (purificación). **2** limpieza (aseo, pulcritud). **3** (fig) limpieza (vaciamiento). ◆ **~ de mãos** (fig) limpieza de manos.
limpidez [lĩpi'deyʃ] *f* **1** limpidez. **2** (fig) candidez, inocencia.
límpido, da ['lĩpidʊ, da] *adj* **1** límpido (claro): *o céu límpido da montanha = el cielo límpido de la montaña*. **2** (fig) cándido (inocente, sencillo).
limpo, pa ['lĩpʊ, pa] *adj* **1** limpio (pulcro, aseado). **2** (fig) limpio (sin culpa, decente). **3** (fig) cuidado (bien hecho).
limusine [limu'zinɪ] *f* limusina.
lince ['lĩsɪ] *m* **1** lince (felino). **2** (fig) lince (perspicaz).
linchamento [lĩʃa'mẽtʊ] *m* linchamiento.
linchar [lĩ'ʃaR] *tr* linchar.
lindar [lĩ'daR] *tr* **1** deslindar, amojonar (terreno). **2** lindar, colindar (limitar).
lindeza [lĩ'deza] *f* **1** lindeza (belleza). **2** lindura.
lindo, da ['lĩdʊ, da] *adj* **1** lindo (hermoso). **2** lindo (primoroso). **3** agradable; lindo (Amér).
linear [line'aR] *adj 2 gén* **1** lineal. **2** (fig) lineal (sucesivo).
linearidade [lineari'dadʒɪ] *f* linealidad.
linfa ['lĩfa] *f* BIOQ linfa (del plasma).
linfático, ca [lĩ'fatʃikʊ, ka] *adj* **1** BIOQ linfático. **2** (fig) linfático (apático).
linfócito [lĩ'fɔsitʊ, ta] *m* BIOL linfocito.
lingerie [lãʒe'rɪ] *f* lencería (ropa interior).
lingote [lĩ'gɔtʃɪ] *m* lingote (barra).
língua ['lĩgwa] *f* **1** ANAT lengua. **2** lengua (lenguaje). **3** (fig) lengua (forma). ◆ **~ comprida, de trapo ou viperina** (fig) lengua viperina o de serpiente; **~ de fogo** lengua de fuego (llama, de los apóstoles); **~ franca** lengua franca; **~ materna ou nativa** lengua materna, natural o popular. ■ **morder a ~** (fig, fam) morderse la lengua; **puxar pela ~ de** (fig, fam) tirar de la lengua a uno.
linguado [lĩ'gwadʊ] *m* lenguado.
linguagem [lĩ'gwaʒẽy] *f* **1** lenguaje (facultad). **2** lenguaje (código, sistema).
lingüiça [lĩ'gwisa] *f* **1** longaniza. **2** (fig, coloq) fideo (delgado). **3** (vulg) rabo, polla (pene); chimbo (Col). ■ **encher ~** meter paja (cosa inútil).
lingüista [lĩ'gwiʃta] *adj/m e f* lingüista.
lingüística [lĩ'gwiʃtʃika] *f* lingüística.
lingüístico, ca [lĩ'gwiʃtʃikʊ, ka] *adj* lingüístico.
linha ['lĩɲa] *f* **1** GEOM línea. **2** hilo. **3** cordel. **4** línea (conexión telefónica). **5** línea (raya). **6** línea (renglón). **7** línea (modelo, serie). **8** línea (de transportes). **9** (fig) línea (norma, directriz). **10** (fig) línea (orientación, tendencia). ■ **entrar na ~** (fig) meter en cintura; **perder a ~** (coloq) perder la línea, engordar; **ter ~** (coloq) tener clase (ser elegante).
linhagem [lĩ'ɲaʒẽy] *f* **1** linaje (estirpe). **2** (fig) clase (condición social).
linho ['lĩɲʊ] *m* lino (planta, tejido).
linóleo [li'nɔlyʊ] *m* linóleo.
liquefazer [likefa'zeR] *tr e pron* licuar.
liquefeito, ta [like'feytʊ, ta] *adj* licuado.
líquen ['likẽy] *m* BOT liquen.
liquidação [likida'sãw] *f* **1** liquidación (pago). **2** liquidación (rebajas).
liquidar [liki'daR] *tr* **1** liquidar (saldar). **2** liquidar (un negocio). **3** liquidar (rebajar precios). **4** (fig) liquidar (finalizar).
liquidez [liki'deyʃ] *f* **1** liquidez (fluidez). **2** liquidez (saldo).
líquido, da ['likidʊ, da] *adj* **1** FÍS líquido. **2** neto (peso). • *m* **3** líquido (sustancia).
lira ['lira] *f* **1** MÚS lira. **2** lira (estrofa). **3** lira (moneda).
lírica ['lirika] *f* lírica.
lírico, ca ['lirikʊ, ka] *adj* **1** lírico (poético). **2** lírico (musical). **3** lírico (sentimental).

lírio ['liɾyʊ] *m* lirio.
lirismo [li'ɾiʒmʊ] *m* **1** LIT lirismo. **2** (fig) lirismo (romanticismo).
lis ['liʃ] *m* lis, lirio.
liso, sa ['lizʊ, za] *adj* **1** liso (pulido). **2** liso (monocromo).
lisonja [li'zõʒa] *f* **1** lisonja (adulación). **2** lisonja (elogio).
lisonjear [lizõʒe'aʀ] *tr e pron* **1** lisonjear (envanecer). • *tr* **2** lisonjear (adular). **3** lisonjear (deleitar).
lisonjeiro, ra [lizõ'ʒeyɾʊ, ɾa] *adj/m e f* **1** lisonjero (adulador). • *adj* **2** lisonjero (envanecedor).
lista ['liʃta] *f* **1** lista (tira). **2** lista (enumeración, serie). **3** lista (raya).
listagem [liʃ'taʒẽy] *f* **1** lista (relación). **2** COMP listado.
listar [liʃ'taʀ] *tr* listar.
listra ['liʃtɾa] *f* lista (raya).
listrado, da [liʃ'tɾadʊ, da] *adj* listado (a rayas).
lisura [li'zuɾa] *f* lisura (tersura).
liteira [li'teyɾa] *f* litera (cama).
literal [lite'ɾaw] *adj 2 gén* **1** literal (exacto, estricto). **2** literal (palabra por palabra).
literário, a [lite'ɾaɾyʊ, a] *adj* literario.
literato, ta [lite'ɾatʊ, ta] *adj/m e f* **1** literato (escritor). **2** literato (versado en letras).
literatura [liteɾa'tuɾa] *f* **1** literatura (arte). **2** literatura (obras). **3** literatura (estudios literarios).
litigante [litʃi'gãtʃɪ] *adj/m e f* litigante.
litigar [litʃi'gaʀ] *tr* **1** litigar (pleitear). • *tr e intr* **2** litigar (contender).
litígio [li'tʃiʒyʊ] *m* **1** litigio (pleito). **2** (fig) litigio (contienda).
lítio ['litʃyʊ] *m* QUÍM litio.
litografia [litogɾa'fia] *f* **1** litografía (técnica, ejemplar). **2** litografía (taller).
litoral [lito'ɾaw] *adj 2 gén* **1** litoral. • *m* **2** litoral.
litosfera [litoyʃ'fɛɾa] *f* GEOL litosfera.
litro ['litɾʊ] *m* litro.
Lituânia [litu'ãnya] *f* Lituania.
lituano, na [litu'ãnʊ, na] *adj/m e f* **1** lituano. • *m* **2** lituano (lengua).
liturgia [lituʀ'ʒia] *f* liturgia.
litúrgico, ca [li'tuʀʒikʊ, ka] *adj* litúrgico.
lividez [livi'deyʃ] *f* lividez.
lívido, da ['lividʊ, da] *adj* **1** lívido (amoratado). **2** lívido (pálido).
livrar [li'vɾaʀ] *tr e pron* **1** libertar, liberar. **2** librar (salvar, defender).
livraria [livɾa'ɾia] *f* **1** librería (tienda). **2** librería (biblioteca). **3** librería (colección).
livre ['livɾɪ] *adj 2 gén* **1** libre (dueño de sí). **2** libre (absuelto). **3** libre (suelto). **4** libre (independiente). **5** libre (no restricto). **6** libre (disponible). **7** libre (exento).
livreiro, ra [li'vɾeyɾʊ, ɾa] *m e f* librero.
livre-pensamento [livɾɪpẽsa'mẽtʊ] *m* libre pensamiento.
livro ['livɾʊ] *m* **1** libro (encuadernación). **2** libro (científico, literario). **3** libro (parte de una obra). ◆ ~ **de cabeceira** libro de cabecera. ■ **ser um ~ aberto** (fig, fam) ser un libro abierto.
lixa ['liʃa] *f* **1** lija (papel). **2** lija (cazón). **3** lija (piel del pez).
lixação [liʃa'sãw] *f* lijado.
lixão [li'ʃãw] *m* **1** vertedero, basurero. **2** depósito de residuos.
lixar [li'ʃaʀ] *tr* **1** lijar, desbastar. • *tr e pron* **2** (coloq) perjudicar, fastidiar.
lixeira [li'ʃeyɾa] *f* **1** papelera, basurero. **2** (fig) lugar inmundo.
lixeiro, ra [li'ʃeyɾʊ, ɾa] *m e f* basurero (empleado).
lixívia [li'ʃivya] *f* lejía.
lixo ['liʃʊ] *m* **1** basura (residuos). **2** papelera, contenedor de basura. **3** (coloq) basura (trasto inservible).
loa ['loa] *f* **1** loa (elogio). **2** loa (cántico).
lobisomem [lobi'zõmẽy] *m* hombre lobo.
lobo ['lobʊ] *m* **1** lobo (animal). **2** (fig) rufián. **3** (fig) individuo solitario.
lobotomia [loboto'mia] *f* MED lobotomía.
lôbrego, ga ['lobɾegʊ, ga] *adj* **1** lóbrego (oscuro). **2** (fig) lóbrego (lúgubre, triste).
lóbulo ['lɔbulʊ] *m* **1** ANAT lóbulo. **2** BIOL lóbulo.
locação [loka'sãw] *f* **1** DIR locación. **2** exteriores (para rodaje).
locador, ra [loka'doʀ, ɾa] *adj/m e f* DIR arrendador.
local [lo'kaw] *adj 2 gén* **1** local (regional). **2** local: *anestesia local = anestesia local*. • *m* **3** lugar.
localidade [lokali'dadʒɪ] *f* **1** localidad (lugar, pueblo). **2** localismo (idiosincrasia).

localização [lokaliza'sãw] *f* localización.
localizar [lokali'zaʀ] *tr* **1** localizar (situar). **2** localizar (limitar). **3** localizar (encontrar).
localizável [lokali'zavew] *adj 2 gén* localizable.
loção [lo'sãw] *f* **1** loción (para cabello, cuerpo). **2** loción (lavadura).
locar [lo'kaʀ] *tr* **1** alquilar. **2** localizar (situar).
locatário, a [loka'taryʊ, a] *m e f* locatario, arrendatario.
locomoção [lokomo'sãw] *f* locomoción.
locomotiva [lokomo'tʃiva] *f* locomotora.
locomotivo, va [lokomo'tʃivʊ, va] *adj* locomotor.
locomotor [lokomo'toʀ, ɾa] *adj* locomotor.
locomover-se [lokomo'veʀsɪ] *pron* trasladarse, desplazarse.
locução [loku'sãw] *f* **1** locución (dicción). **2** locución (lenguaje, estilo). **3** GRAM locución. **4** RÁD, TV locución.
locutor [loku'toʀ, ɾa] *m e f* locutor.
locutório [loku'tɔɾyʊ] *m* locutorio (de convento, cárcel).
lodaçal [loda'saw] *m* **1** lodazal. **2** (fig) antro.
lodo ['lodʊ] *m* lodo (cieno, barro).
lodoso, sa [lo'dozʊ, za] *adj* lodoso, lodiento.
logaritmo [loga'ɾitʃimʊ] *m* MAT logaritmo.
lógica ['lɔʒika] *f* **1** FIL lógica. **2** lógica (coherencia). **3** lógica (raciocinio).
lógico, ca ['lɔʒikʊ, ka] *adj* **1** lógico (coherente, racional). **2** lógico (consecuente).
logística [lo'ʒiʃtʃika] *f* **1** logística (transporte). **2** FIL, MAT logística.
logo ['lɔgʊ] *adv* **1** ya, enseguida: *sai logo, que você está atrasado = sal enseguida, que llegas tarde*. **2** en cuanto: *logo que chegou, ligou para ela = en cuanto llegó, la llamó*. **3** luego (más tarde): *agora não posso falar, ligue-me logo = ahora no puedo hablar, llámame luego*. • *conj* **4** luego (por tanto): *penso, logo existo = pienso, luego existo*. ■ **até ~** hasta luego; **desde ~** desde ese momento; luego, por tanto; **~ que** en cuanto.
logotipo [logo'tʃipʊ] *m* **1** logotipo (distintivo, emblema). **2** logotipo (en la imprenta).
logradoiro ou **logradouro** [logɾa'doyɾʊ o logɾa'dowɾʊ] *m* lugar público (calle, parque, plaza).
lograr [lo'gɾaʀ] *tr* **1** lograr (conseguir). **2** gozar (disfrutar). **3** engañar, defraudar.
logro ['logɾʊ] *m* **1** logro (consecución). **2** truco, trampa (engaño).
loja ['lɔʒa] *f* tienda. ◆ **~ de departamentos** grandes almacenes.
lojista [lo'ʒiʃta] *adj/m e f* tendero, comerciante (dueño).
lomba ['lõba] *f* **1** loma (colina). **2** ladera.
lombada [lõ'bada] *f* **1** lomo, lombo (del buey). **2** lomo (de un libro). **3** ⇒ lomba (1, 2).
lombo ['lõbʊ] *m* **1** lomo (carne). **2** lomo (de un libro). **3** (fam) lomo (riñones, espalda).
lombriga [lõ'bɾiga] *f* lombriz (de intestino).
lona ['lõna] *f* **1** lona (tela). **2** (coloq) mentira, patraña. ■ **na (última) ~** (coloq) estar para el arrastre (en mal estado).
longa-metragem [lõgame'tɾaʒẽy] *f* largometraje.
longamira [lõga'miɾa] *f* catalejo.
longe ['lõʒɪ] *adv* **1** lejos. • *adj 2 gén* **2** (gralte pl) lejano. • *m* **3** lejanía. • **longes** *m pl* **4** semejanza, parecido. ■ **de ~** de lejos; **de ~ em ~** de vez en cuando.
longevidade [lõʒevi'dadʒɪ] *f* longevidad.
longevo, va [lõ'ʒevʊ, va] *adj* longevo.
longínquo, a [lõ'ʒĩkwʊ, a] *adj* longincuo.
longitude [lõʒi'tudʒɪ] *f* **1** longitud (dimensión). **2** ASTR, GEOG longitud.
longitudinal [lõʒitudʒi'naw] *adj 2 gén* longitudinal.
longo, ga ['lõgʊ, ga] *adj* **1** largo (extenso). **2** viejo: *longa amizade = vieja amistad*. • *m* **3** largo. • *adv* **4** por mucho tiempo.
lonjura [lõ'ʒuɾa] *f* lejanía.
lontra ['lõtɾa] *f* nutria.
loquaz [lo'kwayʃ] *adj 2 gén* locuaz.
loqüela [lo'kwɛla] *f* **1** habla. **2** locuacidad.
lorde ['lɔʀdʒɪ] *m* **1** lord. **2** (coloq) hombre lujoso: *ele é um lorde = él es un hombre lujoso*.

loro [ˈloɾʊ] *m* ación.
lorota [loˈɾɔta] *f* (coloq) trola, cuento chino (mentira).
losango [loˈzãgʊ] *m* losange.
lotação [lotaˈsãw] *f* **1** loteo. **2** recuento, cómputo. **3** aforo (de un local).
lotar [loˈtaʀ] *tr e intr* **1** llenar (recinto, vehículo). • *tr* **2** calcular (aforo, capacidad). **3** colocar (empleado).
lote [ˈlɔtʃɪ] *m* **1** lote (porción, parte). **2** lote (parcela). **3** lote (conjunto).
loteria [loteˈɾia] *f* **1** lotería (juego, establecimiento). **2** (fig) lotería (suerte).
loto [ˈlɔtʊ] *f* bingo.
louça ou **loiça** [ˈlowsa o ˈloysa] *f* **1** loza. **2** servicio (de vajilla). **3** (coloq) orinal.
louco, ca [ˈlowkʊ, ka] *adj/m e f* **1** loco (enajenado). • *adj* **2** (fig) loco (apasionado): *louco por musicais = loco por los musicales.* ◆ ~ **varrido ou de pedra** loco de atar.
loucura [lowˈkuɾa] *f* **1** locura (enajenación). **2** (fig) locura (pasión, exaltación). **3** locura (insensatez, disparate).
loureiro ou **loireiro** [lowˈɾeyɾʊ o loyˈɾeyɾʊ] *m* laurel (árbol).
louro, ra ou **loiro, ra** [ˈlowɾʊ, ɾa o ˈloyɾʊ, ɾa] *adj* **1** rubio. • *m* **2** laurel (árbol, hoja). **3** loro, papagayo.
lousa ou **loisa** [ˈlowza o ˈloyza] *f* **1** losa (piedra). **2** losa (sepulcro).
louva-a-deus [lowvaˈdewʃ] *m* mantis religiosa.
louvação [lowvaˈsãw] *f* **1** alabanza. **2** bendición.
louvado, da [lowˈvadʊ, da] *adj* **1** alabado. • *m e f* **2** árbitro (perito).
louvar [lowˈvaʀ] *tr e pron* **1** alabar, elogiar. • *tr* **2** bendecir.
louvável [lowˈvavew] *adj* laudable.
louvor [lowˈvoʀ] *m* **1** alabanza, elogio. **2** bendición.
lua [ˈlua] *f* **1** luna (satélite). **2** (coloq) regla (menstruación). **Lua 3** Luna. ◆ **Lua cheia** ASTR Luna llena. ■ **estar na ~** (fig, fam) estar en la luna.
luar [luˈaʀ] *m* luz de luna.
lúbrico, ca [ˈlubɾikʊ, ka] *adj* **1** lúbrico (resbaladizo). **2** (fig) lúbrico (lascivo).
lubrificação [lubɾifikaˈsãw] *f* lubrificación.
lubrificante [lubɾifiˈkãtʃɪ] *adj/m* lubrificante.
lubrificar [lubɾifiˈkaʀ] *tr* lubrificar (lubricar).
lucidez [lusiˈdeyʃ] *f* **1** lucidez (claridad). **2** (fig) lucidez (perspicacia).
lúcido, da [ˈlusidʊ, da] *adj* **1** lúcido (claro, razonable). **2** translúcido.
lucrar [luˈkɾaʀ] *tr e intr* **1** lucrarse (ganar). **2** (fig) lucrar (obtener, conseguir).
lucrativo, va [lukɾaˈtʃivʊ, va] *adj* lucrativo.
lucro [ˈlukɾʊ] *m* **1** lucro (provecho). **2** ECON lucro.
lucubração [lukubɾaˈsãw] *f* **1** lucubración (obra nocturna). **2** lucubración (reflexión).
lucubrar [lukuˈbɾaʀ] *tr e intr* **1** lucubrar (trabajar velando). **2** lucubrar (divagar).
ludibriar [ludʒibɾiˈaʀ] *tr* **1** escarnecer. **2** engañar (mentir).
lúdico, ca [ˈludʒikʊ, ka] *adj* lúdico.
lufada [luˈfada] *f* **1** ráfaga (de viento). **2** (fig) ráfaga (de luz). **3** (fig) bocanada.
lugar [luˈgaʀ] *m* **1** lugar (sitio). **2** lugar (espacio). **3** lugar (ciudad, país). **4** lugar (en una clasificación): *chegou em terceiro lugar = llegó en tercer lugar.* **5** lugar (situación): *o que você faria no meu lugar? = ¿qué harías en mi lugar?* ■ **dar ~ a** dar lugar a (causar); **ter ~** tener lugar.
lugarejo [lugaˈɾeʒʊ] *m* aldea, pueblo.
lúgubre [ˈlugubɾɪ] *adj 2 gén* **1** lúgrubre (funesto). **2** lúgubre (triste).
lula [ˈlula] *f* calamar.
lumbago [lũˈbagʊ] *m* MED lumbago.
lume [ˈlumɪ] *m* **1** lumbre (fuego). **2** lumbre, luz. **3** vela (cirio). **4** brillo, resplandor. ■ **vir a ~** (fig) salir a luz (publicarse).
lúmen [ˈlumẽy] *m* ÓPT lumen.
luminária [lumiˈnaɾya] *f* **1** lámpara. **2** luminaria (luz festiva).
luminosidade [luminoziˈdadʒɪ] *f* **1** luminosidad (claridad). **2** luminosidad (emisión, abundancia de luz). **3** (fig) brillantez (inteligencia). **4** (fig) alegría (vivacidad).
luminoso, sa [lumiˈnozʊ, za] *adj* **1** luminoso. **2** claro (diáfano). **3** (fig) luminoso (ingenioso). **4** (fig) claro (evidente). • *m* **5** anuncio luminoso. ◆ **fluxo ~** flujo luminoso; **sinal ~** semáforo.

l

lumpenproletariado [ˈlũpẽproletariˈadʊ] *m* lumpen.
lunar [luˈnaʀ] *adj* **1** lunar. • *m* **2** lunar.
lunático, ca [luˈnatʃikʊ, ka] *adj/m e f* (fig) lunático.
luneta [luˈneta] *f* **1** luneta. **2** catalejo. **3** telescopio. • **lunetas** *f pl* **4** gafas.
lupa [ˈlupa] *f* **1** lupa. **2** (gír, irón) gafas.
lupanar [lupaˈnaʀ] *m* lupanar.
lúpulo [ˈlupulʊ] *m* lúpulo.
lusitano, na [luziˈtãnʊ, na] *adj/m e f* lusitano.
luso-brasileiro, ra [luzʊbraziˈleyɾʊ, ɾa] *adj/m e f* lusobrasileño.
luso, sa [ˈluzʊ, za] *adj/m e f* luso.
lustrar [luʃˈtɾaʀ] *tr e pron* **1** lustrar (abrillantar). **2** (fig) ilustrar (instruir). • *intr* **3** lucir, presumir.
lustre [ˈluʃtɾɪ] *m* **1** lustre (brillo). **2** (fig) lustre (esplendor). **3** araña (lámpara). **4** lámpara.
lustro [ˈluʃtɾʊ] *m* **1** lustro. **2** lustre (brillo).
lustroso, sa [luʃˈtɾozʊ, za] *adj* **1** lustroso (reluciente). **2** (fig) lustroso (esplendoroso).
luta [ˈluta] *f* **1** lucha. **2** (fig) lucha (esfuerzo). ♦ **~ livre** lucha libre.
lutador, ra [lutaˈdoʀ, ɾa] *adj/m e f* luchador.
lutar [luˈtaʀ] *tr e intr* **1** luchar (pelear). **2** (fig) luchar (esforzarse).
luterano, na [luteˈrãnʊ, na] *adj/m e f* luterano.
luto [ˈlutʊ] *m* **1** luto (pena, dolor). **2** luto (ropa). ■ **estar de ~** estar de luto.
lutuoso, sa [lutuˈozʊ, za] *adj* luctuoso.
luva [ˈluva] *f* **1** guante. **2** mangueta (tubo).
luxação [luʃaˈsãw] *f* MED luxación.
Luxemburgo [luʃẽˈbuʀgʊ] *m* Luxemburgo.
luxemburguês, sa [luʃẽbuʀˈgeyʃ, za] *adj/m e f* luxemburgués.
luxo [ˈluʃʊ] *m* **1** lujo (fastuosidad). **2** lujo (objeto). **3** lujo (abundancia, exuberancia). ■ **dar-se ao ~ de** darse el lujo de.
luxuoso, sa [luʃuˈozʊ, za] *adj* **1** lujoso (fastuoso). **2** abundante, exuberante.
luxúria [luˈʃuɾya] *f* **1** lujuria (concupiscencia). **2** exuberancia (vegetal).
luxuriante [luʃuriˈãtʃɪ] *adj 2 gén* lujuriante (lozano, exuberante).
luxurioso, sa [luʃuriˈozʊ, za] *adj/m e f* lujurioso (lascivo).
luz [ˈluyʃ] *f* **1** luz (brillo, fulgor). **2** luz (claridad, luminosidad). **3** luz (lámpara). **4** (fig) punto de vista. **5** (fig) luz (inteligencia). **6** (fig) (gralte pl) luces (ilustración, saber). **7** (fig) luz (conocimiento público). ♦ **~ artificial** luz artificial; **~ natural** luz natural; **~ verde** (fig) luz verde. ■ **dar à ~** dar a luz (parir; publicar una obra); **sair à ~** (fig) salir a la luz.
luzeiro [luˈzeyɾʊ] *m* **1** lucero (astro). **2** foco, faro.
luzente [luˈzẽtʃɪ] *adj 2 gén* brillante, fulgurante.
luzimento [luziˈmẽtʊ] *m* (fig) lucimiento (esplendor).
luzir [luˈziʀ] *intr* **1** lucir (brillar). **2** relucir, resplanceder.
lycra [ˈlikɾa] *f* lycra, licra.

Mm

m, M ['ẽmɪ] *m* m, M (letra).
ma ['ma] *contr* (pron me y art fem a) me la: *pedi-lhe licença e ele deu-ma = le pedí permiso y me lo dio.*
maca ['maka] *f* camilla (para enfermos, heridos).
maça ['masa] *f* **1** maza (arma). **2** maza (herramienta).
maçã [ma'sã] *f* manzana.
macabro, bra [ma'kabrʊ, bra] *adj* **1** macabro (fúnebre, tétrico). **2** macabro (horrendo).
macacão [maka'kãw] *m* **1** mono grande. **2** mono (ropa de trabajo).
macaco, ca [ma'kakʊ, ka] *adj/m e f* **1** mono (simio). • *m e f* **2** (fig) mono (imitador). **3** adefesio (feo). • *m* **4** gato (palanca). ◆ ~ **velho** (fig) perro viejo. ■ **mandar pentear macacos** (fig, coloq) mandar a freír monas.
maçada [ma'sada] *f* **1** mazazo. **2** porrazo. **3** somanta, tunda.
maçante [ma'sãtʃɪ] *adj/m e f* aburrido, fastidioso.
maçar [ma'saʀ] *tr* **1** mazar (golpear). **2** zurrar; tostar (Amér). • *tr e intr* **3** (fig) fastidiar, dar la lata.
maçaroca [masa'ʀɔka] *f* **1** mazorca (espiga). **2** mazorca (hilo). **3** (fig) fajo, haz.
macarrão [maka'ʀãw] *m* **1** macarrón (pasta). **2** pasta (alimento).
macarronada [makaʀo'nada] *f* plato de pasta.
Macau [ma'kaw] *m* Macao.
Macedônia [mase'dõnya] *f* Macedonia.
macedônia [mase'dõnya] *f* macedonia (de frutas).
macedônio, a [mase'dõnyʊ, a] *adj/m e f* macedonio, macedónico.
maceração [masera'sãw] *f* maceración (imersión).
macerado, da [mase'radʊ, da] *adj* **1** macerado (reblandecido, impregnado). **2** (fig) macerado (mortificado, afligido).
macerar [mase'raʀ] *tr* **1** macerar (sumergir). **2** macerar (estrujar).
macérrimo, ma [ma'sɛʀimʊ, ma] *adj* delgadísimo, flaquísimo.
machadada [maʃa'dada] *f* hachazo.
machado [ma'ʃadʊ] *m* machado (hacha).
machete [ma'ʃetʃɪ] *m* machete (cuchillo); peinilla (Amér).
macho ['maʃʊ] *adj* **1** macho (masculino). • *adj/m* **2** macho (pieza). **3** macho (animal, planta). • *m* **4** macho (hombre).
machucado, da [maʃu'kadʊ, da] *adj* **1** herido, lesionado. **2** magullado. **3** (fig) dolido (afectado, triste). • *m* **4** herida, contusión.
machucar [maʃu'kaʀ] *tr e pron* **1** herir (dañar). • *tr* **2** aplastar, machacar, estrujar; achicharrar (Amér).
maciço, ça [ma'sisʊ, sa] *adj* **1** macizo (sólido). **2** (fig) espeso, cerrado. **3** (fig) macizo (de carnes duras). • *m* **4** macizo (montaña).
macilento, ta [masi'lẽtʊ, ta] *adj* macilento.
macio, a [ma'siʊ, a] *adj* **1** blando (tierno, suave). **2** suave, liso (piel, tela).
maço ['masʊ] *m* **1** mazo (martillo). **2** mazo, taco, paquete: *um maço de cigarros = um paquete de cigarrillos.*
maçom [ma'sõw] *m* masón (francmasón).
maconha [ma'kõŋa] *f* marihuana, mariguana.
maconhado, da [makõ'ŋadʊ, da] *adj* fumado, colocado.
maconheiro, ra [makõ'ŋeyrʊ, ra] *m e f* adicto (a la marihuana).
macro ['makrʊ] *s 2 gén* **1** COMP macro. • *m* **2** ordenador (de gran porte).
macroeconomia [makrwekono'mia] *f* macroeconomía.
macroeconômico, ca [makrweko'nõmikʊ, ka] *adj* macroeconómico.
macroscópico, ca [makroyʃ'kɔpikʊ, ka] *adj* macroscópico (visible).
macular [maku'laʀ] *tr* **1** macular (manchar). • *tr e pron* **2** (fig) macular (deshonrar).

Madagascar [madagayʃ'kaʀ] *m* Madagascar.
madame [ma'dãmɪ] *f* **1** dama, señora. **2** prostituta. **3** madama. **4** (coloq) ama de casa.
madeira [ma'deyɾa] *f* **1** madera. **2** (coloq) árbol. • *m* **3** madeira (vino). ■ **bater na ~** (coloq) tocar madera.
madeiro [ma'deyɾʊ] *m* madero.
madeixa [ma'deyʃa] *f* **1** madeja (de lana). **2** madeja, mecha (de pelo).
madereira [made'ɾeyɾa] *f* maderera (industria).
madrasta [ma'dɾayʃta] *f* **1** madrastra. **2** (fig) malvada.
madre ['madɾɪ] *f* **1** madre (familiar). **2** madre (monja). **3** matriz, molde (de fundición).
madrepérola [madɾe'pɛʀola] *f* madreperla.
madrigal [madɾi'gaw] *m* madrigal (poema).
madrileno, na [madɾi'lẽnʊ, na] *adj/m e f* madrileño.
madrinha [ma'dɾĩɲa] *f* **1** madrina (protectora). **2** madrina (testigo). **3** madrina (yegua).
madrugada [madɾu'gada] *f* **1** madrugada. **2** (fig) comienzo, inicio. **3** (fig) anticipación, precocidad.
madrugar [madɾu'gaʀ] *intr* madrugar.
madurez [madu'ɾeyʃ] *m* ⇒ madureza.
madureza [madu'ɾeza] *f* **1** madurez (sazón). **2** (fig) madurez, sensatez.
maduro, ra [ma'duɾʊ, ɾa] *adj* **1** maduro (en sazón). **2** (fig) maduro (desarrollado). **3** (fig) maduro, adulto.
mãe ['mãy] *f* **1** mamá. **2** (fig) madre (origen). **3** madre (poso). **4** (coloq) cerradura.
maestro [ma'ɛʃtɾʊ] *m* **1** MÚS maestro, compositor. **2** MÚS director.
má-fé [ma'fɛ] *f* **1** mala fe (perfidia). **2** DIR mala fe.
mafioso, sa [mafi'ozʊ, za] *adj/m e f* mafioso.
magazine [maga'zinɪ] *m* **1** tienda, comercio. **2** magacín (publicación periódica).
magenta [ma'ʒẽta] *adj/m* magenta.
magia [ma'ʒia] *f* **1** magia. **2** (fig) magia (encanto, hechizo). **3** sortilegio.
mágico, ca ['maʒikʊ, ka] *adj/m e f* **1** mágico (fantástico). **2** (fig) mágico (seductor).
magistério [maʒiʃ'tɛɾyʊ] *m* **1** magisterio (cargo, oficio). **2** magisterio (profesorado).
magistrado, da [maʒiʃ'tɾadʊ, da] *m e f* magistrado.
magistral [maʒiʃ'tɾaw] *adj 2 gén* **1** magistral (maestro). **2** magistral (medicamento). **3** (fig) pedante, presumido.
magistratura [maʒiʃtɾa'tuɾa] *f* **1** magistratura (cargo, ejercicio). **2** magistratura (magistrados).
magma ['magima] *m* GEOL magma.
magnanimidade [maginãnimi'dadʒɪ] *f* magnanimidad.
magnânimo, ma [magi'nãnimʊ, ma] *adj* **1** magnánimo, generoso. **2** indulgente.
magnata [magi'nata] *s 2 gén* magnate (poderoso).
magnate [magi'natʃɪ] *s 2 gén* ⇒ magnata.
magnésio [magi'nɛzyʊ] *m* QUÍM magnesio.
magnético, ca [magi'nɛtʃikʊ, ka] *adj* **1** magnético. **2** (fig) encantador, fascinante.
magnetismo [magine'tʃiʒmʊ] *m* **1** FÍMagnetismo. **2** (fig) magnetismo (atracción).
magnificência [maginifi'sẽsya] *f* magnificencia.
magnífico, ca [magi'nifikʊ, ka] *adj* **1** magnífico (generoso). **2** magnífico (grandioso, excelente).
magnitude [magini'tudʒɪ] *f* **1** ASTR magnitud. **2** FÍMagnitud (de un terremoto).
magno, na ['maginʊ, na] *adj* magno.
magnólia [magi'nɔlya] *f* magnolia.
mago, ga ['magʊ, ga] *m e f* **1** mago (brujo). **2** mago (rey mago).
mágoa ['magwa] *f* **1** (fig) pena, pesar. **2** (fig) herida (resentimiento). **3** (coloq) envidia.
magoado, da [mago'adʊ, da] *adj* **1** herido, lesionado. **2** (fig) dolido, apenado.
magoar [mago'aʀ] *tr e pron* **1** herir, lesionar. **2** conmover, compadecer.
magreza [mag'ɾeza] *f* **1** magrez, flaqueza. **2** delgadez (de espesor).

magricela [magɾi'sɛla] *adj/m e f* delgaducho; flacuchento (Amér).
magro, gra ['magɾʊ, gɾa] *adj/m e f* **1** magro, flaco. • *adj* **2** magro (sin grasa). **3** delgado, fino.
maia ['maya] *adj/m e f* **1** maya (tribu). • *m* **2** maya (lengua).
maio ['mayʊ] *m* mayo (mes).
maionese [mayo'nɛzɪ] *f* **1** mahonesa, mayonesa. **2** ensaladilla rusa.
maior [may'ɔʀ] *adj 2 gén* **1** mayor (tamaño). **2** mayor (en años). • **maiores** *m pl* **3** mayores (antepasados). ♦ **~ de idade** mayor de edad.
maioria [mayo'ɾia] *f* **1** mayoría (de un conjunto). **2** mayoría (de votos): *ganhou as eleições por maioria = ganó las elecciones por mayoría.* ♦ **~ absoluta** mayoría absoluta.
maioridade [mayoɾi'dadʒɪ] *f* mayoridad (mayoría de edad).
mais ['mayʃ] *adv* **1** más (aumento): *aquele bairro é mais perigoso = aquel barrio es más peligroso.* **2** (con negación) más, ya. • *m* **3** MAT más (signo). • *pron* **4** más (cantidad): *precisava mais dinheiro para comprar a saia = necesitaba más dinero para comprarse la falda.* **5** demás, resto. • *prep* **6** (coloq) junto a, con. • *conj* **7** y, además. ■ **de ~ a ~** de más a más, además, encima; **~ ou menos** más o menos; **nem ~ nem menos** ni más ni menos.
mais-valia [mayʒva'lia] *f* plusvalía.
maiúscula [may'uʃkula] *f* mayúscula (letra).
maiúsculo, la [may'uʃkulʊ, la] *adj* **1** mayúscula. **2** (fig) mayúsculo, extraordinario.
majestade [maʒeyʃ'tadʒɪ] *f* **1** majestad (grandeza). **Majestade 2** Majestad (título).
majestoso, sa [maʒeyʃ'tozʊ, za] *adj* majestuoso, majestoso.
major [ma'ʒɔʀ] *m* MIL comandante.
majoritário, a [maʒoɾi'taɾyʊ, a] *adj* mayoritario.
mal ['maw] *adv* **1** mal (equivocadamente). **2** mal (poco). • *m* **3** mal: *o bem contra o mal = el bien contra el mal.* **4** mal (desgracia). **5** mal (enfermedad). ■ **levar a ~** llevar o tomarse algo a mal.
mala ['mala] *f* **1** saco (bolsa). **2** maleta (valija, bolsa). **3** equipaje (de la maleta). ♦ **~ de mão** equipaje de mano. ■ **arrumar a ~** (fig) hacer la maleta (irse repentinamente).
malabarismo [malaba'ɾiʒmʊ] *m* malabarismo (juego).
mal-acostumado, da [mawakoyʃtu'madʊ, da] *adj* malacostumbrado.
mal-afeiçoado, da [mawafeyso'adʊ, da] *adj* **1** desafecto (desinteresado). **2** malintencionado.
malaio, a [ma'layʊ, a] *adj/m e f* **1** malayo. • *m* **2** malayo (lengua).
mal-amado, da [mawa'madʊ, da] *adj* no amado, no correspondido.
malandro, dra [ma'lãdɾʊ, dɾa] *adj/m e f* **1** gandul, holgazán. **2** vividor (hedonista). **3** perezoso, indolente.
malária [ma'laɾya] *f* MED malaria.
mal-arrumado, da [mawaʀu'madʊ, da] *adj* desaliñado (mal vestido).
Malásia [ma'lazya] *f* Malasia.
mal-assombrado, da [mawasõ'bɾadʊ, da] *adj* embrujado, hechizado.
mal-assombro [mawa'sõbɾʊ] *m* aparición (de un fantasma, espíritu).
Malaui [malaw'i] *m* Malawi.
malauiano, na [malawi'ãnʊ, na] *adj/m e f* malawiano.
malcheiroso, sa [mawʃey'ɾozʊ, za] *adj* maloliente.
malcriado, da [mawkɾi'adʊ, da] *adj/m e f* malcriado.
maldade [maw'dadʒɪ] *f* **1** maldad (perversidad). **2** malicia, travesura.
maldição [mawdʒi'sãw] *f* **1** maldición (castigo). **2** maldición (imprecación).
maldisposto, ta [mawdʒiʃ'poyʃtʊ, ta] *adj* indispuesto.
maldito, ta [maw'dʒitʊ, ta] *adj/m e f* **1** maldito (malvado). **2** maldito (condenado). • *adj* **3** maldito (molesto, dichoso): *malditos pernilongos = malditos mosquitos.*
Maldivas, Ilhas [iʎayʒmaw'dʒivayʃ] *f pl* Islamaldivias.
maldívio, a [maw'dʒivyʊ, a] *adj/m e f* **1** maldivo. • *m* **2** maldivo, divehi (lengua).
maldizente [maldʒi'zẽtʃɪ] *adj/m e f* maldiciente.
maldizer [mawdʒi'zeʀ] *m* maldición.
maldizer [mawdʒi'zeʀ] *tr e intr* **1** maldecir (condenar, imprecar). **2** maldecir (quejarse, criticar).

m

maldoso, sa [maw'dozʊ, za] *adj* **1** malo, maldadoso. **2** malicioso, astuto.
maleabilidade [maleabili'dadʒɪ] *f* maleabilidad.
maleável [male'avew] *adj 2 gén* **1** maleable (metal). **2** (fig) maleable (flexible, moldeable).
mal-educado, da [mawedu'kadʊ, da] *adj/m e f* maleducado.
malefício [male'fisyʊ] *m* **1** maleficio (daño). **2** maleficio (hechizo).
maléfico, ca [ma'lɛfikʊ, ka] *adj* maléfico (perjudicial).
mal-entendido, da [mawẽtẽ'dʒidʊ, da] *adj* **1** malinterpretado. • *m* **2** malentendido.
mal-estar [maweʃ'taʀ] *m* malestar.
maleta [ma'leta] *f* maletín.
malévolo, la [ma'lɛvolʊ, la] *adj/m e f* malévolo.
malfadado, da [mawfa'dadʊ, da] *adj/m e f* malhadado.
malfeitor, ra [mawfey'toʀ, ɾa] *adj/m e f* malhechor.
malferido, da [mawfe'ɾidʊ, da] *adj/m e f* malherido.
malformação [mawfoʀma'sãw] *f* malformación.
malha ['maʎa] *f* **1** malla (tejido). **2** malla (prenda de vestir). **3** red (viaria, de servicios). **4** lunar, mancha (de la piel).
mal-habituado, da [mawabitu'adʊ, da] *adj* malacostumbrado.
malhação [maʎa'sãw] *f* **1** majadura. **2** (fig, coloq) burla, escarnio.
malhar [ma'ʎaʀ] *tr* **1** martillear, mazar. **2** majar (cereales). **3** pegar, zurrar. **4** (fig, fam) criticar, destrozar.
Mali ['mali] *m* Mali.
malícia [ma'lisya] *f* **1** malicia (maldad). **2** malicia (astucia).
maliciosidade [malisiozi'dadʒɪ] *f* malicia (maldad).
malicioso, sa [malisi'ozʊ, za] *adj/m e f* malicioso.
maligna [ma'ligina] *f* (coloq) enfermedad grave.
maligno, na [ma'liginʊ, na] *adj* **1** maligno (pernicioso). **2** maligno (enfermedad).
má-língua [ma'lĩgwa] *f* **1** maledicencia. • *adj/m e f* **2** maldiciente, lengua viperina.
mal-intencionado, da [mawĩtẽsyo'nadʊ, da] *adj/m e f* malintencionado.
malogrado, da [malog'ɾadʊ, da] *adj* malogrado.
malograr [malog'ɾaʀ] *tr e pron* **1** malograrse (frustrarse). • *tr* **2** perjudicar, dañar.
malogro [ma'logɾʊ] *m* malogro.
malsucedido, da [mawsuse'dʒidʊ, da] *adj* fracasado, malogrado.
Malta ['mawta] *f* Malta.
maltês, sa [maw'teyʃ, za] *adj/m e f* **1** maltés. • *adj* **2** maltés (gato).
maltratado, da [mawtɾa'tadʊ, da] *adj* **1** maltratado (ofendido, agredido). **2** maltratado (estropeado, gastado).
maltratar [mawtɾa'taʀ] *tr* **1** maltratar (ofender, agredir). **2** maltratar (estropear, dañar).
maluco, ca [ma'lukʊ, ka] *adj/m e f* **1** loco (enajenado). **2** loco (disparatado). **3** extravagante, extraño.
malva ['mawva] *f* malva (planta).
malvado, da [maw'vadʊ, da] *adj/m e f* malvado.
malversador, ra [mawveʀsa'doʀ, ɾa] *adj/m e f* malversador.
mama ['mãma] *f* **1** mama (teta). **2** lactancia.
mamar [ma'maʀ] *tr e intr* **1** mamar. • *tr* **2** (fig) mamar (adquirir, impregnarse). • *intr* **3** (coloq) mamar, emborracharse.
mamífero, ra [mã'mifeɾʊ, ɾa] *adj/m e f* **1** ZOOL mamífero. • **mamíferos** *m pl* **2** ZOOL mamíferos.
mamilo [mã'milʊ] *m* **1** pezón. **2** mama, seno.
mamoeiro [mamo'eyɾʊ] *m* papayo.
manada [ma'nada] *f* manada (de ganado); tropa (Amér).
manancial [manãsi'aw] *m* manantial.
manar [ma'naʀ] *tr e intr* **1** manar (brotar). • *tr* **2** (fig) emanar (originarse).
mancebo, ba [mã'sebʊ, ba] *m e f* **1** mancebo (mozo). • *m* **2** perchero.
mancha ['mãʃa] *f* **1** mancha (suciedad). **2** mancha, marca (en la piel). **3** (fig) mancha (deshonra, mancilla).
manchar [mã'ʃaʀ] *tr e pron* **1** manchar (ensuciar). **2** (fig) manchar (mancillar).
mancheia [mã'ʃeya] *f* puñado.
manchete [mã'ʃɛtʃɪ] *f* titular (de un periódico, revista).

mandado, da [mã'dadʊ, da] *adj* **1** mandado (enviado). **2** orientado, comandado. • *m* **3** recado.
mandamento [mãda'mẽtʊ] *m* **1** mandamiento, mandato (regla, orden). **2** REL mandamiento.
mandar [mã'daʀ] *tr e intr* **1** mandar (ordenar). • *tr* **2** mandar (enviar). • **~-se** *pron* **3** (coloq) largarse. ■ **~ embora** echar, despedir.
mandarim, rina [mãda'rĩ, 'rina] *m e f* **1** mandarín (funcionario chino). **2** (pej, fig) mandarín (mandamás).
mandatário, a [mãda'taryʊ, a] *m e f* **1** mandatario (gobernante). **2** DIR mandatario.
mandato [mã'datʊ] *m* **1** mandato (orden, prescripción). **2** mandato (tiempo): *no seu mandato privatizou as centrais elétricas = durante su mandato privatizó las centrales eléctricas.*
mandíbula [mã'dʒibula] *f* ANAT mandíbula.
mandioca [mãdʒi'ɔka] *f* mandioca.
mando ['mãdʊ] *m* mando (autoridad).
maneira [ma'neyra] *f* **1** manera (modo, forma, medio). **2** forma, figura. **3** ART manera (estilo).
maneirista [maney'riʃta] *adj/m e f* manierista.
maneiro, ra [ma'neyrʊ, ra] *adj* **1** manejable (práctico). **2** leve (fácil). **3** (gír) guay; chévere (Col, Venez).
manejar [mane'ʒaʀ] *tr* **1** manejar (con lamanos). **2** (fig) manejar (gobernar, dirigir).
manejável [mane'ʒavew] *adj 2 gén* manejable.
manejo [ma'neʒʊ] *m* **1** manejo (manoseo). **2** manejo (dirección, administración). **3** picadero (de caballos).
manequim [manɪ'kĩ] *m* **1** maniquí (figura). **2** (fig, pej) maniquí (dócil, manipulable). **3** talla (de ropa).
manga ['mãga] *f* **1** manga (de prenda). **2** manga (manguera). **3** manga (fruta, árbol).
mangual [mãgu'aw] *m* **1** mangual (instrumento). **2** mangual (arma).
mangueira [mã'geyra] *f* **1** manguera, manga. **2** mango (árbol).
manha ['mãŋa] *f* **1** maña (habilidad). **2** maña (treta).
manhã [mã'ŋã] *f* **1** mañana (parte del día). **2** (fig) mañana (principio). • *adv* **3** mañana.
manhoso, sa [mã'ŋozʊ, za] *adj* **1** mañoso (habilidoso). **2** mañoso.
mania [ma'nia] *f* **1** manía (costumbre, vicio). **2** (fig) manía (adoración). **3** PSIC manía (obsesión).
manicômio [mani'kõmyʊ] *m* manicomio.
manifestação [manifeyʃta'sãw] *f* **1** manifestación (expresión). **2** manifestación (reunión pública).
manifestante [manifeyʃ'tãtʃɪ] *adj/m e f* manifestante.
manifestar [manifeyʃ'taʀ] *tr e pron* **1** manifestar (declarar). **2** manifestar (mostrar, presentar).
manifesto, ta [mani'fɛyʃtʊ, ta] *adj* **1** manifiesto (patente). • *m* **2** manifiesto (declaración).
manipulação [manipula'sãw] *f* **1** manipulación (manejo). **2** manipulación (influencia).
manipular [manipu'laʀ] *tr* **1** manipular (manejar). **2** manipular (influenciar).
maniqueísmo [manike'iʒmʊ] *m* maniqueísmo.
manivela [mani'vɛla] *f* manivela.
manjado, da [mã'ʒadʊ, da] *adj* (gír) visto, banal (conocido): *esse argumento é muito manjado = ese argumento está muy visto.*
manjar [mã'ʒaʀ] *m* **1** manjar. **2** (fig) manjar (recreo, deleite).
manjar [mã'ʒaʀ] *tr* **1** (gír) observar (espiar). **2** (coloq) conocer, dominar.
manjedoura [mãʒe'dowra] *f* pesebre.
manjericão [mãʒeri'kãw] *m* albahaca.
mano ['mãnʊ] *m* **1** (coloq) hermano. **2** (coloq) colega (amigo); mano (Amér). • *adj* **3** íntimo.
manobra [ma'nɔbra] *f* **1** maniobra. **2** (fig) maniobra (artimaña).
manobrar [mano'braʀ] *tr* **1** manejar (utilizar). **2** (fig) dirigir (gobernar). • *tr e intr* **3** maniobrar (hacer maniobras). **4** MIL maniobrar.
manobrista [mano'briʃta] *s 2 gén* **1** aparcacoches. **2** MAR maniobrista.
mansão [mã'sãw] *f* mansión.
mansarda [mã'saʀda] *f* mansarda.

mansidão [mãsi'dãw] *f* mansedumbre.
manso, sa ['mãsʊ, sa] *adj* **1** manso. • *m* **2** remanso (de un río). • *adv* **3** mansamente.
manta ['mãta] *f* **1** manta (cobertor). **2** chal. **3** manta (gualdrapa). **4** capa, manto (de hojas).
manteiga [mã'teyga] *f* **1** mantequilla. **2** (fig, coloq) jabón (lisonja).
manter [mã'teʀ] *tr e pron* **1** mantener (conservar). **2** mantener (sustentar). • *tr* **3** (fig) mantener (opinión, principio).
mantimento [mãtʃi'mẽtʊ] *m* **1** mantenimiento (conservación). **2** manutención (gasto).
manto ['mãtʊ] *m* **1** manto (prenda). **2** (fig) manto (capa, cobertor).
manual [manu'aw] *adj 2 gén* **1** manual. **2** portátil. • *m* **3** manual (libro). **4** manual (de instrucciones).
manufatura [manufa'tuɾa] *f* manufactura (obra, fábrica).
manufaturar [manufatu'ɾaʀ] *tr* manufacturar.
manuscrito, ta [manuʃ'kɾitʊ, ta] *adj* **1** manuscrito. • *m* **2** manuscrito (documento).
manuseamento [manuzea'mẽtʊ] *m* ⇒ manuseio.
manusear [manuze'aʀ] *tr* **1** manosear. **2** manejar (usar).
manuseio [manu'zeyʊ] *m* **1** manoseo. **2** manejo (uso).
manutenção [manutẽ'sãw] *f* **1** manutención (sustento). **2** mantenimiento (preservación).
mão ['mãw] *f* **1** ANAT mano. **2** (fig) puñado. **3** (fig) mano (destreza). **4** (fig) mano (lado, dirección). **5** (fig) mano (capa). ♦ **~ de direção** sentido (dirección); **~ na roda** (fig, fam) como anillo al dedo. ■ **à ~** a mano; **com a ~ na massa** con las manos en la masa; **com ~ de ferro** (fig, fam) con mano dura; **dar uma ~ a** dar la mano; echar una mano; **de ~ beijada** gratis, sin esfuerzo; **de ~ cheia** (fig, fam) muy bueno; **de ~ em ~** de mano en mano; **de segunda ~** de segunda mano; **fora de ~** a desmano; **lavar as mãos** (fig, fam) lavarse las manos; **pedir a ~** pedir la mano.
mão-aberta [mãwa'bɛʀta] *s 2 gén* **1** manirroto. **2** generoso.
mão-de-obra [mãwdʒɪ'ɔbɾa] *f* mano de obra.
mão-fechada [mãwfe'ʃada] *adj/m e f* tacaño.
mão-leve [mãw'lɛvɪ] *s 2 gén* (gír) manos largas (ladrón).
mapa ['mapa] *m* **1** mapa. **2** cuadro sinóptico. **3** lista (relación). ■ **riscar do ~** (fig) borrar del mapa.
maquete [ma'kɛtʃɪ] *f* maqueta.
maquiar [maki'aʀ] *tr e pron* **1** maquillar. • *tr* **2** maquillar (disimular).
maquilagem [maki'laʒẽy] *f* maquillaje.
máquina ['makina] *f* **1** máquina (artificio). **2** (fig) máquina (locomotora). **3** (fig) maquinaria, engranaje (enlace). ♦ **~ de escrever** máquina de escribir; **~ fotográfica** cámara fotográfica.
maquinação [makina'sãw] *f* maquinación.
maquinaria [makina'ɾia] *f* maquinaria.
maquinismo [maki'niʒmʊ] *m* **1** maquinismo. **2** maquinaria.
maquinista [maki'niʃta] *s 2 gén* maquinista.
mar ['maʀ] *m* **1** mar. **2** (fig) mar (abundancia): *mar de lágrimas = mar de lágrimas.* ■ **fazer-se ao ~** hacerse a la mar; **nem tanto ao ~ nem tanto à terra** (fig, fam) ni tanto ni tampoco.
maracujá [maɾaku'ʒa] *m* maracuyá.
Maranhão [maɾã'ɲãw] *m* Maranhão (Estado brasileño).
marasmo [ma'ɾaʒmʊ] *m* MED marasmo.
maratona [maɾa'tõna] *f* **1** maratón (carrera). **2** (fig) maratón (actividad intensa).
maravilha [maɾa'viʎa] *f* maravilla. ■ **às mil maravilhas** a lamil maravillas.
maravilhar [maɾavi'ʎaʀ] *tr e pron* maravillar.
maravilhoso, sa [maɾavi'ʎozʊ, za] *adj* maravilloso.
marca ['maʀka] *f* **1** marca (señal). **2** marca (nombre comercial). **3** marca (récord): *o esportista conseguiu a melhor marca da história = el deportista consiguió la mejor marca de la historia.* **4** (fig) marca (impresión). ♦ **~ registrada** marca registrada.
marcação [maʀka'sãw] *f* ESPORT marcaje.

marcado, da [maʀˈkadʊ, da] *adj* **1** marcado (señalado). **2** marcado (definido).
marcador, ra [maʀkaˈdoʀ, ɾa] *adj/m e f* **1** marcador. • *m* **2** marcador (tablero).
marcante [maʀˈkɐ̃tʃɪ] *adj 2 gén* **1** impresionante. **2** sobresaliente (destacable).
marcar [maʀˈkaʀ] *tr* **1** marcar (señalar). **2** marcar (ritmo, paso). **3** marcar (número de teléfono). • *tr e intr* **4** concertar (cita, encuentro). **5** ESPORT marcar.
marcenaria [maʀsenaˈɾia] *f* ebanistería.
marcha [ˈmaʀʃa] *f* **1** marcha (caminada). **2** marcha (paso). **3** (fig) marcha (desarrollo). **4** MÚS marcha. ◆ **~ a ré** marcha atrás. ■ **pôr em ~** (fig) poner en marcha.
marchand [maʀˈʃɐ̃] *m* marchante (de obras de arte).
marchar [maʀˈʃaʀ] *tr e intr* **1** marchar (desfilar). **2** (fig) marchar (evolucionar). • *intr* **3** marchar (ir).
marcial [maʀsiˈaw] *adj 2 gén* marcial. ◆ **lei ~** ley marcial.
marco [ˈmaʀkʊ] *m* **1** hito (mojón). **2** (fig) frontera. **3** marco (de puerta, ventana).
março [ˈmaʀsʊ] *m* marzo (mes).
maré [maˈɾɛ] *f* **1** marea. **2** (fig) ola. **3** (fig) oportunidad. ◆ **~ alta** marea alta. ■ **a ~ não está pra peixe** (fig, fam) no está el horno para bollos.
mareado, da [maɾeˈadʊ, da] *adj* mareado (indispuesto).
marear [maɾeˈaʀ] *tr e intr* **1** marear (navegar). **2** marearse (indisponerse).
marechal [maɾeˈʃaw] *m* MIL mariscal.
marejar [maɾeˈʒaʀ] *tr e intr* gotear.
maresia [maɾeˈzia] *f* **1** olor del mar. **2** corrosión (del mar).
marfim [maʀˈfĩ] *m* marfil.
margarina [maʀgaˈɾina] *f* margarina.
margem [maʀˈʒẽy] *f* **1** margen (borde). **2** (fig) margen: *conseguiu a vitória nas eleições por uma pequena margem = consiguió la victoria en las elecciones por un pequeño margen.* ■ **à ~ de** (fig) al margen de.
marginal [maʀʒiˈnaw] *adj 2 gén* **1** marginal. **2** (fig) marginal (apartado). • *s 2 gén* **3** marginado.
marginalidade [maʀʒinaliˈdadʒɪ] *f* marginalidad.
marginalização [maʀʒinalizaˈsɐ̃w] *f* marginación.
marginar [maʀʒiˈnaʀ] *tr* **1** bordear (rodear). **2** marginar (hacer acotaciones).
maria-fumaça [maɾiafuˈmasa] *s 2 gén* locomotora (a vapor).
maria-vai-com-as-outras [maɾiavaikwaˈzowtɾaʃ] *s 2 gén* (fig, fam) marioneta, borrego.
maricagem [maɾiˈkaʒẽy] *f* mariconada.
marido [maˈɾidʊ] *m* marido.
marina [maˈɾina] *f* puerto deportivo.
marinha [maˈɾĩɲa] *f* **1** salina. **2** marina (terreno). **3** marina (pintura, cuadro). ◆ **~ mercante** marina mercante.
marinhar [maɾĩˈɲaʀ] *tr e intr* **1** marinar (tripular). • *intr* **2** marinear.
marinheiro, ra [maɾĩˈɲeyɾʊ, ɾa] *adj* **1** marinero. • *m e f* **2** marinero. ◆ **~ de água doce** (fig) marinero de agua dulce.
marinho, nha [maˈɾĩɲʊ, ɲa] *adj* **1** marino. • *adj/m* **2** azul marino.
marionete [maɾioˈnɛtʃɪ] *f* **1** marioneta. **2** (fig) marioneta (sin personalidad).
marisco, ca [maˈɾiʃkʊ, ka] *adj* **1** marino. • *m* **2** marisco.
marital [maɾiˈtaw] *adj 2 gén* marital.
marítimo, ma [maˈɾitʃimʊ, ma] *adj* marítimo (marino).
marketing [maʀkeˈtʃĩ] *m* marketing.
mármore [ˈmaʀmoɾɪ] *m* mármol.
maroto, ta [maˈɾotʊ, ta] *adj* **1** vivo, astuto. **2** travieso.
marquês, sa [maʀˈkeyʃ, za] *m e f* marqués.
marquise [maʀˈkizɪ] *f* marquesina.
marrento, ta [maˈʀẽtʊ, ta] *adj* (fam) chulo.
Marrocos [maˈʀɔkʊyʃ] *m* Marruecos.
marrom [maˈʀõw] *adj/m* marrón (color).
marroquino, na [maʀoˈkinʊ, na] *adj/m e f* marroquí.
martelar [maʀteˈlaʀ] *tr e intr* **1** martillar, martillear. • *tr* **2** (fig) martillear (repetir, insistir).
martelo [maʀˈtɛlʊ] *m* **1** martillo (herramienta). **2** (fig) taladro (pesado, irritante). **3** ANAT martillo. ■ **entre o ~ e a bigorna** (fig) entre la espada y la pared.

Martinica [maʀtʃi'nika] *f* Martinica.
martinicano, na [maʀtʃini'kãnʊ, na] *adj* martiniqués.
mártir ['maʀtʃiʀ] *s 2 gén* mártir.
martírio [maʀ'tʃiɾyʊ] *m* martirio (tormento).
martirizante [maʀtʃiɾi'zãtʃɪ] *adj 2 gén* martirizador.
martirizar [maʀtʃiɾi'zaʀ] *tr* **1** martirizar (atormentar). • *tr e pron* **2** (fig) martirizar (afligir).
marujo [ma'ɾuʒʊ] *m* marinero.
marxismo [maʀki'siʒmʊ] *m* marxismo.
marxista [maʀki'siʃta] *adj/m e f* marxista.
marzipã [maʀzi'pã] *m* mazapán.
mas ['mayʃ] *conj* **1** pero. • *adv* **2** pero, pero que.
mascar [mayʃ'kaʀ] *tr e intr* **1** mascar (triturar). **2** mascullar (hablar).
máscara ['mayʃkaɾa] *f* **1** máscara (careta). **2** (fig) semblante (cara). **3** (fig) máscara (disfraz, pose). ♦ **~ contra gases** máscara antigás.
mascarado, da [mayʃka'ɾadʊ, da] *adj/m e f* enmascarado (disfrazado).
mascarar [mayʃka'ɾaʀ] *tr e pron* **1** enmascarar (disfrazarse). • *tr* **2** (fig) enmascarar (encubrir).
mascote [mayʃ'kɔtʃɪ] *f* mascota (talismán).
masculinidade [mayʃkulini'dadʒɪ] *f* masculinidad.
masculino, na [mayʃku'linʊ, na] *adj* **1** masculino. **2** (fig) masculino (varonil, enérgico).
másculo, la ['mayʃkulʊ, la] *adj* macho, varonil.
masoquismo [mazo'kiʒmʊ] *m* masoquismo.
masoquista [mazo'kiʃta] *adj/m e f* masoquista.
massa ['masa] *f* **1** masa (pasta). **2** masa (conjunto). **3** (fig) esencia, constitución. • **massas** *f pl* **4** masar (muchedumbre). ♦ **~ cinzenta** materia gris. ■ **em ~** (fig) en masa.
massacrar [masa'kɾaʀ] *tr* **1** masacrar (matar). **2** (fig) aburrir (cansar).
massacre [ma'sakɾɪ] *m* **1** masacre. **2** (fig) tormento, fastidio.
massagear [masaʒe'aʀ] *tr, intr e pron* masajear.
massagem [ma'saʒẽy] *f* masaje.
massagista [masa'ʒiʃta] *adj/m e f* masajista.
massificação [masifika'sãw] *f* masificación.
massificar [masifi'kaʀ] *tr e pron* masificar.
mastigar [mayʃtʃi'gaʀ] *tr* **1** masticar (alimentos). **2** (fig) masticar (rumiar, meditar). • *tr e intr* **3** mascullar (hablar).
mastigável [mayʃtʃi'gavew] *adj 2 gén* masticable.
mastro ['mayʃtɾʊ] *m* **1** mástil (de embarcación). **2** mástil, palo.
masturbação [mayʃtuʀba'sãw] *f* masturbación.
masturbar [mayʃtuʀ'baʀ] *tr e pron* masturbar.
mata ['mata] *f* mata (terreno).
matador, ra [mata'doʀ, ɾa] *adj/m e f* **1** matador. **2** (fig) seductor. **3** (fig) matador (pesado, molesto).
matadouro [mata'dowɾʊ] *m* **1** matadero (lugar). **2** (fig) matanza.
matagal [mata'gaw] *m* **1** matorral. **2** (fig) maraña, enredo.
matança [ma'tãsa] *f* **1** matanza (masacre). **2** matanza (de ganado para consumo).
matar [ma'taʀ] *tr e intr* **1** matar (asesinar). **2** matar (extinguir). • *tr* **3** (fig) matar (destruir). **4** (fig) matar (afligir). • **~-se** *pron* **5** matarse (suicidarse).
mate ['matʃɪ] *adj inv* **1** mate (sin brillo). • *m* **2** remate (en calceta). **3** mate (yerba). **4** mate (en ajedrez).
matemática [mate'matʃika] *f* matemática.
matemático, ca [mate'matʃikʊ, ka] *adj/m e f* matemático.
matéria [ma'tɛɾya] *f* **1** materia (sustancia). **2** (fig) materia (asunto, tema). **3** (fig) materia (asignatura). ■ **entrar em ~** (fig) entrar en materia.
material [mateɾi'aw] *adj 2 gén* **1** material (sustancial). **2** material (tangible). • *m* **3** material (sustancia). **4** material (utensilios).
materialidade [mateɾiali'dadʒɪ] *f* materialidad.
materialismo [mateɾia'liʒmʊ] *m* materialismo.

materialista [materia'liʃta] *adj/m e f* materialista.
materializar [materiali'zaR] *tr e pron* **1** materializar (concretizar). **2** materializar (corporeizar).
matéria-prima [matεria'prima] *f* materia prima.
maternal [mateR'naw] *adj 2 gén* maternal, materno.
maternidade [mateRni'dadʒɪ] *f* **1** maternidad (estado). **2** maternidad (hospital).
materno, na [ma'tεRnʊ, na] *adj* materno.
matilha [ma'tʃiʎa] *f* jauría.
matinada [matʃi'nada] *f* **1** madrugada (amanecer). **2** maitinada (canto).
matinal [matʃi'naw] *adj 2 gén* matinal.
matiz [ma'tʃiʃ] *m* **1** matiz (gradación). **2** (fig) matiz (colorido).
matizar [matʃi'zaR] *tr* matizar (color).
mato ['matʊ] *m* **1** mato. **2** bosque, monte. **3** campo (agro).
Mato Grosso [matʊ'grosʊ] *m* Mato Grosso (Estado brasileño).
Mato Grosso do Sul [matʊgrosʊdʊ'suw] *m* Mato Grosso do Sul (Estado brasileño).
matreiro, ra [ma'treyrʊ, ra] *adj* matrero (astuto).
matriarcal [matriaR'kaw] *adj 2 gén* matriarcal.
matrícula [ma'trikula] *f* matrícula (inscripción).
matriculado, da [matriku'ladʊ, da] *adj* matriculado.
matricular [matriku'laR] *tr e pron* **1** matricular (inscribir). • **~-se** *pron* **2** alistar.
matrimonial [matrimõni'aw] *adj 2 gén* matrimonial.
matrimônio [matri'mõnyʊ] *m* **1** matrimonio (unión). **2** matrimonio (pareja).
matriz [ma'triʃ] *f* **1** matriz (útero). **2** (fig) matriz (origen).
matrona [ma'trõna] *f* matrona (mujer respetable).

> La mujer especialmente autorizada para asistir a las parturientas se denomina ***parteira*** en portugués, no **matrona** como en español.

maturação [matura'sãw] *f* **1** maduración (de un fruto). **2** (fig) maduración (desarrollo).
maturidade [maturi'dadʒɪ] *f* **1** madurez (sazón). **2** madurez (edad madura).
matutar [matu'taR] *tr e intr* (coloq) meditar, cavilar.
matutino, na [matu'tʃinʊ, na] *adj* matutino.
mau, mã ['maw, mã] *adj* **1** malo (malvado). **2** malo (perjudicial). **3** malo (de baja calidad).
mau-caráter [mawka'rateR] *adj/m e f* (coloq) canalla.
mau-olhado [mawo'ʎadʊ] *m* aojo, mal de ojo.
Maurício, República de [Republikadʒɪmaw'risyʊ] *m* Mauricio.
mauriciano, na [mawrisi'ãnʊ, na] *adj/m e f* mauriciano.
Mauritânia [mawri'tãnya] *f* Mauritania.
mauritano, na [mawri'tãnʊ, na] *adj/m e f* mauritano.
mausoléu [mawzo'lεw] *m* mausoleo.
maxila [maki'sila] *f* ANAT maxilar.
maxilar [makisi'laR] *adj/m* ANAT maxilar.
máxima ['masima] *f* **1** máxima (regla, principio). **2** máxima (axioma).
maximizar [makisimi'zaR] *tr* **1** exagerar, aumentar. **2** MAT maximizar.
máximo, ma ['masimʊ, ma] *adj/m* máximo. ■ **no ~** como máximo.
mazela [ma'zεla] *f* **1** mácula (deshonra). **2** llaga (herida). **3** (fig) aflicción (disgusto).
me ['me] *pron* me: *meu namorado comprou-me uma rosa vermelha = mi novio me compró una rosa roja.*
mea-culpa [mea'kuwpa] *f* mea culpa.
meada [me'ada] *f* madeja (de hilo, lana).
meado, da [me'adʊ, da] *adj/m* mediado. ■ **no ~ de** a mediados de.
mecânica [me'kãnika] *f* **1** FÍMecánica. **2** (fig) mecánica (funcionamiento).
mecânico, ca [me'kãnikʊ, ka] *adj* **1** mecánico: *processo mecânico = proceso mecánico*. **2** (fig) mecánico (automático). • *m* **3** mecánico (profesión).
mecanismo [mekã'niʒmʊ] *m* **1** mecanismo (de una máquina). **2** (fig) mecanismo (medios prácticos).
mecanização [mekãniza'sãw] *f* mecanización.

mecanizado, da [mekãni'zadʊ, da] *adj* mecanizado.
mecanizar [mekãni'zaʀ] *tr* mecanizar (industrializar).
mecenas [me'sẽnayʃ] *m* mecenas.
mecenato [mese'natʊ] *m* mecenazgo.
mecha ['mɛʃa] *f* **1** mecha (de vela, mechero). **2** mecha, mechón (de pelo).
meda ['mɛda] *f* hacina.
medalha [me'daʎa] *f* medalla (pieza, condecoración).
medalhão [meda'ʎãw] *m* **1** medallón (joya). **2** (fig) eminencia (individuo).
medalhar [meda'ʎaʀ] *tr* condecorar.
média ['mɛdʒya] *f* **1** media (valor medio). **2** mezcla (unión). ♦ **~ aritmética** MAT media aritmética.
mediação [medʒia'sãw] *f* **1** mediación (intercesión). **2** DIR mediación.
mediano, na [medʒi'ãnʊ, na] *adj* mediano (intermedio).
mediante [medʒi'ãtʃɪ] *adj 2 gén* **1** mediante (intermediario). • *prep* **2** mediante (por medio de).
mediar [medʒi'aʀ] *tr* **1** mediar (interceder). **2** mediar (estar en medio).
mediatriz [medʒia'triʃ] *f* mediadora.
medicação [medʒika'sãw] *f* **1** medicación (administración). **2** medicación (medicamentos); droga (Amér).
medicamentar [medʒikamẽ'taʀ] *tr e pron* medicinar, medicar; recetar (Col).
medicamento [medʒika'mẽtʊ] *m* medicamento; droga (Amér).
medicamentoso, sa [medʒikamẽ'tozʊ, za] *adj* medicamentoso.
medição [medʒi'sãw] *f* **1** medición (de versos). **2** medición (medida).
medicar [medʒi'kaʀ] *tr e pron* **1** medicinar, medicar. • *intr* **2** ejercer la medicina.
medicina [medʒi'sina] *f* **1** medicina (ciencia). **2** medicina (medicamento). ♦ **~ legal** DIR medicina legal.
medicinal [medʒisi'naw] *adj 2 gén* medicinal.
médico, ca ['mɛdʒikʊ, ka] *adj* **1** médico. • *m* **2** médico (doctor).
médico-legal [mɛdʒikʊle'gaw] *adj 2 gén* medicolegal.
medida [me'dʒida] *f* **1** medida (medición). **2** medida (unidad). **3** medida (tamaño). **4** medida (disposición): *medida de urgência = medida de urgencia*. **5** (fig) medida (grado, proporción). **6** (fig) medida (comedimiento). ■ **à ~ que** a medida que; **não ser de meias medidas** no andarse con medias tintas.
medido, da [me'dʒidʊ, da] *adj* **1** medido (calculado). **2** (fig) medido (moderado, prudente).
medidor, ra [medʒi'doʀ, ɾa] *adj/m e f* medidor.
medieval [medʒie'vaw] *adj 2 gén* medieval.
medievalista [medʒieva'liʃta] *adj/m e f* medievalista.
medievo [medʒi'evʊ] *m* medievo.
médio, a ['mɛdʒyʊ, a] *adj* **1** medio (equidistante). **2** medio (divisorio). **3** medio (mediano).
medíocre [me'dʒiokɾɪ] *adj 2 gén* **1** mediocre (mediano). • *adj/m e f* **2** (pej) mediocre (vulgar).
mediocridade [medʒiokɾi'dadʒɪ] *f* **1** mediocridad (medianía). **2** (pej) mediocridad (vulgaridad).
mediocrizar [medʒiokɾi'zaʀ] *tr e pron* banalizar, vulgarizar.
medir [me'dʒiʀ] *tr e intr* **1** medir (mensurar). • *tr* **2** (fig) medir (comparar). **3** (fig) medir (comedir, moderar). • **~-se** *pron* **4** enfrentarse, rivalizar.
meditação [medʒita'sãw] *f* meditación.
meditar [medʒi'taʀ] *tr e intr* meditar (reflexionar).
mediterrânico, ca [medʒite'ʀãnikʊ, ka] *adj* mediterráneo.
medo ['medʊ] *m* **1** miedo (temor, recelo). **2** miedo (preocupación). ■ **a ~** (fig) tímidamente.
medonho, nha [me'dõɲʊ, ɲa] *adj* **1** horroroso, pavoroso. **2** detestable, insoportable.
medrar [me'dɾaʀ] *tr e intr* **1** medrar (crecer). **2** (fig) medrar (prosperar). • *intr* **3** (fig) desarrollarse (aumentar).
medroso, sa [me'dɾozʊ, za] *adj/m e f* **1** medroso (temeroso). • *adj* **2** intimidado, tímido.
medula [me'dula] *f* **1** ANAT médula. **2** (fig) médula (fondo, esencia): *é esquerdista até a medula = es izquierdista hasta la médula*. ♦ **~ espinhal** médula espinal.

medular [medu'laʀ] *adj 2 gén* ANAT medular.
megabit [mɛga'bitʃɪ] *m* COMP megabit.
megabyte [mɛga'baytʃɪ] *m* COMP megabyte.
megalítico, ca [mɛga'litʃikʊ, ka] *adj* megalítico.
megálito [me'galitʊ] *m* megalito.
megalópole [mega'lɔpolɪ] *f* megalópolis.
megera [me'ʒɛɾa] *f* malvada (mujer mala).
meia ['meya] *f* **1** calcetín, media. • *card* **2** seis.
meia-estação [meyaeʃta'sãw] *f* entretiempo.
meia-idade [meyai'dadʒɪ] *f* mediana edad.
meia-lua [meya'lua] *f* medialuna.
meia-luz [meya'luyʃ] *f* media luz, penumbra.
meia-noite [meya'noytʃɪ] *f* medianoche.
meia-tarde [meya'taʀdʒɪ] *f* media tarde.
meia-tigela [meyatʃi'ʒɛla] *f* niñería (bagatela). ■ **de ~** (fig) de medio pelo.
meia-volta [meya'vɔwta] *f* media vuelta.
meia-voz [meya'vɔyʃ] *f* media voz.
meigo, ga ['meygʊ, ga] *adj* **1** cariñoso, tierno. **2** suave.
meiguice [mey'gisɪ] *f* **1** cariño, ternura. **2** suavidad, blandura.
meio, a ['meyʊ, a] *adj* **1** medio: *meio litro = medio litro.* • *m* **2** medio (mitad). **3** medio (centro). **4** medio (manera, modo). **5** medio (entorno). • **meios** *m pl* **6** medios (recursos, haberes). ◆ **~ ambiente** medio ambiente; **~ de comunicação** medio de comunicación. ■ **por ~ de** por medio de.
meio-campo [meyʊ'kãpʊ] *m* centro del campo.
meio-corpo [meyʊ'koʀpʊ] *m* medio cuerpo.
meio-dia [meyʊ'dʒia] *m* **1** mediodía. **2** Mediodía (Sur).
meio-tempo [meyʊ'tẽpʊ] *m* intermedio, descanso.
meio-termo [meyʊ'teʀmʊ] *m* término medio.
mel ['mɛw] *m* **1** miel (sustancia). **2** (fig) miel (dulzura, suavidad).
melancolia [melãko'lia] *f* melancolía (tristeza).
melancólico, ca [melã'kɔlikʊ, ka] *adj* melancólico.
melão [me'lãw] *m* melón.
melena [me'lẽna] *f* **1** melena (cabellera). **2** crin.
melhor [me'ʎɔʀ] *adj/m* **1** mejor. • *adv* **2** mejor. • **~!** *interj* **3** mejor: *não quer bolo? melhor, mais para mim = ¿no quieres tarta? mejor, más para mí.* ■ **ir desta para a ~** (fig, fam) pasar a mejor vida; **tanto ~** tanto mejor.
melhora [me'ʎɔɾa] *f* **1** mejora (aumento). **2** mejoría (recuperación).
melhoramento [meʎoɾa'mẽtʊ] *m* **1** mejoramiento, mejoría. **2** desarrollo, progreso.
melhorar [meʎo'ɾaʀ] *tr e intr* **1** mejorar. **2** mejorar (restablecerse).
melhoria [meʎo'ɾia] *f* **1** mejoría (mejora). **2** mejoría (ventaja).
meliante [meli'ãtʃɪ] *m* **1** vago, vagabundo. **2** bellaco, insolente.
melífluo, a [me'liflwʊ, a] *adj* melifluo.
melindrar [melĩ'dɾaʀ] *tr e pron* ofender, herir.
melindre [me'lĩdɾɪ] *m* **1** melindre (afectación). **2** pudor (recato).
melindroso, sa [melĩ'dɾozʊ, za] *adj* **1** débil, delicado. **2** meticuloso (escrupuloso). **3** embarazoso (complicado). **4** arriesgado (peligroso). • *adj/m e f* **5** melindroso (afectado).
meloal [melo'aw] *m* melonar.
melodia [melo'dʒia] *f* **1** MÚS melodía. **2** (fig) melodía (dulzura).
melódico, ca [me'lɔdʒikʊ, ka] *adj* melódico.
melodrama [melo'dɾãma] *m* melodrama (ópera).
melômano, na [me'lõmanʊ, na] *adj/m e f* melómano.
melopéia [melo'pɛya] *f* MÚS melopea (canto).
membrana [mẽ'bɾãna] *f* **1** membrana (película). **2** BIOL membrana.
membro ['mẽbɾʊ] *m* **1** ANAT miembro. **2** miembro (parte). **3** miembro (integrante, afiliado).
memorando [memo'ɾãdʊ] *m* **1** memorándum (cuaderno). **2** memorándum (diplomático).
memorável [memo'ɾavew] *adj 2 gén* memorable.

m

memória [me'mɔrya] *f* **1** memoria (retentiva). **2** memoria (recuerdo, reminiscencia). **3** memoria (disertación). • **memorias** *f pl* **4** memorias (autobiografía). ◆ ~ **de elefante** (fig, fam) memoria de elefante. ■ **de** ~ de memoria.
memorial [memori'aw] *m* **1** memorial (memorándum). **2** memorias (relato).
memorizar [memori'zaʀ] *tr* **1** recordar (rememorar). • *tr e intr* **2** memorizar.
menção [mẽ'sãw] *f* **1** mención (alusión). **2** intención (disposición).
mencionado, da [mẽsio'nadʊ, da] *adj* mencionado.
mencionar [mẽsio'naʀ] *tr* **1** mencionar (citar). **2** mencionar (relatar).
mendicidade [mẽdʒisi'dadʒɪ] *f* mendicidad.
mendigar [mẽdʒi'gaʀ] *tr e intr* **1** mendigar (pedir limosna). • *tr* **2** (fig) mendicar (suplicar).
mendigo, ga [mẽ'dʒigʊ, ga] *m e f* mendigo.
menear [mene'aʀ] *tr e pron* **1** menear (mover). • *tr* **2** menear (manejar).
meneio [me'neyʊ] *m* **1** meneo (balanceo). **2** movimiento.
meninice [meni'nisɪ] *f* niñez (infancia).
menino, na [me'ninʊ, na] *m e f* **1** niño (chiquillo). **2** niño (hijo). ◆ ~ **de rua** niño de la calle.
menir [me'niʀ] *m* menhir.
menopausa [meno'pawza] *f* menopausia.
menor [me'nɔʀ] *adj 2 gén* **1** menor (más pequeño). **2** menor (inferior). **3** menor (más joven): *a menor das irmãs = la menor de las hermanas*. **4** menor (de edad). ◆ ~ **de idade** menor de edad.
menoridade [menori'dadʒɪ] *f* menoría (minoría de edad).
menos ['mẽnʊʃ] *pron* **1** menos (menor cantidad): *deve comer menos carne e mais peixe = debe comer menos carne y más pescado*. • *adv* **2** menos (número inferior): *éramos menos de dez participantes = éramos menos de diez participantes*. **3** menos (no tanto como). • *m* **4** menos (símbolo). • *prep* **5** menos (excepto).
menosprezar [menoyʃpre'zaʀ] *tr e pron* **1** menospreciar (depreciar). **2** menospreciar (despreciar, desdeñar).
menosprezo [menoyʃ'prezʊ] *m* menosprecio.
mensageiro, ra [mẽsa'ʒeyrʊ, ra] *adj/m e f* mensajero.
mensagem [mẽ'saʒẽy] *f* **1** mensaje (recado). **2** (fig) mensaje (trasfondo).
mensal [mẽ'saw] *adj 2 gén* mensual.
mensalidade [mẽsali'dadʒɪ] *f* **1** mensualidad (pago). **2** mensualidad (salario).
menstruação [mẽʃtrwa'sãw] *f* menstruación.
menstrual [mẽʃtru'aw] *adj 2 gén* menstrual.
menstruar [mẽʃtru'aʀ] *intr* menstruar.
menta ['mẽta] *f* menta (hierbabuena).
mental [mẽ'taw] *adj 2 gén* mental.
mentalidade [mẽtali'dadʒɪ] *f* **1** mentalidad (capacidad mental). **2** mentalidad (modo de pensar).
mentalização [mẽtaliza'sãw] *f* mentalización.
mentalizar [mẽtali'zaʀ] *tr e pron* **1** mentalizar (concienciar). • *tr* **2** idear, imaginar.
mente ['mẽtʃɪ] *f* **1** mente (intelecto). **2** mente (memoria). ■ **ter em** ~ tener en mente.
mentir [mẽ'tʃiʀ] *tr e intr* **1** mentir (falsear, engañar). **2** mentir (errar).
mentira [mẽ'tʃiɾa] *f* **1** mentira (falsedad). **2** mentira (error, equivocación).
mentiroso, sa [mẽtʃi'rozʊ, za] *adj/m e f* **1** mentiroso. • *adj* **2** mentiroso (falso).
mentor [mẽ'toʀ] *m* mentor (guía, orientador).
mercado [meʀ'kadʊ] *m* **1** mercado (plaza, feria). **2** mercado (negocios, transacciones). **3** ECON mercado. ◆ ~ **negro** mercado negro.
mercador, ra [meʀka'doʀ, ra] *adj/m e f* mercader (negociante).
mercadoria [meʀkado'ria] *f* mercancía.
mercante [meʀ'kãtʃɪ] *adj 2 gén* **1** mercante. • *s 2 gén* **2** mercante (mercader).
mercantil [meʀkã'tʃiw] *adj 2 gén* mercantil.
mercê [meʀ'se] *f* **1** merced (premio). **2** merced (dádiva, gracia).
mercearia [meʀsea'ria] *f* **1** ultramarinos (tienda). **2** ultramarinos (producto).

No confundir la palabra ***mercearia*** con el término español **mercería**, que es ***armadinho*** en portugués.

mercenário, a [meʀse'naɾyʊ, a] *adj/m e f* **1** mercenario (soldado). **2** (fig) mercenario (asalariado).
mercúrio [meʀ'kuɾyʊ] *m* **1** QUÍM mercurio. **Mercúrio 2** ASTR Mercurio.
merda ['mɛʀda] *f* **1** mierda (excremento). **2** mierda (suciedad). **3** (fig, vulg) mierda (despreciable, sin valor).
merecedor, ra [meɾese'doʀ, ɾa] *adj/m e f* merecedor.
merecer [meɾe'seʀ] *tr e intr* **1** merecer (ser digno). • *intr* **2** merecer (valer).
merecido, da [meɾe'sidʊ, da] *adj* **1** merecido. • *m* **2** merecido.
merecimento [meɾesi'mẽtʊ] *m* merecimiento, mérito.
merenda [me'ɾẽda] *f* merienda.
merengue [me'ɾẽgɪ] *m* **1** merengue (dulce). **2** MÚS merengue.
meretriz [meɾe'tɾiʃ] *f* meretriz.
mergulhador, ra [meʀguʎa'doʀ, ɾa] *adj/m e f* buceador.
mergulhar [meʀgu'ʎaʀ] *intr* **1** bucear (nadar). • *tr* **2** sumergir. **3** caer en picado.
mergulho [meʀ'guʎʊ] *m* buceo.
meridiano, na [meɾidʒi'ãnʊ, na] *adj* **1** meridiano (del mediodía). **2** meridiano (línea). • *m* **3** ASTR meridiano. **4** GEOM meridiano.
meridional [meɾidʒio'naw] *adj 2 gén* **1** meridional (austral). • *adj/m e f* **2** meridional (habitante).
mérito ['mɛɾitʊ] *m* mérito.
meritório, a [meɾi'tɔɾyʊ, a] *adj* meritorio.
mero, ra ['mɛɾʊ, ɾa] *adj* **1** mero. • *m* **2** mero (pez).
mês ['meyʃ] *m* **1** mes. **2** mes (sueldo).
mesa ['meza] *f* **1** mesa (mueble). **2** mesa (personas): *mesa da presidência = mesa presidencial*. ■ **pôr ou botar a ~** poner la mesa.
mesada [me'zada] *f* mesada, paga.
mesa-de-cabeceira [mezadʒɪkabe'seyɾa] *f* mesilla, mesa de noche.
mesa-redonda [mezaʀe'dõda] *f* mesa redonda.
mescla ['mɛyʃkla] *f* mezcla.
mesclar [meyʃ'klaʀ] *tr e pron* mezclar (juntar, unir).
mesmo, ma ['meyʒmʊ, ma] *adj* **1** mismo (idéntico): *lê os mesmos livros que eu = lee los mismos libros que yo*. • *m* **2** mismo: *sempre acontece o mesmo = siempre ocurre lo mismo*. • *adv* **3** hasta, incluso, ni: *mesmo seu pai não acreditou nele = ni su padre creyó en él*.
mesquinhez [meyʃkĩ'ɲeyʃ] *f* mezquindad.
mesquinho, nha [meyʃ'kĩɲʊ, ɲa] *adj* mezquino.
mesquita [meyʃ'kita] *f* mezquita.
mestiçagem [meyʃtʃi'saʒẽy] *f* **1** mestizaje (de razas). **2** cruce (de animales).
mestiço, ça [meyʃ'tʃisʊ, sa] *adj/m e f* mestizo.
mestrado [meyʃ'tradʊ] *m* postgrado, máster (curso, título).
mestre, tra ['mɛyʃtɾɪ, tɾa] *adj* **1** maestro (principal). **2** maestro (perfecto). • *m e f* **3** maestro (sabio). **4** maestro (profesor).
mestria [meyʃ'tɾia] *f* maestría (habilidad).
mesura [me'zuɾa] *f* mesura (cortesía).
meta ['mɛta] *f* **1** meta (en carreras). **2** (fig) meta (final, término). **3** (fig) meta (objetivo).
metabolismo [metabo'liʒmʊ] *m* metabolismo.
metade [me'tadʒɪ] *f* mitad. ■ **fazer as coisas pela ~** dejar las cosas a medias.
metafísica [meta'fizika] *f* metafísica.
metafísico, ca [meta'fizikʊ, ka] *adj/m e f* metafísico.
metáfora [me'tafoɾa] *f* metáfora.
metafórico, ca [meta'fɔɾikʊ, ka] *adj* metafórico.
metal [me'taw] *m* **1** metal. **2** (fig) metal (timbre de voz).
metálico, ca [me'talikʊ, ka] *adj* metálico.

En portugués, para referirse al dinero en **metálico** se utiliza la expresión ***dinheiro vivo*** o ***dinheiro à vista***.

m

Mestiço / Mestizo

La mezcla de razas que se da en Brasil se ilustra perfectamente con la cantidad de palabras que tienen para designar a los diferentes tipos de mestizaje que hay

acabritado	cholo	piá
caboclo	curiboca	pintão
cabo-verde	espeta-caju	preto-fulo
cabra	fula	quadrarão
cabrocha	mameluco	quarteirão
caburé	marabá	taioca
cafuzo	mulato	tapuia
carijó	nhapango	xibaro
chibarro	pardavasco	zambo

metalizado, da [metali'zadʊ, da] *adj* metalizado.

metalurgia [metaluʀ'ʒia] *f* metalurgia (ciencia, técnica, industria).

metalúrgico, ca [meta'luʀʒikʊ, ka] *adj/m e f* metalúrgico.

metamórfico, ca [meta'mɔʀfikʊ, ka] *adj* metamórfico.

metamorfismo [metamoʀ'fiʒmʊ] *m* GEOL metamorfismo.

metamorfose [metamoʀ'fɔzɪ] *f* metamorfosis.

metamorfosear [metamoʀfoze'aʀ] *tr e pron* metamorfosear.

metano [me'tãnʊ] *m* QUÍM metano.

meteórico, ca [mete'ɔrikʊ, ka] *adj* meteórico.

meteorito [meteo'ritʊ] *m* meteorito.

meteoro [mete'ɔrʊ] *m* meteoro, metéoro.

meteorologia [meteorolo'ʒia] *f* meteorología.

meteorológico, ca [meteoro'lɔʒikʊ, ka] *adj* meteorológico.

meteorologista [meteorolo'ʒiʃta] *s 2 gén* meteorólogo.

meter [me'teʀ] *tr* **1** meter (introducir, incluir). **2** dar (pena, miedo, asco). • *tr e pron* **3** meter (poner, colocar). **4** meterse (interponerse). • **~-se** *pron* **5** meterse (aventurarse).

meticuloso, sa [metʃiku'lozʊ, za] *adj* **1** meticuloso (minucioso). **2** escrupuloso.

metódico, ca [me'tɔdʒikʊ, ka] *adj* metódico.

método ['mɛtodʊ] *m* **1** método (sistema). **2** método (metodología).

metodologia [metodolo'ʒia] *f* metodología.

metodológico, ca [metodo'lɔʒikʊ, ka] *adj* metodológico.

metonímia [meto'nimya] *f* RET metonimia.

metragem [me'traʒẽy] *f* **1** metraje (medida). **2** metraje (de una película).

metralhadora [metraʎa'dora] *f* ametralladora (arma).

metralhar [metra'ʎaʀ] *tr* ametrallar.

métrica ['mɛtrika] *f* métrica.

métrico, ca ['mɛtrikʊ, ka] *adj* métrico: *sistema métrico decimal = sistema métrico decimal.*

metro ['mɛtrʊ] *m* metro (medida).

metrô [me'tro] *m* metro (transporte).

metrópole [me'trɔpolɪ] *f* metrópolis, metrópoli.

metropolitano, na [metropoli'tãnʊ, na] *adj* metropolitano.

meu ['mew] *pron poss* **1** mi (posesión): *você é o meu herói = eremi héroe.* **2** mi (habitual): *meu ônibus chega em dez minutos = mi autobús llega en diez minutos.* • *m* **3** mío: *o que é meu é meu = lo mío es mío.* • **meus** *m pl* **4** míos (familiares): *os meus = los míos.*

mexer [me'ʃeʀ] *tr* **1** revolver, agitar. **2** alterar, modificar. • *tr, intr e pron* **3** mover, desplazar.

mexerico [meʃe'rikʊ] *m* cotilleo, chisme.

México ['mɛʃikʊ] *m* México, Méjico.

mexicano, na [meʃi'kãnʊ, na] *adj/m e f* mexicano, mejicano.
mexido, da [me'ʃidʊ, da] *adj* **1** revuelto, desordenado. **2** movido, agitado.
mexilhão [meʃi'ʎãw] *m* mejillón.
mi ['mi] *m* MÚS mi.
miar [mi'aʀ] *intr* **1** maullar, miar. **2** (fig) lloriquear.
mica ['mika] *f* **1** mica (mineral). **2** poco (cantidad).
micose [mi'kɔzɪ] *f* MED micosis.
microbiano, na [mikɾobi'ãnʊ, na] *adj* microbiano.
micróbio [mi'kɾɔbyʊ] *m* microbio.
microfone [mikɾo'fõnɪ] *m* micrófono.
Micronésia [mikɾo'nɛzya] *f* Micronesia.
microondas [mikɾo'õdayʃ] *m* microondas (horno).
microônibus [mikɾo'õnibʊyʃ] *m* microbús.
microrganismo [mikɾoʀgã'niʒmʊ] *m* microorganismo.
microscopia [mikɾoyʃko'pia] *f* microscopia, microscopía.
microscópico, ca [mikɾoyʃ'kɔpikʊ, ka] *adj* microscópico.
microscópio [mikɾoyʃ'kɔpyʊ] *m* microscopio.
mídia ['midʒya] *m* medios de comunicación.
midiático, ca [midʒi'atʃikʊ, ka] *adj* mediático.
migalha [mi'gaʎa] *f* **1** miga, migaja (de pan). **2** migaja (porción). **3** (fig) migaja (casi nada).
migração [migɾa'sãw] *f* migración.
migrante [mig'ɾãtʃɪ] *adj/m e f* migrante.
migrar [mig'ɾaʀ] *tr e intr* migrar.
migratório, a [migɾa'tɔɾyʊ, a] *adj* migratorio.
mijar [mi'ʒaʀ] *tr, intr e pron* **1** (coloq) mear (orinar). • **~-se** *pron* **2** (fig, coloq) cagarse (de miedo).
mil ['miw] *adj/m* **1** mil (número). **2** (fig) mil (innumerables). ♦ **~ e um** (fig, fam) mil y un (innumerables).
milagre [mi'lagɾɪ] *m* milagro.
milagroso, sa [milag'ɾozʊ, za] *adj* **1** milagroso. **2** (fig) milagroso (maravilloso, asombroso).
milenário, a [mile'naɾyʊ, a] *adj* **1** milenario. • *m* **2** milenario (milenio).
milênio [mi'lẽnyʊ] *m* milenio.
milésima [mi'lɛzima] *f* milésima.
milésimo, ma [mi'lɛzimʊ, ma] *num* milésimo.
milha ['miʎa] *f* milla (medida). ♦ **~ marítima** milla marítima; **~ náutica** milla náutica.
milhão [mi'ʎãw] *num* **1** millón. • *m* **2** (fig) millón (gran cantidad).
milhar [mi'ʎaʀ] *m* **1** millar. **2** (fig) millar (gran cantidad).
milharal [miʎa'ɾaw] *m* maizal.
milheiro [mi'ʎeyɾʊ] *m* **1** maizal. **2** maíz.
milho ['miʎʊ] *m* **1** maíz (planta, mazorca, grano). **2** (coloq) pasta, guita (dinero).
milibar [mili'baʀ] *m* milibar, milibaro.
milícia [mi'lisya] *f* **1** milicia (arte). **2** milicia (tropa).
miliciano, na [milisi'ãnʊ, na] *adj/m e f* miliciano.
miligrama [milig'ɾãma] *m* miligramo.
mililitro [mili'litɾʊ] *m* mililitro.
milímetro [mi'limetɾʊ] *m* milímetro.
milionário, a [milyo'naɾyʊ, a] *adj/m e f* millonario (rico).
milionésima [milyo'nɛzima] *f* millonésima (fracción).
milionésimo, ma [milyo'nɛzimʊ, ma] *num* millonésimo.
militância [mili'tãsya] *f* militancia.
militante [mili'tãtʃɪ] *adj/m e f* **1** militante. **2** trabajador (en activo).
militar [mili'taʀ] *adj 2 gén* **1** militar. • *s 2 gén* **2** militar (soldado).
militar [mili'taʀ] *intr* **1** militar (combatir). **2** militar (en un partido).
militarismo [milita'ɾiʒmʊ] *m* militarismo.
militarista [milita'ɾiʃta] *adj/m e f* militarista.
militarização [militaɾiza'sãw] *f* militarización.
militarizar [militaɾi'zaʀ] *tr e pron* militarizar.
mim ['mĩ] *pron pers* mí: *o presente é para mim = el regalo es para mí.*
mimado, da [mi'madʊ, da] *adj* **1** mimado (cuidado). **2** mimado (consentido).
mimar [mi'maʀ] *tr* **1** mimar (dar cariño). **2** mimar (consentir).
mimético, ca [mi'mɛtʃikʊ, ka] *adj* mimético.

m

mimetismo [mime'tʃiʒmʊ] *m* mimetismo.
mímica ['mimika] *f* mímica.
mímico, ca ['mimikʊ, ka] *adj* **1** mímico. • *m e f* **2** mimo (actor).
mimo ['mimʊ] *m* **1** mimo (cariño, atención). **2** mimo (regalo).
mimosa [mi'mɔza] *f* mimosa (planta).
mimosear [mimoze'aʀ] *tr* **1** mimar (acariciar). **2** regalar; obsequiar (Amér).
mimoso, sa [mi'mozʊ, za] *adj/m e f* **1** mimado. **2** mimoso (cariñoso).
mina ['mina] *f* **1** mina (yacimiento, excavación). **2** mina (grafito). **3** (fig) mina (fuente): *este homem é uma mina de informação = este hombre es una mina de información*. **4** MIL mina (explosivo).
minar [mi'naʀ] *tr* **1** minar (túneles, galerías). **2** minar (colocar explosivos). **3** (fig) minar (debilitar, destruir).
minarete [mina'ɾetʃɪ] *m* minarete.
Minas Gerais [minayʒe'ɾayʃ] *m* Minas Gerais (Estado brasileño).
mindinho, nha [mĩ'dʒĩŋʊ, ŋa] *adj/m* **1** meñique (dedo). • *adj* **2** (fam) meñique (pequeño).
mineiro, ra [mi'neyɾʊ, ɾa] *adj* **1** minero. • *m* **2** minero.
mineração [mineɾa'sãw] *f* explotación minera.
mineral [mine'ɾaw] *adj 2 gén* **1** mineral. • *m* **2** mineral (roca).
mineralização [mineɾaliza'sãw] *f* mineralización.
mineralizar [mineɾali'zaʀ] *tr e pron* **1** mineralizar (metal). **2** mineralizar (agua).
mineralogia [mineɾalo'ʒia] *f* mineralogía.
mineralógico, ca [mineɾa'lɔʒikʊ, ka] *adj* mineralógico.
mineralogista [mineɾalo'ʒiʃta] *adj/m e f* mineralogista.
mingau [mĩ'gaw] *m* **1** papilla, gacha (alimento). **2** (fig) papilla (pasta, masa).
míngua ['mĩgwa] *f* **1** mengua (falta, carencia). **2** mengua (pobreza, miseria).
minguado, da [mĩ'gwadʊ, da] *adj* **1** menguado (disminuido). **2** menudo (pequeño, delgado).
minguante [mĩ'gwãtʃɪ] *adj 2 gén* **1** menguante (decreciente). • *m* **2** menguante (mengua).
minguar [mĩ'gwaʀ] *tr e intr* **1** menguar (disminuir). **2** faltar, escasear. • *intr* **3** menguar (Luna).
minha ['mĩŋa] *pron poss* mi: *minha mãe = mi madre*; mía: *essa casa é minha = esa casa emía*. ■ ~ **nossa!** ¡madre mía!
minhoca [mĩ'ŋɔka] *f* **1** lombriz. • **minhocas** *f pl* **2** tonterías.
miniatura [minia'tuɾa] *f* ART miniatura (pintura, objeto).
miniaturista [miniatu'ɾiʃta] *adj/m e f* miniaturista.
miniaturizar [miniatuɾi'zaʀ] *tr* **1** miniar; hacer miniaturas. **2** (fig) detallar, contar.
minifúndio [mini'fũdʒyʊ] *m* minifundio.
minimizar [minimi'zaʀ] *tr* **1** minimizar (reducir). **2** (fig) trivializar.
mínimo, ma ['minimʊ, ma] *adj* **1** mínimo (pequeño). • *m* **2** mínimo (límite inferior). ■ **no** ~ como mínimo.
minissaia [mini'saya] *f* minifalda.
ministerial [miniʃteɾi'aw] *adj 2 gén* ministerial.
ministério [miniʃ'tɛryʊ] *m* **1** ministerio (cargo, empleo). **2** ministerio: *Ministério de Fazenda = Ministerio de Hacienda*. **3** ministerio (gestión, duración).
ministrar [miniʃ'tɾaʀ] *tr e intr* **1** suministrar. **2** aplicar, emplear. **3** impartir (clase, curso).
ministro, tra [mi'niʃtɾʊ, tɾa] *m e f* **1** ministro (del Estado). **2** ministro (juez). **3** ministro (diplomático).
mini system [mini'siʃtẽy] *m* mini cadena.
minoração [minoɾa'sãw] *f* **1** minoración, aminoración. **2** atenuación (alivio).
minorar [mino'ɾaʀ] *tr e intr* **1** minorar, aminorar. **2** atenuar (aliviar).
minorativo, va [minoɾa'tʃivʊ, va] *adj* **1** minorativo. • *adj/m* **2** laxante.
minoria [mino'ɾia] *f* **1** minoría (inferioridad). **2** minoría (racial, religiosa).
minoritário, a [minoɾi'taɾyʊ, a] *adj* minoritario.
minúcia [mi'nusya] *f* minucia.
minuciar [minusi'aʀ] *tr* pormenorizar.
minuciosidade [minusiozi'dadʒɪ] *f* minuciosidad.

minucioso, sa [minusi'ozʊ, za] *adj* minucioso.
minúscula [mi'nuʃkula] *f* minúscula (letra).
minúsculo, la [mi'nuʃkulʊ, la] *adj* **1** minúsculo (diminuto). **2** (fig) minúsculo (insignificante).
minuta [mi'nuta] *f* minuta (borrador).
minutar [minu'taʀ] *tr* minutar (esbozar).
minuto [mi'nutʊ] *m* **1** minuto (tiempo). **2** (fig) minuto (momento, instante). ■ **num ~** (fig) en un minuto (en seguida).
miocárdio [mio'kaʀdʒyʊ] *m* ANAT miocardio.
mioceno [mio'sẽnʊ] *adj/m* GEOL mioceno.
miografia [miogɾa'fia] *f* ANAT miografía.
miolo [mi'olʊ] *m* **1** meollo (médula). **2** meollo (cerebro). **3** (coloq) meollo (sensatez). **4** miga (de pan). ■ **ter miolos** (fig, coloq) tener mollera (ser inteligente).
miologia [miolo'ʒia] *f* ANAT miología.
míope ['miupɪ] *adj/m e f* **1** miope. **2** (fig) miope (corto de miras).
miopia [miu'pia] *f* **1** MED miopía. **2** (fig) miopía (cortedad de miras).
miótico, ca [mi'ɔtʃikʊ, ka] *adj* MED miótico.
miotomia [mioto'mia] *f* MED miotomía.
mira ['miɾa] *f* **1** puntería. **2** (fig) mira (intención, propósito). **3** (fig) mira (objetivo, fin).
mirabolante [miɾabo'lãtʃɪ] *adj 2 gén* estrambótico.
miraculoso, sa [miɾaku'lozʊ, za] *adj* **1** milagroso. **2** (fig) milagroso (asombroso, extraordinario).
mirada [mi'ɾada] *f* mirada.
miradouro [miɾa'dowɾʊ] *m* mirador, miradero.
miragem [mi'ɾaʒẽy] *f* **1** espejismo. **2** (fig) espejismo (ilusión).
mirante [mi'ɾãtʃɪ] *m* **1** mirador, miradero. **2** mirador (construcción).
mirar [mi'ɾaʀ] *tr e pron* **1** mirar. ● *tr* **2** observar, vigilar. ● *tr e intr* **3** apuntar (arma).
mirra ['miʀa] *f* mirra (árbol, resina, aceite).
misantropia [mizãtɾo'pia] *f* misantropía.
misantrópico, ca [mizã'tɾɔpikʊ, ka] *adj* misantrópico.
misantropo, pa [mizã'tɾopʊ, pa] *adj/m e f* misántropo.
miscelânea [mise'lãnya] *f* **1** miscelánea (mezcla). **2** miscelánea (obra, escrito).
miserar [mize'ɾaʀ] *tr* fastidiar, hacer infeliz.
miserável [mize'ɾavew] *adj 2 gén* **1** miserable (paupérrimo). **2** miserable (insignificante). ● *adj/m e f* **3** miserable (desdichado).
miséria [mi'zɛɾya] *f* **1** miseria (desgracia). **2** miseria (pobreza). **3** miseria (cantidad insignificante).
misericórdia [mizeɾi'kɔʀdʒya] *f* misericordia.
mísero, ra ['mizeɾʊ, ɾa] *adj* **1** (fig) mísero (insignificante). **2** miserable (pobre).
misoginia [mizoʒi'nia] *f* misoginia.
misógino, na [mi'zɔʒinʊ, na] *adj/m e f* misógino.
miss ['miʃ] *f* **1** miss (señora). **2** miss (de concurso de belleza).
missa ['misa] *f* misa. ♦ **~ do galo** misa del gallo. ■ **não saber da ~ a metade ou um terço** (fig, fam) no saber de la misa la mitad.
missão [mi'sãw] *f* **1** misión (cometido). **2** misión (comisión).
míssil ['misiw] *m* misil.
missionar [misio'naʀ] *tr e intr* **1** misionar. ● *tr* **2** (fig) propagar (idea, doctrina).
missionário, a [misio'naɾyʊ, a] *m* misionero (predicador).
missiva [mi'siva] *f* misiva.
mistério [miʃ'tɛɾyʊ] *m* **1** misterio (secreto). **2** (fig) misterio (enigma). **3** REL misterio.
misterioso, sa [miʃteɾi'ozʊ, za] *adj* **1** misterioso (secreto). **2** misterioso (enigmático).
mística ['miʃtʃika] *f* REL mística.
misticismo [miʃtʃi'siʒmʊ] *m* **1** credulidad, superstición. **2** misticismo.
místico, ca ['miʃtʃikʊ, ka] *adj* **1** místico (misterioso, sobrenatural). ● *adj/m e f* **2** místico (devoto, religioso).

m

misto, ta ['miʃtʊ, ta] *adj* mixto (mezclado).
mistura [miʃ'tuɾa] *f* mezcla, mixtura. ■ **de ~** al mismo tiempo, conjuntamente.
misturado, da [miʃtu'ɾadʊ, da] *adj* **1** mezclado (heterogéneo). **2** mezclado (desordenado).
misturador, ra [miʃtuɾa'doʀ, ɾa] *adj/m e f* mezclador (individuo).
misturar [miʃtu'ɾaʀ] *tr, intr e pron* **1** mezclar (juntar). ● *tr e pron* **2** mezclar (desordenar).
mítico, ca ['mitʃikʊ, ka] *adj* mítico.
mitigar [mitʃi'gaʀ] *tr e pron* mitigar.
mito ['mitʊ] *m* **1** mito (relato, fábula). **2** mito (idealización).
mitologia [mitolo'ʒia] *f* mitología.
mitológico, ca [mito'lɔʒikʊ, ka] *adj* mitológico.
mitra ['mitɾa] *f* **1** mitra (toca persa). **2** mitra (toca eclesiástica).
miudagem [miu'daʒẽy] *f* chiquillería.
miúdo, da [mi'udʊ, da] *adj* **1** menudo, pequeño. **2** menudo (minucioso). **3** menudo (tacaño, agarrado). ■ **à ~** a menudo.
mo ['mo] *contr* me lo: *dei-lhe um presente mas deu-mo de volta = le di un regalo pero me lo devolvió.*
mó ['mɔ] *f* **1** muela (para moler). **2** muela (para afilar).
moagem [mo'aʒẽy] *f* molienda.
móbil ['mɔbiw] *adj 2 gén* **1** móvil. ● *m* **2** móvil (motivo, causa).
mobília [mo'bilya] *f* mobiliario.
mobiliário, a [mobili'aryʊ, a] *adj* **1** mobiliario. ● *m* **2** mobiliario (muebles).
mobilidade [mobili'dadʒɪ] *f* **1** movilidad. **2** (fig) volubilidad.
mobilização [mobiliza'sãw] *f* **1** movilización (de tropas). **2** movilización (política, sindical).
mobilizar [mobili'zaʀ] *tr e pron* **1** mover, movilizar. **2** movilizar (activar, convocar): *os sindicatomobilizaram os operários = los sindicatomovilizaron a los obreros.*
moca ['mɔka] *f* **1** broma (burla). **2** mentira. ● *m* **3** moca.
moçambicano, na [mosãbi'kãnʊ, na] *adj/m e f* mozambiqueño.
Moçambique [mosã'bikɪ] *m* Mozambique.
moção [mo'sãw] *f* **1** moción (movimiento). **2** moción (proposición).
mochila [mo'ʃila] *f* **1** mochila. **2** gualdrapa.
mocidade [mosi'dadʒɪ] *f* mocedad, juventud.
moço, ça ['mosʊ, sa] *adj* **1** mozo (joven). ● *m e f* **2** mozo (chico). **3** mozo (criado).
moda ['mɔda] *f* **1** moda (boga). **2** moda (ropa).
modal [mo'daw] *adj 2 gén* **1** modal. **2** GRAM modal.
modalidade [modali'dadʒɪ] *f* modalidad.
modelação [modela'sãw] *f* modelado.
modelar [mode'laʀ] *adj 2 gén* modelo (ejemplar).
modelar [mode'laʀ] *tr* **1** modelar (configurar): *modelou um vaso de cerâmica = modeló un jarrón de cerámica.* **2** moldear.
modelista [mode'liʃta] *s 2 gén* modelista.
modelo [mo'delʊ] *m* **1** modelo (maqueta). **2** modelo (prototipo). **3** formulario.
modem ['modẽy] *m* COMP modem.
moderação [modeɾa'sãw] *f* moderación.
moderado, da [mode'ɾadʊ, da] *adj* **1** moderado (comedido). ● *adj/m e f* **2** POL moderado.
moderador, ra [modeɾa'doʀ, ɾa] *adj/m e f* moderador.
moderar [mode'ɾaʀ] *tr e pron* moderar.
modernidade [modeʀni'dadʒɪ] *f* modernidad.
modernismo [modeʀ'niʒmʊ] *m* **1** modernismo (afición). **2** ART modernismo.
modernista [modeʀ'niʃta] *adj/m e f* modernista.
modernização [modeʀniza'sãw] *f* modernización.
modernizar [modeʀni'zaʀ] *tr e pron* modernizar.
moderno, na [mo'dɛʀnʊ, na] *adj* moderno (contemporáneo).
modéstia [mo'dɛʃtʃya] *f* modestia.
modesto, ta [mo'dɛyʃtʊ, ta] *adj* **1** modesto. **2** recatado (pudoroso).
módico, ca ['mɔdʒikʊ, ka] *adj* módico.
modificação [modʒifika'sãw] *f* modificación.

modificar [modʒifi'kaʀ] *tr e pron* modificar (cambiar).
modista [mo'dʒiʃta] *s 2 gén* modista.
modo ['mɔdʊ] *m* **1** modo (manera). **2** disposición: *não estou em modo de acatar ordens = no estoy dispuesto a acatar órdenes*. **3** GRAM modo. • **modos** *m pl* **4** modos (modales).
modorra [mo'doʀa] *f* modorra.
modorrar [modo'ʀaʀ] *tr, intr e pron* **1** modorrar (dormir). **2** volverse apático.
modulação [modula'sãw] *f* ELECTR modulación.
modulado, da [modu'ladʊ, da] *adj* modulado.
modular [modu'laʀ] *adj 2 gén* modular.
modular [modu'laʀ] *tr* modular (tono, canto).
módulo ['mɔdulʊ] *m* **1** módulo (modelo). **2** módulo (pieza). **3** ARQ módulo. **4** MÚS módulo (modulación).
moeda [mo'ɛda] *f* moneda. ◆ **~ corrente** moneda corriente. ■ **na mesma ~** (fig) con la misma moneda.
moedor, ra [moe'doʀ, ɾa] *adj* **1** moledor. • *adj/m e f* **2** (fig) moledor (pesado, cargante).
moela [mo'ɛla] *f* molleja (estómago).
moer [mo'eʀ] *tr, intr e pron* **1** moler (triturar). • *tr e pron* **2** (fig) moler (fatigar).
mofa ['mofa] *f* mofa.
mofo ['mofʊ] *m* moho.
moinho [mo'ĩɲʊ] *m* **1** molino. **2** lagar (para aceituna).
moita ['moyta] *f* **1** mata (matojo). • **~!** *interj* **2** (coloq) ¡mutis!
mola ['mɔla] *f* **1** muelle (pieza). **2** amortiguador.
molar [mo'laʀ] *adj 2 gén* **1** molar. • *m* **2** molar (diente).
moldagem [mow'daʒẽy] *f* moldeado.
moldar [mow'daʀ] *tr* **1** moldear, modelar. **2** moldear (vaciar). • *tr e pron* **3** (fig) modelar (ajustar, adaptar); embonar (Amér).
Moldávia [mow'davya] *f* Moldavia.
moldávio, via [mow'davyʊ, vya] *adj/m e f* moldavo.
molde ['mɔwdʒɪ] *m* **1** molde (pieza). **2** modelo, patrón.
moldura [mow'duɾa] *f* moldura, marco (de cuadro, puerta).
mole ['mɔlɪ] *adj 2 gén* **1** blando (tierno). **2** flojo (indolente). **3** (fig) blando (indulgente). **4** (fig) blando (sensible, tierno). **5** (coloq) fácil. • *adv* **6** (coloq) fácilmente. ■ **~ ~** (fig) poco a poco.
molécula [mo'lɛkula] *f* FÍS, QUÍM molécula.
molecular [moleku'laʀ] *adj 2 gén* molecular.
moleiro, ra [mo'leyɾʊ, ɾa] *m e f* molinero.
molengar [molẽ'gaʀ] *intr* holgazanear.
molestar [moleyʃ'taʀ] *tr e pron* **1** molestar (ofender). **2** molestar (importunar).
moléstia [mo'lɛyʃtʃya] *f* molestia.
molesto, ta [mo'lɛyʃtʊ, ta] *adj* molesto.
moleza [mo'leza] *f* **1** blandura. **2** holgazanería, pereza. **3** (coloq) facilidad.
molhado, da [mo'ʎadʊ, da] *adj* mojado.
molhar [mo'ʎaʀ] *tr e pron* **1** mojar (humedecer). • *tr* **2** mojar, bañar (en un líquido).
molhe ['mɔʎɪ] *m* muelle (puerto).
molheira [mo'ʎeyɾa] *f* salsera (recipiente).
molho ['moʎʊ] *m* **1** salsa. **2** haz (de leña, hierba). ◆ **~ bechamel** salsa bechamel, besamel.
molusco [mo'luʃkʊ] *adj/m* **1** ZOOL molusco. • **moluscos** *m pl* **2** ZOOL moluscos.
momentâneo, a [momẽ'tãnyʊ, a] *adj* momentáneo.
momento [mo'mẽtʊ] *m* **1** momento (instante). **2** momento (presente). ■ **num ~** al momento.
Mônaco ['mõnakʊ] *m* Mónaco.
monarca [mo'naʀka] *m* monarca.
monarquia [monaʀ'kia] *f* monarquía (gobierno, Estado).
monárquico, ca [mo'naʀkikʊ, ka] *adj* monárquico.
monastério [monayʃ'tɛɾyʊ] *m* monasterio.
monástico, ca [mo'nayʃtʃikʊ, ka] *adj* monástico.
monção [mõ'sãw] *m* **1** monzón (viento). **2** (fig) coyuntura, sazón.
monegasco, ca [mone'gaʃkʊ, ka] *adj/m e f* monegasco.
monetário, a [mone'taɾyʊ, a] *adj* **1** monetario. • *m* **2** monetario (colección).

monge [ˈmõʒɪ] *m* **1** monje (religioso). **2** (fig) monje (anacoreta).
mongol [mõˈgɔw] *adj/m e f* **1** mongol. • *m* **2** mongol (lengua).
Mongólia [mõˈgɔlya] *f* Mongolia.
mongolóide [mõgoˈlɔydʒɪ] *adj 2 gén* mongoloide.
monho [ˈmõɲʊ] *m* moño.
monitor, ra [moniˈtoʀ, ɾa] *adj* **1** monitor. • *m e f* **2** monitor, guía (cultural, deportivo). • *m* **3** monitor (pantalla). **4** decurión (estudiante).
monitorização [monitoɾizaˈsãw] *f* monitorización.
monja [ˈmõʒa] *f* monja (religiosa).
monocromático, ca [monokɾoˈmatʃikʊ, ka] *adj* monocromático, monocromo.
monóculo, la [moˈnɔkulʊ, la] *adj* **1** monóculo. • *m* **2** monóculo (lente).
monocultura [monokuwˈtuɾa] *f* monocultivo.
monofásico, ca [monoˈfazikʊ, ka] *adj* ELEC monofásico.
monografia [monogɾaˈfia] *f* monografía.
monográfico, ca [monogˈɾafikʊ, ka] *adj* monográfico.
monograma [monogˈɾãma] *m* monograma.
monolítico, ca [monoˈlitʃikʊ, ka] *adj* monolítico.
monólito [moˈnɔlitʊ, ta] *adj* **1** monolítico (de una piedra). • *m* **2** monolito.
monologar [monoloˈgaʀ] *tr e intr* **1** soliloquiar. • *intr* **2** monologar.
monólogo [moˈnɔlogʊ] *m* **1** monólogo (soliloquio). **2** monólogo (obra dramática).
monopólio [monoˈpɔlyʊ] *m* monopolio (concesión legal).
monopolizar [monopoliˈzaʀ] *tr* monopolizar.
monoteísmo [monoteˈiʒmʊ] *m* monoteísmo.
monotonia [monotoˈnia] *f* **1** monotonía (de la voz, música). **2** monotonía (rutina).
monótono, na [moˈnɔtonʊ, na] *adj* **1** monótono (uniforme). **2** monótono (rutinario).
monóxido [moˈnɔkisidʊ] *m* QUÍM monóxido.
monsenhor [mõsẽˈɲoʀ] *m* monseñor.
monstro [ˈmõʃtɾʊ] *m* **1** monstruo (antinatural). **2** monstruo (cruel, perverso). **3** monstruo (feo).
monstruosidade [mõʃtɾuoziˈdadʒɪ] *f* monstruosidad.
monstruoso, sa [mõʃtɾuˈozʊ, za] *adj* **1** monstruoso (antinatural). **2** monstruoso (feo).
monta [ˈmõta] *f* **1** montante (importe). **2** quiñón, partición (de una herencia).
montagem [mõˈtaʒẽy] *f* **1** montaje (de un aparato). **2** montaje (de un película, obra).
montanha [mõˈtãɲa] *f* **1** montaña (monte). **2** (fig) montaña (montón).
montanha-russa [mõtãɲaˈʀusa] *f* montaña rusa.
montanhismo [mõtãˈɲiʒmʊ] *m* montañismo.
montanhista [mõtãˈɲiʃta] *adj/m e f* alpinista, montañero.
montanhoso, sa [mõtãˈɲozʊ, za] *adj* **1** montañoso. **2** montañoso, abrupto (accidentado).
montante [mõˈtãtʃɪ] *m* montante (columna).
montar [mõˈtaʀ] *tr* **1** montar (subirse). **2** montar (en un vehículo). **3** montar, armar (aparato). **4** CINE montar. • *tr e intr* **5** montar (caballo).
monte [ˈmõtʃɪ] *m* **1** monte (montaña). **2** aldea. **3** montón (pila). ■ **aos montes** (fig) a montones.
montenegrino, na [mõtenegˈɾinʊ, na] *adj/m e f* montenegrino.
Montenegro [mõteˈnegɾʊ] *m* Montenegro.
monumental [monumẽˈtaw] *adj 2 gén* monumental (excepcional).
monumento [monuˈmẽtʊ] *m* **1** monumento (obra). **2** monumento (mausoleo).
mor [ˈmɔʀ] *adj 2 gén* mayor.
mora [ˈmɔɾa] *f* **1** mora (fruto). **2** demora (tardanza). **3** prorrogación. **4** intereses (por retraso).
morada [moˈɾada] *f* **1** morada (casa, hogar). **2** morada (estancia).
moradia [moɾaˈdʒia] *f* ⇒ morada (1).
morador, ra [moɾaˈdoʀ, ɾa] *adj/m e f* morador (habitante).
moral [moˈɾaw] *adj 2 gén* **1** moral (ético). • *m* **2** moral (ánimo, valor). • *f* **3** moral (ética). ♦ ~ **da história** moraleja.

moralidade [moɾali'dadʒɪ] *f* **1** moralidad (comportamiento). **2** moralidad (moraleja).
moralista [moɾa'liʃta] *adj/m e f* moralista.
moralizador, ra [moɾaliza'doʀ, ɾa] *adj/m e f* moralizador.
moralizar [moɾali'zaʀ] *tr, intr e pron* **1** moralizar (edificar, reformar). • *intr* **2** moralizar (discurrir sobre moral).
morango [mo'ɾãgʊ] *m* fresa (fruta).
morar [mo'ɾaʀ] *tr e intr* **1** vivir, morar. • *tr* **2** enraizarse (encontrarse). **3** (fam) frecuentar (ser asiduo).
moratória [moɾa'tɔɾya] *f* DIR moratoria.
mórbido, da ['mɔʀbidʊ, da] *adj* **1** mórbido (enfermo). **2** lánguido (débil).
morcego [moʀ'segʊ] *m* **1** murciélago. **2** (coloq, hum) noctámbulo, nocturno.
mordedor, ra [moʀde'doʀ, ɾa] *adj/m e f* mordedor.
mordedura [moʀde'duɾa] *f* **1** mordedura (mordisco). **2** (fig) maledicencia.
mordente [moʀ'dẽtʃɪ] *adj 2 gén* **1** mordiente (hiriente). **2** corrosivo (cáustico).
morder [moʀ'deʀ] *tr e intr* **1** morder (dar dentelladas). • *tr* **2** morder, picar (insecto). **3** morder (corroer). **4** (fig) morder (criticar, calumniar). • *tr e pron* **5** (fig) reconcomerse (atormentar).
mordomia [moʀdo'mia] *f* **1** mayordomía (oficio, función). **2** (gralte pl) dietas (estipendio).
mordomo [moʀ'dõmʊ] *m* **1** mayordomo (criado). **2** mayordomo (administrador).
moreno, na [mo'ɾẽnʊ, na] *adj/m e f* **1** moreno (de piel, cabello). **2** moreno (negro, mulato).
morfina [moʀ'fina] *f* morfina.
morfologia [moʀfolo'ʒia] *f* GRAM morfología.
morfológico, ca [moʀfo'lɔʒikʊ, ka] *adj* GRAM morfológico.
morfossintaxe [mɔʀfosĩ'takisɪ] *f* GRAM morfosintaxis.
morgue ['mɔʀgɪ] *f* morgue.
moribundo, da [moɾi'bũdʊ, da] *adj/m e f* moribundo (agonizante).
morno, na ['moʀnʊ, na] *adj* **1** templado, tibio. **2** (fig) tranquilo (manso).
morosidade [moɾozi'dadʒɪ] *f* morosidad (lentitud, demora).
moroso, sa [mo'ɾozʊ, za] *adj* moroso (lento, costoso).
morrer [mo'ʀeʀ] *intr e pron* **1** morir (fallecer). • *intr* **2** dejar de funcionar (mecanismo). • *tr e pron* **3** (fig) morir (sentir intensamente): *morre por ele = se muere por él.* • *tr* **4** (fig) morir (sufrir, sucumbir): *morrer de fome = morirse de hambre.*
morro ['moʀʊ] *m* **1** colina, otero. **2** morro (peñasco).
morsa ['mɔʀsa] *f* morsa.
mortal [moʀ'taw] *adj 2 gén* **1** mortal: *o homem é mortal = el hombre es mortal.* **2** mortal (letal). **3** mortal (restos): *restos mortais = restos mortales.* • *m* **4** mortal (hombre).
mortalha [moʀ'taʎa] *f* **1** mortaja. **2** sepultura.
mortalidade [moʀtali'dadʒɪ] *f* **1** mortalidad (defunciones): *índice de mortalidade = índice de mortalidad.* **2** mortandad (masacre).
mortandade [moʀtã'dadʒɪ] *f* mortandad.
morte ['mɔʀtʃɪ] *f* **1** muerte (fallecimiento). **2** (fig) muerte (término, final). ♦ **~ morrida** (coloq) muerte natural. ■ **de ~** de muerte: *ferido de morte = herido de muerte.*
morteiro [moʀ'teyɾʊ] *m* **1** mortero (recipiente). **2** mortero (arma).
mortiço, ça [moʀ'tʃisʊ, sa] *adj* **1** mortecino (moribundo). **2** (fig) mortecino (débil, lánguido).
mortífero, ra [moʀ'tʃifeɾʊ, ɾa] *adj* mortífero.
mortificação [moʀtʃifika'sãw] *f* **1** mortificación (tortura, castigo). **2** (fig) mortificación (aflicción).
mortificar [moʀtʃifi'kaʀ] *tr e pron* **1** mortificar (castigar, torturar). **2** adormecer (miembro). **3** (fig) mortificar (afligir).
morto, ta ['moʀtʊ, ta] *adj/m e f* **1** muerto. • *adj* **2** (fig) muerto (inactivo). **3** (fig) muerto (descolorido). **4** (fig) muerto (exhausto). ■ **~ de** muerto de: *morto de pena = muerto de pena.*
mortuário, a [moʀtu'aɾyʊ, a] *adj* mortuorio (funerario).
mortuório, a [moʀtu'ɔɾyʊ, a] *adj* **1** mortuorio (funerario). • *m* **2** mortuorio (funeral).

m

mosaico, ca [mo'zaykʊ, ka] *adj* **1** REL mosaico. • *m* **2** mosaico (decoración).
mosca ['moyʃka] *f* **1** mosca (insecto). **2** diana (del blanco). **3** mosca (barba). **4** (fig) plasta (pesado). ■ **não fazer mal a uma ~** (fig, fam) no matar una mosca.
moscardo [moyʃ'kaRdʊ] *m* moscardón.
moscatel [moyʃka'tɛw] *m* moscatel (uva, vino).
mosqueteiro [moyʃke'teyɾʊ] *m* mosquetero.
mosquito [moyʃ'kitʊ] *m* mosquito (insecto).
mossa ['mɔsa] *f* **1** moratón. **2** tajo, cavidad (en madera, metal). **3** (fig) agitación, perturbación.
mostarda [moyʃ'taRda] *f* **1** mostaza (planta, semilla). **2** mostaza (salsa). • *adj/m* **3** mostaza (color).
mosteiro [moyʃ'teyɾʊ] *m* monasterio.
mosto ['moyʃtʊ] *m* mosto (zumo).
mostra ['mɔyʃtɾa] *f* **1** muestra (señal). **2** muestra (ejemplar). **3** muestra (exhibición, presentación). ■ **dar ~ de** dar muestra de.
mostrador, ra [moyʃtɾa'doR, ɾa] *adj/m e f* **1** mostrador. • *m* **2** escaparate.
mostrar [moyʃ'tɾaR] *tr e pron* **1** mostrar (exhibir). **2** mostar (indicar).
mote ['mɔytʃɪ] *m* **1** LIT mote. **2** epígrafe. **3** asunto, tema.
motel [mo'tɛw] *m* **1** motel. **2** *hotel para encuentros amorosos.*

> Los **moteles** abundan en todo Brasil sobre todo para encuentros amorosos, lo que puede llevar a confusión a los turistas que procuren en un ***motel*** alojamiento exclusivamente.

motim [mo'tʃĩ] *m* **1** motín. **2** (fig) estrépito, estruendo.
motivação [motʃiva'sãw] *f* motivación (motivo).
motivador, ra [motʃiva'doR, ɾa] *adj* motivador.
motivar [motʃi'vaR] *tr* **1** motivar (causar). **2** motivar (estimular).
motivo, va [mo'tʃivʊ, va] *adj* **1** motivo. • *m* **2** motivo (causa). **3** motivación.
moto ['mɔtʊ] *m* **1** movimiento, agitación. • *f* **2** moto (motocicleta).
motociclismo [motosi'kliʒmʊ] *m* motociclismo.
motociclista [motosi'kliʃta] *adj/m e f* motociclista.
motociclo [moto'siklʊ] *m* motociclo.
motonáutica [moto'nawtʃika] *f* motonaútica.
motor, ra [mo'toR, ɾa] *adj* **1** motor. • *m* **2** motor (aparato).
motorista [moto'ɾiʃta] *adj/m e f* conductor, chófer.

> No confundir la palabra ***motorista*** con el término español **motorista**, que es ***motociclista*** en portugués.

motorizado, da [motoɾi'zadʊ, da] *adj* motorizado.
motriz [mo'tɾiʃ] *adj* **1** motriz. • *f* **2** fuerza motriz.
mourisco, ca [mow'ɾiʃkʊ, ka] *adj/m e f* morisco (moro).
mouro, ra ['mowɾʊ, ɾa] *adj/m e f* moro.
movediço, ça [move'dʒisʊ, sa] *adj* **1** movedizo (movido). **2** movedizo (inseguro). **3** portátil.
móvel ['mɔvew] *adj 2 gén* **1** móvil. • *m* **2** mueble. **3** móvil (motivo, causa).
mover [mo'veR] *tr* **1** mover (desplazar). **2** mover (menear). **3** (fig) mover (inducir, incitar). • **~-se** *pron* **4** moverse (andar).
movimentação [movimẽta'sãw] *f* **1** movimiento (desplazamiento). **2** agitación, ajetreo.
movimentado, da [movimẽ'tadʊ, da] *adj* **1** movido (desplazado). **2** (fig) movido (ajetreado, agitado).
movimentar [movimẽ'taR] *tr e pron* **1** mover (accionar). • *tr* **2** mover (agitar, menear).
movimento [movi'mẽtʊ] *m* **1** movimiento (desplazamiento). **2** (fig) movimiento (sublevación). **3** (fig) movimiento (agitación).
mozarela [moza'ɾɛla] *f* mozzarella.
mucosa [mu'kɔza] *f* mucosa.
muçulmano, na [musuw'mãnʊ, na] *adj/m e f* musulmán.

muda [ˈmuda] *f* **1** mudanza, cambio. **2** muda (ropa).
mudança [muˈdãsa] *f* **1** mudanza (cambio). **2** mudanza (de casa).
mudar [muˈdaʀ] *tr, intr e pron* **1** mudar (cambiar). • *tr e pron* **2** mudar (de casa).
mudez [muˈdeyʃ] *f* mudez.
mudo, da [ˈmudʊ, da] *adj/m e f* **1** mudo. • *adj* **2** (fig) mudo (silencioso).
mugir [muˈʒiʀ] *intr* **1** mugir. **2** (fig) bramir (hacer ruido).
muito, ta [ˈmũytʊ, ta] *pron* **1** mucho (gran parte de): *o homem está acabando com muitas árvores = el hombre está acabando con muchos árboles.* **2** mucho (gran, enorme): *tinha muito medo da morte = tenía mucho miedo a la muerte.* **3** mucho (exagerado): *muita raiva = mucha rabia.* **4** (coloq) mucho, demasiado (ningún, poco): *conseguiu o recorde sem muito esforço = consiguió el récord sin mucho esfuerzo.* • *adv* **5** mucho, muy (abundantemente): *as vacas produziram muito leite = las vacas produjeron mucha leche.* **6** mucho, muy (excepcionalmente): *é muito inteligente = es muy inteligente.* **7** muy, mucho (demasiado): *comeu muito = comió mucho.* • *m* **8** mucho (gran cantidad).
mula [ˈmula] *f* **1** mula. **2** (coloq) mula (transportador de droga).
mulato, ta [muˈlatʊ, ta] *adj/m e f* **1** mulato. • *m* **2** asno, jumento.
muleta [muˈleta] *f* **1** muleta (bastón). **2** (fig) muleta (apoyo).
mulher [muˈʎɛʀ] *f* **1** mujer (hembra). **2** mujer (esposa). ♦ ~ **fatal** mujer fatal.
mulherio [muʎeˈɾiʊ] *m* mujerío.
mulo [ˈmulʊ] *m* mulo.
multa [ˈmuwta] *f* multa.
multar [muwˈtaʀ] *tr* **1** multar. **2** (fig) castigar.
multicolor [muwtʃiˈkɔloʀ] *adj 2 gén* multicolor.
multidão [muwtʃiˈdãw] *f* **1** multitud (gente). **2** multitud (montón).
multidisciplinar [muwtʃidʒisipliˈnaʀ] *adj 2 gén* multidisciplinar.
multimídia [muwtʃiˈmidʒya] *f* COMP multimedia.
multimilionário, a [muwtʃimilyoˈnaɾyʊ, a] *adj/m e f* multimillonario.
multinacional [muwtʃinasyoˈnaw] *adj 2 gén* **1** multinacional. • *f* **2** multinacional (empresa).
multiplicação [muwtʃiplikaˈsãw] *f* **1** multiplicación (reproducción). **2** MAT multiplicación.
multiplicar [muwtʃipliˈkaʀ] *tr, intr e pron* **1** multiplicar (reproducir). • *tr* **2** MAT multiplicar.
multiplicidade [muwtʃiplisiˈdadʒɪ] *f* **1** multiplicidad (diversidad). **2** multiplicidad (abundancia).
múltiplo [ˈmuwtʃiplʊ] *m* **1** múltiple. **2** MAT múltiplo.
multirracial [muwtʃiʀasiˈaw] *adj 2 gén* multirracial.
múmia [ˈmumya] *f* **1** momia. **2** (fig) vejestorio.
mundano, na [mũˈdãnʊ, na] *adj* **1** mundano, mundanal. • *adj/m e f* **2** (fig) mundano (placentero).
mundial [mũdʒiˈaw] *adj 2 gén* **1** mundial. • *m* **2** mundial (campeonato).
mundo [ˈmũdʊ] *m* **1** mundo (Tierra). **2** mundo (humanidad). ♦ **terceiro** ~ tercer mundo. ■ **tudo** ~ todo el mundo; **vir ao** ~ (fig, fam) venir al mundo.
munição [muniˈsãw] *f* **1** MIL munición. **2** (fig) equipamiento. ♦ ~ **de boca** MIL municiones de boca.
municipal [munisiˈpaw] *adj 2 gén* municipal.
municipalização [munisipalizaˈsãw] *f* municipalización.
munícipe [muˈnisipɪ] *adj/m e f* **1** munícipe (habitante). **2** munícipe (concejal).
município [muniˈsipyʊ] *m* **1** municipio (pueblo). **2** POL municipio (ayuntamiento).
munir [muˈniʀ] *tr* **1** municionar. • *tr e pron* **2** abastecer, proveer.
mural [muˈɾaw] *adj 2 gén* **1** mural. • *m* **2** mural.
muralha [muˈɾaʎa] *f* muralla (muro).
muralhar [muɾaˈʎaʀ] *tr* amurallar.
murar [muˈɾaʀ] *tr e pron* **1** murar (amurallar). **2** (fig) prevenir, prever.
murchar [muʀˈʃaʀ] *tr, intr e pron* **1** marchitar. **2** (fig) marchitar (debilitar).
murcho, cha [ˈmuʀʃʊ, ʃa] *adj* **1** mustio, marchito. **2** (fig) mustio (apagado).
murciano, na [muʀsiˈãnʊ, na] *adj/m e f* murciano.

murmurar [muʀmu'ɾaʀ] *tr e intr* **1** murmurar. • *tr* **2** (fig) murmurar (censurar, criticar).
murmúrio [muʀ'muɾyʊ] *m* **1** murmurio, murmullo. **2** murmureo.
muro ['muɾʊ] *m* **1** muro (pared). **2** muro, muralla. **3** (fig) defensa, protección.
murro ['muʀʊ] *m* puñetazo. ■ **dar ~ em ponta de faca** (coloq) insistir en algo imposible.
musa ['muza] *f* **1** musa (deidad). **2** (fig) musa (inspiración).
muscular [muʃku'laʀ] *adj 2 gén* muscular.
musculatura [muʃkula'tuɾa] *f* **1** musculatura. **2** (fig) fuerza, vigor.
músculo ['muʃkulʊ] *m* ANAT músculo.
musculoso, sa [muʃku'lozʊ, za] *adj* musculoso.
museu [mu'zew] *m* **1** museo. **2** (fig) colección, miscelánea.
musgo ['muʒgʊ] *m* **1** musgo. • **musgos** *m pl* **2** BOT musgos.
música ['muzika] *f* **1** música (melodía). **2** música (banda). **3** música (musicalidad). ♦ **~ clássica** música clásica.
musical [muzi'kaw] *adj 2 gén* **1** musical. • *m* **2** musical (película, obra).
musicar [muzi'kaʀ] *tr* **1** tocar (instrumento). **2** musicalizar.
músico, ca ['muzikʊ, ka] *adj* **1** músico (musical). • *m e f* **2** MÚS músico (instrumentista).
musicólogo, ga [muzi'kɔlogʊ, ga] *m e f* musicólogo.
musse ['musɪ] *f* **1** espuma (de los líquidos). **2** espuma (cosmético). **3** GAST mousse.
mussitar [musi'taʀ] *intr* musitar.
mutação [muta'sãw] *f* **1** mutación (alteración). **2** volubilidad.
mutante [mu'tãtɛ] *adj/m* **1** BIOL mutante. **2** (fig) mutante (monstruo).
mutável [mu'tavew] *adj 2 gén* mudable.
mutilação [mutʃila'sãw] *f* **1** mutilación (amputación). **2** (fig) deterioro. **3** (fig) mutilación (supresión).
mutilado, da [mutʃi'ladʊ, da] *adj/m e f* mutilado.
mutilar [mutʃi'laʀ] *tr e pron* **1** mutilar (amputar). • *tr* **2** deteriorar. **3** (fig) mutilar (cortar, suprimir).
mutismo [mu'tʃiʒmʊ] *m* **1** mutismo. **2** mudez.
mútuo, a ['mutwʊ, a] *adj* **1** mutuo (recíproco). • *m* **2** préstamo.

Nn

n, N ['enɪ] *m* **1** n, N (letra).

La letra ***n*** es una variante de la preposición ***em***. Cuando esta preposición precede artículos o pronombres que empiezan en vocal, se forma una contracción uniendo las dos palabras: ***na*** (en la), ***nalgum*** (en algún), ***naquele*** (en aquel), ***naqueloutro*** (en aquel otro), ***naquilo*** (en aquello), ***nele*** (en él), ***nesse*** (en ese), ***nessoutro*** (en ese otro), ***neste*** (en este), ***nisso*** (en eso), ***nisto*** (en esto), ***no*** (en el), ***noutro*** (en otro), ***num*** (en un).

na ['na] *contr* en la: *tem uma mancha na blusa = tiene una mancha en la blusa.*
nação [na'sãw] *f* **1** nación (pueblo). **2** nación (país). **3** nacionalidad.
nacional [nasyo'naw] *adj 2 gén* nacional.
nacionalidade [nasyonali'dadʒɪ] *f* nacionalidad.
nacionalismo [nasyona'liʒmʊ] *m* nacionalismo.
nacionalista [nasyona'liʃta] *adj/m e f* nacionalista.
nacionalização [nasyonaliza'sãw] *f* nacionalización.
nacionalizar [nasyonali'zaʀ] *tr e pron* **1** nacionalizar (naturalizar). **2** nacionalizar (desprivatizar).
nada ['nada] *pron* **1** nada (ninguna cosa). **2** nada (algo): *não precisa de nada? = ¿no necesitas nada?* • *adv* **3** nada, de ningún modo. • *m* **4** nada.
nadador, ra [nada'doʀ, ɾa] *adj/m e f* nadador.
nadar [na'daʀ] *tr e intr* **1** nadar. • *tr* **2** (fig) nadar (abundar). • *intr* **3** nadar (flotar).
nádega ['nadega] *f* nalga.
nadinha [na'dʒiŋa] *pron* **1** nada, nadita. • *m* **2** poquito.
nado, da ['nadʊ, da] *adj* **1** nado, nacido. • *m* **2** nado, nadadura.
nafta ['nafita] *f* nafta.
naftalina [nafita'lina] *f* naftalina.
naipe ['naypɪ] *m* **1** naipe (carta). **2** palo (de la baraja).
nalgum [naw'gũ] *contr* en algún.
Namíbia [na'mibya] *f* Namibia.
namibiano, na [namibi'anʊ, na] *adj/m e f* namibio.
namorado, da [namo'ɾadʊ, da] *adj/m e f* **1** novio. • *adj* **2** enamorado (apasionado).
namorar [namo'ɾaʀ] *intr e tr* **1** enamorar (galantear). • *tr e pron* **2** enamorarse (prendarse). • *tr, intr e pron* **3** salir (ser novios).

Namorar se utiliza mucho en Brasil en el sentido de 'salir con alguien, estar enrollado': *ela está namorando = está saliendo con alguien.*

namoro [na'moɾʊ] *m* **1** enamoramiento. **2** noviazgo.
nana ['nãna] *f* nana (canción).
não ['nãw] *adv* **1** no. • *m* **2** no (negativa).

La expresión ***pois não*** puede llevar a algún error pues, al contrario de lo que parece, significa 'claro que sí, cómo no'.

não-agressão [nãwagɾe'sãw] *f* no agresión.
não-conformismo [nãwkõfoʀ'miʒmʊ] *m* inconformismo.
não-conformista [nãwkõfoʀ'miʃta] *s 2 gén* inconformista.
não-fumante [nãwfu'mãtʃɪ] *s 2 gén* no fumador.
napoleônico, ca [napoleõnikʊ, ka] *adj* napoleónico.

N

naquele, la [na'kelɪ, la] *contr* en aquel: *ela trabalha naquele restaurante = trabaja en aquel restaurante.*
naquilo [na'kilʊ] *contr* en aquello: *naquilo eles não estavam de acordo = en aquello ellos no estaban de acuerdo.*
narcisismo [naʀsi'ziʒmʊ] *m* narcisismo.
narcotráfico [naʀko'trafikʊ] *m* narcotráfico.
narina [na'ɾina] *f* ANAT narina.
nariz [na'ɾiʃ] *m* **1** nariz, narices (órgano). **2** (fig) nariz (olfato). **3** (fig) narina, nariz (cavidad). ■ **ficar de ~ comprido** (fig, fam) quedarse con un palmo de narices; **meter o ~** (fig, fam) meter las narices.
narração [naʀa'sãw] *f* narración.
narrador, ra [naʀa'doʀ, ʀa] *adj/m e f* narrador.
narrar [na'ʀaʀ] *tr* narrar.
narrativa [naʀa'tʃiva] *f* **1** narración. **2** relato, cuento. **3** narrativa (género).
narrativo, va [naʀa'tʃivʊ, va] *adj* narrativo.
nasal [na'zaw] *adj 2 gén* **1** nasal. ● *m* **2** nasal (hueso).
nascença [na'sẽsa] *f* **1** nacimiento. **2** (fig) nacimiento (origen, principio).
nascente [na'sẽtʃɪ] *adj 2 gén* **1** naciente. ● *m* **2** amanecer.
nascer [na'seʀ] *m* nacer, nacimiento: *o nascer do sol é uma das maravilhas da vida = el nacimiento del sol es una de las maravillas de la vida.*
nascer [na'seʀ] *intr* **1** nacer (venir al mundo). **2** (fig) nacer (originarse). ● *tr* **3** (fig) nacer (surgir). ■ **~ de novo** (fig) volver a nacer.
nascimento [nasi'mẽtʊ] *m* **1** nacimiento. **2** (fig) nacimiento (origen, principio).
nata ['nata] *f* **1** nata. **2** (fig) flor, nata (mejor parte). **3** (fig) crema, flor y nata.
natação [nata'sãw] *f* natación.
natal [na'taw] *adj 2 gén* **1** natal. ● *m* **2** natalicio (día del nacimiento). **Natal 3** Navidad.
natalício, a [nata'lisyʊ, a] *adj* **1** natalicio. ● *m* **2** natalicio (día de nacimiento).
natalidade [natali'dadʒɪ] *f* natalidad.
nativo, va [na'tʃivʊ, va] *adj/m e f* **1** nativo (oriundo). **2** nativo (aborigen, indígena).
nato, ta ['natʊ, ta] *adj* **1** nato (nacido). **2** nato (congénito).
natural [natu'ɾaw] *adj 2 gén* **1** natural: *ciências naturais = ciencias naturales.* **2** natural (puro). **3** natural (normal, habitual). **4** natural (innato). **5** natural (espontáneo). ● *adj/m e f* **6** natural (nativo, oriundo). ● *m* **7** natural (temperamento).
naturalidade [natuɾali'dadʒɪ] *f* **1** naturalidad (cualidad). **2** naturalidad (sencillez).
naturalismo [natuɾa'liʒmʊ] *m* FIL naturalismo.
naturalista [natuɾa'liʃta] *adj 2 gén* **1** naturalista. ● *adj/m e f* **2** naturalista (filósofo, artista).
naturalizar [natuɾali'zaʀ] *tr e pron* **1** naturalizar (nacionalizar). ● *tr* **2** naturalizarse (habituarse).
natureza [natu'ɾeza] *f* **1** naturaleza (mundo, universo). **2** naturaleza (temperamento). **3** naturaleza (clase, tipo). ◆ **~ humana** naturaleza humana.
natureza-morta [natuɾeza'mɔʀta] *f* ART naturaleza muerta.
nau ['naw] *f* **1** nave, nao (embarcación). **2** navío (de tres palos).
naufragar [nawfɾa'gaʀ] *intr e tr* **1** naufragar (embarcación). ● *intr* **2** (fig) naufragar (fracasar).
naufrágio [naw'fɾaʒyʊ] *m* **1** naufragio (de una embarcación). **2** (fig) naufragio (fracaso).
náufrago, ga ['nawfɾagʊ, ga] *m e f* náufrago.
Nauru, República de [ʀepublikadʒɪ'nawɾʊ] *f* República de Naurú.
nauruano, na [nawɾu'ãnʊ, na] *adj/m e f* nauruano.
náusea ['nawzya] *f* **1** mareo (al viajar). **2** náusea (basca). **3** (fig) náusea (asco).
nauseabundo, da [nawzia'bũdʊ, da] *adj* nauseabundo.
náutica ['nawtʃika] *f* náutica.
náutico, ca ['nawtʃikʊ, ka] *adj* **1** náutico. ● *m* **2** MAR marino (piloto).
naval [na'vaw] *adj 2 gén* naval.
navalha [na'vaʎa] *f* **1** navaja (cuchillo). **2** navaja (molusco). **3** (fig) navaja (lengua afilada).
navarro, rra [na'vaʀʊ, ʀa] *adj/m e f* navarro.
nave ['navɪ] *f* ARQ nave (central, lateral). ◆ **~ espacial** nave espacial.

navegabilidade [navegabili'dadʒɪ] *f* navegabilidad.
navegação [navega'sãw] *f* **1** navegación (náutica). **2** navegación (viaje).
navegador, ra [navega'doʀ, ɾa] *adj/m e f* **1** navegador. • *m* **2** COMP navegador, explorador (programa).
navegar [nave'gaʀ] *tr e intr* **1** navegar (por aire, mar). • *intr* **2** (fig) navegar (por internet).
navegável [nave'gavew] *adj 2 gén* navegable.
navio [na'viʊ] *m* buque (embarcación). ♦ **~ mercante** buque mercante. ■ **ficar a ver navios** (fig, fam) llevarse un chasco.
nazi [na'zi] *adj/m e f* ⇒ nazista.
nazismo [na'ziʒmʊ] *m* nazismo, nacionalsocialismo.
nazista [na'ziʃta] *adj/m e f* nazi.
neblina [ne'blina] *f* **1** neblina. **2** (fig) niebla (oscuridad, confusión).
neblinar [nebli'naʀ] *intr* lloviznar.
neblinoso, sa [nebli'nozʊ, za] *adj* neblinoso.
nebulosidade [nebulozi'dadʒɪ] *f* **1** nebulosidad (nubosidad). **2** (fig) nebulosidad (oscuridad, sombra).
nebuloso, sa [nebu'lozʊ, za] *adj* **1** nebuloso (nubloso). **2** (fig) nebuloso (sombrío).
necessário, a [nese'saɾyʊ, a] *adj* **1** necesario (indispensable). **2** necesario (obligatorio).
necessidade [nesesi'dadʒɪ] *f* **1** necesidad (obligación). **2** necesidad (carencia, falta).
necessitado, da [nesesi'tadʊ, da] *adj/m e f* necesitado (carente).
necessitar [nesesi'taʀ] *tr e intr* **1** necesitar (precisar). • *tr* **2** necesitar (exigir).
necrópole [ne'kɾɔpolɪ] *f* necrópolis.
néctar ['nɛkitaʀ] *m* **1** néctar. **2** (fig) delicia, deleite.
nectarina [nekita'ɾina] *f* nectarina (fruta).
neerlandês, sa [neeʀlã'deyʃ, za] *adj/m e f* neerlandés.
nefasto, ta [ne'fayʃtʊ, ta] *adj* nefasto (funesto, detestable).
negação [nega'sãw] *f* **1** negación (negativa). **2** negación (denegación). **3** negación (falta, carencia).
negado, da [ne'gadʊ, da] *adj* negado.
negar [ne'gaʀ] *tr e intr* **1** negar (desmentir). **2** negar (no confesar). • **~-se** *pron* **3** negarse.
negativa [nega'tʃiva] *f* **1** negativa (negación). **2** negativa (rechazo, repulsa).
negativo, va [nega'tʃivʊ, va] *adj* **1** negativo: *resposta negativa* = *respuesta negativa*. **2** negativo (contraproducente). • *adj/m* **3** negativo (imagen invertida).
negligência [negli'ʒẽsya] *f* **1** negligencia (descuido). **2** negligencia (desidia, desgana).
negligente [negli'ʒẽtʃɪ] *adj/m e f* negligente.
nego, ga ['negʊ, ga] *adj/m e f* (coloq) negro.
negociação [negosia'sãw] *f* **1** negociación (transacción). **2** (fig) negociación (trato, acuerdo).
negociador, ra [negosya'doʀ, ɾa] *adj/m e f* **1** negociador. **2** negociador (diplomático).
negociante [negosi'ãtʃɪ] *s 2 gén* negociante (comerciante).
negociar [negosi'aʀ] *tr e intr* **1** negociar (tratar, comerciar). **2** negociar (tratar, pactar).
negociata [negosi'ata] *f* chanchullo.
negociável [negosi'avew] *adj 2 gén* negociable.
negócio [ne'gɔsyʊ] *m* **1** negocio. **2** (coloq, fig) cosa, asunto: *que negócio mais absurdo* = *qué cosa más absurda*. ♦ **~ da China** (fig, fam) negocio redondo.
negro, gra ['negɾʊ, gɾa] *adj/m* **1** negro (color). • *adj/m e f* **2** negro (individuo).
negrume [ne'gɾumɪ] *m* **1** negrura (oscuridad). **2** (fig) tristeza (en el semblante).
negrura [ne'gɾuɾa] *f* negrura.
nela ['nɛla] *contr* en ella (dentro): *abriu a gaveta e escondeu tudo nela* = *abrió el cajón y lo escondió todo dentro*.
nele ['nelɪ] *contr* en él (dentro): *abriu o baú e botou os brinquedos nele* = *abrió el baúl y puso los juguetes dentro*.
nem ['nẽy] *conj* **1** ni:, *não gosta de trabalhar nem de estudar* = *no le gusta trabajar ni estudiar*. • *adv* **2** ni: *nem pensar* = *ni pensarlo*; no. **3** ni (ni siquiera).
nenê ou **neném** [ne'ne o ne'nẽy] *s 2 gén* (fam) nene, bebé.

N

nenhum, ma [nẽ'ŋũ, ma] *pron* **1** ninguno, ningún: *não tenho nenhum problema = no tengo ningún problema.* **2** cualquiera, nadie. **3** ninguno, nadie: *ofereceram a todos, mas nenhum quis = se lo ofrecieron a todos, pero ninguno lo quiso.*
neocaledônio, a [nɛokale'dõnyʊ, a] *adj/m e f* neocaledonio.
neoclássico, ca [nɛo'klasikʊ, ka] *adj* neoclásico.
neolítico, ca [neo'litʃikʊ, ka] *adj* neolítico.
neologia [neolo'ʒia] *f* neología.
néon ['nɛõw] *m* **1** QUÍM neón. **2** neón (letrero).
neonato, ta [neo'natʊ, ta] *adj/m e f* neonato.
neozelandês, sa [nɛozelã'deyʃ, za] *adj/m e f* neozelandés.
Nepal [ne'paw] *m* Nepal.
nepalês, sa [nepa'leyʃ] *adj/m e f* nepalés.
nervo ['neʀvʊ] *m* **1** ANAT nervio. **2** (fig) nervio (excitación). **3** (fig, coloq) nervio (fuerza, vigor).
nervosismo [neʀvo'ziʒmʊ] *m* nerviosismo (excitación).
nervoso, sa [neʀ'vozʊ, za] *adj/m e f* **1** nervioso. **2** (fig) nervioso (exaltado). • *adj* **3** (fig) nervioso (vigoroso).
nervura [neʀ'vuɾa] *f* **1** nervio (de hoja). **2** nervura.
nêspera ['neyʃpeɾa] *f* níspero (fruto).
nesse ['nesɪ] *contr* en ese.
neste ['neyʃtʃɪ] *contr* en este.
neto, ta ['nɛtʊ, ta] *m e f* **1** nieto. • **netos** *m pl* **2** descendencia.

> Para referirse al dinero o peso después de las deducciones, en portugués se utiliza el término ***líquido***, no **neto** como en español.

Netuno [ne'tunʊ] *m* ASTR Neptuno.
neurologia [newɾolo'ʒia] *f* neurología.
neurologista [newɾolo'ʒiʃta] *adj/m e f* neurólogo.
neurônio [new'ɾõnyʊ] *m* ANAT neurona.
neurose [new'ɾɔzɪ] *f* MED neurosis.
neutral [new'traw] *adj/m e f* neutral (imparcial).
neutralidade [newtɾali'dadʒɪ] *f* neutralidad.
neutralização [newtɾaliza'sãw] *f* neutralización.
neutralizar [newtɾali'zaʀ] *tr e pron* **1** neutralizar (ser neutral). **2** FON neutralizar.
neutro, tra ['newtɾʊ, tɾa] *adj* **1** neutro (imparcial). • *adj/m* **2** GRAM neutro.
nêutron ['newtɾõw] *m* FÍS neutrón.
nevar [ne'vaʀ] *intr* **1** nevar. • *tr, intr e pron* **2** (fig) nevar (blanquear).
neve ['nɛvɪ] *f* **1** nieve. **2** (fig) canas.
névoa ['nɛvwa] *f* **1** niebla (neblina). **2** niebla (mancha).
nevoeiro [nevo'eyɾʊ] *m* **1** niebla. **2** (fig) niebla (confusión).
newton ['niwtõw] *m* FÍS newton (neutonio).
nexo ['nɛkisʊ] *m* nexo.
Nicarágua [nika'ɾagwa] *f* Nicaragua.
nicaraguano, na [nikaɾa'gwãnʊ, na] *adj/m e f* ⇒ nicaragüense.
nicaragüense [nikaɾa'gwẽsɪ] *adj/m e f* nicaragüense.
nicho ['niʃʊ] *m* **1** nicho. **2** (fig) prebenda (sinecura). **3** (fig) pequeña morada.
Níger ['niʒeʀ] *m* Níger.
Nigéria [ni'ʒɛɾya] *f* Nigeria.
nigeriano, na [niʒeɾi'ãnʊ, na] *adj/m e f* nigeriano.
nigerino, na [niʒe'ɾinʊ, na] *adj/m e f* nigerio.
ninfa ['nĩfa] *f* **1** ninfa (deidad). **2** (fig) ninfa (joven).
ninguém [nĩ'gẽy] *pron* **1** nadie. • *m* **2** don nadie.
ninhada [nĩ'ŋada] *f* **1** nidada. **2** camada.
ninharia [nĩŋa'ɾia] *f* niñería (insignificancia).
ninho ['nĩŋʊ] *m* **1** nido (de aves). **2** cubil. **3** (fig) nido (refugio). **4** (fig) nido (casa, patria).
ninja ['nĩʒa] *m* ninja.
nipônico, ca [ni'põnikʊ, ka] *adj/m e f* nipón.
níquel ['nikew] *m* níquel.
nirvana [niʀ'vãna] *m* nirvana.
nisso ['nisʊ] *contr* en eso.
nisto ['niʃtʊ] *contr* **1** en esto. • *adv* **2** entonces (en aquel momento).
nitidez [nitʃi'deyʃ] *f* nitidez.
nítido, da ['nitʃidʊ, da] *adj* nítido.

nitrato [ni'tratʊ] *m* QUÍM nitrato.
nível ['nivew] *m* **1** nivel (instrumento). **2** nivel (altura). **3** nivel (grado, categoría). ♦ **~ de vida** nivel de vida. ■ **ao ~ de** al nivel de.
nivelamento [nivela'mẽtʊ] *m* nivelación.
nivelar [nive'laʀ] *tr* **1** nivelar (allanar). ● *tr e pron* **2** (fig) nivelar (igualar, equiparar).
no ['no] *contr* **1** en el. ● *pron pers* **2** lo (objeto directo).
nó ['nɔ] *m* **1** nudo (lazo). **2** nudillo (de los dedos). **3** (fig) nudo (vínculo, unión). ■ **ter um ~ na garganta** (fig, fam) hacérsele a uno un nudo en la garganta.
nobre ['nɔbrɪ] *adj/m e f* **1** noble (hidalgo). ● *adj* **2** noble (digno, honroso).
nobreza [no'breza] *f* **1** nobleza (aristocracia). **2** nobleza (honradez).
noção [no'sãw] *f* **1** noción (idea, conocimiento). ● **noções** *f pl* **2** nociones (rudimentos).
nocivo, va [no'sivʊ, va] *adj* nocivo.
noctâmbulo, la [noki'tãbulʊ, la] *adj/m e f* noctámbulo.
nódoa ['nɔdwa] *f* **1** mancha (suciedad). **2** (fig) mancha (desdoro).
nodoar [nodo'aʀ] *tr e pron* **1** manchar (ensuciar). **2** (fig) manchar (deslustrar, amancillar).
nodoso, sa [no'dozʊ, za] *adj* nudoso.
nódulo ['nɔdulʊ] *m* **1** nódulo (corpúsculo). **2** MED nódulo, ganglio.
noitada [noy'tada] *f* **1** noche. **2** juerga, farra.
noite ['noytʃɪ] *f* **1** noche. **2** (fig) noche (oscuridad). ♦ **~ cerrada** noche cerrada. ■ **a ~ é uma criança** (fig) la noche es joven; **fazer-se ~** hacerse de noche.
noitinha [noy'tʃĩɲa] *f* anochecer.
noivado [noy'vadʊ] *m* **1** prometido (en matrimonio). **2** noviazgo.

> En Brasil el ***noivado*** es el paso siguiente después ***namorar*** (salir con alguien). ***Namorado*** es el que sale con alguien, y ***noivo*** es el que adquiere el compromiso de casarse.

noivar [noy'vaʀ] *tr e intr* comprometerse, prometerse.
noivo, va ['noyvʊ, va] *m e f* **1** novio (prometido). **2** novio (recién casado).
nojeira [no'ʒeyra] *f* **1** inmundicia, porquería. **2** asco.
nojento, ta [no'ʒẽtʊ, ta] *adj* **1** asqueroso. **2** (coloq) creído (vanidoso).
nojo ['noʒʊ] *m* asco (repulsa). ■ **causar ~** dar asco.
nômade ['nõmadʒɪ] *adj/m e f* **1** nómada. **2** (fig) vagabundo, errante.
nomadismo [noma'dʒiʒmʊ] *m* nomadismo.
nome ['nõmɪ] *m* **1** nombre (término). **2** nombre (antropónimo). **3** (fig) nombre (fama). **4** GRAM nombre. ♦ **~ próprio** GRAM nombre propio. ■ **dar ~ aos bois** (fig, coloq) al pan, pan, y al vino, vino.
nomeação [nomea'sãw] *f* nombramiento.
nomear [nome'aʀ] *tr* **1** nombrar (llamar). **2** nombrar (mencionar).
nomenclatura [nomẽkla'tura] *f* **1** nomenclatura (nómina). **2** nomenclatura (voces técnicas).
nominal [nomi'naw] *adj 2 gén* **1** nominal: *salário nominal = sueldo nominal.* **2** nominativo (documento, cheque). **3** GRAM nominal.
nonágono [no'nagonʊ] *m* GEOM nonágono.
nono ['nõnʊ] *adj/m* nono, noveno (numeral).
nora ['nɔra] *f* **1** nuera. **2** noria (de agua).
nordeste [noʀ'dɛyʃtʃɪ] *m* **1** Nordeste (punto cardinal). ● *adj/m* **2** nordeste (viento).
nórdico, ca ['nɔʀdʒikʊ, ka] *adj/m e f* **1** nórdico. ● *m* **2** nórdico (lenguas).
norma ['nɔʀma] *f* **1** norma (regla, precepto). **2** patrón (modelo).
normal [noʀ'maw] *adj 2 gén* **1** normal (normativo). **2** normal (habitual, usual).
normalidade [noʀmali'dadʒɪ] *f* normalidad.
normalização [noʀmaliza'sãw] *f* normalización.
normalizar [noʀmali'zaʀ] *tr* **1** normalizar (regularizar). **2** normalizar (estandarizar, tipificar).
normativa [noʀma'tʃiva] *f* normativa.
normativo, va [noʀma'tʃivʊ, va] *adj* normativo.
noroeste [noro'ɛyʃtʃɪ] *m* **1** Noroeste (punto cardinal). ● *adj/m* **2** noroeste (viento).
nortada [noʀ'tada] *f* nortada.

norte ['nɔʀtʃɪ] *m* **1** Norte (punto cardinal). **2** norte (polo ártico). **3** (fig) norte, rumbo (dirección).
norte-africano, na [nɔʀtʃyafri'kãnʊ, na] *adj/m e f* norteafricano.
norte-americano, na [nɔʀtʃyameri'kãnʊ, na] *adj/m e f* norteamericano.
norte-europeu, péia [nɔʀtʃyewro'pew, 'pɛya]
norte-coreano, na [nɔʀtʃɪkore'ãnʊ, na] *adj/m e f* norcoreano.
norte-irlandês, sa [nɔʀtʃɪ'iʀlãdeyʃ, za] *adj/m e f* norirlandés.
Noruega [noru'ɛga] *f* Noruega.
norueguês, sa [norue'geyʃ, za] *adj/m e f* **1** noruego. • *m* **2** noruego (lengua).
nos ['noyʃ] *pron pers* **1** nos (dativo): *comprou-nos presentes = nos compró regalos.* **2** nos (acusativo): *ele nos vê com alegria = nos ve con alegría.*
nós ['nɔyʃ] *pron pers* nosotros.
nossa! ['nɔsa] *interj* ¡madre mía!
nosso, ssa ['nɔsʊ, sa] *pron poss* **1** nuestro. • *m* **2** lo nuestro.
nostalgia [noyʃtaw'ʒia] *f* nostalgia.
nostálgico, ca [noyʃ'tawʒikʊ, ka] *adj/m e f* nostálgico.
nota ['nɔta] *f* **1** nota (marca, señal). **2** nota (anotación, apunte). **3** nota (aclaración). **4** billete (papel moneda). **5** nota (calificación). ♦ ~ **de pé de página ou rodapé** nota a pie de página.
notabilizar [notabili'zaʀ] *tr e pron* descollar, sobresalir.
notação [nota'sãw] *f* **1** notación (representación). **2** notación (signos).
notar [no'taʀ] *tr* **1** notar (marcar, señalar). **2** notar (anotar). **3** notar (reparar, advertir): *notei que ele estava cansado = me di cuenta de que él estaba cansado.*
notariado [notari'adʊ] *m* **1** notariado (carrera). **2** notariado (notarios).
notarial [notari'aw] *adj 2 gén* notarial.
notário [no'taryʊ] *m* DIR notario.
notável [no'tavew] *adj 2 gén* **1** notable (considerable); connotado (Amér). **2** apreciable (observable).
notícia [no'tʃisya] *f* **1** noticia (novedad). **2** noticia (noción, conocimiento).
noticiar [notʃisi'aʀ] *tr* **1** noticiar (informar); reportar (Amér. Centr). • **~-se** *pron* **2** informarse (enterarse).
noticiário [notʃisi'aryʊ] *m* **1** noticiario (de periódico). **2** noticiario (programa).
notificação [notʃifika'sãw] *f* **1** notificación (comunicación). **2** notificación (documento).
notificar [notʃifi'kaʀ] *tr* **1** notificar (comunicar, avisar). **2** DIR citar.
notoriedade [notorie'dadʒɪ] *f* notoriedad.
notório, a [no'tɔryʊ, a] *adj* **1** notorio (sabido). **2** notorio (evidente).
noturno, na [no'tuʀnʊ, na] *adj* **1** nocturno. • *adj/m e f* **2** noctámbulo.
noutro, tra ['nowtrʊ, tra] *contr* en otro: *falo com você noutro momento = hablo contigo en otro momento.*
nova ['nɔva] *f* **1** nueva (noticia, novedad). **2** ASTR nova (estrella).
Nova Caledônia [nɔvakale'dõnya] *f* Nueva Caledonia.
novato, ta [no'vatʊ, ta] *adj/m e f* **1** novato (principiante, inexperto). • *m e f* **2** aprendiz.
Nova Zelândia [nɔvaze'lãdʒya] *f* Nueva Zelandia.
nove ['nɔvɪ] *adj/m* nueve.
novecentos, tas [nɔve'sẽtʊyʃ, tayʃ] *adj/m* novecientos.
novel [no'vɛw] *adj/m e f* novel.
novela [no'vɛla] *f* **1** novela corta. **2** telenovela; radionovela.

> La obra literaria denominada **novela** en castellano recibe el nombre de ***romance*** en portugués.

novelar [nove'laʀ] *intr* novelar.
novelista [nove'liʃta] *adj/m e f* novelista (escritor).
novelo [no'velʊ] *m* **1** ovillo; molote (Méx). **2** (fig) maraña, lío (confusión).
novembro [no'vẽbrʊ] *m* noviembre.
novena [no'vẽna] *f* serie (conjunto).
noventa [no'vẽta] *adj/m* noventa.
noviço, ça [no'visʊ, sa] *adj/m e f* **1** REL novicio. **2** (fig) novato (principiante, inexperto).
novidade [novi'dadʒɪ] *f* **1** novedad (innovación). **2** novedad (noticia). **3** (fam) imprevisto (contrariedad).
novilho [no'viʎʊ] *m* novillo (becerro).

novo, va [ˈnovʊ, va] *adj* **1** nuevo (reciente). **2** nuevo (joven). **3** menor (más pequeño): *o irmão mais novo parecia-se muito com ele = el hermano menor se parecía mucho a él.* **4** nuevo (recién adquirido): *carro novo = cohe nuevo.* **5** nuevo (poco usado).
novo-rico, nova-rica [novʊˈʀikʊ, novaˈʀika] *m e f* nuevo rico.
noz [ˈnɔyʃ] *f* **1** nuez (fruto). **2** (coloq) coco (cabeza).
noz-moscada [nɔyʒmoyʃˈkada] *f* nuez moscada.
nu, a [ˈnu, a] *adj* **1** desnudo (sin ropa). **2** (fig) desnudo (sin adornos). **3** (fig) desprotegido. **4** (fig) directo (simple). **5** (fig) evidente (patente). ● *m* **6** desnudo (desnudez).
nuança ou **nuance** [nuˈãsa o nuˈãsɪ] *f* **1** tonalidad, matiz (de color). **2** matiz, sutileza.
nublado, da [nuˈbladʊ, da] *adj* **1** nublado (nuboso). **2** (fig) nublado (preocupado).
nublar [nuˈblaʀ] *tr e pron* **1** nublarse (cielo). **2** (fig) nublarse (oscurecerse).
nuca [ˈnuka] *f* nuca.
nuclear [nukleˈaʀ] *adj 2 gén* **1** nuclear. **2** FÍS nuclear.
núcleo [ˈnuklyʊ] *m* **1** núcleo (hueso). **2** (fig) núcleo (centro). **3** (fig) núcleo (sede). **4** (fig) núcleo (esencia). **5** FÍS núcleo.
nudez [nuˈdeyʃ] *f* **1** desnudez. **2** (fig) desnudez (falta de adorno).
nulidade [nuliˈdadʒɪ] *f* **1** nulidad (inexistencia). **2** nulidad (ineptitud). **3** (fig, pej) nulidad (individuo inepto).
nulo, la [ˈnulʊ, la] *adj* **1** nulo (inexistente). **2** nulo (inútil, inepto).
num, ma [ˈnũ, ma] *contr* en uno: *mora num bairro calmo = vive en un barrio tranquilo.*
numeração [numeɾaˈsãw] *f* numeración. ◆ ~ **decimal** numeración decimal.
numerado, da [numeˈɾadʊ, da] *adj* numerado.
numeral [numeˈɾaw] *adj/m* GRAM numeral.
numerar [numeˈɾaʀ] *tr* **1** numerar (marcar). **2** numerar (contar).
numerário, a [numeˈɾaɾyʊ, a] *adj* **1** monetario. ● *m* **2** numerario (dinero).
numérico, ca [nuˈmɛɾikʊ, ka] *adj* numérico: *sistema numérico = sistema numérico.*
número [ˈnumeɾʊ] *m* **1** número (signo). **2** número (suma, cantidad). **3** número (ejemplar). **4** número (billete de lotería). **5** número (espectáculo). **6** GRAM número. ◆ ~ **par/ímpar** número par/impar; ~ **pi** número pi. ■ **sem** ~ (fig) sin número.
numerologia [numeɾoloˈʒia] *f* numerología.
numeroso, sa [numeˈɾozʊ, za] *adj* numeroso (abundante).
nunca [ˈnũka] *adv* **1** nunca (jamás). **2** nunca (de modo alguno). **3** nunca (alguna vez, ya): *quem nunca se apaixonou? = ¿quién no se ha enamorado nunca?* ■ ~ **jamais** nunca jamás.
nupcial [nupisiˈaw] *adj 2 gén* nupcial.
núpcias [ˈnupisiayʃ] *f pl* nupcias (boda).
nurse [ˈnuʀsɪ] *f* niñera.
nutrição [nutɾiˈsãw] *f* **1** nutrición (nutrimiento). **2** nutrición (alimento).
nutricional [nutɾisioˈnaw] *adj 2 gén* nutricional.
nutriente [nutɾiˈẽtʃɪ] *adj 2 gén* **1** nutriente (nutritivo). ● *m* **2** nutriente (sustancia).
nutrir [nuˈtɾiʀ] *tr, intr e pron* **1** nutrir (alimentar). ● *tr e pron* **2** (fig) nutrir (alimentar, sustentar): *nutrir-se de esperanças = nutrirse de esperanzas.*
nutritivo, va [nutɾiˈtʃivʊ, va] *adj* nutritivo.
nuvear [nuveˈaʀ]
nuvem [ˈnuvẽy] *f* **1** nube (vapor). **2** (fig) nube (acumulación): *nuvem de mosquitos = nube de mosquitos.* **3** (fig) nube (tristeza). ■ **nas nuvens** (fig, fam) en las nubes (distraído); **pôr nas nuvens** (fig, fam) poner por las nubes.
nylon [ˈnaylõw] *m* nailon.

Oo

o, O ['ɔ] *m* o, O (letra).
ó ['ɔ] *m* **1** o. ● ~! *interj* **2** ¡oh! **3** ¡oye!, ¡oiga!
oásis [o'aziʃ] *m* **1** oasis. **2** (fig) oasis (refugio).
obcecar [obise'kaʀ] *tr e pron* **1** obcecar (obstinarse). ● *tr* **2** ofuscar (alucinar).
obedecer [obede'seʀ] *tr* **1** obedecer (acatar). ● *intr* **2** funcionar.
obediência [obedʒi'ẽsya] *f* **1** obediencia (acatamiento). **2** obediencia (sumisión).
obediente [obedʒi'ẽtʃɪ] *adj 2 gén* obediente.
obelisco [obe'liʃkʊ] *m* obelisco (monolito).
obesidade [obezi'dadʒɪ] *f* obesidad.
obeso, sa [o'bezʊ, za] *adj* obeso (gordo); chulo (Bol).
óbice ['ɔbisɪ] *m* óbice.
óbito ['ɔbitʊ] *m* óbito; ñata (Perú).
objeção [obiʒe'sãw] *f* objeción.
objetar [obiʒe'taʀ] *tr* **1** objetar. **2** oponerse (impugnar).
objetiva [obiʒe'tʃiva] *f* ÓPT objetivo.
objetivar [obiʒetʃi'vaʀ] *tr* objetivar.
objetividade [obiʒetʃivi'dadʒɪ] *f* objetividad.
objetivo, va [obiʒe'tʃivʊ, va] *adj* **1** objetivo (imparcial). ● *m* **2** objetivo (fin, propósito).
objeto [obi'ʒɛtʊ] *m* **1** objeto (cosa). **2** objeto (finalidad, objetivo). **3** FIL objeto. ◆ ~ **direto** GRAM objeto directo.
obliqüidade [oblikwi'dadʒɪ] *f* **1** GEOM oblicuidad. **2** (fig) tergiversación.
oblíquo, a [o'blikwʊ, a] *adj* **1** oblicuo. **2** (fig) falso, artero.
obliterar [oblite'ɾaʀ] *tr e pron* **1** obliterar (obstruir). **2** obliterar (borrar).
oblongo, ga [o'blõgʊ, ga] *adj* oblongo.
oboé [obo'ɛ] *m* MÚS oboe (instrumento).
obra ['ɔbɾa] *f* **1** obra (trabajo). **2** obra (producto). **3** obra (producción artística). ◆ ~ **de arte** obra de arte. ■ **em obras** en obras.
obra-de-arte [ɔbɾadʒɪ'aʀtʃɪ] *f* obra de fábrica.
obra-mestra [ɔbɾa'mɛyʃtɾa] *f* obra maestra.
obrador, ra [obɾa'doʀ, ɾa] *adj/m e f* obrador.
obra-prima [ɔbɾa'pɾima] *f* opera prima.
obreiro, ra [o'bɾeyɾʊ, ɾa] *adj/m e f* obrero.
obrigação [obɾiga'sãw] *f* **1** obligación (deber). **2** obligación (exigencia).
obrigacionista [obɾigasyo'niʃta] *adj/m e f* ECON obligacionista.
obrigado, da [obɾi'gadʊ, da] *adj* **1** obligatorio (prescrito). **2** agradecido. **3** obligado (compelido, forzado). ● *interj* **4** gracias.
obrigante [obɾi'gãtʃɪ] *adj 2 gén* obligativo.
obrigar [obɾi'gaʀ] *tr e pron* **1** obligar (someter). **2** obligar (imponer, forzar).
obrigatoriedade [obɾigatoɾie'dadʒɪ] *f* obligatoriedad.
obrigatório, a [obɾiga'tɔɾyʊ, a] *adj* obligatorio.
obscenidade [obisẽni'dadʒɪ] *f* obscenidad.
obsceno, na [obi'sẽnʊ, na] *adj* obsceno.
obscurantismo [obiʃkuɾã'tʃiʒmʊ] *m* **1** oscurantismo. **2** ignorancia.
obscurecer [obiʃkuɾe'seʀ] *tr, intr e pron* **1** oscurecer. **2** (fig) oscurecer (confundir).
obscuridade [obiʃkuɾi'dadʒɪ] *f* **1** oscuridad. **2** (fig) oscuridad (ignorancia).
obscuro, ra [obiʃ'kuɾʊ, ɾa] *adj* **1** oscuro. **2** (fig) oscuro (confuso).
obsequiar [obiseki'aʀ] *tr* obsequiar.
obséquio [obi'sɛkyʊ] *m* obsequio.
observação [obiseʀva'sãw] *f* **1** observación (contemplación). **2** observación (comentario).
observado, da [obiseʀ'vadʊ, da] *adj* observado (examinado, considerado).
observador, ra [obiseʀva'doʀ, ɾa] *adj/m e f* observador.

observância [obiseʀˈvãsya] *f* observancia (cumplimiento).
observar [obiseʀˈvaʀ] *tr e pron* **1** observar (contemplar). • *tr* **2** observar (mirar, atisbar).
observatório [obiseʀvaˈtɔryʊ] *m* observatorio.
observável [obiseʀˈvavew] *adj 2 gén* observable.
obsessão [obiseˈsãw] *f* obsesión.
obsessivo, va [obisesˈivʊ, va] *adj* obsesivo.
obsesso, ssa [obiˈsɛsʊ, sa] *adj/m e f* obseso.
obsidiana [obisidʒiˈãna] *f* obsidiana.
obsoleto, ta [obisoˈletʊ, ta] *adj* obsoleto.
obstáculo [obiʃˈtaculʊ] *m* obstáculo.
obstante [obiʃˈtãtʃɪ] *adj 2 gén* obstante. ■ **não ~** no obstante.
obstar [obiʃˈtaʀ] *tr* **1** obstar (impedir). • *intr* **2** obstar (oponerse).
obstetrícia [obiʃteˈtrisya] *m* MED obstetricia.
obstetrício, a [obiʃteˈtrisyʊ, a] *adj* obstétrico.
obstinação [obiʃtʃinaˈsãw] *f* obstinación.
obstinado, da [obiʃtʃiˈnadʊ, da] *adj* obstinado; rebotado (Amér); fregado (Col); conchudo (P. Rico); cachorro (Cuba, P. Rico, Ven).
obstinar [obiʃtʃiˈnaʀ] *tr* **1** volverse obstinado. • **~-se** *pron* **2** obstinarse.
obstrução [obiʃtruˈsãw] *m* obstrucción.
obstruir [obiʃtruˈiʀ] *tr e pron* **1** obstruir (cerrar, cortar). • *tr* **2** obstruir (impedir, estorbar).
obtenção [obitẽˈsãw] *f* obtención (adquisición).
obter [obiˈteʀ] *tr* obtener (conseguir, lograr).
obtuso, sa [obiˈtuzʊ, za] *adj* **1** obtuso (romo). **2** GEOM obtuso.
obus [oˈbuyʃ] *m* **1** obús (pieza de artillería). **2** obús (proyectil).
obviar [obiviˈaʀ] *tr* **1** obviar (evitar, ignorar). **2** obstar, oponerse.
óbvio, a [ˈɔbivyʊ, a] *adj* obvio.
ocasião [okaziˈãw] *f* **1** ocasión (oportunidad). **2** ocasión (momento, instante). ■ **de ~** (fig) de ocasión.
ocasional [okazioˈnaw] *adj 2 gén* ocasional (casual).
ocasionar [okazioˈnaʀ] *tr* **1** ocasionar (causar, provocar). **2** proporcionar, propiciar (ocasión).
ocaso [oˈkazʊ] *m* **1** ocaso. **2** (fig) ocaso (decadencia).
Oceania [oseãˈnia] *f* Oceanía.
oceânico, ca [oseˈãnikʊ, ka] *adj* **1** oceánico. **2** de Oceanía.
oceano [oseˈãnʊ] *m* **1** océano. **2** (fig) océano (inmensidad).
ocidental [osidẽˈtaw] *adj 2 gén* **1** occidental. • *adj/m e f* **2** occidental (habitante).
ocidentalização [osidẽtalizaˈsãw] *f* occidentalización.
ocidente [osiˈdẽtʃɪ] *m* **1** Occidente (punto cardinal). **Ocidente 2** Occidente (zona, región).
ócio [ˈɔsyʊ] *m* **1** ocio (inacción). **2** ocio (tiempo libre).
ociosidade [osioziˈdadʒɪ] *f* **1** ociosidad (inactividad). **2** pereza, flojedad.
ocioso, sa [osiˈozʊ, za] *adj/m e f* **1** ocioso (inactivo). **2** ocioso (perezoso).
ocluir [okluˈiʀ] *tr* MED ocluir.
oclusão [okluˈzãw] *f* **1** oclusión (cierre). **2** FON oclusión. **3** MED oclusión.
oclusiva [okluˈziva] *f* FON oclusiva.
oclusivo, va [okluˈzivʊ, va] *adj* oclusivo.
ocorrência [okoˈʀẽsya] *f* **1** ocurrencia (casualidad). **2** ocurrencia (idea, dicho).
ocorrente [okoˈʀẽtʃɪ] *adj 2 gén* ocurrente (acaeciente).
ocorrer [okoˈʀeʀ] *tr e intr* **1** ocurrir, suceder. **2** ocurrir (idea, pensamiento). • *tr* **3** ocurrir (concurrir, acudir).
ocre [ˈokrɪ] *adj 2 gén* ocre (color).
ocular [okuˈlaʀ] *adj 2 gén* **1** ocular. • *f* **2** ÓPT ocular.
oculista [okuˈliʃta] *adj/m e f* MED oculista, oftalmológo.
óculo [ˈɔkulʊ] *m* **1** ÓPT luna, luneta. **2** gafa, anteojo. **3** ARQ ojo, vidriera.
ocultação [okuwtaˈsãw] *f* **1** ocultación (escondimiento). **2** ocultación (disfraz).
ocultar [okuwˈtaʀ] *tr e pron* **1** ocultar, esconder. • *tr* **2** ocultar (disfrazar, disimular).
oculto, ta [oˈkuwtʊ, ta] *adj* **1** oculto (escondido). **2** oculto (desconocido, misterioso).
ocupação [okupaˈsãw] *f* **1** ocupación (invasión, posesión). **2** ocupación (tarea, empleo).

ocupacional [okupasio'naw] *adj 2 gén* ocupacional.
ocupado, da [oku'padʊ, da] *adj* **1** ocupado (atareado). **2** ocupado (no disponible).
ocupante [oku'pãtʃɪ] *adj/m e f* ocupante.
ocupar [oku'paʀ] *tr* **1** (fig) ocupar, obtener (dignidad, cargo). **2** ocupar (instalarse).
ode ['odʒɪ] *f* oda.
odiar [odʒi'aʀ] *tr e pron* odiar.
ódio ['ɔdʒyʊ] *m* odio.
odioso, sa [odʒi'ozʊ, za] *adj* odioso.
odisséia [odʒi'seya] *f* odisea (viaje).
odontologia [odõtolo'ʒia] *f* odontología.
odor [o'doʀ] *m* **1** olor. **2** aroma, fragancia.
odre ['odrɪ] *m* odre (saco de piel).
oeste [o'ɛyʃtʃɪ] *m* **1** Oeste (punto cardinal). • *adj/m* **2** oeste (viento). **Oeste** **3** oeste (región, zona).
ofegar [ofe'gaʀ] *intr* jadear.
ofender [ofẽ'deʀ] *tr* **1** ofender (herir, dañar). **2** ofender (injuriar).
ofensa [o'fẽsa] *f* **1** ofensa (injuria). **2** ofensa (lesión). **3** ofensiva, ataque.
ofensiva [ofẽs'iva] *f* ofensiva.
ofensivo, va [ofẽs'ivʊ, va] *adj* ofensivo.
oferecer [ofere'seʀ] *tr* **1** ofrecer (dar, presentar); ofertar (Amér). **2** regalar. **3** ofrecer, proponer. • **~-se** *pron* **4** ofrecerse (presentarse, ocurrir).
oferenda [ofe'rẽda] *f* **1** ofrenda (dádiva). **2** ofrenda (oblación).
oferta [o'fɛʀta] *f* **1** oferta (ofrecimiento). **2** oferta (producto). **3** oferta, rebaja.
ofertar [ofeʀ'taʀ] *tr* **1** ofertar, ofrecer. • **~-se** *pron* **2** ofrecerse (sexualmente).
officeboy [ɔfisi'bɔy] *m* chico de los recados.
off-line [ɔ'flaynɪ] *adv* **1** COMP desconectado. • *adj 2 gén* **2** COMP desconectado.
oficial [ofisi'aw] *adj 2 gén* **1** oficial (gubernativo). **2** oficial (autorizado). • *m* **3** oficial (empleado).
oficializar [ofisiali'zaʀ] *tr* oficializar.
oficiar [ofisi'aʀ] *tr* oficiar.
oficina [ofis'ina] *f* **1** taller (local). **2** taller (de automóviles).

> Para designar el «departamento donde trabajan los empleados públicos o particulares» en portugués se utiliza el término ***escritório***. La palabra ***oficina*** significa sobre todo **taller mecánico**.

oficinal [ofisi'naw] *adj 2 gén* oficinesco.
ofício [o'fisyʊ] *m* **1** oficio (profesión). **2** oficio (función, tarea). ■ **de ~** DIR de oficio.
oficioso, sa [ofisi'ozʊ, za] *adj* **1** oficioso (solícito). **2** oficioso (extraoficial).
ofídio [o'fidʒyʊ] *adj/m* **1** ZOOL ofidio. • **ofídios** *m pl* **2** ZOOL ofidios.
oftalmologia [ofitawmolo'ʒia] *f* MED oftalmología.
oftalmologista [ofitawmolo'ʒiʃta] *adj/m e f* MED oftalmólogo.
ofuscar [ofuʃ'kaʀ] *tr* **1** ofuscar (oscurecer). • *intr e tr* **2** ofuscar (deslumbrar). • *tr e pron* **3** (fig) ofuscar (trastornar).
ogiva [o'ʒiva] *f* ARQ ojiva.
oh! ['ɔ] *interj* ¡oh!
oi! ['oy] *interj* **1** hola (saludo). **2** ¿cómo?, ¿qué? (al no entender).

> La palabra ***oi*** es una de las más usadas en Brasil. Se utiliza sobre todo para saludar a alguien, aunque también se emplea para llamar la atención, cuando se quiere que la persona repita lo que ha dicho o para reanudar una conversación.

oitavo, va [oy'tavʊ, va] *adj/m* octavo.
oitenta [oy'tẽta] *adj/m* ochenta.
oito ['oytʊ] *adj/m* ocho. ■ **tomar um ~** (fig, fam) echar un trago.
oitocentos, tas [oyto'sẽtʊyʃ, tayʃ] *adj/m* ochocientos.
ok [o'key] *adv* **1** bien, de acuerdo, vale. • *adj 2 gén* **2** bueno, correcto.
olá! [o'la] *interj* **1** hola (saludo). **2** huy, ah (susto, asombro).
olaria [ola'ria] *f* **1** alfarería, ollería (fábrica, taller). **2** alfarería (arte).

oleaginoso, sa [oleaʒiˈnozʊ, za] *adj* oleaginoso.
olear [oleˈaʀ] *tr* **1** aceitar, olear (untar). **2** aceitar, olear (bañar).
óleo [ˈɔlyʊ] *m* **1** aceite (animal, vegetal, mineral). **2** petróleo. **3** óleo (pintura). **4** (coloq) guita, pasta (dinero). ◆ **~ diesel** diesel, gasóleo. ■ **trocar o ~** (fig, coloq) echar un polvo, follar.
oleoso, sa [oleˈozʊ, za] *adj* **1** aceitoso, oleoso. **2** graso.
olfativo, va [owfaˈtʃivʊ, va] *adj* olfativo.
olfato [owˈfatʊ] *m* olfato (sentido).
olhado, da [oˈʎadʊ, da] *adj* **1** mirado, visto (considerado). ● *m* **2** mal de ojo.
olhar [oˈʎaʀ] *m* **1** mirar, mirada. **2** visión (punto de vista).
olhar [oˈʎaʀ] *tr, intr e pron* **1** mirar (observar). ● *tr* **2** mirar (analizar). **3** ojear. ■ **~ para ontem** (fig) mirar a las musarañas.
olheiras [oˈʎeyɾayʃ] *f pl* ojeras.
olho [ˈoʎʊ] *m* **1** ojo (órgano). **2** (fig) ojo (atención, cuidado). **3** (fig) ojo (sagacidad). **4** (fig) ojo (agujero). **5** (fig) corazón (de verduras). ● **~!** *interj* **6** ¡ojo! (ante peligro). ◆ **~ clínico** (fig) ojo clínico. ■ **abrir os olhos** (fig) abrir los ojos (darse cuenta); **custar os olhos da cara** (fig, fam) costar un ojo de la cara; **~ por ~, dente por dente** (fig) ojo por ojo, diente por diente; **pelos seus belos olhos** (fig, irón) por su cara bonita; **pregar o ~** (fig, fam) pegar ojo (dormir).
oligarquia [oligaʀˈkia] *f* oligarquía.
olimpíada [olĩˈpiada] *f* olimpiada (esclava, concubina).
olímpico, ca [oˈlĩpikʊ, ka] *adj* olímpico.
olival [oliˈvaw] *m* olivar (terreno).
oliveira [oliˈveyɾa] *f* olivo (árbol).
olvidar [owviˈdaʀ] *tr e pron* olvidar.

> La palabra ***olvidar*** se utiliza muy poco en portugués, la habitual para este significado es ***esquecer***.

Omã [oˈmã] *m* Omán.
omani [omãˈni] *adj/m e f* omaní.
ombrear [õbɾeˈaʀ] *tr* **1** llevar al hombro. ● *tr e pron* **2** igualar, hombrear.
ombro [ˈõbɾʊ] *m* **1** ANAT hombro. **2** (fig) garra (fuerza, entusiasmo). ■ **carregar aos ombros** llevar a hombros; **olhar ou tratar por cima do ~** (fig) mirar por encima del hombro.
omelete [omeˈlɛtʃɪ] *f* tortilla (de huevo).
omissão [omiˈsãw] *f* **1** omisión (abstención). **2** omisión (negligencia).
omisso, ssa [oˈmisʊ, sa] *adj* **1** omitido (no mencionado). **2** omiso (descuidado, negligente).
omitir [omiˈtʃiʀ] *tr* **1** omitir (silenciar). **2** omitir (negligir).
omoplata [omoˈplata] *f* ANAT omóplato, omoplato.
onça [ˈõsa] *f* **1** leopardo. **2** pantera. **3** onza (medida). **4** (fig) pizca, pequeñez. ■ **ficar ou virar uma ~** (fig, fam) estar o ponerse hecho una fiera.
onda [ˈõda] *f* **1** onda (ola). **2** (fig) onda, ondulación (en una superficie). **3** (fig) ola, oleada (gran cantidad). **4** FÍS onda. ◆ **~ hertziana** onda herciana, hertziana. ■ **estar na ~** (fig, coloq) estar de moda, llevarse.
onde [ˈõdʒɪ] *adv* **1** donde: *na minha casa é onde eu queria estar = en mi casa es donde quería estar yo.* **2** dónde: *onde eles comerão? = ¿dónde comerán ellos?*
ondear [õdeˈaʀ] *intr e pron* **1** olear, ondear (agua). ● *intr* **2** ondular, serpentear.
ondulação [õdulaˈsãw] *f* **1** ondulación, oleaje. **2** (fig) ondulación (movimiento, forma).
ondulado, da [õduˈladʊ, da] *adj* ondulado.
ondulante [õduˈlãtʃɪ] *adj 2 gén* ondulante.
ondular [õduˈlaʀ] *tr, intr e pron* ⇒ ondear.
ondulatório, a [õdulaˈtɔɾyʊ, a] *adj* ondulatorio.
onerar [oneˈɾaʀ] *tr e pron* **1** cargar, gravar (con gastos, obligaciones). **2** empeñarse, endeudarse.
oneroso, sa [oneˈɾozʊ, za] *adj* **1** oneroso (gravoso); salado (Arg, Chile). **2** oneroso (pesado, molesto).
O.N.G. [ˈɔ̃ŋ] (*siglas de* **Organização Não Governamental**) *f* ONG (Organización No Gubernamental).
ônibus [ˈõnibuyʃ] *m* **1** autobús, ómnibus (en ciudad). **2** autocar (en carretera).

onipotência [onipo'tẽsya] *f* omnipotencia.
onipotente [onipo'tẽtʃɪ] *adj 2 gén* omnipotente.
onipresença [onipre'zẽsa] *f* omnipresencia.
onipresente [onipre'zẽtʃɪ] *adj 2 gén* omnipresente.
onírico, ca [o'niriku, ka] *adj* onírico.
onívoro, ra [o'nivoru, ra] *adj/m e f* **1** ZOOL omnívoro. • *adj* **2** devorador.
on-line [õ'laynɪ] *adv* on line.
onomástica [ono'mayʃtʃika] *f* onomástica.
onomástico, ca [ono'mayʃtʃiku, ka] *adj* onomástico.
ontem ['õtẽy] *adv* **1** ayer. **2** ayer (hace poco). **3** (fig) ayer (antaño). • *m* **4** (fig) ayer (pasado). ■ **antes de ~** anteayer (antes de ayer).
ontológico, ca [õto'lɔʒiku, ka] *adj* ontológico.
O.N.U. ['õnu] *f* (siglas de **Organização das Nações Unidas**) ONU (Organización de las Naciones Unidas).
ônus ['õnuyʃ] *m* **1** carga, peso. **2** encargo, obligación. **3** carga (impuesto).
onze ['õzɪ] *adj/m* once.
opacidade [opasi'dadʒɪ] *f* opacidad.
opaco, ca [o'paku, ka] *adj* **1** opaco (no transparente). **2** opaco (oscuro, sombrío).
opção [opi'sãw] *f* **1** opción (elección). **2** opción (alternativa).
opcional [opisio'naw] *adj 2 gén* opcional.
O.P.E.P. [o'pɛpi] *f* (siglas de **Organização dos Países Exportadores de Petróleo**) OPEP (Organización de Países Exportadores de Petróleo).
ópera ['ɔpera] *f* MÚS ópera (obra, género).
operação [opera'sãw] *f* **1** operación (ejecución, realización). **2** MED operación (quirúrgica). **3** MAT operación.
operacional [operasio'naw] *adj 2 gén* operacional.
operador, ra [opera'doR, ra] *adj/m e f* **1** operador (ejecutor). • *m e f* **2** operador (cirujano). **3** operador (de máquinas, sistemas).
operante [ope'rãtʃɪ] *adj 2 gén* operante.
operar [ope'raR] *intr* **1** operar (actuar, trabajar). • *tr e intr* **2** operar (realizar). • *tr, intr e pron* **3** operarse (quirúrgicamente).
operariado [operari'adu, da] *m* clase obrera, proletariado.
operário, a [ope'raryu, a] *m e f* operario (obrero).
operativo, va [opera'tʃivu, va] *adj* operativo.
operatório, a [opera'tɔryu, a] *adj* operatorio.
opereta [ope'reta] *f* MÚS opereta (género, obra).
opinar [opi'naR] *tr e intr* **1** opinar (expresar). • *tr* **2** opinar (considerar, juzgar).
opinião [opini'ãw] *f* **1** opinión (parecer, juicio). **2** opinión (concepto, fama). ♦ **~ pública** opinión pública.
ópio ['ɔpyu] *m* **1** opio (narcótico). **2** (fig) opio (anestesia).
oponente [opo'nẽtʃɪ] *adj/m e f* oponente.
opor [o'poR] *tr, intr e pron* **1** oponer (afrontar, enfrentar). • *tr e intr* **2** oponer (frente a frente).
oportunidade [opoRtuni'dadʒɪ] *f* **1** oportunidad (conveniencia). **2** oportunidad (ocasión).
oportunismo [opoRtu'niʒmu] *m* oportunismo.
oportunista [opoRtu'niʃta] *adj/m e f* oportunista.
oportuno, na [opoR'tunu, na] *adj* oportuno (apropiado, conveniente).
oposição [opozi'sãw] *f* **1** oposición (impedimento). **2** oposición (enfrentamiento). **3** POL oposición.
oposicionista [opozisio'niʃta] *adj/m e f* oposicionista.
opositor, ra [opozi'toR, ra] *adj/m e f* **1** opositor (oponente). **2** opositor (a un cargo, empleo).
oposto, ta [o'poyʃtu, ta] *adj* opuesto (contrario).
opressão [opre'sãw] *f* **1** opresión (sofoco, malestar). **2** opresión (tiranía).
opressivo, va [opres'ivu, va] *adj* opresivo.
oprimir [opri'miR] *tr e intr* **1** oprimir (tiranizar). **2** (fig) afligir, abatir. • *tr* **3** oprimir (comprimir).
optar [opi'taR] *tr e intr* optar (escoger, preferir).
óptica ['ɔpitʃika] *f* óptica (establecimiento).
óptico, ca ['ɔpitʃiku, ka] *adj* **1** óptico (ocular). • *m e f* **2** óptico (comerciante).

opulência [opu'lẽsya] *f* **1** opulencia (riqueza). **2** (fig) magnificencia.
opulento, ta [opu'lẽtʊ, ta] *adj* **1** opulento (rico). **2** (fig) opulento (abundante).
ora ['ɔɾa] *adv* **1** ahora (en este momento). • *conj* **2** (distributiva) ora: *ora ria, ora chorava = ora reía, ora lloraba*. **3** ahora bien. • ~! *interj* **4** anda, anda ya.
oração [oɾa'sãw] *f* **1** oración (súplica, pedido). **2** oración (discurso, sermón). **3** GRAM oración.
oráculo [o'ɾakulʊ] *m* **1** oráculo (respuesta). **2** oráculo (santuario).
orador, ra [oɾa'doʀ, ɾa] *adj/m e f* orador. ◆ ~ **evangélico** orador evangélico.
oral [o'ɾaw] *adj 2 gén* **1** oral (bucal). **2** oral (verbal).
orar [o'ɾaʀ] *tr e intr* **1** orar (rezar). **2** orar (suplicar).
oratória [oɾa'tɔɾya] *f* oratoria.
oratório, a [oɾa'tɔɾyʊ, a] *adj* **1** oratorio. • *m* **2** oratorio (lugar de rezo).
órbita ['ɔʀbita] *f* **1** ASTR órbita. **2** ANAT órbita (del ojo).
orbital [oʀbi'taw] *adj 2 gén* orbital.
orbitar [oʀbi'taʀ] *tr e intr* orbitar.
orçamento [oʀsa'mẽtʊ] *m* presupuesto (cómputo anticipado).
orçar [oʀ'saʀ] *tr e intr* **1** presupuestar (calcular). • *intr* **2** rondar (aproximar).
ordem ['ɔʀdẽy] *f* **1** orden (organización). **2** orden (sucesión, serie). **3** orden (modo, método). **4** orden (regla, mandato). **5** clase, categoría. **6** orden (congregación). ◆ ~ **cronológica** orden cronológico. ■ **na ~ do dia** a la orden del día (de moda).
ordenação [oʀdena'sãw] *f* **1** ordenación (armonía). **2** ordenación (colocación). **3** ordenación (mandato).
ordenada [oʀde'nada] *f* GEOM ordenada.
ordenado, da [oʀde'nadʊ, da] *adj* **1** ordenado (arreglado). **2** ordenado (clasificado). **3** ordenado (dispuesto, mandado).
ordenamento [oʀdena'mẽtʊ] *m* ordenamiento.
ordenança [oʀde'nãsa] *f* MIL ordenanza (reglamento).
ordenar [oʀde'naʀ] *tr e intr* **1** ordenar (mandar, determinar). • *tr, intr e pron* **2** ordenar (organizar).
ordinal [oʀdʒi'naw] *adj 2 gén* **1** ordinal (secuencial). **2** GRAM ordinal (numeral).
ordinário, a [oʀdʒi'naɾyʊ, a] *adj* **1** ordinario (común). **2** ordinario (frecuente). **3** ordinario (mediocre). **4** (fig) ordinario (grosero).
orégano [o'ɾɛganʊ] *m* orégano.
orelha [o'ɾeʎa] *f* **1** oreja. **2** (fig) oreja (asa, ala). ◆ ~ **de abano** orejas de soplillo. ■ **até as orelhas** (fig, fam) hasta el cuello (totalmente, completamente); **de ~** de oído (sin preparación).
orfanato [oʀfa'natʊ] *m* orfanato.
órfão, fã ['ɔʀfãw, fã] *adj/m e f* **1** huérfano. • *adj* **2** (fig) huérfano (desamparado).
orfeão [oʀfe'ãw] *m* orfeón (coro).
orgânico, ca [oʀ'gãnikʊ, ka] *adj* **1** orgánico (organizado). **2** orgánico (vivo). **3** MED orgánico.
organismo [oʀga'niʒmʊ] *m* **1** organismo (ser vivo). **2** organismo (institución).
organista [oʀga'niʃta] *adj/m e f* MÚS organista.
organização [oʀganiza'sãw] *f* **1** organización (estructura). **2** organización (entidad).
organizado, da [oʀgani'zadʊ, da] *adj* organizado.
organizador, ra [oʀganiza'doʀ, ɾa] *adj/m e f* organizador.
organizar [oʀgani'zaʀ] *tr* **1** organizar (ordenar). **2** organizar (preparar, planear). • *tr e pron* **3** organizar (estructurar, reformar).
organizativo, va [oʀganiza'tʃivʊ, va] *adj* organizativo.
organograma [oʀgano'gɾãma] *m* organigrama (de una empresa).
órgão ['ɔʀgãw] *m* **1** MÚS órgano. **2** ANAT órgano. **3** (fig) órgano (medio). **4** (fig) órgano (institución, entidad).
orgasmo [oʀ'gayʒmʊ] *m* orgasmo.
orgia [oʀ'ʒia] *f* **1** orgía (fiesta). **2** bacanal. **3** (fig) tumulto, lío.
orgulhar [oʀgu'ʎaʀ] *tr e pron* enorgullecer.
orgulho [oʀ'guʎʊ] *m* **1** orgullo (amor propio). **2** orgullo (satisfacción).
orgulhoso, sa [oʀgu'ʎozʊ, za] *adj* **1** orgulloso (satisfecho). • *adj/m e f* **2** orgulloso (soberbio).
orientação [oɾiẽta'sãw] *f* **1** orientación (situación, sentido). **2** orientación (directriz, guía).

orientado, da [oɾiẽ'tadʊ, da] *adj* **1** orientado (situado). **2** orientado (guiado).
orientador, ra [oɾiẽta'doʀ, ɾa] *adj/m e f* orientador.
oriental [oɾiẽ'taw] *adj/m e f* oriental.
orientar [oɾiẽ'taʀ] *tr e pron* **1** orientar (situar). • *tr* **2** (fig) orientar (encaminar, dirigir).
oriente [oɾi'ẽtʃɪ] *m* **1** Oriente (punto cardinal). **Oriente 2** Oriente (región).
orifício [oɾi'fisyʊ] *m* **1** orificio (agujero). **2** ANAT orificio.
origem [o'ɾiʒẽy] *f* **1** origen (principio). **2** origen (patria).
original [oɾiʒi'naw] *adj 2 gén* **1** original (originario). • *m* **2** original (obra). • *adj/m e f* **3** original (singular).
originalidade [oɾiʒinali'dadʒɪ] *f* originalidad.
originar [oɾiʒi'naʀ] *tr* originar (dar lugar, provocar).
originário, a [oɾiʒi'naɾyʊ, a] *adj* **1** originario (oriundo). **2** originario (original).
oriundo, da [oɾi'ũdʊ, da] *adj* oriundo.
orla ['ɔʀla] *f* **1** borde, orilla. **2** orla (de telas).
ornamentação [oʀnamẽta'sãw] *f* ornamentación.
ornamental [oʀnamẽ'taw] *adj 2 gén* ornamental.
ornamentar [oʀnamẽ'taʀ] *tr e pron* ornamentar.
ornamento [oʀna'mẽtʊ] *m* ornamento (adorno).
ornar [oʀ'naʀ] *tr e pron* ornar, ornamentar.
ornato [oʀ'natʊ] *m* **1** ornato (adorno). **2** ⇒ ornamentação.
orquestra [oʀ'kɛʃtɾa] *f* orquesta (músicos).
orquestral [oʀkeyʃ'tɾaw] *adj 2 gén* orquestal.
orquestrar [oʀkeyʃ'tɾaʀ] *tr* MÚS orquestar.
orquídea [oʀ'kidʒya] *f* orquídea (flor).
ortodoxia [oʀtodokis'ia] *f* ortodoxia (conformidad).
ortodoxo, xa [oʀto'dɔkisʊ, sa] *adj/m e f* ortodoxo.
ortogonal [oʀtogo'naw] *adj 2 gén* GEOM ortogonal.
ortografia [oʀtogɾa'fia] *f* GRAM ortografía.
ortográfico, ca [oʀto'gɾafikʊ, ka] *adj* ortográfico.
ortógrafo, fa [oʀ'tɔgɾafʊ, fa] *m e f* ortógrafo.
ortopedia [oʀtope'dʒia] *f* ortopedia.
ortopédico, ca [oʀto'pɛdʒikʊ, ka] *adj* ortopédico.
orvalhar [oʀva'ʎaʀ] *tr e pron* rociar.
orvalho [oʀ'vaʎʊ] *m* **1** rocío (gotas). **2** rocío (orvallo, llovizna).
oscilação [osila'sãw] *f* **1** oscilación (vaivén). **2** oscilación (fluctuación).
oscilador, ra [osila'doʀ, ɾa] *adj/m e f* **1** oscilante (pendular). • *m* **2** FÍS oscilador (aparato).
oscilante [osi'lãtʃɪ] *adj/m e f* **1** oscilante. • *adj 2 gén* **2** oscilante (titubeante).
oscilar [osi'laʀ] *tr, intr e pron* **1** oscilar (balancear). • *tr e intr* **2** oscilar (fluctuar).
oscilatório, a [osila'tɔɾyʊ, a] *adj* oscilatorio.
osciloscópio [osiloyʃ'kɔpyʊ] *m* osciloscopio.
ossada [o'sada] *f* **1** osamenta. **2** (coloq, irón) esqueleto (delgado). **3** ARQ esqueleto (estructura).
ósseo, a ['ɔsyʊ, a] *adj* óseo.
osso ['osʊ] *m* **1** ANAT hueso. **2** (fig) hueso (obstáculo). • **ossos** *m pl* **3** huesos (restomortales). ◆ ~ **duro de roer** (fig, coloq) hueso duro de roer. ■ **somente pele e ~** (fig, fam) piel y huesos.
ossudo, da [o'sudʊ, da] *adj* osudo.
ostensão [oyʃtẽ'sãw] *f* ostentación.
ostensivo, va [oyʃtẽs'ivʊ, va] *adj* **1** ostensivo. **2** ostensible.
ostentação [oyʃtẽta'sãw] *f* ostentación.
ostentar [oyʃtẽ'taʀ] *tr, intr e pron* **1** ostentar (alardear). • *tr* **2** ostentar (mostrar).
ostentoso, sa [oyʃtẽ'tozʊ, za] *adj* ostentoso.
ostra ['oyʃtɾa] *f* **1** ostra. **2** (coloq) escupitajo.
ostracismo [oyʃtɾas'iʒmʊ] *m* ostracismo.
O.T.A.N. [o'tã] *f* DIR (sigla de **Organização do Tratado do Atlântico Norte**) OTAN (Organización del Tratado del Atlántico Norte).
otimismo [otʃi'miʒmʊ] *m* optimismo.
otimista [otʃi'miʃta] *adj/m e f* optimista.
otimização [otʃimiza'sãw] *f* optimación.
otimizar [otʃimi'zaʀ] *tr* optimizar (optimar).

ótimo, ma ['ɔtʃimu, ma] *adj/m e f* **1** óptimo. ● **~!** *interj* **2** ¡muy bien!, ¡genial!
otite [o'tʃitʃɪ] *f* MED otitis.
ou ['ow] *conj* **1** o (exclusión): *praia ou piscina, decide = playa o piscina, decide.* **2** o (duda): *não sei se ir para casa ou passar pelo bar = no sé si ir a casa o pasar por el bar.* **3** o (énfasis): *ou liberdade ou morte = libertad o muerte.*
ouriço [ow'ɾisu] *m* **1** erizo. **2** erizo de mar.
ourives [ow'ɾivɛyʃ] *s 2 gén* orfebre.
ourivesaria [owɾiveza'ɾia] *f* **1** orfebrería. **2** (fig) trabajo minucioso.
ouro ['owɾu] *m* **1** QUÍM oro. **2** oro (dinero, riqueza). ◆ **~ de lei** oro de ley. ■ **de ~** (fig, fam) de oro: *oportunidade de ouro = oportunidad de oro*; **nem tudo que reluz é ~** (fig, fam) no todo lo que reluce es oro.
ousadia [owza'dʒia] *f* **1** osadía (coraje). **2** osadía, temeridad.
ousado, da [ow'zadu, da] *adj/m e f* **1** osado (atrevido). **2** osado (temerario).
ousar [ow'zaʀ] *tr* osar.
outonal [owto'naw] *adj 2 gén* otoñal.
outono [ow'tõnu] *m* **1** otoño (estación). **2** (fig) otoño (vejez).
outorgar [owtoʀ'gaʀ] *tr* **1** otorgar (conceder). **2** acordar, resolver. **3** consentir, permitir.
outrem [ow'trẽy] *pron* otro (otra persona).
outro, tra ['owtɾu, tɾa] *pron* **1** otro. **outros 2** otros, demás.
outrora [ow'tɾɔɾa] *adv* otrora.
outubro [ow'tubɾu] *m* octubre.
ouvida [ow'vida] *f* oída, escucha. ■ **de ~** de oídas.
ouvido, da [ow'vidu, da] *adj* **1** oído (escuchado). ● *m* **2** oído (sentido). **3** ANAT oído. **4** (fig) oído (musical). ■ **ao ~** al oído; **entrar por um ~ e sair por o outro** (fig, fam) entrar por un oído y salir por el otro.
ouvinte [ow'vĩtʃɪ] *adj/m e f* **1** oyente, oidor. ● *s 2 gén* **2** oyente (alumno).
ouvir [ow'viʀ] *tr e intr* **1** oír (escuchar). ● *tr* **2** oír (atender).
ova ['ɔva] *f* hueva. ■ **¡uma ~!** (fig, vulg) ¡y un huevo!
ovação [ova'sãw] *f* **1** ovación (triunfo romano). **2** ovación (aclamación).
ovacionar [ovasio'naʀ] *tr* ovacionar.
oval [o'vaw] *adj 2 gén* oval.
ovalar [ova'laʀ] *adj 2 gén* ⇒ oval.
ovalar [ova'laʀ] *tr* ovalar.
ovário [o'vaɾyu] *m* **1** ANAT ovario. **2** BOT ovario.
ovelha [o'veʎa] *f* **1** oveja. **2** (fig) parroquiano, feligrés.
overdose [oveʀ'dɔzɪ] *f* **1** sobredosis. **2** (fig) sobredosis (exceso).
ovo ['ovu] *m* **1** huevo (de ave, pez, reptil). **2** BIOL huevo (célula). **3** (fig) origen, germen. ◆ **~ de Páscoa** huevo de Pascua. ■ **estar de ~ virado** (fig, coloq) estar de mala leche.
ovulação [ovula'sãw] *f* ovulación.
ovular [ovu'laʀ] *adj 2 gén* **1** ovular. **2** ⇒ oval.
ovular [ovu'laʀ] *intr* ovular.
óvulo ['ɔvulu] *m* **1** BIOL óvulo (célula). **2** BOT óvulo.
oxalá [oʃa'la] *interj* ¡ojalá!
oxidação [okisida'sãw] *f* oxidación.
oxidante [okisi'dãtʃɪ] *adj/m* oxidante.
oxidar [okisi'daʀ] *tr e pron* **1** oxidar (sustancia, producto). **2** QUÍM oxidar.
óxido ['ɔkisidu] *m* QUÍM óxido.
oxigenar [okisiʒe'naʀ] *tr* **1** QUÍM oxigenar. ● *tr e pron* **2** (coloq) oxigenarse (airear).
oxigênio [ɔkisi'ʒẽnyu] *m* QUÍM oxígeno.
oxítono, na [okis'itonu, na] *adj/m e f* GRAM agudo, oxítono.
ozônio [o'zõnyu] *m* QUÍM ozono.

O

Pp

p, P [ˈpe] *m* p, P (letra).
pá [ˈpa] *f* **1** pala (herramienta). **2** pala, aspa (de hélice). • ~! *interj* **3** ¡pum!, ¡pumba!
pacato, ta [paˈkatu, ta] *adj/m e f* **1** pacato (pacífico). **2** paciente (calmado).
paciência [pasiˈẽsya] *f* **1** paciencia (resignación). **2** paciencia (perseverancia). **3** paciencia (calma).
pacientar [pasiẽˈtaʀ] *intr* tener paciencia.
paciente [pasiˈẽtʃɪ] *adj/m e f* **1** paciente (calmado). • *adj 2 gén* **2** paciente (perseverante). • *s 2 gén* **3** paciente (enfermo).
pacificação [pasifikaˈsãw] *f* pacificación.
pacificador, ra [pasifikaˈdoʀ, ɾa] *adj/m e f* pacificador.
pacificar [pasifiˈkaʀ] *tr e pron* pacificar.
pacífico, ca [paˈsifiku, ka] *adj/m e f* **1** pacífico (tranquilo). • *adj* **2** pacífico (en paz).
pacote [paˈkɔtʃɪ] *m* **1** paquete (envoltorio). **2** paquete de medidas.
pactar [pakiˈtaʀ] *tr* ⇒ pactuar.
pacto [ˈpakitu] *m* pacto (trato).
pactuar [pakituˈaʀ] *tr* **1** pactar (acordar). **2** pactar (transigir).
padaria [padaˈɾia] *f* panadería.
padecer [padeˈseʀ] *intr e tr* **1** padecer (sufrir). • *tr* **2** padecer (soportar, tolerar).
padecimento [padesiˈmẽtu] *m* padecimiento.
padeiro, ra [paˈdeyɾu, ɾa] *m e f* panadero.
padrão [paˈdɾãw] *m* **1** patrón (modelo, tipo). **2** estándar.
padrasto [paˈdɾayʃtu] *m* padrastro (marido).
padre [ˈpadɾɪ] *m* padre (cura). ■ **casar no ~** (coloq) casarse por la Iglesia.
padre-nosso [padɾɪˈnɔsu] *m* padre nuestro, padrenuestro (oración).
padrinho [paˈdɾĩɲu] *m* **1** padrino (de bautismo, boda). **2** (fig) padrino (protector).
padronagem [padɾoˈnaʒẽy] *f* patronaje (de prendas).
padronização [padɾonizaˈsãw] *f* homologación, estandarización.
padronizar [padɾoniˈzaʀ] *tr* estandarizar, homologar.
paga [ˈpaga] *f* **1** paga (pagamento). **2** (fig) pago (recompensa).
pagador, ra [pagaˈdoʀ, ɾa] *adj/m e f* pagador.
pagamento [pagaˈmẽtu] *m* **1** pagamento. **2** paga (salario).
paganismo [pagãˈniʒmu] *m* paganismo.
pagão, gã [paˈgãw, ˈgã] *adj/m e f* **1** pagano (infiel). • *m* **2** (irón) pagano (pagador).
pagar [paˈgaʀ] *tr* **1** pagar (remunerar). **2** (fig) pagar (retribuir): *pagou com ingratidão o meu amor = me pagó con ingratitud mi amor.* ■ **~ caro** pagar caro.
página [ˈpaʒina] *f* **1** página. **2** pasaje (de un libro). **3** COMP página.
paginar [paʒiˈnaʀ] *tr* **1** paginar (numerar). **2** compaginar (ajustar).
pago, ga [ˈpagu, ga] *adj* **1** pagado. • *m* **2** pago (pagamento).
pagode [paˈgɔdʒɪ] *m* **1** pagoda. **2** parranda.
pagodear [pagodeˈaʀ] *intr* **1** salir de copas. • *tr* **2** burlarse, mofarse.
pai [ˈpay] *m* **1** padre (progenitor). **2** padre (sacerdote). **3** (fig) padre (autor, fundador). • **pais** *m pl* **4** padres (progenitores). ◆ **~ de família** padre de familia.
painel [payˈnɛw] *m* **1** panel (cartelera). **2** panel (del mandos). **3** cuadro (pintura).
pai-nosso [payˈnɔsu] *m* REL padre nuestro, padrenuestro.
paiol [payˈɔw] *m* **1** polvorín. **2** (coloq) barriga.
pairar [payˈɾaʀ] *tr e intr* **1** planear (ave). **2** (fig) acechar, amenazar.
país [paˈiʃ] *m* **1** país (territorio, habitantes). **2** país (paisaje).

paisagem [pay'zaʒẽy] *f* **1** paisaje (terreno). **2** ART paisaje (pintura).
paisagismo [payza'ʒiʒmʊ] *m* paisajismo.
paisagístico, ca [payza'ʒiʃtʃikʊ, ka] *adj* paisajístico.
paisano, na [pay'zãnʊ, na] *adj/m e f* **1** paisano (compatriota). **2** paisano (no militar).
Países Baixos [paizɪʒ'bayʃʊyʃ] *m pl* Países Bajos.
paixão [pay'ʃãw] *f* **1** pasión (amor). **2** pasión, sufrimiento. **3** pasión (predilección).
pajem ['paʒẽy] *m* paje.
pala ['pala] *f* **1** visera. **2** pala (engaste). **3** pala (del calzado).
palacete [pala'setʃɪ] *m* palacete.
palaciano, na [palasi'ãnʊ, na] *adj/m e f* palaciano (palaciego).
palácio [pa'lasyʊ] *m* palacio.
paladar [pala'daʀ] *m* **1** ANAT paladar. **2** (fig) paladar (sabor). **3** (fig) paladar (sensibilidad).
palanque [pa'lãkɪ] *m* **1** palenque (entarimado). **2** palanca (fortín).
palato [pa'latʊ] *m* paladar.
palavra [pa'lavɾa] *f* **1** palabra. **2** (fig) palabra (oratoria). **3** (fig) palabra (compromiso): *dei a minha palavra = di mi palabra*. ◆ **~ de honra** palabra de honor; **palavras cruzadas** palabras cruzadas, crucigrama. ■ **dar a ~** dar su palabra (prometer); **não dar uma ~** (fig) no decir palabra; **pegar na ~** (fig) tomar la palabra.
palavra-chave [palavɾa'ʃavɪ] *f* palabra clave.
palavrão [pala'vɾãw] *m* **1** palabrota. **2** palabro.
palavreado [palavɾe'adʊ] *m* **1** palabrería. **2** verborrea.
palco ['pawkʊ] *m* **1** palco escénico, escenario. **2** (fig) escena (teatro).
paleolítico, ca [paleo'litʃikʊ, ka] *adj/m* paeolítico.
palerma [pa'lɛʀma] *adj/m e f* imbécil.
Palestina [paleyʃ'tʃina] *f* Palestina.
palestino, na [paleyʃ'tʃinʊ, na] *adj/m e f* palestino.
palestra [pa'lɛyʃtɾa] *f* **1** conferencia (disertación). **2** conversación.
paleta [pa'leta] *f* **1** paleta (de pintor). **2** (fig) paleta (colorido).
paletó [pale'tɔ] *m* **1** americana (chaqueta). **2** paletó. ■ **abotoar ou fechar o ~** (fig, fam) estirar la pata.
palha ['paʎa] *f* **1** paja. **2** pajilla (para sorber). ■ **não levantar, mexer ou mover uma ~** (fig, fam) no pegar ni golpe.
palhaçada [paʎa'sada] *f* payasada.
palhaço [pa'ʎasʊ] *m* payaso.
palheiro [pa'ʎeyɾʊ] *m* **1** pajar. **2** choza. **3** cigarrillo de paja.
palheta [pa'ʎeta] *f* **1** paleta (espátula). **2** tablilla, listón (de persiana).
palidez [pali'deyʃ] *f* palidez.
pálido, da ['palidʊ, da] *adj* **1** pálido. **2** (fig) pálido (desanimado).
pálio ['palyʊ] *m* **1** palio (insignia pontificial). **2** palio (dosel).
palma ['pawma] *f* **1** palma (de la mano). **2** (gralte pl) palmas (palmadas). **3** palma (palmera). ■ **ter na ~ da mão** (fig, fam) tener en la palma de la mano.
palmada [paw'mada] *f* palmada (golpe).
palmar [paw'maʀ] *adj 2 gén* **1** palmar. ● *m* **2** palmeral, palmar.
palmatória [pawma'tɔɾya] *f* palmatoria, palmeta.
palmeira [paw'meyɾa] *f* palmera.
palmilhar [pawmi'ʎaʀ] *tr* **1** poner plantillas. **2** recorrer palmo a palmo (recorrer).
palmo ['pawmʊ] *m* palmo (medida). ■ **~ a ~** (fig) palmo a palmo (lentamente).
palpar [paw'paʀ] *tr e pron* **1** palpar (tocar). ● *tr* **2** MED palpar (examinar).
palpável [paw'pavew] *adj 2 gén* **1** palpable. **2** (fig) palpable (evidente).
pálpebra ['pawpebɾa] *f* ANAT pálpebra, párpado.
palpitação [pawpita'sãw] *f* palpitación.
palpitante [pawpi'tãtʃɪ] *adj 2 gén* **1** palpitante. **2** palpitante (vivo).
palpitar [pawpi'taʀ] *intr* **1** palpitar (latir). ● *tr* **2** emocionar, conmover. **3** presentir.
palpite [paw'pitʃɪ] *m* **1** palpitación. **2** (fig) pálpito (presentimiento).
palrar [paw'ɾaʀ] *intr* **1** parlar (aves). **2** parlar (hablar, charlar).
paludismo [palu'dʒiʒmʊ] *m* MED paludismo.
pampa ['pãpa] *m* pampa.
panacéia [pana'sɛya] *f* panacea.

pan-africano, na [pãnafri'kãnʊ, na] *adj* panafricano.
Panamá [pana'ma] *m* Panamá.
panamenho, nha [pana'mẽŋʊ, ŋa] *adj/m e f* panameño.
panamense [pana'mẽsɪ] *adj/m e f* ⇒ panamenho, nha.
pan-americano, na [pãnameri'kãnʊ, na] *adj* panamericano.
pança ['pãsa] *f* **1** ZOOL panza. **2** (coloq) panza (barriga).
pancada [pã'kada] *f* **1** golpe. **2** zurra (paliza). **3** toque (de campana, reloj). ■ **de ~** (fig) de golpe.
pancadaria [pãkada'ria] *f* **1** zurra, paliza. **2** pelea, disputa.
pandemônio [pãde'mõnyʊ] *m* (fig) pandemónium (confusión).
panela [pa'nɛla] *f* olla (recipiente).
panfleto [pã'fletʊ] *m* panfleto.
pânico ['pãnikʊ] *adj/m* pánico.
panificação [pãnifika'sãw] *f* panificación.
panificador, ra [pãnifika'doʀ, ra] *adj/m e f* panadero.
pano ['pãnʊ] *m* **1** paño (tejido). **2** telón. ◆ **~ de fundo** (fig) telón de fondo; **~ de prato** trapo de cocina. ■ **a todo ~** (fig, fam) a todo trapo.
panorama [pano'rãma] *m* **1** panorama (perspectiva). **2** panorama (paisaje).
panorâmica [pano'rãmika] *f* **1** exposición. **2** CINE panorámica (movimiento de cámara). **3** CINE, FOT panorámica (fotografía).
panorâmico, ca [pano'rãmikʊ, ka] *adj* panorámico.
pântano ['pãtanʊ] *m* pantano.
pantanoso, sa [pãta'nozʊ, za] *adj* pantanoso.
panteão [pãte'ãw] *m* panteón (monumento funerario).
pantera [pã'tɛra] *f* pantera (leopardo).
pão ['pãw] *m* pan (alimento). ◆ **~ de forma** pan de molde.
pão-duro [pãw'durʊ] *adj/m e f* (coloq) agarrado, tacaño.
papa ['papa] *m* **1** papa (Sumo Pontífice). **2** (fig) eminencia (profesional competente). ● *f* **3** (coloq) labia, parla.
papada [pa'pada] *f* papada.
papado [pa'padʊ] *m* papado (dignidad, tiempo).
papagaio [papa'gayʊ] *m* **1** papagayo (ave). **2** pañal. **3** cometa (juguete).
papai [pa'pay] *m* papá.
papaia [pa'paya] *f* papaya (fruto).
papal [pa'paw] *adj 2 gén* papal.
papão [pa'pãw] *m* papón, coco (mostruo).
papar [pa'paʀ] *tr e intr* **1** (coloq) papar, papear (comer). ● *tr* **2** (coloq) apoderarse, sacar.
papel [pa'pɛw] *m* **1** papel (material). **2** papel (hoja). **3** papel (personaje). ● **papéis** *m pl* **4** papeles (documentación). ◆ **~ de jornal** papel de periódico; **~ higiênico** papel higiénico; **~ vegetal** papel vegetal.
papelada [pape'lada] *f* papelorio.
papelão [pape'lãw] *m* **1** papelón, cartón. **2** (fig, fam) papelón (ridículo).
papelaria [papela'ria] *f* papelería (tienda).
papeleiro, ra [pape'leyrʊ, ra] *m e f* papelero (fabricante, vendedor).
papel-moeda [papɛwmo'ɛda] *m* papel moneda.
papiro [pa'pirʊ] *m* **1** papiro (planta). **2** papiro (lámina, manuscrito).
papo ['papʊ] *m* **1** papo (buche). **2** (fam) papo (papada). **3** (coloq) charla, conversación. **4** (coloq) conversador. ■ **bater um ~** (fig, coloq) charlar; **falar de ~ cheio** (fig, coloq) quejarse sin motivos.
papo-furado [papʊfu'radʊ] *adj/m e f* **1** cuento (mentira). **2** cuentista.
páprica ['paprika] *f* páprika, pimetón.
papua [pa'pua] *adj/m e f* papúa.
Papua Nova Guiné [papuanɔvagi'nɛ] *f* Papúa Nueva Guinea.
papudo, da [pa'pudʊ, da] *adj* **1** papudo. **2** hinchado: *pálpebras papudas = párpados hinchados.* ● *adj/m e f* **3** (coloq) buen conversador.
pápula ['papula] *f* MED pápula.
paquistanês, sa [pakiʃtã'neyʃ, za] *adj/m e f* paquistaní.
Paquistão [pakiʃ'tãw] *m* Paquistán.
par ['paʀ] *adj 2 gén* **1** par (igual, semejante). ● *m* **2** par (pareja). **3** par (igual). ● *adj/m* **4** MAT par. ■ **de ~ em ~** de par en par; **~ a ~** a la par; **sem ~** sin par (único).
para ['para] *prep* **1** para, a (dirección): *foi para a fábrica = se fue para la fábrica.* **2** para (hacia): *cabelos para o la-*

do = el pelo para el lado. **3** para (a punto de). **4** para (con la intención de). **5** para (utilidad): *estante para livros = estantería para libros.* **6** para (con relación a): *fala bem português para o pouco tempo que está no Brasil = habla bien portugués para el poco tiempo que lleva en Brasil.* **7** para (finalidad): *economizo para comprar uma casa = ahorro para comprarme una casa.* ■ **estar ~** estar dispuesto a.

Pará [pa'ra] *m* Pará (Estado brasileño).

parabéns [para'bẽyʃ] *m pl* felicidades, enhorabuena.

parábola [pa'rabola] *f* **1** parábola (metáfora). **2** GEOM parábola.

parabólica [para'bɔlika] *f* parabólica (antena).

pára-brisa [para'briza] *m* parabrisas.

parada [pa'rada] *f* **1** parada (paralización). **2** parada (lugar). **3** desfile.

paradeiro [para'deyru] *m* paradero.

paradigma [para'dʒigima] *m* **1** paradigma (modelo, ejemplo). **2** GRAM paradigma.

paradigmático, ca [paradʒigi'matʃiku, ka] *adj* paradigmático.

paradisíaco, ca [paradʒi'ziaku, ka] *adj* paradisíaco, paradisiaco.

parado, da [pa'radu, da] *adj* **1** parado (inmóvil). **2** (coloq) parado (desempleado). ■ **mal ~** (coloq) mal parado.

paradoxal [paradoki'saw] *adj 2 gén* paradójico.

paradoxo [para'dɔkisu] *m* paradoja (contradicción).

parafernália [parafeʀ'nalya] *f* **1** parafernalia (accesorios, ritos). **2** trastos.

parafina [para'fina] *f* QUÍM parafina.

paráfrase [pa'rafrazɪ] *f* paráfrasis.

parafrasear [parafrazɪ'aʀ] *tr* parafrasear.

parafusador, ra [parafuza'doʀ, ra] *adj/m* atornillador, destornillador.

parafusar [parafu'zaʀ] *tr e intr* atornillar, destornillar.

parafuso [para'fuzu] *m* **1** tornillo. **2** tuerca. **3** AER espiral (movimiento). ■ **ter um ~ frouxo** (fig, fam) tener flojos los tornillos.

paragem [pa'raʒẽy] *f* **1** parada (alto). **2** paraje (lugar, paradero).

parágrafo [pa'ragrafu] *m* párrafo.

Paraguai [para'gway] *m* Paraguay.

paraguaio, a [para'gwayu, a] *adj/m e f* paraguayo.

Paraíba [para'iba] *m* Paraíba (Estado brasileño).

paraíso [para'izu] *m* **1** paraíso (Edén). **2** (fig) paraíso (cielo). **3** paraíso (lugar agradable).

pára-lama [para'lãma] *m* guardabarros.

paralela [para'lɛla] *f* GEOM paralela (línea).

paralelismo [parale'liʒmu] *m* paralelismo.

paralelo, la [para'lɛlu, la] *adj* **1** GEOM paralelo. **2** (fig) paralelo (correspondiente, semejante). ● *m* **3** GEOG paralelo. **4** GEOM paralelo.

paralisação [paraliza'sãw] *f* paralización (detención).

paralisado, da [parali'zadu, da] *adj* **1** paralizado (inmovilizado). **2** paralizado (interrumpido).

paralisar [parali'zaʀ] *tr e pron* **1** paralizar (inmovilizar). ● *tr, intr e pron* **2** paralizar (detener).

paralisia [parali'zia] *f* MED parálisis.

paralítico, ca [para'litʃiku, ka] *adj/m e f* paralítico.

paramento [para'mẽtu] *m* paramento (adorno).

parâmetro [pa'rãmetru] *m* **1** MAT parámetro. **2** parámetro (medida, criterio).

paramilitar [paramili'taʀ] *adj 2 gén* paramilitar.

páramo ['paramu] *m* páramo.

Paraná [para'na] *m* Paraná (Estado brasileño).

paranóia [para'nɔya] *f* paranoia.

paranóico, ca [para'nɔyku, ka] *adj* (fam) paranoico.

parapeito [para'peytu] *m* **1** MIL parapeto. **2** ARQ parapeto.

pára-quedas [para'kɛdayʃ] *m* paracaídas.

pára-quedista [parake'dʒiʃta] *adj/m e f* paracaidista.

parar [pa'raʀ] *tr, intr e pron* **1** parar (detener). ● *tr e intr* **2** parar (llegar): *a minha mala foi parar em Recife = mi maleta fue a parar a Recife.* ● *intr* **3** parar (quedarse). ● *tr* **4** parar (dejar de, finalizar).

parasita [para'zita] *adj/m* **1** parásito (organismo). **2** (fig, pej) parásito (gorrón).

parasitar [paɾazi'taʀ] *tr* **1** parasitar. • *tr e intr* **2** (fig) explotar (aprovecharse).
parasitário, a [paɾazi'taɾyʊ, a] *adj* parasitario.
parasitismo [paɾazi'tʃiʒmʊ] *m* **1** BIOL parasitismo. **2** (fig, pej) parasitismo.
parasito, ta [paɾa'zitʊ, ta] *adj/m* parásito.
parceiro, ra [paʀ'seyɾʊ, ɾa] *adj* **1** parejo, par. • *m e f* **2** socio. **3** pareja (compañero).
parcela [paʀ'sɛla] *f* **1** parcela (parte, fracción). **2** MAT sumando.
parcelar [paʀse'laʀ] *adj 2 gén* parcelario.
parcelar [paʀse'laʀ] *tr* parcelar (dividir en plazos).
parceria [paʀse'ɾia] *f* **1** sociedad (asociación). **2** colaboración (entre músicos).
parcial [paʀsi'aw] *adj 2 gén* **1** parcial (incompleto). **2** parcial (partidario).
parcialidade [paʀsiali'dadʒɪ] *f* parcialidad (partidismo).
parco, ca ['paʀkʊ, ka] *adj* **1** parco (austero, moderado). **2** menguado, escaso.
pardo, da ['paʀdʊ, da] *adj/m* **1** pardo (color). • *m e f* **2** mulato.
parecer [pare'seʀ] *m* **1** parecer (opinión, juicio). **2** parecer (apariencia).
parecer [paɾe'seʀ] *tr e pron* **1** parecer (asemejarse). • *tr e intr* **2** parecer (creer, opinar). • *intr* **3** parecer (presentar indicios).
parecido, da [paɾe'sidʊ, da] *adj* parecido (semejante).
paredão [paɾe'dãw] *m* **1** paredón. **2** muralla.
parede [pa'ɾedʒɪ] *f* **1** pared (obra). **2** pared (cara lateral). ◆ **~ mestra** pared maestra. ■ **conversar com as paredes** (fig, fam) hablar con las paredes.
parente [pa'ɾẽtʃɪ] *adj/m e f* **1** pariente. • *adj 2 gén* **2** pariente (parecido).
parentesco [paɾẽ'teyʃkʊ] *m* **1** parentesco (consanguinidad). **2** (fig) parentesco (afinidad).
parêntese [pa'ɾẽtezɪ] *m* **1** paréntesis (signo gráfico). **2** paréntesis (frase incidental).
parêntesis [pa'ɾẽteziʃ] *m* ⇒ parêntese.
pária ['paɾya] *m* **1** paria. **2** (fig) paria (excluido, marginado).
paridade [paɾi'dadʒɪ] *f* **1** paridad (igualdad). **2** paridad (símil, semejanza).
parido, da [pa'ɾidʊ, da] *adj* parido.
parir [pa'ɾiʀ] *tr e intr* **1** parir (dar a luz). • *tr* **2** (fig) parir (crear, producir).
parlamentar [paʀlamẽ'taʀ] *adj 2 gén* **1** parlamentario. • *s 2 gén* **2** parlamentario (miembro).
parlamentar [paʀlamẽ'taʀ] *tr e intr* parlamentar.
parlamentário, a [paʀlamẽ'taryʊ, a] *adj/m e f* parlamentario.
parlamento [paʀla'mẽtʊ] *m* parlamento (cámara legislativa).
pároco ['paɾokʊ] *m* párroco.
paródia [pa'ɾɔdʒya] *f* parodia.
parodiar [paɾodʒi'aʀ] *tr* **1** parodiar. **2** imitar.
parônimo, ma [pa'ɾõnimʊ, ma] *adj/m* GRAM parónimo.
paróquia [pa'ɾɔkya] *f* **1** parroquia (territorio, iglesia, feligreses). **2** (fig, coloq) grupo, conjunto (de personas).
paroquial [paɾoki'aw] *adj 2 gén* **1** parroquial. **2** provinciano.
paroquiano, na [paɾoki'ãnʊ, na] *adj/m e f* parroquiano (feligrés).
paroxismo [paɾoki'siʒmʊ] *m* MED paroxismo.
parque ['paʀkɪ] *m* **1** parque (terreno). **2** parque (jardín). ◆ **~ de diversões** parque de atracciones; **~ nacional** parque nacional.
parqueamento [paʀkea'mẽtʊ] *m* aparcamiento.
parquear [paʀke'aʀ] *tr e intr* aparcar; parquear (Amér).
parte ['paʀtʃɪ] *f* **1** parte (porción, cantidad). **2** parte (división). **3** parte (sitio, lugar). **4** parte (lado, banda). ◆ **partes pudendas** partes pudendas. ■ **à ~** a parte; **em ~** en parte; **fazer ~ de** formar parte de.
parteira [paʀ'teyɾa] *f* partera, comadrona.
parteiro, ra [paʀ'teyɾʊ, ɾa] *adj/m e f* partero (obstetra).
participação [paʀtʃisipa'sãw] *f* participación.
participante [paʀtʃisi'pãtʃɪ] *adj/m e f* participante.
participar [paʀtʃisi'paʀ] *tr* **1** participar (notificar). **2** participar (tomar parte).

participativo, va [paʀtʃisipa'tʃivʊ, va] *adj* participativo.
partícula [paʀ'tʃikula] *f* **1** partícula. **2** GRAM partícula.
particular [paʀtʃiku'laʀ] *adj 2 gén* **1** particular (singular). **2** particular (privado). • *m* **3** particular (individuo). **4** particular (asunto, tema). • **particulares** *m pl* **5** pormenores, detalles.
particularidade [paʀtʃikulaɾi'dadʒɪ] *f* **1** particularidad (característica). **2** particularidad (circunstancia).
partida [paʀ'tʃida] *f* **1** partida (salida). **2** partido (juego). **3** partida (mercancía).
partidário, a [paʀtʃi'daɾyʊ, a] *adj/m e f* partidario.
partido, da [paʀ'tʃidʊ, da] *adj* **1** partido. • *m* **2** partido (bando, facción). **3** decisión. ■ **tirar ~ de** sacar partido de.
partilhar [paʀtʃi'ʎaʀ] *tr* **1** repartir, distribuir. **2** compartir.
partir [paʀ'tʃiʀ] *tr e pron* **1** partir (dividir). **2** partir (romper). • *intr e pron* **3** partir (salir, marchar). ■ **a ~ de** a partir de.
partitura [paʀtʃi'tuɾa] *f* partitura.
parto ['paʀtʊ] *m* **1** parto. **2** (fig) parto (de una obra).
parvo, va ['paʀvʊ, va] *adj/m e f* tonto, bobo.
páscoa ['payʃkwa] *f* REL Pascua.
pasmado, da [payʒ'madʊ, da] *adj* pasmado.
pasmar [payʒ'maʀ] *tr, intr e pron* **1** pasmar (asombrar). • *tr* **2** fijar la vista.
pasmo, ma ['payʒmʊ, ma] *adj* **1** pasmado (asombrado). • *m* **2** pasmo (admiración). **3** desmayo.
passa ['pasa] *f* **1** pasa (uva). **2** (fig) escuálido.
passada [pa'sada] *f* **1** paso: *deu uma passada para a frente = dio un paso adelante*. **2** visita rápida.
passadeira [pasa'deyɾa] *f* **1** plancha (utensilio). **2** planchadora.
passadiço, ça [pasa'dʒisʊ, sa] *adj* **1** pasajero (efímero). • *m* **2** pasadizo. **3** acera.
passado, da [pa'sadʊ, da] *adj* **1** pasado (pretérito). **2** hambriento. **3** pasado, podrido (alimento). **4** planchado (ropa). • *m* **5** pasado.
passador, ra [pasa'doʀ, ɾa] *adj* **1** pasador. • *m* **2** pasapurés. **3** pasador (colador). **4** pasador (horquilla).
passageiro, ra [pasa'ʒeyɾʊ, ɾa] *adj* **1** pasajero (transitado). **2** pasajero (efímero). • *m e f* **3** pasajero (viajante).
passagem [pa'saʒẽy] *f* **1** pasaje (calle). **2** pasaje, billete (para viaje). **3** pasaje (de un texto). ◆ **~ de nível** paso a nivel. ■ **estar de ~** estar de paso.
passante [pa'sãtʃɪ] *adj 2 gén* **1** pasante (excesivo). • *adj/m e f* **2** transeúnte.
passaporte [pasa'pɔʀtʃɪ] *m* **1** pasaporte. **2** (fig) pasaporte (licencia franca).
passar [pa'saʀ] *tr* **1** pasar (atravesar, cruzar). **2** pasar (dejar atrás). **3** pasar (transitar, recorrer) **4** pasar (cambiar): *passou de secretária a diretora em dois anos = pasó de secretaria a directora en dos años*. **5** pasar (mover): *passa as páginas do jornal devagar = pasa las páginas del periódico lentamente*. **6** pasar (estar, permanecer): *passou o dia na biblioteca = pasó el día en la biblioteca*. **7** pasar (someterse). **8** pasar (vivir, experimentar). **9** pasar (tiempo). **10** pasar (exceder). • *intr* **11** pasar (sobrevivir, aguantar). **12** encontrarse (físicamente): *como está passando a sua mãe? = ¿cómo se encuentra tu madre?* • **~-se** *pron* **13** pasar (suceder, ocurrir). ■ **deixar ~** dejar pasar.
passarada [pasa'ɾada] *f* bandada (de pájaros).
passarela [pasa'ɾɛla] *f* **1** pasarela (puente). **2** pasarela (para desfiles).
pássaro ['pasaɾʊ] *m* **1** pájaro. **2** (fig) pájaro (astuto, sagaz).
passatempo [pasa'tẽpʊ] *m* pasatiempo.
passável [pa'savew] *adj 2 gén* pasable.
passe ['pasɪ] *m* **1** pase (permiso). **2** carnet de conducir. **3** pase (billete).
passear [pase'aʀ] *tr e intr* **1** pasear (caminar). • *tr* **2** (fig) pasear (exhibir, ostentar).
passeio [pa'seyʊ] *m* **1** paseo (caminada). **2** paseo (lugar). **3** acera.
passional [pasio'naw] *adj 2 gén* **1** pasional. • *m* **2** pasionario.
passível [pa'sivew] *adj 2 gén* pasible.
passividade [pasivi'dadʒɪ] *f* **1** pasividad. **2** (fig) pasividad (apatía).
passivo, va [pa'sivʊ, va] *adj* **1** pasivo (inactivo). **2** pasivo (indiferente). **3** GRAM pasivo.

passo ['pasʊ] *m* **1** paso: *deu um passo para a frente = dio un paso adelante*. **2** paso (marcha). **3** paso (de baile). **4** GEOG paso (estrecho). ■ **~ a ~** (fig) paso a paso; **apertar o ~** (fig) apretar el paso; **seguir os passos** (fig) seguir los pasos.

pasta ['payʃta] *f* **1** pasta (masa). **2** pasta (de papel). **3** carpeta (clasificador). **4** cartera (maletín). **5** (fig) cartera (de ministro). **6** COMP carpeta (directorio). ◆ **~ de dentes** pasta de dientes.

> Para referirse a la **pasta** alimenticia, en portugués se utiliza el término ***massa***.

pastagem [payʃ'taʒẽy] *f* ⇒ pasto.

pastar [payʃ'taʀ] *tr* **1** pastar (pastorear). ● *tr e intr* **2** pastar (pacer).

pastel [payʃ'tɛw] *m* **1** GAST pastel. **2** pastel (lápiz, pintura). **3** (coloq) plasta, pesado.

pastelaria [payʃtela'ɾia] *f* **1** pastelería (dulces). **2** pastelería (establecimiento).

pasteleiro, ra [payʃte'leyɾʊ, ɾa] *m e f* pastelero.

pastiche [payʃ'tʃiʃɪ] *m* pastiche.

pastilha [payʃ'tʃiʎa] *f* **1** pastilla (caramelo). **2** pastilla (medicamento). **3** baldosa.

pasto ['payʃtʊ] *m* **1** pasto (hierba). **2** pasto (terreno). **3** (fig) comida.

pastor, ra [payʃ'toʀ, ɾa] *m e f* **1** pastor (de ganado). **2** guía espiritual. ● *m* **3** pastor (prelado).

pastoral [paʃto'ɾaw] *adj 2 gén* **1** pastoral (religioso). **2** pastoral (pastoril).

pastoreio [paʃto'ɾeyʊ] *m* **1** pastoreo. **2** industria pastoril.

pastoril [payʃto'ɾiw] *adj 2 gén* pastoril.

pastoso, sa [payʃ'tozʊ, za] *adj* **1** pastoso. **2** viscoso, pegajoso.

pata ['pata] *f* **1** pata (ave). **2** pata (de animal). ■ **meter a ~** (coloq) meter la pata.

patamar [pata'maʀ] *m* descansillo.

patê [pa'te] *m* paté.

patente [pa'tẽtʃɪ] *adj 2 gén* **1** abierto, franqueado. **2** patente (evidente). ● *f* **3** patente (documento).

patentear [patẽtʃɪ'aʀ] *tr e pron* **1** patentizar. ● *tr* **2** patentar.

paternal [pateʀ'naw] *adj 2 gén* **1** paternal. **2** (fig) bondadoso, benévolo.

paternalismo [pateʀna'liʒmʊ] *m* paternalismo.

paternidade [pateʀni'dadʒɪ] *f* **1** paternidad. **2** paternidad (tratamiento religioso).

paterno, na [pa'tɛʀnʊ, na] *adj* paterno.

pateta [pa'tɛta] *adj/m e f* bobo, tonto.

patético, ca [pa'tɛtʃikʊ, ka] *adj* patético.

patife [pa'tʃifɪ] *adj/m e f* canalla, infame.

patim [pa'tʃĩ] *m* **1** patín (de patinar). **2** patín, patinillo.

patinagem [patʃi'naʒẽy] *f* **1** patinaje. **2** patinado.

patinar [patʃi'naʀ] *intr* **1** patinar (con patines). **2** patinar (resbalar). **3** chapotear. ● *tr* **4** patinar (dar pátina).

patinete [patʃi'nɛtʃɪ] *f* patinete.

pátio ['patʃyʊ] *m* **1** patio. **2** atrio.

pato ['patʊ] *m* **1** pato (ave). **2** (coloq) pato, patoso. ■ **pagar o ~** (fig, fam) pagar el pato.

patogênico, ca [pato'ʒẽnikʊ, ka] *adj* **1** patogénico. **2** patógeno.

patologia [patolo'ʒia] *f* **1** MED patología (estudio). **2** MED patología (enfermedad).

patológico, ca [pato'lɔʒikʊ, ka] *adj* patológico.

patranha [pa'tɾãɲa] *f* patraña.

patrão [pa'tɾãw] *m* **1** patrón (jefe). **2** patrón (señor, amo).

pátria ['patɾya] *f* patria.

patriarca [patɾi'aʀka] *m* **1** patriarca (jefe de familia). **2** patriarca (prelado).

patriarcal [patɾiaʀ'kaw] *adj 2 gén* **1** patriarcal. **2** venerable, respetable. **3** (fig) patriarcal (benevolente).

patrício, a [pa'tɾisyʊ, a] *adj/m e f* **1** patricio. **2** patricio (distinguido, noble).

patrimonial [patɾimoni'aw] *adj 2 gén* patrimonial.

patrimônio [patɾi'mõnyʊ] *m* **1** patrimonio (herencia). **2** patrimonio (bienes).

pátrio, a ['patɾyʊ, a] *adj* patrio.

patriota [patɾi'ɔta] *adj/m e f* **1** patriota. **2** compatriota.

patriótico, ca [patɾi'ɔtʃikʊ, ka] *adj* patriótico.

patriotismo [patɾio'tʃiʒmʊ] *m* patriotismo.

patrocinador, ra [patrosina'doR, ra] *adj/m e f* **1** patrocinador. **2** mecenas.
patrocinar [patrosi'naR] *tr* **1** patrocinar (proteger). **2** patrocinar (subvencionar).
patrocínio [patro'sinyu] *m* **1** patrocinio (protección). **2** patrocinio (subvención).
patronal [patro'naw] *adj 2 gén* patronal.
patronato [patro'natu] *m* **1** patronato (derecho). **2** patronato (clase, corporación). **3** patrocinio (subvención).
patrono [pa'trõnu] *m* **1** patrón, patrono (protector). **2** decano, tutor.
patrulha [pa'truʎa] *f* **1** patrulla (vigilancia). **2** patrulla (grupo).
patrulhamento [patruʎa'mẽtu] *m* patrulla (vigilancia).
patrulhar [patru'ʎaR] *tr* **1** patrullar (vigilar, rondar). ● *intr e tr* **2** controlar.
pau ['paw] *m* **1** palo (madera). **2** (fig) paliza, tunda. **3** asta, cuerno. **4** (coloq) cate (suspenso). **5** (coloq) cipote, polla (pene). **6** ESPORT palo, poste. ■ **dar ~** (fig) colgarse (computador); **falar ao ~** (coloq, vulg) poner cachondo; **nem a ~** (coloq) de ninguna manera, ni de coña.
pau-brasil [pawbra'ziw] *m* palo brasil.
paulada [paw'lada] *f* garrotazo.
paulista [paw'liʃta] *adj/m e f* **1** paulista (de São Paulo). **2** REL paulista.
pausa ['pawza] *f* **1** pausa (interrupción). **2** pausa (lentitud).
pausado, da [paw'zadu, da] *adj* pausado.
pausar [paw'zaR] *intr* **1** pausar (interrumpir). ● *tr* **2** lentificar.
pauta ['pawta] *f* **1** pauta (raya). **2** pauta, falsilla. **3** lista, relación. **4** MÚS pentagrama, pentágrama.
pautar [paw'taR] *tr* **1** pautar (papel). **2** organizar, programar.
pavão [pa'vãw] *m* **1** pavón, pavo real. **2** (fig) gallito (presuntuoso).
pávido, da ['pavidu, da] *adj* pávido.
pavilhão [pavi'ʎãw] *m* **1** caseta, barraca. **2** pabellón (construcción). **3** pabellón (tienda de lona). **4** pabellón (anexo). **5** caseta, stand (de feria, exposición).
pavimentação [pavimẽta'sãw] *f* pavimentación.
pavimentar [pavimẽ'taR] *tr* pavimentar.
pavimento [pavi'mẽtu] *m* **1** pavimento. **2** piso, planta (de un edificio).
pavio [pa'viu] *m* pabilo, pábilo (mecha).
pavonear [pavone'aR] *tr e pron* **1** pavonear (ostentar). **2** emperifollar, emperejilar.
pavor [pa'voR] *m* pavor.
pavoroso, sa [pavo'rozu, za] *adj* pavoroso.
paz ['payʃ] *f* **1** paz: *época de paz = época de paz*. **2** paz (armisticio).
PC [pe'se] (*siglas de* **Personal Computer**) *m* COMP PC.
pé ['pɛ] *m* **1** ANAT pie. **2** pie (apoyo, base). **3** pata (de mueble). ◆ **~ chato** pie plano. ■ **ao ~ da letra** (fig, fam) al pie de la letra; **a ~** a pie; **com o ~ esquerdo** (fig, fam) con el pie izquierdo; **lamber os pés de alguém** (fig, fam) besarle los pies a alguien; **ter os pés na terra ou no chão** (fig, fam) tener los pies en el suelo.
pê ['pe] *m* pe (letra).
peanha [pe'ãŋa] *f* peana, pedestal.
peão [pe'ãw] *m* **1** peón (infante). **2** peón (de ajedrez, damas). **3** pastor, boyero, vaquero. **4** peón, jornalero. **5** peón (albañil).
peça ['pɛsa] *f* **1** pieza (parte). **2** pieza (objeto, adorno). **3** pieza (habitación). **4** (fig, hum) alhaja, joya (persona). **5** LIT pieza (obra). ◆ **~ de resistência** (fig) plato fuerte.
pecado [pe'kadu] *m* **1** pecado (religioso). **2** (fig) pecado (desobediencia, falta). ◆ **~ capital** REL pecado capital. ■ **viver em ~** vivir en pecado.
pecador, ra [peka'doR, ra] *adj/m e f* pecador.
pecaminoso, sa [pekami'nozu, za] *adj* pecaminoso.
pecar [pe'kaR] *intr e tr* **1** pecar (contra la religión). **2** (fig) pecar (faltar, incumplir).
pecha ['peʃa] *f* vicio, tacha.
peçonha [pe'sõŋa] *f* ponzoña (veneno).
pecuária [peku'arya] *f* ganadería (actividad).
pecuário, a [peku'aryu, a] *adj* **1** pecuario. ● *m e f* **2** ganadero (persona).
peculato [peku'latu] *m* DIR peculado.
peculiar [pekuli'aR] *adj 2 gén* **1** peculiar. **2** pecuniario.
pecúlio [pe'kulyu] *m* peculio.
pecúnia [pe'kunya] *f* pecunia (dinero).

p

pecuniário, a [pekuni'aryʊ, a] *adj* pecuniario.
pedaço [pe'dasʊ] *m* **1** pedazo (parte). **2** rato (tiempo). **3** (coloq) mala pasada. **4** (fig, coloq) bombón (persona atractiva). ■ **aos pedaços** a o en pedazos.
pedágio [pe'daʒyʊ] *m* peaje.
pedagogia [pedago'ʒia] *f* pedagogía.
pedagógico, ca [peda'gɔʒikʊ, ka] *adj* pedagógico.
pedagogo, ga [peda'gogʊ, ga] *m e f* pedagogo.
pé-d»água [pɛ'dagwa] *m* aguacero.
pedal [pe'daw] *m* **1** pedal (palanca). **2** MÚS pedal (dispositivo).
pedalagem [peda'laʒẽy] *f* pedaleo.
pedalar [peda'laʀ] *intr e tr* pedalear.
pedante [pe'dãtʃɪ] *adj/m e f* pedante.
pé-de-cabra [pɛdʒɪ'kabra] *m* pie de cabra (palanqueta).
pé-de-meia [pɛdʒɪ'meya] *m* ahorros.
pé-de-pato [pɛdʒɪ'patʊ] *m* aleta (de hombre rana).
pedestal [pedeyʃ'taw] *m* **1** pedestal (base). **2** (fig) pedestal (apoyo).
pedestre [pe'dɛyʃtrɪ] *adj/m e f* pedestre (peatón).
pediatra [pedʒi'atra] *s 2 gén* pediatra.
pediatria [pedʒia'tria] *f* MED pediatría.
pediátrico, ca [pedʒi'atrikʊ, ka] *adj* pediátrico.
pedido, da [pe'dʒidʊ, da] *adj* **1** pedido (solicitado). ● *m* **2** pedido (petición). **3** pedido (encargo).
pedinte [pe'dʒĩtʃɪ] *adj/m e f* mendicante, pidientero.
pedir [pe'dʒiʀ] *tr e intr* **1** pedir (solicitar). ● *tr* **2** pedir (implorar, suplicar). **3** pedir (exigir).
pedofilia [pedofi'lia] *f* pedofilia.
pedófilo, la [pe'dɔfilʊ, la] *adj/m e f* pedófilo.
pedra ['pɛdra] *f* **1** piedra (roca). **2** monte, montaña. **3** lápida. **4** pizarra (encerado). **5** terrón (de azúcar); pastilla (de jabón). **6** (fig) piedra (insensible, duro). ◆ **~ filosofal** (fig) piedra filosofal. ■ **atirar a primeira ~** (fig, fam) tirar la primera piedra; **dormir como uma ~** (fig, fam) dormir como un tronco.
pedrada [pe'drada] *f* **1** pedrada (golpe, señal). **2** (fig) pedrada (insulto, ofensa).
pedra-pomes [pɛdra'põmɪʃ] *f* piedra pómez.
pedraria [pedra'ria] *f* pedrería.
pedregoso, sa [pedre'gozʊ, za] *adj* pedregoso (terreno).
pedreira [pe'dreyra] *f* **1** cantera. **2** (fig) tarea ardua.
pedreiro [pe'dreyrʊ] *m* **1** albañil. **2** pedrero (arma).
pé-frio [pɛ'friʊ] *m* **1** (coloq) mala pata. ● *adj/m e f* **2** (coloq) gafe.
pegada [pe'gada] *f* **1** huella (pisada). **2** (fig) huella (pista).
pegajoso, sa [pega'ʒozʊ, za] *adj* **1** pegajoso. **2** (fig) pegajoso (pesado, empalagoso).
pegar [pe'gaʀ] *tr* **1** coger (agarrar, sujetar). **2** coger (alcanzar). **3** coger, tomar (medio de transporte). **4** recoger (ir a buscar). **5** (fig, fam) coger, pillar (entender). ● *tr, intr e pron* **6** pegar (adherir). **7** pegar, coger (enfermedad, costumbre). ● *intr* **8** funcionar (dar resultado). ● **~-se** *pron* **9** pegarse (pelearse).

> ***Pegar*** es una palabra que puede crear equívocos en casi todas sus acepciones. En portugués se pueden utilizar los verbos ***bater, aderir, colar, fixar*** para referirse a sus distintos significados en español.

pego ['pegʊ] *m* pozo (de un río).
peia ['peya] *f* **1** traba (cuerda, ligadura). **2** (fig) traba (obstáculo).
peito ['peytʊ] *m* **1** pecho (tórax). **2** pecho (senos). **3** pechuga (de ave). ■ **abrir o ~** (fig) abrir uno su pecho con otro.
peitoral [peyto'raw] *adj 2 gén* ANAT pectoral.
peitoril [peyto'riw] *m* antepecho.
peixaria [peyʃa'ria] *f* pescadería.
peixe ['peyʃɪ] *m* **1** pez. **2** pescado. **3** (coloq) protegido.
peixe-boto [peyʃɪ'botʊ] *m* delfín fluvial.
peixeiro, ra [pey'ʃeyrʊ, ra] *m e f* pescadero.
pejorativo, va [peʒora'tʃivʊ, va] *adj* peyorativo.
pela ['pela] *contr* por la, por: *lutamos pela liberdade = luchamos por la libertad.*

pelada [pe'lada] *f* claro (de bosque).
pelado, da [pe'ladʊ, da] *adj* **1** pelado (sin piel). **2** (fig, coloq) en pelotas, desnudo.
pelagem [pe'laʒẽy] *f* pelaje (de animal).
pelar [pe'laʀ] *tr* **1** pelar (quitar el pelo). **2** (fig, coloq) pelar (arruinar). • *tr e pron* **3** desnudar. **4** pelar (despellejar, mondar).
pele ['pɛlɪ] *f* **1** ANAT piel. **2** piel (cuero). **3** piel, cascara (de frutas, legumbres). **4** (fig) piel (cuerpo propio): *sentiu na pele as conseqüências dos seus atos = sintió en la piel las consecuencias de sus actos.* ◆ ~ **anserina** piel de gallina; ~ **e osso** (fig, fam) piel y huesos. ■ **arriscar a ~** (fig, fam) jugarse la piel; **salvar a ~** (fig, fam) salvar uno el pellejo.
peleja [pe'leʒa] *f* **1** pelea. **2** lucha, defensa (por ideas, opiniones).
peleteiro, ra [peley'teyɾʊ, ɾa] *m e f* peletero.
peliça [pe'lisa] *f* pelliza (prenda).
pelicano [peli'kãnʊ] *m* **1** pelícano (ave). **2** MED pelícano (gatillo).
película [pe'likula] *f* **1** película (piel). **2** película (filme).
pelo ['pelʊ] *contr* **1** por el: *caminhava pelo passeio = caminaba por el paseo.* **2** por lo: *pelo que dizem, o juiz foi injusto com o nosso time = por lo que dicen, el árbitro fue injusto con nuestro equipo.*
pêlo ['pelʊ] *m* **1** pelo. **2** plumón (de las aves). ■ **em ~** en pelotas (desnudo); **vir a ~** (fig, fam) venir al pelo.
pelotão [pelo'tãw] *m* **1** MIL pelotón. **2** (fig) pelotón (multitud).
peludo, da [pe'ludʊ, da] *adj* **1** peludo. **2** tímido. **3** (coloq) afortunado.
pena ['pẽna] *f* **1** pena (castigo). **2** pena (aflicción, dolor). **3** pluma (de ave). **4** pluma (de escribir). ◆ ~ **capital** pena capital. ■ **valer a ~** valer la pena.

> ***Pena*** es un falso amigo léxico en la acepción portuguesa de **pluma**.

penacho [pe'naʃʊ] *m* **1** penacho (adorno). **2** penacho (copete). **3** (fig) penacho (soberbia).
penada [pe'nada] *f* **1** plumada. **2** (fig) opinión.
penado, da [pe'nadʊ, da] *adj/m e f* **1** penado (condenado). • *adj* **2** plumoso, plumado.
penal [pe'naw] *adj 2 gén* **1** penal. • *m* **2** ⇒ pênalti.
penalidade [penali'dadʒɪ] *f* penalidad (pena, sanción). ◆ ~ **máxima** pena máxima (penalti).
penalização [penaliza'sãw] *f* penalización.
penalizar [penali'zaʀ] *tr* **1** penalizar. **2** (fig) perjudicar. • *tr e pron* **3** apenar.
pênalti ['pẽnawtʃi] *m* penalti.
penar [pe'naʀ] *m* padecimiento.
penar [pe'naʀ] *intr e pron* **1** penarse (afligirse). • *tr* **2** penar (padecer, sufrir). **3** DIR penar.
pendão [pẽ'dãw] *m* pendón.
pendência [pẽ'dẽsya] *f* **1** pendencia (riña). **2** DIR pendencia.
pendente [pẽ'dẽtʃɪ] *adj 2 gén* **1** pendiente (colgado). **2** pendiente (atento, preocupado). • *m* **3** pendiente (joya).
pender [pẽ'deʀ] *tr e intr* **1** pender (colgar). **2** inclinar. • *tr* **3** sentir inclinación por: *o garoto pendia para o futebol = el niño sentía inclinación por el fútbol.* **4** pender (depender).
pendor [pẽ'doʀ] *m* propensión.
pendular [pẽdu'laʀ] *adj 2 gén* pendular.
pendular [pẽdu'laʀ] *tr e intr* balancear.
pêndulo, la ['pẽdulʊ, la] *adj* **1** pendiente. • *m* **2** péndulo.
pendurar [pẽdu'ɾaʀ] *tr* **1** colgar. **2** (coloq) empeñar. • **~-se** *pron* **3** colgarse.
penedo [pe'nedʊ] *m* peñasco aislado.
peneira [pe'neyɾa] *f* **1** cedazo (tamiz). **2** criba (instrumento). **3** llovizna.
peneirar [peney'ɾaʀ] *tr* **1** cribar, tamizar. **2** colar (filtrar). **3** cribar (seleccionar). • *tr e intr* **4** balancear.
penela [pe'nɛla] *f* otero.
penetração [penetɾa'sãw] *f* **1** penetración (introducción). **2** (fig) penetración (perspicacia).
penetrante [pene'tɾãtʃɪ] *adj* **1** penetrante (profundo). **2** penetrante (agudo).
penetrar [pene'tɾaʀ] *tr* **1** penetrar (introducir). **2** (fig) penetrar (comprender).
penha ['pẽɲa] *f* peña (cerro).
penhasco [pẽ'ɲayʃkʊ] *m* peñasco (peña).

penhor [pẽ'ɲoʀ] *m* **1** prenda (empeño). **2** (fig) promesa, garantía.
penhora [pẽ'ɲɔɾa] *f* **1** pignoración. **2** DIR embargo.
penhorar [pẽɲo'ɾaʀ] *tr* pignorar, empeñar.
penicilina [penisi'lina] *f* penicilina.
penico [pe'nikʊ] *m* (fam) orinal. ■ **pedir ~** (coloq) darse por vencido.
península [pe'nĩsula] *f* península.
peninsular [penĩsu'laʀ] *adj/m e f* peninsular.
pênis ['pẽniʃ] *m* pene.
penitência [peni'tẽsya] *f* **1** penitencia (contrición). **2** penitencia (pena).
penitenciário, a [penitẽsi'aɾyʊ, a] *adj* **1** penitenciario (penal). ● *m e f* **2** preso (condenado).
penitente [peni'tẽtʃɪ] *adj/m e f* penitente.
penoso, sa [pe'nozʊ, za] *adj* **1** penoso. **2** (fig) penoso (trabajoso, difícil).
pensador, ra [pẽsa'doʀ, ɾa] *adj/m e f* pensador.
pensamento [pẽsa'mẽtʊ] *m* **1** pensamiento (facultad). **2** pensamiento (idea). **3** pensamiento (ideario): *o pensamento de Sócrates = el pensamiento de Sócrates.*
pensante [pẽ'sãtʃɪ] *adj 2 gén* pensante.
pensão [pẽ'sãw] *f* **1** pensión (dinero). **2** pensión (establecimiento). ◆ **~ alimentícia** pensión alimenticia.
pensar [pẽ'saʀ] *tr e intr* **1** pensar (discurrir, reflexionar). ● *tr* **2** pensar (pretender). **3** pensar (opinar).
pensativo, va [pẽsa'tʃivʊ, va] *adj* pensativo.
pensionista [pẽsio'niʃta] *adj/m e f* **1** pensionista (pensionado). **2** pensionista (huésped).
pentatlo [pẽ'tatlʊ] *m* pentatlón.
pente ['pẽtʃɪ] *m* **1** peine (del pelo). **2** peineta (adorno). **3** peine (carda).
penteado, da [pẽte'adʊ, da] *adj* **1** peinado. ● *m* **2** peinado.
pentear [pẽte'aʀ] *tr, intr e pron* **1** peinar (cabello). ● *tr* **2** perfeccionar (texto).
penugem [pe'nuʒẽy] *f* plumón (de ave).
penúltimo, ma [pe'nuwtʃimʊ, ma] *adj* penúltimo.
penumbra [pe'nũbɾa] *f* penumbra.
penumbroso, sa [penũ'bɾozʊ, za] *adj* penumbroso.
penúria [pe'nuɾya] *f* penuria.
pepino [pe'pinʊ] *m* pepino (fruto, planta).
pequenez [peke'neyʃ] *f* **1** pequeñez (de tamaño). **2** pequeñez (infancia).
pequeno, na [pe'kẽnʊ, na] *adj* **1** pequeño (reducido). ● *adj/m e f* **2** pequeño (joven).
pequinês, sa [peki'neyʃ, za] *adj/m* pequinés (perro).
pêra ['peɾa] *f* **1** pera (fruto). **2** pera (interruptor).
peralta [pe'ɾawta] *m* **1** petimetre, lechuguino. **2** badanas (vago).
perante [pe'ɾãtʃɪ] *prep* delante de, ante (en presencia de): *estamos perante uma situação difícil = estamos ante una situación difícil.*
percalço [peʀ'kawsʊ] *m* **1** lucro, ganancia. **2** percance (contratiempo).
perceber [peʀse'beʀ] *tr* **1** percibir (sentir). **2** percibir (comprender).
percentagem [peʀsẽ'taʒẽy] *f* porcentaje.
percentual [peʀsẽtu'aw] *adj 2 gén* **1** porcentual. ● *m* **2** porcentaje.
percepção [peʀsepi'sãw] *f* **1** percepción (de los sentidos). **2** percepción (intuición).
perceptível [peʀsepi'tʃivew] *adj 2 gén* perceptible.
perceptivo, va [peʀsepi'tʃivʊ, va] *adj* perceptivo.
percorrer [peʀko'ʀeʀ] *tr* **1** recorrer (atravesar). **2** recorrer (registrar, investigar).
percurso [peʀ'kuʀsʊ] *m* recorrido (trayecto).
percussão [peʀku'sãw] *f* **1** percusión (golpeo). **2** MÚS percusión (instrumentos).
percutir [peʀku'tʃiʀ] *tr* **1** percutir. **2** MÚS tocar percusión.
perda ['peʀda] *f* **1** pérdida (carencia, privación). **2** pérdida (fallecimiento). **3** derrota. **4** pérdida (de bienes materiales). ◆ **~ de tempo** pérdida de tiempo.
perdão [peʀ'dãw] *m* **1** perdón (indulto). ● *interj* **2** perdón.
perder [peʀ'deʀ] *tr* **1** perder (dejar de tener). **2** perder (desperdiciar, disipar). **3** perder (ser vencido). **4** perder (dañar). ● **~-se** *pron* **5** perderse (desorientarse).

perdição [peRdʒi'sãw] *f* **1** perdición (pérdida). **2** perdición (condenación).
perdido, da [peR'dʒidʊ, da] *adj* **1** perdido (desaparecido). **2** perdido (extraviado). **3** perdido (desorientado).
perdigueiro, ra [peRdʒi'geyrʊ, ra] *adj/m* perdiguero (perro).
perdoar [peRdo'aR] *tr e intr* perdonar.
perdulário, a [peRdu'laryʊ, a] *adj/m e f* disipador.
perdurar [peRdu'raR] *tr e intr* perdurar.
perecer [pere'seR] *intr* **1** perecer (morir). **2** perecer (acabarse).
perecível [pere'sivew] *adj 2 gén* perecedero.
peregrinação [peregrina'sãw] *f* peregrinación (viaje).
peregrinar [peregri'naR] *tr e intr* peregrinar (ir en romería).
peregrino, na [pere'grinʊ, na] *adj/m* **1** peregrino (romero). **2** peregrino (viajero).
perene [pe'rẽnɪ] *adj 2 gén* **1** perenne (eterno). **2** perenne (continuo).
perequê [pere'ke] *m* (coloq) jaleo, bulla.
perestróica [pereyʃ'trɔyka] *f* perestroika.
perfazer [peRfa'zeR] *tr* **1** concluir (terminar). **2** hacer, realizar.
perfeição [peRfey'sãw] *f* perfección.
perfeito, ta [peR'feytʊ, ta] *adj* **1** perfecto (excelente). **2** perfecto (completo).
perfídia [peR'fidʒya] *f* perfidia.
pérfido, da ['pɛRfidʊ, da] *adj* pérfido.
perfil [peR'fiw] *m* **1** perfil (contorno). **2** perfil (rasgos).
perfilado, da [peRfi'ladʊ, da] *adj* **1** perfilado. **2** de perfil.
perfilar [peRfi'laR] *tr* **1** perfilar (esbozar). **2** alinear, formar (soldados).
perfilhar [peRfi'ʎaR] *tr* **1** prohijar (hijo). **2** (fig) prohijar (idea, principio).
performance [peR'fɔRmãsɪ] *f* **1** desempeño (actuación). **2** interpretación (actuación).
perfumado, da [peRfu'madʊ, da] *adj* perfumado.
perfumar [peRfu'maR] *tr e pron* perfumar.
perfumaria [peRfuma'ria] *f* **1** perfumería (tienda, fábrica). **2** perfumería (productos).
perfume [peR'fumɪ] *m* **1** perfume (aroma). **2** perfume (substancia).
perfuração [peRfura'sãw] *f* perforación.
perfurar [peRfu'raR] *tr* **1** perforar (agujerear). **2** perforar (excavar).
pergaminho [peRga'mĩŋʊ] *m* **1** pergamino (piel). **2** pergamino (documento).
pergunta [peR'gũta] *f* pregunta. ◆ **~ retórica** pregunta retórica.
perguntar [peRgũ'taR] *tr* preguntar.
perícia [pe'risya] *f* **1** pericia (maestría). **2** pericia (destreza).
periferia [perife'ria] *f* periferia, afueras (de una ciudad).
periférico, ca [peri'fɛrikʊ, ka] *adj* **1** periférico. ● *m* **2** COMP periférico.
perigar [peri'gaR] *intr* peligrar.
perigo [pe'rigʊ] *m* peligro (riesgo). ■ **a ~** (coloq) en peligro; (fig) sin blanca.
perigoso, sa [peri'gozʊ, za] *adj* peligroso.
perímetro [pe'rimetrʊ] *m* **1** perímetro (contorno). **2** GEOM perímetro.
periodicidade [periodʒisi'dadʒɪ] *f* periodicidad.
periódico, ca [peri'ɔdʒikʊ, ka] *adj* **1** periódico (regular). ● *adj/m* **2** periódico (publicación).
período [pe'riodʊ] *m* **1** período (espacio de tiempo). **2** MAT período. **3** GRAM período.
peripécia [peri'pɛsya] *f* peripecia.
périplo ['pɛriplʊ] *m* **1** periplo (circunnavegación). **2** (fig) periplo (viaje).
periquito [peri'kitʊ] *m* periquito (ave).
peritagem [peri'taʒẽy] *f* peritaje.
perito, ta [pe'ritʊ, ta] *adj/m e f* **1** perito (especialista). **2** perito (hábil).
perjúrio [peR'ʒuryʊ] *m* perjurio.
perjuro, ra [peR'ʒurʊ, ra] *adj/m e f* perjuro.
permanecer [peRmane'seR] *intr* **1** permanecer (mantenerse). ● *tr* **2** permanecer (quedarse).
permanência [peRma'nẽsya] *f* **1** permanencia (estancia). **2** permanencia (constancia).
permanente [peRma'nẽtʃɪ] *adj 2 gén* **1** permanente (estable). **2** permanente (continuo). ● *m* **3** permanente (peinado).
permeabilidade [peRmeabili'dadʒɪ] *f* permeabilidad.

permeável [peʀme'avew] *adj 2 gén* permeable.
permissão [peʀmi'sãw] *f* **1** permisión (permiso). **2** RET permisión.
permissível [peʀmi'sivew] *adj 2 gén* permisible.
permissividade [peʀmisivi'dadʒɪ] *f* permisividad.
permissivo, va [peʀmi'sivʊ, va] *adj* permisivo.
permitido, da [peʀmi'tʃidʊ, da] *adj* permitido.
permitir [peʀmi'tʃiʀ] *tr* **1** permitir (conceder). **2** permitir (posibilitar). **3** permitir (tolerar).
permuta [peʀ'muta] *f* **1** (fig) permuta (cambio). **2** intercambio de información.
permutação [peʀmuta'sãw] *f* permutación.
perna ['pɛrna] *f* **1** ANAT pierna. **2** pierna (del compás). **3** pata (de mueble). ■ **bater ~** pasear; **com uma ~ às costas** (fig, fam) con los ojos cerrados (fácilmente); **esticar as pernas** (fig, hum) estirar la pata; **pernas, para que te quero** (fig, fam) pies, para que os quiero.
pernada [peʀ'nada] *f* **1** pernada (golpe). **2** zancada.
Pernambuco [peʀnã'bukʊ] *m* Pernambuco (Estado brasileño).
pernicioso, sa [peʀnisi'ozʊ, za] *adj* pernicioso.
pernilongo [peni'lõgʊ] *m* **1** mosquito. **2** zancudo (ave).
pernoitar [peʀnoy'taʀ] *intr* pernoctar.
pérola ['pɛrola] *f* **1** perla (joya). **2** perla (píldora). ● *adj/m* **3** perla (color).
perorar [pero'ɾaʀ] *tr e intr* perorar (discursear).
perpendicular [peʀpẽdʒiku'laʀ] *adj/f* GEOM perpendicular.
perpetrar [peʀpe'tɾaʀ] *tr* perpetrar.
perpetuar [peʀpetu'aʀ] *tr e pron* perpetuar.
perpétuo, a [peʀ'pɛtwʊ, a] *adj* **1** perpetuo (eterno). **2** perpetuo, vitalicio (cargo).
perplexidade [peʀplekisi'dadʒɪ] *f* perplejidad.
perplexo, xa [peʀ'plɛkisʊ, sa] *adj* **1** perplejo (indeciso). **2** perplejo (atónito).
persa ['pɛʀsa] *adj/m e f* **1** persa. ● *m* **2** persa (lengua).
perscrutar [periʃkɾu'taʀ] *tr* indagar (investigar).
perseguição [peʀsegi'sãw] *f* persecución.
perseguidor, ra [peʀsegi'doʀ, ɾa] *adj/m e f* perseguidor.
perseguir [peʀse'giʀ] *tr* **1** perseguir (ir detrás). **2** perseguir (pretender).
perseverança [peʀseve'ɾãsa] *f* perseverancia.
perseverar [peʀseve'ɾaʀ] *tr e intr* **1** perseverar (persistir). **2** mantenerse, permanecer.
persiana [peʀsi'ãna] *f* persiana.
persistência [peʀsiʃ'tẽsya] *f* persistencia.
persistente [peʀsiʃ'tẽtʃɪ] *adj 2 gén* persistente.
persistir [peʀsiʃ'tʃiʀ] *tr e intr* **1** persistir (perseverar). ● *intr* **2** persistir (perdurar).
personagem [peʀso'naʒẽy] *s 2 gén* **1** personaje (individuo). **2** personaje (papel).
personalidade [peʀsonali'dadʒɪ] *f* **1** personalidad (carácter). **2** personalidad (identidad).
personalizado, da [peʀsonali'zadʊ, da] *adj* personalizado.
personalizar [peʀsonali'zaʀ] *tr* **1** personificar. **2** personalizar (individualizar).
personificação [peʀsonifika'sãw] *f* personificación.
personificar [peʀsonifi'kaʀ] *tr* **1** personificar (humanizar). **2** personificar (concretar).
perspectiva [peʀʃpeki'tʃiva] *f* **1** perspectiva (técnica, obra). **2** perspectiva (visión, óptica). **3** perspectiva (expectativa).
perspicácia [peʀʃpi'kasya] *f* perspicacia.
perspicaz [peʀʃpi'kayʃ] *adj 2 gén* **1** perspicaz. **2** (fig) perspicaz (sagaz).
persuadir [peʀsua'dʒiʀ] *tr e pron* **1** persuadir. ● *tr* **2** recomendar, aconsejar.
persuasão [peʀsua'zãw] *f* persuasión.
persuasivo, va [peʀsua'zivʊ, va] *adj* persuasivo.
pertencente [peʀtẽ'sẽtʃɪ] *adj 2 gén* perteneciente.
pertencer [peʀtẽ'seʀ] *tr* **1** pertenecer (ser propiedad). **2** pertenecer (formar parte).

pértiga ['pɛʀtʃiga] *f* pértiga.

pertinaz [peʀtʃi'nayʃ] *adj 2 gén* pertinaz.

pertinência [peʀtʃi'nẽsya] *f* pertinencia.

pertinente [peʀtʃi'nẽtʃɪ] *adj 2 gén* **1** pertinente (concerniente). **2** pertinente (apropiado).

perto ['pɛʀtʊ] *adv* **1** cerca (próximo): *moro perto da escola = vivo cerca de la escuela, estava perto o dia do casamento = el día de la boda estaba cerca.* ● *adj 2 gén* **2** cercano, próximo.

perturbação [peʀtuʀba'sãw] *f* **1** perturbación (disturbio, alteración). **2** perturbación (transtorno, locura).

perturbado, da [peʀtuʀ'badʊ, da] *adj* perturbado.

perturbador, ra [peʀtuʀba'doʀ, ra] *adj/m e f* perturbador.

perturbar [peʀtuʀ'baʀ] *tr e pron* **1** perturbar (orden). **2** perturbarse (perder el juicio). ● *tr* **3** estorbar.

Peru [pe'ru] *m* Perú.

peru [pe'ru] *m* **1** pavo. **2** (coloq) engreído, vanidoso.

perua [pe'rua] *f* **1** pava. **2** (coloq) borrachera.

peruano, na [peru'ãnʊ, na] *adj/m e f* peruano.

peruca [pe'ruka] *f* peluca.

perversão [peʀveʀ'sãw] *f* **1** perversión (perturbación, alteración). **2** perversión (corrupción).

perversidade [peʀveʀsi'dadʒɪ] *f* **1** perversidad (corrupción). **2** perversidad (maldad).

perverso, sa [peʀ'vɛʀsʊ, sa] *adj/m e f* **1** perverso (malvado). **2** obseso (sexual).

pervertedor, ra [peʀveʀte'doʀ, ra] *adj/m e f* pervertidor.

perverter [peʀveʀ'teʀ] *tr e pron* **1** pervertir (viciar). ● *tr* **2** pervertir (alterar, mudar).

pesadelo [peza'delʊ] *m* **1** pesadilla (sueño). **2** (fig) pesadilla (persona enojosa).

pesado, da [pe'zadʊ, da] *adj* **1** pesado (peso). **2** pesado (trabajoso, arduo). **3** pesado (cargante). **4** pesado, profundo (sueño).

pesagem [pe'zaʒẽy] *f* pesaje.

pêsames ['pezamɪʃ] *m pl* pésame.

pesa-papéis [pɛzapa'pɛyʃ] *m pl* pisapapeles.

pesar [pe'zaʀ] *m* pesar (tristeza). ■ **apesar dos pesares** (fig, fam) a pesar de los pesares.

pesar [pe'zaʀ] *tr e pron* **1** pesar: *pesou o feijão na balança = pesó los frijoles en la balanza.* ● *tr* **2** sopesar (objeto). **3** (fig) sopesar, ponderar (asunto). ● *intr* **4** pesar (tener peso). ■ **~ as palavras** medir las palabras.

pesaroso, sa [peza'rozʊ, za] *adj* **1** pesaroso (triste). **2** pesaroso (arrepentido).

pesca ['pɛyʃka] *f* **1** pesca (actividad). **2** pesca (pescado).

pescado, da [peyʃ'kadʊ, da] *adj* **1** pescado. ● *m* **2** pescado.

pescador, ra [peyʃka'doʀ, ra] *adj* **1** pesquero. ● *adj/m e f* **2** pescador.

pescar [peyʃ'kaʀ] *tr e intr* **1** pescar. ● *tr* **2** (fig, coloq) pescar (entender). **3** (fig, coloq) pescar (sorprender, pillar).

pescaria [peyʃka'ria] *f* **1** pesca (actividad, técnica). **2** pesca (pescado).

pescoço [peyʃ'kosʊ] *m* **1** ANAT cuello. **2** cuello (de botella).

peseta [pe'zeta] *f* peseta.

peso ['pezʊ] *m* **1** FÍS peso. **2** peso (pesantez). **3** peso (pesa). **4** peso (moneda). **5** (fig) peso (influencia, valor). **6** (fig) peso (carga, obligación). ◆ **~ líquido** peso neto; **~ pesado** ESPORT peso pesado.

pesqueiro, ra [peyʃ'keyrʊ, ra] *adj* pesquero.

pesquisa [peyʃ'kiza] *f* **1** investigación. **2** prueba (de laboratorio). ◆ **~ de mercado** encuesta o estudio de mercado.

pesquisador, ra [peʃkiza'doʀ, ra] *adj/m e f* investigador.

pesquisar [peyʃki'zaʀ] *tr e intr* investigar.

pêssego ['pesegʊ] *m* melocotón, durazno.

pessegueiro [pese'geyrʊ] *m* melocotonero.

pessimismo [pesi'miʒmʊ] *m* pesimismo.

pessimista [pesi'miʃta] *adj/m e f* pesimista.

péssimo, ma ['pɛsimʊ, ma] *adj* pésimo.

pessoa [pe'soa] *f* **1** persona (ser humano). **2** persona (celebridad). **3** GRAM persona. ◆ **~ jurídica** DIR persona jurídica. ■ **em ~** en persona.

pessoal [peso'aw] *adj 2 gén* **1** personal (particular). • *m* **2** personal (empleados).
pestana [peyʃ'tãna] *f* **1** ANAT pestaña. **2** pestaña (de papel).
pestanejar [peyʃtãne'ʒaʀ] *intr* pestañear.
peste ['pɛyʃtʃɪ] *f* **1** MED peste. **2** (fig) peste (mal contagioso). • *s 2 gén* **3** malvado.
pesticida [peyʃtʃi'sida] *adj/m* pesticida.
pestilento, ta [peyʃtʃi'lẽtʊ, ta] *adj* **1** pestilente (contagioso). **2** pestilente (fétido).
pétala ['pɛtala] *f* BOT pétalo.
petardo [pe'taʀdʊ] *m* **1** petardo (fuego artificial). **2** granada (explosivo).
petição [petʃi'sãw] *f* **1** petición (ruego). **2** petición (escrito).
petiscar [petʃiʃ'kaʀ] *tr* **1** picar, picotear (comida). **2** (fig) tener nociones, saber un poco: *petisca de mecânica = sabe un poco de mecánica.*
petisco [pe'tʃiʃkʊ] *m* **1** bocado delicioso. **2** (fig) pretencioso, ridículo (individuo); cajetero (Amér. Centr).
petrechar [petre'ʃaʀ] *tr e pron* pertrechar (abastecer).
petrificar [petɾifi'kaʀ] *tr e pron* **1** petrificar. **2** (fig) petrificar (inmovilizar).
petroleiro, ra [petɾo'leyɾʊ, ɾa] *adj* **1** petrolero. • *m* **2** petrolero (barco).
petróleo [pe'tɾɔlyʊ] *m* **1** petróleo. **2** (fig, coloq) cachaza (aguardiente).
petrolífero, ra [petɾo'lifeɾʊ, ɾa] *adj* petrolífero.
petrologia [petɾolo'ʒia] *f* petrología.
petulante [petu'lãtʃɪ] *adj 2 gén* petulante.
pez ['peyʃ] *m* pez (sustancia).
pi ['pi] *m* **1** pi (letra griega). **2** MAT pi.
pia ['pia] *f* **1** pila (recipiente). **2** lavabo.
piada [pi'ada] *f* **1** pío (de ave). **2** chiste. **3** ocurrencia (idea, dicho).
pianista [piã'niʃta] *s 2 gén* MÚS pianista.
piano [pi'ãnʊ] *m* **1** MÚS piano. **2** MÚS (fig) pianista. • *adv* **3** MÚS piano.
pião [pi'ãw] *m* peonza.
piar [pi'aʀ] *intr* **1** piar (ave). **2** charlar; periquear (Ant).
Piauí [piau'i] *m* Piauí (Estado brasileño).
PIB ['pibɪ] (*siglas de* **Produto Interno Bruto**) *m* PIB (Producto Interior Bruto).
picada [pi'kada] *f* **1** pinchazo. **2** picadura, picada. **3** pico, cima.
picado, da [pi'kadʊ, da] *adj* **1** picado (triturado). **2** picado (mar). **3** en picado (vuelo). **4** (fig) picado (resentido). • *m* **5** aspereza (de una superficie).
picador, ra [pika'doʀ, ɾa] *adj/m e f* picador.
picadura [pika'duɾa] *f* picadura.
picante [pi'kãtʃɪ] *adj 2 gén* **1** picante. **2** (fig) picante, mordaz.
picar [pi'kaʀ] *tr e pron* **1** picar (pinchar). • *tr e intr* **2** picar (insecto). **3** picar, escocer. **4** picar (anzuelo). • *tr* **5** agujerear. **6** picar (triturar). **7** (fig) picar (estimular). • *intr* **8** picar (avión, pájaro). • **~-se** *pron* **9** picarse (mar). **10** (gír) pincharse (drogarse).
picaresco, ca [pika'ɾeyʃkʊ, ka] *adj* picaresco.
picareta [pika'ɾeta] *f* **1** pico. • *adj/m e f* **2** (coloq) aprovechado, embaucador.
pico ['pikʊ] *m* **1** pico (cumbre). **2** espina. **3** (fig) cima, auge.
pictográfico, ca [pikito'gɾafikʊ, ka] *adj* pictográfico.
pictograma [pikito'gɾãma] *m* pictograma.
pictórico, ca [piki'tɔɾikʊ, ka] *adj* pictórico.
piedade [pie'dadʒɪ] *f* **1** piedad (devoción). **2** piedad (misericordia).
piedoso, sa [pie'dozʊ, za] *adj* piadoso.
piegas [pi'ɛgayʃ] *adj/m e f* dramático, sentimentaloide.
pieguice [pie'gisɪ] *f* sentimentalismo.
pigmentar [pigimẽ'taʀ] *tr e pron* pigmentar.
pigmento [pigi'mẽtʊ] *m* **1** pigmento (colorante). **2** BIOL pigmento.
pijama [pi'ʒãma] *m* **1** pijama. **2** (coloq) jubilación.
pilão [pi'lãw] *m* **1** mortero (triturador). **2** mano de mortero. **3** pilón (peso).
pilar [pi'laʀ] *m* pilar (columna).
pilha ['piʎa] *f* **1** pila (montón). **2** pila (generador). **3** (fig) moto (persona nerviosa).
pilhagem [pi'ʎaʒẽy] *f* **1** MIL pillaje. **2** saqueo, pillaje.
pilhar [pi'ʎaʀ] *tr* **1** pillar (agarrar, coger). **2** pillar (robar, saquear). **3** (fig) pillar (sorprender).
pilotagem [pilo'taʒẽy] *m* pilotaje.

pilotar [pilo'taʀ] *tr* **1** pilotar (vehículo). **2** montar (a caballo).
piloto, ta [pi'lotu, ta] *m* **1** piloto (de vehículo). **2** jinete (joquei). **3** piloto (luz indicadora). **4** (fig) piloto (guía, orientador). **5** MAR piloto (segundo). ◆ ~ **automático** piloto automático.
pílula ['pilula] *f* **1** píldora (medicamento). **2** píldora (anticonceptivo). **3** (fig) píldora (pesadumbre, disgusto).
pimenta [pi'mẽta] *f* **1** pimienta (condimento). **2** (fig) picardía (malicia). **3** (fig) lascivia, obscenidad.
pimenta-do-reino [pimẽtadu'ʀeynu] *f* pimienta blanca.
pimenta-negra [pimẽta'nɛgɾa] *f* pimienta negra.
pimentão [pimẽ'tãw] *m* **1** pimiento (planta, fruto). **2** pimentón (especia).
pimento [pi'mẽtu] *m* ⇒ pimentão (1).
pinça ['pĩsa] *f* **1** pinza (instrumento). **2** pinza (de escorpión, alacrán). **3** MED pinzas.
pincel [pĩ'sɛw] *m* **1** pincel (para pintar). **2** (fig) pincel (modo de pintar).
pincelada [pĩse'lada] *f* pincelada (trazo).
pincelar [pĩse'laʀ] *tr* pincelar.
pinga ['pĩga] *f* **1** gota. **2** trago. **3** (fig) trago (bebida alcohólica).
pingado, da [pĩ'gadu, da] *adj* **1** goteado. **2** (coloq) borracho. ● *m* **3** cortado (café).
pingar [pĩ'gaʀ] *tr e intr* **1** gotear. ● *intr* **2** lloviznar.
pingo ['pĩgu] *m* **1** gota (de líquido). **2** (fig) gota, pizca. **3** moco.
pingue-pongue [pĩgɪ'põgɪ] *m* ping-pong.
pingüim [pĩ'gwĩ] *m* pingüino.
pinha ['pĩɲa] *f* **1** piña (fruto del pino). **2** chirimoya. **3** (fig) piña (aglomeración).

> Para referirse a la fruta llamada **piña** en español, en portugués no se utiliza el término ***pinha*** sino ***abacaxi***.

pinhal [pĩ'ɲaw] *m* pinar.
pinhão [pĩ'ɲãw] *m* **1** piñón (semilla, almendra). **2** piñón (rueda dentada).
pinheiro [pĩ'ɲeyɾu] *m* pino.
pinho ['pĩɲu] *m* **1** ⇒ pinheiro. **2** pino (madera).
pino ['pinu] *m* **1** pivote. **2** pino (ejercicio gimnástico).
pinta ['pĩta] *f* **1** lunar, peca. **2** (coloq) pinta (aspecto).
pintado, da [pĩ'tadu, da] *adj* **1** pintado (dibujado, coloreado). **2** salpicado, moteado (de manchas, pecas).
pintar [pĩ'taʀ] *tr e intr* **1** pintar (representar, colorear). ● *tr* **2** pintar, teñir (pelo). **3** (fig) pintar (describir, narrar). ● *intr* **4** madurar.
pinto ['pĩtu] *m* **1** polluelo. **2** (fig) pollito (niño). **3** (coloq) polla (pene).
pintor, ra [pĩ'toʀ, ɾa] *adj/m e f* **1** pintor (artista). **2** pintor (de brocha gorda).
pintura [pĩ'tuɾa] *f* **1** pintura (arte, profesión). **2** pintura (sustancia). **3** pintura (color). **4** pintura (obra). ◆ ~ **a óleo** pintura al óleo.
pio, a ['piw, a] *adj* **1** pio (piadoso, caritativo). **2** pio (devoto).
piolho [pi'oʎu] *m* piojo (insecto).
pioneiro, ra [pio'neyɾu, ɾa] *adj/m e f* **1** pionero (explorador). **2** (fig) pionero (precursor).
pior [pi'ɔʀ] *adj 2 gén* **1** peor: *foi o pior jogo do Flamengo = fue el peor partido del Flamengo.* ● *adv* **2** peor: *vive pior do que um menino de rua = vive peor que un niño de la calle.*
piora [pi'ɔɾa] *f* empeoramiento.
pioramento [pioɾa'mẽtu] *m* ⇒ piora.
piorar [pio'ɾaʀ] *tr e intr* empeorar.
pipa ['pipa] *f* **1** pipa (tonel). **2** cometa (juguete, armazón).
pipoca [pi'pɔka] *f* palomitas (de maíz).
pique ['pikɪ] *m* **1** lanza (antigua). **2** piquete (corte, orificio).
piquenique [pikɪ'nikɪ] *m* picnic.
piquete [pi'ketʃɪ] *m* **1** piquete (de huelga). **2** piquete (jalón, vara).
pirado, da [pi'ɾadu, da] *adj* pirado (loco).
piramidal [piɾãmi'daw] *adj 2 gén* piramidal.
pirâmide [pi'ɾãmidʒɪ] *f* **1** GEOM pirámide. **2** ARQ pirámide.
pirar [pi'ɾaʀ] *intr* (coloq) desmadrarse.
pirata [pi'ɾata] *m* **1** pirata (de mar). **2** (fig) pirata (ladrón).
pirataria [piɾata'ɾia] *f* **1** piratería (actividad). **2** piratería (robo).

P

piratear [piratʃɪ'aʀ] *tr e intr* **1** piratear. • *tr* **2** robar.
piriri [piri'ri] *m* (coloq) cagalera (diarrea).
pisada [pi'zada] *f* pisada (huella).
pisar [pi'zaʀ] *tr e intr* **1** pisar (andar, poner el pie). • *tr* **2** pisar (estrujar). **3** pisotear (agredir). **4** pisar (moler). **5** (fig) pisotear (humillar, maltratar).
pisca ['piʃka] *f* **1** pizca (pequeñez). **2** chispa (de fuego).
piscadela [piʃka'dela] *f* guiño.
piscar [piʃ'kaʀ] *tr e intr* **1** parpadear (ojos). • *tr e pron* **2** guiñar.
piscicultura [pisikuw'tura] *f* piscicultura.
piscina [pi'sina] *f* **1** piscina, pileta (para nadar). **2** pilón (abrevadero). **3** pilón (lavadero).
piso ['pizʊ] *m* **1** piso (superficie). **2** piso (planta).
pista ['piʃta] *f* **1** pista (rastro). **2** pista (indicio). **3** pista (de competición). **4** pista (de baile).
pistache [piʃ'taʃɪ] *m* pistacho.
pistola [piʃ'tɔla] *f* pistola (arma). ♦ **~ automática** pistola automática.
pistoleiro, ra [piʃto'leyrʊ, ra] *m e f* pistolero (asesino).
pitada [pi'tada] *f* **1** pizca. **2** calada (fumada).
pitéu [pi'tɛw] *m* (coloq) gollería, manjar.
pitoresco, ca [pito'reyʃkʊ, ka] *adj* **1** pictórico. **2** pintoresco (peculiar, fascinante).
pivete [pi'vɛtʃɪ] *m* **1** chaval. **2** (coloq) granuja, pilluelo.
pivô [pi'vo] *m* **1** pivote (soporte). **2** (fig) agente, causa. **3** ESPORT pívot.
pizza ['pitsa] *f* pizza.
placa ['plaka] *f* **1** placa (lámina). **2** placa (inscripción). **3** matrícula, placa (de vehículo).
placar [pla'kaʀ] *m* **1** condecoración, insignia. **2** marcador, tanteador (tablero).
placar [pla'kaʀ] *tr, intr e pron* aplacar, calmar.
placenta [pla'sẽta] *f* ANAT placenta.
placidez [plasi'deyʃ] *f* placidez.
plácido, da ['plasidʊ, da] *adj* **1** plácido (tranquilo). **2** plácido (apacible).
plagiar [plaʒi'aʀ] *tr* plagiar.
plágio ['plaʒyʊ] *m* plagio (copia).
planalto [pla'nawtʊ] *m* **1** altiplano. **Planalto 2** Palacio del Planalto (sede del gobierno central).
planar [pla'naʀ] *intr* planear (ave, avión).
plâncton ['plãkitõw] *m* BIOL plancton.
planear [plane'aʀ] *tr* ⇒ planejar.
planejado, da [plane'ʒadʊ, da] *adj* planeado.
planejamento [planeʒa'mẽtʊ] *m* planeamiento.
planejar [plane'ʒaʀ] *tr* **1** planear (trazar, dibujar). **2** planear (idear).
planeta [pla'neta] *m* ASTR planeta. ■ **ter nascido debaixo de bom ~** (fig) tener estrella.
planetário, a [plane'taryʊ, a] *adj* **1** planetario. • *m* **2** planetario.
plangente [plã'ʒẽtʃɪ] *adj 2 gén* plañidero, lloroso.
planície [pla'nisye] *f* planicie.
planificação [planifika'sãw] *f* planificación.
planificar [planifi'kaʀ] *tr* **1** planificar (organizar). **2** planificar, proyectar (plano). **3** planificar (planear, idear).
plano, na ['plãnʊ, na] *adj* **1** plano (liso). **2** llano, sencillo. • *m* **3** plano (superficie). **4** GEOM plano. **5** plano, proyecto (dibujo): *plano do prédio = plano del edificio*. **6** esbozo (de una obra). **7** plan (idea, intención): *plano de fuga = plan de fuga*. **8** plan (conjunto de medidas): *plano contra a seca = plan contra la sequía*. **9** CINE, TV plano. ♦ **~ de saúde** seguro médico.
planta ['plãta] *f* **1** planta (vegetal). **2** planta (del pie). **3** ARQ planta (diseño).
plantação [plãta'sãw] *f* **1** plantación: *a plantação de árvores regenerará a zona = la plantación de árboles regenerará la zona*. **2** plantación (terreno).
plantão [plã'tãw] *m* **1** guardia (vigilancia): *o soldado ficou de plantão a noite toda = el soldado estuvo de guardia toda la noche*. **2** guardia (servicio extra): *hospital de plantão = hospital de guardia*. ■ **de ~** a la espera.
plantar [plã'taʀ] *tr e intr* **1** plantar (en tierra). • *tr* **2** plantar (cultivar). **3** (fig) plantar (fijar verticalmente). **4** (fig) plantar (establecer, fundar).
plantio [plã'tʃiʊ] *m* plantío.
planura [plã'nura] *f* llanura (planicie).

plasma ['play3ma] *m* MED plasma (sanguíneo).
plástica ['playʃtʃika] *f* **1** plástica (arte). **2** figura, talle (del cuerpo).
plástico, ca ['playʃtʃikʊ, ka] *adj* **1** plástico (modelable). **2** (fig) plástico (estilo expresivo): *linguagem plástica = lenguaje plástico.* • *adj/m* **3** plástico (material sintético).
plastilina [playʃtʃi'lĩna] *f* plastilina.
plataforma [plata'fɔʀma] *f* **1** plataforma (entarimado). **2** andén (de estación). **3** rampa, plataforma (de lanzamiento). ◆ **~ espacial** plataforma espacial.
plátano ['platanʊ] *m* plátano (platanácea).
platéia [pla'tɛya] *f* **1** platea, patio de butacas. **2** (fig) público, espectadores.
platina [pla'tʃina] *f* **1** QUÍM platina, platino. **2** platina (de microscopio).
platônico, ca [pla'tõnikʊ, ka] *adj/m e f* **1** platónico. **2** (fig) desinteresado, honesto.
plausível [plaw'zivew] *adj 2 gén* **1** plausible (digno de aplauso). **2** plausible (recomendable).
play ['pley] *m* ⇒ playground.
playground [pley'gɾawndʒɪ] *m* **1** parque infantil. **2** parque, área recreativa.
plebe ['plɛbɪ] *f* plebe.
plebeu, béia [ple'bew, 'beya] *adj/m e f* **1** plebeyo. • *adj* **2** (fig) ordinario, insignificante.
plebiscito [plebi'situ] *m* plebiscito.
pleito ['pleytʊ] *m* pleito.
plenário,a [ple'naɾyʊ, a] *adj* **1** plenario. • *m* **2** plenario, pleno.
plenilúnio [pleni'lunyʊ] *m* plenilunio.
plenitude [pleni'tudʒɪ] *f* plenitud.
pleno, na ['plẽnʊ, na] *adj* **1** pleno (lleno). **2** pleno (completo, perfecto). • *adj/m* **3** pleno (asamblea).
pluma ['pluma] *f* **1** pluma. **2** llama pequeña.
plumagem [plu'maʒẽy] *f* plumaje.
plúmbeo, a ['plũbyʊ, a] *adj* **1** plúmbeo. **2** plomizo (color); plomo (Amér).
plural [plu'ɾaw] *adj 2 gén* **1** plural. • *adj/m* **2** GRAM plural.
pluralidade [pluɾali'dadʒɪ] *f* **1** pluralidad (diversidad). **2** pluralidad (mayoría).
pluralismo [pluɾa'liʒmʊ] *m* pluralismo.
pluralista [pluɾa'liʃta] *adj/m e f* pluralista.
plurianual [pluɾiãnu'aw] *adj 2 gén* plurianual.
plurilíngüe [pluɾi'lĩgwɪ] *adj/m e f* plurilingüe.
Plutão [plu'tãw] *m* ASTR Plutón.
pluvial [pluvi'aw] *adj 2 gén* **1** pluvial. • *m* **2** capa pluvial.
PNB [peẽnɪ'be] *m* (sigla de **Produto Nacional Bruto**) PNB (Producto Nacional Bruto).
pneu [pi'new] *m* **1** neumático (llanta). **2** (fig, fam) michelín.
pneumático, ca [pinew'matʃikʊ, ka] *adj* **1** neumático. • *m* **2** neumático (llanta).
pneumologia [pinewmolo'ʒia] *f* MED neumología.
pneumonia [pinewmo'nia] *f* MED neumonía.
pó ['pɔ] *m* **1** polvo. **2** rapé (tabaco). **3** polvo, ceniza (de un cadáver). **4** suelo (tierra). ■ **morder o ~** (fig, fam) morder el polvo.
pô ['po] *interj* ¡joder!, ¡coño! (expresa espanto, desagrado, dolor).
pobre ['pɔbɾɪ] *adj 2 gén* **1** pobre (necesitado). **2** pobre (escaso). **3** pobre (improductivo). • *s 2 gén* **4** pobre (sin recursos).
pobreza [po'bɾeza] *f* **1** pobreza (falta, escasez). **2** pobres (clase).
poça ['posa] *f* **1** poza (charca). **2** poza (alberca, balsa).
pocilga [po'siwga] *f* pocilga (para cerdos).
poço ['posʊ] *m* **1** pozo (de agua, petróleo). **2** cisterna (depósito). **3** pozo, poza (de un río, de un lago). **4** (fig) pozo (abismo). ◆ **~ sem fundo** (fig) pozo sin fondo.
poda ['pɔda] *f* **1** poda (corte). **2** (fig) poda (temporada, época).
podar [po'daʀ] *tr* podar.
pó-de-arroz [pɔdʒya'ʀoyʃ] *m* polvo de arroz.
poder [po'deʀ] *m* **1** poder (autoridad). **2** poder (gobierno). **3** poder (facultad). **4** poder (vigor). **5** gran cantidad (abundancia). • **poderes** *m pl* **6** poderes. ◆ **~ aquisitivo** poder adquisitivo; **~ executivo** poder ejecutivo; **~ judiciário** po-

P

der judicial; ~ **legislativo** poder legislativo.
poder [po'deʀ] *tr* **1** poder (ser capaz). **2** poder (ser posible). **3** poder (tener la posibilidad).
poderio [pode'ɾiʊ] *m* **1** poderío (gran poder). **2** poderío (poder, dominio).
poderoso, sa [pode'ɾozʊ, za] *adj* **1** poderoso (influyente). **2** poderoso (muy rico). **3** poderoso (eficaz).
pódio ['pɔdʒyʊ] *m* podio (plataforma).
podre ['podɾɪ] *adj 2 gén* **1** podrido (descompuesto). **2** (fig) podrido (corrupto). • *m* **3** podre (putrefacción).
podridão [podɾi'dãw] *f* podredumbre (putrefacción).
poeira [po'eyɾa] *f* **1** polvo. **2** (fig) tierra (suelo).
poeirento, ta [poey'ɾẽtʊ, ta] *adj* **1** polvoriento. **2** (fig) antiguo, anticuado.
poema [po'ẽma] *m* **1** poema (poesía). **2** (fig) poesía (idealidad, lirismo).
poesia [poe'zia] *f* **1** poesía (género). **2** poesía (poema). **3** (fig) poesía (idealidad, lirismo). ◆ ~ **lírica** poesía lírica.
poeta [po'ɛta] *m* poeta.
poética [po'ɛtʃika] *f* **1** poética (ciencia). **2** poética (poesía).
poético, ca [po'ɛtʃikʊ, ka] *adj* poético.
poetisa [poe'tʃiza] *f* poetisa.
pois ['poyʃ] *conj* **1** pues (ya que): *você pode repetir, pois não entendi nada = puedes repetirlo, pues no he entendido nada.* **2** pues (por lo tanto): *é muito caro e não pode, pois, comprar outro = es muy caro y no puede, pues, comprar otro.* **3** pues (entonces, en ese caso). ■ ~ **não** sí, claro.

> ***Pois não*** significa normalmente 'sí', 'claro'. Esta locución suele confundir a los hispanohablantes, pues identifican ***pois não*** con **pues no**, es decir, con una negativa.

polaco, ca [po'lakʊ, ka] *adj/m e f* **1** polaco. • *m* **2** polaco (lengua).
polaina [po'layna] *f* polaina.
polar [po'laʀ] *adj 2 gén* **1** polar (de los polos). **2** (fig) opuesto (contrario).
polaridade [polaɾi'dadʒɪ] *f* FÍS polaridad.
polarização [polaɾiza'sãw] *f* **1** FÍS polarización. **2** (fig) polarización (concentración).
polarizar [polaɾi'zaʀ] *tr* **1** FÍS polarizar. **2** (fig) concentrar (atraer).
polegada [pole'gada] *f* pulgada (medida).
polegar [pole'gaʀ] *adj/m* **1** pulgarada (medida). • *m* **2** pulgar (dedo).
polêmica [po'lẽmika] *f* **1** polémica (controversia). **2** (fig) polémica (disputa).
polêmico, ca [po'lẽmikʊ, ka] *adj* polémico (controvertido).
polemizar [polẽmi'zaʀ] *tr e intr* polemizar.
pólen ['pɔlẽy] *m* BOT polen.
polícia [po'lisya] *f* **1** policía (cuerpo). • *m* **2** policía (agente).
policial [polisi'aw] *adj 2 gén* **1** policial (policíaco). • *s 2 gén* **2** policía (agente).
policiamento [polisia'mẽtʊ] *m* vigilancia, control policial.
policiar [polisi'aʀ] *tr* **1** celar (mantener en orden). **2** vigilar (cuidar).
policromado, da [polikɾo'madʊ, da] *adj* policromado.
policromia [polikɾo'mia] *f* policromía.
policromo, ma [poli'kɾõmʊ, ma] *adj* polícromo.
policultura [polikuw'tuɾa] *f* policultivo.
polietileno [polietʃi'lẽnʊ] *m* polietileno.
polifonia [polifo'nia] *f* MÚS polifonía.
polígono [po'ligonʊ] *m* GEOM polígono.
polimento [poli'mẽtʊ] *m* **1** pulimento. **2** brillo (lustre).
polímero [po'limeɾʊ] *m* QUÍM polímero.
poliomielite [pɔliomie'litʃɪ] *f* MED poliomielitis.
polir [po'liʀ] *tr e pron* **1** pulir (lustrar, abrillantar). **2** (fig) pulir (educar).
politécnico, ca [poli'tɛkinikʊ, ka] *adj* politécnico.
política [po'litʃika] *f* **1** política (arte, actividad). **2** política (cortesía).
político, ca [po'litʃikʊ, ka] *adj/m e f* **1** político. **2** (fig) político (cortés, urbano).
politizado, da [politʃi'zadʊ, da] *adj* politizado.
politizar [politʃi'zaʀ] *tr e pron* politizar.

polivalência [poliva'lẽsya] *f* polivalencia.
polivalente [poliva'lẽtʃɪ] *adj 2 gén* **1** polivalente (plurivalente). **2** polivalente (versátil).
pólo ['pɔlʊ] *m* **1** polo (extremo, región). **2** fin (objetivo). **3** (fig) polo (centro). **4** ESPORT polo. ◆ ~ **aquático** ESPORT waterpolo; ~ **norte** polo norte; ~ **sul** polo sur.
polonês, sa [polo'neyʃ, za] *adj/m e f* **1** polaco. **2** polaco (lengua).
Polônia [po'lõnya] *f* Polonia.
polônio, a [po'lõnyʊ, a] *adj/m e f* **1** ⇒ polonês, sa. ● *m* **2** QUÍM polonio.
polpa ['powpa] *f* **1** pulpa (carne). **2** pulpa (de fruta). **3** pasta de papel.
poltrona [pow'trõna] *f* **1** poltrona (sillón). **2** butaca (de cine, teatro).
poluição [polui'sãw] *f* polución, contaminación.
poluidor, ra [polui'doʀ, ɾa] *adj/m e f* contaminador.
poluir [polu'iʀ] *tr* **1** contaminar (medio ambiente). ● *tr e pron* **2** (fig) contaminar (corromper, pervertir).
polvilhar [powvi'ʎaʀ] *tr* **1** espolvorear (salpicar de polvo). **2** empolvar (rostro).
polvilho [pow'viʎʊ] *m* **1** polvillo (polvo fino). **2** harina de mandioca.
polvo ['powvʊ] *m* pulpo.

> No confundir esta palabra con el término español **polvo**, que es ***pó*** en portugués.

pólvora ['pɔwvoɾa] *f* pólvora (mezcla explosiva).
pomada [po'mada] *f* **1** pomada (medicamento). **2** pomada (cosmético).
pomar [po'maʀ] *m* pomar.
pombo, ba ['põbʊ, ba] *m e f* paloma (ave).
pomo ['põmʊ] *m* BOT pomo (fruto).
pomo-de-adão [põmʊdʒya'dãw] *m* nuez (bocado de Adán).
pompa ['põpa] *f* **1** pompa (ostentación). **2** pompa (lujo, grandeza).
pomposo, sa [põ'pozʊ, za] *adj* **1** pomposo (fastuoso); rajón (Amér. Centr). **2** pomposo, grandilocuente (lenguaje).
pômulo ['põmulʊ] *m* pómulo.
ponderação [põdeɾa'sãw] *f* ponderación (atención, consideración).
ponderado, da [põde'ɾadʊ, da] *adj* **1** ponderado (prudente, mesurado). **2** MAT ponderado.
ponderar [põde'ɾaʀ] *tr* **1** ponderar (sopesar). **2** MAT ponderar (pesar).
ponderável [põde'ɾavew] *adj 2 gén* ponderable.
ponta ['põta] *f* **1** punta (extremo). **2** punta (extremo agudo). **3** punta (pizca). **4** yema (del dedo). **5** punta (puntilla, encaje). **6** punta (colilla). ■ **na ~ dos pés** de puntillas; **saber na ~ da língua** (fig, fam) saber al dedillo.
pontapé [põta'pɛ] *m* **1** puntapié. **2** (fig) ofensa.
pontaria [põta'ɾia] *f* **1** puntería (apuntación). **2** puntería (destreza, habilidad).
ponte ['põtʃɪ] *f* **1** puente (construcción). **2** (fig) puente (enlace).
pontear [põte'aʀ] *tr* puntear (marcar, dibujar).
pontiagudo, da [põtʃia'gudʊ, da] *adj* puntiagudo.
pontificar [põtʃifi'kaʀ] *intr* **1** pontificar. **2** (fig) pontificar (dogmatizar).
ponto ['põtʊ] *m* **1** punto (señal). **2** punto (signo ortográfico). **3** punto (de costura). **4** punto (tejido). **5** punto (instante, momento). **6** punto (sitio, lugar). **7** parada (de autobús, taxi). **8** punto (estado, fase). **9** punto (calificación). ◆ ~ **cardeal** punto cardinal; ~ **de vista** punto de vista. ■ **a ~ de** a punto de.
pontuação [põtua'sãw] *f* puntuación (signos gráficos).
pontual [põtu'aw] *adj 2 gén* puntual (a tiempo, exacto).
pontualidade [põtuali'dadʒɪ] *f* puntualidad.
pontuar [põtu'aʀ] *tr e intr* **1** puntuar (texto). ● *tr* **2** (fig) puntualizar (referir).
pop ['pɔpɪ] *m* **1** pop (música). **2** pop (arte).
popa ['popa] *f* **1** MAR popa. **2** (coloq) trasero, culo.
população [popula'sãw] *f* población (habitantes). ◆ ~ **economicamente activa** ECON población activa.
populacional [populasio'naw] *adj 2 gén* poblacional (demográfico).

p

popular [popu'laR] *adj 2 gén* **1** popular: *costumes populares = costumbres populares.* **2** popular (sencillo).

popularidade [populari'dadʒi] *f* popularidad (fama, renombre).

popularizar [populari'zaR] *tr e pron* **1** popularizar (hacer popular). **2** divulgar (hacer conocido).

populismo [popu'liʒmʊ] *m* POL populismo.

populista [popu'liʃta] *adj/m e f* **1** populista. **2** popularista.

populoso, sa [popu'lozʊ, za] *adj* populoso (poblado).

pôquer ['pokeR] *m* póquer (juego, partida).

por ['poR] *prep* **1** por (a través): *este ônibus passa por Copacabana = este autobús pasa por Copacabana.* **2** por (localización aproximada): *logo chegaremos por lá = pronto llegaremos por ahí.* **3** por (causa, motivo). **4** por (multiplicación). **5** por (sin).

pôr ['poR] *m* puesta. ◆ ~ **do sol** puesta de sol.

pôr ['poR] *tr* **1** poner (colocar, situar). **2** poner (introducir, incluir). **3** poner (montar, instalar). **4** poner (depositar, guardar). **5** asegurar, afirmar: *eu ponho que ganharemos a copa = aseguro que ganaremos la copa.* **6** invertir (dinero). **7** poner (nombre, apodo). **8** poner (en el cine, televisión). ● *tr e intr* **9** poner (huevos). ● *tr e pron* **10** poner (llevar vestido). ■ ~ **a limpo** poner en claro.

porão [po'rãw] *m* **1** sótano. **2** (fig) escondrijo, zulo.

porção [poR'sãw] *f* **1** porción (parte, pedazo). **2** porción (ración, dosis).

porcaria [poRka'ria] *f* **1** porquería (suciedad, basura). **2** (fig) porquería (guarrada, palabrota).

porcelana [poRse'lãna] *f* porcelana (loza, vasija).

porcino, na [poR'sinʊ, na] *adj* porcino.

porco, ca ['poRkʊ, ka] *adj/m e f* **1** puerco (sucio). ● *adj* **2** chapucero. ● *m* **3** puerco, cerdo (animal).

porém [po'rẽy] *conj* **1** sin embargo, no obstante. ● *m* **2** problema (obstáculo, dificultad).

porfiar [poRfi'aR] *intr* **1** porfiar (importunar). ● *tr* **2** porfiar (disputar).

pormenor [poRme'nɔR] *m* pormenor.

pormenorizar [poRmenori'zaR] *tr e intr* pormenorizar.

pornô [poR'no] *adj/m* (coloq) porno.

pornográfico, ca [poRno'grafikʊ, ka] *adj* pornográfico.

poro ['pɔrʊ] *m* poro (orificio).

poroso, sa [po'rozʊ, za] *adj* poroso.

porquanto [poR'kwãtʊ] *conj* porque: *não foi ao jantar, porquanto estava chateado com o anfitrião = no fue a la cena, porque estaba enfadado con el anfitrión.*

porque [poR'ke] *conj* **1** pues, puesto que, que. **2** porque: *não foi à festa porque estava viajando = no fue a la fiesta porque estaba de viaje.*

porquê [poR'ke] *m* porqué (razón, motivo).

porra ['poRa] *f* porra (palo).

porrada [po'Rada] *f* **1** leña (paliza, golpes). **2** (coloq) porrada (gran cantidad).

porre ['pɔRi] *m* (coloq) turca, pedo (borrachera).

porta ['pɔRta] *f* **1** puerta (vano, armazón). **2** (fig) puerta (principio).

porta-aviões [pɔRtavi'õyʃ] *m* portaaviones.

porta-cigarros [pɔRtasi'gaRʊyʃ] *m* petaca, cigarrera (estuche).

portador, ra [poRta'doR, ra] *adj/m e f* **1** maletero (mozo). **2** portador. **3** MED portador (de una enfermedad). ■ **ao** ~ al portador.

porta-fólio [pɔRta'fɔlyʊ] *m* portafolio, portafolios (carpeta).

portal [poR'taw] *m* **1** portal (pórtico). **2** fachada (de un edificio).

porta-malas [pɔRta'malayʃ] *m* maletero (de un vehículo).

porta-moedas [pɔRtamo'ɛdayʃ] *m* monedero (bolsa, cartera).

portanto [poR'tãtʊ] *conj* por lo tanto (por consiguiente, luego).

portão [poR'tãw] *m* **1** portón (puerta grande). **2** verja.

portar [poR'taR] *tr* **1** portar (transportar, llevar). **2** llevar (vestido). ● ~**-se** *pron* **3** portarse (comportarse).

porta-retratos [pɔRtaRe'tratʊyʃ] *m* portarretratos.

porta-revistas [pɔRtaRe'viʃtayʃ] *m* revistero.

portaria [poʀta'ɾia] *f* portería (de edificio).
portátil [poʀ'tatʃiw] *adj 2 gén* portátil.
porta-voz [pɔʀta'vɔyʃ] *m* **1** portavoz. **2** MAR megáfono.
porte ['pɔʀtʃɪ] *m* **1** porte (transporte). **2** porte (paga). **3** porte (presencia, postura).
porteiro, ra [poʀ'teyɾʊ, ɾa] *m* portero (de edificio). ♦ ~ **eletrônico** portero automático.
portento [poʀ'tẽtʊ] *m* portento.
pórtico ['pɔʀtʃikʊ] *m* **1** pórtico (entrada). **2** pórtico (galería).
porto ['poʀtʊ] *m* **1** puerto (lugar). **2** puerto (localidad con puerto).
portuário, a [poʀtu'aɾyʊ, a] *adj* **1** portuario. • *m* **2** trabajador portuario.
Portugal [poʀtu'gaw] *m* Portugal.
português, sa [poʀtu'geyʃ, za] *adj/m e f* **1** portugués. • *m* **2** portugués (lengua).
porventura [poʀvẽ'tuɾa] *adv* **1** por acaso, por casualidad. **2** (en interrogativas) acaso, por casualidad: *porventura você foi bem na prova? = ¿acaso has aprobado el examen?*
posar [po'zaʀ] *tr* posar (para un retrato, foto).
pose ['pozɪ] *f* **1** pose (postura, posición). **2** pose (afectación).
pós-graduação [pɔyʒgɾadwa'sãw] *f* posgrado.
pós-guerra [pɔyʒ'gɛʀa] *f* posguerra.
posição [pozi'sãw] *f* **1** posición (lugar ocupado). **2** posición (postura). **3** (fig) situación (estado, condición). **4** posición (condición social).
posicionamento [pozisiona'mẽtʊ] *m* **1** posicionamiento (postura). **2** (fig) posicionamiento (opinión).
posicionar [pozisio'naʀ] *tr e pron* posicionar (colocarse).
positivismo [pozitʃi'viʒmʊ] *m* positivismo.
positivo, va [pozi'tʃivʊ, va] *adj* **1** positivo (afirmativo). **2** positivo (beneficioso). **3** positivo (verdadero). **4** positivo (optimista).
pospor [poyʃ'poʀ] *tr* posponer (aplazar).
posse ['pɔsɪ] *f* **1** propiedad (derecho, facultad). **2** propiedad (posesiones). • **posses** *f pl* **3** bienes (posesiones).
possessão [pose'sãw] *f* posesión (propiedad).
possessivo, va [pose'sivʊ, va] *adj* posesivo (egoísta).
possessor, ra [pose'soʀ, ɾa] *adj/m e f* poseedor.
possibilidade [posibili'dadʒɪ] *f* posibilidad.
possibilitar [posibili'taʀ] *tr* posibilitar.
possível [po'sivew] *adj 2 gén* **1** posible (factible). **2** posible (probable).
possuidor, ra [poswi'doʀ, ɾa] *adj/m e f* poseedor, propietario.
possuir [posu'iʀ] *tr* **1** poseer (ser propietario). **2** poseer (tener, contar con).
posta ['pɔyʃta] *f* **1** posta (de pescado, carne). **2** posta, diligencia (coche de caballos).
postal [poyʃ'taw] *adj 2 gén* **1** postal. • *m* **2** postal (tarjeta).
poste ['pɔyʃtʃɪ] *m* **1** poste (madero, columna). **2** ESPORT poste (de la portería).
pôster ['poyʃteʀ] *m* póster.
posteridade [poyʃteri'dadʒɪ] *f* **1** posteridad (tiempo futuro). **2** descendencia.
posterior [poyʃteɾi'oʀ] *adj 2 gén* **1** posterior (trasero). **2** posterior (ulterior). • *m* **3** (coloq) trasero (culo).
postiço, a [poyʃ'tʃisʊ, a] *adj* **1** postizo (artificial). **2** postizo (falso, fingido).
postigo [poyʃ'tʃigʊ] *m* **1** postigo (puerta). **2** mirilla, rejilla.
posto ['poyʃtʊ] *conj* aunque: *ele não seguiu a carreira artística, posto que tivesse talento = no siguió la carrera artística, aunque tuviese talento.*
posto, ta ['poyʃtʊ, ta] *adj* **1** puesto (colocado). • *m* **2** puesto (sitio, lugar). **3** (fig) puesto (empleo, cargo). ♦ ~ **de gasolina** gasolinera.
postulado [poyʃtu'ladʊ, da] *m* postulado (supuesto).
postular [poyʃtu'laʀ] *tr* **1** postular (pedir). **2** presuponer (suponer). **3** postular (para prelado).
póstumo, ma ['pɔyʃtumʊ, ma] *adj* póstumo.
postura [poyʃ'tuɾa] *f* **1** postura (posición). **2** postura (actitud). **3** porte (apariencia).
potabilidade [potabili'dadʒɪ] *f* potabilidad.
potássio [po'tasyʊ] *m* QUÍM potasio.
potável [po'tavew] *adj 2 gén* potable.
pote ['pɔtʃɪ] *m* **1** pote (vasija). **2** tarro (para cremas, alimentos).

potência [po'tẽsya] *f* **1** potencia (capacidad). **2** potencia (poder, poderío). **3** (fig) potencia (país fuerte). **4** MAT potencia.
potencial [potẽsi'aw] *adj 2 gén* **1** potencial (virtual, posible). • *m* **2** potencialidad (posibilidad). **3** potencial (fuerza, poder).
potenciar [potẽsi'aʀ] *tr* potenciar.
potente [po'tẽtʃɪ] *adj 2 gén* **1** potente (poderoso). **2** potente (fuerte).
potro ['potrʊ] *m* potro (caballo joven).
pouca-vergonha [powkaveʀ'gõɲa] *f* desvergüenza (descaro).
pouco, ca ['powkʊ, ka] *pron* **1** poco (pequeña cantidad): *pouca comida = poca comida.* • *adv* **2** poco (insuficientemente): *estuda pouco = estudia poco.* **3** poco (corta duración): *a febre durou pouco = la fiebre duró poco.* ■ **~ a ~** poco a poco.
poupança [pow'pãsa] *f* **1** ahorro (economía). **2** (coloq) tacañería.
poupar [pow'paʀ] *tr* **1** ahorrar (economizar). • *tr e intr* **2** ahorrar (guardar dinero); horrar (Amér).
pousada [pow'zada] *f* **1** posada (hospedería). **2** poso (descanso). **3** alojamiento.
pousar [pow'zaʀ] *tr* **1** posar (asentar, apoyar). • *tr e intr* **2** posar (ave, aeronave).
povo ['povʊ] *m* **1** pueblo (nación). **2** pueblo (vecinos): *o povo do Rio de Janeiro = el pueblo de Río de Janeiro.* **3** pueblo (ciudadanía): *povo soberano = pueblo soberano.* **4** pueblo (plebe).
povoação [povoa'sãw] *f* **1** población (poblamiento). **2** población (habitantes).
povoado, da [povo'adʊ, da] *adj* **1** poblado (habitado). **2** poblado (concurrido). **3** poblado, frondoso (vegetación). • *m* **4** poblado (lugarejo).
povoamento [povoa'mẽtʊ] *m* poblamiento.
povoar [povo'aʀ] *tr* **1** poblar (colonizar, ocupar). **2** poblar (con animales, plantas).
pra ['pra] *prep* (coloq) para.
praça ['prasa] *f* **1** plaza (área pública). **2** plaza (mercado, feria). **3** plaza (fortaleza). **4** plaza (jardín público). **5** plaza (comunidad financiera). **6** parada de taxis. ■ **pôr na ~** (fig) poner a la venta.
pradaria [prada'ria] *f* pradera.
prado ['pradʊ] *m* **1** prado (campiña). **2** hipódromo.
praga ['praga] *f* **1** plaga (calamidad). **2** (fig) plaga (contratiempo, infortunio). **3** maldición.
pragmática [pragi'matʃika] *f* **1** protocolo, etiqueta (normas). **2** FILOL pragmática.
pragmático, ca [pragi'matʃikʊ, ka] *adj* pragmático (práctico, objetivo).
pragmatismo [pragima'tʃiʒmʊ] *m* **1** pragmatismo (practicidad). **2** FIL pragmatismo.
praguejar [prage'ʒaʀ] *tr e intr* **1** maldecir. • *tr* **2** difamar.
praia ['praya] *f* **1** playa (arenal). **2** playa (litoral).
praiano, na [pray'ãnʊ, na] *adj* playero (costero).
prancha ['prãʃa] *f* **1** plancha (tablón). **2** plancha (de impresión). **3** tabla (de deportes acuáticos).
pranto ['prãtʊ] *m* **1** llanto (lloro). **2** llanto (lamento, queja).
prata ['prata] *f* **1** plata (metal). **2** (coloq) plata (dinero); pipiolo, pisto (Amér. Centr); fierro, lana (Méx); grullo (Bol); gurbia (C. Rica); pisto (Perú); chala (Arg, Bol).
prateado, da [prate'adʊ, da] *adj* **1** plateado. • *m* **2** baño de plata.
pratear [prate'aʀ] *tr* platear.
prateleira [prate'leyra] *f* **1** estante (balda). **2** estantería.
prática ['pratʃika] *f* **1** práctica (realización). **2** práctica (realidad). **3** práctica (pericia, técnica). **4** práctica (hábito, costumbre). ■ **na ~** en la práctica; **pôr em ~** poner en práctica.
praticante [pratʃi'kãtʃɪ] *adj/m e f* **1** practicante (de una religión). **2** practicante (de una actividad).
praticar [pratʃi'kaʀ] *tr* **1** practicar (realizar). **2** practicar (entrenar, estudiar). **3** conversar. • *tr e intr* **4** practicar (ejercer).
praticável [pratʃi'kavew] *adj 2 gén* **1** practicable (factible). **2** practicable (transitable).

prático, ca ['pratʃiku, ka] *adj* **1** práctico (diestro). **2** práctico (pragmático). **3** práctico (funcional, útil).
prato ['pratu] *m* **1** plato (utensilio). **2** plato (comida, alimento). ◆ ~ **fundo** plato hondo; ~ **raso** plato llano; ~ **único** plato único. ■ **pôr em pratos limpos** (fig) dejar las cosas claras.
praxe ['praʃɪ] *f* práctica, costumbre.
prazenteiro, ra [prazẽ'teyru, ra] *adj* placentero.
prazer [pra'zeʀ] *m* **1** placer (alegría, satisfacción). **2** placer (gozo sexual). **3** placer (divertimiento).
prazo ['prazu] *m* **1** plazo (tiempo estipulado). **2** plazo (vez). ■ **a** ~ a plazos.
pré-adolescente [prɛadole'sẽtʃɪ] *adj/m e f* preadolescente.
preambular [preãbu'laʀ] *adj 2 gén* introductorio.
preâmbulo [pre'ãbulu] *m* **1** preámbulo (preliminar). **2** preámbulo (rodeo, digresión).
pré-aviso [prɛa'vizu] *m* preaviso.
precariedade [prekarie'dadʒɪ] *f* precariedad.
precário, a [pre'karyu, a] *adj* **1** precario (insuficiente, escaso). **2** precario (inestable, incierto).
precaução [prekaw'sãw] *f* **1** precaución (prevención). **2** precaución (cautela).
precaver [preka'veʀ] *tr e pron* precaver.
precavido, da [preka'vidu, da] *adj* precavido (prevenido).
prece ['prɛsɪ] *f* **1** oración (rezo). **2** súplica (ruego).
precedência [prese'dẽsya] *f* **1** precedencia (anterioridad). **2** precedencia (prioridad).
precedente [prese'dẽtʃɪ] *adj 2 gén* **1** precedente (anterior). ● *m* **2** precedente (antecedente).
preceder [prese'deʀ] *tr e intr* **1** preceder (anteceder). ● *tr* **2** preceder (tener prioridad).
preceito [pre'seytu] *m* **1** precepto (norma). **2** lección (instrucción). **3** precepto (orden, prescripción).
preceptor, ra [presepi'toʀ, ra] *adj/m e f* preceptor (educador, mentor).
precessão [prese'sãw] *f* precedencia (antecedencia).
precintado, da [presĩ'tadu, da] *adj* precintado.
precintar [presĩ'taʀ] *tr* precintar (amarrar).
preciosidade [presiozi'dadʒɪ] *f* **1** preciosidad (cosa valiosa, raridad). **2** virtud, cualidad.
precioso, sa [presi'ozu, za] *adj* **1** precioso (valioso). **2** precioso (excelente, primoroso).
precipício [presi'pisyu] *m* **1** precipicio (despeñadero). **2** (fig) precipicio (ruina, catástrofe).
precipitação [presipita'sãw] *f* **1** precipitación (caída). **2** precipitación (prisa). **3** precipitación (irreflexión).
precipitado, da [presipi'tadu, da] *adj* **1** precipitado (caído). ● *adj/m e f* **2** (fig) precipitado (imprudente, irreflexivo).
precipitar [presipi'taʀ] *tr e pron* **1** precipitar (despeñar). **2** (fig) precipitar (arrastrar, arruinar). ● *tr* **3** (fig) precipitar (acelerar, anticipar). ● *intr* **4** QUÍM precipitar.
precisão [presi'zãw] *f* **1** precisión (necesidad). **2** precisión (exactitud). **3** precisión (concisión).
precisar [presi'zaʀ] *tr* **1** precisar (necesitar). **2** precisar (indicar).
preciso, sa [pre'sizu, za] *adj* **1** preciso (necesario). **2** preciso (exacto).
preço ['presu] *m* **1** precio (valor). **2** (fig) precio (exigencia, sacrificio). ■ **a** ~ **de** a cambio de; arriesgándose a; **a qualquer** ~ (fig) a cualquier precio.
precoce [pre'kɔsɪ] *adj 2 gén* **1** precoz (tempranero). **2** precoz (prematuro).
precocidade [prekosi'dadʒɪ] *f* precocidad.
precogitar [prekoʒi'taʀ] *tr* premeditar.
preconceito [prekõ'seytu] *m* prejuicio.
preconizar [prekoni'zaʀ] *tr* preconizar (encomiar, defender).
pré-cozido, da [prɛko'zidu, da] *adj* precocinado.
precursor, ra [prekuʀ'soʀ, ra] *adj/m e f* **1** precursor (predecesor). **2** precursor (profeta, anunciador). **3** precursor (pionero).
predador, ra [preda'doʀ, ra] *adj/m e f* predador.
predecessor, ra [predese'soʀ, ra] *adj/m e f* predecesor (antecesor).

predefinir [predefi'niʀ] *tr* predefinir.
predestinar [predeyʃtʃi'naʀ] *tr* predestinar.
predeterminado, da [predeteʀmi'nadʊ, da] *adj* predeterminado.
predicação [predʒika'sãw] *f* predicación.
predicado [predʒi'kadʊ] *m* GRAM predicado.
predileção [predʒile'sãw] *f* predilección.
predileto, ta [predʒi'lɛtʊ, ta] *adj* predilecto.
prédio ['prɛdʒyʊ] *m* edificio.
predispor [predʒiʃ'poʀ] *tr e pron* **1** predisponer (preparar). **2** predisponer (inculcar, influir).
predisposição [predʒiʃpozi'sãw] *f* predisposición.
predisposto, ta [predʒiʃ'poyʃtʊ, ta] *adj* predispuesto.
predizer [predʒi'zeʀ] *tr* predecir.
predominante [predomi'nãtʃɪ] *adj 2 gén* predominante.
predominar [predomi'naʀ] *tr* predominar (prevalecer).
predomínio [predo'minyʊ] *m* predominio.
preencher [preẽ'ʃeʀ] *tr* **1** llenar, rellenar (ocupar). **2** rellenar (formulario, ficha). **3** aprovechar (tiempo libre). **4** desempeñar (ejercer).
pré-escolar [prɛeʃko'laʀ] *adj 2 gén* **1** preescolar. • *m* **2** preescolar (curso).
preestabelecido, da [prɛeʃtabele'sidʊ, da] *adj* preestablecido.
pré-fabricado, da [prɛfabri'kadʊ, da] *adj/m e f* prefabricado.
prefácio [pre'fasyʊ] *m* prefacio (prólogo).
prefeito [pre'feytʊ] *m* alcalde.
prefeitura [prefey'tura] *f* **1** alcaldía. **2** ayuntamiento.
preferência [prefe'rẽsya] *f* **1** preferencia (predilección). **2** preferencia (prioridad).
preferencial [preferẽsi'aw] *adj 2 gén* preferencial.
preferente [prefe'rẽtʃɪ] *adj/m e f* preferente.
preferido, da [prefe'ridʊ, da] *adj* preferido (predilecto).
preferir [prefe'riʀ] *tr* preferir (dar preferencia).
preferível [prefe'rivew] *adj 2 gén* preferible.
prega ['prɛga] *f* **1** arruga. **2** dobladura (pliegue).
pregação [prega'sãw] *f* **1** predicación. **2** sermón.
pregador, ra [prega'doʀ, ra] *adj/m e f* **1** predicador. • *m* **2** prendedor.
pregão [pre'gãw] *m* pregón (divulgación, anuncio).
pregar [pre'gaʀ] *tr* **1** pegar (fijar, adherir). **2** clavar. **3** pegar (coser).
prego ['prɛgʊ] *m* **1** clavo (pieza). **2** extenuación (cansancio). **3** (coloq) casa de empeño. ■ **dar o ~** (fig, coloq) quedar hecho polvo.
preguiça [pre'gisa] *f* **1** pereza (indolencia). **2** pereza (negligencia).
preguiçoso, sa [pregi'sozʊ, za] *adj/m e f* perezoso.
pré-história [prɛiʃ'tɔrya] *f* **1** prehistoria (período). **2** prehistoria (ciencia).
pré-histórico, ca [prɛiʃ'tɔrikʊ, ka] *adj* prehistórico.
prejudicado, da [preʒudʒi'kadʊ, da] *adj* perjudicado.
prejudicar [preʒudʒi'kaʀ] *tr e pron* **1** perjudicar (dañar, menoscabar). • *tr* **2** anular, invalidar.
prejudicial [preʒudʒisi'aw] *adj 2 gén* perjudicial.
prejuízo [preʒu'izʊ] *m* **1** perjuicio. **2** pérdida (financiera).
preliminar [prelimi'naʀ] *adj 2 gén* **1** preliminar (previo). • *m* **2** prefacio, prólogo.
prelúdio [pre'ludʒyʊ] *m* **1** preludio (preparación, principio). **2** prólogo, prefacio. **3** preludio (señal, indicio).
prematuro, ra [prema'turʊ, ra] *adj* **1** prematuro (anticipado). • *adj/m* **2** prematuro (bebé).
premeditado, da [premedʒi'tadʊ, da] *adj* premeditado.
premeditar [premedʒi'taʀ] *tr* premeditar.
premente [pre'mẽtʃɪ] *adj 2 gén* **1** apremiante (oprimente). **2** apremiante (urgente).
premer [pre'meʀ] *tr, intr e pron* **1** apretar, presionar. • *tr* **2** exprimir (líquido).
premiar [premi'aʀ] *tr* premiar (galardonar, remunerar).

prêmio [ˈprẽmyʊ] *m* **1** premio (remuneración). **2** premio (galardón). ◆ ~ **Nobel** premio Nobel.
premissa [preˈmisa] *f* **1** FIL premisa (proposición). **2** premisa (principio, idea).
premonitório, a [premoniˈtɔryʊ, a] *adj* premonitorio.
pré-natal [prɛnaˈtaw] *adj 2 gén* prenatal.
prenda [ˈprẽda] *f* **1** obsequio. **2** prenda (prueba). ◆ **prendas domésticas** ama de casa.
prendar [prẽˈdaʀ] *tr e intr* **1** obsequiar. **2** dotar (dar, conceder).
prender [prẽˈdeʀ] *tr e intr* **1** prender (atar, sujetar). ● *tr* **2** prender (aprisionar). **3** (fig) cautivar, seducir.
prenhe [ˈprẽɲɪ] *adj 2 gén* preñada (hembra).
prensa [ˈprẽsa] *f* **1** prensa (máquina). **2** imprenta, prensa.
prensar [prẽˈsaʀ] *tr* prensar.
prenúncio [preˈnũsyʊ] *m* prenuncio.
pré-nupcial [prɛnupisiˈaw] *adj 2 gén* prenupcial.
preocupação [prewkupaˈsãw] *f* **1** preocupación (temor). **2** preocupación (interés).
preocupado, da [prewkuˈpadʊ, da] *adj* **1** preocupado (pensativo). **2** preocupado (intranquilo).
preocupante [prewkuˈpãtʃɪ] *adj 2 gén* preocupante.
preocupar [prewkuˈpaʀ] *tr e pron* **1** preocupar (intranquilizar). **2** preocupar (interesar).
preparação [preparaˈsãw] *f* **1** preparación (disposición). **2** preparación (elaboración).
preparado, da [prepaˈradʊ, da] *adj* **1** preparado (listo). **2** preparado (instruido). ● *m* **3** preparado (medicamento).
preparador, ra [preparaˈdoʀ, ra] *adj/m e f* preparador.
preparar [prepaˈraʀ] *tr e pron* **1** preparar (disponer). **2** preparar (enseñar, estudiar).
preparativo, va [preparaˈtʃivʊ, va] *adj* **1** preparativo. ● **preparativos** *m pl* **2** preparativos.
preparatório, a [preparaˈtɔryʊ, a] *adj* preparatorio.
preponderância [prepõdeˈrãsya] *f* preponderancia.
preponderante [prepõdeˈrãtʃɪ] *adj 2 gén* preponderante.
preposição [prepoziˈsãw] *f* GRAM preposición.
prepotência [prepoˈtẽsya] *f* **1** prepotencia (máximo poder). **2** prepotencia (alarde).
prepotente [prepoˈtẽtʃɪ] *adj 2 gén* prepotente.
prerrogativa [preʀogaˈtʃiva] *f* prerrogativa (privilegio).
presa [ˈpreza] *f* **1** presa (caza). **2** (fig) presa (apoderado): *foi presa do terror = fue presa del terror.*
presbítero [preyʃˈbiterʊ] *m* presbítero (sacerdote, clérigo).
prescindir [presĩˈdʒiʀ] *tr* prescindir.
prescrever [preyʃkreˈveʀ] *tr* **1** prescribir (ordenar). **2** prescribir (recetar).
prescrição [preyʃkriˈsãw] *f* **1** prescripción (orden). **2** prescripción (receta).
prescrito, ta [preyʃˈkritʊ, ta] *adj* **1** prescrito (ordenado). **2** prescrito (recetado).
presença [preˈzẽsa] *f* **1** presencia (comparecencia). **2** presencia (talle, figura). **3** presencia (existencia).
presencial [prezẽsiˈaw] *adj 2 gén* presencial.
presenciar [prezẽsiˈaʀ] *tr* presenciar.
presente [preˈzẽtʃɪ] *adj 2 gén* **1** presente (asistente). **2** presente (actual). ● *m* **3** presente (obsequio). **4** presente (tiempo actual).
presentear [prezẽtʃɪˈaʀ] *tr e intr* obsequiar, regalar.
presépio [preˈzɛpyʊ] *m* pesebre (belén).
preservação [prezeʀvaˈsãw] *f* preservación.
preservar [prezeʀˈvaʀ] *tr, intr e pron* preservar.
preservativo, va [prezeʀvaˈtʃivʊ, va] *adj* **1** preservativo. ● *m* **2** preservativo (condón).

> El **preservativo** es conocido popularmente en Brasil con el nombre de ***camisinha.***

presidência [preziˈdẽsya] *f* presidencia (cargo, oficina, tiempo).

presidencial [prezidẽsi'aw] *adj 2 gén* presidencial.
presidente, ta [prezi'dẽtʃɪ, ta] *adj/m e f* **1** presidente (dirigente). • *m e f* **2** presidente (jefe de Estado).
presidiário, a [prezidʒi'aryʊ, a] *m e f* presidiario (preso).
presídio [pre'zidʒyʊ] *m* **1** presidio (cárcel). **2** presidio (pena, castigo).
presidir [prezi'dʒiʀ] *tr e intr* **1** presidir (dirigir, gobernar). **2** presidir (orientar, guiar).
preso, sa ['prezʊ, za] *adj/m e f* **1** preso (encerrado). • *adj* **2** (fig) atado (vinculado).
pressa ['prɛsa] *f* **1** prisa (prontitud). **2** prisa (urgencia). ■ **às pressas** deprisa, con prisa; **dar-se ~** darse prisa.
pressagiar [presaʒi'aʀ] *tr e intr* presagiar.
presságio [pre'saʒyʊ] *m* **1** presagio (indicio). **2** presagio (adivinación).
pressão [pre'sãw] *f* **1** presión (compresión). **2** (fig) presión (coacción). **3** FÍS presión. ♦ **~ arterial** tensión arterial.
pressentimento [presẽtʃi'mẽtʊ] *m* presentimiento.
pressentir [presẽ'tʃiʀ] *tr* **1** presentir (intuir). **2** presentir (adivinar).
pressionar [presio'naʀ] *tr* **1** presionar (comprimir). • *tr e intr* **2** presionar (coaccionar).
pressuposição [presupozi'sãw] *f* presuposición.
pressupor [presu'poʀ] *tr* presuponer.
pressuposto, ta [presu'poyʃtʊ, ta] *adj* **1** presupuesto. • *m* **2** presupuesto (suposición). **3** propósito.

> No confundir la palabra ***pressuposto*** con la española **presupuesto**, con el sentido de 'cómputo anticipado de una obra'. Para ello en portugués se utiliza el término ***orçamento***.

pressuroso, sa [presu'rozʊ, za] *adj* **1** presuroso. **2** celoso, diligente.
prestação [preyʃta'sãw] *f* **1** prestación: *prestação de serviços = prestación de servicios*. **2** plazo (paga). **3** cuota.
prestador, ra [preyʃta'doʀ, ra] *adj* **1** prestador. • *m e f* **2** proveedor.
prestar [preyʃ'taʀ] *tr* **1** prestar (dar). • *intr* **2** valer, servir.
prestável [preyʃ'tavew] *adj 2 gén* **1** útil. **2** atento; atendido (Amér. Merid, Méx).
presteza [preyʃ'teza] *f* presteza.
prestigiar [preyʃtʃiʒi'aʀ] *tr e pron* **1** prestigiar. • *intr* **2** hacer juegos de manos.
prestígio [preyʃ'tʃiʒyʊ] *m* **1** prestigio (renombre). **2** prestigio (influencia).
prestigioso, sa [preyʃtʃiʒi'ozʊ, za] *adj* prestigioso.
préstimo ['prɛyʃtʃimʊ] *m* **1** utilidad. **2** (gralte pl) favor, ayuda.
presto, ta ['prɛyʃtʊ, ta] *adj* **1** presto (rápido). • *adv* **2** MÚS presto.
presumir [prezu'miʀ] *tr* presumir (sospechar, presuponer).
presumível [prezu'mivew] *adj 2 gén* presumible (imaginable).
presunção [prezũ'sãw] *f* **1** presunción (sospecha). **2** presunción (vanidad).
presunçoso, sa [prezũ'sozʊ, za] *adj* presuntuoso.
presunto [pre'zũtʊ] *m* **1** jamón. **2** (gír) fiambre (cadáver).

> No confundir ***presunto*** con el término español **presunto**, que es ***suposto, presumível***, en portugués.

pretendente [pretẽ'dẽtʃɪ] *adj/m e f* **1** pretendiente (aspirante). • *s 2 gén* **2** pretendiente (cortejador).
pretender [pretẽ'deʀ] *tr* **1** pretender (procurar). • *tr e intr* **2** solicitar, requerir.
pretendido, da [pretẽ'dʒidʊ, da] *adj* **1** pretendido (deseado). • *m e f* **2** prometido (novio).
pretensão [pretẽ'sãw] *f* **1** pretensión (solicitación). **2** pretensión (aspiración).
pretensioso, sa [pretẽsi'ozʊ, za] *adj* pretencioso.
pretenso, sa [pre'tẽsʊ, sa] *adj* supuesto.
preterir [prete'riʀ] *tr* **1** desechar, menospreciar. **2** preterir.
pretexto [pre'teyʃtʊ] *m* pretexto. ■ **a ~ de** con el pretexto de.
preto, ta ['pretʊ, ta] *adj/m* **1** negro (color). • *adj* **2** sucio, manchado. **3** (fig) negro (difícil, peligroso).

preto-e-branco [pɾetwɪ'bɾãkʊ] *adj 2 gén* blanco y negro.
prevalecente [pɾevale'sẽtʃɪ] *adj 2 gén* predominante, prevaleciente.
prevalecer [pɾevale'seʀ] *intr* **1** prevalecer (predominar). • **--se** *pron* **2** oponerse, rebelarse.
prevalência [pɾeva'lẽsya] *f* prevalencia.
prevaricador, ra [pɾevaɾika'doʀ, ɾa] *adj/m e f* prevaricador.
prevenção [pɾevẽ'sãw] *f* **1** prevención (precaución). **2** prevención (prejuicio).
prevenido, da [pɾeve'nidʊ, da] *adj* **1** prevenido (avisado). **2** prevenido (precavido).
prevenir [pɾeve'niʀ] *tr, intr e pron* **1** prevenir (anticipar). • *tr e intr* **2** prevenir (advertir).
preventivo, va [pɾevẽ'tʃivʊ, va] *adj* **1** preventivo. • *m* **2** preservativo (condón).
prever [pɾe'veʀ] *tr* **1** prever (anticiparse). **2** prever (adivinar).
previdência [pɾevi'dẽsya] *f* previdencia (previsión). ◆ ~ **social** seguridad social.
previdente [pɾevi'dẽtʃɪ] *adj 2 gén* previdente.
prévio, a ['pɾɛvyʊ, a] *adj* previo.
previsão [pɾevi'zãw] *f* **1** previsión (predicción). **2** previsión (prevención).
previsível [pɾevi'zivew] *adj 2 gén* previsible.
previsto, ta [pɾe'viʃtʊ, ta] *adj* **1** previsto (esperado). **2** previsto (calculado).
prezado, da [pɾe'zadʊ, da] *adj* apreciado (querido).
prezar [pɾe'zaʀ] *tr* **1** apreciar. • **--se** *pron* **2** preciarse (jactarse).
primar [pɾi'maʀ] *intr* primar.
primário, a [pɾi'maɾyʊ, a] *adj* **1** primario (primero). **2** primario (elemental). **3** primario (primitivo, tosco).
primata [pɾi'mata] *adj/m* **1** ZOOL primate. • **primatas** *m pl* **2** ZOOL primates.
primavera [pɾima'vɛɾa] *f* **1** primavera (estación). **2** (fig) primavera (juventud).
primaveral [pɾimave'ɾaw] *adj 2 gén* primaveral.
primazia [pɾima'zia] *f* primacía.
primeira-dama [pɾimeyɾa'dãma] *f* primera dama.
primeiro, ra [pɾi'meyɾʊ, ɾa] *num* **1** primero. • *adj* **2** primero (inicial). • *adv* **3** primero (primeramente).
primeiro-ministro [pɾimeyɾʊmi'niʃtɾʊ] *m* primer ministro.
primícias [pɾi'misyayʃ] *f pl* primicias (principios).
primitivo, va [pɾimi'tʃivʊ, va] *adj* **1** primitivo (primero). **2** primitivo (arcaico). **3** (fig) primitivo (tosco, elemental).
primo, ma ['pɾimʊ, ma] *adj* **1** primo (excelente). **2** MAT primo (número). • *m e f* **3** primo (pariente).
primogênito, ta [pɾimo'ʒẽnitʊ, ta] *adj/m e f* primogénito.
primor [pɾi'moʀ] *m* **1** primor (esmero). **2** primor (obra excelente).
primordial [pɾimoʀdʒi'aw] *adj* **1** primordial (primero). **2** primordial (fundamental).
primórdio [pɾi'mɔʀdʒyʊ] *m* primordio.
primoroso, sa [pɾimo'ɾozʊ, za] *adj* **1** primoroso (perfecto, delicado). **2** primoroso (esmerado).
princesa [pɾĩ'seza] *f* princesa.
principado [pɾĩsi'padʊ] *m* **1** principado (título, territorio, tiempo). **2** (fig) principado (superioridad).
principal [pɾĩsi'paw] *adj 2 gén* **1** principal (primero). **2** principal (fundamental).
príncipe ['pɾĩsipɪ] *m* príncipe (soberano). ■ **como um ~** (fig, fam) a cuerpo de rey.
principiante [pɾĩsipi'ãtʃɪ] *adj/m e f* principiante.
principiar [pɾĩsipi'aʀ] *tr e intr* principiar.
princípio [pɾĩ'sipyʊ] *m* **1** principio (inicio). **2** principio (razón). • **princípios** *m pl* **3** principios (convicciones). ■ **a ou no ~** al principio.
prior [pɾi'ɔʀ] *m* **1** prior (prelado). **2** prior (párroco).
prioridade [pɾioɾi'dadʒɪ] *f* **1** prioridad (anterioridad). **2** prioridad (preferencia).
prioritário, a [pɾioɾi'taɾyʊ, a] *adj* prioritario.
priorizar [pɾioɾi'zaʀ] *tr* priorizar.
prisão [pɾi'zãw] *f* **1** prisión (captura). **2** prisión (cárcel).
prisioneiro, ra [pɾizio'neyɾʊ, ɾa] *adj/ m e f* **1** prisionero. • *m e f* **2** preso (en una cárcel).

prisma [ˈpɾiʒma] *m* **1** GEOM, ÓPT prisma. **2** (fig) prisma (punto de vista).
privação [pɾivaˈsãw] *f* **1** privación (impedimento). **2** privación (carencia).
privacidade [pɾivasiˈdadʒɪ] *f* privacidad.
privado, da [pɾiˈvadʊ, da] *adj* **1** privado (desposeído). **2** privado (particular).
privar [pɾiˈvaʀ] *tr* **1** privar (prohibir). • *tr e pron* **2** privar (despojar).
privativo, va [pɾivaˈtʃivʊ, va] *adj* **1** privativo (impedidor). **2** privativo (propio, exclusivo).
privatização [pɾivatʃizaˈsãw] *f* privatización.
privatizar [pɾivatʃiˈzaʀ] *tr* privatizar.
privilegiado, da [pɾivileʒiˈadʊ, da] *adj* privilegiado.
privilegiar [pɾivileʒiˈaʀ] *tr* privilegiar.
privilégio [pɾiviˈlɛʒyʊ] *m* **1** privilegio (ventaja). **2** privilegio (honor, placer).
pro [ˈpɾo] *contr* **1** (prep. para y art. o) al, hacia el: *ela vai pro supermercado = va al supermercado, a estrada vai pro centro da cidade = la carretera va hacia el centro de la ciudad.* **2** (prep. para y demos. o) al, para el: *fez um sinal pro que estava de pé = hizo una señal al que estaba de pie.*
pró [ˈpɾɔ] *m* **1** pro. • *adv* **2** pro (a favor): *em pró da liberdade = en pro de la libertad.*
proa [ˈpɾoa] *f* MAR proa.
probabilidade [pɾobabiliˈdadʒɪ] *f* **1** probabilidad. **2** MAT probabilidad.
problema [pɾoˈblẽma] *f* **1** problema. **2** MAT problema.
problemática [pɾobleˈmatʃika] *f* problemática.
problemático, ca [pɾobleˈmatʃikʊ, ka] *adj* problemático.
procedência [pɾoseˈdẽsya] *f* **1** procedencia (origen). **2** procedencia (fundamento).
procedente [pɾoseˈdẽtʃɪ] *adj 2 gén* **1** procedente (fundamentado). **2** procedente (proveniente).
proceder [pɾoseˈdeʀ] *m* proceder (comportamiento).
proceder [pɾoseˈdeʀ] *tr* **1** proceder (provenir). **2** proceder (hacer, llevar a efecto).
procedido, da [pɾoseˈdʒidʊ, da] *adj* consecuente, resultante.
procedimento [pɾosedʒiˈmẽtʊ] *m* **1** procedimiento (conducta). **2** procedimiento (método).
processamento [pɾosesaˈmẽtʊ] *m* procesamiento.
processar [pɾoseˈsaʀ] *tr* **1** DIR procesar. **2** COMP procesar.
processo [pɾoˈsɛsʊ] *m* **1** proceso (evolución). **2** proceso (procedimiento). **3** DIR proceso.
processual [pɾosesuˈaw] *adj 2 gén* DIR procesal.
procissão [pɾosiˈsãw] *f* **1** REL procesión. **2** (fig) procesión (hilera).
proclama [pɾoˈklãma] *f* proclama (de boda).
proclamação [pɾoklamaˈsãw] *f* **1** proclamación (declaración). **2** proclamación (acto público).
proclamar [pɾoklaˈmaʀ] *tr e pron* **1** proclamar (declarar, anunciar). **2** proclamar (cargo).
procriação [pɾokɾiaˈsãw] *f* procreación.
procura [pɾoˈkuɾa] *f* **1** búsqueda. **2** ECON demanda: *a lei da oferta e da procura = la ley de la oferta y la demanda.*
procuração [pɾokuɾaˈsãw] *f* procuración (poder, autorización).
procurador, ra [pɾokuɾaˈdoʀ, ɾa] *adj/m e f* **1** procurador (apoderado). **2** curioso, inquieto. • *m e f* **3** procurador (administrador).
procuradoria [pɾokuɾadoˈɾia] *f* procuraduría (cargo, oficina).
procurar [pɾokuˈɾaʀ] *tr* **1** buscar. **2** procurar (intentar).
prodigalizar [pɾodʒigaliˈzaʀ] *tr* **1** prodigar (dilapidar). **2** prodigar (dar en abundancia).
prodigar [pɾodʒiˈgaʀ] *tr* ⇒ prodigalizar.
prodígio [pɾoˈdʒiʒyʊ] *m* **1** prodigio (milagro). • *adj/m* **2** prodigio (genio).
prodigioso, sa [pɾodʒiʒiˈozʊ, za] *adj* **1** prodigioso (maravilloso). **2** inmenso, descomunal.
pródigo, ga [ˈpɾɔdʒigʊ, ga] *adj/m e f* **1** pródigo (derrochador). **2** pródigo (generoso).
produção [pɾoduˈsãw] *f* **1** producción (elaboración). **2** producción (producto, obra).

producente [pɾodu'sẽtʃɪ] *adj 2 gén* productor.
produtividade [produtʃivi'dadʒɪ] *f* **1** productividad (volumen). **2** ECON productividad.
produtivo, va [pɾodu'tʃivʊ, va] *adj* **1** productivo (fructífero). **2** productivo (útil, provechoso).
produto [pɾo'dutʊ] *m* **1** producto (resultado). **2** MAT producto. ♦ **~ interno bruto** producto interior bruto.
produtor, ra [pɾodu'toʀ, ɾa] *adj/m e f* **1** productor. • *m e f* **2** CINE, TV productor.
produzir [pɾodu'ziʀ] *tr e intr* **1** producir (originar, dar fruto). **2** producir (fabricar). **3** producir (crear, realizar). • *tr* **4** producir (ocasionar, provocar). **5** producir (rendir). • **~-se** *pron* **6** producirse (suceder).
proeminência [pɾoemi'nẽsya] *f* prominencia.
proeminente [pɾoemi'nẽtʃɪ] *adj 2 gén* prominente (elevado).
proeza [pɾo'eza] *f* proeza.
profanação [pɾofana'sãw] *f* profanación.
profanar [pɾofa'naʀ] *tr* **1** profanar (violar). **2** (fig) profanar (deshonrar).
profano, na [pɾo'fãnʊ, na] *adj* **1** profano (secular). **2** profano (irrespetuoso). • *m e f* **3** profano (desconocedor).
profecia [pɾofe'sia] *f* **1** profecía (predicción). **2** profecía (conjetura, juicio).
proferir [pɾofe'ɾiʀ] *tr* **1** proferir. **2** hacer público.
professar [pɾofe'saʀ] *tr* **1** profesar (seguir, abrazar). **2** profesar, ejercer (profesión).
professor, ra [pɾofe'soʀ, ɾa] *m e f* **1** profesor. **2** experto, perito. ♦ **~ adjunto** profesor adjunto.
profeta, tisa [pɾo'fɛta, 'tʃiza] *m e f* **1** profeta. **2** (fig) profeta (vidente).
profético, ca [pɾo'fɛtʃikʊ, ka] *adj* profético.
profetizar [pɾofetʃi'zaʀ] *tr e intr* profetizar.
profiláctico, ca ou **profilático, ca** [pɾofi'lakitʃikʊ, ka o pɾofi'latʃikʊ, ka] *adj* MED profiláctico.
profilaxia [pɾofilaki'sia] *f* MED profilaxis.
profissão [pɾofi'sãw] *f* **1** profesión (oficio). **2** profesión (creencia). ♦ **~ liberal** profesión liberal.
profissional [pɾofisio'naw] *adj/m e f* profesional.
profissionalismo [pɾofisiona'liʒmʊ] *m* **1** profesionalidad. **2** carrera profesional.
profissionalizar [pɾofisionali'zaʀ] *tr e pron* profesionalizar.
profundidade [pɾofũdʒi'dadʒɪ] *f* **1** profundidad (fondo). **2** profundidad (hondura). **3** profundidad (dimensión).
profundo, da [pɾo'fũdʊ, da] *adj* **1** profundo (hondo). **2** profundo (intenso, fuerte). **3** profundo, grave (voz, sonido). • *adv* **4** profundamente.
profusão [pɾofu'zãw] *f* **1** profusión (gran cantidad). **2** profusión (prodigalidad).
progenitor, ra [pɾoʒeni'toʀ, ɾa] *m e f* progenitor.
prognosticar [pɾoginoyʃtʃi'kaʀ] *tr e intr* pronosticar.
prognóstico [pɾogi'nɔyʃtʃikʊ] *m* pronóstico (suposición).
programa [pɾo'gɾãma] *m* **1** programa (de espectáculo). **2** programa (de un curso). **3** programa (electoral). **4** programa (de radio, televisión).
programação [pɾogɾãma'sãw] *f* **1** programación (planificación). **2** RÁD, TV programación.
programar [pɾogɾa'maʀ] *tr* **1** programar (planificar). • *tr e intr* **2** COMP programar.
progredir [pɾogɾe'dʒiʀ] *intr* **1** avanzar (ir adelante). **2** progresar (mejorar, evolucionar).
progressão [pɾogɾe'sãw] *f* **1** progresión (desarrollo, avance). **2** MAT progresión.
progressista [pɾogɾe'siʃta] *adj/m e f* progresista.
progressivo, va [pɾogɾe'sivʊ, va] *adj* progresivo.
progresso [pɾo'gɾɛsʊ] *m* **1** progreso (desarrollo). **2** progreso (avance).
proibição [pɾoibi'sãw] *f* prohibición.
proibido, da [pɾoi'bidʊ, da] *adj* prohibido.
proibir [pɾoi'biʀ] *tr* prohibir.
projeção [pɾoʒe'sãw] *f* **1** proyección (lanzamiento). **2** prominencia, saliente. **3** proyección (imagen).
projetar [pɾoʒe'taʀ] *tr e pron* **1** proyectar (lanzar). **2** hacer famoso. • *tr* **3** proyectar (idear, planear).

projétil [pɾo'ʒɛtʃiw] *m* proyectil.
projetista [pɾoʒe'tʃiʃta] *adj/m e f* proyectista.
projeto [pɾo'ʒɛtʊ] *m* **1** proyecto (idea, propósito). **2** proyecto (plan). **3** proyecto (esbozo).
projetor [pɾoʒe'toʀ, ɾa] *m* **1** proyector (de imágenes, películas). **2** proyector (foco).
prol ['pɾɔw] *m* pro (ventaja). ■ **em ~ de** en pro de.
prole ['pɾɔlɪ] *f* prole.
proletariado [pɾoletaɾi'adʊ] *m* proletariado.
proletário, a [pɾole'taɾyʊ, a] *adj* **1** proletario. ● *m e f* **2** proletario (trabajador).
proliferação [pɾolifeɾa'sãw] *f* proliferación.
proliferar [pɾolife'ɾaʀ] *intr* proliferar.
prolixo, xa [pɾo'likisʊ, kisa] *adj* **1** prolijo (en palabras). **2** prolijo (dilatado).
prólogo ['pɾɔlogʊ] *m* prólogo (prefacio).
prolongação [pɾolõga'sãw] *f* prolongación.
prolongado, da [pɾolõ'gadʊ, da] *adj* prolongado.
prolongar [pɾolõ'gaʀ] *tr* **1** prolongar (hacer durar). ● *tr e pron* **2** prolongar (alargar, extender).
promédio [pɾo'mɛdʒyʊ] *m* promedio.
promessa [pɾo'mɛsa] *f* **1** promesa (compromiso). **2** (fig) promesa (augurio).
prometedor, ra [pɾomete'doʀ, ɾa] *adj/m e f* prometedor.
prometer [pɾome'teʀ] *tr e intr* **1** prometer (comprometerse). ● *tr* **2** prometer (asegurar).
prometido, da [pɾome'tʃidʊ, da] *adj* **1** prometido. ● *m e f* **2** prometido (novio, comprometido).
promiscuidade [pɾomiʃkwi'dadʒɪ] *f* promiscuidad.
promíscuo, a [pɾo'miʃkwu, a] *adj* promiscuo.
promoção [pɾomo'sãw] *f* **1** promoción (oferta). **2** promoción (ascenso).
promotor, ra [pɾomo'toʀ, ɾa] *adj/m e f* promotor.
promover [pɾomo'veʀ] *tr* **1** promover (impulsar). **2** promover (ascender). **3** anunciar, hacer propaganda.
promulgação [pɾomuwga'sãw] *f* promulgación.
promulgar [pɾomuw'gaʀ] *tr* promulgar.
pronome [pɾo'nõmɪ] *m* GRAM pronombre.
prontidão [pɾõtʃi'dãw] *f* **1** conclusión, término. **2** prontitud (celeridad).
prontificar [pɾõtʃifi'kaʀ] *tr e pron* **1** ofrecer (poner a disposición). ● *tr* **2** terminar, acabar.
pronto, ta ['pɾõtʊ, ta] *adj* **1** listo, concluído. **2** pronto, dispuesto. **3** inmediato, instantáneo. ● *adv* **4** pronto, en breve.
pronto-socorro [pɾõtuso'koʀʊ] *m* urgencias.
pronúncia [pɾo'nũsya] *f* **1** pronunciación. **2** acento: *pronúncia paulista = acento de São Paulo.*
pronunciação [pɾonũsia'sãw] *f* pronunciación.
pronunciado, da [pɾonũsi'adʊ, da] *adj* **1** pronunciado (declarado). **2** pronunciado (sonido, palabra).
pronunciar [pɾonũsi'aʀ] *tr* **1** pronunciar (sonido). **2** decretar, publicar. ● *tr e pron* **3** pronunciar (destacar, acentuar).
propagação [pɾopaga'sãw] *f* **1** propagación (difusión). **2** proliferación.
propaganda [pɾopa'gãda] *f* **1** propaganda (divulgación). **2** propaganda (publicidad).
propagandista [pɾopagã'dʒiʃta] *adj/m e f* propagandista.
propagar [pɾopa'gaʀ] *tr e pron* **1** propagar (reproducir). **2** propagar (extender). **3** propagar (difundir).
propano [pɾo'pãnʊ] *m* QUÍM propano.
proparoxítono, na [pɾopaɾoki'sitonʊ, na] *adj/m e f* GRAM proparoxítono, esdrújulo.
propelir [pɾope'liʀ] *tr* **1** propulsar (lanzar). **2** (fig) impulsar (estimular).
propensão [pɾopẽ'sãw] *f* propensión.
propenso, sa [pɾo'pẽsʊ, sa] *adj* propenso.
propiciar [pɾopisi'aʀ] *tr* **1** propiciar (aplacar). **2** propiciar (favorecer).
propício, a [pɾo'pisyʊ, a] *adj* propicio (favorable).
propina [pɾo'pina] *f* propina.

> En Brasil la palabra más habitual para referirse a la **propina** que se da por un servicio es ***gorjeta***.

proponente [propo'nẽtʃɪ] *adj/m e f* proponedor.
propor [pro'poʀ] *tr* **1** proponer (sugerir). **2** relatar, contar. • *tr e pron* **3** proponer (para cargo, función). • **~-se** *pron* **4** proponerse (tener intención).
proporção [propoʀ'sãw] *f* **1** proporción (correspondencia). **2** (gralte pl) proporción (tamaño, dimensión).
proporcionado, da [proporsio'nadʊ, da] *adj* proporcionado.
proporcional [proporsio'naw] *adj 2 gén* proporcional.
proporcionar [proporsio'naʀ] *tr e pron* **1** proporcionar (armonizar). • *tr* **2** proporcionar (ofrecer).
proposição [propozi'sãw] *f* **1** proposición (propuesta). **2** proposición (enunciado). ◆ **~ categórica** proposición categórica.
propositado, da [propozi'tadʊ, da] *adj* intencional.
propósito [pro'pɔzitʊ] *m* **1** propósito (intención). **2** propósito (objetivo).
proposta [pro'pɔyʃta] *f* **1** propuesta (proposición). **2** propuesta (sugerencia).
proposto, ta [pro'poyʃtʊ, ta] *adj/m e f* propuesto.
propriedade [proprie'dadʒɪ] *f* **1** propiedad (atributo). **2** propiedad (patrimonio). **3** propiedad (posesión).
proprietário, a [proprie'taryʊ, a] *adj/m e f* propietario.
próprio, a ['prɔpryʊ, a] *adj* **1** propio (suyo). **2** propio (adecuado). **3** propio (inherente).
prorrogação [proʀoga'sãw] *f* prorrogación.
prorrogar [proʀo'gaʀ] *tr* prorrogar.
prosa ['prɔza] *f* **1** prosa. **2** charla. ◆ **~ literária** prosa literaria.
prosaico, ca [pro'zaykʊ, ka] *adj* **1** prosaico. **2** (fig) prosaico (común, vulgar).
prospecção [proyʃpeki'sãw] *f* prospección.
prospecto [proyʃ'pɛkitʊ] *m* **1** prospecto (folleto). **2** perspectiva (previsión).
prosperar [proyʃpe'raʀ] *tr, intr e pron* prosperar.
prosperidade [proyʃperi'dadʒɪ] *f* prosperidad.
próspero, ra ['prɔyʃperʊ, ra] *adj* **1** próspero. **2** (fig) rico.
prosseguir [prose'giʀ] *tr e intr* proseguir.
próstata ['prɔyʃtata] *f* ANAT próstata.
prostituição [proyʃtʃitui'sãw] *f* prostitución.
prostituir [proyʃtʃitu'iʀ] *tr e pron* prostituir.
prostituto, ta [proyʃtʃi'tutʊ, ta] *adj/m e f* prostituto.
prostrar [proyʃ'traʀ] *tr e pron* postrar (derribar).
protagonista [protago'niʃta] *adj/m e f* **1** protagonista (personaje). **2** (fig) protagonista (destacado).
protagonizar [protagoni'zaʀ] *tr* protagonizar.
proteção [prote'sãw] *f* protección (defensa).
protecionismo [protesio'niʒmʊ] *m* ECON proteccionismo.
protecionista [protesio'niʃta] *adj/m e f* ECON proteccionista.
proteger [prote'ʒeʀ] *tr e pron* **1** proteger (resguardar). **2** proteger (defender).
protegido, da [prote'ʒidʊ, da] *adj* **1** protegido. • *m e f* **2** protegido (favorito).
protéico, ca [pro'tɛykʊ, ka] *adj* **1** proteico (cambiante). **2** BIOQ proteico, proteínico.
proteína [prote'ina] *f* BIOQ proteína.
prótese ['prɔtezɪ] *f* **1** GRAM prótesis. **2** MED prótesis.
protestante [proteyʃ'tãtʃɪ] *adj/m e f* **1** protestante. **2** REL protestante.
protestar [proteyʃ'taʀ] *tr e intr* **1** protestar (quejarse). • *tr* **2** prometer, jurar.
protesto [pro'tɛyʃtʊ] *m* **1** protesta (queja). **2** COM protesto.
protetor, ra [prote'toʀ, ra] *adj* **1** protector. • *m* **2** protector (defensor). **3** protector (mecenas). ◆ **~ solar** protector solar.
protetorado [proteto'radʊ] *m* protectorado (soberanía, territorio).
protocolar [protoko'laʀ] *adj 2 gén* protocolar.
protocolo [proto'kɔlʊ] *m* **1** protocolo (registro, acta). **2** protocolo (ceremonial).
protótipo [pro'tɔtʃipʊ] *m* **1** prototipo (original). **2** prototipo (paradigma).
protozoário, a [protozo'aryʊ, a] *adj* **1** ZOOL protozoario. • *m* **2** ZOOL protozoo.
protuberância [protube'rãsya] *f* protuberancia.

prova [ˈprɔva] *f* **1** prueba (comprobación). **2** prueba (señal). **3** prueba (examen). **4** DIR prueba. ■ **pôr a ~** poner a prueba.
provação [provaˈsãw] *f* **1** prueba (demostración). **2** (fig) prueba (dificultad).
provar [proˈvaR] *tr* **1** probar (demostrar). **2** probar (experimentar). **3** probar (verificar, examinar).
provável [proˈvavew] *adj 2 gén* **1** probable (comprobable). **2** probable (posible).
provedor, ra [proveˈdoR, ra] *adj/m e f* proveedor.
provedoria [provedoˈria] *f* proveeduría.
proveito [proˈveytʊ] *m* provecho (beneficio). ◆ **bom ~** buen provecho.
proveitoso, sa [proveyˈtozʊ, za] *adj* provechoso.
proveniência [proveniˈẽsya] *f* proveniencia.
proveniente [proveniˈẽtʃɪ] *adj 2 gén* proveniente.
prover [proˈveR] *tr e pron* **1** proveer (abastecer). ● *tr* **2** proveer (cargo, empleo).
proverbial [proveRbiˈaw] *adj 2 gén* proverbial.
provérbio [proˈvɛRbyʊ] *m* proverbio (sentencia).
providência [proviˈdẽsya] *f* providencia. ■ **tomar providências** tomar providencia, tomar medidas.
providencial [providẽsiˈaw] *adj 2 gén* **1** providencial. **2** (fig) providencial (oportuno).
providenciar [providẽsiˈaR] *tr* **1** providenciar (tomar medidas). **2** proveer (abastecer).
província [proˈvĩsya] *f* **1** provincia (territorio). **2** (fig) interior, campo.
provincial [provĩsiˈaw] *adj 2 gén* provincial.
provincianismo [provĩsiaˈniʒmʊ] *m* **1** provincianismo. **2** (fig) atraso, mal gusto.
provinciano, na [provĩsiˈãnʊ, na] *adj/m e f* provinciano.
provir [proˈviR] *tr* provenir.
provisão [proviˈsãw] *f* **1** provisión (suministro). **2** provisión (reserva).
provisório, a [proviˈsɔryʊ] *adj* provisorio.
provocação [provokaˈsãw] *f* **1** provocación (inducción). **2** provocación (ofensa).
provocador, ra [provokaˈdoR, ra] *adj/m e f* **1** provocador (motivador). **2** provocador (ofensor).
provocante [provoˈkãtʃɪ] *adj 2 gén* **1** provocativo (incitante). **2** provocativo (excitante).
provocar [provoˈkaR] *tr* **1** provocar (irritar, ofender). **2** provocar (motivar, causar).
provocativo, va [provokaˈtʃivʊ, va] *adj* provocativo.
proximidade [prosimiˈdadʒɪ] *f* **1** proximidad (cercanía). **2** (fig) familiaridad (intimidad, confianza).
próximo, ma [ˈprɔsimʊ, ma] *adj* **1** próximo (cercano). **2** próximo (siguiente). ● *m* **3** prójimo. ● *adv* **4** cerca.
prudência [pruˈdẽsya] *f* **1** prudencia (cautela). **2** prudencia (sensatez).
prudente [pruˈdẽtʃɪ] *adj 2 gén* prudente.
prumo [ˈprumʊ] *m* **1** plomada (plomo). **2** plomada (sonda). **3** garbo (buen porte).
prurido [pruˈridʊ] *m* **1** MED prurito. **2** (fig) prurito (deseo).
pseudônimo, ma [pisewˈdonimʊ, ma] *adj* **1** seudónimo (autor, obra). ● *m* **2** seudónimo (nombre).
psicanálise [pisikaˈnalizɪ] *f* PSIC psicoanálisis.
psicanalista [pisikanaˈliʃta] *adj/m e f* psicoanalista.
psicanalítico, ca [pisikanaˈlitʃikʊ, ka] *adj* psicoanalítico.
psicologia [pisikoloˈʒia] *f* **1** psicología (ciencia). **2** (fig) psicología (tacto, comprensión).
psicológico, ca [pisikoˈlɔʒikʊ, ka] *adj* psicológico.
psicólogo, ga [pisiˈkɔlogʊ, ga] *m e f* psicólogo.
psicopata [pisikoˈpata] *adj/m e f* psicópata.
psicopatia [pisikopaˈtʃia] *f* PSIC psicopatía.
psicopático, ca [pisikoˈpatʃikʊ, ka] *adj* psicopático.
psicose [pisiˈkɔzɪ] *f* PSIC psicosis.
psicotécnico, ca [pisikoˈtɛkinikʊ, ka] *adj* psicotécnico.
psiquiatra [pisikiˈatra] *s 2 gén* MED psiquiatra.
psiquiatria [pisikiaˈtria] *f* MED psiquiatría.

psiquiátrico, ca [pisiki'atriku, ka] *adj* psiquiátrico.
psíquico, ca [pi'sikiku, ka] *adj* psíquico.
puberdade [pubeR'dadʒɪ] *f* pubertad.
púbis ['pubiʃ] *m* ANAT pubis.
publicação [publika'sãw] *f* **1** publicación (edición). **2** publicación (divulgación). **3** publicación (obra).
publicar [publi'kaR] *tr* **1** publicar (divulgar). **2** publicar (editar).
publicidade [publisi'dadʒɪ] *f* **1** publicidad (medio, técnica). **2** publicidad (propaganda).
publicitário, a [publisi'tariu, a] *adj* **1** publicitario. • *m ou f* **2** publicitario.
público, ca ['publiku, ca] *adj* **1** público (estatal): *escola pública = escuela pública*. **2** público (común): *lugar público = lugar público*. • *m* **3** público. ■ **em ~** en público.
pudim [pu'dʒĩ] *m* GAST pudin, pudín.
pudor [pu'doR] *m* pudor.
pudoroso, sa [pudo'rozu, za] *adj* pudoroso.
pueril [pwe'riw] *adj 2 gén* **1** pueril (infantil). **2** (fig) pueril (fútil).
pufe ['pufɪ] *m* **1** puf (asiento). **2** bulo (noticia falsa).
pugnar [pugi'naR] *tr e intr* **1** pugnar (batallar). • *tr* **2** (fig) pugnar (esforzarse).
pular *intr* **1** saltar, brincar. **2** (fig) subir, ascender (de empleo). • *tr* **5** saltar (arrojarse). **6** bajarse, apearse (de un vehículo). **7** (fig) saltar (cambiar): *pula de um emprego para outro = salta de un empleo a otro*. ■ **~ de alegria ou felicidade** dar saltos de alegría.
pulga ['puwga] *f* pulga (insecto). ■ **ficar com a ~ atrás da orelha** (fig, fam) tener la mosca detrás de la oreja.
pulgão [puw'gãw] *m* pulgón.
pulmão [puw'mãw] *m* **1** ANAT pulmón. **2** (fig) pulmón (zona verde).
pulmonar [puwmo'naR] *adj 2 gén* pulmonar.
pulo ['pulu] *m* **1** salto, brinco. **2** pulsación, palpitación. ■ **ficar com o coração aos pulos** (fig) darle a uno un vuelco el corazón.
pulôver [pu'lɔveR] *m* pullover.
pulsação [puwsa'sãw] *f* **1** pulsación (toque). **2** pulsación (latido).
pulseira [puw'seyra] *f* pulsera (joya, adorno). ♦ **~ de relógio** reloj de pulsera.
pulso ['puwsu] *m* **1** pulso (latido). **2** (fig) pulso (firmeza). ■ **cortar os pulsos** cortarse las venas.
pulular [pulu'laR] *intr* **1** pulular, brotar (vegetal). **2** (fig) pulular (multiplicarse).
pulverização [puwveriza'sãw] *f* **1** pulverización. **2** (fig) pulverización (destrucción).
pulverizar [puwveri'zaR] *tr e pron* **1** pulverizar (sólido). • *tr* **2** (fig) pulverizar (rociar). **3** (fig) pulverizar (destruir).
pum ['pũ] *m* **1** (coloq) cuesco, pedo. • **~!** *interj* **2** ¡pum! (onomatopeya).
puma ['pũma] *m* puma.
punção [pũ'sãw] *f* **1** punzada (dolor). • *m* **2** punzón (instrumento). **3** punzón (buril).
pungente [pũ'ʒẽtʃɪ] *adj 2 gén* **1** puntiagudo. **2** (fig) pungente, punzante (doloroso).
punhado [pu'ɲadu] *m* **1** puñado (porción). **2** (fig) montón (gran cantidad).
punhal [pu'ɲaw] *m* **1** puñal. **2** (fig) aflicción, pesar.
punhalada [puɲa'lada] *f* puñalada.
punho ['puɲu] *m* **1** puño (mano cerrada). **2** puño (de manga). **3** puño (empuñadura).
punição [puni'sãw] *f* punición.
punir [pu'niR] *tr e pron* **1** punir (castigar). • *tr* **2** defender (luchar por).
punitivo, va [puni'tʃivu, va] *adj* punitivo.
punível [pu'nivew] *adj 2 gén* punible.
pupila [pu'pila] *f* ANAT pupila.
pupilo, la [pu'pilu, la] *m e f* **1** pupilo (huérfano). **2** (fig) ahijado, protegido.
purê [pu're] *m* puré.
pureza [pu'reza] *f* **1** pureza (falta de mezcla). **2** (fig) pureza (virginidad).
purga ['puRga] *f* **1** purga (medicina). **2** adobo (de pieles).
purgatório, a [puRga'tɔryu, a] *adj* **1** purgatorio (purgativo). • *m* **2** REL purgatorio. **3** (fig) purgatorio (lugar de sufrimiento).
purificação [purifika'sãw] *f* **1** purificación (limpieza). **2** (fig) purificación (de pecados).
purificar [purifi'kaR] *tr e pron* **1** purificar (depurar, limpiar). **2** (fig) purificar (de pecados).

purista [pu'riʃta] *adj/m e f* purista.
puritanismo [purita'niʒmʊ] *m* puritanismo (secta).
puritano, na [puri'tanʊ, na] *adj/m e f* puritano.
puro, ra ['purʊ, ra] *adj* **1** puro (sin mezcla). **2** puro (limpio). **3** (fig) puro (casto, recto). **4** (fig) puro (cándido, inocente).
púrpura ['puʀpura] *adj/f* **1** púrpura (color). • *f* **2** púrpura (tinte). **3** púrpura (tela, prenda).
purpurina [puʀpu'rina] *f* purpurina.
pus ['puyʃ] *m* MED pus.
pusilânime [puzi'lanimɪ] *adj/m e f* pusilánime.
puta ['puta] *f* **1** (vulg) puta (prostituta). **2** (pej) golfa (libertina).
putaria [puta'ria] *f* puterío.
putear [pute'aʀ] *intr* **1** (vulg) ir de putas. **2** (vulg) putear (ser puta).
puto, ta ['putʊ, ta] *adj* **1** (vulg) cabreado (enfadado). • *m* **2** (vulg, pej) cabrón (malvado). ■ **ficar ~** (fig) cabrearse (enfadarse).
puxa ['puʃa] *adj/m e f* **1** (coloq, pej) pelota (adulador). • **~!** *interj* **2** pucha, jolín, ostras.
puxado, da [pu'ʃadʊ, da] *adj* **1** estirado. **2** rasgado (ojo).
puxador, ra [puʃa'doʀ, ra] *adj/m e f* **1** tirador. • *m* **2** tirador (asidero).
puxão [pu'ʃãw] *m* tirón. ♦ **~ de orelha** (fig) tirón de orejas.
puxar [pu'ʃaʀ] *tr* **1** tirar (arrastrar). **2** quitar, sacar. **3** tirar, estirar. **4** provocar, causar. **5** tragar (inspirar): *fumava sem puxar a fumaça = fumaba sin tragar el humo*. **6** chupar (absorber). **7** (fig) tirar (atraer): *de garoto já puxava para futebolista = de niño ya le tiraba ser futbolista*. **8** (fig) tirar (parecerse): *este azul puxa para o verde = este azul tira al verde*. **9** (fig) sacar (tema, asunto): *quando falar com ele não puxe esse assunto = cuando hables con él no saques ese asunto*. • *tr e intr* **10** (fig, coloq) hacer la pelota (adular). • *intr* **11** (coloq) emborracharse.

Qq

q, Q ['ke] *m* q, Q (letra).
Q.I. [ke'i] *m* (sigla de **Quociente Intelectual**) C.I. (Cociente Intelectual).
quadra ['kwadɾa] *f* **1** cuarteto (estrofa). **2** cuadra (de una calle).
quadrado, da [kwa'dɾadʊ, da] *adj* **1** cuadrado. • *m* **2** GEOM cuadrado. • *adj/m e f* **3** (fig, coloq) carroza (retrógado).
quadrangular [kwadɾãgu'laʀ] *adj 2 gén* cuadrangular.
quadrante [kwa'dɾãtʃɪ] *m* **1** GEOM cuadrante. **2** esfera (del reloj).
quadrar [kwa'dɾaʀ] *tr* **1** cuadrar (figura). **2** delimitar (terreno). **3** presentar, deparar. **4** MAT cuadrar.
quadratura [kwadɾa'tuɾa] *f* **1** GEOM cuadratura. **2** ASTR cuadratura. **3** ASTR cuarto (de la Luna).
quadrícula [kwa'dɾikula] *f* cuadrícula.
quadriculado, da [kwadɾiku'ladʊ, da] *adj* cuadriculado.
quadricular [kwadɾiku'laʀ] *adj 2 gén* ⇒ quadriculado, da.
quadricular [kwadɾiku'laʀ] *tr* cuadricular.
quadril [kwa'dɾiw] *m* ANAT cuadril (cadera).
quadrilátero, ra [kwadɾi'lateɾʊ, ɾa] *adj* **1** GEOM cuadrilátero. • *m* **2** campo (de fútbol). **3** GEOM cuadrilátero.
quadrilha [kwa'dɾiʎa] *f* **1** cuadrilla (grupo, banda). **2** patrulla (de policías).
quadro ['kwadɾʊ] *m* **1** cuadro (cuadrado). **2** cuadro (marco). **3** cuadro (pintura, lienzo). **4** pizarra (encerado). **5** panel (de control). **6** cuadro (de la bicicleta). **7** equipo (jugadores). ♦ ~ **clínico** MED cuadro clínico; ~ **mural** tablón de anuncios (cartelera).
qual ['kwaw] *pron* **1** (interrogativo) cuál: *qual das bonecas você prefere? = ¿cuál de las muñecas quieres?* • *pron rel* **2** cual: *este é o livro do qual já te falei = este es el libro del cual te hablé.* • *conj* **3** cual (como): *corria qual um guepardo = corría cual un guepardo.* ■ **seja ~ for** sea cual sea.
qualidade [kwali'dadʒɪ] *f* **1** calidad (propiedad). **2** calidad (índole). **3** cualidad. ♦ ~ **de vida** calidad de vida.
qualificação [kwalifika'sãw] *f* **1** cualificación. **2** calificación.
qualificado, da [kwalifi'kadʊ, da] *adj* **1** cualificado. **2** GRAM calificado.
qualificar [kwalifi'kaʀ] *tr e pron* **1** cualificar. • *tr* **2** calificar (juzgar). **3** ennoblecer.
qualificável [kwalifi'kavew] *adj 2 gén* calificable.
qualitativo, va [kwalita'tʃivʊ, va] *adj* cualitativo.
qualquer [kwaw'kɛʀ] *adj 2 gén* **1** cualquiera (algún): *compra qualquer coisa para comer = compra cualquier cosa para comer.* **2** cualquiera (todos): *qualquer aluno pode passar nessa prova = cualquier alumno puede aprobar ese examen.* • *pron* **3** cualquiera: *qualquer sabe isso = cualquiera sabe eso.*
quando ['kwãdʊ] *adv* **1** cuando: *estou falando de quando estava na escola = estoy hablando de cuando iba a la escuela.* **2** (interrogativo) cuándo: *quando é o seu aniversário? = ¿cuándo es tu cumpleaños?* • *conj* **3** cuando: *mande um cartão para mim quando estiver na Espanha = mándame una postal cuando estés en España.* ■ ~ **muito** como máximo.
quantia [kwã'tʃia] *f* cuantía (cantidad). ■ **sem** ~ incontable (innumerable).
quântico, ca [kw'ãtʃikʊ, ka] *adj* FÍS cuántico.
quantidade [kwãtʃi'dadʒɪ] *f* **1** cantidad (número). **2** cantidad (multitud).
quantificação [kwãtʃifika'sãw] *f* cuantificación.
quantificar [kwãtʃifi'kaʀ] *tr* cuantificar.
quantitativo, va [kwãtʃita'tʃivʊ, va] *adj* **1** cuantitativo. • *m* **2** cuantía (cantidad).
quanto, ta ['kwãtʊ, ta] *adj* **1** cuanto (como): *trabalha tanto quanto pode = trabaja tanto cuanto puede.* **2** cuánto (cantidad de): *não imaginava quantos presentes iria*

receber naquele dia = no se imaginaba cuántos regalos iba a recibir aquel día. • *pron* **3** cuanto (todos los que): *a garota mais bonita de quantas conheci = la chica más guapa de cuantas he conocido.* **4** cuánto (cantidad): *quantos gols fez o Ronaldo? = ¿cuántos goles hizo Ronaldo?* • *adv* **5** cuánto (cómo): *não sabe quanto os alunos gostam dela = no sabe cuánto la quieren los alumnos.*

quão [ˈkwɐ̃w] *adv* **1** cuan: *não pode imaginar quão feliz sou = no puedes imaginar cuan feliz soy.* **2** (form) cuan: *é tão idiota quão bonita = es tan idiota cuan guapa.*

quarenta [kwaˈɾẽta] *adj/m* cuarenta.

quarentão, tona [kwaɾẽˈtɐ̃w, ˈtona] *adj/m e f* (coloq) cuarentón.

quarentena [kwaɾẽˈtẽna] *f* **1** cuarentena (unidades, días). **2** (fig) cuarentena (aislamiento). ■ **de ~** en cuarentena.

quarta [ˈkwaʀta] *f* **1** cuarta (parte). **2** miércoles.

quarta-feira [kwaʀtaˈfeyɾa] *f* miércoles.

quarteirão [kwaʀteyˈɾɐ̃w] *m* **1** manzana (de calles). **2** cuarto de siglo. **3** cuarterón (mestizo).

quartel [kwaʀˈtɛw] *m* **1** cuartel (cuarta parte). **2** trimestre. **3** MIL cuartel (alojamiento, edificio).

quartel-geral [kwaʀtɛwʒeˈɾaw] *m* MIL cuartel general.

quarteto [kwaʀˈtetʊ] *m* **1** cuarteto (estrofa). **2** MÚS cuarteto (composición, conjunto).

quarto [ˈkwaʀtʊ, ta] *adj/m* **1** cuarto. • *m* **2** cuarto (cuarta parte). **3** cuarto (habitación). **4** cuarto (de hora). **5** ASTR cuarto (de Luna). ♦ **~ crescente** ASTR cuarto creciente; **~ minguante** ASTR cuarto menguante. ■ **dar um ~ ao diabo** (fig, fam) vender el alma al diablo.

quartzo [ˈkwaʀtʃɪzʊ] *m* MIN cuarzo.

quase [ˈkwazɪ] *adv* casi.

quatorze [kwaˈtoʀzɪ] *adj/m* ⇒ catorze.

quatro [ˈkwatrʊ] *adj/m* cuatro. ■ **de ~** a gatas, a cuatro patas.

quatrocentos [kwatroˈsẽtʊyʃ] *adj/m* cuatrocientos.

que [ˈke] *pron rel* **1** que: *este é o livro que ganhou o prêmio = este es el libro que ganó el premio.* • *pron* **2** (interrogativo) qué: *que música você prefere escutar? = ¿qué música prefieres escuchar?* • *conj* **3** que: *a redação que escreveu tinha muitos erros = la redacción que escribiste tenía muchos errores.* **4** (comparativa) que: *tem mais experiência que seu companheiro = tiene más experiencia que su compañero.* • *adv* **5** qué: *que bonita é essa menina! = ¡qué bonita es esa chica!* ■ **por ~** por qué: *não entendo por que não respeitam a natureza = no entiendo por qué no respetan la naturaleza.*

quê [ˈke] *m* **1** cu (letra). **2** algo: *tem um quê errado nisto = hay algo que está mal en esto.* **3** (fig) pero (dificultad). ■ **não há de ~** no hay de qué.

quebra [ˈkɛbɾa] *f* **1** rotura, ruptura. **2** doblez (pliegue). **3** corte (de energía, agua). **4** (fig) transgresión (de norma). **5** (coloq) propina. **6** COM quiebra (fallida). • **quebras** *f pl* **7** restos (sobras).

quebra-cabeça [kɛbɾakaˈbesa] *m* **1** rompecabezas (juego, acertijo). **2** (fig, fam) rompecabezas (preocupación).

quebradiço, ça [kebɾadʒɪˈisʊ, sa] *adj* quebradizo.

quebrado, da [keˈbɾadʊ, da] *adj* **1** roto (destruido). **2** roto (transgredido). **3** roto (averiado). **4** entrecortado. **5** (fig, coloq) roto (exhausto). • *adj/m e f* **6** quebrado (arruinado).

quebra-nozes [kɛbɾaˈnɔzɪʃ] *m* cascanueces.

quebranto [keˈbɾɐ̃tʊ] *m* mal de ojo.

quebrar [keˈbɾaʀ] *m* quiebra, rompimiento.

quebrar [keˈbɾaʀ] *tr, intr e pron* **1** romper (destruir). • *tr e intr* **2** (fig) quebrar (debilitar). • *tr* **3** romper (averiar, estropear). **4** quebrar (transgredir). • *intr* **5** quebrar (arruinarse).

quebro [ˈkɛbɾʊ] *m* **1** quiebro (quebramiento). **2** quiebro (contoneo).

queda [ˈkɛda] *f* **1** caída. **2** cascada. **3** caída (desnivel). **4** (fig) pérdida, caída (disminución): *o resultado daquele conflito foi a queda do seu prestígio = el resultado de aquel conflicto fue la pérdida de prestigio.* **5** (fig) caída (decadencia). ♦ **~ livre** caída libre. ■ **ir de ~** (fig, fam) ir a menos.

quedar [keˈdaʀ] *intr e pron* **1** estar quieto. **2** deterners (pararse).

queijo [ˈkeyʒʊ] *m* **1** queso. **2** (fig, coloq) calva. ♦ **~ prato** queso en lonchas.

queima [ˈkeyma] *f* **1** quema (quemazón). **2** quema (incendio). **3** incineración.
queimada [keyˈmada] *f* **1** quema (incendio). **2** quemada.
queimado, da [keyˈmadʊ, da] *adj* **1** quemado. **2** (fig) desprestigiado. **3** (coloq) tostado (bronceado). **4** (coloq) quemado (enfadado).
queimadura [keymaˈduɾa] *f* **1** quemadura (quema). **2** quemadura (herida).
queimar [keyˈmaʀ] *tr* **1** quemar (incendiar). **2** (fig) disparar (arma). **3** (fig) quemar (despilfarrar): *queimou o que ganhara na loteria em dois dias = quemó lo que había ganado en la lotería en dos días*. **4** (fig) liquidar (negocio). • *tr e pron* **5** quemar: *queimou-se cozinhando = se quemó cocinando*. • *tr e intr* **6** (fig) quemar (pasión). • **~-se** *pron* **7** tostarse (broncearse). **8** (coloq) quemarse (enfadarse).
queima-roupa [keymaˈʀowpa] *f* quemarropa.
queixa [ˈkeyʃa] *f* **1** queja (lamento). **2** queja (protesta). ■ **dar ~** dar queja.
queixar-se [keyˈʃaʀsɪ] *pron* **1** quejarse (gemir). **2** quejarse (protestar).
queixo [ˈkeyʃʊ] *m* **1** barbilla (mentón). • **queixos** *m pl* **2** (coloq) cara (rostro). ■ **cair o ~** (fig, coloq) quedar boquiabierto.
queixoso, sa [keyˈʃozʊ, za] *adj/m e f* **1** quejoso. **2** quejumbroso.
queixume [keyˈʃumɪ] *m* queja, quejido (gemido).
quem [ˈkẽy] *pron rel* **1** quien (el que): *foi ele quem me falou de você = fue él quien me habló de ti*. • *pron* **2** (interrogativo) quién: *quem pegou a minha caneta? = ¿quién ha cogido mi bolígrafo?*, *não sei quem ganhou o prêmio = no sé quién ha ganado el premio*. **3** quien (alguien): *não encontrei quem pudesse me ajudar = no encontré quien pudiese ayudarme*. ■ **~ dera!** ojalá!
Quênia [ˈkẽnya] *f* Kenia.
queniano, na [kẽniˈãnʊ, na] *adj/m e f* keniata.
quente [ˈkẽtʃɪ] *adj 2 gén* **1** caliente (ardiente). **2** (fig) picante (comida). **3** (fig) caluroso (entusiasmado). **4** (fig) acalorado: *pai e filho tiveram uma discussão muito quente = padre y hijo tuvieron una discusión muy acalorada*. **5** (fig) ardiente (sensual). **6** (fig, coloq) caliente (fogoso).
quentura [kẽˈtuɾa] *f* **1** calor. **2** (coloq) calentura (fiebre).
quer [ˈkɛʀ] *conj* **1** o: *quer chova, quer neve, eu irei ao trabalho = iré al trabajo llueva o nieve*. **2** o... o: *ela ri quer de alegria, quer de te ver = o ríe de alegría, o de verte*.
querela [keˈɾɛla] *f* **1** querella (queja). **2** DIR querella.
querer [keˈɾeʀ] *tr* **1** querer (tener intención): *não quero fazer mais isto = no quiero hacer más esto*. **2** querer (pretender). **3** querer (amar). • *tr e pron* **4** querer (desear). ■ **~ dizer** es decir; **sem ~** sin querer.
querido, da [keˈɾidʊ, da] *adj* **1** querido (apreciado). **2** querido (amado).
questão [keyʃˈtãw] *f* **1** pregunta. **2** cuestión (asunto). ♦ **~ de Estado** asunto de Estado; **~ de vida ou morte** (fig) cuestión de vida o muerte. ■ **em ~** en cuestión.
questionar [keyʃtʃioˈnaʀ] *tr* **1** cuestionar (poner en duda). **2** responder (contestar).
questionário [keyʃtʃioˈnaɾyʊ] *m* cuestionario.
quiçá [kiˈsa] *adv* quizá, quizás.
quício [ˈkisyʊ] *m* quicio.
quietação [kietaˈsãw] *f* quietación.
quieto, ta [ˈkiɛtʊ, ta] *adj* **1** quieto (parado). **2** tranquilo (calmado): *uma criança quieta = un niño tranquilo*.
quietude [kieˈtudʒɪ] *f* **1** quietud (inercia). **2** quietud (sosiego).
quilate [kiˈlatʃɪ] *m* **1** quilate. **2** (fig) valor, calidad.
quilha [ˈkiʎa] *f* MAR quilla.
quilo [ˈkilʊ] *m* **1** kilo, quilo. **2** quilo (linfa).
quilograma [kiloˈgɾãma] *m* kilogramo, quilogramo.
quilométrico, ca [kiloˈmɛtɾikʊ, ka] *adj* kilométrico, quilométrico.
quilômetro [kiˈlõmetɾʊ] *m* kilómetro, quilómetro. ♦ **~ por hora** kilómetro por hora.
quimera [kiˈmɛɾa] *f* **1** quimera (monstruo). **2** (fig) quimera (utopía).
química [ˈkimika] *f* química. ♦ **~ inorgânica** química inorgánica; **~ orgânica** química orgánica.

q

químico, ca [ˈkimikʊ, ka] *adj/m e f* químico.
quina [ˈkina] *f* **1** quinteto. **2** quino (árbol).
quindim [kĩˈdʒĩ] *m* **1** (fig) gracia (donaire). **2** (fig, coloq) escollo (dificultad). **3** (coloq) cachaza (aguardiente).
quinhentista [kĩŋẽˈtʃiʃta] *adj/m e f* quinientista.
quinhentos [kĩˈŋẽtʊyʃ] *adj/m* quinientos.
quinquilharia [kĩkiʎaˈria] *f* quincalla.
quinta [ˈkĩta] *f* **1** quinta (propiedad rural). **2** jueves. **3** quinteto (conjunto).
quinta-essência [kĩtaeˈsẽsya] *f* quinta esencia.
quinta-feira [kĩtaˈfeyɾa] *f* jueves.
quintal [kĩˈtaw] *m* **1** quinta pequeña (propiedad). **2** jardín, huerto. **3** patio.
quinteto [kĩˈtetʊ] *m* **1** MÚS quinteto. **2** (coloq) quinteto (grupo).
quinto, ta [ˈkĩtʊ, ta] *adj/m e f* **1** quinto. • **quintos** *m pl* **2** (coloq) infierno.
quinze [ˈkĩzɪ] *adj/m* quince.
quinzena [kĩˈzẽna] *f* **1** quincena (período). **2** quincena (paga).
quiosque [kiˈɔyʃkɪ] *m* **1** quiosco, kiosco (templete). **2** chiringuito.
quirófano [kiˈɾɔfanʊ] *m* quirófano.
quisto [ˈkiʃtʊ] *m* MED quiste.
quiuí [kiuˈi] *m* kiwi (planta, fruto).
quivi [ˈkivi] *m* **1** kiwi (fruto). **2** kiwi (ave).
quociente [kwosiˈẽtʃɪ] *m* cociente. ◆ **~ intelectual ou de inteligência** PSIC cociente intelectual.
quorum [ˈkwɔrũ] *m* quórum.
quota [ˈkwɔta] *f* **1** cuota (porción, parte). **2** cota (de un plano). **3** acotación (anotación).
quotidiano, na [kwotʃidʒiˈãnʊ, na] *adj/m e f* cotidiano.
quotização [kwotʃizaˈsãw] *f* **1** cotización. **2** cuota (contribución).
quotizar [kwotʃiˈzaʀ] *tr* **1** cotizar (pagar). • **~-se** *pron* **2** escotar.

Rr

r, R ['ɛʀɪ] *m* r, R (letra).
rã ['ʀã] *f* rana.
rabanada [ʀaba'nada] *f* **1** coletazo (golpe). **2** (coloq) contoneo.
rabanete [ʀaba'netʃɪ] *m* rábano.
rabiscar [ʀabiʃ'kaʀ] *tr e intr* garabatear (papel).
rabo ['ʀabʊ] *m* **1** rabo (cola). **2** cola (de avión). **3** (coloq) cola (de frac, vestido). ■ **meter o ~ entre as pernas** (fig, coloq) meter el rabo entre las piernas.
rabote [ʀa'bɔtʃɪ] *m* cepillo (de carpintería).
raça ['ʀasa] *f* **1** raza (casta). **2** linaje. **3** (fig) señal (muestra): *atirou na mulher e foi embora sem raça de arrependimento = disparó a la mujer y se fue sin muestras de arrepentimiento.* ■ **acabar com a ~** (fig, coloq) exterminar.
ração [ʀa'sãw] *f* **1** ración (de alimento). **2** (fig) cuota.
racemo [ʀa'sẽmʊ] *m* racimo.
racha ['ʀaʃa] *f* **1** racha, raja (hendidura). **2** (coloq) porción.
rachado, da [ʀa'ʃadʊ, da] *adj* **1** rajado (hendido). **2** repartido (distribuido).
rachar [ʀa'ʃaʀ] *tr, intr e pron* **1** rajar (hender). ● *tr* **2** dividir, compartir.
racial [ʀasi'aw] *adj 2 gén* racial.
raciocinar [ʀasyosi'naʀ] *tr e intr* raciocinar.
raciocínio [ʀasyo'sinyʊ] *m* raciocinio.
racional [ʀasyo'naw] *adj 2 gén* **1** racional (intelectual). **2** racional (lógico, razonable). ● *adj/m* **3** MAT racional.
racionalidade [ʀasyonali'dadʒɪ] *f* **1** racionalidad. **2** raciocinio.
racionalismo [ʀasyona'lizmʊ] *m* FIL racionalismo.
racionalização [ʀasyonaliza'sãw] *f* racionalización.
racionalizar [ʀasyonali'zaʀ] *tr* **1** racionalizar (estructurar). **2** racionalizar (optimizar).
racionamento [ʀasyona'mẽtʊ] *m* racionamiento.
racismo [ʀa'siʒmʊ] *m* racismo.
racista [ʀa'siʃta] *adj/m e f* racista.
radar [ʀa'daʀ] *m* radar (sistema, aparato).
radiação [ʀadʒia'sãw] *f* FÍS radiación. ◆ **~ de calor** FÍS radiación térmica; **~ ionizante** FÍS radiación ionizante.
radial [ʀadʒi'aw] *adj 2 gén* **1** ASTR radial. **2** GEOM radial (radiado).
radialista [ʀadʒia'liʃta] *adj/m e f* profesional de la radio.
radiante [ʀadʒi'ãtʃɪ] *adj 2 gén* **1** radiante (brillante). **2** (fig) radiante (alegre).
radiar [ʀadʒi'aʀ] *intr* **1** irradiar. **2** (fig) brillar (fulgir). ● *tr* **3** (fig) irradiar (transmitir, difundir).
radical [ʀadʒi'kaw] *adj 2 gén* **1** radical (radicular). **2** radical (extremoso). **3** (coloq) moderno (juvenil). ● *adj/m* **4** MAT radical (signo).
radicalismo [ʀadʒika'liʒmʊ] *m* radicalismo.
radicalista [ʀadʒika'liʃta] *adj/m e f* radicalista.
radicalização [ʀadʒikaliza'sãw] *f* radicalización.
radicalizar [ʀadʒikali'zaʀ] *tr, intr e pron* radicalizar.
radicar [ʀadʒi'kaʀ] *tr e pron* **1** radicar (arraigar). ● **~-se** *pron* **2** consolidarse.
rádio ['ʀadʒyʊ] *m* **1** radio (radiorreceptor). **2** ANAT radio (hueso). ● *f* **3** radio (estación).
radiodifusão [ʀadʒyodʒifu'zãw] *f* radiodifusión.
radiodifusor, ra [ʀadʒyodʒifu'zoʀ, ɾa] *adj* radiodifusor.
radioemissora [ʀadʒyoemi'soɾa] *f* radioemisora.
radiofônico, ca [ʀadʒyo'fõnikʊ, ka] *adj* radiofónico.
radiografia [ʀadʒyogɾa'fia] *f* radiografía.
radiogravador [ʀadʒyogɾava'doʀ] *m* radiocasete.
radiológico, ca [ʀadʒyo'lɔʒikʊ, ka] *adj* radiológico.

radioso, sa [Radʒi'ozʊ, za] *adj* **1** radioso. **2** (fig) radiante (alegre).
radiotelescópio [Radʒyoteleyʃ'kɔpyʊ] *m* radiotelescopio.
raia ['Raya] *f* **1** raya (pez). **2** raya (línea). **3** carril (de carretera, pista). **4** (fig) raya (límite): *com essa mentira, ele passou da raia = con esa mentira, él se pasó de la raya.* **5** (fig) raya (frontera).
raiado, da [Ray'adʊ, da] *adj* **1** rayado (rayoso). **2** estriado. **3** (fig) intercalado (interpuesto).
raiar [Ray'aR] *tr* **1** rayar (hacer rayas). **2** estriar (cañón).
rainha [Ra'ĩŋa] *f* **1** reina. **2** (fig) reina.
raio ['Rayʊ] *m* **1** rayo (de luz, descarga). **2** rayo, radio (de la rueda). **3** (fig) radio (zona): *não havia hospitais a cem quilómetros de raio = no había hospitales en un radio de cien kilómetros.* **4** GEOM radio. ◆ ~ **de ação** radio de acción; ~ **laser** rayo láser; **raios X** rayos X; ~ **visual** campo visual.
raiva ['Rayva] *f* **1** MED rabia. **2** rabia (ira, cólera). **3** aversión. **4** hambre feroz.
raivecer [Rayve'seR] *tr e intr* rabiar (enfurecerse).
raivoso, sa [Ray'vozʊ, za] *adj* **1** rabioso (colérico). **2** MED rabioso.
raiz [Ra'iʃ] *f* **1** BOT raíz. **2** (fig) raíz (base, pie). **3** ANAT raíz (de diente, cabello). **4** GRAM raíz. **5** MAT raíz. ◆ ~ **quadrada** MAT raíz cuadrada.
rajada [Ra'ʒada] *f* **1** ráfaga (de viento, lluvia). **2** MIL ráfaga (de tiros).
ralar [Ra'laR] *tr e intr* **1** rallar. **2** rascar (herir). ● *tr e pron* **3** (fig) atormentar (afligir).
rali [Ra'li] *m* rally.
ralo, la ['Ralʊ, la] *adj* **1** ralo (separado). **2** aguado (salsa, sopa, café). ● *m* **3** desaguadero; resumidero (Amér).
RAM ['Rã] (*siglas de* **Random Access Memory**) *f* COMP RAM.
rama ['Rãma] *f* **1** rama. **2** rama (de imprenta). ■ **em** ~ en rama: *canela em rama = canela en rama.*
ramagem [Ra'maʒẽy] *f* **1** ramaje. **2** cornamenta.
ramal [Ra'maw] *m* **1** ramal (para cuerdas). **2** filamento (hilo). **3** extensión (telefónica).
ramalhete [Rama'ʎetʃɪ] *m* ramillete.
ramificação [Rãmifika'sãw] *f* **1** ramificación. **2** ramaje.
ramificar [Rãmifi'kaR] *tr e pron* ramificar (echar ramas).
ramilhete [Rami'ʎetʃɪ] *m* ramillete.
ramo ['Rãmʊ] *m* **1** rama (de árbol, planta). **2** rama (genealógica). **3** rama, ramo (de una ciencia).
rampa ['Rãpa] *f* rampa (pendiente). ◆ ~ **de acesso** rampa de acceso.
rancho ['Rãʃʊ] *m* **1** cuadrilla (de trabajadores). **2** rancho (comida). **3** rancho (granja).
rancor [Rã'koR] *m* rencor.
rancoroso, sa [Rãko'ɾozʊ, za] *adj* rencoroso.
ranger [Rã'ʒeR] *tr* **1** castañetear (dientes). ● *intr* **2** chirriar (rechinar).
rango ['Rãgʊ] *m* (coloq) papeo (comida).
ranho ['Rãŋʊ] *m* moco (de la nariz).
ranhura [Rã'ŋuɾa] *f* ranura (hendidura).
ranking ['Rãkĩ] *m* ranking.
rap ['Rɛp] *m* MÚS rap.
rapa ['Rapa] *m* (coloq) comilón, glotón; gandido (Amér); hartón (Amér. Centr).
rapar [Ra'paR] *tr* **1** rallar (alimento). **2** raspar (rascar, frotar). **3** rapar (cortar al rape). ● **~-se** *pron* **4** rapar (afeitarse).
rapaz, rapariga [Ra'payʃ, Rapa'ɾiga] *m* muchacho, rapaz.
rapaziada [Rapazi'ada] *f* muchachada.
rapazola [Rapa'zɔla] *m* muchacho.
rapé [Ra'pɛ] *m* rapé.
rapidez [Rapi'deyʃ] *f* rapidez.
rápido, da ['Rapidʊ, da] *adj* **1** rápido (veloz). ● *adv* **2** rápidamente, rápido. ● *m* **3** rápido (rabión). **4** mensajería (empresa).
rapina [Ra'pina] *f* rapiña (robo).
raptar [Rapi'taR] *tr* **1** raptar (secuestrar). **2** robar (hurtar).
rapto ['Rapitʊ] *m* **1** rapto (secuestro). **2** rapto (de una mujer).
raptor, ra [Rapi'toR, ɾa] *adj/m* rapaz (ave).
raquete ou **raqueta** [Ra'kɛtʃɪ o Ra'keta] *f* **1** raqueta (pala). **2** raqueta (para la nieve).
raquítico, ca [Ra'kitʃikʊ, ka] *adj/m e f* **1** MED raquítico. ● *adj* **2** (coloq) raquítico (pequeño).
rarear [Raɾe'aR] *tr e intr* **1** ralear. **2** rarear.

rarefação [ʀarefa'sãw] *f* rarefacción.
rarefeito, ta [ʀare'feytʊ, ta] *adj* rarefacto.
rareza [ʀa'reza] *f* rareza.
raridade [ʀari'dadʒɪ] *f* **1** raridad. **2** rareza (objeto singular).
raro, ra ['ʀarʊ, ra] *adj* **1** raro (extraordinario). **2** raro (escaso). • *adv* **3** raramente.
rasante [ʀa'zãtʃɪ] *adj* **1** rasante (a ras). • *adj/m* **2** rasante (vuelo).
rasar [ʀa'zaʀ] *tr* **1** rasar (igualar). **2** nivelar (allanar).
rasgado, da [ʀayʒ'gadʊ, da] *adj* **1** rasgado (roto). **2** rajado, herido. **3** rasgado (ojos, boca). • *m* **4** MÚS rasgueo.
rasgar [ʀayʒ'gaʀ] *tr e pron* **1** rasgar (romper, desgarrar). **2** dividir, separar. • *tr* **3** rajar, herir. **4** (fig) romper, entristecer: *sua partida rasga-lhe o coração = su partida le rompe el corazón.* • *intr* **5** MÚS rasgar, rasguear (guitarra).
rasgo ['ʀayʒgʊ] *m* **1** rasguño (herida). **2** rasgo (línea, trazo).
raspa ['ʀayʃpa] *f* raspadura (raspado).
raspar [ʀayʃ'paʀ] *tr* **1** raspar (rozar). **2** raspar (raer). **3** rapar (pelo, barba).
rasteiro, ra [ʀayʃ'teyrʊ, ra] *adj* **1** rastrero (arrastrado). **2** rastrero (rasante). **3** (fig) rastrero (despreciable).
rastejante [ʀayʃte'ʒãtʃɪ] *adj 2 gén* rastreador.
rastejar [ʀayʃte'ʒaʀ] *tr* **1** rastrear (seguir). **2** rastrear (investigar). • *intr e pron* **3** arrastrar (tirar).
rasto ou **rastro** ['ʀayʃtʊ o 'ʀayʃtrʊ] *m* **1** rastro (huella). **2** (fig) rastro (señal, indicio). ■ **no ~ de** (fig) tras la pista de.
rasurado, da [ʀazu'radʊ, da] *adj* tachado (borrado).
rata ['ʀata] *f* **1** rata (animal). **2** (coloq) metedura de pata.
rateio [ʀa'teyʊ] *m* rateo.
ratificação [ʀatʃifika'sãw] *f* ratificación.
ratificar [ʀatʃifi'kaʀ] *tr* ratificar.
rato, ta ['ʀatʊ, ta] *adj* **1** ratificado. • *m* **2** ratón (animal). **3** (fig, coloq) ratero, ladrón.
ratoeira [ʀato'eyra] *f* **1** ratonera. **2** (fig) ratonera (trampa, ardid).
razão [ʀa'zãw] *f* **1** razón (raciocinio). **2** razón (causa, motivo). **3** razón (argumento). ■ **dar ~ a alguém** dar la razón a uno; **ter suas razões** tener sus motivos.
razoável [ʀazo'avew] *adj 2 gén* **1** razonable (racional, sensato). **2** razonable (módico).
ré ['ʀɛ] *f* **1** popa. **2** marcha atrás (de un vehículo). **3** MÚS re.
reabastecimento [ʀeabayʃtesi'mẽtʊ] *m* reposición.
reabertura [ʀeabeʀ'tura] *f* reapertura.
reabilitação [ʀeabilita'sãw] *f* **1** rehabilitación (restitución). **2** ARQ rehabilitación (de inmuebles). **3** MED rehabilitación.
reabilitar [ʀeabili'taʀ] *tr* rehabilitar.
reabrir [ʀea'briʀ] *tr, intr e pron* reabrir.
reação [ʀea'sãw] *f* **1** reacción (respuesta). **2** POL reacción. ◆ **~ em cadeia** reacción en cadena.
reacionário, a [ʀeasyo'naryʊ, a] *adj* reaccionario (retrógrado); cacho (Nic).
readaptação [ʀeadapita'sãw] *f* **1** readaptación. **2** aclimatación.
readaptar [ʀeadapi'taʀ] *tr e pron* readaptar.
readmitir [ʀeadʒimi'tʃiʀ] *tr* readmitir.
readquirir [ʀeadʒiki'riʀ] *tr* readquirir.
reafirmar [ʀeafiʀ'maʀ] *tr* reafirmar.
reagente [ʀea'ʒẽtʃɪ] *adj/m* reactivo.
reagir [ʀea'ʒiʀ] *tr e intr* reaccionar (luchar).
reajustar [ʀeaʒuʃ'taʀ] *tr* reajustar.
reajuste [ʀea'ʒuʃtʃɪ] *m* **1** reajuste (reorganización). **2** reajuste (de salarios, precios).
real [ʀe'aw] *adj 2 gén* **1** real (regio). **2** real (verdadero). • *m* **3** real (moneda).
realçar [ʀeaw'saʀ] *tr e pron* **1** realzar (destacar). • *tr* **2** realzar (elevar).
realce [ʀe'awsɪ] *m* **1** realce (destaque). **2** ART realce.
realeza [ʀea'leza] *f* **1** realeza (soberanía). **2** realeza (familia real).
realidade [ʀeali'dadʒɪ] *f* **1** realidad (verdad). **2** realidad (mundo real).
realismo [ʀea'liʒmʊ] *m* **1** realismo (monarquismo). **2** realismo (representación fiel). ◆ **~ mágico** LIT realismo mágico.
realista [ʀea'liʃta] *adj/m e f* **1** realista (monárquico). **2** realista (fiel a la realidad).
realização [ʀealiza'sãw] *f* **1** realización (efectuación). **2** CINE realización (venta).
realizado, da [ʀeali'zadʊ, da] *adj* **1** realizado (ejecutado). **2** realizado (satisfecho).

r

realizador, ra [Realiza'doR, ra] *adj/m e f* **1** realizador (ejecutor). • *adj/m* **2** emprendedor.
realizar [Reali'zaR] *tr e pron* **1** realizar (efectuar). • *tr* **2** acumular (dinero, riquezas). • **~-se** *pron* **3** realizarse (sentirse satisfecho).
realizável [Reali'zavew] *adj 2 gén* realizable.
reanimação [Reanima'sãw] *f* **1** reanimación. **2** MED reanimación.
reanimado, da [Reani'madʊ, da] *adj* reanimado.
reanimar [Reani'maR] *tr* **1** reanimar (resucitar). • *tr, intr e pron* **2** reanimar (vigorizar).
reaparecer [Reapare'seR] *intr* reaparecer.
reaparição [Reapari'sãw] *f* reaparición.
reaprender [Reaprẽ'deR] *tr* reaprender.
reassumir [Reasu'miR] *tr* **1** reasumir (cargo, función). **2** (fig) recobrar (recuperar).
reatar [Rea'taR] *tr* **1** reatar (atar de nuevo). **2** reanudar.
reativar [Reatʃi'vaR] *tr e pron* reactivar.
reatividade [Reatʃivi'dadʒɪ] *f* FÍS reacción.
reator, ra [Rea'toR, ra] *adj* **1** reactivo. • *m* **2** reactor (avión). **3** reactor (motor).
reavaliação [Reavalia'sãw] *f* revaluación.
reavaliar [Reavali'aR] *tr* revaluar (volver a evaluar).
reaver [Rea'veR] *tr* recuperar (readquirir).
reavivar [Reavi'vaR] *tr* **1** reavivar (intensificar). **2** (fig) reavivar (estimular, animar).
rebaixar [Rebay'ʃaR] *tr, intr e pron* **1** rebajar (superficie). • *tr* **2** rebajar, disminuir (de precio, valor). • *tr e pron* **3** (fig) rebajar (humillar).
rebanho [Re'bãŋʊ] *m* **1** rebaño (de animales). **2** (fig) rebaño (de fieles).
rebarba [Re'baRba] *f* arista, esquina.
rebate [Re'batʃɪ] *m* **1** rebato (ataque). **2** rebato (llamamiento). **3** rebatimiento (descuento).
rebater [Reba'teR] *tr* **1** rebatir (rechazar). **2** detener, parar (golpe). **3** reprimir, refrenar. **4** combatir (enfermedad). • *intr* **5** palpitar, latir. **6** especular.
rebelar [Rebe'laR] *tr e pron* rebelarse (sublevarse).
rebelde [Re'bɛwdʒɪ] *adj/m e f* **1** rebelde (amotinado). **2** rebelde (indisciplinado).
rebeldia [Rebew'dʒia] *f* **1** rebeldía (insumisión). **2** obstinación, porfía.
rebelião [Rebeli'ãw] *f* rebelión.
rebentar [Rebẽ'taR] *tr e intr* **1** reventar (explotar). **2** reventar (destruir). **3** (fig) estallar (irrumpir, sobrevenir). • *tr* **4** reventar (brotar, surgir). **5** (fig) reventar (extenuar, agotar).
rebento [Re'bẽtʊ] *m* **1** brote, retoño (de una planta). **2** (fig) fruto (producto, resultado).
rebite [Re'bitʃɪ] *m* remache.
reboar [Rebo'aR] *intr* retumbar.
rebocador, ra [Reboka'doR, ra] *adj/m e f* remolcador.
rebocar [Rebo'kaR] *tr* **1** remolcar (embarcación, vehículo). **2** revocar (pared).
reboco [Re'bokʊ] *m* **1** revestimiento (capa, cubierta). **2** argamasa (mortero).
rebolar [Rebo'laR] *tr* **1** rodar (dar vueltas). • *tr e pron* **2** contonearse; tongonearse (Amér).
reboque [Re'bɔkɪ] *m* **1** remolque (cabo, cuerda). **2** remolque (vehículo).
rebordo [Re'boRdʊ] *m* **1** reborde. **2** borde (orilla, extremo).
rebuçado, da [Rebu'sadʊ, da] *adj* **1** embozado (cubierto). **2** embozado (oculto). • *m* **3** caramelo (golosina).
rebuço [Re'busʊ] *m* embozo (de una capa).
rebuscar [Rebuʃ'kaR] *tr* **1** rebuscar (escudriñar). **2** rebuscar, recoger (frutos).
recado [Re'kadʊ] *m* **1** recado (aviso, mensaje). **2** recuerdos (saludos).
recaída [Reka'ida] *f* recaída (en una enfermedad, vicio).
recair [Reka'iR] *tr e intr* **1** recaer (en una enfermedad). • *tr* **2** recaer (reincidir).
recalcar [Rekaw'kaR] *tr* **1** recalcar (ajustar, apretar). **2** (fig) recalcar (insistir, repetir).
recanto [Re'kãtʊ] *m* rincón (escondrijo).
recapitular [Rekapitu'laR] *tr* recapitular.
recarga [Re'kaRga] *f* **1** carga (repuesto). **2** ataque, embestida.
recatado, da [Reka'tadʊ, da] *adj* **1** recatado (púdico). **2** recatado (modesto).

recatar [ʀeka'taʀ] *tr e pron* recatar (encubrir, ocultar).
recato [ʀe'katʊ] *m* **1** recato (cautela). **2** recato (modestia). ■ **a bom ~** a buen recaudo.
recear [ʀese'aʀ] *tr, intr e pron* recelar (desconfiar).
receber [ʀese'beʀ] *tr* **1** recibir (tomar, adquirir). **2** cobrar (dinero). **3** recibir (dar la bienvenida). **4** recibir, sufrir (pena, castigo).
recebimento [ʀesebi'mẽtʊ] *m* **1** recibimiento (recepción). **2** cobro.
receio [ʀe'seyʊ] *m* recelo (temor); taco (Amér. Centr, P. Rico).
receita [ʀe'seyta] *f* **1** receta (prescripción facultativa). **2** receta (de cocina). **3** renta (ingresos).
receitar [ʀesey'taʀ] *tr e intr* **1** recetar (medicamento). • *tr* **2** sugerir, recomendar.
receituário [ʀeseytu'aɾyʊ] *m* recetario.
recém [ʀe'sẽy] *adv* recién (recientemente).
recém-chegado, da [ʀesẽyʃe'gadʊ, da] *adj/m e f* recién llegado.
recém-nascido, da [ʀesẽyna'sidʊ, da] *adj/m e f* **1** recién nacido. **2** (fig) reciente (nuevo).
recenseamento [ʀesẽsea'mẽtʊ] *m* **1** censo (empadronamiento). **2** catastro (de fincas).
recensear [ʀesẽse'aʀ] *tr* **1** censar. **2** alistar, anotar.
recente [ʀe'sẽtʃɪ] *adj 2 gén* **1** reciente (fresco, nuevo). **2** reciente (actual).
receoso, sa [ʀese'ozʊ, za] *adj* **1** receloso (temeroso); orejero (Amér). **2** tímido, cortado.
recepção [ʀesepi'sãw] *f* **1** recepción (admisión). **2** recepción (ceremonia). **3** recepción (de hotel).
recepcionista [ʀesepisyo'niʃta] *adj/m e f* recepcionista.
receptáculo [ʀesepi'takulʊ] *m* receptáculo.
receptador, ra [ʀesepita'doʀ, ɾa] *adj/m e f* DIR receptador.
receptividade [ʀesepitʃivi'dadʒɪ] *f* **1** receptividad. **2** MED receptividad.
receptivo, va [ʀesepi'tʃivʊ, va] *adj* receptivo.
receptor, ra [ʀesepi'toʀ, ɾa] *adj/m e f* **1** receptor. • *adj/m* **2** receptor (aparato).
recessão [ʀese'sãw] *f* **1** recesión (retroceso). **2** ECON recesión.
rechaçar [ʀeʃa'saʀ] *tr* rechazar.
rechaço [ʀe'ʃasʊ] *m* rechazo.
rechear [ʀeʃe'aʀ] *tr* **1** rellenar (alimentos, cojines). **2** rellenar (atiborrar); achurruscar (Amér). • *tr e pron* **3** (coloq) forrarse (enriquecerse).
recheio [ʀe'ʃeyʊ] *m* **1** relleno (material, ingredientes). **2** (fig) ahorros.
recibo [ʀe'sibʊ] *m* **1** recibo (resguardo). **2** (coloq) desquite (venganza).
reciclado, da [ʀesi'kladʊ, da] *adj* **1** reciclado (material). **2** (fig) reciclado, actualizado (profesional).
reciclagem [ʀesi'klaʒẽy] *f* **1** reciclaje (de material). **2** (fig) reciclaje (de un profesional).
reciclar [ʀesi'klaʀ] *tr* reciclar (material).
recinto [ʀe'sĩtʊ] *m* **1** recinto. **2** reserva (lugar).
recipiente [ʀesipi'ẽtʃɪ] *adj 2 gén* **1** recipiente. • *m* **2** recipiente.
reciprocidade [ʀesipɾosi'dadʒɪ] *f* reciprocidad.
recíproco, ca [ʀe'sipɾokʊ, ka] *adj* recíproco.
recital [ʀesi'taw] *m* recital (lectura).
recitar [ʀesi'taʀ] *tr* **1** recitar (declamar). **2** recitar (referir, contar).
reclamação [ʀeklama'sãw] *f* **1** reclamación (protesta). **2** DIR reivindicación.
reclamar [ʀekla'maʀ] *tr* **1** reclamar (quejarse). **2** reclamar (exigir).
reclinar [ʀekli'naʀ] *tr e pron* **1** reclinar (inclinar, recostar). • **~-se** *pron* **2** declinar (sol).
recluir [ʀeklu'iʀ] *tr* recluir.
reclusão [ʀeklu'zãw] *f* reclusión (encierro).
recluso, sa [ʀe'kluzʊ, za] *adj* **1** recluido (enclaustrado). • *m* **2** anacoreta. **3** recluso (preso).
recobrar [ʀeko'bɾaʀ] *tr* **1** recobrar (readquirir). • **~-se** *pron* **2** recobrarse (recuperarse).
recobrir [ʀeko'bɾiʀ] *tr e pron* recubrir.
recolha [ʀe'koʎa] *f* recogida (recogimiento).
recolher [ʀeko'ʎeʀ] *tr e pron* **1** recoger (guardar). **2** recoger (abrigar, acoger). • *tr* **3** recoger (reunir, juntar). **4** recaudar

(impuestos, dinero). • ~-se *pron* 5 recogerse (retirarse).

recolhimento [ʀekoʎi'mẽtʊ] *m* 1 recogimiento. 2 trastero (desván). 3 retiro (lugar apartado).

recomeçar [ʀekome'saʀ] *tr* 1 reanudar. • *intr* 2 recomenzar.

recomendação [ʀekomẽda'sãw] *f* 1 recomendación (consejo). 2 recomendación (elogio).

recomendado, da [ʀekomẽ'dadʊ, da] *adj* 1 recomendado. • *adj/m e f* 2 recomendado (individuo).

recomendar [ʀekomẽ'daʀ] *tr* 1 recomendar (aconsejar). 2 recomendar (elogiar).

recomendável [ʀekomẽ'davew] *adj 2 gén* recomendable.

recompensa [ʀekõ'pẽsa] *f* 1 recompensa (premio). 2 recompensa (indemnización).

recompensar [ʀekõpẽ'saʀ] *tr* 1 recompensar (premiar). • *tr e pron* 2 recompensar (compensar).

recompor [ʀekõ'poʀ] *tr* 1 reorganizar. • *tr e pron* 2 recomponer (rehacer).

recomposição [ʀekõpozi'sãw] *f* recomposición.

reconciliação [ʀekõsilia'sãw] *f* reconciliación.

reconciliar [ʀekõsili'aʀ] *tr e pron* reconciliar (pacificar).

recôndito, ta [ʀe'kõdʒitʊ, ta] *adj* 1 recóndito (oculto). • *m* 2 escondrijo.

recondução [ʀekõdu'sãw] *f* 1 reconducción (devolución). 2 reelección (nombramiento). 3 DIR reconducción (prórroga).

reconduzir [ʀekõdu'ziʀ] *tr* 1 reconducir (devolver). 2 DIR reconducir (prorrogar).

reconfirmação [ʀekõfiʀma'sãw] *f* nueva confirmación.

reconfirmar [ʀekõfiʀ'maʀ] *tr* volver a confirmar.

reconfortante [ʀekõfoʀ'tãtʃɪ] *adj/m* reconfortante.

reconfortar [ʀekõfoʀ'taʀ] *tr* reconfortar (consolar).

reconhecer [ʀekõɲe'seʀ] *tr* 1 reconocer (distinguir). 2 reconocer (admitir, aceptar). 3 reconocer (examinar).

reconhecido, da [ʀekõɲe'sidʊ, da] *adj* 1 reconocido (agradecido). 2 reconocido (hijo).

reconhecimento [ʀekõɲesi'mẽtʊ] *m* 1 reconocimiento (examen). 2 reconocimiento (aceptación).

reconhecível [ʀekõɲe'sivew] *adj 2 gén* reconocible.

reconquista [ʀekõ'kiʃta] *f* reconquista.

reconquistar [ʀekõkiʃ'taʀ] *tr* 1 reconquistar (volver a conquistar). 2 (fig) reconquistar (recuperar).

reconsiderar [ʀekõside'ɾaʀ] *tr* reconsiderar.

reconstituição [ʀekõʃtʃitui'sãw] *f* reconstitución.

reconstituir [ʀekõʃtʃitu'iʀ] *tr* 1 reconstituir (rehacer). 2 MED reconstituir.

reconstrução [ʀekõʃtɾu'sãw] *f* reconstrucción.

reconstruir [ʀekõʃtɾu'iʀ] *tr* 1 reconstruir (reedificar). 2 reconstruir (rehacer).

recontar [ʀekõ'taʀ] *tr* 1 recontar. • ~-se *pron* 2 contarse (incluirse).

reconversão [ʀekõveʀ'sãw] *f* 1 conversión (de monedas, valores). 2 reestructuración (urbanística).

reconverter [ʀekõveʀ'teʀ] *tr* reconvertir.

recopilação [ʀekopila'sãw] *f* recopilación (colección).

recordação [ʀekoʀda'sãw] *f* 1 recuerdo (memoria). 2 recuerdo (objeto).

recordar [ʀekoʀ'daʀ] *tr e pron* 1 recordar (traer a la memoria). • *tr* 2 recordar (parecer).

recorde [ʀe'kɔʀdʒɪ] *m* 1 récord (plusmarca). • *adj 2 gén* 2 récord: *tempo recorde = tiempo récord.*

recordista [ʀekoʀ'dʒiʃta] *adj/m e f* plusmarquista.

recorrente [ʀeko'ʀẽtʃɪ] *adj 2 gén* 1 recurrente (reiterativo). • *adj/m e f* 2 DIR recurrente.

recorrer [ʀeko'ʀeʀ] *tr* 1 recorrer (atravesar). 2 recurrir (pedir ayuda). 3 recorrer (registrar). • *tr e intr* 4 DIR recurrir.

recortar [ʀekoʀ'taʀ] *tr* 1 recortar (papel, figuras). 2 entremediar.

recorte [ʀe'kɔʀtʃɪ] *m* 1 recorte (trozo). 2 (fig) arrebato (impulso).

recostar [ʀekoyʃ'taʀ] *tr e pron* 1 recostar (reclinar). • ~-se *pron* 2 recostarse (acostarse).

recreação [ʀekɾea'sãw] *f* recreación (diversión).

recreativo, va [ʀekrea'tʃivʊ, va] *adj* recreativo.
recreio [ʀe'kreyʊ] *m* **1** recreo (diversión). **2** recreo (del colegio).
recriar [ʀekri'aʀ] *tr* recrear (crear de nuevo).
recriminação [ʀekrimina'sãw] *f* recriminación (crítica).
recruta [ʀe'kruta] *f* **1** recluta (leva). **2** instrucción militar. • *m* **3** recluta (soldado novato).
recrutamento [ʀekruta'mẽtʊ] *m* reclutamiento.
recrutar [ʀekru'taʀ] *tr* **1** MIL reclutar. **2** reclutar (convocar).
recuar [ʀeku'aʀ] *tr e intr* **1** recular (retroceder). **2** (fig) recular (ceder, renunciar). • *intr* **3** aminorar, disminuir.
recuperação [ʀekupera'sãw] *f* **1** recuperación (de salud, ánimo). **2** reintegración.
recuperar [ʀekupe'raʀ] *tr* **1** recuperar (recobrar). **2** recuperar (rehabilitar).
recuperável [ʀekupe'ravew] *adj 2 gén* recuperable.
recurso [ʀe'kuʀsʊ] *m* **1** recurso (medio). **2** DIR recurso. • **recursos** *m pl* **3** recursos (bienes).
recusa [ʀe'kuza] *f* **1** recusación (rechazo). **2** negativa.
recusar [ʀeku'zaʀ] *tr* **1** recusar (rechazar). **2** negar (denegar). **3** evitar (excusar).
redação [ʀeda'sãw] *f* **1** redacción (escritura). **2** redacción (escrito).
redator, ra [ʀeda'toʀ, ra] *adj/m e f* **1** redactor. **2** redactor (periodista).
rede ['ʀedʒɪ] *f* **1** red (aparejo). **2** hamaca. **3** (fig) red (de canalización, comunicación). **4** (fig) red (cadena). **5** (fig) red (organización clandestina). **6** TV cadena.
rédea ['ʀɛdʒya] *f* **1** rienda (brida). **2** (fig) riendas (control, gobierno). ■ **dar rédeas largas** (fig) dar rienda suelta.
redefinição [ʀedefini'sãw] *f* redefinición.
redefinir [ʀedefi'niʀ] *tr* redefinir.
redemoinho [ʀedemo'ĩɲʊ] *m* **1** remolino (de agua, viento). **2** remolino (del pelo).
redenção [ʀedẽ'sãw] *f* redención (rescate).
redentor, ra [ʀedẽ'toʀ, ra] *adj/m e f* **1** rendentor. • **Redentor** *m* **2** redentor (Jesucristo).
redigir [ʀedʒi'ʒiʀ] *tr e intr* **1** redactar (escribir). • *intr* **2** trabajar de redactor.
redil [ʀe'dʒiw] *m* redil (aprisco).
redimir [ʀedʒi'miʀ] *tr e pron* ⇒ remir.
redistribuir [ʀedʒiʃtribu'iʀ] *tr* **1** redistribuir (reorganizar). **2** redistribuir (difundir).
redobrado, da [ʀedo'bradʊ, da] *adj* **1** doblado. **2** (fig) redoblado (reduplicado).
redobrar [ʀedo'braʀ] *tr* **1** volver a doblar. **2** redoblar (repetir). • *tr, intr e pron* **3** redoblar (aumentar).
redoma [ʀe'dõma] *f* redoma.
redondeza [ʀedõ'deza] *f* **1** redondez. **2** redondez (superficie). • **redondezas** *f pl* **3** alrededores (cercanías).
redondo, da [ʀe'dõdʊ, da] *adj* **1** redondo (circular, esférico). **2** redondeado (torneado). **3** (fig) redondo (perfecto).
redor [ʀe'dɔʀ] *m* alrededor (contorno).
redução [ʀedu'sãw] *f* **1** reducción (disminución). **2** reducción (subyugación). **3** descuento (rebaja).
redundância [ʀedũ'dãsya] *f* redundancia.
redundante [ʀedũ'dãtʃɪ] *adj 2 gén* redundante.
redundar [ʀedũ'daʀ] *intr* **1** abundar. **2** redundar (rebosar).
reduto [ʀe'dutʊ] *m* **1** reducto (fortificación). **2** recinto.
redutor, ra [ʀedu'toʀ, ra] *adj/m e f* **1** reductor. • *adj/m* **2** QUÍM reductor.
reduzido, da [ʀedu'zidʊ, da] *adj* **1** reducido (disminuido). **2** reducido (simplificado).
reduzir [ʀedu'ziʀ] *tr e pron* **1** reducir (disminuir). **2** reducir (resumir, limitar). **3** reducir (aflojar, aminorar). • *tr* **4** reducir (someter). **5** reducir (transformar). • *intr* **6** reducir (marcha).
reedição [ʀeedʒi'sãw] *f* reedición.
reeditar [ʀeedʒi'taʀ] *tr* **1** reeditar. **2** (fig) restaurar (instituir).
reeducação [ʀeeduka'sãw] *f* reeducación.
reeducar [ʀeedu'kaʀ] *tr* reeducar.
reeleger [ʀeele'ʒeʀ] *tr* reelegir.
reeleição [ʀeeley'sãw] *f* reelección.

reeleito, ta [ʀee'leytʊ] *adj* reelecto.
reembolsar [ʀeẽbow'saʀ] *tr e pron* reembolsar.
reembolso [ʀeẽ'bowsʊ] *m* reembolso.
reencarnação [ʀeẽkaʀna'sãw] *f* reencarnación.
reencontrar [ʀeẽkõ'tɾaʀ] *tr e pron* reencontrar.
reencontro [ʀeẽ'kõtɾʊ] *m* reencuentro.
reenviar [ʀeẽvi'aʀ] *tr* **1** reenviar. **2** devolver (imagen).
reescrever [ʀeeyʃkɾe'veʀ] *tr* reescribir.
reestruturação [ʀeeyʃtɾutuɾa'sãw] *f* reestructuración.
reestruturar [ʀeeʃtɾutu'ɾaʀ] *tr* reestructurar.
refazer [ʀefa'zeʀ] *tr* **1** rehacer (volver a hacer). **2** rehacer (reparar). **3** rehacer (reformar). • *tr e pron* **4** recobrar (salud, fuerzas).
refeição [ʀefey'sãw] *f* comida (a horas regulares).
refeito, ta [ʀe'feytʊ, ta] *adj* **1** rehecho (hecho de nuevo). **2** reparado.
refeitório [ʀefey'tɔɾyʊ] *m* refectorio (comedor).
refém [ʀe'fẽy] *m* rehén.
referência [ʀefe'ɾẽsya] *f* **1** referencia (narración). **2** referencia (mención).
referencial [ʀefeɾẽsi'aw] *adj/m* referencial.
referendar [ʀefeɾẽ'daʀ] *tr* **1** refrendar (autorizar). **2** refrendar (corroborar).
referendo [ʀefe'ɾẽdʊ] *m* referéndum, referendo (votación).
referente [ʀefe'ɾẽtʃɪ] *adj 2 gén* **1** referente. • *m* **2** FILOL referente.
referido, da [ʀefe'ɾidʊ, da] *adj* referido (mencionado).
referir [ʀefe'ɾiʀ] *tr* **1** referir (relatar). • *tr e pron* **2** referir (aludir, mencionar).
refilar [ʀefi'laʀ] *tr* **1** morder (perro). • *intr* **2** contraatacar.
refinação [ʀefina'sãw] *f* **1** refinación. **2** refinería.
refinado, da [ʀefi'nadʊ, da] *adj* **1** refinado (purificado). **2** refinado (delicado).
refinamento [ʀefina'mẽtʊ] *m* **1** refinado. **2** refinamiento (primor).
refinar [ʀefi'naʀ] *tr* **1** refinar (purificar). **2** (fig) refinar (perfeccionar).
refinaria [ʀefina'ɾia] *f* refinería.
refletir [ʀefle'tʃiʀ] *tr e intr* **1** FÍS reflejar. **2** reflexionar (meditar). • *tr* **3** rebotar (retroceder). **4** (fig) reflejar (mostrar, revelar).
refletor, ra [ʀefle'toʀ, ɾa] *adj* **1** reflector. • *m* **2** reflector (aparato).
reflexão [ʀefleki'sãw] *f* **1** reflexión (meditación). **2** FÍS reflexión.
reflexivo, va [ʀefleki'sivʊ, va] *adj* **1** reflexivo (meditativo). **2** GRAM reflexivo.
reflexo, xa [ʀe'flɛkisʊ, kisa] *adj* **1** reflejado. **2** indirecto. **3** reflejo (involuntario). • *m* **4** reflejo (de luz). **5** reflejo (imagen). **6** reflejo (movimiento).
reflorestamento [ʀefloɾeyʃta'mẽtʊ] *m* reforestación.
reflorestar [ʀefloɾeyʃ'taʀ] *tr* reforestar.
refluir [ʀeflu'iʀ] *intr* refluir (líquido).
refluxo [ʀe'flukisʊ] *m* reflujo.
refogar [ʀefo'gaʀ] *tr* rehogar.
reforçado, da [ʀefoʀ'sadʊ, da] *adj* **1** fortalecido. **2** reforzado (engrosado).
reforçar [ʀefoʀ'saʀ] *tr* **1** reforzar (engrosar). **2** reforzar (fortalecer). **3** reforzar (reanimar).
reforço [ʀe'foʀsʊ] *m* **1** refuerzo (reparo). **2** refuerzo (auxilio, ayuda).
reforma [ʀe'fɔʀma] *f* **1** reforma (renovación). **2** reformismo.
reformado, da [ʀefoʀ'madʊ, da] *adj* reformado.
reformador, ra [ʀefoʀma'doʀ, ɾa] *adj/m e f* reformador.
reformar [ʀefoʀ'maʀ] *tr* **1** reformar (rehacer, mejorar). **2** suprimir, eliminar. • **~-se** *pron* **3** reformarse (enmendarse).
reformulação [ʀefoʀmula'sãw] *f* reformulación.
reformular [ʀefoʀmu'laʀ] *tr* reformular.
refração [ʀefɾa'sãw] *f* ÓPT refracción. ♦ **dupla ~** ÓPT doble refracción.
refrão [ʀe'fɾãw] *m* **1** refrán (proverbio). **2** estribillo.
refrear [ʀefɾe'aʀ] *tr* **1** refrenar (animal). • *tr e pron* **2** refrenar (reprimir). • **~-se** *pron* **3** abstenerse, privarse.
refrega [ʀe'fɾɛga] *f* refriega.
refrescante [ʀefɾeyʃ'kãtʃɪ] *adj 2 gén* refrescante.
refrescar [ʀefɾeyʃ'kaʀ] *tr, intr e pron* **1** refrescar (atemperar). • *tr e pron* **2** re-

frescar (reanimar). • ~-**se** *pron* **3** tranquilizarse.
refrigerante [ʀefriʒe'rãtʃɪ] *adj 2 gén* **1** refrigerante. • *m* **2** refresco (bebida fría). **3** refresco (bebida gaseosa).
refrigério [ʀefri'ʒɛryʊ] *m* refrigerio.
refugiado, da [ʀefuʒi'adʊ, da] *adj/m e f* refugiado. ♦ ~ **político** refugiado político.
refugiar-se [ʀefuʒi'aʀ] *pron* refugiarse.
refúgio [ʀe'fuʒyʊ] *m* **1** refugio (lugar). **2** escondrijo. **3** (fig) refugio (amparo).
refulgir [ʀefuw'ʒiʀ] *intr* refulgir.
refutar [ʀefu'taʀ] *tr* **1** refutar (rebatir). **2** desmentir, negar.
regaço [ʀe'gasʊ] *m* **1** regazo (seno, falda). **2** (fig) regazo (abrigo, amparo).
regalar [ʀega'laʀ] *tr* **1** regalar (obsequiar). • *tr e pron* **2** regalar (deleitar). • *intr* **3** vivir bien.
regalia [ʀega'lia] *f* **1** regalía (derecho real). **2** regalía (privilegio).
regalo [ʀe'galʊ] *m* **1** regalo (manjar). **2** regalo (complacencia). **3** regalo (obsequio).
regar [ʀe'gaʀ] *tr* **1** regar (plantas). **2** encharcar. **3** regar, bañar (un río).
regata [ʀe'gata] *f* ESPORT regata.
regatear [ʀegate'aʀ] *tr e intr* **1** regatear (precio). • *tr* **2** depreciar (menoscabar).
regato [ʀe'gatʊ] *m* regato (arroyo).
regelar [ʀeʒe'laʀ] *tr e pron* congelar (helar).
regência [ʀe'ʒẽsya] *f* **1** regencia (gobierno interino). **2** regencia (período).
regeneração [ʀeʒenera'sãw] *f* **1** regeneración (restablecimiento). **2** (fig) regeneración (de conducta, hábitos).
regenerar [ʀeʒene'raʀ] *tr e pron* **1** regenerar (restablecer). **2** regenerar (enmendar, rehabilitar).
regente [ʀe'ʒẽtʃɪ] *adj 2 gén* **1** regente. • *s 2 gén* **2** regente (gobernante). **3** regente (catedrático).
reger [ʀe'ʒeʀ] *tr, intr e pron* **1** regir (gobernar). • *tr* **2** GRAM regir.
região [ʀeʒi'ãw] *f* región.
regicídio [ʀeʒi'sidʒyʊ] *m* regicidio.
regime [ʀe'ʒimɪ] *m* **1** régimen (gobierno). **2** régimen (normas). **3** régimen (modo, forma). **4** régimen (dieta).
regimento [ʀeʒi'mẽtʊ] *m* **1** regimiento (dirección). **2** reglamento (normas). **3** MIL regimiento.
regional [ʀeʒyo'naw] *adj 2 gén* regional.
regionalismo [ʀeʒyona'liʒmʊ] *m* **1** regionalismo (vocablo). **2** POL regionalismo (tendencia).
regionalista [ʀeʒyona'liʃta] *adj/m e f* regionalista.
regionalização [ʀeʒyonaliza'sãw] *f* regionalización.
registrar [ʀeʒiʃ'traʀ] *tr e pron* **1** registrar (inscribir). • *tr* **2** registrar (transcribir). **3** registrar (contabilizar). • ~-**se** *pron* **4** registrarse (ocurrir).
registro [ʀe'ʒiʃtrʊ] *m* **1** registro (libro). **2** registro (oficina). **3** registro (documento). **4** certificado (de carta). **5** FILOL registro. ♦ ~ **civil** DIR registro civil; ~ **postal** certificación postal.
rego ['ʀegʊ] *m* **1** cuneta (de desagüe). **2** surco (hendedura). **3** surco (arruga). **4** canal (acequia).
regozijar [ʀegozi'ʒaʀ] *tr e pron* regocijar.
regozijo [ʀego'ziʒʊ] *m* regocijo.
regra ['ʀɛgra] *f* **1** regla (norma). **2** regla (moderación). • **regras** *f pl* **3** regla (menstruación). ♦ ~ **de três** MAT regla de tres.
regrar [ʀe'graʀ] *tr* **1** reglar (pautar). **2** reglar (reglamentar).
regredir [ʀegre'dʒiʀ] *intr* retroceder.
regressão [ʀegre'sãw] *f* **1** regresión (retroceso). **2** regreso (retorno).
regressar [ʀegre'saʀ] *tr e intr* regresar (retornar).
regressivo, va [ʀegre'sivʊ, va] *adj* **1** regresivo. **2** retroactivo.
regresso [ʀe'grɛsʊ] *m* regreso (retorno).
régua ['ʀɛgwa] *f* regla (instrumento).
regulação [ʀegula'sãw] *f* regulación.
regulamentação [ʀegulamẽta'sãw] *f* reglamentación.
regulamentar [ʀegulamẽ'taʀ] *tr* reglamentar.
regulamento [ʀegula'mẽtʊ] *m* **1** regulación. **2** reglamento.
regular [ʀegu'laʀ] *adj 2 gén* **1** regular (reglado). **2** regular (proporcionado). **3** regular (mediano). **4** GRAM regular.
regular [ʀegu'laʀ] *tr* **1** regular (reglamentar). **2** regular (contener, moderar). **3** regular (ajustar).
regularidade [ʀegulari'dadʒɪ] *f* regularidad.

regularização [Regulariza'sãw] *f* regularización.
regularizar [Regulari'zaR] *tr e pron* **1** regularizar (normalizar). • *tr* **2** regular, reajustar.
régulo ['Rεgulʊ] *m* **1** régulo (soberano). **2** QUÍM régulo.
rei ['Rey] *m* **1** rey (monarca). **2** (fig) rey (destacado): *o rei das finanças = el rei de las finanzas*. **3** rey (de ajedrez, baraja).
reidratar [Reidra'taR] *tr e pron* rehidratar.
reinado [Rey'nadʊ] *m* **1** reinado (gobierno). **2** (fig) reinado (predominio).
reinante [Rey'nãtʃɪ] *adj 2 gén* **1** reinante (imperante). • *s 2 gén* **2** monarca.
reinar [Rey'naR] *intr* **1** reinar (gobernar). **2** reinar (persistir, propagarse). **3** reinar (predominar).
reincidir [Reĩsi'dʒiR] *tr e intr* **1** reincidir (recaer). • *intr* **2** DIR reincidir.
reiniciar [Reinisi'aR] *tr* **1** reiniciar (reanudar). **2** COMP reiniciar, reinicializar.
reinício [Rei'nisyʊ] *m* reinicio.
reino ['Reynʊ] *m* **1** reino (monarquía). **2** reino (natural). **3** (fig) reino (campo, ámbito). ♦ ~ **animal** reino animal; ~ **vegetal** reino vegetal.
reinscrever [Reĩʃkre'veR] *tr e pron* reinscribir.
reinserção [ReĩseR'sãw] *f* reinserción.
reinserir [Reĩse'riR] *tr* reinsertar.
reintegração [Reĩtegra'sãw] *f* **1** reintegración. **2** readmisión.
reintegrar [Reĩte'graR] *tr* **1** reintegrar (restituir). • **~-se** *pron* **2** reintegrarse (en una colectividad).
reintroduzir [Reĩtrodu'ziR] *tr e pron* reintroducir.
reinventar [Reĩvẽ'taR] *tr* reinventar.
reiterar [Reite'raR] *tr* reiterar.
reitor, ra [Rey'toR, ra] *m e f* **1** rector (de orden religiosa). **2** rector (de universidad).
reitoria [Reyto'ria] *f* **1** rectoría (función, jurisdición). **2** rectoría (oficina, edificio).
reivindicação [Reyvĩdʒika'sãw] *f* reivindicación.
reivindicar [Reyvĩdʒi'kaR] *tr* **1** reivindicar (reclamar). **2** reivindicar (asumir).
reivindicativo, va [Reyvĩdʒika'tʃivʊ, va] *adj* reivindicativo.
rejeição [Reʒey'sãw] *f* rechazo.
rejeitar [Reʒey'taR] *tr* **1** rechazar (denegar). **2** rechazar (oponerse). **3** rechazar (repeler).
rejubilar [Reʒubi'laR] *tr, intr e pron* alegrar, regocijar.
rejuvenescer [Reʒuvene'seR] *tr, intr e pron* **1** rejuvenecer (remozar). • *tr e intr* **2** (fig) rejuvenecer (revivir).
rejuvenescimento [Reʒuvenesi'mẽtʊ] *m* rejuvenecimiento.
relação [Rela'sãw] *f* **1** relación (narración). **2** relación (listado). **3** semejanza. **4** relación (vínculo). • **relações** *f pl* **5** relaciones (de amistad). ♦ ~ **de parentesco** relación de parentesco.
relacionado, da [Relasyo'nadʊ, da] *adj* **1** relacionado (listado). **2** relacionado (referido).
relacionamento [Relasyona'mẽtʊ] *m* relación (trato).
relacionar [Relasyo'naR] *tr e pron* **1** relacionar (tratar, convivir). **2** relacionar (vincular). • *tr* **3** relacionar (relatar).
relações-públicas [Relasõyʃ'publikayʃ] *s 2 gén* relaciones públicas.
relâmpago [Re'lãpagʊ] *m* **1** relámpago. **2** (fig) relámpago (efímero).
relançamento [Relãsa'mẽtʊ] *m* relanzamiento.
relançar [Relã'saR] *tr* lanzar de nuevo.
relance [Re'lãsɪ] *m* ojeada.
relatar [Rela'taR] *tr* **1** relatar (narrar). **2** presentar un informe. **3** listar.
relatividade [Relatʃivi'dadʒɪ] *f* relatividad.
relativizar [Relatʃivi'zaR] *tr e pron* relativizar.
relativo, va [Rela'tʃivʊ, va] *adj* **1** relativo (referente). **2** relativo (no absoluto). **3** casual (fortuito).
relato [Re'latʊ] *m* **1** relato (cuento). **2** relato (relación).
relator, ra [Rela'toR, ra] *adj/m e f* **1** relator (narrador). • *m e f* **2** relator (informante). **3** DIR relator.
relatório [Rela'tɔryʊ] *m* **1** informe. **2** DIR informe.
relax [Rɪ'lεkisɪ] *m* (fam) relax.
relaxação [Relaʃa'sãw] *f* relajación; liudez (Amér).
relaxamento [Relaʃa'mẽtʊ] *m* **1** relajamiento (distensión). **2** relajamiento (descanso).

relaxante [ʀela'ʃãtʃɪ] *adj/m* MED relajante.
relaxar [ʀela'ʃaʀ] *tr e intr* **1** relajar (aflojar). • *intr* **2** relajar (calmarse). • **~-se** *pron* **3** relajarse (descuidarse).
relegar [ʀele'gaʀ] *tr* **1** relegar (desterrar). **2** relegar (apartar).
relembrar [ʀelẽ'bɾaʀ] *tr* rememorar.
relento [ʀe'lẽtʊ] *m* relente.
reler [ʀe'leʀ] *tr* releer.
reles ['ʀɛlɪʃ] *adj/m e f* grosero, ordinario.
relevado, da [ʀele'vadʊ, da] *adj* **1** sobresaliente (destacado). **2** perdonado, disculpado.
relevância [ʀele'vãsya] *f* relevancia.
relevante [ʀele'vãtʃɪ] *adj 2 gén* **1** relevante (importante). **2** relevante (excelente).
relevar [ʀele'vaʀ] *tr* **1** resaltar (destacar). **2** relevar (disculpar). • **~-se** *pron* **3** distinguirse.
relevo [ʀe'levʊ] *m* **1** relieve (de una superficie). **2** (fig) relieve (importancia).
relicário [ʀeli'karyʊ] *m* relicario (cofre).
religião [ʀeliʒi'ãw] *f* **1** religión (creencia, dogmas, rituales). **2** religión (devoción).
religiosidade [ʀeliʒiozi'dadʒɪ] *f* religiosidad.
religioso, sa [ʀeliʒi'ozʊ, za] *adj* **1** religioso: *crença religiosa = creencia religiosa*. **2** religioso (devoto, piadoso).
relinchar [ʀelĩ'ʃaʀ] *intr* relinchar.
relíquia [ʀe'likya] *f* **1** reliquia (restos de santo). **2** reliquia (antigüedad).
relógio [ʀe'lɔʒyʊ] *m* **1** reloj. **2** contador (de luz, agua, gas). **3** (fig, coloq) reloj (muy regular). ♦ **~ de pulso** reloj de pulsera. ■ **correr contra o ~** (fig) ir contra reloj.
relojoaria [ʀeloʒoa'ɾia] *f* **1** relojería (arte). **2** relojería (tienda, taller).
relojoeiro, ra [ʀeloʒo'eyɾʊ, ɾa] *adj/m e f* relojero.
relumbrante [ʀelũ'bɾãtʃɪ] *adj 2 gén* refulgente, resplandeciente.
relutância [ʀelu'tãsya] *f* **1** FÍS reluctancia. **2** resistencia (oposición).
reluzente [ʀelu'zẽtʃɪ] *adj 2 gén* reluciente.
reluzir [ʀelu'ziʀ] *intr* relucir (resplandecer).
relva ['ʀɛwva] *f* césped.
remada [ʀe'mada] *f* golpe de remo.
remador, ra [ʀema'doʀ, ɾa] *adj/m e f* remador.
remanescente [ʀemane'sẽtʃɪ] *adj/m e f* remanente.
remanso [ʀe'mãsʊ] *m* remanso (de un río).
remar [ʀe'maʀ] *tr e intr* **1** remar. • *intr* **2** flotar.
rematar [ʀema'taʀ] *tr* **1** rematar (finalizar). **2** rematar (costura).
remate [ʀe'matʃɪ] *m* **1** remate (conclusión). **2** adorno.
remediar [ʀemedʒi'aʀ] *tr* **1** aliviar (enfermedad, dolor). **2** remediar (enmendar). **3** remediar (prevenir, evitar).
remédio [ʀe'mɛdʒyʊ] *m* **1** remedio (medicamento). **2** remedio (solución). **3** remedio (auxilio, socorro). ■ **sem ~** sin remedio.
rememorar [ʀememo'ɾaʀ] *tr e intr* rememorar.
remendar [ʀemẽ'daʀ] *tr e intr* **1** remendar (enmendar). • *tr* **2** mezclar, juntar.
remendo [ʀe'mẽdʊ] *m* **1** remiendo (tela). **2** remiendo (enmienda).
remeter [ʀeme'teʀ] *tr* **1** remitir (enviar). **2** arremeter (embestir). **3** aplazar, retrasar. • **~-se** *pron* **4** remitirse (referirse).
remexer [ʀeme'ʃeʀ] *tr* **1** revolver (mezclar). **2** sacudir, agitar. **3** revolver (desordenar).
reminiscência [ʀemini'sẽsya] *f* **1** reminiscencia (recuerdo). **2** FIL reminiscencia.
remir [ʀe'miʀ] *tr* **1** redimir (readquirir). • *tr, intr e pron* **2** redimir (liberar). • *tr* **3** redimir (expiar).
remissão [ʀemi'sãw] *f* **1** remisión (perdón). **2** remisión (envío).
remo ['ʀẽmʊ] *m* **1** remo (pala). **2** remo (deporte).
remoção [ʀemo'sãw] *f* remoción.
remodelação [ʀemodela'sãw] *f* remodelación.
remodelar [ʀemode'laʀ] *tr* remodelar.
remoer [ʀemo'eʀ] *tr* **1** remoler. **2** (fig) moler (molestar). **3** (fig) rumiar (reflexionar).
remoinho [ʀemo'ĩŋʊ] *m* **1** remolino (movimiento). **2** remolino (de pelo).
remolhar [ʀemo'ʎaʀ] *tr* remojar.

r

remontar [ʀemõ'taʀ] *tr* **1** remontar (subir). **2** arreglar, reparar. **3** (fig) remontarse (retroceder). • **~-se** *pron* **4** (fig) huir, escaparse.
remorso [ʀe'mɔʀsʊ] *m* remordimiento.
remoto, ta [ʀe'mɔtʊ, ta] *adj* remoto (distante).
remover [ʀemo'veʀ] *tr* **1** remover (transportar). **2** transladar (empleado). **3** remover (agitar).
remuneração [ʀemunera'sãw] *f* remuneración.
remunerar [ʀemune'raʀ] *tr* remunerar.
remuneratório, a [ʀemunera'tɔryʊ, a] *adj* **1** remunerativo. **2** bien remunerado.
renal [ʀe'naw] *adj 2 gén* ANAT renal.
renascença [ʀena'sẽsa] *f* ⇒ renascimento.
renascentista [ʀenasẽ'tʃiʃta] *adj 2 gén* renacentista.
renascer [ʀena'seʀ] *intr* **1** renacer (volver a nacer). • *tr* **2** (fig) renacer (revitalizar). **3** (fig) rejuvenecer.
renascimento [ʀenasi'mẽtʊ] *m* **1** renacimiento. **Renascimento 2** Renacimiento.
renda ['ʀẽda] *f* **1** renta (beneficio). **2** encaje (tejido). ◆ **~ per capita** renta per cápita.
rendado, da [ʀẽ'dadʊ, da] *adj* **1** hecho de encaje. • *m* **2** encaje (tejido).
render [ʀẽ'deʀ] *tr e pron* **1** rendir (vencer). **2** rendir (debilitar, cansar). • *tr* **3** rendir (dar beneficio). **4** causar, provocar. • *intr* **5** funcionar.
rendição [ʀẽdʒi'sãw] *f* rendición (derrota).
rendimento [ʀẽdʒi'mẽtʊ] *m* **1** beneficio (lucro). **2** rendimiento (productividad).
rendoso, sa [ʀẽ'dozʊ, za] *adj* rentable, lucrativo.
renegar [ʀene'gaʀ] *tr* **1** renegar (abjurar). **2** renegar (detestar). **3** traicionar.
renegociação [ʀenegosia'sãw] *f* renegociación.
renegociar [ʀenegosi'aʀ] *tr* renegociar.
renhido, da [ʀe'ŋidʊ, da] *adj* **1** reñido (disputado). **2** sangriento, cruento.
renitente [ʀeni'tẽtʃɪ] *adj/m e f* renitente.
renomado, da [ʀeno'madʊ, da] *adj* renombrado.
renome [ʀe'nõmɪ] *m* renombre.
renovação [ʀenova'sãw] *f* renovación.
renovado, da [ʀeno'vadʊ, da] *adj* renovado.
renovador, ra [ʀenova'doʀ, ra] *adj/m e f* renovador.
renovar [ʀeno'vaʀ] *tr* **1** renovar (reemplazar). **2** repetir. **3** recordar, evocar. **4** renovar (restaurar). • *tr e pron* **5** recomenzar.
renovável [ʀeno'vavew] *adj 2 gén* renovable.
rentabilidade [ʀẽtabili'dadʒɪ] *f* rentabilidad.
rentabilizar [ʀẽtabili'zaʀ] *tr* rentabilizar.
rentável [ʀẽ'tavew] *adj 2 gén* rentable.
rente ['ʀẽtʃɪ] *adj 2 gén* **1** cercano. **2** puntual.
renúncia [ʀe'nũsya] *f* renuncia.
renunciar [ʀenũsi'aʀ] *tr e intr* **1** renunciar (abdicar). • *tr* **2** renunciar (rechazar, abandonar).
reordenação [ʀeoʀdena'sãw] *f* reordenación.
reorganização [ʀeoʀganiza'sãw] *f* reorganización.
reorganizar [ʀeoʀgani'zaʀ] *tr* reorganizar.
reorientação [ʀeoriẽta'sãw] *f* reorientación.
reparação [ʀepara'sãw] *f* **1** reparación (arreglo). **2** reparación (desagravio).
reparado, da [ʀepa'radʊ, da] *adj* reparado (arreglado).
reparar [ʀepa'raʀ] *tr* **1** reparar (arreglar). **2** reparar (desagraviar). **3** reparar (observar).
reparável [ʀepa'ravew] *adj 2 gén* **1** reparable. **2** notable (destacado).
reparo [ʀe'parʊ] *m* **1** reparo (arreglo). **2** reparo (advertencia, observación).
repartição [ʀepaʀtʃi'sãw] *m* repartición, reparto.
repartir [ʀepaʀ'tʃiʀ] *tr* **1** repartir (dividir). **2** repartir (distribuir). **3** compartir.
repassar [ʀepa'saʀ] *tr e intr* **1** repasar (volver a pasar). • *tr* **2** repasar (releer). • *tr e pron* **3** embeber, empapar.
repatriar [ʀepatri'aʀ] *tr e pron* repatriar.
repelente [ʀepe'lẽtʃɪ] *adj 2 gén* **1** repelente. • *m* **2** repelente (sustancia).
repelir [ʀepe'liʀ] *tr* **1** repeler (rechazar). **2** rebatir, refutar.

repensar [ʀepẽ'saʀ] *tr e intr* repensar (reconsiderar).
repente [ʀe'pẽtʃɪ] *m* repente. ■ **de ~** de repente.
repentino, na [ʀepẽ'tʃinʊ, na] *adj* repentino.
repercussão [ʀepeʀku'sãw] *f* **1** repercusión (consecuencia). **2** repercusión (divulgación, resonancia).
repercutir [ʀepeʀku'tʃiʀ] *tr, intr e pron* **1** repercutir (reverberar). ● *intr e pron* **2** (fig) repercutir (trascender).
repertório [ʀepeʀ'tɔryʊ] *m* **1** repertorio (índice, registro). **2** repertorio (de un artista).
repetição [ʀepetʃi'sãw] *m* repetición.
repetido, da [ʀepe'tʃidʊ, da] *adj* repetido.
repetir [ʀepe'tʃiʀ] *tr e pron* **1** repetir (redecir, rehacer). ● *tr* **2** reproducir (sonido, imagen). **3** repetir (curso).
repetitivo, va [ʀepetʃi'tʃivʊ, va] *adj* repetitivo.
repicar [ʀepi'kaʀ] *tr* **1** repicar (picar). ● *tr e intr* **2** repicar (tañer).
repleto, ta [ʀe'plɛtʊ, ta] *adj* **1** repleto (lleno, abarrotado). **2** lleno (de comida).
réplica ['ʀɛplika] *f* **1** réplica (respuesta). **2** réplica (copia).
replicar [ʀepli'kaʀ] *tr e intr* **1** replicar (refutar). ● *tr* **2** reproducir, copiar.
repor [ʀe'poʀ] *tr* **1** reponer (volver a poner). **2** reponer (restituir, remplazar).
reportagem [ʀepoʀ'taʒẽy] *f* **1** reportaje. **2** trabajo del reportero.
reportar [ʀepoʀ'taʀ] *tr* **1** retroceder, recular. **2** reportar (conllevar). ● *tr e pron* **3** reportar (reprimir, moderar).
repórter [ʀe'pɔʀteʀ] *s 2 gén* reportero.
reposição [ʀepozi'sãw] *f* **1** reposición (restitución). **2** reposición (reemplazo).
repositório, a [ʀepozi'tɔryʊ, a] *m* repositorio.
reposto, ta [ʀe'poyʃtʊ, ta] *adj* **1** repuesto (restablecido). **2** repuesto (reanimado).
repousado, da [ʀepow'zadʊ, da] *adj* reposado.
repousar [ʀepow'zaʀ] *tr e intr* **1** reposar (descansar). ● *tr* **2** reposar (estar enterrado).
repouso [ʀe'powzʊ] *m* **1** reposo (descanso). **2** sueño (dormida).
repreender [ʀepreẽ'deʀ] *tr* **1** reprender. **2** acusar, culpar.
repreensão [ʀepreẽ'sãw] *f* reprensión.
represa [ʀe'preza] *f* **1** represa (estancación). **2** represa (presa).
represália [ʀepre'zalya] *f* represalia (venganza).
representação [ʀeprezẽta'sãw] *f* **1** representación (actuación). **2** representación (imagen). **3** representación (representantes).
representante [ʀeprezẽ'tãtʃɪ] *adj/m e f* representante. ◆ **~ de vendas** representante (comercial).
representar [ʀeprezẽ'taʀ] *tr e pron* **1** representar (simbolizar). ● *tr* **2** representar (significar, suponer). **3** representar: *representou a firma no julgamento = representó a la empresa en el juicio.*
representativo, va [ʀeprezẽta'tʃivʊ, va] *adj* representativo.
repressão [ʀepre'sãw] *f* **1** represión (castigo, prohibición). **2** represión (contención).
repressivo, va [ʀepre'sivʊ, va] *adj* represivo.
reprimir [ʀepri'miʀ] *tr e pron* **1** reprimir (contener, frenar). ● *tr* **2** reprimir (castigar).
reprochar [ʀepro'ʃaʀ] *tr* reprochar.
reproche [ʀe'prɔʃɪ] *m* reproche.
reprodução [ʀeprodu'sãw] *f* **1** reproducción (procreación). **2** reproducción (copia).
reprodutivo, va [ʀeprodu'tʃivʊ, va] *adj* reproductivo.
reproduzir [ʀeprodu'ziʀ] *tr* **1** reproducir (volver a producir). **2** reproducir (imitar). ● *tr e pron* **3** reproducirse (procrear).
reprovação [ʀeprova'sãw] *f* **1** reprobación (desaprobación). **2** suspenso (en un examen).
reprovar [ʀepro'vaʀ] *tr* **1** reprobar (censurar); quemar (P. Rico). **2** rechazar (denegar). **3** suspender (examen).
reprovável [ʀepro'vavew] *adj 2 gén* reprobable.
réptil ['ʀɛpitʃiw] *adj/m* ZOOL réptil, reptil.
república [ʀe'publika] *f* **1** república (gobierno, país). **2** residencia (de estudiantes).
republicano, na [ʀepubli'kãnʊ, na] *adj/m e f* republicano.

repudiar [ʀepudʒi'aʀ] *tr* **1** repudiar (rechazar). **2** repudiar (divorciarse).
repúdio [ʀe'pudʒyʊ] *m* **1** repudio (rechazo). **2** repudio (divorcio).
repugnância [ʀepugi'nãsya] *f* repugnancia (aversión).
repugnante [ʀepugi'nãtʃɪ] *adj 2 gén* **1** repugnante (aversivo). **2** repugnante (asqueroso).
repugnar [ʀepugi'naʀ] *tr* **1** repugnar (rehusar). • *tr e intr* **2** repugnar (causar asco).
repulsa [ʀe'puwsa] *f* **1** repulsión (aversión). **2** repulsa (condena).
repulsão [ʀepuw'sãw] *f* ⇒ repulsa.
repulsivo, va [ʀepuw'sivʊ, va] *adj* repulsivo.
reputação [ʀeputa'sãw] *f* **1** reputación (opinión, concepto). **2** reputación (prestigio).
reputado, da [ʀepu'tadʊ, da] *adj* reputado.
reputar [ʀepu'taʀ] *tr* **1** reputar. **2** estimar, calcular.
repuxar [ʀepu'ʃaʀ] *tr* **1** tirar (empujar). • *tr e pron* **2** tirar (estirar).
requalificação [ʀekwalifika'sãw] *f* recalificación.
requebro [ʀe'kɛbɾʊ] *m* **1** contoneo. **2** voz, mirada lasciva.
requeijão [ʀekey'ʒãw] *m* requesón.
requerente [ʀeke'ɾẽtʃɪ] *adj/m e f* requeridor, requirente.
requerer [ʀeke'ɾeʀ] *tr* **1** requerir (solicitar). **2** merecer.
requerimento [ʀekeɾi'mẽtʊ] *m* DIR requerimiento.
requesta [ʀe'kɛyʃta] *f* **1** pelea, contienda. **2** galanteo.
requestador, ra [ʀekeyʃta'doʀ, ɾa] *adj/m e f* galanteador.
réquiem ['ʀɛkiẽy] *m* **1** réquiem (oración). **2** MÚS réquiem.
requintado, da [ʀekĩ'tadʊ, da] *adj* **1** perfeccionado. **2** elegante, refinado.
requintar [ʀekĩ'taʀ] *tr* **1** perfeccionar, mejorar. • *tr, intr e pron* **2** emperifollarse.
requinte [ʀe'kĩtʃɪ] *m* **1** esmero, cuidado. **2** refinamiento.
requisição [ʀekizi'sãw] *f* petición (exigencia).
requisitar [ʀekizi'taʀ] *tr* requerir, solicitar.
requisito [ʀeki'zitʊ] *m* requisito.
rés ['ʀɛʃ] *adj 2 gén* **1** raso. • *adv* **2** por la raíz.
rês ['ʀeyʃ] *f* res.
rescaldo [ʀeyʃ'kawdʊ] *m* **1** rescoldo (brasa). **2** hornillo.
rescindir [ʀesĩ'dʒiʀ] *tr* rescindir.
rescisão [ʀesi'zãw] *f* rescisión.
rescrever [ʀeyʃkɾe'veʀ] *tr* reescribir.
rés-do-chão [ʀɛyʃdʊ'ʃãw] *m* planta baja (de una casa, edificio).
resenha [ʀe'zẽɲa] *f* **1** reseña (de un libro). **2** reseña (resumen).
resenhar [ʀezẽ'ɲaʀ] *tr* reseñar (libro).
reserva [ʀe'zɛʀva] *f* **1** reserva (guarda). **2** reserva (provisión). **3** reserva (territorio). **4** reserva (recato, discreción). • *s 2 gén* **5** ESPORT reserva. ◆ **~ florestal ou natural** reserva nacional.
reservado, da [ʀezeʀ'vadʊ, da] *adj* **1** reservado (destinado). **2** reservado (discreto, callado). • *m* **3** excusado.
reservar [ʀezeʀ'vaʀ] *tr e pron* **1** reservar (guardar). • *tr* **2** reservar (destinar). **3** reservar: *reservei dois ingressos para o espetáculo = reservé dos entradas para el espectáculo.*
reservatório, a [ʀezeʀva'tɔɾyʊ, a] *m* **1** almacén (lugar). **2** aljibe, cisterna (de agua).
resfolegar [ʀeyʃfole'gaʀ] *intr* respirar (tomar aliento).
resgatar [ʀeyʃga'taʀ] *tr, intr e pron* **1** rescatar (liberar). • *tr* **2** rescatar (recobrar). **3** (fig) rescatar (del olvido).
resgate [ʀeyʃ'gatʃɪ] *m* **1** rescate (liberación). **2** rescate (pago).
resguardar [ʀeyʒgwaʀ'daʀ] *tr* **1** resguardar (defender, proteger). • **~-se** *pron* **2** resguardarse.
resguardo [ʀeyʒgw'aʀdʊ] *m* **1** resguardo (protección). **2** recaudo (precaución). **3** ropa de abrigo.
residência [ʀezi'dẽsya] *f* **1** residencia (vivienda). **2** residencia (estancia).
residencial [ʀezidẽsi'aw] *adj 2 gén* residencial.
residente [ʀezi'dẽtʃɪ] *adj/m e f* **1** residente. • *m e f* **2** médico residente.
residir [ʀezi'dʒiʀ] *tr* **1** residir (habitar). **2** residir (consistir).
residual [ʀezidu'aw] *adj 2 gén* residual.

resíduo, a [ʀe'zidwʊ, a] *adj* **1** residual. • *m* **2** residuo (resto). **3** MAT residuo.
resignação [ʀezigina'sãw] *f* resignación.
resignado, da [ʀezigi'nadʊ, da] *adj* resignado.
resignar [ʀezigi'naʀ] *tr* **1** dimitir. • **~-se** *pron* **2** resignarse (conformarse).
resina [ɾe'zina] *f* resina.
resinoso, sa [ʀezi'nozʊ, za] *adj* resinoso.
resistência [ʀeziʃ'tẽsya] *f* **1** resistencia (oposición). **2** resistencia (aguante). **3** FÍS resistencia.
resistente [ʀeziʃ'tẽtʃɪ] *adj 2 gén* **1** resistente (opositor). • *adj* **2** resistente (firme, sólido). • *m* **3** POL resistente.
resistir [ʀeziʃ'tʃiʀ] *tr e intr* **1** resistir (aguantar). • *tr* **2** resistirse (oponerse). • *intr* **3** resistir (durar).
resistível [ʀeziʃ'tʃivew] *adj 2 gén* resistible.
resmungar [ʀeyʒmũ'gaʀ] *tr e intr* refunfuñar.
resolução [ʀezolu'sãw] *f* **1** resolución (solución). **2** resolución (determinación). **3** resolución (de imagen).
resoluto, ta [ʀezo'lutʊ, ta] *adj* **1** resoluto (resuelto). **2** resoluto (decidido, firme).
resolver [ʀezow'veʀ] *tr, intr e pron* **1** resolver (decidir). **2** resolver (deshacer). • *tr* **3** resolver (solucionar).
respectivo, va [ʀeyʃpeki'tʃivʊ, va] *adj* respectivo.
respeitabilidade [ʀeyʃpeytabili'dadʒɪ] *f* respetabilidad.
respeitado, da [ʀeyʃpey'tadʊ, da] *adj* respetado.
respeitante [ʀeyʃpey'tãtʃɪ] *adj 2 gén* concerniente, referente.
respeitar [ʀeyʃpey'taʀ] *tr* **1** respetar (honrar). **2** respetar (acatar, obedecer). **3** tolerar, admitir.
respeitável [ʀeyʃpey'tavew] *adj 2 gén* **1** respetable (digno). **2** considerable (grande).
respeito [ʀeyʃ'peytʊ] *m* **1** respeto (consideración). **2** respeto (acatamiento). **3** (fig) respeto (miedo, temor). ■ **a ~ de** con respecto a.
respeitoso, sa [ʀeyʃpey'tozʊ, za] *adj* respetuoso.
respingo [ʀeyʃ'pĩgʊ] *m* **1** coz. **2** salpicadura.
respiração [ʀeyʃpiɾa'sãw] *f* **1** respiración (fisiológica). **2** respiración (aliento). ♦ **~ artificial** respiración artificial.
respirar [ʀeyʃpi'ɾaʀ] *tr e intr* **1** respirar (inspirar). • *tr* **2** soplar (viento). **3** (fig) respirar (rezumar). • *intr* **4** (fig) respirar (descansar).
respiratório, a [ʀeyʃpiɾa'tɔɾyʊ, a] *adj* respiratorio.
respiro [ʀeyʃ'piɾʊ] *m* **1** respiro (respiración). **2** (fig) respiro (descanso).
resplandecente [ʀeyʃplãde'sẽtʃɪ] *adj 2 gén* resplandeciente.
resplandecer [ʀeyʃplãde'seʀ] *intr* **1** resplandecer (brillar). **2** (fig) resplandecer (sobresalir).
resplendor [ʀeyʃplẽ'doʀ] *m* **1** resplandor. **2** (fig) resplandor (brillantez, lucimiento).
responder [ʀeyʃpõ'deʀ] *tr* **1** responder (contestar). **2** responder (responsabilizarse). • *tr e pron* **3** responder (corresponder).
responsabilidade [ʀeyʃpõsabili'dadʒɪ] *f* responsabilidad.
responsabilização [ʀeyʃpõsabiliza'sãw] *f* asunción de reponsabilidad.
responsabilizar [ʀeyʃpõsabili'zaʀ] *tr* **1** responsabilizar. • **~-se** *pron* **2** responsabilizarse.
responsável [ʀeyʃpõ'savew] *adj/m e f* **1** responsable (encargado). **2** responsable (culpable).
resposta [ʀeyʃ'pɔyʃta] *f* **1** respuesta (contestación). **2** respuesta (reacción).
resquício [ʀeyʃ'kisyʊ] *m* **1** resquicio (grieta). **2** (fig) vestigio (señal).
ressaca [ʀe'saka] *f* **1** resaca (de las olas). **2** (coloq) resaca (malestar).
ressaltar [ʀesaw'taʀ] *intr* **1** resaltar (destacar, sobresalir). • *tr* **2** (fig) resaltar (ser notorio).
ressalto [ʀe'sawtʊ] *m* resalto (saliencia).
ressalva [ʀe'sawva] *f* **1** DIR enmienda (en un escrito). **2** reserva (restricción).
ressalvar [ʀesaw'vaʀ] *tr* **1** corregir, enmendar. **2** excluir. • **~-se** *pron* **3** retractarse, desdecirse.
ressarcir [ʀesaʀ'siʀ] *tr e pron* **1** resarcir. • *tr* **2** abastecer, proveer; apear (Amér).

ressentido, da [ʀesẽ'tʃidʊ, da] *adj/m e f* **1** resentido. • *adj* **2** podrido (fruto).
ressentimento [ʀesẽtʃi'mẽtʊ] *m* resentimiento.
ressentir [ʀesẽ'tʃiʀ] *tr* **1** sentir (lamentar). • *tr e pron* **2** resentirse (ofenderse). • **~-se** *pron* **3** resentirse (dolerse).
ressoar [ʀeso'aʀ] *tr e intr* **1** resonar (tocar, sonar). **2** resonar (reverberar).
ressonância [ʀeso'nãsya] *f* **1** resonancia. **2** FÍS resonancia.
ressonar [ʀeso'naʀ] *tr e intr* **1** resonar. • *intr* **2** roncar.
ressurgimento [ʀesuʀʒi'mẽtʊ] *m* resurgimiento.
ressurgir [ʀesuʀ'ʒiʀ] *tr e intr* **1** resurgir (resucitar). • *intr* **2** resurgir (reaparecer).
ressurreição [ʀesuʀey'sãw] *f* **1** resurrección. **2** (fig) resurrección (revitalización).
ressuscitar [ʀesusi'taʀ] *tr* **1** resucitar. **2** (fig) resucitar (revitalizar). • *intr* **3** (fig)
restabelecer [ʀeyʃtabele'seʀ] *tr* **1** restablecer (recuperar). • *tr e pron* **2** restablecerse.
restabelecimento [ʀeyʃtabelesi'mẽtʊ] *f* **1** restablecimiento (de la salud). **2** restablecimiento (restauración).
restante [ʀeyʃ'tãtʃɪ] *adj 2 gén* **1** restante. • *m* **2** restante.
restar [ʀeyʃ'taʀ] *tr e intr* **1** restar (quedar). • *intr* **2** restar (sobrar).
restauração [ʀeyʃtawra'sãw] *f* **1** restauración (arreglo). **2** restablecimiento (de fuerzas, salud).
restaurador, ra [ʀeyʃtawra'doʀ, ra] *adj/m e f* restaurador.
restaurante [ʀeyʃtaw'rãtʃɪ] *adj 2 gén* **1** restaurante (restaurativo). • *m* **2** restaurante.
restaurar [ʀeyʃtaw'raʀ] *tr* **1** restaurar (reparar). **2** restaurar (recuperar).
réstia ['ʀɛyʃtʃya] *f* **1** ristra. **2** haz (de luz).
restituição [ʀeyʃtʃitui'sãw] *f* **1** restitución (devolución). **2** restitución (restablecimiento).
restituir [ʀeyʃtʃitu'iʀ] *tr* **1** restituir (devolver). **2** restituir (restablecer).
resto ['ʀɛyʃtʊ] *m* **1** resto (sobra). **2** MAT resto. • **restos** *m pl* **3** restos (sobras). ♦ **~ mortais** restos mortales.
restrição [ʀeyʃtri'sãw] *f* restricción (limitación).
restringir [ʀeyʃtrĩ'ʒiʀ] *tr* **1** restringir (estrechar). • *tr e pron* **2** restringir (ceñir, limitar).
restritivo, va [ʀeyʃtri'tʃivʊ, va] *adj* restrictivo.
restrito, ta [ʀeyʃ'tritʊ, ta] *adj* **1** restricto. **2** limitado, ceñido. **3** riguroso, estricto.
resultado [ʀezuw'tadʊ] *m* **1** resultado (efecto, consecuencia). **2** MAT resultado.
resultante [ʀezuw'tãtʃɪ] *adj 2 gén* **1** resultante. • *f* **2** FÍS resultante (fuerza).
resultar [ʀezuw'taʀ] *tr* **1** resultar (ser consecuencia). **2** resultar (proceder). **3** transformarse, convertirse.
resumir [ʀezu'miʀ] *tr e pron* **1** resumir (sintetizar). **2** limitarse, reducirse.
resumo [ʀe'zumʊ] *m* **1** resumen (sumario, síntesis). **2** resumen (exposición).
resvalar [ʀeyʒva'laʀ] *intr* **1** resbalar (escurrir). • *tr* **2** resbalar (deslizarse). **3** rozar.
reta ['ʀɛta] *f* **1** recta (trazo). **2** recta (camino). **3** GEOM recta (línea). ♦ **~ final** (fig, fam) recta final.
retábulo [ʀe'tabulʊ] *m* ARQ retablo.
retaguarda [ʀeta'gwaʀda] *f* MIL retaguardia.
retalhar [ʀeta'ʎaʀ] *tr* **1** recortar (cortar). **2** dividir, fraccionar. **3** vender al por menor.
retalho [ʀe'taʎʊ] *m* **1** retal (pedazo). **2** retal (de tela). ▪ **a retalhos** al por menor.
retaliação [ʀetalia'sãw] *f* represalia, venganza.
retaliar [ʀetali'aʀ] *tr e intr* vengar.
retangular [ʀetãgu'laʀ] *adj 2 gén* rectangular.
retângulo, la [ʀe'tãgulʊ, la] *adj* **1** GEOM rectángulo. • *m* **2** GEOM rectángulo.
retardar [ʀetaʀ'daʀ] *tr* **1** retardar, retrasar. • *intr e pron* **2** retrasarse (llegar con retraso).
retardatário, a [ʀetaʀda'taryʊ, a] *adj/m e f* retardatorio.
retemperar [ʀetẽpe'raʀ] *tr* **1** recalentar. **2** sazonar de nuevo (comida).
retenção [ʀetẽ'sãw] *f* **1** retención. **2** retraso, atraso.
reter [ʀe'teʀ] *tr* **1** retener (conservar). **2** retener (arrestar). **3** retener (memorizar).

retesar [rete'zar] *tr e pron* retesar (atiesar).
reticência [retʃi'sẽsya] *f* **1** reticencia (reserva). **2** reticencia (omisión).
reticente [retʃi'sẽtʃɪ] *adj/m e f* reticente (desconfiado).
retícula [re'tʃikula] *f* **1** retícula (red). **2** FOT retícula.
retidão [retʃi'dãw] *f* rectitud.
retificação [retʃifika'sãw] *f* **1** rectificación (corrección). **2** DIR rectificación (enmienda).
retificar [retʃifi'kar] *tr* **1** rectificar (enmendar). **2** rectificar (reajustar). • **~-se** *pron* **3** rectificarse (enmendarse).
retilíneo, a [retʃi'linyʊ, a] *adj* GEOM rectilíneo.
retina [re'tʃina] *f* ANAT retina.
retinir [retʃi'nir] *intr* retiñir.
retirada [retʃi'rada] *f* **1** retirada. **2** retiro (lugar). **3** reintegro (de dinero).
retirado, da [retʃi'radʊ, da] *adj* retirado (apartado, aislado).

> **Retirado** en el sentido de 'jubilado' se dice ***aposentado*** en portugués.

retirar [retʃi'rar] *tr, intr e pron* **1** retirar (apartar). • *tr* **2** sacar (dinero). • **~-se** *pron* **3** retirarse (socialmente).
retiro [re'tʃirʊ] *m* **1** retiro (lugar apartado). **2** retiro (recogimiento).
reto, ta ['rɛtʊ, ta] *adj* recto (derecho).
retocar [reto'kar] *tr* retocar (rectificar).
retomar [reto'mar] *tr* **1** retomar (reanudar). **2** reconquistar (territorio).
retoque [re'tɔkɪ] *m* ART retoque.
retorcer [retor'ser] *tr e pron* **1** retorcer (contorsionar). • **~-se** *pron* **2** retorcer (tergiversar).
retórica [re'tɔrika] *f* retórica.
retórico, ca [re'tɔrikʊ, ka] *adj* **1** retórico. **2** (pej) pomposo.
retornar [retor'nar] *tr e intr* **1** retornar (regresar). • *tr* **2** retroceder (en el tiempo). **3** devolver (restituir).
retorno [re'tornʊ] *m* **1** retorno (regreso). **2** retorno (recompensa). **3** contestación, réplica.
retorquir [retor'kir] *tr* **1** replicar, rebatir. **2** contestar, responder.
retração [retra'sãw] *f* **1** retracción (disminución). **2** MED retracción.
retrair [retra'ir] *tr* **1** retirar (sacar). **2** retraer (reprimir, contener). **3** retraer (disuadir). • *tr e pron* **4** retraer (encoger). • **~-se** *pron* **5** retraerse (retirarse, recogerse).
retransmitir [retrãʒmi'tʃir] *tr* **1** retransmitir (volver a transmitir). **2** transmitir (difundir).
retrasado, da [retra'zadʊ, da] *adj* pasado, anterior.
retrasar [retra'zar] *tr* **1** retrasar (atrasar). **2** retrasar (aplazar).
retratado, da [retra'tadʊ, da] *adj* **1** retratado (pintado, fotografiado). **2** retractado. **3** desmentido.
retratar [retra'tar] *tr e pron* **1** retratar (pintar, fotografiar). **2** retractarse. **3** (fig) expresar, mostrar.
retrátil [re'tratʃiw] *adj 2 gén* retráctil.
retrato [re'tratʊ] *m* **1** retrato (pintura, fotografía). **2** (fig) retrato (parecido). ♦ **~ falado** retrato robot.
retrete [re'tretʃɪ] *f* retrete.
retribuição [retribui'sãw] *f* **1** retribución (pago). **2** retribución (sueldo).
retribuir [retribu'ir] *tr* **1** retribuir (remunerar). **2** recompensar, premiar. **3** corresponder (a un favor, obsequio).
retroativo, va [retroa'tʃivʊ, va] *adj* retroactivo.
retroceder [retrose'der] *tr* **1** desviarse, retraerse. • *tr e intr* **2** retroceder (recular). • *intr* **3** (fig) retroceder (empeorar, perder).
retrocesso [retro'sɛsʊ] *m* retroceso (regresión).
retrógrado, da [re'trɔgadʊ, da] *adj* **1** retrógrado. • *adj/m e f* **2** retrógrado (conservador).
retrospectiva [retroyʃpeki'tʃiva] *f* **1** retrospectiva (exposición). **2** retrospección.
retrospectivo, va [retroyʃpeki'tʃivʊ, va] *adj* retrospectivo.
retroprojetor [rɛtroproʒe'tor] *adj/m* retroproyector.
retrovisor [retrovi'zor] *adj/m* retrovisor.
retumbante [retũ'bãtʃɪ] *adj 2 gén* retumbante.
réu, ré ['rɛw, 'rɛ] *adj* **1** responsable (culpable). • *m e f* **2** DIR reo (criminal).

r

reuma [ˈʀewma] *f* reuma (fluxión).
reumático, ca [ʀewˈmatʃikʊ, ka] *adj* mucoso, catarroso.
reumatismo [ʀewmaˈtʃiʒmʊ] *m* MED reumatismo.
reunião [ʀewniˈãw] *f* **1** reunión (agrupación, unión). **2** reunión (cita). **3** colección.
reunificação [ʀewnifikaˈsãw] *f* reunificación.
reunir [ʀewˈniʀ] *tr e pron* **1** reunir (juntar). • *tr* **2** coser. **3** reconciliar.
reutilização [ʀewtʃilizaˈsãw] *f* reutilización.
revalidar [ʀevaliˈdaʀ] *tr* revalidar (ratificar).
revalorização [ʀevaloɾizaˈsãw] *f* revalorización.
revanche [ʀeˈvãʃɪ] *f* revancha.
réveillon [ʀeveyˈõw] *m* **1** cena de nochevieja. **2** festejos de año nuevo.
revelação [ʀevelaˈsãw] *f* **1** revelación (descubrimiento). **2** revelación: *o ator foi a revelação do ano = el actor fue la revelación del año*. **3** FOT revelado.
revelador, ra [ʀevelaˈdoʀ, ɾa] *adj* **1** revelador. **2** FOT revelador (líquido).
revelar [ʀeveˈlaʀ] *tr e pron* **1** revelar (desvelar). • *tr* **2** denunciar, delatar. **3** revelar (indicar).
revelia [ʀeveˈlia] *f* **1** rebeldía. **2** DIR rebeldía.
revenda [ʀeˈvẽda] *f* reventa.
revendedor, ra [ʀevẽdeˈdoʀ, ɾa] *adj/m e f* revendedor.
revender [ʀevẽˈdeʀ] *tr e intr* revender.
rever [ʀeˈveʀ] *tr e pron* **1** rever (volver a ver). • *tr* **2** rever (examinar). **3** demostrar, revelar. • **~-se** *pron* **4** reverse.
reverberação [ʀeveʀbeɾaˈsãw] *f* reverberación.
reverência [ʀeveˈɾẽsya] *f* reverencia (inclinación).
reverendo, da [ʀeveˈɾẽdʊ, da] *adj* **1** reverendo. • *m* **2** reverendo (sacerdote).
reverente [ʀeveˈɾẽtʃɪ] *adj 2 gén* reverente.
reversibilidade [ʀeveʀsibiliˈdadʒɪ] *f* reversibilidad.
reversível [ʀeveʀˈsivew] *adj 2 gén* **1** reversible (invertible). **2** reversible (prenda). **3** DIR reversible.
reverso, sa [ʀeˈveʀsʊ, sa] *adj* **1** reverso (invertido). • *m* **2** reverso (revés). **3** reverso (de moneda, medalla). **4** ESPORT revés (golpe).
reverter [ʀeveʀˈteʀ] *tr* **1** revertir (retroceder). **2** revertir (convertirse).
revés [ʀeˈvɛyʃ] *m* **1** revés (reverso). **2** revés (desgracia). **3** ESPORT revés (golpe).
revestimento [ʀeveyʃtʃiˈmẽtʊ] *m* revestimiento (cobertura).
revestir [ʀeveyʃˈtʃiʀ] *tr* **1** revestir (recubrir). • *tr e pron* **2** vestir, engalanar. **3** (fig) revestir (aparentar). • **~-se** *pron* **4** (fig) revestirse (armarse, llenarse).
revezar [ʀeveˈzaʀ] *tr, intr e pron* revezar.
revirar [ʀeviˈɾaʀ] *tr* **1** mover, revolver. **2** revolver (estómago). **3** alterar, perturbar. • *tr e intr* **4** girar, regresar.
revisão [ʀeviˈzãw] *f* **1** revisión. **2** DIR revisión (recurso).
revisor, ra [ʀevizoʀ, ɾa] *adj/m e f* **1** revisor. • *m e f* **2** revisor (corrector). **3** revisor (de tren, autobús).
revista [ʀeˈviʃta] *f* **1** revista (inspección). **2** revista (publicación). **3** TEAT revista.
revistar [ʀeviʃˈtaʀ] *tr* revisar.
revitalização [ʀevitalizaˈsãw] *f* revitalización.
revitalizar [ʀevitaliˈzaʀ] *tr* revitalizar.
reviver [ʀeviˈveʀ] *intr* **1** revivir (resucitar). **2** (fig) revivir (renovarse, reavivar).
revoada [ʀevoˈada] *f* **1** revuelo. **2** bandada (de aves).
revogação [ʀevogaˈsãw] *f* DIR revocación.
revogar [ʀevoˈgaʀ] *tr* DIR revocar.
revolta [ʀeˈvɔwta] *f* **1** revuelta (alboroto). **2** revuelta (rebelión).
revoltar [ʀevowˈtaʀ] *tr e pron* **1** sublevar, amotinar. • *tr, intr e pron* **2** (fig) indignarse, asquearse.
revolto, ta [ʀeˈvowtʊ, ta] *adj* **1** revuelto, removido. **2** desaliñado.
revolução [ʀevoluˈsãw] *f* **1** revolución (cambio). **2** revolución (giro, vuelta). **3** (fig) revolución (rebelión). **4** ASTR revolución. ◆ **~ industrial** HIST revolución industrial.
revolucionar [ʀevolusyoˈnaʀ] *tr* **1** revolucionar (cambiar). **2** (fig) revolucionar (innovar). **3** (fig) revolucionar (sublevar).
revolucionário, a [ʀevolusyoˈnaɾyʊ, a] *adj/m e f* **1** revolucionario (alborota-

dor). **2** (fig) revolucionario (progresista).

revolver [Revow'veR] *tr e pron* **1** revolver (menear). • *tr, intr e pron* **2** revolver (desordenar). • *tr* **3** revolver (registrar).

revólver [Re'vɔwveR] *m* revólver.

reza ['Rεza] *f* rezo.

rezar [Re'zaR] *tr* **1** rezar (orar). **2** rezar (celebrar misa). **3** rezar, leer (libros de oraciones).

riacho [Ri'aʃʊ] *m* riacho, riachuelo.

ribanceira [Ribã'seyɾa] *f* riba, ribazo.

ribeira [Ri'beyɾa] *f* **1** ribera (orilla). **2** riacho, riachuelo.

ribeirinho, nha [Ribey'ɾĩŋʊ, ŋa] *adj/m e f* **1** ribereño. • *m e f* **2** recadero.

ribeiro [Ri'beyɾʊ] *m* arroyo (riachuelo).

riçado, da [Ri'sadʊ, da] *adj* rizado (cabello).

rico, ca [R'ikʊ, ka] *adj/m e f* **1** rico (adinerado). • *adj* **2** rico (abundante). **3** rico (fastuoso). **4** rico (fecundo).

ridicularizar [Ridʒikulaɾi'zaR] *tr* ridiculizar, escarnecer.

ridículo, la [Ri'dʒikulʊ, la] *adj* **1** ridículo (cómico). **2** ridículo (insignificante, escaso). • *m* **3** ridículo (situación).

rigidez [Riʒi'deyʃ] *f* **1** rigidez (inflexibilidad). **2** (fig) rigidez (severidad, rigor).

rígido, da [R'iʒidʊ, da] *adj* **1** rígido (duro, tieso). **2** (fig) rígido (intransigente).

rigor [Ri'goR] *m* **1** rigor (rigidez). **2** (fig) rigor (severidad).

rigoroso, sa [Rigo'ɾozʊ, za] *adj* **1** riguroso (duro, rígido). **2** (fig) riguroso (intransigente).

rilhar [Ri'ʎaR] *tr* **1** roer (con los dientes). **2** castañear.

rim ['Rĩʙ] *m* **1** ANAT riñón. • **rins** *m pl* **2** (fam) riñones.

rima [R'ima] *f* LIT rima. ♦ ~ **consoante** rima consonante; ~ **toante** rima asonante.

rimar [Ri'maR] *tr e intr* **1** rimar (versos). **2** (fig) pegar, combinar: *esse casal não rima, eles são muito diferentes = esa pareja no pega, son muy diferentes.*

ringue ['Rĩgɪ] *m* ring, cuadrilátero.

rinoceronte [Rinose'ɾõtʃɪ] *m* rinoceronte.

rio [R'iʊ] *m* **1** río. **2** (fig) río (gran cantidad).

Rio de Janeiro [Riʊdʒɪʒa'neyɾʊ] *m* Río de Janeiro (Estado brasileño).

Rio Grande do Norte [Riʊgɾãdʒɪdʊ'nɔRtʃɪ] *m* Río Grande del Norte.

Rio Grande do Sul [Riʊgɾãdʒɪdʊ'suw] *m* Río Grande del Sur.

ripa [R'ipa] *f* **1** ripia (tabla). **2** segada.

ripar [Ri'paR] *tr* **1** rastrillar. **2** (coloq) pegar, zurrar.

riqueza [Ri'keza] *f* **1** riqueza (fortuna). **2** (fig) riqueza (abundancia).

rir [R'iR] *tr, intr e pron* **1** reír. **2** reírse, mofarse.

risada [Ri'zada] *f* carcajada.

risca [R'iʃka] *f* **1** raya (línea). **2** (coloq) follón (tumulto). ♦ ~ **de dois fios** igual (signo).

riscar [Riʃ'kaR] *tr* **1** rayar. **2** rayar (tachar). **3** esbozar (dibujo, proyecto).

risco [R'iʃkʊ] *m* **1** riesgo (peligro). **2** raya, línea. **3** esbozo (dibujo).

risível [Ri'zivew] *adj 2 gén* risible.

riso [R'izʊ] *m* **1** risa. **2** (fig) burla, escarnio; pifia (Amér).

risonho, nha [Ri'zõŋʊ, ŋa] *adj* risueño.

ríspido, da [R'iʃpidʊ, da] *adj* ríspido.

rítmico, ca [R'itʃimikʊ, ka] *adj* rítmico.

ritmo [R'itʃimʊ] *m* **1** MÚS ritmo. **2** ritmo (en poesía, prosa).

rito [R'itʊ] *m* **1** rito (liturgia). **2** religión, culto.

ritual [Ritu'aw] *m* ritual.

rival [Ri'vaw] *adj/m e f* rival.

rivalidade [Rivali'dadʒɪ] *f* **1** rivalidad (competencia). **2** celos. **3** rivalidad (hostilidad).

rivalizar [Rivali'zaR] *tr* **1** rivalizar (competir). **2** sentir celos.

rixa [R'iʃa] *f* **1** disputa, discordia. **2** revuelta, motín.

robe ['Rɔbɪ] *m* bata (de estar por casa).

robô [Ro'bo] *m* robot.

robustez [Robuʃ'teyʃ] *f* **1** robustez. **2** coraje, fortaleza.

robusto, ta [Ro'buʃtʊ, ta] *adj* **1** robusto. **2** (fig) firme, enérgico.

roca ['Rɔka] *f* roca (peñasco).

roça ['Rɔsa] *f* **1** roza (poda). **2** roza (terreno).

rocambolesco, ca [Rokãbo'leyʃkʊ, ka] *adj* rocambolesco.

roçar [Ro'saR] *tr* **1** rozar (podar). **2** rozar, friccionar. **3** rozar (tocar levemente).

rocha ['Rɔʃa] *f* **1** roca (mineral). **2** peña (cerro).

rochedo [ʀo'ʃedʊ] *f* **1** roca (mineral). **2** roca (peñasco). **3** (fig) roca (firme, sólido).
rochoso, sa [ʀo'ʃozʊ, za] *adj* rocoso.
rock ['ʀɔk] *m* MÚS rock.
rococó [ʀɔkɔ'kɔ] *adj/m* rococó.
roda ['ʀɔda] *f* **1** rueda (pieza circular). **2** rueda (corro). **3** disco, plato. ♦ ~ **da fortuna** (fig) rueda de la fortuna.
rodapé [ʀoda'pɛ] *m* **1** rodapié (zócalo). **2** rodapié (tabla, celosía). **3** pie de página.
rodar [ɾo'daʀ] *tr* **1** rodar (girar). **2** rodear (ir alrededor). **3** rodar (vehículo). • *intr* **4** (fig) pasar, transcurrir (tiempo). • *tr e intr* **5** CINE rodar, filmar.
rodear [ʀode'aʀ] *tr* **1** rodear (contornear). **2** rodear (cercar, circundar).
rodeio [ʀo'deyʊ] *m* **1** rodeo (vuelta). **2** rodeo (camino más largo). **3** (gralte pl) rodeo (evasiva).
rodela [ʀo'dɛla] *f* **1** ruedita. **2** rodaja, tajada.
rodovia [ʀodo'via] *f* autovía.
rodoviária [ʀodovi'aɾya] *f* estación de autobuses.
rodoviário, a [ʀodovi'aɾyʊ, a] *adj* de la autovía.
roer [ʀo'eʀ] *tr e intr* **1** roer (triturar). • *tr* **2** roer (corroer). **3** rozar (dañar). • *tr e pron* **4** (fig) roer (atormentar).
rogar [ʀo'gaʀ] *tr* rogar (suplicar).
rogo ['ʀogʊ] *m* ruego.
rol ['ʀɔw] *m* rol (lista).
rola ['ʀola] *f* tórtola.
rolante [ʀo'lãtʃɪ] *adj 2 gén* rodador.
rolar [ʀo'laʀ] *tr e intr* **1** rodar, girar. **2** pelear, luchar. **3** transcurrir, pasar (tiempo). • *intr* **4** (coloq) suceder, ocurrir.
roldana [ʀow'dãna] *f* roldana.
roldão [ʀow'dãw] *m* confusión, follón.
roleta [ʀo'leta] *f* **1** ruleta (juego de azar). **2** (coloq) cotilleo.
rolha ['ʀoʎa] *f* **1** tapa. **2** (fig, coloq) canalla, sinvergüenza.
roliço, ça [ʀo'lisʊ, sa] *adj* **1** rollizo (robusto). **2** rollizo (cilíndrico).
rolo ['ʀolʊ] *m* **1** rollo (pieza cilíndrica). **2** rollo (de pastelero, panadero). **3** rodillo (para pintar). **4** rulo (bigudí).
romance [ʀo'mãsɪ] *adj/m* **1** romance, románico. • *m* **2** novela. **3** romance (amorío).
romanesco, ca [ʀoma'neyʃkʊ, ka] *adj* **1** novelesco. **2** (fig) novelesco (soñador, fabuloso).
românico, ca [ʀo'mãnikʊ, ka] *adj/m* **1** románico (lengua). **2** ARQ románico (período).
romanista [ʀomã'niʃta] *adj/m e f* **1** FILOL romanista. **2** DIR romanista.
romanização [ʀomãniza'sãw] *f* romanización.
romano, na [ʀo'mãnʊ, na] *adj/m e f* **1** romano. • *adj/m* **2** itálico (tipografía). **3** ARQ románico.
romântico, ca [ʀo'mãtʃikʊ, ka] *adj* **1** ART romántico. • *adj/m e f* **2** (fig) romántico (soñador, sentimental).
romantismo [ʀomã'tʃiʒmʊ] *m* **1** ART romanticismo. **2** (fig) romanticismo (sentimentalismo).
romaria [ʀoma'ɾia] *f* romería (peregrinación).
rombo, ba ['ʀõbʊ, ba] *adj* **1** romo. • *m* **2** agujero. **3** (fig) agujero (déficit). **4** GEOM rombo.
romeiro, ra [ʀo'meyɾʊ, ɾa] *m* romero (peregrino).
Romênia [ʀo'mẽnya] *f* Rumanía.
romeno, na [ʀo'mẽnʊ, na] *adj/m e f* **1** rumano. • *m* **2** rumano (lengua).
rompante [ʀõ'pãtʃɪ] *adj 2 gén* **1** arrogante, presuntuoso. **2** irreflexivo, impetuoso.
romper [ʀõ'peʀ] *tr* **1** romper (quebrar). **2** (fig) romper (ley, contrato). **3** (fig) romper (nacer, surgir). • *tr e intr* **4** romper (relación amorosa). • *tr e pron* **5** (fig) romper (interrumpir).
rompimento [ʀõpi'mẽtʊ] *m* **1** rompimiento, ruptura. **2** pérdida, derrota. **3** abertura, agujero.
roncar [ʀõ'kaʀ] *intr* **1** roncar (al dormir). **2** roncar (animal).
ronco ['ʀõkʊ] *m* ronquido.
ronda ['ʀõda] *f* **1** ronda (paseo, caminata). **2** ronda (vigilancia).
rondar [ʀõ'daʀ] *tr e intr* **1** rondar (vigilar). **2** (fig) rondar (deambular).
Rondônia [ʀõ'donya] *f* Rondônia (Estado brasileño).
ronquido [ʀõ'kidʊ] *m* ronquido.
Roraima [ʀo'ɾayma] *f* Roraima (Estado brasileño).
rosa ['ʀɔza] *adj/m* **1** rosa (color). • *f* **2** rosa (flor). **3** rosal.

rosário [Ro'zaryu] *m* **1** rosario (sarta de cuentas). **2** rosario (rezo). **3** (fig) rosario (serie).
rosbife [Roʒ'bifi] *m* GAST rosbif.
rosca ['Roʃka] *f* **1** rosca (tuerca). **2** rosca (espiral). **3** rosca (pan, bollo). **4** (coloq) trompa (borrachera).
roseira [Ro'zeyra] *f* rosal.
róseo, a ['Rɔzyu, a] *adj* róseo.
rosnar [Roʒ'naR] *tr e intr* **1** gruñir (refunfuñar). **2** murmurar, rumorear.
rosquilha [Royʃ'kiʎa] *f* rosquilla (masa, bollo).
rosto ['Royʃtu] *m* **1** rostro (cara, faz). **2** frente (parte delantera). **3** cara (de una moneda).
rota ['Rɔta] *f* **1** ruta (camino, itinerario). **2** combate. **3** derrota.
rotação [Rota'sãw] *f* **1** rotación (movimiento). **2** rotación (alternancia).
rotar [Ro'taR] *intr* rotar, rodar (dar vueltas).
rotativo, va [Rota'tʃivu, va] *adj* **1** rotativo. **2** rotatorio.
roteiro [Ro'teyru] *m* **1** guión (pauta). **2** diario (de viaje). **3** CINE, TV guión.
rotina [Ro'tʃina] *f* **1** rutina (hábito). **2** camino habitual.
rotineiro, ra [Rotʃi'neyru, ra] *adj/m e f* rutinario.
rotor [Ro'toR] *m* FÍS rotor.
rótula ['Rɔtula] *f* ANAT rótula.
rotulador, ra [Rotula'doR, ra] *adj/m e f* rotulador.
rotulagem [Rotu'laʒẽy] *f* rotulación.
rotular [Rotu'laR] *adj 2 gén* ANAT rotular.
rótulo ['Rɔtulu] *m* **1** rótulo (letrero, cartel, inscripción). **2** (fig) etiqueta (calificación).
rotunda [Ro'tũda] *f* **1** rotunda (construcción). **2** rotonda (glorieta).
rotundo, da [Ro'tũdu, da] *adj* rotundo.
roubado, da [Row'badu, da] *adj* robado.
roubar [Row'baR] *tr* **1** robar (hurtar, sustraer). **2** (fig) robar (cautivar, seducir): *a garota roubou-lhe o coração = la muchacha le robó el corazón.* • *tr e intr* **3** (fig) consumir, gastar.
roubo ['Rowbu] *m* **1** robo (hurto). **2** robo (botín). **3** (fig) robo, timo (precio excesivo).
rouco, ca ['Rowku, ka] *adj* **1** ronco (con ronquera). **2** ronco (áspero, grave).
roupa ['Rowpa] *f* **1** ropa (vestidura). **2** ropa (tela). ◆ ~ **de baixo** ropa interior.
roupagem [Row'paʒẽy] *f* ropaje.
roupão [Row'pãw] *m* bata (de andar por casa). ◆ ~ **de banho** albornoz.
rouquejar [Rowke'ʒaR] *tr e intr* ronquear.
rouxinol [Rowʃi'nɔw] *m* ruiseñor.
roxo, xa ['Roʃu, ʃa] *adj/m* **1** morado (color). • *adj* **2** (fig) negro (difícil, arduo).
rua ['Rua] *f* **1** calle (vía pública). **2** calle (habitantes).
ruaceiro, ra [Rua'seyru, ra] *adj/m e f* callejero.
Ruanda [Ru'ãda] *f* Ruanda.
ruandês, sa [Ruã'deyʃ, za] *adj/m e f* ruandés.
rubi [Ru'bi] *m* **1** rubí (mineral). **2** rubí (color).
rublo ['Rublu] *m* rublo (moneda).
rubor [Ru'boR] *m* **1** rubor (color). **2** (fig) rubor (vergüenza).
rubrica [Ru'brika] *f* **1** rúbrica (de la firma). **2** rúbrica (epígrafe).
rubricar [Rubri'kaR] *tr* **1** rubricar (firmar). **2** (fig) marcar, señalar.
rubro, bra ['Rubru, bra] *adj* **1** rubro (encarnado, rojo). **2** ruborizado.
ruço, ça ['Rusu, sa] *adj* **1** rucio (pardo claro). **2** rucio (canoso, gris). • *adj/m e f* **3** rubio (cabello).
rude ['Rudʒi] *adj 2 gén* **1** rudo (tosco, basto). **2** rudo (áspero, grosero).
rudeza [Ru'deza] *f* **1** rudeza (tosquedad). **2** rudeza (aspereza).
rudimentar [Rudʒimẽ'taR] *adj 2 gén* rudimentario.
rudimento [Rudʒi'mẽtu] *m* **1** rudimento (primordio). • **rudimentos** *m pl* **2** rudimentos (nociones).
rueiro, ra [Ru'eyru, ra] *adj/m e f* callejero.
ruga ['Ruga] *f* arruga.
rugby ['Ragibi] *m* rugby.
rugir [Ru'ʒiR] *intr* **1** rugir (felino). **2** (fig) rugir (gritar).
rugosidade [Rugozi'dadʒi] *f* rugosidad.
rugoso, sa [Ru'gozu, za] *adj* rugoso.
ruído [Ru'idu] *m* **1** ruido (sonido). **2** ruido (alboroto). **3** rumor (cotilleo).
ruidoso, sa [Rui'dozu, za] *adj* ruidoso.

ruim [RUˈĩ] *adj 2 gén* **1** malo (desagradable). **2** malo (inútil): *este aluno é muito ruim = este alumno es muy malo.* **3** malo (malvado). **4** malo (en mal estado).
ruína [RUˈina] *f* **1** ruina (derribo). **2** (fig) ruina (económica).
ruinoso, sa [RUiˈnozʊ, za] *adj* **1** ruinoso (en ruinas). **2** ruinoso (económicamente).
ruir [RUˈIR] *intr* **1** desmoronarse, despeñarse. **2** (fig) frustrarse, deshacerse.
ruivo, va [ˈRUyvʊ, va] *adj/m e f* pelirrojo.
ruminar [RUmiˈnaR] *tr e intr* **1** rumiar. **2** (fig) rumiar (reflexionar).
rumo [ˈRUmʊ] *m* **1** rumbo (camino, dirección). **2** MAR rumbo (de una embarcación). ■ **corregir o ~** corregir el rumbo.
rumor [RUˈmoR] *m* **1** rumor (ruido). **2** rumor, murmullo (de voces). **3** rumor (noticia).
rumorejar [RUmoɾeˈʒaR] *tr e intr* **1** rumorear (susurrar). ● *tr* **2** rumorear (correr la noticia).
rupestre [RUˈpɛyʃtrɪ] *adj 2 gén* rupestre.
rupia [ˈRUpya] *f* **1** rupia (moneda). **2** MED rupia.
ruptura [RUpiˈtuɾa] *f* **1** ruptura (división, corte). **2** ruptura (de relaciones).
rural [RUˈɾaw] *adj 2 gén* rural.
rusga [ˈRUʃga] *f* pelea, confusión.
Rússia [ˈRUsya] *f* Rusia.
russo, ssa [ˈRUsʊ, sa] *adj/m e f* **1** ruso. ● *m* **2** ruso (lengua).
rústico, ca [ˈRUʃtʃikʊ, ka] *adj/m e f* **1** rústico (campestre). **2** (fig) rústico (inculto, tosco).
rutilante [RUtʃiˈlãtʃɪ] *adj 2 gén* rutilante.
rutilar [RUtʃiˈlaR] *tr e intr* rutilar.

Ss

s, S [ˈɛsɪ] *m* s, S (letra).

sábado [ˈsabadʊ] *m* sábado.

sabão [saˈbãw] *m* **1** jabón. **2** (coloq) rapapolvo (reprimenda). ■ **mandar alguém lamber ~** (fig, coloq) mandar a hacer puñetas.

sabedor, ra [sabeˈdoR, ɾa] *adj/m e f* sabedor (conocedor).

sabedoria [sabedoˈɾia] *f* **1** sabiduría (erudición). **2** (coloq) astucia, maña.

saber [saˈbeR] *tr e intr* **1** saber (conocer). • *tr* **2** saber (ser docto). **3** saber (ser hábil). • *tr e intr* **4** saber (tener sabor). ■ **a ~** a saber (esto es); **~ entrar e sair** (fig, fam) saber comportarse.

saber [saˈbeR] *m* **1** saber (conocimiento). **2** sabiduría (prudencia).

sabe-tudo [sabɪˈtudʊ] *s 2 gén* (fam) sabelotodo, sabiondo.

sábio, a [ˈsabyʊ, a] *adj/m e f* **1** sabio (erudito). **2** sabio (especialista). **3** (fig) sabio (cuerdo, prudente).

sabonete [saboˈnetʃɪ] *m* **1** jabón (pastilla). **2** (coloq) varapalo (reprimenda).

sabor [saˈboR] *m* **1** sabor (gusto). **2** (fig) sabor (estilo, género). ■ **ao ~ de** al gusto de.

saborear [saboɾeˈaR] *tr* **1** saborear (dar gusto). **2** saborear (degustar). • *tr e pron* **3** (fig) saborear (deleitarse).

saboroso, sa [saboˈɾozʊ, za] *adj* **1** sabroso (delicioso). **2** (fig) sabroso (deleitable).

sabotagem [saboˈtaʒẽy] *f* sabotaje.

sabotar [saboˈtaR] *tr* sabotear.

sabre [ˈsabɾɪ] *m* sable (espada).

saca [ˈsaka] *f* **1** saca (costal). **2** bolsa (de la compra).

sacada [saˈkada] *f* **1** saco (contenido). **2** saque, saca (extracción).

sacana [saˈkãna] *adj/m e f* **1** (vulg) golfo, pillo (crápula). **2** (vulg, pej) aprovechado. **3** (coloq) cachondo, guasón.

sacanagem [sakaˈnaʒẽy] *f* **1** (coloq) pillería, picardía. **2** (coloq) cachondeo, burla. **3** (coloq) faena, putada. **4** (vulg) paja (masturbación).

sacanear [sakaneˈaR] *tr* **1** (coloq) tocar las narices. • *intr* **2** (coloq) cachondearse, mofarse. **3** aprovecharse.

sacar [saˈkaR] *tr* **1** sacar (con brusquedad). **2** sacar (obtener). • *tr e intr* **3** sacar (dinero). • *intr* **4** ESPORT sacar (pelota).

saca-rolhas [sakaˈRoʎayʃ] *m* sacacorchos.

sacerdócio [saseRˈdɔsyʊ] *m* **1** sacerdocio (ministerio, dignidad, cuerpo). **2** (fig) sacerdocio (consagración, entrega).

sacerdotal [saseRdoˈtaw] *adj 2 gén* sacerdotal.

sacerdote [saseRˈdɔtʃɪ] *m* sacerdote.

sacerdotisa [saseRdoˈtʃiza] *f* sacerdotista.

saciar [sasiˈaR] *tr e pron* **1** saciar (de bebida, comida). **2** (fig) saciar (satisfacer).

saciedade [sasieˈdadʒɪ] *f* **1** saciedad. **2** saciedad (hartura).

saco [ˈsakʊ] *m* **1** saco (receptáculo). **2** saco (tela). **3** (vulg) cojón, huevo, pelota (testículos). **4** (coloq) coñazo, lata (fastidio). **5** (vulg) huevos, cojones (aguante). ◆ **~ de dormir** saco o bolsa de dormir; **~ sem fundo** (fig, coloq) bocazas (indiscreto). ■ **de ~ cheio** (coloq) hasta los cojones; **encher o ~** (fig, coloq) tocar los cojones (fastidiar); **puxar o ~ de alguém** (coloq) hacerle la pelota a alguien.

> La palabra ***saco*** se utiliza mucho en Brasil, sobre todo en el sentido más coloquial del término, que no tiene nada que ver con el **saco** en español.

sacola [saˈkɔla] *f* **1** bolsa (con asas). **2** bolsa, bolso (para llevar al hombro).

sacramental [sakɾamẽˈtaw] *adj 2 gén* **1** sacramental. **2** (fig) solemne.

sacramento [sakɾaˈmẽtʊ] *m* REL sacramento.

sacrificar [sakrifi'kaʀ] *tr, intr e pron* **1** sacrificar (inmolar). • *tr* **2** sacrificar (por un fin, interés).
sacrifício [sakri'fisyʊ] *m* **1** sacrificio (ofrenda). **2** sacrificio (renuncia, privación).
sacrilégio [sakri'lɛʒyʊ] *m* **1** sacrilegio (profanación). **2** sacrilegio (pecado).
sacrílego, ga [sa'krilegʊ, ga] *adj/m e f* sacrílego.
sacristão [sakriʃ'tãw] *m* **1** sacristán (custodiador). **2** sacristán (ayudante).
sacristia [sakriʃ'tʃia] *f* sacristía (lugar).
sacro, cra ['sakrʊ, kra] *adj* **1** sacro (sagrado). • *adj/m* **2** ANAT sacro (hueso).
sacudir [saku'dʒiʀ] *tr e pron* **1** sacudir (agitar, mover). • *tr* **2** sacudir (arrojar, despedir). **3** (fig) sacudirse (apartar, rechazar). **4** (fig) sacudir (impresionar, conmover).
sádico, ca ['sadʒikʊ, ka] *adj/m e f* **1** sádico (sexual). **2** (fig) sádico (cruel).
sadio, a [sa'dʒiʊ, a] *adj* **1** sano, saludable (de buena salud). **2** sano, saludable (bueno para la salud).
sadismo [sa'dʒiʒmʊ] *m* sadismo (sexual).
safado, da [sa'fadʊ, da] *adj* **1** desgastado, gastado (por el uso). • *adj/m e f* **2** granuja, pillo. **3** golfo, granuja (libertino).
safanão [safa'nãw] *m* (coloq) bofetada, tortazo.
safar [sa'faʀ] *tr e pron* **1** zafarse, salvar (librar). • **~-se** *pron* **2** desgastarse, gastarse (por el uso). **3** zafarse (escaparse, esconderse).
safári [sa'fari] *m* **1** safari (expedición). **2** safari (grupo, equipo).
safira [sa'fira] *f* zafiro (piedra preciosa).
safra ['safra] *f* zafra (cosecha).
saga ['saga] *f* saga (leyenda).
sagacidade [sagasi'dadʒɪ] *f* sagacidad.
sagaz [sa'gayʃ] *adj 2 gén* sagaz (astuto, previsor).
sagitariano, na [saʒitari'ãnʊ, na] *adj/m e f* ASTROL sagitario.
Sagitário [saʒi'taryʊ] *m* ASTR Sagitario (constelación, signo zodiacal).
sagrado, da [sa'gradʊ, da] *adj* **1** sagrado (divino, santo). **2** consagrado.
sagrar [sa'graʀ] *tr e pron* **1** consagrar (a Dios). **2** consagrar (dedicar).
saguão [sa'gwãw] *m* zaguán.
saia ['saya] *f* **1** falda (prenda). **2** (fig, coloq) faldas (mujer).
saibro ['saybrʊ] *m* sablón, sábulo.
saída [sa'ida] *f* **1** salida (partida, marcha). **2** salida (lugar). **3** salida (instante). **4** salida (escapatoria, recurso). **5** (coloq) salida (ocurrencia). ■ **dar ~** dar respuesta.
sair [sa'iʀ] *intr* **1** salir (fuera). **2** salir (partir, marcharse). **3** salir (a divertirse). **4** salir (nacer, brotar). **5** salir (aparecer, manifestarse). **6** salir (publicar). • *tr* **7** salir (quedar, resultar). **8** salir (originarse, proceder). • *tr e intr* **9** salir (por amistad, amor). **10** salir (en sorteo, elección). • *tr, intr e pron* **11** salir, dejar (lugar, situación). • *tr e pron* **12** salir (apartarse, librarse). **13** salir (con algo imprevisto). • **~-se** *pron* **14** salir (resultar).
sal ['saw] *m* **1** sal (cloruro de sodio). **2** (fig) sal (gracia).
sala ['sala] *f* **1** sala, salón (habitación). **2** aula, clase. ◆ **~ de espera** sala de espera; **~ de jantar** comedor.
salada [sa'lada] *f* **1** ensalada (plato, comida). **2** (fig) ensalada (mezcla).
saladeira [sala'deyra] *f* ensaladera.
salamaleque [salama'lɛkɪ] *m* (fig, coloq) zalema, azanahoriate.
salame [sa'lãmɪ] *m* salame, salami (embutido).
salão [sa'lãw] *m* **1** salón (sala grande). **2** salón (de visitas, reuniones, bailes). **3** salón (exposición). **4** salón (establecimiento). **5** peluquería, barbería. ◆ **~ de beleza** salón de belleza; **~ de dança** salón de baile. ■ **de ~** de salón.
salário [sa'laryʊ] *m* salario, sueldo, paga. ◆ **décimo terceiro ~** paga extraordinara (de un salario); **~ mínimo** salario mínimo.
saldar [saw'daʀ] *tr* saldar, liquidar (cuenta).
saldo ['sawdʊ] *m* **1** saldo (cantidad). **2** saldo (excedente). **3** saldo (resto de mercancía). **4** saldo (diferencia).
saleta [sa'leta] *f* saleta, salita.
salgado, da [saw'gadʊ, da] *adj* **1** salado (con sal). **2** (fig) picante, mordaz. • *m* **3** aperitivo salado (fruto seco, canapé, empanadilla).

salgar [saw'gaR] *tr* **1** salar (sazonar). **2** salar (curar). **3** (fig) salpimentar, alegrar.
saliência [sali'ẽsya] *f* **1** saliente, prominencia. **2** (fig, coloq) libertinaje, desenfreno.
salientar [saliẽ'taR] *tr e pron* **1** sobresalir, resaltar (distinguirse). **2** resaltar (hacer visible).
saliente [sali'ẽtʃɪ] *adj 2 gén* **1** saliente. **2** (fig) sobresaliente (destacado).
salina [sa'lina] *f* salina (mina).
saliva [sa'liva] *f* saliva.
salivar [sali'vaR] *adj 2 gén* salival.
salmão [saw'mãw] *m* salmón (pez).
salmo ['sawmʊ] *m* **1** salmo (cántico, oración). • **Salmos** *m pl* **2** salmos.
salmonela [sawmo'nɛla] *f* salmonela (bacteria).
salmonete [sawmo'netʃɪ] *m* salmonete (pez).
salmoura [saw'moura] *f* **1** salmuera (de los alimentos). **2** salmuera (para conservas).
salobro, bra [sa'lobrʊ, bra] *adj* **1** salobre (salado). **2** salobre (agua).
salomônico, ca [salo'mõnikʊ, ka] *adj* **1** salomónico. **2** (fig) salomónico (equilibrado, justo).
salpicar [sawpi'kaR] *tr* **1** salpicar (manchar, mojar). **2** (fig) salpicar (desacreditar). • *tr e pron* **3** espolvorear.
salsa ['sawsa] *f* **1** perejil (planta). **2** MÚS salsa.

> No confundir la palabra ***salsa*** con el término español **salsa**, que es ***molho*** en portugués.

salsicha [saw'siʃa] *f* salchicha (embutido).
salsichão [sawsi'ʃãw] *m* salchichón.
saltar [saw'taR] *intr* **1** saltar (brincar). **2** saltar (desprenderse, soltarse). **3** palpitar (corazón). **4** saltar (sobresalir). • *tr e intr* **5** saltar (salvar, superar). • *tr* **6** saltar (arrojarse, lanzarse). **7** saltar (de una cosa a otra).
salteador, ra [sawtea'doR, ra] *adj/m e f* asaltante (ladrón); salteador (de caminos).
saltear [sawte'aR] *tr* **1** saltear, asaltar (robar). **2** asaltar, saltear (acometer, sorprender). **3** GAST saltear (sofreír).
saltimbanco [sawtʃĩ'bãkʊ] *m* **1** saltimbanqui (del circo). **2** (fig) saltabanco (charlatán).
saltitar [sawtʃi'taR] *intr* **1** dar saltitos. **2** (fig) enredar, zascandilear.
salto ['sawtʊ] *m* **1** salto (brinco). **2** salto (espacio, altura). **3** salto (de agua). **4** tacón (de calzado). **5** salto (omisión). **6** (fig) salto (ascenso). **7** (fig) salto (cambio, transformación). ♦ **~ em altura** ESPORT salto de altura; **~ no escuro** (coloq) salto al vacío; **~ raso ou baixo** tacón bajo (de calzado). ■ **de ~ alto** (coloq) con aires de grandeza.
salubridade [salubri'dadʒɪ] *f* salubridad.
salva ['sawva] *f* salva (de cañonazos).
salvação [sawva'sãw] *f* **1** salvación (salvamento). **2** saludo. **3** (fig) salvación (salida, solución).
Salvador, El [sawva'doR, 'ɛw] *m* El Salvador.
salvador, ra [sawva'doR, ra] *adj/m e f* salvador.
salvaguarda [sawva'gwaRda] *f* **1** salvaguardia, salvaguarda (amparo, protección). **2** salvaguardia, salvaguarda (garantía).
salvaguardar [sawvagwaR'daR] *tr* **1** salvaguardar (amparar, proteger). **2** salvaguardar (garantizar).
salvamento [sawva'mẽtʊ] *m* salvamento.
salvar [saw'vaR] *tr e pron* **1** salvar (librar, preservar). • *tr* **2** salvar (liberar, rescatar). **3** salvar (distancia, obstáculo). **4** COMP grabar, guardar.
salva-vidas [sawva'vidayʃ] *adj inv* **1** salvavidas (destinado a salvar). • *s 2 gén* **2** socorrista (de playa, piscina).
salvo, va ['sawvʊ, va] *adj* **1** salvo (ileso). **2** salvo, salvado (resguardado). • *adj/m e f* **3** superviviente. • *prep* **4** salvo (excepto). ■ **a ou em ~** a o en salvo.
salvo-conduto [sawvʊkõ'dutʊ] *m* salvoconducto (documento).
samaritano, na [samari'tãnʊ, na] *adj/m e f* samaritano.
samarra [sa'maRa] *f* **1** zamarra (prenda). **2** zamarra (piel de carnero). • *m* **3** (pej) cuervo (clérigo).

S

samba [ˈsãba] *m* MÚS samba.
sanar [sãˈnaʀ] *tr* **1** sanar (curar). **2** reparar, remediar (daño, injusticia).
sanatório [sãnaˈtɔryʊ] *m* sanatorio.
sanção [sãˈsãw] *f* **1** sanción (pena). **2** sanción (acto solemne). **3** sanción (aprobación, autorización).
sancionar [sãsyoˈnaʀ] *tr* sancionar.
sandália [sãˈdalya] *f* sandalia (calzado).
sândalo [ˈsãdalʊ] *m* **1** sándalo (árbol, planta). **2** sándalo (esencia, perfume).
sanduíche [sãduˈiʃɪ] *m* sándwich (de pan de molde).
saneamento [saneaˈmẽtʊ] *m* saneamiento.
sanear [saneˈaʀ] *tr* **1** sanear (acondicionar). **2** sanear (terreno).
sanefa [saˈnefa] *f* cenefa (lista, tira).
sangrar [sãˈgraʀ] *tr e pron* **1** sangrar (sacar sangre). • *tr e intr* **2** sangrar (herir). • *intr* **3** sangrar (arrojar sangre). **4** (fig) sufrir, afligirse. • *tr* **5** (fig) sangrar (aprovecharse, robar, explotar).
sangrento, ta [sãˈgrẽtʊ, ta] *adj* **1** sangriento (sangrante). **2** sangriento (ensangrentado). **3** (fig) sangriento (cruel).
sangria [sãˈgria] *f* **1** sangría (extracción). **2** desangramiento. **3** sangría (bebida).
sangue [ˈsãgɪ] *m* **1** sangre (líquido). **2** savia (de vegetales). **3** (fig) vida, existencia. **4** (fig) sangre (estirpe, linaje). **5** (fig) pasión (sentimiento). ♦ **~ azul** sangre azul. ■ **ferver o ~ a alguém** (fig, fam) hervirle la sangre a alguien; **ter ~ de barata** (fig, fam) tener sangre de horchata.
sangue-frio [sãgɪˈfriʊ] *m* sangre fría (serenidad).
sangueira [sãˈgeyra] *f* sangre vertida.
sanguífero, ra [sãˈgiferʊ, ra] *adj* sanguífero.
sanguinário, a [sãgiˈnaryʊ, a] *adj/m e f* sanguinario (cruel, feroz).
sanguíneo, a [sãˈginyʊ, a] *adj* **1** sanguíneo. **2** (fig) sanguinario (cruel).
sanidade [sãniˈdadʒɪ] *f* **1** sanidad (salud). **2** sanidad (salubridad).
sanitário, a [sãniˈtaryʊ, a] *adj* **1** sanitario: *reforma sanitária = reforma sanitaria.* • *adj/m* **2** sanitario (cuarto de baño). • *m* **3** sanitario (retrete).
sânscrito [ˈsãʃkritʊ] *adj/m* sánscrito (lengua).
santa [ˈsãta] *f* santa (mujer).
Santa Catarina [sãtakataˈrina] *f* Santa Catarina (Estado brasileño).
santeiro, ra [sãˈteyrʊ, ra] *adj/m e f* santero (artista, vendedor).
santidade [sãtʃiˈdadʒɪ] *f* santidad.
santificar [sãtʃifiˈkaʀ] *tr, intr e pron* **1** santificar. • *tr* **2** canonizar.
santo, ta [ˈsãtʊ, ta] *adj* **1** santo (divino, sagrado). **2** santo (beneficioso). • *adj/m e f* **3** santo (canonizado). **4** (fig) santo (ejemplar, virtuoso). ■ **não ser ~ da devoção de alguém** (fig) no ser santo de la devoción de alguien.
santuário [sãtuˈaryʊ] *m* **1** santuario (templo). **2** (fig) santuario (lugar íntimo).
são [ˈsãw] *adj/m e f* **1** sano, saludable. • *adj* **2** sano (curado). **3** sano (ileso, salvo). **4** sano (bienintencionado, sincero). • *m* **5** san (santo).
São Paulo [sãwˈpawlʊ] *m* São Paulo (Estado brasileño).
sapataria [sapataˈria] *f* zapatería.
sapateira [sapaˈteyra] *f* zapatera, zapatero (mueble).
sapateiro, ra [sapaˈteyrʊ, ra] *m e f* **1** zapatero. **2** (fig, coloq) chapucero, chambón.
sapatilha [sapaˈtʃiʎa] *f* **1** zapatilla (de baile). **2** zapatilla (de casa).
sapato [saˈpatʊ] *m* zapato (calzado).
sapiência [sapiˈẽsya] *f* sapiencia (sabiduría).
sapo [ˈsapʊ] *m* sapo (anfibio).
saque [ˈsakɪ] *m* **1** saqueo. **2** reintegro (de dinero). **3** letra de cambio, libranza.
saquê [saˈke] *m* sake.
saquear [sakeˈaʀ] *tr e intr* saquear.
saracotear [sarakoteˈaʀ] *tr, intr e pron* contonearse.
sarado, da [saˈradʊ, da] *adj* **1** sano (curado). **2** (coloq) sano, saludable; cuerdo, sensato. **3** (coloq) comilón, glotón. **4** (coloq) cachas, cuadrado. **5** (coloq) macizo, hermoso (atractivo).
sarampo [saˈrãpʊ] *m* **1** MED sarampión. **2** (coloq) reloj (de mala calidad).
sarar [saˈraʀ] *tr, intr e pron* **1** curar. • *intr* **2** cicatrizar.
sarau [saˈraw] *m* **1** sarao (fiesta). **2** concierto nocturno.
sarcasmo [saʀˈkayʒmʊ] *m* sarcasmo.
sarcástico, ca [saʀˈkayʃtʃikʊ, ka] *adj* sarcástico.

sarcófago [saʀˈkɔfagʊ] *m* sarcófago.
sardento, ta [saʀˈdẽtʊ, ta] *adj* pecoso.
sardinha [saʀˈdʒĩɲa] *f* **1** sardina. **2** (coloq) navaja.
sardônico, ca [saʀˈdõnikʊ, ka] *adj* sardónico, sarcástico.
sargento [saʀˈʒẽtʊ] *s 2 gén* MIL sargento (puesto, grado, militar).
sarilho [saˈɾiʎʊ] *m* **1** carrete (de hilo, cable). **2** noria (hidráulica).
sarraceno, na [saʀaˈsẽnʊ, na] *adj/m e f* sarraceno.
Satã [saˈtã] *m* Satán.
Satanás [sataˈnayʃ] *m* Satanás.
satânico, ca [saˈtãnikʊ, ka] *adj* **1** satánico. **2** (fig) satánico (perverso).
satélite [saˈtɛlitʃɪ] *m* **1** ASTR satélite (cuerpo celeste). **2** (fig) satélite (persona dependiente). **3** (fig) amigo, compañero (inseparable).
sátira [ˈsatʃiɾa] *f* **1** sátira (ironía). **2** sátira (poesía).
satírico, ca [saˈtʃiɾikʊ, ka] *adj* **1** satírico (ácido, mordaz). • *adj/m e f* **2** satírico (escritor).
satisfação [satʃiʃfaˈsãw] *f* **1** satisfacción (placer). **2** razón, explicación.
satisfatório, a [satʃiʃfaˈtɔɾyʊ, a] *adj* satisfactorio (grato, propicio).
satisfazer [satʃiʃfaˈzeʀ] *tr* **1** satisfacer (saciar). **2** satisfacer (cumplir, ejecutar). • *tr, intr e pron* **3** satisfacer (bastar).
satisfeito, ta [satʃiʃˈfeytʊ, ta] *adj* **1** satisfecho (contento, complacido). **2** satisfecho (saciado).
saturação [satuɾaˈsãw] *f* **1** saturación (saciedad). **2** FÍS saturación.
saturar [satuˈɾaʀ] *tr e pron* **1** saturar (saciar). **2** (fig) saturar (hartar, cansar). • *tr* **3** saturar (llenar, impregnar).
saudação [sawdaˈsãw] *f* **1** saludo (palabra, gesto). **2** saludo (cortesía).
saudade [sawˈdadʒɪ] *f* añoranza, nostalgia.

> El término ***saudade*** es difícil traducirlo al español, pues aunque corresponda a las palabras **añoranza** o **nostalgia**, la ***saudade*** puede ser positiva, placentera, lo que no ocurre con los términos en español.

saudar [sawˈdaʀ] *tr e pron* saludar.
saudável [sawˈdavew] *adj 2 gén* saludable (sano).
saúde [saˈudʒɪ] *f* **1** salud (bienestar). **2** salud (brindis). **3** (fig) salud (fuerza, vigor). ◆ ~ **de ferro** (fig) salud de hierro. ■ **sangrar em ~** (fig) curarse uno en salud.
saudosista [sawdoˈziʃta] *adj 2 gén* nostálgico.
saudoso, sa [sawˈdozʊ, za] *adj* nostálgico.
sauna [ˈsawna] *f* **1** sauna (baño, establecimiento). **2** (fig) horno (lugar caluroso).
savana [saˈvãna] *f* sabana.
saxão, xã [sakiˈsãw, kiˈsã] *adj/m e f* sajón.
saxofone [sakisoˈfõnɪ] *m* **1** MÚS saxofón. **2** MÚS ⇒ saxofonista.
saxofonista [sakisofoˈniʃta] *s 2 gén* MÚS saxofonista.
se [ˈse] *pron pers* **1** (reflexivo o recíproco) se: *olharam-se e beijaram-se = se miraron y se besaron, feriu-se com a faca = se hirió con el cuchillo.* **2** (pronominal) se: *arrependeu-se na hora = se arrepintió al momento.* **3** (impersonal) se: *vendem-se bicicletas = se venden bicicletas.* • *conj* **4** (condicional) si: *se ganhar, vai ter festa = si gana va a haber fiesta.* **5** (interrogativas indirectas) si: *ele quer saber se você gosta = quiere saber si te gusta.*
sé [ˈsɛ] *f* sede (iglesia, jurisdicción).
sebáceo, a [seˈbasyʊ, a] *adj* sebáceo.
sebe [ˈsɛbɪ] *f* **1** seto vivo. **2** pared de adobe.
sebenta [seˈbẽta] *f* mugrienta (mujer).
sebento, ta [seˈbẽtʊ, ta] *adj* sebáceo.
sebo [ˈsebʊ] *m* **1** sebo (grasa). **2** librería (de libros usados).
seca [ˈseka] *f* **1** sequía. **2** secado. **3** charla larga.
secador, ra [sekaˈdoʀ, ɾa] *adj* **1** secador. • *m* **2** secador (del pelo). **3** secadora (de ropa).
secadora [sekaˈdoɾa] *f* secadora (máquina).
secagem [seˈkaʒẽy] *f* secado.
secante [seˈkãtʃɪ] *adj 2 gén* **1** secante. **2** (fig) secante (fastidioso, pesado). • *adj/f* **3** GEOM secante (línea, superficie).
secar [seˈkaʀ] *tr, intr e pron* **1** secar (deshidratar, evaporar). **2** marchitarse. **3** (fig)

secar (agotarse, disminuir). • *tr* **4** cesar, interrumpir. • *intr e pron* **5** enflaquecer, debilitarse.

seção [se'sãw] *f* **1** sección (corte, incisión). **2** sección (parte, porción). **3** sección (división, subdivisión).

seco, ca ['sekʊ, ka] *adj* **1** seco (sin humedad, sin agua). **2** seco (marchito). **3** seco (árido). **4** seco (quemado). **5** seco (flaco, descarnado). **6** (fig) seco (severo, rígido). **7** (fig) seco (rudo, grosero). ■ **em ~** en seco.

secreção [sekɾe'sãw] *f* secreción.

secretaria [sekɾeta'ɾia] *f* secretaría (oficina, organismo).

secretária [sekɾe'taɾya] *f* **1** secretaria (cargo, empleo). **2** escritorio (mueble).

secretariado [sekɾetaɾi'adʊ, da] *m* **1** secretariado (cargo, local, tiempo). **2** secretariado (cuerpo de secretarios).

secretariar [sekɾetaɾi'aʀ] *tr e intr* ser secretario.

secretário, a [sekɾe'taɾyʊ, a] *m e f* **1** secretario (empleado, ayudante). **2** secretario (en una asamblea, reunión). **3** secretario (dirigente, ministro).

secreto, ta [se'kɾɛtʊ, ta] *adj* **1** secreto (ignorado, no revelado). **2** secreto (oculto, escondido). **3** secreto (íntimo, particular).

secular [seku'laʀ] *adj 2 gén* **1** secular (duradero). • *adj/m e f* **2** secular (seglar).

século ['sɛkulʊ] *m* **1** siglo (cien años). **2** siglo (época, tiempo). ♦ **~ das luzes** siglo de las luces.

secundar [sekũ'daʀ] *tr* secundar (apoyar).

secundário, a [sekũ'daɾyʊ, a] *adj* **1** secundario (accesorio). **2** secundario (curso, enseñanza).

secura [se'kuɾa] *f* **1** sequedad. **2** sequía. **3** sequedad de boca (sed). **4** (fig) sequedad (rudeza, aspereza).

seda ['seda] *f* **1** seda (hilo). **2** seda (tela, pieza). **3** raja, grieta. **4** (coloq) papel (de fumar).

sede ['sɛdʒɪ] *f* **1** sede (asiento). **2** sede (de una diócesis). **3** sede (administrativa). **4** sede (oficina principal). **5** sed (gana de beber). **6** (fig) ansia, agobio.

sedentário, a [sedẽ'taɾyʊ, a] *adj/m e f* **1** sedentario (poco activo). **2** sedentario (establecido).

sedentarismo [sedẽta'ɾiʒmʊ] *m* sedentarismo.

sedento, ta [se'dẽtʊ, ta] *adj* **1** sediento. **2** (fig) sediento (ávido).

sedimentação [sedʒimẽta'sãw] *f* sedimentación.

sedimentar [sedʒimẽ'taʀ] *adj 2 gén* sedimentario.

sedimento [sedʒi'mẽtʊ] *m* sedimento. ♦ **~ terrestre** sedimento terrestre.

sedoso, sa [se'dozʊ, za] *adj* sedoso (de aspecto).

sedução [sedu'sãw] *f* **1** seducción (atracción). **2** seducción (persuasión).

sedutor, ra [sedu'toʀ, ɾa] *adj/m e f* seductor (atractivo, encantador).

seduzir [sedu'ziʀ] *tr* **1** seducir (embargar, cautivar). **2** seducir (engañar).

segador, ra [sega'doʀ, ɾa] *m e f* segador (jornalero).

segar [se'gaʀ] *tr e intr* **1** segar (mies, hierba). • *tr* **2** (fig) segar (cortar, interrumpir).

segmentação [segimẽta'sãw] *f* **1** segmentación (fragmentación). **2** BIOL segmentación.

segmentar [segimẽ'taʀ] *tr* segmentar.

segmento [segi'mẽtʊ] *m* **1** segmento (parte, porción). **2** GEOM segmento.

segredar [segɾe'daʀ] *tr e intr* secretear.

segredo [se'gɾedʊ] *m* **1** secreto (misterio). **2** secreto (confidencia). **3** secreto (reserva, discreción). ♦ **~ de Estado** secreto de Estado. ■ **em ~** en secreto.

segregação [segɾega'sãw] *f* segregación (separación).

segregar [segɾe'gaʀ] *tr, intr e pron* **1** segregar (separar). • *tr* **2** segregar (secretar, expeler).

seguidor, ra [segi'doʀ, ɾa] *adj/m e f* **1** seguidor (continuador). **2** perseguidor (acosador).

> Para referirse al **seguidor** de un equipo o individuo de cualquier competición deportiva, en portugués se dice ***torcedor***.

seguimento [segi'mẽtʊ] *m* **1** seguimiento (continuación). **2** consecuencia, resultado.

seguinte [se'gĩtʃɪ] *adj 2 gén* **1** siguiente: *eu tive a seguinte idéia: comprá-lo = tuve la siguiente idea: comprarlo.* • *m* **2** siguiente: *respondeu-me o seguinte: faço mesmo = me respondió lo siguiente: sí que lo hago.*
seguir [se'giʀ] *tr* **1** seguir (ir después, detrás). **2** seguir (perseguir). **3** seguir (con la vista). **4** seguir (camino). **5** seguir (ser partidario de). **6** seguir (observar).
segunda-feira [segũda'feyɾa] *f* lunes.
segundo [se'gũdʊ] *prep* **1** según (conforme, con arreglo a): *atuaram segundo as normas = actuaron según las normas.* • *conj* **2** según (a medida que): *resolve os problemas segundo eles vão chegando = resuelve los problemas según van llegando.*
segundo, da [se'gũdʊ, da] *adj/m e f* **1** segundo. • *adj* **2** segundo (secundario). **3** segundo (nuevo, repetido): *deram-lhe uma segunda chance = le dieron una segunda oportunidad.* • *m* **4** segundo (tiempo). **5** (fig) segundo (momento): *só vou demorar um segundo = sólo tardo un segundo.*
segurador, ra [seguɾa'doʀ, ɾa] *adj/m e f* asegurador.
seguradora [seguɾa'doɾa] *f* aseguradora.
segurança [segu'ɾãsa] *f* **1** seguridad (confiabilidad). **2** seguridad (certeza, convicción). **3** seguridad (garantía).
segurar [segu'ɾaʀ] *tr* **1** sujetar, fijar. **2** sujetar (agarrar, prender). **3** retener, conservar. **4** contener, refrenar (rumor, noticia).
seguro, ra [se'guɾʊ, ɾa] *adj* **1** seguro (protegido). **2** seguro (firme, convencido). **3** seguro (firme, estable). • *m* **4** seguro (contrato). • *adv* **5** seguro (con seguridad). ◆ ~ **de vida** seguro de vida.
seio ['seyʊ] *m* **1** seno (concavidad). **2** seno (pecho). **3** cuello, busto. **4** (fig) corazón, alma (parte íntima).
seis ['seyʃ] *adj/m* seis.
seiscentos, tas [sey'sẽtʊyʃ, tayʃ] *adj/m* seiscientos.
seita ['seyta] *f* **1** secta (doctrina). **2** secta (seguidores, comunidad).
seiva ['seyva] *f* **1** BOT savia. **2** (fig) savia (energía, vigor).
seixo ['seyʃʊ] *m* **1** canto, guijarro. **2** (fam) estafa (a una prostituta).
seja ['seʒa] *conj* **1** sea (alternativa). • ~! *interj* **2** está bien (de acuerdo, vale).
selagem [se'laʒẽy] *f* ensillado, ensilladura.
selar [se'laʀ] *intr* **1** combar (arquear, ceder). • *tr* **2** sellar (imprimir, estampar). **3** sellar (timbrar). **4** sellar (cerrar).
seleção [sele'sãw] *f* **1** selección (elección). **2** selección (antología). ◆ ~ **natural** BIOL selección natural.
selecionado, da [selesyo'nadʊ, da] *adj* **1** seleccionado (elegido). **2** selecto.
selecionador, ra [selesyona'doʀ, ɾa] *adj/m e f* seleccionador.
selecionar [selesyo'naʀ] *tr* seleccionar.
seletividade [seletʃivi'dadʒɪ] *f* selectividad.

> La prueba de acceso a la universidad, que en español se conoce con el nombre de **selectividad**, en portugués es el ***vestibular*** no ***seletividade***.

seletivo, va [sele'tʃivʊ, va] *adj* **1** selectivo. • *m* **2** selectivo (aparato).
seleto, ta [se'lɛtʊ, ta] *adj* **1** seleccionado. **2** selecto (excelente).
selim [se'lĩ] *m* sillín.
selo ['selʊ] *m* **1** sello (utensilio). **2** sello (estampa, impresión). **3** sello (timbre). **4** cierre. **5** sello (casa, oficina).
selva ['sɛwva] *f* **1** selva. **2** (fig) selva (lugar duro, salvaje).
selvagem [sew'vaʒẽy] *adj 2 gén* **1** salvaje (silvestre). **2** selvático. **3** (fig) salvaje (feroz, no doméstico). **4** (fig) salvaje (bárbaro, inculto). • *s 2 gén* **5** salvaje (indígena).
selvático, ca [sew'vatʃikʊ, ka] *adj* **1** selvático. **2** (fig) selvático (rústico, inculto).
sem ['sẽy] *prep* **1** sin (ausencia): *viver sem amor = vivir sin amor, trabalhar sem receber = trabajar sin cobrar.* **2** menos, excepto: *chegamos todos, sem a avó = llegamos todos, menos la abuela.*
semáforo [se'mafoɾʊ] *m* semáforo (de tránsito).
semana [se'mãna] *f* **1** semana. **2** semana, semanada (sueldo).
semanal [semã'naw] *adj 2 gén* semanal.

semanário, a [semã'naɾyʊ, a] *adj* **1** semanario (semanal). • *m* **2** semanario (publicación).
semântico, ca [se'mãtʃikʊ, ka] *adj* semántico.
semblante [sẽ'blãtʃɪ] *m* semblante (rostro, cara).
sem-dinheiro [sẽydʒĩ'ɲeyɾʊ] *s 2 gén* pobre (necesitado).
semeado, da [seme'adʊ, da] *adj* sembrado.
semear [seme'aʀ] *tr e intr* **1** sembrar (semillas). **2** (fig) sembrar (desparramar, esparcir).
semelhança [seme'ʎãsa] *f* **1** semejanza (parecido, similitud). **2** semejanza (analogía).
semelhante [seme'ʎãtʃɪ] *adj 2 gén* **1** semejante (parecido). • *pron* **2** semejante (tal): *semelhante desatino não é próprio de você = semejante desatino no es propio de ti.* • *m* **3** semejante (prójimo).
semelhar [seme'ʎaʀ] *intr e pron* semejar.
sêmen ['sẽmẽy] *m* semen (esperma).
semente [se'mẽtʃɪ] *f* **1** simiente (semilla). **2** simiente (semen, esperma). **3** (fig) semilla (causa, origen).
semestral [semeʃ'traw] *adj 2 gén* semestral.
semestre [se'mɛʃtrɪ] *m* **1** semestre (período). **2** semestre (renta, sueldo, pensión).
sem-fim [sẽy'fĩ] *m* sinfin.
seminário [semi'naɾyʊ] *m* **1** seminario conciliar. **2** seminario (organismo docente). **3** seminario (clase).
seminarista [semina'ɾiʃta] *m* seminarista.
seminu, a [semi'nu, a] *adj* medio desnudo.
semi-reta [sẽmi'ʀɛta] *f* GEOM semirrecta.
semita [se'mita] *adj/m e f* semita.
semitismo [semi'tʃiʒmʊ] *m* semitismo.
sempre ['sẽpɾɪ] *adv* **1** siempre (eternamente). **2** siempre (continuamente). **3** siempre (en todo caso, de todos modos): *posso não conseguir, mas sempre terei a satisfação de ter tentado = puedo no conseguirlo, pero siempre tendré la satisfacción de haberlo intentado.* **4** por fin: *oba!, sempre tirei a carteira de motorista = !bien!, por fin me he sacado el carnet de conducir.* ■ **até ~** hasta siempre (despedida).
sem-teto [sẽy'tɛtʊ] *s 2 gén* sin techo.
senador, ra [sena'doʀ, ɾa] *m e f* senador.
senadoria [senado'ɾia] *f* senaduría (cargo, mandato, dignidad).
senão [se'nãw] *conj* **1** si no (de lo contrario). **2** sino: *não era alto e forte como insinuou no chat, senão miúdo = não era alto y fuerte como insinuó en el chat, sino menudo.* • *prep* **3** menos, salvo, excepto: *todos senão ele chegaram na hora = todos menos él, llegaron a la hora.* • *m* **4** pero (defecto, fallo): *não foi achado nem um senão no trabalho dela = no encontramos ni un pero en su trabajo.*
senda ['sẽda] *f* senda (sendero, vereda).
Senegal [sene'gaw] *m* Senegal.
senegalês, sa [senega'leyʃ, za] *adj/m e f* senagalés.
senha ['sẽɲa] *f* **1** seña (indicio, marca). **2** seña (gesto). **3** contraseña. **4** recibo, resguardo.
senhor, ra [sẽ'ɲoʀ, ɾa] *m e f* **1** señor (dueño, propietario). **2** señor (propietario feudal). **3** señor (amo, patrón). **4** señor (hombre indeterminado). **5** dueño (de sí, de otros). **6** señor (tratamiento). • **Senhor** *m* **7** Señor (Dios). ◆ **Nosso Senhor** Nuestro Señor. ■ **estar ~ da situação** (fig) ser dueño de la situación.
senhorial [sẽɲori'aw] *adj 2 gén* señorial.
senhorio [sẽɲo'ɾiʊ] *m* **1** señorío (dominio, mando). **2** señor (dueño, propietario).
senil [se'niw] *adj 2 gén* senil.
sênior ['sẽnyoʀ] *adj 2 gén* senior (mayor).
sensaboria [sẽysabo'ɾia] *f* **1** sinsabor (insipidez). **2** (fig) sinsabor (pesadumbre).
sensação [sẽsa'sãw] *f* **1** sensación (percepción). **2** sensación (impacto, emoción).
sensacional [sẽsasyo'naw] *adj 2 gén* sensacional.
sensacionalista [sẽsasyona'liʃta] *adj/m e f* sensacionalista.
sensatez [sẽsa'teyʃ] *f* sensatez.
sensato, ta [sẽ'satʊ, ta] *adj* sensato.

sensibilidade [sẽsibili'dadʒɪ] *f* **1** sensibilidad (percepción). **2** sensibilidad (emoción, sentimiento).

sensibilização [sẽsibiliza'sãw] *f* **1** sensibilización. **2** BIOL sensibilización.

sensibilizado, da [sẽsibili'zadʊ, da] *adj* sensibilizado (emocionado).

sensibilizar [sẽsibili'zaʀ] *tr, intr e pron* **1** sensibilizar (emocionar). • *tr* **2** sensibilizar (dotar de sensibilidad).

sensitivo, va [sẽsi'tʃivʊ, va] *adj* **1** sensitivo. • *adj/m e f* **2** susceptible.

sensível [sẽ'sivew] *adj 2 gén* **1** sensible (perceptible). **2** sensible (emotivo, sentimental).

senso ['sẽsʊ] *m* **1** sentido (sensatez). **2** sentido (facultad, capacidad). ♦ **bom ~** sentido común.

sensor [sẽ'soʀ] *adj/m* sensor.

sensorial [sẽsoɾi'aw] *adj 2 gén* sensorial.

sensual [sẽsu'aw] *adj 2 gén* **1** sensual (erótico, sexual). **2** sensual (sensorial). **3** sensual (atractivo).

sensualidade [sẽsuali'dadʒɪ] *f* **1** sensualidad (erotismo, sexualidad). **2** sensualidad (voluptuosidad).

sentar [sẽ'taʀ] *tr, intr e pron* **1** sentar (tomar asiento). • *tr* **2** (coloq) lanzar (tirar). • **~-se** *pron* **3** establecerse, asentarse.

sentença [sẽ'tẽsa] *f* **1** sentencia (máxima). **2** sentencia (resolución, fallo). **3** DIR sentencia.

sentenciar [sẽtẽsi'aʀ] *tr e intr* **1** sentenciar (pronunciar sentencia). • *tr* **2** sentenciar (condenar).

sentido, da [sẽ'tʃidʊ, da] *adj* **1** sentido (susceptible). **2** sentido (percibido). • *m* **3** sentido (facultad): *os cinco sentidos = los cinco sentidos.* **4** sentido (razón, propósito). **5** sentido (rumbo). **6** sentido (significado). ♦ **~ figurado** sentido figurado. ■ **fazer ~** tener sentido.

sentimental [sẽtʃimẽ'taw] *adj 2 gén* **1** sentimental (conmovedor). • *adj/m e f* **2** sentimental (sensible).

sentimentalismo [sẽtʃimẽta'liʒmʊ] *m* **1** sentimentalismo. **2** sensiblería.

sentimento [sẽtʃi'mẽtʊ] *m* **1** sentimiento (sensación). **2** sensibilidad. **3** sentimiento (afecto). **4** sentimiento (pena, aflicción). ♦ **~ de culpa** sentimiento de culpa.

sentinela [sẽtʃi'nɛla] *f* **1** MIL centinela. **2** (fig) centinela (guardia).

sentir [sẽ'tʃiʀ] *tr* **1** sentir (percibir). **2** sentir (experimentar). **3** sentir (lamentar). **4** sentir (oír). **5** sentir (presentir). • **~-se** *pron* **6** sentirse (encontrarse): *não estou me sentindo muito bem hoje = no me siento muy bien hoy.*

separação [sepaɾa'sãw] *f* **1** separación (desunión). **2** separación (de una pareja).

separado, da [sepa'ɾadʊ, da] *adj/m e f* separado.

separador, ra [sepaɾa'doʀ, ɾa] *adj/m e f* separador.

separar [sepa'ɾaʀ] *tr e pron* **1** separar (apartar, desunir). **2** separar (pareja). • *tr* **3** separar (reservar). **4** separar (seleccionar).

separatista [sepaɾa'tʃiʃta] *adj 2 gén* separatista.

septuagenário, a [sepituaʒe'naɾyʊ, a] *adj/m e f* septuagenario.

sepulcral [sepuw'kɾaw] *adj 2 gén* **1** sepulcral. **2** (fig) sepulcral (sombrío).

sepulcro [se'puwkɾʊ] *m* **1** sepulcro (sepultura). **2** sepulcro (del altar).

sepultar [sepuw'taʀ] *tr e pron* **1** sepultar (enterrar). • *tr* **2** (fig) sepultar (esconder, ocultar). **3** (fig) sepultar (sumergir, abismar).

sepultura [sepuw'tuɾa] *f* **1** sepultura (enterramiento). **2** sepultura (hoyo, fosa).

seqüela [se'kwɛla] *f* **1** secuela (consecuencia). **2** secuela (de enfermedad).

seqüência [sekw'ẽsya] *f* **1** secuencia (serie). **2** continuación.

seqüencial [sekwẽsi'aw] *adj 2 gén* secuencial.

sequer [se'kɛʀ] *adv* siquiera (por lo menos).

seqüestrador, ra [sekweʃtɾa'doʀ, ɾa] *adj/m e f* secuestrador.

seqüestrar [sekweʃ'tɾaʀ] *tr* **1** apartar (aislar). **2** robar. **3** secuestrar (persona, transporte).

seqüestro [sekw'ɛʃtɾʊ] *m* **1** secuestro (retención). **2** DIR secuestro (bienes).

sequioso, sa [seki'ozʊ, za] *adj* **1** sediento. **2** reseco. **3** (fig) sediento (ávido).

séqüito ['sɛkwitʊ] *m* séquito.

ser ['seʀ] *m* **1** ser (esencia, naturaleza). **2** ser (ente vivo). **3** ser (existencia).

ser [ˈseʀ] *intr* **1** ser (tener cualidades, características): *o pai dela é muito rico = su padre es muy rico.* **2** ser (haber, existir): *ser ou não ser, eis a questão = ser o no ser, he aquí la cuestión.* **3** ser (costar): *quanto é meia dúzia de ovos? = ¿cuánto es media docena de huevos?* **4** estar, ser (en un lugar, situación): *seremos muitos na festa = seremos muchos en la fiesta.* **5** ser (ocurrir, acontecer): *quando foi isso? = ¿cuándo fue eso?* **6** (impersonal) ser (indica tiempo): *são três horas = son las tres.* **7** (auxiliar en la pasiva) ser: *as ordens foram dadas pelo presidente = las órdenes fueron dadas por el presidente.* ■ **isto é** es decir; **não é?** ¿verdad?, ¿no te parece?: *é um cara bonito, não é? = es un tío guapo, ¿verdad?*; **não ~ mole** (fig, coloq) no ser moco de pavo; **ou seja** o sea; **pode ~** tal vez (quizá); **qual é?** (coloq) ¿qué pasa?, ¿de qué vas?; **quando mais não fosse** aunque sólo sea por.

serão [seˈɾãw] *m* **1** trabajo nocturno. **2** horas extraordinarias.

sereia [seˈɾeya] *f* **1** sirena (ninfa marina). **2** sirena (alarma).

serenar [seɾeˈnaʀ] *tr, intr e pron* **1** serenar (tranquilizar). ● *tr e intr* **2** serenar (suavizar).

serenata [seɾeˈnata] *f* serenata (música, composición).

serenidade [seɾẽniˈdadʒɪ] *f* serenidad.

sereno, na [seˈɾẽnʊ, na] *adj* **1** sereno (despejado): *céu sereno = cielo sereno.* **2** sereno (calmoso). **3** sosegado, apacible: *vida serena = vida apacible.* ● *m* **4** sereno (vigilante nocturno).

Sergipe [seʀˈʒipɪ] *m* Sergipe (Estado brasileño).

seriado, da [seɾiˈadʊ, da] *adj* **1** seriado. ● *adj/m* **2** serial (serie).

serial [seɾiˈaw] *adj 2 gén* **1** serial. **2** seriado. **3** en serie (asesino).

seriar [seɾiˈaʀ] *tr* **1** seriar. **2** clasificar (ordenar).

série [ˈsɛɾye] *f* **1** serie. **2** colección (de sellos, monedas). **3** clase (categoría). **4** colección (de libros). **5** serie (serial). ■ **em ~** en serie.

seriedade [seɾieˈdadʒɪ] *f* **1** seriedad (gravedad). **2** seriedad (importancia).

seringa [seˈɾĩga] *f* **1** jeringa. **2** jeringuilla.

sério, a [ˈsɛɾyʊ, a] *adj* **1** serio (importante). **2** serio (cuidadoso). **3** serio (real, sincero). **4** serio (grave, sentado). ■ **levar ou tomar a ~** tomar en serio.

sermão [seʀˈmãw] *m* **1** sermón (discurso religioso). **2** sermón (amonestación).

serpeante ou **serpejante** [seʀpeˈãtʃɪ o seʀpeˈʒãtʃɪ] *adj 2 gén* serpenteante.

serpente [seʀˈpẽtʃɪ] *f* **1** serpiente. **2** (coloq) bruja (mujer vieja y fea). **3** (coloq) víbora (persona mala).

serpentina [seʀpẽˈtʃina] *f* **1** candelabro. **2** *litera de red con cortinas.* **3** serpentina (tira de papel).

serra [ˈsɛʀa] *f* **1** sierra (herramienta). **2** sierra (cordillera). ● *m* **3** pez sierra. ◆ **~ mecânica** sierra mecánica.

serração [seʀaˈsãw] *f* aserrado.

Serra Leoa [sɛʀaleˈoa] *f* Sierra Leona.

serralharia [seʀaʎaˈɾia] *f* cerrajería (oficio, tienda).

serralheiro, ra [seʀaˈʎeyɾʊ, ɾa] *m e f* cerrajero.

serrania [seʀãˈnia] *f* serranía.

serrano, na [seˈʀãnʊ, na] *adj/m e f* **1** serrano. **2** campesino.

serrar [seˈʀaʀ] *tr e intr* **1** serrar (cortar). ● *tr* **2** (fig, coloq) gorronear (tomar, coger).

serrote [seˈʀɔtʃɪ] *m* **1** serrucho. **2** serrijón.

sertão [seʀˈtãw] *m* región agreste.

servente [seʀˈvẽtʃɪ] *adj 2 gén* **1** sirviente. ● *s 2 gén* **2** sirviente (criado).

serventia [seʀvẽˈtʃia] *f* **1** servidumbre (esclavitud). **2** servicio (utilidad, provecho).

serviçal [seʀviˈsaw] *adj 2 gén* **1** servicial (obsequiador). ● *s 2 gén* **2** sirviente (criado).

serviço [seʀˈvisʊ] *m* **1** servicio (trabajo, tarea). **2** servicio (servidumbre). **3** servicio (utilidad, provecho). **4** propina. **5** servicio (cubierto). **6** servicio (retrete). **7** servicio (organización): *serviço de transportes = servicio de transportes.* ◆ **~ à la carte** servicio a la carta; **~ militar** servicio militar; **~ público** servicio público; **bons serviços** favores.

servidão [seʀviˈdãw] *f* **1** servidumbre (esclavitud). **2** (fig) servidumbre (dependencia, sujeción).

servidor, ra [seʀviˈdoʀ, ɾa] *adj/m e f* **1** servidor (sirviente). **2** servicial (diligente). ● *adj/m* **3** COMP servidor.

servil [seʀ'viw] *adj 2 gén* **1** servil. **2** (fig) servil (vil, rastrero).
servilismo [seʀvi'liʒmʊ] *m* servilismo.
sérvio, a ['sɛʀvyʊ, a] *adj/m e f* **1** serbio. • *m* **2** serbio (idioma).
servir [seʀ'viʀ] *tr e intr* **1** servir (desempeñar un puesto). **2** servir (hacer el servicio militar). **3** servir (trabajar como criado). **4** servir (ayudar). **5** servir (comida, bebida). **6** cuidar. **7** servir (valer). • *tr* **8** servir (presentar). **9** servir (valer). • *tr e pron* **10** servirse de (utilizar).
sessão [se'sãw] *f* **1** sesión (junta, reunión). **2** sesión (tiempo). **3** sesión, función (de teatro, cine).
sessenta [se'sẽta] *adj/m* sesenta.
sesta ['sɛyʃta] *f* siesta. ■ **fazer a ~** echar la siesta.
set ['sɛytʃɪ] *m* **1** TV escenario (decorado). **2** ESPORT set.
seta ['sɛta] *f* **1** saeta (flecha). **2** flecha (indicador). **3** saeta (manecilla).
sete ['sɛtʃɪ] *adj/m* siete.
setecentos, tas [sete'sẽtʊyʃ, tayʃ] *adj/m* setecientos.
setembro [se'tẽbrʊ] *m* septiembre.
setenta [se'tẽta] *adj/m* setenta.
setentrional [setẽtrio'naw] *adj 2 gén* septentrional.
sétimo, ma ['sɛtʃimʊ, ma] *adj/m e f* séptimo.
setor [se'toʀ] *m* **1** sector (zona, sección). **2** GEOM sector. ◆ **~ informal** economía sumergida; **~ público** sector público.
setorial [setori'aw] *adj 2 gén* sectorial.
seu ['sew] *pron poss* **1** (tercera persona) su, suyo: *quando ele entrou havia em seus olhos um ar triste = cuando él entró había en sus ojos un aire triste*. **2** (segunda persona) tu, tuyo: *o seu lugar é perto da sua família = tu lugar está cerca de tu familia*.
severidade [severi'dadʒɪ] *f* **1** severidad (rigurosidad). **2** severidad (intransigencia).
severo, ra [se'vɛrʊ, ra] *adj* **1** severo (riguroso, duro). **2** severo (rígido). **3** severo (grave, serio). **4** grave (importante): *estavam falando de assuntos severos = estaban hablando de asuntos graves*.
sexo ['sɛkisʊ] *m* **1** sexo (género). **2** sexo (órganos sexuales). **3** sexo (sexualidad). ◆ **~ oral** sexo oral; **o belo ~** el sexo débil.
sexta-feira [seyʃta'feyra] *f* viernes.
sexto, ta ['seyʃtʊ, ta] *adj/m e f* sexto.
sexuado, da [sekisu'adʊ, da] *adj* BIOL sexuado.
sexual [sekisu'aw] *adj 2 gén* **1** sexual. **2** sexuado.
sexualidade [sekisuali'dadʒɪ] *f* sexualidad.
sexy ['sɛkisɪ] *adj 2 gén* **1** sexy (atractivo). **2** sexy (erótico, sensual).
shopping ['ʃɔpĩ] *m* centro comercial.
si ['si] *pron* sí: *queria tudo só por si = lo quería todo para sí*. ■ **cheio de ~** creído (vanidoso); **de ~ para consigo** para sí: *disse de si para consigo que nunca mais faria isso = dijo para sí que nunca más haría eso*; **fora de ~** fuera de sí.
si ['si] *m* MÚS si.
siberiano, na [siberi'ãnʊ, na] *adj/m e f* siberiano.
sibilar [sibi'laʀ] *intr* **1** silbar (dar silbos). **2** zumbar.
sic ['siki] *adv* sic.
sideral [side'raw] *adj 2 gén* sideral.
siderurgia [sideruʀ'ʒia] *f* siderurgia.
sífilis ['sifiliʃ] *f* MED sífilis.
sigilo [si'ʒilʊ] *m* **1** sigilo (secreto). **2** sigilo (silencio). ◆ **~ profissional** sigilo o secreto profesional.
sigla ['sigla] *f* **1** sigla (letra inicial). **2** sigla (denominación).
signatário, a [sigina'taryʊ, a] *adj/m e f* signatario.
significação [siginifika'sãw] *f* **1** significación (significado). **2** significación (importancia).
significado [siginifi'kadʊ] *m* **1** significado (sentido). **2** significado (importancia).
significância [siginifi'kãsya] *f* **1** significado (sentido). **2** (fig) significación (importancia).
significante [siginifi'kãtʃɪ] *adj 2 gén* **1** significante (significativo). • *m* **2** FILOL significante.
significar [siginifi'kaʀ] *tr* **1** siginificar (querer decir). **2** significar (expresar). **3** significar (representar).
significativo, va [siginifika'tʃivʊ, va] *adj* **1** significativo (representativo). **2** significativo (relevante).
signo ['siginʊ] *m* **1** signo (señal). **2** signo (dibujo). **3** ASTR signo. ◆ **~ do zodíaco** ASTR signo del Zodíaco.

S

sílaba ['silaba] *f* sílaba. ◆ ~ **átona** sílaba átona; ~ **tônica** sílaba tónica.
silábico, ca [si'labikʊ, ka] *adj* silábico.
silenciar [silẽsi'aʀ] *tr e intr* **1** silenciar (callar, omitir). ● *tr* **2** silenciar (hacer callar). **3** (fig) matar (asesinar).
silêncio [si'lẽsyʊ] *m* **1** silencio: *o professor pediu silêncio = el profesor pidió silencio.* **2** (fig) silencio (falta de ruido).
silencioso, sa [silẽsi'ozʊ, za] *adj* **1** silencioso. ● *adj/m e f* **2** callado (taciturno).
sílex ['silɛks] *m* sílex (pedernal).
silhueta [siʎu'eta] *f* **1** silueta (dibujo). **2** silueta (forma). **3** silueta (perfil).
sílica ['silika] *f* QUÍM sílice.
silicato [sili'katʊ] *m* QUÍM silicato.
silício [si'lisyʊ] *m* QUÍM silicio.
silicioso, sa [silisi'ozʊ, za] *adj* silíceo.
silvar [siw'vaʀ] *tr e intr* **1** silbar (producir silbidos). ● *intr* **2** silbar, soplar (aire).
silvestre [siw'vɛyʃtrɪ] *adj 2 gén* silvestre (salvaje).
silvícola [siw'vikola] *adj/m e f* silvícola.
silvo ['siwvʊ] *m* silbido.
sim ['sĩ] *adv* **1** sí (afirmación): *sim, eu quero = sí, quiero.* **2** sí (enfásis): *irei, sim, ainda que perda a vida = iré, sí, aunque pierda la vida.* ● *m* **3** sí (consentimiento).
simbiose [sĩbi'ɔzɪ] *f* **1** BIOL simbiosis. **2** (fig) simbiosis (entre dos personas).
simbólico, ca [sĩ'bɔlikʊ, ka] *adj* simbólico (metafórico).
simbolismo [sĩbo'liʒmʊ] *m* **1** simbolismo (sistema de símbolos). **2** ART simbolismo.
simbolizar [sĩboli'zaʀ] *tr* simbolizar (representar).
símbolo ['sĩbolʊ] *m* **1** símbolo (alegoría). **2** símbolo (emblema). **3** símbolo (signo).
simbologia [sĩbolo'ʒia] *f* **1** simbología (estudio). **2** simbología (conjunto de símbolos).
simetria [sime'tɾia] *f* **1** simetría (proporción). **2** GEOM simetría.
simétrico, ca [si'mɛtɾikʊ, ka] *adj* simétrico.
similar [simi'laʀ] *adj 2 gén* similar (semejante).
similitude [simili'tudʒɪ] *f* similitud (semejanza).
simpatia [sĩpa'tʃia] *f* **1** simpatía (afecto). **2** simpatía (afinidad). **3** empatía.
simpático, ca [sĩ'patʃikʊ, ka] *adj* **1** simpático. **2** agradable (placible).
simpatizante [sĩpatʃi'zãtʃɪ] *adj/m e f* simpatizante.
simpatizar [sĩpatʃi'zaʀ] *tr e pron* simpatizar.
simples ['sĩplɪʃ] *adj inv* **1** simple (sencillo). **2** simple (elemental). ● *adj/m e f* **3** simple (modesto, humilde). ● *adv* **4** simplemente.
simplicidade [sĩplisi'dadʒɪ] *f* simplicidad.
simplificação [sĩplifika'sãw] *f* simplificación.
simplificar [sĩplifi'kaʀ] *tr* **1** simplificar (facilitar). **2** MAT simplificar.
simplista [sĩ'pliʃta] *adj/m e f* simplista.
simpósio [sĩ'pɔzyʊ] *m* simposio (conferencia).
simulação [simula'sãw] *f* **1** simulación (fingimiento). **2** falsedad (hipocresía). **3** simulacro (imitación).
simulacro [simu'lakɾʊ] *m* **1** simulacro (ficción, imitación). **2** simulacro (ilusión).
simular [simu'laʀ] *tr e intr* simular.
simultaneidade [simuwtãney'dadʒɪ] *f* simultaneidad.
simultâneo, a [simuw'tãnyʊ, a] *adj* simultáneo.
sinagoga [sina'gɔga] *f* sinagoga (congregación, templo).
sinal [si'naw] *m* **1** señal (signo). **2** señal (gesto, seña). **3** señal (signo). **4** señal (huella, vestigio). **5** seña (marca). **6** señal (indicio). **7** MAT signo. ◆ ~ **de acentuação** acento (tilde); ~ **de trânsito** semáforo. ■ **dar ~ de si** dar señales de vida.
sinaleiro, ra [sina'leyɾʊ, ɾa] *adj/m e f* **1** guardagujas. ● *m* **2** semáforo.
sinalização [sinaliza'sãw] *f* **1** señalización (demarcación). **2** señalización (sistema).
sinalizar [sinali'zaʀ] *tr* **1** señalizar. **2** (fig) señalar (marcar).
sinceridade [sĩseɾi'dadʒɪ] *f* sinceridad.
sincero, ra [sĩ'sɛɾʊ, ɾa] *adj* sincero.
síncope ['sĩkopɪ] *f* **1** GRAM síncopa. **2** MÚS síncopa. **3** MED síncope.
sincrético, ca [sĩ'kɾɛtʃikʊ, ka] *adj* sincrético.

sincretismo [sĩkre'tʃiʒmʊ] *m* **1** FIL, REL sincretismo. **2** SOCIOL sincretismo. **3** GRAM sincretismo.
sincretizar [sĩkretʃi'zaʀ] *tr* sincretizar.
sincronização [sĩkroniza'sãw] *f* sincronización.
sindical [sĩdʒi'kaw] *adj 2 gén* sindical.
sindicalismo [sĩdʒika'liʒmʊ] *m* sindicalismo.
sindicalista [sĩdʒika'liʃta] *adj/m e f* sindicalista.
sindicalização [sĩdʒikaliza'sãw] *f* sindicación.
sindicalizar [sĩdʒikali'zaʀ] *tr e pron* sindicar.
sindicato [sĩdʒi'katʊ] *m* sindicato.
síndrome ['sĩdromɪ] *f* MED síndrome.
sinergia [sineʀ'ʒia] *f* **1** sinergia (cooperación). **2** sinergia (de los órganos).
sineta [si'neta] *f* campanilla.
sinete [si'netʃɪ] *m* **1** cuño (troquel). **2** timbre (membrete).
sinfonia [sĩfo'nia] *f* MÚS sinfonía.
sinfônico, ca [sĩ'fõnikʊ, ka] *adj* sinfónico.
singelo, la [sĩ'ʒɛlʊ, la] *adj* **1** sencillo (simple). **2** sencillo (fácil). **3** sencillo (ingenuo).
singrar [sĩ'graʀ] *intr* MAR singlar.
singular [sĩgu'laʀ] *adj 2 gén* **1** singular (único). **2** singular (raro). **3** singular (extraordinario).
singularidade [sĩgulari'dadʒɪ] *f* **1** singularidad (unicidad). **2** singularidad (particularidad).
sinistra [si'niʃtra] *f* siniestra (izquierda).
sinistrado, da [siniʃ'tradʊ, da] *adj/m e f* siniestrado.
sinistro, tra [si'niʃtrʊ, tra] *adj* **1** siniestro (izquierdo). **2** siniestro (funesto). **3** siniestro (trágico, desgraciado).
sino ['sinʊ] *m* campana.
sinônimo, ma [si'nõnimʊ, ma] *adj/m* sinónimo.
sinóptico, ca [si'nɔpitʃikʊ, ka] *adj* **1** sinóptico. • **sinópticos** *m pl* **2** sinópticos (evangelios).
sintático, ca [sĩ'tatʃikʊ, ka] *adj* sintáctico.
sintaxe [sĩ'tazɪ] *f* **1** GRAM sintaxis. **2** armonía.
síntese ['sĩtezɪ] *f* **1** síntesis (compendio). **2** síntesis (resumen).
sintético, ca [sĩ'tɛtʃikʊ, ka] *adj* **1** sintético (resumido). **2** sintético (material, sustancia).
sintetizado, da [sĩtetʃi'zadʊ, da] *adj* **1** sintetizado (sintético). **2** sintetizado (resumido).
sintetizar [sĩtetʃi'zaʀ] *tr* **1** sintetizar (resumir). **2** (fig) sintetizar (concentrar en sí): *ela sintetiza todas as boas virtudes = ella sintetiza todas las buenas costumbres.*
sintoma [sĩ'tõma] *m* **1** MED síntoma. **2** (fig) síntoma (indicio, presagio).
sintomático, ca [sĩto'matʃikʊ, ka] *adj* sintomático.
sintomatologia [sĩtomatolo'ʒia] *f* MED sintomatología.
sintonia [sĩto'nia] *f* **1** sintonía (señal sonora). **2** (fig) sintonía (armonía).
sintonizar [sĩtoni'zaʀ] *tr e intr* **1** sintonizar (frecuencia). • *tr* **2** (fig) sintonizar (armonizar).
sinuoso, sa [sinu'ozʊ, za] *adj* sinuoso (tortuoso).
sionismo [sio'niʒmʊ] *m* sionismo.
sionista [sio'niʃta] *adj/m e f* sionista.
sirene [si'rẽnɪ] *f* sirena (alarma).
Síria ['sirya] *f* Siria.
sírio, a ['siryʊ, a] *adj/m e f* sirio.
sísmico, ca ['siʒmikʊ, ka] *adj* sísmico.
sismo ['siʒmʊ] *m* sismo (seísmo).
sistema [siʃ'tẽma] *m* **1** sistema (conjunto). **2** sistema (método, procedimiento). **3** sistema (doctrina, teoría). ♦ ~ **decimal** MAT sistema decimal; ~ **nervoso** ANAT sistema nervioso; ~ **operacional** COMP sistema operativo; ~ **solar** sistema solar. ■ **por** ~ por sistema.
sistemático, ca [siʃte'matʃikʊ, ka] *adj* sistemático.
sistematização [siʃtematʃiza'sãw] *f* sistematización.
sistematizar [siʃtematʃi'zaʀ] *tr* sistematizar.
sistêmico, ca [siʃ'tẽmikʊ, ka] *adj* **1** sistémico. **2** sistemático (metódico).
sisudo, da [si'zudʊ, da] *adj/m e f* **1** sesudo (prudente). **2** serio (circunspecto).
site ['sitʃɪ] *m* COMP sitio.
sitiar [sitʃi'aʀ] *tr* **1** sitiar (cercar). **2** (fig) abordar (a una persona).
sítio ['sitʃyʊ] *m* **1** sitio, lugar (lugar). **2** terreno. **3** hacienda, caserío. **4** casa de campo.

sito, ta ['situ, ta] *adj* **1** sito. • *m* **2** moho (hongos).

situação [situa'sãw] *f* **1** situación (posición, localización). **2** situación (coyuntura). **3** situación (condición).

situar [situ'aʀ] *tr e pron* **1** situar (colocar). • *tr* **2** situar (edificar). **3** situar (localizar). **4** señalar (determinar).

slide [ɪʃ'laydʒɪ] *m* filmina, diapositiva.

slogan [ɪʃ'logã] *m* eslogan.

só ['sɔ, 'sɔa] *adj/m e f* **1** solo (desacompañado). • *adj* **2** solo (único). • *adv* **3** sólo (solamente). ■ **a sós** a solas.

soalheiro, ra [soa'ʎeyɾu, ɾa] *adj/m e f* solanera.

soalho [so'aʎu] *m* entablado.

soar [so'aʀ] *tr e intr* **1** sonar (tocar). • *tr* **2** sonar (hacer sonar). **3** cantar (alabar). **4** resonar. **5** (fig) celebrar (enaltecer). • *intr* **6** chirriar (rechinar). **7** sonar.

sob ['sobi] *prep* **1** bajo (debajo de): *o cão escondeu-se sob a mesa = el perro se escondió bajo la mesa.* **2** bajo (con base en): *analisou a situação sob novos pontos de vista = analizó la situación bajo nuevos puntos de vista.* **3** bajo (el efecto de): *dormui sob um poderoso sonífero = se durmió bajo los efectos de un poderoso somnífero.* **4** en (en dirección a). **5** según (conforme a). **6** ante (en presencia de): *sob a resposta tão contundente você não pode recusar-se = ante una respuesta tan contundente no puedes negarte.*

sobejar [sobe'ʒaʀ] *tr e intr* sobrar (quedar).

sobejo, ja [so'beʒu, ʒa] *adj* **1** sobrante. **2** sobrado (audaz). • *m* **3** sobras (resto); sobros (Amér. Centr).

soberania [soberã'nia] *f* **1** soberanía (independencia). **2** soberanía (mando, dominio). **3** primacía (excelencia).

soberano, na [sobe'rãnu, na] *adj* **1** soberano (imperante). **2** soberano (independiente). **3** decisivo: *chance soberana = ocasión decisiva.* • *m* **4** magnate. **5** soberano (moneda).

soberba [so'beʀba] *f* soberbia (magnificencia).

soberbo, ba [so'beʀbu, ba] *adj/m e f* **1** soberbio (orgulloso). • *adj* **2** soberbio (altivo, elevado).

sobra ['sɔbɾa] *f* **1** sobra; sobros (Amér. Centr). **2** sobrante (excedente).

sobraçar [sobra'saʀ] *tr* **1** sobrazar. • **~-se** *pron* **2** andar del brazo.

sobrado, da [so'bradu, da] *adj* **1** sobrado (sobrante). • *m* **2** entarimado.

sobranceiro, ra [sobɾã'seyɾu, ɾa] *adj* **1** prominente (altivo, elevado). **2** sobresaliente.

sobrancelha [sobɾã'seʎa] *f* ceja.

sobrancelhudo, da [sobɾãse'ʎudu, da] *adj* cejudo.

sobrar [so'bɾaʀ] *tr e intr* **1** sobrar (quedar). **2** sobrar (conservar). **3** sobrar (ser suficiente): *esta cerveja sobra para matar-me a sede = esta cerveza sobra para matarme la sed.*

sobre ['sobɾɪ] *prep* **1** sobre (encima de). **2** sobre (en): *os raios do sol incidiam sobre a cara dele = los rayos del sol incidían sobre su cara.* **3** sobre (aproximadamente). **4** sobre (acerca de).

sobrecarga [sobre'kaʀga] *f* **1** sobrecarga (soga, lazo). **2** sobrecarga (exceso de carga). **3** sobrecarga (de un sello).

sobrecarregado, da [sobɾekaʀe'gadu, da] *adj* **1** sobrecargado. **2** excesivo (demasiado).

sobrecarregar [sobɾekaʀe'gaʀ] *tr* **1** sobrecargar. **2** (fig) oprimir (humillar).

sobre-humano, na [sobɾeu'mãnu, na] *adj* sobrehumano.

sobrelevar [sobɾele'vaʀ] *tr* **1** elevar (levantar, alzar). • *tr e intr* **2** sobrepujar.

sobremaneira [sobɾema'neyɾa] *adv* sobremanera.

sobremesa [sobɾe'meza] *f* postre (de la comida).

sobrenatural [sobɾenatu'ɾaw] *adj 2 gén* sobrenatural.

sobrepor [sobɾe'poʀ] *tr* **1** sobreponer (añadir). **2** sobreponer (superponer).

sobreposição [sobɾepozi'sãw] *f* **1** superposición. **2** añadido (añadidura).

sobreposto, ta [sobɾe'poyʃtu, ta] *adj* **1** sobrepuesto. • *m* **2** sobrepuesto (aplicación, postizo).

sobrescrito [sobɾeyʃ'kritu] *m* sobrescrito, destinatario (en carta).

sobressair [sobɾesa'iʀ] *tr e intr* **1** sobresalir (en tamaño). • *tr, intr e pron* **2** sobresalir (distinguirse).

sobressaltar [sobɾesaw'taʀ] *tr e pron* sobresaltar.

sobressalto [sobre'sawtʊ] *m* **1** sobresalto (respingo). **2** sobresalto (susto, sorpresa).
sobretudo [sobre'tudʊ] *m* **1** sobretodo (prenda). • *adv* **2** sobre todo (ante todo).
sobrevir [sobre'viʀ] *tr e intr* **1** sobrevenir (suceder después). • *intr* **2** sobrevenir (venir improvisamente).
sobrevivência [sobrevi'vẽsya] *f* **1** supervivencia. **2** (fig) supervivencia, continuidad (de tradiciones, costumbres).
sobrevivente [sobrevi'vẽtʃɪ] *adj/m e f* superviviente.
sobreviver [sobrevi'veʀ] *tr e intr* sobrevivir.
sobrevoar [sobrevo'aʀ] *tr e intr* sobrevolar.
sobriedade [sobrie'dadʒɪ] *f* sobriedad (moderación).
sobrinho, nha [so'brĩɲʊ, ɲa] *m e f* **1** sobrino. • *m* **2** MAR sobrejuanete.
sóbrio, a ['sɔbryʊ, a] *adj* **1** sobrio (moderado). • *adj/m e f* **2** sobrio (sereno).
sociabilidade [sosiabili'dadʒɪ] *f* **1** sociabilidad. **2** urbanidad.
sociabilizar [sosiabili'zaʀ] *tr e pron* sociabilizar.
social [sosi'aw] *adj 2 gén* **1** social: *problemas sociais = problemas sociales.* **2** social (empresarial): *capital social = capital social.*
socialismo [sosia'liʒmʊ] *m* socialismo.
socialista [sosia'liʃta] *adj/m e f* socialista.
socialização [sosializa'sãw] *f* ECON socialización.
socializar [sosiali'zaʀ] *tr* socializar (desprivatizar).
sociável [sosi'avew] *adj 2 gén* sociable.
sociedade [sosye'dadʒɪ] *f* **1** sociedad (humanidad). **2** sociedad (agrupamiento de seres). ♦ **alta ~** (coloq) alta sociedad; **~ anônima** sociedad anónima.
sócio, a ['sɔsyʊ, a] *m e f* **1** socio (amigo, compañero). **2** socio (de una empresa).
sociocultural [sɔsyʊkuwtu'raw] *adj 2 gén* sociocultural.
socioeconômico, ca [sɔsyweko'nõmikʊ, ka] *adj* socioeconómico.
sociologia [sosiolo'ʒia] *f* sociología.
sociológico, ca [sosio'lɔʒikʊ, ka] *adj* sociológico.
sociólogo, ga [sosi'ɔlogʊ, ga] *m e f* sociólogo.
soco ['sokʊ] *m* **1** puñetazo (puñada). **2** zueco (zapato).
soçobrar [soso'braʀ] *tr e intr* **1** zozobrar (naufragar). **2** (fig) zozobrar, frustrarse (asunto).
socorrer [soko'ʀeʀ] *tr* **1** socorrer (ayudar). • **~-se** *pron* **2** valerse (servirse de).
socorrismo [soko'ʀiʒmʊ] *m* socorrismo.
socorrista [soko'ʀiʃta] *adj/m e f* socorrista.
socorro [so'koʀʊ] *m* socorro (ayuda, auxilio).
soda ['sɔda] *f* **1** soda (bebida). **2** QUÍM sosa.
sódio ['sɔdʒyʊ] *m* QUÍM sodio.
sodomita [sodo'mita] *adj/m e f* sodomita.
soerguer [soeʀ'geʀ] *tr e pron* erguir (levantar).
sofá [so'fa] *m* sofá.
sofista [so'fiʃta] *adj/m e f* **1** sofista (embaucador). • *s 2 gén* **2** FIL sofista.
sofisticação [sofiʃtʃika'sãw] *f* **1** sofisticación (adulteración). **2** sofisticación (refinamiento).
sofisticado, da [sofiʃtʃi'kadʊ, da] *adj* **1** sofisticado (falsificado). **2** sofisticado (refinado).
sofisticar [sofiʃtʃi'kaʀ] *tr* **1** sofisticar (falsificar). **2** sofisticar (amanerar).
sofredor, ra [sofre'doʀ, ra] *adj/m e f* sufridor.
sôfrego, ga ['sofregʊ, ga] *adj* **1** voraz (devorador). **2** (fig) voraz (ávido).
sofreguidão [sofregi'dãw] *f* **1** voracidad (al comer). **2** (fig) voracidad (avidez).
sofrer [so'freʀ] *tr e intr* **1** sufrir (enfermedad, daño). **2** sufrir (aguantar, tolerar).
sofrido, da [so'fridʊ, da] *adj* sufrido (padecido).
sofrimento [sofri'mẽtʊ] *m* **1** sufrimiento (dolor). **2** sufrimiento (miseria, penuria).
soft ['sɔfitʃi] *m* COMP ⇒ software.
software [sɔfitʃɪw'ɛʀ] *m* COMP software.
soga ['sɔga] *f* soga (cuerda).
sogro, gra ['sogrʊ, gra] *m e f* suegro.
soja ['sɔʒa] *f* soja (planta, fruto).

sol [ˈsɔw] *m* **1** sol (luz). **2** (fig) sol (día). **3** (fig) ideal (aspiración). **Sol 4** Sol (estrella). ◆ **~ nascente** sol naciente. ■ **de ~ a ~** (fig) de sol a sol.
sola [ˈsɔla] *f* **1** suela (del calzado). **2** suela (cuero curtido). **3** (fig) suela (algo duro).
solapa [soˈlapa] *f* **1** cueva. **2** solapa (de un libro).
solapar [solaˈpaʀ] *tr* **1** excavar. **2** demoler (destruir). **3** (fig) solapar (encubrir).
solar [soˈlaʀ] *adj 2 gén* **1** solar: *luz solar = luz solar*. ● *m* **2** solar (casa solar). **3** solar (descendencia, linaje noble).
solavanco [solaˈvãkʊ] *m* **1** balanceo (vaivén). **2** zarandeo (sacudida).
soldado, da [sowˈdadʊ, da] *adj* **1** soldado. ● *m* **2** MIL soldado. ◆ **~ desconhecido** soldado desconocido.
soldadura [sowdaˈduɾa] *f* soldadura.
soldar [sowˈdaʀ] *tr* **1** soldar (unir). **2** saldar (deuda).
soldo [ˈsowdʊ] *m* sueldo (moneda antigua).
soleira [soˈleyɾa] *f* **1** solera (piedra). **2** umbral (de una puerta). **3** estribo (de carruaje).
solene [soˈlẽnɪ] *adj 2 gén* **1** solemne (pomposo). **2** solemne (importante).
solenidade [solẽniˈdadʒɪ] *f* **1** solemnidad (festividad eclesiástica). **2** solemnidad (acto, ceremonia).
soletrar [soleˈtɾaʀ] *tr e intr* silabear.
solfejo [sowˈfeʒʊ] *m* solfeo.
solicitação [solisitaˈsãw] *f* **1** solicitación (petición). **2** tentación.
solicitador, ra [solisitaˈdoʀ, ɾa] *adj/m e f* **1** ⇒ solicitante. ● *m* **2** DIR apoderado, procurador.
solicitante [solisiˈtãtʃɪ] *adj/m e f* solicitante.
solicitar [solisiˈtaʀ] *tr* **1** solicitar (procurar, buscar). **2** solicitar (rogar). ● **~-se** *pron* **3** preocuparse (inquietarse).
solícito, ta [soˈlisitʊ, ta] *adj* **1** solícito (diligente). **2** atento (amable).
solicitude [solisiˈtudʒɪ] *f* **1** solicitud (diligencia). **2** solicitud (cortesía).
solidão [soliˈdãw] *f* **1** soledad (solitud). **2** soledad (lugar desierto).
solidariedade [solidaryeˈdadʒɪ] *f* **1** solidaridad (adhesión, apoyo). **2** solidaridad (fraternidad).
solidário, a [soliˈdaɾyʊ, a] *adj* solidario.
solidarizar [solidaɾiˈzaʀ] *tr e pron* solidarizar.
solidez [soliˈdeyʃ] *f* **1** solidez (firmeza). **2** solidez (resistencia).
solidificação [solidʒifikaˈsãw] *f* solidificación.
solidificar [solidʒifiˈkaʀ] *tr, intr e pron* **1** solidificar. ● *tr e pron* **2** consolidar (dar firmeza, solidez).
sólido, da [ˈsɔlidʊ, da] *adj* **1** sólido (macizo, duro). **2** sólido (fuerte). ● *m* **3** GEOM sólido.
solista [soˈliʃta] *s 2 gén* MÚS solista.
solitário, a [soliˈtaɾyʊ, a] *adj* solitario (solo).
solo [ˈsɔlʊ] *m* **1** suelo (superficie de la tierra). **2** suelo (terreno). **3** suelo (pavimento).
solstício [sowʃˈtʃisyʊ] *m* ASTR solsticio.
solta [ˈsɔwta] *f* suelta (traba de las caballerías).
soltar [sowˈtaʀ] *tr e pron* **1** soltar (desatar, deshacer). **2** soltar (dejar caer, escapar). **3** soltar (desinhibir). ● *tr* **4** soltar, asestar (golpe).
solteirão, rona [sowteyˈɾãw, ˈɾõna] *adj/m e f* solterón.
solteiro, ra [sowˈteyɾʊ, ɾa] *adj/m e f* **1** soltero (no casado). ● *adj* **2** (fig) carente.
solto, ta [ˈsowtʊ, ta] *adj* **1** suelto (desatado). **2** suelto (holgado, flojo). **3** suelto (disgregado).
solução [soluˈsãw] *f* **1** solución (salida, recurso). **2** solución, respuesta (de examen, problema).
soluçar [soluˈsaʀ] *intr* **1** sollozar. **2** tener hipo.
solucionar [solusyoˈnaʀ] *tr* solucionar.
soluço [soˈlusʊ] *m* **1** sollozo. **2** hipo.
solúvel [soˈluvew] *adj 2 gén* soluble (disoluble).
solvente [sowˈvẽtʃɪ] *adj/m e f* solvente.
solver [sowˈveʀ] *tr* resolver, solucionar (dudas, problemas).
som [ˈsõw] *m* **1** sonido. **2** (coloq) música.
soma [ˈsõma] *f* **1** suma (cantidad). **2** (fig) suma (combinación, unión). **3** MAT suma.

somali [soma'li] *adj/m e f* somalí.
Somália [so'malya] *f* Somalia.
somar [so'maR] *tr* **1** sumar (añadir). **2** sumar (totalizar). **3** MAT sumar.
somático, ca [so'matʃiku, ka] *adj* somático.
sombra ['sõbɾa] *f* **1** sombra (oscuridad). **2** sombra (imagen oscura). **3** (fig) sombra (ignorancia). **4** (fig) sombra (señal, indicio). ■ **nem por ~** (fig, fam) ni por asomo.
sombrear [sõbɾe'aR] *tr e pron* **1** sombrear (dar sombra). **2** (fig) entristecer. • *tr* **3** oscurecer. **4** (fig) mancillar (deshonrar).
sombrio, a [sõ'bɾiu, a] *adj* **1** sombrío (sombroso). **2** sombrío (tétrico).
somiê [somi'e] *m* somier.
sonâmbulo, la [so'nãbulu, la] *adj/m e f* **1** sonámbulo. **2** (fig) autómata.
sonante [so'nãtʃɪ] *adj 2 gén* sonante (sonoro).
sonata [so'nata] *f* MÚS sonata.
sonda ['sõda] *f* **1** sonda (profundidad del mar). **2** MED sonda.
sondagem [sõ'daʒẽy] *f* **1** sondeo (medición, exploración). **2** sondeo (averiguación).
sondar [sõ'daR] *tr* **1** sondar (explorar). **2** sondar, sondear (inquirir).
sondável [sõ'davew] *adj 2 gén* sondable.
soneto [so'netu] *m* soneto.
sonhador, ra [sõɲa'doR, ɾa] *adj/m e f* soñador.
sonhar [sõ'ɲaR] *tr e intr* **1** soñar (al dormir). **2** (fig) soñar (ensoñar).
sonho ['sõɲu] *m* **1** sueño (imágenes). **2** sueño (fantasía, ensueño). **3** (fig) sueño (deseo, anhelo). ■ **em sonhos** en sueños.
sono ['sõnu] *m* **1** sueño (acto de dormir). **2** sueño (ganas de dormir). ■ **pegar no ~** conciliar el sueño; **tirar o ~ a ou de** (fig) quitar el sueño.

> No confundir ***sono*** (deseo de dormir) con ***sonho*** (lo que se sueña o anhela). En español sólo tenemos el término **sueño** para referirnos a los dos conceptos.

sonolência [sono'lẽsya] *f* **1** somnolencia (ganas de dormir). **2** somnolencia (modorra, torpeza).
sonolento, ta [sono'lẽtu, ta] *adj* **1** somnoliento, soñoliento. **2** lento (tardo, pausado).
sonoridade [sonoɾi'dadʒɪ] *f* **1** sonoridad (sonido claro, intenso). **2** FÍS sonoridad.
sonoro, ra [so'nɔɾu, ɾa] *adj* **1** sonoro: *filme sonoro = película sonora.* **2** sonoro (ruidoso): *uma sonora gargalhada = una sonora carcajada.*
sopa ['sopa] *f* **1** sopa (caldo). **2** sopa (pan). ■ **molhado como uma ~** (fig) hecho una sopa; **ser uma ~** (fig, coloq) ser pan comido.
sopé [so'pɛ] *m* sopié (somonte).
sopesar [sope'zaR] *tr* sopesar (peso).
sopor [so'poR] *m* **1** sopor (modorra). **2** olvido.
soprano [so'pɾãnu] *s 2 gén* MÚS soprano (voz, cantante).
soprar [so'pɾaR] *tr e intr* **1** soplar (viento). **2** soplar: *soprou as velas do bolo = sopló las velas del pastel.* • *tr* **3** soplar (inflar). **4** (fig) susurrar. **5** (fig) soplar (decir con disimulo): *soprou-lhe a resposta da primeira questão da prova = le sopló la respuesta de la primera pregunta del examen.* • *intr e pron* **6** jadear, resoplar.
sopro ['sopɾu] *m* **1** soplo, soplido. **2** aliento (hálito). **3** soplo (brisa). **4** (fig) soplo (momento). ■ **perder o ~** (fig) perder el sentido.
sórdido, da ['sɔRdʒidu, da] *adj* **1** sórdido (sucio). **2** sórdido (indecente, escandaloso).
sorgo ['soRgu] *m* sorgo, zahína (planta, semilla).
sorna ['sɔRna] *adj 2 gén* **1** hipócrita. **2** pesado (fastidioso). • *f* **3** sorna (lentitud). **4** sorna (indolencia, pereza). **5** (coloq) piltra, cama.
soro ['soɾu] *m* **1** suero (de la sangre). **2** suero (de la leche).
sorrateiro, ra [soRa'teyɾu, ɾa] *adj* furtivo.
sorridente [soRi'dẽtʃɪ] *adj 2 gén* sonriente, risueño.
sorrir [so'RiR] *tr, intr e pron* **1** sonreír. • *intr e pron* **2** reír (alegrarse).

sorriso [so'ʀizʊ] *m* sonrisa.
sorte ['sɔʀtʃɪ] *f* **1** suerte (destino, hado). **2** suerte (casualidad). **3** suerte (estado, condición). **4** billete de lotería. ♦ **~ grande** el premio gordo. ■ **tirar a ~** echar a suertes.
sortear [soʀtʃɪ'aʀ] *tr* **1** sortear (rifar). **2** sortear (echar a suerte).
sorteio [soʀ'teyʊ] *m* sorteo.
sortido, da [soʀ'tʃidʊ, da] *adj* surtido (provisto de).
sortilégio [soʀtʃi'lɛʒyʊ] *m* **1** sortilegio (hechizo). **2** (fig) encantos.
sorver [soʀ'veʀ] *tr* **1** sorber (beber aspirando). **2** beber (a sorbos). **3** (fig) volar (ir muy deprisa).
sorvete [soʀ'vetʃɪ] *m* helado.
soslaio [soyʃ'layʊ] *m* soslayo.
sossegado, da [sose'gadʊ, da] *adj* **1** sosegado (tranquilo). **2** indolente (perezoso).
sossegar [sose'gaʀ] *tr, intr e pron* **1** sosegar (aplacar, aquietar). **2** sosegar (tranquilizar, calmar).
sossego [so'segʊ] *m* sosiego.
sotaina [so'tayna] *f* sotana (vestidura).
sótão ['sɔtãw] *m* desván, buhardilla.
sotaque [so'takɪ] *m* acento (pronunciación, deje).
soterrar [sote'ʀaʀ] *tr e pron* **1** soterrar (enterrar). • *tr* **2** (fig) soterrar (ocultar, guardar).
soturno, na [so'tuʀnʊ, na] *adj* taciturno.
souto ['sowtʊ] *m* soto.
sova ['sɔva] *f* soba (zurra, tunda).
sovaco [so'vakʊ] *m* (coloq) sobaco.
soviete [sovi'etʃɪ] *m* soviet (gobierno).
soviético, ca [sovi'ɛtʃikʊ, ka] *adj/m e f* soviético.
sozinho, nha [sɔ'zĩŋʊ, ŋa] *adj* **1** solo (sin compañía). **2** solo (consigo mismo): *sempre falava sozinho = siempre hablaba solo.*
spin [ʃ'pĩ] *m* FÍS espín.
spray [ʃ'prey] *m* aerosol, spray (líquido, recipiente).
Sri Lanka ['siri 'lãka] *m* Sri Lanka.
staff [iʃ'tafi] *m* staff.
standard [iʃtã'daʀ] *adj 2 gén* **1** estándar (normal, usual). • *m* **2** estándar (patrón, modelo).
status [iʃ'tatuʃ] *m* status, estatus (condición social).
stop [iʃ'tɔp] *m* **1** parada, interrupción. **2** parada (lugar).
striptease [iʃtripi'tʃɪzɪ] *m* striptease, estriptis.
sua ['sua] *pron poss* **1** su, suya (de tercera persona): *vi sua namorada beijando um loiro = vi a su novia besando a un rubio.* **2** tu, tuya (de segunda persona): *vi sua moto na frente do motel = he visto tu moto frente al motel.* ■ **levar a ~ avante** (fig, fam) salirse alguien con la suya.
suado, da [su'adʊ, da] *adj* sudado (empapado).
suar [su'aʀ] *tr e intr* sudar (transpirar).
suástica [su'ayʃtʃika] *f* esvástica.
suave [su'avɪ] *adj 2 gén* **1** suave (liso, llano). **2** suave (blando).
suavidade [suavi'dadʒɪ] *f* **1** suavidad (delicadeza, dulzura). **2** suavidad (docilidad).
suavizador, ra [suaviza'doʀ, ra] *adj/m* suavizante.
suavizar [suavi'zaʀ] *tr e pron* **1** suavizar. **2** mitigar.
suazi [sua'zi] *adj/m e f* suazi.
Suazilândia [suazi'lãdʒya] *f* Suazilandia.
subalimentação [subialimẽta'sãw] *f* subalimentación.
subalterno, na [subaw'tɛʀnʊ, na] *adj/m e f* subalterno (subordinado).
subaquático, ca [subia'kwatʃikʊ, ka] *adj* subacuático.
subastação [subayʃta'sãw] *f* DIR subasta (venta pública).
subastar [subayʃ'taʀ] *tr* subastar.
subcategoria [subikatego'ria] *f* subcategoría.
subconsciente [subikõsi'ẽtʃɪ] *adj 2 gén* **1** subconsciente (subliminal). • *m* **2** PSIC subconsciente.
subcontratação [subikõtrata'sãw] *f* subcontratación.
subcutâneo, a [subiku'tãnyʊ, a] *adj* ANAT subcutáneo.
subdesenvolvido, da [subidezẽvow'vidʊ, da] *adj/m e f* subdesarrollado.
subdesenvolvimento [subidezẽvowvi'mẽtʊ] *m* **1** subdesarrollo. **2** (coloq) miseria (pobreza).
subdiretor, ra [subidʒire'toʀ, ra] *m e f* subdirector.

subdividir [subidʒivi'dʒiʀ] *tr e pron* **1** subdividir. **2** fraccionar.
subdivisão [subidʒivi'zãw] *f* subdivisión.
subentender [subiẽtẽ'deʀ] *tr* sobrentender.
subestimar [subieyʃtʃi'maʀ] *tr* subestimar.
subida [su'bida] *f* **1** subida (ascenso). **2** subida (cuesta, pendiente).
subir [su'biʀ] *tr* **1** subir (elevar, erguir). • *tr e intr* **2** subir, ascender.
súbito, ta ['subitʊ, ta] *adj* **1** súbito (improvisto, repentino). • *adv* **2** súbito.
subjacente [subiʒa'sẽtʃɪ] *adj 2 gén* **1** subyacente. **2** (fig) subyacente (oculto).
subjetividade [subiʒetʃivi'dadʒɪ] *f* subjetividad.
subjetivo, va [subiʒe'tʃivʊ, va] *adj* **1** subjetivo (personal). **2** (pej) egocéntrico.
subjugar [subiʒu'gaʀ] *tr* **1** subyugar (someter, dominar). • *tr e pron* **2** contener (reprimir).
sublevação [subileva'sãw] *f* sublevación (rebelión).
sublevar [subile'vaʀ] *tr* **1** elevar (alzar, levantar). • *tr e pron* **2** (fig) sublevar (rebelar, amotinar).
sublimação [sublima'sãw] *f* sublimación (exaltación).
sublimar [subli'maʀ] *tr* **1** purificar. • *tr e pron* **2** sublimar (engrandecer, exaltar).
sublime [su'blimɪ] *adj 2 gén* sublime (excelso, eminente).
sublinhar [sublĩ'ŋaʀ] *tr* **1** subrayar (rayar). **2** subrayar, recalcar (palabra).
submarinista [subimaɾi'niʃta] *s 2 gén* submarinista.
submarino, na [subima'ɾinʊ, na] *adj* submarino.
submergir [subimeʀ'ʒiʀ] *tr, intr e pron* **1** sumergir (hundir). • *tr* **2** (fig) sumergirse (abstraerse, concentrarse).
submerso, sa [subi'mɛʀsʊ, sa] *adj* **1** sumergido (hundido). **2** (fig) sumergido (oculto, perdido).
submeter [subime'teʀ] *tr* **1** someter (subyugar, dominar). • *tr e pron* **2** someter (exponer, consultar).
submissão [subimi'sãw] *f* **1** sumisión (subordinación). **2** sumisión (obediencia, docilidad).
submisso, ssa [subi'misʊ, sa] *adj* sumiso (subyugado).
subordinação [suboʀdʒina'sãw] *f* **1** subordinación (sujeción, sometimento). **2** obediencia, disciplina.
subordinado, da [suboʀdʒi'nadʊ, da] *adj/m e f* **1** subordinado (subalterno). • *adj* **2** GRAM subordinado.
subordinar [suboʀdʒi'naʀ] *tr e pron* **1** subordinar (sujetar, depender). **2** GRAM subordinar.
suborno [su'boʀnʊ] *m* soborno.
sub-rogar [subiʀo'gaʀ] *tr e pron* **1** sustituir. • *tr* **2** DIR subrogar.
subsaariano, na [subisaaɾi'ãnʊ, na] *adj/m e f* subsahariano.
subscrever [subiʃkɾe'veʀ] *tr* **1** suscribir (convenir, aprobar): *subscrevo as suas palavras = suscribo sus palabras.* **2** suscribirse, abonarse (a una publicación).
subscrição [subiʃkɾi'sãw] *f* **1** suscripción (firma). **2** suscripción, abono (a una publicación).
subscrito, ta [subiʃ'kɾitʊ, ta] *adj/m* suscrito, firmado (documento).
subscritor, ra [subiʃkɾi'toʀ, ɾa] *adj/m e f* **1** suscriptor (firmante). • *adj/m* **2** suscriptor (a una publicación).
subsecretário, a [subisekɾe'taɾyʊ, a] *m e f* subsecretario (de un ministro).
subseqüente [subise'kwẽtʃɪ] *adj 2 gén* subsiguiente.
subsidência [subisi'dẽsya] *f* GEOL subsidencia.
subsidiar [subisidʒi'aʀ] *tr* **1** subvencionar. **2** subsidiar.
subsidiário, a [subisidʒi'aɾyʊ, a] *adj* subsidiario (auxiliador).
subsídio [subi'sidʒyʊ] *m* **1** subsidio (ayuda económica). **2** subvención.
subsistema [subisiʃ'tẽma] *m* subsistema.
subsistência [subisiʃ'tẽsya] *f* **1** subsistencia (vida, permanencia). **2** subsistencia (sustento).
subsistir [subisiʃ'tʃiʀ] *intr* subsistir (permanecer, durar).
subsolo [subi'sɔlʊ] *m* **1** subsuelo (terreno). **2** sótano (de un edificio).
substância [subiʃ'tãsya] *f* **1** sustancia (materia). **2** sustancia, esencia (de una persona).

S

substancial [subiʃtãsi'aw] *adj 2 gén* sustancial (cuantioso, considerable).
substantivo, va [subiʃtã'tʃivʊ, va] *adj* **1** sustantivo (real). • *m* **2** GRAM sustantivo. ♦ ~ **abstrato** nombre abstracto; ~ **comum** GRAM nombre común.
substituição [subiʃtʃitui'sãw] *f* sustitución.
substituir [subiʃtʃitu'iR] *tr* sustituir.
substituto, ta [subiʃtʃi'tutʊ, ta] *adj/m e f* sustituto (persona).
substrato [subiʃ'tratʊ] *m* sustrato (origen, raíz).
subterfúgio [subiteR'fuʒyʊ] *m* **1** subterfugio (evasiva). **2** estratagema (engaño).
subterrâneo, a [subite'Rãnyʊ, a] *adj* **1** subterráneo (bajo tierra). **2** clandestino.
subtítulo [subi'tʃitulʊ] *m* subtítulo.

> Para referirse a los **subtítulos** empleados en las películas, en portugués se utiliza la palabra ***legenda*** no ***subtítulo***.

subtração [subitra'sãw] *f* **1** sustracción (hurto). **2** sustracción (resta).
subtrair [subitra'iR] *tr* **1** sustraer (separar, extraer). **2** sustraer (hurtar).
subtropical [subitropi'kaw] *adj 2 gén* subtropical.
suburbano, na [subuR'bãnʊ, na] *adj* **1** suburbano. • *adj/m e f* **2** suburbano (habitante).
subúrbio [su'buRbyʊ] *m* suburbio.
subvenção [subivẽ'sãw] *f* subvención.
subversão [subiveR'sãw] *f* **1** subversión (destrucción, transtorno). **2** corrupción (depravación).
subversivo, va [subiveR'sivʊ, va] *adj/m e f* **1** subversivo. **2** (pej) agitador.
subverter [subiveR'teR] *tr e pron* **1** devastar, asolar. • *tr* **2** subvertir (trastornar, perturbar).
sucata [su'kata] *f* **1** chatarra (de hierro). **2** chatarra (viejo, inservible).
sucateiro, ra [suka'teyrʊ, ra] *adj/m e f* chatarrero.
sucedâneo, a [suse'dãnyʊ, a] *adj/m* sucedáneo.
suceder [suse'deR] *tr e pron* suceder (sustituir).
sucedido, da [suse'dʒidʊ, da] *adj/m* sucedido (ocurrido).
sucessão [suse'sãw] *f* **1** sucesión (secuencia). **2** sucesión (continuación). **3** sucesión (herencia). **4** sucesión (descendencia).
sucessivo, va [suse'sivʊ, va] *adj* **1** sucesivo. **2** hereditario.
sucesso [su'sɛsʊ] *m* **1** suceso (hecho). **2** resultado (de un negocio, emprendimiento). **3** éxito (triunfo).
sucessor, ra [suse'soR, ra] *adj/m e f* **1** sucesor (sustituto). **2** sucesor (heredero).
sucessório, a [suse'sɔryʊ, a] *adj* sucesorio.
sucinto, ta [su'sĩtʊ, ta] *adj* sucinto (breve).
suco ['sukʊ] *m* **1** jugo (animal, vegetal). **2** zumo (de frutas).
sucre ['sukrɪ] *m* sucre (moneda).
suculento, ta [suku'lẽtʊ, ta] *adj* **1** suculento (jugoso). **2** suculento (sabroso).
sucumbir [sukũ'biR] *tr e intr* **1** sucumbir (ceder, entregarse). • *intr* **2** abolir, suprimir.
sucursal [sukuR'saw] *f* sucursal.
sudanês, sa [sudã'neyʃ, za] *adj/m e f* **1** sudanés. • *m* **2** sudanés (lengua).
Sudão [su'dãw] *m* Sudán.
sudário [su'daryʊ] *m* sudario.
súdito, ta ['sudʒitʊ, ta] *adj/m e f* **1** súbdito (vasallo). **2** súbdito (de un país).
sudoeste [sudo'ɛyʃtʃɪ] *m* **1** Sudoeste (punto cardinal). • *adj/m* **2** sudoeste (viento).
sudorífico, ca [sudo'rifikʊ, ka] *adj/m e f* sudorífico.
Suécia [su'ɛsya] *f* Suecia.
sueco, ca [su'ɛkʊ, ka] *adj/m e f* **1** sueco. • *m* **2** sueco (lengua).
sueste [su'ɛyʃtʃɪ] *m* **1** Sueste, Sudeste (punto cardinal). • *adj/m* **2** sudeste (viento).
suéter [su'ɛteR] *s 2 gén* suéter.
suficiente [sufisi'ẽtʃɪ] *adj/m* **1** suficiente (bastante). • *adj 2 gén* **2** suficiente (capaz). **3** suficiente (presuntuoso).
sufixo [su'fikisʊ] *m* GRAM sufijo.
sufocação [sufoka'sãw] *f* **1** sofocación (ahogo). **2** asfixia: *morte por sufocação = muerte por asfixia.*
sufocante [sufo'kãtʃɪ] *adj 2 gén* **1** sofocante (asfixiante). **2** sofocante (caluroso, bochornoso).

sufocar [sufo'kaR] *tr, intr e pron* **1** sofocar (asfixiar). **2** asfixiar (matar).
sufoco [su'fokʊ] *m* **1** sofoco (ahogamiento). **2** (coloq) ahogo (aprieto, dificultad).
sufragar [sufra'gaR] *tr* votar a, elegir; sufragar (Amér).
sufrágio [su'fraʒyʊ] *m* sufragio (votación, voto).
sugar [su'gaR] *tr* **1** chupar (sorber). **2** chupar (succionar).
sugerir [suʒe'riR] *tr* **1** sugerir (insinuar, proponer). **2** sugerir (asociar, relacionar).
sugestão [suʒeyʃ'tãw] *f* **1** sugestión (sugerencia). **2** sugestión (instigación, influencia).
sugestivo, va [suʒeyʃ'tʃivʊ, va] *adj* **1** sugestivo (evocativo). **2** sugestivo (seductor).
Suíça [su'isa] *f* Suiza.
suicida [sui'sida] *adj/m e f* suicida.
suicidar-se [suisi'daRsɪ] *pron* **1** suicidarse (matarse). **2** (fig) desgraciarse, arruinarse.
suicídio [sui'sidʒyʊ] *m* **1** suicidio. **2** (fig) desgracia, ruina.
suíço, ça [su'isʊ, sa] *adj/m e f* suizo.
suíno, na [su'inʊ, na] *adj* **1** porcino. • *m e f* **2** cerdo, puerco.
suíte [su'itʃɪ] *f* **1** suite (de hotel). **2** dormitorio con baño.
sujar [su'ʒaR] *tr e pron* **1** ensuciar (manchar, contaminar). • *intr e pron* **2** ensuciarse (defecar).
sujeição [suʒey'sãw] *f* **1** sujeción. **2** sumisión (vasallaje).
sujeitar [suʒey'taR] *tr* **1** sujetar (dominar, someter). **2** sujetar (contener, prender).
sujeito, ta [su'ʒeytʊ, ta] *adj* **1** sujeto (preso, amarrado). **2** sujeto (expuesto). • *m* **3** sujeto (persona). **4** (pej) sujeto (elemento). **5** GRAM sujeto.
sujo, ja ['suʒʊ, ʒa] *adj* **1** sucio (manchado). **2** sucio (turbio). **3** (fig) sucio (impuro, imperfecto). **4** (fig) sucio (grosero, obsceno). **5** (fig) mal hecho (chapucero). • *m e f* **6** sucio (desaseado).
sul ['suw] *m* **1** Sur (punto cardinal). • *adj/m* **2** sur (viento).
sul-africano, na [suwafri'kãnʊ, na] *adj/m e f* sudafricano.
sul-americano, na [suwameri'kãnʊ, na] *adj/m e f* sudamericano.
sulcar [suw'kaR] *tr* **1** surcar (hacer surcos). • *tr e pron* **2** surcar (arrugar).
sulco ['suwkʊ] *m* **1** surco (hendidura). **2** surco (arruga).
sul-coreano, na [suwkore'ãnʊ, na] *adj/m e f* surcoreano.
sulfato [suw'fatʊ] *m* QUÍM sulfato.
sulfúrico, ca [suw'furikʊ, ka] *adj/m* QUÍM sulfúrico.
sulfuroso, sa [suwfu'rozʊ, za] *adj* **1** sulforoso (sulfúreo). • *adj/m* **2** QUÍM sulforoso (ácido).
sultão [suw'tãw] *m* **1** sultán (emperador turco). **2** sultán (príncipe mahometano). **3** (fig) señor absoluto.
sumário, a [su'maryʊ, a] *adj* **1** sumario (breve, sucinto). **2** DIR sumario (proceso).
sumir [su'miR] *intr e pron* **1** desaparecer (consumirse). • *tr, intr e pron* **2** desaparecer (ocultarse). • *intr* **3** desaparecer (perderse).
sumo, ma ['sumʊ, ma] *adj* **1** sumo (supremo, máximo). • *m* **2** jugo, zumo.
suntuosidade [sũtuozi'dadʒɪ] *f* **1** suntuosidad (prodigalidad). **2** suntuosidad (riqueza).
suntuoso, sa [sũtu'ozʊ, za] *adj* **1** suntuoso (dispendioso). **2** suntuoso (lujoso).
suor [su'ɔR] *m* sudor (transpiración).
superabundante [superabũ'dãtʃɪ] *adj 2 gén* superabundante.
superação [supera'sãw] *f* superación.
superar [supe'raR] *tr* **1** superar (vencer). **2** superar (sobrepasar).
superavit [supe'ravitʃɪ] *m* ECON superávit.
superficial [supeRfisi'aw] *adj 2 gén* superficial (poco profundo).
superfície [supeR'fisye] *f* **1** superficie (parte externa). **2** superficie (terreno).
supérfluo, flua [su'pɛRflwʊ, flwa] *adj/m* superfluo.
super-homem [supe'rõmẽy] *m* superhombre.
superior [superi'oR] *adj 2 gén* **1** superior (preeminente). **2** superior (por encima de). **3** superior (excelente). **4** superior (enseñanza). • *adj/m* **5** superior (de autoridad, graduación).
superioridade [superiori'dadʒɪ] *f* superioridad.

superlativo, va [supeʀla'tʃivʊ, va] *adj* **1** superlativo (supremo). • *m* **2** GRAM superlativo.
superlotar [supeʀlo'taʀ] *tr* **1** sobrecargar. **2** abarrotar.
supermercado [supeʀmeʀ'kadʊ] *m* supermercado.
superposto, ta [supeʀ'poyʃtʊ, ta] *adj* superpuesto.
superpotência [supeʀpo'tẽsya] *f* superpotencia.
superprodução [supeʀpɾodu'sãw] *f* **1** superproducción (exceso de producción). **2** CINE superproducción (obra).
superstição [supeʀtʃi'sãw] *f* superstición (creencia).
supersticioso, sa [supeʀtʃisi'ozʊ, za] *adj/m e f* supersticioso.
supervisão [supeʀvi'zãw] *f* supervisión.
supervisionar [supeʀvizio'naʀ] *tr* supervisar.
supervisor, ra [supeʀvi'zoʀ, ɾa] *adj/m e f* supervisor.
supimpa [su'pĩpa] *adj 2 gén* (fam) genial.
suplantar [suplã'taʀ] *tr* **1** pisar. • *tr e pron* **2** superar (sobrepasar).
suplementar [suplemẽ'taʀ] *adj 2 gén* suplementario.
suplemento [suple'mẽtʊ] *m* **1** suplemento (complemento). **2** suplemento (de un periódico).
suplente [su'plẽtʃɪ] *adj/m e f* suplente (sustituto).
supletivo, va [suple'tʃivʊ, va] *adj* supletorio.
súplica ['suplika] *f* **1** súplica (petición, ruego). **2** súplica (escrito, memorial).
suplicante [supli'kãtʃɪ] *adj/m e f* suplicante.
suplicar [supli'kaʀ] *tr* suplicar (implorar).
suplício [su'plisyʊ] *m* **1** suplicio (tortura). **2** último suplicio (pena de muerte).
supor [su'poʀ] *tr* **1** suponer (conjeturar). **2** suponer (presuponer). • *tr e pron* **3** suponer (considerar, creer).
suportar [supoʀ'taʀ] *tr* **1** soportar (resistir, aguantar). **2** soportar (cargar).
suportável [supoʀ'tavew] *adj 2 gén* soportable.
suporte [su'pɔʀtʃɪ] *m* **1** soporte (sustento, sostén). **2** soporte (refuerzo, apoyo).
suposição [supozi'sãw] *f* **1** suposición (conjetura). **2** suposición (hipótesis).
suposto, ta [su'poyʃtʊ, ta] *adj* **1** supuesto (hipotético). **2** supuesto (falso). • *m* **3** supuesto (hipótesis, suposición).
supranacional [supɾanasyo'naw] *adj 2 gén* supranacional.
supremacia [supɾema'sia] *f* supremacía.
supremo, ma [su'pɾẽmʊ, ma] *adj* **1** supremo (superior). **2** supremo (divino). **3** supremo (extraordinario, extremo).
supressão [supɾe'sãw] *f* **1** supresión (eliminación). **2** ejecución (asesinato).
suprimento [supɾi'mẽtʊ] *m* **1** suplemento (adición). **2** préstamo. **3** anexo (en documento).
suprimido, da [supɾi'midʊ, da] *adj* **1** suprimido (eliminado). **2** suprimido (censurado, silenciado).
suprimir [supɾi'miʀ] *tr* **1** suprimir (eliminar). **2** suprimir (retirar).
suprir [su'pɾiʀ] *tr* **1** suplir (sustituir). **2** suplir (completar).
surdez [suʀ'deyʃ] *f* sordera.
surdina [suʀ'dʒina] *f* MÚS sordina.
surdo, da ['suʀdʊ, da] *adj/m e f* **1** sordo. • *adj* **2** sordo (poco audible).
surdo-mudo, da [suʀdʊ'mudʊ, da] *adj/m e f* sordomudo.
surfe ['suʀfɪ] *m* surf.
surfista [suʀ'fiʃta] *s 2 gén* surfista.
surgimento [suʀʒi'mẽtʊ] *m* surgimiento.
surgir [suʀ'ʒiʀ] *tr e intr* **1** surgir (emerger). • *tr* **2** resurgir (despertar). • *intr* **3** surgir (suceder, ocurrir).
Suriname [suɾi'nãmɪ] *m* Surinam.
surinamês, sa [suɾinã'meyʃ, za] *adj/m e f* surinamés.
surpreendente [suʀpɾeẽ'dẽtʃɪ] *adj 2 gén* **1** sorprendente (inesperado). **2** sorprendente (admirable).
surpreender [supɾeẽ'deʀ] *tr* **1** sorprender (coger en flagrante). **2** sorprender (dar una sorpresa). **3** sorprender (descubrir).
surpreendido, da [suʀpɾeẽ'dʒidʊ, da] *adj* **1** sorprendido (desprevenido). **2** sorprendido (admirado).
surpreendedor, ra [suʀpɾeẽde'doʀ, ɾa] *adj/m e f* sorprendedor.

surpresa [suʀ'preza] *f* **1** sorpresa (imprevisto). **2** sorpresa (regalo).
surpreso, sa [suʀ'prezʊ, za] *adj* sorprendido (desconcertado).
surra ['suʀa] *f* (coloq) zurra, paliza.
surrealismo [suʀea'liʒmʊ] *m* surrealismo.
surrealista [suʀea'liʃta] *adj/m e f* surrealista.
surtir [suʀ'tʃiʀ] *tr* surtir, resultar.
surto, ta ['suʀtʊ, ta] *m* **1** impulso (arranque). **2** arrebato, acceso (arrebatamiento). **3** brote (de enfermedad).
suscetibilidade [susetʃibili'dadʒɪ] *f* susceptibilidad.
suscetibilizar [susetʃibili'zaʀ] *tr e pron* ofender (por nimiedades).
suscetível [suse'tʃivew] *adj 2 gén* **1** susceptible (sensible). **2** susceptible (propenso).
suscitar [susi'taʀ] *tr* **1** suscitar (originar, crear). **2** suscitar (sugerir). **3** suscitar (motivar).
suspeição [suʃpey'sãw] *f* sospecha, desconfianza.
suspeita [suʃ'peyta] *f* **1** sospecha (desconfianza). **2** sospecha (presentimiento).
suspeitar [suʃpey'taʀ] *tr* **1** sospechar (presentir). **2** sospechar (desconfiar).
suspeito, ta [suʃ'peytʊ, ta] *adj* **1** sospechoso (inquietante). **2** sospechoso (dudoso).
suspender [suʃ'pẽdeʀ] *tr e pron* **1** suspender (colgar). **2** suspender (levantar, izar). • *tr* **3** suspender (prohibir).

> **Suspender** un examen o una prueba en portugués se dice ***reprovar***.

suspensão [suʃpẽ'sãw] *f* **1** suspensión (cancelación, aplazamiento). **2** suspensión (castigo disciplinar). **3** suspensión (pausa, interrupción).
suspense [suʃ'pẽsɪ] *m* suspense.
suspenso, sa [suʃ'pẽsʊ, sa] *adj* **1** suspenso (colgado). **2** suspenso (interrumpido). **3** suspenso (aplazado, cancelado).
suspirar [suʃpi'ɾaʀ] *intr* **1** suspirar. • *tr* **2** (fig) suspirar (sentir nostalgia). **3** (fig) suspirar (desear).
suspiro [suʃ'piɾʊ] *m* **1** suspiro (espiración). **2** (fig) deseo, ansia. **3** (fig) nostalgia. ♦ **último ~** último suspiro.
sussurrar [susu'ʀaʀ] *intr* **1** susurrar (murmurar). • *tr* **2** susurrar (cuchichear).
sussurro [su'suʀʊ] *m* **1** susurro (murmullo, cuchicheo). **2** susurro (zumbido, rumor).
sustentação [suʃtẽta'sãw] *f* **1** sustentación (manutención). **2** sustentación (sustentáculo).
sustentar [suʃtẽ'taʀ] *tr e pron* **1** sustentar (apoyar, aguantar). **2** sustentar (alimentar, mantener). • *tr* **3** sustentar (sostener, afirmar).
sustentável [suʃtẽ'tavew] *adj 2 gén* sustentable.
sustento [suʃ'tẽtʊ] *m* **1** sustento (alimento). **2** sustento (sostén, apoyo).
suster [suʃ'teʀ] *tr e pron* **1** sostener (afirmar). • *tr* **2** sostener (mantener, conservar). **3** sostener (sustentar, alimentar).
susto ['suʃtʊ] *m* **1** susto (sobresalto). **2** (fig) susto (miedo, inquietación).
sutiã [sutʃi'ã] *m* sujetador, sostén (prenda).
sutil [su'tʃiw] *adj 2 gén* **1** sutil (delicado, fino). **2** sutil (leve).
sutileza [sutʃi'leza] *f* **1** sutileza (finura, tenuidad). **2** sutileza (perspicacia, inteligencia).

Tt

t, T [ˈte] *m* t, T (letra).
tá! [ˈta] *interj* **1** ¡ya! (basta). **2** (coloq) ¡vale! (está bien).
tabacaria [tabakaˈɾia] *f* estanco, tabaquería.
tabaco [taˈbakʊ] *m* **1** tabaco (planta, hoja). **2** tabaco (cigarrillo, puro).
tabagismo [tabaˈʒiʒmʊ] *m* MED tabaquismo.
tabaqueiro, ra [tabaˈkeyɾʊ, ɾa] *adj* **1** tabaquero. • *adj/m e f* **2** fumador. • *m e f* **3** tabaquero, tabacalero (cigarrero). • *m* **4** tabaquera (petaca, pitillera).
tabela [taˈbɛla] *f* **1** tabla (cuadro). **2** tabla (índice). **3** tabla (catálogo, lista). **4** tablero (ábaco).
tabelar [tabeˈlaʀ] *tr* tabular, listar.
tabelião [tabeliˈãw] *adj* **1** notarial. • *m* **2** DIR notario.
taberna [taˈbɛʀna] *f* restaurante barato y cutre.
taberneiro, ra [tabeʀˈneyɾʊ, ɾa] *adj* **1** tabernario. • *m e f* **2** tabernero.
tabique [taˈbikɪ] *m* tabique (pared).
tablado [taˈbladʊ, da] *m* **1** tablado (escenario, palco). **2** tablado (suelo).
tabu [taˈbʊ] *m* **1** tabú (prohibición). **2** tabú (no mención).
tábua [ˈtabwa] *f* **1** tabla (listón, plancha). **2** tabla (pieza plana). **3** tabla (índice, catálogo). **4** (coloq) engaño, fraude. ◆ ~ **rasa** tabla rasa; ~ **de salvação** (fig) tabla de salvación.
tabuleiro [tabuˈleyɾʊ] *m* **1** tablero (de juego). **2** tablero (superficie de la mesa).
tabuleta [tabuˈleta] *f* **1** tableta (tablilla). **2** tablero (de anuncios).
taça [ˈtasa] *f* **1** copa (vaso). **2** copa (trofeo).

> No confundir el término ***taça*** con el español **taza**, que es ***xícara*** en portugués.

tacanharia [takãŋaˈɾia] *f* tacañería.
tacha [ˈtaʃa] *f* **1** tachón (mancha). **2** chincheta. **3** (fig) tacha (defecto, mácula).
tacho [ˈtaʃʊ] *m* olla.
tácito, ta [ˈtasitʊ, ta] *adj* **1** tácito (callado, silencioso). **2** tácito (sobrentendido).
taciturno, na [tasiˈtuʀnʊ, na] *adj* **1** taciturno (callado). **2** malhumorado.
taco [ˈtakʊ] *m* **1** taco (de billar). **2** taco (para tornillos). **3** taco (tarugo). **4** taco (para pisos).
Tadjiquistão [tadʒiʒikiʃˈtãw] *m* Tadjistán.
tafetá [tafeˈta] *m* tafetán (tejido).
tagarelar [tagaɾeˈlaʀ] *tr e intr* **1** parlotear, cotorrear. **2** cotillear (chismorrear).
tagarelice [tagaɾeˈlisɪ] *f* **1** parloteo, cotorreo. **2** palique (charla); talla (Arg, Chile); taba (Méx).
tai [ˈtay] *adj/m e f* **1** tai. • *m* **2** tai (lengua).
tailandês, sa [taylãˈdeyʃ, za] *adj/m e f* **1** tailandés. • *m* **2** tai (lengua).
Tailândia [tayˈlãdʒya] *f* Tailandia.
tal [ˈtaw] *pron dem* **1** tal. **2** (pej) tal: *cadê o tal livro? = ¿dónde está el tal libro?* **3** tal (semejante): *não se deve nem pensar em tal coisa = tal cosa no debe ni pensarse.* • *pron* **4** tal, algún (indefinido): *tal haverá que pense desse jeito = alguno habrá que piense de esa manera.* ■ ~ **como** tal y como; ~ **ou** ~ tal o tal; ~ **qual** tal cual.
talar [taˈlaʀ] *adj 2 gén* **1** talar. • *m* **2** talar (traje, vestimenta).
talento [taˈlẽtʊ] *m* **1** talento (intelecto notable). **2** talento (aptitud, capacidad).
talentoso, sa [talẽˈtozʊ, za] *adj* talentoso.
talha [ˈtaʎa] *f* **1** tajo (corte). **2** astilla.
talhado, da [taˈʎadʊ, da] *adj* **1** tajado (cortado). **2** acantilado. **3** apropiado (adecuado). **4** entallado (ropa).
talhar [taˈʎaʀ] *tr* **1** tajar (cortar). **2** tallar (esculpir). **3** surcar (hender): *surcar o*

mar = surcar el mar. **4** podar (desbastar). • *tr e pron* **5** rajar (cuartear). • *tr e intr* **6** hacer a medida (ropa, calzado). • *intr e pron* **7** cortarse (cuajarse). • **~-se** *pron* **8** rajarse (abrirse).

talhe [ˈtaʎɪ] *m* **1** talla (tamaño, porte). **2** torso.

talher [taˈʎɛʀ] *m* **1** cubierto (juego, utensilio). **2** comensal.

talho [ˈtaʎʊ] *m* **1** tajo (corte). **2** corte (de carne). **3** carnicería (establecimiento). **4** hechura (forma).

talismã [taliˈʒmã] *m* talismán (amuleto).

talo [ˈtalʊ] *m* tallo (de planta).

talude [taˈludʒɪ] *m* talud (rampa, escarpa).

talvez [tawˈveyʃ] *adv* tal vez (acaso, quizá).

tamanco [taˈmãkʊ] *m* zueco.

tamanho, nha [taˈmãɲʊ, ɲa] *adj* **1** tamaño (tan gran). • *m* **2** tamaño (volumen, extensión). **3** tamaño (estatura). **4** talla (de ropa, calzado).

tamanho-família [tamãɲʊfaˈmilya] *adj 2 gén* tamaño familiar.

tâmara [ˈtãmaɾa] *f* dátil.

também [tãˈbẽy] *adv* **1** también (de la misma forma): *eu também estou cansada como você = yo también estoy cansada como tú*. **2** también (incluso): *perdooulhe e também lhe rogou que ficasse = lo perdonó y también le rogó que se quedara*. **3** por otro lado, también: *o castigo foi muito severo mas, também merecia = el castigo fue muy severo, pero por otro lado lo merecía*.

tambor [tãˈboʀ] *m* **1** MÚS tambor. **2** MÚS tambor (músico). **3** tambor (pieza cilíndica). **4** tambor (de revólver).

tamborete [tãboˈɾetʃɪ] *m* taburete.

tampa [ˈtãpa] *f* **1** tapa (tapadera). **2** lápida.

tampado, da [tãˈpadʊ, da] *adj* tapado.

tampão [tãˈpãw] *m* **1** tapa, tapón. **2** tampón (para la regla).

tampo [ˈtãpʊ] *m* **1** tapa, tapón. **2** tablero (de una mesa).

tampouco [tãˈpowkʊ] *adv* tampoco.

> En Brasil es mucho más frecuente utilizar el adverbio ***também não*** que el término ***tampouco***.

tanchar [tãˈʃaʀ] *tr* plantar (en la tierra).

tanga [ˈtãga] *f* **1** tanga (braga). **2** taparrabos.

tangencial [tãʒẽsiˈaw] *adj 2 gén* **1** tangencial. **2** (fig) tangencial (superficial).

tangente [tãˈʒẽtʃɪ] *adj/f* GEOM tangente.

tanger [tãˈʒeʀ] *tr* **1** tocar (alcanzar). • *tr e intr* **2** tañer. **3** resonar (sonar).

tangerina [tãʒeˈɾina] *f* mandarina (fruta).

tangível [tãˈʒivew] *adj 2 gén* **1** tangible (palpable). **2** (fig) tangible (definido, claro).

tango [ˈtãgʊ] *m* MÚS tango (baile, música).

tanoeiro [tanoˈeyɾʊ] *m* tonelero.

tanque [ˈtãkɪ] *m* **1** fuente (de agua). **2** aljibe (pozo). **3** depósito, tanque (de gasolina, aceite). **4** lavadero.

tanto, ta [ˈtãtʊ, ta] *adv* **1** tanto (mucho, tantas veces): *tanto trabalhar não é bom para a saúde = tanto trabajar no es bueno para la salud*. **2** tanto (intensidad): *gritava tanto que os vizinhos chamaram a polícia = gritaba tanto que los vecinos llamaron a la policía*. **3** tanto (tan grande). • *pron* **4** tanto (tal cantidad): *não fume tanto = no fumes tanto*. • *adj* **5** tanto (tan grande, tamaño): *tanta alegria lhe causou a sua chegada, que fez uma festa = tanta alegría le causó tu llegada, que hizo una fiesta*.

Tanzânia [tãˈzãnya] *f* Tanzania.

tanzaniano, na [tãzaniˈãnʊ, na] *adj/m e f* tanzano.

tão [ˈtãw] *adv* **1** tan (en tal grado): *tão frio que doiam os olhos = tan frío que dolían los ojos*. **2** tan (para comparar): *tão encantador como você = tan encantador como tú*.

tapamento [tapaˈmẽtʊ] *m* tapadura.

tapar [taˈpaʀ] *tr e pron* **1** tapar (cubrir). • *tr* **2** tapar (vendar). **3** (fig) tapar (esconder).

tapeação [tapeaˈsãw] *f* engaño, timo.

tapear [tapeˈaʀ] *tr* **1** (coloq) engañar, timar. **2** abofetear.

tapeçaria [tapesaˈɾia] *f* **1** tapicería (arte, establecimiento). **2** tapicería (tejido).

tapete [taˈpetʃɪ] *m* **1** moqueta. **2** alfombra. **3** tapete.

tapume [taˈpumɪ] *m* **1** seto vivo. **2** cerca, valla.

tara ['tara] *f* **1** tara (defecto físico o sicológico). **2** defecto, fallo (de fabricación); falla (Amér). **3** depravación, perversión.

tarado, da [ta'radʊ, da] *adj* **1** tarado (pesado). • *adj/m e f* **2** obseso, pervertido.

tarar [ta'raʀ] *tr* **1** tarar (pesar). **2** (coloq) estar loco (por alguien).

tardador, ra [taʀda'doʀ, ra] *adj/m e f* tardón.

tardar [taʀ'daʀ] *tr e intr* **1** tardar (retrasarse). **2** tardar (tomarse su tiempo).

tarde ['taʀdʒɪ] *adv* **1** tarde (hora avanzada): *hoje acordei muito tarde = hoy me he levantado muy tarde*. **2** tarde (con retraso): *ele sempre chega tarde = siempre llega tarde*. • *f* **3** tarde (período del día).

tardinha [taʀ'dʒĩɲa] *f* atardecer.

tardio, a [taʀ'dʒiʊ, a] *adj* tardío (fuera de tiempo).

tarefa [ta'rɛfa] *f* tarea (obra, trabajo).

tarifa [ta'rifa] *f* tarifa (precio).

tarimba [ta'rĩba] *f* tropa, ejército.

tartaruga [taʀta'ruga] *f* **1** tortuga. • *s 2 gén* **2** (fig) vejestorio.

tatear [tate'aʀ] *tr* **1** palpar (tocar). **2** intuir, deducir. **3** tantear (sondear).

tática ['tatʃika] *f* táctica (plan, método).

tático, ca ['tatʃikʊ, ka] *adj* **1** táctico. • *adj/m e f* **2** táctico (experto).

tátil ['tatʃiw] *adj 2 gén* táctil.

tato ['tatʊ] *m* **1** tacto (sentido). **2** (fig) tacto (prudencia, tino).

tatuagem [tatu'aʒẽy] *f* **1** tatuaje (dibujo). **2** tatuaje (técnica).

tatuar [tatu'aʀ] *tr e pron* **1** tatuar. • *tr* **2** marcar, señalar.

taxa ['taʃa] *f* **1** tasa (precio). **2** tasa (índice, porcentaje).

taxar [ta'ʃaʀ] *tr* **1** tasar (graduar el valor). **2** tasar (fijar valor).

taxativo, va [taʃa'tʃivʊ, va] *adj* taxativo (indiscutible).

táxi ['takisi] *m* taxi.

taxista [taki'siʃta] *s 2 gén* taxista.

Tcheca, República ['tʃɛka, ʀe'publika] *f* República Checa.

tcheco, ca ['tʃɛkʊ, ka] *adj/m e f* **1** checo. • *m* **2** checo (lengua).

te ['te] *pron pers* **1** (dativo) te: *vou-te comprar uma nova saia = te compraré una otra falda*. **2** (reflexivo) te: *deves lavar-te bem as mãos = debes lavarte bien las manos*.

tê ['te] *m* te (letra).

tear [te'aʀ] *m* telar.

teatral [tea'traw] *adj 2 gén* **1** teatral. **2** (fig) teatral (forzado, poco natural).

teatralidade [teatrali'dadʒɪ] *m* teatralidad.

teatro [te'atrʊ] *m* **1** teatro (género, arte, profesión). **2** teatro (edificio). **3** teatro (escenario, escena).

tecer [te'seʀ] *tr* **1** tejer (entrelazar). • *tr e intr* **2** tejer (producir un tejido). **3** tejer (tricotar, hacer punto). • **~-se** *pron* **4** espesarse, condensarse.

tecido, da [te'sidʊ, da] *adj* **1** tejido. **2** (fig) tramado (urdido). • *m* **3** tejido (tela). **4** trama (argumento). • **~ nervoso** ANAT tejido nervioso; **~ ósseo** ANAT tejido óseo.

tecla ['tɛkla] *f* **1** tecla (de instrumento). **2** tecla (de mecanismo).

teclado [te'kladʊ] *m* **1** teclado (de instrumento musical). **2** teclado (de computador, máquina de escribir).

teclar [te'klaʀ] *intr* teclear.

técnica ['tɛkinika] *f* **1** técnica (procedimiento). **2** técnica (habilidad, destreza).

tecnicismo [tekini'siʒmʊ] *m* tecnicismo.

técnico, ca ['tɛkinikʊ, ka] *adj* **1** técnico (experto). • *m* **2** técnico (especialista).

tecnologia [tekinolo'ʒia] *f* tecnología (técnicas, procesos).

tecnológico, ca [tekino'lɔʒikʊ, ka] *adj* tecnológico.

teco-teco [tɛkʊ'tɛkʊ] *m* avioneta.

tédio ['tɛdʒyʊ] *m* **1** tedio (enfado). **2** tedio (aburrimiento).

teia ['teya] *f* **1** tela (tejido). **2** serie (sucesión).

teimar [tey'maʀ] *tr e intr* **1** perseverar. • *tr* **2** obstinarse.

teimosia [teymo'zia] *f* **1** perseverancia, tenacidad. **2** testarudez, terquedad.

teimoso, sa [tey'mozʊ, za] *adj/m e f* **1** cabezota, testarudo. • *adj* **2** obstinado, tenaz.

teína [te'ina] *f* QUÍM teína.

tela ['tɛla] *f* **1** tela, tejido. **2** tela, lienzo (cuadro). **3** pantalla (de televisor, cine). **4** COMP pantalla (del monitor).

telão [te'lãw] *m* **1** pantalla, telón (superficie). **2** telón (cortina).
telecomunicação [telekomunika'sãw] *f* **1** telecomunicación. • **telecomunicações** *f pl* **2** telecomunicaciones.
teleférico [tele'fɛriku] *m* teleférico.
telefonar [telefo'naʀ] *intr* telefonear.
telefone [tele'fõnɪ] *m* **1** teléfono (aparato). **2** teléfono (número).
telefonema [telefo'nẽma] *m* telefonazo, llamada.
telefone-sem-fio [telefõnɪsẽy'fiu] *m* juego del teléfono.
telefonia [telefo'nia] *f* telefonía.
telefônico, ca [tele'fõniku, ka] *adj* telefónico.
telefonista [telefo'niʃta] *s 2 gén* telefonista.
telegrafar [telegra'faʀ] *tr* telegrafiar.
telegráfico, ca [tele'grafiku, ka] *adj* telegráfico.
telégrafo [te'lɛgrafu] *m* **1** telégrafo (aparato, sistema). **2** telégrafos (oficina).
telegrama [tele'grãma] *m* telegrama (sistema, impreso).
telejornal [teleʒoʀ'naw] *m* telediario (noticiario).
telenovela [teleno'vɛla] *f* telenovela.
telepatia [telepa'tʃia] *f* telepatía.
telescópio [teleyʃ'kɔpyu] *m* ÓPT telescopio (instrumento).
telespectador, ra [teleyʃpekita'doʀ, ra] *adj/m e f* telespectador.
televisão [televi'zãw] *f* **1** televisión (sistema). **2** televisión, televisor (aparato). ◆ **~ em cores** televisión en color; **~ em preto-e-branco** televisión en blanco y negro.
televisor, ra [televi'zoʀ, ra] *adj* **1** televisivo. • *adj/m* **2** televisor (receptor).
telex [te'lɛks] *m* télex (sistema).
telha ['teʎa] *f* teja (para el tejado).
telhado, da [te'ʎadu] *adj* **1** cubierto. • *m* **2** tejado (de un edificio). **3** tejado (cubierta de tejas). **4** (coloq) venada (impulso, locura).
telheiro, ra [te'ʎeyru, ra] *m e f* tejero (fabricante).
telúrico, ca [te'luriku, ka] *adj* telúrico (terrestre).
tema ['tẽma] *m* **1** tema (asunto, materia). **2** redacción (ejercicio escolar).
temário [te'maryu] *m* temario.
temática [te'matʃika] *f* temática.
temático, ca [te'matʃiku, ka] *adj* temático.
temente [te'mẽtʃɪ] *adj 2 gén* temeroso.
temer [te'meʀ] *tr, intr e pron* **1** temer (sentir miedo). • *tr* **2** temer (preocuparse).
temerário, a [teme'raryu, a] *adj* **1** temerario (arriesgado). **2** temerario (imprudente).
temeridade [temeri'dadʒɪ] *f* temeridad (imprudencia).
temeroso, sa [teme'rozu, za] *adj* **1** temible. **2** temeroso.
temido, da [te'midu, da] *adj* **1** temible, temido. **2** valiente. **3** temeroso, cobarde.
temível [te'mivew] *adj 2 gén* temible.
temor [te'moʀ] *m* **1** temor (desasosiego). **2** temor (miedo).
tempão [tẽ'pãw] *m* (coloq) mucho tiempo.
têmpera ['tẽpera] *f* **1** témpera (pintura). **2** temple (de un metal). **3** temple (actitud).
temperamental [tẽperamẽ'taw] *adj* temperamental.
temperamento [tẽpera'mẽtu] *m* **1** temperamento (modo de ser). **2** templanza, temple (de un metal).
temperar [tẽpe'raʀ] *tr e intr* **1** condimentar, sazonar. **2** afinar (instrumento). • *tr* **3** suavizar, reducir (intensidad).
temperatura [tẽpera'tura] *f* temperatura.
tempero [tẽ'peru] *m* **1** condimento. **2** (coloq) soborno.
tempestade [tẽpeyʃ'tadʒɪ] *f* **1** tempestad. **2** (fig) tempestad (agitación de los ánimos). **3** (fig) estampido.
tempestuoso, sa [tẽpeyʃtu'ozu, za] *adj* tempestuoso.
templo ['tẽplu] *m* templo.
tempo ['tẽpu] *m* **1** tiempo (duración). **2** tiempo (período). **3** tiempo (época). **4** tiempo (oportunidad, ocasión). **5** tiempo (climatológico). ◆ **~ das vacas magras** (fig, fam) época de vacas flacas. ■ **a ~** a tiempo; **a um ~ só** al mismo tiempo; **do ~ do Onça** (fig, fam) del año de la pera; **ganhar ~** (fig) ganar tiempo; **matar o ~** (fig, fam) matar el tiempo; **o ~ todo** todo el tiempo.

têmpora [ˈtẽpoɾa] *f* **1** ANAT sien. • **têmporas** *f pl* **2** témpora.
temporada [tẽpoˈɾada] *f* **1** temporada (período). **2** estación (del año).
temporal [tẽpoˈɾaw] *adj 2 gén* **1** temporal (eventual). **2** temporal (profano, secular). **3** ANAT temporal.
temporalidade [tẽpoɾaliˈdadʒɪ] *f* temporalidad (transitoriedad).
temporário, a [tẽpoˈɾaɾyʊ, a] *adj* temporario, temporal.
tenacidade [tenasiˈdadʒɪ] *f* **1** tenacidad (firmeza, constancia). **2** tenacidad (adherencia).
tenaz [teˈnayʃ] *adj 2 gén* **1** tenaz (firme, decidido). **2** resistente. • *f* **3** tenaza.
tenda [ˈtẽda] *f* **1** tienda (de lona). **2** tienda (establecimiento).

> La palabra más habitual en portugués para referirse a **tienda** en el sentido de comercio es ***loja***.

tendão [tẽˈdãw] *m* ANAT tendón. ♦ ~ **de Aquiles** ANAT tendón de Aquiles.
tendência [tẽˈdẽsya] *f* tendencia.
tendencioso, sa [tẽdẽsiˈozʊ, za] *adj* tendencioso.
tendente [tẽˈdẽtʃɪ] *adj 2 gén* tendente.
tender [tẽˈdeʀ] *tr e pron* **1** tender (extender). • *tr* **2** (fig) dirigirse, encaminarse.
tendinite [tẽdʒiˈnitʃɪ] *f* MED tendinitis.
tenebroso, sa [teneˈbɾozʊ, za] *adj* **1** tenebroso (oscuro). **2** tenebroso (tétrico, malvado).
tenente [teˈnẽtʃɪ] *m* MIL teniente.
tênia [ˈtẽnya] *f* tenia, solitaria (parásito).
tênis [ˈtẽniʃ] *m* **1** tenis. **2** zapatilla (de deporte).
tenista [tẽˈniʃta] *s 2 gén* tenista.
tenor [teˈnoʀ] *m* MÚS tenor (voz, cantante).
tenro, ra [ˈtẽʀʊ, ʀa] *adj* **1** tierno (blando). **2** tierno (delicado). **3** verde, inmaduro (fruto).
tensão [tẽˈsãw] *f* **1** tensión (tirantez). **2** tensión (hostilidad). **3** tensión (estrés). **4** tensión (voltaje). **5** FÍS tensión. **6** MED tensión (vascular). ♦ ~ **arterial** tensión arterial; ~ **nervosa** tensión nerviosa.
tensionar [tẽsyoˈnaʀ] *tr e intr* tensar (músculo, nervio).
tenso, sa [ˈtẽsʊ, sa] *adj* **1** tenso (estirado). **2** tenso (sobrecargado).
tentação [tẽtaˈsãw] *f* **1** tentación. • *m* **2** (fig, fam) diablo.
tentáculo [tẽˈtakulʊ] *m* tentáculo.
tentado, da [tẽˈtadʊ, da] *adj* tentado
tentador, ra [tẽtaˈdoʀ, ɾa] *adj* **1** tentador. • *m* **2** (fig, fam) diablo.
tentar [tẽˈtaʀ] *tr* **1** intentar. **2** tentar.
tentativa [tẽtaˈtʃiva] *f* **1** tentativa, intento. **2** tentativa (propósito).
tentear [tẽteˈaʀ] *tr* **1** tantear (examinar). **2** tantear, palpar. **3** marcar tantos.
tênue [ˈtẽnwɪ] *adj 2 gén* **1** tenue (débil delicado). **2** insignificante, nimio.
teologia [teoloˈʒia] *f* teología.
teológico, ca [teoˈlɔʒikʊ, ka] *adj* teológico.
teólogo, ga [teˈɔlogʊ, ga] *m e f* teólogo
teor [teˈoʀ] *m* **1** tenor (texto). **2** norma regulamiento. **3** proporción, grado: *teor alcoólico = grado alcohólico.*
teorema [teoˈɾẽma] *m* teorema.
teoria [teoˈɾia] *f* **1** teoría (reglas). **2** teoría (conocimiento). **3** teoría (hipótesis)
teórico, ca [teˈɔɾikʊ, ka] *adj* **1** teórico (teorético). **2** teórico (hipotético).
teorizar [teoɾiˈzaʀ] *tr e intr* teorizar.
tépido, da [ˈtɛpidʊ, da] *adj* templado tibio.
tequila [teˈkila] *f* tequila.
ter [ˈteʀ] *tr* **1** tener (poseer, disfrutar **2** tener (asir). **3** tener (contener, incluir **4** poseer (copular).
terapeuta [teɾaˈpewta] *s 2 gén* terapeuta (médico).
terapêutico, ca [teɾaˈpewtʃikʊ, ka] *adj* terapêutico.
terapia [teɾaˈpia] *f* **1** terapia (tratamiento). **2** (fig, coloq) psicoanálisis.
terça [ˈteʀsa] *f* **1** tercio. **2** tercia (hora canónica).
terça-feira [teʀsaˈfeyɾa] *f* martes.
terçar [teʀˈsaʀ] *tr* **1** mezclar (tercios **2** terciar (dividir). **3** terciar (mediar, intervenir).
terceiro, ra [teʀˈseyɾʊ, ɾa] *adj/m e* **1** tercero. • *m e f* **2** tercero (mediador • *adv* **3** tercero (en tercer lugar).
terceiro-mundismo [teʀseyɾʊmũˈdʒismʊ] *m* tercermundismo.

terceiro-mundista [teʀseyɾumũˈdʒiʃ-ta] *adj/m e f* tercermundista.
terciário, a [teʀsiˈaɾyʊ, a] *adj* terciario (tercero).
terço, ça [ˈteʀsʊ, sa] *adj* **1** tercio (tercero). • *m* **2** tercio (parte). **3** tercio (de un rosario).
termal [teʀˈmaw] *adj 2 gén* termal.
termas [ˈtɛʀmayʃ] *f pl* **1** termas (baño). **2** balneario.
térmico, ca [ˈtɛʀmikʊ, ka] *adj* térmico.
terminação [teʀminaˈsãw] *f* **1** terminación (conclusión, final). **2** terminación (extremidad).
terminal [teʀmiˈnaw] *adj 2 gén* **1** terminal (final). **2** terminal (extremo). • *m* **3** terminal (de línea de transporte).
terminar [teʀmiˈnaʀ] *tr, intr e pron* **1** terminar (concluir). • *tr e pron* **2** terminar (tener un límite). • *tr* **3** determinar, delimitar.
término [ˈtɛʀminʊ] *m* **1** término (fin, conclusión). **2** terminación, extremidad.
terminologia [teʀminoloˈʒia] *f* terminología.
termo [ˈteʀmʊ] *m* **1** término (final). **2** término (territorio municipal). **3** término (vocablo). **4** plazo (tiempo determinado). • **termos** *m pl* **5** maneras, modos (de proceder).
termodinâmica [tɛʀmodʒiˈnãmika] *f* FÍS termodinámica.
termodinâmico, ca [tɛʀmodʒiˈnãmikʊ, ka] *adj* termodinámico.
termômetro [teʀˈmõmetɾʊ] *m* termómetro.
terno, na [ˈtɛʀnʊ, na] *adj* **1** tierno (afectuoso). **2** tierno (blando).
ternura [teʀˈnuɾa] *f* ternura.
terra [ˈtɛʀa] *f* **1** tierra (suelo natural). **2** tierra (terreno cultivado). **3** tierra (región, nación). **4** tierra (lugar de origen). ◆ ~ **de ninguém** tierra de nadie; ~ **natal** tierra natal. ■ **dar com o nariz em** ~ (fig, fam) caer de bruces.
terraço [teˈʀasʊ] *m* **1** terraza, terrado (de un edificio). **2** terraza (de un casa).
terracota [teʀaˈkɔta] *f* **1** terracota (arcilla). **2** terracota (escultura).
terreal [teʀeˈaw] *adj 2 gén* **1** terrenal. **2** (fig) terrenal (material).
terreiro [teˈʀeyɾʊ] *m* **1** plaza. **2** atrio (de iglesia).
terremoto [teʀeˈmɔtʊ] *m* terremoto.
terreno, na [teˈʀẽnʊ, na] *adj* **1** terreno. **2** terroso, terrizo. • *m* **3** terreno (espacio de tierra).
térreo, a [ˈtɛʀyʊ, a] *adj* **1** térreo. **2** terroso. **3** terrenal (mundano).
terrestre [teˈʀɛyʃtɾɪ] *adj 2 gén* **1** terrestre. **2** (fig) terrestre (mundano).
terrícola [teˈʀikola] *adj/m e f* terrícola (habitante).
terrina [teˈʀina] *f* terrina.
territorial [teʀitoɾiˈaw] *adj 2 gén* territorial.
território [teʀiˈtɔɾyʊ] *m* territorio (espacio).
terrível [teˈʀivew] *adj 2 gén* **1** terrible (terrorífico). **2** terrible (molesto, insoportable); curcuncho (Bol, Ecuad).
terror [teˈʀoʀ] *m* terror.
terrorismo [teʀoˈɾiʒmʊ] *m* terrorismo.
terrorista [teʀoˈɾiʃta] *adj/m e f* terrorista.
terroso, sa [teˈʀozʊ, za] *adj* terroso.
terso, sa [ˈtɛʀsʊ, sa] *adj* **1** terso (limpio). **2** terso (liso).
tertúlia [teʀˈtulya] *f* tertulia.
tesar [teˈzaʀ] *tr* **1** atiesar. • *intr* **2** arreciar (viento).
tese [ˈtɛzɪ] *f* **1** tesis (proposición). **2** tesis (trabajo de investigación).
teso, sa [ˈtezʊ, za] *adj* **1** tieso (tenso). **2** tieso (rígido, duro). **3** reñido, disputado. **4** violento, intenso. • *adj/m e f* **5** (coloq) tieso (sin dinero). • *m* **6** ladera escarpada. **7** grueso (de una multitud).
tesoura [teˈzowɾa] *f* **1** tijera (utensilio). **2** tijeras (de carro). **3** (fig) crítica, censura.
tesouraria [tezowɾaˈɾia] *f* tesorería (cargo, oficina).
tesoureiro, ra [tezowˈɾeyɾʊ, ɾa] *m e f* **1** tesorero (custodio). • *m* **2** tesorero (canónigo).
tesouro [teˈzowɾʊ] *m* **1** tesoro (objetos de valor). **2** tesoro (erario público). **3** (fig) tesoro (valioso): *essa garota é um tesouro = esa chica es un tesoro.*
testa [ˈtɛyʃta] *f* **1** testa, frente. **2** cabeza (testa).
testado, da [teyʃˈtadʊ, da] *adj* **1** testado (probado). **2** legado (en testamento).
testamento [teyʃtaˈmẽtʊ] *m* **1** testamento (declaración, documento). **2** (fig) carta larga.

t

testar [teyʃ'taʀ] *tr* **1** legar (dejar en herencia). **2** testificar. **3** atestar, llenar. **4** comprobar (probar).
teste ['tɛyʃtʃɪ] *m* **1** test. **2** prueba (análisis médico).
testemunha [teyʃte'mũɲa] *f* **1** DIR testigo. **2** testigo (presencial). **3** testigo (padrino). **4** testigo (evidencia). ◆ **~ de acusação** testigo de cargo; **~ de defesa** testigo de descargo.
testemunhar [teyʃtemũ'ɲaʀ] *tr e intr* **1** testificar, atestiguar. ● *tr* **2** testificar (demostrar).
testemunho [teyʃte'mũɲʊ] *m* **1** testimonio (declaración). **2** testimonio (prueba, demostración). ◆ **falso ~** DIR falso testimonio.
testículo [teyʃ'tʃikulʊ] *m* ANAT testículo.
teta ['teta] *f* **1** teta (mama). **2** (fig) fuente, origen. ● *m* **3** theta (letra).
tetânico, ca [te'tãnikʊ, ka] *adj* tetánico.
tétano ['tɛtanʊ] *m* MED tétano.
teto ['tɛtʊ] *m* **1** techo. **2** (fig) techo (límite).
tetraplegia [tɛtraple'ʒia] *f* MED tetraplegia.
tetraplégico, ca [tɛtra'plɛʒikʊ, ka] *adj/m e f* MED tetraplégico.
teu ['tew] *pron poss* **1** tu: *o teu filho é uma gracinha = tu hijo es encantador.* ● *m* **2** tuyo: *o que é meu também é teu = lo mío también es tuyo.*
têxtil ['teyʃtʃiw] *adj 2 gén* textil.
texto ['teyʃtʊ] *m* **1** texto (palabras). **2** texto (pasaje).
textual [teyʃtu'aw] *adj 2 gén* textual.
textualidade [teyʃtuali'dadʒɪ] *f* textualidad.
textura [teyʃ'tura] *f* **1** textura (del tejido). **2** (fig) textura (estructura).
tez ['teyʃ] *f* tez.
ti ['tʃi] *pron* ti: *sem ti o mundo é mais triste = sin ti el mundo es más triste.*
tia ['tʃia] *f* **1** tía (parentesco). **2** (coloq) profa. **3** (coloq) tía (tratamiento cariñoso).
tibetano, na [tʃibe'tãnʊ, na] *adj/m e f* **1** tibetano. ● *m* **2** tibetano (lengua).
tíbia ['tʃibya] *f* ANAT tibia (hueso).
tição [tʃi'sãw] *m* **1** tizón. **2** negro. **3** (fig) malvado; chorizo (Méx).
ticket ['tʃiketʃɪ] *m* tique, vale.
tifo ['tʃifʊ] *m* tifus, tifo.
tifóide [tʃi'fɔydʒɪ] *adj 2 gén* MED tifoideo.
tigela [tʃi'ʒɛla] *f* cuenco.
tigre ['tʃigrɪ] *m* **1** tigre. **2** (fig) sanguinario, cruel.
tijolo [tʃi'ʒolʊ] *m* ladrillo.
timbrar [tʃĩ'braʀ] *tr* **1** timbrar (estampar). **2** (fig) tachar (calificar).
timbre ['tʃĩbrɪ] *m* **1** timbre (del escudo). **2** timbre (sello). **3** timbre (aparato).
time ['tʃimɪ] *m* **1** equipo (deportivo). **2** equipo (grupo de personas).
timidez [tʃimi'deyʃ] *f* timidez.
tímido, da ['tʃimidʊ, da] *adj/m e f* tímido.
timoneiro [tʃimo'neyrʊ] *m* timonel.
timorato, ta [tʃimo'ratʊ, ta] *adj* timorato.
tingido, da [tʃĩ'ʒidʊ, da] *adj* teñido.
tingir [tʃĩ'ʒiʀ] *tr* **1** teñir, tintar. **2** manchar.
tinir [tʃi'niʀ] *intr* **1** tintinear (vidrio, metal). **2** tiritar (de frío, miedo).
tino ['tʃinʊ] *m* **1** tina, vasija. **2** tino (prudencia). **3** tino (juicio, cordura). **4** tino (a tientas). ■ **a ~** (fig, fam) a buen tino.
tinta ['tʃĩta] *f* tinta.
tinteiro [tʃĩ'teyrʊ] *m* **1** tintero (recipiente). **2** tintero (depósito).
tinto, ta ['tʃĩtʊ, ta] *adj* **1** tinto, teñido. ● *m* **2** tinto (vino).
tio, a ['tʃiʊ, a] *m e f* **1** tío (pariente). **2** tío (tratamiento cariñoso).

> La forma coloquial de referirse a un individuo, **tío**, en portugués es ***cara***.

tipicidade [tʃipisi'dadʒɪ] *f* tipicidad.
típico, ca ['tʃipikʊ, ka] *adj* **1** típico (característico). **2** simbólico, alegórico.
tipificação [tʃipifika'sãw] *f* tipificación.
tipo ['tʃipʊ] *m* **1** tipo (modelo, símbolo). **2** tipo (ejemplo). **3** tipo (persona singular).
tipografia [tʃipogra'fia] *f* **1** tipografía (técnica). **2** tipografía, imprenta (taller).
tipógrafo, fa [tʃi'pɔgrafʊ, fa] *m e f* tipógrafo.
tipologia [tʃipolo'ʒia] *f* tipología.
tipológico, ca [tʃipo'lɔʒikʊ, ka] *adj* tipológico.

tíquete [ˈtʃiketʃɪ] *m* tique, vale.
tira [ˈtʃiɾa] *f* **1** tira (pedazo largo). **2** borde, margen. **3** tira (serie de dibujos).
tiracolo [tʃiɾaˈkɔlʊ] *m* tiracuello, tiracol.
tirada [tʃiˈrada] *f* **1** tirada (lance). **2** tirada (distancia).
tirado, da [tʃiˈradʊ, da] *adj* tirado, lanzado.
tiragem [tʃiˈɾaʒẽy] *f* **1** tirada, tiraje (impresión). **2** tirada, tiraje (ejemplares).
tirania [tʃiɾãˈnia] *f* **1** tiranía (gobierno). **2** tiranía (abuso de autoridad).
tirânico, ca [tʃiˈɾãnikʊ, ka] *adj* tiránico.
tirano, na [tʃiˈɾãnʊ, na] *m e f* **1** tirano (usurpador). **2** tirano (gobernante).
tirar [tʃiˈɾaʀ] *tr* **1** sacar, quitar. **2** sustraer, retirar. **3** tirar (traer hacia sí). **4** quitar, arrebatar. **5** eliminar, borrar. **6** tirar (lanzar, arrojar). **7** sacar (foto, copia, imagen).
tiritar [tʃiɾiˈtaʀ] *intr* tiritar.
tiro [ˈtʃiɾʊ] *m* **1** tiro (disparo). **2** tiro (arrastre). **3** disparo (chut). ◆ **~ ao alvo** tiro al blanco. ■ **sair o ~ pela culatra** (fig, fam) salir el tiro por la culata.
tiroteio [tʃiɾoˈteyʊ] *m* tiroteo.
tísico, ca [ˈtʃizikʊ, ka] *adj/m e f* tísico.
tisnar [tʃiʒˈnaʀ] *tr e pron* **1** tiznar. **2** (fig) ensuciar; acochambrar (Amér). ● *tr* **3** tostar.
titânio [tʃiˈtãnyʊ] *m* QUÍM titanio.
titubear [tʃitubeˈaʀ] *intr* **1** titubear (dudar). **2** titubear (trastabillar).
titulação [tʃitulaˈsãw] *f* **1** titulación. **2** QUÍM titulación.
titular [tʃituˈlaʀ] *adj/m e f* **1** titular (cargo). **2** titulado (con título nobiliario). ● *adj/m* **3** titular (letra).
titular [tʃituˈlaʀ] *tr* titular.
titularidade [tʃitulaɾiˈdadʒɪ] *f* titularidad.
título [ˈtʃitulʊ] *m* **1** título (de una obra). **2** letrero, rótulo. **3** título (dignidad nobiliaria).
toa [ˈtoa] *f* toa, maroma, sirga. ■ **à ~** a lo tonto, sin pensar.
toada [toˈada] *f* **1** sonido, ruido, rumor. **2** rumor (noticia infundada); ronrón (Amér. Centr).
toalha [toˈaʎa] *f* **1** mantel. **2** toalla.
toca [ˈtɔka] *f* madriguera.
toca-discos [tɔkaˈdʒiʃkʊyʃ] *m* tocadiscos.
toca-fitas [tɔkaˈfitayʃ] *m* casete (magnetófono).
tocante [toˈkãtʃɪ] *adj 2 gén* **1** referente, concerniente. **2** conmovedor.
tocar [toˈkaʀ] *tr e intr* **1** tocar (palpar). **2** dirigirse, andar, seguir. ● *tr, intr e pron* **3** tocar (mencionar). ● *tr* **4** tocar (herir). **5** tocar (alcanzar, llegar). ● *intr* **6** tocar (en señal de llamada). ■ **~ na chaga ou ferida** (fig, fam) poner el dedo en la llaga.
Tocatins [tokaˈtĩʃ] *m* Tocatins (Estado brasileño).
tocha [ˈtɔʃa] *f* **1** cirio, hachón. **2** antorcha. **3** (fig) brillo, claridad.
toco [ˈtokʊ] *m* **1** cepa. **2** MAR tempestad.
todavia [todaˈvia] *conj* pero, sin embargo.
todo, da [ˈtodʊ, da] *adj* **1** todo (entero, completo): *fiquei acordado a noite toda = estuve despierto toda la noche*. ● *pron* **2** todo: *toda criança tem direito a uma infância feliz = todo niño tiene derecho a una infancia feliz*. **3** todos (todo el mundo): *todos nós juntos deveriamos lutar pelo mesmo = todos juntos tendríamos que luchar por lo mismo*. ● *adv* **4** todo (enteramente). ● *m* **5** todo (cosa íntegra).
todo-poderoso, sa [todʊpodeˈɾozʊ, za] *adj/m e f* **1** todopoderoso. ● **Todo-poderoso** *m* **2** Todopoderoso (Dios).
Togo [ˈtogʊ] *m* Togo.
togolês, sa [togoˈleyʃ, za] *adj/m e f* togolés.
toldo [ˈtowdʊ] *m* toldo.
tolerado, da [toleˈradʊ, da] *adj* tolerado.
tolerância [toleˈɾãsya] *f* **1** tolerancia (condescendencia). **2** tolerancia (respeto). **3** tolerancia (en una moneda).
tolerante [toleˈɾãtʃɪ] *adj/m e f* tolerante.
tolerar [toleˈɾaʀ] *tr* **1** tolerar (consentir). **2** tolerar (resistir, soportar).
tolher [toˈʎeʀ] *tr* **1** impedir (estorbar). **2** impedir (prohibir). ● *tr e pron* **3** tullir.
tolice [toˈlisɪ] *f* bobada, tontería.
tolo, la [ˈtolʊ, la] *adj/m e f* tonto, bobo; baboso, pendejo (Amér); zonzoreco (Amér. Centr); dundo (Amér. Centr, Col); bolsón, múcura (Col); candanga (Cuba); chorizo (Col, Ecuad); guaje (Hond, Méx); zorrillo (Méx).

tom [ˈtõw] *m* **1** tono (vigor, fuerza). **2** tono (del sonido, voz).
tomada [toˈmada] *f* **1** toma (apropiación). **2** enchufe.
tomar [toˈmaʀ] *tr* **1** tomar (agarrar); cachar (Arg). **2** tomar, coger (arrebatar, apropiarse). **3** tomar (conquistar). **4** tomar (medio de transporte). **5** dar, recibir (clase). **6** tomar, ocupar (tiempo, espacio): *tomou-lhe muito tempo acabar o trabalho = le tomó mucho tiempo terminar el trabajo.* **7** tomar (ingerir). **8** llevarse (susto, impresión). **9** capturar, detener. ~ **por 10** tomar (considerar): *tomou-o por pateta = lo tomó por tonto.*
tomara! [toˈmaɾa] *interj* ¡ojalá!
tomate [toˈmatʃɪ] *m* tomate.
tombar [tõˈbaʀ] *tr* **1** tumbar (derribar). **2** registrar, inventariar. • *intr* **3** desmayarse. **4** bajar, descender.
tombo [ˈtõbʊ] *m* **1** tumbo (caída). **2** cascada, catarata.
tomilho [toˈmiʎʊ] *m* tomillo.
tomo [ˈtõmʊ] *m* tomo.
tona [ˈtõna] *f* **1** piel fina. **2** película (capa). **3** superficie.
tonal [toˈnaw] *adj 2 gén* MÚS tonal.
tonalidade [tonaliˈdadʒɪ] *f* tonalidad (de colores).
tonel [toˈnɛw] *m* **1** tonel (cuba). **2** tonel (medida).
tonelada [toneˈlada] *f* tonelada (medida).
tonelagem [toneˈlaʒẽy] *f* tonelaje.
Tonga [ˈtõga] *m* Tonga.
tonganês, sa [tõgaˈneyʃ, za] *adj/m e f* tonganés.
tônica [ˈtõnika] *f* **1** tónica (bebida). **2** GRAM tónica (sílaba).
tônico, ca [ˈtõnikʊ, ka] *adj* **1** GRAM tónico. **2** MÚS tónico. • *adj/m* **3** tónico (reconstituyente).
tonto, ta [ˈtõtʊ, ta] *adj* **1** tonto (bobo, idiota). **2** loco, demente.
tontura [tõˈtuɾa] *f* **1** tontuna, tontería. **2** mareo.
top [ˈtɔpi] *m* top (prenda de vestir).
topar [toˈpaʀ] *tr e intr* **1** topar (encontrar). • *tr* **2** topar (chocar). **3** tocar. **4** (coloq) aceptar (propuesta, negocio, desafío). **5** gustar, apreciar.
tópico, ca [ˈtɔpikʊ, ka] *adj/m* **1** tópico (lugar común). **2** tópico (medicamento).
topless [tɔˈplɛsi] *adj/m* topless.
topo [ˈtopʊ] *m* **1** cima, cumbre. **2** tope (límite).
topografia [topograˈfia] *f* topografía.
topográfico, ca [topoˈgrafikʊ, ka] *adj* topográfico.
toponímia [topoˈnimya] *f* toponimia.
topônimo [toˈpõnimʊ] *m* GEOG topónimo.
toque [ˈtɔkɪ] *m* **1** toque (roce). **2** toque (sonido). **3** toque (señal, vestigio, resto): *ainda tem um toque de elegância = todavía tiene un toque de elegancia.*
tora [ˈtɔɾa] *f* **1** pedazo, trozo. **2** tronco grueso.
torácico, ca [toˈɾasikʊ, ka] *adj* torácico.
tórax [ˈtɔraks] *m* ANAT tórax.
torção [toʀˈsãw] *f* torsión.
torcer [toʀˈseʀ] *tr* **1** torcer (encorvar, doblar). **2** frotarse las manos. **3** torcer (de dirección). • *intr e pron* **4** torcer (inclinar, desviar).
tormenta [toʀˈmẽta] *f* **1** tormenta (tempestad). **2** (fig) tormenta (desgracia, infelicidad).
tormento [toʀˈmẽtʊ] *m* **1** tormento (dolor). **2** tormento (tortura). **3** (fig) tormento (aflicción).
tormentoso, sa [toʀmẽˈtozʊ, za] *adj* **1** tormentoso. **2** trabajoso, difícil.
tornado, da [toʀˈnadʊ, da] *adj* **1** regresado. **2** restituido. • *m* **3** tornado (viento).
tornar [toʀˈnaʀ] *tr e pron* **1** tornar, volver (regresar). • *tr* **2** devolver, restituir. **3** volver, convertir (transformar): *aquele menino tornou-se o melhor jogador do mundo = aquel niño se convirtió en el mejor jugador del mundo.*
tornear [toʀneˈaʀ] *intr* **1** torcer, girar (en una dirección). • *tr* **2** tornear (pulir, labrar). **3** circundar, dar la vuelta.
torneio [toʀˈneyʊ] *m* **1** torneo (justa). **2** ESPORT torneo, campeonato.
torneira [toʀˈneyɾa] *f* **1** grifo. **2** (fig) bebedor, borrachín.
torno [ˈtoʀnʊ] *m* **1** torno (aparato). **2** llave (de un grifo).
tornozeleira [toʀnozeˈleyɾa] *f* tobillera.
tornozelo [toʀnoˈzelʊ] *m* ANAT tobillo.
toro [ˈtoɾʊ] *m* **1** tronco (cepa). **2** tronco (de un animal).

torpor [toʀ'poʀ] *m* **1** entumecimiento. **2** indolencia, indiferencia.
torrada [to'ʀada] *f* tostada.
torrado, da [to'ʀadʊ, da] *adj* torrado, tostado.
torrão [to'ʀãw] *m* **1** terrón (masa de tierra). **2** terrón (de azúcar).
torrar [to'ʀaʀ] *tr* **1** torrar, tostar. **2** quemar, ennegrecer. • *tr e intr* **3** liquidar, rebajar.
torre ['toʀɪ] *f* **1** torre (edificio). **2** torre (de ajedrez). **3** (fig) montón (gran cantidad).
torrencial [toʀẽsi'aw] *adj 2 gén* **1** torrencial. **2** (fig) torrencial (abundante).
torrente [to'ʀẽtʃɪ] *f* **1** torrente (de agua). **2** (fig) influencia, influjo.
tórrido, da ['tɔʀidʊ, da] *adj* tórrido (ardiente).
torta ['tɔʀta] *f* tarta.
torto, ta ['toʀtʊ, ta] *adj* **1** torcido. **2** inclinado. **3** injusto. **4** (fig) retorcido. • *adj/m e f* **5** bizco. ▪ **a ~ e a direito** (fig) a diestro y siniestro.
tortuoso, sa [toʀtu'ozʊ, za] *adj* **1** tortuoso (sinuoso). **2** (fig) tortuoso (malicioso).
tortura [toʀ'tuɾa] *f* **1** tortura (curvatura). **2** tortura (suplicio).
torturado, da [toʀtu'ɾadʊ, da] *adj/m e f* torturado.
torturar [toʀtu'ɾaʀ] *tr, intr e pron* torturar (atormentar).
torvelinho [toʀve'lĩɲʊ] *m* torbellino.
tosco, ca ['toyʃkʊ, ka] *adj* **1** tosco (basto, rudo). **2** tosco (inculto, grosero).
tosse ['tɔsɪ] *f* tos.
tossir [to'siʀ] *intr* toser.
tostadeira [toyʃta'deyɾa] *f* tostador (aparato).
tostão [toyʃ'tãw] *m* **1** tostón (moneda). **2** calderilla (monedas).
total [to'taw] *adj 2 gén* **1** total. • *m* **2** total (suma).
totalidade [totali'dadʒɪ] *f* totalidad (conjunto, suma).
totalitário, a [totali'taɾyʊ, a] *adj* **1** totalitario (conjunto). • *adj/m e f* **2** totalitarista.
totalizar [totali'zaʀ] *tr* **1** totalizar. **2** completar.
touca ['towka] *f* **1** toca. **2** turbante.
toucador, ra [towka'doʀ, ɾa] *adj/m e f* **1** tocador. • *m* **2** tocador (prenda). **3** tocador (mueble).
toucar [tow'kaʀ] *tr e pron* **1** tocarse (cubrir con toca). **2** tocar (peinar).
toucinho [tow'sĩɲʊ] *m* tocino.
tourada [tow'ɾada] *f* **1** torada. **2** corrida (de toros). **3** (fig) tumulto.
tourear [towɾe'aʀ] *tr e intr* **1** torear. • *tr* **2** atacar, embestir.
toureio [tow'ɾeyʊ] *m* toreo.
toureiro, ra [tow'ɾeyɾʊ, ɾa] *adj/m e f* torero.
touro ['towɾʊ] *m* **1** toro. **Touro 2** ASTR Tauro (constelación, signo zodiacal). ▪ **pegar o ~ pelos chifres** (fig, fam) coger el toro por los cuernos.
toxicidade [tokisisi'dadʒɪ] *f* toxicidad.
tóxico, ca ['tɔkisikʊ, ka] *adj/m* tóxico.
toxicomania [tokisikoma'nia] *f* toxicomanía.
toxicômano, na [tokisi'kõmanʊ, na] *adj/m e f* toxicómano.
toxina [toki'sina] *f* BIOQ toxina.
trabalhado, da [tɾaba'ʎadʊ, da] *adj* **1** trabajado (elaborado). **2** de mucho trabajo: *um dia trabalhado = un día de mucho trabajo.*
trabalhador, ra [tɾabaʎa'doʀ, ɾa] *adj/m e f* trabajador.
trabalhar [tɾaba'ʎaʀ] *intr* **1** trabajar (ejercer oficio). **2** trabajar (funcionar). • *tr* **3** trabajar (labrar). ▪ **~ como um burro** (fig, fam) trabajar como un burro.
trabalhista [tɾaba'ʎiʃta] *adj/m e f* **1** POL laborista. **2** laboralista.
trabalho [tɾa'baʎʊ] *m* **1** trabajo (actividad). **2** trabajo (oficio). **3** trabajo (lugar). **4** trabajo (estudio, esfuerzo).
trabalhoso, sa [tɾaba'ʎozʊ, za] *adj* trabajoso.
traça ['tɾasa] *f* **1** polilla. **2** trazado (dibujo, diseño, huella). **3** plan. **4** (fig) pesado, plasta (impertinente).
traçado, da [tɾa'sadʊ, da] *adj* **1** mezclado. **2** apolillado. **3** trenzado. **4** trazado (diseñado, delimitado). • *m* **5** trazado (diseño).
tração [tɾa'sãw] *f* tracción.
traçar [tɾa'saʀ] *tr* **1** trazar (dibujar). **2** (fig) trazar (plan). • *tr, intr e pron* **3** apolillarse.
traço ['tɾasʊ] *m* **1** trazo (línea). **2** rasgo (del rostro). **3** rasgo, característica.
tradição [tɾadʒi'sãw] *tr* tradición.

t

tradicional [trad͡ʒisyo'naw] *adj 2 gén* tradicional.
tradicionalista [trad͡ʒisyona'liʃta] *adj/m e f* tradicionalista.
tradução [tradu'sãw] *f* traducción. ◆ ~ **automática** traducción automática; ~ **simultânea** traducción simultánea.
tradutor, ra [tradu'toʀ, ɾa] *adj/m e f* traductor.
traduzir [tradu'ziʀ] *tr e intr* **1** traducir (entre lenguas). ● *tr* **2** (fig) traducir (interpretar).
tráfego ['trafegʊ] *m* **1** tráfago, tráfico (circulación). **2** tráfico (negocio, comercio); bolado (Amér); entable (Col). **3** tráfago (trabajo intenso); julepe (Amér).
traficante [trafi'kãtʃɪ] *adj/m e f* traficante.
traficar [trafi'kaʀ] *tr e intr* traficar (en negocios turbios).
tragar [tra'gaʀ] *tr* **1** tragar (beber). **2** tragar (comer rápidamente).
tragédia [tra'ʒɛd͡ʒya] *f* **1** tragedia (obra, género). **2** (fig) tragedia (desgracia).
trágico, ca ['traʒikʊ, ka] *adj* **1** trágico: *obra trágica = obra trágica.* **2** (fig, fam) trágico (dramático). ● *adj/m e f* **3** trágico (autor).
trago ['tragʊ] *m* **1** trago (sorbo). **2** (fig) trago (adversidad, infortunio).
traição [tray'sãw] *f* **1** traición (deslealtad). **2** traición (infidelidad amorosa). **3** DIR traición.
traiçoeiro, ra [trayso'eyɾʊ, ɾa] *adj/m e f* **1** traicionero (traidor). ● *adj* **2** traicionero: *tem um olhar traiçoeiro = tiene una mirada traicionera.*
traidor, ra [trai'doʀ, ɾa] *adj/m e f* traidor.
trailer ['treyleʀ] *m* CINE tráiler (de película).
trair [tra'iʀ] *tr* **1** traicionar (engañar). **2** traicionar (denunciar, delatar). **3** traicionar (cometer infidelidad).
trajar [tra'ʒaʀ] *tr, intr e pron* vestir.
traje ['traʒɪ] *m* **1** traje (ropa habitual). **2** traje, uniforme (de una profesión).
trajeto [tra'ʒɛtʊ] *m* trayecto.
trajetória [traʒe'tɔɾya] *f* **1** ⇒ trajeto. **2** FÍS trayectoría.
trama ['trãma] *f* **1** trama (hilos). **2** tela (tejido). **3** (fig) trama (complot).
tramar [tra'maʀ] *tr* **1** tramar (tejer). **2** (fig) tramar (urdir, maquinar). **3** (fig) tramar (conspirar).
tramitação [trãmita'sãw] *f* tramitación.
tramitar [trãmi'taʀ] *intr* tramitar.
trâmite ['tramitʃɪ] *m* trámite.
trampolim [trãpo'lĩ] *m* **1** trampolín (plancha). **2** (fig) trampolín (para mejorar).
tranca ['trãka] *f* **1** cerrojo. **2** pestillo, pasador. **3** tranca. **4** (fig, vulg) tranca, polla. ● **trancas** *f pl* **5** (coloq) piernas. ■ **dar às trancas** salir por piernas.
trança ['trãsa] *f* **1** trenza (de hilo, pelo). **2** trenza (forma).
trancar [trã'kaʀ] *tr* **1** trancar (cerrar con cerrojo). **2** prender, encarcelar. **3** anular, cancelar.
tranqüilidade [trãkwili'dad͡ʒɪ] *f* tranquilidad.
tranqüilizador, ra [trãkwiliza'doʀ, ɾa] *adj/m e f* tranquilizador.
tranqüilizante [trãkwili'zãtʃɪ] *adj/m* tranquilizante.
tranqüilizar [trãkwili'zaʀ] *tr e pron* tranquilizar.
tranqüilo, la [trã'kwilʊ, la] *adj* tranquilo.
transação [trãza'sãw] *f* **1** transacción (acuerdo, trato). **2** transacción (negocio).
transacionar [trãzasyo'naʀ] *tr e intr* comerciar, negociar.
transalpino, na [trãzaw'pinʊ, na] *adj* transalpino.
transatlântico, ca [trãza'tlãtʃikʊ, ka] *adj* **1** transatlántico. ● *m* **2** transatlántico (navío).
transato, ta [trã'zatʊ, ta] *adj* pasado, pretérito.
transbordante [trãʃboʀ'dãtʃɪ] *adj 2 gén* transbordante, transbordador.
transbordar [trãʃboʀ'daʀ] *tr e intr* **1** desbordar (derramar). **2** (fig) desbordar (sobrepasar).
transbordo [trãʃ'boʀdʊ] *m* transbordo.
transcendência [trãsẽ'dẽsya] *f* **1** trascendencia (perspicacia). **2** trascendencia (importancia).
transcendente [trãsẽ'dẽtʃɪ] *adj 2 gén* **1** trascendente (metafísico). **2** sublime, superior. **3** FIL trascendente.
transcender [trãsẽ'deʀ] *tr* **1** trascender (sobrepasar). **2** destacar, sobresalir. ● **~-se** *pron* **3** superarse.
transcrever [trãʃkre'veʀ] *tr* **1** transcribir (copiar). **2** transcribir (símbolos fo-

néticos). **3** transcribir (transliterar, traducir).

transcrição [trãykri'sãw] *f* **1** transcripción (copia). **2** transcripción (fonética). **3** DIR registro (de propiedad).

transcrito, ta [trãʃ'kritu, ta] *adj* **1** transcrito. • *m* **2** copia.

transe ['trãzɪ] *m* **1** trance (momento crítico). **2** trance (éxtasis).

transeunte [trãze'ũtʃɪ] *adj 2 gén* **1** transeúnte (transitorio). • *adj/m e f* **2** transeúnte (peatón).

transferência [trãʃfe'rẽsya] *f* transferencia (traslado).

transferir [trãʃfe'riʀ] *tr e pron* **1** transferir, trasladar. • *tr* **2** transferir (retrasar).

transfiguração [trãʃfigura'sãw] *f* transfiguración.

transfigurar [trãʃfigu'raʀ] *tr* **1** transfigurar. **2** convertir, transformar.

transformação [trãʃfoʀma'sãw] *f* transformación (cambio).

transformado, da [traʃfoʀ'madu, da] *adj* transformado.

transformador, ra [trãʃfoʀma'doʀ, ra] *adj/m e f* transformador.

transformar [trayʃfoʀ'maʀ] *tr e pron* transformar (alterar, modificar).

transfusão [trãʃfu'zãw] *f* transfusión. ♦ ~ **de sangue** MED transfusión de sangre.

transgênico, ca [trã'ʒẽniku, ka] *adj/m* transgénico.

transgressão [trãʒgre'sãw] *f* **1** transgresión (infracción). **2** GEOL transgresión (avance del mar).

transição [trãzi'sãw] *f* **1** transición (cambio). **2** transición (de un discurso).

transigência [trãzi'ʒẽsya] *f* transigencia (condescendencia).

transigir [trãzi'ʒiʀ] *tr e intr* transigir (contemporizar); transar (Amér).

transistor [trã'ziʃtoʀ] *m* transistor (aparato de radio).

transitado, da [trãzi'tadu, da] *adj* transitado.

transitar [trãzi'taʀ] *tr* **1** transitar (recorrer). • *intr* **2** cambiar de: *pelo trabalho do pai, a família transita duma cidade para outra = por el trabajo del padre, la familia cambia de una ciudad a otra.*

trânsito ['trãzitu] *m* **1** tránsito (circulación). **2** tránsito (paso, acceso). **3** (fig) tránsito (transición).

transitório, a [trãzi'tɔryu, a] *adj* transitorio (temporal).

translação [trãʃla'sãw] *f* **1** traslación (traslado). **2** traslación (metáfora). **3** traslación (traducción).

translado [trãʃ'ladu] *m* traslado.

translúcido, da [trãʃ'lusidu, da] *adj* **1** translúcido (diáfano). **2** (fig) levemente iluminado.

transmissão [trãʒmi'sãw] *f* **1** transmisión (traslado). **2** TELECOM transmisión.

transmissível [trãʒmi'sivew] *adj 2 gén* transmisible.

transmissor, ra [trãʒmi'soʀ, ra] *adj/m e f* **1** transmisor. • *m* **2** transmisor (aparato).

transmitir [trãʒmi'tʃiʀ] *tr e pron* **1** transmitir (transferir). • *tr* **2** transmitir (contagiar). **3** TELECOM transmitir.

transnacional [trãʒnasyo'naw] *adj 2 gén* transnacional.

transparecer [trãʃpare'seʀ] *tr* **1** trasparecer. • *tr e intr* **2** (fig) manifestarse, aparecer.

transparência [trãʃpa'rẽsya] *f* **1** transparencia (diafanidad). **2** transparencia (diapositiva); acetato (Col).

transparente [trãyʃpa'rẽtʃɪ] *adj 2 gén* **1** transparente (cristalino). **2** transparente (translúcido).

transpassar [trãʃpa'saʀ] *tr* **1** traspasar (atravesar). **2** traspasar (exceder). **3** traspasar (transgredir).

transpiração [trãʃpira'sãw] *f* transpiración.

transpirar [trãʃpi'raʀ] *tr e intr* **1** transpirar (sudar). • *tr* **2** (fig) rezumarse (manifestarse, revelar).

transplantar [trãʃplã'taʀ] *tr* **1** trasplantar (planta). **2** trasplantar (trasladar).

transplante [trãʃ'plãtʃɪ] *m* MED trasplante (de órganos).

transpor [trãʃ'poʀ] *tr* **1** transponer (cambiar de sitio). • **~-se** *pron* **2** transponerse (ocultarse).

transportador, ra [trãʃpoʀta'doʀ, ra] *adj/m e f* transportador.

transportar [trãʃpoʀ'taʀ] *tr* **1** transportar (llevar). **2** transmitir, comunicar.

transporte [trãʃ'pɔʀtʃɪ] *m* **1** transporte (desplazamiento). **2** transporte (vehículo). **3** (fig) entusiasmo, arrebato.

transposição [trãʃpozi'sãw] *f* trasposición.
transtornado, da [trãʃtoʀ'nadʊ, da] *adj* **1** trastornado (descolocado). **2** trastornado (fuera de sí).
transtornar [trãʃtoʀ'naʀ] *tr* **1** trastornar (alterar). • *tr e pron* **2** trastornar (perturbar).
transtorno [trãʃ'toʀnʊ] *m* **1** trastorno (alteración). **2** trastorno (de la salud).
transversal [trãʒveʀ'saw] *adj 2 gén* **1** transversal (oblicuo). • *f* **2** línea transversal.
transviar [trãʒvi'aʀ] *tr e pron* **1** desviar (corromper). • **~-se** *pron* **2** extraviarse (perderse).
trapézio [tra'pɛzyʊ] *m* **1** trapecio (de gimnasia). **2** GEOM trapecio. **3** ANAT trapecio (hueso, músculo).
trapezista [trape'ziʃta] *adj/m e f* trapecista.
trapo ['trapʊ] *m* **1** trapo (paño). **2** andrajo. ◆ **trapos quentes** (fig, fam) paños calientes.
trás ['trayʃ] *adv* **1** tras (después de): *trás ver o filme poderíamos ir para uma pizzaria = tras la película podríamos ir a una pizzería.* **2** tras (detrás de): *os carros estavam em fila, um trás outro = los coches estaban en fila, uno tras otro.* • *prep* **3** tras: *trás sua boa aparência há uma pessoa perversa = tras su buena apariencia hay una persona perversa.* • **~!** *interj* **4** ¡tras! (ruido de un golpe).
traseiro, ra [tra'zeyrʊ, ra] *adj* **1** trasero. • *m* **2** (coloq) trasero (culo).
trasladar [trayʃla'daʀ] *tr* **1** trasladar (traducir). **2** trasladar (retrasar, postergar). • *tr e pron* **3** trasladar (transferir).
traspassar [trayʃpa'saʀ] *tr* **1** traspasar (atravesar). **2** traspasar, ceder (bien, propiedad).
traste ['trayʃtʃɪ] *m* **1** trasto (mueble, utensilio). **2** (fig) pusilánime.
tratado [tra'tadʊ] *m* **1** tratado (acuerdo). **2** tratado (escrito): *tratado de medicina = tratado de medicina.*
tratamento [trata'mẽtʊ] *m* **1** tratamiento (trato). **2** acogimiento, recibimiento. **3** tratamiento (de cortesía).
tratante [tra'tãtʃɪ] *adj/m e f* tratante (engañoso).
tratar [tra'taʀ] *tr* **1** tratar (discurrir, discutir). **2** tratar (comunicar, conversar). **3** tratar, comportarse (con alguien): *trata sua mãe com pouco respeito = trata a su madre con poco respeto.* ~ **de 4** tratar de (intentar): *já trabalhou muito, trate de descansar = ya has trabajado mucho, trata de descansar.* • *tr e pron* **5** tratar de (nombrar).
trato ['tratʊ] *m* **1** trato (tratamiento). **2** trato (acuerdo). **3** trato (relación, convivencia). • **tratos** *m pl* **4** malos tratos. ▪ **dar tratos à bola** (fig) darle vueltas a la cabeza.
trator, ra [tra'toʀ, ra] *adj* **1** tractor. • *m* **2** tractor (vehículo).
trauma ['trawma] *m* MED traumatismo.
traumático, ca [traw'matʃikʊ, ka] *adj* traumático.
traumatismo [trawma'tʃiʒmʊ] *m* MED traumatismo (lesión, transtornos).
traumatizado, da [trawmatʃi'zadʊ, da] *adj* traumatizado.
traumatizar [trawmatʃi'zaʀ] *tr e pron* traumatizar.
travar [tra'vaʀ] *tr* **1** trabar (prender, asir). **2** trabar (juntar, unir). **3** trabar (frenar). **4** trabar (dificultar, impedir).
trave ['travɪ] *f* **1** trabe (viga). **2** ESPORT poste (de la portería).
través [tra'vɛyʃ] *m* **1** través (inclinación). **2** través (parapeto).
travessa [tra'vɛsa] *m* **1** travesaño (de una puerta). **2** travesía (calle). **3** fuente (plato). **4** ARQ través.
travesseiro [trave'seyrʊ] *m* almohada.
travessia [trave'sia] *f* **1** travesía (viaje). **2** contrabando.
travesti [traveyʃ'tʃi] *m e f* travesti.
trazer [tra'zeʀ] *tr* **1** traer (transportar); tirar (Amér). **2** llevar (conducir): *essa é a estrada que traz à praia = esa es la calle que lleva a la playa.* **3** traer (causar, acarrear).
trecho ['treʃʊ] *m* **1** trecho (espacio); jalón (Amér). **2** fragmento (de una obra).
trégua ['trɛgwa] *f* **1** tregua (de armas). **2** (fig) tregua (descanso).
treinado, da [trey'nadʊ, da] *adj* **1** entrenado. **2** habituado, acostumbrado.
treinador, ra [treyna'doʀ, ra] *adj/m e f* entrenador.

treinar [trey'naR] *tr* **1** entrenar (adiestrar, preparar). • *intr e pron* **2** entrenarse (prepararse, practicar).
treino ['treynu] *m* **1** entrenamiento. **2** práctica (habilidad).
trejeitar [treʒey'taR] *tr e intr* gesticular, hacer muecas.
trejeito [tre'ʒeytu] *m* **1** gesto. **2** mueca. **3** tic.
trela ['trɛla] *f* **1** correa. **2** (coloq) palique.
trem ['trẽy] *m* **1** tren (locomotora). **2** caravana (comitiva). **3** equipaje.
tremelicar [tremeli'kaR] *intr* **1** temblar (tiritar). • *tr e intr* **2** temblequear.
tremeluzir [tremelu'ziR] *intr* centellear.
tremendo, da [tre'mẽdu, da] *adj* **1** tremendo (temible). **2** asombroso. **3** tremendo (grande, excesivo).
tremer [tre'meR] *tr e intr* **1** temblar (agitarse). • *tr* **2** (fig) temblar (temer).
tremido, da [tre'midu, da] *adj* **1** trémulo, tembloroso. • *m* **2** temblor.
tremor [tre'moR] *m* **1** tremor, temblor. **2** tembleque. **3** (fig) temor (recelo).
tremular [tremu'laR] *tr e intr* **1** agitar (al viento). • *intr* **2** cintilar, centellear.
trêmulo, la ['trẽmulu, la] *adj* **1** trémulo (tembloroso). **2** (fig) trémulo (luz, voz).
trenó [tre'nɔ] *m* trineo.
trepar [tre'paR] *tr e pron* **1** trepar (escalar). • *tr* **2** (fig) trepar (posición, cargo).
trepidação [trepida'sãw] *f* trepidación.
trepidante [trepi'dãtʃɪ] *adj 2 gén* **1** trepidante (tembloroso). **2** asustado, sobresaltado.
três ['treyʃ] *adj/m* tres. ■ **a ~ por dois** (fig, fam) cada dos por tres.
tresandar [trezã'daR] *tr* **1** desandar (retroceder). • *tr e intr* **2** heder, apestar.
tresloucado, da [treyʃlow'kadu, da] *adj* alocado.
tresmalhar [treyʒma'ʎaR] *tr, intr e pron* dispersar, extender.
treta ['treta] *f* **1** finta (de esgrima). **2** treta (ardid, artimaña).
treva ['trɛva] *f* **1** tiniebla (oscuridad). • **trevas** *f pl* **2** (fig) tinieblas (ignorancia).
trevo ['trevu] *m* **1** trébol. **2** (fig) trébol (de una autopista).
treze ['trezɪ] *adj/m* trece.
trezentos, tas [tre'zẽtuyʃ, tayʃ] *adj/m* trescientos.
tríade ['triadʒɪ] *f* tríada.
triagem [tria'ʒẽy] *f* selección.
triangular [triãgu'laR] *adj 2 gén* triangular.
triangular [triãgu'laR] *tr e intr* triangular (dividir en triángulos).
triângulo [tri'ãgulu] *m* **1** GEOM triángulo. **2** MÚS triángulo. ◆ **~ amoroso** triángulo amoroso.
tribal [tri'baw] *adj 2 gén* tribual, tribal.
tribo ['tribu] *f* **1** tribu. **2** (fig) tribu (familia numerosa).
tribuna [tri'buna] *f* **1** tribuna (púlpito). **2** tribuna (palco, platea).
tribunal [tribu'naw] *m* **1** DIR tribunal (lugar). **2** DIR tribunal (jueces).
tributação [tributa'sãw] *f* tributación.
tributar [tribu'taR] *tr* **1** gravar (impuestos). **2** tributar (pagar un tributo).
tributário, a [tribu'tariu, a] *adj* **1** tributario. • *adj/m e f* **2** tributario (contribuyente).
tributável [tribu'tavew] *adj 2 gén* tributable.
tributo [tri'butu] *m* **1** tributo (impuesto). **2** (fig) tributo (carga, obligación). **3** (fig) tributo (homenaje).
tricampeão, ã [trikãpe'ãw, 'ã] *adj/m e f* tricampeón.
tríceps ['trisepisi] *adj/m* ANAT tríceps.
triciclo [tri'siklu] *m* triciclo.
tricô [tri'ko] *m* **1** tricot (tejido). **2** tricot (labor de punto).
tricolor [triko'loR] *adj 2 gén* tricolor.
tridimensional [tridʒimẽsyo'naw] *adj 2 gén* tridimensional.
triênio [tri'ẽnyu] *m* trienio.
trifásico, ca [tri'faziku, ka] *adj* ELEC trifásico.
trigo ['trigu] *m* trigo (planta, grano).
trigueiro, ra [tri'geyru, ra] *adj* **1** triguero. • *adj/m e f* **2** trigueño (color).
trilhar [tri'ʎaR] *tr* **1** trillar (cereal). **2** moler, triturar. **3** dejar rastro. **4** recorrer (andar).
trilho ['triʎu] *m* **1** trillo (instrumento). **2** senda (camino); trillo (Amér). **3** raíl, rail.
trilogia [trilo'ʒia] *f* trilogía (tres obras).
trimestral [trimeyʃ'traw] *adj 2 gén* trimestral.
trimestre [tri'mɛyʃtri] *m* **1** trimestre (tiempo). **2** trimestre (paga).

trincar [trĩ'kaʀ] *tr* **1** trincar (partir, triturar). **2** morder, masticar. • *intr* **3** rajarse (henderse).
trincheira [trĩ'ʃeyɾa] *f* trinchera.
trindade [trĩ'dadʒɪ] *f* **1** trinidad (tres entidades). **Trindade 2** REL Trinidad.
Trinidad e Tobago [trinidayto'bagʊ] *f* Trinidad y Tobago.
trinta ['trĩta] *adj/m* treinta.
trio ['triʊ] *m* trío (tres personas).

> Un ***trio elétrico*** es un camión que hace de escenario para las actuaciones musicales, típico en el carnaval de Salvador, Bahía.

tripa ['tripa] *f* **1** tripa (intestino). **2** tira (de tela, papel).
tripartido, da [tripaʀ'tʃidʊ, da] *adj* tripartito.
tripé [tri'pɛ] *m* trípode (banquillo).
triplicar [tripli'kaʀ] *tr, intr e pron* triplicar.
triplo, pla ['triplʊ, pla] *adj/m* triplo, triple.
tripulação [tripula'sãw] *f* tripulación (de barco, avión).
tripulante [tripu'lãtʃɪ] *s 2 gén* tripulante.
tripular [tripu'laʀ] *tr* **1** tripular (dotar de tripulación). **2** tripular (pilotar).
triste ['triʃtʃɪ] *adj/m e f* **1** triste (afligido). **2** triste (melancólico). • *adj 2 gén* **3** enternecedor.
tristeza [triʃ'teza] *f* tristeza.
tristonho, nha [triʃ'tõɲʊ, ɲa] *adj* triste, tristón (melancólico).
triturador, ra [tritura'doʀ, ɾa] *adj/m e f* triturador.
triturar [tritu'ɾaʀ] *tr* **1** triturar (moler, desmenuzar). **2** (fig) triturar, machacar (maltratar).
triunfador, ra [triũfa'doʀ, ɾa] *adj/m e f* triunfador.
triunfal [triũ'faw] *adj 2 gén* triunfal.
triunfante [triũ'fãtʃɪ] *adj 2 gén* triunfante.
triunfar [triũ'faʀ] *intr* **1** triunfar (vencer). **2** exultar, alegrarse.
triunfo [tri'ũfʊ] *m* **1** triunfo (victoria). **2** triunfo (éxito). ■ **em ~** (fig) en triunfo.
trivial [trivi'aw] *adj 2 gén* **1** trivial (vulgar, común). **2** trivial (ordinario).
troar [tro'aʀ] *intr* **1** tronar. **2** (fig) tronar (retumbar).
troca ['trɔka] *f* **1** intercambio. **2** cambio (transformación). **3** cambio (sustitución).
trocadilho [troka'dʒiʎʊ] *m* **1** calambur. **2** juego de palabras.
trocado, da [tro'kadʊ, da] *adj* **1** cambiado. • *m* **2** cambio (dinero menudo).
trocar [tro'kaʀ] *tr* **1** cambiar, trocar (sustituir). • *tr e pron* **2** intercambiar. **3** cambiar, trocar (transformar).
troçar [tro'saʀ] *tr* **1** ridiculizar. **2** reír, bromear.
troco ['trokʊ] *m* **1** cambio (modificación). **2** cambio (algunas monedas).
troço ['trɔsʊ] *m* **1** leño. **2** trozo (pedazo).
troféu [tro'fɛw] *m* **1** trofeo (señal, insignia). **2** trofeo (éxito, victoria).
trolha ['troʎa] *f* bofetada, patada.
tromba ['trõba] *f* **1** trompa (de animal). **2** tromba (de agua). **3** MÚS tromba (trompa).
trombone [trõ'bõnɪ] *m* **1** MÚS trombón (instrumento). **2** MÚS trombón (músico).
trombose [trõ'bɔzɪ] *f* MED trombosis.
trompa ['trõpa] *f* **1** MÚS trompa (instrumento). **2** MÚS trompa (músico). **3** ANAT trompa. ◆ **~ de Falópio** ANAT trompa de Falopio.

> La prolongación de la nariz de ciertos animales en portugués se denomina ***tromba***. La **trompa** en el sentido de borrachera es ***porre, bebedeira.***

trompete [trõ'pɛtʃɪ] *s 2 gén* **1** MÚS trompeta. **2** MÚS trompeta (músico). **3** teclado (de órgano).
trompetista [trõpe'tʃiʃta] *adj/m e f* MÚS trompetista.
tronco ['trõkʊ] *m* **1** tronco (de árbol). **2** tronco (torso). **3** (fig) prisión, cárcel. **4** (fig) tronco (estirpe, linaje).
trono ['trõnʊ] *m* **1** trono (asiento). **2** (fig) trono (realeza, soberanía).
tropa ['trɔpa] *f* **1** tropa (ejército). **2** tropa (multitud).

tropeção [trope'sãw] *m* tropezón, tropiezo.
tropeçar [trope'saR] *tr e intr* **1** tropezar (trastabillar). **2** (fig) vacilar, titubear. • *tr* **3** tropezar (chocar).
tropel [tro'pɛw] *m* **1** tropel (muchedumbre). **2** taconeo (ruido). **3** (fig) tropel (gran cantidad).
tropelia [trope'lia] *f* **1** tropelía (aceleración confusa). **2** (fig) jarana, bullicio.
tropical [tropi'kaw] *adj 2 gén* tropical.
trópico, ca ['trɔpikʊ, ka] *adj* **1** trópico. • *m* **2** GEOG trópico (círculo, región). **3** ASTR trópico (círculo).
trotar [tro'taR] *intr* **1** trotar (caballo). **2** trotar (cabalgar).
trote ['trɔtʃɪ] *m* **1** trote (andadura). **2** broma, escarnio.
trouxa ['trowʃa] *f* **1** lío, fardo. **2** gran paquete. • *adj/m e f* **3** estúpido, imbécil.
trova ['trɔva] *f* trova (canción, poesía).
trovador [trova'doR] *adj/m* trovador.
trovão [tro'vãw] *m* **1** trueno. **2** (fig) estruendo.
trovejar [trove'ʒaR] *m* **1** trueno. **2** (fig) estruendo.
trovejar [trove'ʒaR] *intr* **1** tronar. **2** (fig) tronar (retumbar).
trovoada [trovo'ada] *f* **1** tronada. **2** (fig) tronada (estruendo). **3** (fig) griterío, algarabía.
trucidar [trusi'daR] *tr e pron* **1** despedazar, matar. • *tr* **2** (fig) aniquilar (destruir).
truculento, ta [truku'lẽtʊ, ta] *adj* truculento.
truncado, da [trũ'kadʊ, da] *adj* truncado.
trunfo ['trũfʊ] *m* triunfo (naipe).
truque ['trukɪ] *m* **1** truco (ardid, trampa). **2** truco (de magia). **3** truco (habilidad).
truta ['truta] *f* **1** trucha. **2** (coloq) pez gordo.
tu ['tu] *pron pers* tú.
tua ['tua] *pron poss* **1** tu: *tua mala já está pronta = tu maleta ya está lista.* • *f* **2** tu opinión, tu posición: *qual é a tua? = ¿cuál es tu opinión?*
tuba ['tuba] *f* MÚS tuba.
tubar [tu'baR] *tr* entubar.
tubarão [tuba'rãw] *m* **1** tiburón (pez). **2** (fig) tiburón (empresario).
túbera ['tubera] *f* **1** callosidad. **2** trufa (hongo).
tubérculo [tu'bɛRkulʊ] *f* **1** tubérculo (protuberancia). **2** BOT tubérculo.
tuberculose [tubeRku'lɔzɪ] *f* MED tuberculosis.
tuberculoso, sa [tubeRku'lozʊ, za] *adj/m e f* MED tuberculoso.
tubo ['tubʊ] *m* **1** tubo (pieza hueca). **2** tubo (recipiente). **3** ANAT tubo. ◆ ~ **de ensaio** tubo de ensayo.
tubular [tubu'laR] *adj 2 gén* tubular.
tudo ['tudʊ] *pron* **1** todo (la totalidad): *apostou e perdeu tudo o que ele tinha = apostó y perdió todo lo que tenía.* **2** todo (lo fundamental): *a felicidade é tudo = la felicidad lo es todo.*
tudo-nada [tudʊ'nada] *m* pizca, casi nada. ■ **por un ~** (fig, fam) por los pelos.
tufão [tu'fãw] *m* **1** tifón. **2** vendaval.
tufo ['tufʊ] *m* **1** mechón (de pelos, hilos). **2** prominencia.
tugurio [tugu'riʊ] *m* tugurio (choza).
tule ['tulɪ] *m* tul.
túmido, da ['tumidʊ, da] *adj* túmido (hinchado).
tumor [tu'moR] *m* **1** MED tumor. **2** (fam) bulto, hinchazón.
túmulo ['tumulʊ] *m* **1** túmulo (sepulcro). **2** túmulo (catafalco).
tumulto [tu'muwtʊ] *m* **1** tumulto (motín, confusión). **2** tumulto (alboroto, algazara).
tumultuoso, sa [tumuwtu'ozʊ, za] *adj* tumultuoso.
tundra ['tũdra] *f* tundra.
túnel ['tunew] *m* túnel (paso subterráneo).
túnica ['tunika] *f* **1** túnica (vestidura). **2** casaca (de uniforme). **3** túnica (religiosa).
Tunísia [tu'nizya] *f* Túnez.
tunisiano, na [tunizi'ãnʊ, na] *adj/m e f* tunecino.
turbante [tuR'bãtʃɪ] *m* turbante.
turbilhão [tuRbi'ʎãw] *m* **1** torbellino. **2** remolino (de agua).
turbina [tuR'bina] *f* **1** MEC turbina. **2** (fig) motor (incentivo). ■ **aquecer as turbinas** (fig) calentar motores.
turbulência [tuRbu'lẽsya] *f* **1** turbulencia. **2** FÍS turbulencia.

t

turbulento, ta [tuʀbu'lẽtʊ, ta] *adj* **1** turbulento (agitado). • *adj/m e f* **2** turbulento (violento, bruto).
turco, ca ['tuʀkʊ, ka] *adj/m e f* turco.
turcomano, na [tuʀko'mãnʊ, na] *adj/m e f* turcomano.
turismo [tu'riʒmʊ] *m* **1** turismo (viaje). **2** turismo (servicios).
turista [tu'riʃta] *adj 2 gén* **1** turista (económico). • *s 2 gén* **2** turista.
turístico, ca [tu'riʃtʃikʊ, ka] *adj* turístico.
turma ['tuʀma] *f* **1** grupo, conjunto (de gente). **2** clase (de alumnos). **3** pandilla (de amigos). **4** turno (de trabajo).
turmalina [tuʀma'lina] *f* turmalina.
turno ['tuʀnʊ] *m* **1** turno (alternancia). **2** turno (vez). **3** turno (personas).
turquesa [tuʀ'keza] *f* **1** turquesa (mineral). • *adj/m* **2** turquesa (color).
Turquia [tuʀ'kia] *f* Turquía.
turvar [tuʀ'vaʀ] *tr, intr e pron* **1** turbar (enturbiar). **2** (fig) turbar (aturdir). **3** turbar, enturbiar (oscurecer, nublar). **4** turbar, perturbar (alterar, trastornar).
turvo, va ['tuʀvʊ, va] *adj* **1** turbio, turbulento (agitado). **2** turbio (sucio, manchado). **3** (fig) turbio, turbulento (agitado, revuelto).
tutano [tu'tãnʊ] *m* tuétano (médula).
tutela [tu'tɛla] *f* **1** tutela (protección). **2** DIR tutela, tutoría (autoridad).
tutelar [tute'laʀ] *adj 2 gén* tutelar.
tutelar [tute'laʀ] *tr* tutelar (ejercer la tutela).
tutor, ra [tu'toʀ, ɾa] *m e f* **1** tutor (tutelar). **2** tutor (profesor, orientador).

Uu

u, U [ˈu] *m* u, U (letra).
ubiqüidade [ubikwiˈdadʒɪ] *f* ubicuidad.
Ucrânia [ukˈɾãnya] *f* Ucrania.
ucraniano, na [ukɾãniˈãnʊ, na] *adj/m e f* **1** ucraniano. • *m* **2** ucraniano (lengua).
UE [uˈɛ] (*siglas de* **União Européia**) *f* UE (Unión Europea).
uf! [ˈufi] *interj* ¡uf! (con valor de alivio).
ufanar [ufaˈnaʀ] *tr e pron* **1** enorgullecer, envanecer. • *pron* **~-se 2** ufanarse, jactarse.
Uganda [uˈgãda] *f* Uganda.
ugandês, sa [ugãˈdeyʃ, za] *m e f* ugandés.
uísque [uˈiʃki] *m* güisqui, whisky.
uivar [uyˈvaʀ] *intr* **1** aullar (un animal). **2** (fig) ulular (viento).
uivo [ˈuyvʊ] *m* aullido (de animal).
úlcera [ˈuwseɾa] *f* MED úlcera (herida, llaga).
ulterior [uwteɾiˈoʀ] *adj 2 gén* **1** ulterior (en el tiempo). **2** ulterior (en el espacio).
ultimar [uwtʃiˈmaʀ] *tr e pron* **1** ultimar (finalizar). • **~-se** *pron* **2** ultimar (cerrar, terminar).
ultimato [uwtʃiˈmatʊ] *m* **1** ultimátum. **2** (fig) ultimátum (resolución definitiva).
último, ma [ˈuwtʃimʊ, ma] *adj/m e f* **1** último (en el tiempo). **2** último (en el espacio). **3** último (único que queda). • *adj* **4** último (anterior, pasado, precedente). **5** último (actual, nuevo). **6** último (definitivo).
ultra [ˈuwtɾa] *s 2 gén* radical, extremista (en política).
ultrajar [uwtɾaˈʒaʀ] *tr* ultrajar (ley, principio).
ultramar [uwtɾaˈmaʀ] *adj inv* **1** ultramarino. • *m* **2** ultramar (país, territorio).
ultramarino, na [uwtɾamaˈɾinʊ, na] *adj* **1** ultramarino. **2** ultramarino, ultramaro (azul).
ultrapassado, da [uwtɾapaˈsadʊ, da] *adj* **1** adelantado, rebasado (dejado atrás). **2** superado, vencido.
ultrapassar [uwtɾapaˈsaʀ] *tr* **1** rebasar, exceder, sobrepasar (límite). **2** traspasar, pasar (cruzar). **3** pasar, sobrepasar (ir más allá).
ultra-som [uwtɾaˈsõw] *m* FÍS ultrasonido.
ultravioleta [uwtɾaviolˈeta] *adj 2 gén* **1** FÍS ultravioleta. • *s 2 gén* **2** FÍS ultravioleta.
um, ma [ˈũ, ma] *adj/m* **1** uno (número). • *art* **2** un. • *pron* **3** uno (una persona, alguien).
umbigo [ũˈbigʊ] *m* ANAT ombligo.
umbilical [ũbiliˈkaw] *adj 2 gén* ANAT umbilical.
umbral [ũbˈɾaw] *m* umbral.
umedecer [ũmedeˈseʀ] *tr e pron* humedecer.
umidade [umiˈdadʒɪ] *f* **1** humedad. **2** humedad (del aire).
umidificador [umidʒifikaˈdoʀ]
úmido, da [ˈumidʊ, da] *adj* húmedo.
unânime [ũˈnanimɪ] *adj 2 gén* unánime.
unanimidade [unãnimiˈdadʒɪ] *f* unanimidad. ■ **por ~** por unanimidad.
unção [ũˈsãw] *f* **1** unción (untamiento). **2** (fig) dulzura, candor. **3** REL unción (extremaunción).
Unesco [uˈneyʃkʊ] (*siglas de* **United Nations Educational Scientific and Cultural Organization**) *f* Unesco (Organización de las Naciones Unidas para la Ciencia, la Educación y la Cultura).
ungir [ũˈʒiʀ] *tr e pron* **1** ungir (untar). • *tr* **2** ungir (con óleo sagrado).
ungüento [ũˈgwẽtʊ] *m* ungüento.
unha [ˈũɲa] *f* **1** ANAT uña. **2** uña (casco, pezuña). **3** uña (punta corva). • **unhas** *f pl* **4** (fig) mano (poder, dominio). ■ **deitar as unhas** (fig, fam) echar la garra (coger); **enterrar ou meter a ~** (fig, fam) hincar o meter la uña (cobrar muy caro).
união [uniˈãw] *f* **1** unión (conjunción). **2** unión (alianza, unidad). **3** unión (matri-

monio). **União 4** Unión (asociación, entidad). **5** POL Unión, Federación (alianza). **6** POL Administración (de la República de Brasil). **7** POL (fig) Gobierno Federal (de la República de Brasil).

unicidade [unisi'dadʒɪ] *f* unicidad.

único, ca ['uniku, ka] *adj* único (solo, sin igual).

unidade [uni'dadʒɪ] *f* **1** unidad (número uno). **2** unidad (medida). **3** unidad (unificación). ♦ **~ de terapia intensiva** MED unidad de cuidados intensivos.

unido, da [u'nidu, da] *adj* **1** unido (junto, pegado). **2** unido (por amistad, cariño).

unifamiliar [unifamili'aR] *adj 2 gén* unifamiliar.

unificação [unifika'saw] *f* unificación.

unificado, da [unifi'kadu, da] *adj* unificado.

unificar [unifi'kaR] *tr e pron* unificar (unir).

uniforme [uni'fɔRmɪ] *adj 2 gén* **1** uniforme (análogo, idéntico). • *m* **2** uniforme (traje).

uniformidade [unifoRmi'dadʒɪ] *f* uniformidad (regularidad).

uniformização [unifoRmiza'sãw] *f* uniformización.

uniformizar [unifoRmi'zaR] *tr e pron* **1** uniformar, uniformizar (igualar). **2** uniformar (vestir de uniforme).

unilateral [unilate'raw] *adj 2 gén* unilateral.

unionista [unio'niʃta] *adj/m e f* unionista.

unir [u'niR] *tr e pron* **1** unir (juntar, reunir). **2** unir (casar). **3** unir (asociar). • *tr e intr* **4** unir (adherir, pegar).

uníssono, na [u'nisonu, na] *adj* **1** unísono. • *m* **2** MÚS unísono.

unitário, a [uni'tariu, a] *adj* **1** unitario. • *adj/m e f* **2** POL unitario.

universal [univeR'saw] *adj 2 gén* **1** universal (cósmico). **2** universal (mundial). **3** universal (total).

universalidade [universali'dadʒɪ] *f* universalidad.

universalismo [univeRsal'iʒmu] *m* universalismo.

universalista [univeRsal'iʃta] *adj/m e f* **1** REL universalista. **2** POL universalista.

universidade [univeRsi'dadʒɪ] *f* **1** universidad (institución, edificio, trabajadores). **2** universidad (universalidad).

universitário, a [univeRsi'tariu, a] *adj* **1** universitario. • *adj/m e f* **2** universitario (estudiante).

universo [uni'veRsu] *m* (fig) mundo (población).

unívoco, ca [u'nivoku, ka] *adj* unívoco (no ambiguo).

untar [ũ'taR] *tr e pron* untar (aplicar, extender).

untuoso, sa [ũtu'ozu, za] *adj* **1** untuoso (graso). **2** untado (de grasa). **3** untuoso (gordo).

urânio [u'raniu] *m* QUÍM uranio.

urano [u'ranu] *m* QUÍM urano.

urbanidade [uRbani'dadʒɪ] *f* urbanidad.

urbanismo [uRba'niʒmu] *m* urbanismo (modo de vida).

urbanístico, ca [uRba'niʃtʃiku, ka] *adj* urbanístico.

urbanização [uRbaniza'sãw] *f* ARQ urbanización (proceso).

> No confundir ***urbanização*** con el sentido de **urbanización** en español: núcleo residencial urbanizado.

urbanizado, da [uRbani'zadu, da] *adj* urbanizado.

urbanizar [uRbani'zaR] *tr e pron* **1** urbanizar (civilizar, educar). • *tr* **2** urbanizar (edificar).

urbano, na [uR'banu, na] *adj* **1** urbano (civilizado, cortés). • *adj/m e f* **2** urbano (de la ciudad).

urbe ['uRbɪ] *f* urbe.

urdir [uRd'ʒiR] *tr* **1** urdir (hilo). **2** (fig) urdir (maquinar).

uréia [u'rɛia] *f* QUÍM urea.

urgência [uR'ʒẽsia] *f* **1** urgencia (rapidez). **2** urgencia (necesidad, falta).

urgente [uR'ʒẽtʃɪ] *adj 2 gén* urgente (apremiante).

urgir [uR'ʒiR] *tr e intr* **1** urgir (instar). • *tr* **2** urgir (obligar).

urina [u'rina] *f* orina.

urinar [uri'naR] *intr e pron* **1** orinar (orina). • *tr* **2** orinar (otro líquido): *urinar sangue = orinar sangre.*

urinário, a [uri'nariu, a] *adj* urinario.

urna ['uRna] *f* **1** urna (de restos mortales). **2** caja, ataúd. **3** urna (de votación,

sorteo). • **urnas** *f pl* **4** urnas (elecciones).
urrar [u'RaR] *intr* bramar (animal).
urro ['uRʊ] *m* bramido.
urso, sa ['uRsʊ, sa] *m e f* **1** oso (mamífero). **2** (fig) espantajo (feo y mal vestido). **3** (fig) bestia, bruto. ◆ **Ursa Maior** ASTR Osa Mayor; **Ursa Menor** ASTR Osa Menor.
urtiga [uRt'ʃiga] *f* ortiga.
Uruguai [uɾu'gway] *m* Uruguay.
uruguaio, a [uɾu'gwayʊ, a] *adj/m e f* uruguayo.
usado, da [u'zadʊ, da] *adj* **1** usado (no nuevo). **2** usado (gastado).
usar [u'zaR] *tr* **1** usar (soler). **2** usar (utilizar, emplear). **3** usar (llevar). • *tr e pron* **4** usar, gastar.
usina [u'zina] *f* **1** fábrica (industrial). **2** ingenio de azúcar. **3** usina, central (de energía).
uso ['uzʊ] *m* **1** uso (utilización). **2** uso (costumbre). **3** uso (moda). **4** uso (utilidad).
usual [uzu'aw] *adj 2 gén* usual (común).
usuário, a [uzu'aɾiʊ, a] *adj/m e f* usuario.
usufruir [uzufɾu'iR] *tr* usufructuar (tener, gozar).
usufruto [uzuf'ɾutʊ] *m* **1** usufructo (derecho). **2** usufructo (fruto, provecho).
usura [u'zuɾa] *f* **1** usura (interés). **2** (fig) usura (ganancia). **3** (fig, coloq) usura, avaricia.
usurpador, ra [uzuRpa'doR, ɾa] *adj/m e f* usurpador.
usurpar [uzuR'paR] *tr* **1** usurpar (apoderarse). **2** usurpar (arrogarse función).
utensílio [utẽ'siliʊ] *m* utensilio (herramienta, instrumento).
uterino, na [ute'ɾinʊ, na] *adj* ANAT uterino.
útero ['uteɾʊ] *m* ANAT útero.
UTI [ute'i] (*siglas de* **Unidade de Terapia Intensiva**) *m* MED UCI (Unidad de Cuidados Intensivos).
útil ['utʃiw] *adj 2 gén* **1** útil (servible). **2** útil (provechoso). **3** hábil, laborable (tiempo). • *m* **4** útil.
utilidade [utʃili'dadʒɪ] *f* **1** utilidad (provecho, fruto). **2** utilidad (función).
utilitário, a [utʃili'taɾiʊ, a] *adj* **1** utilitario (provechoso). • *adj/m e f* **2** utilitario (pragmático). • *m* **3** jeep, camioneta (para transporte de carga en el campo).
utilização [utʃiliza'sãw] *f* utilización.
utilizador, ra [utʃiliza'doR, ɾa] *adj/m e f* utilizador.
utilizar [utʃili'zaR] *tr* **1** utilizar (emplear, usar). **2** utilizar (aprovechar). **3** servir, ser útil.
utilizável [utʃili'zavew] *adj 2 gén* utilizable.
utopia [uto'pia] *f* **1** utopía. **2** (fig) utopía (proyecto irrealizable).
utópico, ca [u'topikʊ, ka] *adj* (fig) utópico (ideal, irrealizable).
uva ['uva] *f* **1** uva. **2** racimo (de uvas).
uzbeque [uʃ'bɛkɪ] *adj/m e f* uzbeco, uzbego, uzbeko.
Uzbequistão [uʃbɛkiʃ'tãw] *m* Uzbequistán, Uzbekistán.

Vv

v, V [ˈve] *m* v, V (letra).
vaca [ˈvaka] *f* **1** vaca (animal). **2** (vulg) perra, zorra (puta).
vacilante [vasiˈlãtʃɪ] *adj 2 gén* vacilante (oscilante).
vacilar [vasiˈlaʀ] *intr* **1** vacilar (oscilar). • *tr e intr* **2** (fig) vacilar (titubear, dudar).
vacina [vaˈsina] *f* MED vacuna.
vacinação [vasinaˈsãw] *f* vacunación.
vacinar [vasiˈnaʀ] *tr e pron* vacunar (inocular).
vácuo, a [ˈvakwʊ, a] *adj* **1** vacuo (vacío, hueco). • *m* **2** vacuo (hueco).
vadiagem [vadʒiˈaʒẽy] *f* **1** vagancia (holgazanería). **2** vagabundeo.
vadio, a [vaˈdʒiʊ, a] *adj* **1** vago (desocupado). **2** ocioso.
vaga [ˈvaga] *f* **1** plaza (espacio): *não havia nenhuma vaga na garagem = no había ninguna plaza en el garaje*. **2** plaza (puesto, empleo).
vagabundagem [vagabũˈdaʒẽy] *f* vagabundeo.
vagabundear [vagabũdeˈaʀ] *intr* vagabundear.
vagabundo, da [vagaˈbũdʊ, da] *m e f* **1** vagabundo (errante). **2** vagabundo (vago). • *m* **3** (pej) canalla, granuja.
vagão [vaˈgãw] *m* vagón (de tren).
vagar [vaˈgaʀ] *m* **1** vagar (lentitud). **2** vagar (ocio).
vagar [vaˈgaʀ] *intr* **1** vagar (errar). **2** desocupar (quedar vacante). **3** vagar (tener tiempo). **4** ocuparse, entregarse. **5** circular, difundir. • *tr e intr* **6** recorrer, viajar.
vagaroso, sa [vagaˈrozʊ, za] *adj* **1** lento. **2** pausado, sereno.
vagina [vaˈʒina] *f* ANAT vagina.
vaginal [vaʒiˈnaw] *adj 2 gén* vaginal.
vago, ga [ˈvagʊ, ga] *adj* **1** vago (vacío, desocupado). **2** vago (vacante). **3** vago (errante).
vaguear [vageˈaʀ] *intr* **1** vaguear (holgazanear). • *tr e intr* **2** vagar (errar).
vaia [ˈvaya] *f* abucheo.
vaiar [vayˈaʀ] *tr e intr* abuchear.
vaidade [vayˈdadʒɪ] *f* **1** vanidad (presunción, arrogancia). **2** pequeñez, insignificancia.
vaidoso, sa [vayˈdozʊ, za] *adj/m e f* vanidoso.
vaivém [vayˈvẽy] *m* vaivén (balanceo).
valado [vaˈladʊ] *m* **1** vallado, cercado. **2** cercado (propiedad rural).
vale [ˈvalɪ] *m* **1** valle (llanura). **2** vale (papel, seguro). **3** vale (bono).
valência [vaˈlẽsya] *f* valor, valía.
valenciano, na [valẽsyˈanʊ, na] *adj/m e f* valenciano.
valente [vaˈlẽtʃɪ] *adj/m e f* **1** valiente (arrojado, intrépido). **2** valiente (fuerte, robusto). • *adj 2 gén* **3** valiente (eficaz, activo).
valentia [valẽˈtʃia] *f* **1** valentía (valor, coraje). **2** valentía (vigor, fuerza). **3** valentía (hazaña).
valer [vaˈleʀ] *intr* **1** valer (costar). **2** valer (tener validez). **3** valer (servir). • *tr e intr* **4** valer (equivaler). **5** valer (merecer). ■ **para ~** mucho, muy: *ela é bonita para valer = ella es muy bonita*.
valeta [vaˈleta] *f* canal (cauce artificial).
validação [validaˈsãw] *f* validación (legitimación).
validade [valiˈdadʒɪ] *f* validez.
validar [valiˈdaʀ] *tr e pron* **1** validar. • *tr* **2** legitimar.
válido, da [ˈvalidʊ, da] *adj* **1** válido (legítimo, legal). **2** válido (correcto, lícito).
valioso, sa [valiˈozʊ, za] *adj* **1** valioso (caro). **2** valioso (bueno, útil).
valor [vaˈloʀ] *m* **1** valor (valentía, coraje). **2** valor (valía). **3** valor (utilidad). **4** (fig) valor (aprecio, estima). • **valores** *m pl* **5** valores (principios).
valoração [valoraˈsãw] *f* valoración.
valorização [valorizaˈsãw] *f* valorización (del mérito).
valorizar [valoriˈzaʀ] *tr e pron* **1** valorar (dar importancia). **2** valorar (precio).
valoroso, sa [valoˈrozʊ, za] *adj* valeroso.
valsa [ˈvawsa] *f* MÚS vals, valse (baile, música).

válvula [ˈvawvula] *f* **1** válvula (pieza). **2** ANAT válvula (pliegue). ◆ ~ **de escape** (fig) válvula de escape (desahogo); ~ **de segurança** válvula de seguridad.
vampiro [vãˈpiɾʊ] *m* **1** vampiro (ser de ultratumba). **2** vampiro (murciélago). **3** (fig) vampiro (explotador).
van [ˈvã] *m* furgoneta.

> En Brasil otro medio de transporte que compite con los autobuses urbanos o interurbanos es la ***van***, furgoneta particular que su dueño destina a transportar pasajeros.

vandalismo [vãdaˈliʒmʊ] *m* vandalismo.
vândalo, la [ˈvãdalʊ, la] *m e f* **1** vándalo (germánico). • *adj/m e f* **2** (fig) vándalo (gamberro, salvaje).
vangloriar [vãgloɾiˈaʀ] *tr* **1** alabar, elogiar. • **~-se** *pron* **2** vanagloriarse (jactarse).
vanguarda [vãˈgwaʀda] *f* **1** MIL vanguardia. **2** (fig) vanguardia (intelectual). ■ **de** ~ de vanguardia.
vanguardista [vãgwaʀˈdʒiʃta] *adj/m e f* vanguardista (avanzado, moderno).
vantagem [vãˈtaʒẽy] *f* **1** ventaja (superioridad). **2** ventaja (condición favorable). **3** beneficio, ganancia. ■ **levar** ~ llevar ventaja.
vantajoso, sa [vãtaˈʒozʊ, za] *adj* **1** ventajoso. **2** beneficioso, provechoso.
vão, vã [ˈvãw, ˈvã] *adj* **1** vano (hueco). **2** vano (irreal, insustancial). • *m* **3** vano (hueco). ■ **em** ~ en vano.
vapor [vaˈpoʀ] *m* **1** vapor (fluido gaseoso). **2** (fig) vapor (barco). ■ **a todo** ~ (fig, fam) al vapor, a toda máquina.
vaporização [vapoɾizaˈsãw] *f* vaporización.
vaporoso, sa [vapoˈɾozʊ, za] *adj* **1** vaporoso. **2** (fig) vaporoso (fino, transparente). **3** (fig) vaporoso (tenue, ligero).
vara [ˈvaɾa] *f* **1** vara (rama). **2** vara (palo). **3** pértiga (de saltador). **4** varilla (de abanico, paraguas). **5** caña (de pescar). **6** (fig) palo (castigo, golpe). ◆ ~ **de condão** varita mágica.
varal [vaˈɾaw] *m* **1** tendedero, tendal. **2** varal, vara (del carro).
varanda [vaˈɾãda] *f* **1** balcón, terraza. **2** porche, pórtico.
varão [vaˈɾãw] *m* **1** varón (hombre). **2** (fig) varón (viril, venerable). **3** tranca (de puerta, ventana).
varapau [vaɾaˈpaw] *m* **1** varapalo (palo largo). **2** bastón, cayado.
varar [vaˈɾaʀ] *tr* **1** varear (golpear). **2** recorrer (atravesar). **3** adentrarse, entrar. **4** salir, pasar (por un lugar). • *tr e intr* **5** MAR varar.
variabilidade [vaɾyabiliˈdadʒɪ] *f* variabilidad.
variação [vaɾiaˈsãw] *f* variación (modificación).
variado, da [vaɾiˈadʊ, da] *adj* **1** variado (diferente). **2** variado (diverso).
variância [vaɾiˈãsya] *f* MAT variancia.
variante [vaɾiˈãtʃɪ] *adj 2 gén* **1** variante. • *f* **2** variante (variedad). **3** variante (alternativa).
variar [vaɾiˈaʀ] *tr e intr* **1** variar (diversificar). **2** variar (cambiar). • *intr* **3** variar (diferenciarse). **4** desvariar (delirar).
variável [vaɾiˈavew] *adj 2 gén* **1** variable (cambiante). **2** variable (inestable). • *f* **3** MAT variable.
varicela [vaɾiˈsɛla] *f* MED ⇒ catapora.
variedade [vaɾieˈdadʒɪ] *f* **1** variedad (diversidad). **2** BOT, ZOOL variedad (grupo, tipo).
vário, a [ˈvaɾyʊ, a] *adj* **1** vario (diverso, variado). • **vários** *pron* **2** varios (algunos).
varíola [vaˈɾiwla] *f* MED viruela.
variz [vaˈɾiʃ] *f* ANAT variz.
varrer [vaˈʀeʀ] *tr e intr* **1** barrer (limpiar). • *tr* **2** (fig) barrer (llevarse todo). **3** (fig) barrer (arrasar, destruir).
várzea [ˈvaʀzya] *f* **1** valle (llanura). **2** plantío, campiña.
vascular [vayʃkuˈlaʀ] *adj 2 gén* ANAT vascular.
vasculhar [vayʃkuˈʎaʀ] *tr e intr* **1** deshollinar. **2** (fig) deshollinar (escudriñar).
vasilha [vaˈziʎa] *f* **1** vasija. **2** barril, tonel.
vaso [ˈvazʊ] *m* **1** jarrón (florero). **2** maceta, tiesto. **3** ANAT, BOT vaso (con-

ducto). ♦ ~ **sanitário** váter, retrete, sanitario.

> El término que se usa habitualmente en el portugués de Brasil para referirse al **vaso**, como recipiente que sirve para beber, es ***copo***: *un vaso de agua = um copo de água.*

vassalagem [vasa'laʒẽy] *m* **1** vasallaje (vínculo, tributo). **2** (fig) vasallaje (sumisión, sujeción).
vassalo, la [va'salʊ, la] *m e f* **1** vasallo (siervo). **2** vasallo (súbdito).
vassoura [va'sowɾa] *f* **1** escoba (cepillo). **2** MÚS escobilla (de percusión).
vastidão [vayʃtʃi'dãw] *f* **1** vastedad (amplitud). **2** (fig) vastedad (grandeza, magnitud).
vasto, ta ['vayʃtʊ, ta] *adj* **1** vasto (extenso). **2** (fig) vasto (grande, relevante).
Vaticano [vatʃi'kãnʊ] *m* Vaticano.
vaticinar [vatʃisi'naʀ] *tr e intr* vaticinar.
vazamento [vaza'mẽtʊ] *m* fuga, escape (de líquido).
vazante [va'zãtʃɪ] *f* menguante.
vazar [va'zaʀ] *tr, intr e pron* **1** vaciar (dejar vacío). ● *tr e pron* **2** vaciar (desaguar, desembocar). **3** (fig) vaciarse (desahogarse). ● *intr e pron* **4** escapar, salir (líquido, gas). ● *tr* **5** (fig) filtrar (desvelar). ● *intr* **6** descargar (sacar la carga).
vazio, a [va'ziʊ, a] *adj* **1** vacío (hueco). **2** vacío (desocupado). ● *m* **3** vacío (espacio). **4** vacío (hueco, vano). **5** (fig) vacío (carencia, falta).
veado, da [ve'adʊ, da] *m* venado (ciervo).
vedação [veda'sãw] *f* **1** veda, vedamiento. **2** cercado, vallado. **3** (fig) cierre, corte (de camino, vía).
vedar [ve'daʀ] *tr* **1** sellar (cerrar). **2** cercar, vallar. **3** vedar (obstaculizar, dificultar). **4** (fig) cortar, cerrar (acceso). **5** (fig) vedar (prohibir).
vedete [ve'dɛtʃɪ] *f* **1** vedet, vedette (cantante, bailarina). **2** (fig) vedette (estrella).
vedor, ra [ve'doʀ, ɾa] *adj/m e f* veedor (inspector).
veemência [vee'mẽsya] *f* vehemencia (impetuosidad).
veemente [vee'mẽtʃɪ] *adj 2 gén* **1** vehemente (impetuoso). **2** enérgico, fuerte (potente). **3** vehemente (apasionado).
vegetação [veʒeta'sãw] *f* vegetación.
vegetal [veʒe'taw] *adj 2 gén* **1** vegetal. ● *m* **2** vegetal (planta).
vegetar [veʒe'taʀ] *tr e intr* vegetar.
vegetarianismo [veʒetaɾiã'niʒmʊ] *m* vegetarianismo.
vegetativo, va [veʒeta'tʃivʊ, va] *adj* **1** vegetativo. **2** BIOL vegetativo.
veia ['veya] *f* **1** ANAT vena (vaso, conducto). **2** (fig) arteria (calle). **3** (fig) vena (inspiración). ♦ ~ **coronária** ANAT vena cardíaca o coronaria. ■ **ferver o sangue nas veias** (fig, fam) hervirle a alguien la sangre (enfadarse).
veicular [veiku'laʀ] *tr* **1** transportar (en vehículo). **2** vehicular (transmitir, comunicar).
veículo [ve'ikulʊ] *m* **1** vehículo (medio de transporte). **2** (fig) vehículo (conductor, transmisor).
veio ['veyʊ] *m* **1** MIN venero (yacimiento). **2** vena, veta (de madera, piedra). **3** vena (corriente subterránea). **4** riachuelo, regato. **5** meollo (fundamento).
vela ['vɛla] *f* **1** vela (de embarcación). **2** vela (deporte). **3** vela (vigilia). **4** vela (candela). ■ **à ~** en vela (despierto); **ir-se a ~** irse a pique; **tratar à ~ de libra** (fig, fam) tratar a cuerpo de rey.
velada [ve'lada] *f* velada (vigilia).
velar [ve'laʀ] *tr e intr* **1** velar (no dormir). ● *tr* **2** velar (asistir). **3** velar (cuidar). ● *tr e pron* **4** velar (cubrir). **5** (fig) velar (disimular, ocultar).
veleidade [veley'dadʒɪ] *f* **1** veleidad (antojo). **2** vanidad (presunción).
veleiro, ra [ve'leyɾʊ, ɾa] *adj* **1** velero. ● *m* **2** MAR velero (embarcación).
velhaco, ca [ve'ʎakʊ, ka] *adj/m e f* bellaco.
velharia [veʎa'ɾia] *f* **1** vejez, ancianidad. **2** antigualla (objeto).
velhice [ve'ʎisɪ] *f* **1** vejez (senectud). **2** (fig) vejez (achaques, manías).
velho, lha ['vɛʎʊ, ʎa] *adj/m e f* **1** viejo, anciano (persona). ● *adj* **2** viejo, antiguo (objeto). **3** mayor (en edad).
velocidade [velosi'dadʒɪ] *f* **1** velocidad (ligereza, rapidez). **2** FÍS velocidad.
velório [ve'lɔɾyʊ] *m* velatorio, velorio.

veloz [ve'lɔyʃ] *adj 2 gén* veloz.
veludo, da [ve'ludʊ, da] *adj* **1** velludo. • *m* **2** terciopelo (tejido).
vencedor, ra [vẽse'doʀ, ɾa] *adj/m e f* vencedor.
vencer [vẽ'seʀ] *tr e intr* **1** vencer (derrotar, ganar). • *tr* **2** vencer (recorrer distancia). **3** vencer (superar, dejar detrás). **4** cobrar, ganar (recibir). • *tr, intr e pron* **5** vencer (rendir). • **~-se** *pron* **6** dominarse, refrenarse.
vencido, da [vẽ'sidʊ, da] *adj* **1** vencido (alcanzado). **2** vencido, cumplido (plazo); caducado (alimento). • *adj/m e f* **3** vencido (derrotado). **4** vencido (abatido, apagado).
vencimento [vẽsi'mẽtʊ] *m* vencimiento (victoria).
venda ['vẽda] *f* **1** venta (operación comercial). **2** venda (de ojos). **3** tienda (con bar).
vendar [vẽ'daʀ] *tr* **1** vendar. • *tr e intr* **2** (fig) vendar (cegar).
vendaval [vẽda'vaw] *m* vendaval (viento fuerte).
vendável [vẽ'davew] *adj 2 gén* vendible.
vendedor, ra [vẽde'doʀ, ɾa] *adj/m e f* **1** vendedor. **2** dependiente (vendedor).
vender [vẽ'deʀ] *tr* **1** vender (comerciar). **2** (fig) vender (convencer). **3** (fig) vender (traicionar). • *tr e pron* **4** (fig, pej) venderse (por corrupción).
vendido, da [vẽ'dʒidʊ, da] *adj/m e f* **1** vendido (traspasado). **2** (fig, pej) vendido (traidor). • *adj* **3** (fig) vendido (traicionado).
veneno [ve'nẽnʊ] *m* **1** veneno (sustancia). **2** (fig) veneno (perversidad).
venenoso, sa [vene'nozʊ, za] *adj* **1** venenoso (tóxico). **2** (fig) venenoso (perverso).
veneração [veneɾa'sãw] *f* **1** veneración (admiración). **2** veneración (culto).
venerar [vene'ɾaʀ] *tr* **1** venerar (admirar). **2** venerar (dar culto).
venerável [vene'ɾavew] *adj 2 gén* venerable (respetable).
venéreo, a [ve'nɛɾyʊ, a] *adj* **1** venéreo (sexual). **2** venéreo (enfermedad). • *m* **3** (coloq) sífilis.
Venezuela [venezu'ɛla] *f* Venezuela.
venezuelano, na [venezue'lãnʊ, na] *adj/m e f* venezolano.
vênia ['vẽnya] *f* **1** venia (permiso). **2** venia (perdón).
venoso, sa [ve'nozʊ, za] *adj* venoso.
ventania [vẽta'nia] *f* ventarrón, ventisca.
ventilação [vẽtʃila'sãw] *f* **1** ventilación (aireación). **2** ventilación (corriente de aire).
ventilar [vẽtʃi'laʀ] *tr* **1** ventilar (airear). **2** ventilar, oxigenar (pulmones). **3** (fig) imaginar (pasar por la cabeza). **4** (fig) ventilar (discutir, exponer).
vento ['vẽtʊ] *m* **1** viento (aire). **2** (fig) viento (influencia). **3** (coloq) viento (ventosidad). ■ **aos quatro ventos** (fig, fam) a los cuatro vientos; **de ~ em popa** (fig, fam) viento en popa.
ventoso, sa [vẽ'tozʊ, za] *adj* **1** ventoso. **2** ventilado.
ventre ['vẽtɾɪ] *m* **1** vientre (cavidad). **2** (fig) barriga, panza. **3** (fig) vientre (intestino). **4** (fig) vientre, panza (de vasija). **5** (fig) vientre (interior).
ventrículo [vẽ'tɾikulʊ] *m* ANAT ventrículo.
ventura [vẽ'tuɾa] *f* **1** ventura (casualidad). **2** ventura (buena suerte, dicha).
venturoso, sa [vẽtu'ɾozʊ, za] *adj* venturoso (afortunado, feliz).
ver ['veʀ] *m* ver (parecer, juicio). ■ **a meu, teu, seu ~** a mi, tu, su modo de ver.
ver ['veʀ] *tr e intr* **1** ver (percibir). • *tr e pron* **2** ver (avistar). **3** tratar, convivir. **4** ver (considerar, juzgar). **5** ver (encontrarse, estar). • *tr* **6** ver (conocer, experimentar). **7** ver, mirar (tener cuidado): *veja por onde anda = mira por donde vas.* **8** ver (darse cuenta). **9** ver (comprobar, examinar). **10** ver (buscar). **11** (fig) ver (presentir). ■ **até mais ~** hasta más ver, a más ver.
veracidade [veɾasi'dadʒɪ] *f* veracidad.
veraneio [veɾã'neyʊ] *intr* veraneo.
verão [ve'ɾãw] *m* verano (estación).
verba ['vɛʀba] *f* **1** cláusula (de documento). **2** anotación (comentario). **3** partida (presupuestaria).
verbal [veʀ'baw] *adj 2 gén* **1** verbal (de la palabra). **2** verbal (oral). **3** GRAM verbal.
verbo ['vɛʀbʊ] *m* **1** (form) palabra (discurso). **2** GRAM verbo. ♦ **~ de ligação** GRAM verbo copulativo; **~ intransitivo** verbo intransitivo; **~ transitivo** GRAM verbo transitivo.
verdade [veʀ'dadʒɪ] *f* **1** verdad (veracidad). **2** (fig) verdad (realidad).
verdadeiro, ra [veʀda'deyɾʊ, ɾa] *adj* **1** verdadero (cierto, verídico). **2** verdadero

V

(real). **3** verdadero (sincero). **4** verdadero (auténtico, original).
verde [ˈveʀdʒɪ] *adj/m* **1** verde (color). • *adj 2 gén* **2** verde (no maduro). **3** (fig) verde (inexperto, novato). **4** (fig) verde (fresco, lozano). **5** verde (con vegetación). **6** verde (ecológico). • *adj/m e f* **7** verde (ecologista). • *m* **8** verde (follaje).
verdejante [veʀdeˈʒãtʃɪ] *adj 2 gén* verdoso.
verdejar [veʀdeˈʒaʀ] *intr* verdear.
verdura [veʀˈduɾa] *f* **1** verdura (hortaliza). **2** vegetación (plantas).
vereação [veɾeaˈsãw] *f* **1** edilidad (cargo, período). **2** junta municipal, concejo.
vereador, ra [veɾeaˈdoʀ, ɾa] *m e f* concejal, edil.
vereda [veˈɾeda] *f* **1** vereda (camino). **2** atajo (camino corto). **3** (fig) camino (modo de vida).
veredicto [veɾeˈdʒikitʊ] *m* **1** veredicto. **2** (fig) veredicto (parecer, dictamen).
vergar [veʀˈgaʀ] *tr, intr e pron* **1** cimbrar, curvar (arquear). • *tr e pron* **2** (fig) doblegar (someter). • *intr* **3** ceder (por el peso).
vergonha [veʀˈgõɲa] *f* **1** vergüenza (deshonra). **2** vergüenza (pundonor). **3** vergüenza (timidez).
vergonhoso, sa [veʀgõˈɲozʊ, za] *adj* vergonzoso.
verídico, ca [veˈɾidʒikʊ, ka] *adj* verídico.
verificação [veɾifikaˈsãw] *f* **1** verificación (examen). **2** verificación (comprobación).
verificar [veɾifiˈkaʀ] *tr* **1** verificar (examinar). **2** verificar (comprobar).
verme [ˈvɛʀmɪ] *m* verme, gusano.
vermelhecer [veʀmeʎeˈseʀ] *intr* enrojecer.
vermelho, lha [veʀˈmeʎʊ, ʎa] *adj/m* **1** rojo (color). • *adj* **2** (fig) ruborizado. • *m e f* **3** (fig) rojo (soviético); rojo (comunista, izquierdista).
verniz [veʀˈniʃ] *m* **1** barniz (sustancia). **2** (fig) barniz (noción).
verossímil [veɾoˈsimiw] *adj 2 gén* **1** verosímil (verdadero). **2** verosímil (creíble).
versão [veʀˈsãw] *f* **1** versión (traducción). **2** (fig) versión (interpretación).
versar [veʀˈsaʀ] *tr* **1** manejar, ojear (libro). **2** versar (tratar). **3** versificar (poner en verso).
versátil [veʀˈsatʃiw] *adj 2 gén* **1** versátil (voluble). **2** versátil (polifacético).
versatilidade [veʀsatʃiliˈdadʒɪ] *f* versatilidad.
versículo [veʀˈsikulʊ] *m* versículo.
verso [ˈvɛʀsʊ] *m* **1** verso (de poema). **2** reverso, revés.
versus [ˈvɛʀsuyʃ] *prep* versus, contra.
vértebra [ˈvɛʀtebɾa] *f* ANAT vértebra.
vertebrado, da [veʀteˈbɾadʊ, da] *adj/m* ZOOL vertebrado.
vertebral [veʀteˈbɾaw] *adj 2 gén* vertebral.
vertente [veʀˈtẽtʃɪ] *adj 2 gén* **1** vertiente. • *f* **2** vertiente.
verter [veʀˈteʀ] *tr e intr* **1** verter (líquido). • *tr* **2** manar, brotar. **3** verter (traducir). **4** verter (desembocar).
vertical [veʀtʃiˈkaw] *adj/f* **1** vertical (línea). • *adj* **2** vertical (posición).
verticalidade [veʀtʃikaliˈdadʒɪ] *f* verticalidad.
vértice [ˈvɛʀtʃisɪ] *m* **1** GEOM vértice. **2** (fig) vértice (cumbre).
vertigem [veʀˈtʃiʒẽy] *f* **1** MED vértigo. **2** (fig) vahído, desfallecimiento.
vertiginoso, sa [veʀtʃiʒiˈnozʊ, za] *adj* **1** vertiginoso. **2** (fig) vertiginoso (acelerado).
vesícula [veˈzikula] *f* ANAT vesícula.
vespa [ˈveyʃpa] *f* avispa (insecto).
véspera [ˈvɛyʃpeɾa] *f* víspera.
vestibular [veyʃtʃibuˈlaʀ] *m* selectividad (examen).
vestíbulo [veyʃˈtʃibulʊ] *m* **1** vestíbulo (atrio, portal). **2** vestíbulo (entrada).
vestido [veyʃˈtʃidʊ] *m* **1** vestido (de mujer). **2** vestido (vestidura).
vestidura [veyʃtʃiˈduɾa] *f* vestidura (prenda).
vestígio [veyʃˈtʃiʒyʊ] *m* **1** vestigio (huella). **2** vestigio (resto).
vestimenta [veyʃtʃiˈmẽta] *f* **1** vestimenta (vestido). **2** vestimenta, vestidura (del sacerdote).
vestir [veyʃˈtʃiʀ] *tr e pron* **1** vestir (poner ropa). **2** usar (prenda). **3** vestir (disfrazar). • *intr* **4** vestir, sentar (bien, mal). • *tr* **5** vestir (llevar puesto). **6** vestir (hacer ropa).
vestuário [veyʃtuˈaɾyʊ] *m* **1** vestuario (prendas). **2** (fig) vestimenta (estilo).
vetar [veˈtaʀ] *tr* **1** vetar (acuerdo, ley). **2** prohibir, impedir.
veteranice [veteɾãˈnisɪ] *f* veteranía.

veterano, na [vete'rãnʊ, na] *adj/m e f* **1** veterano (militar). **2** veterano (antiguo, experimentado).
veterinária [veteri'narya] *f* veterinaria.
veterinário, a [veteri'naryʊ, a] *adj* **1** veterinario. • *m e f* **2** veterinario.
veto ['vɛtʊ] *m* **1** DIR veto. **2** prohibición.
vetor [ve'toʀ] *m* **1** vector (transportador). **2** GEOM vector (segmento).
vetorial [vetori'aw] *adj 2 gén* vectorial.
vetusto, ta [ve'tuʃtʊ, ta] *adj* **1** vetusto (viejo, antiguo). **2** viejo (deteriorado).
véu ['vɛw] *m* **1** velo (tela). **2** velo (prenda femenina). **3** velo (manto). **4** (fig) velo (disimulación).
vexame [ve'ʃãmɪ] *m* **1** vejación. **2** vergüenza, ultraje.
vexar [ve'ʃaʀ] *tr* **1** vejar (humillar). **2** vejar (atormentar, molestar).
vez ['veyʃ] *f* **1** vez (alternancia). **2** vez (ocasión, momento). ■ **às vezes** a veces; **de uma ~ para sempre** de una vez por todas; **em ~ de** en vez de; **tirar a ~** colarse (en una cola).
via ['via] *f* **1** vía (camino, ruta). **2** vía (marítima, terrestre, aérea). **3** vía (conducto). ◆ **Via Láctea** ASTR Vía Láctea; **~ oral** vía oral.
viabilidade [viabili'dadʒɪ] *f* **1** viabilidad (de transitar). **2** viabilidad (de realizar).
viabilizar [viabili'zaʀ] *tr* viabilizar.
viaduto [via'dutʊ] *m* viaducto.
viagem [vi'aʒẽy] *f* **1** viaje (desplazamiento). **2** viaje (recorrido). ■ **para ~** para llevar (comida).
viajante [via'ʒãtʃɪ] *adj/m e f* viajante.
viajar [via'ʒaʀ] *intr* **1** viajar (trasladarse). **2** partir, salir.
via-sacra [via'sakra] *f* REL Vía Crucis.
viatura [via'tura] *f* vehículo.
viável [vi'avew] *adj 2 gén* **1** (fig) viable (realizable). **2** viable (transitable).
víbora ['vibora] *f* víbora (serpiente).
vibração [vibra'sãw] *f* **1** vibración (oscilación). **2** (fig) vibración (emoción).
vibrador, ra [vibra'doʀ, ra] *adj* vibrador.
vibrante [vi'brãtʃɪ] *adj 2 gén* **1** vibrante. **2** vibrante, intensa (voz).
vibrar [vi'braʀ] *tr e intr* **1** vibrar (oscilar). • *intr* **2** vibrar (temblar).
vice-presidência [visɪprezi'dẽsya] *f* vicepresidencia.
vice-presidente, ta [visɪprezi'dẽtʃɪ, ta] *m e f* vicepresidente.
vice-rei [visɪ'ʀey] *m* virrey.
vice-versa [visɪ'vɛʀsa] *adv* viceversa.
viciado, da [visi'adʊ, da] *adj* **1** viciado (corrupto). **2** viciado (enganchado, adicto). • *m e f* **3** dependiente, adicto (individuo).
viciar [visi'aʀ] *tr, intr e pron* **1** viciar (crear adicción). • *tr e pron* **2** viciar (corromper).
vício ['visyʊ] *m* **1** vicio (hábito). **2** vicio (defecto). **3** vicio (adicción, dependencia).
vicioso, sa [visi'ozʊ, za] *adj* **1** vicioso (libertino). **2** corrupto, depravado. **3** vicioso (defectuoso).
vicissitude [visisi'tudʒɪ] *f* **1** vicisitud (secuencia). **2** vicisitud (azar).
viço ['visʊ] *m* vicio (mimo).
viçoso, sa [vi'sozʊ, za] *adj* **1** vicioso (mimado). **2** vicioso (vigoroso). **3** frondoso (vegetación).
vida ['vida] *f* **1** vida (existencia). **2** vida (conjunto de seres): *vida marinha = vida marina*. **3** (fig) vida (biografía). ◆ **~ noturna** vida nocturna. ■ **entre a ~ e a morte** (fig) entre la vida y la muerte.
vidente [vi'dẽtʃɪ] *adj/m e f* **1** vidente (que ve). **2** vidente (profeta).
vídeo ['vidʒyʊ] *m* **1** vídeo (sistema, técnica). **2** vídeo (cinta). **3** vídeo (aparato).
videocâmara [vidʒyo'kãmara] *f* videocámara.
videocassete [vidʒyoka'sɛtʃɪ] *m* videocasete (cinta).
videogame [vidʒyo'geymɪ] *m* videojuego.
videolocadora [vidʒyoloka'dora] *f* videoclub.
vidraça [vi'drasa] *f* **1** luna, cristal. **2** vidriera (bastidor).
vidrado, da [vi'dradʊ, da] *adj* **1** vidriado (barnizado). **2** acristalado. **3** vidrioso (sin brillo). • *m* **4** vidriado (barniz).
vidrar [vi'draʀ] *tr* **1** vidriar (barnizar). **2** acristalar, encristalar. • *tr, intr e pron* **3** vidriar (ponerse vidrioso).
vidreiro, ra [vi'dreyrʊ, ra] *m e f* vidriero (artesano).
vidro ['vidrʊ] *m* **1** vidrio, cristal (sustancia). **2** vidrio, cristal (placa, lámina): *o vidro da janela = el cristal de la ventana*. **3** (fig) ventanilla (de vehículo).
viela [vi'ɛla] *f* **1** callejón, callejuela. **2** (fig) calle (prostitución).

viés [vi'ɛyʃ] *m* **1** sesgo (oblicuidad). **2** bies (trozo de tela).
Vietnã [vietʃi'nã] *m* Vietnam.
vietnamita [vietʃinã'mita] *adj/m e f* **1** vietnamita. ● *m* **2** vietnamita (lengua).
viga ['viga] *f* viga (madero).
vigarice [viga'risɪ] *f* **1** picardía, trapacería. **2** timo, estafa.
vigário [vi'garyʊ] *m* **1** vicario (sustituto). **2** vicario (religioso). **3** (coloq) párroco, cura.
vigarista [viga'riʃta] *s 2 gén* **1** timador. **2** engañabobos (embustero).
vigência [vi'ʒẽsya] *f* vigencia.
vigente [vi'ʒẽtʃɪ] *adj 2 gén* vigente.
vigésimo, ma [vi'ʒɛzimʊ, ma] *adj/m* vigésimo.
vigia [vi'ʒia] *f* **1** vigía (vigilancia). **2** vigilia (vela). ● *s 2 gén* **3** vigía (centinela). **4** ESPORT cancerbero (guardameta).
vigiar [viʒi'aʀ] *tr* **1** vigilar (observar). **2** vigilar, velar (cuidar). ● *intr* **3** velar (estar despierto). **4** velar (hacer guardia).
vigilância [viʒi'lãsya] *f* **1** vigilancia (cuidado, atención). **2** vigilancia (servicio).
vigilante [viʒi'lãtʃɪ] *adj 2 gén* **1** vigilante (atento, cuidadoso). ● *s 2 gén* **2** vigilante (guardia).
vigília [vi'ʒilya] *f* **1** vigilia (vela). **2** vigilia (trabajo mental).
vigor [vi'goʀ] *m* **1** vigor (fuerza, vitalidad). **2** (fig) vigor (vehemencia). **3** (fig) vigor (vigencia).
vigorar [vigo'ɾaʀ] *tr e intr* **1** vigorizar (fortalecer). ● *tr* **2** (fig) vigorizar (animar).
vigoroso, sa [vigo'ɾozʊ, za] *adj* vigoroso.
vil ['viw] *adj 2 gén* **1** vil (bajo). ● *adj/m e f* **2** vil (despreciable).
vila ['vila] *f* **1** villa (casa de campo). **2** villa (mansión).
vilão, lã [vi'lãw, 'lã] *adj/m e f* **1** villano (habitador). **2** (fig) villano (indigno). ● *adj* **3** (fig) villano (rústico). ● *m e f* **4** malo (personaje): *o vilão da novela = el malo de la telenovela.*
vime ['vimɪ] *m* **1** mimbre (vara). **2** mimbre (arbusto).
vinagre [vi'nagɾɪ] *m* **1** vinagre (de vino). **2** (fig) vinagre (cosa ácida). **3** (fig) vinagre (persona áspera).
vinagrete [vina'gɾetʃɪ] *f* vinagreta.
vincar [vĩ'kaʀ] *tr* **1** plegar (hacer pliegues). **2** marcar, señalar. ● *tr e intr* **3** arrugar. ● *intr* **4** (fig) arraigar, marcar.
vinco ['vĩkʊ] *m* **1** pliegue. **2** surco, arruga (en la piel). **3** surco (hendidura).
vinculado, da [vĩku'ladʊ, da] *adj* **1** vinculado (unido). **2** vincular.
vincular [vĩku'laʀ] *tr e pron* **1** atar, asegurar. ● *tr* **2** vincular (ligar, unir). **3** vincular (relacionar).
vínculo ['vĩkulʊ] *m* **1** vínculo (atadura, unión). **2** (fig) vínculo (obligación).
vinda ['vĩda] *f* **1** venida (regreso). **2** venida, llegada.
vindima [vĩ'dʒima] *f* vendimia (cosecha, tiempo).
vindimar [vĩdʒi'maʀ] *tr e intr* **1** vendimiar (cosechar). ● *tr* **2** (fig) vendimiar (matar).
vindouro, ra [vĩ'dowɾʊ, ɾa] *adj* **1** venidero. ● **vindouros** *m pl* **2** venideros (descendientes).
vingança [vĩ'gãsa] *f* **1** venganza. **2** castigo, pena.
vingar [vĩ'gaʀ] *tr e pron* **1** vengar. ● *tr* **2** castigar. ● *intr* **3** crecer, madurar. **4** (fig) prosperar (salir adelante).
vingativo, va [vĩga'tʃivʊ, va] *adj* vengativo.
vinha ['vĩɲa] *f* **1** viña. **2** vid.
vinhedo [vĩ'ɲedʊ] *m* viñedo.
vinheta [vĩ'ɲeta] *f* viñeta (ilustración, dibujo).
vinho ['vĩɲʊ] *m* **1** vino (licor). **2** vino (botella, copa).
vinícola [vi'nikola] *adj 2 gén* vinícola.
vinte ['vĩtʃɪ] *adj/m* **1** veinte. ● *m* **2** (gír) colilla.
vintena [vĩ'tẽna] *f* **1** veintena. **2** veinteava parte.
violação [viola'sãw] *f* **1** violación (profanación). **2** violación (sexual). **3** violación (infracción).
violador, ra [viola'doʀ, ɾa] *adj/m e f* violador.
violar [vio'laʀ] *tr* **1** violar (profanar). **2** violar (sexualmente). **3** violar (infringir, transgredir).
violência [vio'lẽsya] *f* **1** violencia (agresividad). **2** violencia (coacción).
violentar [violẽ'taʀ] *tr* **1** violentar (coaccionar). **2** violentar (violar).

violento, ta [vio'lẽtʊ, ta] *adj* **1** violento (impetuoso). **2** violento (agresivo). **3** violento (irascible).
violeta [vio'leta] *f* **1** violeta (planta, flor). • *adj/m* **2** violeta (color).
violinista [violi'niʃta] *adj/m e f* MÚS violinista.
violino [vio'linʊ] *m* MÚS violín.
violoncelista [violõse'liʃta] *adj/m e f* MÚS violoncelista, violonchelista.
violoncelo [violõ'sɛlʊ] *m* MÚS violoncelo, violonchelo.
violonista [violo'niʃta] *adj/m e f* guitarrista (de guitarra clásica).
VIP ['vipi] (*siglas de* **Very Important Person**) *adj/m e f* VIP.
vir ['viʀ] *tr, intr e pron* **1** venir (desplazarse). • *tr e intr* **2** venir (llegar, alcanzar). **3** venir (regresar). • *tr* **4** venir (originarse, resultar). **5** venir (provenir, proceder). **6** venir (recordar): *vir à memória = venir a la memoria*. • *intr* **7** venir (aproximarse). **8** seguir (a alguien). **9** venir (producirse, darse). **10** venir (irrumpir, brotar). **11** venir (progresar, desarrollarse).
virada [vi'ɾada] *f* **1** vuelta, giro. **2** remontada (en un juego).
virado, da [vi'ɾadʊ, da] *adj* **1** vuelto (girado). **2** vuelto (del revés).
viral [vi'ɾaw] *adj 2 gén* viral.
vira-lata [viɾa'lata] *m* chucho, perro callejero; chandoso (Col).
vira-mexe [viɾa'mɛʃɪ] *s 2 gén* (fam) culo de mal asiento.
virar [vi'ɾaʀ] *tr, intr e pron* **1** volver (girarse). **2** volcar, verter. • *tr e pron* **3** virar (torcer, girar). • *intr e pron* **4** revolverse (moverse). • *tr e intr* **5** cambiar (de opinión, ideología). **6** doblar, doblegar. **7** girar (dar vueltas). • *tr* **8** dirigir, apuntar. **9** (fig) volverse (enfrentarse).
virgem ['viʀʒẽy] *adj 2 gén* **1** virgen (casto, puro). • *f* **2** virgen (doncella). **3** virgen (madre de Dios). **Virgem 4** ASTR Virgo (constelación, signo zodiacal).
virginal [viʀʒi'naw] *adj 2 gén* **1** virginal. **2** (fig) virginal (casto, puro).
virgindade [viʀʒĩ'dadʒɪ] *f* virginidad.
virginiano, na [viʀʒini'ãnʊ, na] *adj/m e f* ASTR virgo.
vírgula ['viʀgula] *f* **1** GRAM coma. **2** caracol, rizo (en la frente, patillas). **3** (coloq, irón) entre comillas. ♦ **~ dobrada** comillas.
viril [vi'ɾiw] *adj 2 gén* **1** viril (masculino). **2** (fig) viril (enérgico).
virilha [vi'ɾiʎa] *f* ANAT ingle.
virilidade [viɾili'dadʒɪ] *f* **1** virilidad (masculinidad). **2** virilidad (potencia sexual). **3** virilidad (edad madura).
virtual [viʀtu'aw] *adj 2 gén* **1** virtual (no real). **2** virtual (potencial).
virtualidade [viʀtuali'dadʒɪ] *f* virtualidad.
virtude [viʀ'tudʒɪ] *f* **1** virtud (bondad, integridad). **2** virtud (cualidad). **3** virtud (castidad, pureza).
virtuoso, sa [viʀtu'ozʊ, za] *adj/m e f* virtuoso.
virulência [viɾu'lẽsya] *f* virulencia (nocividad).
virulento, ta [viɾu'lẽtʊ, ta] *adj* **1** virulento (maligno). **2** infeccioso. **3** venenoso.
vírus ['viɾuyʃ] *m* **1** BIOL virus. **2** COMP virus.
visado, da [vi'zadʊ, da] *adj* visado (visto, examinado).

> El término en portugués de Brasil para referirse al documento que autoriza la entrada y permanencia en un país es ***visto***.

visão [vi'zãw] *f* **1** visión (sentido). **2** visión (punto de vista). **3** visión (alucinación).
visar [vi'zaʀ] *tr* **1** mirar (dirigir la vista). **2** apuntar, dirigirse (proyectil). • *intr* **3** (fig) proponerse.
víscera ['viseɾa] *f* ANAT víscera.
visceral [vise'ɾaw] *adj 2 gén* visceral.
visconde [viʃ'kõdʒɪ] *m* vizconde.
viscosidade [viʃkozi'dadʒɪ] *f* viscosidad.
viscoso, sa [viʃ'kozʊ, za] *adj* **1** viscoso (pegajoso). **2** cargante (pesado, pelma).
viseira [vi'zeyɾa] *f* visera (del casco, gorro).
visibilidade [vizibili'dadʒɪ] *f* visibilidad.
visibilizar [vizibili'zaʀ] *tr* visibilizar.
visigodo, da [vizi'godʊ, da] *adj/m e f* visigodo.
visigótico, ca [vizi'gɔtʃikʊ, ka] *adj* visigótico.
visionar [vizyo'naʀ] *tr* **1** divisar. **2** visionar (imágenes).

visionário, a [vizyo'naryu, a] *adj/m e f* **1** visionario. • *adj* **2** excéntrico.
visita [vi'zita] *f* **1** visita (visitación). **2** visita (visitante). **3** inspección, supervisión.
visitante [vizi'tãtʃi] *adj/m e f* visitante.
visitar [vizi'taR] *tr* **1** visitar (por cortesía). **2** visitar (ir a conocer). **3** visitar (atender). **4** visitar (examinar, inspeccionar).
visível [vi'zivew] *adj 2 gén* **1** visible (perceptible). **2** visible (patente, evidente).
vislumbrar [viʃlũ'braR] *tr* **1** vislumbrar. **2** (fig) vislumbrar (comprender). • *tr e intr* **3** alumbrar.
vislumbre [viʃ'lũbri] *m* **1** vislumbre (resplandor). **2** (fig) vislumbre (conjetura).
vison [vi'zõw] *m* visón (animal, piel).
vista ['viʃta] *f* **1** vista (visión). **2** vista (sentido). **3** vista (panorama, paisaje). **4** punto de vista. ■ **à ~** al contado; **fazer vistas grossas** (fig, fam) hacer la vista gorda.
visto, ta ['viʃtu, ta] *adj* **1** visto (observado, percibido). **2** visto (estudiado, debatido). • *m* **3** visado (autorización en pasaporte).
vistoria [viʃto'ria] *f* **1** DIR inspección. **2** revisión, examen (inspección).
vistoriar [viʃtori'aR] *tr* inspeccionar.
vistoso, sa [viʃ'tozu, za] *adj* **1** vistoso (atractivo, ostentoso). **2** vistoso (llamativo).
visual [vizu'aw] *adj 2 gén* visual.
visualização [vizwaliza'sãw] *f* visualización.
visualizar [vizuali'zaR] *tr* **1** visualizar (visibilizar). **2** visualizar (imaginar).
vital [vi'taw] *adj 2 gén* **1** vital. **2** (fig) vital (esencial).
vitalício, a [vita'lisyu, a] *adj* vitalicio.
vitalidade [vitali'dadʒi] *f* **1** vitalidad (funciones vitales). **2** vitalidad (fuerza, vigor).
vitamina [vita'mina] *f* **1** QUÍM vitamina. **2** (fam) batido (de frutas).

> La ***vitamina*** es un batido de leche y zumo de frutas, muy habitual en Brasil.

vitaminado, da [vitami'nadu, da] *adj* vitaminado.
vitela [vi'tɛla] *f* **1** ternera (cría). **2** ternera (carne, plato).
vitelo, la [vi'tɛlu, la] *m e f* ternero (cría).
viticultor, ra [vitʃikuw'toR, ra] *adj/m e f* viticultor.
vítima ['vitʃima] *f* **1** víctima (de sacrificio). **2** víctima (muerto, herido). **3** (fig) víctima (de un daño).
vitimar [vitʃi'maR] *tr e pron* **1** sacrificar, inmolar. • *tr e intr* **2** victimar (matar, asesinar). • *tr* **3** dañar, destruir.
vitória [vi'tɔrya] *f* **1** victoria (superioridad, triunfo). **2** (fig) victoria (éxito, ventaja).
vitoriano, na [vitori'ãnu, na] *adj* victoriano.
vitorioso, sa [vitori'ozu, za] *adj/m e f* victorioso.
vitral [vi'traw] *m* vitral.
vítreo, a ['vitryu, a] *adj* vítreo.
vitrina [vi'trina] *f* vitrina (escaparate, armario).
vitupério [vitu'pɛryu] *m* vituperio (ofensa).
viuvez [viw'veyʃ] *f* viudez.
viúvo, va [vi'uvu, va] *adj/m e f* viudo.
viva! ['viva] *interj* **1** ¡viva! • *m* **2** viva (felicitación).
vivacidade [vivasi'dadʒi] *f* **1** vivacidad (energía, vigor). **2** vivacidad (agudeza, inteligencia).
viveiro [vi'veyru] *m* **1** vivero (de plantas). **2** vivero (acuario). **3** (fig) semillero.
vivência [vi'vẽsya] *f* **1** vivencia (experiencia). **2** vida (existencia).
vivencial [vivẽsi'aw] *adj 2 gén* vivencial.
vivenda [vi'vẽda] *f* **1** vivienda (habitación, morada). **2** vivienda (modo de vida).
viver [vi'veR] *m* vivir (vida).
viver [vi'veR] *tr e intr* **1** vivir (disfrutar). • *intr* **2** vivir (existir). **3** vivir (subsistir, mantenerse): *eu não posso viver de ar* = *no puedo vivir del aire*. **4** vivir (durar, permanecer). **5** vivir (habitar, residir). • **~ com** *tr* **6** vivir con (convivir).
víveres ['viveriʃ] *m pl* víveres.
vivo, va ['vivu, va] *adj* **1** vivo (existente). **2** (fig) vivo (intenso, fuerte). **3** (fig) vivo (vivaz, animado). **4** (fig) vivo (listo, inteligente). • *m* **5** ser vivo. ■ **~ e colhendo** (fig, fam) vivito y coleando.
vizinhança [vizĩ'ŋãsa] *f* **1** proximidad, cercanía. **2** vecindad (vecindario). **3** convivencia (con los vecinos).
vizinho, nha [vi'zĩŋu, ŋa] *adj* **1** vecino (cercano). • *m e f* **2** vecino (de casa, barrio). **3** vecino (habitante).
vó ['vɔ] *f* (fam) abuelita, yaya.

vô ['vo] *m* (fam) abuelito, yayo.
voador, ra [voa'doʀ, ɾa] *adj/m e f* **1** volador. • *m* **2** acróbata.
voar [vo'aʀ] *intr* **1** volar (pájaro, avión). **2** volar (ascender, flotar). **3** (fig) volar (explotar). **4** (fig) volar (apresurarse). **5** (fig) volar (transcurrir rápido). **6** (fig) volar (desaparecer).
vocabulário [vokabu'laɾyʊ] *m* **1** vocabulario (léxico). **2** vocabulario (diccionario).
vocábulo [vo'kabulʊ] *m* vocablo.
vocação [voka'sãw] *f* **1** vocación (religiosa). **2** vocación (inclinación).
vocal [vo'kaw] *adj 2 gén* **1** vocal. • *m* **2** vocalista (cantante).

> No confundir con el término español **vocal**, referido a las letras a, e, i, o, u. En portugués la palabra que se utiliza en ese sentido es ***vogal***.

vocálico, ca [vo'kalikʊ, ka] *adj* vocálico.
vocalista [voka'liʃta] *s 2 gén* vocalista (cantante).
vocativo, va [voka'tʃivʊ, va] *adj/m* GRAM vocativo.
você [vo'se] *pron pers* **1** tú: *você é tão bonita!* = *¡eres tan bonita!*; vos (Arg). **2** (forma impersonal) tú (cualquiera, uno): *você vai comprar peixe e não dá, está muito caro* = *vas a comprar pescado y no se puede, está muy caro*; vos (Arg).

> ***Você*** en Brasil se utiliza sobre todo como tratamiento informal, significa **tú** (**vos** en Argentina) y se conjuga con la tercera persona del singular. En portugués hay que colocar el pronombre personal, para distinguirlo de la tercera persona del singular (*ele, ela*), pero al traducirlo al español no es necesario.

vociferar [vosife'ɾaʀ] *tr e intr* **1** vociferar (gritar). • *intr* **2** bramar (protestar).
vodca ['vɔdʒika] *f* vodka.
vogal [vo'gaw] *f* **1** vocal (letra, sonido). • *m* **2** vocal (de un consejo, junta).
vogar [vo'gaʀ] *intr* **1** navegar. **2** flotar, deslizar (en el agua). **3** (fig) circular, correr (rumor, noticia).
volante [vo'lãtʃɪ] *adj 2 gén* **1** volante (volador). **2** volante (móvil, transportable). **3** volante (errante). • *m* **4** volante (adorno). **5** volante (de dirección).
volátil [vo'latʃiw] *adj/m* **1** volátil (volador). • *adj 2 gén* **2** (fig) volátil (voluble, incostante).
volatilidade [volatʃili'dadʒɪ] *f* FÍS volatilidad.
voleibol [voley'bɔw] *m* voleibol.
volt ['vowtʃi] *m* FÍS volt, voltio.
volta ['vɔwta] *f* **1** vuelta (retorno, regreso). **2** vuelta (giro). **3** vuelta (paseo). **4** vuelta (circunvalación). ■ **dar de ~** devolver; **por ~ de** alrededor de (más o menos).
voltar [vow'taʀ] *intr e pron* **1** volver (regresar, retornar). • *intr* **2** volver (devolver, restituir). **3** volver (recobrar, recuperar). • *tr* **4** volver (retroceder). • *tr e intr* **5** girar, doblar (virar). • *tr, intr e pron* **6** volver (girar, dirigir hacia). • **~-se** *pron* **7** volcar.
voltear [vowte'aʀ] *tr* **1** voltear (bordear, rodear). **2** volver (dirigir hacia).
voltímetro [vow'tʃimetɾʊ] *m* voltímetro.
volume [vo'lumɪ] *m* **1** volumen (tamaño, bulto). **2** volumen (de sonido). **3** volumen (tomo, libro).
volumetria [volume'tɾia] *f* FÍS, QUÍM volumetría.
volumétrico, ca [volu'mɛtɾikʊ, ka] *adj* volumétrico.
volumoso, sa [volu'mozʊ, za] *adj* **1** voluminoso (grande). **2** de varios volúmenes.
voluntariado [volũtaɾi'adʊ] *m* **1** voluntariado (alistamiento). **2** voluntariado (voluntarios).
voluntário, a [volũ'taɾyʊ, a] *adj* **1** voluntario (espontáneo). **2** voluntario (no obligatorio).
voluntarioso, sa [volũtaɾi'ozʊ, za] *adj* voluntarioso (deseoso, dedicado).
voluntarismo [volũta'ɾiʒmʊ] *m* FIL voluntarismo.
volúpia [vo'lupya] *f* voluptuosidad.
voluptuosidade [volupituozi'dadʒɪ] *f* ⇒ volúpia.
voluptuoso, sa [volupitu'ozʊ, za] *adj* voluptuoso (sensual).
voluta [vo'luta] *f* ARQ voluta.

volúvel [vo'luvew] *adj 2 gén* voluble (móvil).
volver [vow'veʀ] *tr* **1** volver (girar, rodar). **2** revolver (remover). **3** devolver (responder). • *tr e pron* **4** volver (convertir). • *intr e pron* **5** volver (regresar).
vomitar [vomi'taʀ] *tr e intr* **1** vomitar. • *tr e pron* **2** manchar (con vómito). • *tr* **3** (fig) vomitar (lanzar, expeler). **4** (fig) vomitar (injurias, improperios).
vômito ['võmitʊ] *m* vómito.
vontade [võ'tadʒɪ] *f* **1** voluntad (facultad humana). **2** voluntad (ánimo, firmeza, determinación). **3** voluntad (libre albedrío). **4** gana: *tenho muita vontade de viajar = tengo muchas ganas de viajar*.
vôo ['voo] *m* **1** vuelo: *o vôo do condor = el vuelo del condor*. **2** vuelo (viaje). **3** vuelo (recorrido, trayecto).
voracidade [vorasi'dadʒɪ] *f* voracidad (ansia, avidez).
voragem [vo'raʒẽy] *f* **1** vorágine (remolino). **2** (fig) vorágine (pasión).
voraz [vo'rayʃ] *adj 2 gén* **1** voraz (devorador). **2** voraz (glotón). **3** (fig) voraz (destructivo).
vos ['voyʃ] *pron pers* **1** (acusativo) os (a vosotros): *observo-vos = os observo*; les (Amér). **2** (dativo) os (a, para vosotros): *dei-vos uma lição = os di una lección*; les (Amér). **3** (reflexivo) os (a vosotros): *vós vos olhasteis no espelho = os mirasteis al espejo*; se (Amér). **4** (recíproco) os: *lentamente vos beijasteis = lentamente os besasteis*; se (Amér).
vós ['vɔyʃ] *pron pers* **1** (sujeto) vosotros: *vós sois irmãos = vosotros sois hermanos*; ustedes (Amér). **2** (complemento) vosotros: *eu vou com vós = voy con vosotros*; ustedes (Amér).
vosso, ssa ['vɔsʊ, sa] *pron poss* vuestro: *vossos filhos colheram os vossos frutos = vuestros hijos recogerán vuestros frutos*.
votação [vota'sãw] *f* **1** votación (proceso). **2** votación (votos).
votado, da [vo'tadʊ, da] *adj* **1** votado. **2** consagrado (ofrecido, dedicado).
votante [vo'tãtʃɪ] *adj/m e f* votante.
votar [vo'taʀ] *tr e intr* **1** votar (elegir). • *tr* **2** votar (someter a votación). **3** votar (jurar, prometer). • *tr e intr* **4** votar (aprobar, decidir).
votivo, va [vo'tʃivʊ, va] *adj* votivo.
voto ['vɔtʊ] *m* **1** voto (promesa). **2** voto (ofrenda). **3** voto (sufragio).
vovô, vó [vo'vo, 'vɔ] *m e f* yayo, abuelo.
voz ['vɔyʃ] *f* **1** voz (sonido). **2** habla. **3** (fig) voz (opinión). **4** (fig) voz (orden, mandato). **5** (fig) voz (rumor). **6** GRAM voz. ♦ **~ ativa** GRAM voz activa; **~ passiva** GRAM voz pasiva. ■ **de viva ~** de viva voz.
vozear [voze'aʀ] *tr e intr* vocear (gritar).
vulcânico, ca [vuw'kãnikʊ, ka] *adj* volcánico.
vulcanismo [vuwkã'niʒmʊ] *m* GEOL vulcanismo.
vulcão [vuw'kãw] *m* volcán.
vulgar [vuw'gaʀ] *adj 2 gén* **1** vulgar (popular). **2** vulgar (ordinario, común). **3** vulgar (grosero, ordinario).
vulgaridade [vuwgari'dadʒɪ] *f* **1** vulgaridad (ordinariez). **2** vulgaridad (simpleza).
vulgarismo [vuwga'riʒmʊ] *m* vulgaridad.
vulgarizar [vuwgari'zaʀ] *tr e pron* **1** vulgarizar (popularizar). **2** (pej) vulgarizar (perder clase).
vulgo ['vuwgʊ] *m* **1** vulgo (plebe). **2** vulgo (mayoría).
vulnerabilidade [vuwnerabili'dadʒɪ] *f* vulnerabilidad.
vulnerável [vuwne'ravew] *adj 2 gén* vulnerable.
vulto ['vuwtʊ] *m* **1** rostro, cara. **2** pinta, aire (aspecto). **3** facha, figura (cuerpo). **4** bulto (objeto). **5** bulto (tamaño, volumen).
vulva ['vuwva] *f* ANAT vulva.

Ww-Xx-Yy

w, W [ˈdablyʊ] *m* w, W (letra).
walkman [wɔwkiˈmẽy] *m* walkman.
water polo [wɔteʀˈpɔlʊ] *m* waterpolo.
watt [wˈɔtʃi] *m* FÍS watt, vatio.
whisky [ˈwiʃkɪ] *m* ⇒ uísque.
windsurfe [wĩdʒiˈsuʀfɪ] *m* windsurf.
workshop [woʀkiˈʃɔpi] *m* taller (seminario).

x, X [ˈʃiʃ] *m* x, X (letra).
xá [ˈʃa] *m* sah (rey persa).
xadrez [ʃaˈdreyʃ] *m* **1** ajedrez (juego, tablero). **2** (coloq) trena (cárcel).
xampu [ʃãˈpu] *m* champú.
xarope [ʃaˈrɔpɪ] *m* **1** jarabe. **2** almíbar. **3** (fig) jarabe (bebida dulce).
xenofilia [ʃenofiˈlia] *f* xenofilia.
xenofobia [ʃenofoˈbia] *f* xenofobia.
xenófobo, ba [ʃeˈnɔfobʊ, ba] *adj/m e f* xenófobo.
xeque [ˈʃɛkɪ] *m* **1** jeque. **2** jaque (de ajedrez). **3** (fig) jaque (situación peligrosa).
xeque-mate [ʃɛkɪˈmatʃɪ] *m* jaque mate.
xereta [ʃeˈreta] *adj/m e f* entrometido.
xerocópia [ʃeroˈkɔpya] *f* xerocopia, fotocopia.
xerocopiar [ʃerokopiˈaʀ] *tr* xerocopiar, fotocopiar.
xerox [ˈʃɛrɔkisi] *f* **1** fotocopiadora. **2** fotocopia.
xixi [ʃiˈʃi] *m* pipí (pis).
xodó [ʃoˈdɔ] *m* **1** ligue, novio. **2** estima, cariño.

y, Y [ˈipisilõw] *m* y, Y (letra).
yang [iˈã] *m* yang.
yen [iˈẽy] *m* yen (moneda).
yin [ˈĩ] *m* yin.

W

Zz

z, Z ['ze] *m* z, Z (letra).
zagal, la [za'gaw, la] *m e f* **1** zagal (pastor). **2** zagal (mozo).
zagueiro, ra [za'geyru, ra] *m e f* ESPORT zaguero, defensa (en fútbol).

> Para referirse al jugador que defiende en el fútbol, en español se utiliza sobre todo el término **defensa**, aunque también existe la palabra **zaguero**. En cambio en portugués lo más frecuente es utilizar el término ***zagueiro***.

Zâmbia ['zãbya] *f* Zambia.
zambiense [zãbi'ẽsɪ] *adj/m e f* zambiano.
zampar [zã'paʀ] *tr* zampar (comer).
zanga ['zãga] *f* **1** enfado, mal humor. **2** manía, ojeriza. **3** ira, furia.
zangado, da [zã'gadu, da] *adj* enfadado; ardido, tibio (Amér).
zangar [zã'gaʀ] *tr, intr e pron* **1** enfadar, irritar. • *intr* **2** regañar, reprender. • *tr* **3** fastidiar, molestar. **4** maldecir.
zapatista [zapa'tʃiʃta] *adj/m e f* zapatista.
zarabatana [zaɾaba'tãna] *f* cerbatana (canuto).
zarpar [zaʀ'paʀ] *intr* zarpar.
zarzuela [zaʀzw'ela] *f* MÚS zarzuela.
zé ['zɛ] *m* **1** (fam) fulano (cualquiera). **2** (pej) don nadie.
zê ['ze] *m* zeta (letra).
zebra ['zebɾa] *f* **1** cebra. **2** (fig) resultado contra pronóstico.
zéfiro ['zɛfiɾu] *m* céfiro (viento).
zelador, ra [zela'doʀ, ɾa] *adj/m e f* celador (vigilante).
zelar [ze'laʀ] *tr e intr* **1** celar (velar, vigilar). • *intr* **2** celar (cuidar).
zelo ['zelu] *m* **1** celo (cuidado). **2** celo (diligencia, aplicación).
zeloso, sa [ze'lozu, za] *adj* **1** celoso (diligente, aplicado). **2** celoso (cuidadoso).

> No confundir la palabra ***zeloso*** con la española **celoso** en el sentido de 'sospechoso respecto a la persona amada'. En portugués se utiliza el término ***ciumento***.

zenital [zeni'taw] *adj 2 gén* cenital.
zênite ['zẽnitʃɪ] *m* **1** ASTR cenit. **2** (fig) cenit (apogeo).
zero ['zɛɾu] *adj/m* **1** cero. • *m* **2** (fig) cero (nada). ◆ ~ **à esquerda** (fig) cero a la izquierda.
ziguezague [zigɪ'zagɪ] *m* **1** zigzag (línea). **2** zigzag (recorrido).
zimbabuano, na [zĩbabu'ãnu, na] *adj/m e f* zimbabuense.
Zimbábue [zĩ'babwɪ] *m* Zimbabue.
zinco ['zĩku] *m* QUÍM zinc, cinc.
zodíaco [zo'dʒiaku] *m* ASTR Zodiaco, Zodíaco.
zombar [zõ'baʀ] *tr e intr* bromear; burlarse.
zona ['zõna] *f* **1** zona (lista, faja). **2** zona (región, área). **3** (coloq) lío, follón (alboroto). ◆ ~ **franca** zona franca. ■ **fazer a ~** (fig, coloq) hacer la calle.
zôo ['zoo] *m* zoo.
zoológico, ca [zoo'lɔʒiku, ka] *adj* **1** zoológico. • *m* **2** zoológico (parque).
zoom ['zũ] *m* CINE, FOT zoom, zum.
zoroastrismo [zoɾoayʃ'tɾiʒmu] *m* zoroastrismo.
zulu [zu'lu] *adj/m* zulú.
zumbir [zũ'biʀ] *m* zumbido.
zumbir [zũ'biʀ] *intr* **1** zumbar. • *tr* **2** susurrar, murmurar.
zunir [zu'niʀ] *intr* **1** silbar (viento). **2** ⇒ zumbir.
zunzum [zũ'zũ] *m* ron ron, zum zum (sonido).

Gramática espanhola

Fonética e fonologia

Fonética

Alfabeto fonético: norma culta castelhana		
fonema	**Letra em castelhano**	**Exemplo en português**
/a/	la *a*	sala
/e/	la *e*	medo
/i/	la *i*	filho
/o/	la *o*	hoje
/u/	la *u*	tubo
/p/	la *p*	porta
/t/	la *t*	tudo
/k/	la *c* y la *qu*	casa
/b/	la *b*	bom
/d/	la *d*	dois
/g/	la *g* ante *a, o, u*	gato
/f/	la *f*	filho
/c/	la *ch*	tia
/x/	la *j* y la *g* ante *e, i*	rato
/s/	la *s*	sapo
/θ/	la *z* y la *c* ante *e, i*	como *th* em *three*
/J/	la *ll* y la *y*	como *i* em *igreja*
/l/	la *l*	lago
/ɾ/	la *r*	caro
/r/	la *r* y la *rr*	carro e rápido
/m/	la *m*	mala
/n/	la *n*	nada
/ɲ/	la *ñ*	lenha

Fonologia

Enquanto a fonética estuda os sons da fala, em sua vertente material, a fonologia estuda os sons da linguagem humana no seu aspecto funcional.

O fonema define-se como a menor unidade, no campo fônico, desprovida de significado. Cada língua possui um número limitado de fonemas que combinados, de forma linear, permitem a produção de enunciados diferentes. Os fonemas possuem traços distintivos que permitem estabelecer diferenças de significado. No espanhol padrão da Espanha existem 24 fonemas, enquanto no da América e no de algumas variedades da península ibérica, o sistema se limita a 22 fonemas, ao reduzir-se /z/ e /s/ a somente um: /s/, e os fonemas /l/ e /y/ a: /y/.

Os fonemas dividem-se em vocálicos e consonantais. O alfabeto fonético é um sistema codificado de símbolos que representa os sons segundo seu ponto e seu modo de articulação. Os sons são colocados entre colchetes e os fonemas transcrevem-se entre barras oblíquas.

Os sons vocálicos definem-se por seu ponto de articulação e sua abertura.

	Palatais		**Média A**			**Velares**	
	E	*I*	*Palat.*	*Normal*	*Velar*	*O*	*U*
Fechadas	e	i				o	u
Abertas	e	i				o	u
Distensas	ə	ị		ɐ̱		ø	ʉ́
Média A			a	a	a'		

As consoantes necessitam do apoio de uma vogal como elemento essencial para sua pronúncia. Os símbolos consonantais são: d, f, g, j, l, m, n, ñ, p, r, s, t, w, x, y, z.

		Oclusivas	**Nasais**	**Africadas**	**Fricativas**	**Laterais**	**Vibrantes**
Bilabiais	Surda	p					
	Sonora	b	m		ƀ		
Labiodentais	Surda				f		
	Sonora		m̭				
Linguodentais	Surda	ṭ					
	Sonora		ṇ		ẓḍđ	ḷ	
Dentais	Surda	t			ş		
	Sonora	d	ņ		ẓ	ļ	
Alveolares	Surda				s	l	
	Sonora		n		b		
Palatais	Surda			ĉ	zɪ	·	
	Sonora		n̰	ŷ	yɪ	ḷ	r̄
Velares	Surda	k			x		
	Sonora	g	η		gw		

Existem também: dígrafos (ch, ll, rr), homófonos (*b* e *v*; *k, q* e *c; z* e *c*), uma letra muda, o *h*, e outra, o *x*, que representa um conjunto de dois fonemas (equivalente a ks ou a gs: éksito o égsito, segundo as variantes de pronúncia).

Os fonemas agrupam-se em sílabas, para posteriormente formarem as palavras.

As sílabas pronunciadas com maior intensidade numa palavra chamam-se tônicas, sobre elas recai o acento fonético. Todas as palavras têm uma sílaba tônica. Entretanto, a sílaba tônica nem sempre recebe acento gráfico. Se distinguirá entre **sílaba tônica** (acentuada foneticamente) e **sílaba átona** (não acentuada).

As palavras classificam-se em quatro grupos quanto à posição da sílaba tônica: *agudas* (oxítonas), *llanas* (paroxítonas), *esdrújulas* (proparoxítonas) e *sobreesdrújulas* (a sílaba anterior à antepenúltima é acentuada).

Os **ditongos** representam o encontro entre duas vogais que formam uma sílaba, especialmente a combinação monossilábica, formada dentro da mesma palavra por alguma das vogais abertas: *a, e, o*, com uma das fechadas *i, u*, estas se articulando como semivogais ou semiconsoantes.

- Quando a vogal forte (*a, e, o*) vem em primeiro lugar, o ditongo se denomina decrescente: *cai*-mán, *rey*, *mau*-llido; neste caso o *i* e o *u* são semivogais.
- Quando começa por uma vogal fraca, se trata de um ditongo crescente: *lia*-na, *gua*-sa. Neste caso, o *i* e o *u* são semiconsoantes.

Denomina-se **tritongo** o encontro formado de três vogais que formam uma sílaba. Se trata da combinação de duas vogais fracas e uma forte, situada entre elas: apreci*ái*s, despreci*éi*s, amortig*uái*s, Urug*uay*, amortig*üéi*s, b*uey*. O tritongo se desfaz automaticamente se a primeira vogal fraca é a acentuada (llegar*íai*s, comprar*íai*s), já que as *-íes* acentuadas perdem sua condição de semiconsoantes, essenciais para a formação do tritongo.

Morfologia

A gramática tradicional define a morfologia como o estudo das formas e das combinações dos componentes internos das palavras, através da análise dos processos de flexão e de derivação.

- A **flexão** é o conjunto de processos morfológicos de uma palavra (substantivo, pronome ou verbo) que variam segundo o gênero, o caso, a pessoa, o número etc. A flexão dos substantivos e dos pronomes é a declinação, a dos verbos é a conjugação.
- A **derivação** consiste na combinação de elementos léxicos. Um derivado é composto por um radical e seus afixos, elementos adjuntos, que podem ser prefixos se antecedem o radical ou sufixos se o seguem.

Sufixação e prefixação

Existem numerosas classificações das palavras em função dos critérios utilizados para seu estudo: a origem da qual procedem ou sua composição atual.

Considerando sua origem, as palavras podem ser primitivas e derivadas.

- As **palavras primitivas** são aquelas cuja evolução não deriva de outras palavras pertencentes à mesma língua. Geralmente, são constituídas pela raiz (elemento comum e invariável em todas as formas de uma mesma família) e uma breve terminação morfológica.
- As **palavras derivadas** são formadas mediante uma raiz primitiva e um sufixo: tint-*ero*, flor-*ista*, can-*ino*, bondad-*oso*.

Outro critério de classificação diferente é o que permite distinguir entre palavras simples, compostas e parassintéticas.

- As **palavras simples** não se derivam de outras da mesma língua: *caja, pegar, ante, vena*.

- As **palavras compostas** são unidades significativas formadas pela combinação de dois ou mais morfemas léxicos. Seus componentes podem ser, por exemplo, dois adjetivos (*verdinegro*), dois substantivos (*carricoche*), adjetivo e substantivo (*mediacaña*), dois verbos (*ganapierde*), pronome e verbo (*quienquiera*), verbo e substantivo (*quitasol*), advérbio e verbo (*malvender*) ou advérbio e substantivo (*buenaventura*).
- As **palavras parassintéticas** são formadas pela agregação simultânea de um sufixo e de um prefixo a um determinado radical. Por exemplo: *aprovechar (a + provech + ar); pordiosero (por + Dios + ero); sietemesino (siete + mes + ino).*

Alguns sufixos especiais podem formar:

- Aumentativos (-ón, -azo, -acho, -ote: *hombrón, cochazo, camacho, brutote*). Às vezes, têm conotações depreciativas.
- Diminutivos (-ito, -illo, -ico, -ín, -uelo: *trocito, farolillo, silloncito, tejadín, rapazuelo*).
- Termos depreciativos (-aco, -ajo: *libraco, pingajo*).
- Termos coletivos (-edo, -veral: *viñedo, cañaveral*).

Os **prefixos** são outros modificadores que se situam na frente da raiz.

Flexões do substantivo

a) **Gênero.** Expressa uma relação de concordância de um nome (ou pronome) com outra forma. Esta categoria gramatical permite dividir os substantivos em categorias nominais.
- **Gênero masculino.** A ele pertencem os nomes próprios de homem, suas ocupações profissionais, assim como o nome dos animais machos. Os nomes comuns vão precedidos de um determinante, por exemplo: *el, un, aquel, este* (*el padre, este león, aquel leñador).*
- **Gênero feminino.** Inclui nomes próprios e ocupações de mulher, assim como animais fêmeas. Os nomes comuns vão precedidos de um determinante, por exemplo: *la, una, aquella, esta* (*la madre, la leona, la domadora).*
- **Gênero neutro.** Não existem substantivos deste gênero em espanhol. Somente dispomos do artigo determinado *lo* e de alguns pronomes como *aquello.*

b) **Número.** Indica a quantidade de seres, animais ou coisas a que se refere uma palavra.
- **Singular.** Mostra que se trata de apenas um ser animado ou inanimado.
- **Plural.** Indica que são mais de um.

c) **Caso.** Substantivos, adjetivos e pronomes desempenham uma determinada função dentro das orações. Os casos são seis:
- **Nominativo** (função de sujeito: *Pedro* mira).
- **Vocativo** (função de apelativo: ¡*Pedro*, mira!).
- **Acusativo** (função de objeto direto: Pedro mira *un libro*).
- **Genitivo** (função de complemento nominal que indica possessão: Pedro mira el libro *de Juan*).
- **Dativo** (função de objeto indireto: Pedro le da el libro *a Juan*).
- **Ablativo** (função de complemento circunstancial: Pedro se va *a casa de Juan*).

Flexões do verbo

a) **Voz.** Indica que o sujeito do verbo é agente ou passivo. As vozes verbais são:
- **Ativa.** Mostra que o sujeito executa a ação: *Muerdo. Amo.*

- **Passiva.** Expressa que a ação se sofre, se recebe; o sujeito é passivo. *He sido mordido.*

b) Modo. Sua função consiste em como uma pessoa concebe a ação verbal, se a considera real, possível ou duvidosa. Se manifesta mediante os cinco modos seguintes:
- ***Indicativo.*** Expressa uma ação real, seja afirmativa ou negativa: *Saltan. No comen.*
- ***Subjuntivo.*** Aponta uma ação eventual ou irreal: *Me aconsejan que compre.*
- ***Potencial.*** Expressa uma ação possível, condicionada por algo: *Iría al teatro si tuviese dinero.*
- ***Imperativo.*** Indica ordem ou mandato: *Come y calla.*
- ***Infinitivo.*** Apresenta meramente a ação: *Saltar. Correr.*

c) Tempo. Indica o momento em que se realiza a ação. Essencialmente, os três grandes eixos temporais são os seguintes:
- ***Presente.*** Agora, neste preciso instante: *Leo.*
- ***Pasado*** ou ***pretérito.*** Ação já efetuada: *Leía.*
- ***Futuro.*** Ação por realizar: *Leeré.*

Para expressar com maior exatidão o momento de determinada realização, necessitaremos introduzir realizações no passado e no futuro mediante o uso de tempos compostos:
- ***Pretérito perfecto.*** Ação acabada há muito pouco: *he leído.*
- ***Pretérito pluscuamperfecto.*** Ação acabada no passado: *había leído.*
- ***Pretérito anterior.*** Ação terminada antes de outra já começada: *cuando lo hubo leído, cerró el libro.*
- ***Futuro perfecto.*** Ação que terminará ou que se supõe terminada: *habrá leído.*

d) Número. Indica quantas pessoas realizam a ação.
- ***Singular.*** Ação realizada por apenas um ser: *Yo ando; Tú chillas; Él vendrá.*
- ***Plural.*** São vários os que realizam a ação: *Acudimos; Estudian; Escribís.*

e) Pessoa. Sua função consiste em determinar a relação dos indivíduos que participam na ação. Os pronomes pessoais ocupam-se de sua determinação. A primeira e segunda pessoa do singular somente têm uma forma para os dois gêneros, enquanto, em todas as demais, se diferencia a forma masculina da feminina.

Concordância

As palavras variáveis concordam entre si de acordo com suas flexões. Esta concordância se expressa mediante a terminação, a qual estabelece o caso, gênero e número, acomodando as palavras às necessidades que precisem expressar, de acordo com o sentido que tenha ou que se queira dar à frase.

a) Concordância entre substantivos. Recebe o nome de aposição e ocorre quando um substantivo explica ao outro, atuando como se fosse um adjetivo. Os substantivos devem concordar obrigatoriamente em caso, ainda que não seja imprescindível que o façam em gênero e número: La *paloma, símbolo* de la paz; Los *españoles, raza* de héroes.

b) Concordância entre adjetivo e substantivo. Devem concordar em gênero e número: *niño bueno, niñas buenas.* Podem-se destacar as seguintes particularidades:

- Quando há mais de um substantivo de diversos gêneros, o adjetivo fica no plural e no masculino: *El automóvil y la lancha son rápidos.*
- Quando se trata de pronomes, títulos ou formas de cortesia, se mantém o gênero da pessoa a quem se referem: *Estoy cansada* (se trata de uma mulher). *Su Majestad es muy bondadoso* (se refere a um homem).
- Quando o adjetivo alude a dois ou mais substantivos, separados por *o, u,* pode concordar somente com o mais próximo: *Tiene un talento o una imaginación extraordinaria.*
- Quando o adjetivo é composto, somente o último elemento concorda com o substantivo: *Una coproducción italo-franco-española.*

c) **Concordância entre verbo e sujeito.** O verbo concorda com seu sujeito em número e em pessoa: *El orfeón ganó; los cantantes triunfaron.* Entretanto, vejamos alguns casos especiais:
- Quando o sujeito é formado por vários substantivos, o verbo fica no plural: *Fernando e Isabel reinaron largos años.*
- Com nomes coletivos determinados por um complemento, o verbo permanece preferentemente no plural; *Multitud de jóvenes atravesaron el puente durante la manifestación del jueves.*
- Se o sujeito é formado por vários substantivos sinônimos ou demonstrativos neutros, o verbo estará no singular: *Ni esto ni aquello me gusta.*
- Existe o plural de modéstia que evita o emprego do pronome singular na primeira pessoa, substituindo-o pela mesma pessoa do plural: *Opinamos que no es así,* em lugar de *Opino que no es así.*
- O artigo que substantiva vários infinitivos, posicionando-os como sujeitos, exige que o verbo esteja no plural; contudo, a ausência de tal artigo permite ao verbo ir para o singular; *El pasear, el coser y el leer son sus diversiones; Pasear, coser y leer es su diversión.*

d) **Concordância entre o pronome relativo e seu antecedente.** O pronome relativo concorda com seu antecedente em gênero e número: *Los jugadores a quienes vencisteis también se han clasificado.* Entretanto vale destacar algumas exceções:
- O pronome relativo *cuyo* concorda sempre com a palavra que o segue: *Las camisolas cuyos colores defendisteis han sido sorteadas.*
- *Que* é invariável: *Las flores que compré.*
- *Quien* varia em número e pode aparecer sem antecedente: *Quien mucho abarca poco aprieta.*

Partes da oração

A determinação das flexões permitiu estabelecer diversos grupos de palavras de similares características; sendo descritas 9 partes da oração: artigo, substantivo, adjetivo, pronome, verbo, advérbio, preposição, conjunção e interjeição. A seguir, as examinaremos detalhadamente:

a) **Artigo.** Antecede o nome ou o substantivo, e determina seu gênero, seu número e indica se tal nome nos é conhecido (artigo definido: *el, la, lo, los, las*) ou desconhecido (artigo indefinido: *un, una, unos, unas*): *El* diccionario del que te hablé; Me compré *un* diccionario.

O artigo tem algumas funções especiais:
- Se antepõe a outras partes da oração para substantivá-las (*el* amar, *los* malos, *lo* útil, *el* no).

- Em ocasiões, o artigo masculino *el* se coloca na frente de substantivos femininos começados pelo *a* acentuado ou *h* seguido dessa vogal (*el* agua, *el* águila, *el* hacha).

	Singular	Plural
Artigo definido	el, la, lo	los, las, los
Artigo indefinido	un, una, uno	unos, unas, unos

b) Substantivo. O substantivo serve para designar seres, pessoas e objetos da natureza, ou seja, conceitos independentes. Os substantivos se dividem em comuns e próprios.

- São **substantivos comuns** os que, segundo a Real Academia Espanhola, podem aplicar-se a todas as pessoas ou coisas de uma mesma classe.
- Os **substantivos próprios** são aqueles que se aplicam a uma pessoa ou coisa determinada, a fim de distinguí-la das demais de sua espécie ou classe.

Os substantivos podem também referir-se a elementos concretos ou abstratos.

- Os substantivos que indicam qualidades ou atividades em geral são chamados **abstratos** *(dureza, constancia, delgadez, elocuencia)*.
- Os **substantivos concretos** aludem a seres ou objetos *(obrero, cigarra, plata, finca)*.

Existem também substantivos que, mesmo no singular, não expressam individualidade, mas indicam grupo, coleção ou conjunto *(enjambre, multitud, bosque, ejército)*. Estes são denominados de **substantivos coletivos.**

Quanto a sua forma, os substantivos se dividem em **simples** *(papel, manga)* e **compostos** *(pisapapel, bocamanga)*.

Quanto a sua origem, podem ser **primitivos** *(casa)* ou **derivados** *(casona, casita, casucha)*.

c) Adjetivo. O adjetivo caracteriza ou qualifica o substantivo, às vezes também pode determiná-lo.

O **adjetivo qualificativo** explica ou precisa as qualidades dos seres que, às vezes, são próprias da mesma natureza do substantivo que acompanham, em cujo caso recebe o nome especial de epíteto (nieve *blanca*). Existem alguns cujo significado pode ser distinto segundo a situação que ocupem. Não é o mesmo *un simple soldado* que *un soldado simple*.

O **adjetivo determinativo** permite destacar o substantivo ao qual se refere dos demais, quer dizer, delimita seu significado. Se classificam em:

- **Possessivos.** Indicam qual pessoa gramatical é a dona de uma coisa (*mío, tuyo, suyo, nuestro, vuestro, suyo* e seus correspondentes no plural e formas no feminino).
- **Demonstrativos.** Aludem ao nome um lugar, em relação com a pessoa que fala ou escuta (*este, ese, aquel, estos, esos, aquellos* e seus femininos). Ao ir sem substantivo, se convertem em pronomes demonstrativos e se acentuam ortograficamente, embora a Academia permita omitir o acento se não existe risco de anfibologia.
- **Numerais.** Indicam o significado do substantivo mediante uma quantidade.
- **Indefinidos**. Aludem aos nomes sem precisar com exatidão quais nem quantos são (*cierta* persona, *algunos* individuos, *cualquier* periódico).

Ás vezes, o adjetivo adquire tanta importância que assume o papel de substantivo, podendo levar artigo ou não: Lo *útil; Buenos y malos* se enzarzaron en una lucha a muerte.

Também pode desempenhar o papel de advérbio, conquanto não se haja agregado nenhum sufixo: Hablar *claro*.

d) **Pronome.** Serve para remeter e substituir a um nome ou um adjetivo. Quanto a sua natureza, sua função na oração e seu sentido, a gramática tradicional distingue diversas classes de pronomes:

- **Pessoais.** Dedicam-se exclusivamente a indicar as pessoas gramaticais:

Pronomes pessoais		
Pes.	**Singular**	**Plural**
1ª	yo	nosotros, nosotras
2ª	tú, usted	vosotros, vosotras, ustedes
3ª	él, ella, ello	ellos, ellas

Os **pronomes reflexivos** são um caso especial dentro dos pronomes. Geralmente, se usam como reflexivas as formas pronominais: *me, te, se, consigo, nos, os, se.*

Quando a pessoa a quem nos dirigimos (a segunda) nos inspira respeito, em vez de utilizar os pronomes *tú* ou *vosotros,* empregamos a forma especial de cortesia *usted* ou *ustedes.*

O pronome *se,* além da função reflexiva e de dativo, tem a particularidade de poder empregar-se como unipessoal: *Se rumorea;* e na voz passiva: *Se pronunció el discurso* ou *el discurso fue pronunciado.*

Existem pronomes que se combinam com a palavra anterior. São os chamados **pronomes enclíticos**. A posição destes pronomes complementares se regula do seguinte modo:

- Com imperativo, gerúndio e infinitivo, o pronome é necessariamente enclítico: da*me,* diciéndo*te,* buscar*lo.*
- Quando o infinitivo e o gerúndio estão subordinados a outro verbo, os pronomes enclíticos podem separar-se deles e passar a verbo principal: quieren molestar*te* ou *te* quieren molestar.

O emprego sintático das formas pronominais *la, le, lo* vem originando há muito tempo numerosas discussões entre os gramáticos. É o que foi denominado: *laísmo, leísmo, loísmo.*

- Segundo o **laísmo,** *la* e *las* constituem tanto o acusativo como o dativo do pronome *ella: La* he cogido entre mis brazos. A Real Academia Espanhola condena a substituição do *le* por *la* e tal construção se considera vulgar e incorreta: A su madre *la* dio un beso (incorreto); A su madre *le* dio un beso (correto);
- O **leísmo** determina que *le* deve ser o único acusativo masculino do pronome *él:* Busco a Pedro y no *le* encuentro.
- O **loísmo** afirma que sempre se deve usar a forma *lo* para o acusativo masculino do pronome *él:* Busco a Pedro y no *lo* encuentro. A Real Academia transige com o emprego da forma *le* como acusativo masculino de pessoas: Busco a Pedro y no *le* encuentro; Busco a Pedro y no *lo* encuentro. Mas, se tratando de animais ou objetos, a correção exige o emprego do *lo* e não do *le: Le* compré un regalo a Pepe y se *lo* voy a enviar mañana.

• **Demonstrativos:** Determinam a situação de acordo com as pessoas gramaticais ou de acordo com a distância no espaço, no tempo ou na ordem.

Pronomes demonstrativos					
Singular	**Plural**	**Singular**	**Plural**	**Singular**	**Plural**
éste	éstos	ése	ésos	aquél	aquéllos
ésta	éstas	ésa	ésas	aquélla	aquéllas
esto	éstos	eso	ésos	aquello	aquéllos

• **Possessivos:** Relacionam os objetos com as pessoas gramaticais, estabelecendo um vínculo de possessão ou pertencimento.

Pronomes possessivos					
Singular	**Plural**	**Singular**	**Plural**	**Singular**	**Plural**
mío (s)	nuestro (s)	tuyo (s)	vuestro (s)	suyo (s)	suyo (s)
mía (s)	nuestra (s)	tuya (s)	vuestra (s)	suya (s)	suya (s)

• **Relativos:** Unem uma oração com a anterior, na qual vai o mesmo nome ao que sustituem (chamado *antecedente*). Os pronomes relativos são: *que, cual, quien, cuyo* e *cuanto*. Acentuados e acompanhados do ponto de interrogação, os pronomes relativos se convertem em interrogativos.

• **Indefinidos:** Substituem os substantivos de pessoa ou coisa não concreta ou cuja determinação não interessa aos que falam. Os que se referem a pessoas são: *alguien, nadie, cualquiera, quienquiera*. Os pronomes indefinidos que aludem a objetos são: *algo* e *nada*, nenhum dos dois dispõe de formas para o feminino ou o plural.

e) **Verbo.** A oração consta basicamente de dois elementos fundamentais: sujeito e predicado. A gramática tradicional estabelece que o verbo expressa «um processo», quer dizer, a ação que realiza ou vive o sujeito.

Quanto a sua natureza, podemos distinguir entre diversas classes de verbos:

• Copulativos: *ser, estar, parecer.*

• De ação: transitivos: *coger,* intransitivos: *correr,* reflexivos: *arrepentirse,* recíprocos: *pegarse,* impessoais: *nevar.*

Por sua flexão ou conjugação, se diferenciam os verbos:

• Auxiliares: *haber, ser.*

• Regulares: *amar.*

• Irregulares: *caber.*

• Defectivos: *soler.*

Por seu modo de expressar a ação, se distinguirão os verbos:

• Incoativos (ação que começa): *anochecer.*

• Freqüentativos (ação que se repete): *recorrer.*

Nas formas verbais há duas partes claramente definidas: radical e terminação ou desinência. **Radical** é a parte fixa, a raiz do vocábulo que se repete em todas as formas. **Desinência ou terminação** é a parte variável encarregada de caracterizar cada uma das distintas formas.

O **infinitivo** é constituído por três formas: infinitivo propriamente dito, particípio e gerúndio. Por conseguinte, o infinitivo vem a ser a forma substantiva do verbo (*comer* es necesario), o particípio a forma adjetiva (se había *agotado* durante la carrera) e o gerúndio a forma adverbial (entró *cantando,* o sea, *alegremente*).

1. Verbos auxiliares (ser, estar)

Indicativo

Formas simples

Presente		*Pretérito imperfecto*		*Pretérito indefinido*	
soy	*he*	*era*	*había*	*fui*	*hube*
eres	*has*	*eras*	*habías*	*fuiste*	*hubiste*
es	*ha*	*era*	*había*	*fue*	*hubo*
somos	*hemos*	*éramos*	*habíamos*	*fuimos*	*hubimos*
sois	*habéis*	*erais*	*habíais*	*fuisteis*	*hubisteis*
son	*han*	*eran*	*habían*	*fueron*	*hubieron*

Futuro imperfecto		*Condicional simple*	
seré	*habré*	*sería*	*habría*
serás	*habrás*	*serías*	*habrías*
será	*habrá*	*sería*	*habría*
seremos	*habremos*	*seríamos*	*habríamos*
seréis	*habréis*	*seríais*	*habríais*
serán	*habrán*	*serían*	*habrían*

Formas compostas

Pretérito perfecto		*Pretérito pluscuamperfecto*	
he sido	*he habido*	*había sido*	*había habido*
has sido	*has habido*	*habías sido*	*habías habido*
ha sido	*ha habido*	*había sido*	*había habido*
hemos sido	*hemos habido*	*habíamos sido*	*habíamos habido*
habéis sido	*habéis habido*	*habíais sido*	*habíais habido*
han sido	*han habido*	*habían sido*	*habían habido*

Pretérito anterior		*Futuro perfecto*	
hube sido	*hube habido*	*habré sido*	*habré habido*
hubiste sido	*hubiste habido*	*habrás sido*	*habrás habido*
hubo sido	*hubo habido*	*habrá sido*	*habrá habido*
hubimos sido	*hubimos habido*	*habremos sido*	*habremos habido*
hubisteis sido	*hubisteis habido*	*habréis sido*	*habréis habido*
hubieron sido	*hubieron habido*	*habrán sido*	*habrán habido*

Condicional perfecto	
habría sido	*habría habido*
habrías sido	*habrías habido*
habría sido	*habría habido*
habríamos sido	*habríamos habido*
habríais sido	*habríais habido*
habrían sido	*habrían habido*

Subjuntivo					
Formas simples					
Presente		***pretérito imperfecto***		***futuro imperfecto***	
sea *seas* *sea* *seamos* *seáis* *sean*	*haya* *hayas* *haya* *hayamos* *hayáis* *hayan*	*fuera o fuese* *fueras* *fuera* *fuéramos* *fuerais* *fueran*	*hubiera o hubiese* *hubieras* *hubiera* *hubiéramos* *hubierais* *hubieran*	*fuere* *fueres* *fuere* *fuéremos* *fuereis* *fueren*	*hubiere* *hubieres* *hubiere* *hubiéremos* *hubiereis* *hubieren*

Formas compostas			
Pretérito perfecto		***Pretérito pluscuamperfecto***	
haya sido *hayas sido* *haya sido* *hayamos sido* *hayáis sido* *hayan sido*	*haya habido* *hayas habido* *haya habido* *hayamos habido* *hayáis habido* *hayan habido*	*hubiera o hubiese sido* *hubieras sido* *hubiera sido* *hubiéramos sido* *hubierais sido* *hubieran sido*	*hubiera o hubiese habido* *hubieras habido* *hubiera habido* *hubiéramos habido* *hubierais habido* *hubieran habido*
Futuro perfecto			
hubiere sido *hubieres sido* *hubiere sido* *hubiéremos sido* *hubiereis sido* *hubieren sido*		*hubiere habido* *hubieres habido* *hubiere habido* *hubiéremos habido* *hubiereis habido* *hubieren habido*	
Imperativo			
sé, sed		*he, habed*	

Formas nominais					
Formas simples					
Infinitivo		***Gerúndio***		***Particípio***	
ser	*haber*	*siendo*	*habiendo*	*sido*	*habido*
Formas compostas					
Infinitivo		***Gerúndio***			
haber sido	*haber habido*	*habiendo sido*	*habiendo habido*		

2. Verbos regulares (amar, beber, latir)

Indicativo								
Formas simples								
presente			***pretérito imperfecto***			***pretérito indefinido***		
amo *amas* *ama*	*bebo* *bebes* *bebe*	*lato* *lates* *late*	*amaba* *amabas* *amaba*	*bebía* *bebías* *bebía*	*latía* *latías* *latía*	*amé* *amaste* *amó*	*bebí* *bebiste* *bebió*	*latí* *latiste* *latió*

amamos *amáis* *aman*	*bebemos* *bebéis* *beben*	*latimos* *latís* *laten*	*amábamos* *amabais* *amaban*	*bebíamos* *bebíais* *bebían*	*latíamos* *latíais* *latían*	*amamos* *amasteis* *amaron*	*bebimos* *bebisteis* *bebieron*	*latimos* *latisteis* *latieron*

Futuro imperfecto			***Condicional simple***		
amaré *amarás* *amará* *amaremos* *amaréis* *amarán*	*beberé* *beberás* *beberá* *beberemos* *beberéis* *beberán*	*latiré* *latirás* *latirá* *latiremos* *latiréis* *latirán*	*amaría* *amarías* *amaría* *amaríamos* *amaríais* *amarían*	*bebería* *beberías* *bebería* *beberíamos* *beberíais* *beberían*	*latiría* *latirías* *latiría* *latiríamos* *latiríais* *latirían*

Formas compostas

Pretérito perfecto		
he amado *has amado* *ha amado* *hemos amado* *habéis amado* *han amado*	*he bebido* *has bebibo* *he bebido* *hemos bebido* *habéis bebido* *han bebido*	*he latido* *has latido* *ha latido* *hemos latido* *habéis latido* *han latido*
Pretérito pluscuamperfecto		
había amado *habías amado* *había amado* *habíamos amado* *habíais amado* *habían amado*	*había bebido* *habías bebido* *había bebido* *habíamos bebido* *habíais bebido* *habían bebido*	*había latido* *habías latido* *había latido* *habíamos latido* *habíais latido* *habían latido*
Pretérito anterior		
hube amado *hubiste amado* *hubo amado* *hubimos amado* *hubisteis amado* *hubieron amado*	*hube bebido* *hubiste bebido* *hubo bebido* *hubimos bebido* *hubisteis bebido* *hubieron bebido*	*hube latido* *hubiste latido* *hubo latido* *hubimos latido* *hubisteis latido* *hubieron latido*
Futuro perfecto		
habré amado *habrás amado* *habrá amado* *habremos amado* *habréis amado* *habrán amado*	*habré bebido* *habrás bebido* *habrá bebido* *habremos bebido* *habréis bebido* *habrán bebido*	*habré latido* *habrás latido* *habrá latido* *habremos latido* *habréis latido* *habrán latido*
Condicional perfecto		
habría amado *habrías amado* *habría amado* *habríamos amado* *habríais amado* *habrían amado*	*habría bebido* *habrías bebido* *habría bebido* *habríamos bebido* *habríais bebido* *habrían bebido*	*habría latido* *habrías latido* *habría latido* *habríamos latido* *habríais latido* *habrían latido*

Subjuntivo					
Formas simples					
Presente			***Pretérito imperfecto***		
ame	*beba*	*lata*	*amara o amase*	*bebiera o bebiese*	*latiera o latiese*
ames	*bebas*	*latas*	*amaras*	*bebieras*	*latieras*
ame	*beba*	*lata*	*amara*	*bebiera*	*latiera*
amemos	*bebamos*	*latamos*	*amáramos*	*bebiéramos*	*latiéramos*
améis	*bebáis*	*latáis*	*amarais*	*bebierais*	*latierais*
amen	*beban*	*latan*	*amaran*	*bebieran*	*latieran*

Futuro imperfecto		
amare	*bebiere*	*latiere*
amares	*bebieres*	*latieres*
amare	*bebiere*	*latiere*
amáremos	*bebiéremo*	*latiéremos*
amareis	*bebiereis*	*latiereis*
amaren	*bebieren*	*latieren*
Formas compostas		
Pretérito perfecto		
haya amado	*haya bebido*	*haya latido*
hayas amado	*hayas bebido*	*hayas latido*
haya amado	*haya bebido*	*haya latido*
hayamos amado	*hayamos bebido*	*hayamos latido*
hayáis amado	*hayáis bebido*	*hayáis latido*
hayan amado	*hayan bebido*	*hayan latido*
Pretérito pluscuamperfecto		
hubiera o hubiese amado	*hubiera o hubiese bebido*	*hubiera o hubiese latido*
hubieras amado	*hubieras bebido*	*hubieras latido*
hubiera amado	*hubiera bebido*	*hubiera latido*
hubiéramos amado	*hubiéramos bebido*	*hubiéramos latido*
hubierais amado	*hubierais bebido*	*hubierais latido*
hubieran amado	*hubieran bebido*	*hubieran latido*
Futuro perfecto		
hubiere amado	*hubiere bebido*	*hubiere latido*
hubieres amado	*hubieres bebido*	*hubieres latido*
hubiere amado	*hubiere bebido*	*hubiere latido*
hubiéremos amado	*hubiéremos bebido*	*hubiéremos latido*
hubiereis amado	*hubiereis bebido*	*hubiereis latido*
hubieren amado	*hubieren bebido*	*hubieren latido*
Imperativo		
ama, amad	*bebe, bebed*	*late, latid*

Formas nominais								
Formas simples								
Infinitivo			***Gerúndio***			***Particípio***		
amar	*beber*	*latir*	*amando*	*bebiendo*	*latiendo*	*amado*	*bebido*	*latido*

Formas compostas		
Infinitivo		
haber amado	*haber bebido*	*haber latido*
Gerúndio		
habiendo amado	*habiendo bebido*	*habiendo latido*

Os **verbos irregulares** são os que alteram seu radical ou desinência de forma distinta da conjugação regular correspondente, mas não se consideram irregulares os que mudam alguma letra por questão ortográfica, para conservar o som: *tocar, toqué*; *vencer, venza*; *delinquir, delinca; morder; muerda.*

2. Verbos irregulares

Se consideram unicamente os tempos verbais e as pessoas irregulares.

- **Andar**
  Pret. ind.: anduve, anduviste, anduvo, anduvimos, anduviste, anduvieron. ***Pret. imp. sub.:*** anduviera o anduviese, anduvieras o anduvieses, etc. ***Fut. imp. sub.:*** anduviere, anduvieres, etcétera.
- **Dar**
  Pres. ind.: doy. ***Pret. ind. ind.:*** di, diste, dio, dimos, disteis, dieron. ***Pret. imp. sub.:*** diera o diese, dieras o dieses, etc. ***Fut. imp. sub.:*** diere, dieres, etc.
- **Decir**
  Pres. ind.: digo, dices, dice, dicen. ***Pret. ind.:*** dije, dijiste, dijo, dijimos, dijisteis, dijeron. ***Fut. imp. ind.:*** diré, dirás, etc. ***Cond. imp. ind.:*** diría, dirías, etc. ***Pres. sub.:*** diga, digas, etc. ***Pret. imp. sub.:*** dijera o dijese, dijeras o dijeses, etc. ***Fut. imp. sub.:*** dijere, dijeres, etc. ***Imp.:*** di. ***Ger.:*** diciendo. ***Part.:*** dicho.
- **Dormir**
  Pres. ind.: duermo, duermes, duerme, duermen. ***Pret. ind.:*** durmió, durmieron. ***Pres. sub.:*** duerma, duermas, duerma, durmamos, durmáis, duerman. ***Pret. imp. sub.:*** durmiera o durmiese, durmieras o durmieses, etc. ***Fut. imp. sub.:*** durmiere, durmieres, etc. ***Imp.:*** duerme. ***Ger.:*** durmiendo.
- **Hacer**
  Pres. ind.: hago. ***Pret. ind.:*** hice, hiciste, hizo, hicimos, hicisteis, hicieron. ***Fut. imp. ind.:*** haré, harás, etc. ***Cond. imp. ind.:*** haría, harías, etc. ***Pres. sub.:*** haga, hagas, etc. ***Pret. imp. sub.:*** hiciera o hiciese, hicieras o hicieses, etc. ***Fut. imp. sub.:*** hiciere, hicieres, etc. ***Imp.:*** haz. ***Part.:*** hecho.
- **Ir**
  Pres. ind.: voy, vas, va, vamos, vais, van. ***Pret. imp. ind.:*** iba, ibas, etc. ***Pret. ind.:*** fui, fuiste, fue, fuimos, fuisteis, fueron. ***Pres. sub.:*** vaya, vayas, etc. ***Pret. imp. sub.:*** fuera o fuese, fueras o fueses, etc. ***Fut. imp. sub.:*** fuere, fueres, etc. ***Imp.:*** ve. ***Ger.:*** yendo. ***Part.:*** ido.
- **Poder**
  Pres. ind.: puedo, puedes, puede, pueden. ***Pret. ind.:*** pude, pudiste, pudo, pudimos, pudisteis, pudieron. ***Fut. imp. ind.:*** podré, podrás, etc. ***Cond. imp. ind.:*** podría, podrías, etc. ***Pres. sub.:*** pueda, puedas, pueda, puedan. ***Pret. imp. sub.:*** pudiera o pudiese, pudieras o pudieses, etc. ***Fut. imp. ind.:*** pudiere, pudieres, etc. ***Imp.:*** puede. ***Ger.:*** pudiendo.